Sommaire

Page de garde
Tableau d'assemblage
Légende : cartographie
au 1/200 000 - plans de ville

- IV **Grands axes routiers**
- VIII **Environs de Paris**
- XII **Tableau des distances en France**
- XIV **Tableau des distances France/Europe**

- 1 **Légende multilingue**
- 2 **La France** au 1/200 000

- 320 **Index complet des communes** - 75 plans de ville

Légende complète

Index

Flyleaf
Key to map pages
Legend: Maps
at 1:200 000 - Town Plans

- IV **Main road map**
- VI **Paris and suburbs**
- XII **Distances and journey times France**
- XIV **Distances and journey times France/Europe**

- 1 **Legend**
- 2 **Maps of France** at a scale of 1:200 000

- 320 **Complete index of communes** - 75 Towns Plans

Legend

Inhaltsübersicht

Vorsaltzblatt
Übersicht
Legende: Kartographie
in Maßstab 1:200 000 - Stadtpläne

- IV **Durchgangsstraßen**
- VIII **Paris und Umgebung**
- XII **Entfernungstabelle Frankreich**
- XIV **Entfernungstabelle Frankreich/Europa**

- 1 **Mehrsprachige Legende**
- 2 **Frankreich** im Maßstab 1:200 000

- 320 **Komplettes Ortsregister** mit 75 Stadtplänen

Zeichenerklärung

Inhoud

Schutblad
Overzichtskaart met kaartnummers
Verklaring van de tekens : kaarten, schaal 1:200 000 - stadsplattegronden

- IV **Grote verbindingswegen**
- VIII **Omstreken van Parijs**
- XII **Afstandstabel voor Frankrijk**
- XIV **Afstandstabel voor Frankrijk en Europa**

- 1 **Meertalige verklaring van de tekens**
- 2 **Frankrijk,** schaal 1:200 000

- 320 **Register van alle gemeenten** - 75 stadsplattegronden

Verklaring van de tekens

Plans de villes — Town plans — Stadtpläne — Stadsplattegronden

320 Aix-en-Provence	332 Bourges	347 Dunkerque	371 Mulhouse	390 Roubaix
320 Ajaccio	333 Brest	353 Grenoble	371 Nancy	391 Rouen
321 Amiens	334 Caen	355 Le Havre	372 Nantes	393 St-Brieuc
322 Angers	335 Calais	358 Laval	373 Nice	394 St-Étienne
323 Annecy	336 Cannes	359 Lille	374 Nîmes	397 St-Malo
323 Antibes	337 Châlons-en-Champagne	360 Limoges	374 Niort	398 St-Nazaire
325 Avignon	338 Chalon--sur-Saône	361 Lorient	375 Orléans	399 St-Quentin
326 Bastia	338 Chambéry	362 Lyon	377 Paris	403 Strasbourg
327 Bayonne	339 Charleville-Mézières	363 Le Mans	383 Pau	405 Toulon
328 Beauvais	340 Chartres	365 Marseille	383 Perpignan	406 Toulouse
328 Belfort	340 Châteauroux	366 Melun	385 Poitiers	407 Tourcoing
329 Besançon	341 Cholet	367 Metz	387 Quimper	408 Tours
329 Béziers	342 Clermont-Ferrand	368 Monaco Monte-Carlo	388 Reims	408 Troyes
331 Bordeaux	343 Colmar	368 Montauban	387 Rennes	409 Valence
332 Boulogne-sur-Mer	346 Dijon	369 Montpellier	389 La Rochelle	411 Versailles

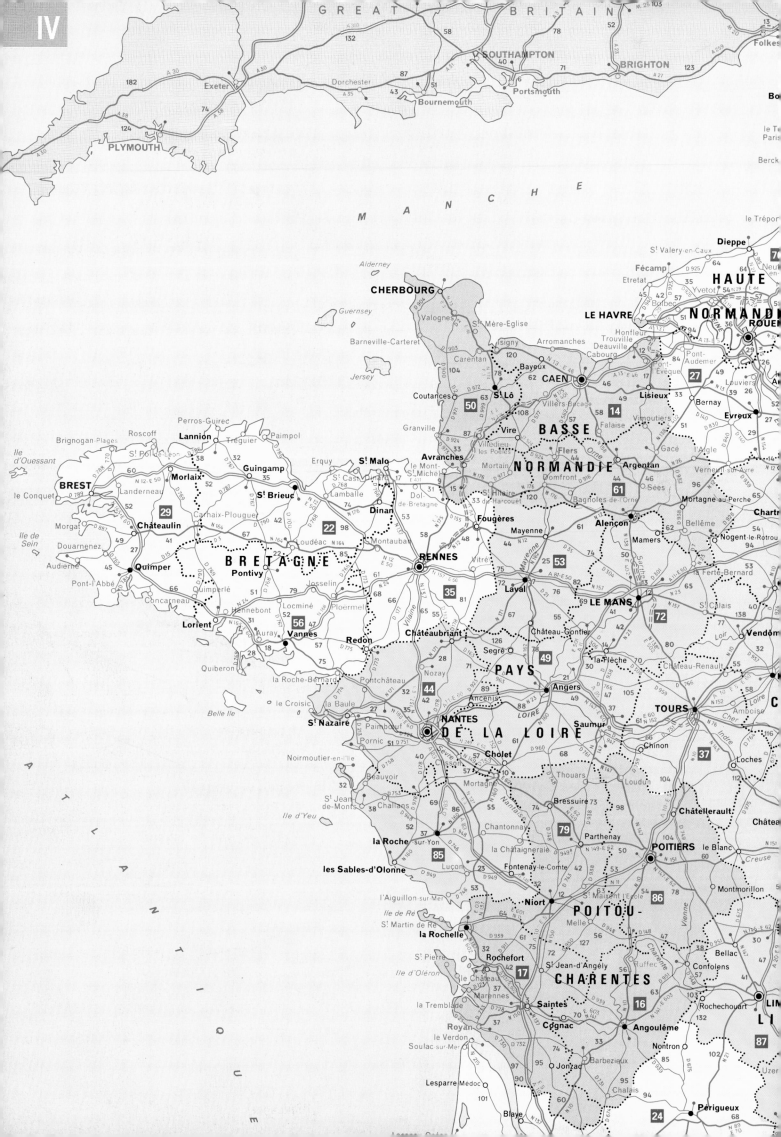
GREAT BRITAIN
Exeter
PLYMOUTH
Dorchester
Bournemouth
SOUTHAMPTON
Portsmouth
BRIGHTON
Folkes
MANCHE
Alderney
Guernsey
Jersey
CHERBOURG
Valognes
Ste Mère-Eglise
Barneville-Carteret
Isigny
Arromanches
Carentan
Bayeux
CAEN
St Lô
Coutances
Villers-Bocage
Vire
Granville
Villedieu-les Poêles
Avranches
Le Mont-St Michel
LE HAVRE
Honfleur
Trouville
Deauville
Cabourg
Pont-l'Evêque
Pont-Audemer
Lisieux
Bernay
Evreux
Dieppe
St Valery-en-Caux
Fécamp
Etretat
Yvetot
Bolbec
HAUTE NORMANDIE
ROUEN
Vimoutiers
Falaise
BASSE NORMANDIE
Flers
Mortain
Domfront
Argentan
Gacé
L'Aigle
Sées
Bagnoles-de-l'Orne
St Hilaire du Harcouët
Mortagne-au-Perche
Alençon
Bellême
Mamers
Nogent-le-Rotrou
Chartr
Verneuil-sur-Avre
Perros-Guirec
Roscoff
Lannion
Tréguier
Paimpol
Brignogan-Plages
St Pol-de-Léon
Ile d'Ouessant
Morlaix
Guingamp
BREST
le Conquet
Landerneau
St Brieuc
Erquy
St Malo
St Cast
Dinard
Lamballe
Dinan
Dol-de-Bretagne
Fougères
Carhaix-Plouguer
Châteaulin
Morgat
Ile de Sein
Douarnenez
Audierne
Quimper
Pont-l'Abbé
Loudéac
Montauban
RENNES
Vitré
BRETAGNE
Pontivy
Josselin
Quimperlé
Concarneau
Lorient
Hennebont
Locminé
Ploërmel
Auray
Vannes
Redon
Quiberon
Belle Ile
la Roche-Bernard
Pontchâteau
le Croisic
la Baule
St Nazaire
Paimboeuf
Pornic
Noirmoutier-en-l'Ile
Mayenne
Laval
Château-Gontier
Châteaubriant
Segré
LE MANS
la Ferté-Bernard
St Calais
la Flèche
Vendôm
Château-Renault
PAYS DE LA LOIRE
Nozay
Ancenis
Angers
NANTES
LOIRE
Saumur
TOURS
Amboise
Chinon
Loches
Cholet
Clisson
Mortagne
Thouars
Loudun
Beauvoir
St Jean-de-Monts
Challans
Ile d'Yeu
Bressuire
Châtellerault
Parthenay
Chantonnay
la Roche-sur-Yon
la Châtaigneraie
POITIERS
le Blanc
les Sables-d'Olonne
Luçon
Fontenay-le-Comte
Montmorillon
l'Aiguillon-sur-Mer
Ile de Ré
St Martin de Ré
Niort
St Maixent l'Ecole
POITOU-CHARENTES
Melle
la Rochelle
Rochefort
St Pierre
Ile d'Oléron
le Château
Marennes
St Jean-d'Angély
Ruffec
Confolens
Bellac
la Tremblade
Saintes
Royan
Cognac
Angoulême
Rochechouart
le Verdon
Soulac-sur-Mer
Jonzac
Barbezieux
Nontron
Chalais
Lesparre-Médoc
Blaye
Périgueux
ATLANTIQUE

Grands axes routiers
Voir légende page VI

Main road map
See legend page VI

Durchgangsstraßen
Siehe Legende Seite VI

Grote verbindingswegen
Zie de verklaring van de tekens blz. VI

NORD
PAS-DE-CALAIS
PICARDIE
ILE DE FRANCE
CHAMPAGNE-ARDENNE
LORRAINE
ALSACE
BOURGOGNE
FRANCHE-COMTE
AUVERGNE

BELGIË · BELGIQUE
LUXEMBOURG
BUNDE
SUISSE

Dunkerque · Veurne · Ieper · Kortrijk · Mechelen
St Omer · Cassel · Armentières · Tournai · Mons · Charleroi · Namur · Dinant
Lille · Valenciennes · Douai · Maubeuge · Philippeville · Givet · Liège · Aachen
Hazebrouck · Béthune · Lens · Cambrai · Avesnes · Hirson · Rocroi · Arlon
Montreuil · Lillers · Charleville-Mézières · Luxembourg
Hesdin · St Pol-sur-Ternoise · Arras · Bapaume · Guise · Sedan · Montmédy · Longwy · Thionville · Saarbrücken · Karlsruhe
Doullens · Péronne · St Quentin · Vervins · Rethel · Vouziers · Longuyon · Briey · Boulay-Moselle · Forbach · Sarreguemines · Wissembourg
AMIENS · Montdidier · Laon · Ste Menehould · Stenay · Etain · Verdun · Metz · St Avold · Bitche · Haguenau
Poix · Breteuil · Beauvais · Compiègne · Soissons · REIMS · Epernay · Bar-le-Duc · Commercy · Toul · Château-Salins · Sarrebourg · Saverne · STRASBOURG
Clermont · Senlis · Villers-Cotterêts · CHÂLONS-en-champagne · NANCY · Lunéville · Molsheim
Pontoise · Montmorency · Meaux · Château-Thierry · Vitry-le-François · St Dizier · Vaucouleurs · Mirecourt · St Dié · Sélestat · Colmar · Freiburg
Versailles · PARIS · Coulommiers · Sézanne · Joinville · Neufchâteau · Vittel · Contrexéville · Épinal · Gérardmer · Ribeauvillé · Neuf-Brisach
Evry · Montmirail · Provins · Nogent-sur-Seine · Troyes · Bar-sur-Aube · Chaumont · Plombières-les-Bains · Remiremont · Guebwiller · Thann · MULHOUSE
Corbeil · Melun · Fontainebleau · Montereau · Sens · St Florentin · Langres · Bourbonne-les-Bains · Luxeuil-les-Bains · Belfort · Altkirch · BASEL
Étampes · Nemours · Joigny · Tonnerre · Châtillon-sur-Seine · Montbard · Lure · Vesoul · Montbéliard
ORLÉANS · Montargis · Auxerre · Avallon · Gray · Baume-les-Dames · Morteau
Châteauneuf-sur-Loire · Gien · Briare · Clamecy · Saulieu · DIJON · BESANÇON
Salbris · Cosne-sur-Loire · Château-Chinon · Pouilly-en-Auxois · Beaune · Dole · Salins · Pontarlier
Bourges · Nevers · Autun · Meursault · Seurre · Champagnole · Fribourg
Issoudun · St Pierre-le-Moûtier · le Creuset · Chalon-sur-Saône · Lons-le-Saunier · Neuchâtel · BERN
St Amand-Montrond · Montceau-les-Mines · Tournus · Louhans · Morez · Lausanne
Moulins · Digoin · Charolles · Mâcon · St Claude · LÉMAN · Montreux
Montluçon · Lapalisse · Bourg-en-Bresse · Nantua · GENÈVE · Thonon · Sion · Brig
St Pourçain-sur-Sioule · Gannat · Vichy · Roanne · Villefranche-sur-S · Pont-d'Ain · Gex · Annemasse · Évian-les-Bains
Aubusson · Châtelguyon · Riom · Thiers · l'Arbresle · Feurs · Belley · St Julien · Bonneville · Cluses · Chamonix
Ussel · la Bourboule · Royat · CLERMONT-Fd · Issoire · Montbrison · LYON · Aix-les-Bains · Annecy · Mégève · Albertville
le Mont-Dore · Ambert · Montrond-les-B · Vienne · les Abrets · Chambéry · Bourg-St-Maurice
Murat · Mauriac · Brioude · la Chaise-Dieu · Yssingeaux · Annonay · St Étienne-de-St Geoirs · St Marcellin · Voiron · Moûtiers · Val-d'Isère
ST-ETIENNE · St Jean-de-Maurienne · GRENOBLE · la Tour-du-Pin · Romans-sur-Isère · le Bourg-d'Oisans · Lanslebourg-Mont-Cenis · Susa

Tunnel du Grand St Bernard
Tunnel du Mont Blanc
Tunnel du Fréjus
Aosta · Martigny · Interlaken · Luzern

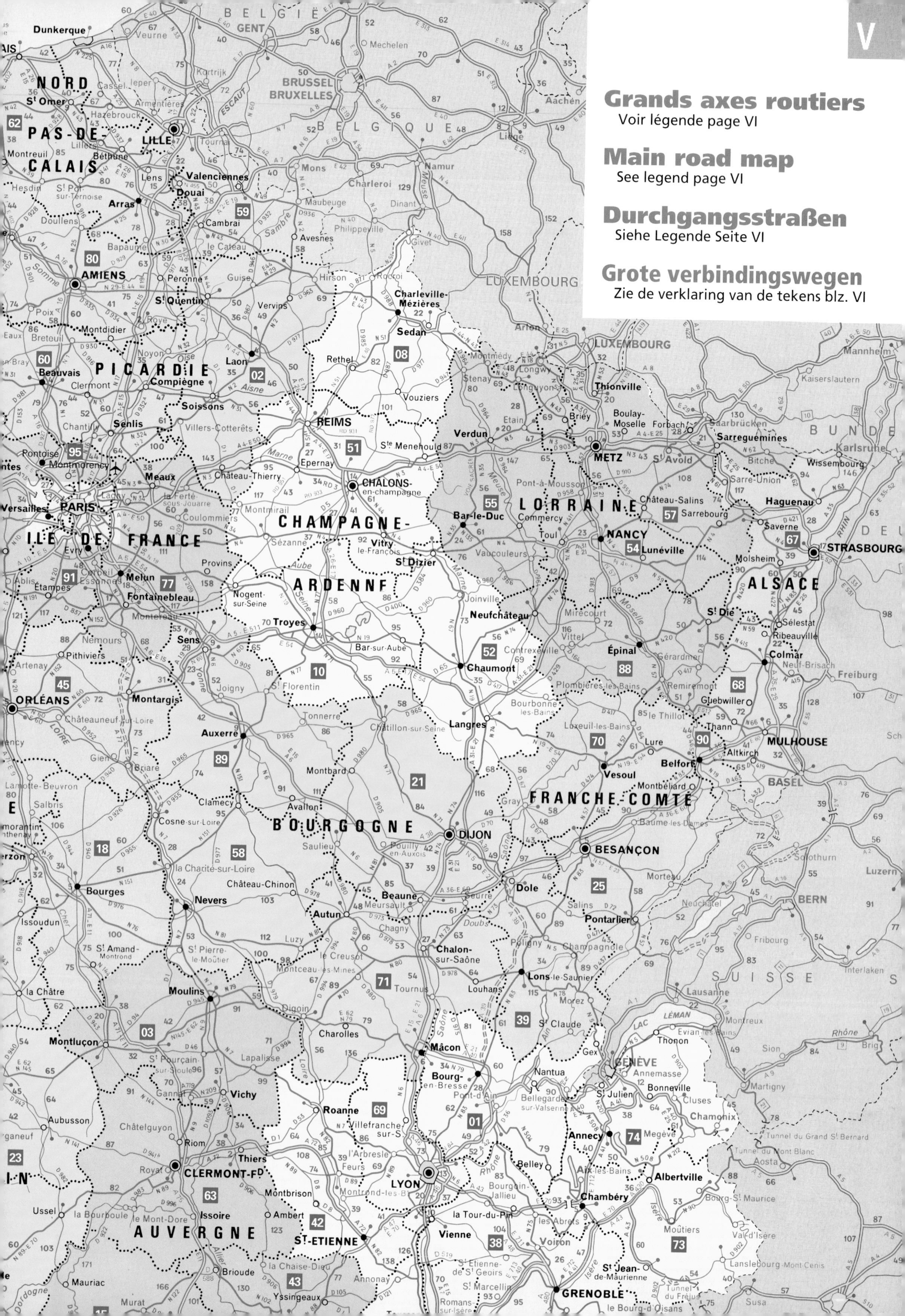

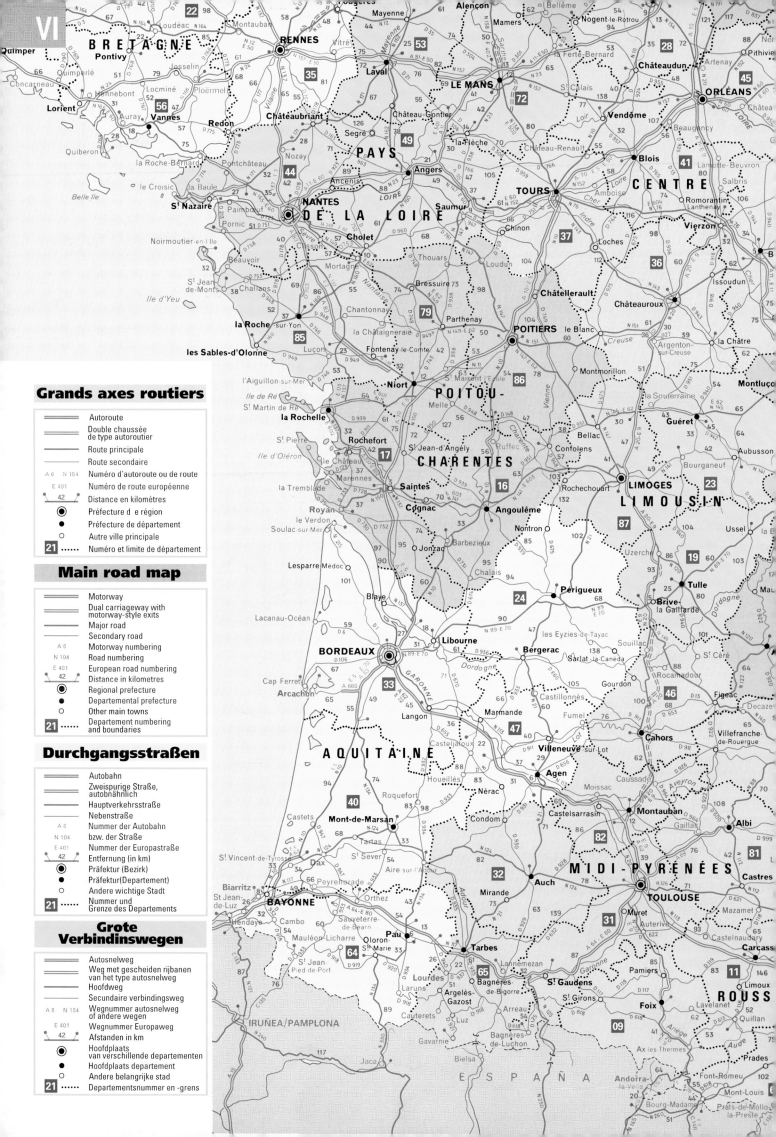
Grands axes routiers
Autoroute
Double chaussée de type autoroutier
Route principale
Route secondaire
A 6 N 154 Numéro d'autoroute ou de route
E 401 Numéro de route européenne
42 Distance en kilomètres
Préfecture d e région
Préfecture de département
Autre ville principale
21 Numéro et limite de département
Main road map
Motorway
Dual carriageway with motorway-style exits
Major road
Secondary road
A 6 Motorway numbering
N 104 Road numbering
E 401 European road numbering
42 Distance in kilometres
Regional prefecture
Departemental prefecture
Other main towns
21 Departement numbering and boundaries
Durchgangsstraßen
Autobahn
Zweispurige Straße, autobnähnlich
Hauptverkehrsstraße
Nebenstraße
A 6 Nummer der Autobahn
N 104 bzw. der Straße
E 401 Nummer der Europastraße
42 Entfernung (in km)
Präfektur (Bezirk)
Präfektur(Departement)
Andere wichtige Stadt
21 Nummer und Grenze des Departements
Grote Verbindinswegen
Autosnelweg
Weg met gescheiden rijbanen van het type autosnelweg
Hoofdweg
Secundaire verbindingsweg
A 6 N 154 Wegnummer autosnelweg of andere wegen
E 401 Wegnummer Europaweg
42 Afstanden in km
Hoofdplaats van verschillende departementen
Hoofdplaats departement
Andere belangrijke stad
21 Departementsnummer en -grens
BRETAGNE
PAYS DE LA LOIRE
CENTRE
POITOU-CHARENTES
LIMOUSIN
AQUITAINE
MIDI-PYRÉNÉES
ESPAÑA
RENNES
NANTES
LE MANS
ORLÉANS
TOURS
POITIERS
LIMOGES
BORDEAUX
TOULOUSE
BAYONNE
IRUÑEA/PAMPLONA

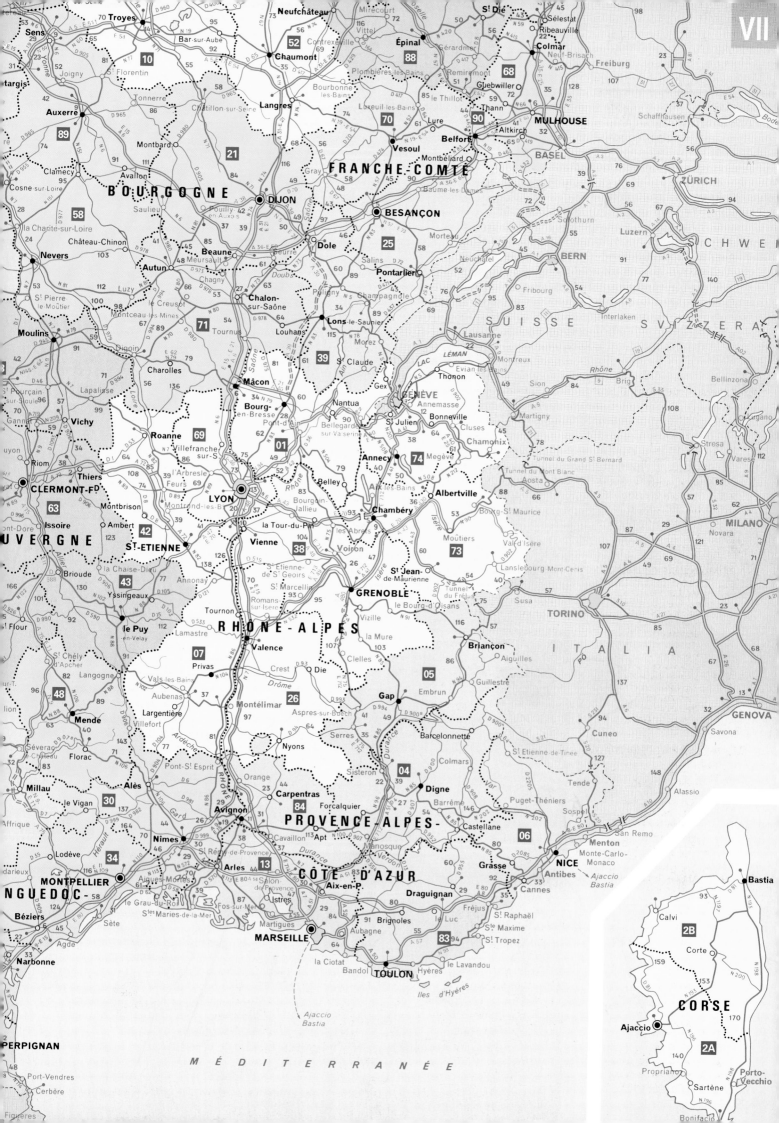
Troyes
Sens
Neufchâteau
Mirecourt
St Dié
Sélestat
Ribeauvillé
Colmar
Neuf-Brisach
Freiburg
Bar-sur-Aube
Chaumont
Contrexéville
Vittel
Épinal
Gérardmer
Joigny
St Florentin
Plombières-les-Bains
Remiremont
Guebwiller
Bourbonne-les-Bains
Tonnerre
Châtillon-sur-Seine
Langres
Luxeuil-les-Bains
le Thillot
Thann
Auxerre
Lure
MULHOUSE
Altkirch
Schaffhausen
Vesoul
Belfort
Montbard
BASEL
Montbéliard
Clamecy
Avallon
FRANCHE-COMTÉ
Gray
ZÜRICH
Cosne-sur-Loire
BOURGOGNE
DIJON
Baume-les-Dames
Saulieu
Pouilly-en-Auxois
BESANÇON
Solothurn
la Charité-sur-Loire
Luzern
Château-Chinon
Morteau
Beaune
Dole
SCHWE
Nevers
Autun
Meursault
Neuchâtel
BERN
Chagny
Salins
Pontarlier
Chalon-sur-Saône
Fribourg
Luzy
Poligny
Champagnole
St Pierre-le-Moûtier
le Creusot
Montceau-les-Mines
Lons-le-Saunier
Interlaken
Louhans
SUISSE
SVIZZERA
Tournus
Moulins
Morez
Lausanne
Digoin
LÉMAN
LAC
Charolles
St Claude
Montreux
Evian-les-Bains
Thonon
Rhône
Lapalisse
Mâcon
Gex
Sion
Brig
Bellinzona
St Pourçain-sur-Sioule
GENÈVE
Annemasse
Bourg-en-Bresse
Nantua
Bonneville
Martigny
Lugano
Gannat
Vichy
Pont-d'Ain
St Julien
Bellegarde-sur-Valserine
Cluses
Roanne
Chamonix
Villefranche-sur-S
Stresa
Annecy
Megève
Varese
Riom
Thiers
l'Arbresle
Tunnel du Grand St Bernard
Belley
Tunnel du Mont Blanc
CLERMONT-FD
Feurs
Aix-les-Bains
Aosta
Montbrison
LYON
Albertville
Montrond-les-B
Bourgoin-Jallieu
Chambéry
Bourg-St Maurice
Issoire
Ambert
la Tour-du-Pin
les Abrets
MILANO
Novara
Moûtiers
UVERGNE
St-ETIENNE
Vienne
Voiron
Val d'Isère
Brioude
la Chaise-Dieu
St Etienne-de-St Geoirs
St Jean-de-Maurienne
Lanslebourg-Mont-Cenis
Annonay
St Marcellin
Tunnel du Fréjus
Yssingeaux
GRENOBLE
Susa
Romans-sur-Isère
Tournon
le Bourg-d'Oisans
TORINO
St Flour
le Puy-en-Velay
Vizille
RHÔNE-ALPES
Lamastre
Valence
la Mure
Briançon
St Chély-d'Apcher
ITALIA
Clelles
Aiguilles
Privas
Crest
Die
Langogne
Vals-les-Bains
Drôme
Guillestre
Embrun
Aubenas
Gap
Montélimar
Mende
Largentière
Aspres-sur-Buëch
Villefort
GENOVA
Savona
Barcelonnette
Cuneo
Serres
Séverac-le-Château
Nyons
Florac
Ardèche
St Etienne-de-Tinée
Pont-St Esprit
Colmars
Sisteron
Orange
Millau
Alès
Digne
Tende
Carpentras
Alassio
Le Vigan
Forcalquier
Barrême
Puget-Théniers
Sospel
Avignon
PROVENCE-ALPES-
Nîmes
Cavaillon
Apt
Castellane
San Remo
Lodève
St Rémy-de-Provence
Manosque
Menton
Monte-Carlo-Monaco
NICE
Arles
Grasse
Antibes
MONTPELLIER
Aigues-Mortes
Salon-de-Provence
CÔTE D'AZUR
Ajaccio
Bastia
NGUEDOC-
Aix-en-P.
Draguignan
Cannes
le Grau-du-Roi
Stes Maries-de-la-Mer
Istres
Fos-sur-Mer
Fréjus
St Raphaël
Béziers
Sète
Martigues
Brignoles
le Luc
Ste Maxime
MARSEILLE
St Tropez
Aubagne
Agde
Narbonne
la Ciotat
TOULON
le Lavandou
Bandol
Hyères
Iles d'Hyères
Calvi
Corte
CORSE
PERPIGNAN
MÉDITERRANÉE
Port-Vendres
Cerbère
Propriano
Sartène
Porto-Vecchio
Bonifacio
Figueres

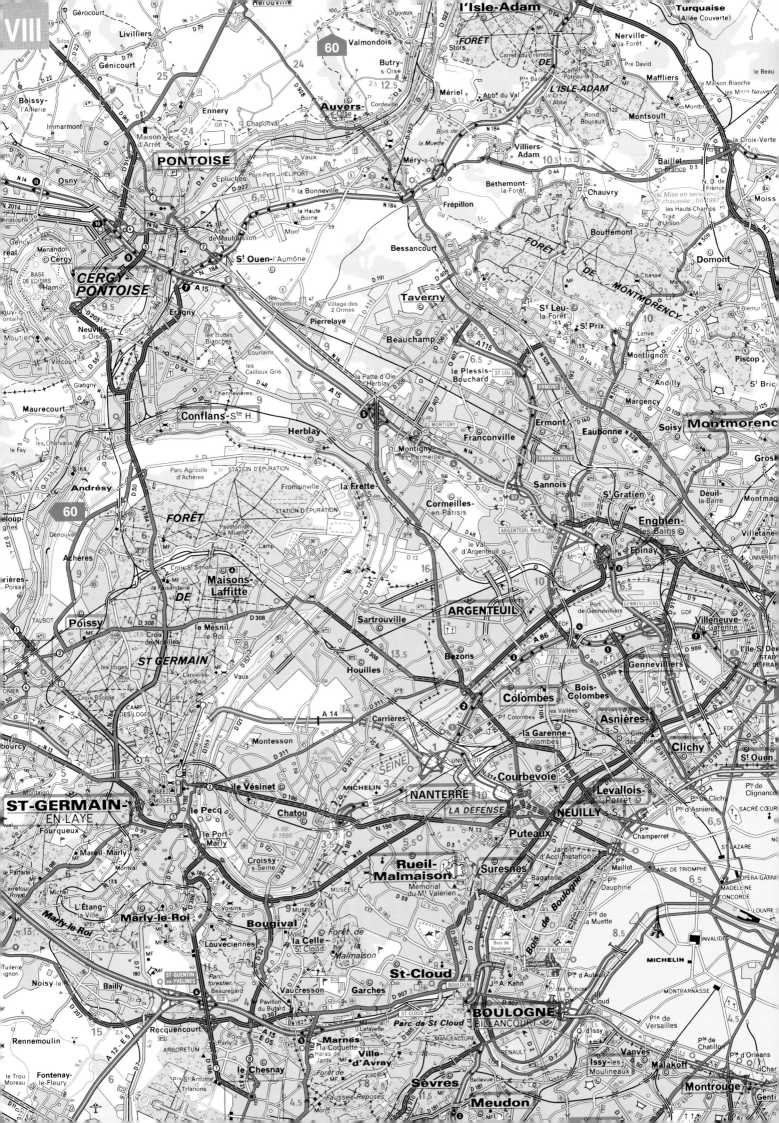
VIII
l'Isle-Adam
Turquaise
Nerville-la-Forêt
Valmondois
Livilliers
Génicourt
Boissy-l'Aillerie
Immarmont
Ennery
Butry-s-Oise
Auvers-s-Oise
Mériel
Maffliers
Montsoult
Villiers-Adam
Méry-s-Oise
Baillet-en-France
PONTOISE
Osny
Béthemont-la-Forêt
Chauvry
Frépillon
Bouffémont
Domont
Bessancourt
St Ouen-l'Aumône
Cergy
CERGY-PONTOISE
Taverny
St Leu-la-Forêt
St Prix
Eragny
Pierrelaye
Beauchamp
Montlignon
Piscop
Neuville-s-Oise
le Plessis-Bouchard
Andilly
Maurecourt
Conflans-Ste H.
Herblay
Franconville
Ermont
Eaubonne
Margency
Soisy
Montmorency
Montigny-lès-Cormeilles
Andrésy
la Frette-s-S.
Sannois
St Gratien
Cormeilles-en-Parisis
Enghien-les-Bains
Deuil-la-Barre
Achères
Épinay-s-S.
Maisons-Laffitte
ARGENTEUIL
Poissy
Sartrouville
Villeneuve-la-Garenne
Bezons
Houilles
Gennevilliers
Colombes
Bois-Colombes
Asnières-s-S.
Carrières-s-S.
Montesson
la Garenne-Colombes
Clichy
St Ouen
le Vésinet
Courbevoie
Levallois-Perret
ST-GERMAIN-EN-LAYE
le Pecq
NANTERRE
LA DÉFENSE
NEUILLY-s-S.
Chatou
Puteaux
Fourqueux
le Port-Marly
Croissy-s-Seine
Rueil-Malmaison
Suresnes
Mareil-Marly
L'Étang-la-Ville
Marly-le-Roi
Bougival
Louveciennes
la Celle-St Cloud
St-Cloud
Noisy-le-Roi
Bailly
Vaucresson
Garches
BOULOGNE-BILLANCOURT
Rocquencourt
Marnes-la-Coquette
Ville-d'Avray
Rennemoulin
le Chesnay
Sèvres
Issy-les-Moulineaux
Vanves
Malakoff
Montrouge
Fontenay-le-Fleury
Meudon
FORÊT DE ST GERMAIN
FORÊT DE L'ISLE-ADAM
FORÊT DE MONTMORENCY
Bois de Boulogne
ARC DE TRIOMPHE
INVALIDES
MONTPARNASSE
MICHELIN

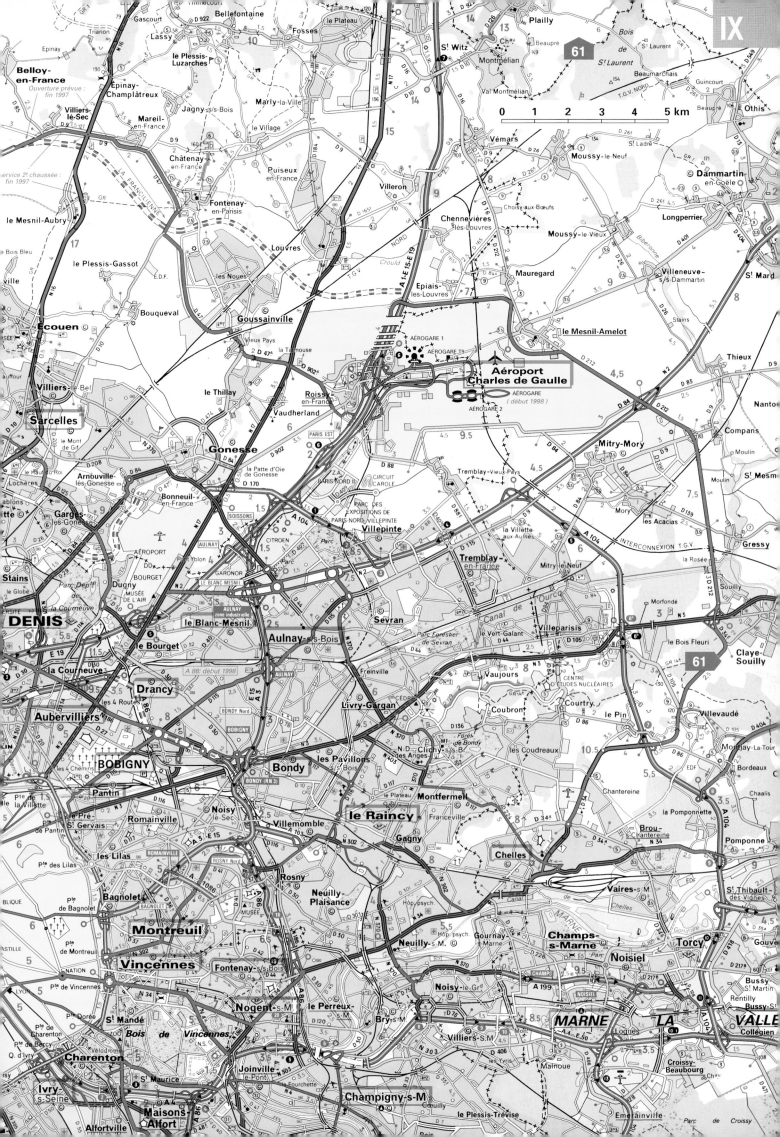

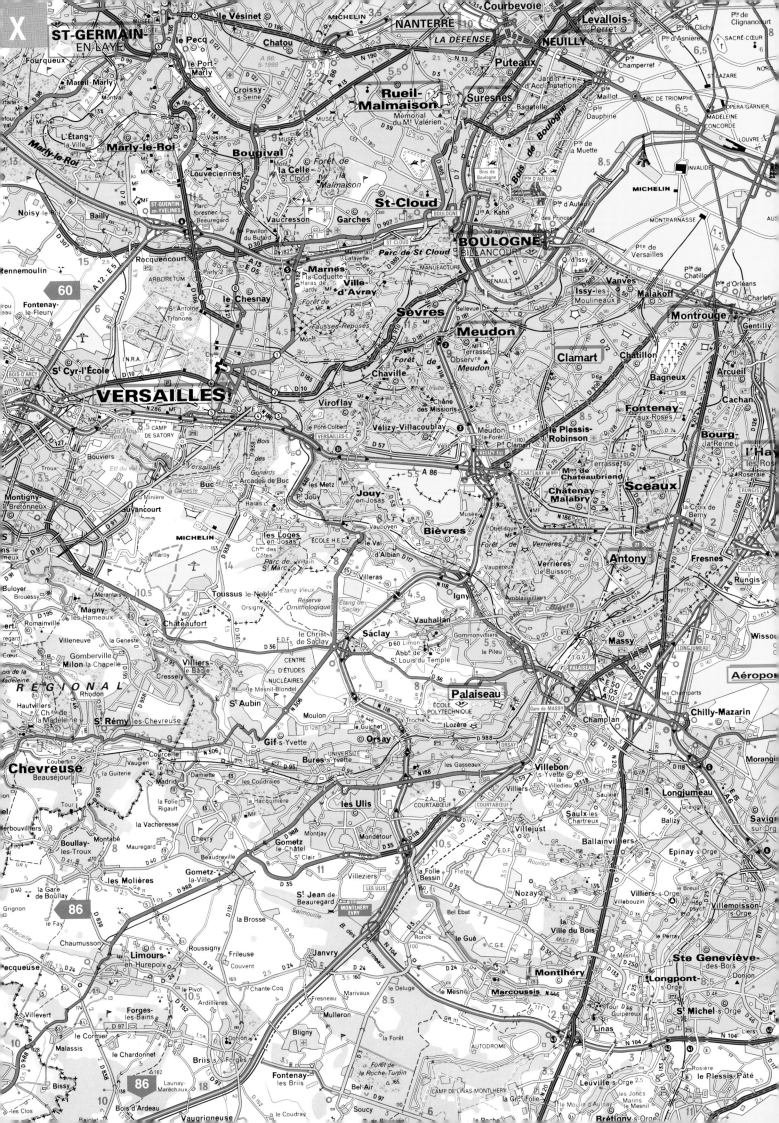

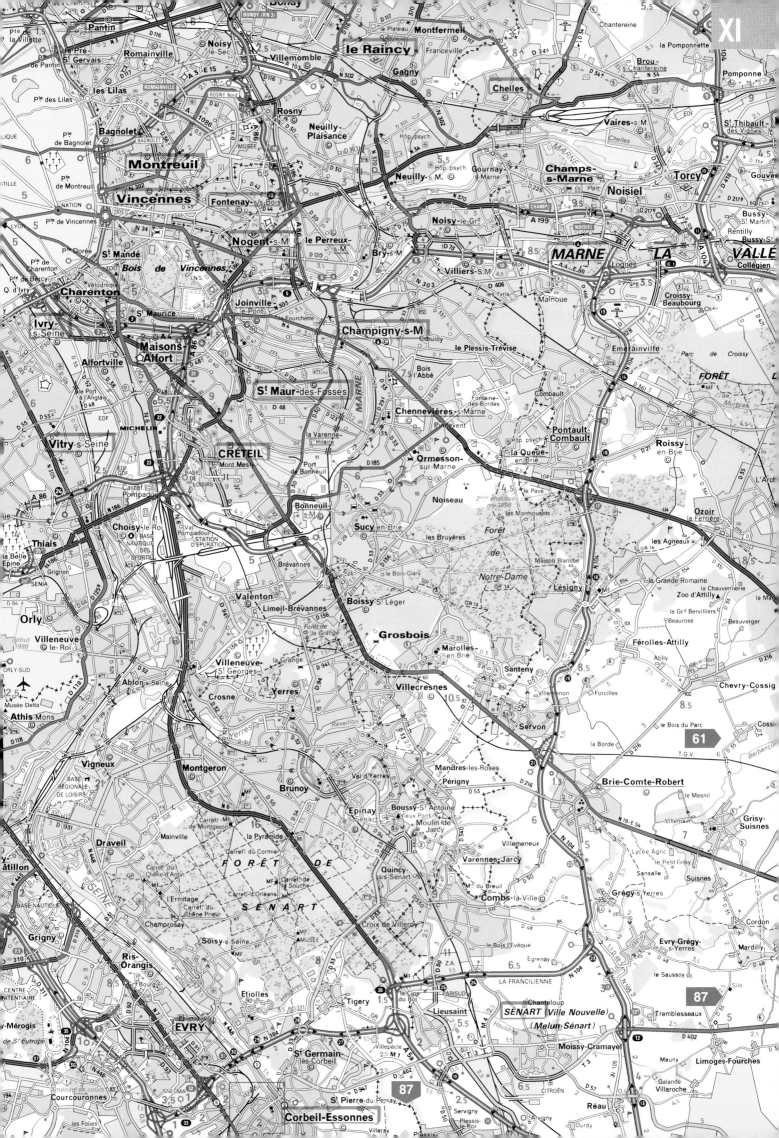

Agen	Amiens	Angers	Angoulême	Auch	Aurillac	Auxerre	Bayonne	Beaune	Besançon	Blois	Bordeaux	Boulogne-sur-Mer	Bourges	Brest	Brive-la-Gaillarde	Caen	Cahors	Calais	Carcassonne	Châlons-en-Champagne	Chambéry	Charleville-Mézières	Chartres	Cherbourg	Clermont-Ferrand	Colmar	Dijon	Dunkerque	Gap	Grenoble	Le Havre	Lille	Limoges	
763																																		
471	423																																	
202	584	243																																
74	920	535	287																															
222	693	421	256	256																														
558	321	418	407	632	418																													
218	905	520	306	222	439	803																												
563	467	565	461	764	377	152	768																											
669	503	658	568	836	483	245	874	107																										
547	319	168	275	613	391	216	597	363	456																									
142	717	332	118	207	296	615	184	579	686	409																								
884	124	469	663	1000	816	444	985	591	611	439	798																							
429	382	261	278	503	343	136	584	218	324	114	396	503																						
756	612	380	556	821	772	721	806	867	961	513	618	676	628																					
175	618	345	162	239	105	413	377	390	496	312	189	738	284	693																				
709	241	245	451	776	627	400	760	547	641	268	567	304	387	375	551																			
88	716	443	215	136	135	511	306	490	597	410	218	837	382	781	100	649																		
919	157	502	740	1077	851	457	1062	604	606	475	874	36	538	709	775	337	872																	
209	923	666	419	168	269	743	387	597	669	618	338	1044	618	952	307	907	207	1078																
733	218	451	608	807	580	162	930	301	292	340	743	325	320	753	589	406	686	320	892															
681	721	718	573	640	394	405	859	260	242	571	655	841	471	1121	464	801	534	834	473	520														
853	195	519	673	1011	785	264	995	404	394	408	808	270	472	821	708	475	806	266	994	103	622													
624	218	207	351	689	505	214	674	361	454	128	486	311	192	508	428	192	526	344	733	246	614	314												
777	364	297	577	842	719	524	827	671	764	393	639	428	512	399	642	125	740	461	974	531	924	599	317											
344	559	437	279	425	162	265	549	224	330	290	361	679	190	805	171	564	271	714	438	428	295	648	368	689										
826	502	737	725	1017	640	403	1031	264	167	565	843	609	481	1040	653	720	754	605	851	297	416	369	532	844	488									
651	467	564	499	801	420	152	805	44	92	366	618	575	254	866	433	547	534	571	635	257	274	359	359	671	267	249								
921	151	587	741	1079	853	459	1063	605	607	476	876	80	540	752	776	381	874	46	1081	322	835	253	382	504	716	637	573							
603	825	823	678	562	449	510	781	364	396	676	733	946	575	1225	569	905	601	961	395	659	156	761	717	1029	400	569	403	962						
647	724	721	576	606	398	408	825	263	294	574	777	844	474	1124	467	804	497	859	439	558	56	660	616	928	298	470	301	861	104					
752	184	289	495	819	702	365	804	512	605	302	610	248	389	456	625	85	723	281	930	372	765	377	199	209	566	684	511	324	869	769				
852	122	519	673	1010	784	390	995	537	539	408	807	115	471	722	708	350	805	112	1012	253	767	184	314	474	648	568	504	72	894	794	291			
237	528	252	104	311	169	324	410	378	484	223	223	649	195	605	93	457	190	684	398	499	472	618	338	565	178	641	416	685	576	476	535	616		
629	569	253	429	694	645	629	679	776	869	421	491	632	512	133	569	331	654	665	826	661	1029	729	417	356	629	948	775	709	1133	1033	413	727	476	**Lorient**
547	616	554	449	611	305	300	830	155	226	407	531	736	284	1016	340	696	444	751	445	450	104	552	508	820	171	407	193	753	208	108	661	684	348	**Lyon**
555	331	95	297	620	474	327	605	474	567	111	417	377	226	401	397	153	495	410	752	359	727	427	115	278	403	645	473	495	831	731	197	425	303	**Le Mans**
523	926	899	733	481	435	611	700	465	538	752	652	1047	651	1266	504	1007	520	1062	315	760	341	863	819	1130	476	719	504	1063	180	272	971	994	594	**Marseille**
324	728	607	414	320	156	434	572	376	448	460	453	849	359	974	258	733	221	884	304	671	313	773	538	858	178	629	414	885	308	277	735	816	321	**Mende**
953	361	620	773	1070	690	321	1096	313	266	509	908	468	479	921	808	575	906	463	904	159	532	170	415	699	537	205	269	438	671	571	540	368	718	**Metz**
110	844	459	245	107	331	619	105	674	780	536	131	924	490	744	267	699	197	1000	275	865	746	933	612	765	438	937	712	1001	669	714	743	932	298	**Mont-de-Ma**
359	913	676	483	318	264	597	537	452	524	622	489	1033	521	1103	333	895	291	1048	149	747	328	849	700	1020	340	705	490	1050	250	295	897	981	423	**Montpellier**
796	536	725	694	986	610	372	1000	233	136	586	813	643	450	1028	622	708	723	639	820	331	383	401	520	832	457	43	218	668	546	445	673	599	611	**Mulhouse**
891	364	583	762	1018	638	263	1084	261	207	497	896	471	474	887	650	549	751	466	852	159	480	223	378	673	485	142	217	491	619	519	514	422	652	**Nancy**
458	513	91	258	523	474	508	508	655	748	258	320	558	350	300	398	290	483	591	655	540	719	608	296	314	461	828	654	676	823	784	372	607	305	**Nantes**
269	930	727	479	227	304	685	447	540	612	662	398	1051	561	1012	367	935	266	1085	61	835	416	937	740	1033	380	793	578	1087	338	383	937	1018	457	**Narbonne**
489	390	332	337	572	309	111	644	153	260	185	456	511	69	701	297	470	442	526	585	274	351	376	235	594	156	417	190	527	455	355	435	458	254	**Nevers**
681	1085	1057	891	640	593	769	859	624	587	910	811	1205	810	1425	662	1165	679	1220	473	919	411	1021	977	1289	634	724	662	1222	242	334	1130	1153	752	**Nice**
405	865	755	615	364	317	550	583	404	476	608	535	986	507	1149	386	945	403	1001	197	699	280	801	686	1069	326	657	443	1002	202	247	910	933	476	**Nîmes**
458	812	785	668	416	370	497	635	351	424	638	587	933	537	1152	439	893	455	948	250	646	227	749	704	1016	362	605	390	949	146	195	857	880	538	**Orange**
503	267	219	326	663	435	153	648	300	393	61	460	388	122	543	358	272	456	422	663	277	553	356	77	397	298	499	300	424	658	557	274	355	268	**Orléans**
626	138	293	447	784	558	164	769	311	404	182	581	258	245	595	482	233	579	289	787	166	564	234	88	357	422	476	311	291	669	568	198	222	392	**Paris**
162	914	528	315	120	419	684	113	880	953	605	200	993	555	813	331	769	308	1069	285	935	757	1003	681	834	574	1134	919	1070	679	724	812	1001	363	**Pau**
139	620	327	85	212	180	415	311	469	575	314	123	740	286	641	74	536	127	775	347	590	540	709	429	662	246	733	507	776	644	544	627	707	94	**Périgueux**
322	991	780	531	280	364	746	499	600	673	722	451	1111	622	1065	420	996	319	1146	114	895	477	998	800	1086	440	854	639	1147	399	444	998	1078	510	**Perpignan**
387	473	132	113	452	290	370	437	414	520	165	249	552	193	479	214	341	311	628	584	494	535	562	241	445	276	716	517	629	639	600	384	560	120	**Poitiers**
412	682	561	411	409	172	433	661	287	359	414	464	803	313	928	273	687	310	837	361	582	224	684	492	812	132	541	326	839	262	228	689	770	309	**Le Puy-en-V**
763	171	430	584	921	695	204	906	343	333	319	718	278	382	732	619	385	716	274	933	48	561	87	225	509	559	332	299	275	700	600	350	206	529	**Reims**
572	415	128	373	637	579	474	622	621	715	267	434	478	382	245	503	177	597	511	769	506	874	574	262	201	559	794	621	554	979	878	259	573	409	**Rennes**
323	608	182	144	388	393	505	373	551	746	300	185	646	330	433	302	429	348	763	520	629	669	697	376	454	411	855	652	765	774	735	466	695	224	**La Rochelle**
216	767	498	306	212	89	473	462	432	558	498	345	887	398	846	155	772	113	922	193	636	423	856	576	812	216	695	476	923	431	387	774	854	245	**Rodez**
757	118	288	485	822	635	298	807	444	538	235	619	182	322	495	558	123	656	215	863	304	698	311	132	247	498	617	444	258	802	702	88	228	468	**Rouen**
672	467	229	472	737	679	576	721	723	816	368	534	531	483	143	602	230	697	564	869	608	976	676	364	254	660	895	722	607	1080	980	312	577	508	**Saint-Brieu**
489	675	570	425	485	247	360	694	214	287	423	506	796	322	937	316	696	386	811	436	509	151	612	501	821	147	468	253	812	256	155	698	743	323	**Saint-Étien**
521	567	146	322	586	538	563	571	710	803	313	383	605	405	262	461	303	546	638	718	595	801	663	351	328	522	883	709	681	905	866	385	662	368	**Saint-Naza**
909	518	776	808	1100	724	486	1252	347	250	665	1065	624	564	1078	736	732	837	620	934	316	493	327	571	855	571	72	332	594	647	548	696	525	725	**Strasbourg**
589	992	965	799	547	501	677	766	532	604	818	718	1113	717	1332	570	1073	586	1128	381	827	383	929	885	1197	542	785	570	1130	235	327	1038	1060	660	**Toulon**
119	833	576	329	77	227	628	300	688	760	527	248	953	499	862	217	817	116	988	92	803	564	922	642	883	372	941	726	989	486	531	840	920	307	**Toulouse**
486	373	108	214	551	390	271	536	417	511	65	348	453	153	482	313	238	411	529	683	394	549	462	141	363	329	617	417	530	653	614	281	461	219	**Tours**
650	295	432	525	724	500	82	847	227	218	260	659	402	237	733	506	415	603	397	818	84	446	186	226	539	347	312	183	399	585	485	380	330	416	**Troyes**
552	716	688	543	510	282	400	730	255	327	541	681	836	441	1056	434	796	402	852	344	550	127	652	608	920	265	508	293	853	160	95	761	784	442	**Valence**
839	118	505	659	996	771	377	981	516	506	394	793	169	458	732	694	361	792	164	999	221	734	130	300	485	634	525	471	124	873	773	302	55	604	**Valencienn**

Distances   Entfernungen   Afstandstabel

Les distances sont comptées à partir du centre-ville et par la route la plus pratique, c'est-à-dire celle qui offre les meilleures conditions de roulage, mais qui n'est pas nécessairement la plus courte.

Distance are shown in kilometres and are calculated from town/city centres along the most practicable roads, although not necessarily taking the shortest route.

Die Entfernungen gelten ab Stadtmitte unter Berücksichtigung der günstigsten, jedoch nicht immer kürzesten Strecke.

De afstanden zijn in km berekend van centrum tot centrum langs de geschicktste, dus niet noodzakelijkerwijze de kortste route.

Lyon - Tours 446 km

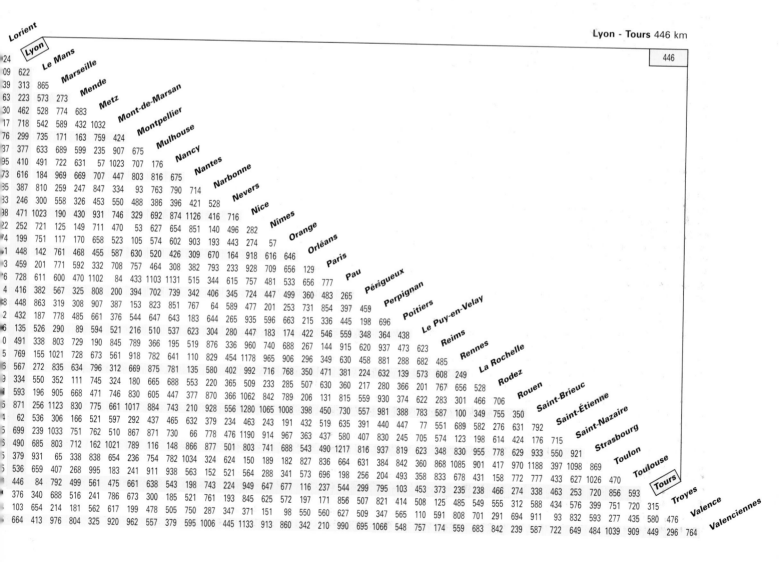

	Lorient	Lyon	Le Mans	Marseille	Mende	Metz	Mont-de-Marsan	Montpellier	Mulhouse	Nancy	Nantes	Narbonne	Nevers	Nice	Nîmes	Orange	Orléans	Paris	Pau	Périgueux	Perpignan	Poitiers	Le Puy-en-Velay	Reims	Rennes	La Rochelle	Rodez	Rouen	Saint-Brieuc	Saint-Étienne	Saint-Nazaire	Strasbourg	Toulon	Toulouse	Tours	Troyes	Valence
Lyon	24																																				
Le Mans	09	622																																			
Marseille	39	313	865																																		
Mende	63	223	573	273																																	
Metz	30	462	528	774	683																																
Mont-de-Marsan	17	718	542	589	432	1032																															
Montpellier	76	299	735	171	163	759	424																														
Mulhouse	37	377	633	689	599	235	907	675																													
Nancy	95	410	491	722	631	57	1023	707	176																												
Nantes	73	616	184	969	669	707	447	803	816	675																											
Narbonne	35	387	810	259	247	847	334	93	763	790	714																										
Nevers	33	246	300	558	326	453	550	488	386	396	421	528																									
Nice	98	471	1023	190	430	931	746	329	692	874	1126	416	716																								
Nîmes	22	252	721	125	149	711	470	53	627	654	851	140	496	282																							
Orange	4	199	751	117	170	658	523	105	574	602	903	193	443	274	57																						
Orléans	1	448	142	761	468	455	587	630	520	426	309	670	164	918	616	646																					
Paris	3	459	201	771	592	332	708	757	464	308	382	793	233	928	709	656	129																				
Pau	6	728	611	600	470	1102	84	433	1103	1131	515	344	615	757	481	533	656	777																			
Périgueux	4	416	382	567	325	808	200	394	702	739	342	406	345	724	447	499	360	483	265																		
Perpignan	8	448	863	319	308	907	387	153	823	851	767	64	589	477	201	253	731	854	397	459																	
Poitiers	2	432	187	778	485	661	376	544	647	643	183	644	265	935	596	663	215	336	445	198	696																
Le Puy-en-Velay	6	135	526	290	89	594	521	216	510	537	623	304	280	447	183	174	422	546	559	348	364	438															
Reims	0	491	338	803	729	190	845	789	366	195	519	876	336	960	740	688	267	144	915	620	937	473	623														
Rennes	5	769	155	1021	728	673	561	918	782	641	110	829	454	1178	965	906	296	349	630	458	881	288	682	485													
La Rochelle	6	567	272	835	634	796	312	669	875	781	580	402	992	716	768	350	471	381	224	632	139	573	608	249													
Rodez	9	334	550	352	111	745	324	180	665	688	553	220	365	509	233	285	507	630	360	217	280	366	201	767	656	528											
Rouen	4	593	196	905	668	471	746	830	605	447	377	870	366	1062	842	789	206	131	815	559	930	374	622	283	301	466	706										
Saint-Brieuc	5	871	256	1123	830	775	661	1017	884	743	210	928	556	1280	1065	1008	398	450	730	557	981	388	783	587	100	349	755	350									
Saint-Étienne	4	62	536	306	166	521	597	292	437	465	632	379	234	463	243	191	432	519	635	391	440	447	77	551	689	582	276	631	792								
Saint-Nazaire	5	699	239	1033	751	762	510	867	871	730	66	778	476	1190	914	967	363	437	580	407	830	245	705	574	123	198	614	424	176	715							
Strasbourg	6	490	685	803	712	162	1021	789	116	148	866	877	501	803	741	688	543	490	1217	816	937	819	623	348	830	955	778	629	933	550	921						
Toulon	5	379	931	65	338	838	654	236	754	782	1034	324	624	150	189	182	827	836	664	631	384	842	360	868	1085	901	417	970	1188	397	1098	869					
Toulouse	5	536	659	407	268	995	183	241	911	938	563	152	521	564	288	341	573	696	198	256	204	493	358	833	678	431	158	772	777	433	627	1026	470				
Tours	446	84	792	499	561	475	661	638	543	198	743	224	949	647	677	116	237	544	299	795	103	453	373	235	238	466	274	338	463	253	720	856	593			
Troyes	376	340	688	510	241	786	673	300	185	521	761	193	845	625	572	197	171	856	507	821	414	508	125	485	549	555	312	588	434	576	399	751	720	315		
Valence	103	654	214	181	562	617	199	478	505	750	287	347	371	151	98	550	560	627	509	347	565	110	591	808	701	291	694	911	93	832	593	277	435	580	476	
Valenciennes	664	413	976	804	325	920	962	557	379	595	1006	445	1133	913	860	342	210	990	695	1066	548	757	174	559	683	842	239	587	722	649	484	1039	909	449	296	764

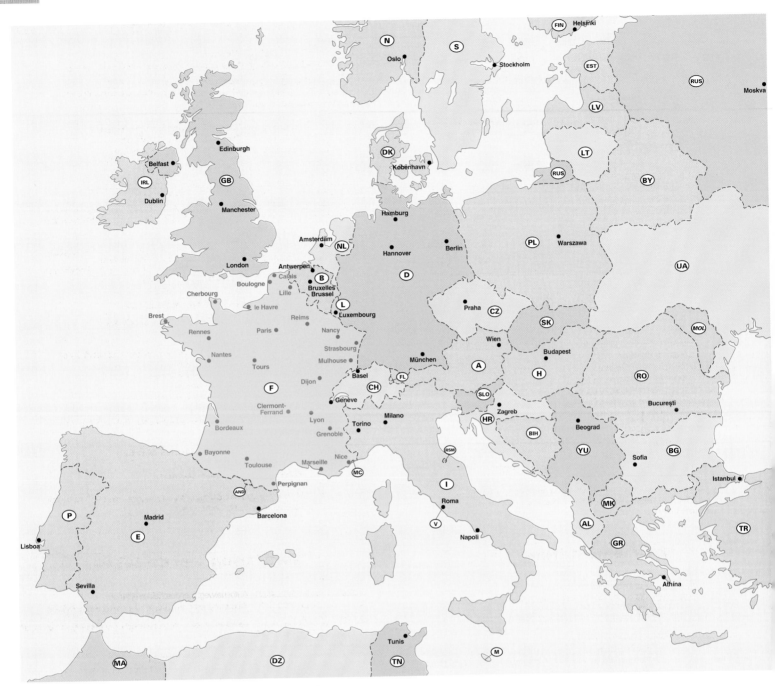

	Amsterdam	Antwerpen	Athina	Barcelona	Basel	Belfast	Beograd	Berlin	Bruxelles	Bucuresti	Budapest	Dublin	Edinburgh	Genève	Hamburg	Hannover	Helsinki	Istanbul	København	Lisboa	London	Luxembourg	Madrid	Manchester	Milano	Moskva	München	Napoli	Oslo	Praha	Roma	Sevilla	Sofia	Stockholm	Torino	Warszawa	Wien	Zagreb
Bayonne	1272	1114	3271	537	1037	1572	2153	1820	1080	2792	2106	1351	1793	957	1673	1538	2870	3094	1986	999	1173	1115	509	1218	1178	3620	1544	1747	2254	1787	1548	1036	2539	2593	1063	2376	1993	1788
Bordeaux	1085	927	3118	566	849	1384	2000	1632	892	2639	2060	1163	1605	678	1485	1350	2678	2941	1798	1180	985	927	690	1030	996	3428	1242	1699	2066	1599	1500	1217	2386	2405	861	2188	1805	1614
Brest	1004	846	3522	1180	1065	508	2409	1575	832	2961	2074	337	867	1060	1427	1292	2696	3356	1740	1802	432	941	1311	535	1404	3481	1421	2157	2009	1613	1958	1838	2795	2347	1326	2131	1819	1993
Calais	366	208	3069	1333	676	811	1951	936	202	2391	1569	590	735	752	768	654	1956	2892	1081	2058	115	418	1567	456	1019	2727	963	1786	1350	1096	1587	2095	2562	2098	1130	1881	1597	1771
Cherbourg	755	597	3289	1201	869	748	2176	1325	585	2728	1852	527	725	864	1178	1043	2358	3123	1491	1823	131	595	1058	1167	636	3134	911	1353	1802	1147	1154	1628	2018	2141	501	1786	1344	1255
Clermont-Fd	926	768	2750	627	494	1522	1632	1304	733	1891	1598	1101	1447	319	1221	1085	2461	2628	1534	1549	826	595	1424	1024	509	2910	648	1262	1535	909	1063	1825	1987	1873	439	1548	1074	1127
Dijon	728	581	2716	824	256	1379	1601	1046	540	2163	1335	1158	1304	191	953	817	1837	2541	1266	1803	683	328	1424	1312	373	3115	738	1090	1807	1070	891	1630	1772	2133	238	1709	1171	991
Grenoble	1028	881	2501	629	404	1668	1386	1226	841	2110	1309	1447	1592	146	1216	1073	2136	2326	1526	1852	971	628	1228	1418	373	3045	738	1052	1801	1070	893	1636	1815	2133	310	1709	1171	991
Le Havre	575	417	3036	1184	710	750	2020	1145	405	2622	1693	529	726	705	997	863	2079	2967	1310	1800	388	560	1309	395	1048	2932	1040	1801	1579	1232	1602	1837	2406	1918	971	1701	1438	1612
Lille	284	126	2968	1266	636	921	1850	854	120	2281	1472	700	845	685	686	571	1885	2801	999	1991	224	309	1500	565	1030	2766	1002	1797	1361	1107	1598	2106	2573	2109	1141	1892	1608	1782
Lyon	920	774	2560	634	414	1560	1442	1224	733	2082	1431	1339	1484	151	1146	1010	2373	2428	1459	1857	864	521	1234	1204	444	3039	744	1162	1727	1067	963	1635	1828	2066	310	1706	1176	1063
Marseille	1231	1084	2621	504	698	1870	1617	1563	1044	2143	1446	1649	1795	439	1456	1321	2688	2456	1769	1727	1174	831	1104	1515	517	3289	1010	1078	2038	1379	879	1505	1889	2377	379	2017	1329	1128
Mulhouse	673	546	2555	1009	35	1447	1432	849	506	2034	1114	1226	1371	292	800	657	1898	2379	1110	1998	751	293	1609	1092	378	2658	427	1145	1390	693	946	2010	1818	1717	440	1332	858	987
Nancy	515	369	2586	1041	213	1275	1463	832	328	2065	1145	1054	1199	398	740	605	1891	2410	1053	2080	579	116	1589	919	556	2656	492	1323	1321	728	1124	2043	1849	1660	575	1356	893	1065
Nantes	886	728	3193	881	853	1060	2078	1434	694	2802	1861	839	1037	737	1287	1152	2477	3018	1600	1504	444	729	1013	706	1051	3262	1208	1838	1866	1401	1639	1540	2443	2207	924	1990	1607	1791
Nice	1389	1243	2434	663	659	2029	1316	1347	1202	1956	1247	1808	1953	458	1430	1287	2674	2267	1740	1886	1333	990	1262	1673	319	3100	811	888	2020	1182	689	1664	1702	2347	213	1820	1130	929
Paris	501	343	2918	1040	502	1098	1806	1049	309	2297	1487	877	1022	504	902	767	2101	2756	1215	1765	402	354	1274	742	847	2851	834	1600	1483	1026	1401	1802	2192	1822	770	1605	1232	1406
Perpignan	1366	1219	2915	190	833	1954	1792	1670	1179	2394	1724	1733	1879	574	1591	1456	2725	2739	1904	1413	1258	966	789	1599	795	3485	1161	1365	2173	1514	1166	1191	2178	2512	680	2153	1607	1406
Reims	438	278	2776	1123	403	1082	1664	963	232	2155	1344	861	1007	479	770	636	1984	2614	1083	1902	386	212	1412	727	746	2717	691	1513	1352	884	1314	1939	2050	1691	726	1486	1090	1264
Rennes	853	695	3259	996	819	947	2141	1400	660	2637	1827	726	924	814	1253	1118	2447	3096	1566	1618	331	695	1128	593	1157	3196	1174	1911	1834	1367	1712	1655	2527	2173	1080	1956	1573	1747
Strasbourg	601	472	2445	1123	147	1429	1332	752	432	1884	1012	1208	1353	402	702	559	1900	2279	1012	2249	732	219	1723	1073	488	2558	359	1255	1253	728	1228	2130	1655	1800	610	1099	512	720
Toulouse	1200	1042	2993	323	920	1796	1875	1758	1007	2515	1812	1575	1721	662	1600	1465	2804	2827	1913	1294	1100	1054	701	1441	883	3573	1249	1452	2182	1601	1253	1228	2261	2520	755	1844	1461	1469
Tours	741	583	2973	910	675	1337	1855	1288	548	2495	1716	1116	1261	540	1141	1006	2333	2817	1454	1532	641	583	1041	982	851	3083	1063	1668	1722	1255	1469	1569	2241	2061	755	1844	1461	1469

Légende

Routes

Autoroute à chaussées séparées
Double chaussée de type autoroutier (sans carrefour à niveau)

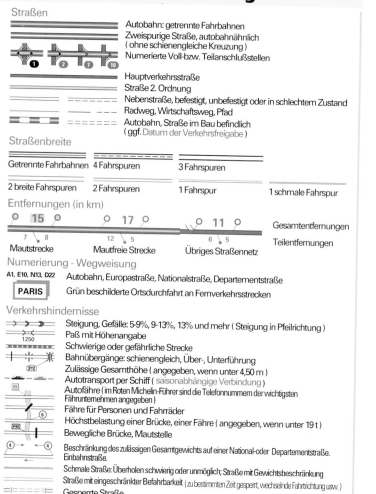

Échangeurs numérotés: complet - partiels
Route principale
Itinéraire régional ou de dégagement
Route: revêtue - non revêtue ou de mauvaise viabilité
Piste cyclable - Chemin d'exploitation - Sentier
Autoroute - Route en construction
(le cas échéant date prévisible de mise en service)

Largeur des routes

Chaussées séparées   Quatre voies   Trois voies

Deux voies larges   Deux voies   Une voie   Une voie étroite

Distances en kilomètres

15   17   11   Distances totalisées

7   8   12   5   6   5   Distances partielles

Sur section à péage   Sur section libre   Sur route

Numérotation - Signalisation

A1, E10, N13, D22   Autoroute, route européenne, nationale, départementale

PARIS   Ville signalisée par un panneau vert sur les grandes liaisons routières

Obstacles

Pente 5 à - de 9%, 9 à - de 13%,13% et plus (flèches dans le sens de la montée)
Col et sa cote d'altitude
1250
Parcours difficile ou dangereux
Passages de la route: à niveau, supérieur, inférieur
3m2   Hauteur limitée (indiquée au-dessous de 4,50 m)
Transport des autos par bateaux (liaison saisonnière)
B   Bac passant les autos (le Guide Michelin France donne le numéro de téléphone des principaux bacs)
6   Bac pour piétons et cycles
Limite de charge d'un pont, d'un bac (indiquée au-dessous de 19 t.)
PM   Pont mobile, barrière de péage
4   4   Limite de charge d'une route nationale ou départementale
Route à sens unique
Une voie étroite: croisement difficile, impossible; route à charge limitée
Route réglementée (interdite à certaines heures, sens alterné, etc .)
Route interdite

Key to symbols

Roads

Motorway
Dual carriageway with motorway-style junctions

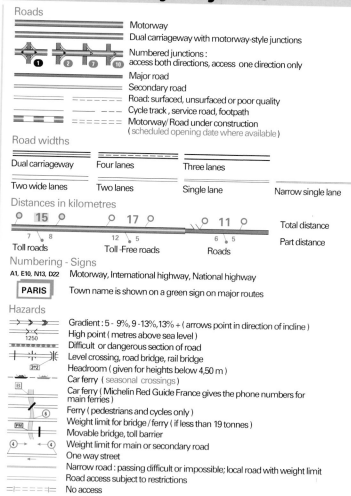

Numbered junctions :
access both directions, access one direction only
Major road
Secondary road
Road: surfaced, unsurfaced or poor quality
Cycle track , service road, footpath
Motorway/Road under construction
(scheduled opening date where available)

Road widths

Dual carriageway   Four lanes   Three lanes

Two wide lanes   Two lanes   Single lane   Narrow single lane

Distances in kilometres

15   17   11   Total distance

7   8   12   5   6   5   Part distance

Toll roads   Toll -Free roads   Roads

Numbering - Signs

A1, E10, N13, D22   Motorway, International highway, National highway

PARIS   Town name is shown on a green sign on major routes

Hazards

Gradient : 5 - 9%, 9 -13%,13% + (arrows point in direction of incline)
High point (metres above sea level)
1250
Difficult or dangerous section of road
Level crossing, road bridge, rail bridge
3m2   Headroom (given for heights below 4,50 m)
Car ferry (seasonal crossings)
B   Car ferry (Michelin Red Guide France gives the phone numbers for main ferries)
6   Ferry (pedestrians and cycles only)
Weight limit for bridge / ferry (if less than 19 tonnes)
PM   Movable bridge, toll barrier
4   4   Weight limit for main or secondary road
One way street
Narrow road : passing difficult or impossible; local road with weight limit
Road access subject to restrictions
No access

Zeichenerklärung

Straßen

Autobahn: getrennte Fahrbahnen
Zweispurige Straße, autobahnähnlich
(ohne schienengleiche Kreuzung)

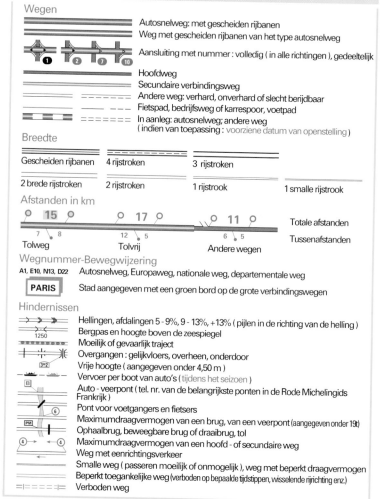

Numerierte Voll-bzw. Teilanschlußstellen
Hauptverkehrsstraße
Straße 2. Ordnung
Nebenstraße, befestigt, unbefestigt oder in schlechtem Zustand
Radweg, Wirtschaftsweg, Pfad
Autobahn, Straße im Bau befindlich
(ggf. Datum der Verkehrsfreigabe)

Straßenbreite

Getrennte Fahrbahnen   4 Fahrspuren   3 Fahrspuren

2 breite Fahrspuren   2 Fahrspuren   1 Fahrspur   1 schmale Fahrspur

Entfernungen (in km)

15   17   11   Gesamtentfernungen

7   8   12   5   6   5   Teilentfernungen

Mautstrecke   Mautfreie Strecke   Übriges Straßennetz

Numerierung - Wegweisung

A1, E10, N13, D22   Autobahn, Europastraße, Nationalstraße, Departementstraße

PARIS   Grün beschilderte Ortsdurchfahrt an Fernverkehrsstrecken

Verkehrshindernisse

Steigung, Gefälle: 5-9%, 9-13%, 13% und mehr (Steigung in Pfeilrichtung)
Paß mit Höhenangabe
1250
Schwierige oder gefährliche Strecke
Bahnübergänge: schienengleich, Über-, Unterführung
3m2   Zulässige Gesamthöhe (angegeben, wenn unter 4,50 m)
Autotransport per Schiff (saisonabhängige Verbindung)
B   Autofähre (im Roten Michelin-Führer sind die Telefonnummern der wichtigsten Fährunternehmen angegeben)
6   Fähre für Personen und Fahrräder
Höchstbelastung einer Brücke, einer Fähre (angegeben, wenn unter 19 t)
PM   Bewegliche Brücke, Mautstelle
4   4   Beschränkung des zulässigen Gesamtgewichts auf einer National-oder Departementstraße. Einbahnstraße.
Schmale Straße: Überholen schwierig oder unmöglich; Straße mit Gewichtsbeschränkung
Straße mit eingeschränkter Befahrbarkeit (zu bestimmten Zeit gesperrt, wechselnde Fahrtrichtung usw.)
Gesperrte Straße

Verklaring van de tekens

Wegen

Autosnelweg: met gescheiden rijbanen
Weg met gescheiden rijbanen van het type autosnelweg
Aansluiting met nummer : volledig (in alle richtingen), gedeeltelijk
Hoofdweg
Secundaire verbindingsweg
Andere weg: verhard, onverhard of slecht berijdbaar
Fietspad, bedrijfsweg of karrespoor, voetpad
In aanleg: autosnelweg; andere weg
(indien van toepassing : voorziene datum van openstelling)

Breedte

Gescheiden rijbanen   4 rijstroken   3 rijstroken

2 brede rijstroken   2 rijstroken   1 rijstrook   1 smalle rijstrook

Afstanden in km

15   17   11   Totale afstanden

7   8   12   5   6   5   Tussenafstanden

Tolweg   Tolvrij   Andere wegen

Wegnummer-Bewegwijzering

A1, E10, N13, D22   Autosnelweg, Europaweg, nationale weg, departementale weg

PARIS   Stad aangegeven met een groen bord op de grote verbindingswegen

Hindernissen

Hellingen, afdalingen 5 - 9%, 9 - 13%, +13% (pijlen in de richting van de helling)
Bergpas en hoogte boven de zeespiegel
1250
Moeilijk of gevaarlijk traject
Overgangen : gelijkvloers, overheen, onderdoor
3m2   Vrije hoogte (aangegeven onder 4,50 m)
Vervoer per boot van auto's (tijdens het seizoen)
B   Auto - veerpont (tel. nr. van de belangrijkste ponten in de Rode Michelingids Frankrijk)
6   Pont voor voetgangers en fietsers
Maximumdraagvermogen van een brug, van een veerpont (aangegeven onder 19t)
PM   Ophaalbrug, beweegbare brug of draaibrug, tol
4   4   Maximumdraagvermogen van een hoofd - of secundaire weg
Weg met eenrichtingsverkeer
Smalle weg (passeren moeilijk of onmogelijk), weg met beperkt draagvermogen
Beperkt toegankelijke weg (verboden op bepaalde tijdstippen, wisselende rijrichting enz.)
Verboden weg

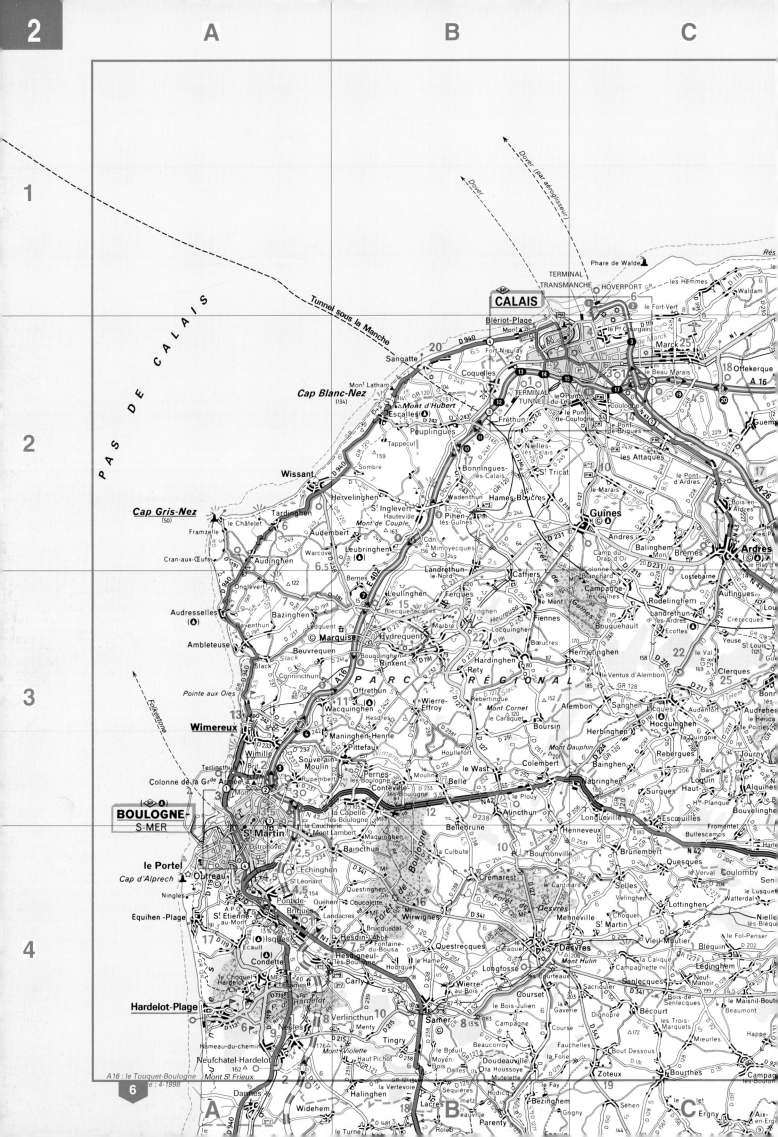

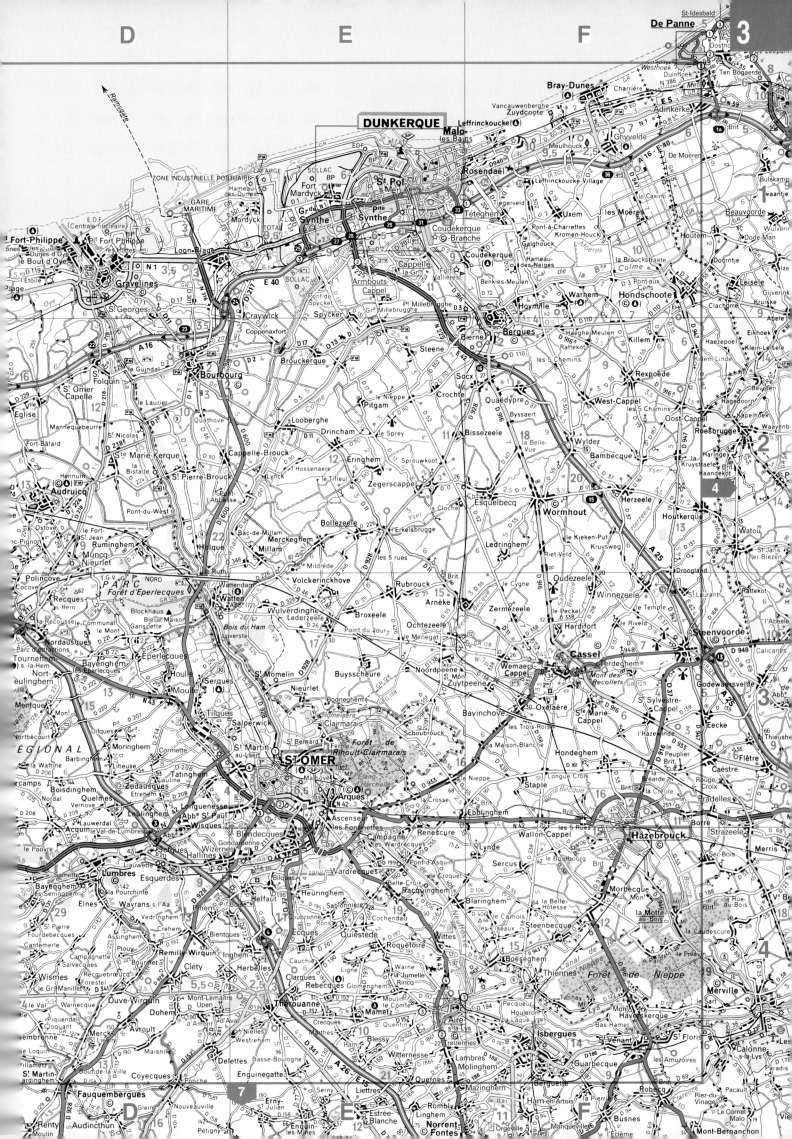

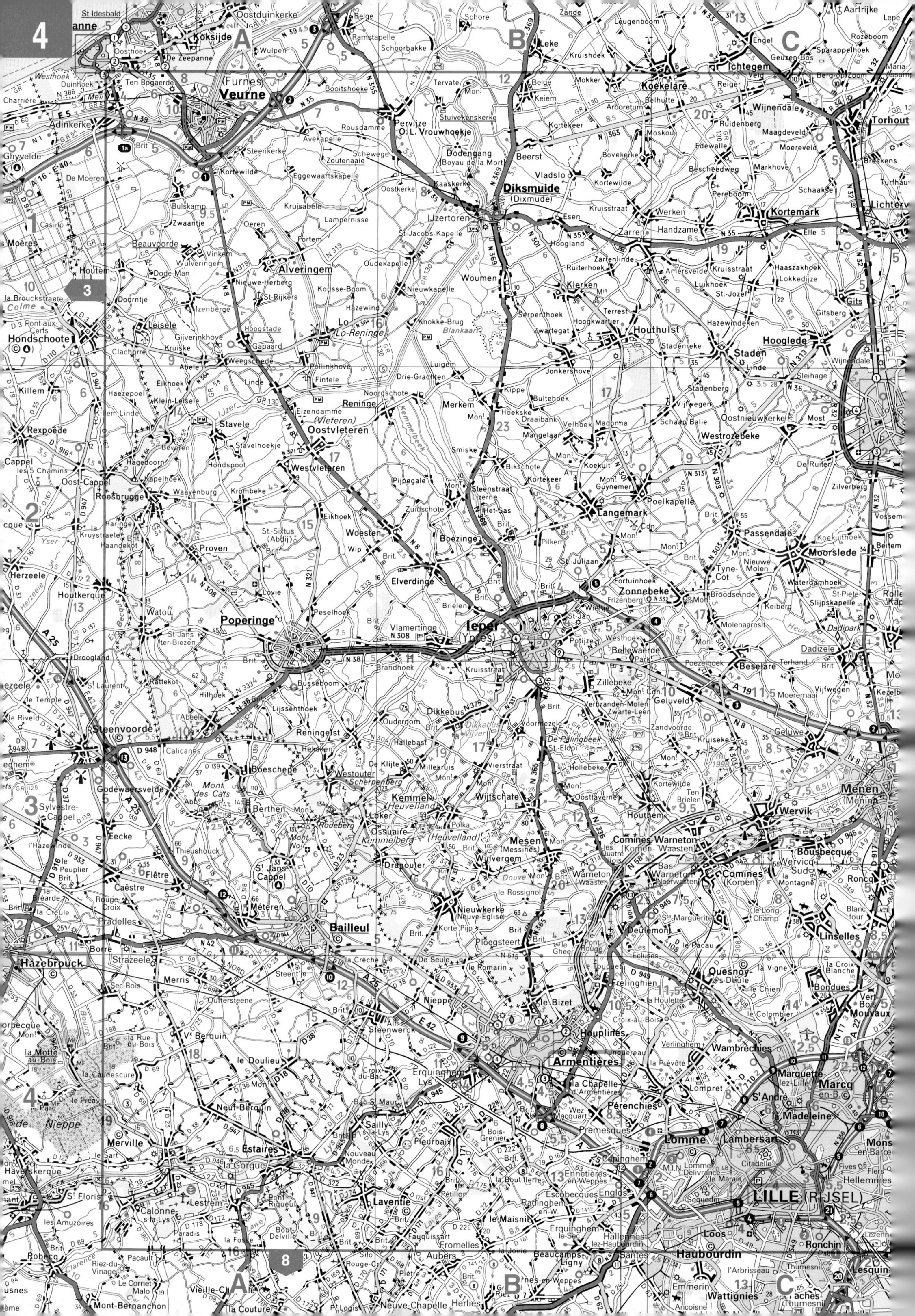

Veurne (Furnes) · Koksijde · Oostduinkerke · Diksmuide (Dixmude) · Koekelare · Ichtegem · Torhout · Kortemark · Lichtervelde · Hooglede · Staden · Houthulst · Langemark · Passendale · Moorslede · Westrozebeke · Zonnebeke · Ieper (Ypres) · Poperinge · Oostvleteren · Westvleteren · Lo-Reninge · Alveringem · Woumen · Esen · Klerken · Merkem · Boezinge · Elverdinge · Vlamertinge · Dikkebus · Wijtschate · Kemmel (Heuvelland) · Mesen (Messines) · Zillebeke · Geluveld · Beselare · Menen (Menin) · Wervik · Comines Warneton · Bousbecque · Linselles · Steenvoorde · Bailleul · Hazebrouck · Merville · Estaires · Nieppe · Armentières · Houplines · Lille (Rijsel) · Lomme · Lambersart · Marcq-en-B. · Madeleine · Mons-en-Barœul · Loos · Ronchin · Haubourdin · Wattignies · Lesquin · Neuve-Chapelle · Lavenfie · Fromelles · Aubers

Hondschoote · Killem · Rexpoëde · Oost-Cappel · Herzeele · Houtkerque · Watou · Proven · Roesbrugge · Leisele · Stavele · Reninge · Woesten · Reningelst · Loker · Kemmelberg · Mont des Cats · Berthen · Flêtre · Caëstre · Méteren · Merris · Borre · Strazeele · Neuf-Berquin · V. Berquin · le Doulieu · la Gorgue · Calonne-s.-la-Lys

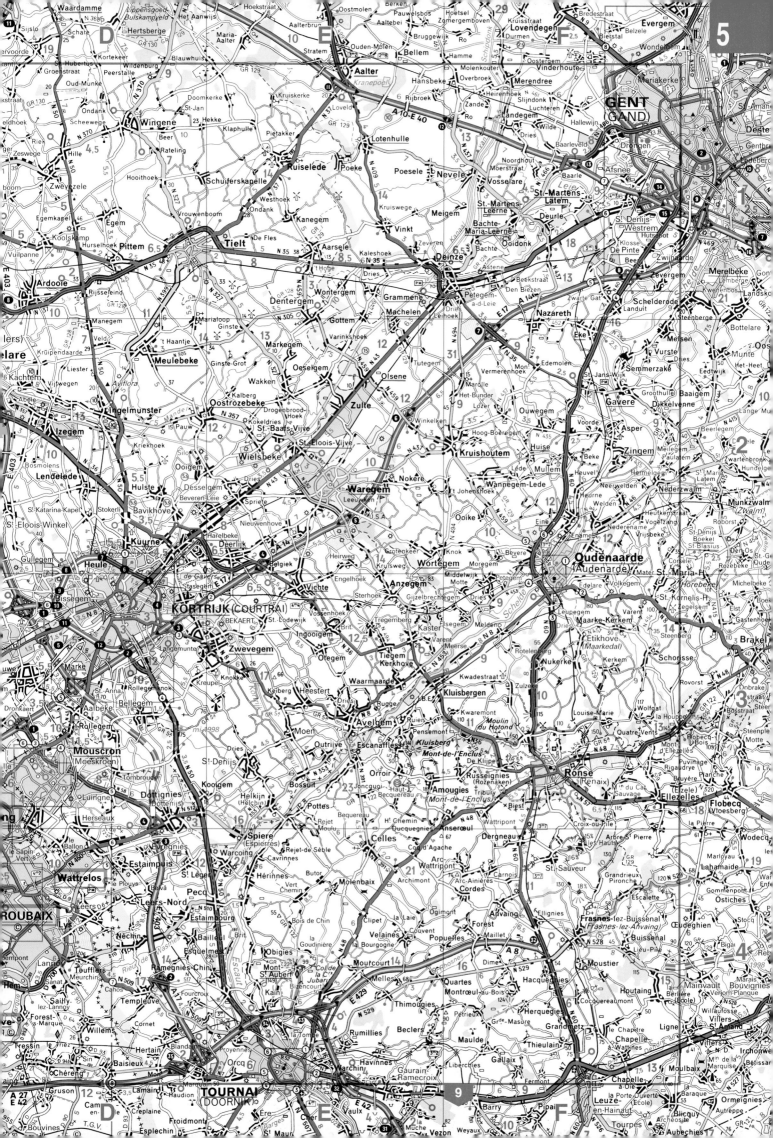

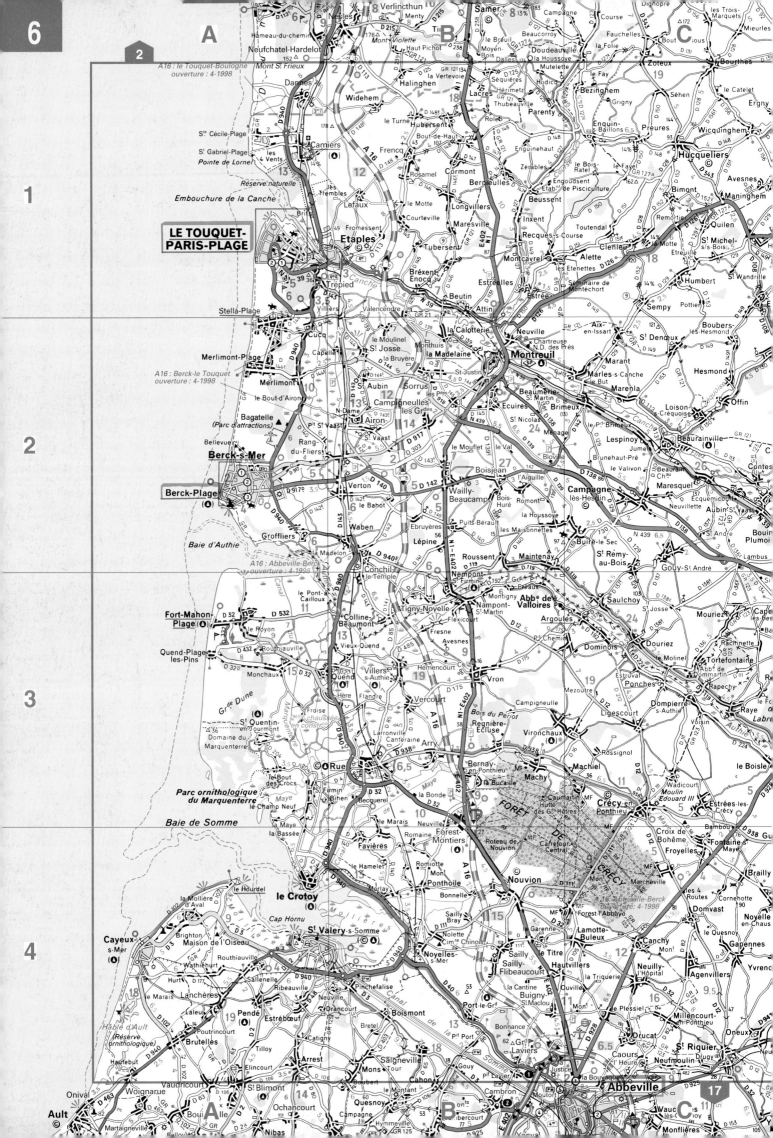

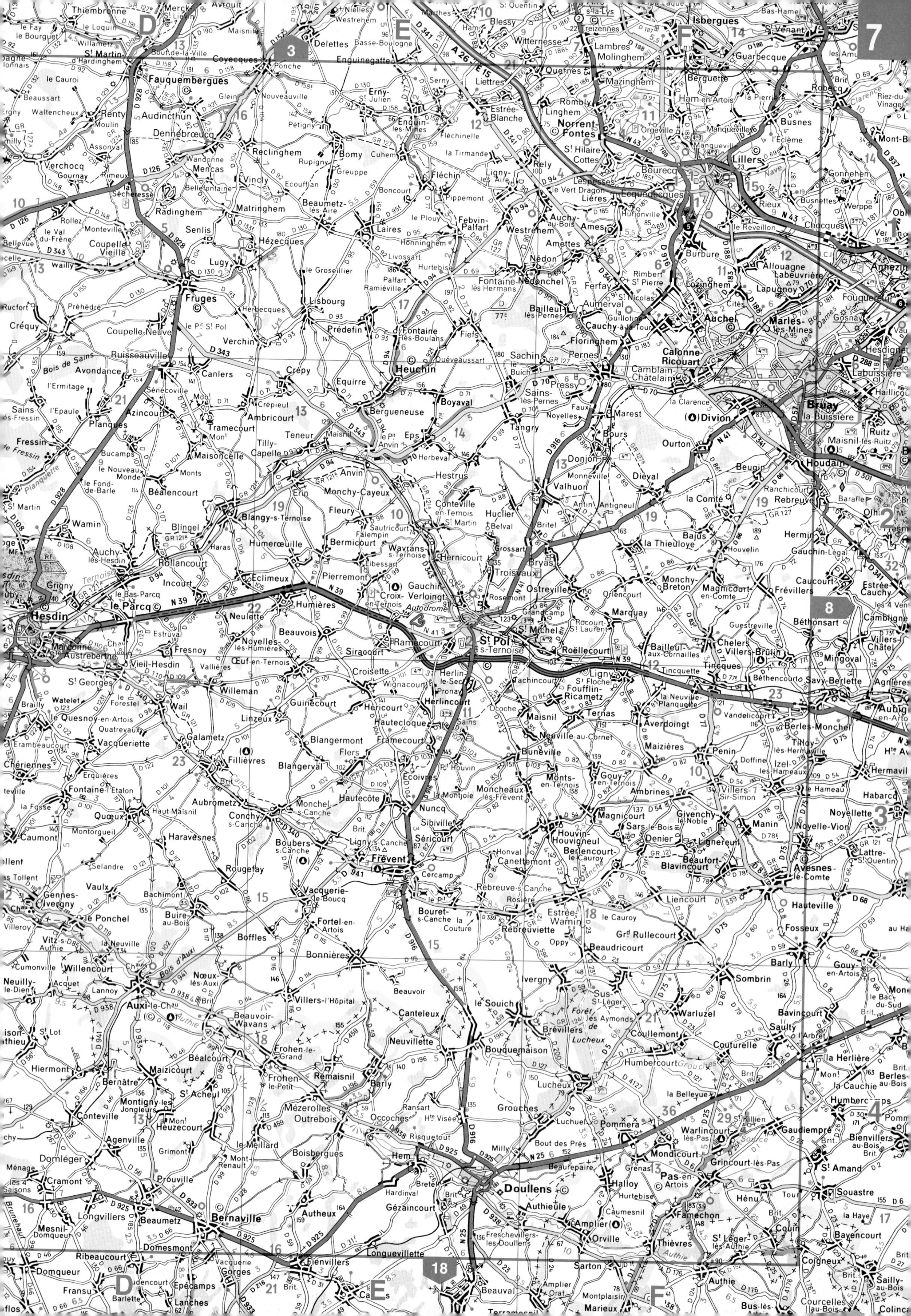
7
3
8
18
D
E
F
Thiembronne
Fauquembergues
Audincthun
Dennebrœucq
Reclinghem
Renty
Verchocq
Radinghem
Matringhem
Senlis
Hézecques
Lugy
Fruges
Coupelle-Neuve
Ruisseauville
Canlers
Crépy
Azincourt
Tramecourt
Planques
Maisoncelle
Béalencourt
Blangy-s-Ternoise
Wamin
Auchy-lès-Hesdin
Rollancourt
Hesdin
Marconne
le Parcq
Humières
St Pol s-Ternoise
Ramecourt
Siracourt
Gauchin-Verloingt
Heuchin
Fontaine-lès-Boulans
Lisbourg
Prédefin
Laires
Bomy
Delettes
Enquin-les-Mines
Estrée-Blanche
Liettres
Witternesse
Isbergues
St Venant
Lillers
Norrent-Fontes
Auchy-au-Bois
Burbure
Lozinghem
Auchel
Calonne-Ricouart
Marles-les-Mines
Bruay la-Buissière
Divion
Houdain
Pernes
Camblain-Châtelain
Sachin
Pressy
Bergueneuse
Anvin
Tangry
Valhuon
Bours
Diéval
Ostreville
Bryas
Roëllecourt
Ligny-St Flochel
Averdoingt
Tincques
Aubigny-en-Artois
Avesnes-le-Comte
Frévent
Herlincourt
Nuncq
Séricourt
Ivergny
Sus-St-Léger
Coullemont
Warluzel
Saulty
Bouquemaison
Lucheux
Doullens
Authieule
Bernaville
Beaumetz
Auxi-le-Château
Willencourt
Pas-en-Artois
Halloy
Orville
Thièvres
Famechon
Gaudiempré
St Amand
Souastre
Boffles
Vacquerie-le-Boucq
Bonnières
Villers-l'Hôpital
Conchy-s-Canche
Fillièvres
Vieil-Hesdin
Wail
Beauval

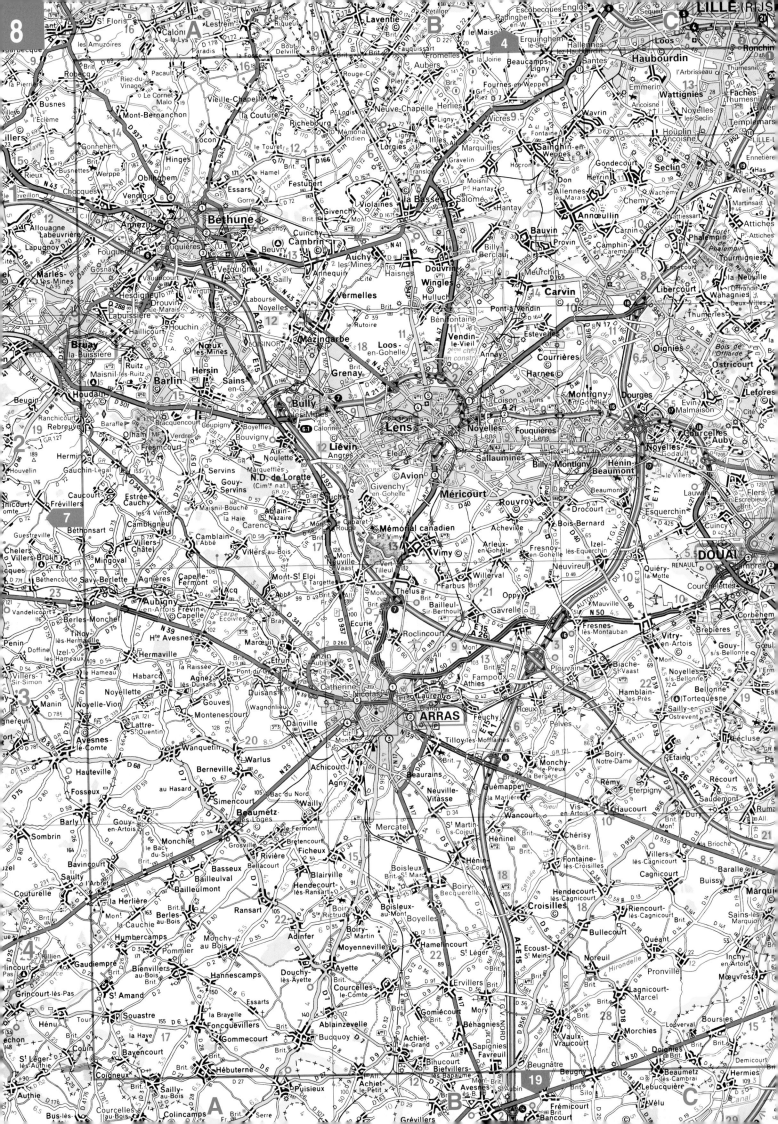

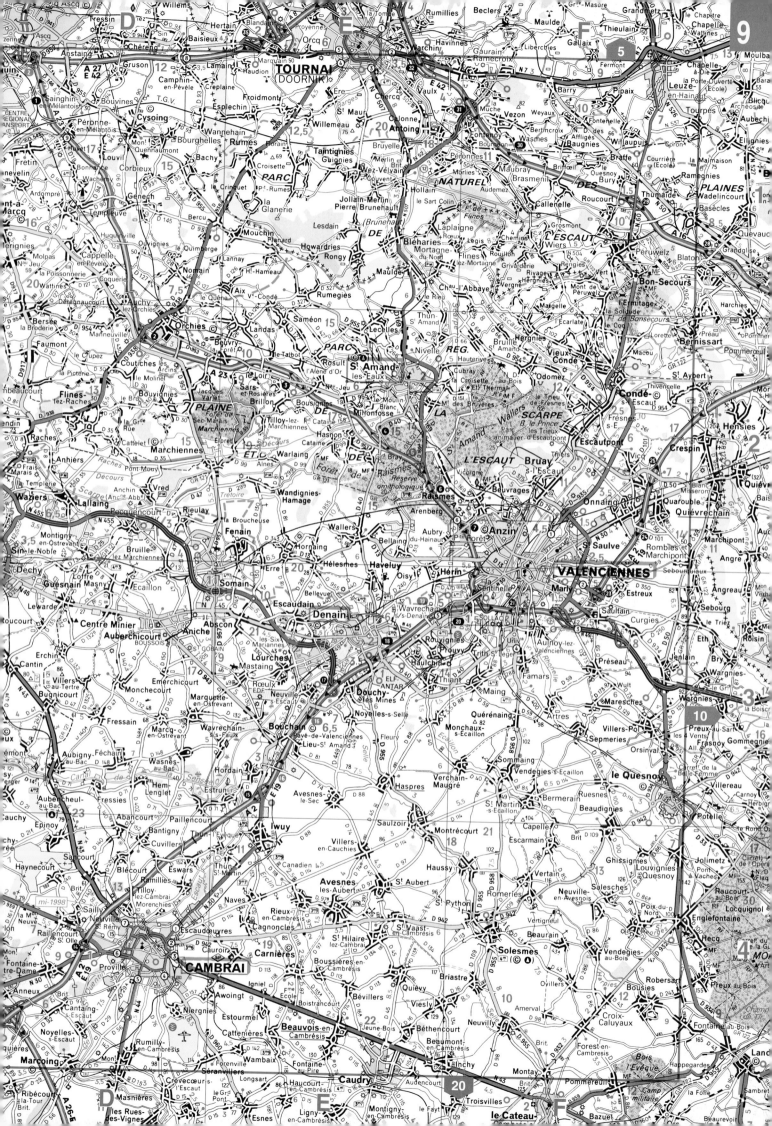

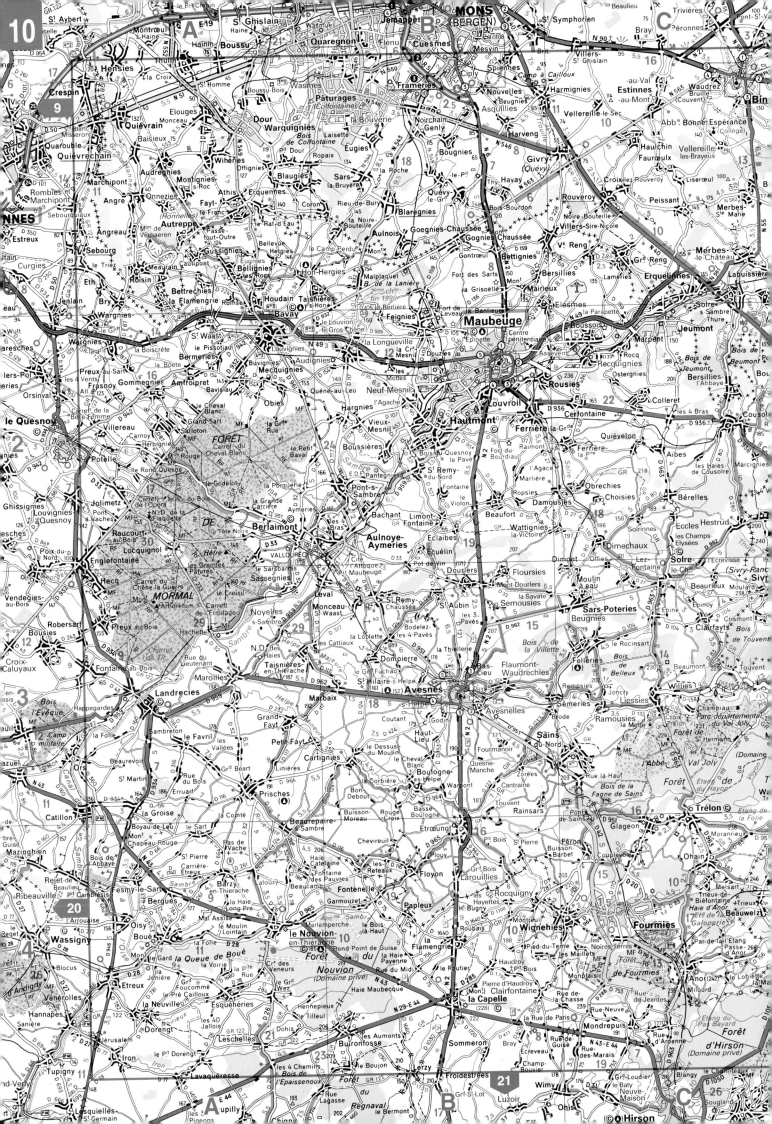

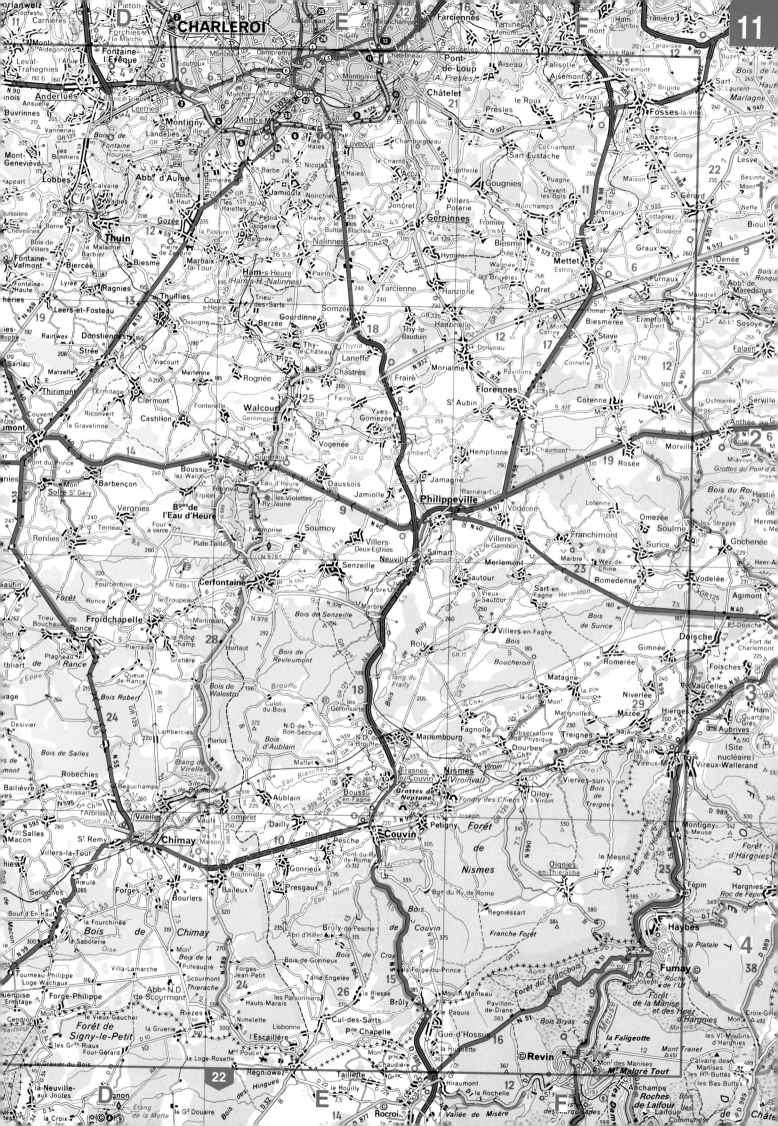

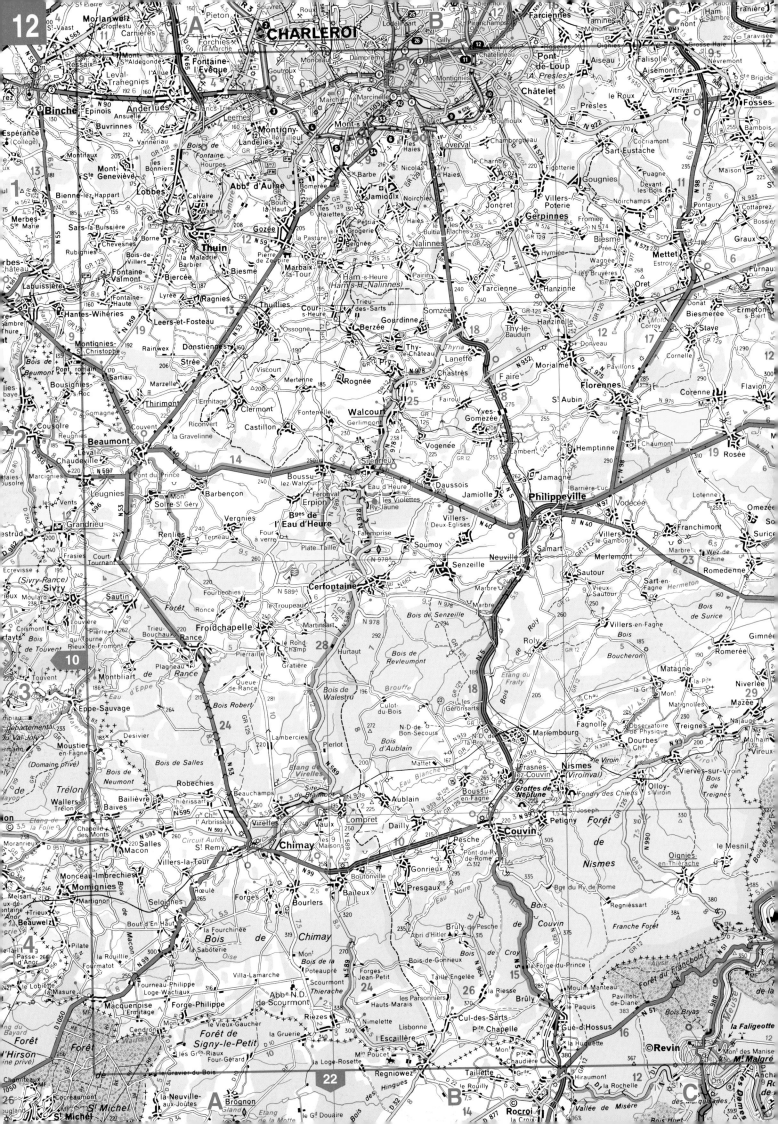

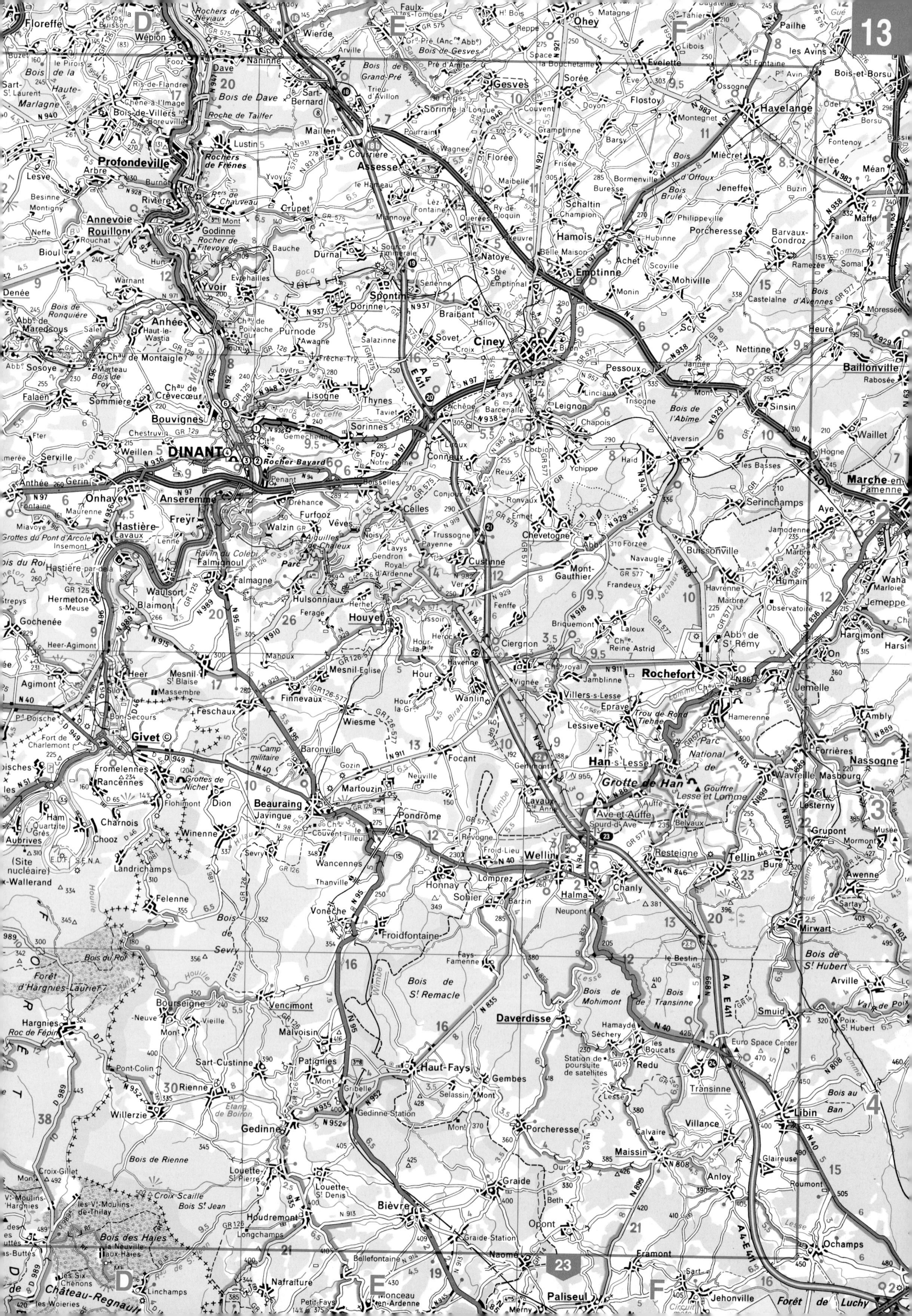
D
E
F
Floreffe
Wépion
Rochers de Néviaux
Wierde
Faulx-les-Tombes
Ohey
Pailhe
les Avins
Naninne
Dave
Bois de Dave
Roche de Taillfer
Bois de Gesves
Gesves
Sorée
Evelette
Havelange
Bois-et-Borsu
Sart-Bernard
Sorinne-la-Longue
Flostoy
Bois de la Haute-Marlagne
Bois-de-Villers
Lustin
Rochers de Frênes
Maillen
Courrière
Assesse
Florée
Barsy
Miécret
Verlée
Méan
Profondeville
Lesve
Arbre
Rivière
Crupet
Maibelle
Schaltin
Jeneffe
Buzin
Maffe
Annevoie-Rouillon
Godinne
Rocher de Fitevoye
Bauche
Durnal
Natoye
Hamois
Emptinne
Achet
Porcheresse
Barvaux-Condroz
Failon
Somal
Bioul
Yvoir
Evrehailles
Spontin
Dorinne
Braibant
Mohiville
Castelaine
Bois d'Avennes
Denée
Anhée
Purnode
Sovet
Ciney
Nettinne
Heure
Baillonville
Maredsous
Sosoye
Falaën
Sommière
Bouvignes
Lisogne
Thynes
Leignon
Pessoux
Sinsin
Waillet
DINANT
Rocher Bayard
Anseremme
Onhaye
Hastière-Lavaux
Freÿr
Foy-Notre-Dame
Conneux
Celles
Furfooz
Vêves
Chevetogne
Buissonville
Serinchamps
Marche-en-Famenne
Aye
Hermeton-s-Meuse
Waulsort
Falmignoul
Falmagne
Hulsonniaux
Custinne
Mont-Gauthier
Humain
Waha
Gochenée
Houyet
Ciergnon
Rochefort
Jemelle
Heer
Agimont
Finnevaux
Mesnil-Église
Wanlin
Villers-s-Lesse
Hargimont
On
Givet
Feschaux
Wiesme
Lessive
Han-s-Lesse
Grotte de Han
Ambly
Forrières
Nassogne
Beauraing
Focant
Martouzin
Pondrôme
Ave-et-Auffe
Wavreille
Masbourg
Lesterny
Chooz
Winenne
Wancennes
Wellin
Resteigne
Tellin
Bure
Grupont
Awenne
Honnay
Lomprez
Halma
Chanly
Vonêche
Froidfontaine
Mirwart
Bois de Sevry
Bois du Roi
Forêt d'Hargnies-Laurier
Bois de St Remacle
Bois de St Hubert
Arville
Bourseigne
Vencimont
Daverdisse
Smuid
Hargnies
Sart-Custinne
Patignies
Haut-Fays
Gembes
Redu
Transinne
Rienne
Willerzie
Gedinne
Porcheresse
Villance
Libin
Bois de Rienne
Louette-St-Pierre
Louette-St-Denis
Graide
Maissin
Anloy
Bièvre
Houdremont
Ochamps
Nafraiture
Naomé
Paliseul
Framont
Jehonville
Forêt de Luchy
Château-Regnault
23

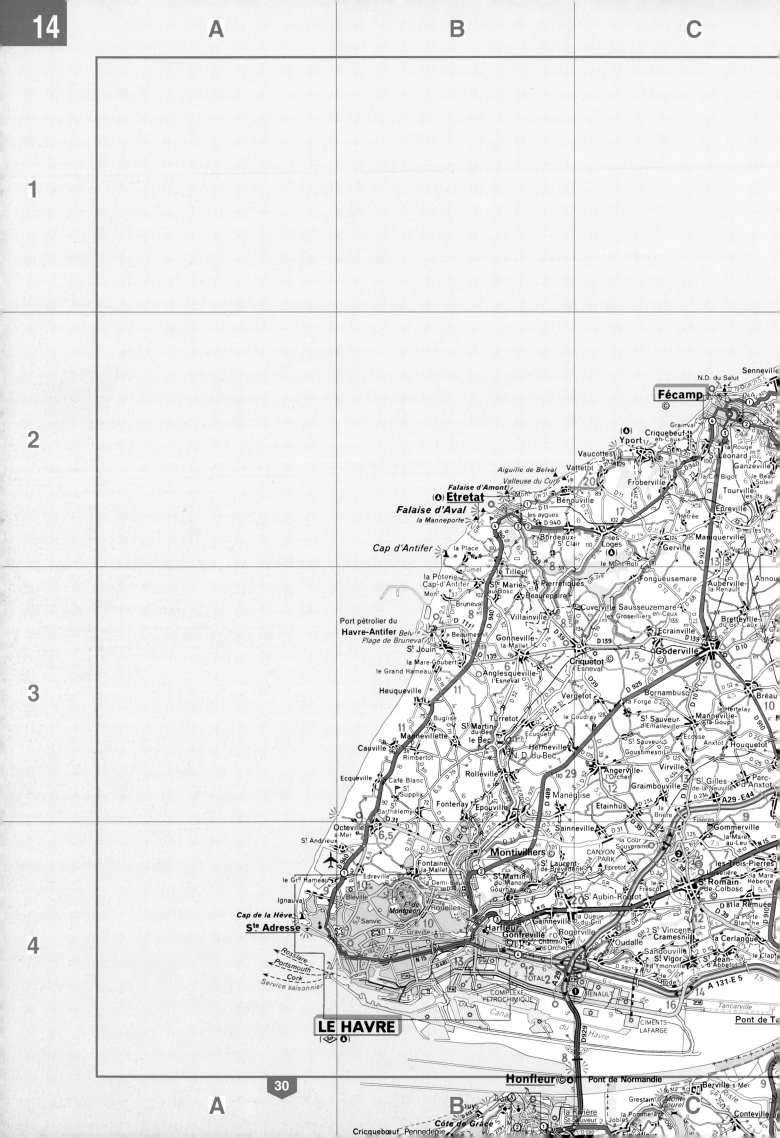

A   B   C

1

2

3

4

A   B   C

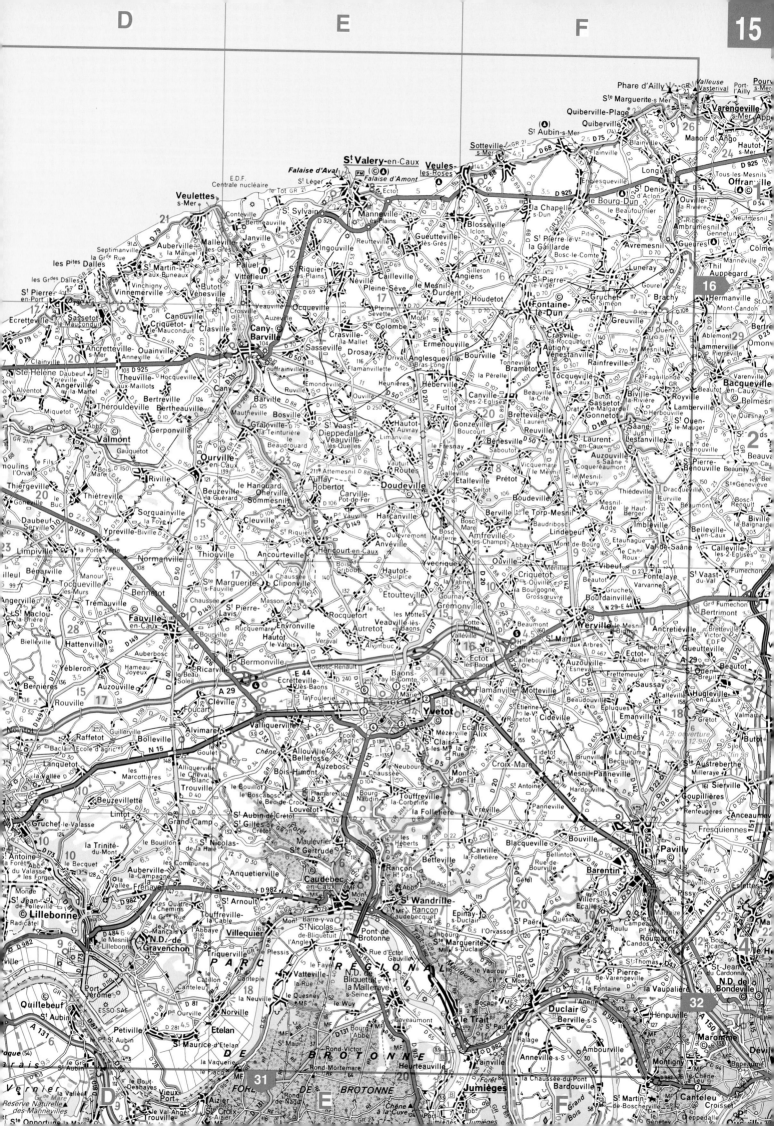

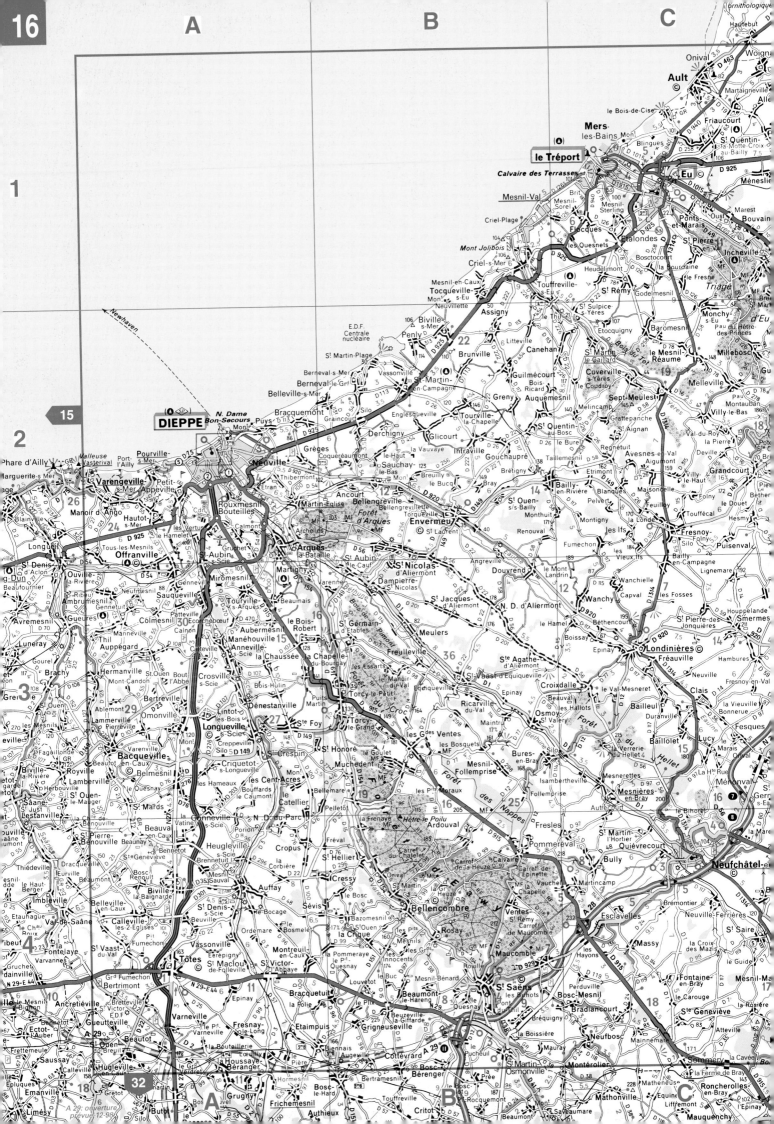

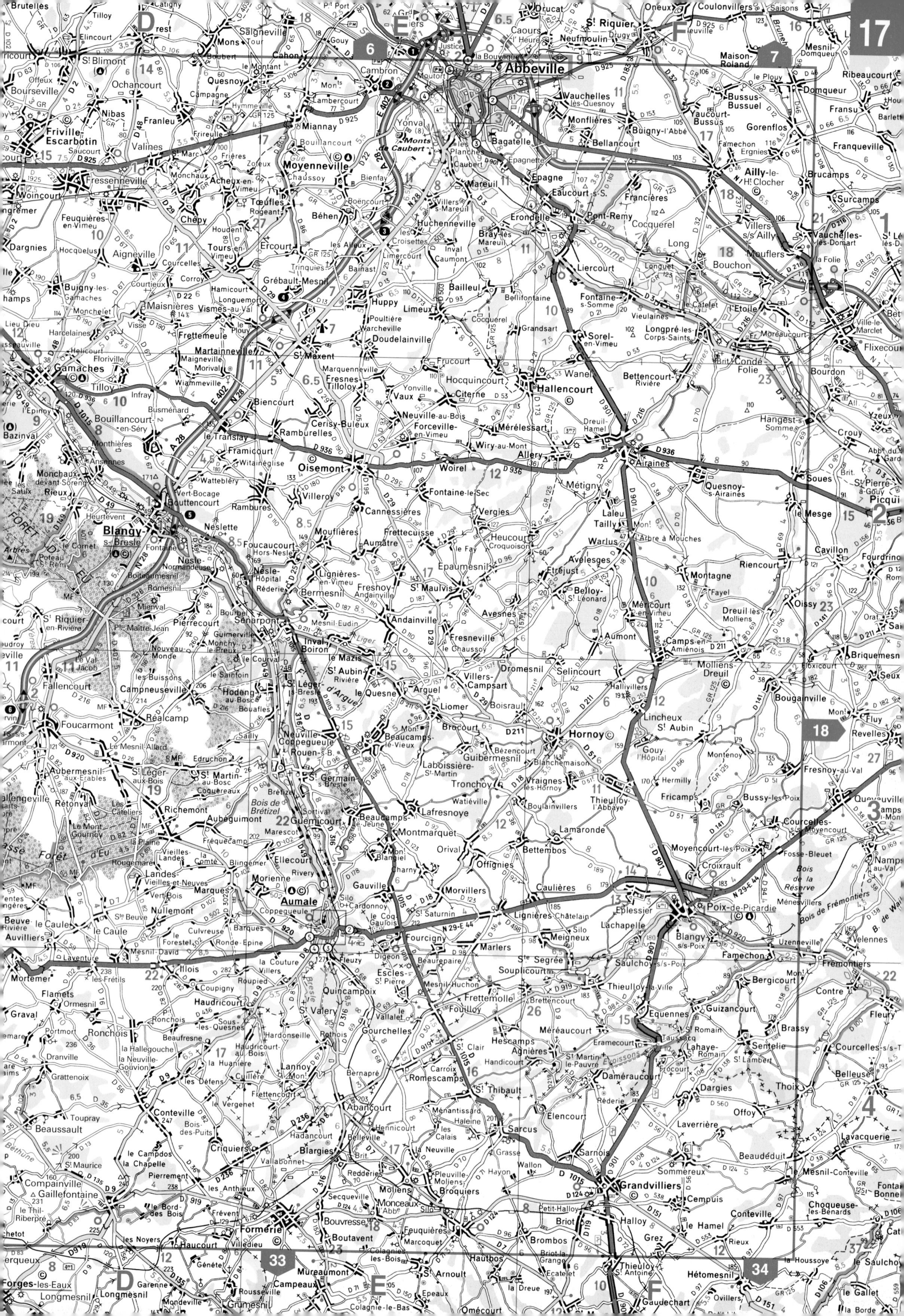
Abbeville
St Riquier
Pont-Remy
Long
Longpré-les-Corps-Saints
Hallencourt
Airaines
Oisemont
Gamaches
Blangy-s-Bresle
Senarpont
Hornoy
Poix-de-Picardie
Aumale
Grandvilliers
Formerie
Molliens-Dreuil
Picquigny
Ailly-le-Haut-Clocher
Moyenneville
Friville-Escarbotin
Fressenneville
Woincourt
Feuquières-en-Vimeu
Forêt d'Eu
Somme
Bresle
Forges-les-Eaux
Campeaux
Hétomesnil
Marseille

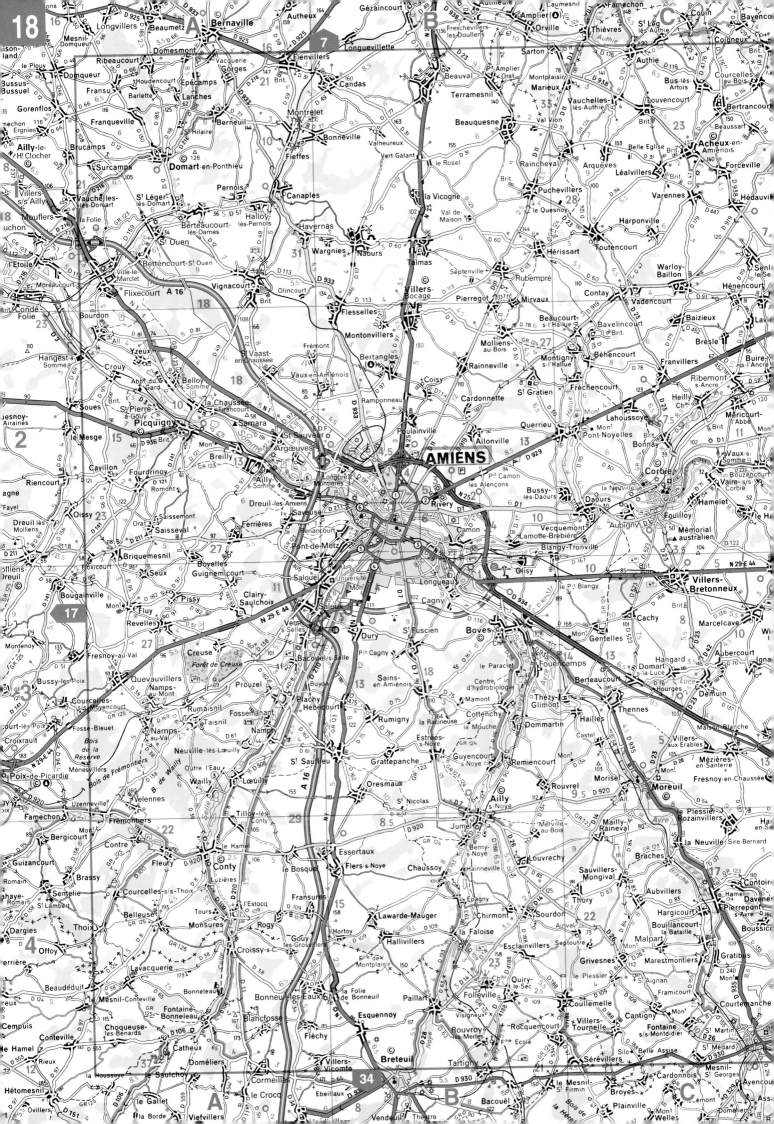

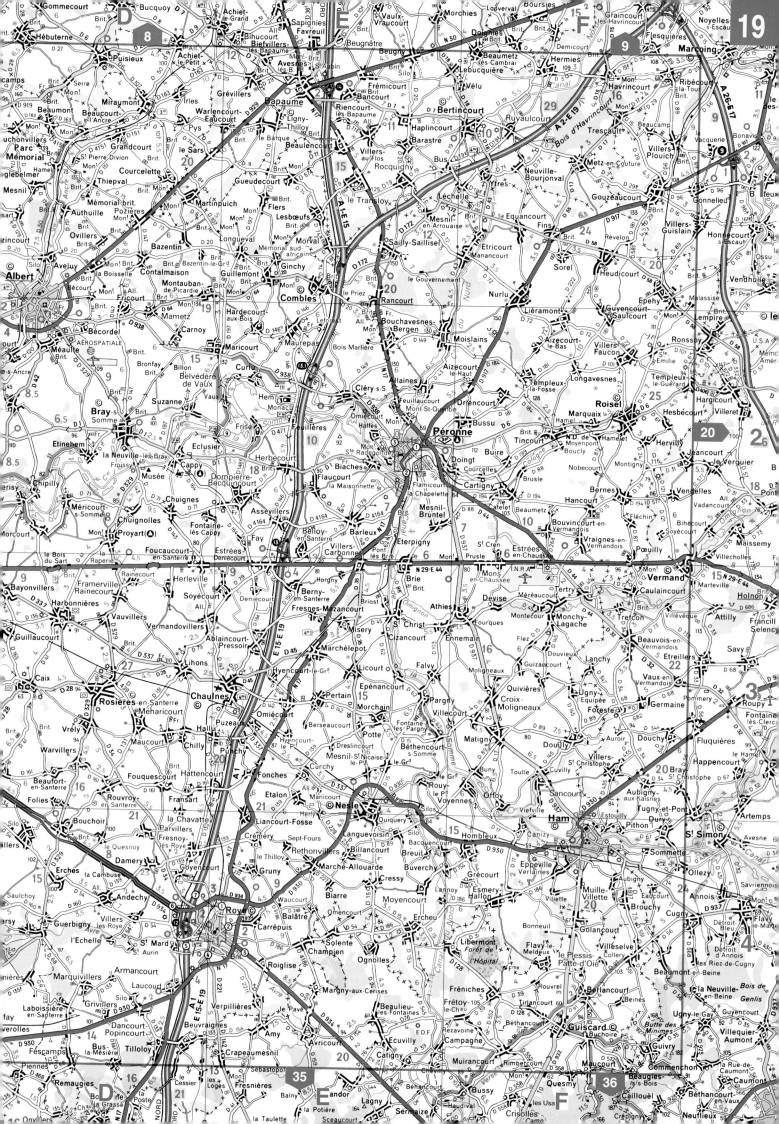

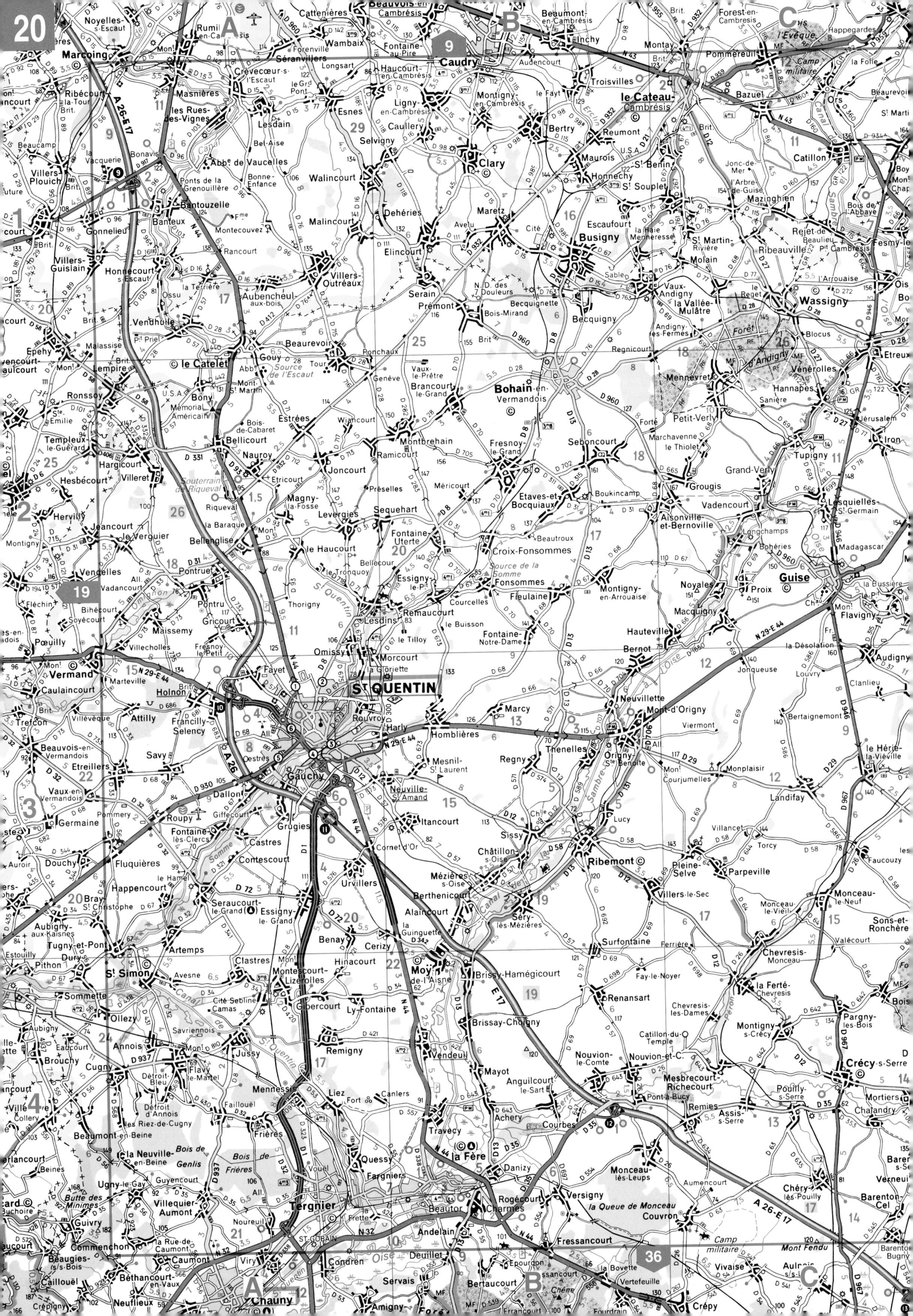
Marcoing
Noyelles-s-Escaut
Rumilly-en-Cambrésis
Cattenières
Wambaix
Séranvillers
Forenville
Beauvois-en-Cambrésis
Fontaine-au-Pire
Caudry
Beaumont-en-Cambrésis
Inchy
Forest-en-Cambrésis
Montay
Pommereuil
Happegardes
Camp militaire
la Folie
Masnières
Crèvecœur-s-l'Escaut
Haucourt-en-Cambrésis
Longsart
Audencourt
Troisvilles
le Cateau-Cambrésis
Bazuel
Ors
Ribécourt-la-Tour
les Rues-des-Vignes
Lesdain
Esnes
Ligny-en-Cambrésis
Caullery
Montigny-en-Cambrésis
Clary
Bertry
Reumont
Maurois
Honnechy
St Benin
St Souplet
Catillon
Villers-Plouich
Beaucamp
la Vacquerie
Bonavis
Abbe de Vaucelles
Bonne-Enfance
Ponts de la Grenouillère
Walincourt
Selvigny
Bantouzelle
Banteux
Gonnelieu
Montecouvez
Rancourt
Malincourt
Dehéries
Elincourt
Maretz
Busigny
Escaufourt
la Haie Mennerresse
St Martin-Rivière
Mazinghien
Rejet-de-Beaulieu
Ribeauville
Molain
Villers-Guislain
Honnecourt-s-Escaut
Villers-Outréaux
Serain
Prémont
Bois-Mirand
N.D. des 7 Douleurs
Becquignette
Becquigny
Vaux-Andigny
la Vallée-Mulâtre
Wassigny
Aubencheul-aux-bois
Ossu
la Terrière
Vendhuile
Epehy
Malassise
Pt Priel
le Catelet
Gouy
Beaurevoir
Ponchaux
Source de l'Escaut
Bohain-en-Vermandois
Regnicourt
Forêt d'Andigny
Mennevret
Vénerolles
Hannapes
Etreux
Lempire
Ronssoy
Ste Emilie
Templeux-le-Guérard
Bony
Mont-St Martin
Mémorial Américain
Bois-de-Cabaret
Estrées
Genève
Vaux-le-Prêtre
Brancourt-le-Grand
Wiancourt
Montbrehain
Fresnoy-le-Grand
Seboncourt
Marchavenne
le Thiolet
Petit-Verly
Grand-Verly
Tupigny
Jérusalem
Iron
Hargicourt
Villeret
Hesbécourt
Bellicourt
Nauroy
Souterrain de Riqueval
Riqueval
Etricourt
Joncourt
Ramicourt
Méricourt
Etaves-et-Bocquiaux
Boukincamp
Grougis
Aisonville-et-Bernoville
Vadencourt
Lesquielles-St Germain
Hervilly
Jeancourt
le Verguier
Bellenglise
la Baraque
Magny-la-Fosse
Levergies
Sequehart
Préselles
Fontaine-Uterte
Croix-Fonsommes
Beautroux
Longchamps
Bohéries
Madagascar
Guise
Vendelles
Vadancourt
Pontruet
le Haucourt
le Tronquoy
Bellecour
Essigny-le-Petit
Source de la Somme
Fonsommes
Fieulaine
Montigny-en-Arrouaise
Noyales
Proix
la Bussière
Flavigny
Fléchin
Bihécourt
Soyécourt
Pœuilly
Maissemy
Pontru
Gricourt
Thorigny
Lesdins
Remaucourt
Courcelles
le Buisson
Macquigny
Hauteville
Vermand
Villecholles
Fresnoy-le-Petit
Omissy
le Tilloy
Morcourt
Fontaine-Notre-Dame
Bernot
la Désolation
Jonqueuse
Louvry
Audigny
Clanlieu
Caulaincourt
Marteville
Holnon
Fayet
la Gloriette
St QUENTIN
Rouvroy
Harly
Homblières
Marcy
Neuvillette
Mont-d'Origny
Viermont
Bertaignemont
Trefcon
Villévêque
Attilly
Francilly-Selency
Savy
Thenelles
Origny-Ste Benoite
Monplaisir
le Hérie-la-Viéville
Beauvois-en-Vermandois
Etreillers
Oestres
Gauchy
Mesnil-St Laurent
Regny
Mont Courjumelles
Landifay
Vaux-en-Vermandois
Pommery
Dallon
Giffecourt
Neuville-St Amand
Itancourt
Sissy
Lucy
Germaine
Roupy
Fontaine-lès-Clercs
Grugies
Castres
Contescourt
Cornet d'Or
Châtillon-s-Oise
Ribemont
Villancet
Torcy
Pleine-Selve
Parpeville
Faucouzy
Douchy
Fluquières
le Hamel
Happencourt
Urvillers
Mézières-s-Oise
Berthenicourt
Villers-le-Sec
Monceau-le-Neuf
Bray-St Christophe
Seraucourt-le-Grand
Essigny-le-Grand
Alaincourt
Séry-lès-Mézières
Monceau-le-Vieil
Sons-et-Ronchères
Aubigny-aux-Kaisnes
Tugny-et-Pont
Dury
Artemps
la Guinguette
Benay
Cerizy
Surfontaine
Ferrière
Valécourt
Chevresis-Monceau
Pithon
St Simon
Avesne
Clastres
Montescourt-Lizerolles
Hinacourt
Moÿ-de-l'Aisne
Brissy-Hamégicourt
Fay-le-Noyer
la Ferté-Chevresis
Sommette
Cité Sebline
Camas
Gibercourt
Ly-Fontaine
Renansart
Chevresis-les-Dames
Ollezy
Savriennois
Brissay-Choigny
Montigny-s-Crécy
Pargny-les-Bois
Annois
Jussy
Remigny
Vendeuil
Catillon-du-Temple
Brouchy
Eaucourt
Cugny
Flavy-le-Martel
Détroit-Bleu
Mennessis
Mayot
Nouvion-le-Comte
Nouvion-et-C.
Crécy-s-Serre
Faillouël
Détroit d'Annois
les Riez-de-Cugny
Liez
Fort
Canlers
Anguilcourt-le-Sart
Mesbrecourt-Richecourt
Pont-à-Bucy
Pouilly-s-Serre
Mortiers
Chalandry
Collery
Beaumont-en-Beine
Frières
Achery
Travecy
Courbes
Remies
Assis-s-Serre
la Neuville-en-Beine
Bois de Genlis
Bois de Frières
Quessy
la Fère
Danizy
Monceau-lès-Leups
Barenton-s-Serre
Verneuil
Beines
Ugny-le-Gay
Guyencourt
Vouël
Fargniers
Aumencourt
Chéry-lès-Pouilly
Barenton-Cel
Butte des Minimes
Villequier-Aumont
Tergnier
Beautor
Rogécourt
Charmes
Versigny
la Queue de Monceau
Couvron
Guivry
Noureuil
Frette
Andelain
Commenchon
la Rue-de-Caumont
St-GOBAIN
Fressancourt
Camp militaire
Mont Fendu
Beaugies-s/s-Bois
Caumont
Viry
Condren
Deuillet
Epourdon
Vivaise
Aulnois-s/s-L.
Barenton-Bugny
Caillouël
Béthancourt-en-Vaux
Servais
Bertaucourt
la Bovette
Vertefeuille
Neuflieux
Crépigny
Chauny
Amigny
Francourt
Fourdrain
Crépy
A 26-E 17
N 29-E 44
N 43
N 44
N 32
D 960
D 932
D 967
D 946
St Quentin
Sambre
Oise
Somme
Canal

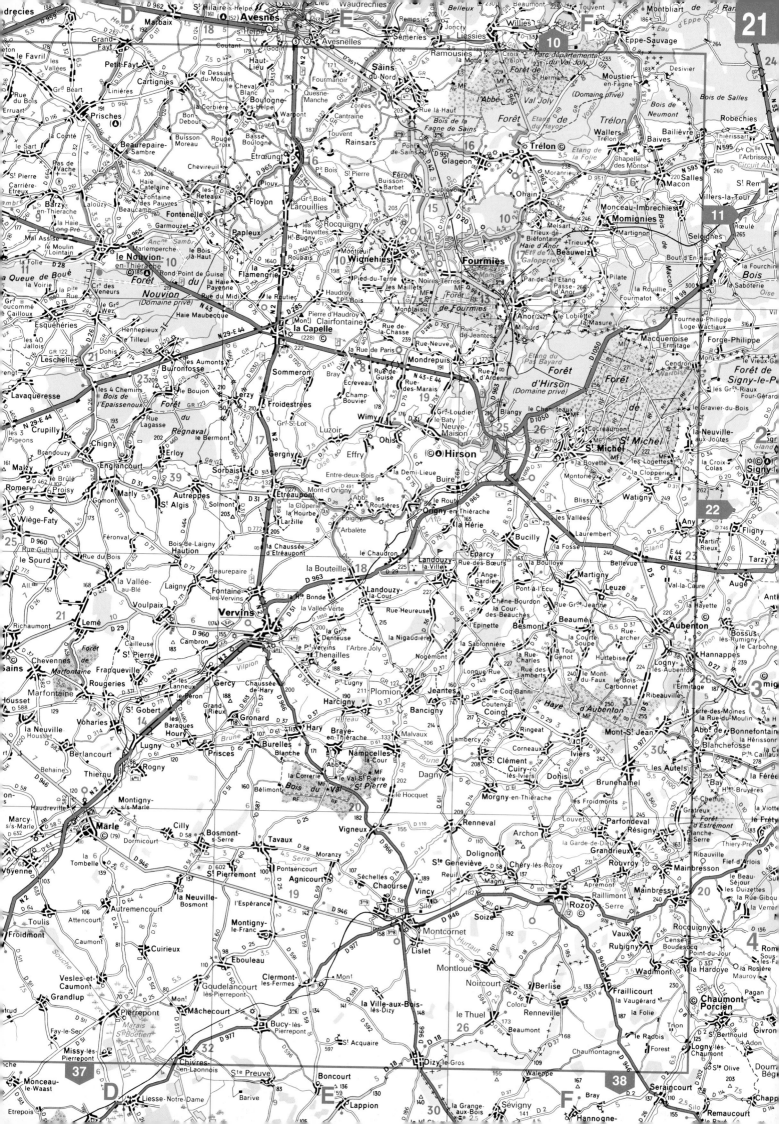

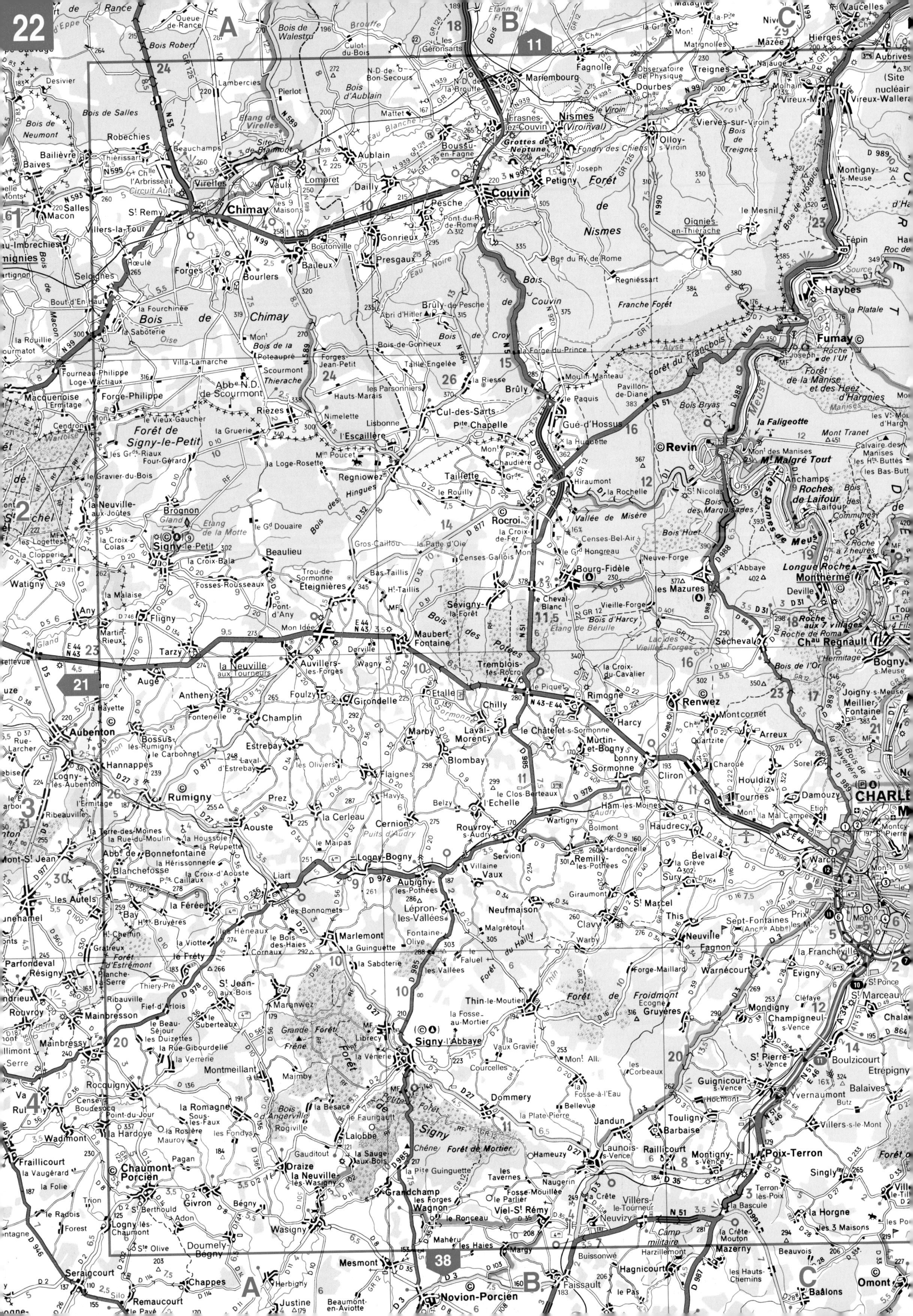

11

Chimay

Couvin

Nismes (Viroinval)

Mariembourg

Fumay

Haybes

Revin

Rocroi

Signy-le-Petit

Aubenton

Rumigny

Maubert-Fontaine

Renwez

Monthermé

Bogny

CHARLEVILLE-MÉZIÈRES

Liart

Signy-l'Abbaye

Chaumont-Porcien

Poix-Terron

Novion-Porcien

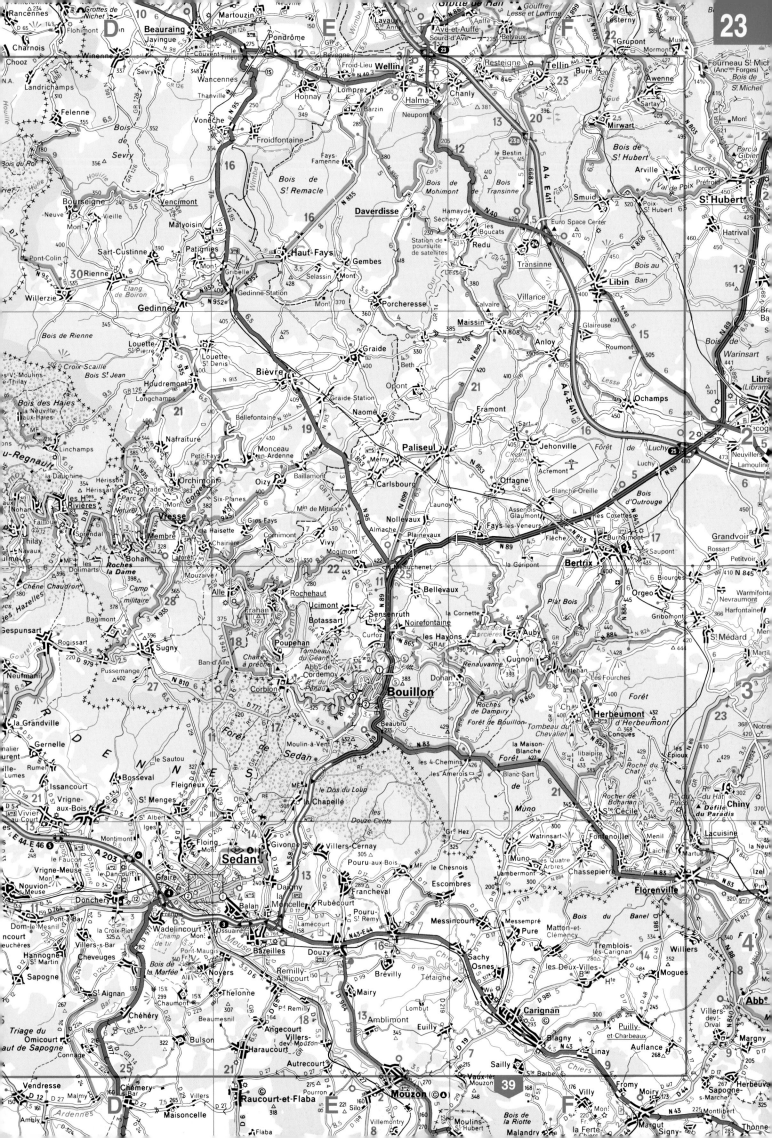

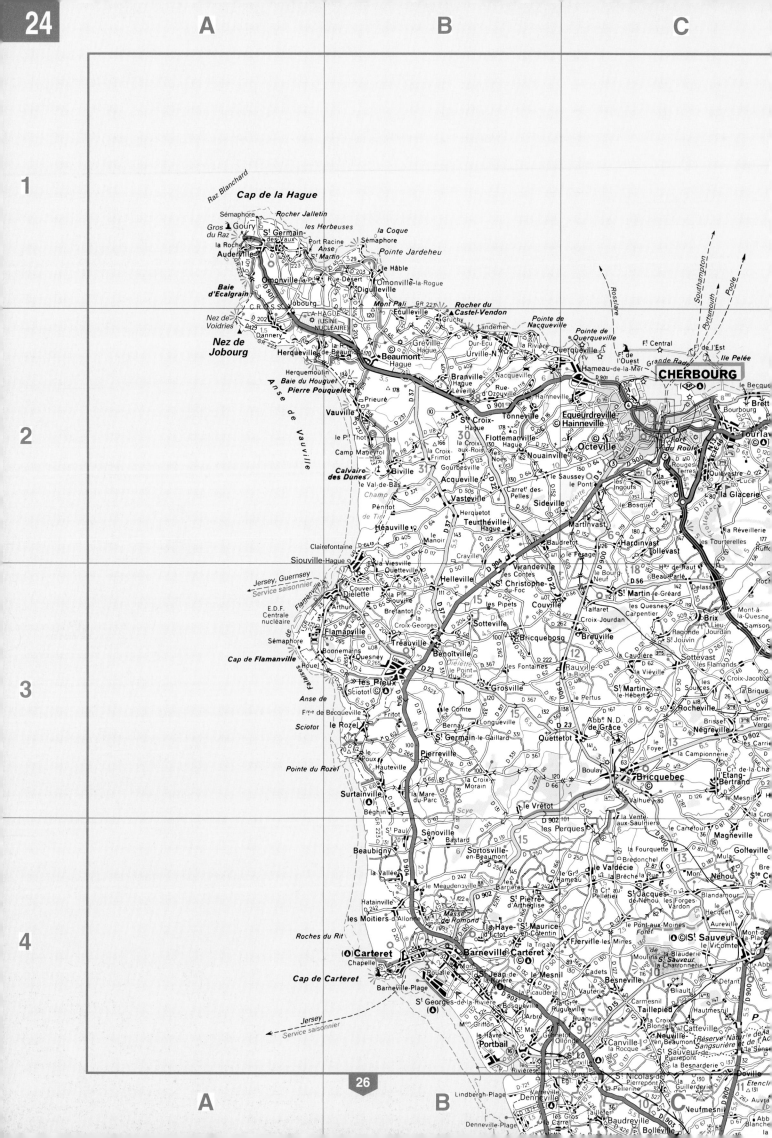

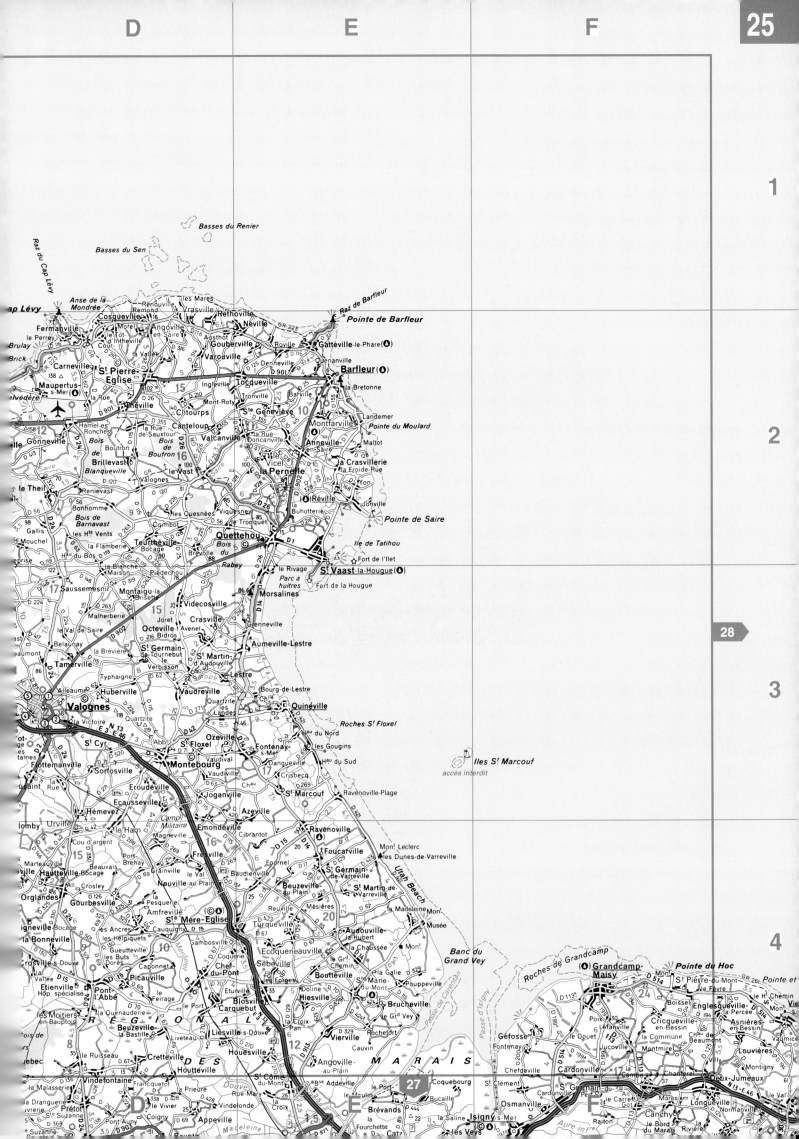

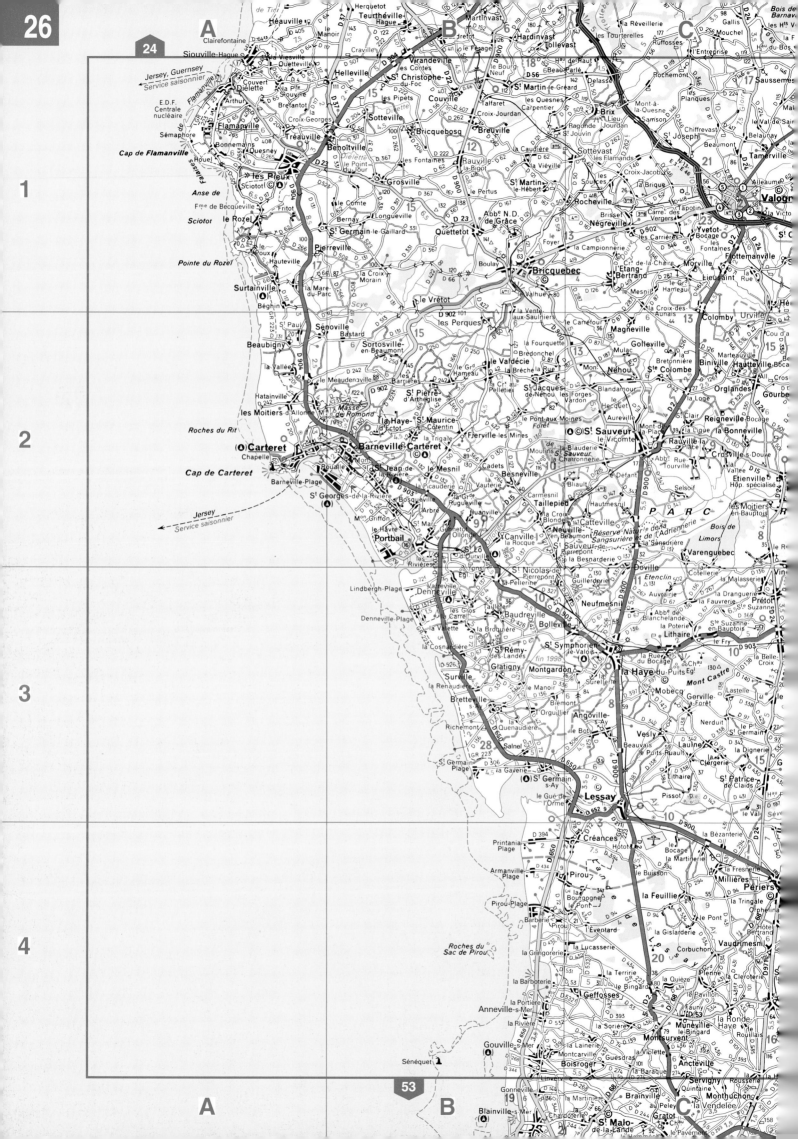

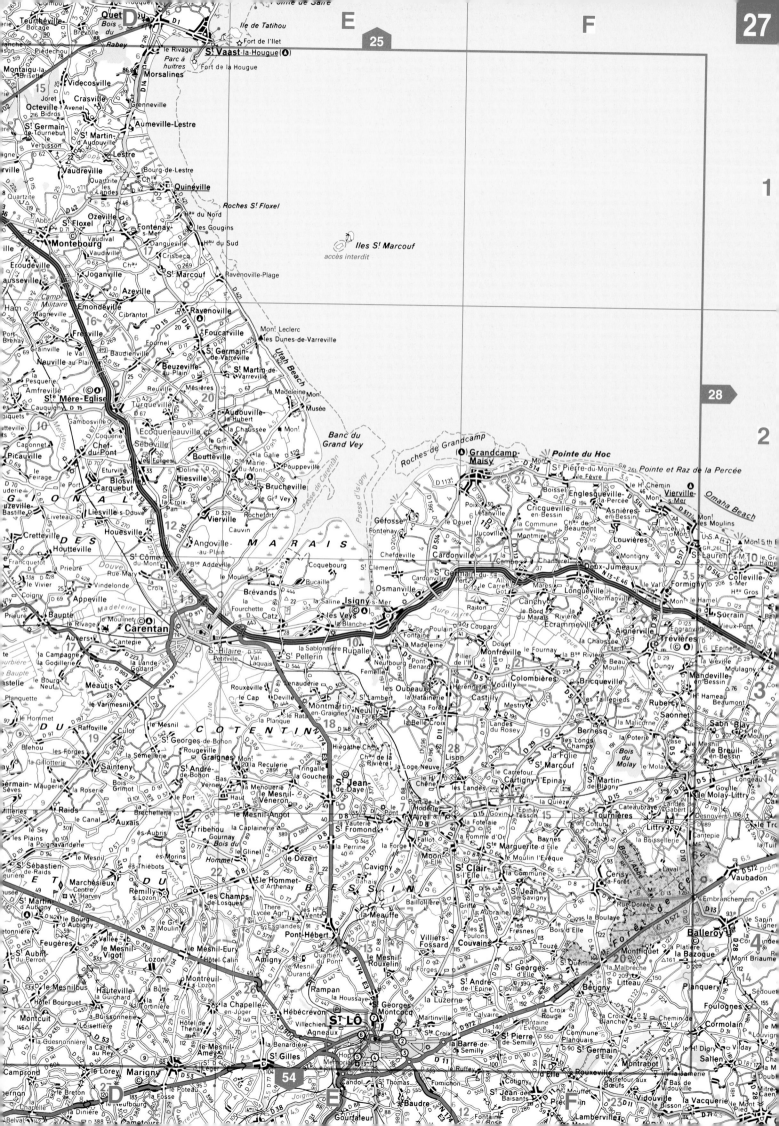

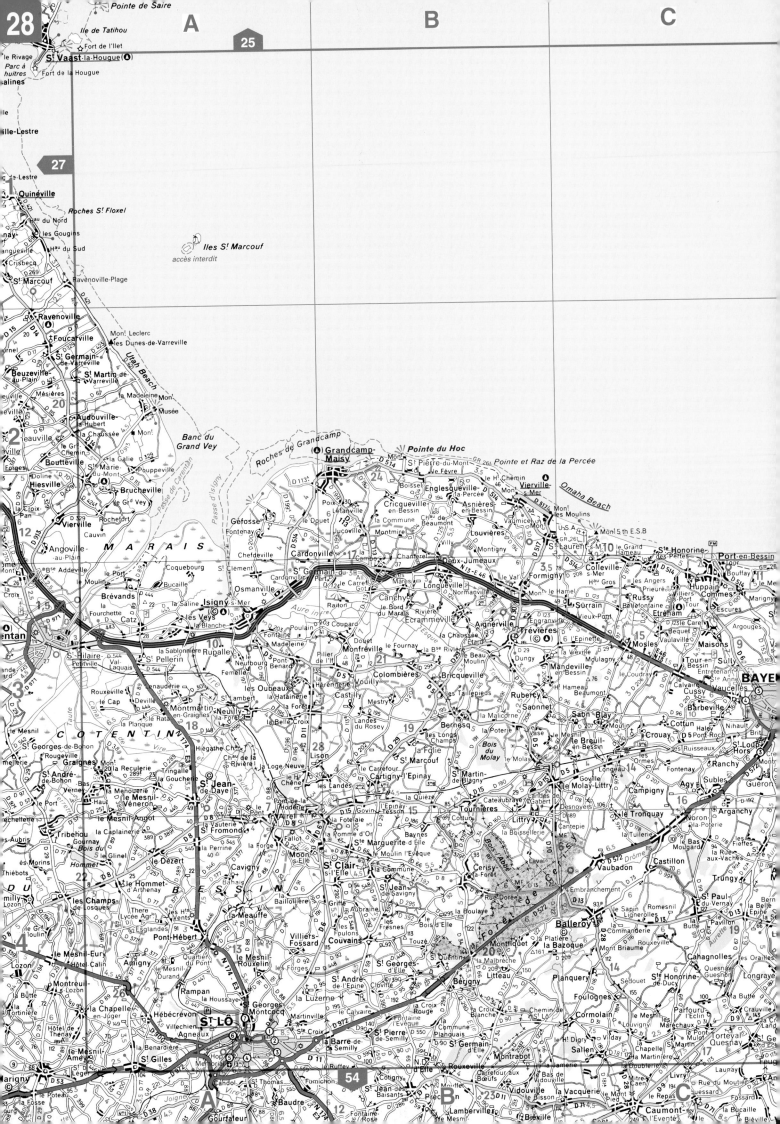

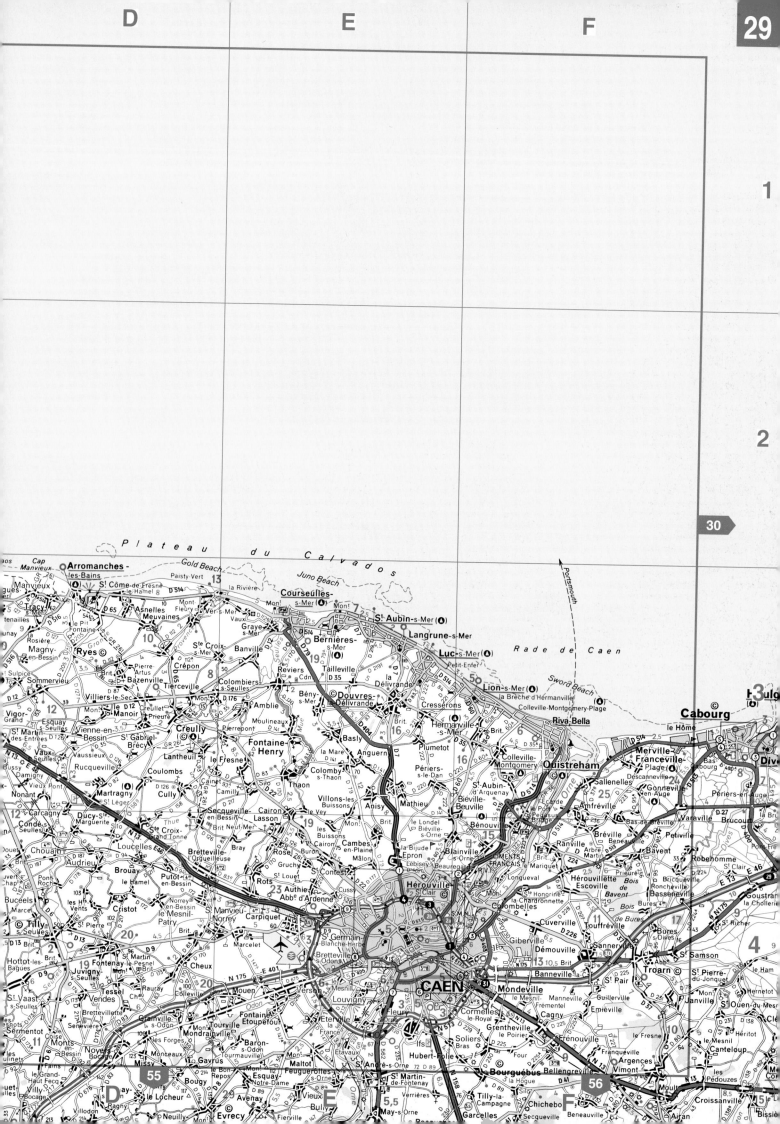

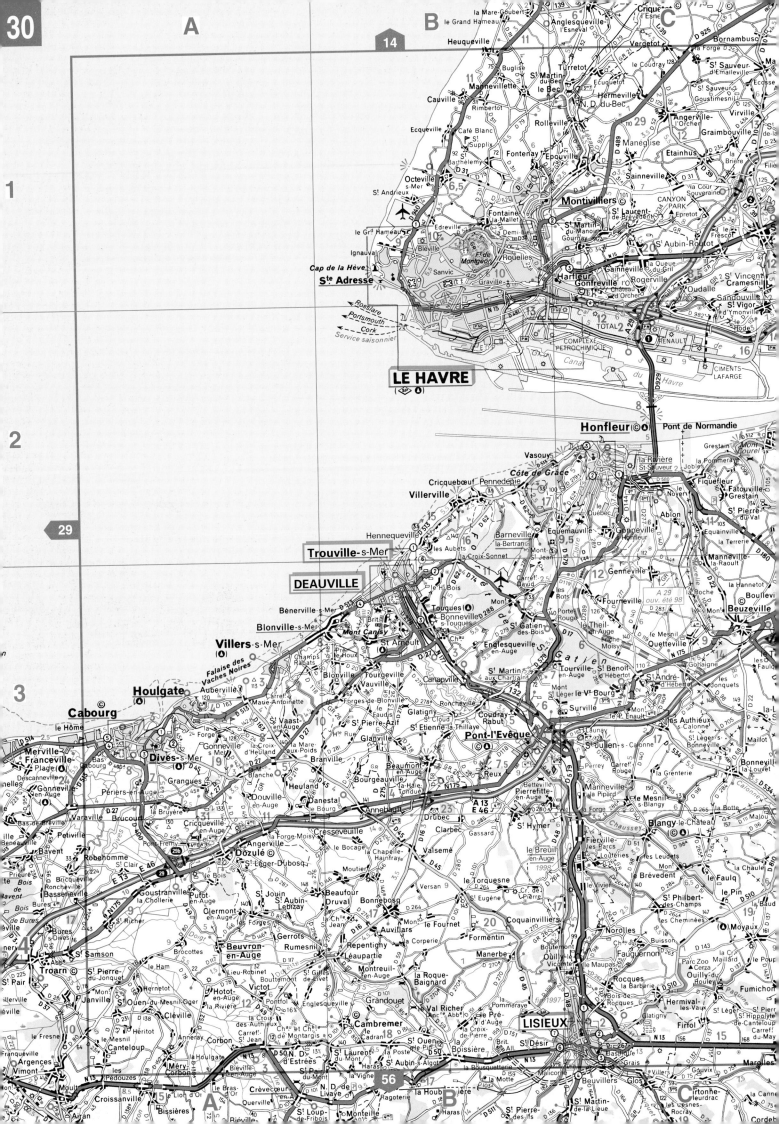

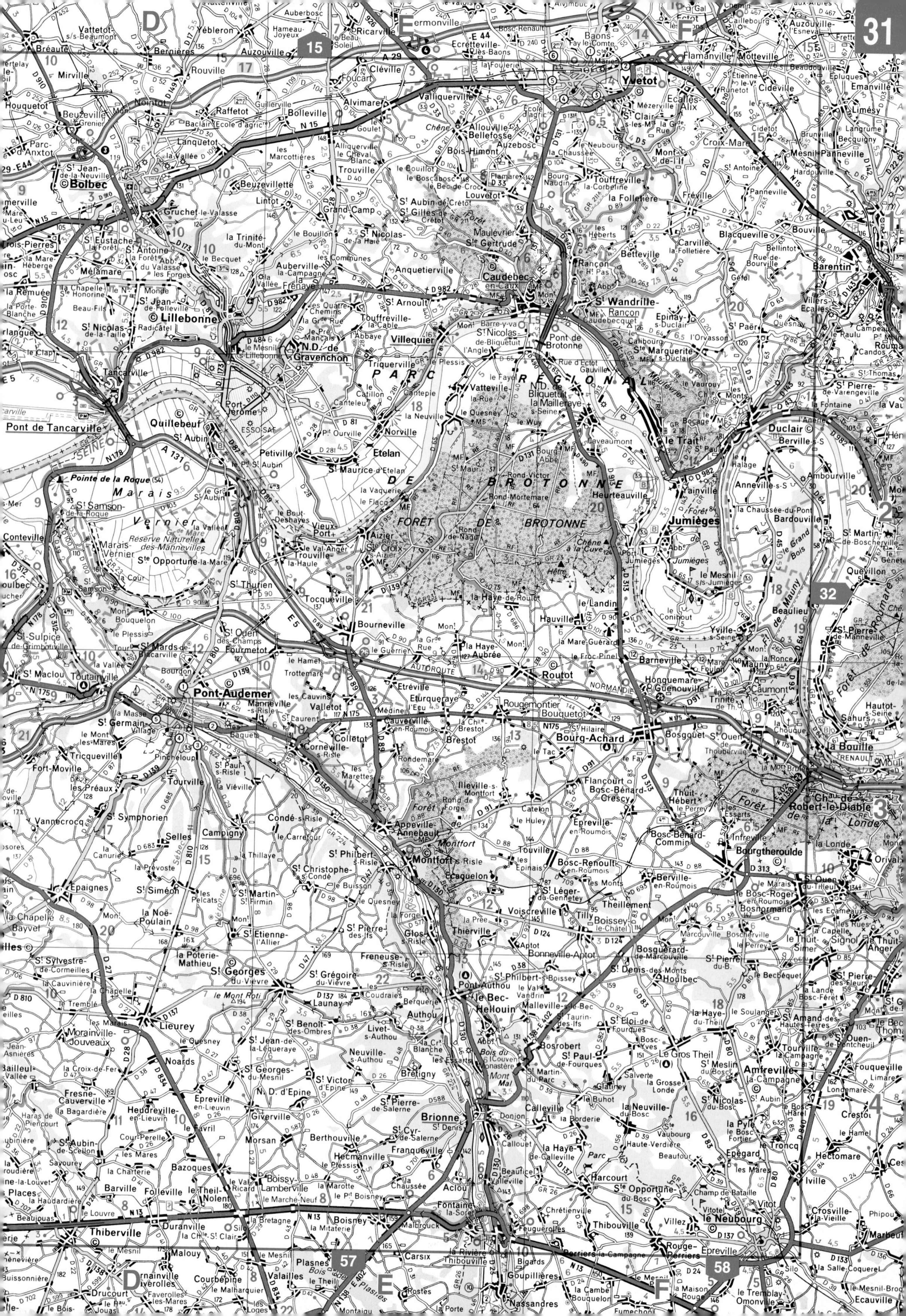

Yvetot
© Bolbec
Lillebonne
N.D. de Gravenchon
Quillebeuf
Pont de Tancarville
Marais Vernier
Caudebec-en-Caux
St Wandrille-Rançon
Pont de Brotonne
Villequier
PARC RÉGIONAL
FORÊT DE BROTONNE
la Mailleraye-Seine
le Trait
Duclair
Jumièges
Barentin
Pont-Audemer
Routot
Bourg-Achard
Bourgtheroulde
Château de Robert-le-Diable
Forêt de la Londe
la Bouille
Montfort
Montfort-s-Risle
Brionne
le Bec-Hellouin
le Neubourg
Thiberville
Lieurey
Harcourt
Amfreville-la-Campagne

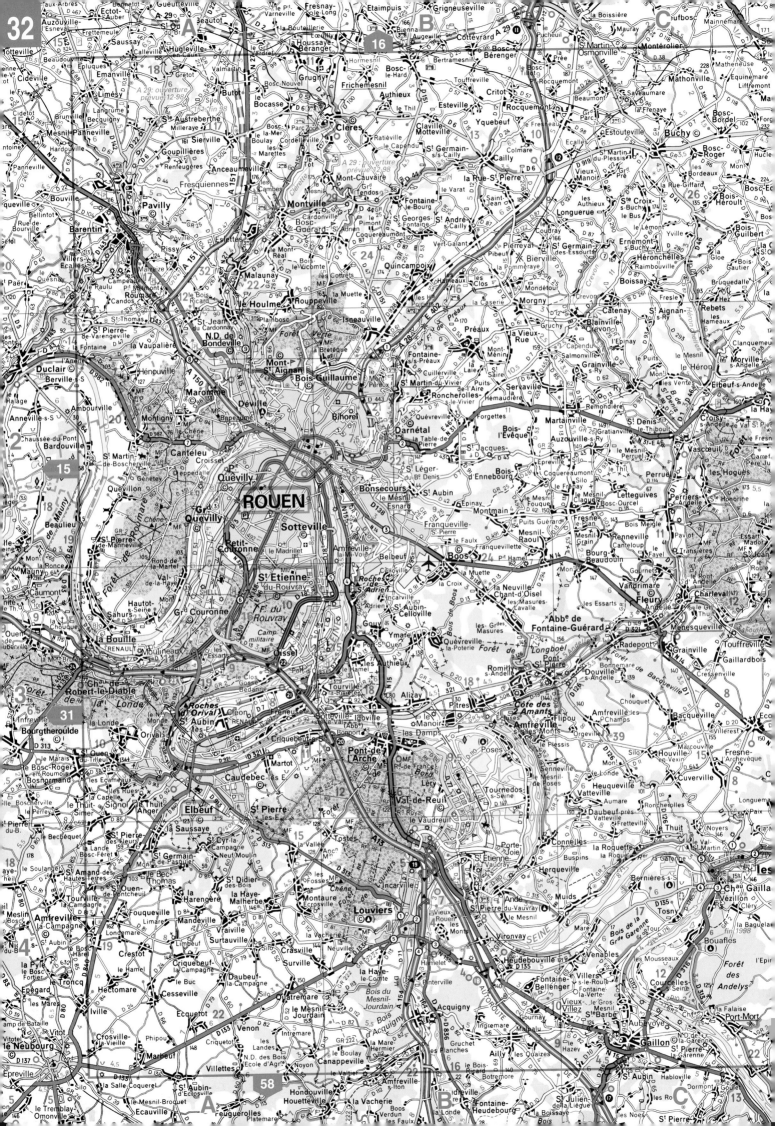

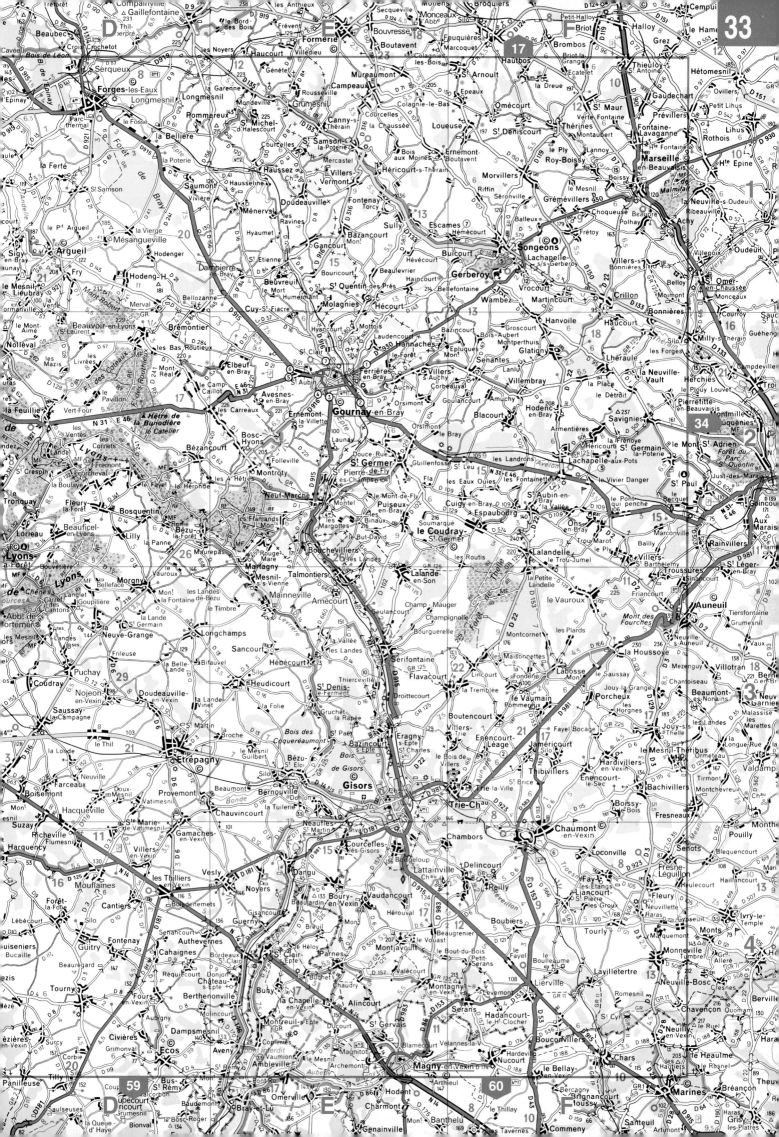

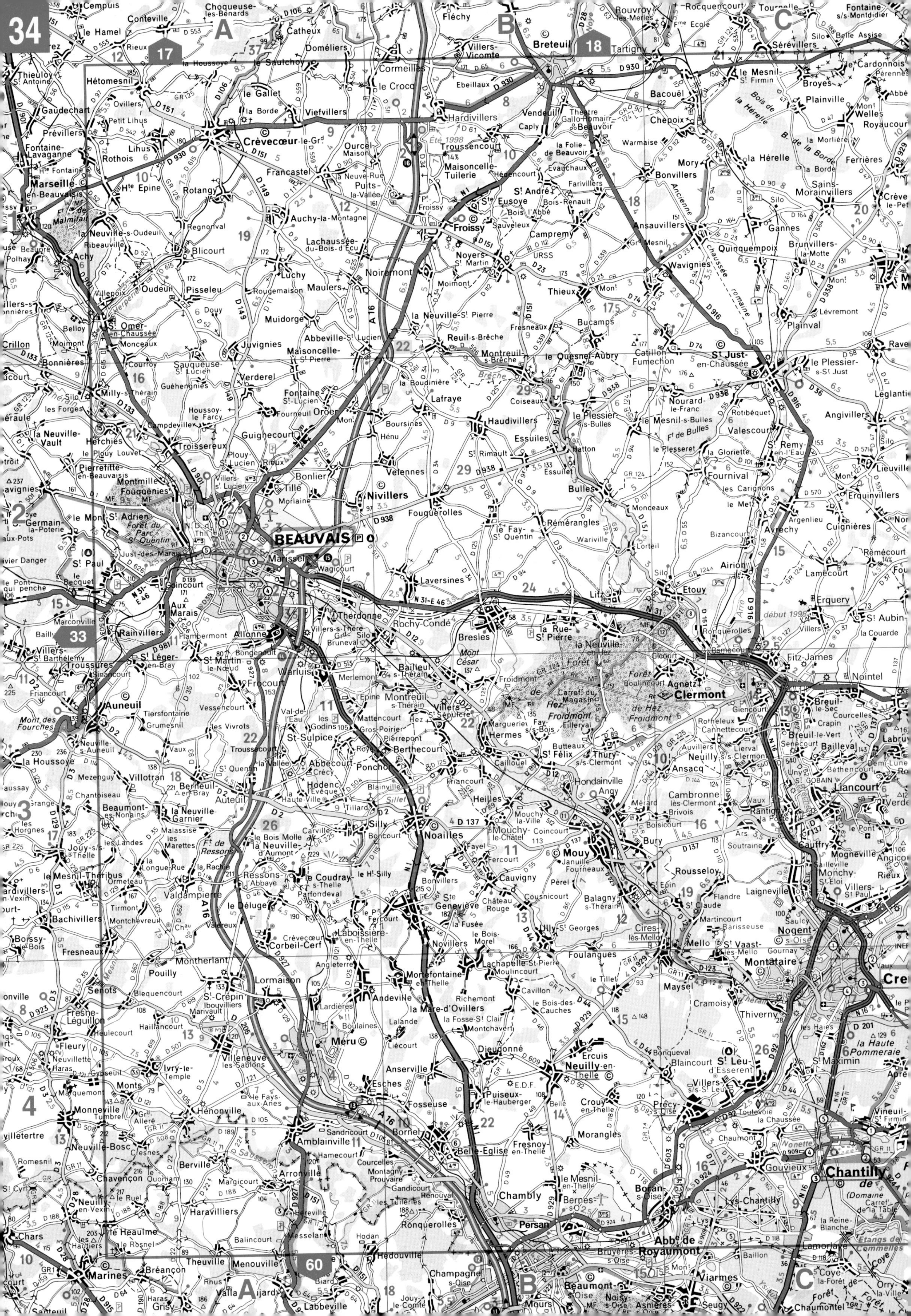

A map of the Beauvais / Clermont region (Oise, France) with grid references A, B, C across the top and numbered rows along the sides.

Major place names visible include:

BEAUVAIS, **Clermont**, **Breteuil**, **St Just-en-Chaussée**, **Crèvecœur-le-Grd**, **Marseille-en-Beauvais**, **Noailles**, **Méru**, **Auneuil**, **Chantilly**, **Montataire**, **Nogent**, **Persan**, **Marines**

Other localities: Conteville, Choqueuses-les-Bénards, Catheux, Doméliers, Fléchy, Rouvroy-les-Merles, Rocquencourt, Tourpelle, Fontaine-s/s-Montdidier, Sérévillers, Belle-Assise, le Hamel, Cempuis, le Gallet, Viefvillers, Cormeilles, Villers-Vicomte, Tartigny, Broyes, Plainville, Mory, Bonvillers, la Hérelle, Ferrières, Hétomesnil, Gaudechart, Prévillers, Ollivers, Petit Lihus, la Borde, Ebeillaux, Vendeuil-Caply, Bacouël, Chepoix, Warmaise, Sains-Morainvillers, Fontaine-Lavaganne, Lihus, Rothois, Francastel, Maisoncelle-Tuilerie, la Folie-de-Beauvoir, Evauchaux, Fariviliers, Quinquempoix, Brunvillers-la-Motte, Crève-Cœur, Marseille-en-Beauvais, Achy, Ribeauville, Blicourt, Auchy-la-Montagne, Lachaussée-du-Bois-d'Ecu, Noirémont, St André, St Eusoye, Bois l'Abbé, Froissy, Sauveleux, Campremy, Ansauvillers, Wavignies, Gannes, St Omer-en-Chaussée, Monceaux, Juvignies, Abbeville-St Lucien, Luchy, Maulers, la Neuville-St Pierre, Noyers-St Martin, Thieux, Bucamps, Plainval, Lévremont, Crillon, Bonnières, Courroy, Sauqueuse-St Lucien, Verderel, Fontaine-St-Lucien, Reuil-s-Brèche, Montreuil-Brèche, le Quesnel-Aubry, Catillon-Fumechon, le Plessier, la Neuville-Vault, Herchies, Troissereux, Plouy-St-Lucien, Rieux, Velennes, Bonlier, Tillé, Bulles, Fournival, Remy-en-l'Eau, Angivillers, Leglantier, Pierrefitte-en-Beauvais, Montmille, Fouquenies, Nivillers, Fouguerolles, le Fay-St-Quentin, Rémérangles, Wariville, Bizancourt, Argenlieu, Cuignières, le Mont-St Adrien, St Paul, Marissel, Wagicourt, Laversines, Litz, Etouy, Airion, Erquery, St Aubin, Rainvillers, Allonne, Therdonne, Rochy-Condé, Bresles, la Rue-St Pierre, la Neuville-en-Hez, Ronquerolles, Fitz-James, Nointel, St Léger-en-Bray, Warluis, Bailleul-s-Thérain, Forêt de Hez, Froidmont, Boulincourt, Agnetz, Clermont, Breuil-le-Sec, Courcelles, Auneuil, Frocourt, Montreuil-s-Thérain, Villers-St Sépulcre, Hermes, St Félix, Thury-s/s-Clermont, Neuilly-s-Clermont, Ansacq, Lierval, Bailleval, Beaumont-les-Clermont, Auteuil, la Neuville-Garnier, Hodenc-l'Evêque, Tillard, Silly, Noailles, Heilles, Mouchy-la-Ville, Cambronne-lès-Clermont, Brivois, Liancourt, Jouy-s-Thelle, Malassise, Villotran, Berneuil-en-Bray, la Longue-Rue, Carville, Mouchy-le-Châtel, Cauvigny, Mouy, Balagny-s-Thérain, Cires-lès-Mello, Laigneville, Bachivillers, Valdampierre, Tirmont, Montchevreuil, Ressons-l'Abbaye, le Coudray-St Thelle, Parfondeval, Bonvillers, Ste Geneviève, Ully-St Georges, Mello, St Vaast, Nogent, le Déluge, Lormaison, Montfontaine-en-Thelle, Novillers, le Bois-Morel, Foulangues, Montaigne, Montherlant, Pouilly, Senots, Blequencourt, St Crépin Ibouvilliers, Marivault, Andeville, Richemont, Cavillon, le Bois-des-Cauches, Maysel, Cramoisy, Thiverny, Fresne-Léguillon, Fleury, Haillancourt, Villeneuve-les-Sablons, la Mare-d'Ovillers, Lalande, la Fosse-St Clair, Dieudonné, Neuilly-en-Thelle, Blaincourt, St Leu-d'Esserent, St Maximin, la Haute Pommeraie, Monneville, Neuville-Bosc, Ivry-le-Temple, Monts, Anserville, Esches, Puiseux-le-Hauberger, Fosseuse, Crouy-en-Thelle, Précy-s/s-Oise, Hénonville, Amblainville, Bornel, Belle-Eglise, Fresnoy-en-Thelle, Morangles, Toutevoie, la Chaussée, Gouvieux, Chantilly, Romesnil, Chavençon, Berville, Hamecourt, Courcelles, Montagny-Provuaire, Gandicourt, Renouval, Chambly, Bernes-s-Oise, Boran-s-Oise, Lys-Chantilly, la Reine-Blanche, Chars, les Hauttiers, le Rosnel, Balincourt, Messelan, Hodan, Chambly, Persan, Beaumont-s-Oise, Asnières-s-Oise, Abb. de Royaumont, Bruyères-s/s-Oise, Viarmes, Coye-la-Forêt, Orry-la-Ville, Théméricourt, Théuville, Menouville, Marines, Bréançon, Nucourt, Rhus, Valla, Jouy-le-Comte, Champagne-s-Oise, Noisy-s-Oise, Seugy, Lamorlaye, Chaumontel

Road numbers visible include: A 16, N 31-E 46, D 930, D 1, D 151, D 149, D 938, D 916, D 137, D 927, D 929, GR 11, GR 124, GR 125

Grid index numbers around the edges: 17, 18, 21, 20, 12, 9, 8, 10, 19, 16, 22, 29, 24, 15, 33, 11, 26, 13

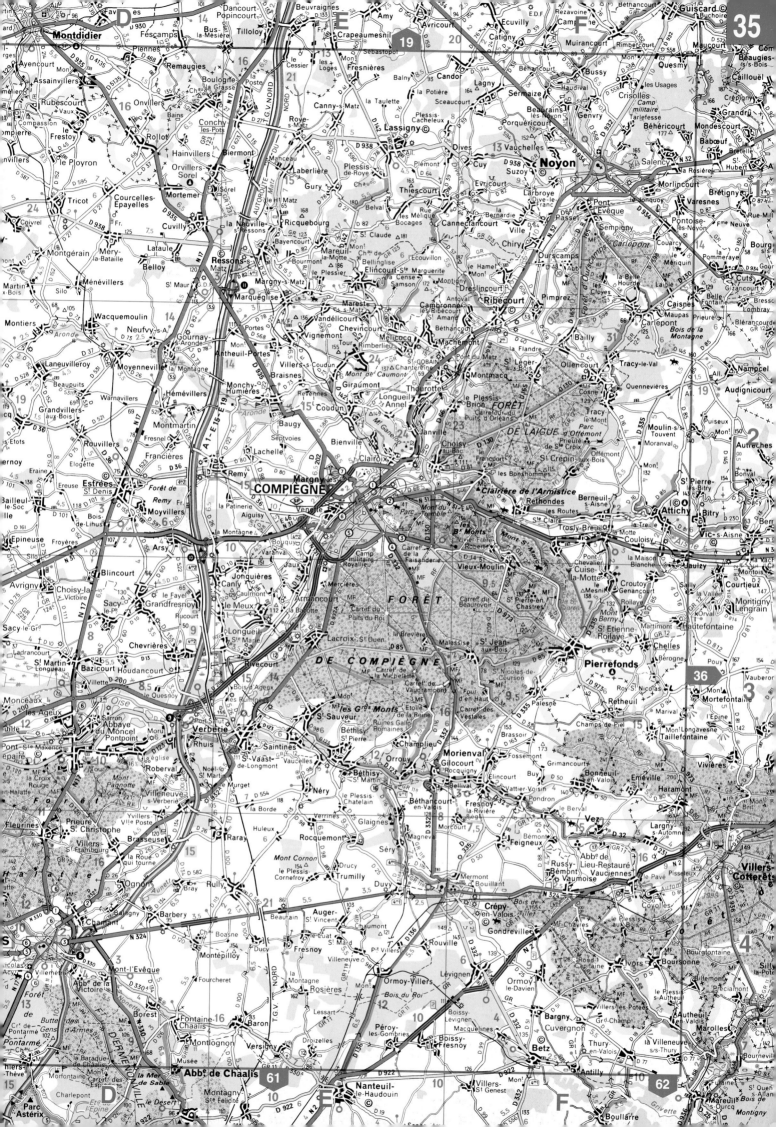

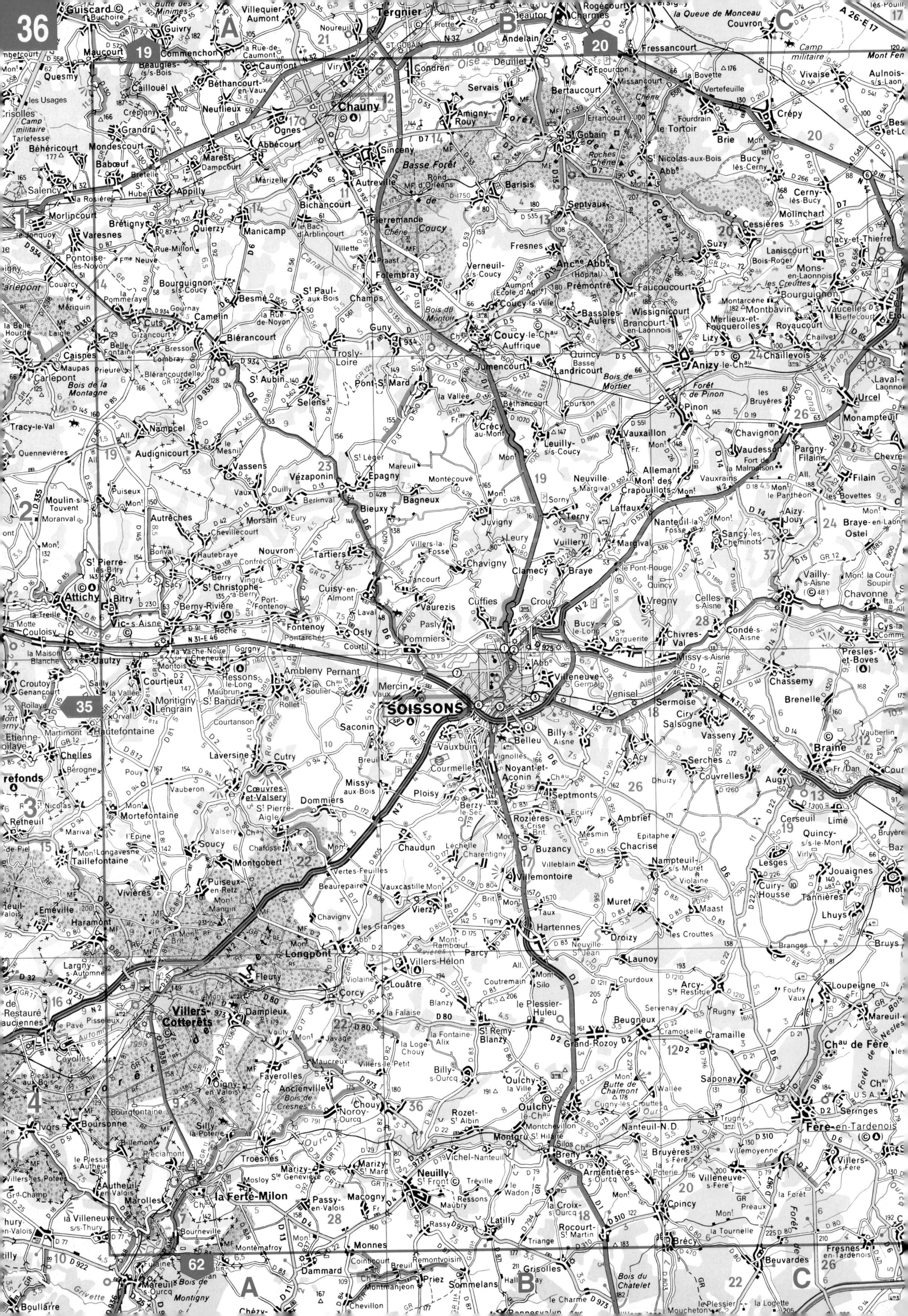

Map page (grid references: 36, 19, 20, 35, 34, 62 in margins; columns A, B, C)

Major towns and labels (partial):

Top row: Guiscard, Villequier-Aumont, Tergnier, Beautor, Charmes, Rogécourt, la Queue de Monceau, Couvron, Buchoire, Butte des Minimes, Guivry, Commenchon, ST-GOBAIN, Andelain, Fressancourt, Camp militaire, Mont Fen

Chauny area: Maucourt, Quesmy, Beauglès-s/s-Bois, Béthancourt-en-Vaux, Caumont, Viry, Condren, Deuillet, Epourdon, Missancourt, la Bovette, Vivaise, Aulnois-s/s-Laon, Crépy

Left: Béhéricourt, Mondescourt, Baboeuf, Marest, Dampcourt, Abbécourt, Amigny-Rouy, Servais, Bertaucourt, St-Gobain, St-Nicolas-aux-Bois, Bucy-lès-Cerny, Cerny-en-Laonnois

Salency, Morlincourt, Brétigny, Quierzy, Manicamp, Bichancourt, Autreville, Pierremande, Barisis, Septvaux, Molinchart, Cessières

Varesnes, Pontoise-lès-Noyon, Rue-Millon, Bourguignon-s/s-Coucy, Besmé, St-Paul-aux-Bois, Champs, Verneuil-s/s-Coucy, Fresnes, Anc. Abbé, Prémontré, Faucoucourt, Suzy, Laniscourt, Mons-en-Laonnois, Bourguignon

Cuts, Camelin, Blérancourt, Guny, Coucy-le-Chau, Auffrique, Bassoles-Aulers, Wissignicourt, Merlieux-et-Fouquerolles, Royaucourt, Lizy, Chaillevois

Carlepont, Bois de la Montagne, Blérancourdelle, St-Aubin, Trosly-Loire, Jumencourt, Quincy-Basse, Landricourt, Bois de Mortier, Anizy-le-Chau, Vaucelles, Laval-Laonno, Urcel

Nampcel, Audignicourt, Vassens, Selens, Pont-St-Mard, la Vallée, Créc-au-Mont, Leuilly-s/s-Coucy, Vauxaillon, Pinon, Forêt de Pinon, les Bruyères, Monampteuil

Moulin-s/s-Touvent, Puiseux, Vézaponin, Epagny, Montécouvé, Neuville-des-Chapelles, Allemant, Vauxrains, Vaudesson, Pargny-Filain, Filain

Autrêches, Morsain, Bieuxy, Bagneux, Sorny, Terny, Laffaux, Nanteuil-la-Fosse, Margival, Sancy-les-Cheminots, Aizy-Jouy, Braye-en-Laonn, Ostel

St-Pierre-lès-Bitry, Hautebraye, Nouvron, Tartiers, Juvigny, Leury, Vuillery, Vuilly, Braye, Vregny, Celles-s/s-Aisne, Chavonne, Vailly-s-Aisne

Attichy, Bitry, Berny-Rivière, St-Christophe-a-Berry, Cuisy-en-Almont, Vaurezis, Cuffies, Crouy, Bucy-le-Long, Ste Marguerite, Chivres-Val, Condé-s-Aisne, Presles-et-Boves

Vic-s-Aisne, Fontenoy, Osly, Pommiers, Pasly, Missy-s-Aisne, Chassemy, Brenelle

SOISSONS, Abbé, Villeneuve-Germain, Venisel, Sermoise, Ciry-Salsogne, Vasseny, Braine

Jaulzy, Couloisy, Montois, Courtieux, Ressons-le-Long, Ambleny, Pernant, Mercin, Vaux, Belleu, Billy-s-Aisne, Acy, Serches, Couvrelles, Augy, Cerseuil, Limé

Croutoy, Genancourt, Roilaye, Montigny-Lengrain, St-Bandry, Saconin, Vauxbuin, Courmelles, Noyant-et-Aconin, Septmonts, Ambrief, Nampteuil-s/s-Muret, Lesges, Jouaignes, Quincy-s/s-le-Mont

Chelles, Bérogne, Laversine, Cutry, Breuil, Missy-aux-Bois, Ploisy, Berzy-le-Sec, Rozières-Crise, Buzancy, Chacrise, Violaine, Cuiry-Housse, Tannières, Lhuys

St-Nicolas, Rethueil, Mortefontaine, l'Epine, Vauberon, Coeuvres-et-Valsery, St-Pierre-Aigle, Chaudun, Léchelle, Charentigny, Villeblain, Villemontoire, Muret, Maast, Bruys

Vivières, Montgobert, Vertes-Feuilles, Beaurepaire, Vauxcastille, Vierzy, Taux, Hartennes, Droizy, Neuville, les Crouttes, Branges

Emeville, Haramont, Chavigny, les Granges, Mont-Rambœuf, Parcy, St-Jean, Launoy, Courdoux, Arcy-Ste-Restitue, Loupeigne

Largny-s/s-Automne, Longpont, Fleury, Corcy, Louâtre, Coutremain, Silo, le Plessis-Huleu, Beugneux, Rugny, Cramaille, Chau de Fère

Coyolles, Villers-Cotterêts, Dampleux, Violaine, Blanzy, la Falaise, St-Remy-Blanzy, la Fontaine-Alix, Grand-Rozoy, Cramoiselle, Mareuil, Nesles

Fayerolles, Ancienville, Noroy-s-Ourcq, Chouy, Rozet-St-Albin, Oulchy-la-Ville, Oulchy-le-Chau, Montchevillon, Wallée, Saponay, Fère-en-Tardenois

Boursonne, Silly-la-Poterie, Troësnes, Marizy-St-Mard, Marizy-Ste-Geneviève, Vichel-Nanteuil, Breny, Bruyères-s-Fère, Villemoyenne, Villers-s-Fère

la Ferté-Milon, Passy-en-Valois, Macogny, Neuilly-St-Front, Montgru-St-Hilaire, Nanteuil-N-D, Armentières-s-Ourcq, Coincy, Préaux

Marolles, Bourneville, Montmafroy, Monnes, Mosloy, Maubry, le Wadon, la Croix-Ourcq, Rocourt-St-Martin, la Tournelle, Brécy

Mareuil-s-Ourcq, Bois de Montigny, Chézy, Dammard, Breuil, Priez, Sommelans, Grisolles, Bois du Châtelet, Beuvardes, le Plessier, Fresnes-en-Tardenois

Rivers/canals: Oise, Canal, Aisne, Ailette, l'Ourcq, Crise, Grivette

Forests: Basse Forêt, Forêt de Coucy, Forêt de St-Gobain, Bois du Montoir, Forêt de Pinon, Bois de Mortier, Bois de Cresnes, Bois du Châtelet

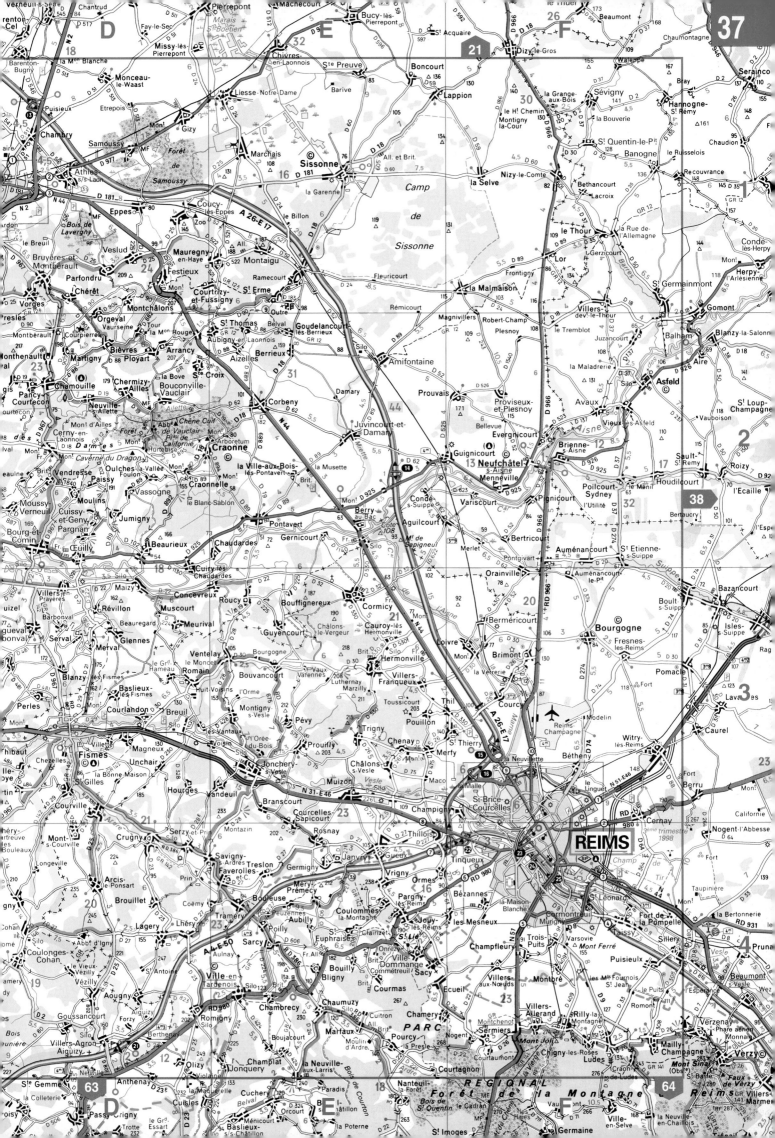

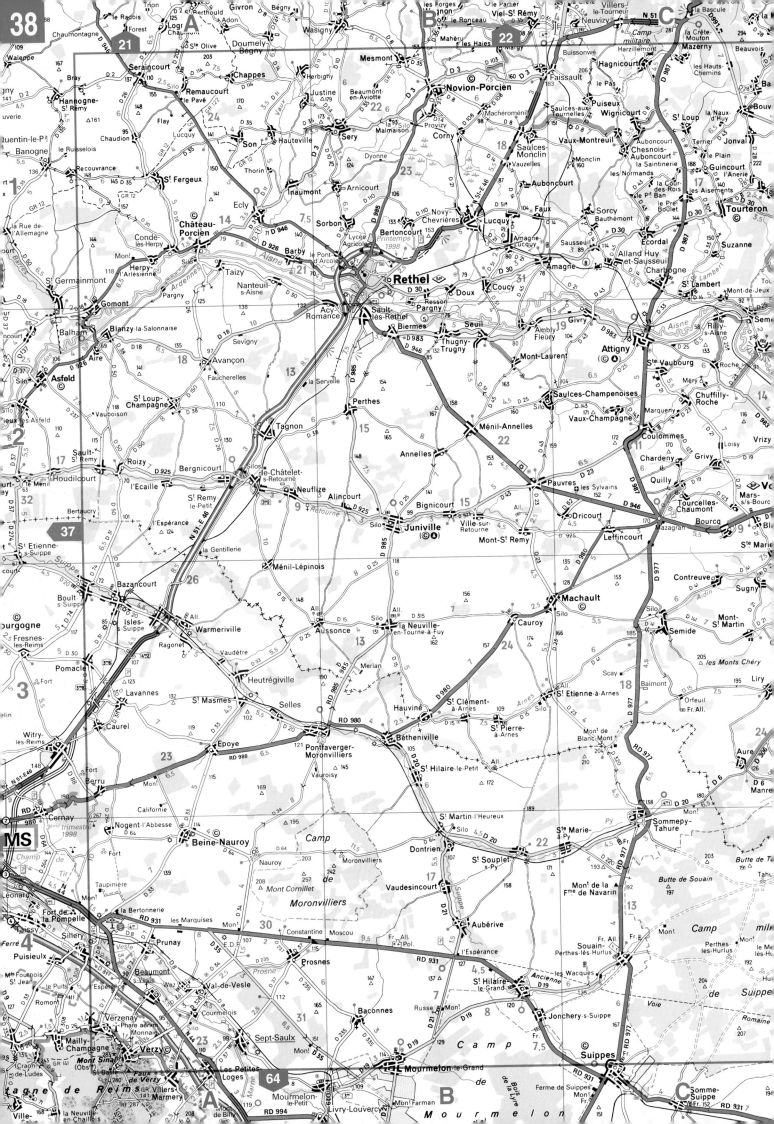

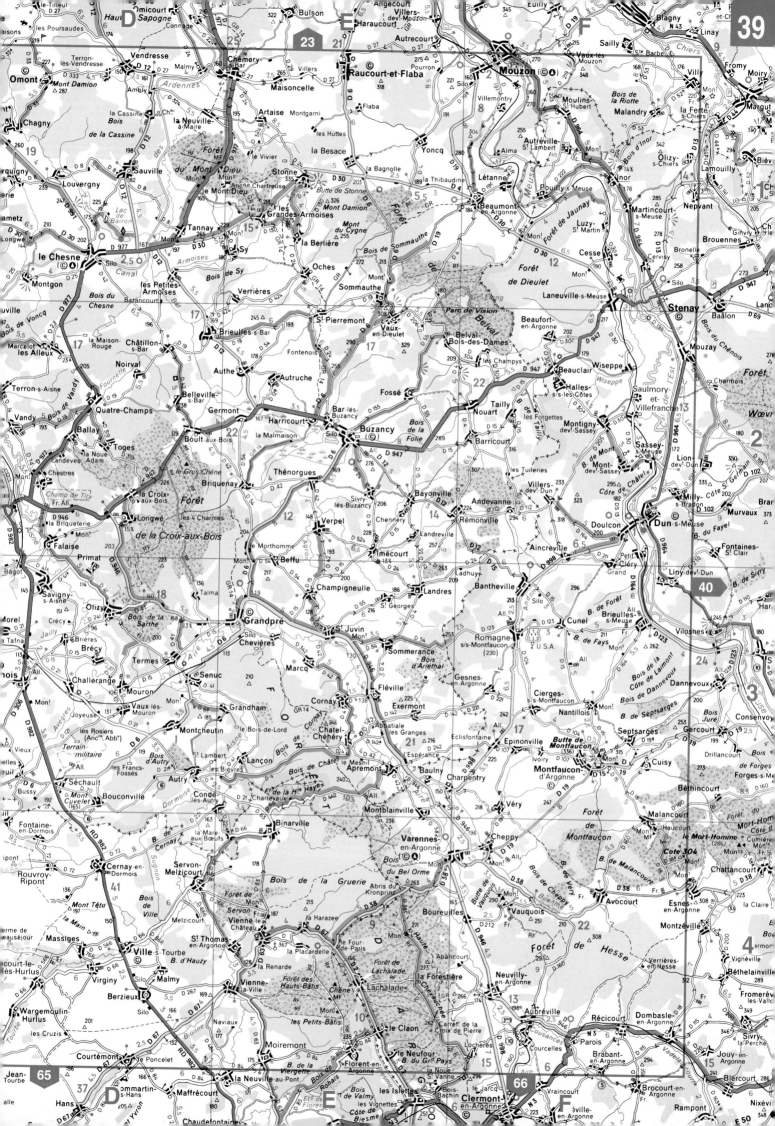
D
E
F
23
40
65
66
Omont
Vendresse
Chémery-s-Bar
Raucourt-et-Flaba
Mouzon
Le Chesne
Stonne
Tannay
Sy
Oches
Sommauthe
Beaumont-en-Argonne
Stenay
Buzancy
Dun-s-Meuse
Grandpré
Montfaucon-d'Argonne
Varennes-en-Argonne
Ville-s-Tourbe
Vienne-le-Château
Lachalade
Le Claon
Clermont-en-Argonne
Les Islettes
Forêt de Dieulet
Forêt de la Croix-aux-Bois
Forêt de Hesse
Forêt de Montfaucon
Bois de la Gruerie
Parc de Vision
Belval-Bois-des-Dames
Quatre-Champs
Vouziers
Chatel-Chéhéry
Apremont
Cornay
Fléville
Landres
Bantheville
Romagne-s/s-Montfaucon
Cunel
Doulcon
Aincreville
Nouart
Barricourt
Bayonville
Rémonville
Verpel
Champigneulle
Senuc
Mouron
Autry
Binarville
Montblainville
Cheppy
Vauquois
Boureuilles
Neuvilly-en-Argonne
Aubréville
Récicourt
Dombasle-en-Argonne
Avocourt
Malancourt
Le Mort-Homme
Cote 304
Esnes-en-Argonne
Montzéville
Blercourt
Moirey
Marcq
Saint-Juvin
Sommerance
Exermont
Charpentry
Baulny
Véry
Epinonville
Cierges-s/s-Montfaucon
Nantillois
Septsarges
Gercourt
Béthincourt
Cuisy
Dannevoux
Vilosnes
Brieulles-s-Meuse
Liny-dev.-Dun
Milly-s-Bradon
Murvaux
Fontaines-St Clair
Sassey-s-Meuse
Mont-dev.-Sassey
Halles-s/s-les-Côtes
Beauclair
Wiseppe
Mouzay
Beaufort-en-Argonne
Laneuville-s-Meuse
Cesse
Luzy-St Martin
Pouilly-s-Meuse
Inor
Martincourt-s-Meuse
Moulins-St Hubert
Autréville-St Lambert
Létanne
Yoncq
La Besace
Flaba
Maisoncelle
Bulson
Artaise
La Neuville-à-Maire
Sauville
Louvergny
Chagny
Les Grandes-Armoises
La Berlière
Le Mont-Dieu
Les Petites-Armoises
Verrières
St Pierremont
Vaux-en-Dieulet
Brieulles-s-Bar
Châtillon-s-Bar
Authe
Autruche
Fossé
Belleville-s-Bar
Noirval
Germont
Harricourt
Bar-lès-Buzancy
Thénorgues
Briquenay
Boult-aux-Bois
Toges
Ballay
Vandy
Terron-s-Aisne
Longwé
La Croix-aux-Bois
Falaise
Primat
Olizy
Savigny-s-Aisne
Brécy
Termes
Challerange
Vaux-lès-Mouron
Montcheutin
Grandham
Lançon
Séchault
Bouconville
Condé-lès-Autry
Cernay-en-Dormois
Servon-Melzicourt
St Thomas-en-Argonne
Vienne-la-Ville
Malmy
Virginy
Berzieux
Massiges
Wargemoulin-Hurlus
Moiremont
La Neuville-au-Pont
Florent-en-Argonne
Le Neufour
Courtémont
Hans
Maffrécourt
Dommartin-s-Hans
Sivry-la-Perche
Jouy-en-Argonne
Brocourt-en-Argonne
Brabant-en-Argonne
Parois
Rampont
Nixéville
Vraincourt
Saulmory-et-Villefranche
Lion-dev.-Dun
Margut
Fromy
Villy
Blagny
Linay
Sailly
Vaux-lès-Mouzon
Malandry
La Ferté-s-Chiers
Olizy-s-Chiers
Lamouilly
Nepvant
Brouennes
Baâlon
Autrecourt
Villers-dev.-Mouzon
Angecourt
Haraucourt
Omicourt
Sapogne
Montgon
Marcelot
Les Alleux
Chestres
Landèves
Morthomme
Beffu
Imécourt
Sivry-lès-Buzancy
Fontenois
Tailly
Villers-dev.-Dun
Andevanne
Gesnes-en-Argonne
Cléry
Bois de Sommauthe
Forêt de Jaunay
Bois du Chesne
Butte de Vauquois
Bois de Cheppy
Bois de Malancourt
Bois du Bel Orme
Forêt de Lachalade
Forêt des Hauts-Bâtis
La Harazée
La Placardelle
Le Four-de-Paris
Abancourt
La Forestière
Les Petits-Bâtis
Naviaux
Les Cruzis
Forêt du Mont Dieu
U.S.A.

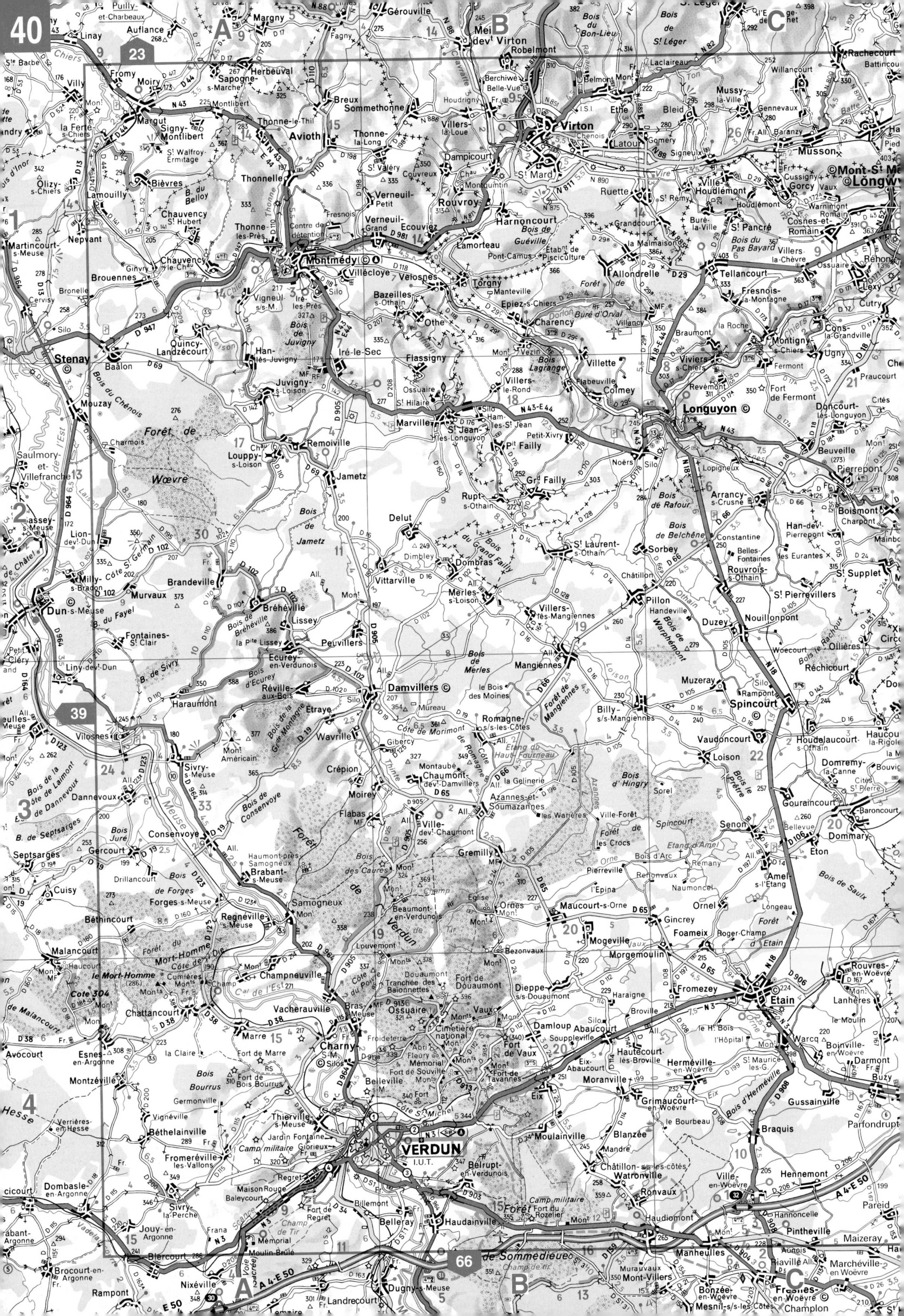
Montmédy
Virton
Stenay
Longuyon
Dun-s-Meuse
Damvillers
Spincourt
Etain
VERDUN
Longwy
Mont-St Martin
Musson
Avioth
Marville
Jametz
Mangiennes
Charny
Consenvoye
Samogneux
Douaumont
Fort de Vaux
Ossuaire
Forêt de Wœvre
Forêt de Verdun
Forêt de Spincourt
Côte 304
le Mort-Homme
Meuse
Chiers
Othain
Loison
Orne
A4-E50
N3
N18
N43
D964
D905
23
39
66
A
B
C
1
2
3
4

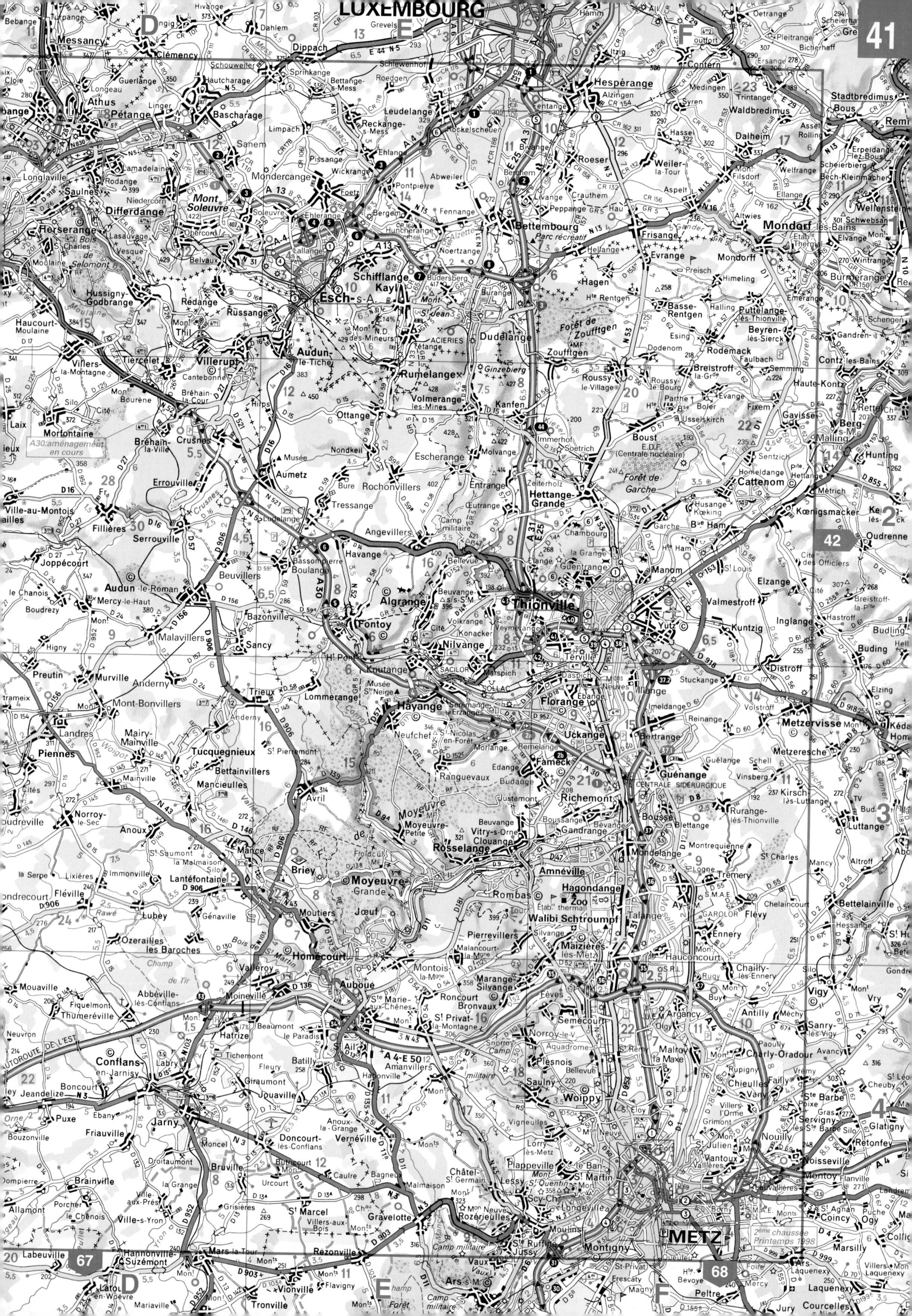

LUXEMBOURG

Messancy · Dippach · Hespérange · Contern · Stadtbredimus · Bous · Waldbredimus · Dalheim · Remich

Athus · Pétange · Bascharage · Hautcharage · Leudelange · Medingen · Syren · Rolling · Wellenstein

Longlaville · Saulnes · Sanem · Reckange-lès-Mess · Roeser · Weiler-la-Tour · Frisange · Mondorf-les-Bains · Mondorff

Differdange · Herserange · Mondercange · Wickrange · Bergem · Bettembourg · Evrange · Himeling · Basse-Rentgen

Mont Soleuvre · Belvaux · Lallange · Schifflange · Kayl · Esch-s.-A. · Hagen · Puttelange-lès-Thionville · Beyren-lès-Sierck

Villers-la-Montagne · Tiercelet · Audun-le-Tiche · Dudelange · Zoufftgen · Roussy-le-Village · Rodemack · Contz-les-Bains

Morfontaine · Bréhain-la-Ville · Crusnes · Rumelange · Volmerange-les-Mines · Kanfen · Boust · Haute-Kontz · Berg

Errouville · Aumetz · Ottange · Nondkeil · Escherange · Molvange · Cattenom · Hunting

Serrouville · Beuvillers · Bassompierre · Boulange · Havange · Bellevue · Hettange-Grande · Kœnigsmacker · Oudrenne

Audun-le-Roman · Malavillers · Sancy · Algrange · Fontoy · Nilvange · Thionville · Yutz · Valmestroff · Inglange · Budling

Murville · Anderny · Lommerange · Hayange · Florange · Terville · Uckange · Guénange · Metzervisse · Kuntzig

Piennes · Mairy-Mainville · Tucquegnieux · Avril · Ranguevaux · Moyeuvre-Grande · Richemont · Bousse · Rurange-lès-Thionville · Luttange

Norroy-le-Sec · Anoux · Mance · Briey · Moyeuvre-Petite · Clouange · Rosselange · Amnéville · Hagondange · Trémery

Landres · Mont-Bonvillers · Lantéfontaine · Homécourt · Moutiers · Jœuf · Rombas · Zoo · Walibi Schtroumpf · Ennery

Mouaville · Ozerailles · Valleroy · Auboué · Pierrevillers · Maizières-lès-Metz · Hauconcourt · Vigy

Conflans-en-Jarnisy · Moineville · Montois-la-Montagne · Roncourt · Fèves · Argancy · Antilly

Fiquelmont · Thumeréville · Batilly · Ste Marie-aux-Chênes · St Privat-la-Montagne · Semécourt · Charly-Oradour

Jeandelize · Puxe · Jarny · Doncourt-lès-Conflans · Amanvillers · Norroy-le-V. · Malroy

Friauville · Bruville · Vernéville · Gravelotte · Lorry-lès-Metz · Woippy · Vantoux · Noisseville

Brainville · Droitaumont · Rezonville · Rozérieulles · Plappeville · St Julien-lès-Metz · Nouilly

Labeuville · Hannonville-Suzémont · Mars-la-Tour · Vionville · Ars-s.-M. · Scy-Chazelles · METZ · Montigny · Borny

Latour-en-Woëvre · Tronville · Vaux · Jussy · Vaux · Jouy-aux-Arches · Marsilly · Laquenexy

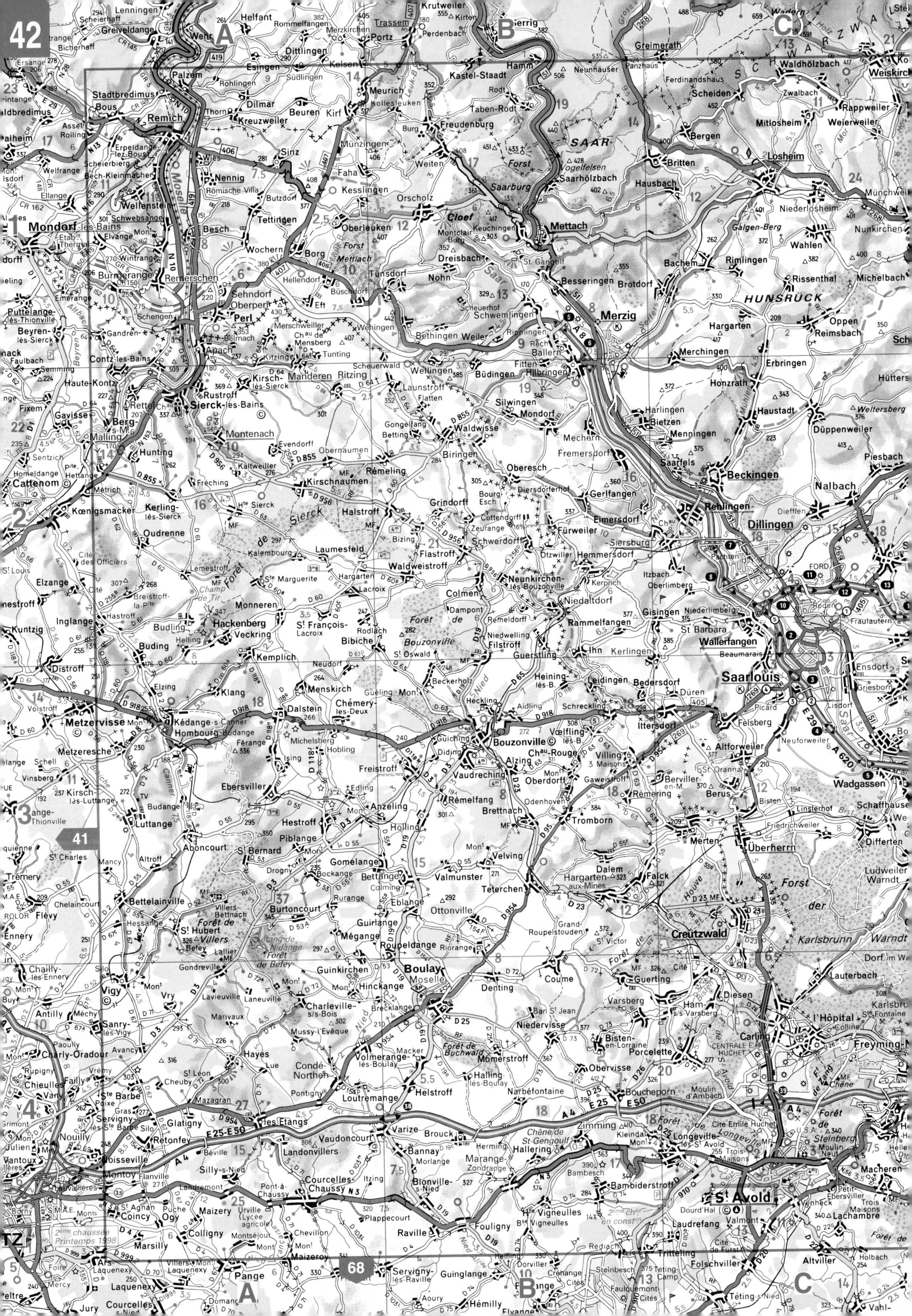

SAAR-

HUNSRÜCK

Mondorf-les-Bains

Remich

Perl

Sierck-les-Bains

Saarburg

Mettach

Merzig

Beckingen

Dillingen

Saarlouis

Metzervisse

Bouzonville

Boulay

Creutzwald

l'Hôpital

St Avold

Wadgassen

Überherrn

41

68

A B C

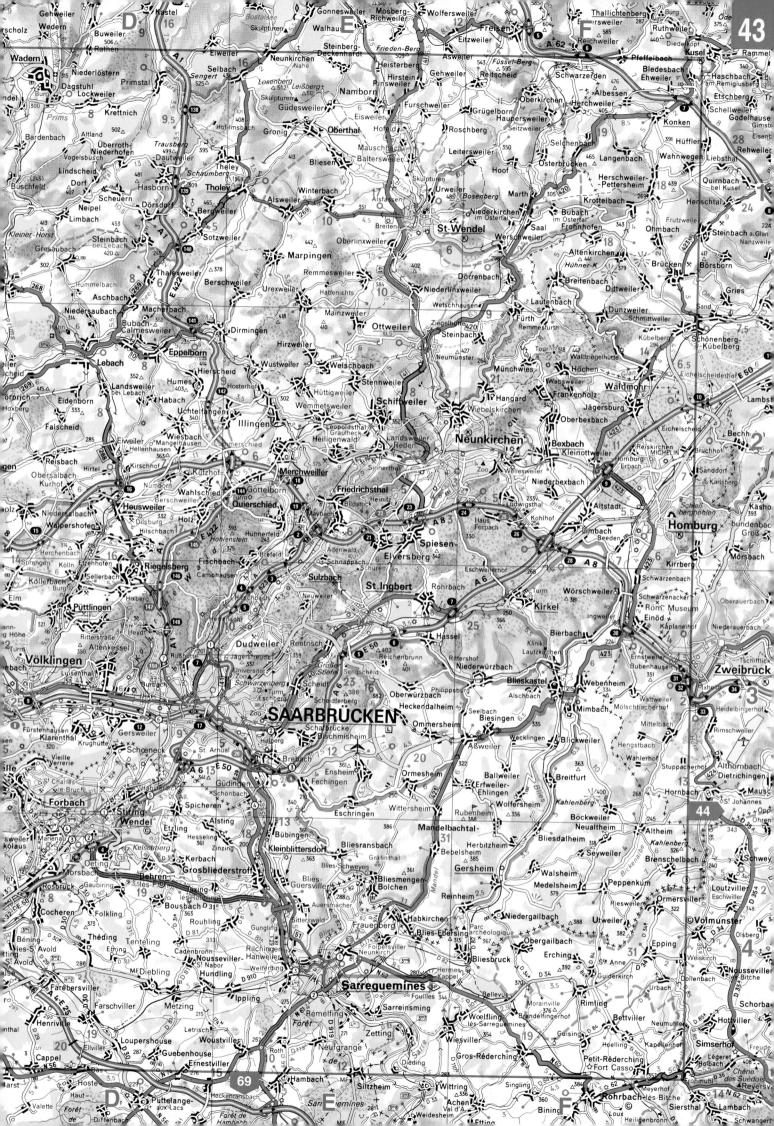

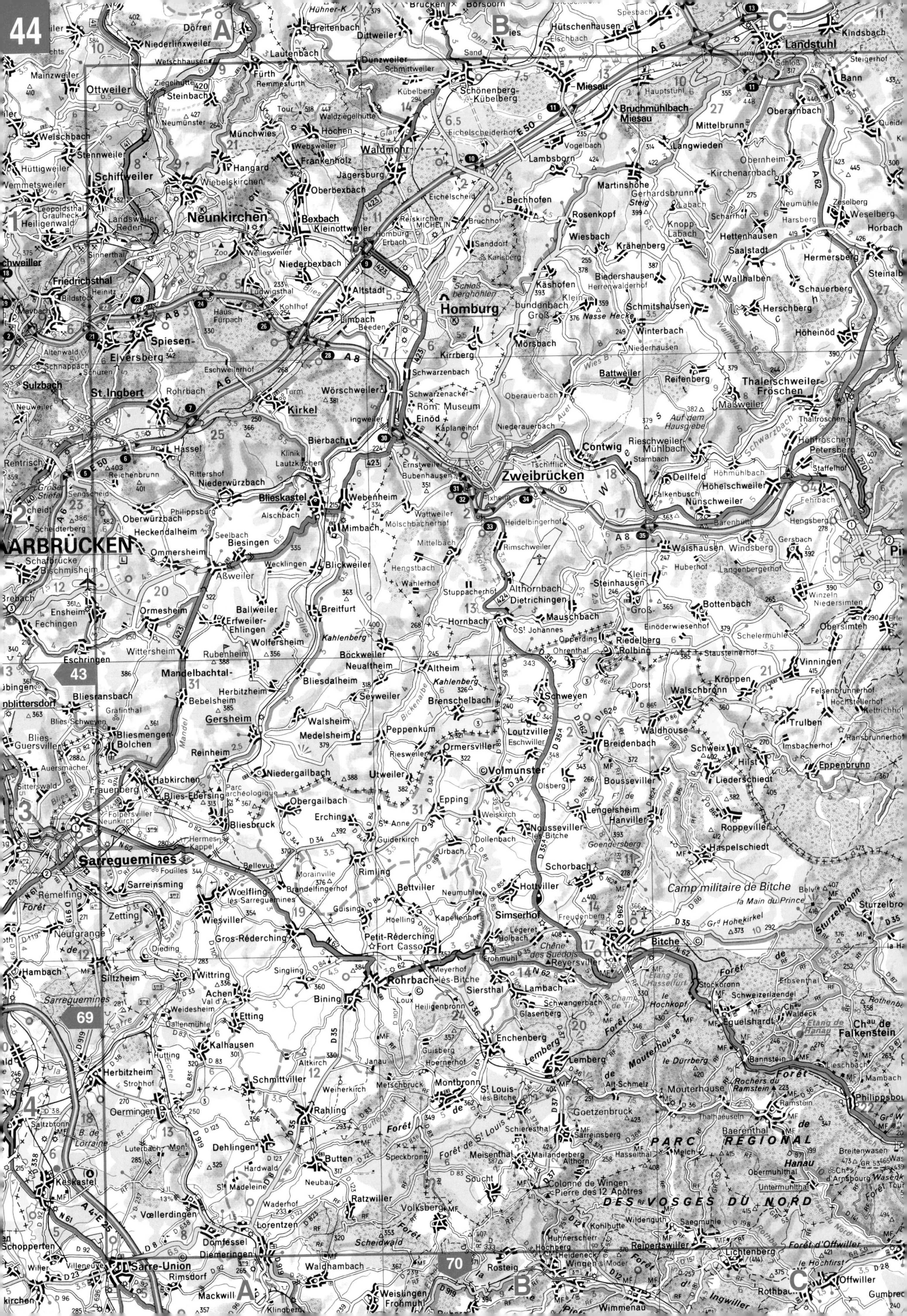

A B C

Major places: Landstuhl, Neunkirchen, Homburg, Zweibrücken, Saarbrücken, St. Ingbert, Sarreguemines, Bitche, Sarre-Union

Selected labels (map):

Dörren, Niederlinxweiler, Breitenbach, Dittweiler, Hütschenhausen, Spesbach, Kindsbach, Landstuhl
Ottweiler, Steinbach, Ziegelhütte, Fürth, Remmesfurth, Lautenbach, Dunzweiler, Schmittweiler, Schönenberg-Kübelberg, Miesau, Hauptstuhl, Bruchmühlbach-Miesau, Mittelbrunn, Langwieden, Oberarnbach, Bann
Welschbach, Stennweiler, Münchwies, Hangard, Frankenholz, Jägersburg, Kübelberg, Waldmohr, Lambsborn, Bechhofen, Martinshöhe, Gerhardsbrunn, Obernheim-Kirchenarnbach, Neumühle, Weselberg, Horbach
Schiffweiler, Wiebelskirchen, Oberbexbach, Reiskirchen, Bruchhof, Wiesbach, Rosenkopf, Krähenberg, Knopp-Labach, Hettenhausen, Saalstadt, Hermersberg, Steinalb
Friedrichsthal, Neunkirchen, Bexbach, Kleinottweiler, Homburg Erbach, Sanddorf, Karlsberg, Käshofen, Biedershausen, Schmitshausen, Herschberg, Schauerberg, Höheinöd
Spiesen-Elversberg, Altstadt, Limbach, Beeden, Schloßberghöhlen, Großbundenbach, Herrenwalderhof, Nasse Hecke, Winterbach, Höhfröschen, Petersberg
St. Ingbert, Rohrbach, Kirkel, Wörschweiler, Schwarzenbach, Schwarzenacker, Röm. Museum, Einöd, Käplaneihof, Niederauerbach, Contwig, Rieschweiler-Mühlbach, Dellfeld, Höhmühlbach, Höheischweiler, Staffelhof
Hassel, Niederwürzbach, Bierbach, Ingweiler, Ernstweiler, Bubenhausen, Zweibrücken, Falkenbusch, Nünschweiler, Fehrbach, Pirmasens
Oberwürzbach, Heckendalheim, Webenheim, Wattweiler, Mölschbacherhof, Ixheim, Heidelbingerhof, Walshausen, Windsberg, Hengsberg, Gersbach
Scheidt, Biesingen, Aschbach, Mimbach, Hengstbach, Rimschweiler, Huberhof, Langenbergerhof, Winzeln, Niedersimten
Ensheim, Fechingen, Ormesheim, Wecklingen, Blickweiler, Wahlerhof, Stuppacherhof, Althornbach, Dietrichingen, Klein-Steinhausen, Bottenbach, Obersimten
Eschringen, Ballweiler, Erfweiler-Ehlingen, Breitfurt, Hornbach, Mauschbach, Groß, Winzeln, Vinningen
Bübingen, Wittersheim, Rubenheim, Wolfersheim, Böckweiler, Neualtheim, Altheim, Kahlenberg, St. Johannes, Opperding, Riedelberg, Rolbing, Stausteinerhof, Kröppen, Walschbronn
Bliesransbach, Mandelbachtal, Herbitzheim, Bebelsheim, Bliesdalheim, Seyweiler, Brenschelbach, Schweyen, Loutzviller, Breidenbach, Waldhouse, Schweix, Hilst, Trulben, Eppenbrunn
Blies-Guersviller, Bliesmengen-Bolchen, Gersheim, Walsheim, Medelsheim, Peppenkum, Ormersville, Eschviller, Bousseviller, Liederschiedt, Roppeviller
Habkirchen, Reinheim, Niedergailbach, Riesweiler, Volmunster, Olsberg, Lengelsheim, Hanviller, Haspelschiedt
Frauenberg, Blies-Ebersing, Obergailbach, Utweiler, Epping, Weiskirch, Nousseviller, Dollenbach, Schorbach, Camp militaire de Bitche
Folpersviller, Bliesbruck, Erching, St. Anne, Guiderkirch, Nousseviller-lès-Bitche, Goendersberg, Hottviller
Sarreguemines, Bellevue, Rimling, Bettviller, Urbach, Simserhof, Freudenberg, Grd Hohekirkel, Bitche
Sarreinsming, Woelfling-lès-Sarreguemines, Brandelfingerhof, Guising, Hoelling, Kapellenhof, Légeret, Holbach, Chêne des Suédois, Reyersviller
Rémelfing, Zetting, Wiesviller, Gros-Réderching, Petit-Réderching, Fort Casso, Meyerhof, Frohmühl, Lambach, Stockbronn, Schweizerlaendel, Chau de Falkenstein
Neufgrange, Hambach, Siltzheim, Wittring, Singling, Bining, Rohrbach-lès-Bitche, Siersthal, Schwangerbach, le Hochkopf, Eguelshardt, Etang de Hanau
Achen, Val d'Alsace, Weidesheim, Loux, Heiligenbronn, Enchenberg, Glasenberg, Lemberg, le Dürrberg, Bannstein, Lieschbach
Herbitzheim, Strohhof, Kalhausen, Hutting, Schmittviller, Rahling, Montbronn, Guisberg, Hoernerhof, Goetzenbrunck, Mouterhouse, Rochers du Ramstein
Oermingen, Luterbach, Dehlingen, Altkirch, Janau, St. Louis-lès-Bitche, Schieresthal, Sarreinsberg, Thalhausen, Baerenthal, Philippsbourg
Domfessel, Diemeringen, Butten, Hardwald, Neubau, Meisenthal, Mailandberg, Althorn, PARC RÉGIONAL, Hanau, Obermuhlthal, Wasenk
Völlerdingen, Waldhambach, Speckbronn, Schieresthal, Colonne de Wingen, Pierre des 12 Apôtres, DES VOSGES DU NORD
Sarre-Union, Rimsdorf, Mackwiller, Weislingen, Frohmühl, Rosteig, Kohlhütte, Reipertswiller, Forêt d'Offwiller, Lichtenberg, le Hochfirst

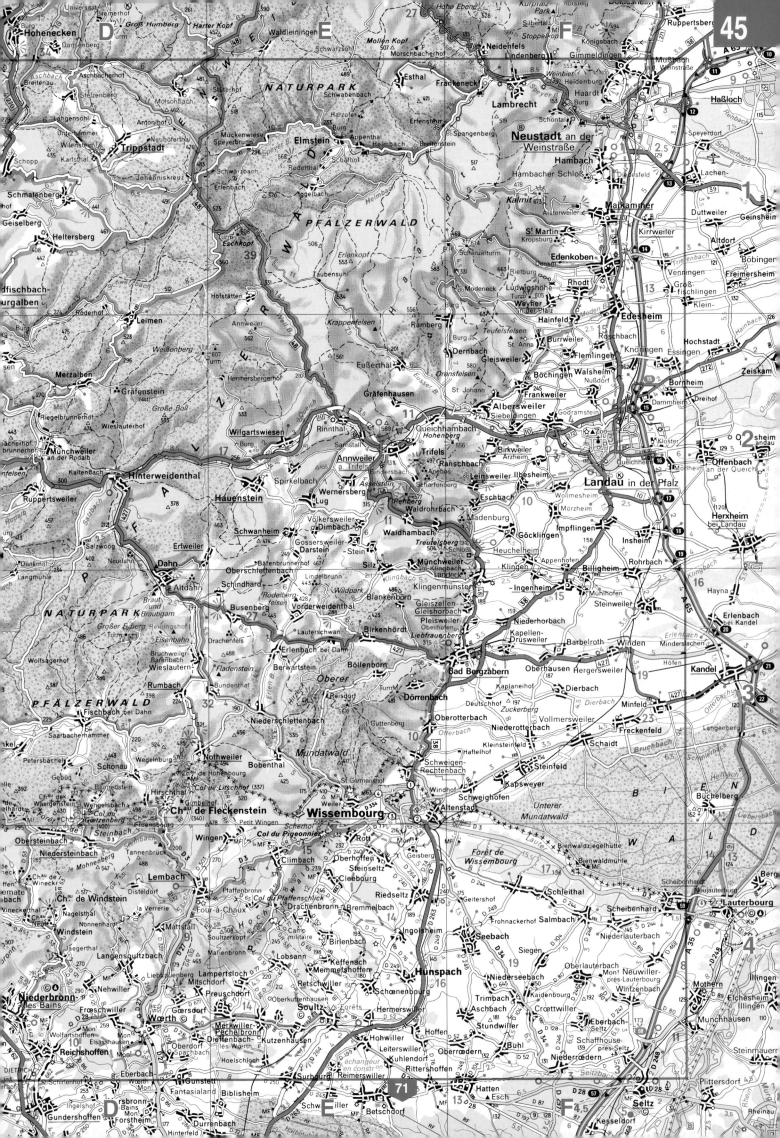

1

2

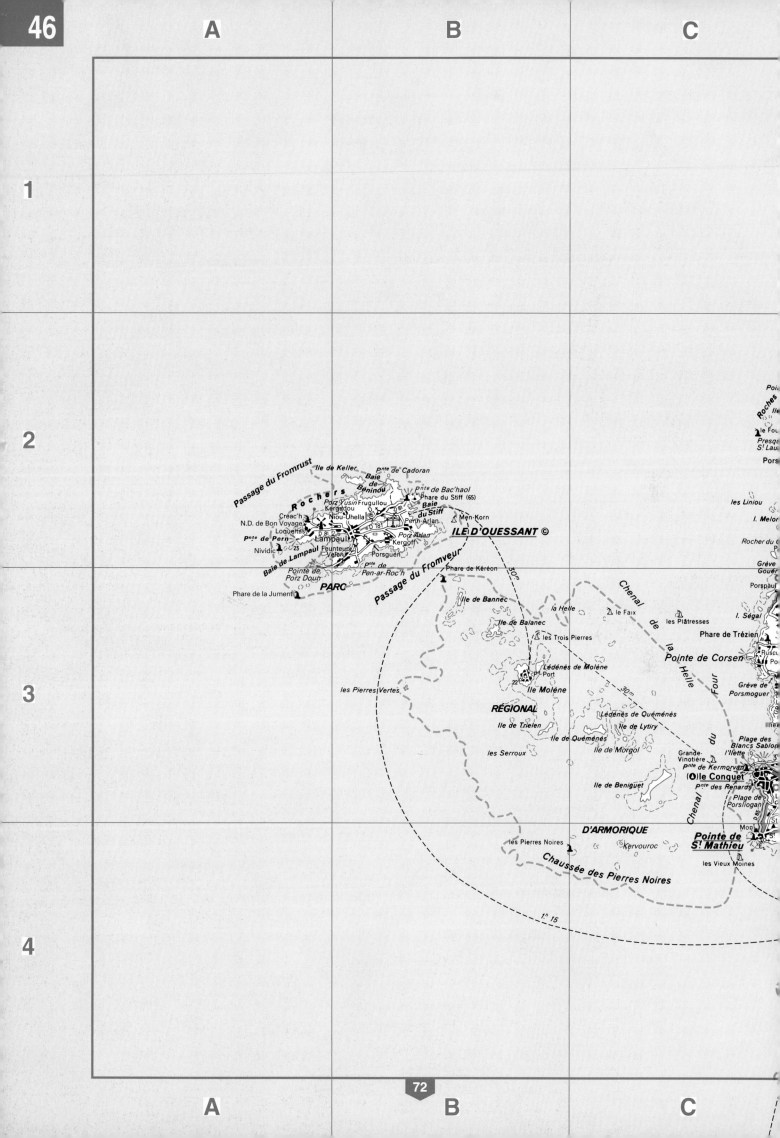

Passage du Fromrust

Île de Keller   P^{nte} de Cadoran

Baie
de
Béninou

P^{nte} de Bac'haol

Phare du Stiff (65)

Rochers

Porz Yusin Frugullou

Baie
du Stiff

Kergadou

Niou-Uhella

Penn-Arlan

Men-Korn

Créac'h

N.D. de Bon Voyage

Loqueltas

D 81

D 181

ILE D'OUESSANT ©

P^{nte} de Pern

Lampaul

Porz Arlan

Kergoff

Nividic   23

Feunteun
Velen

Porsguen

Baie de Lampaul

P^{nte} de
Pen-ar-Roc'h

Passage du Fromveur

Phare de Kéréon

Pointe de
Porz Doun

PARC

Phare de la Jument

Île de Bannec

la Helle   le Faix

les Plâtresses

Chenal de

la

Île de Balanec

les Trois Pierres

Phare de Trézien

3

les Pierres Vertes

P^t Port

22

Lédénés de Molène

Île Molène

Pointe de Corsen

RÉGIONAL

Île de Trielen

Lédénés de Quéménés

Île de Lytiry

Grève de
Porsmoguer

Île de Quéménés

Île de Morgol

les Serroux

Grande-
Vinotière

Plage des
Blancs Sablon
l'Ilette

P^{nte} de Kermorvan

(O)le Conquet

Île de Beniguet

P^{nte} des Renards

Plage de
Porsliogan

D'ARMORIQUE

**Pointe de
St Mathieu**

les Pierres Noires

Kervouroc

les Vieux Moines

Chaussée des Pierres Noires

1^h 15

Poi

Roches   Île

le Fou

Presqu
St Lau

Pors

les Liniou

I. Melor

Rocher du

Grève
Gouér

Porspaul

I. Ségal

Ruscu
Po

Ilhe

Mon

St

4

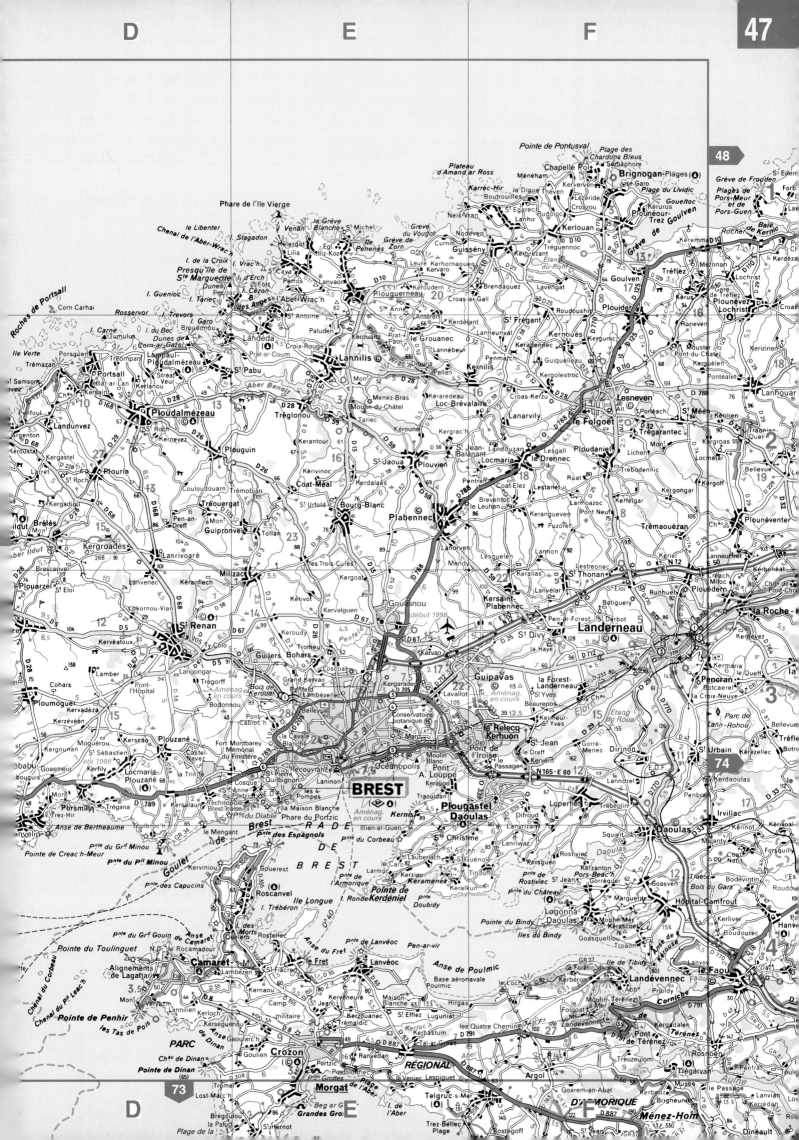

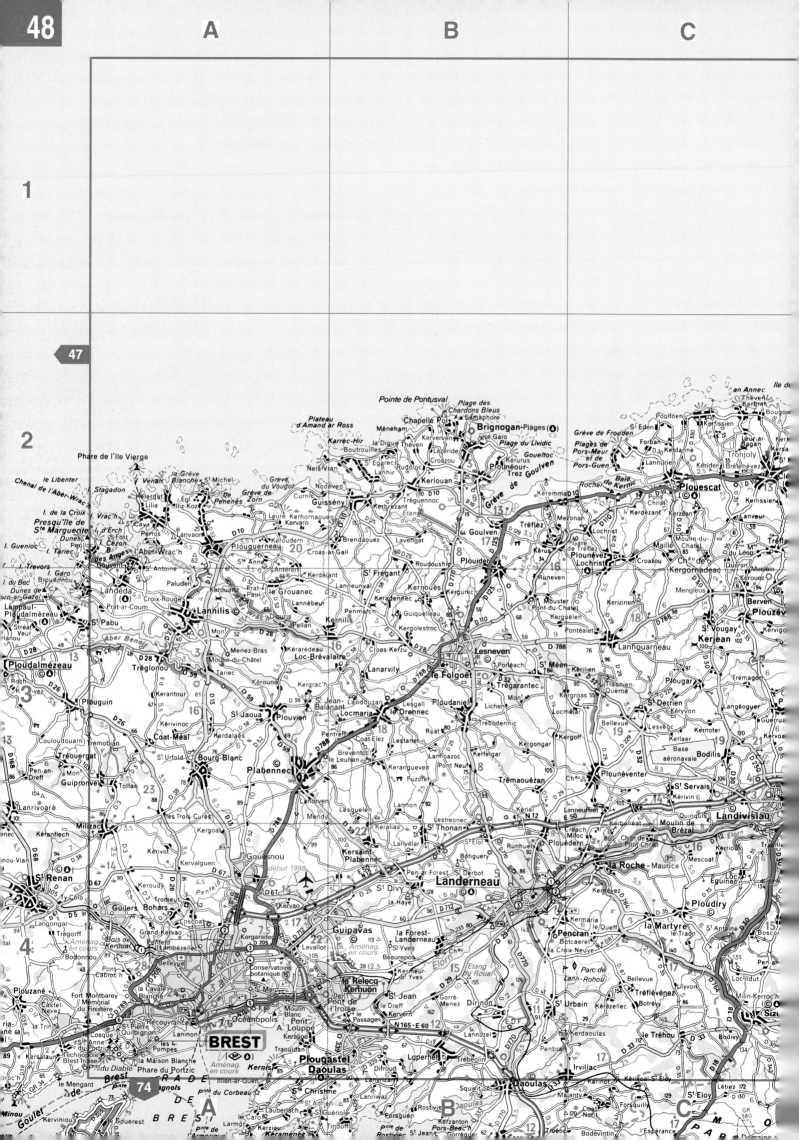

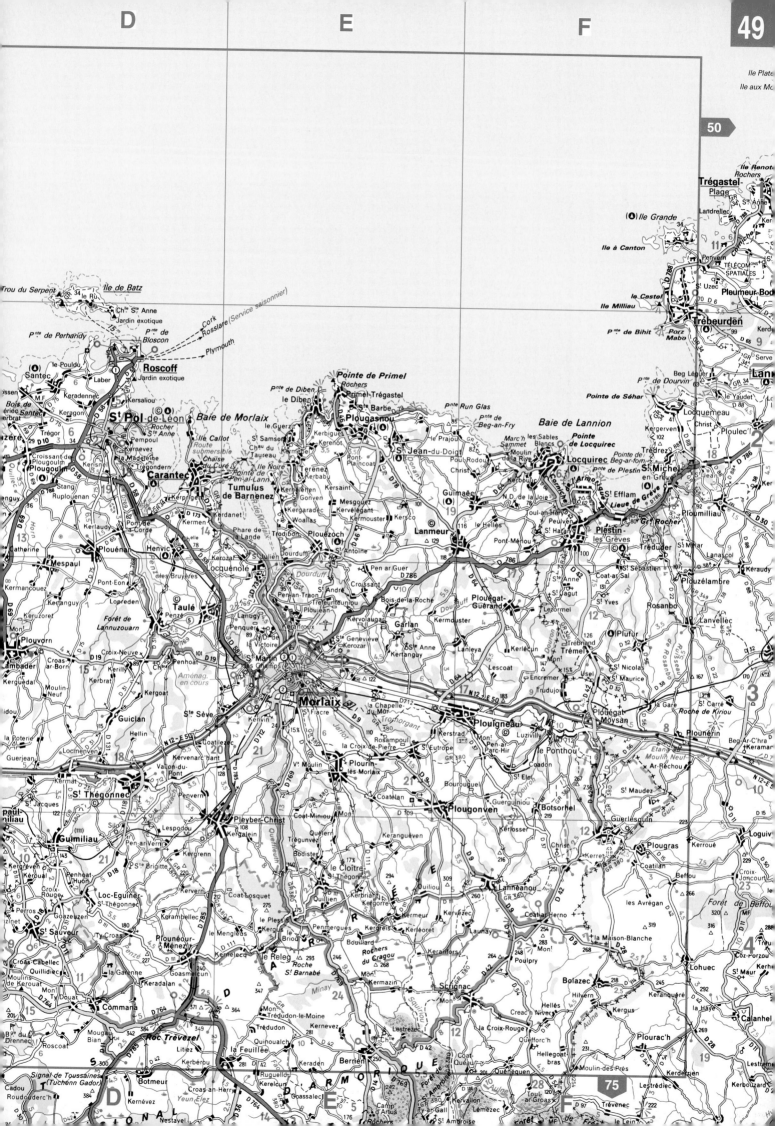

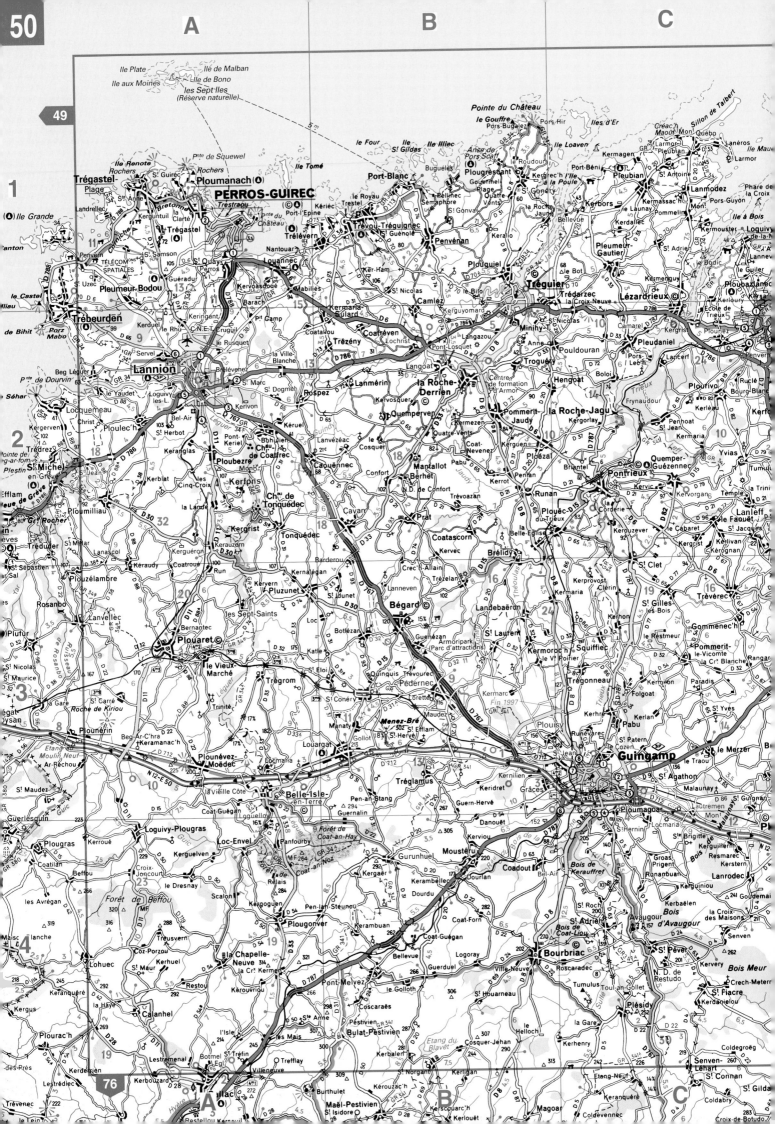

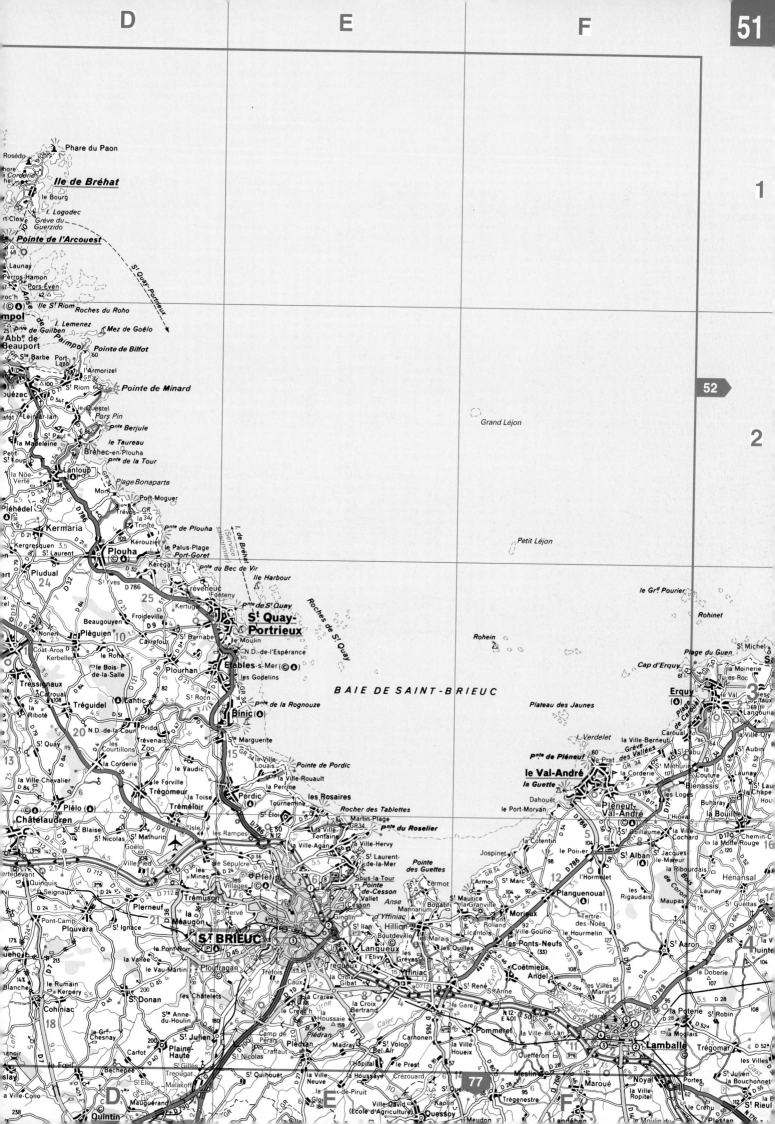

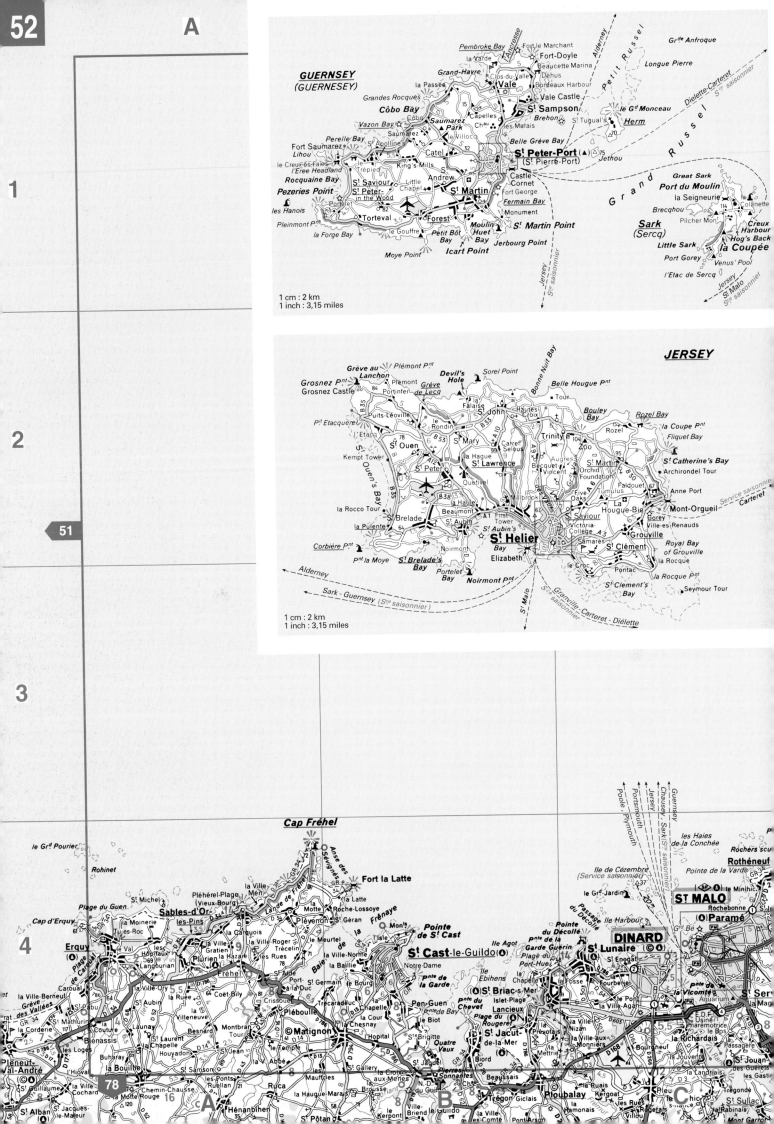

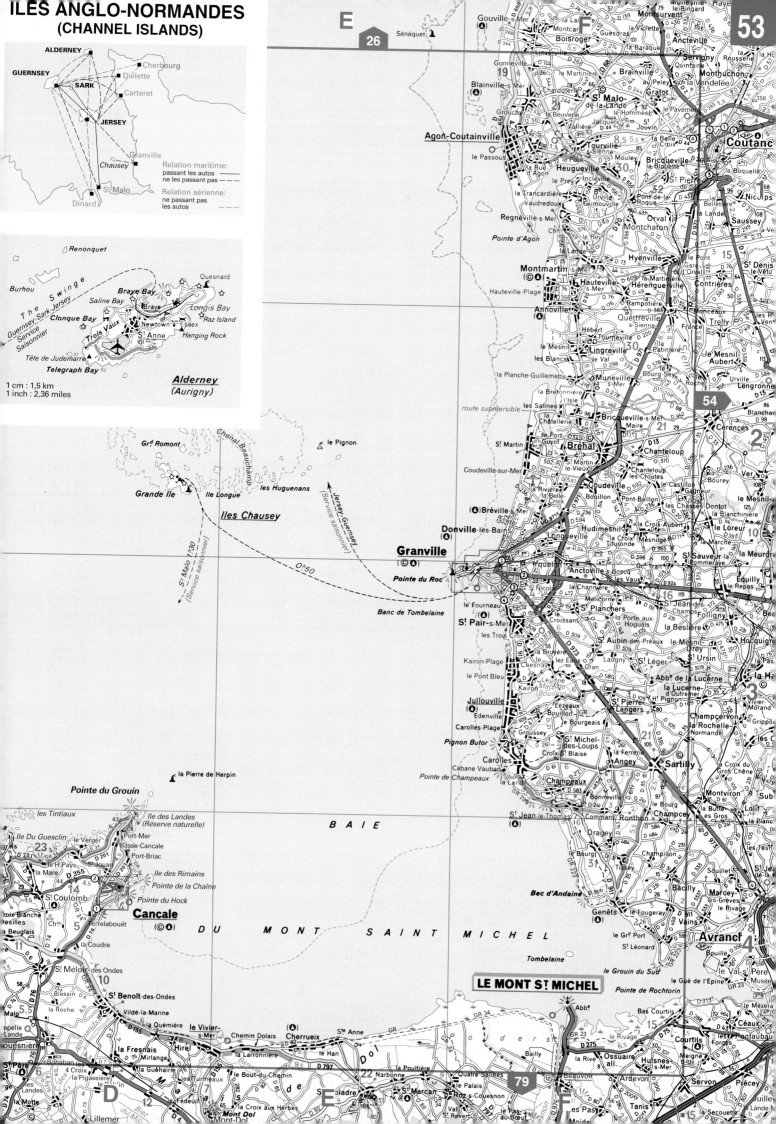

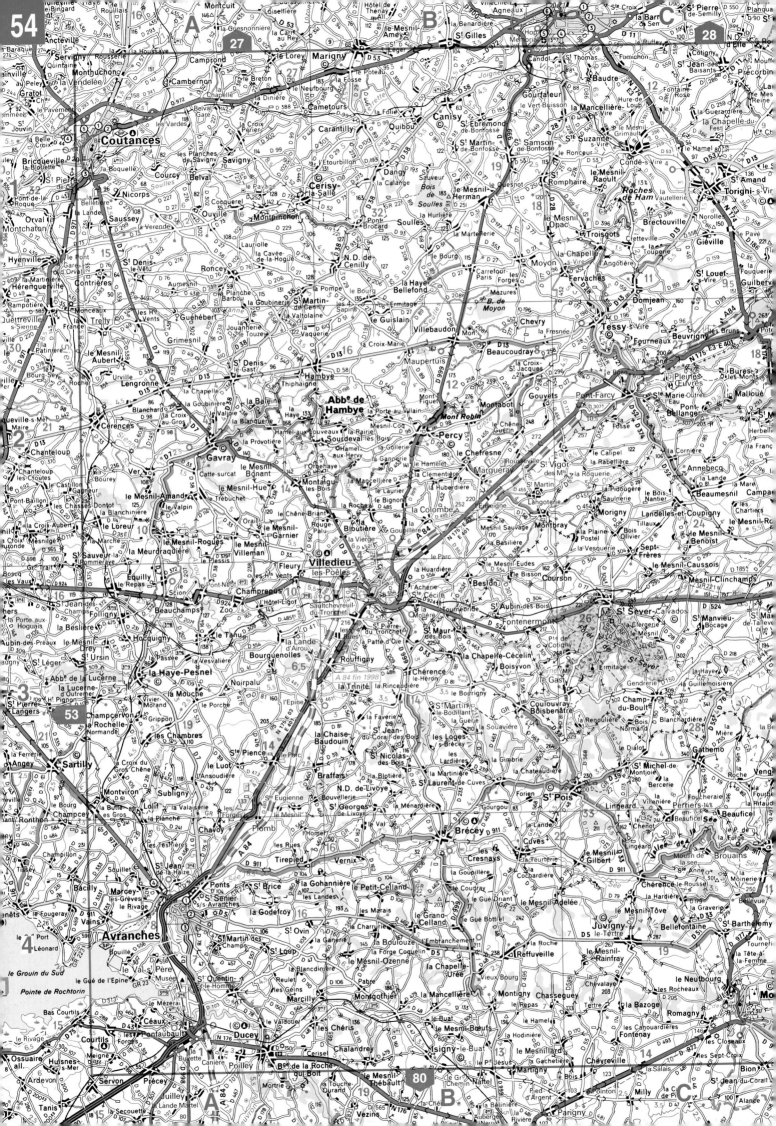

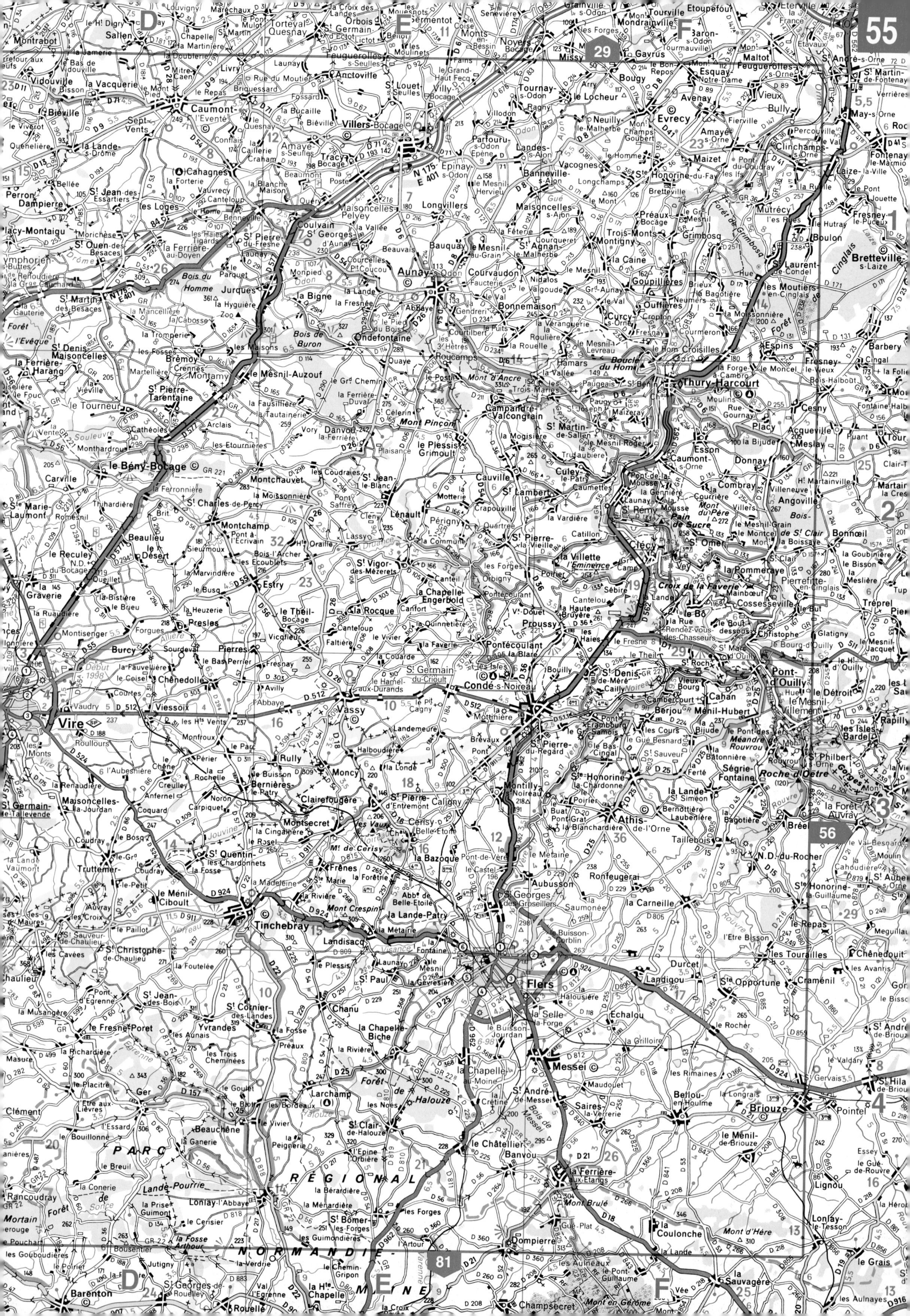

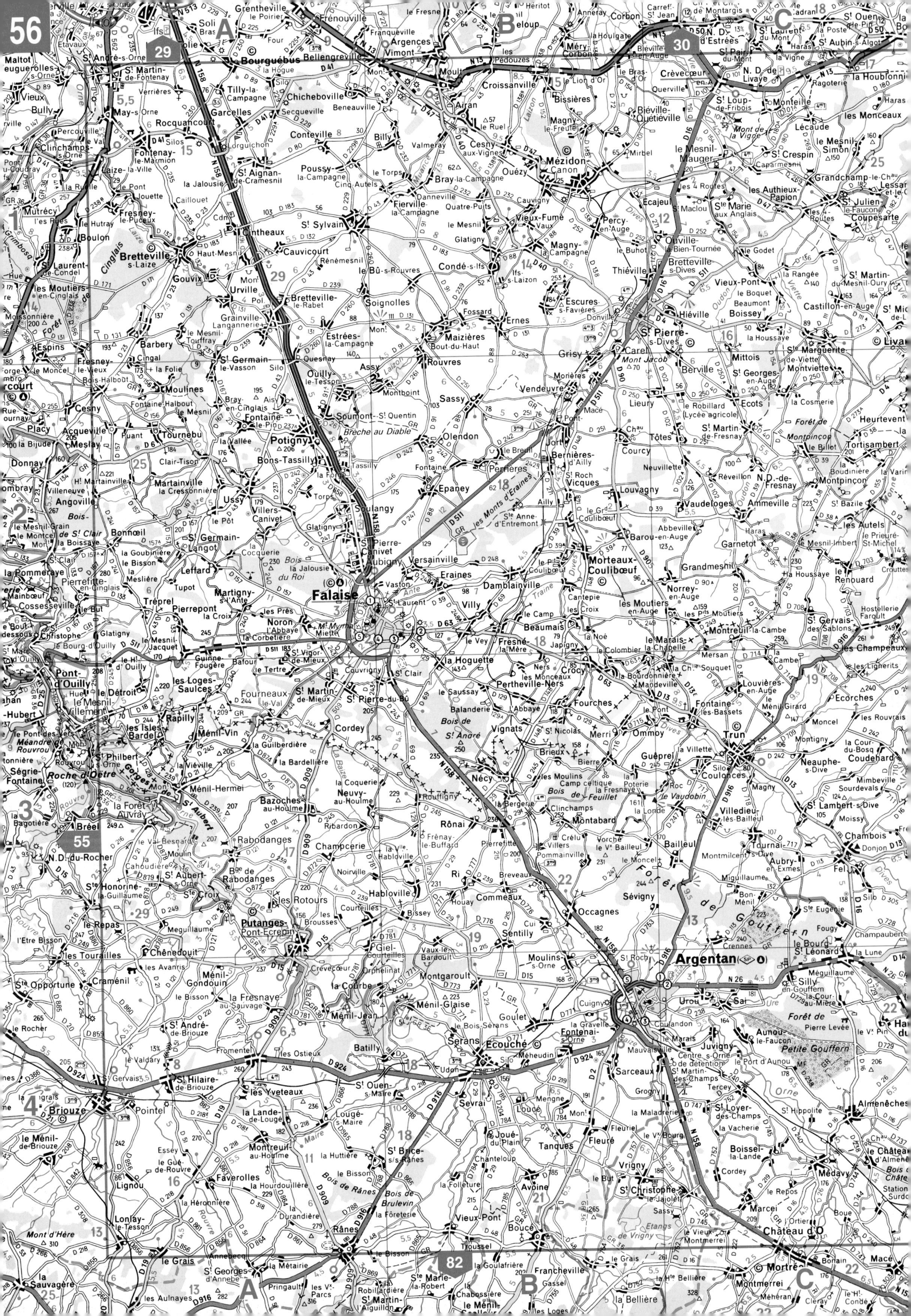

Falaise

Argentan

Bretteville-s-Laize

Putanges-Pont-Ecrepin

Briouze

Trun

Écouché

Mézidon

S¹ Pierre-s-Dives

Pont-d'Ouilly

Morteaux-Coulibœuf

54 55 82

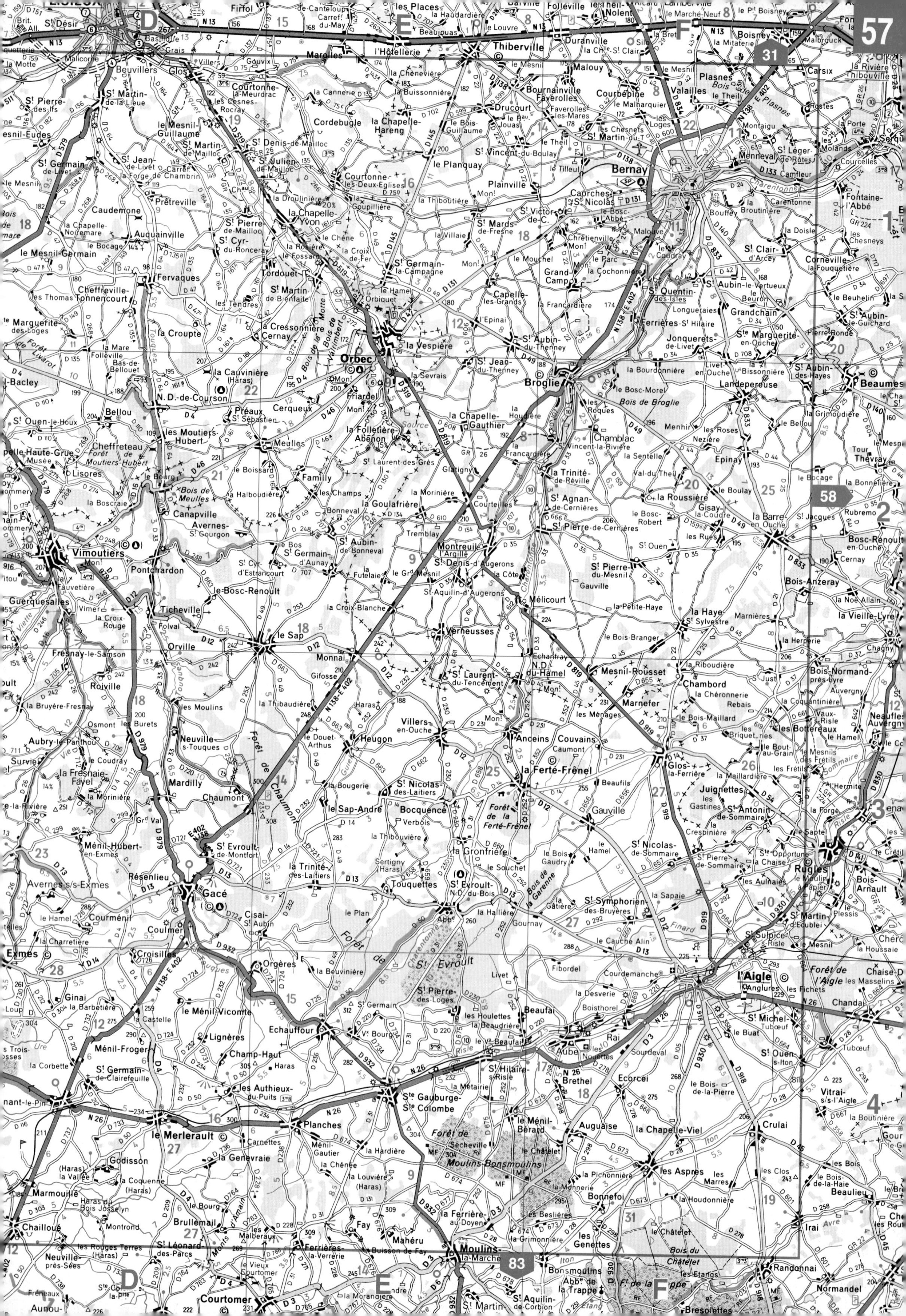

Bernay

Orbec

Broglie

Vimoutiers

le Sap

Gacé

l'Aigle

Rugles

Thiberville

le Merlerault

Moulins-la-Marche

Fervaques

Courtomer

St Evroult-N.D.-du-Bois

Forêt de St Evroult

Forêt de la Ferté-Frênel

la Ferté-Frênel

Bocquencé

St Evroult-de-Montfort

Ste Gauburge-Ste Colombe

Beaumes

Bois-Anzeray

la Vieille-Lyre

Neaufles-Auvergny

Bosc-Renoult-en-Ouche

St Aubin-des-Hayes

Landepereuse

Chamblac

Bois de Broglie

Bois de Livarot

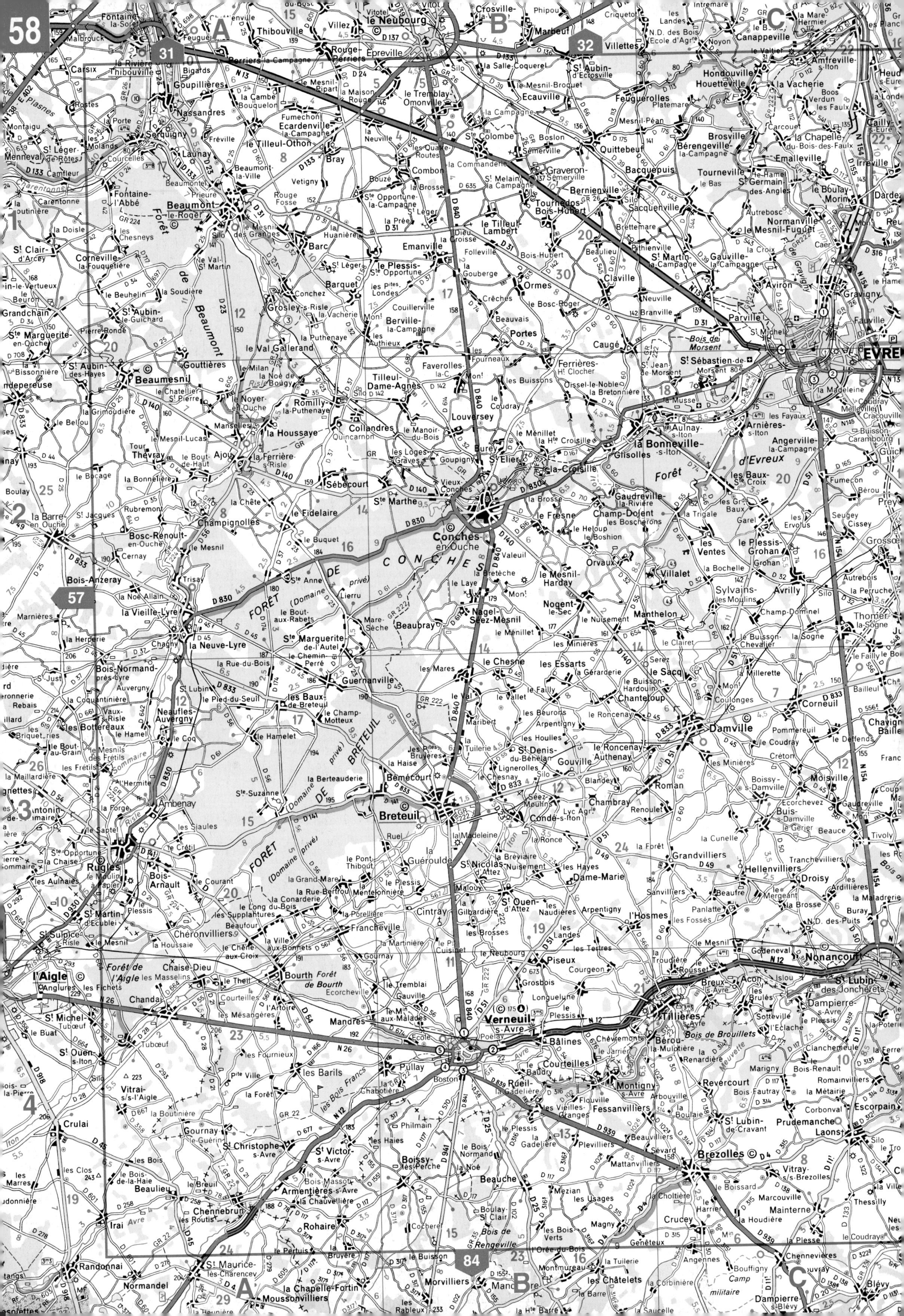

le Neubourg
Beaumont-le-Roger
Forêt de Beaumont
Beaumesnil
Conches-en-Ouche
Forêt de Conches
Breteuil
Forêt de Breteuil
Rugles
l'Aigle
Forêt de l'Aigle
Bourth
Verneuil-s-Avre
Tillières-s-Avre
Nonancourt
Damville
la Bonneville-s-Iton
Forêt d'Evreux
Evreux
Brezolles
Chennebrun
Serquigny
Nassandres
Thibouville
la Neuve-Lyre
la Vieille-Lyre
Gaudreville-la-Rivière
St Lubin-des-Joncherets
St Maurice-les-Charencey
Morvilliers
Moussonvilliers
la Chapelle-Fortin
Normandel
Randonnai
Crulai
St Christophe-s-Avre
Armentières-s-Avre
Beaulieu
Boissy-lès-Perche
Pullay
Bâlines
Courteilles
Fessanvilliers
Montigny-s-Avre
St Sébastien-de-Morsent
Quittebeuf
Bacquepuis
Emalleville
Gravigny

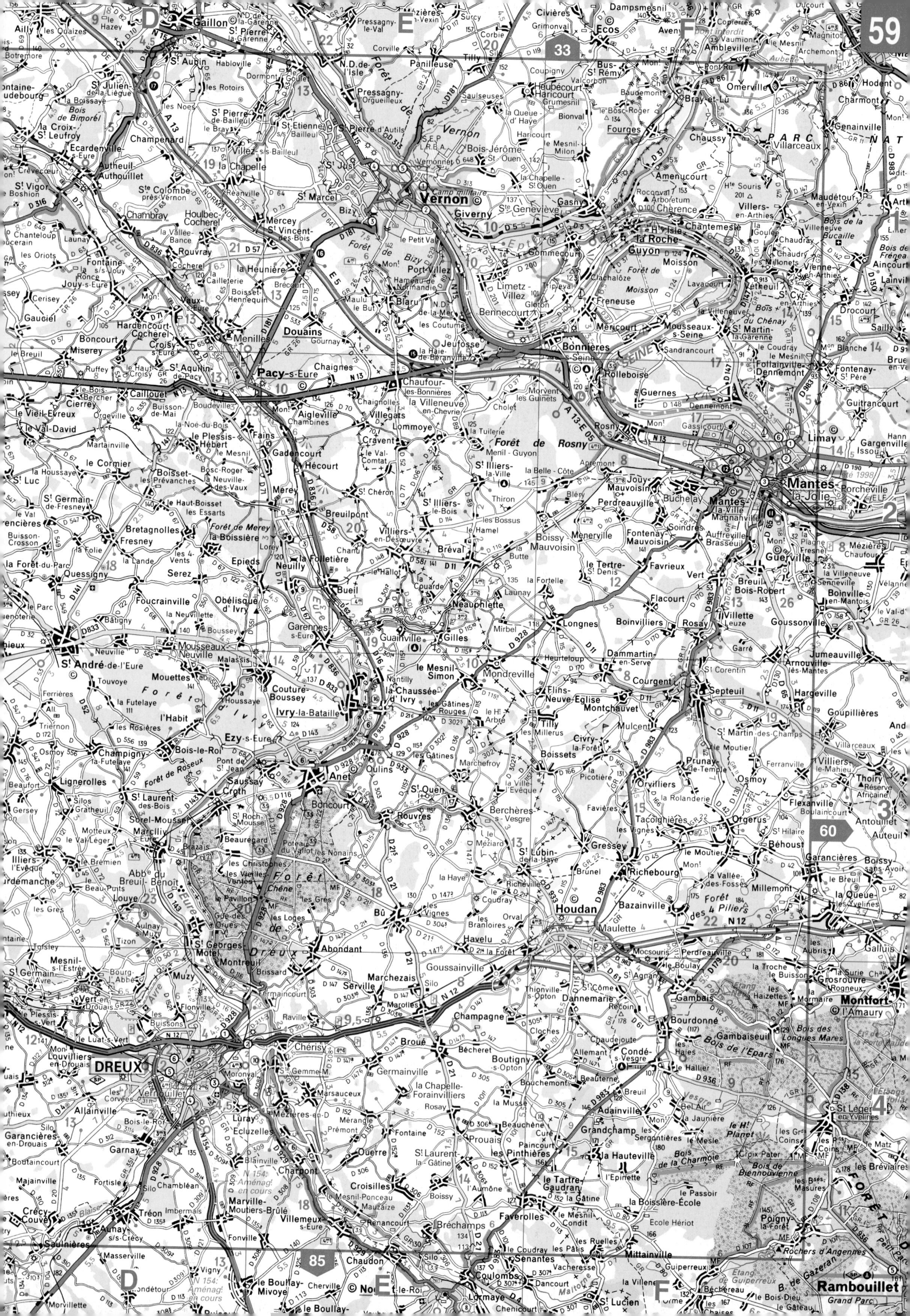
33
60
85
Gaillon
Vernon
Giverny
Forêt de Vernon
Pacy-s-Eure
Douains
Bonnières
Rolleboise
La Roche Guyon
Forêt de Rosny
Mantes-la-Jolie
Mantes-la-Ville
Limay
Bréval
Septeuil
Houdan
Anet
Ivry-la-Bataille
Forêt d'Ivry
Forêt de Merey
Forêt de Dreux
St André-de-l'Eure
Dreux
Gambais
Montfort-l'Amaury
Rambouillet
Forêt des 4 Piliers
Bois de la Charmoie
Nogent-le-Roi

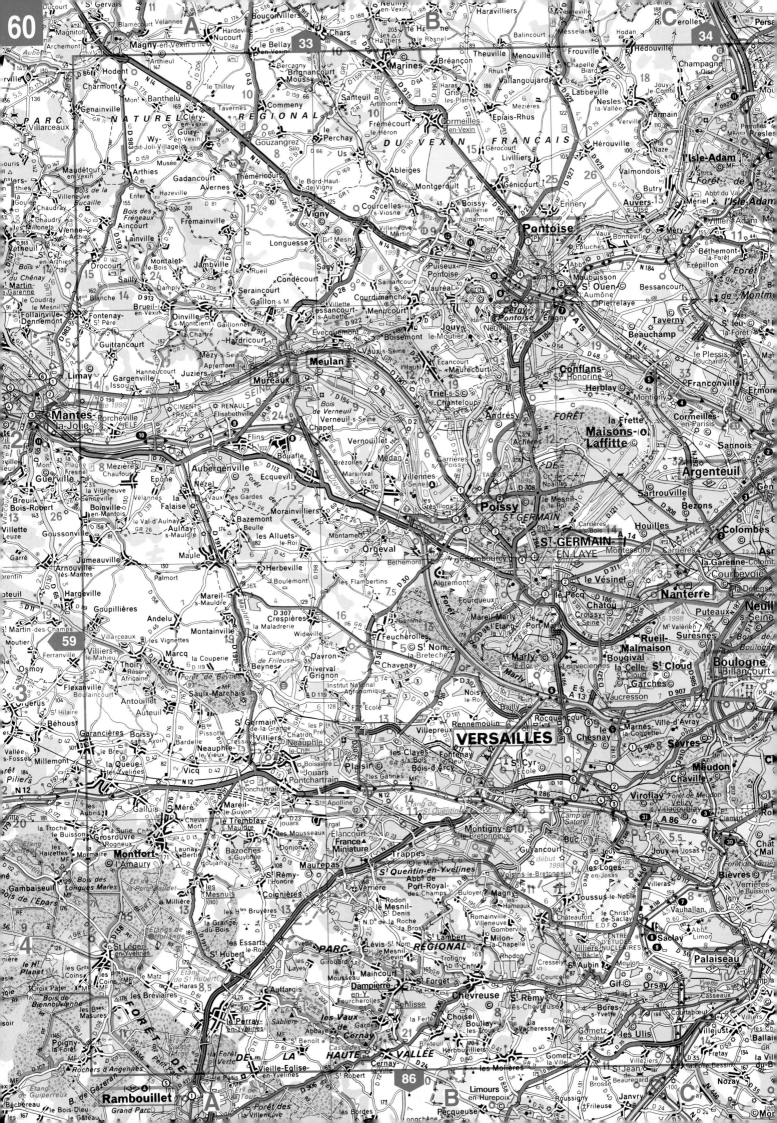

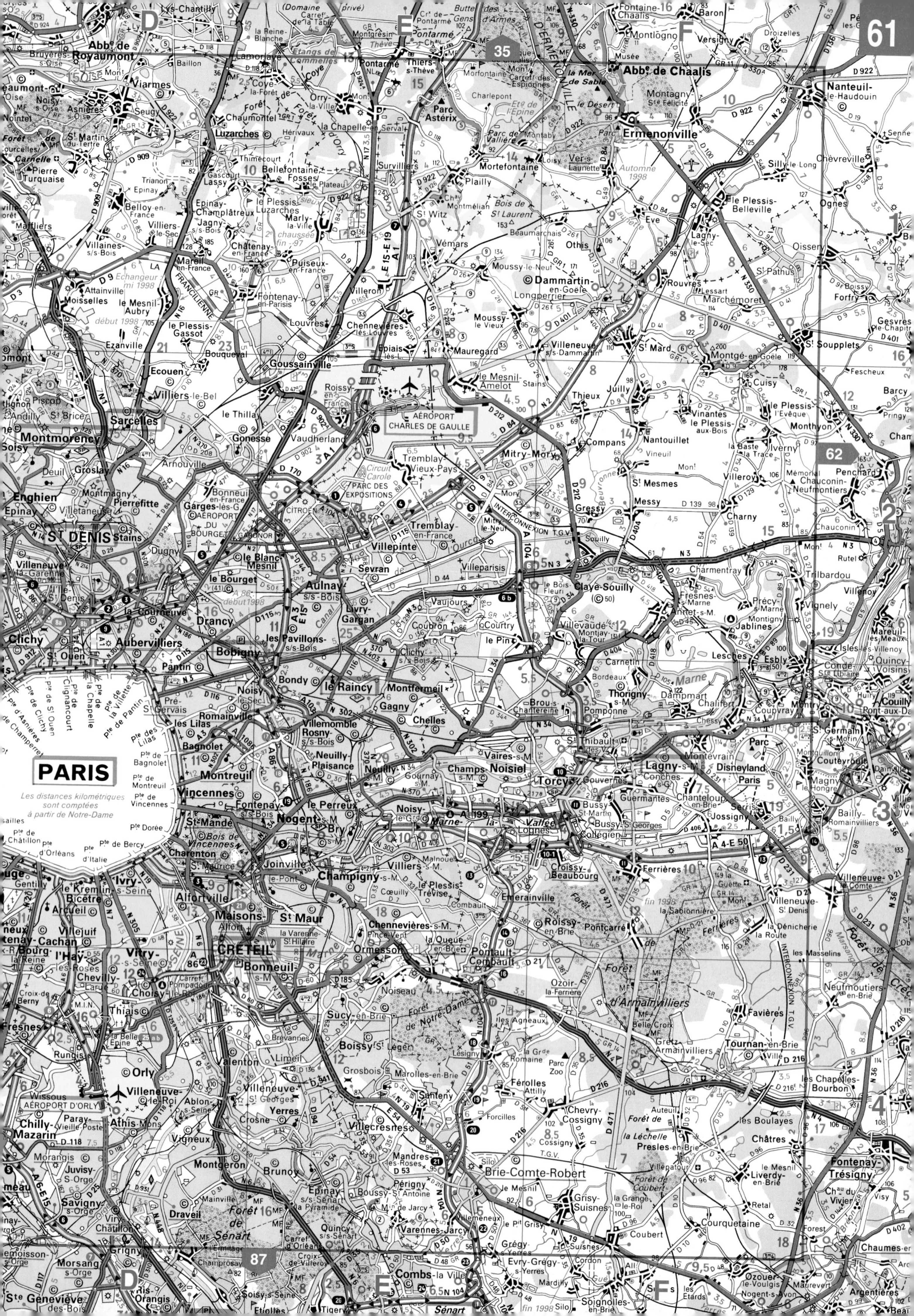
PARIS
Les distances kilométriques sont comptées à partir de Notre-Dame
AÉROPORT CHARLES DE GAULLE
AÉROPORT D'ORLY
St DENIS
Sarcelles
Montmorency
Aubervilliers
Bobigny
Vincennes
Montreuil
Nogent-s-M.
Champigny-s-M.
CRÉTEIL
Maisons-Alfort
St Maur
Vitry-s-Seine
Choisy-le-Roi
Orly
Villeneuve-St Georges
Montgeron
Brunoy
Draveil
Juvisy-s-Orge
Athis-Mons
Brie-Comte-Robert
Tournan-en-Brie
Fontenay-Trésigny
Lagny-s-M.
Disneyland Paris
Torcy
Noisiel
Chelles
Le Raincy
Aulnay-s/s-Bois
Villepinte
Tremblay-en-France
Mitry-Mory
Claye-Souilly
Meaux
Dammartin-en-Goële
Ermenonville
Abbe de Chaalis
Parc Astérix
Luzarches
Abbe de Royaumont
Nanteuil-le-Haudouin
Gonesse
Roissy-en-France
Villiers-le-Bel
Ecouen
Forêt de Sénart
Forêt d'Armainvilliers
Forêt de Notre-Dame
35
61
62
87

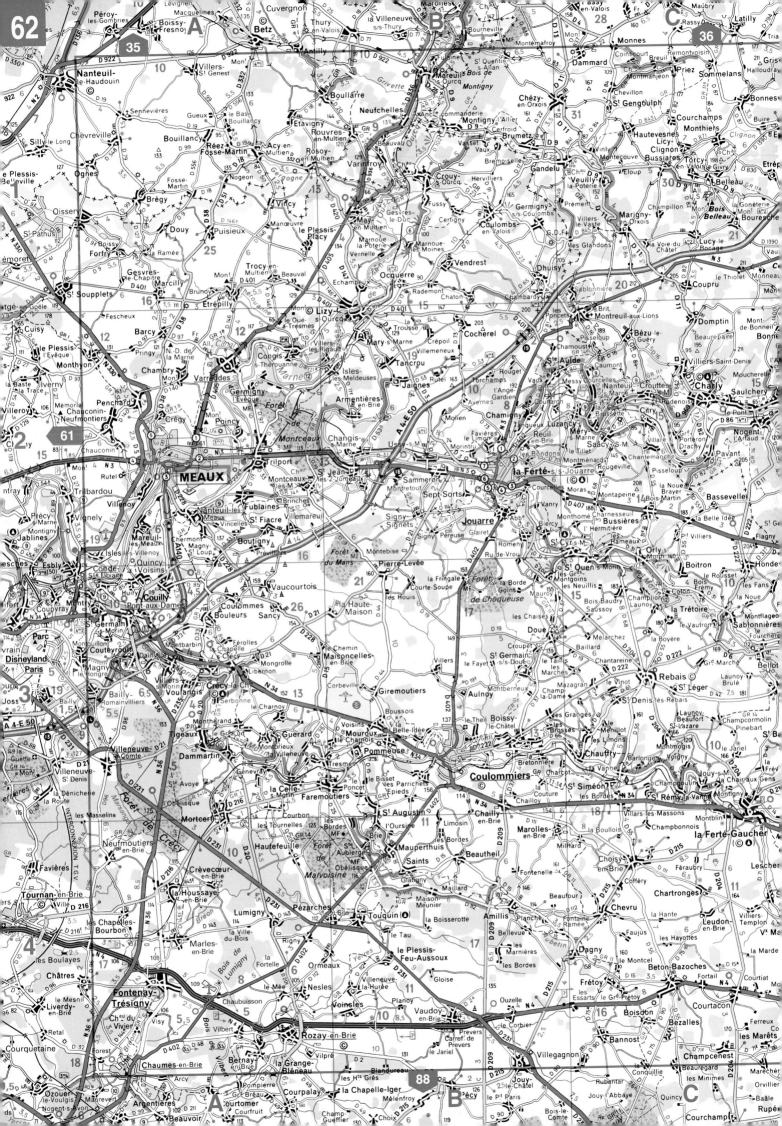

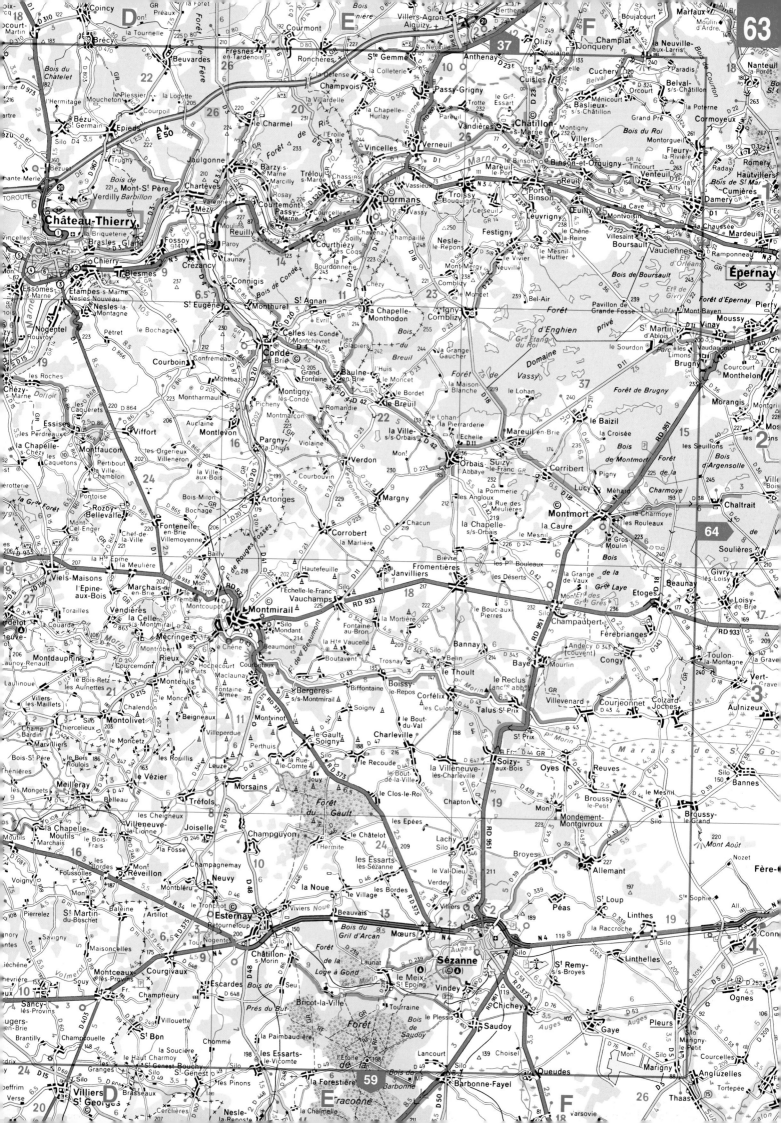

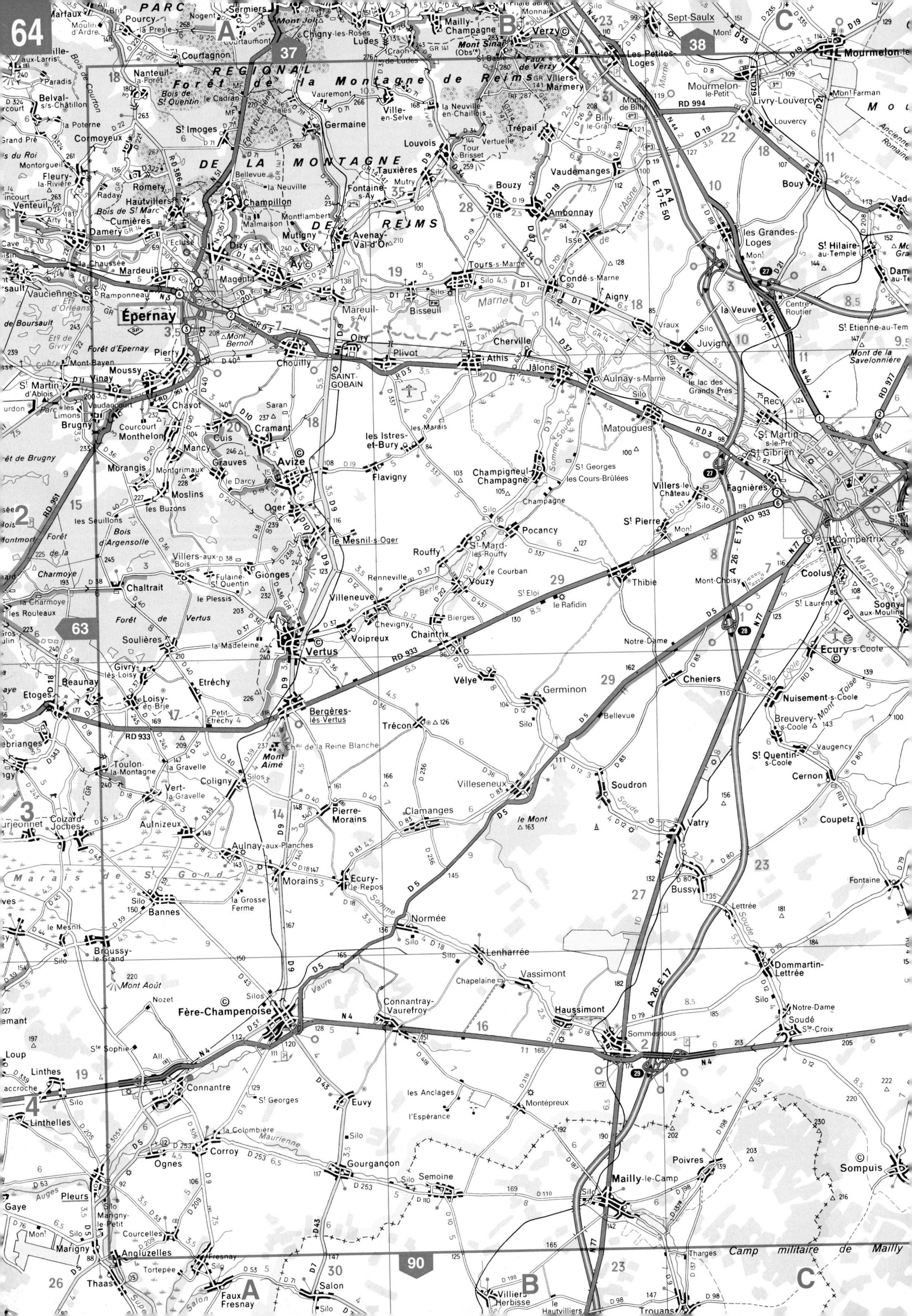

PARC NATUREL RÉGIONAL Forêt de la Montagne de Reims DE LA MONTAGNE DE REIMS

Marfaux · Nogent · Sermiers · Mailly-Champagne · Verzy · Sept-Saulx
Pourcy · la Presle · Chigny-les-Roses · Ludes · Verzenay · Les Petites Loges
Courtagnon · Courtaumont · Craon-de-Ludes · Mont Sinaï (Obs⁰) · Faux de Verzy · Villers-Marmery · Mourmelon-le-Petit · Livry-Louvercy
Nanteuil-la-Forêt · Bois de St Quentin · le Cadran · Vauremont · Ville-en-Selve · la Neuville-en-Chaillois · Germaine · Billy-le-Grand · Trépail · Louvercy · Bouy
St Imoges · Bellevue · la Neuville · Louvois · Tour Brisset · Vaudemanges · les Grandes-Loges · St Hilaire-au-Temple
Cormoyeux · Romery · Hautvillers · Champillon · Fontaine-Ay · Mutry · Bouzy · Ambonnay · Isse · la Veuve
Fleury-la-Rivière · Bois de St Marc · Cumières · Montlambert · Avenay-Val-d'Or · Tours-s-Marne · Condé-s-Marne · Aigny · Juvigny
Damery · l'Écluse · Dizy · Magenta · Mardeuil · Ay · Mareuil-s-Ay · Bisseuil · Cherville · Vraux · St Étienne-au-Tem
Vauciennes · Ramponneau · Épernay · Oiry · Plivot · Athis · Jâlons · Aulnay-s-Marne · Recy · St Martin-s-le-Pré
Pierry · Chouilly · SAINT-GOBAIN · Matougues · St Martin-s-le-Gibrien
Moussy · Mont-Bernon · Saran · les Istres-et-Bury · les Marais · Champigneul-Champagne · St Georges les Cours-Brûlées · Villers-le-Château · Fagnières
St Martin-d'Ablois · Vaudancourt · Chavot · Cramant · Champagne · St Pierre · Compertrix
Brugny · Courcourt · Monthelon · Cuis · Flavigny · Pocancy · Coolus
Mancy · Grauves · Avize · Rouffy · St-Mard-les-Rouffy · Thibie · Mont-Choisy · St Laurent · Sogny-aux-Moulins
Morangis · Montgrimaux · Moslins · Oger · le Mesnil-s-Oger · Renneville · Vouzy · St Eloi · le Rafidin · Notre-Dame · Ecury-s-Coole
les Seuillons · les Buzons · Villers-aux-Bois · Gionges · Villeneuve · Chevigny · Bierges · Nuisement-s-Coole
Charmoye · Fulaine-St Quentin · le Plessis · Voipreux · Chaintrix · Cheniers · Breuvery-s-Coole
Chaltrait · Forêt de Vertus · Soulières · la Madeleine · Vertus · Vélye · Germinon · Bellevue · Vaugency · St Quentin-s-Coole
Beaunay · Givry-lès-Loisy · Étréchy · Bergères-lès-Vertus · Soudron · Cernon
Etoges · Loisy-en-Brie · Petit-Étréchy · Trécon · Villeseneux · Vatry · Coupetz
Toulon-la-Montagne · la Gravelle · Chât de la Reine Blanche · Mont Aimé · Vert-la-Gravelle · Coligny · Pierre-Morains · le Mont · Bussy
Coizard-Joches · Aulnizeux · Aulnay-aux-Planches · Clamanges · Lettrée
Morains · Ecury-le-Repos · la Grosse Ferme · Dommartin-Lettrée
Bannes · le Mesnil · Broussy-le-Grand · Normée · Lenharrée · Vassimont · Notre-Dame · Soudé-Ste-Croix
Mont Août · Nozet · Chapelaine · Haussimont · Sommesous
Fère-Champenoise · Connantray-Vaurefroy · Mailly-le-Camp
Ste Sophie · Montépreux · Poivres · Sompuis
Linthes · Connantre · St Georges · Euvy · l'Espérance · les Anclages
Linthelles · la Colombière · Corroy · Gourgançon · Semoine · Villiers-Herbisse
Ognes · Maurienne · le Hautvilliers · Trouans
Pleurs · Marigny-le-Petit · Courcelles · Salon · Camp militaire de Mailly
Marigny · Angluzelles · Tortepée · Thaas · Fresnay · Faux-Fresnay

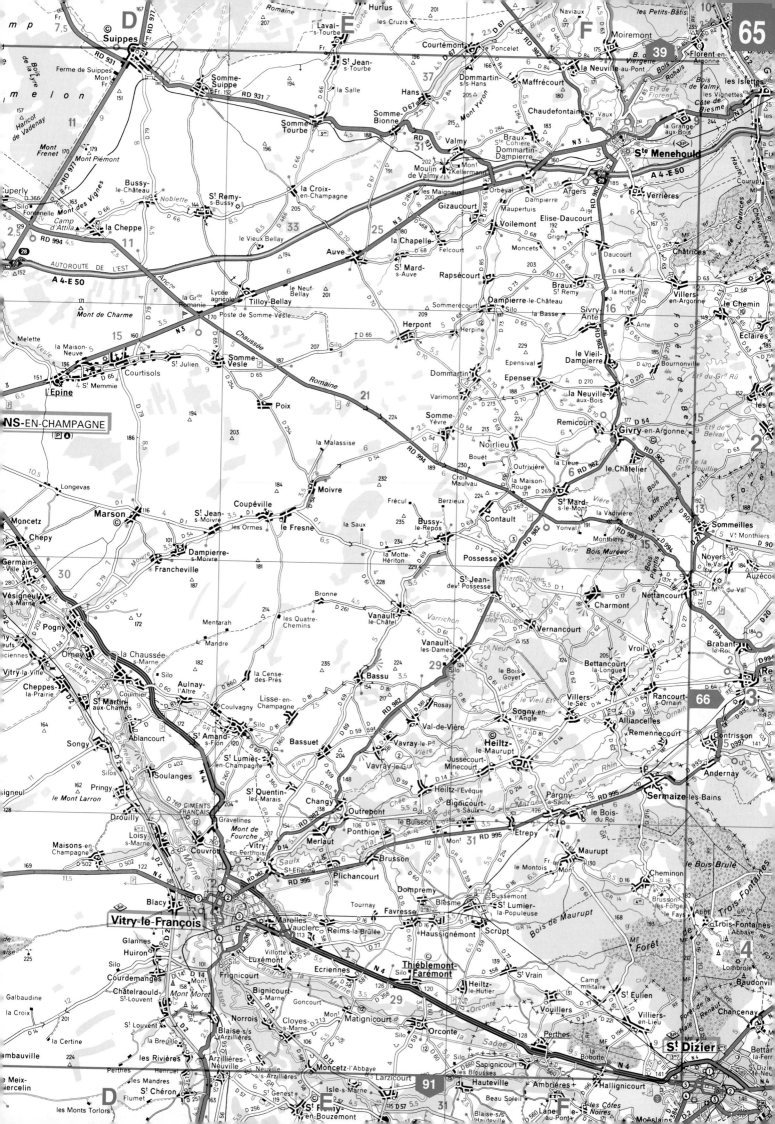

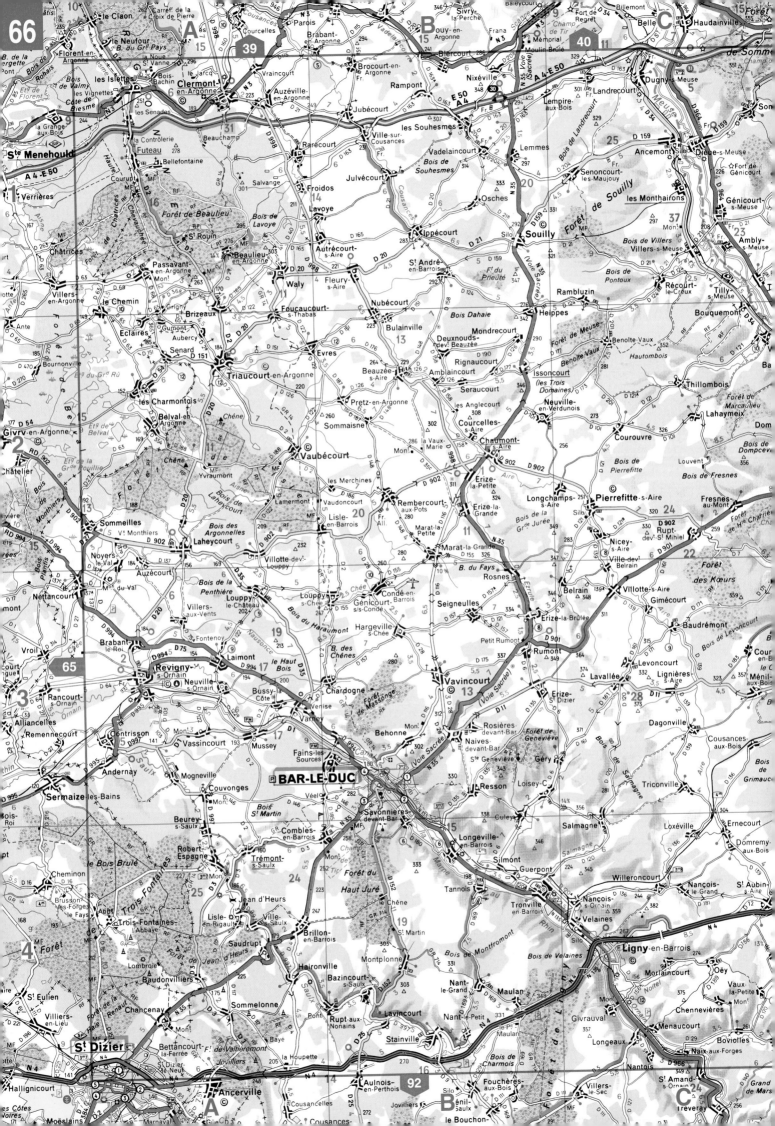

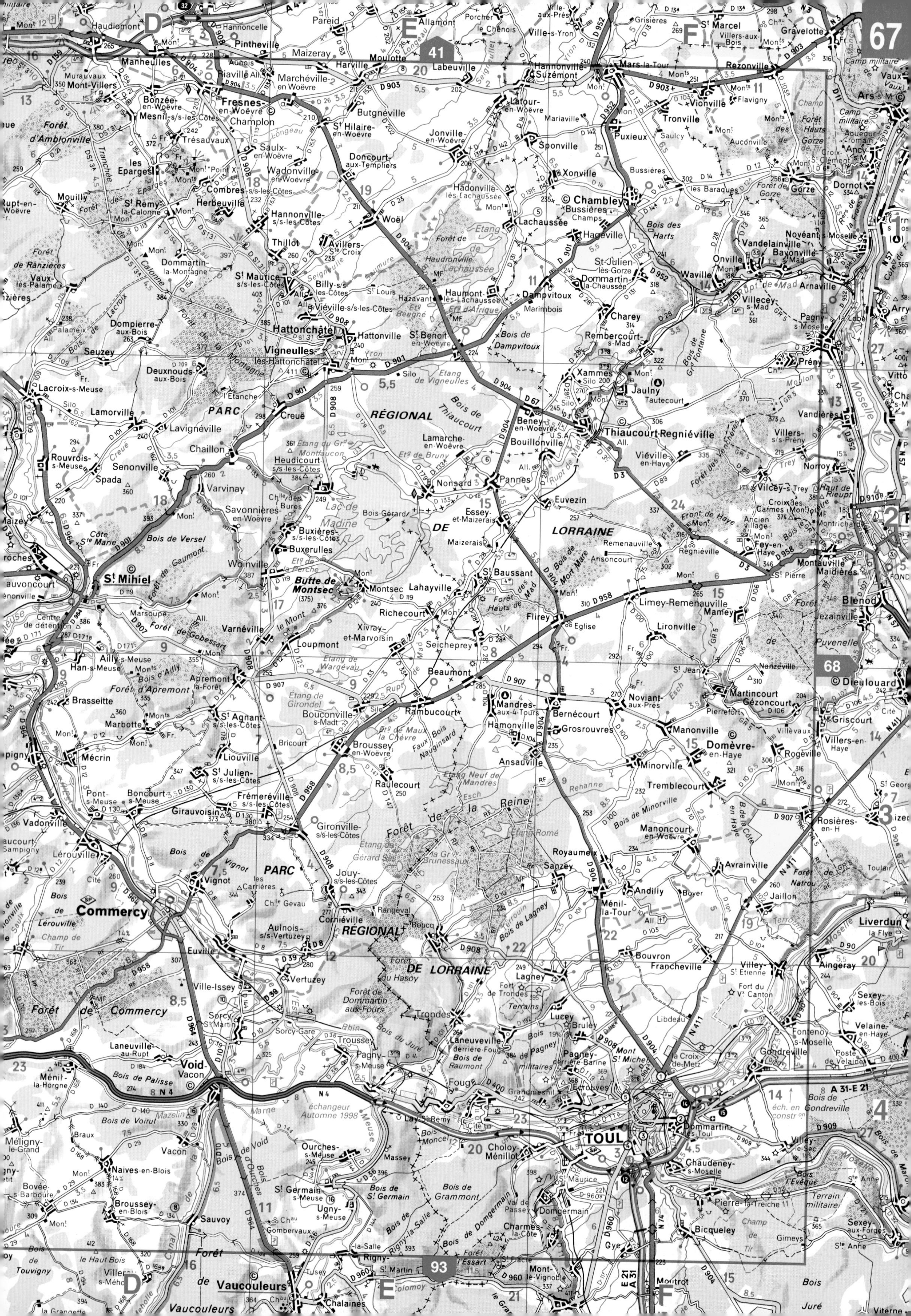

41
68
93
D
E
F
Haudiomont
Manheulles
Mont-Villers
Fresnes-en-Woëvre
Champlon
Pintheville
Maizeray
Harville
Moulotte
Labeuville
Hannonville-Suzémont
Mars-la-Tour
Rezonville
Gravelotte
St Marcel
Ville-s-Yron
Allamont
Pareid
Marchéville-en-Woëvre
Butgnéville
St Hilaire-en-Woëvre
Latour-en-Woëvre
Jonville-en-Woëvre
Vionville
Tronville
Puxieux
Ars-s-M.
Forêt d'Amblonville
Les Eparges
Mesnil-s/s-les-Côtes
Trésauvaux
Saulx-en-Woëvre
Wadonville-en-Woëvre
Doncourt-aux-Templiers
Sponville
Xonville
Gorze
Dornot
Combres-s/s-les-Côtes
Herbeuville
St Rémy-la-Calonne
Mouilly
Rupt-en-Woëvre
Hannonville-s/s-les-Côtes
Woël
Hadonville-lès-Lachaussée
Lachaussée
Chambley
Hagéville
Vandelainville
Bayonville-s-Mad
Novéant-s-Moselle
Thillot
Avillers-Ste Croix
Dommartin-la-Montagne
St Maurice-s/s-les-Côtes
Billy-s/s-les-Côtes
Forêt de Haudronville
Dampvitoux
Haumont-lès-Lachaussée
St Julien-lès-Gorze
Dommartin-la-Chaussée
Waville
Onville
Arnaville
Villecey-s-Mad
Pagny-s-Moselle
Vaux-lès-Palameix
Dompierre-aux-Bois
Seuzey
Hattonchâtel
Hattonville
Vigneulles-lès-Hattonchâtel
St Benoît-en-Woëvre
Charey
Rembercourt-s-Mad
Xammes
Jaulny
Prény
Deuxnouds-aux-Bois
Lacroix-s-Meuse
Lamorville
Lavignéville
PARC
RÉGIONAL
DE
LORRAINE
Creuë
Chaillon
Etang de Vigneulles
Bois de Thiaucourt
Beney-en-Woëvre
Thiaucourt-Regniéville
Vandières
Villers-s/s-Prény
Rouvrois-s-Meuse
Senonville
Spada
Varvinay
Heudicourt-s/s-les-Côtes
Lamarche-en-Woëvre
Nonsard
Pannes
Bouillonville
Viéville-en-Haye
Norroy
Vilcey-s-Trey
Savonnières-en-Woëvre
Lac de Madine
Buxières-s/s-les-Côtes
Buxerulles
Essey-et-Maizerais
Euvezin
Remenauville
Regniéville
Fey-en-Haye
Montauville
Maidières
St Mihiel
Woinville
Butte de Montsec
Montsec
Lahayville
St Baussant
Limey-Remenauville
Blénod
Varnéville
Richecourt
Flirey
Lironville
Mamey
Jezainville
Ailly-s-Meuse
Han-s-Meuse
Apremont-la-Forêt
Loupmont
Xivray-et-Marvoisin
Seicheprey
Beaumont
Forêt d'Apremont
Brasseitte
Marbotte
St Agnant-s/s-les-Côtes
Bouconville-s-Madt
Rambucourt
Mandres-aux-4-Tours
Bernécourt
Noviant-aux-Prés
Martincourt
Gézoncourt
Dieulouard
Griscourt
Mécrin
Liouville
Broussey-en-Woëvre
Hamonville
Grosrouvres
Manonville
Domèvre-en-Haye
Villers-en-Haye
Rogéville
St Julien-s/s-les-Côtes
Raulecourt
Ansauville
Minorville
Tremblecourt
Pont-s-Meuse
Boncourt-s-Meuse
Frémeréville-s/s-les-Côtes
Girauvoisin
Gironville-s/s-les-Côtes
Forêt de la Reine
Manoncourt-en-Woëvre
Rosières-en-H
Vadonville
Lérouville
Royaumeix
Sanzey
Avrainville
Vignot
Jouy-s/s-les-Côtes
Andilly
Commercy
Ménil-la-Tour
Jaillon
Liverdun
Aulnois-s/s-Vertuzey
Corniéville
Boucq
Euville
Vertuzey
Bouvron
Francheville
Villey-St Etienne
Aingeray
Ville-Issey
Forêt de Commercy
Lagney
Sexey-les-Bois
Sorcy-St Martin
Trondes
Lucey
Bruley
Fontenoy-s-Moselle
Velaine-en-Haye
Gondreville
Laneuville-au-Rupt
Void-Vacon
Laneuveville-derrière-Foug
Pagney-derrière-Barine
Ecrouves
Ménil-la-Horgne
Pagny-s-Meuse
Foug
Lay-St-Rémy
Choloy-Ménillot
TOUL
Dommartin-lès-Toul
A 31-E 21
Vacon
Ourches-s-Meuse
Chaudeney-s-Moselle
Villey-le-Sec
Naives-en-Blois
St Germain-s-Meuse
Ugny-s-Meuse
Domgermain
Pierre-la-Treiche
Méligny-le-Grand
Broussey-en-Blois
Sauvoy
Charmes-la-Côte
Bicqueley
Sexey-aux-Forges
Rigny-la-Salle
Rigny-St Martin
Gye
Mont-le-Vignoble
Vaucouleurs
Chalaines
Moutrot
Vilterne

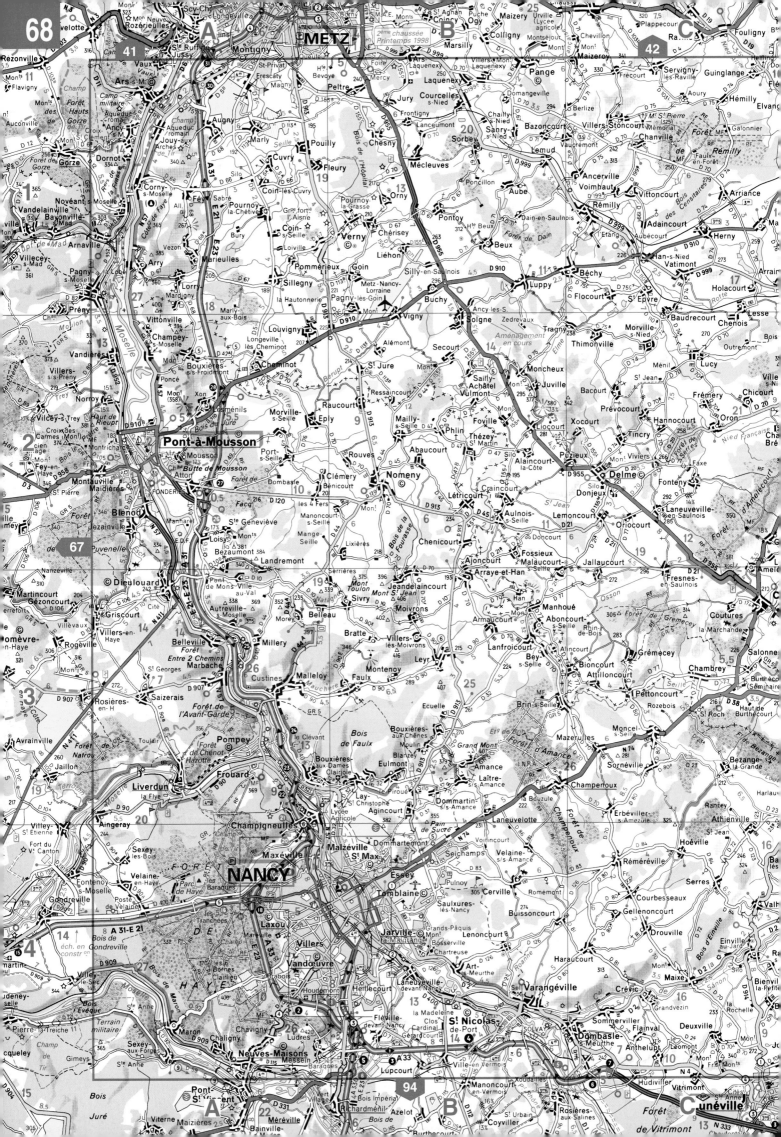

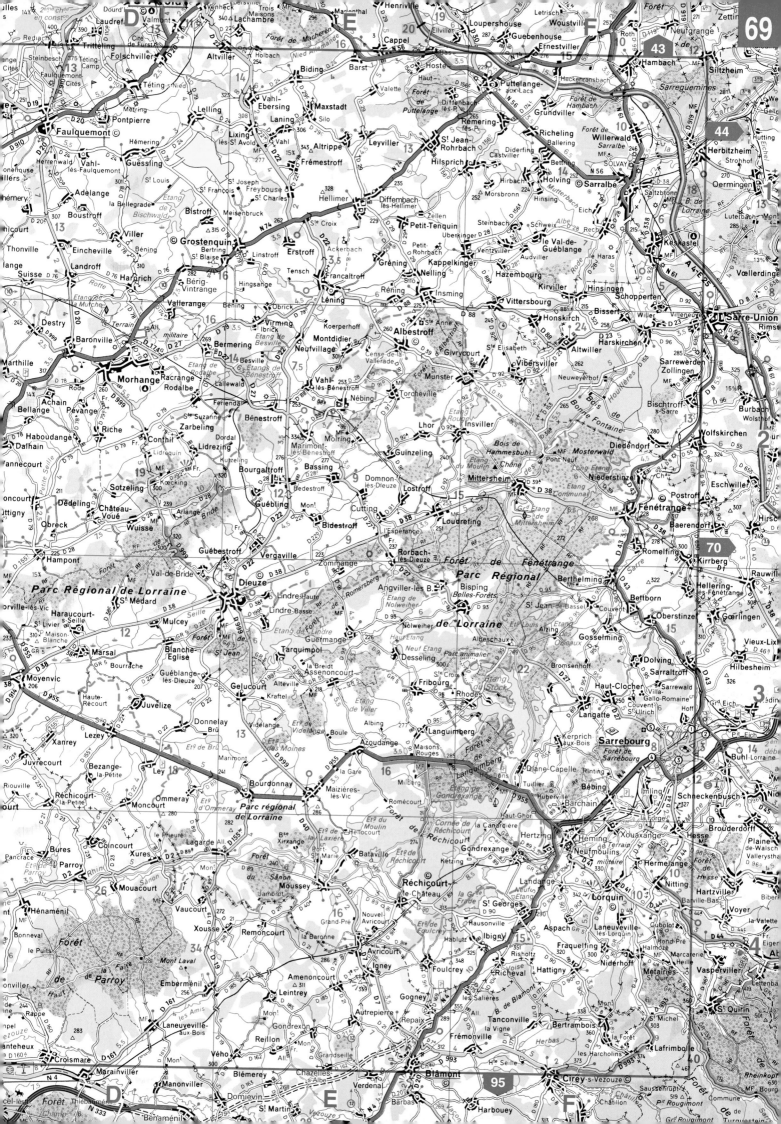

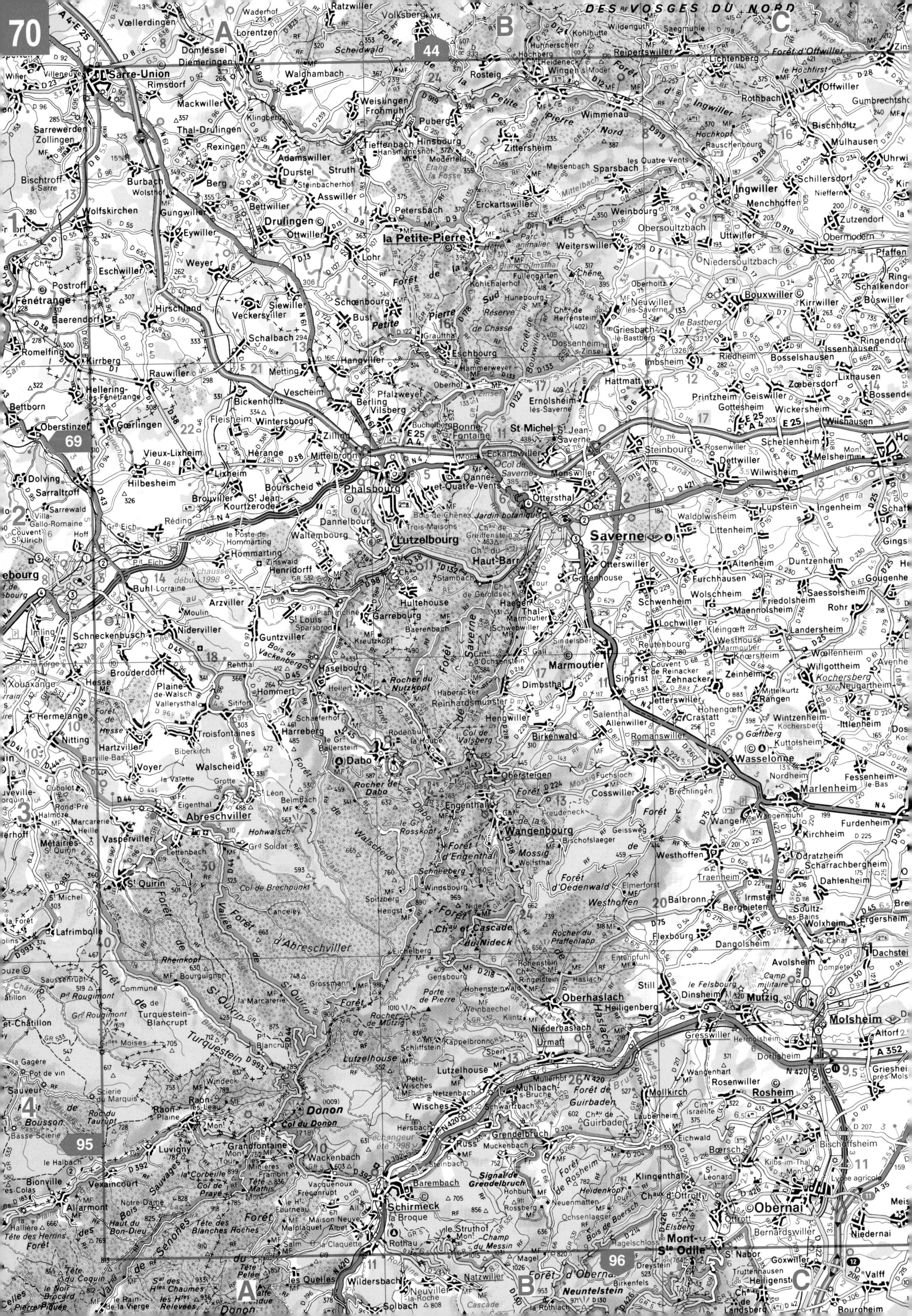
DES VOSGES DU NORD
A
B
C
44
69
95
96
Sarre-Union
Lorentzen
Diemeringen
Drulingen
la Petite-Pierre
Ingwiller
Lichtenberg
Offwiller
Bouxwiller
Fénétrange
Phalsbourg
Lutzelbourg
Saverne
Haut-Barr
St Michel
Marmoutier
Wasselonne
Marlenheim
Dabo
Abreschviller
Wangenbourg
Oberhaslach
Mutzig
Molsheim
Rosheim
Obernai
Schirmeck
Donon
Col du Donon
Mont Ste Odile
Neuntelstein
Forêt d'Abreschviller
Forêt de Saverne
Forêt de la Petite Pierre
Forêt d'Oedenwald
Rocher de Dabo
Col de Saverne
Jardin botanique
Cascade du Nideck
Signal de Grendelbruch
Champ du Messin
Hohwalsch
Schneeberg
Rocher de Mutzig

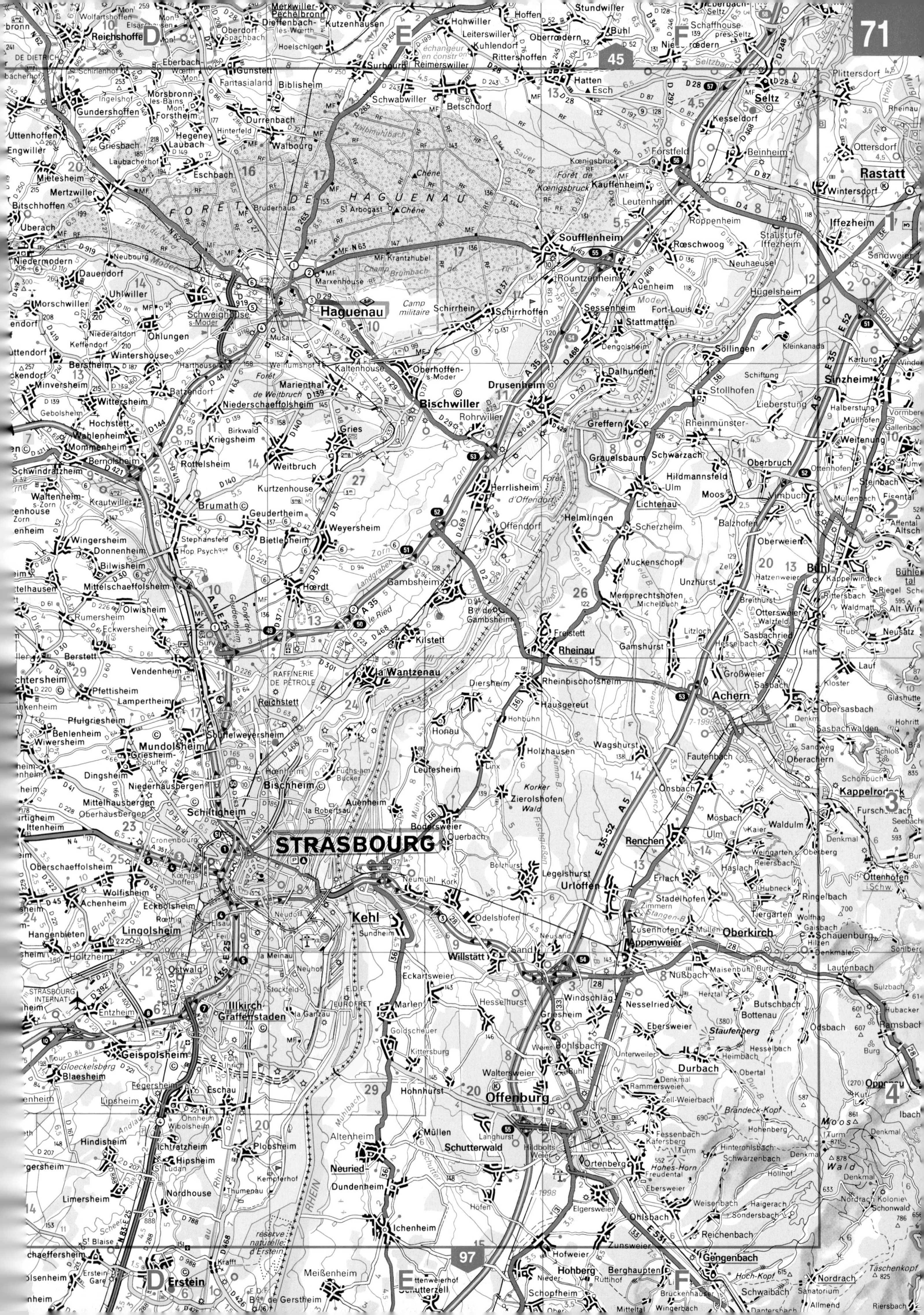

Rastatt

Haguenau

STRASBOURG

Kehl

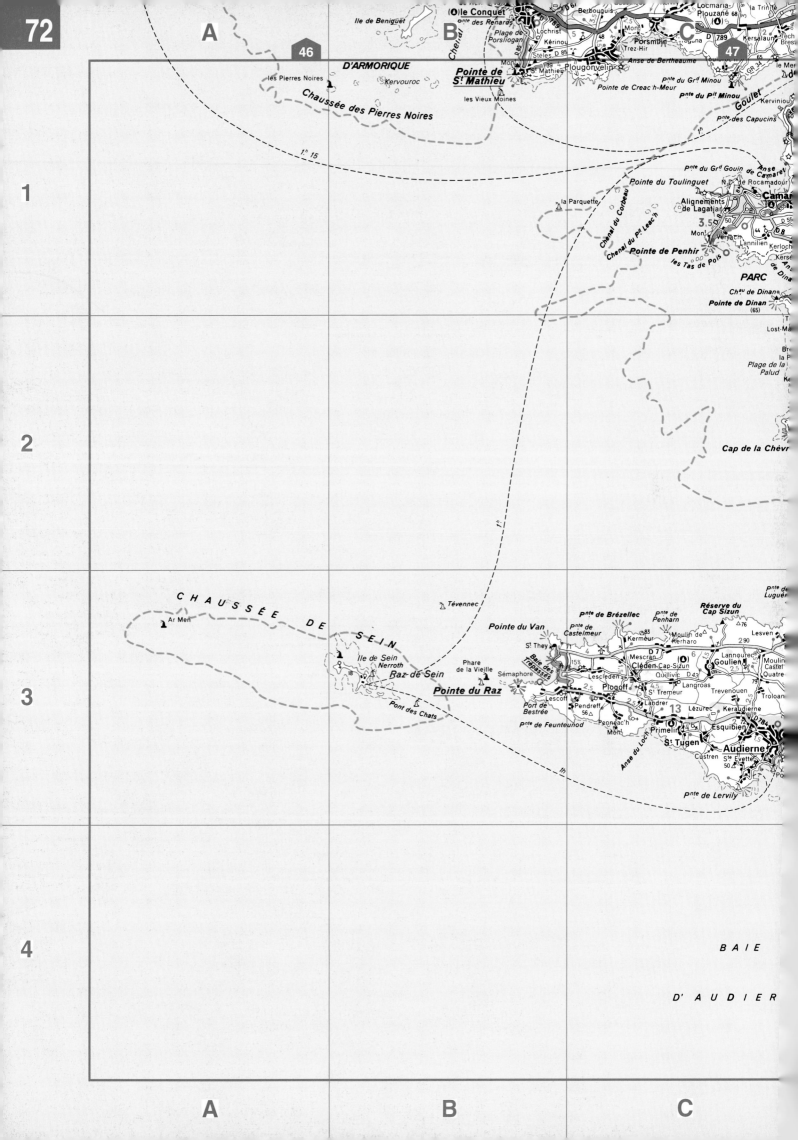

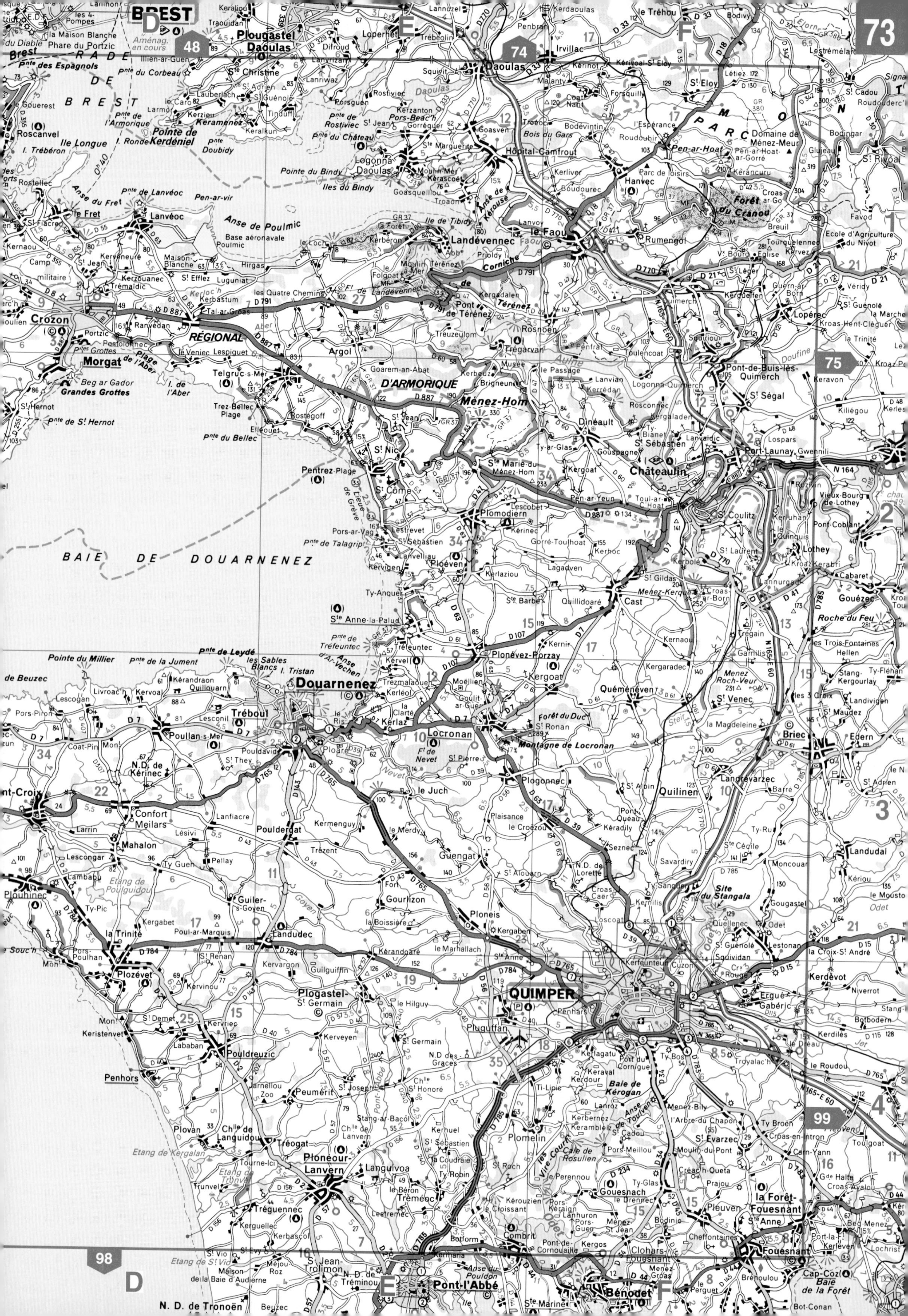

BREST

RADE DE BREST

BAIE DE DOUARNENEZ

Crozon · **Morgat** · Lanvéoc · le Fret

Châteaulin · **Douarnenez** · Tréboul · Locronan

QUIMPER

PARC D'ARMORIQUE · Ménez-Hom · Landévennec

Plougastel-Daoulas · Daoulas · le Faou · Pont-de-Buis-lès-Quimerch

Port-Launay · Briec · Landrévarzec · Landudal

Plozévet · Plogastel-St-Germain · Plonéour-Lanvern · Pont-l'Abbé · Bénodet · Fouesnant

la Forêt-Fouesnant · Pluguffan · Ergué-Gabéric

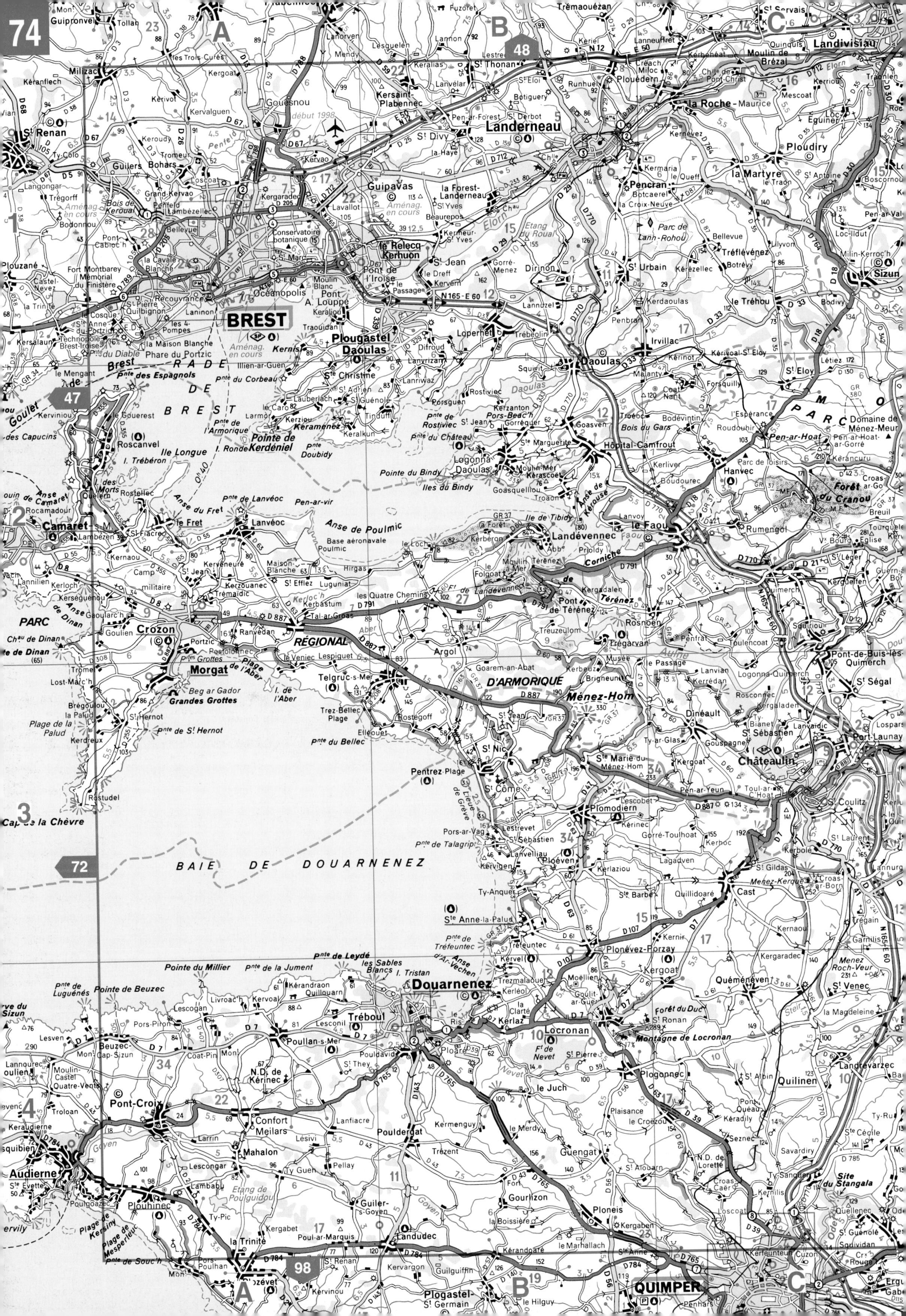

A   B   48   C

BREST

St Renan
Guipavas
Landerneau
Ploudiry
la Martyre
Sizun
Plougastel Daoulas
Loperhet
Daoulas
Irvillac
le Tréhou
Hanvec
le Faou
Rumengol
Forêt du Cranou
Pont-de-Buis-lès-Quimerch
St Ségal
Port-Launay
Châteaulin
Camaret
Crozon
Morgat
Cap de la Chèvre
Lanvéoc
Landévennec
Pont de Térénez
Argol
Ménez-Hom
Dinéault
St Sébastien
Telgruc-s-Mer
St Nic
Ste Marie du Ménez-Hom
Plomodiern
Ploéven
Cast
Quillidoaré

D'ARMORIQUE
RÉGIONAL
PARC

BAIE DE DOUARNENEZ

Ste Anne-la-Palud
Plonévez-Porzay
Quéménéven
St Venec

Douarnenez
Tréboul
Locronan
Montagne de Locronan
Plogonnec
Quilinen

Pointe du Millier
Pointe de Beuzec
Beuzec Cap-Sizun
Poullan-s-Mer
N.D. de Kérinec

Audierne
Pont-Croix
Confort Meilars
Mahalon
Pouldergat
Guengat
Guilers-Goyen
Plouhinec
la Trinité
Landudec
Plogastel St-Germain
Ploneis
Gourlizon
Site du Stangala

QUIMPER

72   47   98   19

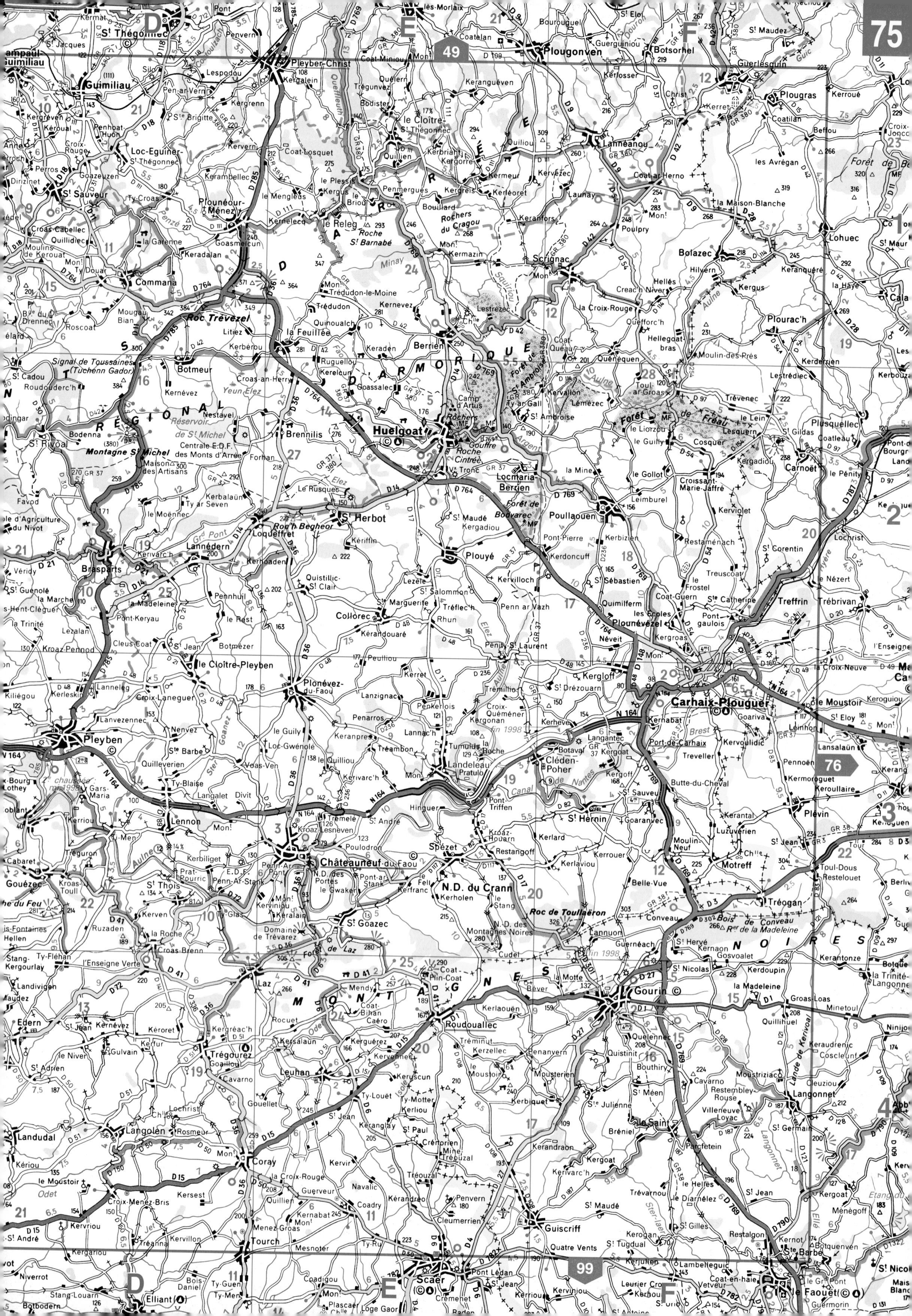

D
E
F
49
76
99
St Thégonnec
Pleyber-Christ
Guimiliau
Plougonven
Botsorhel
Guerlesquin
Plougras
le Cloître-St Thégonnec
Lannéanou
Loc-Eguiner-St Thégonnec
St Sauveur
Plounéour-Ménez
Commana
Scrignac
Bolazec
Lohuec
Roc Trévezel
la Feuillée
Botmeur
Berrien
Huelgoat
Locmaria-Berrien
Brennilis
Montagne St Michel
Réservoir de St Michel
Yeun Elez
Forêt de Fréau
Carnoët
Plusquellec
Poullaouen
St Herbot
Loqueffret
Lannédern
Brasparts
Plouyé
Collorec
le Cloître-Pleyben
Plonévez-du-Faou
Pleyben
Plounévézel
Carhaix-Plouguer
Treffrin
Trébrivan
Landeleau
Cléden-Poher
St Hernin
Plévin
Lennon
Châteauneuf-du-Faou
Spézet
N.D. du Crann
Roc de Toullaëron
Motreff
Tréogan
Laz
St Goazec
Gourin
Roudouallec
Langonnet
Trégourez
Leuhan
Langolen
Coray
Landudal
Tourch
Scaër
Guiscriff
le Faouët
Elliant
Edern
Forêt de Laz
Canal de Nantes à Brest
Aulne
Ellé
MONTAGNES NOIRES
PARC NATUREL RÉGIONAL D'ARMORIQUE
MONTS D'ARRÉE

A | B | C

49

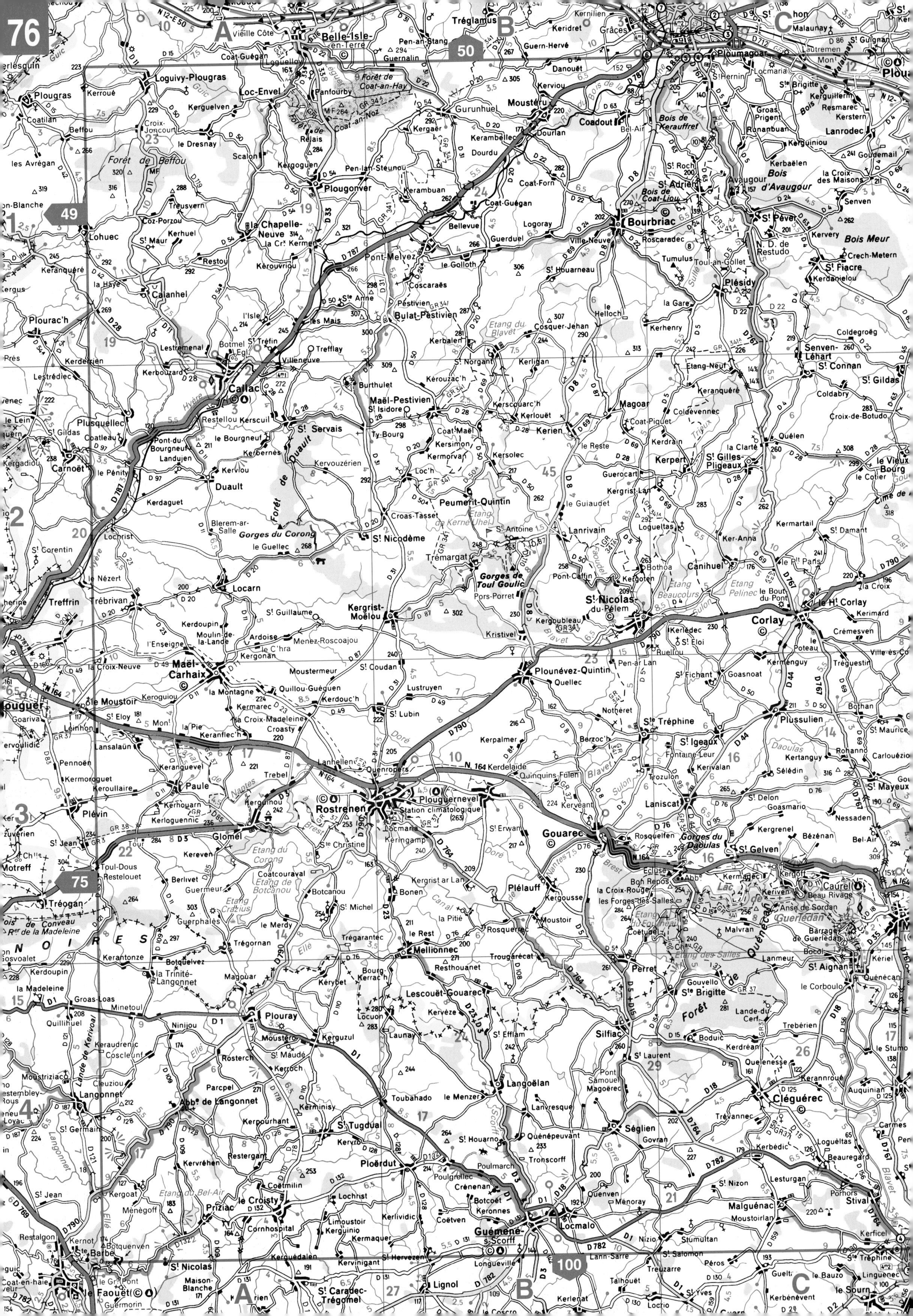

Belle-Isle-en-Terre
Tréglamus
Grâces
Ploumagoar
Plou

Loguivy-Plougras
Mousteru
Coadout
Bois de Kerauffret
Lanrodec

Plougras
Kerroué
Loc-Envel
Forêt de Coat-an-Hay
Gurunhuel
St Adrien
Bois de Coat-Liou
la Croix des Maisons

Coatilan
Beffou
le Dresnay
Croix-Joncourt
Plougonver
Bourbriac
St Péver
Bois Meur

Forêt de Beffou
la Chapelle-Neuve
la Cr. Kermen
Pont-Melvez
Coscaraës
N.D. de Restudo
Crech-Metern
St Fiacre

Plourac'h
Lohuec
St Maur
Bulat-Pestivien
St Houarneau
Plésidy
St Connan
St Gildas

Callac
Maël-Pestivien
Kerien
Magoar
St Gilles-Pligeaux
le Vieux Bourg

Plusquellec
St Servais
Ty-Bourg
Kerpert
la Clarté
Quélen

Carnoët
Pont-du-Bourgneuf
Landujen
Duault
Peumerit-Quintin
Lanrivain
Canihuel
la Croix

Treffrin
Trébrivan
St Guillaume
Gorges du Corong
St Nicodème
Trémargat
St Nicolas-du-Pélem
le Ht Corlay
Corlay

Maël-Carhaix
Locarn
Kergrist-Moëlou
Gorges de Toul Goulic
Pors-Porret
Kristivel
Plounévez-Quintin

le Moustoir
St Éloy
la Croix-Madeleine
Lanhellen
Quénropers
St Tréphine
St Igeaux
Plussulien

Paule
Trebel
N. 164
Kerdelaidé
Laniscat
St Mayeux

Plévin
Glomel
Rostrenen
Plouguernevel
Gouarec
Gorges du Daoulas
St Gelven

Tréogan
Toul-Dous
Resteloueet
Étang du Corong
Étang de Botcanou
Plélauff
Bon Repos
la Croix-Rouge
les Forges-des-Salles
Caurel
Guerlédan

le Merdy
Trégarantec
Mellionnec
Trougarécat
Perret
St Aignan

la Madeleine
Groas-Loas
Minetoul
Plouray
Locuon
Lescouët-Gouarec
Silfiac
Forêt de Cerf
Cléguérec

Langonnet
Abb. de Langonnet
St Tugdual
Langoëlan
Séglien

le Croisty
Priziac
Ploërdut
Guémené-s-Scorff
Locmalo
Malguénac
Stival

le Faouët
St Nicolas
St Caradec-Trégomel
Lignol
Guéméné
100

A | B | C

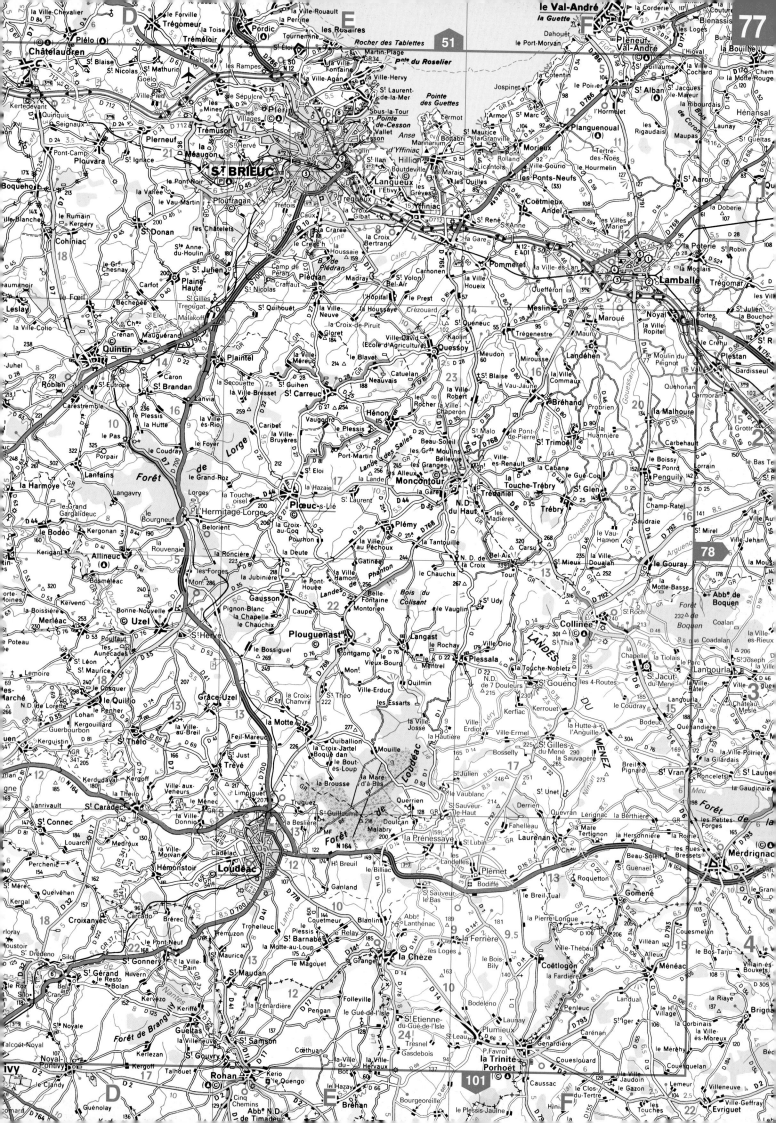

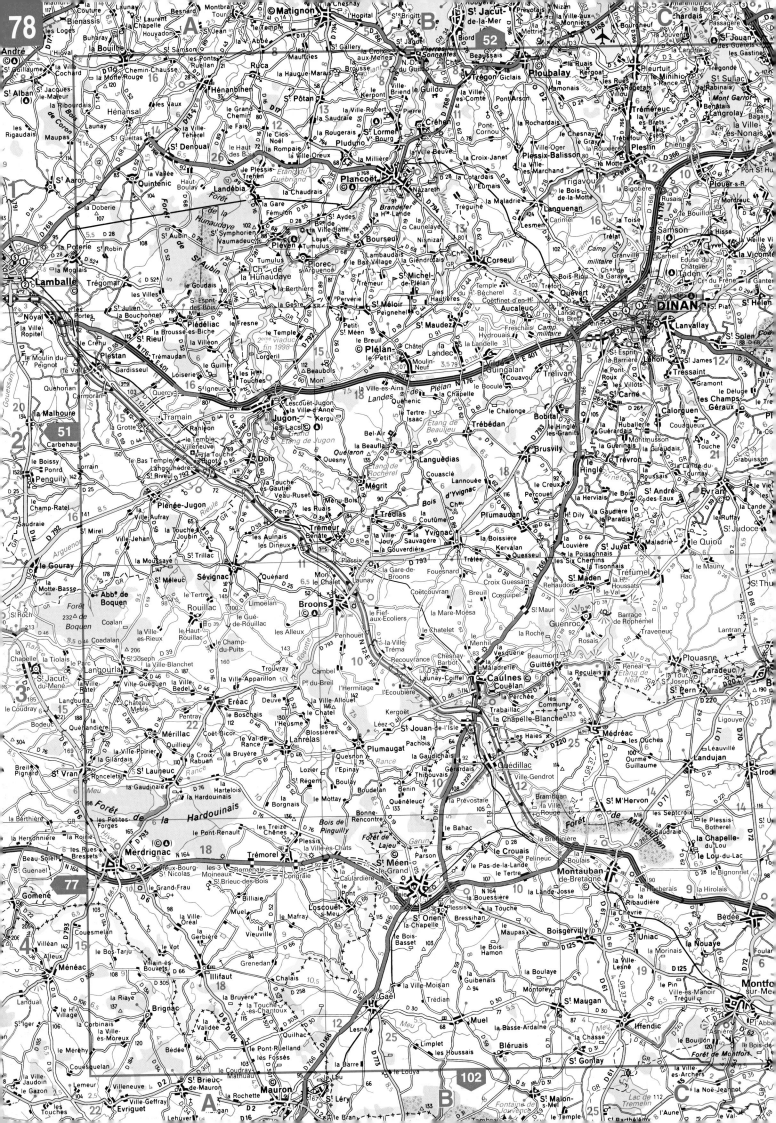

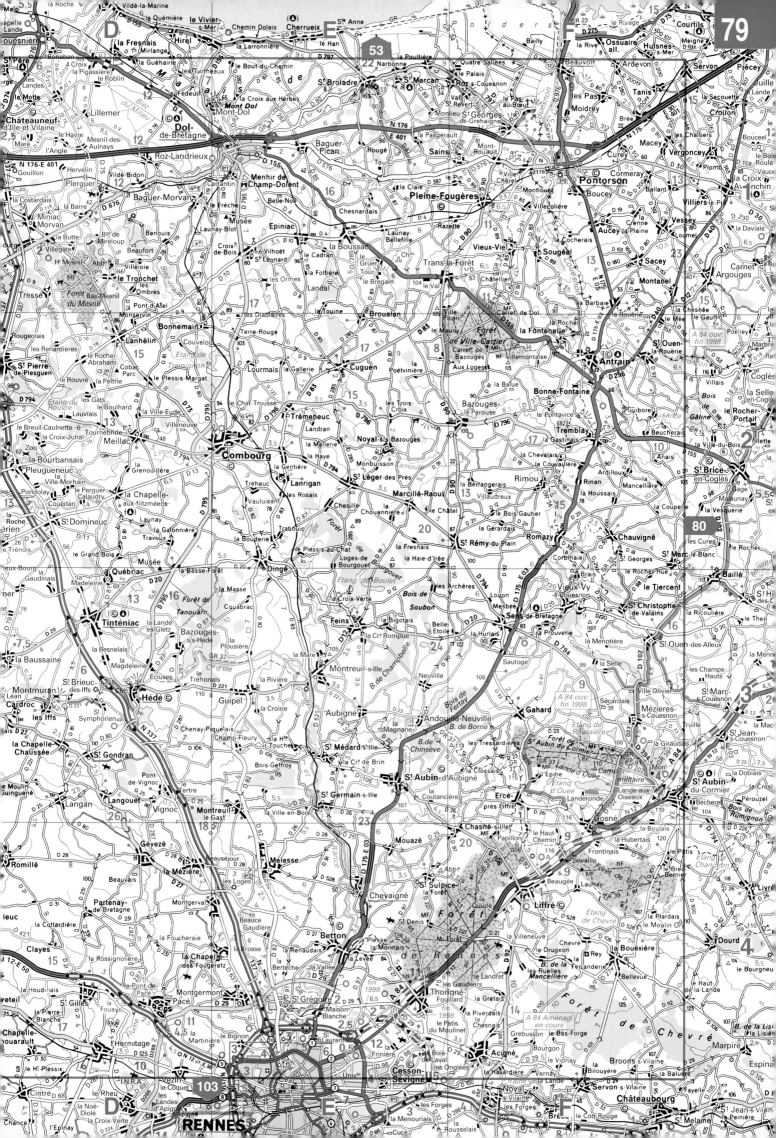

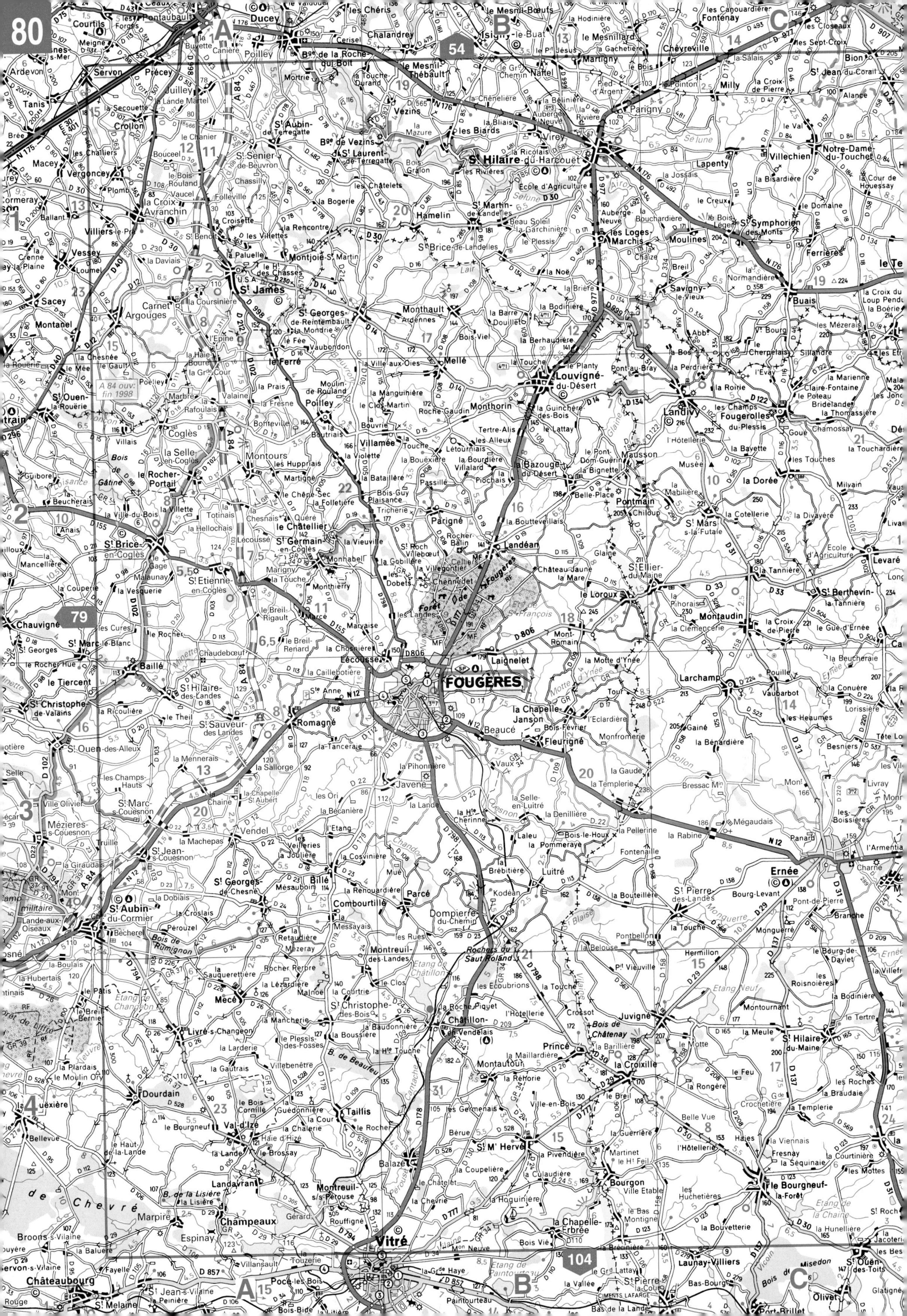
A
B
C
54
79
104
1
2
3
4
Ducey
Pontaubault
Courtils
Servon
Précey
Juilley
Tanis
Ardevon
Crollon
Macey
Vergoncey
les Challiers
Isigny-le-Buat
le Mesnillard
Fontenay
Chèvreville
Martigny
Milly
Parigny
Bion
St Jean-du-Corail
Chalandrey
le Mesnil-Thébault
Vezins
St Aubin-de-Terregatte
St Laurent-de-Terregatte
les Biards
Virey
St Hilaire-du-Harcouët
St Senier-de-Beuvron
Notre-Dame-du-Touchet
Villechien
Lapenty
Hamelin
St Martin-de-Landelles
les Loges-Marchis
Moulines
St Symphorien-des-Monts
Ferrières
Avranchin
Villiers-le-Pré
Vessey
Montjoie-St Martin
St Brice-de-Landelles
Savigny-le-Vieux
Buais
Sacey
Montanel
St James
Argouges
Carnet
St Georges-de-Reintembault
Monthault
Mellé
Louvigné-du-Désert
Landivy
Fougerolles-du-Plessis
le Ferré
Poilley
Villamée
Monthorin
St Ouen-la-Rouërie
Coglès
la Selle-en-Coglès
le Rocher-Portail
Montours
la Bazouge-du-Désert
Pontmain
Mausson
la Dorée
St Brice-en-Coglès
le Châtellier
St Germain-en-Coglès
Parigné
Landéan
St Mars-s-la-Futaie
St Ellier-du-Maine
Levaré
St Etienne-en-Coglès
Forêt de Fougères
le Loroux
Montaudin
St Berthevin-la-Tannière
Chauvigné
St Marc-le-Blanc
Baillé
le Tiercent
St Christophe-de-Valains
St Hilaire-des-Landes
Lécousse
Laignelet
FOUGÈRES
Larchamp
Romagné
la Chapelle-Janson
Beaucé
Fleurigné
St Ouen-des-Alleux
St Sauveur-des-Landes
Javené
Ernée
Mézières-s-Couesnon
St Marc-s-Couesnon
Vendel
St Jean-s-Couesnon
St Aubin-du-Cormier
St Georges-de-Chesné
Billé
Combourtillé
Parcé
Luitré
Dompierre-du-Chemin
St Pierre-des-Landes
Montreuil-des-Landes
Rochers du Saut Roland
Juvigné
St Christophe-des-Bois
Mecé
Livré-s-Changeon
Châtillon-en-Vendelais
Princé
la Croixille
St Hilaire-du-Maine
Dourdain
Val-d'Izé
Taillis
Montautour
St M' Hervé
Bourgon
le Bourgneuf-la-Forêt
Landavran
Champeaux
Montreuil-s/s-Pérouse
Balazé
la Chapelle-Erbrée
Vitré
Launay-Villiers
St Ouën-des-Toits
Châteaubourg
Olivet
Port-Brillet
A 84 ouv. fin 1998
N 12
N 176
A 84
D 806

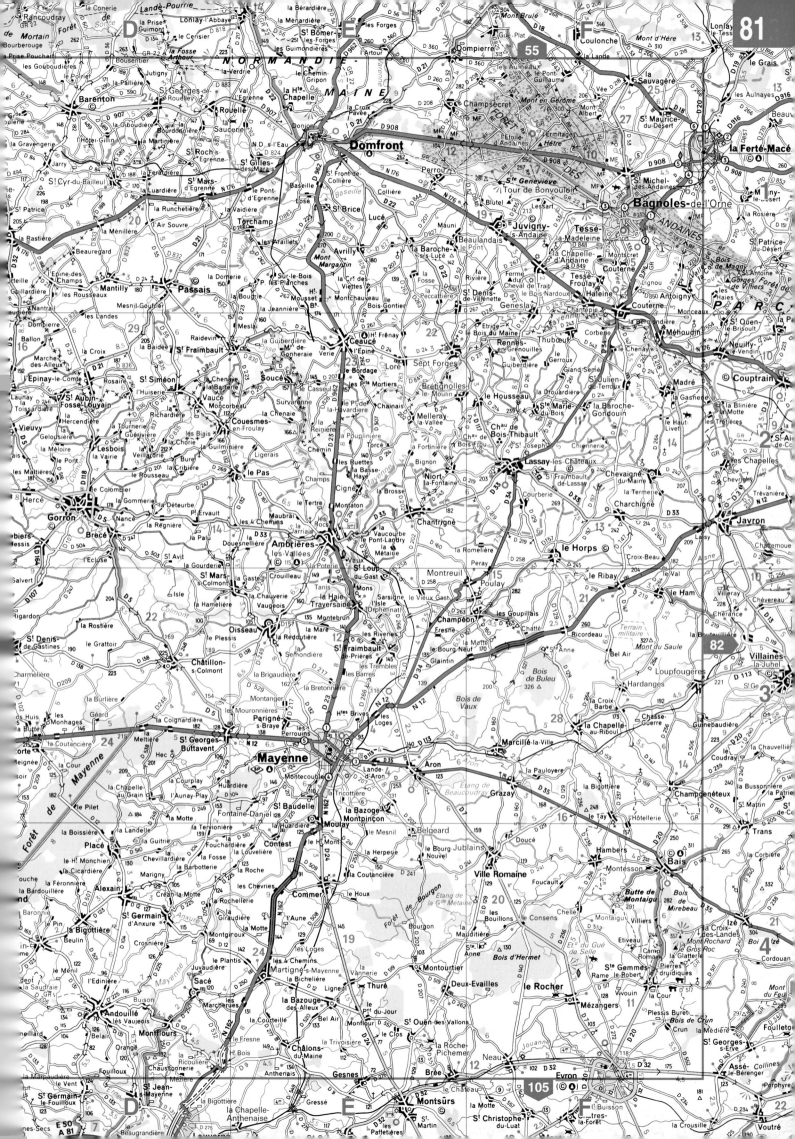

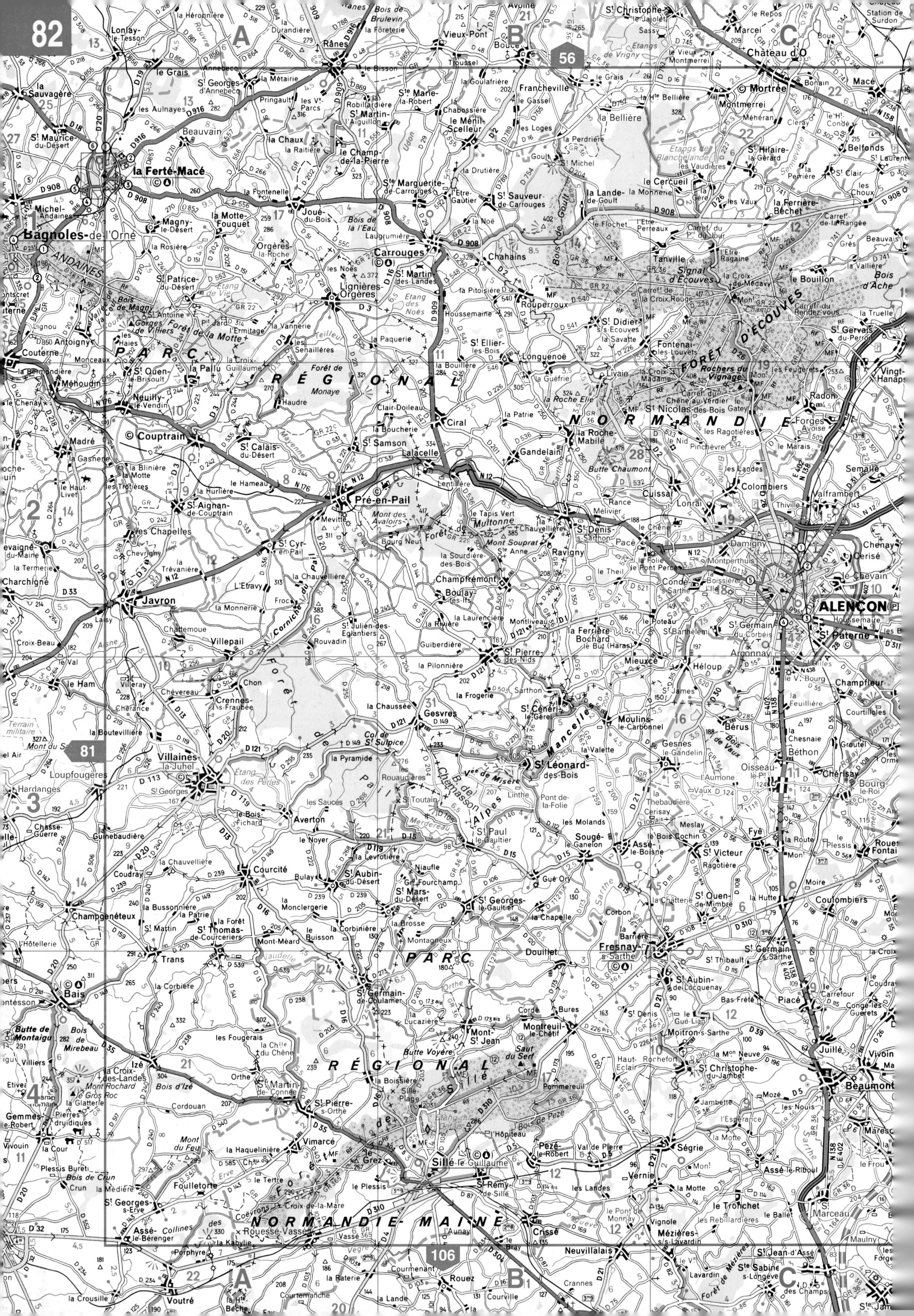

A
B
C
56
81
106
La Ferté-Macé
Bagnoles-de-l'Orne
Carrouges
Rânes
Vieux-Pont
Boucé
Château d'O
Mortrée
Francheville
Le Ménil-Scelleur
Joué-du-Bois
Magny-le-Désert
La Motte-Fouquet
Lignières-Orgères
Couptrain
Pré-en-Pail
Lalacelle
Javron
Villaines-la-Juhel
Courcité
Bais
Trans
Averton
Gesvres
St Léonard-des-Bois
St Céneri-le-Gérei
Fresnay-s-Sarthe
Alençon
Sillé-le-Guillaume
Rouessé-Vassé
Crissé
Beaumont
Vivoin
Ségrie
Mézières-s/s-Lavardin
Forêt d'Écouves
Signal d'Écouves
Rochers du Vignage
Mont des Avaloirs
Forêt de Multonne
Corniche du Pail
Alpes Mancelles
Forêt de Sillé
Butte Chaumont
Bois de Magny
Forêt de la Motte
Forêt de Monaye
Parc Régional Normandie
Parc Régional Normandie-Maine

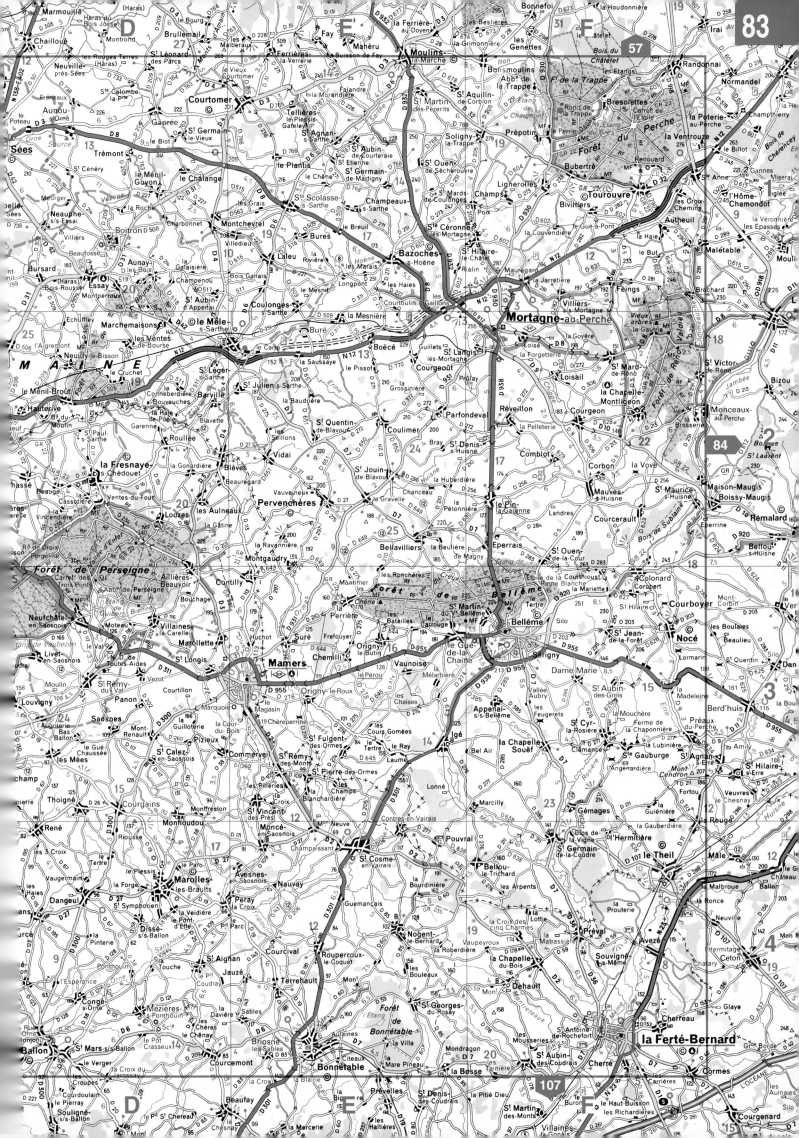

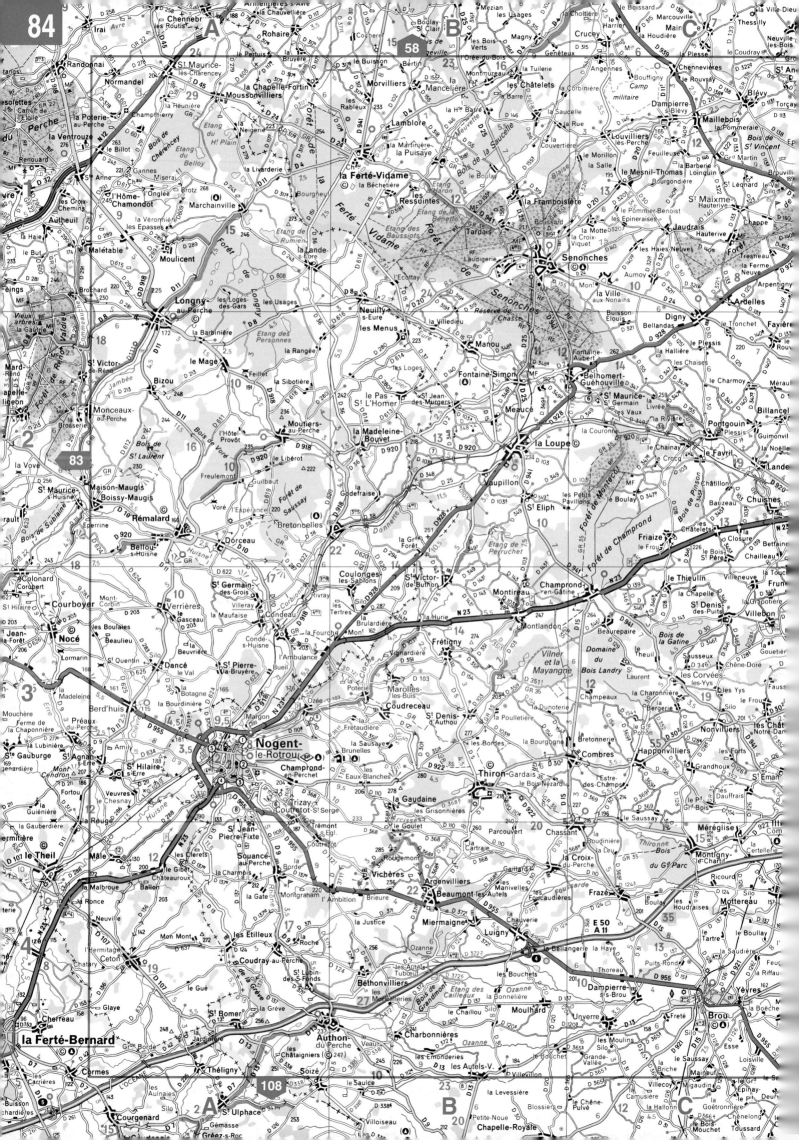

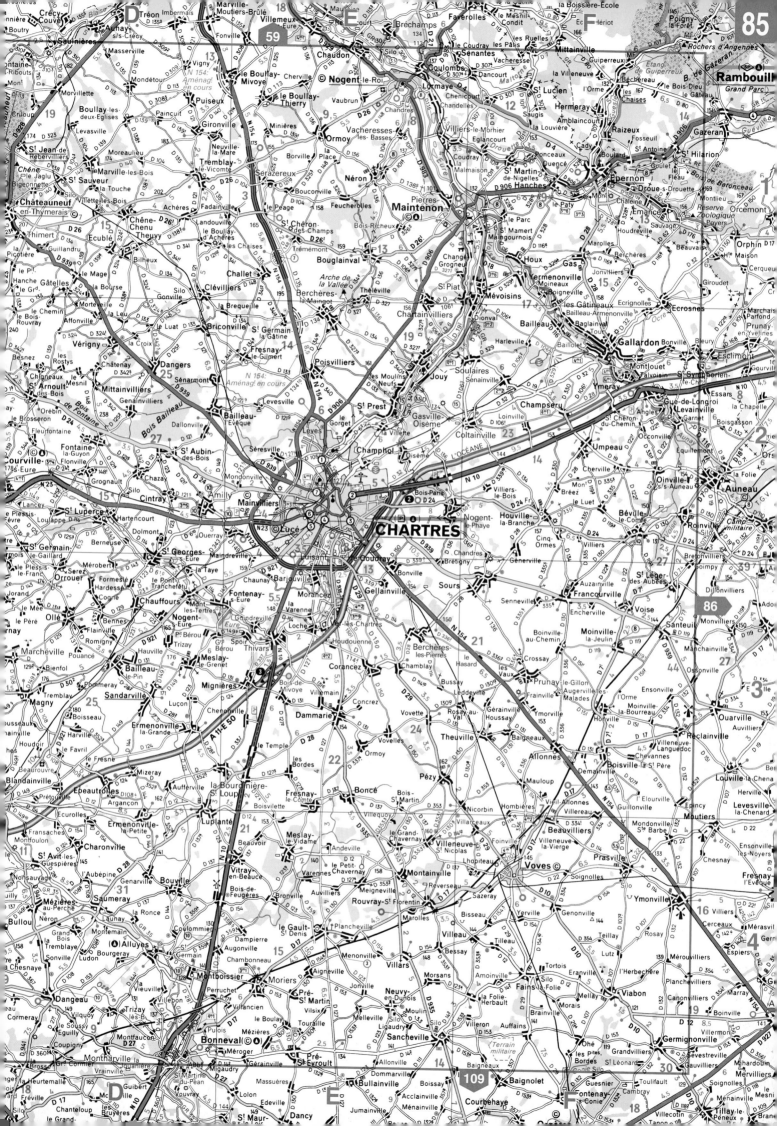

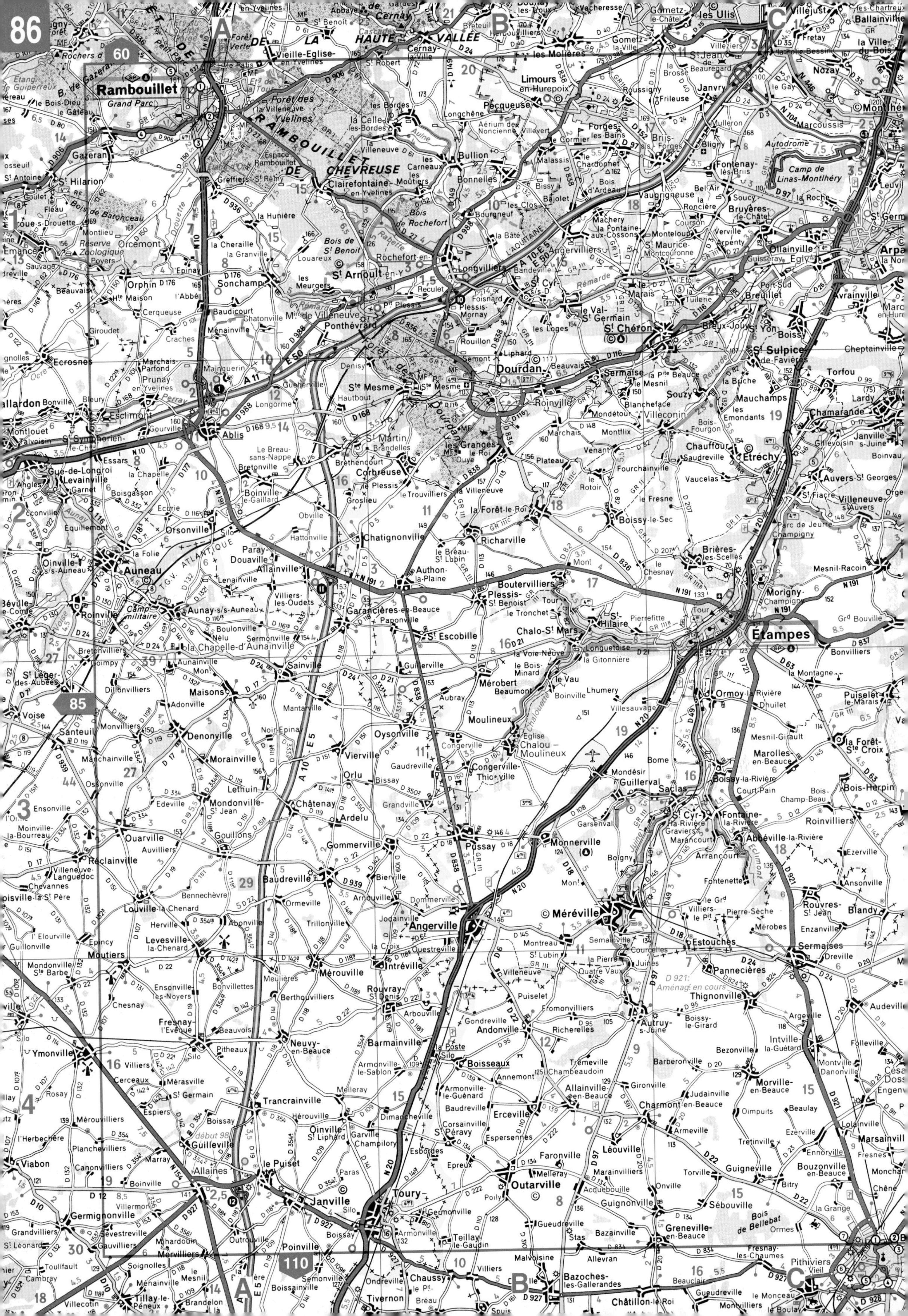

Rambouillet

FORÊT DE RAMBOUILLET

FORÊT DE CHEVREUSE

LA HAUTE VALLÉE

Gazeran
St Hilarion
Orphin
Sonchamp
St Arnoult-en-Y.
Longvilliers
Ablis
St Symphorien
Auneau
Paray-Douaville
Allainville
Corbreuse
Dourdan
Ste Mesme
St Martin
les Granges-le-Roi
Richarville
la Forêt-le-Roi
Authon-la-Plaine
Chatignonville
Garancières-en-Beauce
St Escobille
Sainville
Oysonville
Gommerville
Baudreville
Angerville
Monnerville
Méréville
Pussay
Guillerval
Saclas
Étampes
Chalo-St Mars
Boutervilliers
Morigny-Champigny
Étréchy
St Chéron
St Sulpice-de-Favières
Chamarande
Lardy
Limours-en-Hurepoix
Janvry
Marcoussis
Montlhéry
Arpajon
Boissy-le-Sec
Monnerville
Guillerval
Toury
Janville
Outarville
Pithiviers
Neuvy-en-Beauce
Intréville
Rouvray-St Denis
Boisseaux
Allaines
Ymonville
Guilleville
Trancrainville

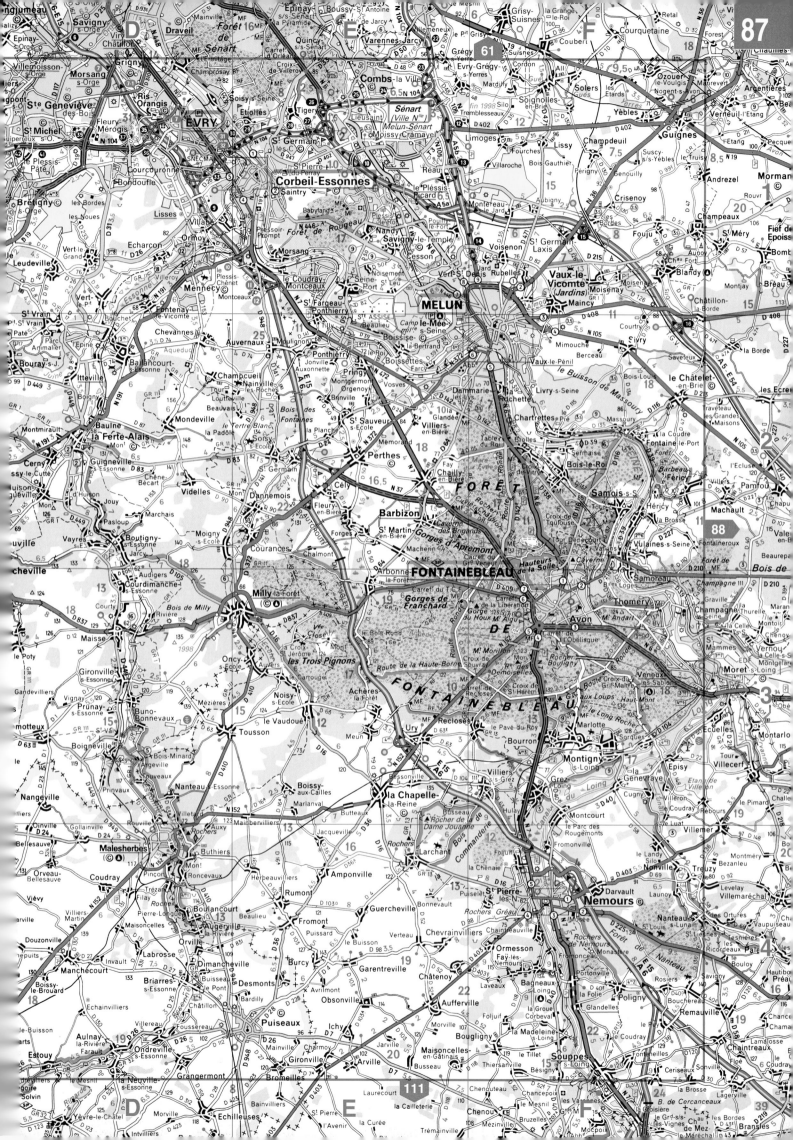

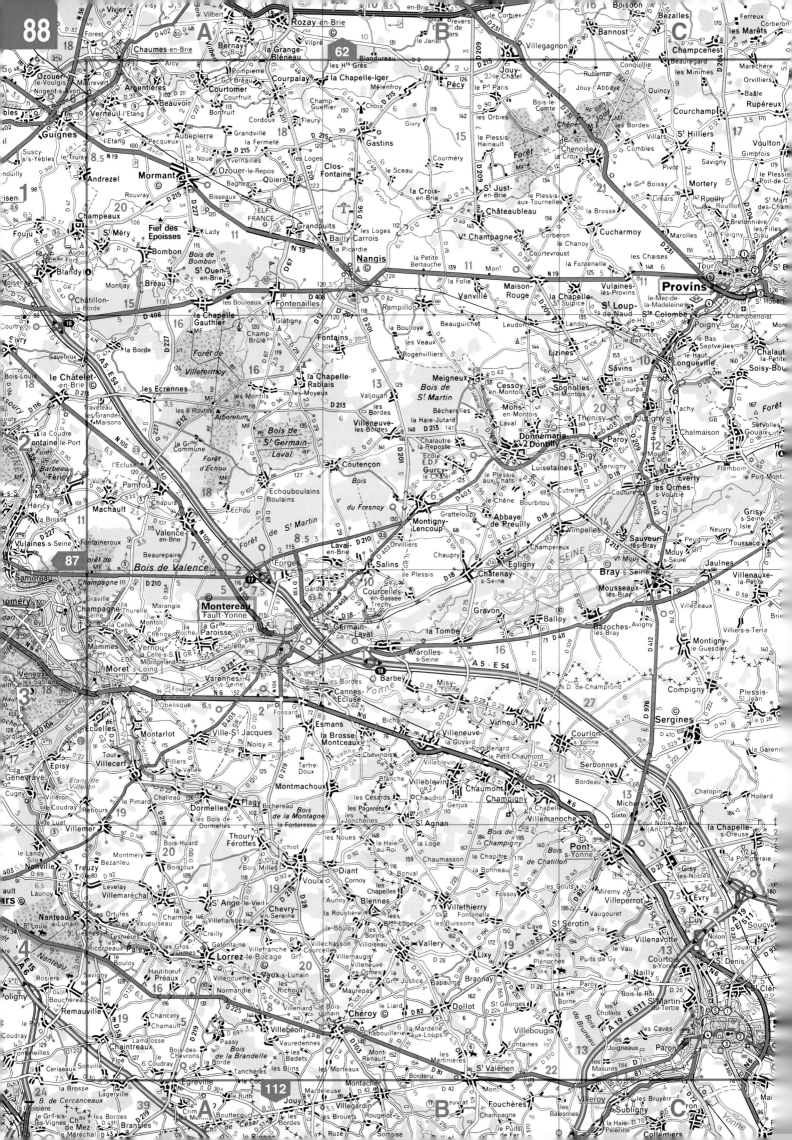

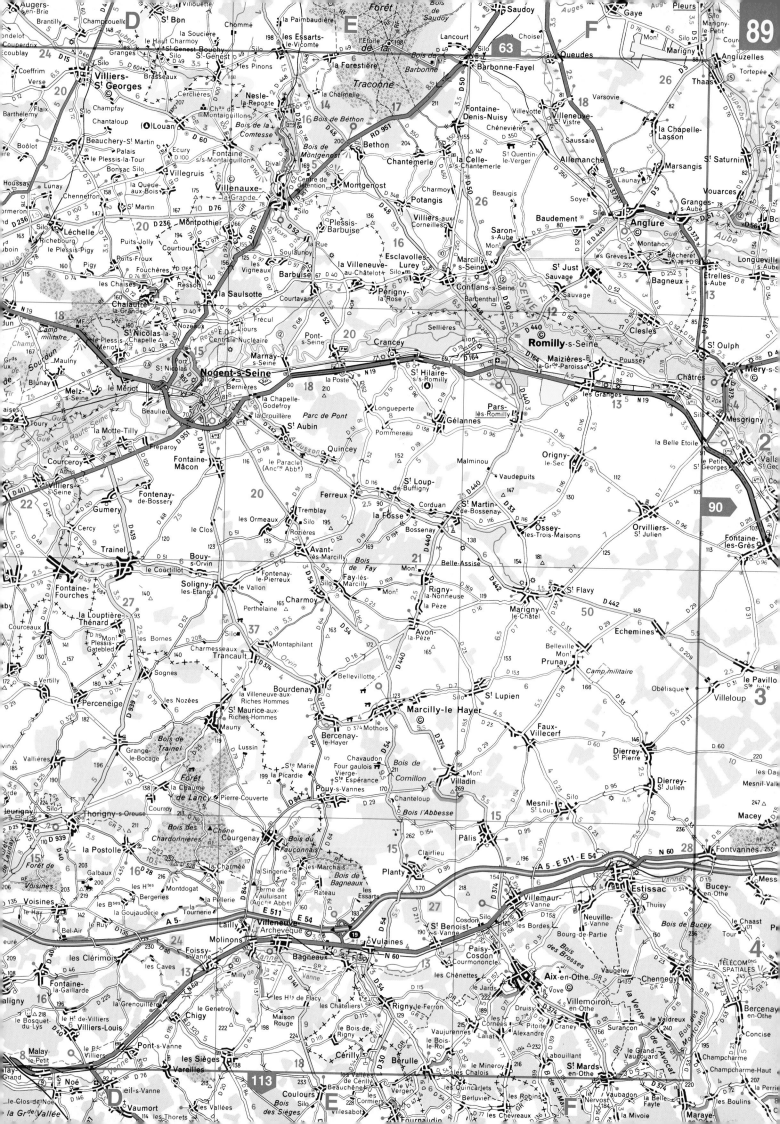

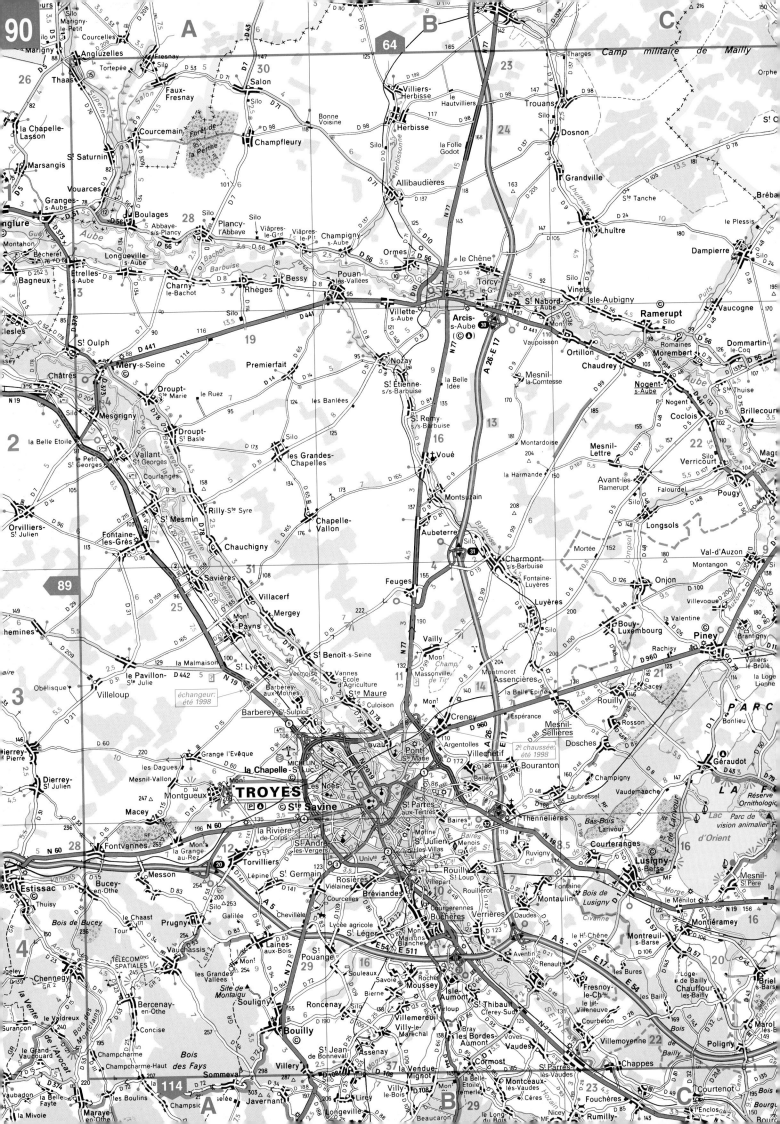

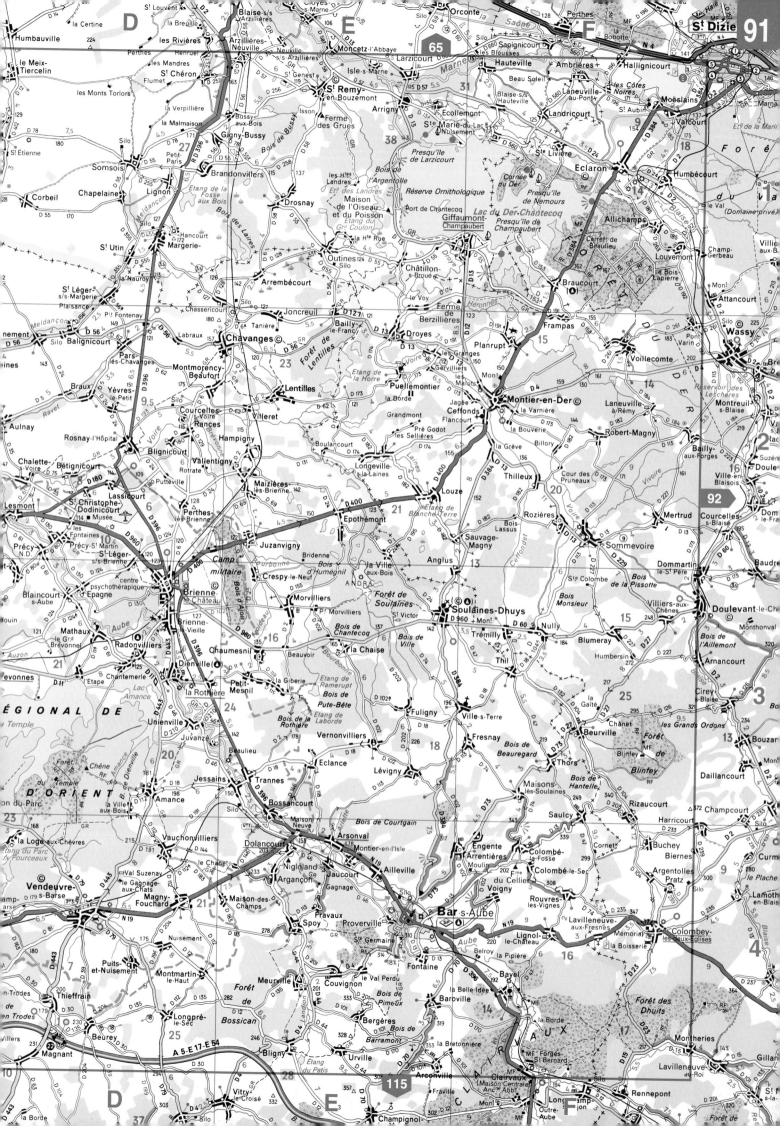

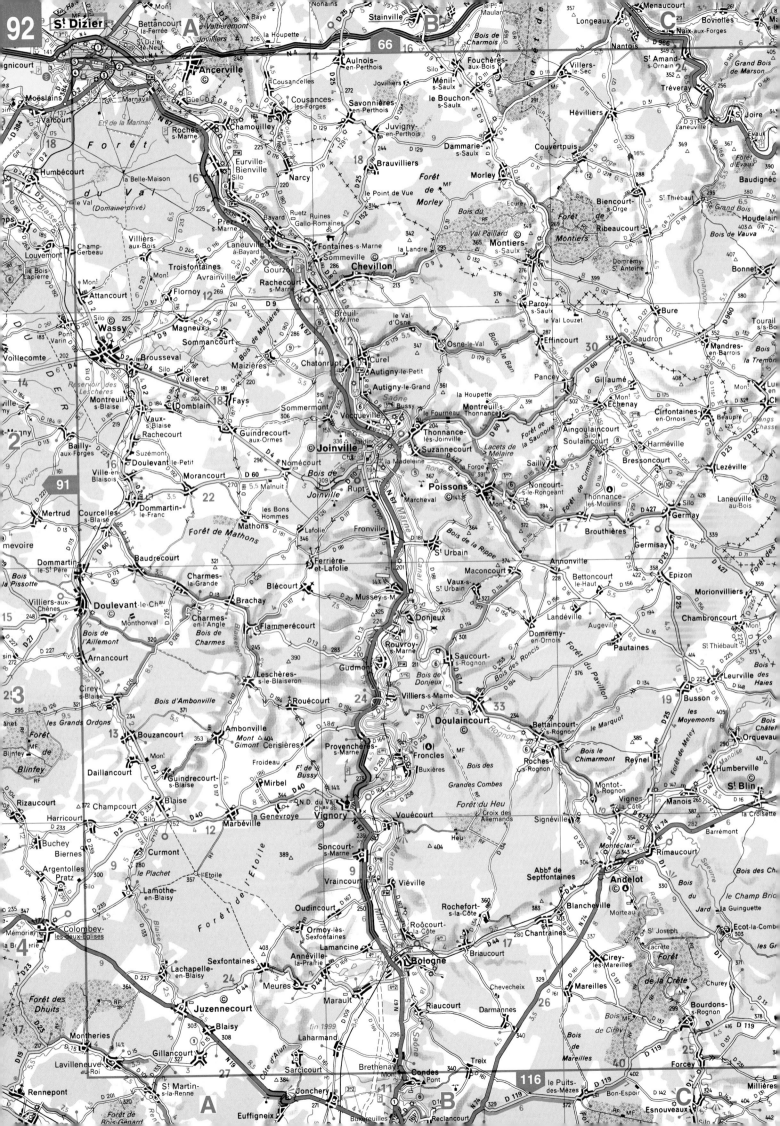
St Dizier
Bettancourt-la-Ferrée
Ancerville
Stainville
Aulnois-en-Perthois
Cousances-les-Forges
Savonnières-en-Perthois
Juvigny-en-Perthois
Chamouilley
Roches-s-Marne
Eurville-Bienville
Narcy
Brauvilliers
Forêt de Morley
Morley
Dammarie-s-Saulx
Fouchères-aux-Bois
Ménil-s-Saulx
le Bouchon-s-Saulx
Couvertpuis
Hévilliers
Villers-le-Sec
Nantois
Menaucourt
Longeaux
Boviolles
Naix-aux-Forges
St Amand-s-Ornain
Tréveray
St Joire
Biencourt-s-Orge
Ribeaucourt
Forêt de Montiers
Montiers-s-Saulx
Bois du Val Paillard
Moëslains
Valcourt
Humbécourt
Forêt du Val
Louvemont
Troisfontaines
Villiers-aux-Bois
Laneuville-à-Bayard
Prez-s-Marne
Bayard
Fontaines-s-Marne
Sommeville
Chevillon
Gourzon
Rachecourt-s-Marne
Attancourt
Flornoy
Avrainville
Wassy
Magneux
Sommancourt
Brousseval
Valleret
Maizières
Breuil-s-Marne
Chatonrupt
Curel
Autigny-le-Petit
Autigny-le-Grand
Osne-le-Val
Bois le Ban
Paroy-s-Saulx
Effincourt
Bure
Saudron
Mandres-en-Barrois
Pancey
Gillaumé
Echenay
Cirfontaines-en-Ornois
Voillecomte
Montreuil-s-Blaise
Domblain
Fays
Sommermont
Vecqueville
Joinville
Thonnance-lès-Joinville
Suzannecourt
Montreuil-s-Thonnance
Aingoulaincourt
Soulaincourt
Harméville
Bressoncourt
Lezéville
Vaux-s-Blaise
Rachecourt
Guindrecourt-aux-Ormes
Noméecourt
Bois de Joinville
Rupt
Poissons
Noncourt-s-le-Rongeant
Thonnance-les-Moulins
Forêt de Cirmont
Laneuville-au-Bois
Germay
Bailly-aux-Forges
Doulevant-le-Petit
Ville-en-Blaisois
Morancourt
Dommartin-le-Franc
Mertrud
Courcelles-s-Blaise
Forêt de Mathons
Mathons
Lafolie
Fronville
St Urbain
Brouthières
Germisay
Dommartin-le-St Père
Baudrecourt
Charmes-la-Grande
Ferrière-et-Lafolie
Blécourt
Mussey-s-M.
Vaux-s-St Urbain
Maconcourt
Annonville
Bettoncourt-le-Haut
Epizon
Morionvilliers
Doulevant-le-Château
Villiers-aux-Chênes
Brachay
Charmes-en-l'Angle
Flammerécourt
Donjeux
Landéville
Domremy-en-Ornois
Pautaines
Chambroncourt
Arnancourt
Leschères-s-le-Blaiseron
Rouvroy-s-Marne
Gudmont
Saucourt-s-Rognon
Forêt du Pavillon
Leurville
Cirey-s-Blaise
Rouécourt
Villiers-s-Marne
Doulaincourt
Busson
Bettaincourt-s-Rognon
Bouzancourt
Ambonville
Cerisières
Provenchères-s-Marne
Froncles
Roches-s-Rognon
Reynel
Orquevaux
Daillancourt
Guindrecourt-s-Blaise
Mirbel
Buxières
Humberville
St Blin
Rizaucourt
Champcourt
Blaise
Vignory
Vouécourt
Signéville
Manois
Harricourt
Marbéville
la Genevroye
Montot-s-Rognon
Vignes-la-Côte
Buchey
Biernes
Curmont
Soncourt-s-Marne
Rimaucourt
Barrémont
Argentolles
Pratz
Forêt de l'Etoile
Vraincourt
Viéville
Abbe de Septfontaines
Andelot
Lamothe-en-Blaisy
Oudincourt
Rochefort-s-la-Côte
Blancheville
Ecot-la-Combe
Colombey-les-deux-Eglises
Ormoy-lès-Sexfontaines
Roôcourt-la-Côte
Chantraines
Lamancine
Anneville-la-Prairie
Bologne
Briaucourt
Cirey-lès-Mareilles
Forêt de la Crête
Sexfontaines
Lachapelle-en-Blaisy
Meures
Mareilles
Forêt des Dhuits
Juzennecourt
Marault
Riaucourt
Darmannes
Bourdons-s-Rognon
Blaisy
Laharmand
Montheries
Gillancourt
Lavilleneuve-au-Roi
Sarcicourt
Brethenay
Condes
Treix
Forcey
Rennepont
St Martin-s-la-Renne
Jonchery
Euffigneix
Buxereuilles
Reclancourt
Le Puits-des-Mèzes
Esnouveaux
Millières
A
B
C
91
66
116

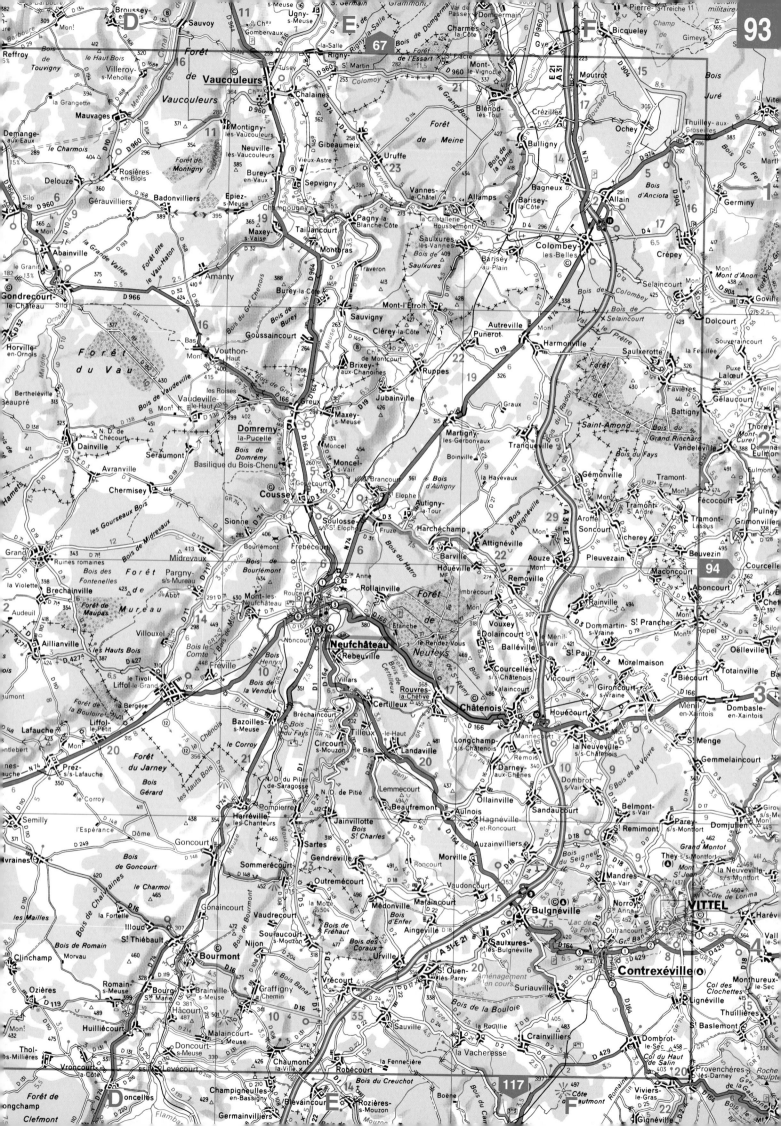
D
E
F
67
94
117
Broussey
Sauvoy
Ugny-s-Meuse
Gombervaux
Val de Passey
Domgermain
Pierre-la-Treiche
Bicqueley
Gimeys
Reffroy
Forêt de Vaucouleurs
Vaucouleurs
Villeroy-s-Méholle
Rigny-la-Salle
Rigny-St Martin
Bois de Domgermain
Forêt de l'Essart
St Fiacre
Charmes-la-Côte
Gye
Mont-le-Vignoble
Moutrot
Bois Juré
Tusey
Chalaines
Colomoy
Blénod-lès-Toul
Crézilles
Ochey
Thuilley-aux-Groseilles
la Grangette
Mauvages
Demange-aux-Eaux
Montigny-lès-Vaucouleurs
Neuville-lès-Vaucouleurs
Gibeaumeix
Forêt de Meine
Uruffe
Bulligny
le Charmois
Forêt de Montigny
Rosières-en-Blois
Delouze
Burey-en-Vaux
Sepvigny
Vieux-Astre
Bagneux
Allain
Bois d'Anciota
Germiny
Gérauvilliers
Badonvilliers
Epiez-s-Meuse
Champougny
Vannes-le-Châtel
Allamps
Barisey-la-Côte
la Cristallerie
Housselmont
Pagny-la-Blanche-Côte
Taillancourt
Maxey-s-Vaise
Montbras
Saulxures-lès-Vannes
Bois de Saulxures
Colombey-les-Belles
Barisey-au-Plain
Crépey
Abainville
la Grande Vallée
Forêt dite le Vau-Haton
Amanty
Traveron
Gondrecourt-le-Château
Burey-la-Côte
Bois de Burey
Bois du Gd Chenois
Mont-l'Etroit
Bois de Colombey
Selaincourt
Mont d'Anon
Goviller
Dolcourt
Sauvigny
Clérey-la-Côte
Autreville
Punerot
Harmonville
Saulxerotte
Horville-en-Ornois
Forêt du Vau
Goussaincourt
Vouthon-Haut
Bois de Greux
Chau de Montcourt
Brixey-aux-Chanoines
Ruppes
Souveraincourt
la Feuillée
Puxe
Laloeuf
Bertheléville
Beaupré
Bois de Vaudeville
Vaudeville-le-Haut
les Roises
Greux
Maxey-s-Meuse
Jubainville
Graux
Forêt de Saint-Amond
Favières
Gélaucourt
Battigny
Domremy-la-Pucelle
Bois de Domrémy
Basilique du Bois-Chenu
N. D. de Chécourt
Dainville
Seraumont
Moncel
Moncel-s-Vair
Martigny-les-Gerbonvaux
Boinville
Tranqueville
Bois du Fays
Grand Rinchard
Vandeléville
Thorey-Lyautey
Mont-Curel
Avranville
Chermisey
Goucourt
Coussey
Brancourt
St Elophe
Bois d'Autigny
la Hayevaux
Gémonville
Tramont-Emy
Tramont-St André
Fécocourt
Tramont-Lassus
Pulney
Grimonviller
Hameaux
les Gourseaux Bois
Sionne
Soulosse-s/s-St Elophe
Fruze
Autigny-la-Tour
Harchéchamp
Bois d'Attignéville
Aroffe
Soncourt
Vicherey
Grand
Ruines romaines
Bois de Midrevaux
Midrevaux
Bourlémont
Bois de Bourlémont
Frebécourt
Bois du Hatro
Barville
Attignéville
Pleuvezain
Beuvezin
Bois des Fontenelles
Forêt de Mureau
Pargny-s/s-Mureau
la Violette
Brechainville
Mont-lès-Neufchâteau
Rouceux
St Anne
Rollainville
Houéville
Aouze
Removille
Maconcourt
Aboncourt
Courcelles
Forêt de Neufeys
Imbrécourt
Vouxey
Dolaincourt
Rainville
Dommartin-s-Vraine
St Prancher
Repel
Oëlleville
Audeuil
Bois de Maupas
Aillianville
Villouxel
Bois le Comte
Bois de Mont
Noncourt
Neufchâteau
Rebeuville
Etanche
le Rendez-Vous
Balléville
le Ménil-s-Vair
St Paul
Morelmaison
Totainville
Biécourt
les Hauts Bois
Fréville
Bois Henrys
Bois de la Vendue
le Tivoli
Liffol-le-Grand
Villars
Bois de Cerfilleux
Rouvres-la-Chétive
Bois de St Rémy
Courcelles-s/s-Châtenois
Viocourt
Gironcourt-s-Vraine
Forêt de la Bouloie
la Bergère
Liffol-le-Petit
Lafauche
Bazoilles-s-Meuse
Bréchaincourt
Bois du Fays
Certilleux
Châtenois
Houécourt
Ménil-en-Xaintois
Dombasle-en-Xaintois
le Chênois
le Corroy
Circourt-s-Mouzon
Tilleux
le-Haut
le Bas
Landaville
Longchamp-s/s-Châtenois
Mannecourt
la Neuveville-s/s-Châtenois
St Menge
Prez-s/s-Lafauche
Forêt du Jarney
Bois Gérard
les Hauts Bois
N. D. du Pilier de Saragosse
N. D. de Pitié
Rémois
Darney-aux-Chênes
Dombrot-s-Vair
Bois de la Vôivre
Gemmelaincourt
Semilly
le Corroy
l'Espérance
Dôme
Harréville-les-Chanteurs
Pompierre
Jainvillotte
Lemmecourt
Beaufremont
Aulnois
Hagnéville-et-Roncourt
Ollainville
Sandaucourt
Belmont-s-Vair
Parey-s/s-Montfort
Domjulien
Goncourt
Sartes
Bois St Charles
Auzainvilliers
St Remimont
Grand Montot
Vraines
Bois de Goncourt
Sommerécourt
Gendreville
Morville
Bois du Seigneur
They-s/s-Montfort
Mont St Jean
la Neuveville-s/s-Montfort
le Charmoi
Outremécourt
Roncourt
Vaudoncourt
Mandres-s-Vair
Côte de Lorima
Bois de Chalvraines
Gonaincourt
Bois de Bourmont
la Motte
Médonville
Malaincourt
Bulgnéville
Norroy
Annexe
Vittel
Harévi
les Mailles
la Fortelle
Illoud
Vaudrecourt
Bois de Fréhaut
Bois d'Enfer
Aingeville
Lac de la Folie
Outrancourt
St Thiébault
Bois de Romain
Morvau
Nijon
Soulaucourt-s-Mouzon
Bois des Coraux
Urville
Saulxures-lès-Bulgnéville
Clinchamp
Bourmont
St Ouen-lès-Parey
Aménagement en cours
Suriauville
Contrexéville
Monthureux-le-Sec
Col des Clochettes
Ozières
Romain-s-Meuse
Bourg-Ste Marie
Brainville-s-Meuse
Graffigny-Chemin
le Bois Banal
Vrécourt
Lignéville
Thuillières
Hâcourt
Sauvillle
Bois de la Bouloie
la Rouillie
Huilliécourt
Malaincourt-s-Meuse
Crainvilliers
St Baslemont
Thol-lès-Millières
Doncourt-s-Meuse
Chaumont-la-Ville
la Vacheresse
Dombrot-le-Sec
Col du Haut de Salin
Vroncourt-la-Côte
Levécourt
Robécourt
la Fennecière
Provenchères-lès-Darney
Roche sculptée
Forêt de Longchamp
Clefmont
Doncelles
Champigneulles-en-Bassigny
Bois du Creuchot
Blevaincourt
Rozières-s-Mouzon
Boëne
Côte d'Aumont
Romaine
Viviers-le-Gras
Gorges de la Gabionne
Germainvilliers
Gignéville
A 31-E 21
N 74
D 960
D 964
D 966
D 164
D 166
D 429

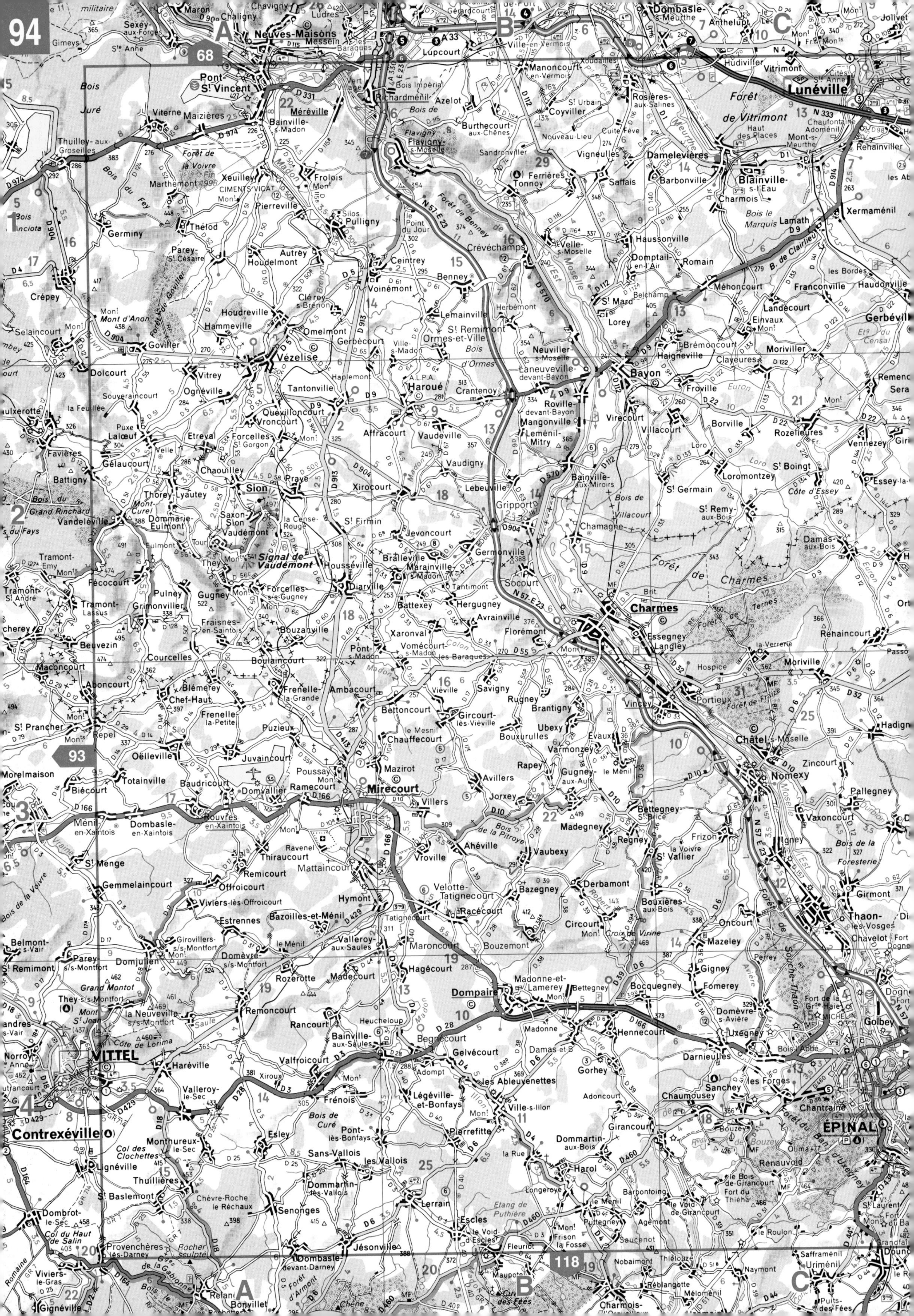

Map (Michelin-style road map), grid columns **A**, **B**, **C** and rows **1**, **2**, **3**, **4**.

Major localities and features legible on the sheet:

- Lunéville
- Dombasle
- Neuves-Maisons
- Pont-St-Vincent
- Forêt de Vitrimont
- Blainville-s-l'Eau
- Damelevières
- Bayon
- Vézelise
- Haroué
- Sion
- Signal de Vaudémont
- Charmes
- Forêt de Charmes
- Mirecourt
- Dompaire
- Vittel
- Contrexéville
- Châtel-s-Moselle
- Nomexy
- Thaon-les-Vosges
- Golbey
- ÉPINAL
- Forêt du Ban de Bouzey

Marginal sheet references: **68**, **93**, **118**.

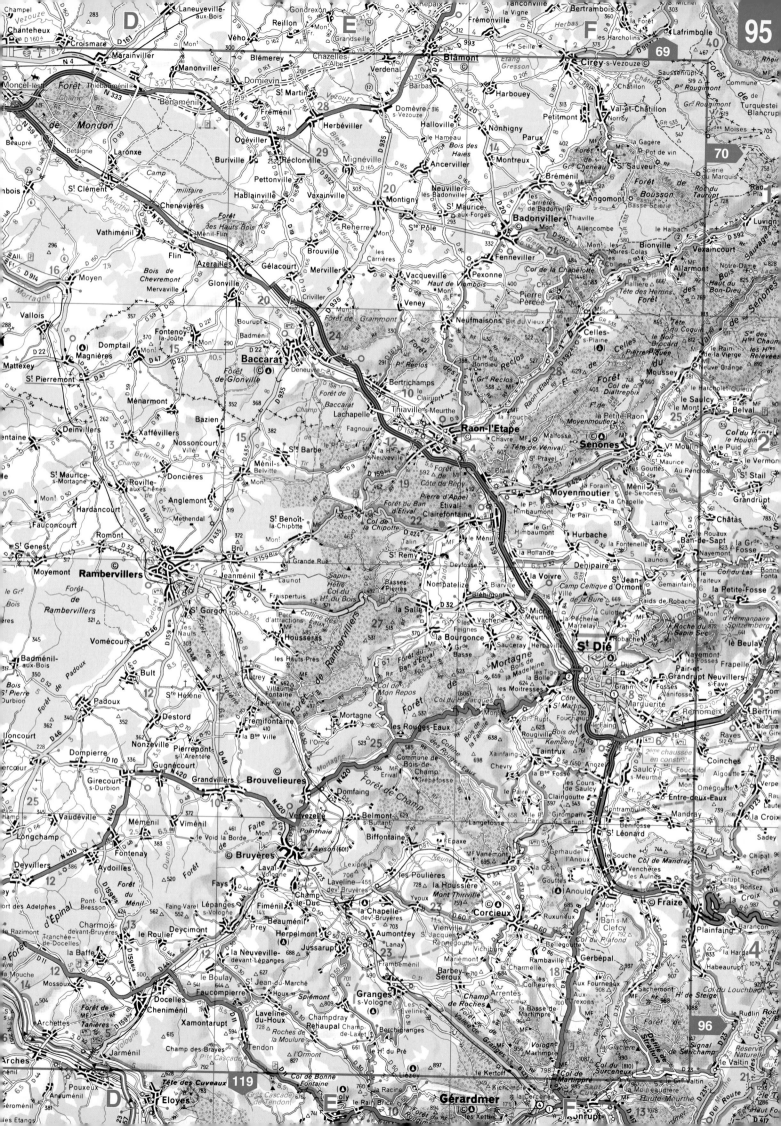
D
E
F
69
70
96
119
Chanteheux
Croismare
Marainviller
Manonviller
Blâmont
Cirey-s-Vezouze
Lafrimbolle
Domèvre-s-Vezouze
Harbouey
Val-et-Châtillon
Forêt de Mondon
Bénaménil
Herbéviller
Ogéviller
Laronxe
St Clément
Chenevières
Camp militaire
Montigny
Ancerviller
Badonviller
Vathiménil
Flin
Azerailles
Gélacourt
Pexonne
Fenneviller
Col de la Chapelotte
Pierre Percée
Neufmaisons
Baccarat
Forêt de Glonville
Bertrichamps
Celles-s-Plaine
Moyen
Vallois
Magnières
St Pierremont
Ménarmont
Deinvillers
Xaffévillers
Raon-l'Etape
Senones
Moyenmoutier
Étival-Clairefontaine
Col de la Chipotte
St Benoît-la-Chipotte
Rambervillers
Forêt de Rambervillers
Jeanménil
St Gorgon
Housseras
Nompatelize
La Salle
La Voivre
St Dié
Forêt de Mortagne
Bult
Padoux
Ste Hélène
Destord
Nonzeville
Mortagne
les Rouges-Eaux
Brouvelieures
Gugnécourt
Grandvillers
Bruyères
Fraize
Plainfaing
Corcieux
Anould
Gerbépal
Granges-s-Vologne
Docelles
Gérardmer
Eloyes
Forêt de Champ
Saulcy-s-Meurthe
St Léonard
Col du Bonhomme
Col de Martimpré
Col de Mandray
Taintrux
Jarménil
Arches
Tête des Cuveaux
Col de Bonne Fontaine

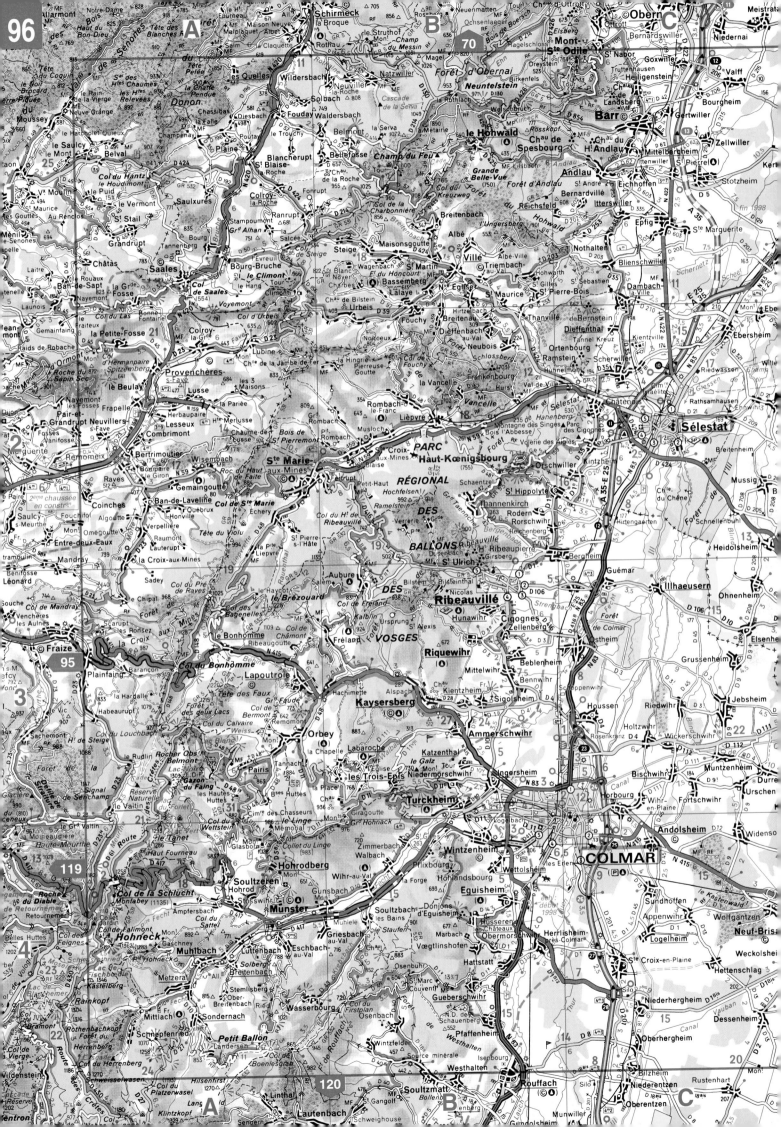

A
B
C
70
95
119
120
1
2
3
4
Schirmeck
Obernai
Mont-Ste Odile
Barr
le Hohwald
Andlau
Champ du Feu
Donon
Saales
Col de Saales
Provenchères-s-Fave
Ste Marie-aux-Mines
Col de Ste Marie
Sélestat
Châtenois
Haut-Kœnigsbourg
PARC
RÉGIONAL
DES
BALLONS
DES
VOSGES
St Hippolyte
Bergheim
Ribeauvillé
Riquewihr
Kaysersberg
Ammerschwihr
Lapoutroie
Col du Bonhomme
Fraize
Plainfaing
Orbey
les Trois-Epis
Turckheim
Ingersheim
Wintzenheim
COLMAR
Horbourg
Andolsheim
Eguisheim
Munster
Hohrodberg
Soultzeren
Col de la Schlucht
Hohneck
Muhlbach
Metzeral
Sondernach
Petit Ballon
Rouffach
Soultzmatt
Lautenbach
Neuf-Brisach
Illhaeusern
Guémar
Ostheim
Villé
Steige
Fouday
Bourg-Bruche
Saulxures
Belval
Moussey
Allarmont
Ban-de-Laveline
Gemaingoutte
Wisembach
Fréland
Aubure
Hunawihr
Zellenberg
Beblenheim
Mittelwihr
Bennwihr
Sigolsheim
Katzenthal
Niedermorschwihr
Gueberschwihr
Pfaffenheim
Westhalten
Wasserbourg
Stosswihr
Gunsbach
Walbach
Zimmerbach
Wihr-au-Val
Eschbach-au-Val
Luttenbach
Breitenbach
Mittlach
Schnepfenried
Dambach-la-Ville
Epfig
Dieffenthal
Scherwiller
Kintzheim
Orschwiller
Thannenkirch
Rodern
Rorschwihr

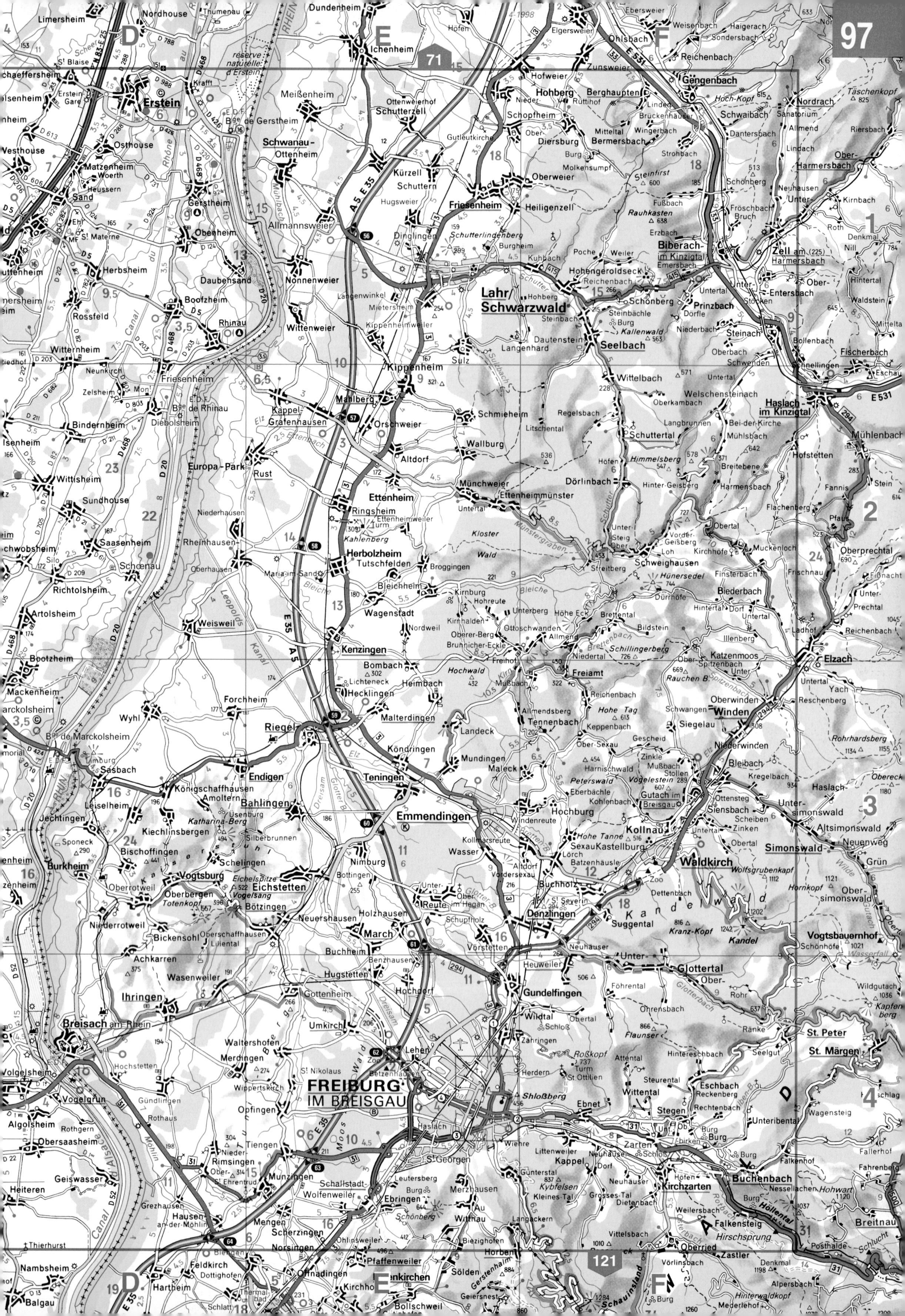

Limersheim
Nordhouse
Dundenheim
Ichenheim
Ebersweier
Ohlsbach
Weisenbach
Erstein
Meißenheim
Schutterzell
Hohberg
Berghaupten
Gengenbach
Nordrach
Schwaibach
Zell am Harmersbach
Osthouse
Schwanau-Ottenheim
Kürzell
Schuttern
Schopfheim
Diersburg
Bermersbach
Oberweier
Friesenheim
Heiligenzell
Biberach
Gerstheim
Obenheim
Allmannsweier
Dinglingen
Nonnenweier
Daubensand
Herbsheim
Boofzheim
Rhinau
Rossfeld
Lahr/Schwarzwald
Hohengeroldseck
Seelbach
Prinzbach
Steinach
Wittenweier
Kippenheim
Sulz
Mahlberg
Kappel-Grafenhausen
Orschweier
Schmieheim
Friesenheim
Witternheim
Bindernheim
Diebolsheim
Wittelbach
Welschensteinach
Haslach im Kinzigtal
Mühlenbach
Hofstetten
Europa-Park
Rust
Altdorf
Wallburg
Schuttertal
Ettenheim
Münchweier
Ettenheimmünster
Dörlinbach
Wittisheim
Sundhouse
Ringsheim
Kahlenberg
Herbolzheim
Tutschfelden
Broggingen
Saasenheim
Schœnau
Richtolsheim
Artolsheim
Bleichheim
Wagenstadt
Kenzingen
Weisweil
Schweighausen
Biederbach
Oberprechtal
Elzach
Bootzheim
Mackenheim
Marckolsheim
Forchheim
Wyhl
Riegel
Hecklingen
Malterdingen
Landeck
Freiamt
Tennenbach
Winden
Niederwinden
Sasbach
Endingen
Königschaffhausen
Bahlingen
Köndringen
Teningen
Emmendingen
Mundingen
Maleck
Hochburg
Bleibach
Gutach im Breisgau
Kollnau
Waldkirch
Simonswald
Jechtingen
Kiechlinsbergen
Bischoffingen
Burkheim
Vogtsburg
Eichstetten
Bötzingen
Nimburg
Denzlingen
Suggental
Kandel
Kandelwald
Vogtsbauernhof
Achkarren
Ihringen
Wasenweiler
Gottenheim
Umkirch
Hugstetten
March
Buchheim
Holzhausen
Reute
Vörstetten
Heuweiler
Gundelfingen
Glottertal
Breisach am Rhein
Merdingen
Waltershofen
Wildtal
Zähringen
Lehen
FREIBURG IM BREISGAU
St. Peter
St. Märgen
Vogelgrun
Algolsheim
Obersaasheim
Opfingen
Tiengen
Rimsingen
Munzingen
Schallstadt
Wolfenweiler
Ebringen
St. Georgen
Merzhausen
Au
Wittnau
Kappel
Ebnet
Stegen
Zarten
Kirchzarten
Buchenbach
Burg
Wittental
Eschbach
Heiteren
Geiswasser
Hausen
Mengen
Scherzingen
Norsingen
Pfaffenweiler
Horben
Oberried
Breitnau
Hinterzarten
Nambsheim
Balgau
Feldkirch
Hartheim
Offnadingen
Bollschweil
Sölden
Schauinsland
Höllental

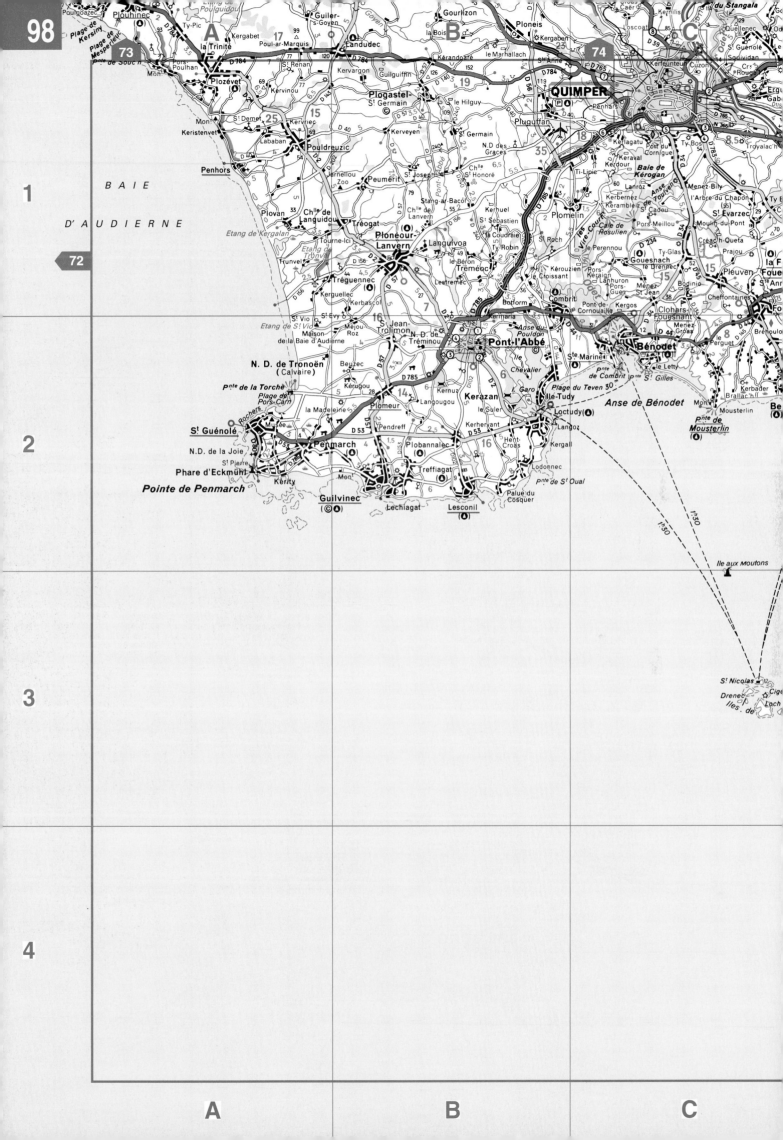
73
74
72
A
B
C
1
2
3
4
BAIE
D'AUDIERNE
Plouhinec
Ty-Pic
la Trinité
Kergabet
Poul-ar-Marquis
Guiler-s-Goyen
Landudec
Gourlizon
Ploneis
Kergaben
le Marhallach
Kérandoaré
Ste Anne
Kerfeunteun
Quellenec
St Guénolé
Plage de Kersiny
Plage de Mesperleuc
Pte de Souc'h
Pors-Poulhan
Plozévet
Kervinou
St Renan
Kervargon
Guilguiffin
Plogastel-St Germain
le Hilguy
QUIMPER
Penhars
Pluguffan
St Demet
Kervriec
Mon
Keristenvet
Lababan
Pouldreuzic
Kerveyen
St Germain
N.D des Graces
Kerlagatu
Pont du Cornigüel
Keraval
Kerdour
Baie de Kérogan
Ty-Bos
Troyalac'h
Penhors
Jarnellou Zoo
Peumerit
St Joseph
Chlle de St Honoré
Ti-Lipic
Lanroz
Anse de Toulven
Menez-Bily
l'Arbre-du Chapon
St Evarzec
Plovan
Chlle de Languidou
Tréogat
Stang-ar-Bacol
Chlle de Lanvern
Kerhuel
St Sébastien
Plomelin
Kerbernez
Kerambleiz
St Cadou
Pors-Meillou
Moulin-du-Pont
Etang de Kergalan
Tourne-Ici
Ploneour-Lanvern
Languivoa
la Coudraie
Ty-Robin
St Roch
Vire-Court
Cale de Rosulien
Créac'h-Queta
Prajou
Trunvel
Etang de Trunvel
le Béron
Tréméoc
le Perennou
Goueshnach
Ty-Glas
le Drennec
Pleuven
Tréguennec
Lestremec
Kérouzien
le Croissant
Pors-Keraign
Lanhuron
Pors-Guen
Menez-St Jean
Bodinio
Kerguellec
Kerbascol
Combrit
Pont-de-Cornouaille
Kergos
Clohars-Fouesnant
Cheffontaines
St Vio
St Evy
Etang de St Vio
Maison de la Baie d'Audierne
Méjou Roz
St Jean-Trolimon
N.D. de Tréminou
Botforn
Kermaria
Anse du Pouldon
Pont-l'Abbé
Ile Chevalier
Bénodet
Menez-Groas
le Perguet
Bréhoulo
N. D. de Tronoën (Calvaire)
Beuzec
Ste Marine
Pte de Combrit
Pte St Gilles
le Letty
Pte de la Torche
Plage de Pors-Carn
Kerugou
Plomeur
Kernuz
Kerazan
Garo
Ile-Tudy
Plage du Teven
Anse de Bénodet
Kerbader
Brallac'h
Mousterlin
Pte de Mousterlin
Rochers
la Madeleine
Langougou
le Suler
Loctudy
St Guénolé
Musée
Pendreff
Kerhervant
Langoz
N.D. de la Joie
Penmarch
Plobannalec
Hent-Croas
Kergall
St Pierre
Phare d'Eckmühl
Kérity
Treffiagat
Lodonnec
Pte de St Oual
Pointe de Penmarch
Mon
Guilvinec
Léchiagat
Lesconil
Palue du Cosquer
1h30
Ile aux Moutons
St Nicolas
Drenec
Cigo
Loch
Iles de

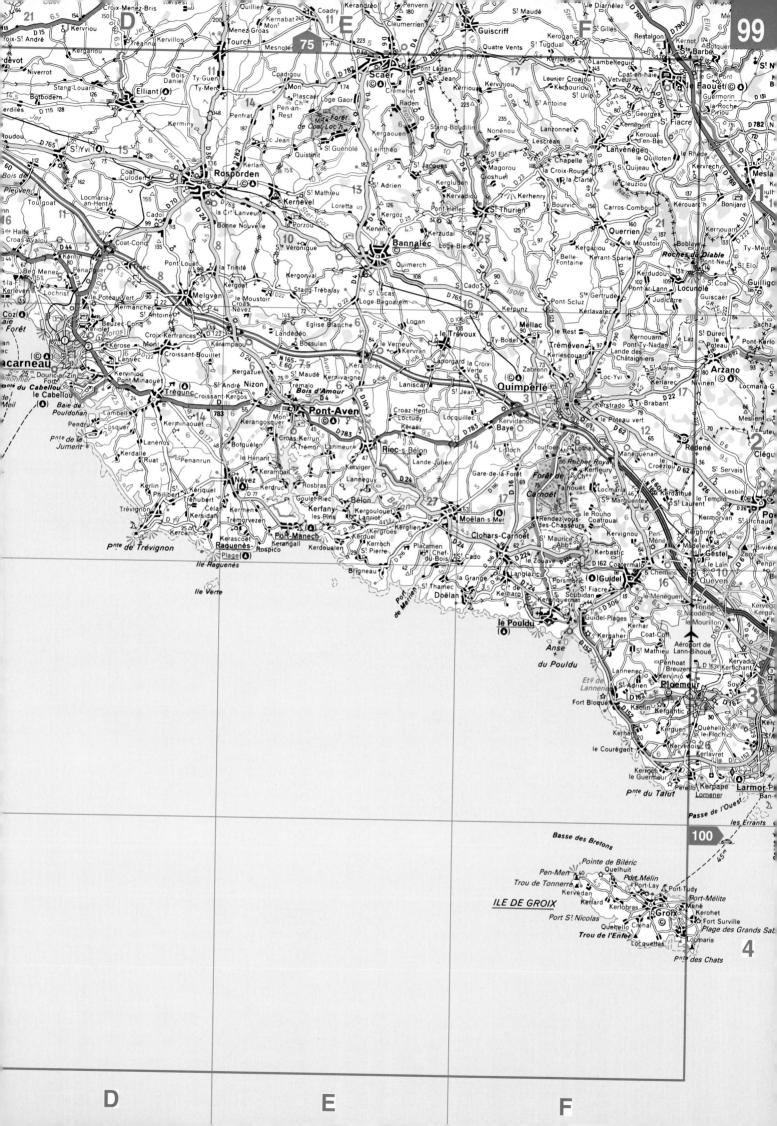

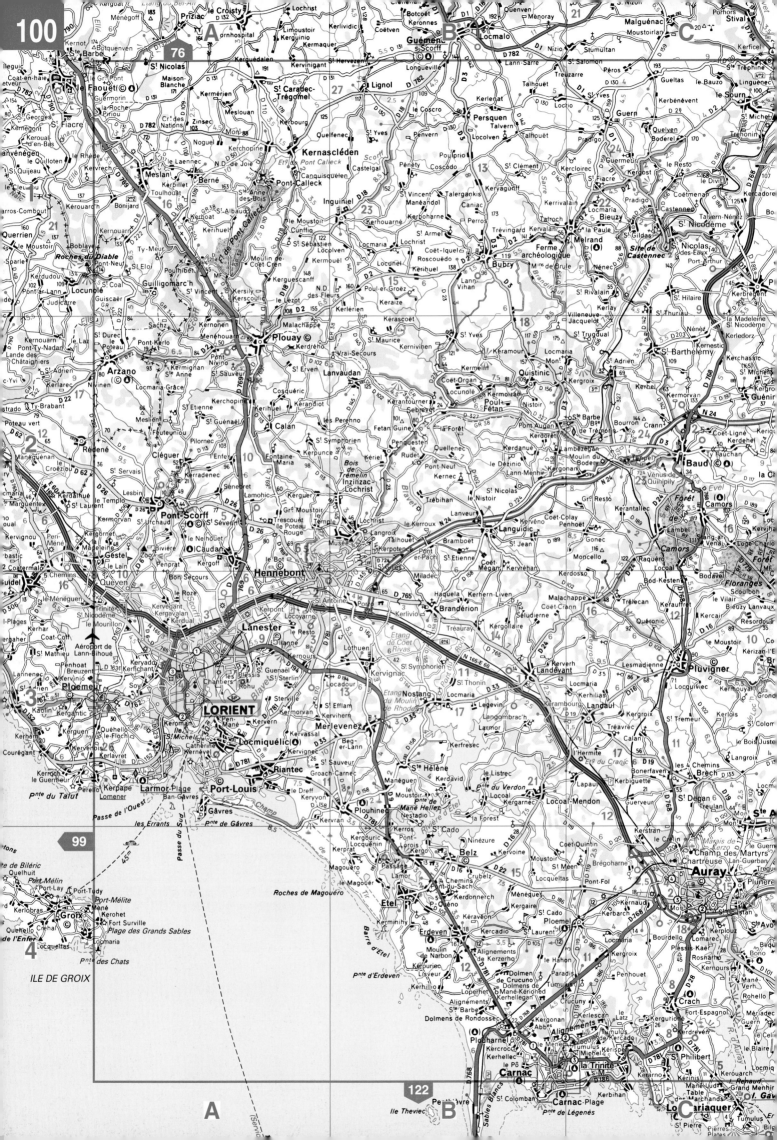
76
99
122
A
B
C
1
2
3
4
Le Faouët
Priziac
le Croisty
Guémené-s-Scorff
Locmalo
Malguénac
Lignol
Kernascléden
Pont-Calleck
Inguiniel
Persquen
Melrand
Bubry
Bieuzy
St Nicodème
Meslan
Berné
Locunolé
Guilligomarc'h
Arzano
Plouay
Lanvaudan
Quistinic
St Barthélemy
Baud
Rédéné
Cléguer
Calan
Inzinzac-Lochrist
Languidic
Camors
Pont-Scorff
Caudan
Hennebont
Gestel
Quéven
Guidel
Lanester
Brandérion
Landévant
Pluvigner
Ploemeur
LORIENT
Locmiquélic
Riantec
Port-Louis
Larmor-Plage
Gâvres
Merlevenez
Nostang
Landaul
Locoal-Mendon
Brech
Plouhinec
Belz
Etel
Erdeven
Ploemel
Auray
Crach
Plouharnel
Carnac
Carnac-Plage
la Trinité-s-M.
St Philibert
Locmariaquer
Groix
ILE DE GROIX
Roches de Magouëro
Roches du Diable
Forêt de Camors
Alignements

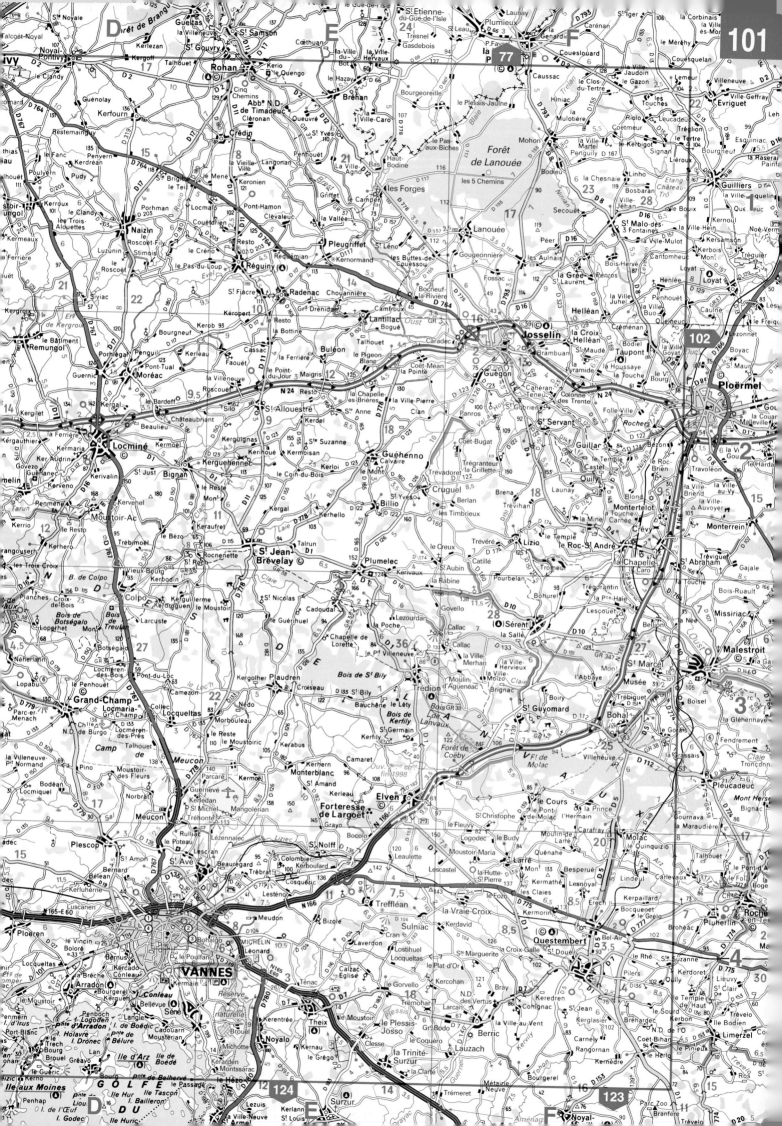
D
E
F
Rohan
Noyal-Pontivy
St Samson
Gueltas
St Gouvry
Kergoff
Bréhan
Abbe N.D. de Timadeuc
Crédin
Forêt de Lanouée
Lanouée
Les Forges
Naizin
Réguiny
Radenac
Pleugriffet
Josselin
Guégon
Ploërmel
Moréac
Remungol
Locminé
Buléon
St Allouestre
Guéhenno
Cruguel
St Servant
Guillac
Quily
Lizio
Le Roc-St André
Moustoir-Ac
Bignan
Kerguehennec
St Jean Brévelay
Plumelec
Sérent
Malestroit
St Marcel
Colpo
Grand-Champ
Locmaria-Gd Champ
Locqueltas
Plaudren
Trédion
Forêt de Coëby
St Guyomard
Bohal
Monterblanc
Elven
Forteresse de Largoët
Meucon
Plescop
St Avé
VANNES
Theix
Séné
Arradon
Ploeren
Sulniac
Treffléan
La Vraie-Croix
Questembert
Molac
Pluherlin
Larré
Berric
Lauzach
La Trinité-Surzur
Noyalo
Surzur
Ile d'Arz
Ile aux Moines
GOLFE DU
Bois de St Bily
Bois de Kerfily
Camp de Meucon
LANVAUX
Pleucadeuc
Missiriac
Monterrein
Caro
Guilliers
Loyat
Helléan
La Croix-Helléan
Taupont
Evriguet
Mohon
Ménéac
N 24
N 166
N 165-E 60
77
102
123
124

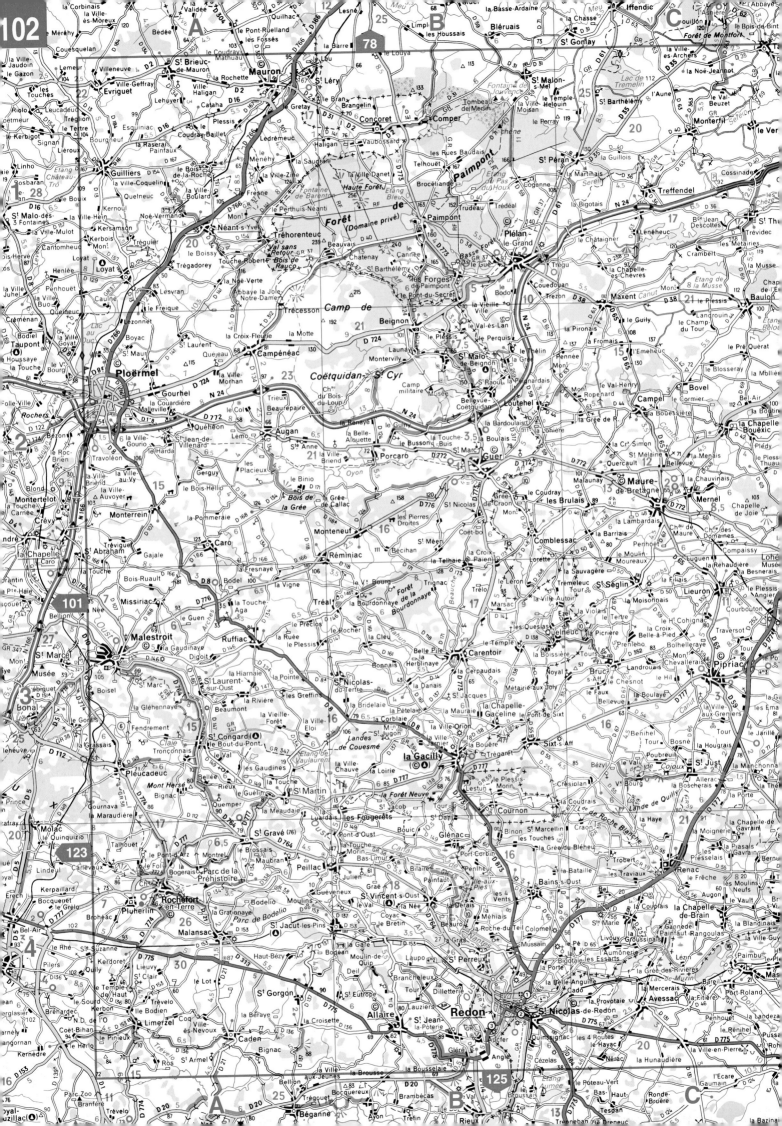
A
B
C
78
101
123
125
Mauron
St Léry
Concoret
Comper
Tombeau de Merlin
Fontaine de Jouvence
St Malon-s-Mel
Iffendic
St Gonlay
Bléruais
Forêt de Montfort
Lac de Tremelin
St Péran
Monterfil
Treffendel
Paimpont
Forêt de Paimpont (Domaine privé)
Haute Forêt
Fontaine de Barenton
Brocéliande
Plélan-le-Grand
Tréhorenteuc
Val sans Retour
Néant-s-Yvel
Guilliers
Évriguet
St Brieuc-de-Mauron
Loyat
Ploërmel
Taupont
Lac au Duc
Campénéac
Camp de Coëtquidan-St Cyr
Beignon
St Malo-de-Beignon
Les Forges de Paimpont
Maxent
Baulon
Guer
Augan
Porcaro
Monteneuf
Réminiac
Caro
Maure-de-Bretagne
Les Brulais
Comblessac
Campel
Bovel
La Chapelle-Bouëxic
Mernel
Lieuron
Pipriac
Carentoir
Quelneuc
St Séglin
Malestroit
Ruffiac
Missiriac
St Marcel
Musée
Sérent
Tréal
Forêt de la Bourdonnaye
St Laurent-sur-Oust
St Congard
Pleucadeuc
St Nicolas-du-Tertre
La Gacilly
Sixt-s-Aff
St Just
Renac
Les Fougerêts
St Gravé
Peillac
Glénac
Cournon
Bains-s-Oust
Molac
Rochefort-en-Terre
Pluherlin
Malansac
Parc de la Préhistoire
St Vincent-s-Oust
St Jacut-les-Pins
Allaire
Redon
St Nicolas-de-Redon
Avessac
Caden
Limerzel
St Gorgon
St Perreux
La Chapelle-de-Brain
Béganne
Rieux
Questembert
N 24
N 166
D 766
D 772
D 776
D 777
D 775
D 764
D 773

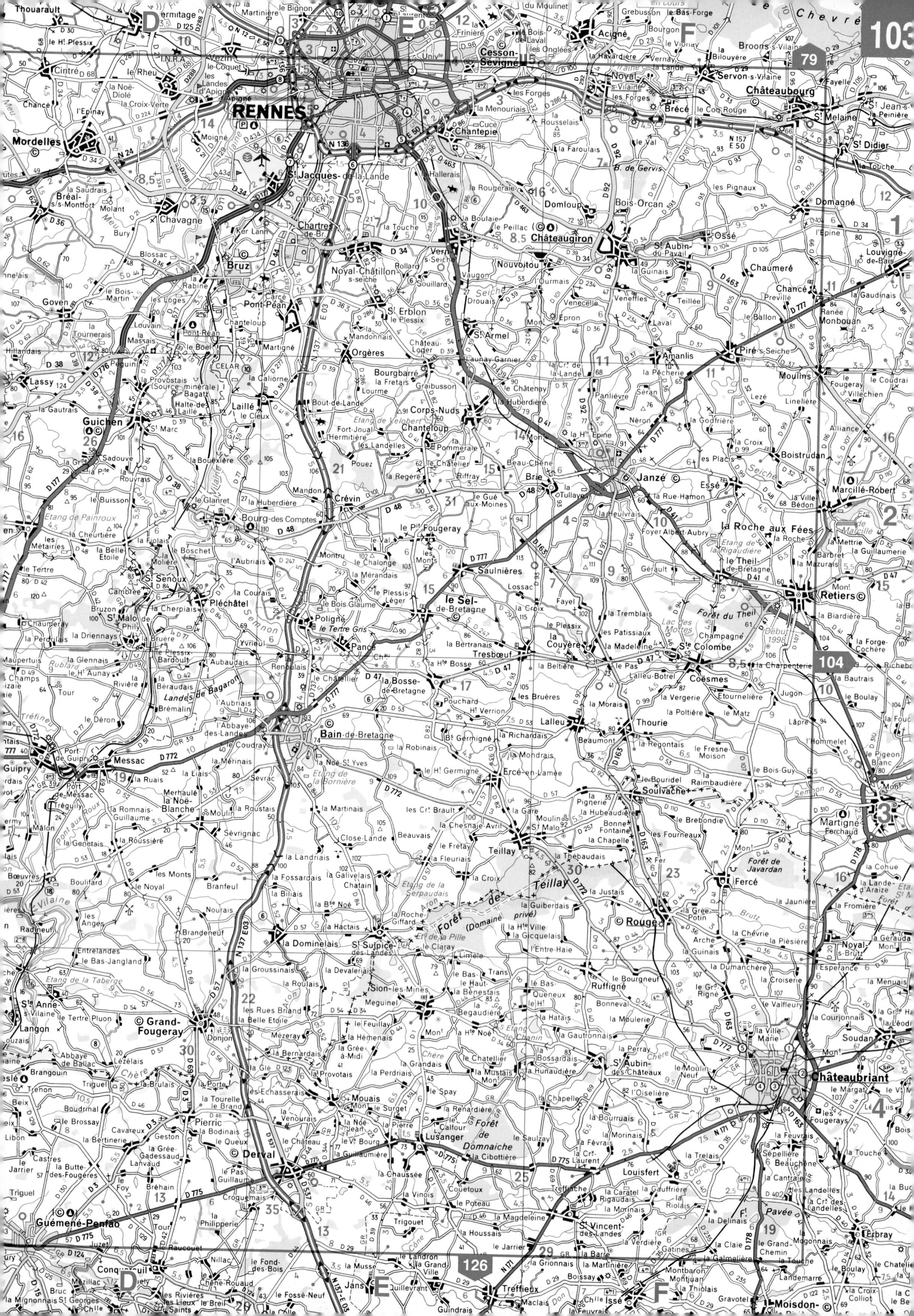
RENNES
Cesson-Sévigné
Acigné
Thouarault
Cintré
Vezin-le-Coquet
le Rheu
Mordelles
Chantepie
Noyal-s-Vilaine
Servon-s-Vilaine
Châteaubourg
Brécé
St Jacques-de-la-Lande
Chavagne
Bréal-s/s-Montfort
Chartres-de-Br.
Bruz
Domloup
Châteaugiron
Ossé
Noyal-Châtillon-s-Seiche
Vern-s-Seiche
Nouvoitou
St Aubin-du-Pavail
Domagné
Louvigné-de-Bais
Chaumeré
Goven
Pont-Péan
St Erblon
Orgères
St Armel
Amanlis
Piré-s-Seiche
Chancé
Moulins
Lassy
Guichen
Laillé
Bourgbarré
Corps-Nuds
Chanteloup
Janzé
Essé
Boistrudan
Marcillé-Robert
Crévin
Brie
Bourg-des-Comptes
la Roche aux Fées
le Theil-de-Bretagne
Retiers
Saulnières
St Senoux
Pléchâtel
le Sel-de-Bretagne
St Malo-de-Phily
Poligné
Pancé
Tresbœuf
la Couyère
Ste Colombe
Coësmes
Forêt du Theil
la Bosse-de-Bretagne
Thourie
Lalleu
Bain-de-Bretagne
Messac
Port-de-Guipry
Guipry
Ercé-en-Lamée
Soulvache
Martigné-Ferchaud
Teillay
Forêt de Teillay
Forêt de Javardan
Fercé
Rougé
St Sulpice-des-Landes
la Dominelais
Noyal-s-Brutz
Ruffigné
Sion-les-Mines
St Anne-s-Vilaine
Langon
Grand-Fougeray
Soudan
St Aubin-des-Châteaux
Châteaubriant
Mouais
Pierric
Derval
Lusanger
Forêt de Domnaiche
Louisfert
Guémené-Penfao
Conquereuil
St Vincent-des-Landes
Erbray
Jans
Treffieux
Issé
Moisdon-
D
E
F
79
104
126

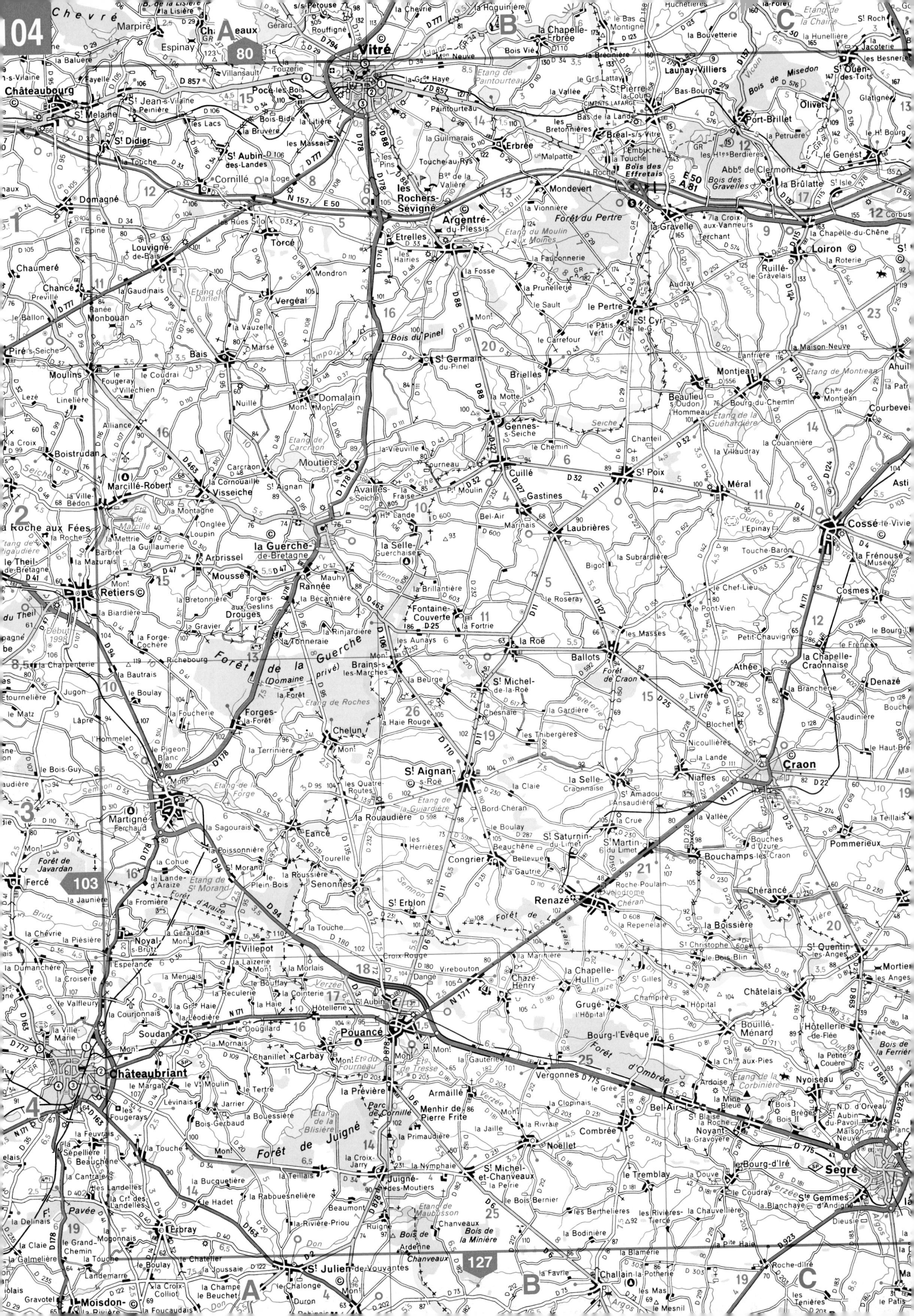

Chevré

Vitré
80

Châteaubourg
St Melaine
St Jean-s-Vilaine
St Didier
St Aubin-des-Landes
Cornillé
Domagné
Pocé-les-Bois
les Rochers-Sévigné
Argentré-du-Plessis
Étrelles
Torcé
Mondevert
Erbrée
Bréal-s-Vitré
Port-Brillet
Launay-Villiers
St Pierre-la-Cour
Olivet
St Ouen-des-Toits
la Gravelle
le Pertre
St Cyr-le-G.
Loiron
Ruillé-Gravelais

Chaumeré
Chancé
Louvigné-de-Bais
Monbouan
Ranée
Piré-s-Seiche
Bais
Marsé
Vergéal
Domalain
Bois du Pinel
St Germain-du-Pinel
Brielles
la Motte
Gennes-s-Seiche
Cuillé
St Poix
Méral
Montjean
Beaulieu-s-Oudon
Bourg-du-Chemin
Cossé-le-Vivien
Courbeveille
Cosmes
Asti

Moulins
Boistrudan
Marcillé-Robert
Visseiche
Moutiers
St Aignan
Availles-s-Seiche
Gastines
Laubrières
Bigot
les Masses
la Roë
Ballots
Livré
Athée
la Chapelle-Craonnaise
Denazé

la Roche aux Fées
le Theil-de-Bretagne
Retiers
la Guerche-de-Bretagne
la Selle-Guerchaise
Arbrissel
Moussé
Rannée
Mauhy
Forges-aux-Geslins
Drouges
Fontaine-Couverte
la Fortrie
Brains-s-les-Marches
St Michel-de-la-Roë
Forêt de Craon
la Chapelle-Craonnaise
Craon

Forêt de la Guerche
Richebourg
la Beurge
Chelun
Forges-la-Forêt
la Haie Rouge
St Aignan-s-Roë
Bord-Chéran
la Selle-Craonnaise
St Amadour
Niafles
Martigné-Ferchaud
la Sagourais
Eancé
Congrier
St Saturnin-du-Limet
St Martin-du-Limet
Renazé
Bouchamps-les-Craon
Chérancé
la Boissière
St Quentin-les-Anges

Forêt de Javardan
Fercé
103
la Lande-d'Araize
Noyal-Brut
Villepot
Senonnes
St Erblon
Croix Rouge
Virebouton
Dangé
Chazé-Henry
la Chapelle-Hullin
St Gilles
Châtelais
Hôtellerie-de-Flée

Soudan
Pouancé
Carbay
St Aubin
Grugé-l'Hôpital
Bourg-l'Évêque
Bouillé-Ménard
Noyant

Châteaubriant
104
Armaillé
Menhir de Pierre Frite
Vergonnes
Bel-Air
Combrée
Nyoiseau
Ségré
St Gemmes-d'Andigné

Forêt de Juigné
Juigné-des-Moutiers
St Michel-et-Chanveaux
Noëllet
Bourg-d'Iré

Moisdon
St Julien-de-Vouvantes
127
Challain-la-Potherie
Chanveaux
Forêt de la Minière

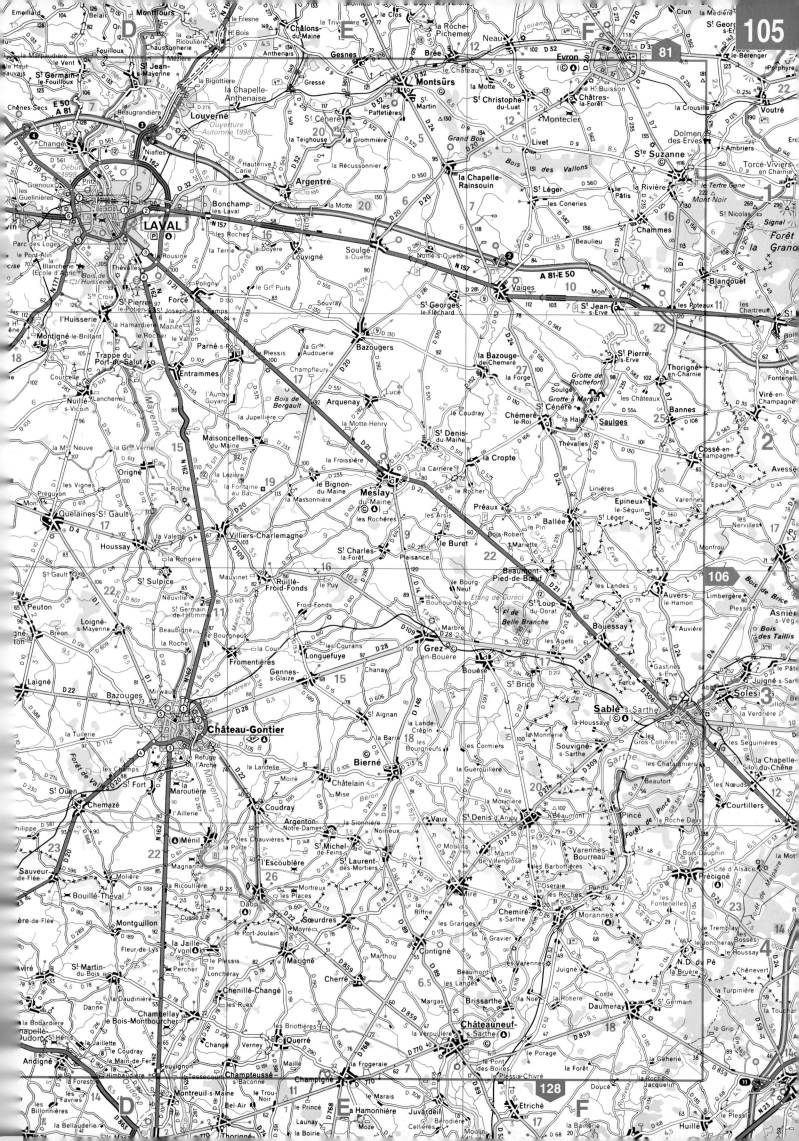
LAVAL
Château-Gontier
Sablé-s-Sarthe
Meslay-du-Maine
Montsûrs
Evron
Ste Suzanne
Vaiges
Bazougers
Argentré
Louverné
Bonchamp-lès-Laval
Entrammes
Grez-en-Bouère
Bouère
Ballée
Saulges
Châteauneuf-s-Sarthe
Daon
Miré
Morannes
Quelaines-St Gault
Villiers-Charlemagne
Ruillé-Froid-Fonds
Fromentières
Bierné
Coudray
Chemazé
Forêt de Pincé
Bois des Vallons
A 81-E 50
N 162
N 157
D 20
D 21
D 28
D 22
81
106
128
D
E
F

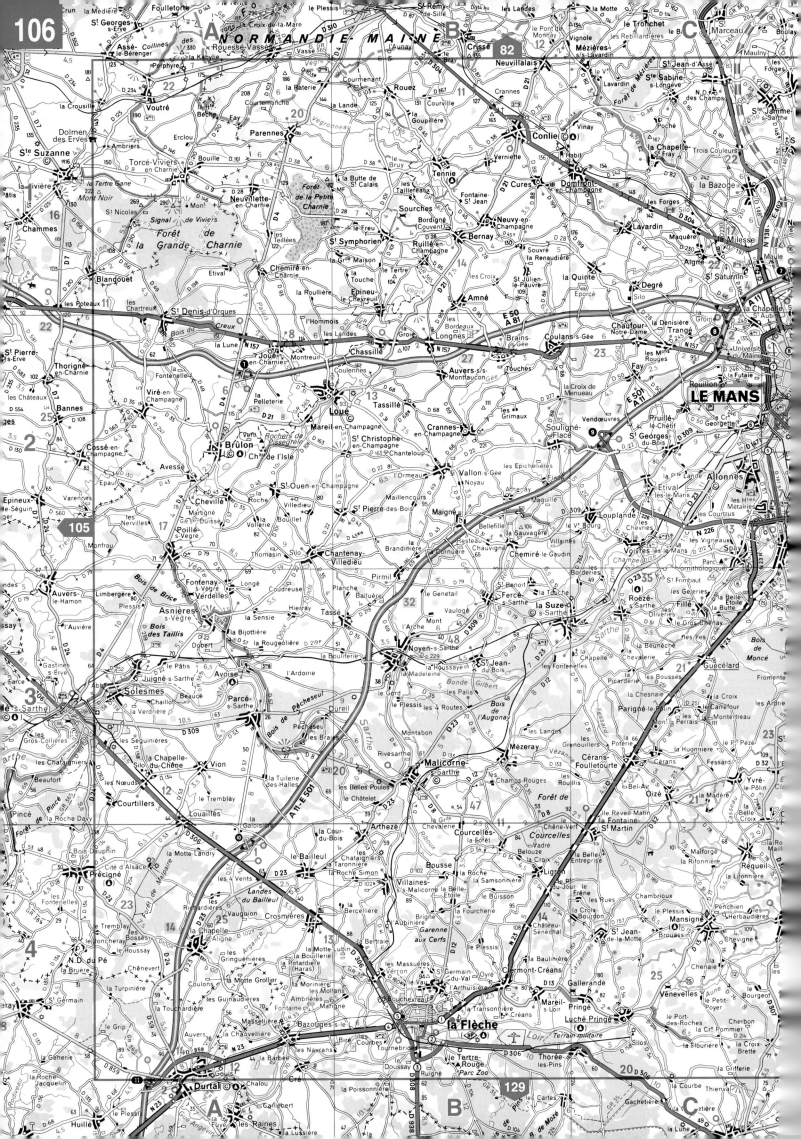
NORMANDIE-MAINE
A
B
C
82
105
129
1
2
3
4
St Georges-s-Erve
Assé-le-Bérenger
Collines des Coëvrons
Rouessé-Vassé
St Rémy-de-Sillé
Crissé
Neuvillalais
Mézières-s-Lavardin
le Tronchet
St Marceau
Voutré
Rouez
Conlie
Domfront-en-Champagne
Ste Suzanne
Dolmen des Erves
Torcé-Viviers-en-Charnie
Parennes
Tennie
Cures
la Chapelle-St Fray
la Bazoge
Neuvillette-en-Charnie
Forêt de la Petite Charnie
Signal de Viviers
Forêt de la Grande Charnie
Chammes
Sourches
Bernay
Neuvy-en-Champagne
Lavardin
la Milesse
St Symphorien
Ruillé-en-Champagne
Chemiré-en-Charnie
Blandouet
Epineu-le-Chevreuil
Amné
la Quinte
Degré
St Saturnin
St Denis-d'Orques
Longnes
Coulans-s-Gée
Chaufour-Notre-Dame
Trangé
la Chapelle-St Aubin
Joué-en-Charnie
Chassillé
Brains-s-Gée
Thorigné-en-Charnie
Auvers-s-Montfaucon
Rouillon
LE MANS
Viré-en-Champagne
Loué
Tassillé
Bannes
Brûlon
Mareil-en-Champagne
St Christophe-en-Champagne
Crannes-en-Champagne
Souligné-Flacé
St Georges-du-Bois
Cossé-en-Champagne
Avessé
Vallon-s-Gée
Allonnes
St Ouen-en-Champagne
Chevillé
Etival-lès-le-Mans
St Pierre-des-Bois
Maigné
Louplande
Poillé-s-Vègre
Chantenay-Villedieu
Chemiré-le-Gaudin
Voivres-lès-le-Mans
Spay
Fontenay-s-Vègre
Auvers-le-Hamon
Asnières-s-Vègre
Pirmil
Fercé-s-Sarthe
la Suze-s-Sarthe
Roézé-s-Sarthe
Fillé
Tassé
Noyen-s-Sarthe
St Jean-du-Bois
Guécélard
Juigné-s-Sarthe
Avoise
Solesmes
Sablé-s-Sarthe
Parcé-s-Sarthe
Dureil
Parigné-le-Pôlin
la Chapelle-du-Chêne
Vion
Mézeray
Malicorne-s-Sarthe
Cérans-Foulletourte
Yvré-le-Pôlin
Courtillers
Louailles
Oizé
Arthezé
Courcelles-la-Forêt
Forêt de Courcelles
St Martin
Précigné
le Bailleul
Bousse
Ligron
Requeil
Villaines-s-Malicorne
Crosmières
Mansigné
la Chapelle-d'Aligné
St Jean-de-la-Motte
Clermont-Créans
St Germain-du-Val
Vénevelles
Bazouges-s-le-Loir
la Flèche
Mareil-s-Loir
Luché-Pringé
Durtal
Thorée-les-Pins
Huillé
les Rairies
A 11 - E 501
N 157
N 23
N 226
D 306

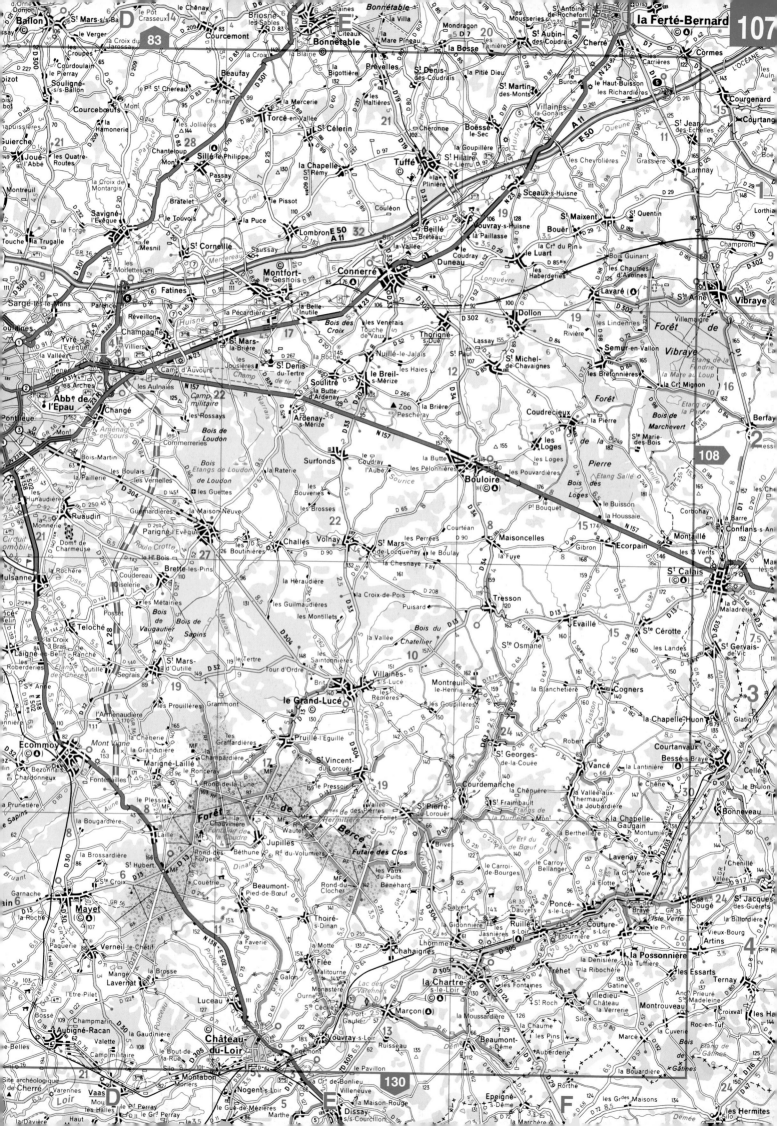

83
108
130
la Ferté-Bernard
Ballon
Bonnétable
Courcemont
Beaufay
Prévelles
Cherré
Cormes
Torcé-en-Vallée
St Célerin
Sillé-le-Philippe
Tuffé
St Hilaire-le-Lierru
Boëssé-le-Sec
Lamnay
Savigné-l'Évêque
Lombron
Montfort-le-Gesnois
Connerré
Sceaux-s-Huisne
St Maixent
Vouvray-s-Huisne
Beillé
Duneau
Le Luart
Vibraye
Forêt de Vibraye
Lavaré
Dollon
Thorigné-s-Dué
Fatines
Sargé-lès-le-Mans
Yvré-l'Évêque
Champagné
St Mars-la-Brière
St Denis-du-Tertre
Nuillé-le-Jalais
Semur-en-Vallon
St Michel-de-Chavaignes
Abbe de l'Epau
Changé
Soulitré
Ardenay-s-Mérize
le Breil-s-Mérize
Coudrecieux
Bouloire
Surfonds
Bois de Loudon
Ruaudin
Parigné-l'Évêque
Challes
Volnay
St Mars-de-Locquenay
Maisoncelles
Écorpain
Montaillé
St Calais
Conflans-s-Anille
Berfay
Mulsanne
Brette-les-Pins
Teloché
Tresson
Évaillé
Ste Cérotte
St Gervais-de-Vic
Laigné-en-Belin
St Mars-d'Outillé
Villaines-s-Lucé
le Grand-Lucé
Montreuil-le-Henri
Cogners
la Chapelle-Huon
Ecommoy
Pruillé-l'Éguillé
St Vincent-du-Lorouër
St Georges-de-la-Couée
Vancé
Courtanvaux
Bessé-s-Braye
Marigné-Laillé
Forêt de Bercé
Jupilles
St Pierre-du-Lorouër
Courdemanche
la Chapelle-Gaugain
Lavenay
Mayet
Beaumont-Pied-de-Bœuf
Thoiré-s-Dinan
Ruillé-s-Loir
Poncé-s-le-Loir
Couture-s-Loir
Sougé
St Jacques-des-Guérets
Artins
Verneil-le-Chétif
Chahaignes
Lhomme
la Chartre-s-le-Loir
la Possonnière
Tréhet
Villedieu-le-Château
Ternay
Flée
Marçon
Aubigné-Racan
Château-du-Loir
Vouvray-s-Loir
Beaumont-s-Dême
Montrouveau
Vaas
Nogent-s-Loir
Dissay-s/s-Courcillon
Épeigné-s-Dême
les Hermites
A 11
E 50
A 28
N 23
N 157
N 138
E 502
D
E
F
1
2
3
4

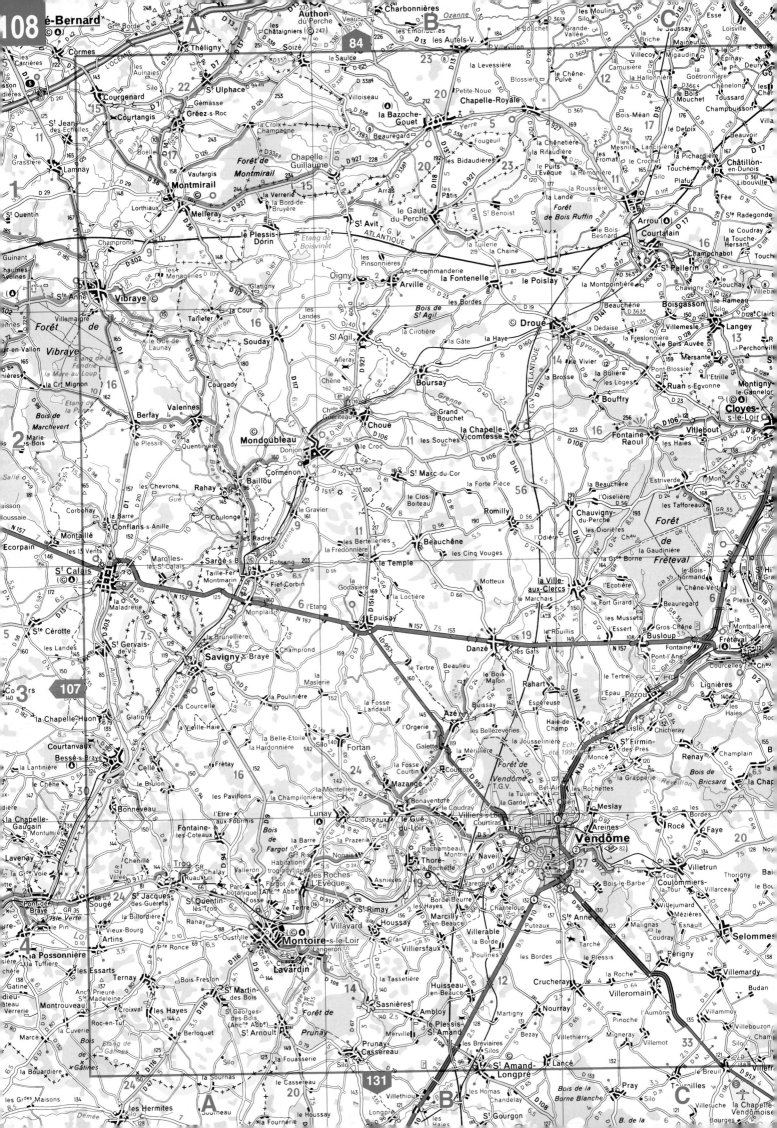

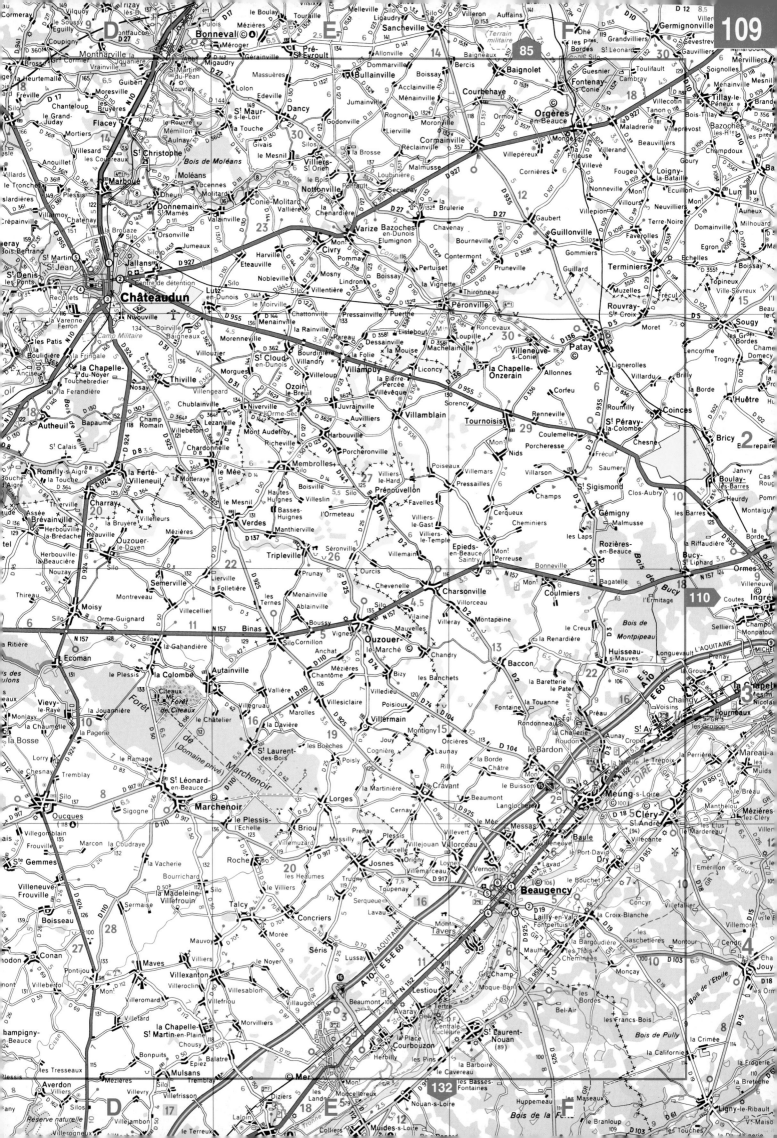
D
E
F
85
110
132
Bonneval
Sancheville
Baignolet
Orgères-en-Beauce
Germignonville
Courbehaye
Cormainville
Fontenay-s-Conie
Tillay-le-Péneux
Bazoches-les-Htes
Loigny-la-Bataille
Lumeau
Bullainville
Dancy
St Maur-s-le-Loir
Flacey
St Christophe
Marboué
Moléans
Donnemain-St Mamès
Conie-Molitard
Villiers-St Orien
Nottonville
Varize
Bazoches-en-Dunois
Guillonville
Terminiers
Rouvray-Ste Croix
Sougy
Patay
Châteaudun
Jallans
Civry
Lutz-en-Dunois
Péronville
St Denis-les-Ponts
St Jean
Centre de détention
Camp Militaire
Nivouville
la Chapelle-du-Noyer
Thiville
Villampuy
Ozoir-le-Breuil
St Cloud-en-Dunois
Villamblain
Tournoisis
la Chapelle-Onzerain
Villeneuve-s-Conie
St Péravy-la-Colombe
Coinces
Huêtre
Bricy
Autheuil
la Ferté-Villeneuil
Romilly-s-Aigre
Charray
Brévainville
Membrolles
Prénouvellon
Verdes
le Mée
St Sigismond
Gémigny
Rozières-en-Beauce
Boulay-les-Barres
Ozouer-le-Doyen
Tripleville
Charsonville
Epieds-en-Beauce
Coulmiers
Bucy-St Liphard
Ormes
Ingré
Semerville
Moisy
Binas
Ouzouer-le-Marché
Villermain
Baccon
Huisseau-s-Mauves
Bois de Bucy
Bois de Montpipeau
Ecoman
Autainville
la Colombe
Forêt de Marchenoir
Citeaux
Vievy-le-Rayé
St Laurent-des-Bois
Cravant
le Bardon
Meung-s-Loire
Chaingy
St Ay
la Chapelle-St Mesmin
St Léonard-en-Beauce
Marchenoir
Oucques
Lorges
Briou
Roches
Josnes
Villorceau
Messas
Baule
Beaugency
Cléry-St André
Mézières-lez-Cléry
Dry
Lailly-en-Val
Ste Gemmes
Villeneuve-Frouville
Talcy
Concriers
Séris
Tavers
Boisseau
Conan
Maves
Villexanton
Lestiou
Avaray
St Laurent-Nouan
la Chapelle-St Martin-en-Plaine
Mer
Courbouzon
Mulsans
Averdon
Ligny-le-Ribault
Jouy
Bois de l'Etoile
Bois de Pully
Muides-s-Loire
Nouan-s-Loire
Bois de la Ferté
Réserve naturelle
L'AQUITAINE
A 10 - E 5 - E 60
LOIRE
Loir
Conie
Aigre
Cisse
Ardoux
Mauve
Tronne

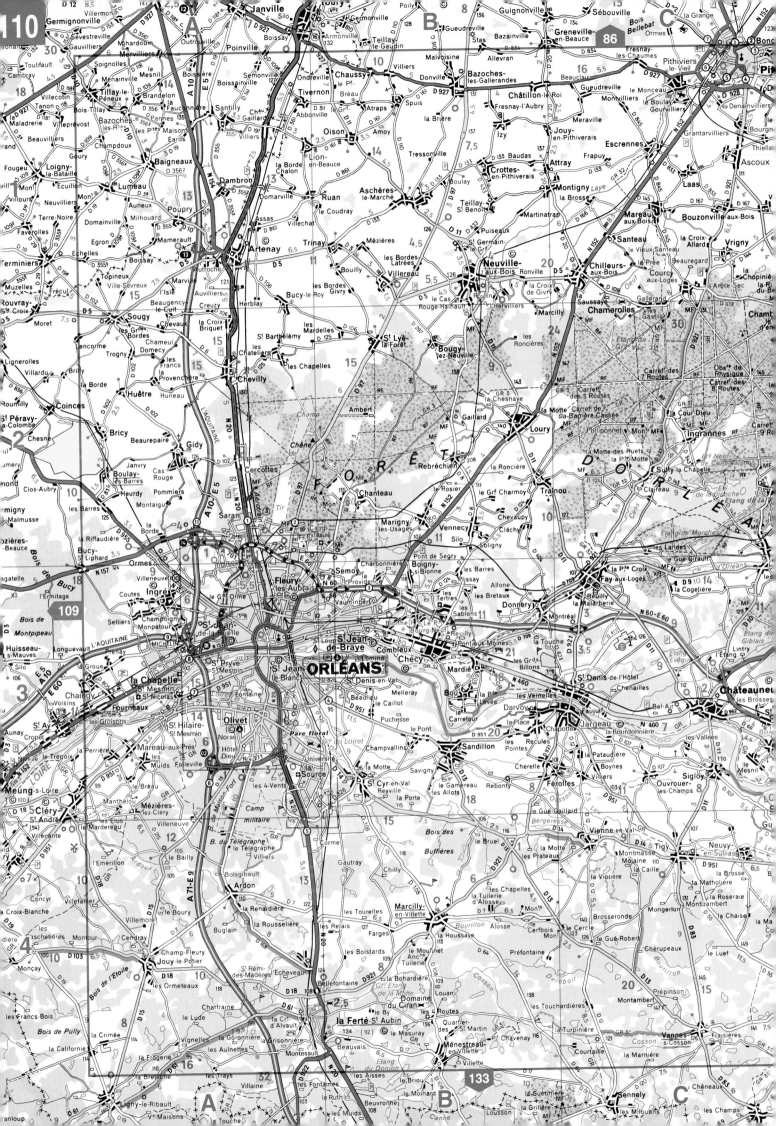

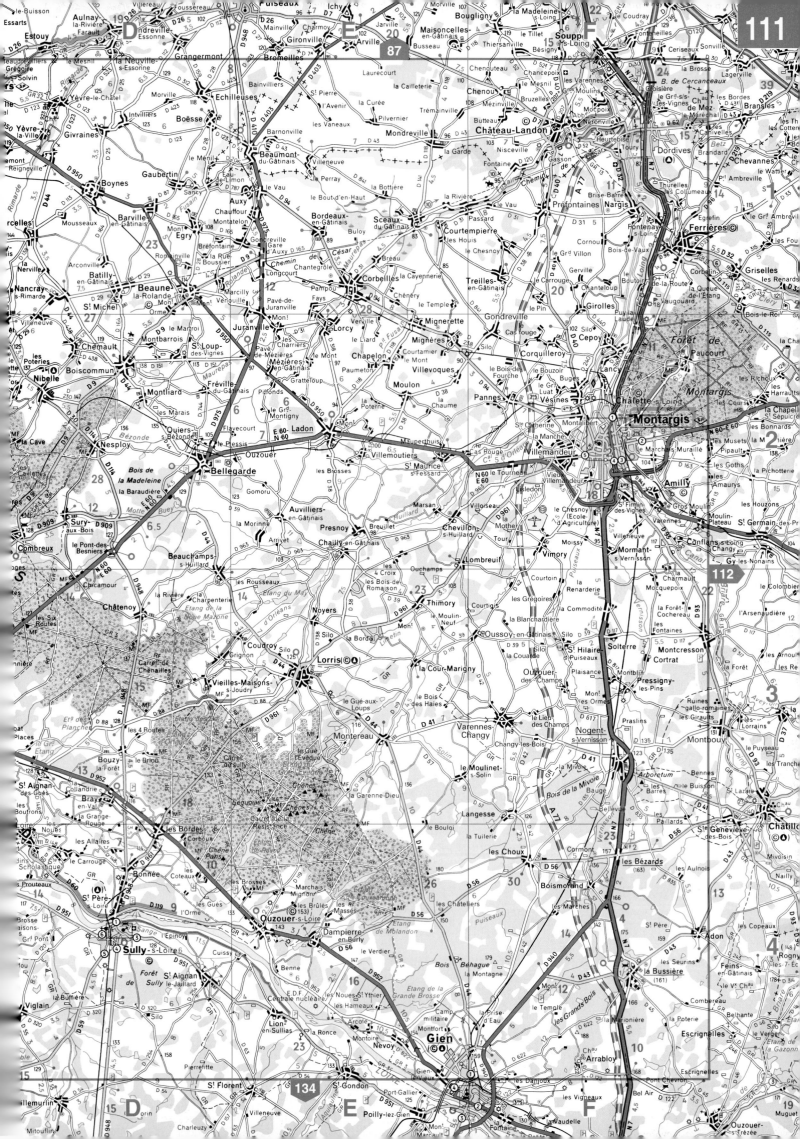

Aulnay-la-Rivière
Estouy
Dondreville-Essonne
Puiseaux
Ichy
Gironville
Arville
Bromeilles
Bougligny
Maisoncelles-en-Gâtinais
Souppes-s-Loing
La Madeleine-s-Loing
Grangermont
La Neuville-s-Essonne
Echilleuses
Yèvre-le-Châtel
Yèvre-la-Ville
Givraines
Boësse
Chenou
Château-Landon
Mondreville
Dordives
Chevannes
Beaumont-du-Gâtinais
Boynes
Gaubertin
Auxy
Barville-en-Gâtinais
Egry
Bordeaux-en-Gâtinais
Sceaux-du-Gâtinais
Courtempierre
Préfontaines
Nargis
Ferrières
Fontenay-s-Loing
Griselles
Batilly-en-Gâtinais
Nancray-s-Rimarde
Beaune-la-Rolande
St Michel
Corbeilles
Treilles-en-Gâtinais
Girolles
Juranville
Lorcy
Mignerette
Mignères
Gondreville
Cepoy
Chemault
Montbarrois
St Loup-des-Vignes
Boiscommun
Nibelle
Chapelon
Villevoques
Corquilleroy
Forêt de Montargis
Paucourt
Montliard
Fréville-du-Gâtinais
Moulon
Pannes
Vésines
Châlette-s-Loing
Montargis
Nesploy
Quiers-s-Bézonde
Ladon
Villemoutiers
Villemandeur
Bellegarde
Bois de la Madeleine
St Maurice-s-Fessard
Amilly
Auvilliers-en-Gâtinais
Presnoy
Chevillon-s-Huillard
Vimory
Sury-aux-Bois
Combreux
Beauchamps-s-Huillard
Chailly-en-Gâtinais
Lombreuil
Mormant-s-Vernisson
Conflans-s-Loing
Châtenoy
Noyers
Thimory
Oussoy-en-Gâtinais
St Hilaire-s-Puiseaux
Solterre
Montcresson
Coudroy
Lorris
La Cour-Marigny
Ouzouer-des-Champs
Vieilles-Maisons-s-Joudry
Pressigny-les-Pins
Varennes-Changy
Nogent-s-Vernisson
Montereau
Montbouy
Bouzy-la-Forêt
Le Moulinet-s-Solin
Bray-en-Val
St Aignan-des-Gués
Les Bordes
Langesse
Ste Geneviève-des-Bois
Châtillon
Les Choux
Les Bézards
Bonnée
Boismorand
Ouzouer-s-Loire
St Père-s-Loire
Dampierre-en-Burly
Adon
Sully-s-Loire
St Aignan-le-Jaillard
La Bussière
Viglain
Lion-en-Sullias
Gien
Nevoy
Arrabloy
Escrignelles
St Florent
St Gondon
Poilly-lez-Gien
Ouzouer-Trézée
Forêt d'Orléans
Canal d'Orléans
Loire
Loing
87
112
134
D
E
F

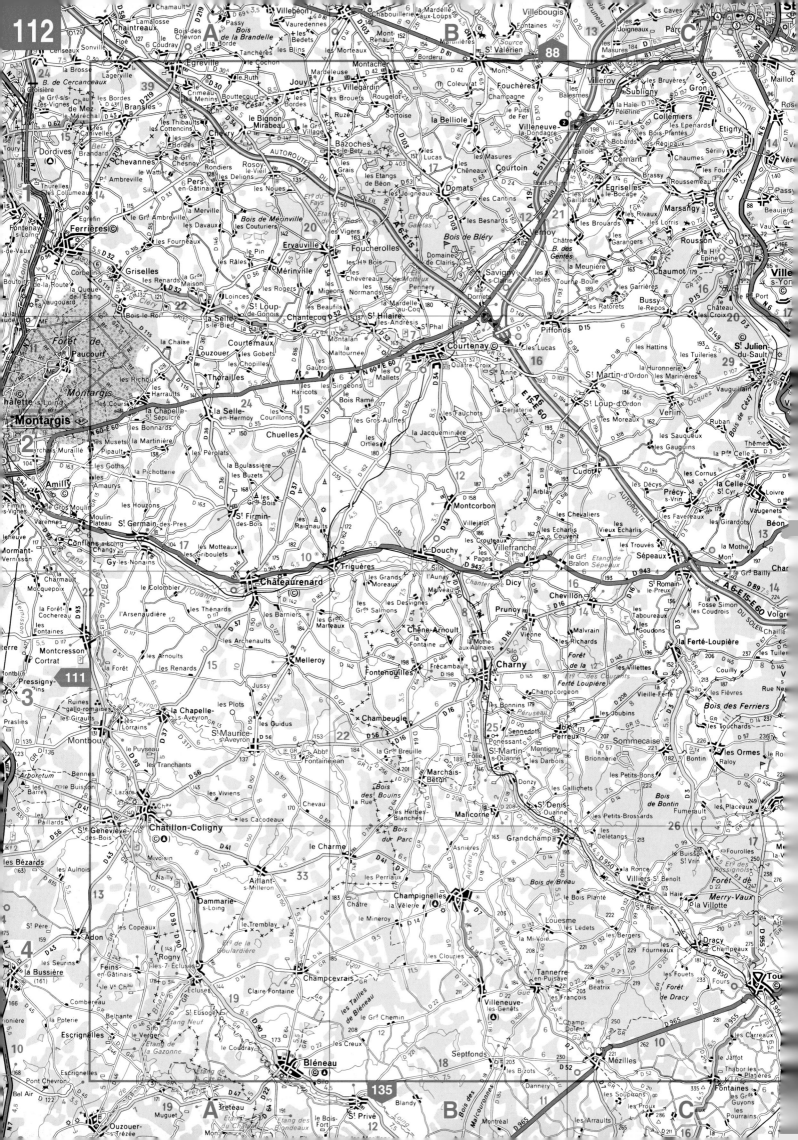

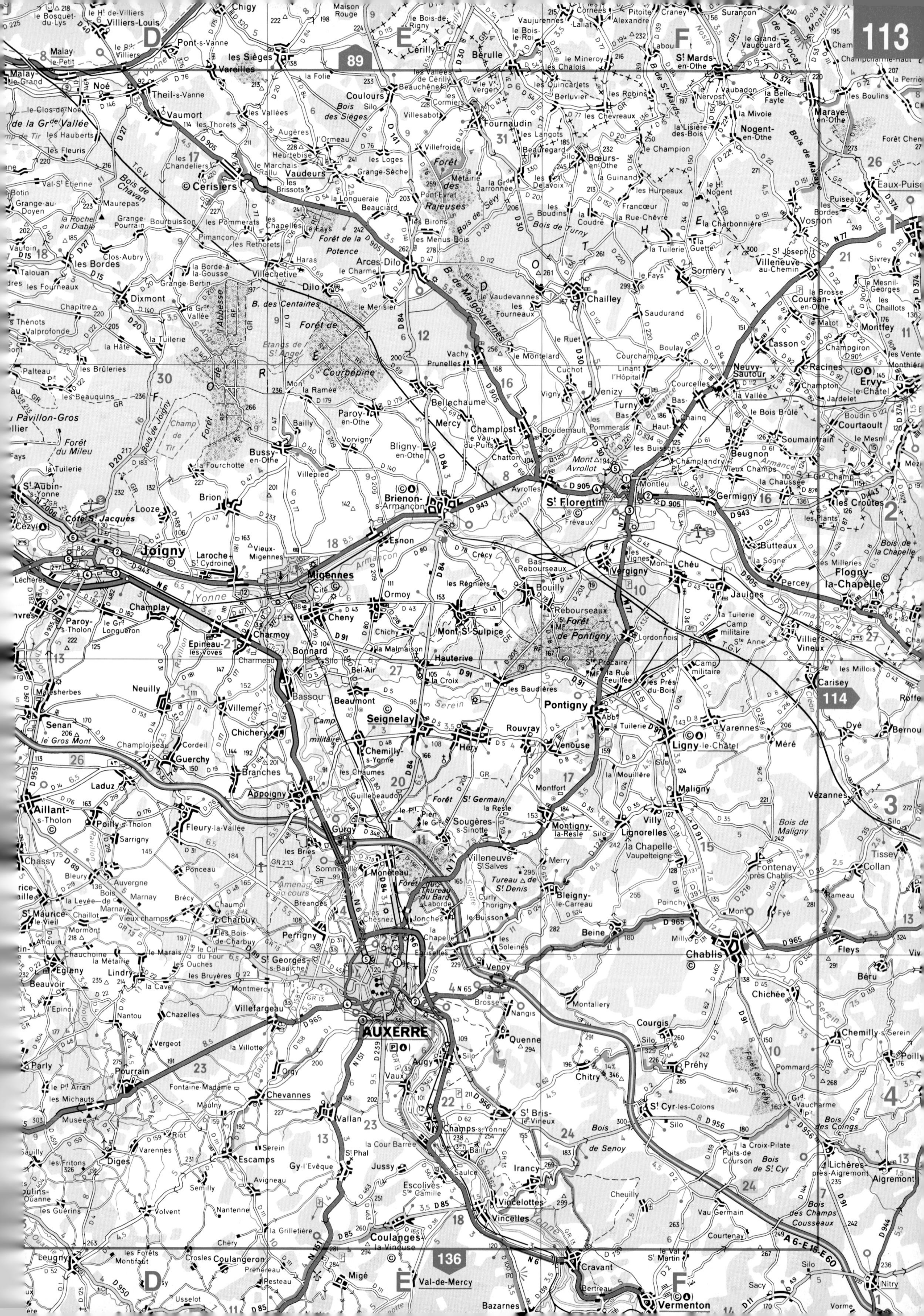

D

E

F

89

AUXERRE

Joigny

Cerisiers

St Florentin

Migennes

Brienon-Armançon

Seignelay

Pontigny

Ligny-le-Châtel

Chablis

Villeneuve-l'Archevêque

St Mards-en-Othe

Ervy-le-Châtel

Flogny-la-Chapelle

Aillant-s-Tholon

Neuvy-Sautour

Chailley

Turny

Champlost

Bellechaume

Paroy-en-Othe

Bligny-en-Othe

Mont-St-Sulpice

Hauterive

Rouvray

Venouse

Maligny

Lignorelles

Villy

La Chapelle-Vaupelteigne

Fontenay-près-Chablis

Fleys

Collan

Fyé

Beine

Chichée

Courgis

Préhy

Chitry

St Bris-le-Vineux

Irancy

Vincelottes

Vincelles

Coulanges-la-Vineuse

Val-de-Mercy

Cravant

Vermenton

Bazarnes

Escamps

Gy-l'Évêque

Chevannes

Vallan

Villefargeau

Perrigny

St Georges-sur-Baulche

Monéteau

Gurgy

Appoigny

Branches

Guerchy

Charmoy

Champlay

Bonnard

Chemilly-sur-Yonne

Hery

Chemilly-sur-Serein

Senan

Pourrain

Diges

Lindry

Égleny

Dixmont

Vaudeurs

Arces-Dilo

Coursan-en-Othe

Montfey

Racines

Courtaoult

Soumaintrain

Neuvy-Sautour

Germigny

Vergigny

Cheu

Jaulges

Percey

Butteaux

Bouilly

Rebourseaux

Forêt de Pontigny

Forêt d'Othe

Forêt du Milieu

Bois de Chavan

89

114

D

E

F

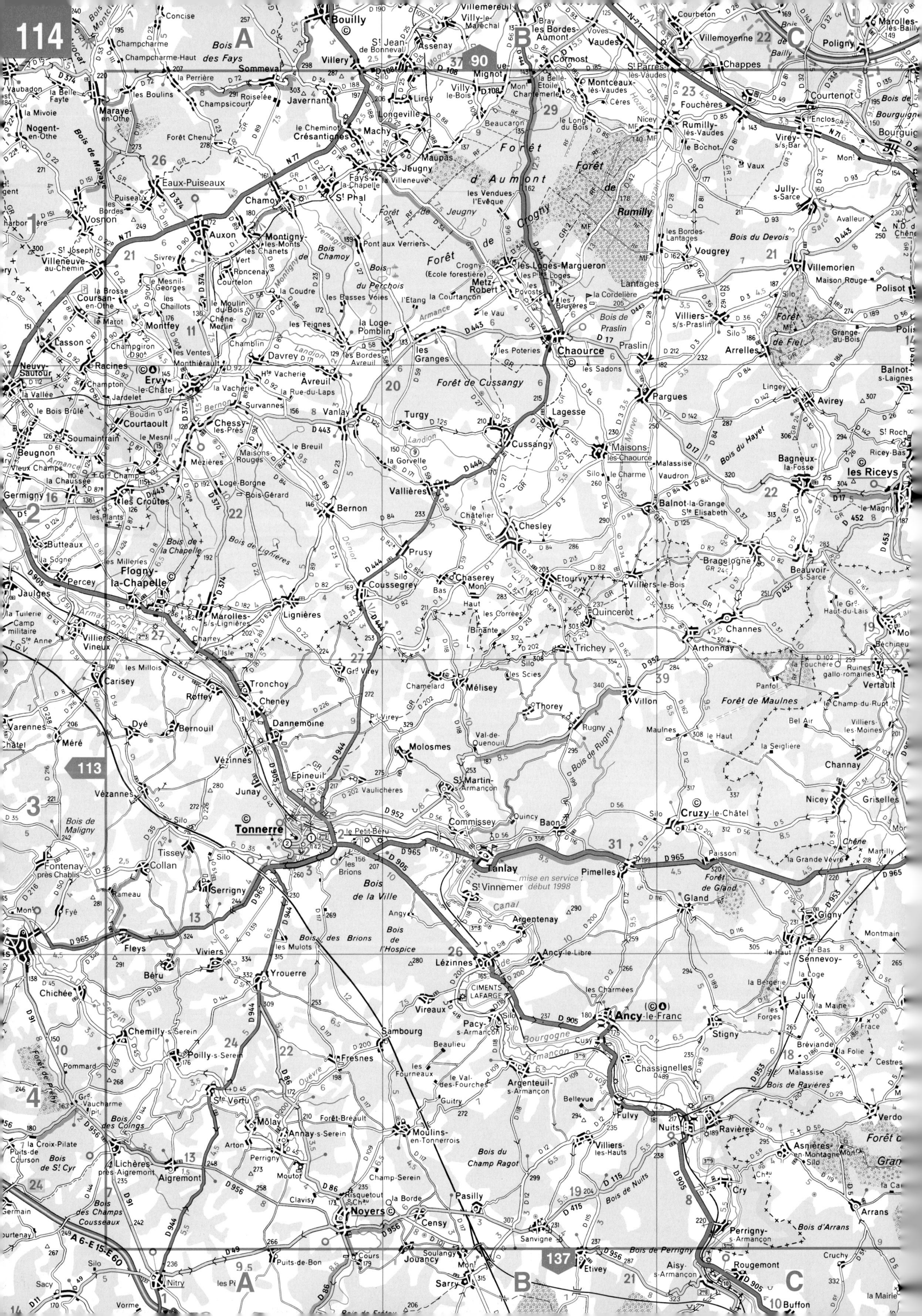
A
B
C
1
2
3
4
Bouilly
Sommeval
Villery
Javernant
Crésantignes
Machy
Lirey
Longeville
Maupas
Jeugny
Fays-la-Chapelle
St Phal
Chamoy
Auxon
Montigny-les-Monts
Eaux-Puiseaux
Vosnon
Villeneuve-au-Chemin
Coursan-en-Othe
Montfey
Lasson
Neuvy-Sautour
Racines
Ervy-le-Châtel
Davrey
Avreuil
Vanlay
Chessy-les-Prés
Courtaoult
Soumaintrain
Beugnon
Germigny
Butteaux
Percey
Flogny-la-Chapelle
Jaulges
Marolles-s/s-Lignières
Lignières
Bernon
Vallières
Turgy
Cussangy
Lagesse
Chaource
Les Loges-Margueron
Metz-Robert
Forêt d'Aumont
Forêt de Rumilly
Forêt de Cussangy
Maraye-en-Othe
Nogent-en-Othe
Bois de Maraye
Praslin
Pargues
Maisons-lès-Chaource
Villiers-s/s-Praslin
Arrelles
Avirey
Bagneux-la-Fosse
les Riceys
Balnot-la-Grange
Vougrey
Villemorien
Polisot
Jully-s-Sarce
Virey-s/s-Bar
Courtenot
Fouchères
Rumilly-lès-Vaudes
Chappes
Poligny
Villemoyenne
Vaudes
Cormost
les Bordes-Aumont
Montceaux-lès-Vaudes
Villy-le-Bois
Chesley
Etourvy
Villiers-le-Bois
Bragelogne
Beauvoir-s-Sarce
Channes
Quincerot
Trichey
Arthonnay
Coussegrey
Prusy
Chaserey
Mélisey
Villon
Thorey
Rugny
Forêt de Maulnes
Vertault
Channay
Nicey
Cruzy-le-Châtel
Baon
Tanlay
Commissey
St Martin-Armançon
Molosmes
Epineuil
Tonnerre
Junay
Dannemoine
Cheney
Tronchoy
Roffey
Carisey
Villiers-Vineux
Dyé
Bernouil
Vézinnes
Vézannes
Mére
Varennes
Fontenay-près-Chablis
Tissey
Collan
Serrigny
Fleys
Viviers
Béru
Chichée
Yrouerre
Chemilly-s-Serein
Poilly-s-Serein
Ste Vertu
Molay
Annay-s-Serein
Noyers
Censy
Moulins-en-Tonnerrois
Sambourg
Fresnes
Lézinnes
Argentenay
Ancy-le-Libre
Ancy-le-Franc
Pacy-s-Armançon
Vireaux
Argenteuil-s-Armançon
Chassignelles
Fulvy
Nuits
Ravières
Stigny
Villiers-les-Hauts
Sennevoy-le-Bas
Jully
Gigny
Gland
Pimelles
Aigremont
Lichères-près-Aigremont
Nitry
Jouancy
Sarry
Etivey
Aisy-s-Armançon
Rougemont
Perrigny-s-Armançon
Cry
Asnières-en-Montagne
Arrans
Buffon
Pasilly
Sanvigne
Bois de la Ville
Bois des Brions
Bois du Champ Ragot
Bois de Nuits
mise en service : début 1998
CIMENTS LAFARGE
90
113
137
A 6-E 15-E 60
N 77
N 71
D 905
D 965
D 444
D 443
D 944
D 956

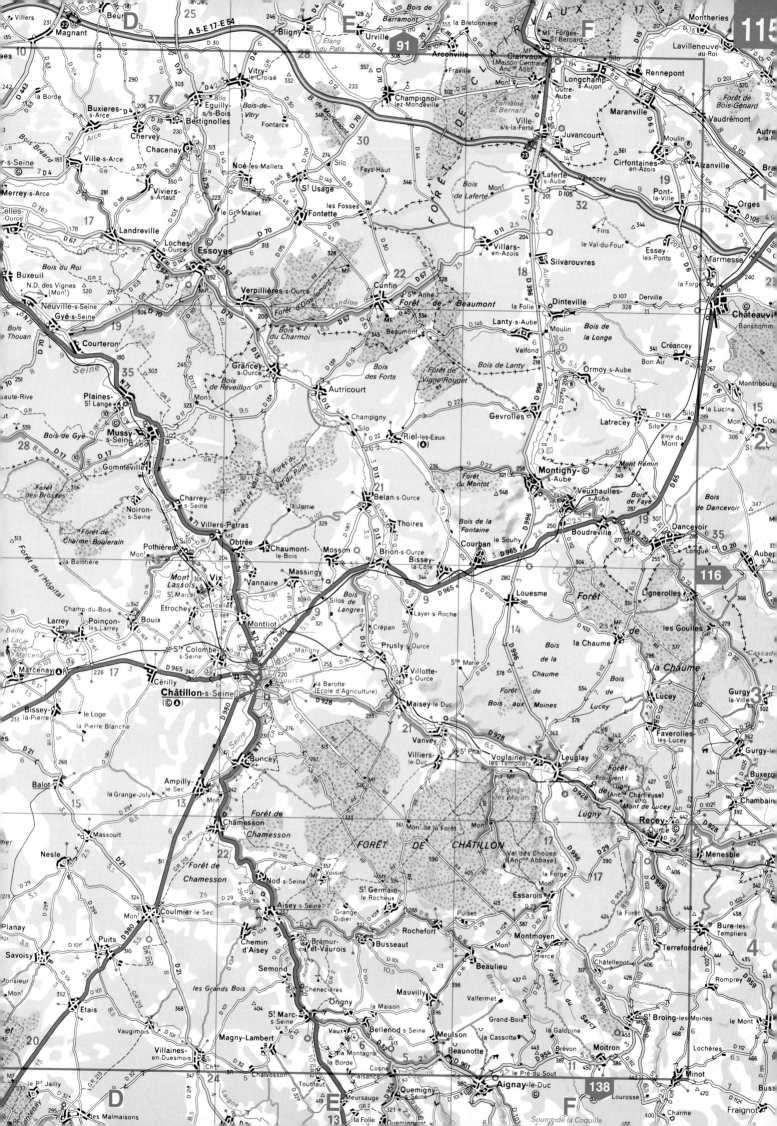
115
A 5-E 17-E 54
Magnant
Villers
Beurey
Bligny
Urville
Bois de Barramont
La Bretonnière
Clairvaux
Forêt de Clairvaux
Montheries
Lavilleneuve-au-Roi
Vitry-le-Croisé
Arconville
Fraville
Champignol-lez-Mondeville
Longchamp-s-Aujon
Outre-Aube
Rennepont
Maranville
Forêt de Bois-Gérard
Vaudrémont
Buxieres-s-Arce
Eguilly-s/s-Bois
Bertignolles
Chervey
Bois-de-Vitry
Fontarce
Fontaine St Bernard
Ville-s/s-la-Ferté
Juvancourt
Chacenay
Ville-s-Arce
Bois Bréard
Viviers-s-Artaut
Noé-les-Mallets
St Usage
Fays-Haut
Laferté-s-Aube
Bois de Laferté
Cirfontaines-en-Azois
Aizanville
Pont-la-Ville
Orges
Merrey-s-Arce
Celles-s-Ource
Landreville
Le Gd Mallet
Fontette
Les Fosses
Forêt de Beaumont
Villars-en-Azois
Silvarouvres
Le Val-du-Four
Essey-les-Ponts
Marmesse
Loches-s-Ource
Essoyes
Buxeuil
Bois du Roi
N.D. des Vignes
Verpillières-s-Ource
Forêt d'Oisellemont
Cunfin
Dinteville
Derville
La Forge
Châteauvillain
Neuville-s-Seine
Gyé-s-Seine
Bois de Thouan
Courteron
Landion
Bois du Charmoi
Beaumont
La Folie
Lanty-s-Aube
Moulin
Bois de la Longe
Créancey
Bon Air
Bonshommes
Seine
Grancey-s-Ource
Bois de Réveillon
Bois des Forts
Forêt de Vigne Rouget
Bois de Lanty
Valfond
Ormoy-s-Aube
Montribourg
Plaines-St Lange
Autricourt
Champigny
Gevrolles
Latrecey
La Lucine
Mussy-s-Seine
Bois de Gyé
Riel-les-Eaux
Fme du Mont
Gomméville
Forêt des Brosses
Forêt de Vauxoue
Forêt du Val du Puits
Forêt du Montot
Montigny-s-Aube
Mont Rémin
Charrey-s-Seine
Noiron-s-Seine
Belan-s-Ource
Veuxhaulles-s-Aube
Bois de Faye
Bois de Dancevoir
La Jarrie
Forêt de Charme-Boulerain
Villers-Patras
Thoires
Bois de la Fontaine
Boudreville
Dancevoir
Forêt de l'Hôpital
Pothières
Obtrée
Chaumont-le-Bois
Mosson
Courban
Le Souhy
Longué
Auberive
La Balotière
Mont Lassois
Vix
St Marcel
Vannaire
Massingy
Brion-s-Ource
Bissey-la-Côte
116
Champ-du-Bois
Etrochey
Courcelles
Bois de Langres
Silos
Layer-s-Roche
Louesme
Forêt de la Chaume
Lignerolles
Larrey
Poinçon-lès-Larrey
Bouix
Lac de Marcenay
Montliot
Crépan
Les Goulles
Ste Colombe-s-Seine
Marigny
Prusly-s-Ource
Bois de la Chaume
La Chaume
Marcenay
Cérilly
Châtillon-s-Seine
Source
La Barotte (Ecole d'Agriculture)
Villotte-s-Ource
Ste Marie
Forêt de Bois aux Moines
Bois de Lucey
Lucey
Gurgy-la-Ville
Bissey-la-Pierre
Le Loge
La Pierre Blanche
Maisey-le-Duc
Vanvey
Villiers-le-Duc
St Phal
Voulaines-les-Templiers
Leuglay
Faverolles-lès-Lucey
Gurgy-le-Château
Buncey
Balot
Ampilly-le-Sec
La Grange-Joly
Etangs des Marots
Forêt Froidvent de Lugny (Anc.ne Chartreuse)
Mont de Lucey
Lugny
Buxerolles
Chambain
Forêt de Chamesson
Chamesson
Mont de la Forêt
Recey-s-Ource
Menesble
Massoult
Nesle
Forêt de Châtillon
Val des Choues (Anc.ne Abbaye)
Nod-s-Seine
Voisin
St Germain-le-Rocheux
La Forge
Essarois
Coulmier-le-Sec
Aisey-s-Seine
Grange Didier
Puiset
Rochefort
Montmoyen
La Forêt
Bure-les-Templiers
Planay
Puits
Chemin d'Aisey
Brémur-et-Vaurois
Busseaut
Hierce
Terrefondrée
Savoisy
Semond
Beaulieu
Châtellenot
Romprey
Monsieur
Les Grands Bois
Chenecières
Mauvilly
Forêt du Sarcy
Etais
Origny
La Maison
Valfermet
St Broing-les-Moines
Le Mont
Vaugimois
St Marc-s-Seine
Grand-Bois
La Galopine
Villaines-en-Duesmois
Magny-Lambert
Vaux
Bellenod-s-Seine
Meulson
La Cassotte
Brévon
Moitron
Lochères
La Montagne
La Borde
Beaunotte
Chalvosson
Cosne
Plaisance
Le Pré-du-Sout
Minot
Le Pt Jailly
Toutifaut
Quemigny-s-Seine
Aignay-le-Duc
138
Lourosse
Meursauge
Les Malmaisons
La Folie
Source de la Coquille
Charme
Fraignot

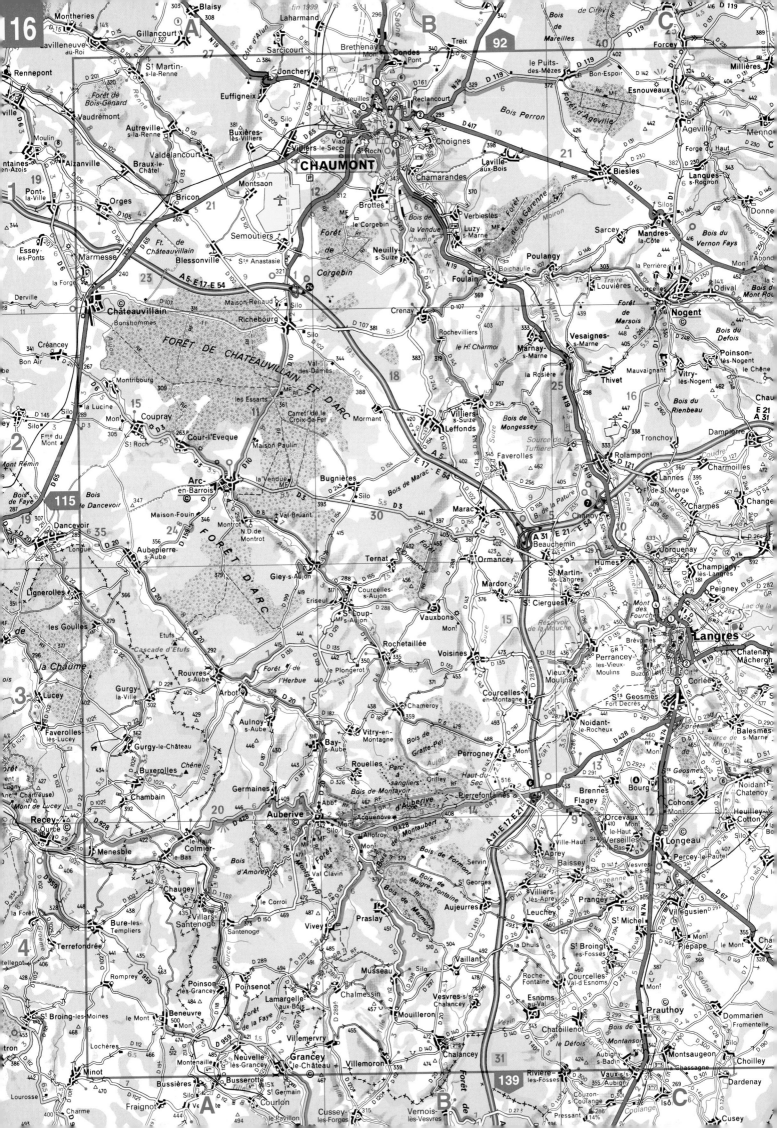

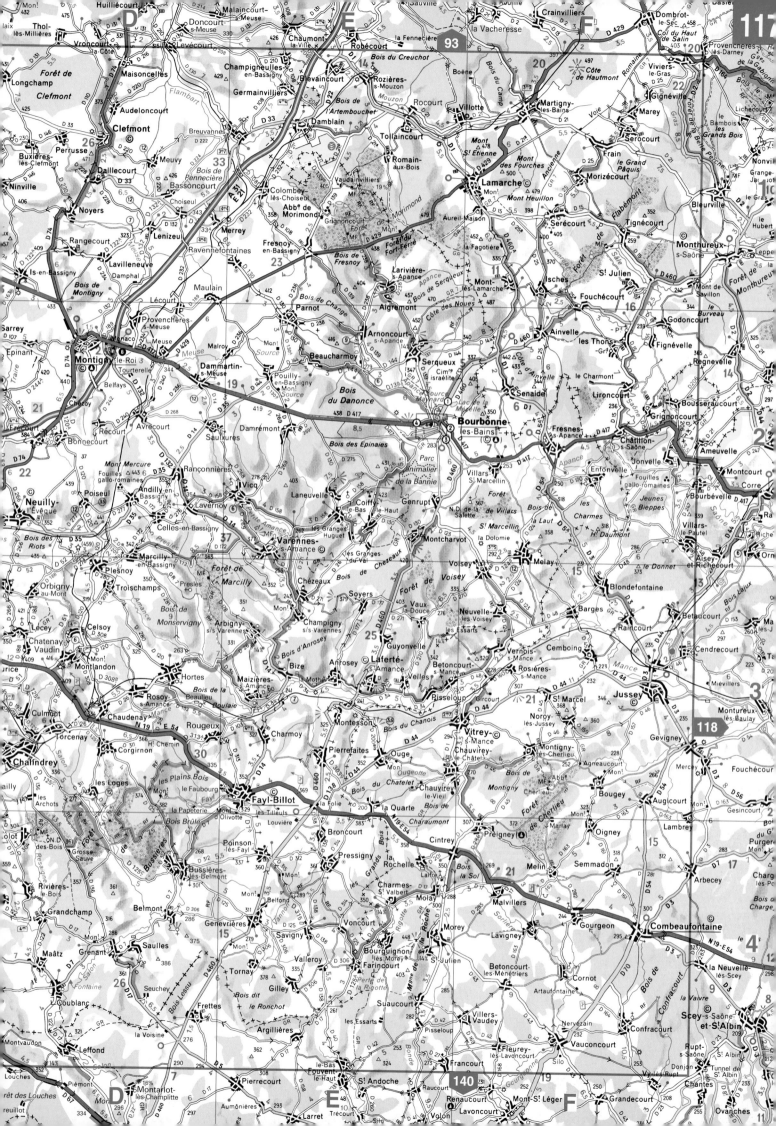

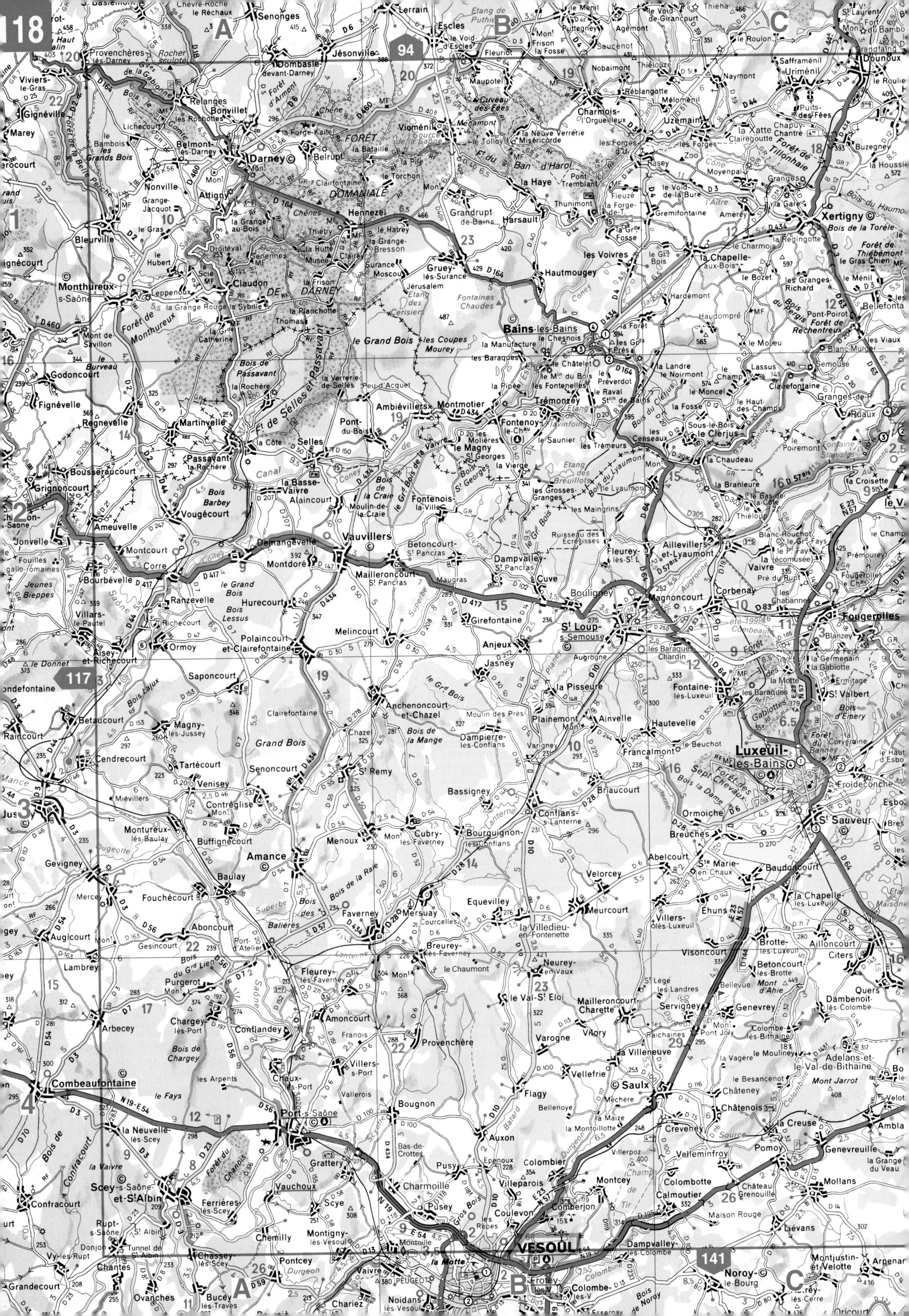
A
B
C
94
117
141
Senonges
Lerrain
Escles
Dombasle-devant-Darney
Jésonville
Provenchères-lès-Darney
Viviers-le-Gras
Gignéville
Relanges
Bonvillet
Darney
Belrupt
Vioménil
Charmois-l'Orgueilleux
Uzemain
Dounoux
Uriménil
Safframénil
Forêt Domaniale
Belmont-lès-Darney
Nonville
Attigny
Hennezel
Grandrupt-de-Bains
Harsault
la Haye
Xertigny
Bleurville
Monthureux-s-Saône
Claudon
Thiétry
Gruey-lès-Surance
Hautmougey
la Chapelle-aux-Bois
Bains-les-Bains
Forêt de Monthureux
Godoncourt
Fignévelle
Regnevelle
Martinvelle
Passavant-la-Rochère
Bois de Passavant
Ft de Selles et Passavant
Selles
Pont-du-Bois
Ambiévillers
Montmotier
Trémonzey
Fontenoy-le-Château
le Clerjus
Bousseraucourt
Grignoncourt
Ameuvelle
Vougécourt
la Basse-Vaivre
Alaincourt
Fontenois-la-Ville
Vauvillers
Demangevelle
Corre
Montcourt
Jonvelle
Bourbévelle
Ranzevelle
Montdoré
Mailleroncourt-St Pancras
Betoncourt-St Pancras
Dampvalley-St Pancras
Cuve
Fleurey-lès-St L.
Aillevillers-et-Lyaumont
Corbenay
Fougerolles
Bouligney
Magnoncourt
St Loup-s-Semouse
Villars-le-Pautel
Ormoy
Hurecourt
Polaincourt-et-Clairefontaine
Melincourt
Girefontaine
Anjeux
Jasney
Fontaine-lès-Luxeuil
St Valbert
Saponcourt
Magny-lès-Jussey
Betaucourt
Cendrecourt
Anchenoncourt-et-Chazel
Dampierre-lès-Conflans
la Pisseure
Plainemont
Ainvelle
Hautevelle
Francalmont
Luxeuil-les-Bains
Jussey
Tartécourt
Venisey
Senoncourt
St Remy
Bassigney
Briaucourt
Conflans-s-Lanterne
Ormoiche
Breuches
St Sauveur
Froideconche
Montureux-lès-Baulay
Contréglise
Buffignécourt
Amance
Menoux
Cubry-lès-Faverney
Bourguignon-lès-Conflans
Abelcourt
Ste Marie-en-Chaux
Baudoncourt
Gevigney
Baulay
Fouchécourt
Faverney
Mersuay
Equevilley
Velorcey
Meurcourt
la Villedieu-en-Fontenette
Villers-lès-Luxeuil
Éhuns
la Chapelle-lès-Luxeuil
Augicourt
Aboncourt
Port-d'Atelier
Breurey-lès-Faverney
Neurey-en-Vaux
Visoncourt
Brotte-lès-Luxeuil
Ailloncourt
Citers
Lambrey
Purgerot
Fleurey-lès-Faverney
le Val-St Eloi
Mailleroncourt-Charette
Betoncourt-lès-Brotte
Servigney
Genevrey
Dambenoit-lès-Colombe
Quers
Arbecey
Chargey-lès-Port
Conflandey
Amoncourt
Provenchère
Varogne
Vitory
Colombe-lès-Bithaine
Adelans-et-le-Val-de-Bithaine
Combeaufontaine
Chaux-lès-Port
Villers-s-Port
Vellefrie
Saulx
la Villeneuve
Châteney
Châtenois
Port-s-Saône
Bougnon
Flagy
la Neuvelle-lès-Scey
Auxon
Creveney
la Creuse
Pomoy
Genevreuille
Scey-s-Saône-et-St Albin
Confracourt
Vauchoux
Grattery
Charmoille
Pusy
Colombier
Villeparois
Montcey
Colombotte
Calmoutier
Velleminfroy
Mollans
Ferrières-lès-Scey
Scye
Pusey
Coulevon
Comberjon
Rupt-s-Saône
Chemilly
Montigny-lès-Vesoul
Vesoul
Dampvalley-lès-Colombe
Lièvans
Vy-lès-Rupt
Chantes
Chassey-lès-Scey
Pontcey
Vaivre
Frotey-lès-V.
Noroy-le-Bourg
Montjustin-et-Velotte
Grandecourt
Ovanches
Bucey-lès-Traves
Chariez
Noidans-lès-Vesoul
Colombe-lès-V.
Bois de Noroy

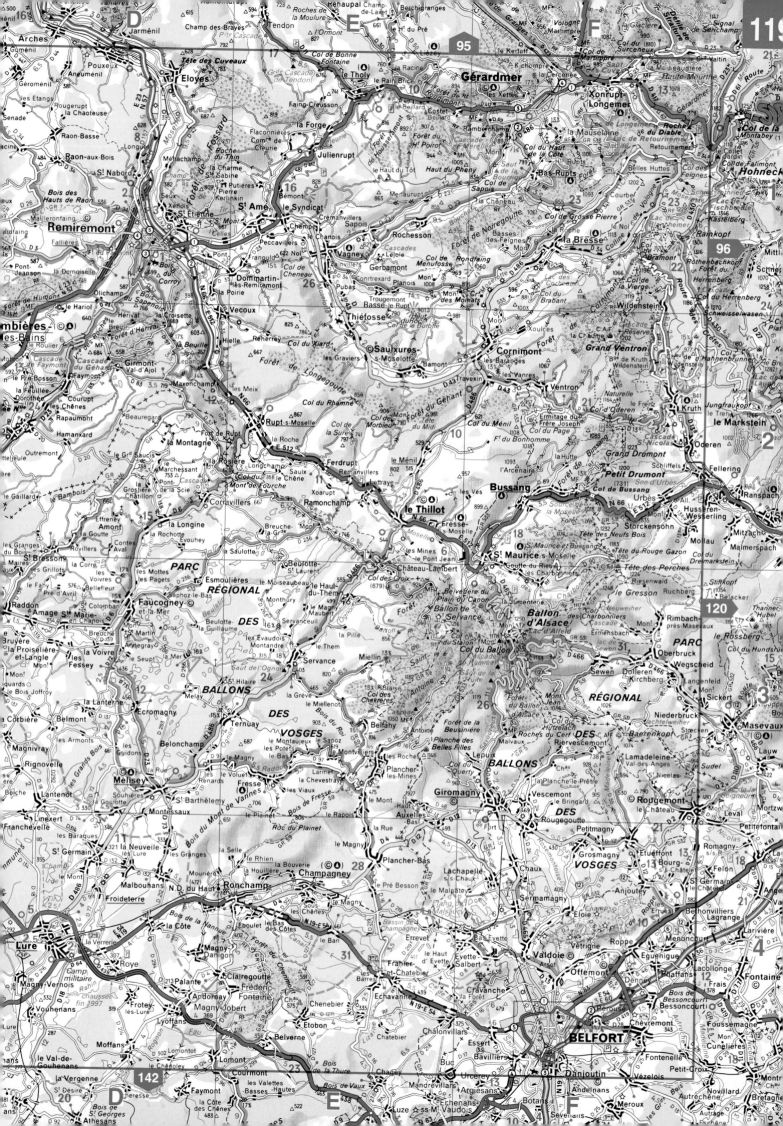
119
95
96
120
142
D
E
F
Arches
Jarménil
Tendon
Roches de la Moulure
Rehaupal
Champ-de-Laxet
Berchigranges
Vologne
Martimpré
la Glacière
Signal de Sérichamp
Col du Surceneux
Tête des Cuveaux
Eloyes
Pouxeux
Arnuménil
Géroménil
Col de Bonne Fontaine
le Tholy
Gérardmer
Forêt de Ramont
Xonrupt-Longemer
Col de Martimpré
Kichompré
Haute-Meurthe
Col de la Schlucht
Montabey
Col de Falimont
Hohneck
Rougerupt
la Chaoteuse
Raon-Basse
Raon-aux-Bois
Longuet
Forêt de Fossard
Roche du Thin
Faing-Creusson
la Forge
Flaconnières
Cleurie
Julienrupt
Forêt du Haut Poirot
Haut du Pheny
Rambercham
la Mauselaine
Roche du Diable
Lac de Longemer
Lac de Retournemer
Retournemer
Col du Haut de la Côte
Bas-Rupts
Col de Sapois
Belles Huttes
Col des Feignes
St Nabord
Méhachamp
la Charme
Ste Sabine
Putières
Pierre Kerlinkin
Bois des Hauts de Raon
Seux
Xenois
St Etienne
St Amé
le Syndicat
Bémont
Menaurupt
la Chenau
Col de Grosse Pierre
Lac de Fischboedle
Kastelberg
Rainkopf
Remiremont
Maillerontaine
Fallières
Crémanvillers
Sapois
Champé
le Chanois
Vagney
Rochesson
Forêt de Noirgoutte
Basses des Feignes
la Roche
la Bresse
Colline de Vologne
Col de Bramont
Rothenbachkopf
Forêt du Herrenberg
Pont-Jeanson
la Demoiselle
Bois du Corroy
Dommartin-lès-Remiremont
Col de Cheneau
Pubas
Gerbamont
Col de Menufosse
Rondfaing
Lac des Corbeaux
Col du Brabant
Col de la Vierge
Col du Herrenberg
Schweisselwasen
Forêt de Humont
Olichamp
le Hariol
Bois du Sapenois
Hérival
la Croisette
Vecoux
Trougemont
Basse-le-Rupt
Planois
Mon! des Moinats
Wildenstein
Route des Crêtes
Plombières-les-Bains
Forêt d'Hérival
Hielle
Reherrey
Col du Xiard
Thiéfosse
Col de la Burotte
Xoulces
Cascade de la Réserve
la Chaume
Grand Ventron
Col d'Hahnenbrunnen
le Roulier
Cascade de Faymont
Cascade du Géhard
Girmont-Val-d'Ajol
la Beuille
Lepange
les Graviers
Forêt de Longegoutte
Saulxures-s-Moselotte
Bamont
Cornimont
les Baranges
les Vanres
Travexin
Ventron
Bs de Kruth Wildenstein
le Pré-Bosson
Faymont
la Feuillée Dorothée
Courupt
les Chênes
Rapaumont
Maxonchamp
les Meix
Col du Rhamné
Col de Morbieux
Forêt du Géhant
Tête du Midi
Col du Ménil
Ermitage du Frère Joseph
Col du Page
Naturelle
Col d'Oderen
le Frenz
Kruth
Jungfraukopf
le Markstein
Hamanxard
Beauregard
Rupt-s-Moselle
Col de la Sure
Ft du Bonhomme
Cascade St Nicolas
Oderen
Outremont
la Montagne
Fort de Rupt
la Roche
Ferdrupt
le Ménil
l'Arcenaire
Forêt de Bussang
Grand Drumont
Schliffels
Fellering
le Gd Saucis
la Rosière
Longchamp
Marchessant
Pont-de-la-Scie
Col du Mont de Fourche
Saulx
le Chêne
Remanvillers
Lettraye
Petit Drumont
Col de Bussang
Urbès
See d'Urbès
le Bambois
la Grosliere
Châtillon
Corravillers
Xoarupt
Ramonchamp
le Thillot
Bussang
Source de la Moselle
Husseren-Wesserling
Ranspach
Effreney
Amont
la Longine
la Rochotte
Evouhey
Breuche-la-Grde
Fresse-s-Moselle
Storckensohn
Mitzach
Tête des Neufs Bois
Mollau
Malmerspach
les Granges du Bois
la Goutte
Rovillers
Contes Aval
la Saulotte
les Mines
le Pont Jean
St Maurice-s-Moselle
St Maurice et Bussang
Tête du Rouge Gazon
Col du Dreimarkstein
St Bresson
les Maires
les Grillots
la Corre
les Voivres
les Mottes
les Pagets
PARC
Esmoulières
Beulotte-St Laurent
Château-Lambert
Goutte du Rieux
les Charbonniers
Tête des Perches
le Fahy
Pré d'Avril
Bellefleur
RÉGIONAL
le Moiseaubeau
le Haut-du-Them
Col des Croix
Belvédère du Plain du Canon
la Jumenterie
Riesenwald
Stiftkopf
Ruchberg
le Gresson
Raddon
Amage
Colomban
Faucogney-et-la-Mer
Saphoz-le-Bas
le Monthury
le Magny
Maubert
Forêt du Ballon de Servance
Ballon d'Alsace
Col des Charbonniers
Neuweiher
Belacker
Thanner Hubel
St Marie-en-Chanois
Breuché
Mont Martin
Beulotte-la Guillaume
DES
Servanceuil
Col du Stalon
Lac d'Alfeld
Ermensbach
Rimbach-près-Masevaux
le Rossberg
Bruyère
la Proiselière-et-Langle
Annegray
Oroz
les Evaudois
Montandre
la Pille
Col du Ballon
lac de Sewen
Col du Hundsrück
les Fessey
la Voivre
le Seupt
la Mer
Saut de l'Ognon
Servance
Miellin
Forêt de St Antoine
Sewen
Dolleren
Kirchberg
Oberbruck
Wegscheid
Langenfeld
St Hilaire
BALLONS
la Grève
le Miellenot
Col des Chevrères
Mont Jean
RÉGIONAL
Sickert
le Bois Joffroy
la Lanterne
Melay
Ecromagny
Ternuay
VOSGES
Bois du Rod
Belfahy
Forêt de la Beusinière
Col du Hirtzelach
Niederbruck
Masevaux
la Corbière
Belmont
les Armonts
le Montjaux
le Sapoz
les Potets
les Bas
les Montvilliers
St Antoine
Planche des Belles Filles
Roches du Cerf
Riervescemont
Baerenkopf
Lauw
Magnivray
Rignovelle
les Guidons
Belonchamp
Plancher-les-Mines
Col du Querty
Malvaux
Lepuix
Lamadeleine-Val-des-Anges
le Sudel
Mélisey
la Rue
les Renards
le Voluet
la Chevestraye
Fresse
les Viaux
Bois de Fresse
la Planche-le-Prêtre
St Nicolas
Lantenot
Souhières
la Goutelle
St Barthélemy
Bois du Mont de Vannes
le Mont
Haut
Auxelles
Giromagny
Vescemont
le Bringard
Rougemont-le-Château
Bois de la Seigneurie
Montessaux
le Plainet
Roc du Plainet
le Rapois
Basi
Fort
Rougegoutte
Leval
Petitefontaine
Linexert
Franchevelle
les Baraques
la Neuveile-lès-Lure
les Granges
la Selle
le Magny
le Rhien
la Rue
Plancher-Bas
Petitmagny
Grosmagny
Etueffont
Bourg-s-Châtelet
Romagny-s-R
St Germain
Malbouhans
N.D. du Haut
Mourière
la Bouverie
la Houillère
Ronchamp
Champagney
le Pré Besson
Lachapelle-s-Chaux
Chaux
le Malpaty
Etang des Malsaucy
VOSGES
Anjoutey
Felon
St Germain le Châtelet
Froideterre
Sous-Chênes
le Magny
Sermamagny
Eloie
Bethonvilliers
Lagrange
Larivière
Lure
la Verrerie
Bois de la Nanne
la Côte
Eboulet
les Bas des Côtes
Bassin de Champagney
Canal
le Ban
Errevet
le Haut d'Evette
Evette-Salbert
Bas Evette
Valdoie
Roppe
Menoncourt
Eguenigue
Roye
Camp militaire
Magny-Vernois
Magny-Danigon
Forêt du Chérimont
Frahier-et-Chatebier
les Barres
Cravanche
la Forêt
Arsot
Offemont
Denney
Phaffans
Lacollonge
Fontaine
Palante
Clairegoutte
Frédéric Fontaine
Chenebier
Echavanne
Vétrigne
Bois de Bessoncourt
Bessoncourt
Frais
Vouhenans
Frotey-lès-Lure
Andornay
Magny-Jobert
Etobon
Pérouse
Chèvremont
Foussemagne
Lyoffans
Moffans
Belverne
Chalonvillars
Essert
Bavilliers
BELFORT
Fontenelle
Cunelières
le Val-de-Gouhenans
Lomontot
le Chênoley
Lomont
Chatebier
Chagey
Buc
Urcerey
Danjoutin
Petit-Croix
Vézelois
la Vergenne
Courmont
les Valettes-Basses
-Hautes
Bois de la Thure
Bois de Vaux
Mandrevillars
Argiésans
Andelnans
Meroux
Autrechêne
Novillard
Bretagne
St Désire
Heresse
Faymont
la Côte des Chênes
Echenans
Luze
ss-Mt Vaudois
Botans
Sevenans
Bois de St Georges
Athesans

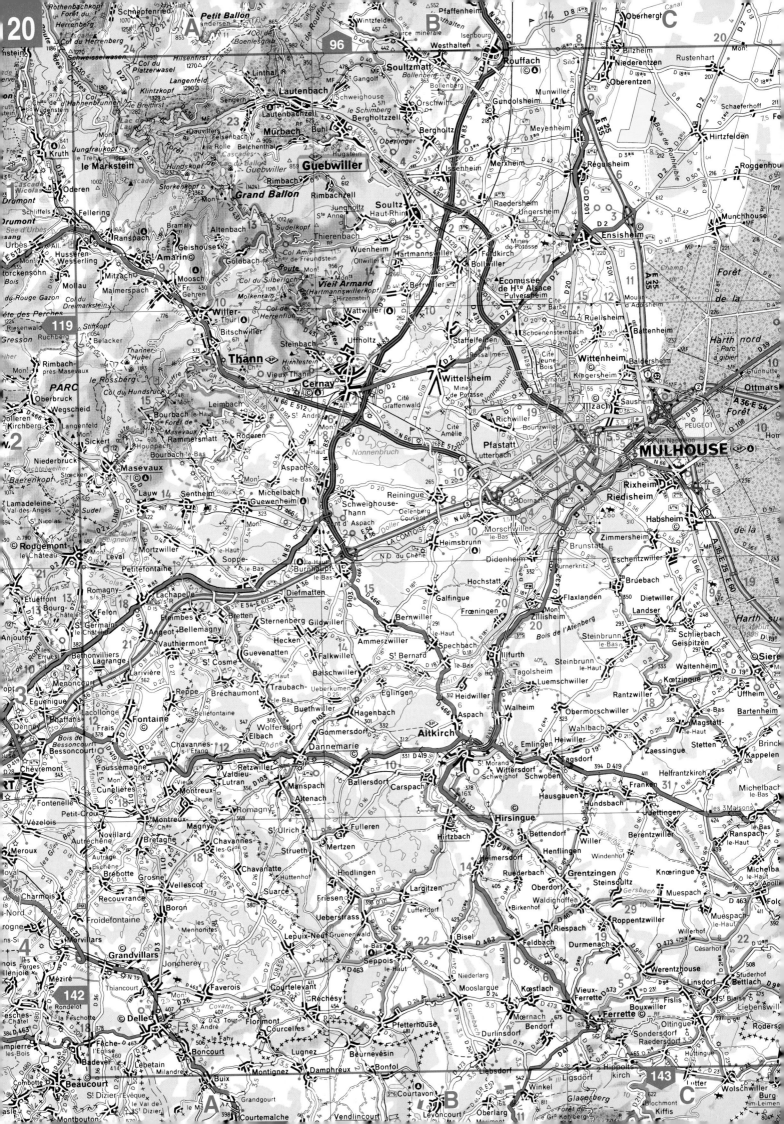
A
B
C
96
119
142
143
MULHOUSE
Guebwiller
Grand Ballon
Thann
Cernay
Altkirch
Rouffach
Soultzmatt
Lautenbach
Murbach
Soultz-Haut-Rhin
Ensisheim
Wittelsheim
Wittenheim
Pfastatt
Rixheim
Riedisheim
Habsheim
Illzach
Masevaux
St Amarin
Willer-s-Thur
Kruth
le Markstein
Oderen
Fellering
Rougemont-le-Château
Dannemarie
Hirsingue
Ferrette
Delle
Beaucourt
Grandvillars
Fontaine
Hartmannswiller
Vieil Armand
Bollwiller
Staffelfelden
Ecomusée de Hte Alsace
Réguisheim
Battenheim
Baldersheim
Sausheim
Lutterbach
Reiningue
Heimsbrunn
Morschwiller-le-Bas
Didenheim
Brunstatt
Zillisheim
Illfurth
Tagolsheim
Walheim
Aspach
Carspach
Seppois-le-Haut
Courtelevant
Réchésy
Pfetterhouse
Bonfol
Beurnevésin
Damphreux
Lugnez
Boncourt
Montignez
Buix
Courtemaîche
Vendlincourt
Courtavon
Levoncourt
Oberlarg
Winkel
Ligsdorf
Kiffis
Wolschwiller
Lutter
Oltingue
Bouxwiller
Vieux-Ferrette
Koestlach
Moernach
Bendorf
Durlinsdorf
Liebsdorf
Feldbach
Riespach
Bisel
Largitzen
Friesen
Ueberstrass
Hindlingen
Mertzen
Fulleren
Hirtzbach
Heimersdorf
Ruederbach
Grentzingen
Oberdorf
Henflingen
Bettendorf
Willer
Roppentzwiller
Durmenach
Werentzhouse
Linsdorf
Bettlach
Fislis
Hundsbach
Jettingen
Berentzwiller
Ranspach-le-Haut
Muespach
Knoeringue
Michelbach-le-Haut
Helfrantzkirch
Franken
Hausgauen
Schwoben
Tagsdorf
Wittersdorf
Emlingen
Heiwiller
Zaessingue
Stetten
Kappelen
Magstatt-le-Haut
Bartenheim
Uffheim
Koetzingue
Waltenheim
Rantzwiller
Obermorschwiller
Wahlbach
Steinbrunn-le-Bas
Steinbrunn-le-Haut
Luemschwiller
Schlierbach
Geispitzen
Landser
Dietwiller
Bruebach
Flaxlanden
Eschentzwiller
Zimmersheim
Galfingue
Froeningen
Hochstatt
Spechbach
Bernwiller
St Bernard
Heidwiller
Ballersdorf
Eglingen
Hagenbach
Gommersdorf
Wolfersdorf
Elbach
Buethwiller
Balschwiller
Traubach-le-Bas
Falkwiller
Ammerzwiller
Gildwiller
Hecken
Sternenberg
Guevenatten
Diefmatten
Burnhaupt
Soppe-le-Bas
Michelbach
Guewenheim
Schweighouse-Thann
Sentheim
Lauw
Mortzwiller
Leval
Petitefontaine
Lachapelle
Romagny
Felon
Bretten
Etimbes
Bellemagny
Angeot
Vauthiermont
St Cosme
Lagrange
Larivière
Reppe
Bréchaumont
Menoncourt
Eguenigue
Lacollonge
Phaffans
Frais
Denney
Chavannes-s-l'Étang
Foussemagne
Bessoncourt
Chèvremont
Cunelières
Montreux-Vieux
Montreux-Jeune
Montreux-Chau
Valdieu-Lutran
Retzwiller
Romagny
Manspach
Altenach
Magny
St Ulrich
Strueth
Chavanatte
Suarce
Lepuix-Neuf
Chavannes-les-Gds
Novillard
Autrechêne
Bretagne
Petit-Croix
Fontenelle
Vézelois
Meroux
Brebotte
Grosne
Vellescot
Recouvrance
Boron
Froidefontaine
Charmois
Morvillars
Méziré
Joncherey
Faverois
Florimont
Courcelles
Thiancourt
Fêche-l'Église
Badevel
Lebetain
Montbouton
St Dizier-l'Évêque
Rimbach-près-Masevaux
Oberbruck
Wegscheid
Kirchberg
Sickert
Niederbruck
Rammersmatt
Roderen
Leimbach
Bourbach-le-Haut
Bourbach-le-Bas
Aspach-le-Haut
Aspach-le-Bas
Bitschwiller
Uffholtz
Wattwiller
Steinbach
Berrwiller
Wuenheim
Goldbach
Geishouse
Altenbach
Ranspach
Mitzach
Mollau
Malmerspach
Moosch
Husseren-Wesserling
Urbès
Rimbach
Rimbachzell
Jungholtz
Thierenbach
Bergholtz
Bergholtzzell
Orschwihr
Buhl
Lautenbachzell
Linthal
Westhalten
Pfaffenheim
Gundolsheim
Merxheim
Issenheim
Raedersheim
Ungersheim
Feldkirch
Pulversheim
Ruelisheim
Kingersheim
Richwiller
Munwiller
Meyenheim
Niederentzen
Oberentzen
Oberhergheim
Biltzheim
Rustenhart
Hirtzfelden
Roggenhouse
Munchhouse
Ottmarsheim
Forêt de la Harth
PEUGEOT
Harth nord
Petit Ballon
Schnepfenried
Col de la Schlucht
Hohneck
Col du Herrenberg
Kastelberg
Rothenbachkopf
Col du Platzerwasel
Langenfeld
Klintzkopf
Storkenkopf
Col du Bramont
Ballon d'Alsace
Col du Hundsruck
Thanner Hubel
le Rossberg
Col du Silberloch
Molkenrain
Baerenkopf
Lamadeleine-Val-des-Anges
St Nicolas
Etueffont
Bourg-s-Châtelet
St Germain-le-Châtelet
Anjoutey
Bethonvilliers
Rougegoutte
LA COMTOISE
E 54
A 36
A 35
E 25
E 60
N 66
E 512
N 83
D 466
D 432
D 419
D 463
Thur
Doller
Ill
Largue
Rhône
Nonnenbruch
Bois de l'Atenberg
Cité Graffenwald
Mines de Potasse
Cité Amélie
Dornach
Ile Napoléon

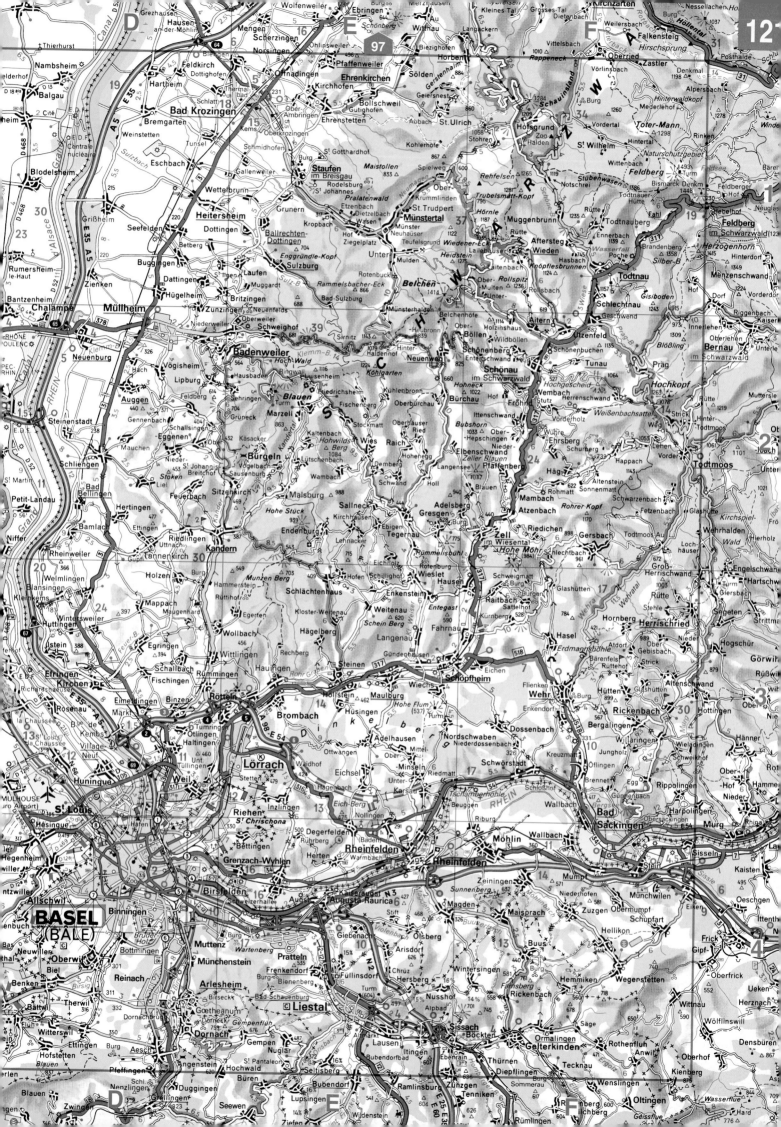

121
D
E
F
97
Canal
Grand Canal d'Alsace
RHEIN
Bad Krozingen
Müllheim
Neuenburg
Chalampé
Blodelsheim
Heitersheim
Staufen im Breisgau
Ehrenkirchen
Pfaffenweiler
Münstertal
Badenweiler
Schweighof
Sulzburg
Kandern
Schliengen
Bad Bellingen
Auggen
Bürgeln
Belchen
Neuenweg
Schönau im Schwarzwald
Todtnau
Feldberg
Feldberg im Schwarzwald
Todtnauberg
Oberried
Kirchzarten
Hofsgrund
Schauinsland
Zell im Wiesental
Todtmoos
Bernau im Schwarzwald
Hochkopf
Herrischried
Rickenbach
Wehr
Schopfheim
Steinen
Maulburg
Lörrach
Weil
Rötteln
Efringen-Kirchen
Huningue
St. Louis
MULHOUSE
BASEL (BÂLE)
Riehen
St. Chrischona
Grenzach-Wyhlen
Rheinfelden
Möhlin
Bad Säckingen
Murg
Schwörstadt
Dinkelberg
Birsfelden
Muttenz
Münchenstein
Pratteln
Arlesheim
Liestal
Dornach
Augusta Raurica
Magden
Maisprach
Sissach
Gelterkinden
Frick
Binningen
Oberwil
Reinach
Allschwil
SCHWARZWALD

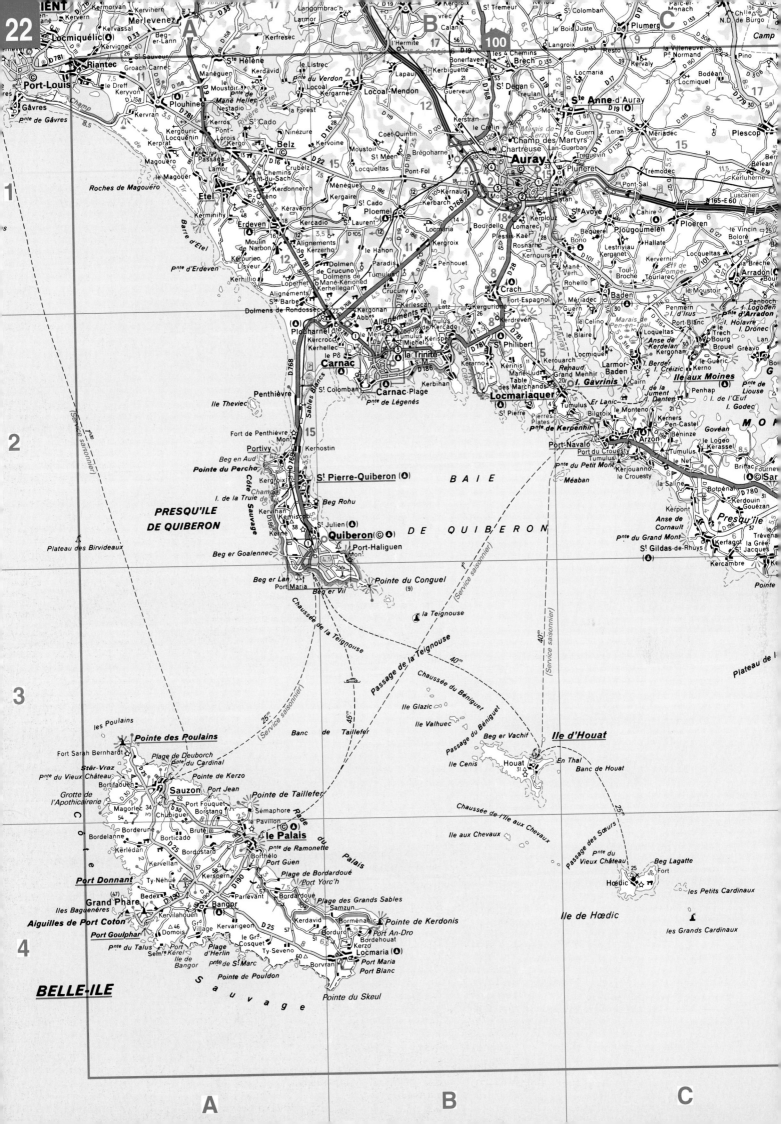
A
B
C
1
2
3
4
Locmiquélic
Port-Louis
Riantec
Gâvres
Pnte de Gâvres
Merlevenez
Plouhinec
Ste Hélène
Locoal-Mendon
Belz
Etel
Roches de Magouëro
Barre d'Etel
Erdeven
Pnte d'Erdeven
Ploemel
Auray
Ste Anne-d'Auray
Pluneret
Plescop
Brech
Plumergat
Crach
Baden
Arradon
Plougoumelen
Ploeren
Plouharnel
Carnac
Carnac-Plage
la Trinité-sur-Mer
St Philibert
Locmariaquer
I. Gavrinis
Ile aux Moines
Larmor-Baden
Port-Navalo
Arzon
Pnte de Kerpenhir
Pnte du Petit Mont
Méaban
Presqu'île
St Gildas-de-Rhuys
Pnte du Grand Mont
Penthièvre
Ile Theviec
Fort de Penthièvre
Portivy
Pointe du Percho
Côte Sauvage
St Pierre-Quiberon
PRESQU'ILE DE QUIBERON
BAIE DE QUIBERON
Quiberon
Port-Haliguen
Pointe du Conguel
Beg er Vil
Port Maria
Plateau des Birvideaux
Chaussée de la Teignouse
la Teignouse
Passage de la Teignouse
Chaussée du Béniguet
Passage du Béniguet
Ile Glazic
Ile Valhuec
Banc de Taillefer
Ile d'Houat
Houat
En Thal
Banc de Houat
Beg er Vachif
Ile Cenis
Chaussée de l'Ile aux Chevaux
Ile aux Chevaux
Passage des Sœurs
Pnte du Vieux Château
Beg Lagatte
Hœdic
Ile de Hœdic
les Petits Cardinaux
les Grands Cardinaux
Plateau de la Recherche
(Service saisonnier)
les Poulains
Pointe des Poulains
Fort Sarah Bernhardt
Sauzon
Pointe de Taillefer
Rade du Palais
le Palais
Pnte de Ramonette
Port Donnant
Grand Phare
Aiguilles de Port Coton
Port Goulphar
Bangor
Pointe de Kerdonis
Locmaria
Port Maria
Port Blanc
Pointe du Skeul
Pointe de Pouldon
Côte Sauvage
BELLE-ILE
N 165 - E 60
D 768
D 781
100

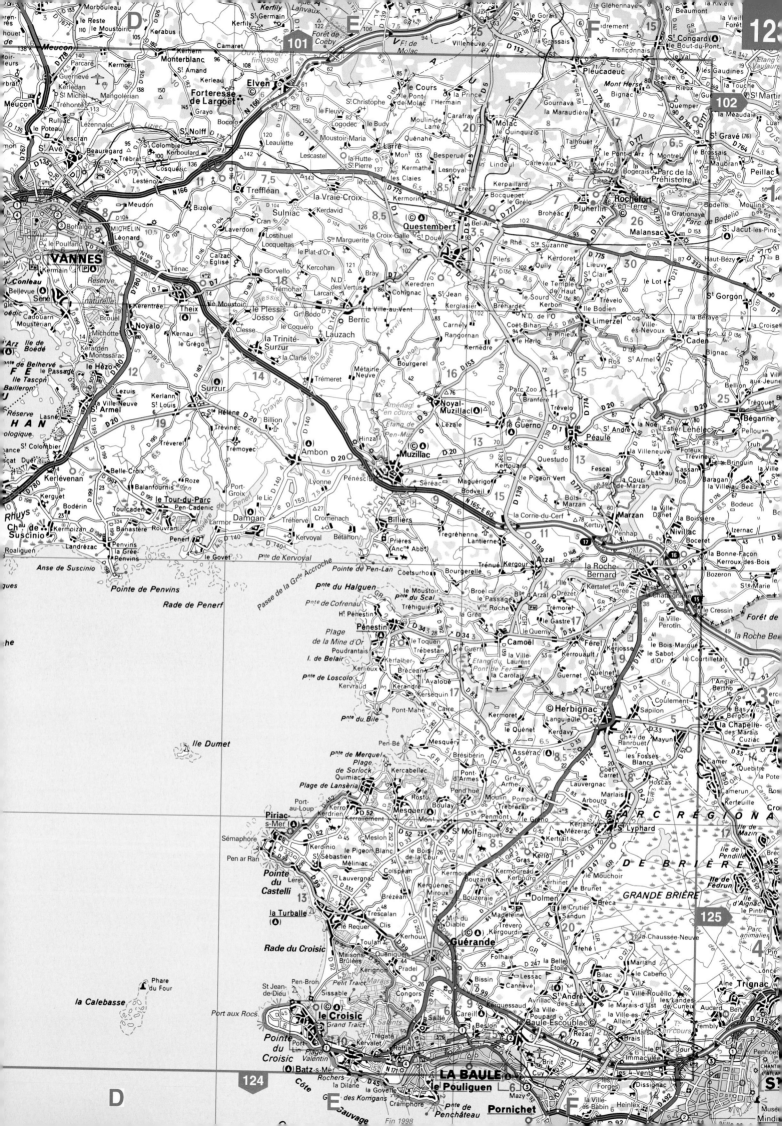
123
101
102
124
125
D
E
F
Morbouleau
le Reste
le Moustoiric
Kerfily
St Germain
Lanvaux
Forêt de Coëby
Fôt de Molac
Villeneuve
la Gléhennaye
Beaumont
St Congard
le Bout-du-Pont
Meucon
Parcaré
Kermoël
Monterblanc
St Amand
Kerleau
Camaret
Ouv. prévue fin 1998
Elven
Forteresse de Largoët
Guerneve
Kerlédan
St Michel
Mangolérian
Tréhonte
Rulliac
le Poteau
Lescran
St Avé
Beauregard
Trébrat
Cosquéric
St Colombier
Kerboulard
Lézennalec
St Nolff
Grayo
Bocolo
St Christophe
le Fleuvy
Logodec
le Budy
Moustoir-Maria
Leaulette
Lescastel
la Hutte-St Pierre
Larré
Quénahé
Moulin de Larré
Carafray
Molac
le Quinquizio
le Pont-de-Molac
le Cours
la Prince
l'Hermain
Gournava
la Maraudière
Pleucadeuc
Mont Hersé
Bignac
Rieux
Quemper
les Gaudines
la Touche
St Martin
la Meaudaie
St Gravé
les Brossais
Peillac
Montrel
Maubran
le Pont-d'Arz
Parc de la Préhistoire
Bogerais
Talhouët
Carlevaux
Lindeul
Besperué
Lesnoyal
Kermathé
les Claies
Mont
Erech
Kerpaillard
Bocquenet
le Grélo
Rochefort-en-Terre
Pluherlin
Brohéac
Malansac
la Grationaye
Parc de Bodelio
St Jacut-les-Pins
Bodelio
Moulins
Haut-Bézy
Lesténo
Meudon
Bizole
Trefflean
la Vraie-Croix
le Fozo
Kermorin
Sulniac
Kerdavid
Cran
Bohalgo
MICHELIN
Léonard
le Poulfanc
VANNES
Kermain
Laverdon
Lostihuel
Locqueltas
Ste Marguerite
la Croix-Galle
Questembert
Bel-Air
St Doué
le Rhé
Ste Suzanne
Kerdoret
Lieuvy
St Clair
Quily
Pilers
le Temple-de-Haut
le Lot
St Gorgon
Calzac
Eglise
Ténac
le Plat-d'Or
le Gorvello
Kercohan
Bray
N.D. des Vertus
Keredren
Cohignac
St Jean
Kerglasier
Bréhardec
le Sourd
Kerbon
Ile Bodien
Trévelo
Coq
Ville-ès-Nevoux
Caden
la Bérave
la Croise
Conleau
Réserve naturelle
Bellevue
Séné
Theix
Kerentrée
le Moustoir
le Plessis-Josso
Trémohar
Larcan
Grd Bodo
Berric
la Ville-au-Vent
Carnely
Rangornan
N.D. de l'O
Coët-Bihan
Limerzel
le Pinieux
le Herlo
Kernédre
Cadouarn
Moustérian
Brouel
Michotte
Noyalo
Kernau
le Grégo
Clesse
le Coquéro
la Trinité-Surzur
Lauzach
Kervily
Bourgerel
Ile de Boëdé
Kérarden
Montssarac
le Hézo
Ile de Belhervé
le Passage
Ile Tascon
Bailleron
la Clarté
Trémeret
Métairie-Neuve
Bignac
St Armel
Ros
Ville aux-Jeunes
Bellion
Trégouet
Béganne
Pellouan
Lezuis
Kerlann
St Louis
Surzur
la Ville-Neuve
St Armel
Réserve
Lasné
Ste Hélène
Billion
Parc Zoo
Branféré
Trévelo
Noyal-Muzillac
Aménagt en cours
Etang de Pen-Mur
le Guerno
Péaule
St André
la Noë
l'Estier
Léhélec
la Villeneuve
Foleux
Trévineuc
Bringuin
la Ville
St Colombier
Trèverel
Trévinec
Trémoyec
Ambon
Hinzal
Muzillac
Lézale
Kertouard
Questudo
Fescal
le Château
Cassan
Baragan
la Ville-au-Beau
Kerlévenan
Belle-Croix
Balanfournis
Roze
Port-Groix
Lyonne
Pénesclus
Séréac
Maguérigo
Bodveil
le Pigeon Vert
la Cour-de-Marzan
Bois-Marzan
Bodeuc
Kerguet
Bodérin
Toulcaden
le Tour-du-Parc
Pen-Cadenic
le Lic
Damgan
Tréhervé
Cromenach
Billiers
la Corne-du-Cerf
Marzan
la Ville-Danet
la Boissière
Rhuys
Chau de Suscinio
Kermoizan
Banastère
Rouvran
Larmor
Penerf
Kervoyal
Bétahon
Prières
Ancne Abbé
Tregréhenne
Lantierne
Kertuy
Penhap
Nivillac
Izernac
Boceret
Landrézac
Penvins
la Grée-Penvins
le Govet
Pnte de Kervoyal
Roaliguen
Anse de Suscinio
Pointe de Penvins
Rade de Penerf
Passe de la Grde Accroche
Pointe de Pen-Lan
Coëtsurho
Bourgerelle
Trénué
Kergour
Arzal
la Roche-Bernard
la Bonne-Façon
Kerroux-des-Bois
Bozeron
Ste Marie
Pnte du Halguen
le Moustoir
Pnte du Scal
Tréhiguier
Broel
le Passage
Bge d'Arzal
Drézet
Kertalet
la Grée
la Châtaigneraie
le Cressin
Forêt de
Pnte de Cofrenau
Ht Pénestin
la Grée
Vlle Roche
Trémorel
le Gastre
la Ville-Perotin
Plage de la Mine d'Or
Pénestin
le Toquen
Trébestan
le Guern
Camoël
le Querny
Férel
Kerjosse
le Bois-Marquer
le Sabot-d'Or
la Courtilletais
la Roche Be
Poudrantais
I. de Belair
Kerfalher
Kerlieux
Brécéan
la Ville-Laurent
Etang du Pont de Fer
la Carolais
Kerrouault
Guernet
Quelnet
Duret
Pnte de Loscolo
Kervraud
l'Avaloué
Kérandré
Kersequin
Pont-Mahé
Caire
Kermoret
Herbignac
Languieule
Kerdavy
le Ouénet
l'Angle-Bertho
Coulement
Sapilon
la Chapelle-des-Marais
Cuziac
Mayun
Pnte du Bile
Ile Dumet
Pen-Bé
Mesquéry
Brésiberin
Assérac
Chau de Ranrouët
les Fossés-Blancs
Camer
Quebitre
la Pote
Pnte de Merquel
Plage de Sorlock
Quimiac
Kercabellec
Pont-d'Armes
Pend'hué
Grd Arme
Coët-Carret
Lauvergnac
Marlais
Arbourg
Hoscas
Camerun
Kerfeuille
Plage de Lansèria
Port-au-Loup
Kerro
Kerdrien
Kerrallement
le Rostu
Boulay
Mesquer
Mont
Moulin
Trebrezan
Pompas
Penmont
le Greno
Piriac-s-Mer
St Molf
Binguet
Kerjano
Mézerac
St Lyphard
PARC RÉGIONAL
Ile de Mazin
Ile de Pendille
Sémaphore
Kerdinio
Meslon
le Pigeon Blanc
le Bois-de-la-Cour
Kertrait
Kerlo
Gras
DE BRIÈRE
Pen ar Ran
St Sébastien
Méliniac
Coispéan
Kermoisan
Kermoureau
Kerbourg
le Mouchoir
Ile de Fédrun
Pointe du Castelli
Leret
Lauvergnac
Kerguénec
Miroux
Bouzaire
Kerhinet
le Brunet
GRANDE BRIÈRE
Ile d'Aignac
le Pintré
Brézéan
Bouzeraie
Dolmen
Breca
Trescalan
Mln du Diable
la Madeleine
le Crutier
Sandun
la Turballe
le Requer
Clis
Tréveno
Kergourdin
Parc animalier
Rade du Croisic
Toulan
Kerhoux
Guérande
Trehé
la Chaussée-Neuve
Maisons-Brûlées
Queniquen
Folhaie
la Belle Etoile
Marland
le Cabeno
Kerignon
Pradel
Lessac
Canneve
Bilac
Aine
Trignac
Phare du Four
la Calebasse
Pen-Bron
Petit Trait
Marais
St Jean-de-Dieu
Sissable
Congors
Bissin
Avrillac
St André-des-Eaux
la Ville-Rouello
les Landes-de-Cuneix
Aucard
Port aux Rocs
le Croisic
Grand Traict
Salants
Saillé
Careill
Kerquessaud
la Ville-Poupard
le Marais-d'Ust
la Ville-ès-Allain
Fembly
Pointe du Croisic
Port-Lin
Plage Valentin
Trégaté
Kervalet
Roffiat
Beslon
la Baule-Escoublac
Rezac
Brais
Marsac
Tr carrcours
le Pt du Jour
Immaculée
Penhoet
Batz-s-Mer
Rochers
LA BAULE
le Pouliguen
Brit
Cuy
les 4-Vents
les Forges
Dissignac
Côte
la Dilane
la Govelle
des Korrigans
Cramphore
Sauvage
Pnte de Penchâteau
Mazy
Pornichet
la Ville-ès-Babin
Heinlex
Fin 1998
N 166
N 165
E 60
N 171
D 20
D 7
D 780
D 774
D 775
D 777

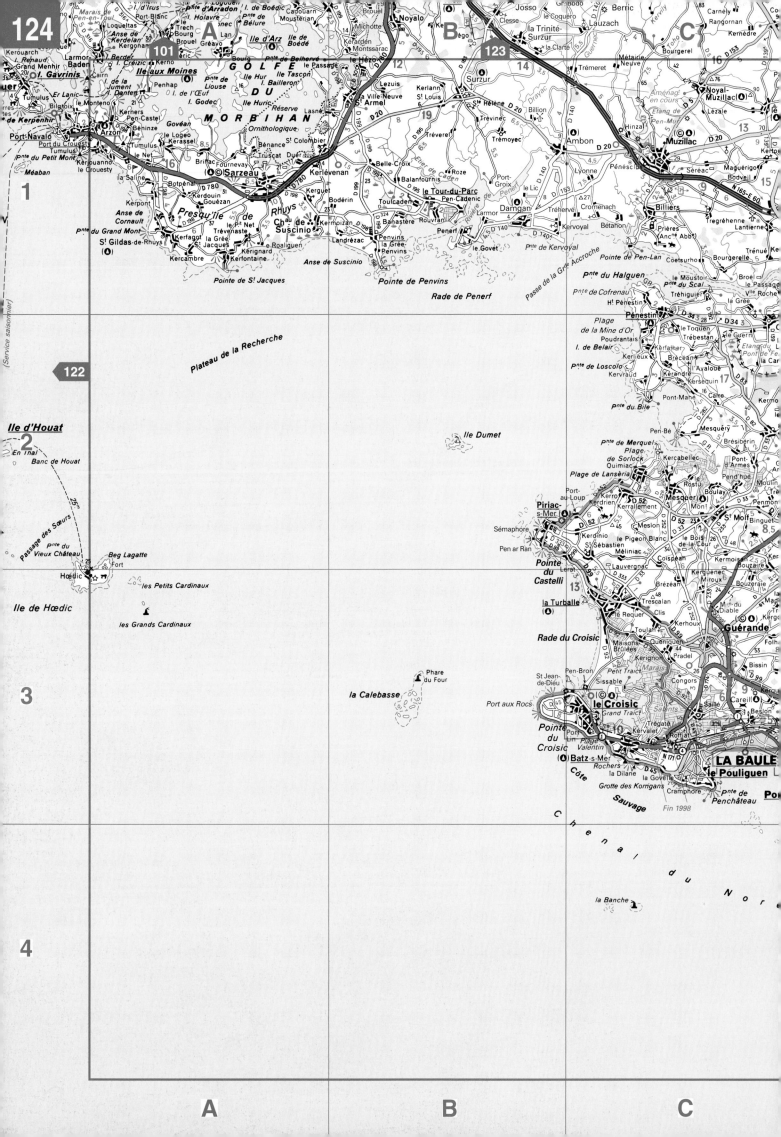
101
123
122
A
B
C
1
2
3
4
GOLFE DU MORBIHAN
Ile d'Arz
Ile aux Moines
I. Gavrinis
Port-Navalo
Arzon
Sarzeau
Presqu'île de Rhuys
Chau de Suscinio
St Gildas-de-Rhuys
Pointe de St Jacques
Anse de Suscinio
Pointe de Penvins
Rade de Penerf
le Tour-du-Parc
Damgan
Noyalo
Surzur
Ambon
Muzillac
Billiers
Pénestin
Plateau de la Recherche
Ile d'Houat
Ile de Hœdic
Hœdic
les Petits Cardinaux
les Grands Cardinaux
Ile Dumet
Phare du Four
la Calebasse
Piriac-s-Mer
Mesquer
la Turballe
Rade du Croisic
Guérande
le Croisic
Pointe du Croisic
Batz-s-Mer
Côte Sauvage
LA BAULE
le Pouliguen
Chenal du Nor
la Banche
Méaban
Passage des Sœurs
Banc de Houat
(Service saisonnier)

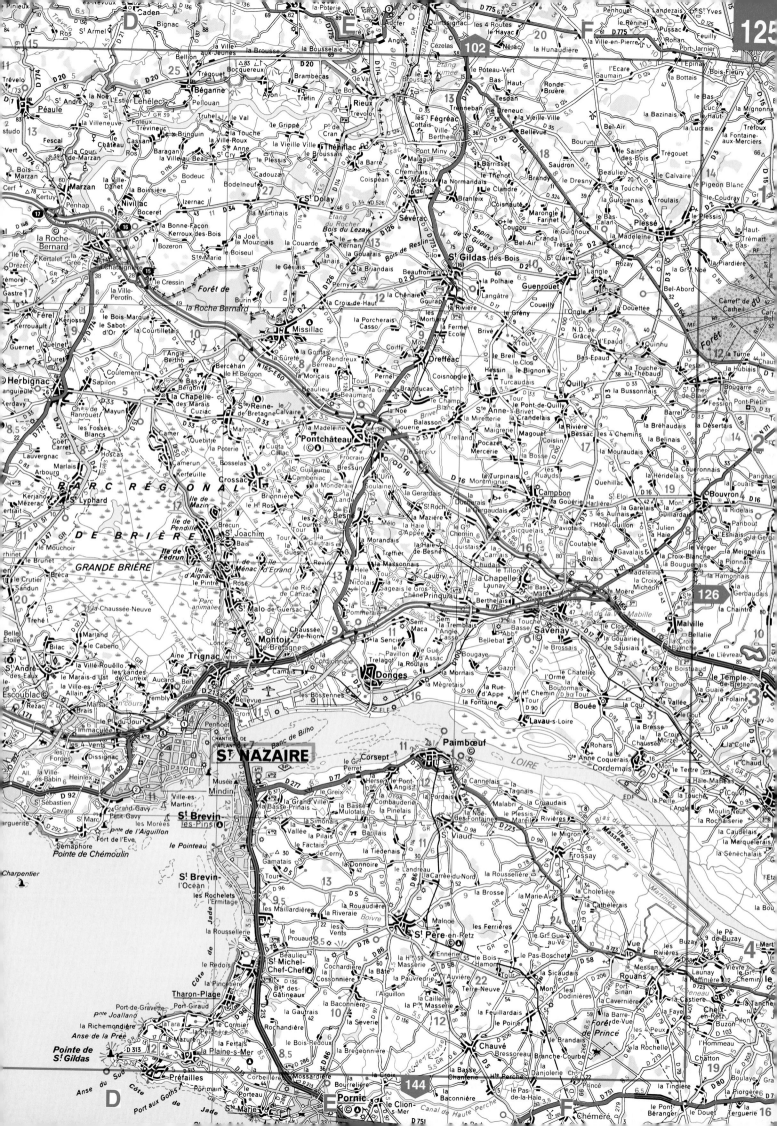

D
E
F
102
126
144
St Nazaire
Pontchâteau
Savenay
Donges
Montoir-de-Bretagne
Trignac
Paimbœuf
St Brevin-les-Pins
St Brevin-l'Océan
St Michel-Chef-Chef
Tharon-Plage
Préfailles
Pornic
St Père-en-Retz
Frossay
Chauvé
Rouans
Vue
Cordemais
Bouée
Lavau-s-Loire
Campbon
Bouvron
Malville
Le Temple-de-Bretagne
Quilly
Guenrouet
Plessé
St Gildas-des-Bois
Sévérac
Missillac
Drefféac
Herbignac
La Roche-Bernard
Nivillac
Marzan
Péaule
Béganne
Rieux
Fégréac
Théhillac
St Dolay
Crossac
St Joachim
St Lyphard
St Malo-de-Guersac
Besné
Prinquiau
Escoublac
St André-des-Eaux
PARC RÉGIONAL DE BRIÈRE
GRANDE BRIÈRE
LOIRE
Forêt de la Roche Bernard
Forêt du Gâvre
Forêt de Prince
Pointe de Chémoulin
Pointe de St Gildas
Anse du Sud
Côte de Jade
Banc de Bilho
Canal de la Martinière

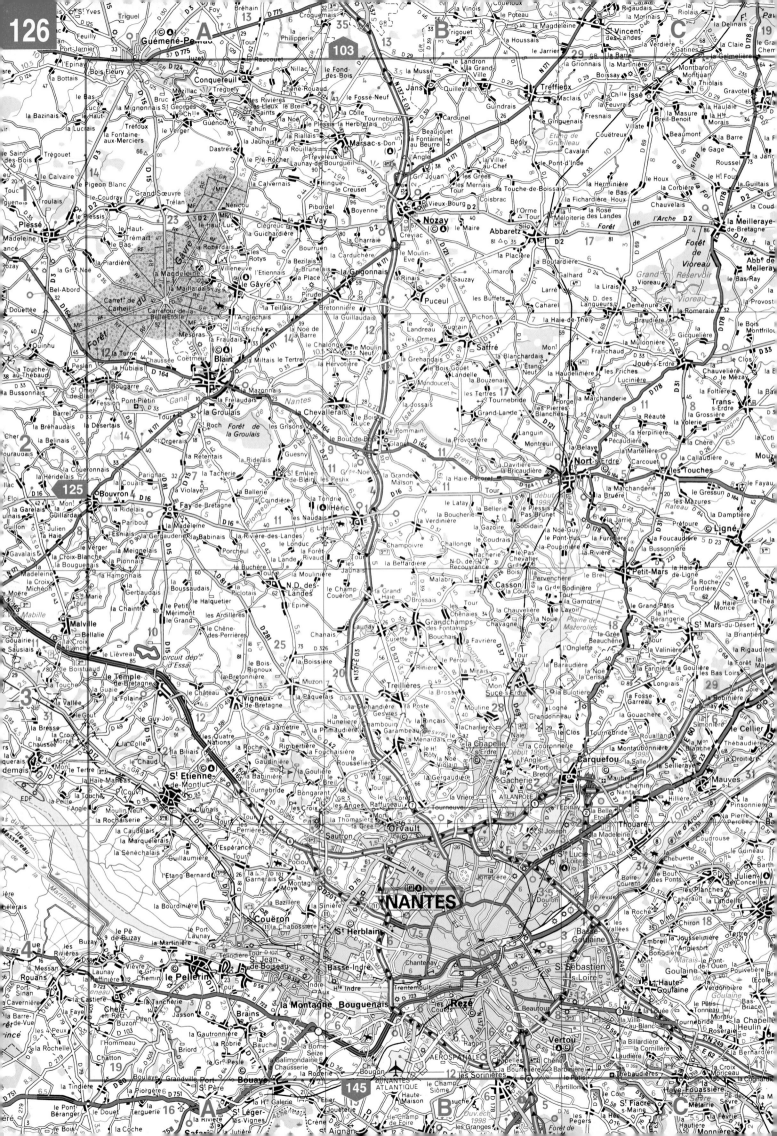

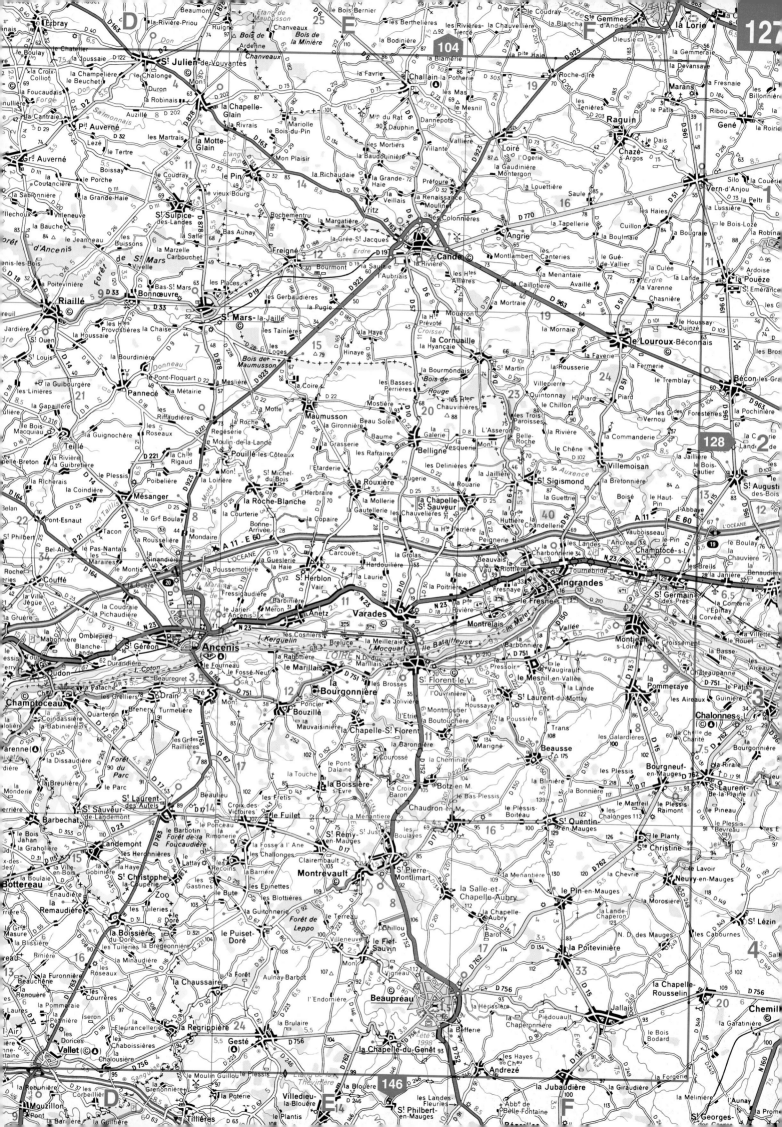
D
E
F
104
128
146
St Julien-de-Vouvantes
la Chapelle-Glain
la Motte-Glain
Challain-la-Potherie
Candé
Raguin
la Lorie
Marans
Gené
Vern-d'Anjou
la Pouëze
Bécon-les-Granits
le Louroux-Béconnais
Angrie
Loiré
Chazé-s-Argos
Freigné
Vritz
St Mars-la-Jaille
Bonnœuvre
Riaillé
Pannecé
Maumusson
Belligné
Teillé
Mésanger
Pouillé-les-Côteaux
la Roche-Blanche
la Rouxière
la Chapelle-St Sauveur
St Sigismond
Villemoisan
St Augustin-des-Bois
Champtocé-s-Loire
Ingrandes
Varades
Anetz
St Herblon
Couffé
Ancenis
St Géréon
Oudon
Champtoceaux
Drain
Liré
la Bourgonnière
Bouzillé
St Florent-le-Vl
Montjean-s-Loire
St Germain-des-Prés
Chalonnes-s-L
Montrelais
le Mesnil-en-Vallée
St Laurent-du-Mottay
la Pommeraye
la Chapelle-St Florent
Beausse
Bourgneuf-en-Mauges
St Laurent-de-la-Plaine
Botz-en-M.
Chaudron-en-M.
St Quentin-en-Mauges
la Boissière-s-Èvre
le Fuilet
St Rémy-en-Mauges
Montrevault
St Pierre-Montlimart
la Salle-et-Chapelle-Aubry
le Pin-en-Mauges
Neuvy-en-Mauges
Ste Christine
St Laurent-des-Autels
St Sauveur-de-Landemont
Barbechat
Landemont
St Christophe-la-Couperie
la Boissière-du-Doré
le Puiset-Doré
le Fief-Sauvin
la Poitevinière
Beaupréau
Jallais
la Chapelle-Rousselin
Chemillé
la Chaussaire
la Regrippière
Gesté
la Chapelle-du-Genêt
Andrezé
la Jubaudière
Vallet
Mouzillon
Tillières
Villedieu-la-Blouère
St Philbert-en-Mauges
St Lézin
A 11 - E 60
L'OCÉANE
LOIRE
N 23
D 923
D 963
D 752
D 756
D 762

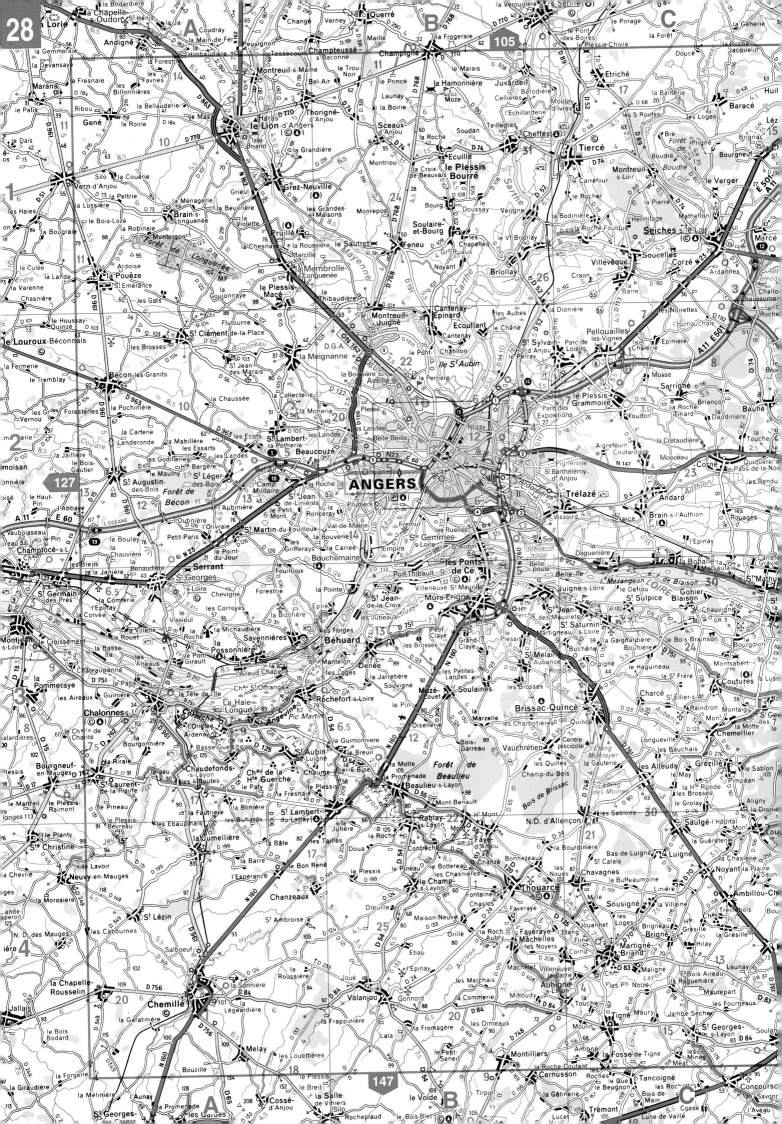
A
B
C
1
2
3
4
105
127
147
ANGERS
Avrillé
Beaucouzé
Bouchemaine
Trélazé
les Ponts-de-Cé
St Barthélemy-d'Anjou
Montreuil-Juigné
la Membrolle-s-Longuenée
le Lion-d'Angers
Champigné
Cheffes
Tiercé
Seiches-s-le-Loir
Corzé
Pellouailles-les-Vignes
St Sylvain-d'Anjou
Écouflant
Cantenay-Épinard
Feneu
Soulaire-et-Bourg
Briollay
le Plessis-Grammoire
Sarrigné
Brain-s-l'Authion
Andard
Corné
Juigné-s-Loire
St Jean-des-Mauvrets
St Saturnin-s-Loire
St Melaine-s-Aubance
Brissac-Quincé
Mozé-s-Louet
Soulaines
Mûrs-Érigné
Béhuard
Savennières
la Possonnière
St Georges-s-Loire
Serrant
Champtocé-s-Loire
Montjean-s-Loire
Chalonnes-s-Loire
Rochefort-s-Loire
Denée
St Aubin-de-Luigné
Chaudefonds-s-Layon
Beaulieu-s-Layon
Rablay-s-Layon
Faye-d'Anjou
Thouarcé
Martigné-Briand
Chemillé
Melay
Valanjou
St Lambert-du-Lattay
la Jumellière
Neuvy-en-Mauges
Ste Christine
St Laurent-de-la-Plaine
Bourgneuf-en-Mauges
la Pommeraye
Bécon-les-Granits
St Augustin-des-Bois
St Léger-des-Bois
St Clément-de-la-Place
la Meignanne
le Plessis-Macé
Pruillé
Grez-Neuville
Vern-d'Anjou
la Pouëze
Brain-s-Longuenée
Andigné
Gené
Marans
le Louroux-Béconnais
Forêt de Longuenée
Forêt de Bécon
Forêt de Beaulieu
Bois de Brissac
Loire
Maine
Sarthe
Loir
Mayenne
Layon
Aubance
Authion
Saulgé-l'Hôpital
Chavagnes
Tigné
la Fosse-de-Tigné
Montilliers
Cernusson
Tancoigné
St Georges-s-Layon
Concourson
Trémont
Coutures
Chemellier
Grézillé
Luigné
Noyant-la-Plaine
Ambillou-Château
Aubigné-s-Layon
Notre-Dame-d'Allençon
Vauchrétien
les Alleuds
Charcé
St Sulpice
Blaison
Gohier
Baracé
Étriché
Montreuil-s-Loir
Soucelles
Villevêque
Sceaux-d'Anjou
Écuillé
le Plessis-Bourré
Montreuil-s-Maine
Thorigné-d'Anjou
Querré
Chenillé
Chanzeaux
la Salle-de-Vihiers
Cossé-d'Anjou
le Voide

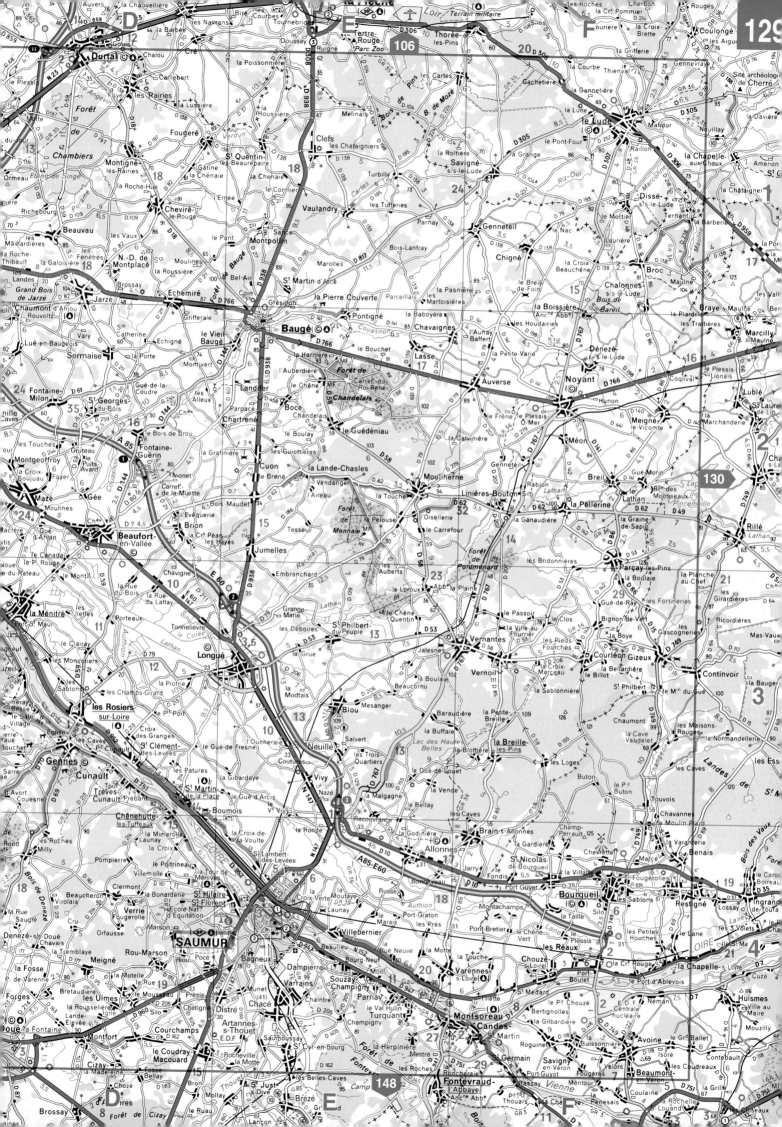
Durtal
les Rairies
Forêt de Chambiers
Fougeré
Montigné-lès-Rairies
Cheviré-le-Rouge
Beauvau
N.-D. de Montplacé
Jarzé
Echemiré
Forêt de Baugé
Clefs
Vaulandry
Montpollin
Baugé
Pontigné
Chavaignes
Savigné-s/s-le-Lude
Le Lude
Genneteil
Chigné
Broc
Chalonnes-s/s-le-Lude
Dénezé-s/s-le-Lude
Noyant
Auverse
Lasse
Forêt de Chandelais
le Guédéniau
Bocé
Chartrené
Le Vieil-Baugé
Sermaise
Fontaine-Milon
St Georges-du-Bois
Fontaine-Guérin
Mazé
Beaufort-en-Vallée
Brion
Jumelles
Cuon
la Lande-Chasles
Mouliherne
Forêt de Monnaie
Linières-Bouton
la Pellerine
Lathan
Breil
Parçay-les-Pins
Forêt de Pontménard
Vernantes
Vernoil
Courléon
Gizeux
Continvoir
St Philbert-du-Peuple
Longué
Blou
Neuillé
Vivy
la Ménitré
les Rosiers-sur-Loire
St Clément-des-Levées
Gennes
Cunault
St Martin-de-la-Place
Chênehutte-les-Tuffeaux
Allonnes
Brain-s-Allonnes
La Breille-les-Pins
Bourgueil
Restigné
Benais
St Nicolas-de-Bourgueil
SAUMUR
St Hilaire-St Florent
Villebernier
Varennes-s-Loire
Chouzé-s-Loire
Montsoreau
Candes-St Martin
Fontevraud-l'Abbaye
Bagneux
Dampierre
Souzay-Champigny
Parnay
Turquant
Chacé
Varrains
Distré
Artannes-s-Thouet
Courchamps
le Coudray-Macouard
Montfort
Doué-la-Fontaine
Meigné
les Ulmes
Brézé
St Cyr-en-Bourg
Avoine
Beaumont-en-Véron
Savigny-en-Véron
Huismes
Rillé
Loire
Vienne
Authion
Lathan
106
130
148
D
E
F

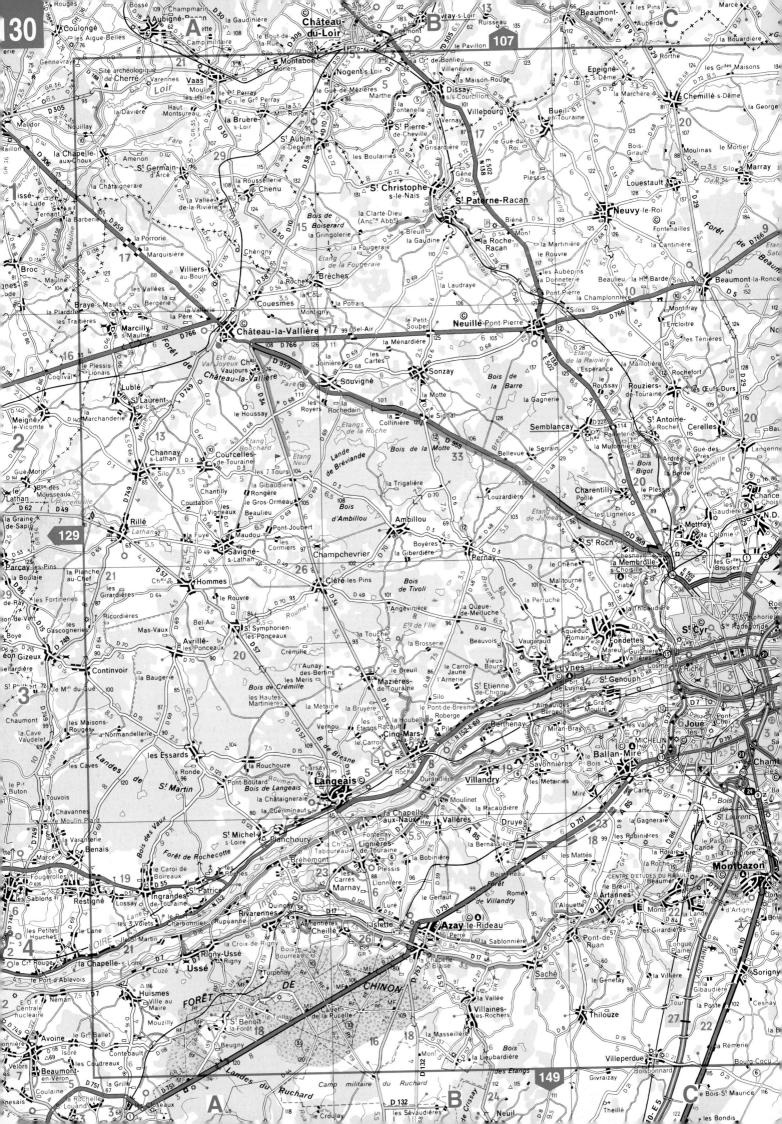
A
B
C
107
129
149
Château-du-Loir
Aubigné-Racan
Coulongé
Beaumont-s-Dême
Montabon
Nogent-s-Loir
Dissay-s/s-Courcillon
Vaas
Site archéologique de Cherré
Loir
Villebourg
Epeigné-s-Dême
Chemillé-s-Dême
Bueil-en-Touraine
la Bruère-s-Loir
St Aubin-le-Dépeint
St Pierre-de-Chevillé
la Chapelle-aux-Choux
St Germain-d'Arcé
Chenu
St Christophe-s-le-Nais
St Paterne-Racan
Neuvy-le-Roi
Marray
Louestault
Bois de Boiserard
la Roche-Racan
Forêt de Beaumont
Broc
Villiers-au-Bouin
Brèches
Couesmes
Beaumont-la-Ronce
Braye-s-Maulne
Marcilly-s-Maulne
Château-la-Vallière
Neuillé-Pont-Pierre
Forêt de Château-la-Vallière
Souvigné
Sonzay
Bois de la Barre
Rouziers-de-Touraine
Lublé
St Laurent-de-Lin
Meigné-le-Vicomte
Semblançay
St Antoine-du-Rocher
Cerelles
Channay-s-Lathan
Courcelles-de-Touraine
Lande de Bréviande
Bois de la Motte
Charentilly
Bois d'Ambillou
Rillé
Ambillou
Mettray
Savigné-s-Lathan
Pernay
St Roch
la Membrolle-s-Choisille
Champchevrier
Hommes
Cléré-les-Pins
Bois de Tivoli
Fondettes
St Cyr
St Symphorien-les-Ponceaux
Avrillé-les-Ponceaux
Gizeux
Continvoir
Bois de Crémille
Mazières-de-Touraine
Luynes
St Genouph
St Etienne-de-Chigny
Cinq-Mars-la-Pile
Berthenay
Joué-lès-T.
Les Essards
Landes de St Martin
Langeais
Villandry
Savonnières
Ballan-Mire
Benais
St Michel-s-Loire
la Chapelle-aux-Naux
Vallères
Druye
Forêt de Rochecotte
Bréhémont
Lignières-de-Touraine
Restigné
Ingrandes-de-Touraine
St Patrice
Montbazon
Rivarennes
Marnay
Artannes-s-I.
Forêt de Villandry
Azay-le-Rideau
Cheillé
Pont-de-Ruan
Rigny-Ussé
Ussé
Saché
Sorigny
Huismes
Forêt de Chinon
Villaines-les-Rochers
Thilouze
Avoine
Beaumont-en-Véron
St Benoît-la-Forêt
Villeperdue
Landes du Ruchard
Camp militaire du Ruchard
Loire
Indre
Cher

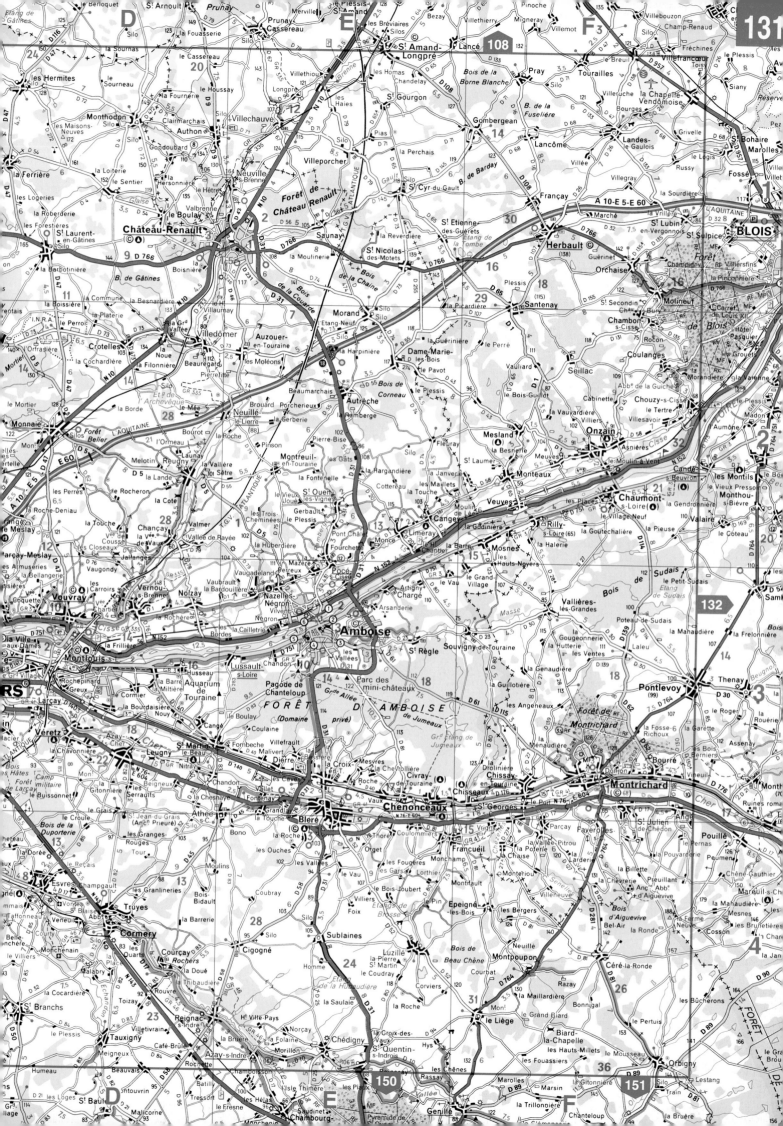
D
E
F
108
132
150
151
Château-Renault
Forêt de Château Renault
St Amand-Longpré
Herbault
BLOIS
Forêt de Blois
Onzain
Chaumont-s-Loire
Mesland
Monteaux
Veuves
Cangey
Limeray
Autrèche
Neuillé-le-Lierre
Reugny
Vernou-s-Brenne
Vouvray
Nazelles-Négron
Pocé-s-Cisse
Amboise
Montlouis
St Règle
Souvigny-de-Touraine
Pagode de Chanteloup
Parc des mini-châteaux
FORÊT D'AMBOISE
Bois de Sudais
Forêt de Montrichard
Pontlevoy
Montrichard
Chenonceaux
Bléré
Chissay-en-Touraine
Chisseaux
Civray-de-Touraine
Francueil
Épeigné-les-Bois
Montpoupon
Céré-la-Ronde
Le Liège
Orbigny
Sublaines
Luzillé
Cigogné
Chédigny
St Quentin-s-Indrois
Genillé
Truyes
Cormery
Esvres
Véretz
Larçay
Azay-s-Cher
St Martin-le-Beau
Athée-s-Cher
Reignac-s-Indre
Azay-s-Indre
Tauxigny
St Branchs
Chambourg
Vallières-les-Grandes
Santenay
Monthodon
Authon
Villechauve
Neuillé-s-Brenne
Villedômer
Crotelles
Auzouer-en-Touraine
St Laurent-en-Gâtines
Monnaie
Noizay
Chançay
Morand
Dame-Marie-les-Bois
St Nicolas-des-Motets
Saunay
St Cyr-du-Gault
Français
Gombergean
Lancôme
Landes-le-Gaulois
Pray
Tourailles
Villefrancœur
Molineuf
Chambon-s-Cisse
Seillac
Coulanges
Chouzy-s-Cisse
Candé-s-Beuvron
Les Montils
Thenay
Bourré
Montlouis
L'AQUITAINE
A 10-E 5-E 60
N 152
N 76-E 604
D 31
D 764
N 10
N 143
Loire
Cher

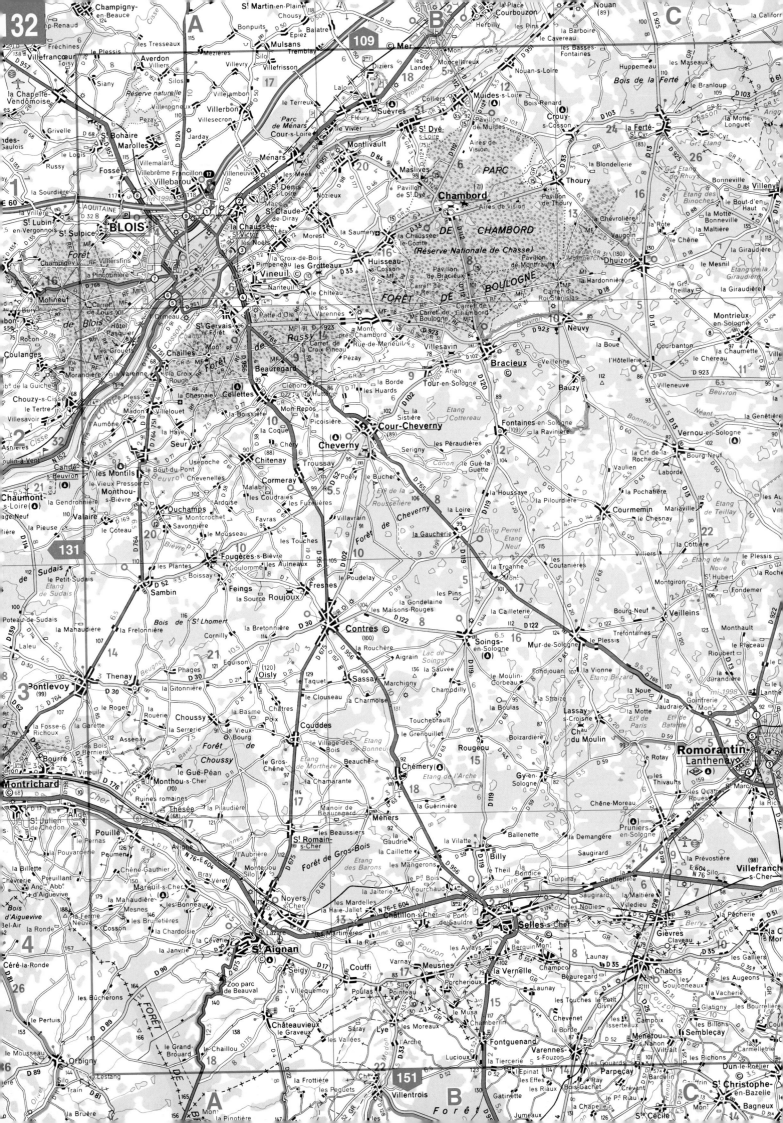
A
B
C
109
131
151
1
2
3
4
BLOIS
Mer
Chambord
PARC DE CHAMBORD
(Réserve Nationale de Chasse)
FORÊT DE BOULOGNE
Forêt de Blois
Forêt de Russy
Forêt de Cheverny
Forêt de Choussy
Forêt de Gros-Bois
Bois de la Ferté
Cour-Cheverny
Cheverny
Bracieux
Contres
Romorantin-Lanthenay
Montrichard
St Aignan
Selles-s-Cher
Pontlevoy
Mur-de-Sologne
Soings-en-Sologne
Vineuil
Villebarou
Suèvres
Muides-s-Loire
St Dyé-s-Loire
Huisseau-s-Cosson
Chailles
Cellettes
Fougères-s-Bièvre
Sambin
Thenay
Châtillon-s-Cher
Noyers-s-Cher
Chabris
Gièvres
Villefranche-s-Cher
Mennetou-s-Nahon
Chémery
Couddes
Sassay
Oisly
Billy
Meusnes
Châteauvieux
Orbigny
Villentrois
St Christophe-en-Bazelle
Dhuizon
Neuvy
Thoury
Crouy-s-Cosson
La Ferté-St Cyr
Lassay-s-Croisne
Pruniers-en-Sologne
Veilleins
Candé-s-Beuvron
Chaumont-s-Loire
Ouchamps
Chitenay
Cormeray
Fresnes
Feings
Thésée
Pouillé
Mareuil-s-Cher
Seigy
Couffi
Lye
Varennes-s-Fouzon
Parpeçay
Zoo parc de Beauval
Cher
Loire
Beuvron
Cosson
Sauldre

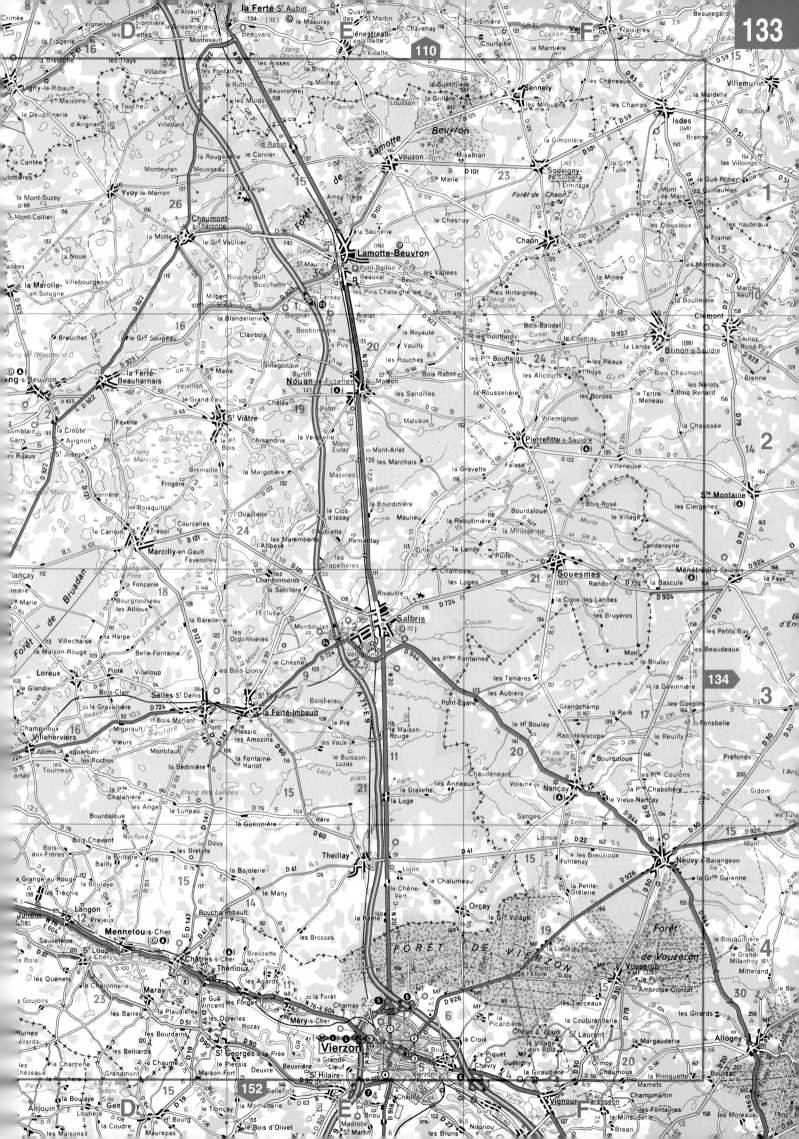

D
E
F
110
134
152
1
2
3
4
la Ferté-St Aubin
Ménestreau-en-Villette
Vannes-s-Cosson
Ligny-le-Ribault
Sennely
Isdes
Villemurlin
Vouzon
Souvigny-en-Sologne
Yvoy-le-Marron
Chaumont-s-Tharonne
Lamotte-Beuvron
Chaon
Forêt de Lamotte Beuvron
Forêt de Chaon
la Marolle-en-Sologne
Clémont
Brinon-s-Sauldre
la Ferté-Beauharnais
Nouan-le-Fuzelier
St Viâtre
Pierrefitte-s-Sauldre
Ste Montaine
Marcilly-en-Gault
Souesmes
Ménétréol-s-Sauldre
Salbris
Forêt de Bruadan
Loreux
Selles-St Denis
St Thaurin
la Ferté-Imbault
Villeherviers
Nançay
Radiotélescope
Theillay
Neuvy-s-Barangeon
Langon
Mennetou-s-Cher
Châtres-s-Cher
Orçay
FORÊT DE VIERZON
Forêt de Vouzeron
Vouzeron
Maray
Méry-s-Cher
Vierzon
St Georges-s-la-Prée
St Laurent
Allogny
Vignoux
St Hilaire-de-Court
Gen
N 20
A 71-E 9
D 922
D 923
D 724
D 944
D 926
D 30
N 76-E 604

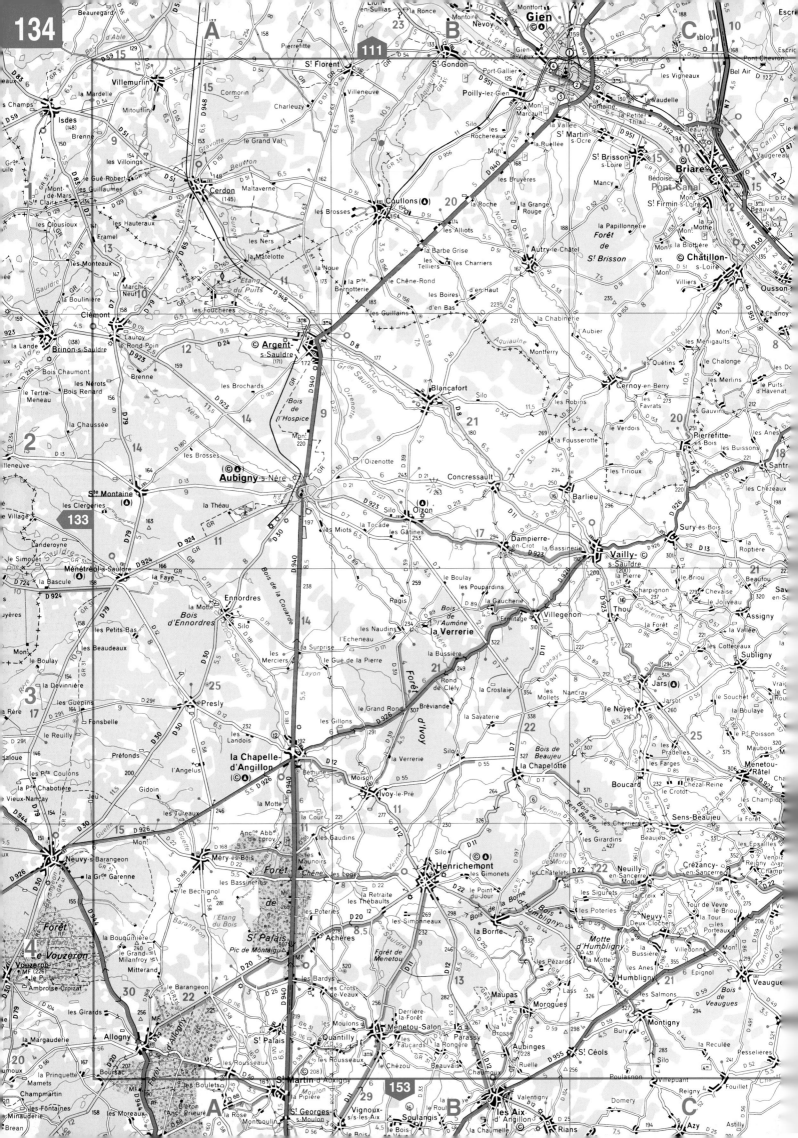
A
B
C
111
133
153
Gien
Nevoy
Montoire
St Florent
St Gondon
Poilly-lez-Gien
Villemurlin
Isdes
Cerdon
Coullons
Autry-le-Châtel
St Brisson-s-Loire
Briare
Pont Canal
Châtillon-s-Loire
Ousson-s-Loire
Forêt de St Brisson
Clémont
Brinon-s-Sauldre
Argent-s-Sauldre
Blancafort
Cernoy-en-Berry
Pierrefitte-ès-Bois
Aubigny-s-Nère
Ste Montaine
Concressault
Barlieu
Oizon
Dampierre-en-Crot
Vailly-s-Sauldre
Sury-ès-Bois
Ménétréol-s-Sauldre
Ennordres
Bois d'Ennordres
Bois de la Couarde
la Verrerie
Villegenon
Thou
Assigny
Forêt d'Ivoy
Jars
Subligny
Presly
le Noyer
la Chapelle-d'Angillon
Ivoy-le-Pré
la Chapelotte
Boucard
Menetou-Râtel
Sens-Beaujeu
Neuvy-s-Barangeon
Méry-ès-Bois
Henrichemont
Neuilly-en-Sancerre
Crézancy-en-Sancerre
Forêt de St Palais
Achères
Motte d'Humbligny
Humbligny
Neuvy-Deux-Clochers
Veaugues
Forêt de Vouzeron
Vouzeron
Allogny
Forêt d'Allogny
St Palais
Quantilly
Menetou-Salon
Parassy
Maupas
Morogues
Montigny
Aubinges
St Céols
St Martin-d'Auxigny
St Georges-s-Moulon
Vignoux-s/s-les-Aix
Soulangis
les Aix-d'Angillon
Rians
Azy

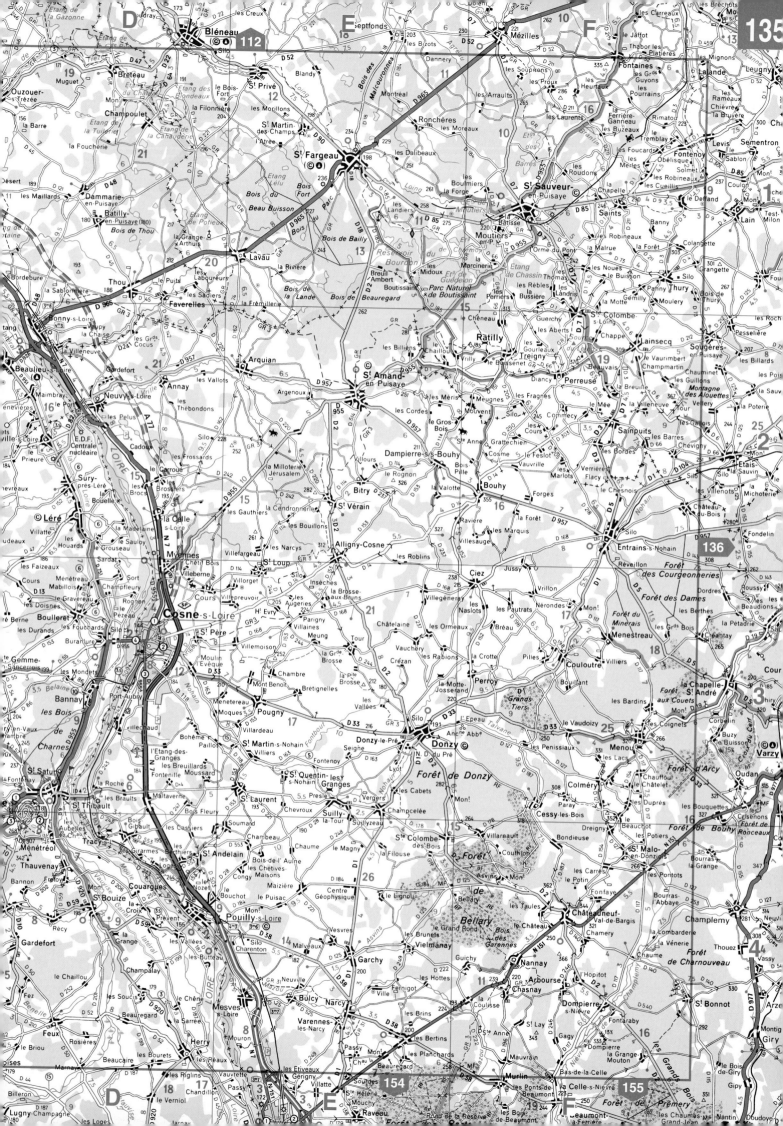
D
E
F
112
136
154
155
Bléneau
Septfonds
Mézilles
Fontaines
Leugny
Lalande
Breteau
St Privé
Ouzouer-s-Trézée
Champoulet
St Martin-des-Champs
Ronchères
St Fargeau
Fontenoy
Levis
Sementron
Dammarie-en-Puisaye
Batilly-en-Puisaye
Bois de Thou
St Sauveur-en-Puisaye
Saints
Moutiers-en-P.
Lain
Lavau
Thou
Bordebure
Faverelles
Bois de Bailly
Bois de la Lande
Bois de Beauregard
Réservoir du Bourdon
Parc Naturel de Boutissaint
Thury
Ste Colombe-s-Loing
Bonny-s-Loire
Ratilly
Treigny
Lainsecq
Sougères-en-Puisaye
Beaulieu-s-Loire
Arquian
St Amand-en-Puisaye
Perreuse
Annay
Neuvy-s-Loire
Sainpuits
Dampierre-s/s-Bouhy
Etais-la-Sauvin
E.D.F. Centrale nucléaire
Sury-près-Léré
Bitry
St Vérain
Bouhy
Léré
La Celle-s-Loire
Alligny-Cosne
Entrains-s-Nohain
Myennes
St Loup
Ciez
Forêt des Courgeonneries
Forêt des Dames
Boulleret
Cosne-s-Loire
St Père
Menestreau
Couloutre
Perroy
Bannay
Pougny
Donzy
La Chapelle-St André
Menou
Varzy
Forêt de Donzy
Forêt d'Arcy
St Satur
St Thibault
St Laurent
Suilly-la-Tour
Cessy-les-Bois
Colméry
Ménétréol
Thauvenay
Tracy
St Andelain
Ste Colombe-des-Bois
Forêt de Bellary
St Malo-en-Donziois
Forêt de Bouhy
Pouilly-s-Loire
St Bouize
Couargues
Châteauneuf-Val-de-Bargis
Champlemy
Gardefort
Garchy
Nannay
Forêt de Charnouveau
Mesves-s-Loire
Bulcy
Narcy
Varennes-lès-Narcy
Dompierre-s-Nièvre
St Bonnot
Feux
Herry
Giry
Chasnay
Arbourse
La Celle-s-Nièvre
Murlin
Raveau
Forêt de Prémery
LOIRE
A 77
N 7
D 955
D 957
D 965
N 151

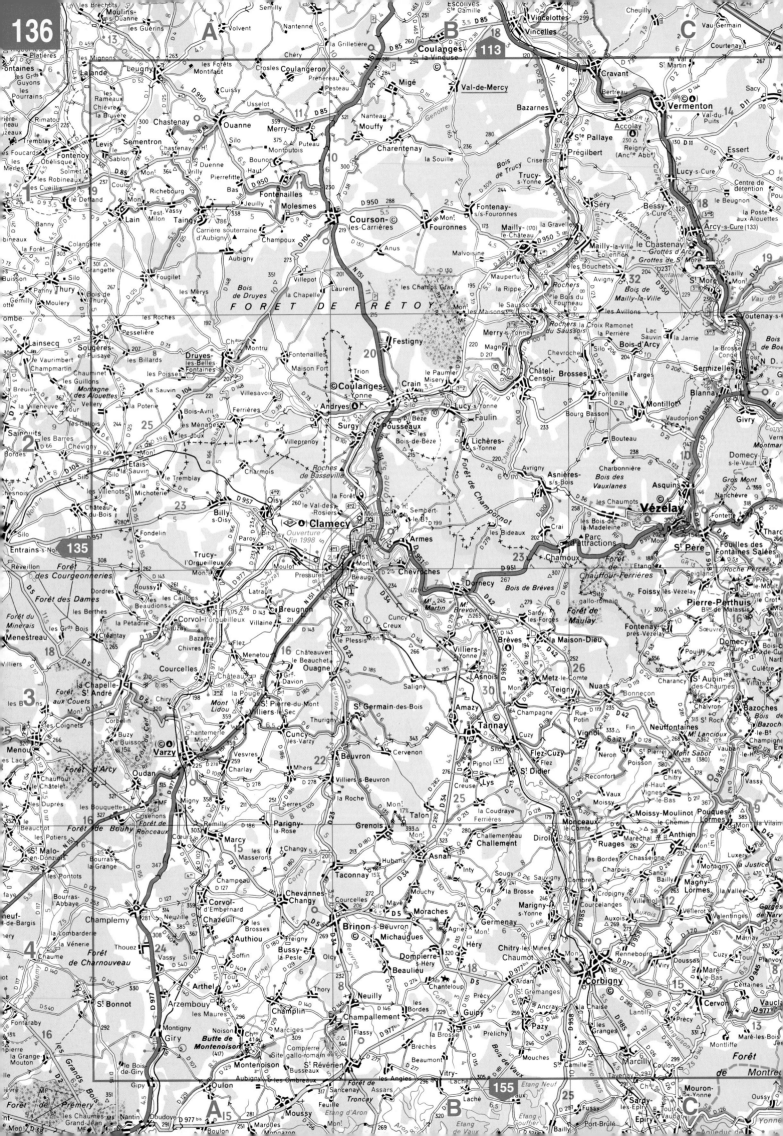

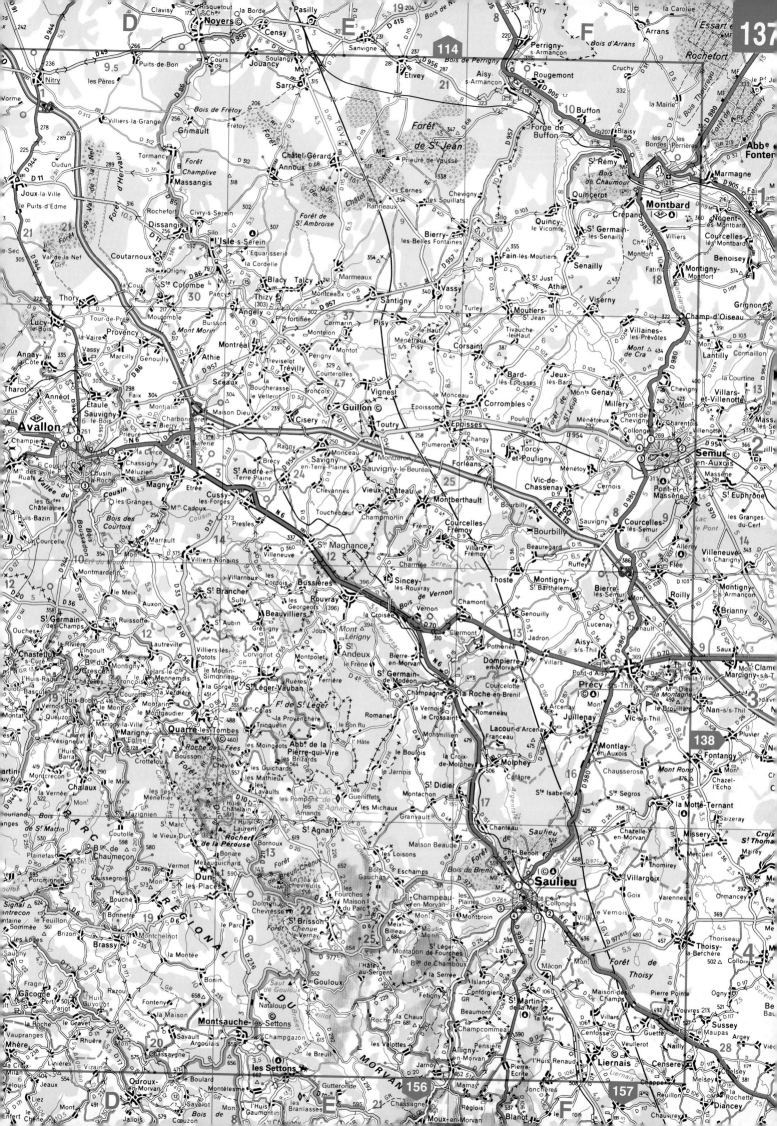

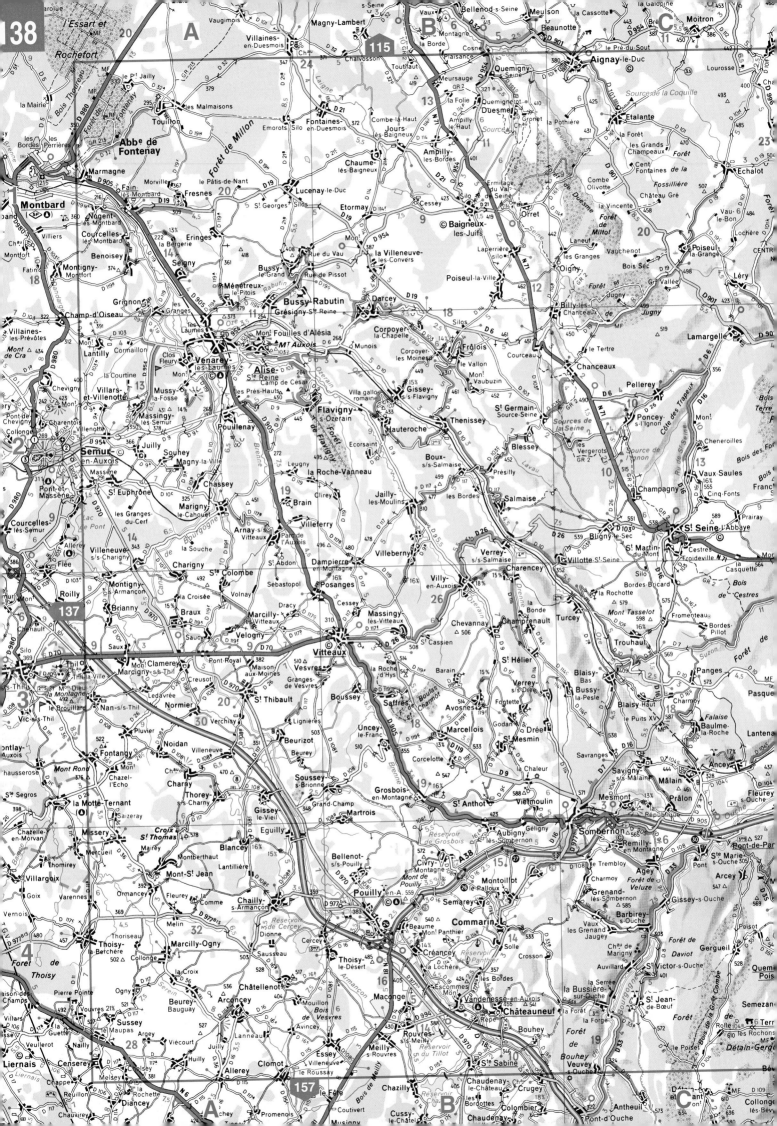
A
B
C
115
137
157
Montbard
Abbe de Fontenay
Marmagne
Fresnes
Eringes
Seigny
Montigny-Montfort
Benoisey
Grignon
Champ-d'Oiseau
Villaines-les-Prévôtes
Lantilly
Venarey-les-Laumes
Alise-Ste Reine
Mt Auxois
Fouilles d'Alésia
Bussy-Rabutin
Grésigny-Ste Reine
Darcey
Flavigny-s-Ozerain
Forêt de Flavigny
Pouillenay
Semur-en-Auxois
Pont-et-Massène
Villars-et-Villenotte
Massingy-lès-Semur
Juilly
Souhey
Chassey
Marigny-le-Cahouët
St Euphrône
Courcelles-lès-Semur
Villeneuve-s/s-Charigny
Charigny
Ste Colombe
Montigny-s-Armançon
Brianny
Braux
Roilly
Flée
Thil
Vic-s-Thil
Nan-s/s-Thil
Marcigny-s/s-Thil
Clamerey
Normier
Noidan
Fontangy
Charny
Thorey-s/s-Charny
la Motte-Ternant
Missery
Croix St Thomas
Blancey
Mont-St Jean
Chailly-s-Armançon
Thoisy-la-Berchère
Marcilly-Ogny
Forêt de Thoisy
Châtellenot
Arconcey
Sussey
Beurey-Bauguay
Liernais
Censerey
Diancey
Allerey
Clomot
Essey
Meilly-s-Rouvres
Rouvres-s/s-Meilly
Chazilly
Cussy-le-Châtel
Maconge
Vandenesse-en-Auxois
Châteauneuf
Ste Sabine
Chaudenay-le-Château
Crugey
Colombier
Pont-d'Ouche
Créancey
Pouilly-en-A.
Thoisy-le-Désert
Commarin
Semarey
Montoillot
Civry-en-Montagne
Bellenot-s/s-Pouilly
Vitteaux
Posanges
Dampierre-en-Montagne
Massingy-lès-Vitteaux
Velogny
Marcilly-lès-Vitteaux
Arnay-s/s-Vitteaux
Brain
la Roche-Vanneau
Jailly-les-Moulins
Villeberny
Villy-en-Auxois
Verrey-s/s-Salmaise
Salmaise
Boux-s/s-Salmaise
Gissey-s/s-Flavigny
Hauteroche
Thenissey
Blessey
St Germain-Source-Seine
Sources de la Seine
Frôlois
Corpoyer-la-Chapelle
Chanceaux
Poncey-s-l'Ignon
Champagny
Vaux-Saules
St Seine-l'Abbaye
Bligny-le-Sec
St Martin-du-Mont
Villotte-St-Seine
Charencey
Turcey
Champrenault
Chevannay
St Hélier
St Cassien
Saffres
Marcellois
Avosnes
Verrey-s/s-Drée
Drée
St Mesmin
Vielmoulin
St Anthot
Grosbois-en-Montagne
Uncey-le-Franc
Boussey
St Thibault
Beurizot
Soussey-s-Brionne
Gissey-le-Vieil
Martrois
Eguilly
Aubigny-lès-Sombernon
Sombernon
Remilly-en-Montagne
Mesmont
Savigny-s/s-Mâlain
Mâlain
Prâlon
Ancey
Blaisy-Haut
Blaisy-Bas
Bussy-la-Pesle
Trouhaut
Panges
Baulme-la-Roche
Gissey-s-Ouche
Barbirey-s-Ouche
Grenand-lès-Sombernon
Agey
Forêt de Veluze
St Victor-s-Ouche
la Bussière-sur-Ouche
St Jean-de-Bœuf
Forêt de Bouhey
Veuvey-s-Ouche
Aignay-le-Duc
Etalante
Baigneux-les-Juifs
Duesme
Quemigny-s-Seine
Ampilly-les-Bordes
Jours-lès-Baigneux
Chaume-lès-Baigneux
Lucenay-le-Duc
Etormay
Villaines-en-Duesmois
Magny-Lambert
Fontaines-en-Duesmois
Touillon
Forêt de Millon
la Villeneuve-les-Convers
Poiseul-la-Ville
Oigny
Billy-lès-Chanceaux
Forêt de Jugny
Poiseul-la-Grange
Echalot
Lamargelle
Léry
Pellerey
Moitron

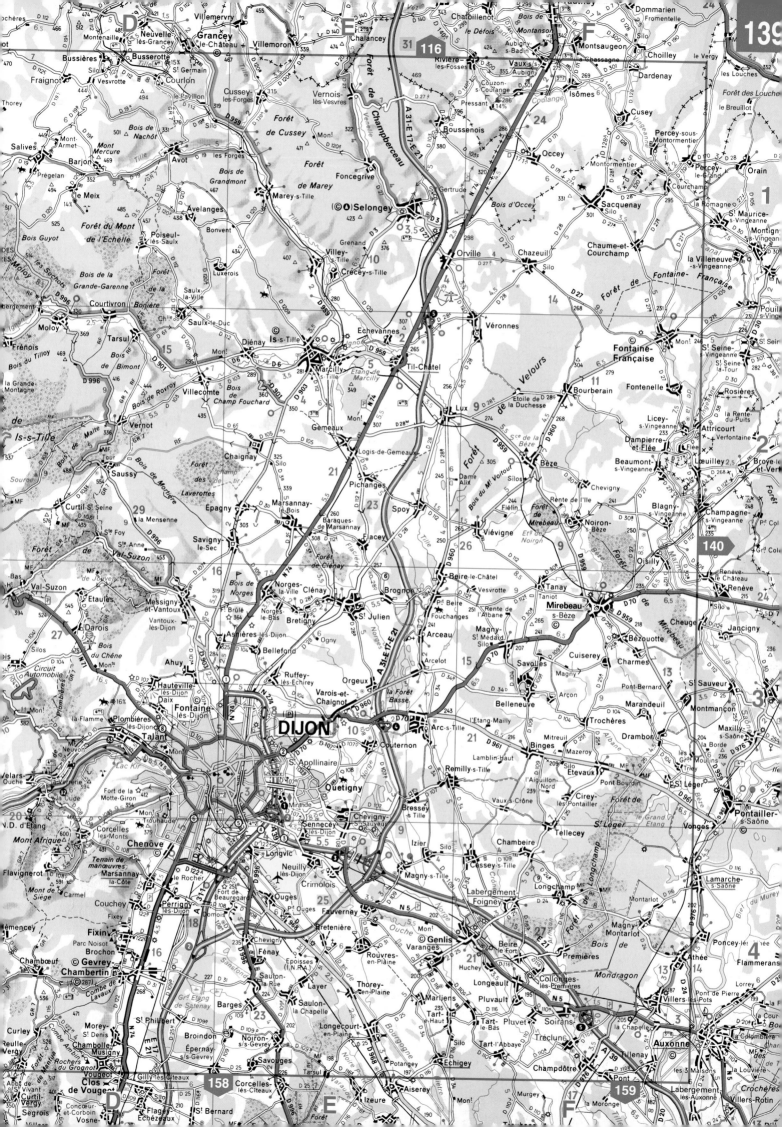

DIJON
Grancey-le-Château
Villemervry
Villemoron
Chalancey
Chatoillenot
Bois de Montanson
Dommarien
Montsaugeon
Choilley
Neuvelle-lès-Grancey
Montenaille
Busserotte
Bussières
Courlon
Fraignot
Vesvrotte
Rivière-les-Fosses
Vaux-s-s-Aubigny
Dardenay
Isômes
Cussey-les-Forges
Vernois-lès-Vesvres
Forêt de Champberceau
Forêt de Cussey
Forêt de Marey
Boussenois
Occey
Cusey
Percey-sous-Montormentier
Montormentier
Salives
Barjon
Avot
Bois de Nachôt
Mont Mercure
Bois de Grandmont
Foncegrive
Marey-s-Tille
Selongey
Sacquenay
Orain
Le Meix
Avelanges
Poiseul-lès-Saulx
Forêt du Mont de l'Echelle
Bois Guyot
Villey-s-Tille
Crécey-s-Tille
Orville
Chazeuil
Chaume-et-Courchamp
La Villeneuve-s-Vingeanne
Forêt de Fontaine-Française
Luxerois
Bois de la Grande-Garenne
Courtivron
Saulx-la-Ville
Saulx-le-Duc
Moloy
Tarsul
Diénay
Is-s-Tille
Echevannes
Véronnes
Til-Châtel
Marcilly-s-Tille
Fontaine-Française
Forêt de Velours
Bourberain
Fontenelle
Frénois
Bois du Tilloy
Bois de Bimont
Villecomte
Bois de Champ Fouchard
Bois de Rovroy
Lux
Etoile de la Duchesse
Licey-s-Vingeanne
Attricourt
Vernot
Forêt de Is-s-Tille
Bois de Malte
Gemeaux
Logis-de-Gemeaux
Dampierre-et-Flée
Chaignay
Forêt des Laverottes
Saussy
Bois de Mortière
Bèze
Beaumont-s-Vingeanne
Pichanges
Dame Alix
Bois du Mt Voitout
Chevigny
Epagny
Marsannay-le-Bois
Spoy
Flacey
Fiélin
Vièvigne
Forêt de Mirebeau
Noiron-s-Bèze
Blagny-s-Vingeanne
Champagne-s-Vingeanne
Curtil-St Seine
la Mensenne
Savigny-le-Sec
Forêt de Val-Suzon
Val-Suzon
Forêt de Clénay
Beire-le-Châtel
Tanay
Oisilly
Renève
Etaules
Messigny-et-Vantoux
Bois de Norges
Norges-la-Ville
Clénay
Brognon
Mirebeau-s-Bèze
Darois
Vantoux-lès-Dijon
Bretigny
St Julien
Fouchanges
Magny-St Médard
Bézouotte
Cheuge
Jancigny
Bois du Chêne
Asnières-lès-Dijon
Bellefond
Arceau
Cuiserey
Charmes
Circuit Automobile
Ahuy
Hauteville-lès-Dijon
Ruffey-lès-Echirey
Orgeux
Arcelot
Savolles
Magny
Pont-Bernard
St Sauveur
Daix
Fontaine-lès-Dijon
Varois-et-Chaignot
La Forêt Basse
Belleneuve
Arçon
Marandeuil
Montmançon
Plombières-lès-Dijon
Talant
Arc-s-Tille
l'Etang-Mailly
Trochères
Drambon
Maxilly-s-Saône
Couternon
Mitreuil
Binges
Mazeroy
Lac Kir
Velars-s-Ouche
St Apollinaire
Lamblin-Haut
Remilly-s-Tille
Etevaux
St Léger
Quetigny
l'Aiguillon-Nord
Pont Bourdin
Fort de la Motte-Giron
Mirande
Bressey-s-Tille
Vaux-s-Crône
Cirey-lès-Pontailler
Forêt de St Léger
Pontailler-s-Saône
N.D. d'Etang
Corcelles-les-Monts
Chevigny-St Sauveur
Sennecey-lès-Dijon
Tellecey
Vonges
Mont Afrique
Chenôve
Longvic
Izier
Chambeire
Cessey-s-Tille
Terrain de manœuvres
Marsannay-la-Côte
Neuilly-lès-Dijon
Crimolois
Magny-s-Tille
Longchamp
Lamarche-s-Saône
Flavignerot
Mont de Siège
Le Rocher
Fort de Beauregard
Ouges
Labergement-Foigney
Forêt de Longchamp
Montarlot
Couchey
Perrigny-lès-Dijon
Fauverney
Fixin
Bretenière
Genlis
Magny-Montarlot
Bois de Mondragon
Poncey-lès-Athée
Parc Noisot
Brochon
Fénay
Rouvres-en-Plaine
Varanges
Beire-le-Fort
Premières
Athée
Flammerans
Chambœuf
Gevrey-Chambertin
Combe de Lavaux
Epoisses (I.N.R.A.)
Huchey
Longeault
Collonges-les-Premières
Lorrey
Saulon-la-Rue
Layer
Thorey-en-Plaine
Marliens
Pluvault
Villers-les-Pots
Pont de Pierre
Grd Etang de Satenay
Barges
Saulon-la-Chapelle
Tart-le-Haut
Tart-le-Bas
Pluvet
Soirans
Curley
St Philibert
Longecourt-en-Plaine
Tréclun
la Chapelle
Auxonne
Morey-St Denis
Chambolle-Musigny
Combe Ambin
Rochers du Grognot
Broindon
Noiron-s/s-Gevrey
Epernay-s-Gevrey
Tart-l'Abbaye
Tillenay
la Colombière
Reulle-Vergy
Vougeot
Clos de Vougeot
Savouges
Potangey
Echigey
Champdôtre
les 3 Maisons
la Louvière
Crochères
Gilly-lès-Cîteaux
Corcelles-lès-Cîteaux
Tarsul
Aiserey
Pont
Labergement-lès-Auxonne
Villers-Rotin
Curtil-Vergy
Concœur-et-Corboin
Vosne-
Segrois
Flagey-Echézeaux
St Bernard
Izeure
Murgey
la Moronge
116
140
158
159
A 31-E 17-E 21

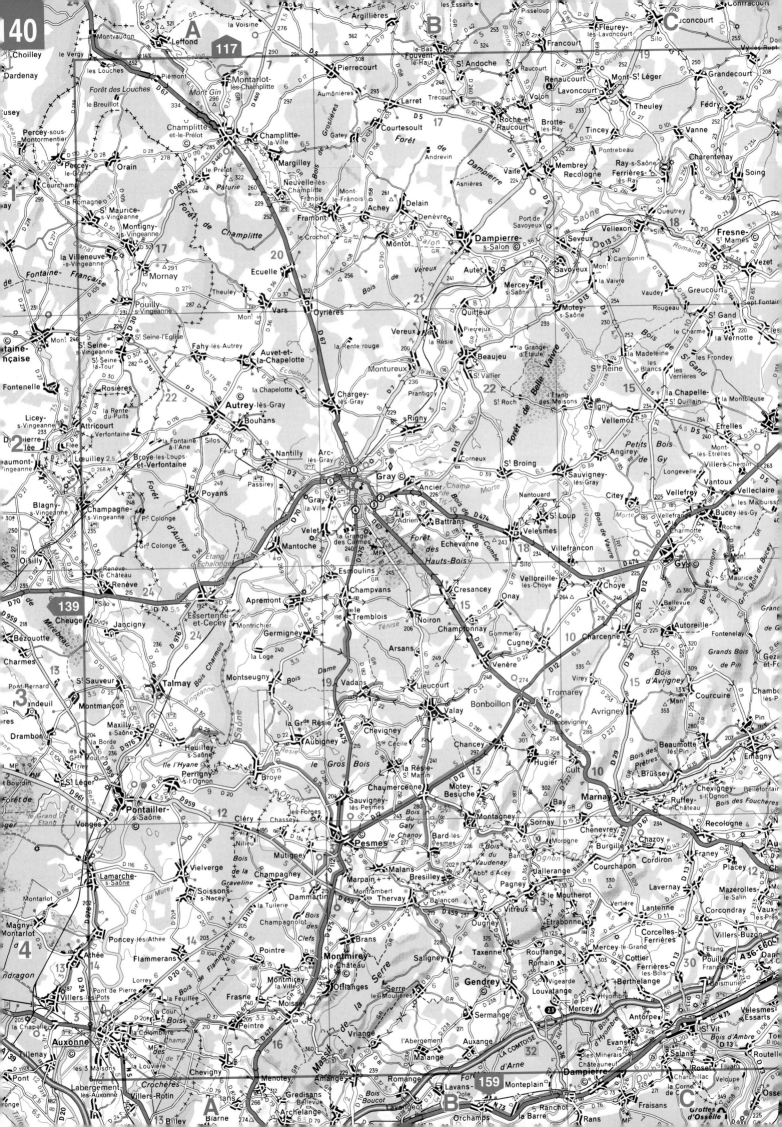
A
B
C
117
139
159
Leffond
Montvaudon
Choilley
Argillières
Fleurey-lès-Lavoncourt
Francourt
Fouvent-le-Haut
St Andoche
Pierrecourt
Montarlot-lès-Champlitte
Renaucourt
Lavoncourt
Mont-St Léger
Grandecourt
Larret
Courtesoult
Roche-et-Raucourt
Theuley
Fédry
Champlitte-et-le-Prélot
Champlitte-la-Ville
Percey-sous-Montormentier
Percey-le-Grand
Orain
Margilley
Forêt de Champlitte
Forêt des Louches
Membrey
Recologne
Ray-s-Saône
Charentenay
Soing
Vanne
Tincey
Vaite
Neuvelle-lès-Champlitte
Delain
Achey
Framont
St Maurice-s-Vingeanne
Montigny-s-Vingeanne
Dampierre-s-Salon
Savoyeux
Seveux
Vellexon
Fresne-St Mamès
Vezet
la Villeneuve-s-Vingeanne
Mornay
Fontaine-Française
Ecuelle
Montot
Autet
Mercey-s-Saône
Vars
Oyrières
Pouilly-s-Vingeanne
Quitteur
Motey-s-Saône
Greucourt
St Gand
la Vernotte
Vereux
Beaujeu
Fahy-lès-Autrey
Auvet-et-la-Chapelotte
St Seine-s-Vingeanne
Ste Reine
Montureux
Rigny
Chargey-lès-Gray
Autrey-lès-Gray
Bouhans
Attricourt
Forêt de Belle Vaivre
la Chapelle-St Quillain
Etrelles
Vellemoz
Angirey
Nantilly
Arc-lès-Gray
Gray
St Broing
Sauvigney-lès-Gray
Broye-les-Loups-et-Verfontaine
Champagne-s-Vingeanne
Poyans
Battrans
Velesmes
St Loup
Citey
Vellefrey
Vantoux
Velleclaire
Bucey-lès-Gy
Mantoche
Velet
Esmoulins
Forêt des Hauts-Bois
Villefrancon
Gy
Renève
Cresancey
Choye
Apremont
Champvans
Onay
Vellorelle-lès-Choye
Autoreille
Cheuge
Jancigny
Essertenne-et-Cecey
Talmay
Germigney
le Tremblois
Noiron
Champtonnay
Cugney
Charcenne
Montseugny
Vadans
Lieucourt
Valay
Bonboillon
Tromarey
Avrigney
Courcuire
St Sauveur
Montmançon
Maxilly-s-Saône
Heuilley-s-Saône
Aubigney
Chevigney
Chancey
Hugier
Beaumotte-lès-Pin
Emagny
Perrigny-s-l'Ognon
Broye
Chaumercenne
Moteý-Besuche
Marnay
Pontailler-s-Saône
Vonges
Cléry
Sauvigney-lès-Pesmes
Pesmes
Montagney
Sornay
Chenevrey
Burgille
Chazoy
Ruffey-le-Château
Recologne
Lamarche-s-Saône
Vielverge
Champagney
Mutigney
Malans
Bresilley
Pagney
Jallerange
Courchapon
Cordiron
Franey
Placey
Soissons-s-Nacey
Dammartin
Marpain
Thervay
le Moutherot
Lavernay
Mazerolles-le-Salin
Corcondray
Athée
Poncey-lès-Athée
Flammerans
Brans
Montmirey-le-Château
Saligney
Taxenne
Rouffange
Romain
Etrabonne
Mercey-le-Grand
Corcelles-Ferrières
Cottier
Villers-Buzon
Pouilley-Français
Villers-les-Pots
Auxonne
Pointre
Offlanges
Moissey
Gendrey
Louvatange
Berthelange
Serre-les-Moulières
Massif de la Serre
Peintre
Vriange
Sermange
Auxange
Antorpe
St Vit
Velesmes-Essarts
Chevigny
Malange
Évans
Salans
Dampierre
Romange
Menotey
Amange
Lavans-lès-Dole
Monteplain
Rans
Ranchot
Orchamps
la Barre
Fraisans
Gredisans
Archelange
Biarne
Villers-Rotin
Labergement-lès-Auxonne
Tillenay
Grottes d'Osselle
Saône
Ognon
Doubs

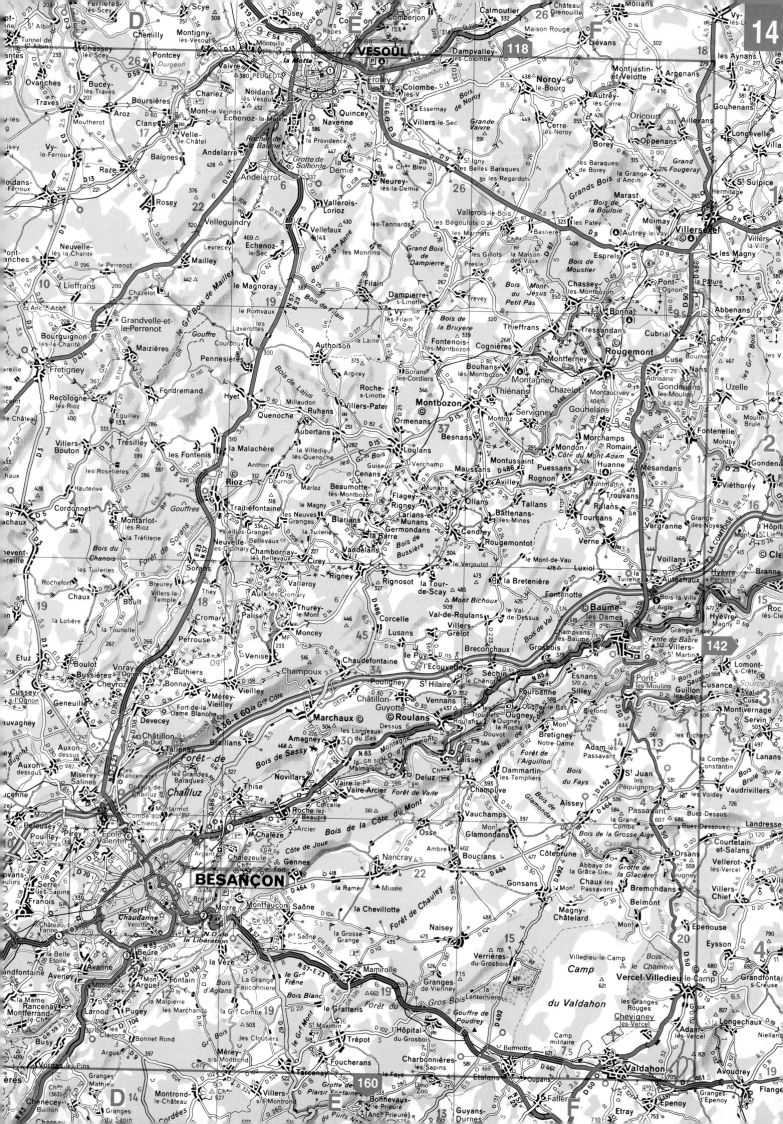

14
VESOUL
BESANÇON
Rougemont
Villersexel
Montbozon
Rioz
Marchaux
Roulans
Baume-les-Dames
Valdahon
Vercel-Villedieu-le-Camp
Noroy-le-Bourg
Camp du Valdahon
Forêt de Chailluz
Bois de la Côte du Mont
Forêt de Sorans
Chemilly
Pusey
Comberjon
Calmoutier
Lièvans
Mollans
Frotey-lès-Vesoul
Quincey
Navenne
Noidans-lès-Vesoul
Vaivre
Echenoz-la-Méline
Andelarre
Andelarrot
Rosey
Mailley
Velleguindry
Vellefaux
Filain
Dampierre-s-Linotte
Authoison
Fretigney
Maizières
Quenoche
Loulans
Besnans
Cenans
Ollans
Cendrey
Rougemontot
Montussaint
Huanne
Cubrial
Cuse
Fontenelle
Mésandans
Vergranne
Autechaux
Hyèvre
Voillans
Sorans
Boult
Cromary
Devecey
Châtillon-le-Duc
Tallenay
Miserey-Salines
Thise
Chalèze
Chalezeule
Deluz
Laissey
Ougney
Champlive
Vauchamps
Nancray
Bouclans
Gonsans
Naisey
Saône
Montfaucon
Morre
Mamirolle
L'Hôpital-du-Grosbois
Étalans
Trépot
Foucherans
Tarcenay
Épenoy
Etray
Orsans
Passavant
Aïssey
Servin
Cusance
Villers-St-Martin
Pont-les-Moulins
Beure
Avanne
Arguel
Pugey
Larnod
Busy
Vorges-les-Pins
Pirey
École-Valentin
Serre-les-Sapins
Franois
A 36 - E 60
N 57 - E 23
N 83
118
142
160
D
E
F

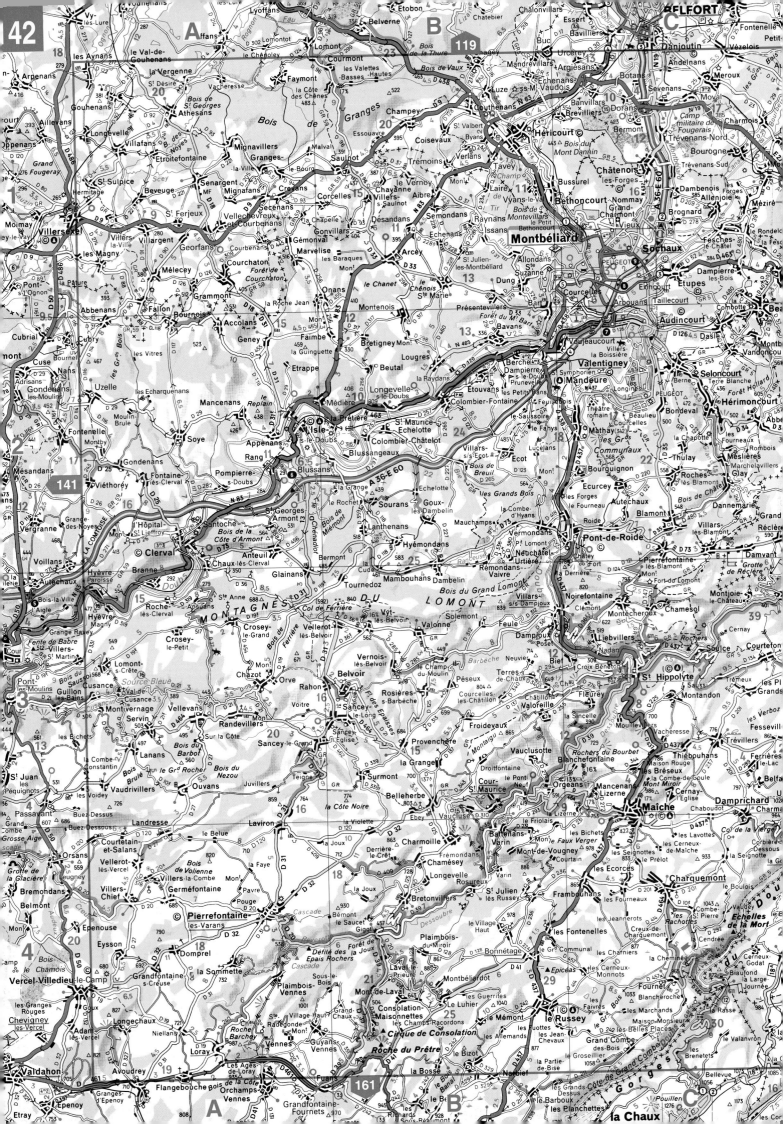

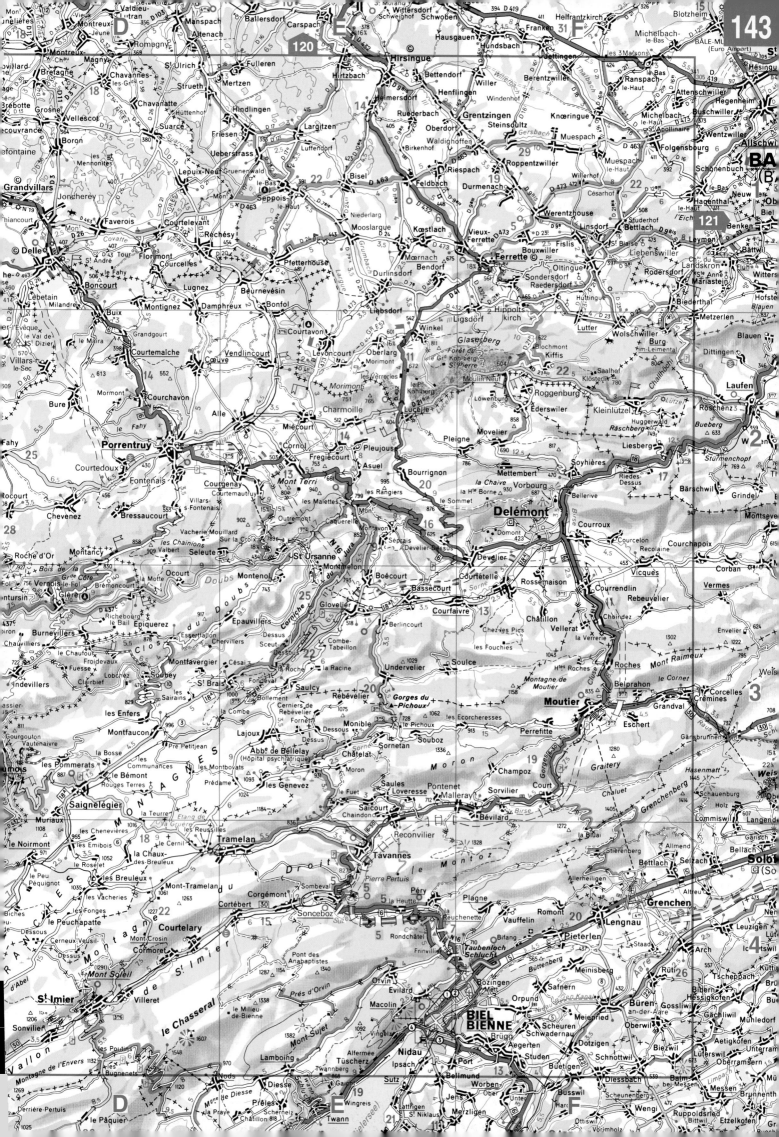
D
E
F
120
121
Wittersdorf
Schwoben
Hausgauen
Hundsbach
Franken
Helfrantzkirch
Blotzheim
Ballersdorf
Carspach
Manspach
Altenach
Valdieu-Lutran
Montreux-Vieux
Montreux-Jeune
Romagny
Magny
Montreux-Château
Bretagne
Chavannes-les-Grands
St Ulrich
Fulleren
Hirsingue
Hirtzbach
Bettendorf
Willer
Jettingen
Berentzwiller
Ranspach-le-Bas
Ranspach-le-Haut
Attenschwiller
Hegenheim
Hésingue
Buschwiller
Strueth
Mertzen
Heimersdorf
Henflingen
Windenhof
Chavanatte
Grosne
Vellescot
Hindlingen
Ruederbach
Grentzingen
Steinsoultz
Knœringue
Michelbach-le-Haut
St Apollinaire
Wentzwiller
Suarce
Friesen
Largitzen
Oberdorf
Waldighoffen
Muespach
Folgensbourg
Allschwil
Boron
Ueberstrass
Luffendorf
Birkenhof
Roppentzwiller
Muespach-le-Haut
Schönenbuch
Lepuix-Neuf
Gruenenwald
Bisel
Riespach
Feldbach
Durmenach
Willerhof
Césarhof
Grandvillars
Joncherey
Seppois-le-Bas
Seppois-le-Haut
Niederlarg
Werentzhouse
Linsdorf
Bettlach
Hagenthal-le-Bas
Hagenthal-le-Haut
Neuwiller
Benken
Faverois
Courtelevant
Réchésy
Mooslargue
Kœstlach
Vieux-Ferrette
Fislis
Leymen
Delle
Florimont
Courcelles
Pfetterhouse
Mœrnach
Bendorf
Ferrette
Bouxwiller
Oltingue
Liebenswiller
Rodersdorf
Landskron
Mariastein
Boncourt
Lugnez
Beurnevésin
Durlinsdorf
Sondersdorf
Raedersdorf
Lebetain
Milandre
Buix
Montignez
Damphreux
Bonfol
Liebsdorf
Ligsdorf
Hippoltskirch
Huttingue
Biederthal
Metzerlen
Lutter
Wolschwiller
Burg im Leimental
Grandgourt
Courtavon
Winkel
Glaserberg
Blochmont
Kiffis
Blauen
Dittingen
Courtemaîche
Vendlincourt
Levoncourt
Oberlarg
Morimont
Forêt du St Pierre
Moulin Neuf
Saalhof
Klösterli
Laufen
Cœuve
Villars-le-Sec
les Verreries
le Pt Kohlberg
Lucelle
Löwenburg
Roggenburg
Ederswiler
Kleinlützel
Roschenz
Mormont
Bure
Courchavon
Alle
Charmoille
Miécourt
Huggerwald
Räschberg
Bueberg
Porrentruy
Courtedoux
Fontenais
Cornol
Fregiécourt
Pleujouse
Asuel
Pleigne
Movelier
Liesberg
Soyhières
Mont Terri
Courgenay
Courtemautruy
Bourrignon
Mettembert
Vorbourg
la Chaive
la Hte Borne
Riedes-Dessus
Bärschwil
Grindel
Rocourt
Chevenez
Bressaucourt
Villars-s-Fontenais
les Rangiers
les Malettes
le Sommet
Delémont
Bellerive
Courroux
Outremont
la Caquerelle
Montavon
Domont
Courcelon
Courchapoix
Recolaine
Montsevelier
Vacherie Mouillard
Sur la Croix
Séprais
Develier-Dessus
Develier
Montancy
Roche d'Or
les Chainons
Valbert
Seleute
St Ursanne
Montmelon
Boécourt
Courtételle
Rossemaison
Vicques
Corban
Vermes
Ocourt
Montenol
Bassecourt
Courrendlin
Rebeuvelier
Vernois-le-Fol
Glère
Brémoncourt
la Motte
Doubs
Glovelier
Courfaivre
Châtillon
Choindez
Vellerat
Richebourg
le Bail
Epiquerez
Epauvillers
Corniche du Jura
Berlincourt
Chez les Pics
la Verrerie
Envelier
Burnevillers
Essertfallon
Chervillers
Sceut-Dessus
Combe-Tabeillon
Clos du Doubs
les Fouchies
Chauvilliers
le Chaufour
Froidevaux
Montfavergier
Césai
la Roche
la Racine
Undervelier
Soulce
Roches
Mont Raimeux
Fuesse
Lobchez
Clairbief
Soubey
Indevillers
St Brais
Fondeval
Saulcy
Bollement
Rebévelier
Gorges du Pichoux
Montagne de Moutier
Moutier
Belprahon
le Cornet
Corcelles
Crémines
Grandval
les Sairains
les Enfers
la Combe
Cerniers de Rebévelier
le Pichoux
les Ecorcheresses
Eschert
Montfaucon
Lajoux
Fornet-Dessous
Monible
Souboz
Perrefitte
Gänsbrunnen
Gourgouton
Vautenaivre
la Bosse
Pre Petitjean
Abb. de Bellelay (Hôpital psychiatrique)
Châtelat
Sornetan
Moron
Champoz
Graitery
les Pommerats
les Communances
les Montbovats
le Bémont
Rouges Terres
Prédame
les Genevez
Saules
Loveresse
Pontenet
Malleray
Sorvilier
Court
Chaluet
Hasenmatt
Schauenburg
Saignelégier
le Fuet
Saicourt
Chaindon
Bévilard
Grenchenberg
Lommiswil
Holz
Muriaux
la Teurre
Etang de la Gruère
Reconvilier
la Bluai
Langendorf
le Noirmont
les Chenevières
les Emibois
les Reussilles
le Cernil
Tramelan
Allmend
Stierenberg
la Chaux-des-Breuleux
Tavannes
Bettlach
Selzach
Bellach
Solothurn
le Roselet
Pierre Pertuis
le Montoz
Allerheiligen
le Peu Péquignot
les Breuleux
Mont-Tramelan
Sombeval
Péry
Grenchen
les Vacheries
Corgémont
la Heutte
Plagne
les Fonges
Cortébert
Sonceboz
la Reuchenette
Romont
Lengnau
le Peuchapatte
Courtelary
Vauffelin
Leuzigen
Mont-Crosin
Cormoret
Rondchâtel
Frinvillier
Taubenloch Schlucht
Bifang
Pieterlen
Staad
Arch
Biches
Cerneux-Veusil-Dessus
Montagne de St Imier
Pont des Anabaptistes
Büttenberg
Meinisberg
Rüti
Tschepach
Mont Soleil
Orvin
Bözingen
Safnern
Bibern
Hessigkofen
St Imier
Villeret
Prés d'Orvin
Evilard
Mett
Orpund
Büren an-der-Aare
Gossliwil
Gächliwil
le Milieu-de-Bienne
Macolin
Nidau Büren Kanal
Meienried
Oberwil
Mühledorf
Sonvilier
le Chasseral
Biel Bienne
Scheuren
Schwadernau
Aetigkofen
les Pontins
Vallon de St Imier
Mont Sujet
Vingelz
Brügg
Aegerten
Dotzigen
Biezwil
Lüterswil
Unterramsern
Oberramsern
Montagne de l'Envers
les Bugnenets
la Chaux-d'Abel
Lamboing
Alfermée
Tüscherz
Nidau
Ipsach
Port
Studen
Schnottwil
Twannberg
Bellmund
Buetigen
Limpach
Nods
Diesse
Sutz
Worben
Diessbach
Busswil
Balm bei Messen
Messen
Brunnenthal
Derrière-Pertuis
Mgne de Diesse
Twannbach Schlucht
Gaicht
Wingreis
Jens
Scheunenberg
Wengi
Rüppoldsried
le Pâquier
Prêles
la Praye
Schernelz
Châtillon
Twann
Lattrigen
St Niklaus
Merzligen
Ottiswil
Vorimholz
Bittwil
Etzelkofen

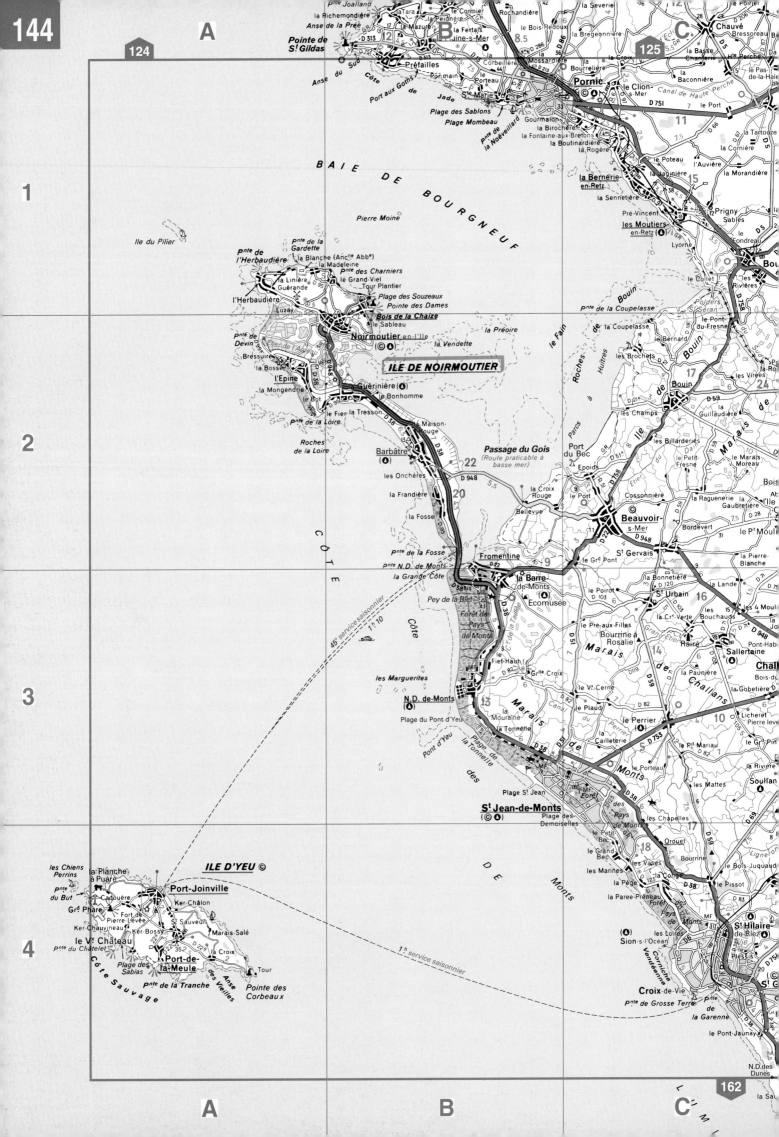
A
B
C
1
2
3
4
124
125
162
BAIE DE BOURGNEUF
ILE DE NOIRMOUTIER
ILE D'YEU ©
Ile du Pilier
Pointe de St Gildas
Anse du Sud
Côte de Jade
Préfailles
Pornic
Ste Marie
Plage des Sablons
Plage Mombeau
Gourmalon
la Bernerie-en-Retz
les Moutiers-en-Retz
Prigny
Pierre Moine
Pte de l'Herbaudière
l'Herbaudière
Pte de la Gardette
Pte des Charniers
Plage des Souzeaux
Pointe des Dames
Bois de la Chaize
Noirmoutier-en-l'Ile
Pte de Devin
Bressuire
la Bosse
l'Epine
la Guérinière
Pte de la Loire
Roches de la Loire
Barbâtre
Passage du Gois (Route praticable à basse mer)
Pte de la Coupelasse
Roches de Bouin
Bouin
Beauvoir-s-Mer
St Gervais
Fromentine
la Barre-de-Monts
Ecomusée
Pte de la Fosse
Pte N.D. de Monts
la Grande Côte
Pey de la Blet
Forêt des Pays de Monts
Côte
45' service saisonnier
1h 10
les Marguerites
N.D. de-Monts
Plage du Pont d'Yeu
Pont d'Yeu
Plage de la Tonnelle
Marais de Monts
St Urbain
Sallertaine
Marais de Challans
Plage St Jean
St Jean-de-Monts
Plage des Demoiselles
CÔTE DE MONTS
Forêt des Pays de Monts
Sion-s-l'Océan
Corniche Vendéenne
Croix-de-Vie
Pte de Grosse Terre
St Hilaire-de-Riez
1h service saisonnier
les Chiens Perrins
Pte du But
la Planche à Puare
Port-Joinville
Ker-Châlon
Grd Phare
St Sauveur
Marais-Salé
le Vx Château
Pte du Châtelet
Port-de-la-Meule
Plage des Sabias
Pte de la Tranche
Anse des Vieilles
Pointe des Corbeaux
Côte Sauvage
D 948
D 38
D 22
D 753
D 751

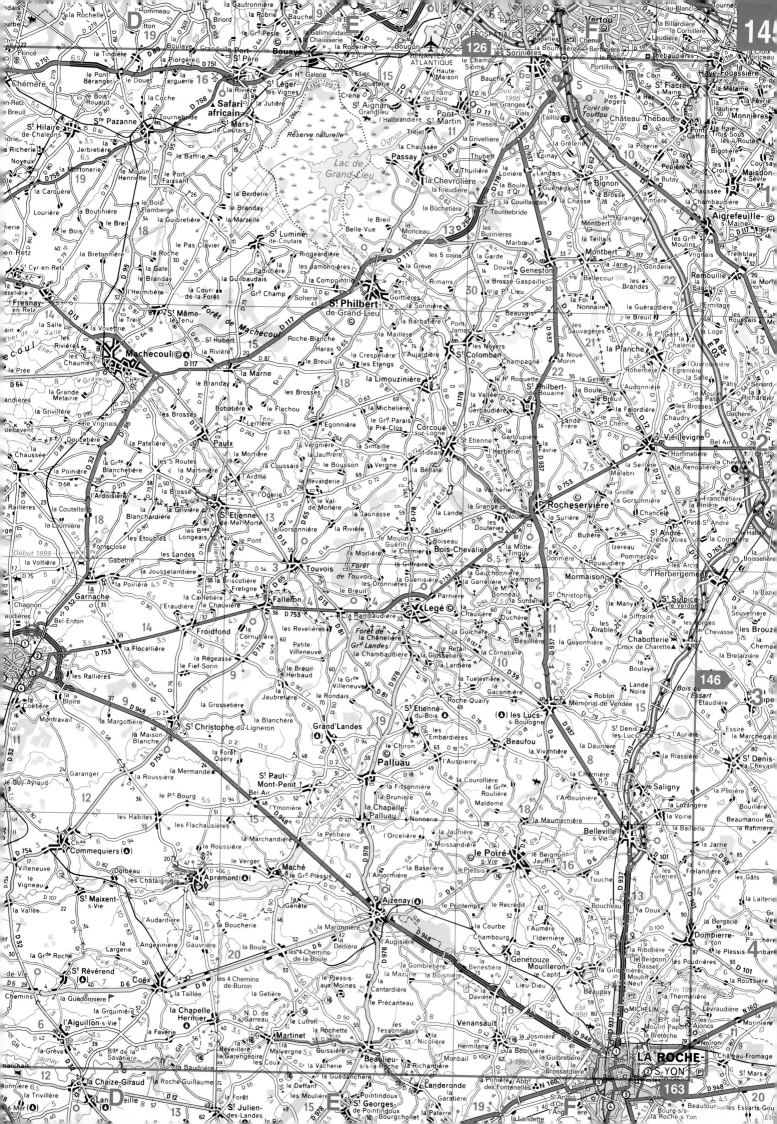

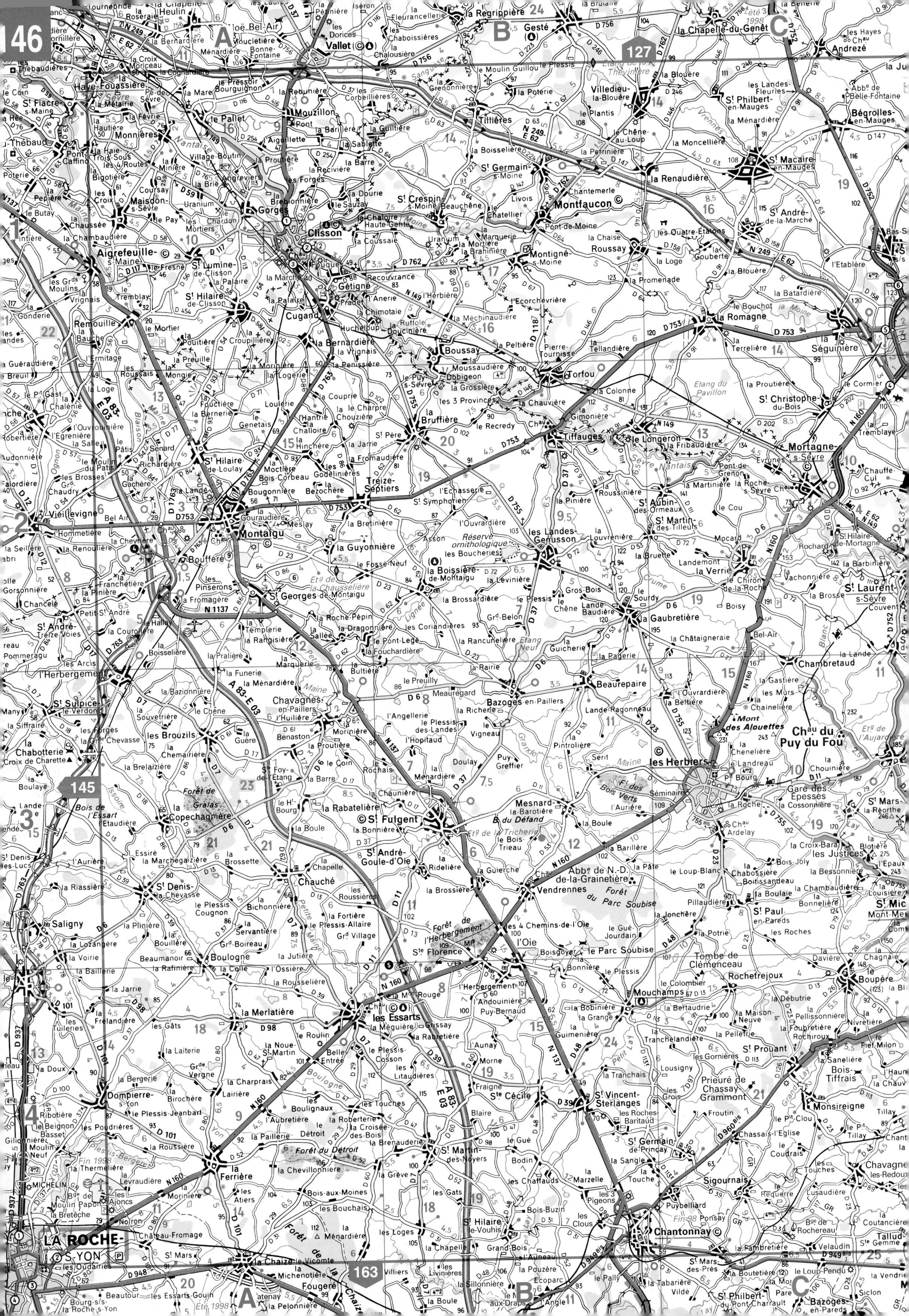
A
B
C
127
Vallet
la Regrippière
Gesté
la Chapelle-du-Genêt
Andrezé
la Haye-Fouassière
St Fiacre-s-Maine
Mouzillon
Villedieu-la-Blouère
St Philbert-en-Mauges
Bégrolles-en-Mauges
le Pallet
Monnières
Tillières
St Macaire-en-Mauges
St Germain-s-Moine
la Renaudière
St Crespin-s-Moine
Montfaucon
Maisdon-s-Sèvre
Gorges
Clisson
Montigné-s-Moine
Roussay
Aigrefeuille-s-Maine
St Lumine-de-Clisson
Gétigné
St Hilaire-de-Clisson
Cugand
la Romagne
la Séguinière
Remouillé
la Bernardière
Boussay
Torfou
St Christophe-du-Bois
Bruffière
Tiffauges
le Longeron
Mortagne-s-Sèvre
St Hilaire-de-Loulay
Treize-Septiers
St Aubin-des-Ormeaux
St Martin-des-Tilleuls
Vieillevigne
Montaigu
la Guyonnière
les Landes-Genusson
la Boissière-de-Montaigu
la Verrie
St Laurent-s-Sèvre
St Georges-de-Montaigu
la Gaubretière
St André-Treize-Voies
l'Herbergement
Beaurepaire
Chambretaud
St Sulpice-le-Verdon
Chavagnes-en-Paillers
Bazoges-en-Paillers
les Brouzils
les Herbiers
Chau du Puy du Fou
145
Copechagnière
la Rabatelière
St Fulgent
Mesnard-la-Barotière
St André-Goule-d'Oie
Chauché
St Denis-la-Chevasse
Vendrennes
St Paul-en-Pareds
Saligny
Ste Florence
Boulogne
l'Oie
Mouchamps
Rochetrejoux
la Merlatière
les Essarts
St Prouant
Dompierre-s-Yon
Ste Cécile
St Vincent-Sterlanges
Monsireigne
la Ferrière
St Martin-des-Noyers
St Germain-de-Prinçay
Sigournais
St Hilaire-le-Vouhis
Chantonnay
LA ROCHE-S-YON
la Chaize-le-Vicomte
163
Fougeré
St Philbert-du-Pont-Charrault
Bazoges-en-Pareds
A 83-E 03
N 137
N 160
N 149
N 249
D 753

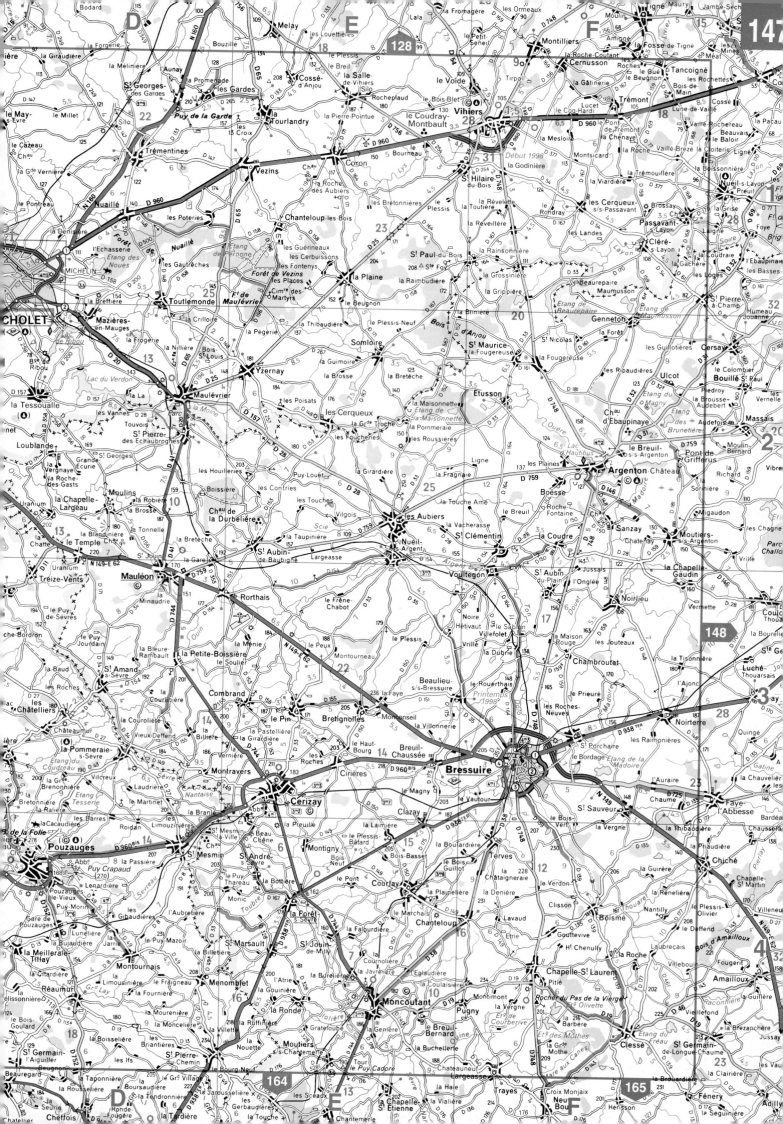
147
128
148
164
165
D
E
F
Melay
les Louettières
Lala
la Fromagère
les Ormeaux
Tigné
Jambé-Sec
Montilliers
Amigné
la Fosse-de-Tigné
la Roche-Coutant
Cernusson
Tancoigné
les Rochettes
la Giraudière
la Forgerie
la Mélinière
l'Aunay
St Georges-des Gardes
la Promenade
les Gardes
Puy de la Garde
Cossé-d'Anjou
la Salle-de-Vihiers
le Plessis
le Breil
Rochepiaud
le Bois-Blet
le Voide
Vihiers
Tirpoil
la Gâtinerie
le Beugnon
Bois-de-Main
Trémont
Lucet
le Coq-Hardi
le May-s-Evre
le Millet
Tourlandry
la Pierre-Pointue
le Coudray-Montbault
Pont de-Trémont
la Chenaye
Vaillé-Rochereau
Beauvais
le Baloir
la Cloiterie
Lune-de-Vaillé
Cossé
Trémentines
Vezins
Coron
Bourneau
St Hilaire-du-Bois
la Mesloire
Montsicard
la Roche
Vaillé-Brézé
Ligné
la Godinière
Début 1998
la Trémouillère
la Viardière
la Boissonnière
Nueil-s-Layon
Preuil
Nuillé
les Poteries
Chanteloup-les-Bois
la Roche-des-Aubiers
les Bretonnières
le Plessis
la Toutière
la Révelette
le Rondray
les Cerqueux-s/s-Passavant
Brossay
Passavant-s-Layon
la Grise
Foye
la Reveillère
les Landes
Cléré-s-Layon
la Coudraie
l'Ebaupinaie
les Basses
la Denisière
l'Echasserie
Forêt de Nuillé
Etang des Noues
Etang de Péronne
les Guérineaux
les Cerbuissons
les Fontenys
Forêt de Vezins
les Places
Cimre des Martyrs
la Plaine
St Paul-du-Bois
Ste Foy
la Rainsonnière
la Grossinière
Beaurepaire
Maumusson
la Gâchère
les Loges
St Pierre-à-Champ
Humeau
Jouanne
CHOLET
MICHELIN
les Gautrèches
Toutlemonde
Ft de Maulévrier
la Breffière
Mazières-en-Mauges
la Crilloire
le Beugnon
la Raimbudière
la Grippière
la Blinière
Bois d'Anjou
Etang de Beaurepaire
Etang de Maumusson
Genneton
la Forêt
Cersay
Lac de Ribou
la Frogerie
la Thibaudière
la Pégerie
le Plessis-Neuf
Somloire
St Maurice-la-Fougereuse
St Nicolas
la Fougereuse
les Guillotières
Bgc de Ribou
la Nillière
Bois-St Louis
Yzernay
la Guimoire
la Brosse
la Bretèche
les Ripaudières
Ulcot
le Colombier
Bouillé-St Paul
Lac du Verdon
Maulévrier
la Tessoualle
la Moine
Parc
les Vannes
Touvois
St Pierre-des-Echaubrognes
les Poisats
les Cerqueux
la Grde Troche
la Maisonnette
Etang de la Maisonnette
la Pommeraie
les Fouchères
les Roussières
Etusson
Chau d'Ebaupinaye
Etang du Magny
Etang des Brunetières
Audefois
Massais
Piedroy
la Brousse-Audebert
Loublande
Grande-Ecurie
St Georges
la Vergnaye
la Roche-des-Gasts
les Houillerles
Puy-Louet
la Girardière
Ligne
la Fragnaie
les Plaines
Lac d'Hautibus
le Breuil-s/s-Argenton
Pont de Grifferus
Moulin-Bernard
Argenton-Château
Boësse
Roche-Fontaine
la Richard
la Sornière
Moulins
la Chapelle-Largeau
la Robière
la Brosse
Boissière
les Contries
les Touches
Chau de la Durbelière
Vilgois
les Aubiers
la Touche Ame
le Breuil
Sanzay
Chatenay
Migaudon
Moutiers-s/s-Argenton
la Tonnelle
la Blandinière
le Temple
la Chatte
Uranium
la Bretèche
la Taupinière
Scie
St Aubin-de-Baubigné
Largeasse
Nueil-s-Argent
la Vacherasse
St Clémentin
la Coudre
Jussais
la Chapelle-Gaudin
Vrillé
Treize-Vents
Mauléon
la Gare
St Jouin
Voultegon
St Aubin-du-Plain
l'Onglée
Noirlieu
Vermette
la Minaudrie
Rorthais
le Frêne-Chabot
Noire Hétivaut
le Sablon
Villefolet
le Puy-de-Sèvres
la Bordron
le Puy-Jourdain
la Ménie
le Peux
le Plessis
Vrillé
la Dubrie
la Maison Rouge
les Jouteaux
Chambroutet
la Tisonnière
Luché-Thouarsais
la Bourelie
la Baud
St Amand-s-Sèvre
la Bleure-Rambault
la Petite-Boissière
le Soulier
Montourneau
Beaulieu-s/s-Bressuire
le Rouerthais
Printemps 1998
les Roches-Neuves
le Prieuré
l'Ajonc
les Roches
les Châtelliers
la Courlinière
Combrand
la Faye
Bretignolles
Monconseil
la Villonnerie
Noirterre
Quingé
la Couroilère
Châteaumur
la Pommeraie-s-Sèvre
Vieux-Deffend
la Billère
le Pin
la Pastellière
la Girardière
la Verniere
les Roches
le Haut-Bourg
Breuil-Chaussée
Bressuire
St Porchaire
le Bordage
Etang de la Madoire
les Raimonières
Etang du Coudreau
la Gde Brenonnière
Vilcreux
Laudrière
Montravers
Cirières
le Magny
le Vautour
l'Auraire
la Chauvelière
Etang de Tesserie
la Bretonnière
le Martinet
Nantaise
la Branle
Cerizay
Clazay
Chaume
Faye-l'Abbesse
St Sauveur
la Raliere
la Cacaudière
les Barres
Roidan
Limouzinière
la Preuille
la Laimière
le Bois-Vert
la Vergne
la Thibaudière
Bardéa
Chausseray
de la Folie
Pouzauges
St Mesmin-la-Ville
Beau-Chêne
Montigny
le Plessis-Bâtard
la Boulardière
la Priaudière
St Mesmin
la Passière
Abbe Puy Crapaud (270)
St André-s-Sèvre
Bois Neuf
Bois-Basset
le Bois-Guillot
Terves
Chiché
Lenardière
Pouzauges-le-Vieux
le Puy-Thareau
la Bottière
le Pont
Courlay
la Chataigneraie
le Verdon
la Guirère
Chapelle-St Martin
Puy-Morin
Gare de Pouzauges
les Gibaudières
l'Aubretière
Monic
Toubre
la Forêt-s-Sèvre
la Plainelière
la Denière
Clisson
Nantilly
la Renelière
le Plessis-Olivier
Villeneuve
la Luneliere
la Jarrie
le Puy-Mazoir
la Bujaudière
St Marsault
le Marchais
Chanteloup
Lavaud
Boismé
le Deffend
la Meilleraie-Tillay
la Billetière
St Jouin-de-Milly
la Falourdière
Etrie
Gouttevive
Ht Chenully
la Roche
Laubreçais
Bois d'Amailloux
la Citardière
Montournais
Villebouin
Fougerit
Réaumur
la Limousinière
le Fraigneau
Menomblet
l'Atrie
la Burelière
la Cornolière
la Javrelière
l'Eglaudière
Chapelle-St Laurent
Pitié
Amailloux
la Guillère
la Fourniere
la Gouinière
Moncoutant
la Coulaisière
Montimont
Rocher du Pas de la Vierge
Ete Olivette
Raconnière
Vieillefond
la Mourenière
la Ronde
Pugny
la Vergne
Etg de Courberive
Barbère
la Moncelière
la Ruffinière
Grateloube
le Breuil-Bernard
Etg des Mothes
la Brezanchère
le Bois-Goulard
la Boisselière
les Briantières
la Villette
la Nouette
la Genière
la Buchellerie
la Grde Mothe
Clessé
Etang du Fréau
St Germain-de-Longue-Chaume
Jussay
St Germain-l'Aiguiller
St Pierre-du-Chemin
les Ifs
Moutiers-s/s-Chantemerle
Tour le Puy Cadore
Chateauneuf
Mare aux Canes
Beugnon
le Bourg Neuf
Largeasse
la Brouardière
la Clairière
Beauregard
la Taponnière
la Rousselière
le Grd Village
la Boursaudière
la Tendronnière
la Jarousselière
les Gerbaudières
les Sceaux
la Chapelle-St Etienne
la Haie
la Vialière
Trayes
Croix Monjaix
Neuf Bourg
Herisson
Fénery
Adilly
la Seurie
Cheffois
Ronde-Fougère
la Tardière
la Touche
Chantemerle
N 160
N 149-E 62
D 960
D 748
D 759
D 744
D 938 TER
D 960 BIS
N 149

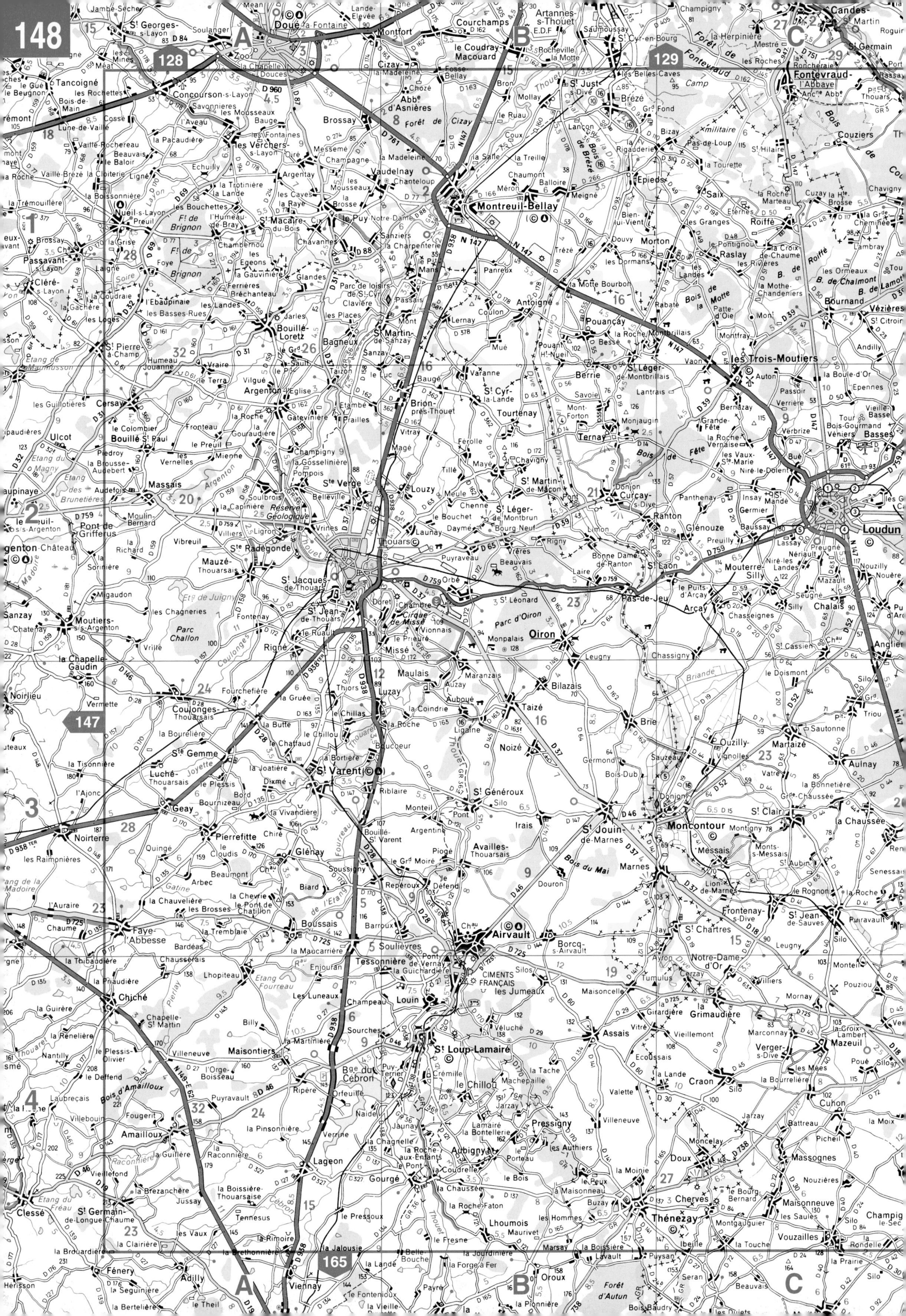
A
B
C
128
129
147
165
1
2
3
4
Doué-la-Fontaine
Montfort
Courchamps
Artannes-s-Thouet
Candes-St Martin
Fontevraud-l'Abbaye
Forêt de Fontevraud
St Georges-s-Layon
Concourson-s-Layon
Tancoigné
Brossay
Forêt de Cizay
Montreuil-Bellay
Les Verchers-s-Layon
Vaudelnay
Nueil-s-Layon
Passavant-s-Layon
Cléré-s-Layon
St Macaire-du-Bois
le Puy-Notre-Dame
Brézé
Epieds
Saix
Roiffé
Couziers
Bouillé-Loretz
St Martin-de-Sanzay
Antoigné
Pouançay
St Léger-de-Montbrillais
les Trois-Moutiers
Cersay
Argenton-l'Eglise
Bouillé St Paul
Massais
Ste Verge
Louzy
Thouars
Ste Radegonde
Mauzé-Thouarsais
St Jacques-de-Thouars
St Jean-de-Thouars
St Cyr-la-Lande
Tourtenay
Ternay
Curçay-s-Dive
Ranton
Glénouze
Loudun
Argenton-Château
Moutiers-s-Argenton
Oiron
Pas-de-Jeu
Arçay
Mouterre-Silly
Chalais
Rigné
Missé
Taizé
Brie
Coulonges-Thouarsais
Luzay
St Varent
Noizé
Martaizé
Aulnay
Luché-Thouarsais
Geay
Noirterre
Pierrefitte
Glénay
St Généroux
St Jouin-de-Marnes
Moncontour
Marnes
Airvault
Faye-l'Abbesse
Boussais
Soulièvres
Borcq-s-Airvault
Frontenay-s-Dive
St Jean-de-Sauves
Chiché
Tessonnière
Louin
Assais
Maisontiers
St Loup-Lamairé
Mazeuil
Amailloux
Pressigny
Craon
Cuhon
Lageon
Gourgé
Aubigny
Doux
Clessé
St Germain-de-Longue-Chaume
Lhoumois
Thénezay
Vouzailles
Adilly
Fénery
Viennay
Oroux
Forêt d'Autun

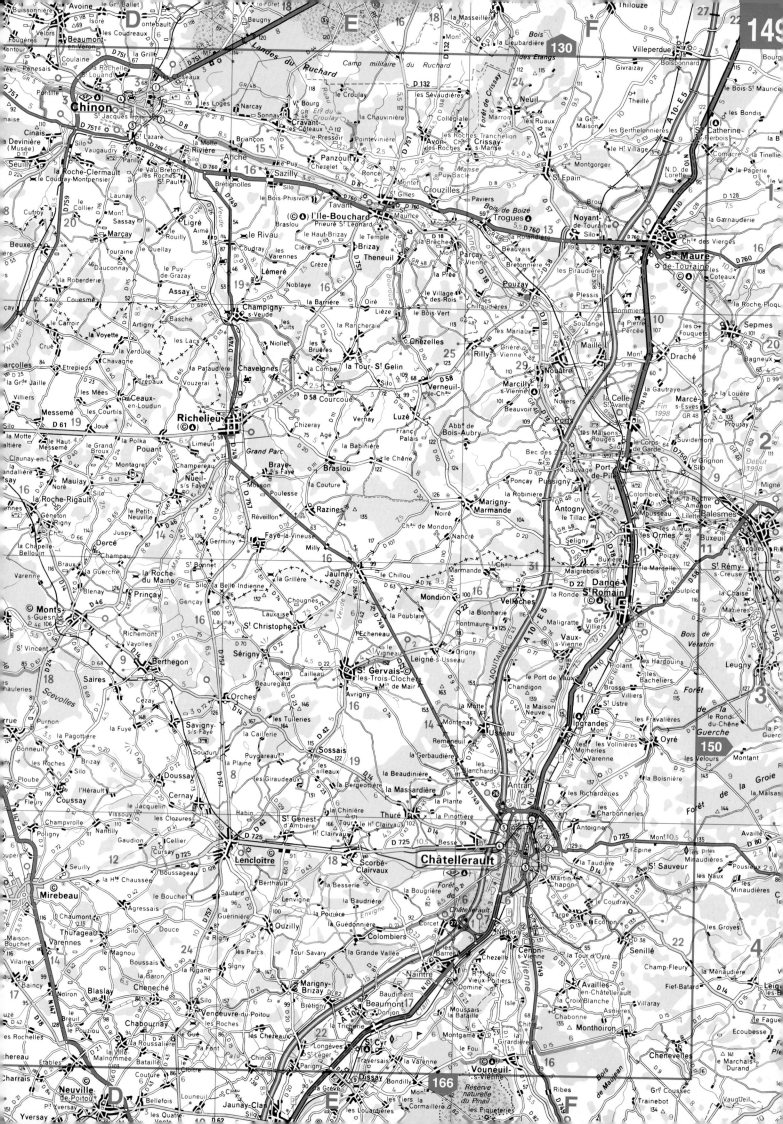

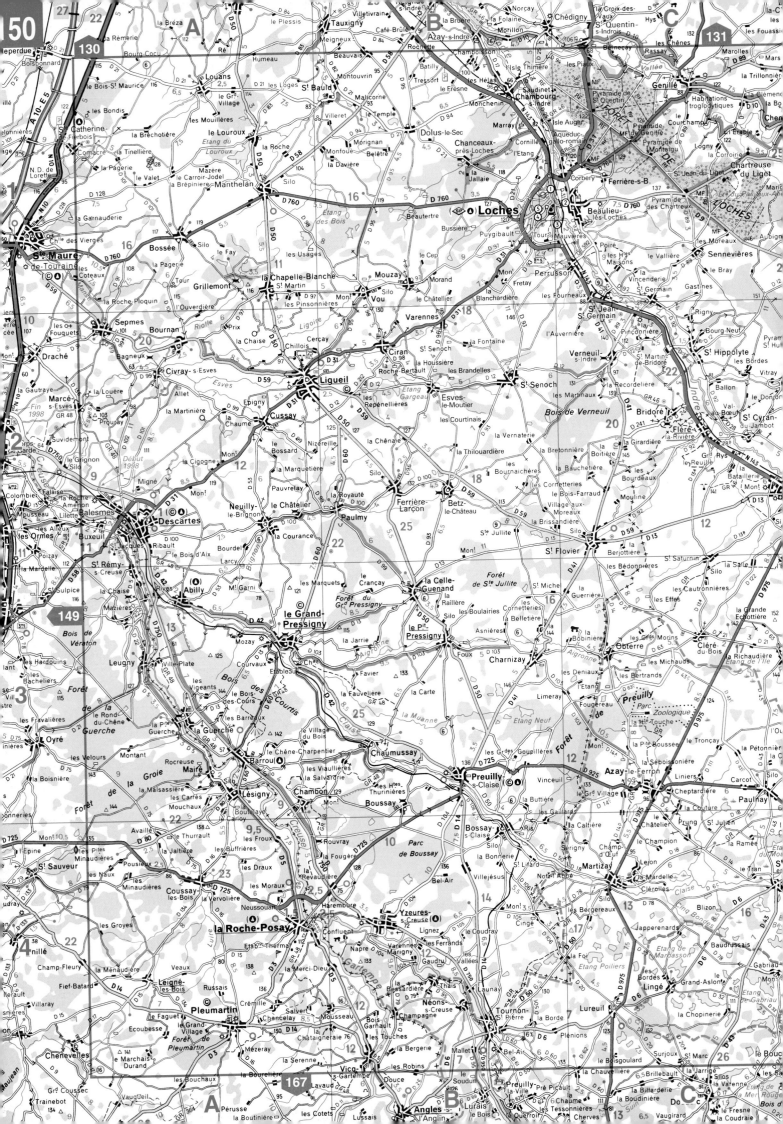
A
B
C
130
131
149
167
1
2
3
4
Tauxigny
Chédigny
St Quentin-s-Indrois
Azay-s-Indre
Louans
St Bauld
Ste Catherine-de-Fierbois
le Louroux
Dolus-le-Sec
Chanceaux-près-Loches
Genillé
Manthelan
Loches
Beaulieu-lès-Loches
Chartreuse du Liget
St Jean-du-Liget
Forêt de Loches
Ste Maure-de-Touraine
Bossée
la Chapelle-Blanche-St Martin
Grillemont
Mouzay
Vou
Perrusson
Sennevières
Sepmes
Bournan
Varennes
St Jean-St Germain
Draché
Civray-s-Esves
Ligueil
Ciran
Esves-le-Moutier
St Senoch
Verneuil-s-Indre
St Hippolyte
Marcé-s-Esves
Cussay
Bridoré
Bois de Verneuil
St Cyran-du-Jambot
Descartes
Balesmes
Neuilly-le-Brignon
Paulmy
Ferrière-Larçon
Betz-le-Château
St Flovier
Buxeuil
St Rémy-s-Creuse
Abilly
la Celle-Guenand
Forêt de Ste Jullite
le Grand-Pressigny
le Pt-Pressigny
Charnizay
Obterre
Cléré-du-Bois
Leugny
Bois des Courtis
la Guerche
Preuilly
Parc Zoologique
Forêt de Preuilly
Oyré
Barrou
Chaumussay
Preuilly-s-Claise
Azay-le-Ferron
Forêt de la Groie
Mairé
Lésigny
Chambon
Boussay
Paulnay
Bossay-s-Claise
Parc de Boussay
St Sauveur
Coussay-les-Bois
Martizay
la Roche-Posay
Yzeures-s-Creuse
Leigné-les-Bois
Pleumartin
Forêt de Pleumartin
Néons-s-Creuse
Tournon-St Pierre
Lureuil
Lingé
Vicq-s-Gartempe
Preuilly-la-Ville
Angles-s-l'Anglin
Lurais
Chenevelles
A 10-E 5
N 10
N 143
D 760
D 50
D 31
D 59
D 725
D 975
Creuse
Gartempe
Claise
Indre

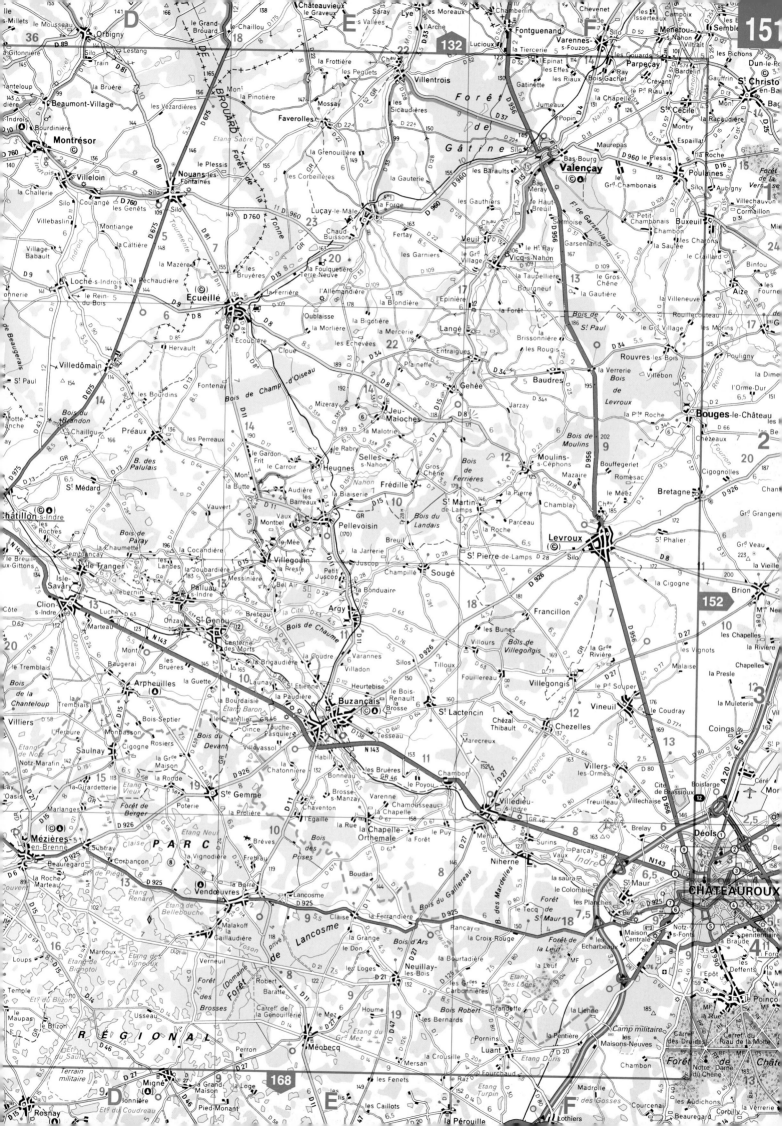

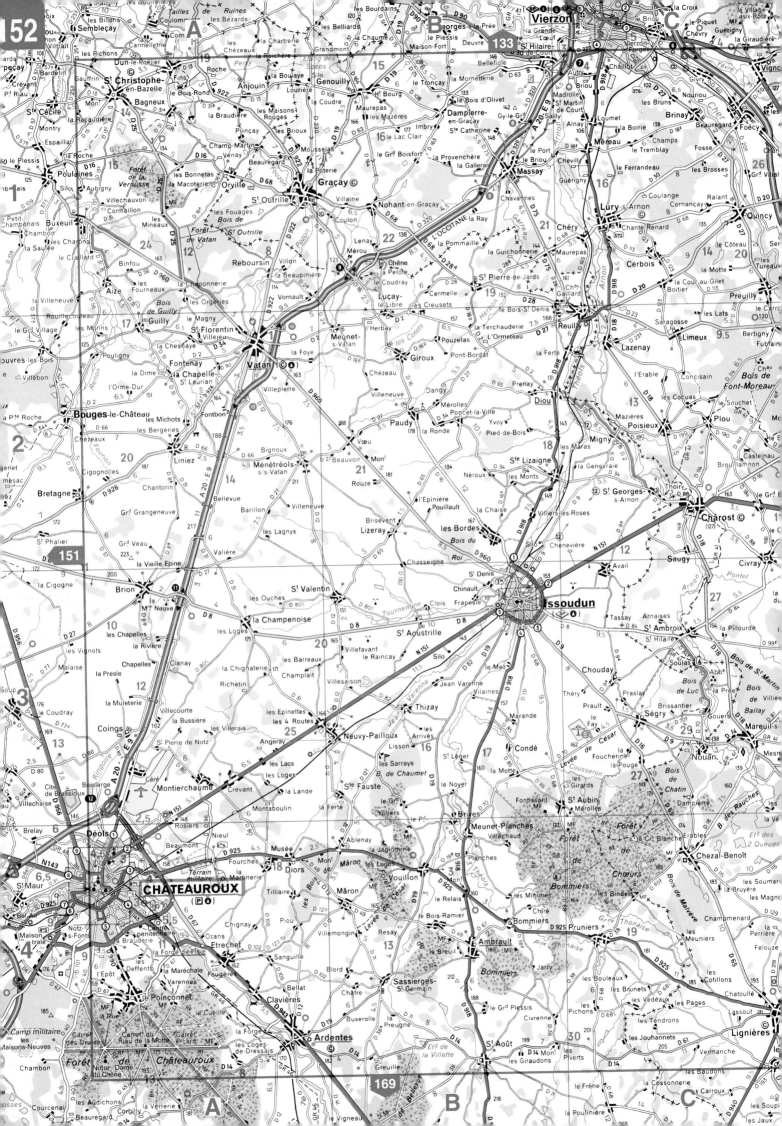
133
151
169
Vierzon
St Hilaire-de-Court
Genouilly
Graçay
Dun-le-Poëlier
St Christophe-en-Bazelle
Bagneux
Poulaines
Forêt de la Vernusse
Forêt de Vatan
Bois de St Outrille
St Outrille
Massay
Dampierre-en-Graçay
Nohant-en-Graçay
Méreau
Lury-s-Arnon
Quincy
Brinay
Foëcy
Chéry
Lucay-le-Libre
St Pierre-de-Jards
Reuilly
Vatan
Guilly
St Florentin
Giroux
Meunet-s-Vatan
Bouges-le-Château
Liniez
Ménétréols-s/s-Vatan
Paudy
Diou
Ste Lizaigne
St Georges-s-Arnon
Charost
Lazenay
Limeux
Poisieux
Plou
Brion
St Valentin
la Champenoise
Issoudun
St Aoustrille
St Ambroix
Chouday
Ségry
Mareuil-s-Arnon
Thizay
Neuvy-Pailloux
Coings
Montierchaume
Condé
St Aubin
Forêt de Chœurs Bommiers
Bois de Chatin
Chezal-Benoît
Déols
CHÂTEAUROUX
Diors
Mâron
Vouillon
Meunet-Planches
Brives
Bommiers
Ambrault
Pruniers
Lignières
Le Poinçonnet
Forêt de Châteauroux
Etrechet
Ardentes
Sassierges-St Germain
Clavières
St Août
Camp militaire
A
B
C

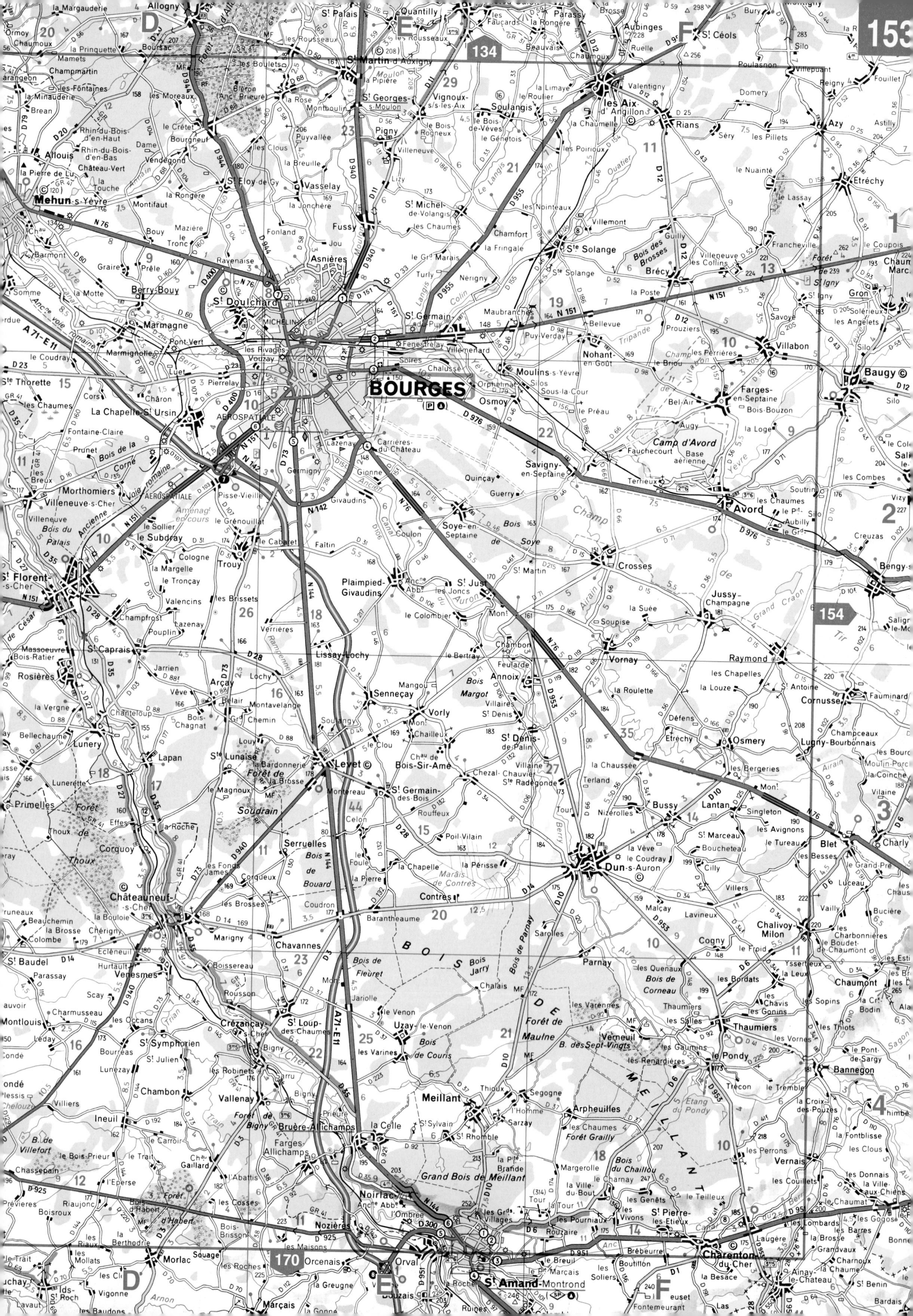

134

BOURGES

Mehun-s-Yèvre

S¹ Florent-s-Cher

Châteauneuf-s-Cher

les Aix d'Angillon

Avord

Camp d'Avord Base aérienne

Dun-s-Auron

S¹ Amand-Montrond

Charenton-du-Cher

154

170

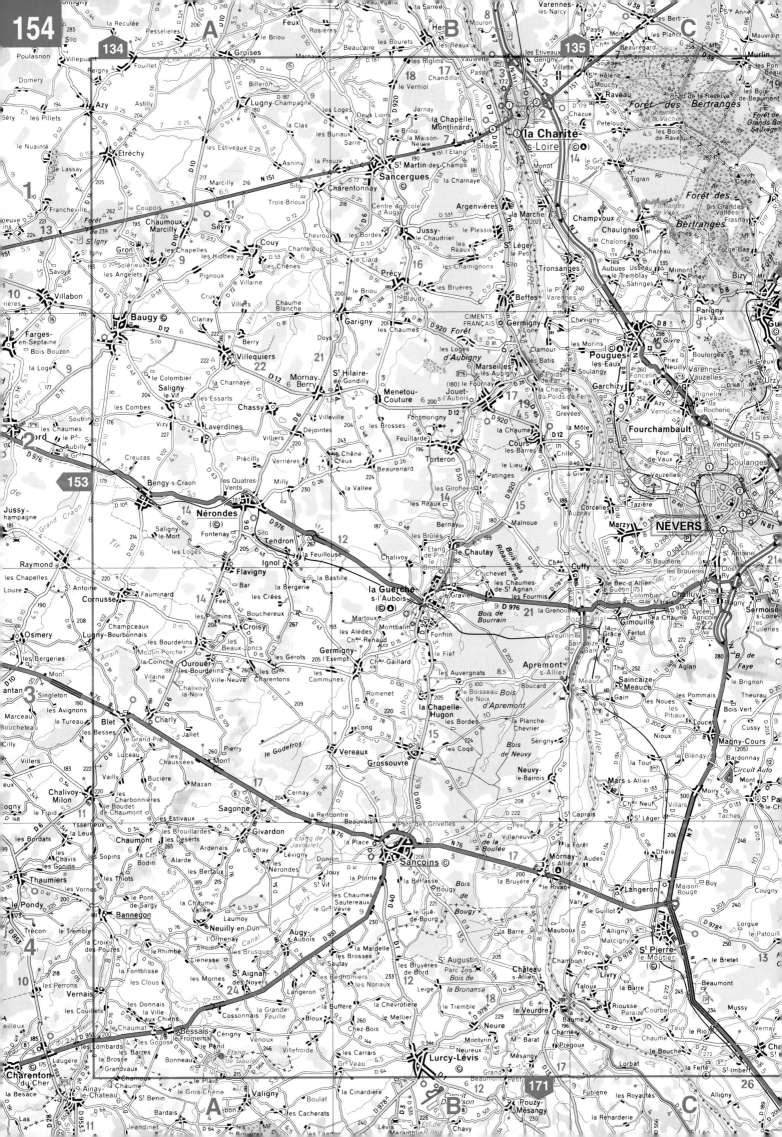
134
135
153
171
A
B
C
la Charité-s-Loire
Sancergues
Baugy
Nérondes
la Guerche-s-l'Aubois
Sancoins
Lurcy-Lévis
NEVERS
Fourchambault
Pougues-les-Eaux
Marzy
Challuy
St Pierre-le-Moûtier
Magny-Cours
Circuit Auto
Forêt des Bertranges
Villequiers
Mornay-Berry
Jussy-le-Chaudrier
Précy
Garigny
Menetou-Couture
Torteron
Cours-les-Barres
Apremont-s-Allier
la Chapelle-Hugon
Grossouvre
Blet
Charly
Chalivoy-Milon
Thaumiers
Bannegon
Neuilly-en-Dun
Augy-s-Aubois
St Aignan-des-Noyers
Bessais-le-Fromental
Charenton-du-Cher
Ainay-le-Château
Valigny
Pouzy-Mésangy
le Veurdre
Château-s-Allier
Mornay-s-Allier
Langeron
Livry
Mars-s-Allier
Neuvy-le-Barrois
Saincaize-Meauce
Gimouille
Cuffy
Marseilles-lès-Aubigny
Germigny-s-Loire
Beffes
Tronsanges
Chaulgnes
Garchizy
Varennes-Vauzelles
Etréchy
Azy
Villabon
Farges-en-Septaine
Chaumoux-Marcilly
Couy
Flavigny
Cornusse
Osmery
Croisy
Ourouer-les-Bourdelins
Germigny-l'Exempt
Sagonne
Givardon
Chaumont
Vereaux
Tendron
Ignol
Bengy-s-Craon
Lugny-Champagne
Saligny-le-Vif
Chassy
Laverdines
Raymond
N 151
D 976
N 76
N 7
D 920
Loire
Allier

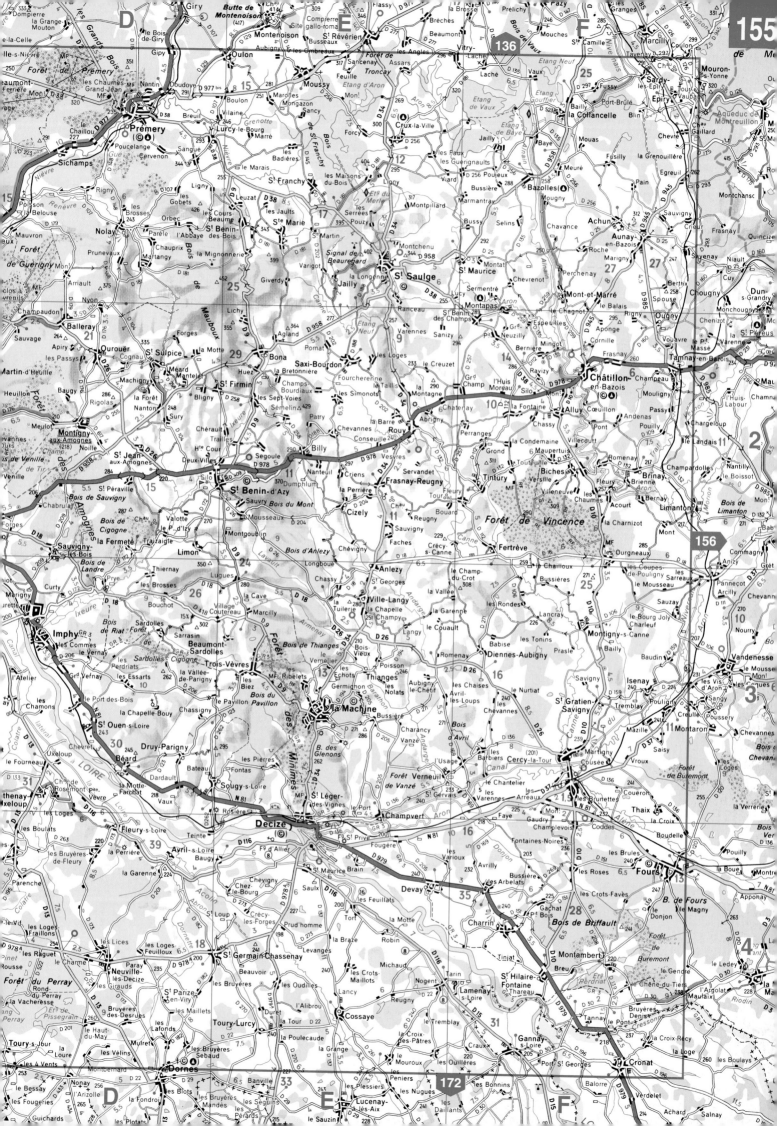

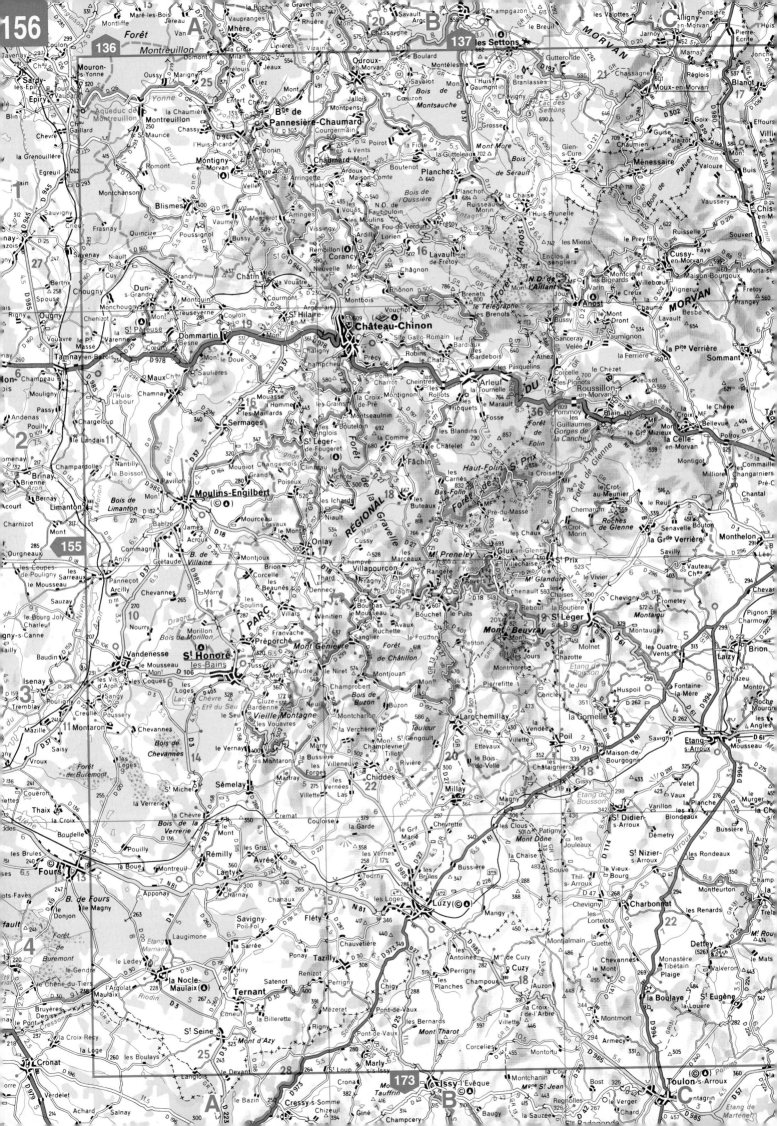

136
137
155
173
A
B
C
MORVAN
Forêt
Montreuillon
Aqueduc de Montreuillon
Mhère
Vauprangès
Ouroux-en-Morvan
Chassaygne
Savault
les Settons
Lac des Settons
Montsauche
Bois de Montsauche
Gouloux
Alligny-en-Morvan
Moux-en-Morvan
Mouron-s-Yonne
Sardy-les-Epiry
Epiry
Montreuillon
Bge de Pannesière-Chaumard
Chaumard
Montigny-en-Morvan
Blismes
Planchez
Mont Moré
Bois de Sérault
Gien-s-Cure
Ménessaire
Bois de Patuet
Blanot
l'Huis-Prunelle
Cussy-en-Morvan
Corancy
Lavault-de-Frétoy
Forêt d'Anost
N.D. de l'Aillant
Anost
Dun-s-Grandry
Châtin
St Hilaire-en-M
Château-Chinon
Site Gallo-Romain
Dommartin
St Péreuse
Tamnay-en-Bazois
Ougny
Arleuf
Roussillon-en-Morvan
Sommant
la Pte Verrière
Maux
Sermages
St Léger-de-Fougeret
Forêt de Folin
Gorges de la Canche
la Celle-en-Morvan
Haut-Folin
St Prix
Moulins-Engilbert
Bois de Limanton
Limanton
Brinay
PARC
RÉGIONAL
DU
Forêt de la Gravelle
Onlay
Villapourçon
Mt Preneley
Glux-en-Glenne
Roches de Glenne
Forêt de Glenne
la Grde Verrière
Monthelon
Mt Glandure
Mont Beuvray
St Léger-s-B
Préporché
Mont Genièvre
Forêt de Châtillon
St Honoré-les-Bains
Vandenesse
Isenay
Vieille Montagne
Bois de Buzon
Larochemillay
Poil
la Comelle
Laizy
Brion
Etang-s-Arroux
Montaron
Bois de Chevannes
Forêt de Buremont
Sémelay
Chiddes
Millay
Maison-de-Bourgogne
St Didier-s-Arroux
Bois de la Verrerie
Rémilly
Avrée
Mont Dône
St Nizier-s-Arroux
Fours
B. de Fours
Lanty
Luzy
Charbonnat
Savigny-Poil-Fol
Fléty
Tazilly
Cuzy
Dettey
Mt Rouge
la Nocle-Maulaix
Ternant
Monastère Tibétain
Montmort
la Boulaye
St Eugène
St Seine
Mont d'Azy
Mont Tharot
Marly-s/s-Issy
Cronat
Cressy-s-Somme
Mont Tauffrin
Issy-l'Évêque
Toulon-s-Arroux
Mgne St Jean
Gueugnon
N 81
D 985
D 978
D 37
D 994

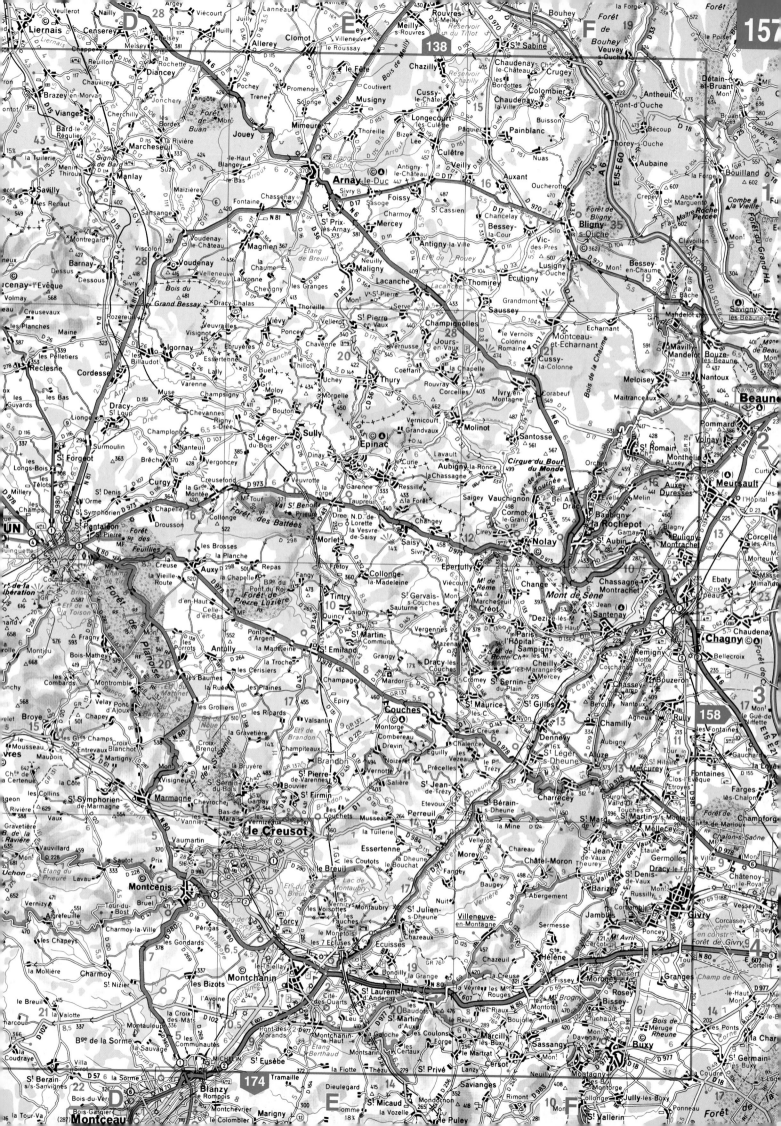

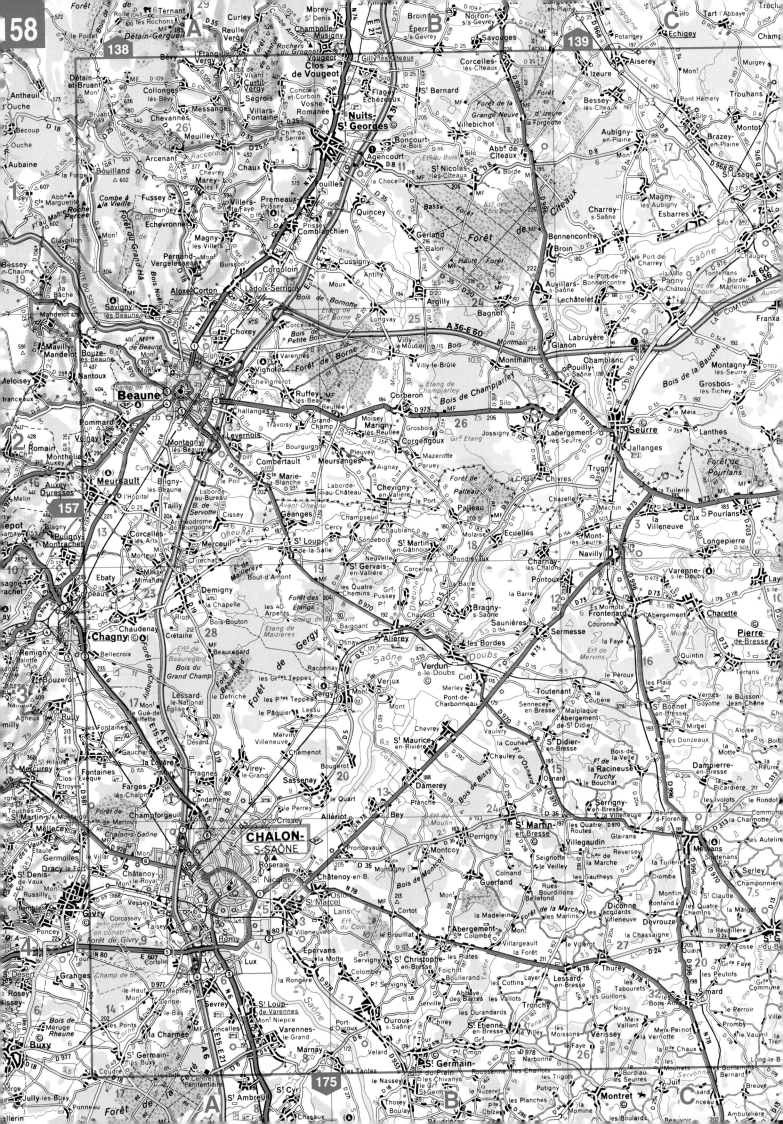
138
139
157
175
A
B
C
Beaune
Nuits-St Georges
Chalon-s-Saône
Chagny
Seurre
Meursault
Givry
Buxy
Gevrey
Clos de Vougeot
Vougeot
Chambolle-Musigny
Morey-St Denis
Savigny-lès-Beaune
Aloxe-Corton
Ladoix-Serrigny
Corgoloin
Comblanchien
Premeaux-Prissey
Pommard
Volnay
Puligny-Montrachet
Rully
Mercurey
Verdun-s-le-Doubs
Allerey-s-S.
Gergy
St Martin-en-Bresse
St Germain-du-Plain
St Marcel
Châtenoy-le-Royal
Abbe de Cîteaux
Forêt de Cîteaux
Forêt de Gergy
Forêt de Pourlans
Forêt du Grand Hâ
Bois de Bissy
Bois de la Bauche
A 36-E 60
A 31
A 6
E 15-E 21
N 6
N 73
N 74
N 78
N 80
D 996
D 970
D 973
D 978
D 35
Saône
Doubs
Dheune
Autoroute du Soleil
La Comtoise
Montret
Simard
Mervans
Pierre-de-Bresse
Charette
Navilly
Pouilly-s-Saône
Chamblanc
Glanon
Labruyère
Brazey-en-Plaine
St Usage
Aiserey
Échigey
Izeure
Corcelles-lès-Cîteaux
Savouges
Noiron-s/s-Gevrey
Épernay-s/s-Gevrey
Gilly-lès-Cîteaux
Villebichot
Agencourt
Quincey
Gerland
Argilly
Bagnot
Corberon
Villy-le-Moutier
Ruffey-lès-Beaune
Levernois
Montagny-lès-Beaune
Bligny-lès-Beaune
Tailly
Merceuil
Demigny
Corcelles-les-Arts
Ebaty
Corpeau
Chaudenay
Remigny
Bouzeron
Fontaines
Farges-lès-Chalon
Champforgeuil
Crissey
Sassenay
Virey-le-Grand
Lessard-le-National
Varennes-le-Grand
St Loup-de-Varennes
Sevrey
Lux
Épervans
Ouroux-s-Saône
Marnay
Damerey
Bey
Allériot
Ciel
Sermesse
Frontenard
Chivres
Trugny
Jallanges
Lanthes
Pourlans
Clux
La Villeneuve
Longepierre
Varenne-s-le-Doubs
Toutenant
St Bonnet-en-Bresse
St Didier-en-Bresse
Serrigny-en-Bresse
Villegaudin
Guerfand
Montcoy
Perrigny
Thurey
Lessard-en-Bresse
Tronchy
Vérissey
St Étienne-en-Bresse
St Christophe-en-Bresse
Devrouze
Diconne
Serley
Dampierre-en-Bresse
St Maurice-en-Rivière
Saunières
Bragny-s-Saône
Les Bordes
Palleau
Écuelles
Charnay-lès-Chalon
Pontoux
Mont-lès-Seurre
Labergement-lès-Seurre
Corgengoux
Marigny-lès-Reullée
Meursanges
Combertault
Ste Marie-la-Blanche
Chevigny-en-Valière
St Loup-de-la-Salle
Géanges
Cissey
St Martin-en-Gâtinois
St Gervais-en-Vallière
Mazerotte
Auxey-Duresses
Monthelie
St Romain
Nantoux
Bouze-lès-Beaune
Mavilly-Mandelot
Bouilland
Arcenant
Chaux
Fussey
Magny-lès-Villers
Pernand-Vergelesses
Villers-la-Faye
Marey-lès-Fussey
Meuilley
Chevannes
Collonges-lès-Bévy
Messanges
Bévy
Curtil-Vergy
Reulle-Vergy
Ternant
Curley
Concœur-et-Corboin
Vosne-Romanée
Flagey-Échézeaux
Villars-Fontaine
Boncourt-le-Bois
St Nicolas-lès-Cîteaux
St Bernard
Bessey-lès-Cîteaux
Aubigny-en-Plaine
Magny-lès-Aubigny
Esbarres
Charrey-s-Saône
Bonnencontre
Broin
Auvillars-s-Saône
Lechâtelet
Pagny-le-Château
Montagny-lès-Seurre
Grosbois-lès-Tichey
Trouhans
Montot
Tart-l'Abbaye
Potangey
Chenôve
Rosey
Granges
Germolles
Mellecey
Dracy-le-Fort
St Désert
Jully-lès-Buxy
St Ambreuil
St Cyr
Thorey
Boulay
Juif
Montret
Bosjean
Sens-s-Seille

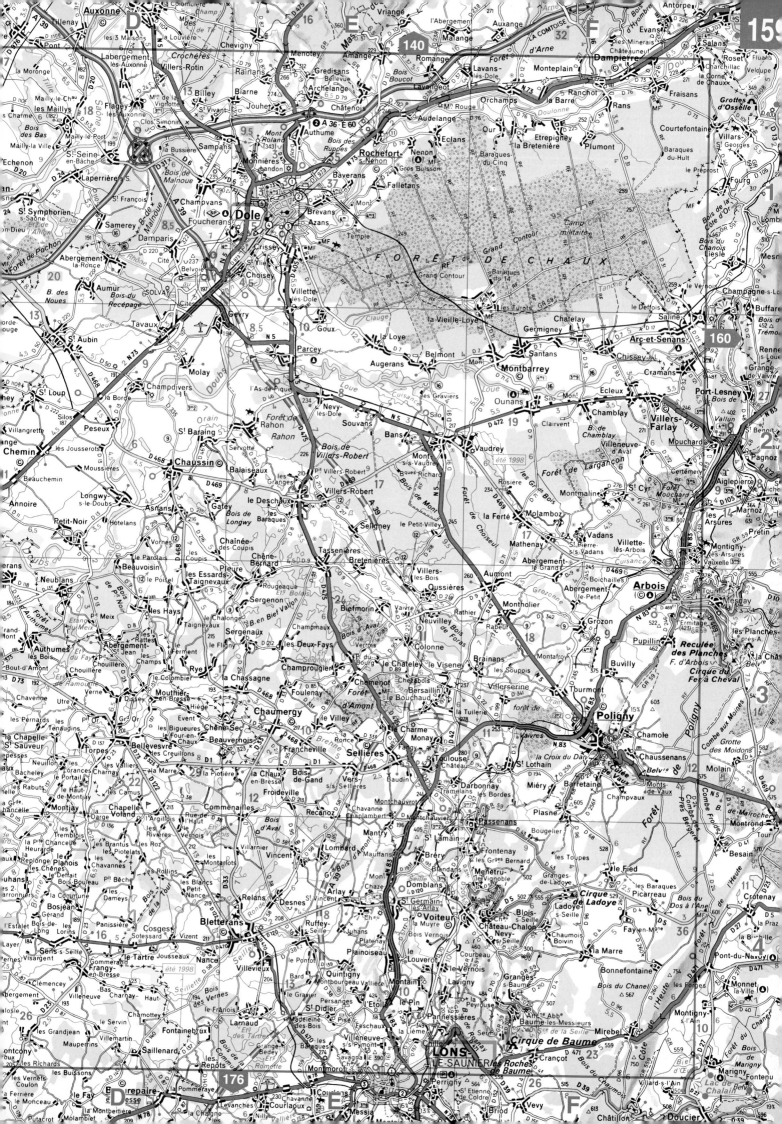
140
160
176
D
E
F
Auxonne
Dole
FORÊT DE CHAUX
Rochefort-s-Nenon
Dampierre
Fraisans
Arc-et-Senans
Salins
Grottes d'Osselle
Port-Lesney
Villers-Farlay
Mouchard
Montbarrey
Chaussin
Tavaux
Vaudrey
Mont-s-s-Vaudrey
Arbois
Reculée des Planches
Cirque du Fer à Cheval
Poligny
Sellières
Chaumergy
Bletterans
Voiteur
Château-Chalon
Cirque de Ladoye
Cirque de Baume
Baume-les-Messieurs
LONS-LE-SAUNIER
Les Roches de Baume
Beaurepaire-en-Bresse
Montmorot
Perrigny
Conliège
Crançot
Mirebel
Pont-du-Navoy
Marigny
Lac de Chalain
Doucier
Champagnole
Forêt de Poligny
Forêt de Chaux
Forêt de Choiseul
Forêt de Rahon
Forêt Moucharde
Forêt de Pochon
Forêt de Largançon
Bois de Villers-Robert
Bois de Mont
Bois d'Aval
Forêt d'Amont
Côte de l'Heute
Saône
Doubs
Loue
Orain
Seille
Vallière
Cuisance
Clauge
A 39
A 36 - E 60
N 5
N 73
N 83
été 1998

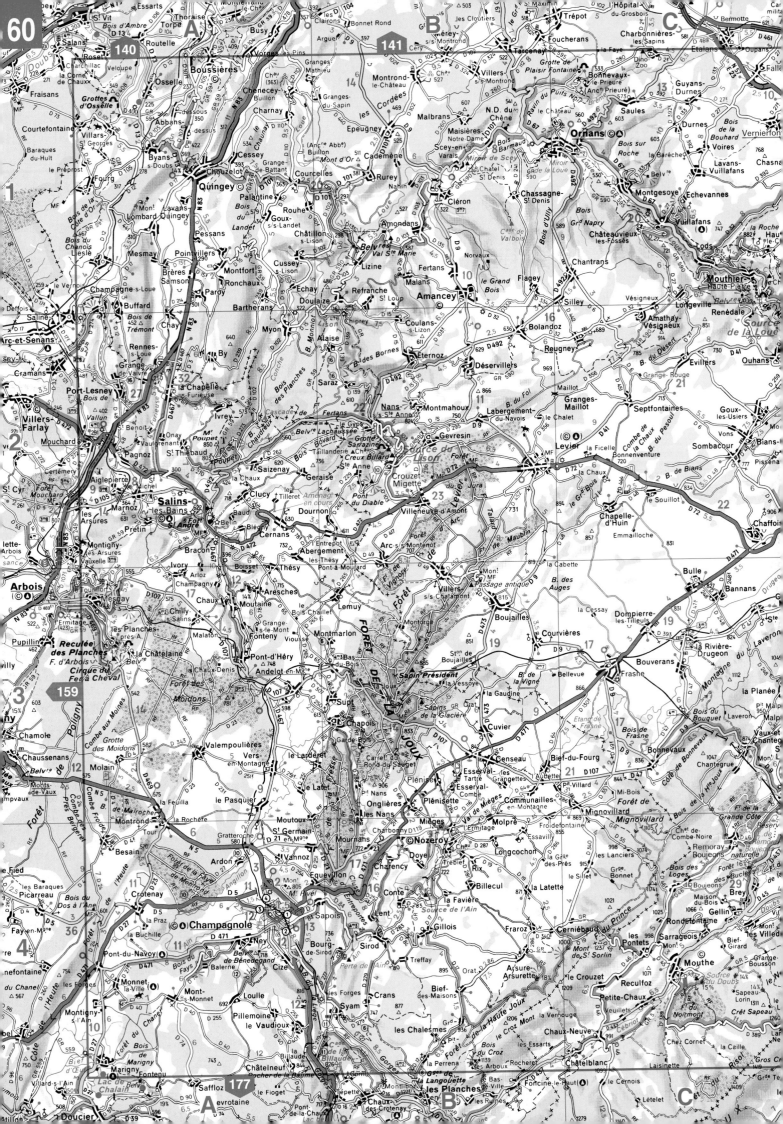

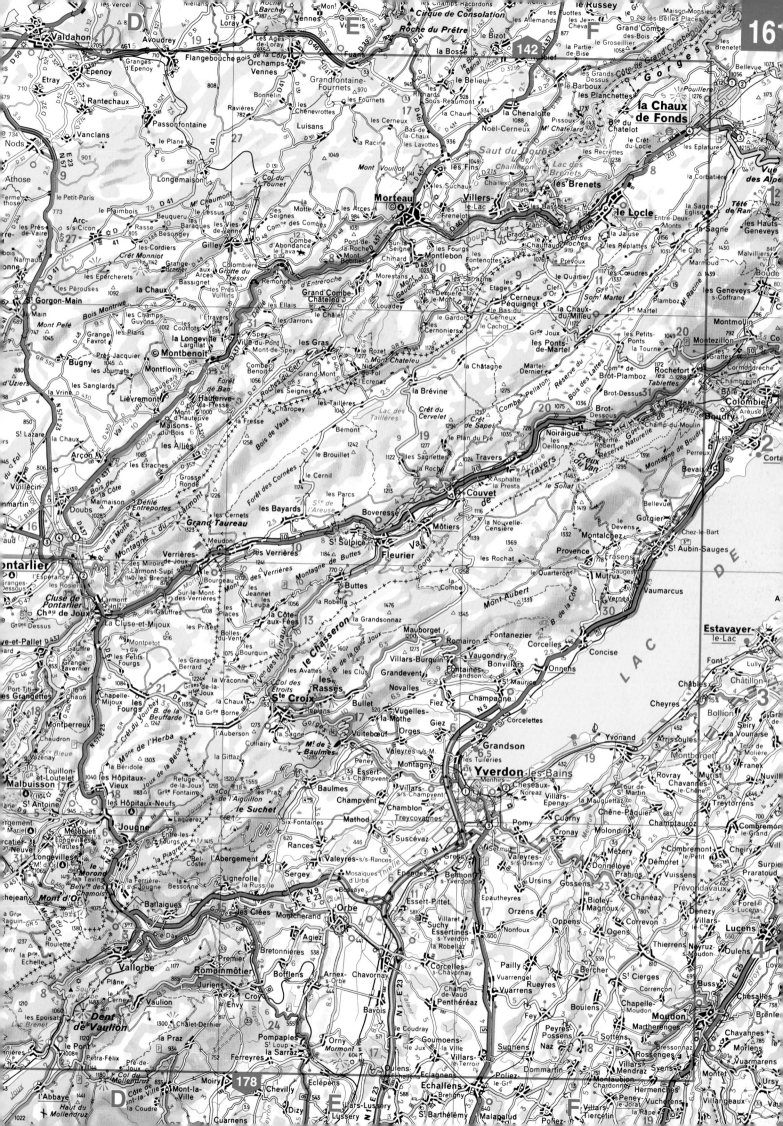
D
E
F
142
178
Valdahon
Avoudrey
Flangebouche
Orchamps-Vennes
Fuans
Roche du Prêtre
Cirque de Consolation
le Russey
la Chaux de Fonds
Morteau
Villers-le-Lac
les Brenets
le Locle
Saut du Doubs
Lac des Brenets
Gilley
Montlebon
les Fins
Grand'Combe-Châteleu
la Longeville
Montbenoît
Bugny
Lièvremont
Hauterive-la-Fresse
Maisons-du-Bois
Arçon
la Brévine
Lac des Taillères
Noiraigue
Travers
Couvet
Môtiers
Fleurier
Boveresse
St Sulpice
les Verrières
Verrières-de-Joux
Grand Taureau
Pontarlier
Cluse de Pontarlier
Chau de Joux
La Cluse-et-Mijoux
Doubs
Buttes
la Côte-aux-Fées
le Chasseron
Mauborget
St Croix
les Rasses
Bullet
Vuiteboeuf
Grandson
Yverdon-les-Bains
Concise
LAC DE
Estavayer-le-Lac
Vaumarcus
St Aubin-Sauges
Gorgier
Bevaix
Boudry
Colombier
Rochefort
Montmollin
Creux du Van
les Ponts-de-Martel
la Chaux-du-Milieu
la Sagne
Jougne
les Hôpitaux-Neufs
les Hôpitaux-Vieux
Malbuisson
Mont d'Or
Ballaigues
les Clées
Vallorbe
Romainmôtier
Orbe
Chavornay
Dent de Vaulion
Vaulion
le Pont
l'Abbaye
Mont-la-Ville
Moiry
la Sarraz
Échallens
Moudon
Lucens
Thierrens
Yvonand
Cheyres
Chavannes-le-Chêne
Le Suchet
l'Abergement
Lignerolle
Baulmes
Champvent
Montagny
Orges
Giez
Champagne
Onnens
Corcelles
Fontaines
Provence
Montalchez
Fresens
Mutrux
Sergey
Rances
Valeyres-s/s-Rances
Bretonnières
Croy
Bavois
Penthéréaz
Bercher
Pailly
Oppens
Donneloye
Molondin
Combremont-le-Grand
Dommartin
Malapalud
Chevilly
Eclépens
Dizy

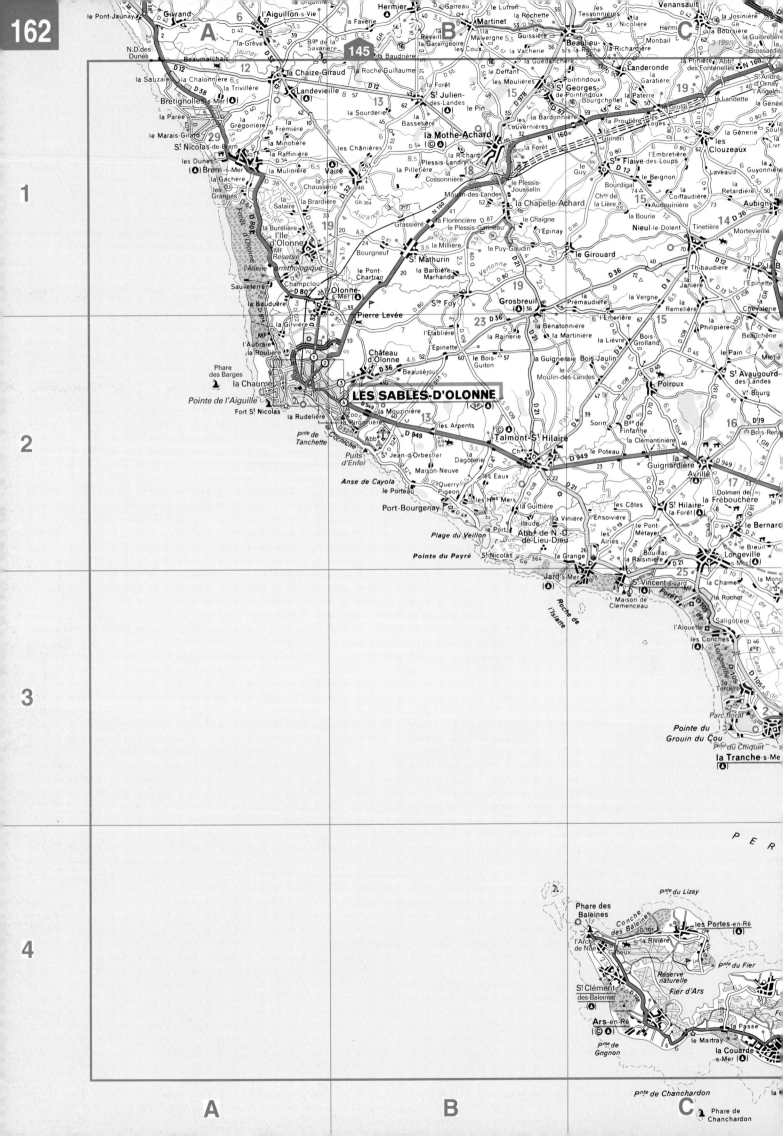
145
A
B
C
1
2
3
4
LES SABLES-D'OLONNE
la Chaume
Pointe de l'Aiguille
Phare des Barges
Fort St Nicolas
la Rudelière
Pte de Tanchette
la Corniche
Puits d'Enfer
Anse de Cayola
le Porteau
Port-Bourgenay
Plage du Veillon
Pointe du Payré
Château d'Olonne
Olonne-s-Mer
l'Ile-d'Olonne
Réserve ornithologique
Forêt d'Olonne
Sauveterre
Brem-s-Mer
St Nicolas-de-Brem
Bretignolles-s-Mer
Givrand
le Pont-Jaunay
l'Aiguillon-s-Vie
la Chaize-Giraud
Landevieille
Vairé
St Julien-des-Landes
la Mothe-Achard
Martinet
Beaulieu-s-la-Roche
Landeronde
St Georges-de-Pointindoux
Venansault
Ste Flaive-des-Loups
les Clouzeaux
la Chapelle-Achard
St Mathurin
Pierre Levée
Ste Foy
Grosbreuil
le Girouard
Nieul-le-Dolent
Aubigny
St Avaugourd-des-Landes
Poiroux
Talmont-St Hilaire
Jard-s-Mer
Abbe de N.D. de-Lieu-Dieu
St Vincent-s-Jard
Maison de Clemenceau
Roche de l'Islatte
Avrillé
St Hilaire-la-Forêt
le Bernard
Longeville-s-Mer
la Tranche-s-Mer
Pointe du Grouin du Cou
Pte du Chiquet
Phare des Baleines
Pte du Lizay
Conche des Baleines
les Portes-en-Ré
Réserve naturelle
Fier d'Ars
St Clément-des-Baleines
Ars-en-Ré
Pte de Gngnon
la Couarde-s-Mer
Pte de Chanchardon
Phare de Chanchardon
P E R

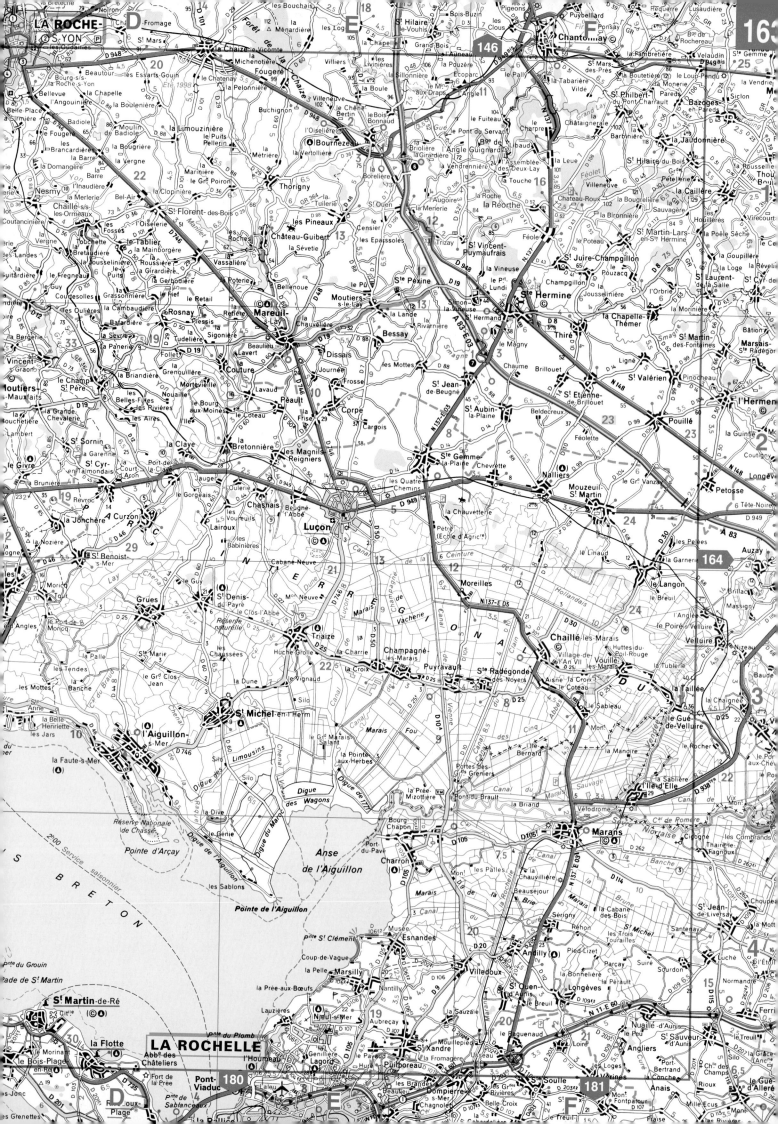

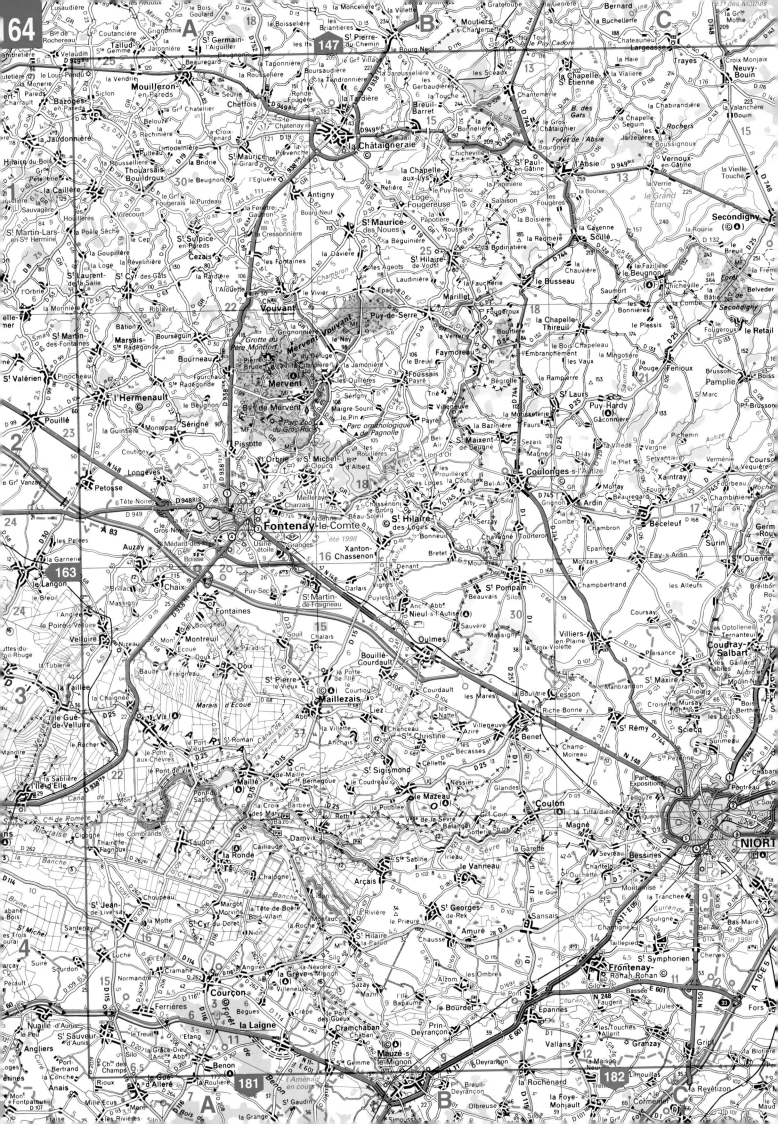

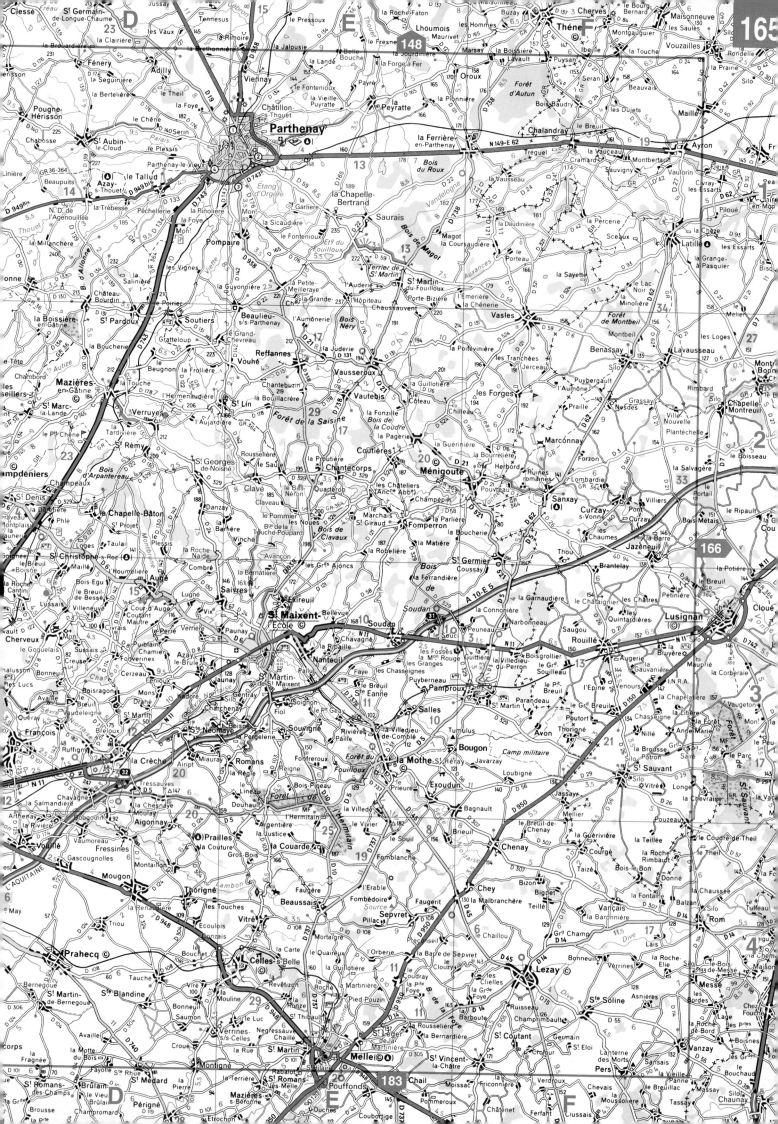
Parthenay
St Maixent-l'École
Melle
Lusignan
Ménigoute
Celles-s-Belle
Prahecq
Lezay
La Mothe-St Héray
Mazières-en-Gâtine
Vasles
Thénezay
Sanxay
Rouillé
Pamproux
Chenay
Sepvret
Soudan
Nanteuil
La Crèche
Azay-le-Brûlé
Champdeniers
St Sauvant
Jazeneuil
Curzay-s-Vonne
Latillé
Ayron
Chalandray
La Ferrière-en-Parthenay
Vouillé
Mougon
Thorigné
Exoudun
Bougon
Forêt de l'Hermitain
Forêt de la Saisine
Forêt d'Autun
Bois du Roux
Bois de Magot
Forêt de Montbeil
Bois de Soudan
Forêt de St Sauvant
Camp militaire
N 149-E 62
A 10-E 5
N 11
D 950
D 948
D 743
D 938
148
166
183

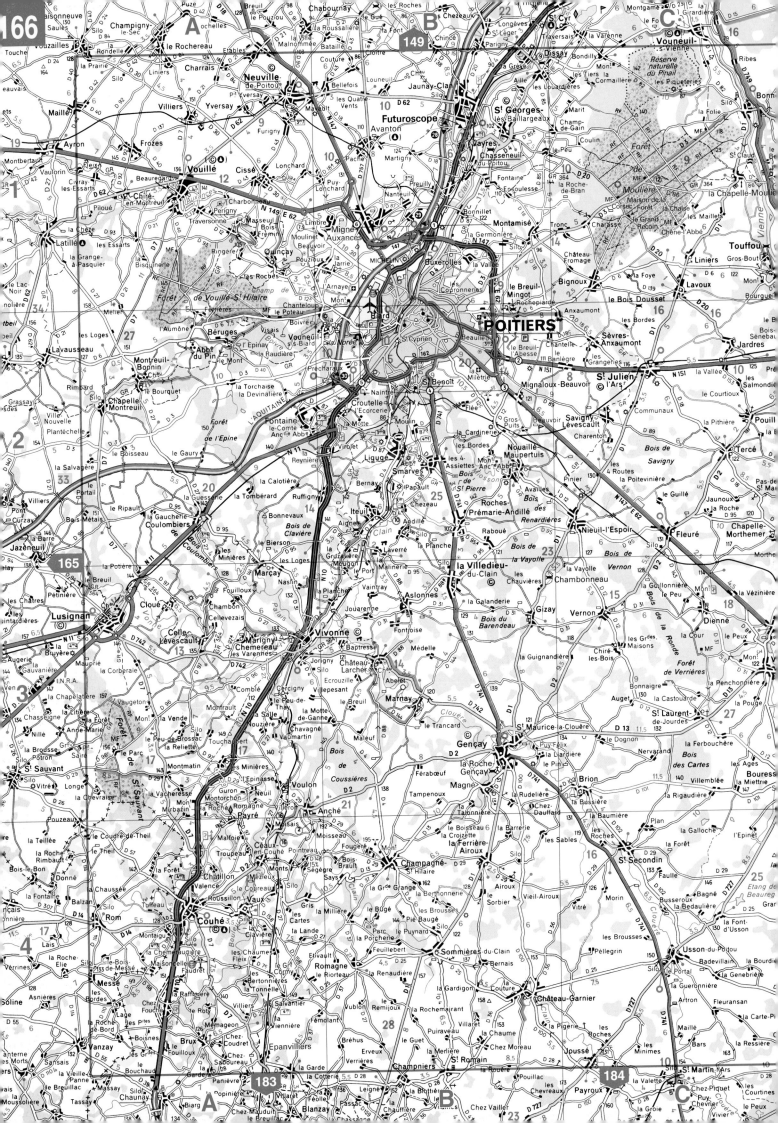
A
B
C
149
165
183
184
POITIERS
Futuroscope
Neuville-de-Poitou
Jaunay-Clan
St Georges-lès-Baillargeaux
Chasseneuil-du-Poitou
Vouneuil-s-Vienne
Réserve naturelle du Pinail
Forêt de Moulière
Dissay
St Cyr
Vouillé
Migné-Auxances
Buxerolles
Montamisé
Forêt de Vouillé-St Hilaire
Béruges
Vouneuil-s-Biard
Biard
St Benoît
Ligugé
Smarves
Mignaloux-Beauvoir
St Julien-l'Ars
Savigny-Lévescault
Nouaillé-Maupertuis
Fontaine-le-Comte
Croutelle
Lusignan
Coulombiers
Iteuil
Roches-Prémarie-Andillé
Nieuil-l'Espoir
La Villedieu-du-Clain
Vivonne
Aslonnes
Château-Larcher
Marnay
Gençay
St Maurice-la-Clouère
Dienné
Fleuré
Tercé
Bois de Savigny
Forêt de Verrières
Forêt de l'Epine
Bois des Cartes
St Sauvant
Forêt de St Sauvant
Couhé
Vaux
Anché
Payré
Champagné-St Hilaire
St Secondin
Usson-du-Poitou
Sommières-du-Clain
Romagne
Château-Garnier
Brux
Champniers
St Romain
St Martin-l'Ars
Vanzay
Chaunay
Blanzay
Jazeneuil
Latillé
Ayron
Touffou
Lavoux
Jardres
L'AQUITAINE
N 10
N 11
N 147
N 149
N 151
E 62
D 741
D 742

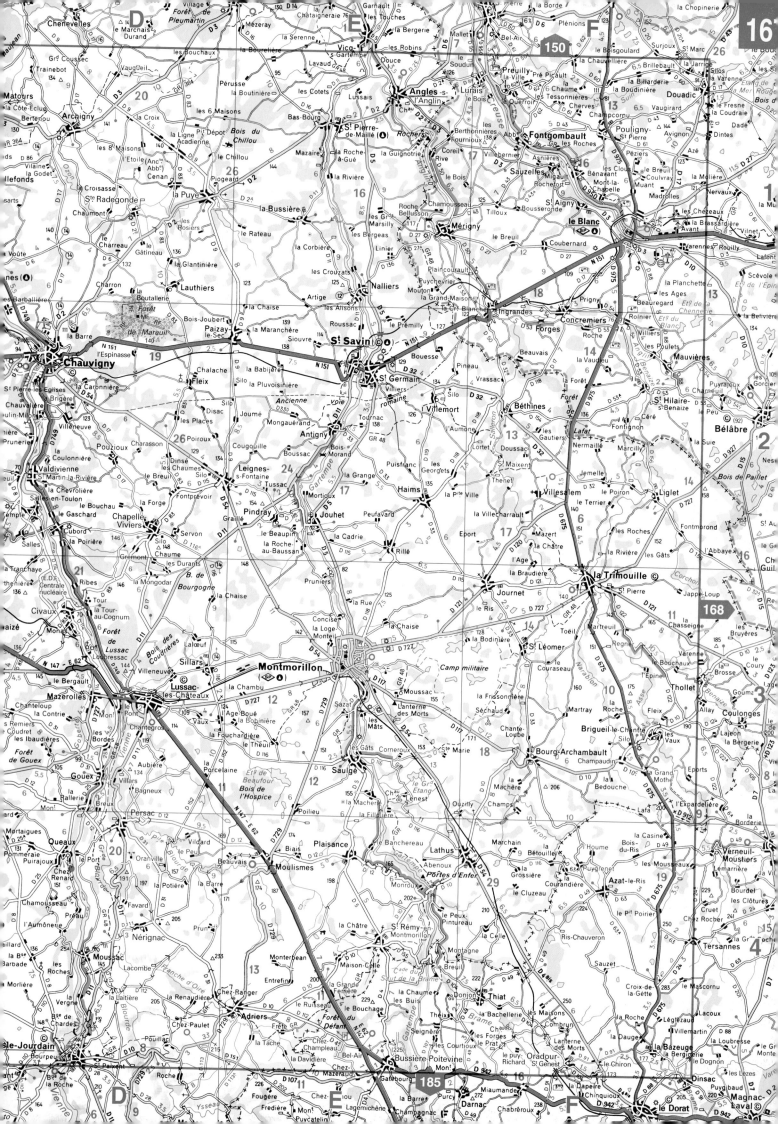

16
150
168
185
D
E
F
Chenevelles
Forêt de Pleumartin
Mézeray
Vicq-s-Gartempe
Angles-s-l'Anglin
Preuilly-la-Ville
Lurais
Fontgombault
Pouligny-St Pierre
Douadic
Archigny
Matours
Bois du Chillou
St Pierre-de-Maillé
la Puye
Ste Radegonde
la Bussière
Sauzelles
le Blanc
Mérigny
Nalliers
Lauthiers
Forêt de Mareuil
Paizay-le-Sec
St Savin
St Germain
Chauvigny
Ingrandes
Concremiers
Forges
Fleix
Villemort
Béthines
Forêt de Lafat
St Hilaire-s-Benaize
Bélâbre
Antigny
Leignes-s-Fontaine
Valdivienne
Chapelle-Viviers
Pindray
Jouhet
Haims
Villesalem
Liglet
Bois de Paillet
la Trimouille
Journet
Civaux
Forêt de Lussac
Bois des Coudrières
Montmorillon
Lussac-les-Châteaux
Sillars
St Léomer
Camp militaire
Mazerolles
Thollet
Coulonges
Brigueil-le-Chantre
Bourg-Archambault
Forêt de Gouex
Gouex
Saulgé
Bois de l'Hospice
Persac
Queaux
Moulismes
Plaisance
Lathus
Portes d'Enfer
Azat-le-Ris
Verneuil-Moustiers
Nérignac
St Rémy-en-Montmorillon
Tersannes
Moussac
Adriers
Forêt du Défant
Thiat
Bussière-Poitevine
Oradour-St Genest
la Bazeuge
Dinsac
Isle-Jourdain
Darnac
le Dorat
Magnac-Laval
N 151
N 147 - E 62
D 675
D 942

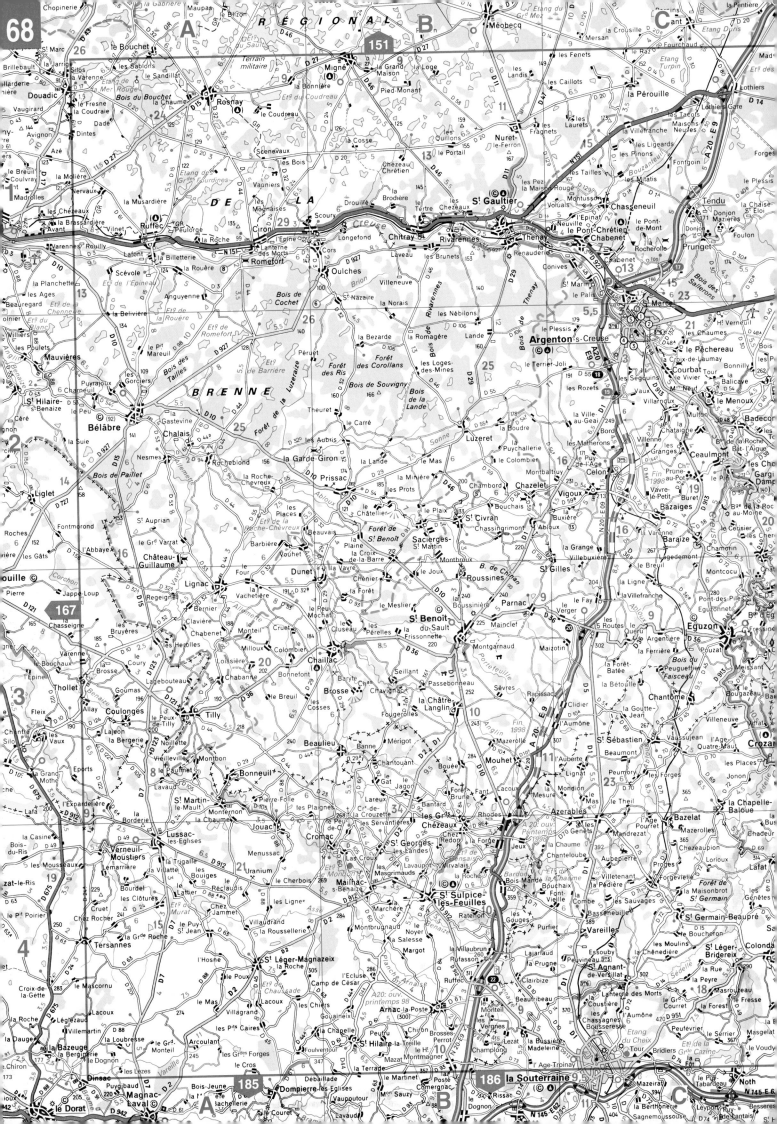
RÉGIONAL
DE LA
BRENNE
151
167
185
186
A
B
C
1
2
3
4
Méobecq
Mézières
Douadic
Rosnay
Migné
Ruffec
Ciron
Scoury
St Gaultier
Thenay
Chasseneuil
Le Pont-Chrétien-Chabenet
Argenton-s-Creuse
St Marcel
Tendu
Prunget
Romefort
Oulches
Chitray
Rivarennes
Bélâbre
Chalais
Mauvières
St Hilaire-s-Benaize
Liglet
Luzeret
Prissac
la Garde-Giron
Celon
Vigoux
Chazelet
St Civran
Sacierges-St Martin
Bazaiges
Baraize
Ceaulmont
Château-Guillaume
Lignac
Dunet
Roussines
St Gilles
Parnac
St Benoît-du-Sault
Éguzon
Chaillac
Tilly
Coulonges
Thollet
Brosse
La Châtre-Langlin
Beaulieu
Mouhet
St Sébastien
Chantôme
Bonneuil
St Martin-le-Mault
Jouac
Cromac
Azerables
Bazelat
Lussac-les-Églises
Verneuil-Moustiers
Mailhac-s-Benaize
St Georges-les-Landes
St Sulpice-les-Feuilles
St Germain-Beaupré
Tersannes
St Léger-Magnazeix
Vareilles
St Agnant-de-Versillat
St Léger-Bridereix
Arnac-la-Poste
St Hilaire-la-Treille
Dompierre-les-Églises
Magnac-Laval
le Dorat
la Souterraine
Noth
Forêt des Corollans
Bois de Souvigny
Forêt de St Benoît
Forêt de St Germain
Creuse
Anglin
Benaize
A 20 - E 9
N 151
N 145 - E 62

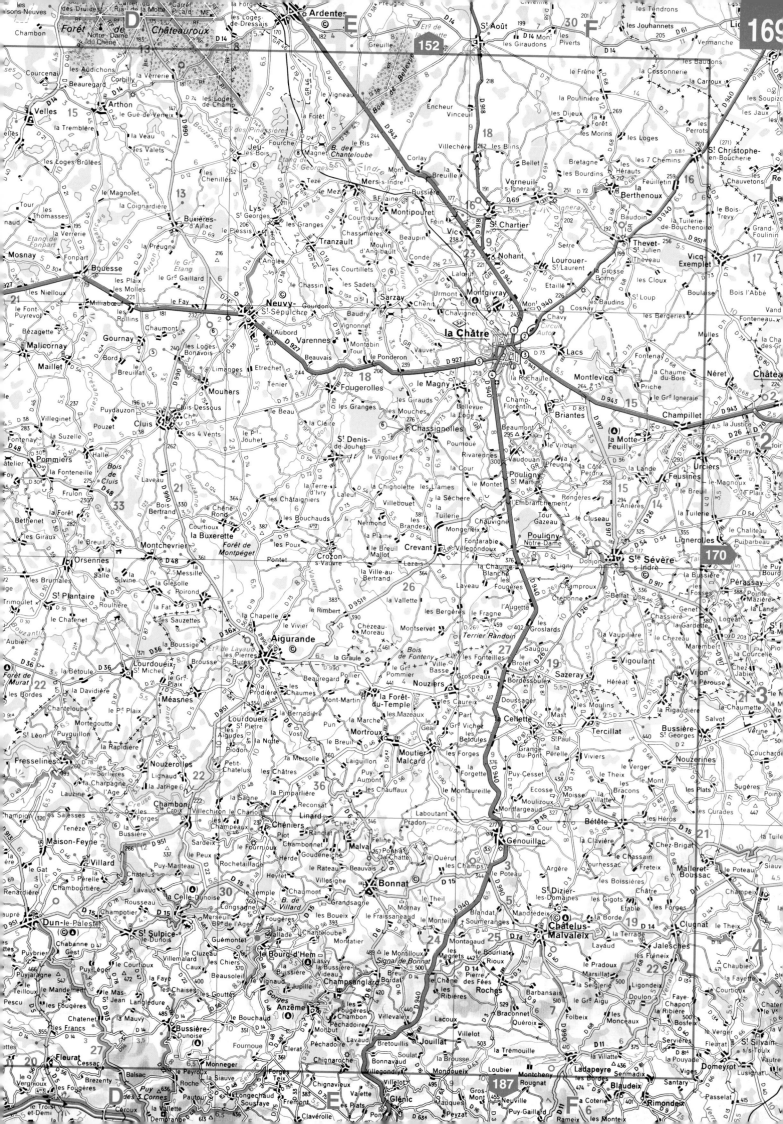

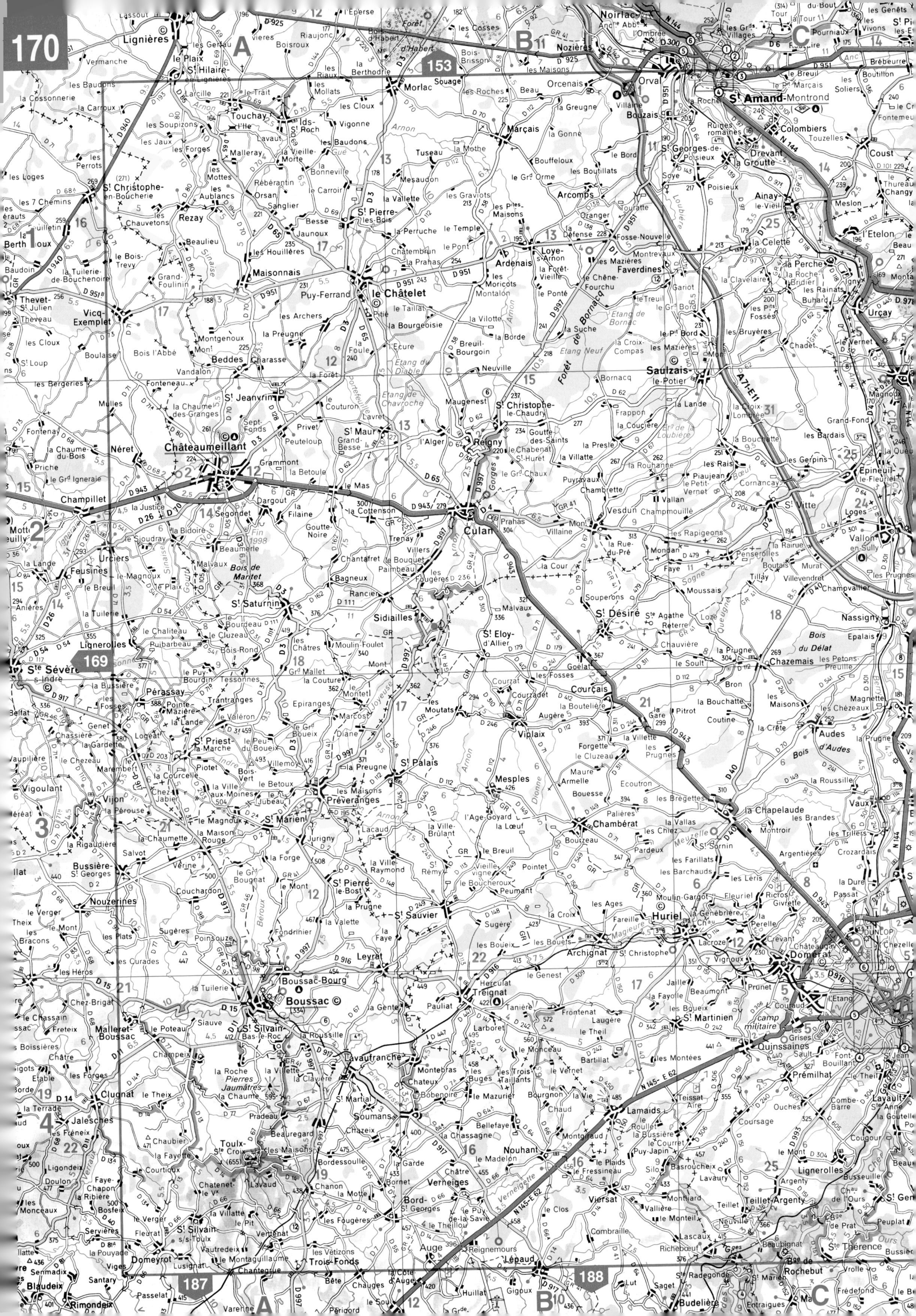

153

169

187   188

A   B   C

St Amand-Montrond
Orval
Lignières
Châteaumeillant
Culan
le Châtelet
Boussac
Boussac-Bourg
Huriel
Domérat
Ste Sévère-s-Indre
Préveranges
St Marien
Chambérat
La Chapelaude
Vesdun
Reigny
St Maur
Néret
Urciers
Vijon
Feusines
Nouzerines
Toulx-Ste Croix
Lamaids
Quinssaines
Archignat
Viplaix
Mesples
St Palais
St Sauvier
Leyrat
Treignat
Lavaufranche
St Silvain
Clugnat
Jalesches
Bussière-St Georges
Pérassay
Vigoulant
Chazemais
Courçais
St Désiré
Audes
Vaux
Vallon-en-Sully
Épineuil-le-Fleuriel
St Vitte
Saulzais-le-Potier
Faverdines
Ardenais
Loye-sur-Arnon
Ainay-le-Vieil
Drevant
Colombiers
Urçay
Coust
Nozières
Morlac
Márçais
Arcomps
St Pierre-les-Bois
Maisonnais
Puy-Ferrand
St Hilaire-en-Lignières
Touchay
Rezay
St Christophe-en-Boucherie
Vicq-Exemplet
Thevet-St Julien
Champillet
St Jeanvrin
Beddes
St Saturnin
Sidiailles
Lignerolles
Vesdun
St Christophe-le-Chaudry
Préveranges
St Priest-la-Marche
St Pierre-le-Bost
Soumans
Bord-St Georges
Nouhant
Verneiges
Viersat
Lépaud
Budelière
Chambon-sur-Voueize
Rimondeix
Domeyrot
Trois-Fonds
Chatenet
Mureaux
Prémilhat
Huriel
Lacroze
Chambérat
Nassigny
Magnette
St Martinien
St Désiré
Courçais
Chazemais

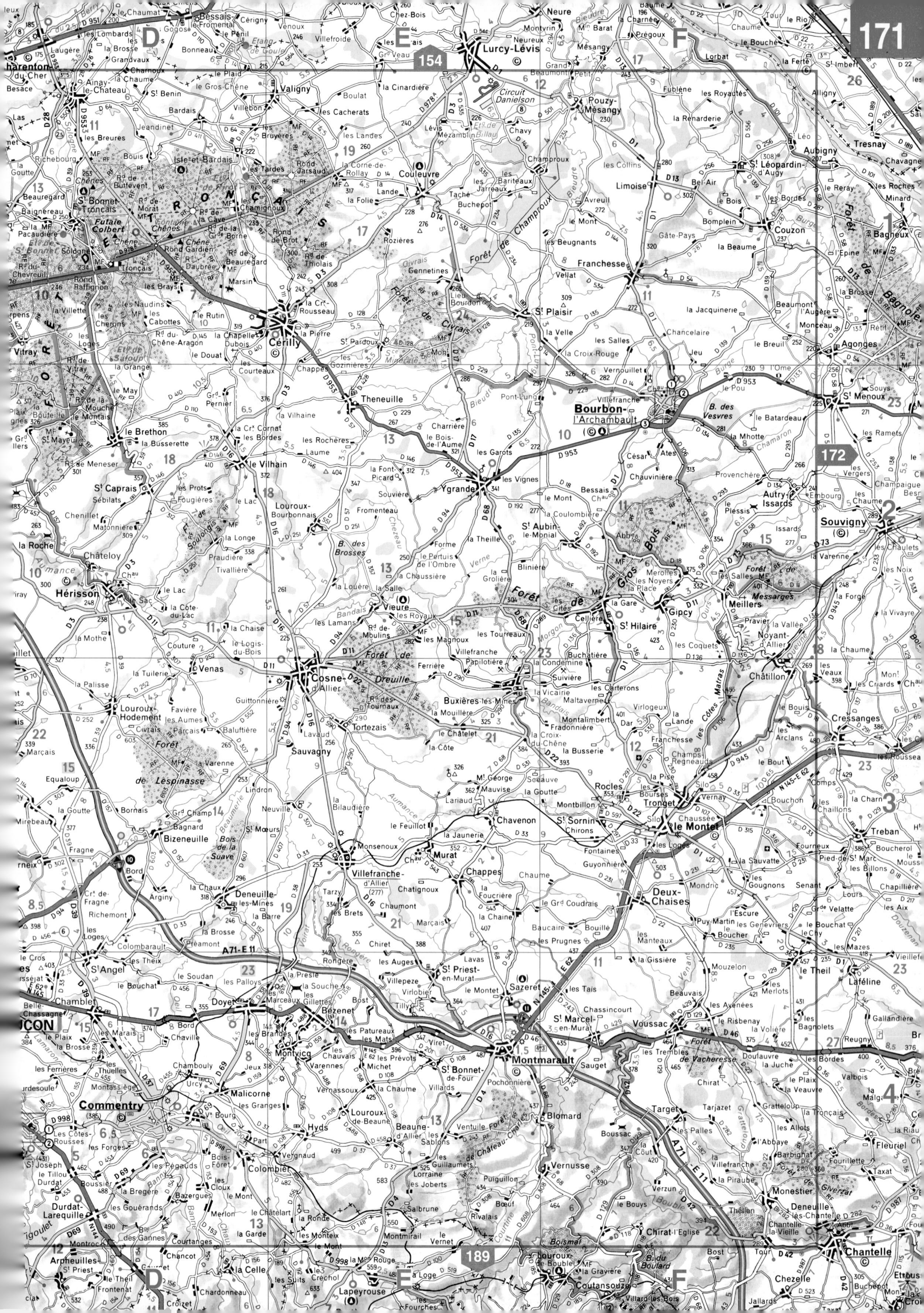
D
E
F
154
172
189
Lucy-Lévis
Valigny
Couleuvre
Pouzy-Mésangy
Cérilly
Bourbon-l'Archambault
Ygrande
Hérisson
Cosne-d'Allier
Buxières-les-Mines
Le Montet
Tronget
Souvigny
Meillers
Montmarault
Commentry
Doyet
Chantelle
Villefranche-d'Allier
Murat
Deux-Chaises
Voussac
Forêt de Tronçais
Forêt de Civrais
Forêt de Champroux
Forêt de Dreuille
Forêt de Lespinasse
Forêt de Messarges
Forêt de Bagnolet
Forêt de Vacheresse
Forêt de Château-Charles
Forêt de Giverzat
Gros Bois
Circuit Danielson
A71-E11
N145-E62
D953

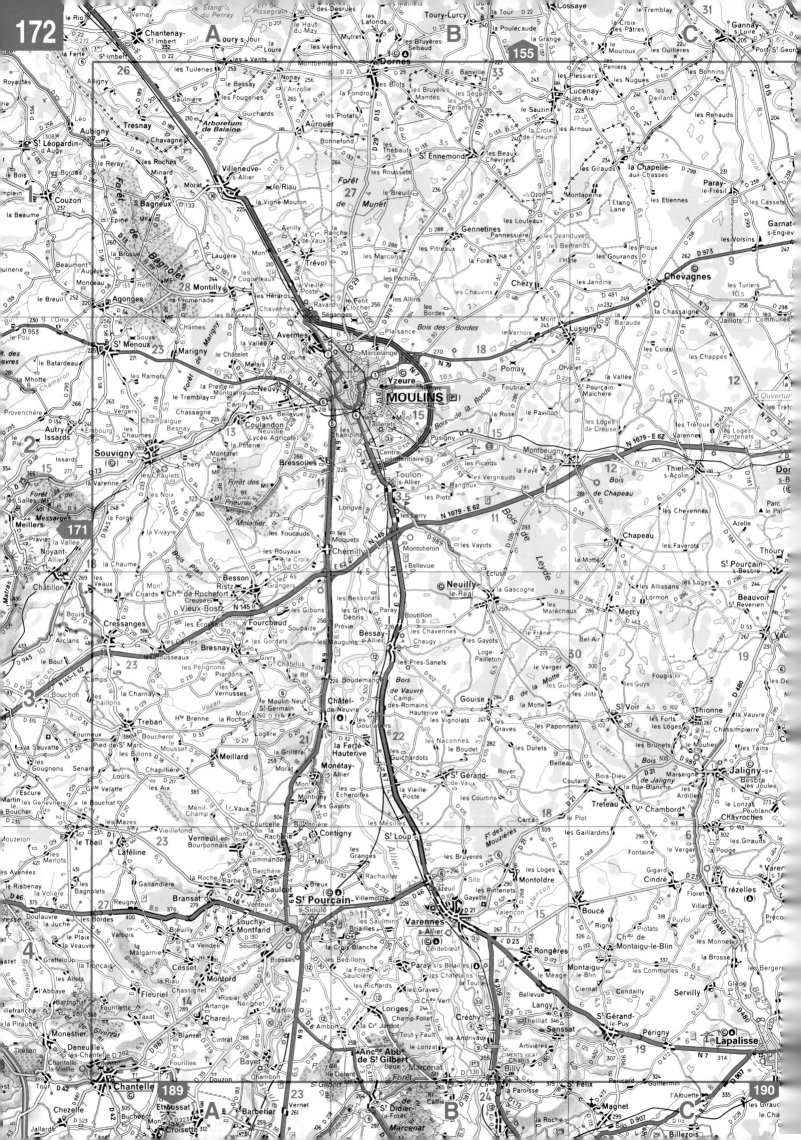
A
B
C
1
2
3
4
155
171
189
190
MOULINS
Yzeure
Avermes
Dornes
Toury-Lurcy
Cossaye
Chantenay-St Imbert
Lucenay-lès-Aix
Gannay-s-Loire
Paray-le-Frésil
Garnat-s-Engièvre
Chevagnes
Lusigny
Thiel-s-Acolin
Villeneuve-s-Allier
Trévol
Aurouër
St Ennemond
Gennetines
Chézy
Montilly
Agonges
St Menoux
Marigny
Neuvy
Coulandon
Souvigny
Bressolles
Toulon-s-Allier
Chemilly
Besson
Chapeau
Neuilly-le-Réal
Mercy
Beauvoir
St Pourçain-s-Besbre
Thoury
Bessay-s-Allier
Châtel-de-Neuvre
La Ferté-Hauterive
Monétay-s-Allier
St Gérand-de-Vaux
Jaligny-s-Besbre
Chavroches
Treteau
Cressanges
Bresnay
Fourchaud
Meillard
Treban
Tronget
Le Theil
Verneuil-en-Bourbonnais
Contigny
St Loup
Montoldre
Saulcet
St Pourçain-s-Sioule
Varennes-s-Allier
Louchy-Montfand
Bransat
Montord
Cesset
Chareil
Fleuriel
Monestier
Chantelle
Etroussat
Barberier
Loriges
Paray-s-s-Briailles
Créchy
Billy
Sanssat
Langy
St Gérand-le-Puy
Montaigu-le-Blin
Rongères
Bouçé
Cindré
Trézelles
Lapalisse
Périgny
Servilly
St Didier-la-Forêt
Marcenat
Anc.ne Abb.e de St Gilbert
Magnet
Billezois
St Félix
Forêt de Moladier
Forêt des Prieurés
Forêt de Bagnolet
Forêt de Marigny
Forêt de Munet
Bois de Chapeau
Bois de Leyde
Bois de Vauvre
Allier
N 7
N 9
N 79
N 145
N 209
N 1079 - E 62
D 973
D 907

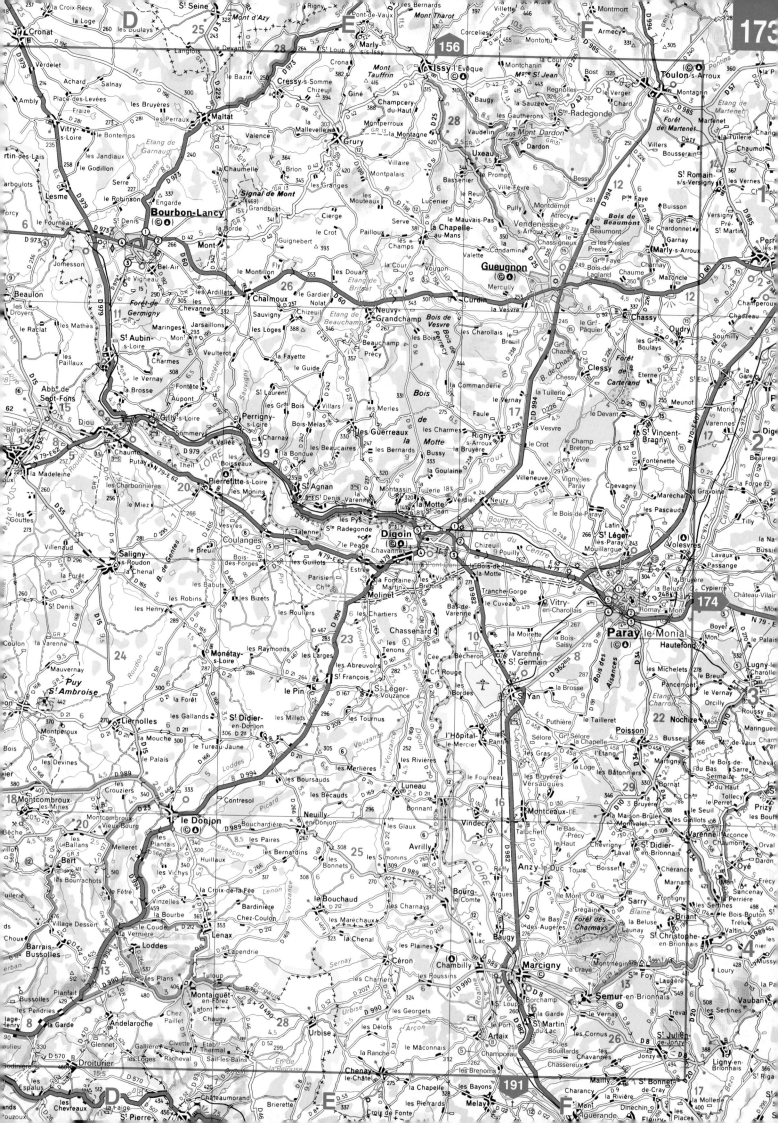
D
E
F
156
174
191
Cronat
St Seine
Mont d'Azy
Marly-s/s-Issy
Issy-l'Évêque
Mont Tauffrin
Toulon-s-Arroux
Montmort
Armecy
Cressy-s-Somme
Grury
Maltat
Vitry-s-Loire
Bourbon-Lancy
Signal de Mont
Mont Dardon
Ste Radegonde
Uxeau
Forêt de Martenet
St Romain-s/s-Versigny
Marly-s-Arroux
la Chapelle-au-Mans
Vendenesse-s-Arroux
Gueugnon
Bois de Beaumont
Chalmoux
Neuvy-Grandchamp
Curdin
Chassy
Oudry
Beaulon
Forêt de Germigny
St Aubin-s-Loire
Bois de Vesvre
Bois de Perrecy
Clessy
Forêt de Carterand
Bois de la Motte
Abbe de Sept-Fons
Gilly-s-Loire
Perrigny-s-Loire
les Guerreaux
Rigny-s-Arroux
St Vincent-Bragny
LOIRE
Pierrefitte-s-Loire
St Agnan
la Motte-St Jean
Vigny-lès-Paray
Digoin
Coulanges
Saligny-s-Roudon
B. de Gentes
Molinet
St Léger-lès-Paray
Volesvres
Canal du Centre
Vitry-en-Charollais
Paray-le-Monial
Hautefond
Chassenard
Monétay-s-Loire
Varenne-St Germain
Bois des Aisances
Lugny-lès-Charolles
Puy St Ambroise
St François
St Léger-s-Vouzance
St Yan
Liernolles
St Didier-en-Donjon
l'Hôpital-le-Mercier
Poisson
Nochize
Montcombroux-les-Mines
Luneau
Montceaux-l'É.
le Donjon
Neuilly-en-Donjon
Vindecy
St Didier-en-Brionnais
Varenne-l'Arconce
Avrilly
Anzy-le-Duc
Bert
le Bouchaud
Bourg-le-Comte
Sarry
Briant
Lenax
Baugy
Forêt des Charmays
St Christophe-en-Brionnais
Loddes
Barrais-Bussolles
Céron
Chambilly
Marcigny
Semur-en-Brionnais
Montaiguët-en-Forez
Urbise
St Martin-du-Lac
Artaix
St Julien-de-Jonzy
Andelaroche
Ligny-en-Brionnais
Droiturier
Sail-les-Bains
Chenay-le-Châtel
Melay
St Bonnet-de-Cray
Châteaumorand
St Pierre-Laval
la Pacaudière

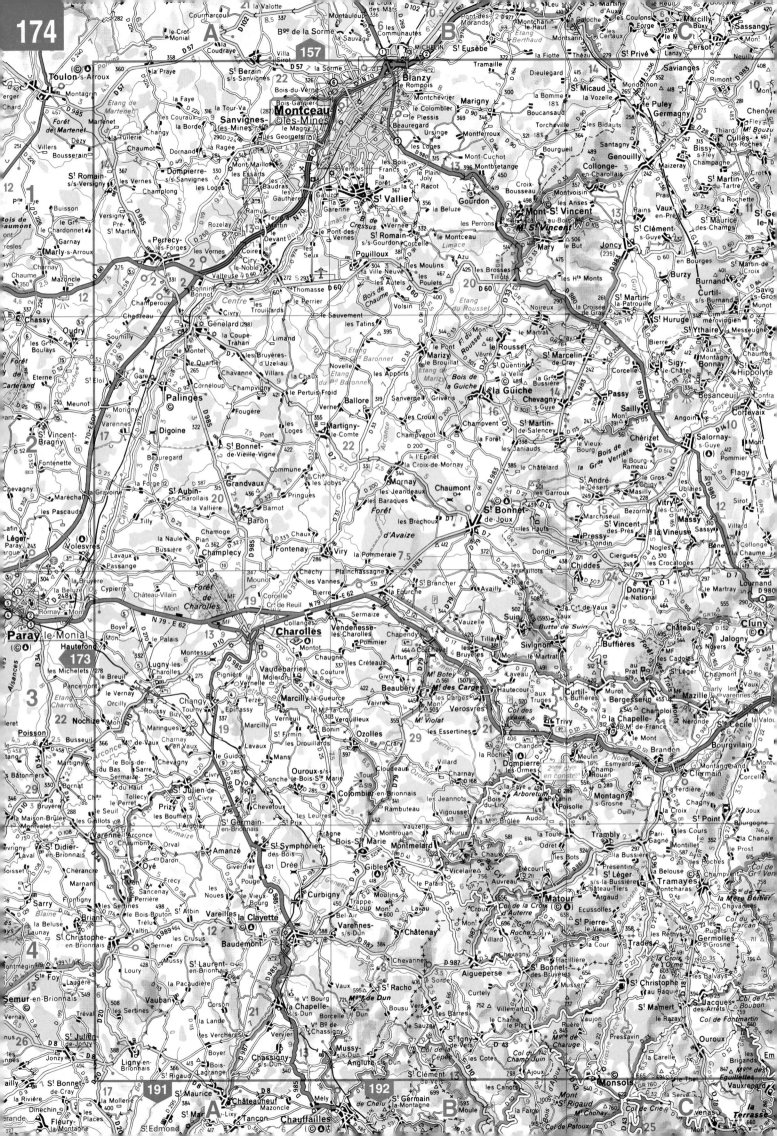
157
173
191
192
A
B
C
1
2
3
4
Toulon-s-Arroux
Montceau-les-Mines
Blanzy
Sanvignes-les-Mines
St Vallier
Perrecy-les-Forges
Ciry-le-Noble
Pouilloux
Génelard
Palinges
Digoine
St Vincent-Bragny
Volesvres
Paray-le-Monial
Hautefond
Charolles
Vendenesse-lès-Charolles
Marizy
La Guiche
Mont-St Vincent
Gourdon
Joncy
Genouilly
Marigny
St Micaud
le Puley
Germagny
Collonge-en-Charollais
St Bonnet-de-Joux
Chaumont
Mornay
Martigny-le-Comte
Ballore
Viry
Forêt de Charolles
Forêt d'Avaize
Champlecy
Grandvaux
St Aubin-en-Charollais
Saint Bonnet-de-Vieille-Vigne
Salornay-s-Guye
Cluny
Suin
Sivignon
Buffières
Mazille
Verosvres
Beaubery
Mt des Cargès
Ozolles
Dompierre-les-Ormes
Matour
Trivy
La Chapelle-du-Mt-de-France
Tramayes
St Point
Montagny-s-Grosne
Trambly
Montmelard
Gibles
La Clayette
Curbigny
Châtenay
Aigueperse
St Bonnet-des-Bruyères
St Christophe
Germolles-s-Grosne
Ouroux
Monsols
Châteauneuf
Chauffailles
St Racho
Semur-en-Brionnais
St Julien-de-Jonzy
Marcigny
Oyé
St Didier-en-Brionnais
Varenne
St Julien-de-Civry
Prizy
St Germain-en-Brionnais
St Symphorien-des-Bois
Dyo
Ouroux-s-le-Bois-Ste Marie
Colombier-en-Brionnais
Vareilles
Baudemont
St Laurent-en-Brionnais
Vauban
Ligny-en-Brionnais
St Maurice
Fleury-la-Montagne

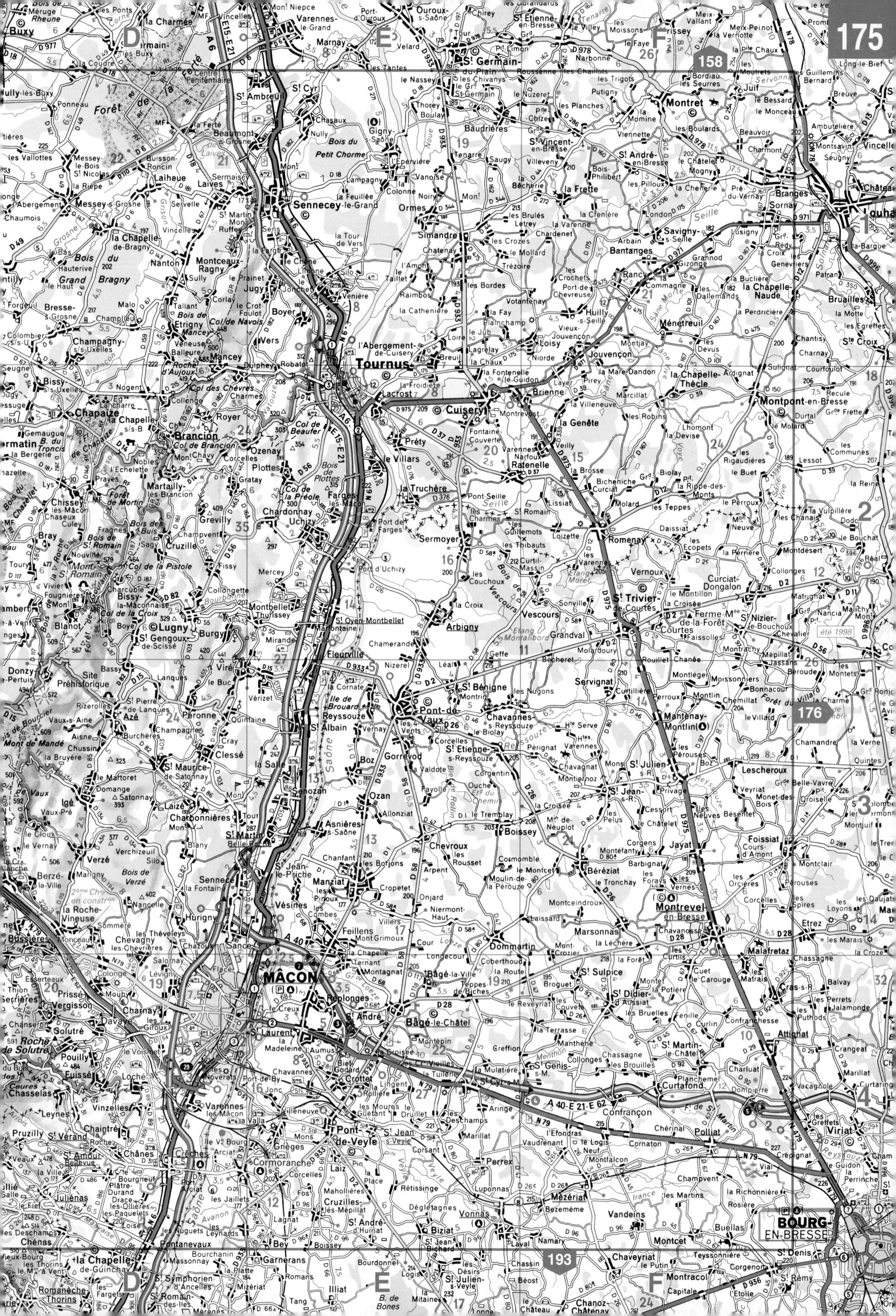
D
E
F
158
176
193
Buxy
Forêt de la Ferté
Sennecey-le-Grand
St Germain-du-Plain
Montret
Simandre
Ormes
Tournus
Cuisery
Lacrost
Brienne
Loisy
Jouvençon
Ratenelle
Romenay
Montpont-en-Bresse
la Chapelle-Thècle
Ménetreuil
Louhans
Branges
Sornay
Savigny-s-Seille
Chapaize
Brancion
Ozenay
Farges-lès-Mâcon
Uchizy
Chardonnay
Lugny
Vescours
St Trivier-de-Courtes
Courtes
St Nizier-le-Bouchoux
Arbigny
Fleurville
Pont-de-Vaux
Reyssouze
Gorrevod
St Albain
Clessé
Azé
St Maurice-de-Satonnay
Manziat
Bâgé-le-Châtel
Bâgé-la-Ville
Montrevel-en-Bresse
Foissiat
Malafretaz
Attignat
MÂCON
Replonges
St Laurent
Pont-de-Veyle
Vonnas
Mézériat
Vandeins
Polliat
Viriat
BOURG-EN-BRESSE
Solutré
Vergisson
Chasselas
Pouilly
Fuissé
Crêches
Chaveyriat
Montracol
St Rémy
St Denis
A 40-E 21-E 62
A6
E15-E21
N6
N79
été 1998

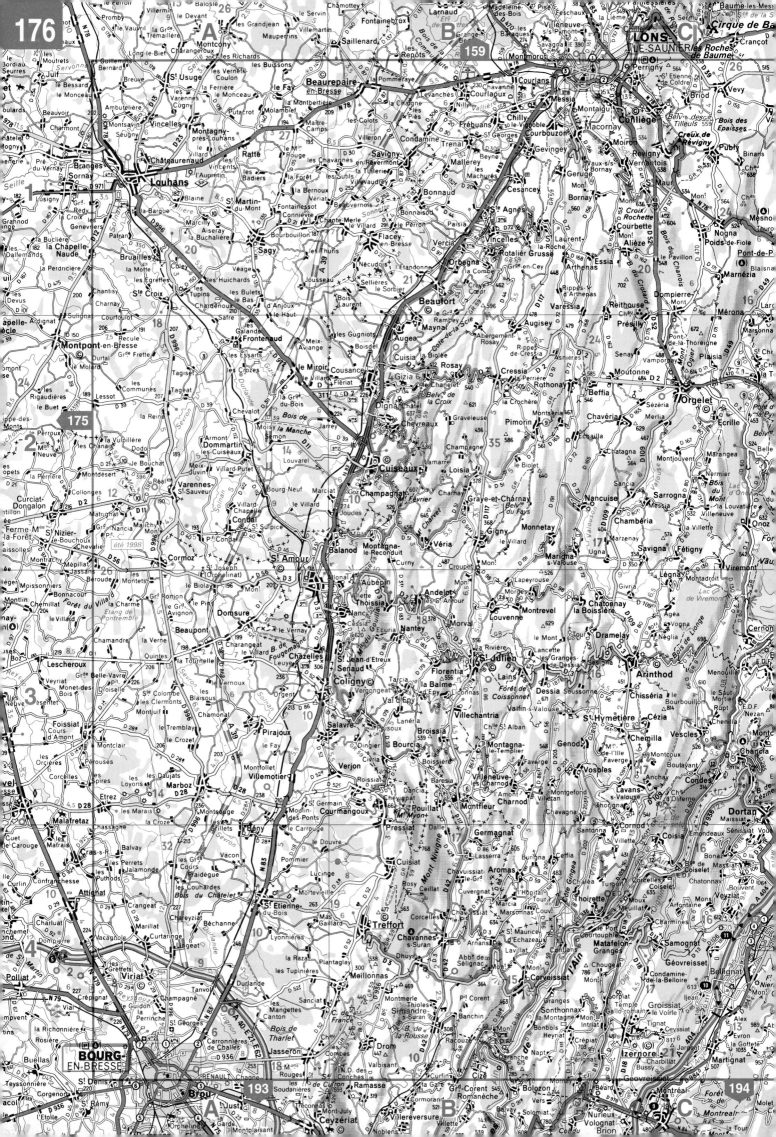

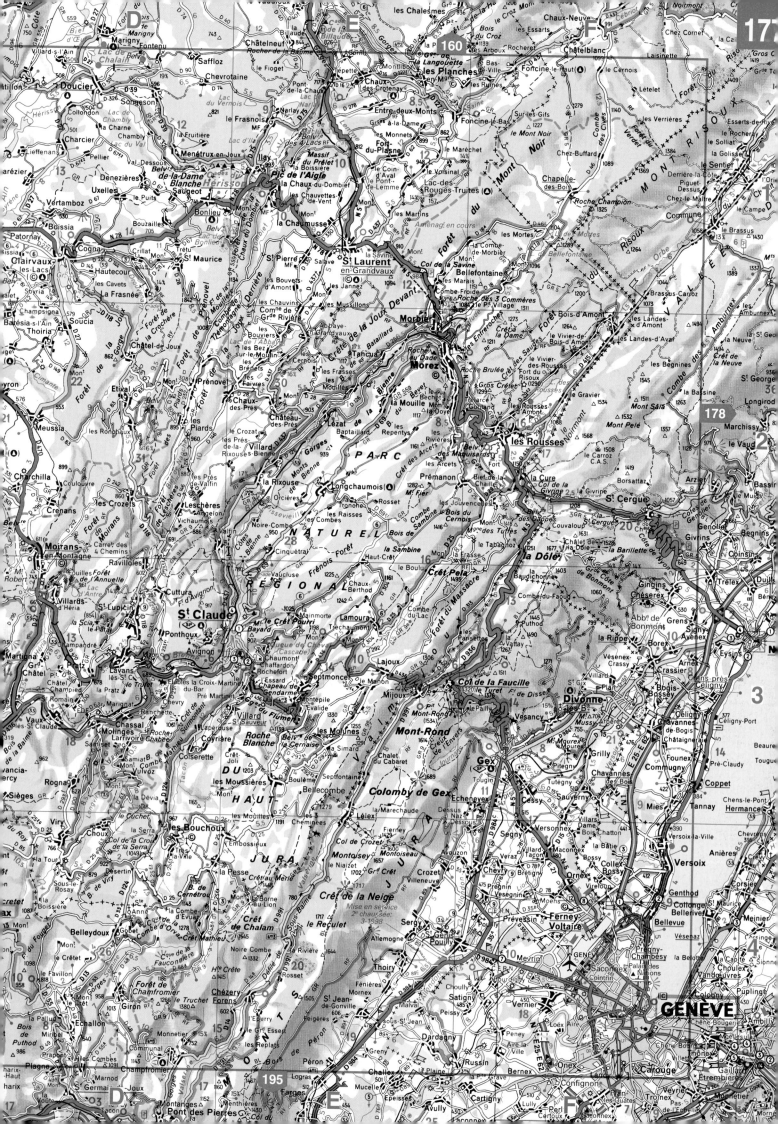
177
160
178
195
D
E
F
Doucier
Marigny
Lac de Chalain
Saffloz
Chevrotaine
Châtelneuf
Foncine-le-Haut
Foncine-le-Bas
Chaux-Neuve
Châtelblanc
les Planches en-Mgne
Ménétrux-en-Joux
Pic de l'Aigle
la Chaux-du-Dombief
Clairvaux-les-Lacs
St Laurent en-Grandvaux
Bellefontaine
Morbier
Morez
Chapelle-des-Bois
Lac-des-Rouges-Truites
MONT RISOUX
Forêt du Mont Noir
Bois-d'Amont
le Brassus
le Sentier
Crête de la Joux Devant
PARC NATUREL RÉGIONAL DU HAUT-JURA
les Rousses
Prémanon
Longchaumois
la Rixouse
Moirans-en-Montagne
St Claude
Septmoncel
Lamoura
Lajoux
Mijoux
Col de la Faucille
la Dôle
St Cergue
Nyon
Divonne-les-Bains
Gex
Mont-Rond
Colomby de Gex
Crêt de la Neige
le Reculet
Crêt de Chalam
les Bouchoux
Chézery-Forens
Champfromier
Ferney-Voltaire
Versoix
Coppet
GENÈVE
Carouge
St Genis-Pouilly
Thoiry
Collonges
Bellegarde
Marchissy
Gingins
Crassier
Céligny
Hermance
Vandœuvres
Onex
Vernier
Meyrin
Dardagny
Russin
Satigny
Avully
Cartigny
Confignon
Plan-les-Ouates
Troinex
Veyrier
Gaillard
Pont des Pierres
Montanges
St Germain-de-Joux
Plagne
Echallon
Giron
Belleydoux
Viry
Rogna
Molinges
Chassal
Lavans-lès-St Claude
Pratz
Vaux-lès-St Claude
Crenans
Charchilla
Meussia
Etival
Prénovel
Châtel-de-Joux
Soucia
Thoiria
Cogna
St Maurice
Bonlieu
Saugeot
Uxelles
Denezières
Vertamboz
Boissia
Patornay

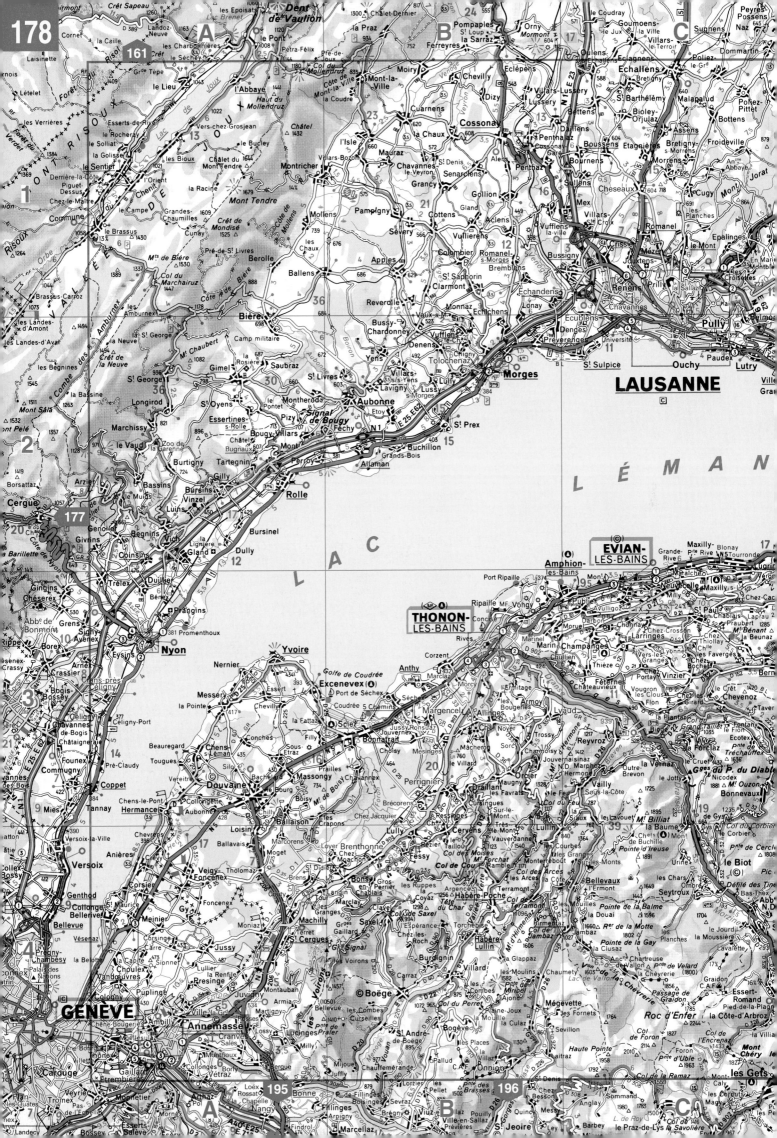

161
177
195
196
A
B
C
1
2
3
4
LAUSANNE
LAC
LÉMAN
EVIAN-LES-BAINS
THONON-LES-BAINS
GENÈVE
Annemasse
Nyon
Morges
Rolle
Gland
Aubonne
Coppet
Versoix
Cossonay
Renens
Pully
Ouchy
Lutry
St Sulpice
St Prex
Allaman
Bière
Gimel
Montricher
Mont Tendre
Dent de Vaulion
Le Sentier
le Brassus
Col du Marchairuz
Lac de Joux
Échallens
Yvoire
Excenevex
Douvaine
Sciez
Boëge
Col de Saxel
Habère-Poche
Roc d'Enfer
Bellevaux
Lullin
Vailly
Abondance
Forêt du Risoud
VALLÉE DE JOUX
MONT RISOUX
Combe des Amburnex
Col du Mollendruz
Mont-la-Ville
Crêt de la Neuve
Signal de Bougy
les Voirons
Pointe de Miribel
Col de Cou
Col des Moises
Mt Forchat
Pointe de la Gay
Pointe de la Balme
Col de Terramont
Col de Jambaz
Mégevette
Onnion
St Jeoire
St Cergues
Machilly
Juvigny
Ville-la-Grand
Carouge
Chêne-Bourg
Bellevue
Genthod
Collonge-Bellerive
Céligny
Chavannes-de-Bogis
Bursinel
Dully
Tolochenaz
Prangins
Eysins
Trélex
Gingins
Saint-Cergue
Amphion-les-Bains
Publier
Neuvecelle
Maxilly
Larringes
Champanges
Marin
Allinges
Margencel
Anthy
Perrignier
Draillant
Cervens
Fessy
Lully
Bons-en-Chablais
Ballaison
Massongy
Bonnatrait
Chens-s-Léman
Messery
Nernier
Hermance
Veigy-Foncenex
Corsier
Anières
Jussy
Presinge
Puplinge
Vandœuvres
Cologny
Lucinges
Cranves-Sales
Vétraz
Gaillard
Étrembières
Reyvroz
Le Biot
Seytroux
La Vernaz
Bonnevaux
Chevenoz
Vinzier
Féternes
Lyaud
Armoy
Orcier
Trossy
Bogève
Villard
Burdignin
Saxel
Ruisseau
Essert-Romand
Les Gets
Mont Chéry
Col de l'Encrenaz
Col de Foron
Haute Pointe

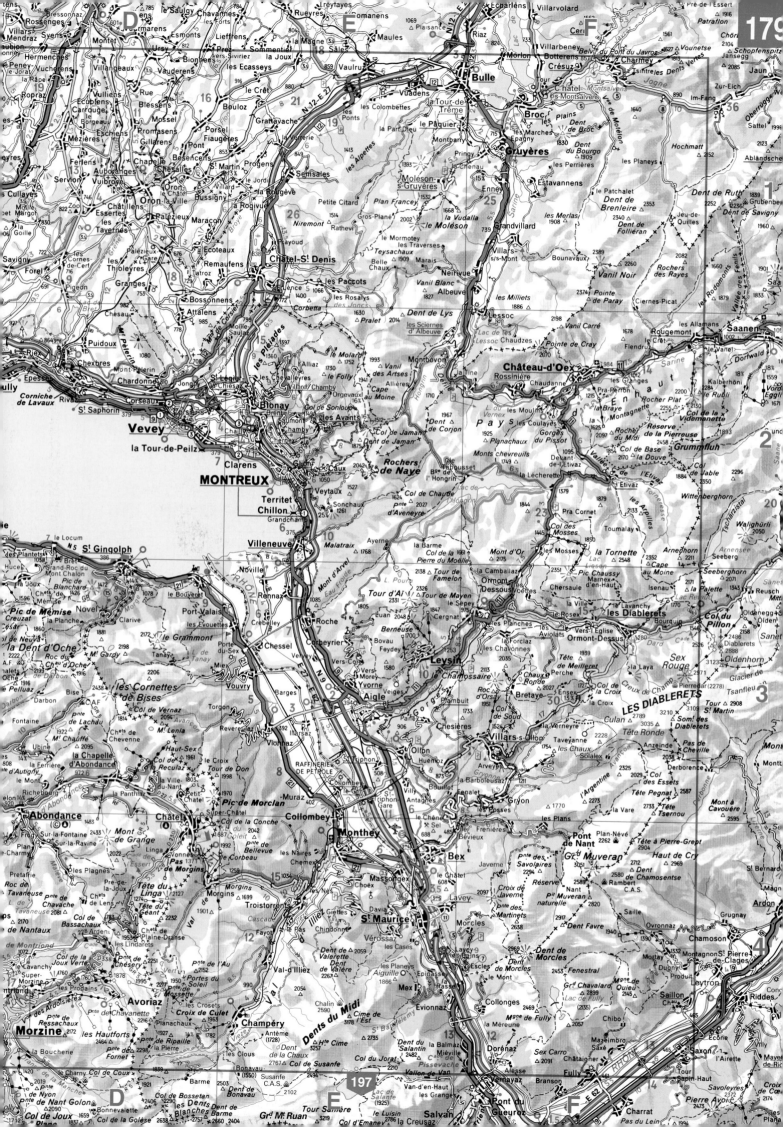
D
E
F
Bulle
Gruyères
Broc
Charmey
Châtel-St Denis
Oron-la-Ville
Vevey
la Tour-de-Peilz
MONTREUX
Clarens
Territet
Chillon
Villeneuve
St Gingolph
Château-d'Oex
Rossinière
Rougemont
Saanen
Leysin
Aigle
Roche
Vouvry
Bex
Monthey
Collombey
St Maurice
Champéry
Morzine
Avoriaz
Abondance
Châtel
Villars-s-Ollon
Gryon
Les Diablerets
LES DIABLERETS
Rochers de Naye
le Moléson
Dents du Midi
Dent de Morcles
Saillon
Riddes
Fully
Vernayaz
Salvan
RHÔNE
Pays d'Enhaut
Corniche de Lavaux
Col du Pillon
Col des Mosses
Pic Chaussy
Tour d'Aï
Mont d'Or
Vanil Noir
Dent de Ruth
Dent de Savigny
Wittenberghorn
Oldenhorn
Sex Rouge
Grd Muveran
Pic de Mémise
la Dent d'Oche
les Cornettes de Bises
Pic de Morclan
Mont de Grange
Tête du Linga
Pas de Morgins
Croix de Culet
Col de Coux
Tour Sallière
1
2
3
4

197

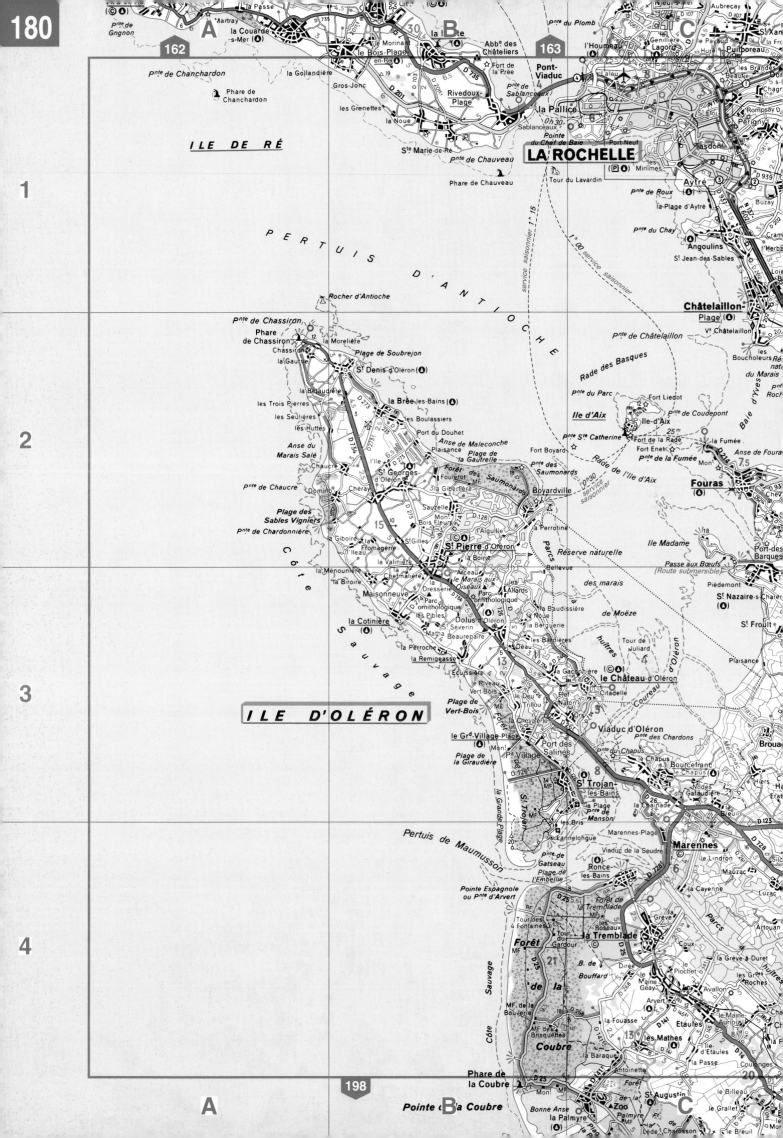

A
B
C
162
163
198
1
2
3
4
Pte de Gngnon
Martray
la Passe
la Couarde-s-Mer
le Bois-Plage-en-Ré
le Morinant
la Flotte
Abbe des Châteliers
Fort de la Prée
Pte de Chanchardon
Phare de Chanchardon
la Gollandière
Gros-Jonc
les Grenettes
la Noue
Rivedoux-Plage
Pte de Sablanceaux
Sablanceaux
Pont-Viaduc
la Pallice
Ste Marie-de-Ré
Pte de Chauveau
Phare de Chauveau
ILE DE RÉ
Pointe du Chef de Baie
Port-Neuf
LA ROCHELLE
les Minimes
Tour du Lavardin
L'Houmeau
Lagord
Puilboreau
Lalau
Tasdon
Aytré
Périgny
Pte de Roux
la Plage d'Aytré
Buzay
Pte du Chay
Angoulins
St Jean-des-Sables
Châtelaillon-Plage
Vx Châtelaillon
les Boucholeurs
du Marais
Pte de Châtelaillon
service saisonnier 1h15
1h00 service saisonnier
PERTUIS D'ANTIOCHE
Rocher d'Antioche
Pte de Chassiron
Phare de Chassiron
Chassiron
la Morelière
Plage de Soubrejon
la Gautrie
St Denis-d'Oléron
la Bétaudière
les Trois Pierres
les Seulières
les Huttes
la Brée-les-Bains
les Boulassiers
Port du Douhet
Anse du Marais Salé
Anse de Maleconche
Plaisance
Plage de la Gautrelle
Forêt des Saumonards
Chaucre
St Georges-d'Oléron
Foulerot
la Gibertière
Pte de Chaucre
Domino
Chéray
Plage des Sables Vigniers
Pte de Chardonnière
Sauzelle
Bois Fleury
l'Aiguille
la Giboire
Fromagerie
St Gilles
St Pierre-d'Oléron
la Boirie
la Menounière
la Biroire
Maisonneuve
la Cotinière
la Dresserie
Parc ornithologique
les Pibles
Dolus-d'Oléron
St Séverin
Beaurepaire
Matha
la Perroche
la Remigeasse
l'Écuissière
le Riveau
Vert-Bois
Plage de Vert-Bois
Côte Sauvage
ILE D'OLÉRON
le Grd Village-Plage
Plage de la Giraudière
Pt Village
le Deu
Trillou
la Chevalerie
Port des Salines
St Trojan-les-Bains
la Plage
Pte de Manson
les Bris
la Grande Plage
Rade des Basques
Pte du Parc
Fort Liedot
Ile d'Aix
Pte de Coudepont
Pte Ste Catherine
Fort de la Rade
Fort Enet
Pte de la Fumée
la Fumée
Fort Boyard
Pte des Saumonards
Boyardville
Rade de l'Ile d'Aix
0h30 service saisonnier
Fouras
Anse de Fouras
Baie d'Yves
Ile Madame
Passe aux Bœufs
(Route submersible)
Port-des-Barques
Piédemont
St Nazaire-s-Charente
St Froult
la Perrotine
Bellevue
Réserve naturelle
Parcs des marais à huîtres de Moëze
la Baudissière
la Noue
la Berguerie
les Bardières
Tour de Juliard
la Gaconnière
le Château-d'Oléron
Citadelle
Coureau d'Oléron
Viaduc d'Oléron
Pte des Chardons
Pte du Chapus
le Chapus
Bourcefranc-le-Chapus
la Gataudière
la Chainade
Marennes-Plage
Plaisance
Pertuis de Maumusson
Lannelongue
Viaduc de la Seudre
Marennes
Pte de Gatseau
Plage de l'Embellie
Ronce-les-Bains
Pointe Espagnole ou Pte d'Arvert
Forêt de la Tremblade
la Tremblade
Tour des 4 Fontaines
Tour du Gardour
Forêt de la Coubre
B. de Bouffard
Arvert
la Fouasse
Étaules
les Mathes
la Baraque
Antoinette
Phare de la Coubre
Pointe de la Coubre
Bonne Anse
la Palmyre
Zoo
St Augustin
la Cayenne
la Grève-à-Duret
Avallon
Coulonges
le Breuil
le Grallet
le Billeau
Chaillevette
Mauzac
Luzac
Artouan
Broue
Hiers

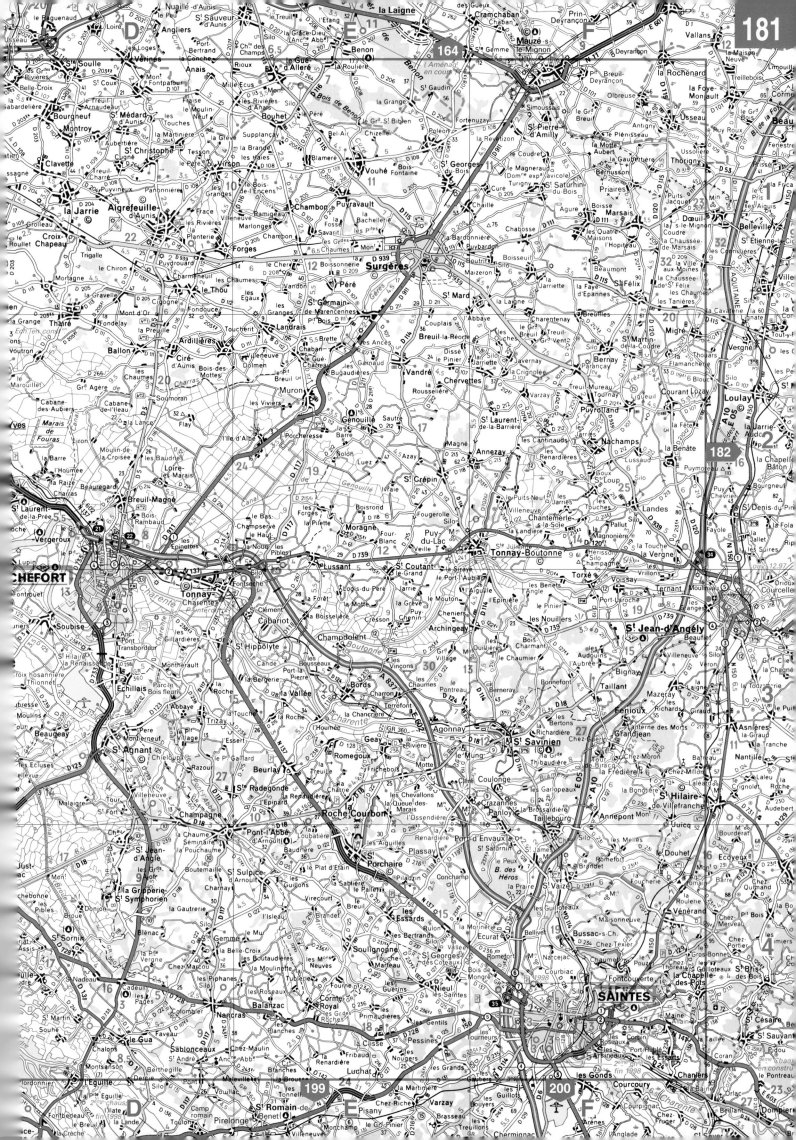

D
E
F
164
182
199
200
la Laigne
Cramchaban
Mauzé-s-le-Mignon
Vallans
Angliers
St Sauveur-d'Aunis
Benon
Nuaillé-d'Aunis
St Soulle
Vérines
Anais
le Gué-d'Alleré
Bourgneuf
Montroy
St Médard-d'Aunis
St Christophe
Clavette
Virson
Bouhet
Vouhé
St Georges-du-Bois
St Pierre-d'Amilly
Usseau
la Foye-Monjault
Thorigny
la Jarrie
Aigrefeuille-d'Aunis
Croix-Chapeau
Forges
Chambon
Puyravault
Surgères
Marsais
Dœuil-s-le-Mignon
Belleville
St Étienne-la-Cigogne
le Thou
Thairé
Péré
St Germain-de-Marencennes
St Mard
St Félix
Landrais
Ardillières
Ballon
Ciré-d'Aunis
Vandré
Breuil-la-Réorte
Chervettes
Migré
Vergné
Bernay
St Martin-de-la-Coudre
Muron
Genouillé
Loulay
Puyrolland
St Laurent-de-la-Barrière
Annezay
Nachamps
la Jarrie-Audouin
St Crépin
Breuil-Magné
Loire-les-Marais
Moragne
Puy-du-Lac
Landes
St Laurent-de-la-Prée
Vergeroux
ROCHEFORT
Tonnay-Charente
Lussant
St Coutant-le-Grand
Tonnay-Boutonne
Torxé
Ternant
Soubise
Cabariot
St Hippolyte
Champdolent
Archingeay
Les Nouillers
St Jean-d'Angély
Échillais
Bords
Taillant
Fenioux
Beaugeay
St Agnant
Geay
St Savinien
Romegoux
Beurlay
Ste Radegonde
Champagne
Pont-l'Abbé-d'Arnoult
Roche Courbon
Crazannes
Taillebourg
St Hilaire-de-Villefranche
St Jean-d'Angle
St Porchaire
Plassay
Ecoyeux
la Gripperie-St Symphorien
St Sulpice-d'Arnoult
St Vaize
Vénérand
St Sornin
Soulignonne
Bussac-s-Ch.
Nieul-lès-Saintes
Nancras
Corme-Royal
Balanzac
Fontcouverte
SAINTES
St Bris-des-Bois
la Chapelle-des-Pots
le Gua
Sablonceaux
Pessines
Chaniers
les Gonds
Courcoury
L'Éguille
St Romain-de-Benet
Pisany
Varzay
A 10
A 837
N 137
N 150
E 05
E 602

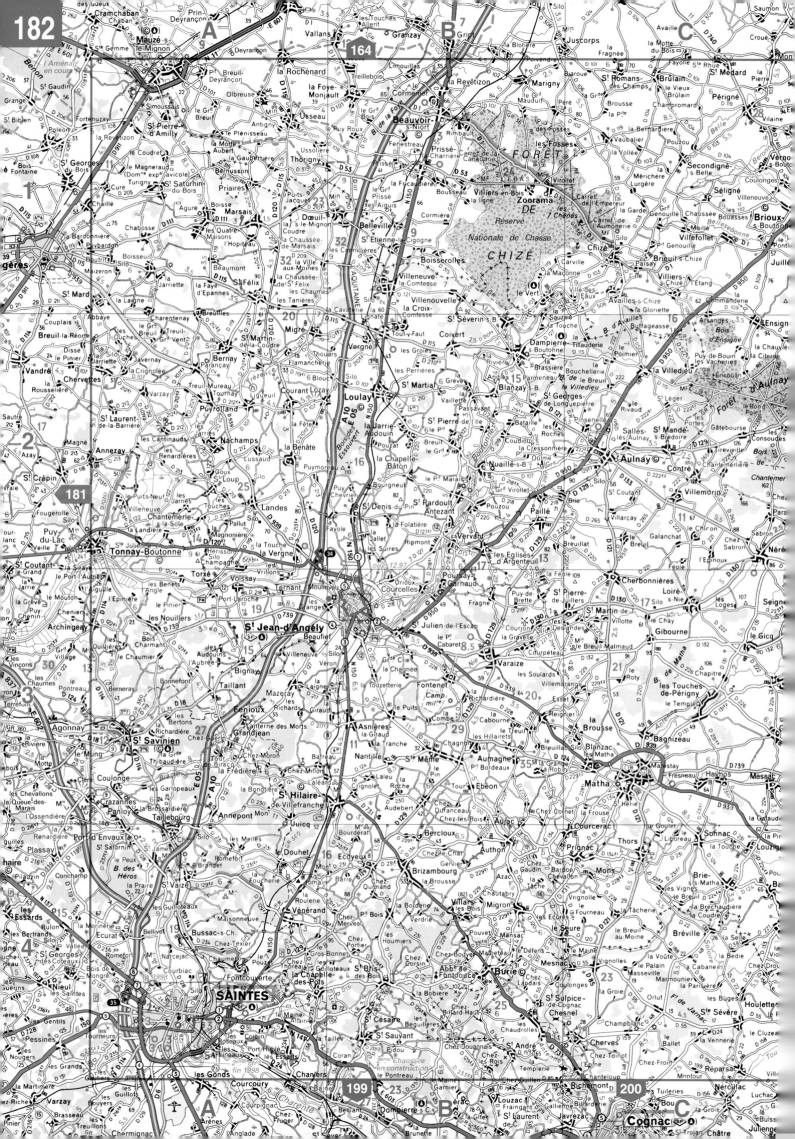
A
B
C
164
181
199
200
1
2
3
4
Mauzé-s-le-Mignon
Beauvoir-s-Niort
FORÊT DE CHIZÉ
Zoorama
Réserve Nationale de Chasse
Chizé
Brioux-s-Boutonne
Loulay
Aulnay
Tonnay-Boutonne
St Jean-d'Angély
St Savinien
Matha
Burie
SAINTES
Cognac
Taillebourg
Brizambourg
Dampierre-s-Boutonne
St Hilaire-de-Villefranche
Forêt d'Aulnay
Bois des Essouverts
L'AQUITAINE
A 10
E 05
N 150
D 939
D 950

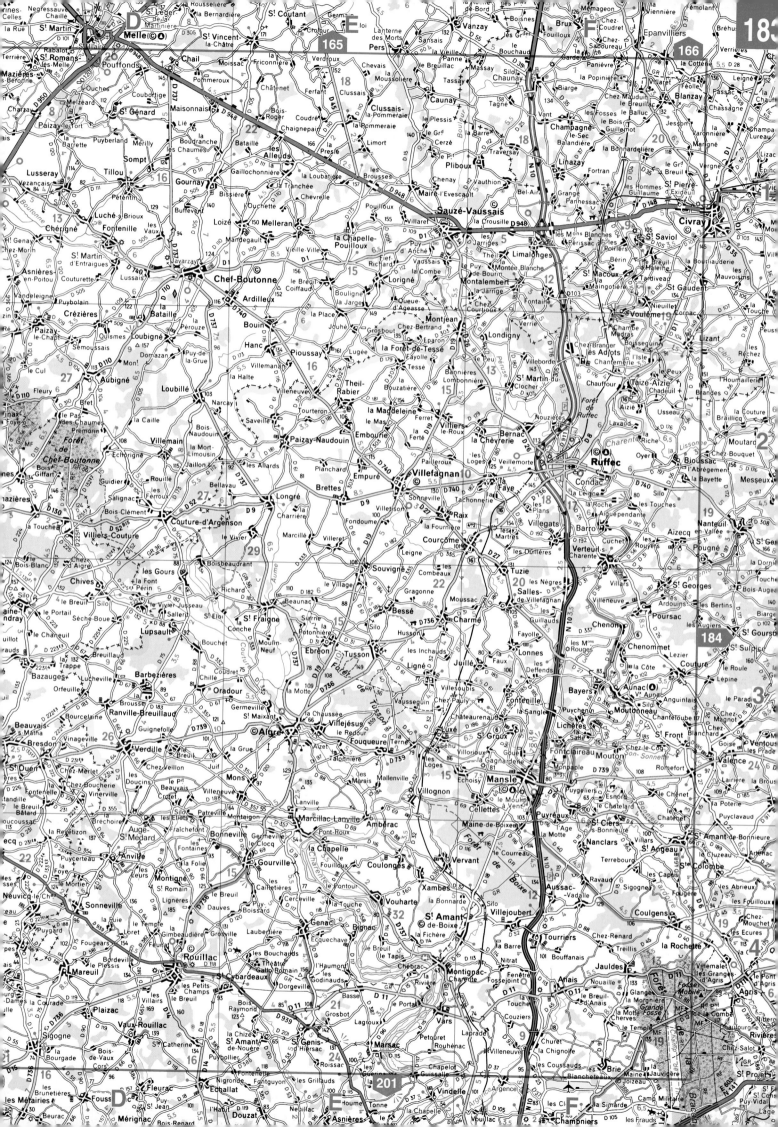

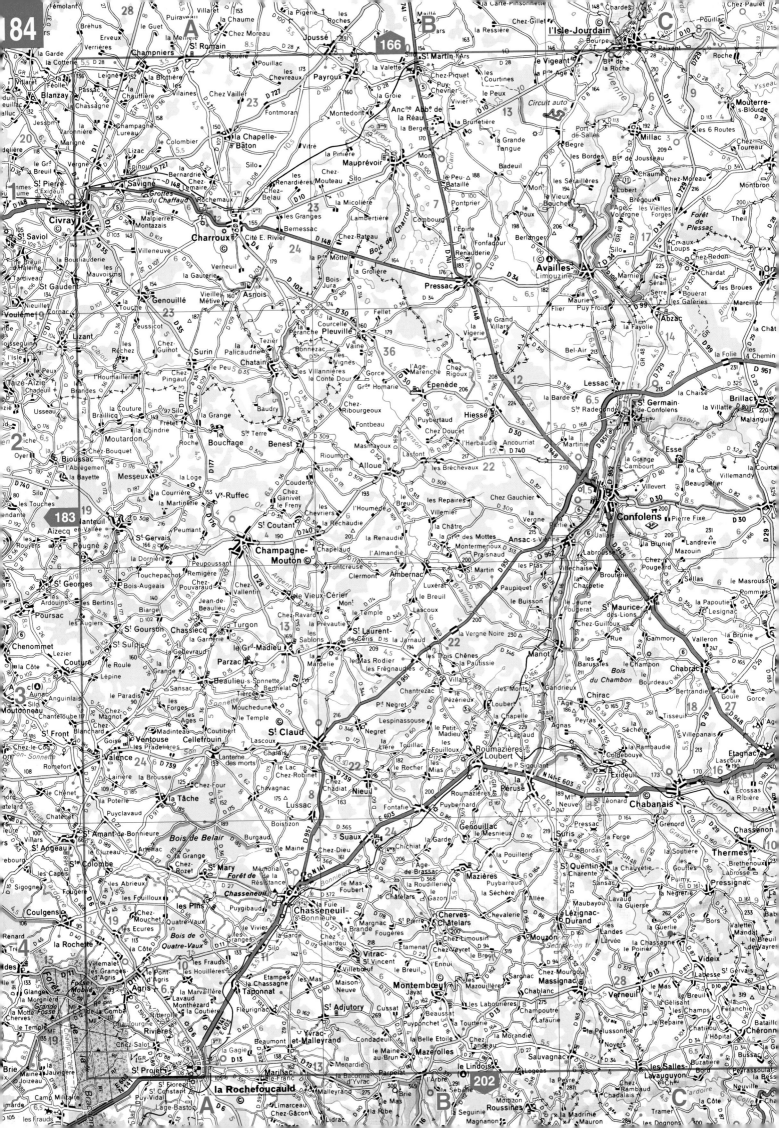

Civray
Charroux
Genouillé
Pleuville
Pressac
Availles-Limouzine
l'Isle-Jourdain
Mauprévoir
Payroux
Champagne-Mouton
Confolens
St Germain-de-Confolens
Ansac-s-Vienne
Roumazières-Loubert
Chabanais
St Claud
Chasseneuil-s-Bonnieure
Montembœuf
Massignac
la Rochefoucauld
les Salles-Lavauguyon
Valence
Ventouse
Cellefrouin
Nieuil
Lussac
Agris
Taponnat
Rivières
Mazerolles
Verneuil
Chirac
Exideuil
Brillac
Esse
Lessac
Alloue
Benest
Surin
Lizant
Bioussac
Messeux
St Coutant
Chassiecq
Turgon
Parzac
St Laurent-de-Céris
Ambernac
Manot
Chabrac
Etagnac
Chassenon
Pressignac
Videix
Suaux
Genouillac
Mazières
Lézignac-Durand
Suris
St Quentin-s-Charente
Cherves-Châtelars
Vitrac-St Vincent
St Adjutory
Yvrac-et-Malleyrand
St Projet
Coulgens
St Angeau
Ste Colombe
St Mary
Forêt de la Braconne
Bois de Belair
Bois de Quatre-Vaux
Forêt de Plessac
Bois du Chambon
Vienne
Charente

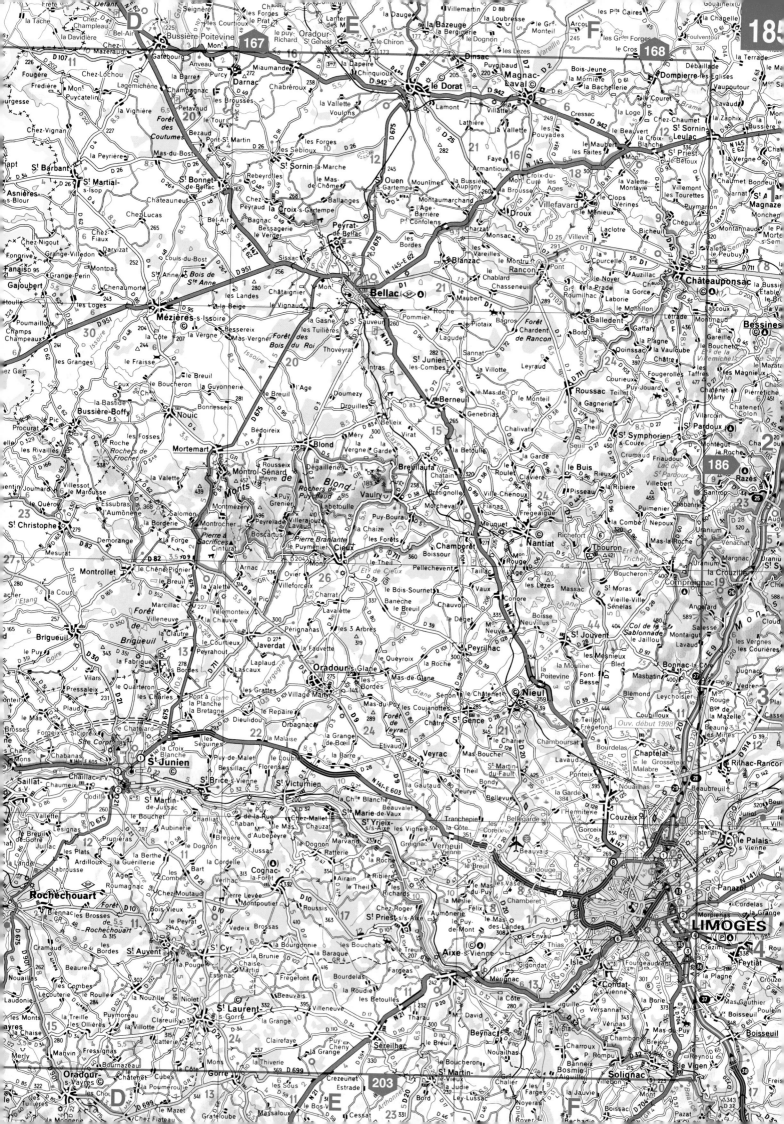

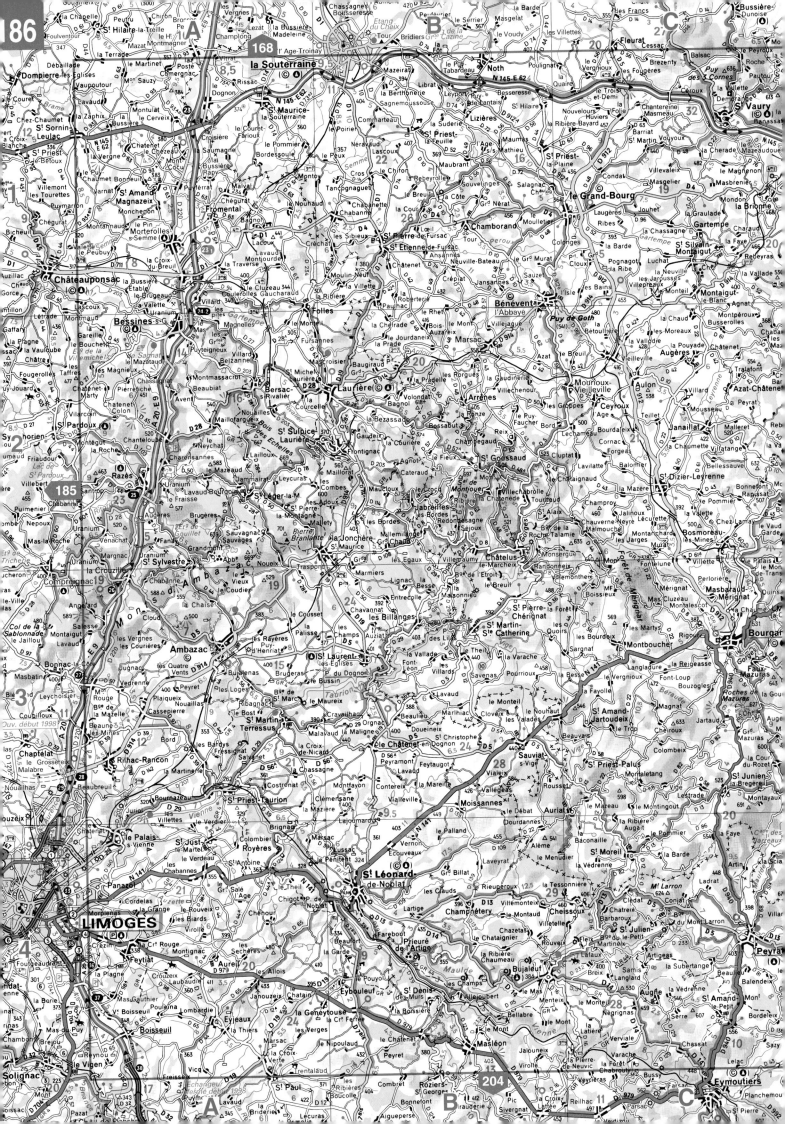

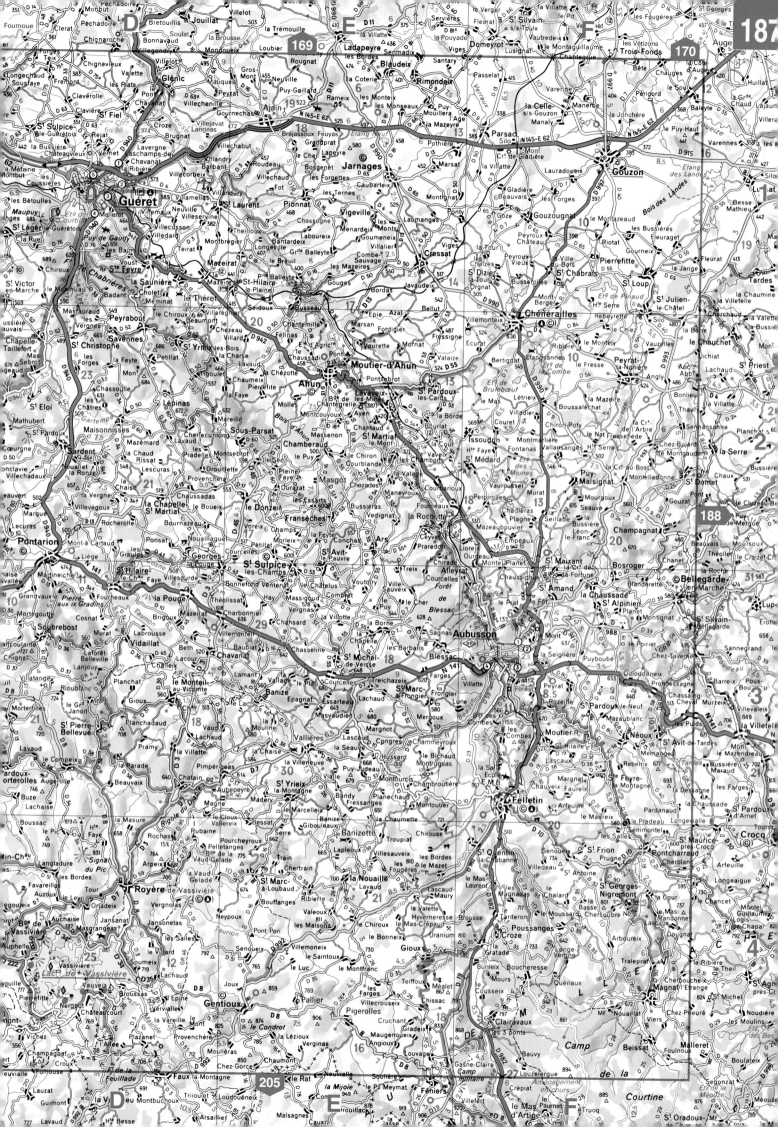

D
E
F
169
170
188
205
Guéret
Glénic
Jouillat
Ladapeyre
Domeyrot
Trois-Fonds
Ajain
Jarnages
Parsac
Gouzon
Blaudeix
Rimondeix
Ste Feyre
St Laurent
Pionnat
Vigeville
Cressat
Mazeirat
St Dizier-la-Tour
St Chabrais
Pierrefitte
St Loup
Chénérailles
St Julien-le-Châtel
Peyrabout
Savennes
St Christophe
St Yrieix-les-Bois
Moutier-d'Ahun
Ahun
Lavaveix-les-Mines
St Pardoux-les-Cards
Issoudun
St Médard
Peyrat-la-Nonière
St Eloi
Sardent
Lépinas
Sous-Parsat
Chamberaud
St Martial-le-Mont
Puy-Malsignat
Masgot
Fransèches
le Donzeil
La Chapelle-St Martial
La Rochette
Champagnat
Pontarion
St Georges-la-Pouge
St Sulpice-les-Champs
St Avit-le-Pauvre
Ars
St Maixant
St Amand
St Alpinien
Bellegarde-en-Marche
St Hilaire-le-Château
La Pouge
Soubrebost
Vidaillat
Chavanat
St Michel-de-Veisse
Blessac
Aubusson
St Silvain-Bellegarde
Le Monteil-au-Vicomte
Banize
St Marc-à-Frongier
Vallières
Moutier-Rozeille
St Pardoux-le-Neuf
Néoux
St Pierre-Bellevue
St Yrieix-la-Montagne
Felletin
Ste Feyre-la-Montagne
St Avit-de-Tardes
Royère-de-Vassivière
St Marc-à-Loubaud
La Nouaille
St Quentin-la-Chabanne
St Frion
Pontcharraud
St Maurice-près-Crocq
Crocq
St Georges-Nigremont
Poussanges
Gioux
Croze
Gentioux
Pigerolles
Clairavaux
Magnat-l'Etrange
Faux-la-Montagne
Féniers
Malleret
Beissat
Lac de Vassivière
Camp de la Courtine
N 141
N 145-E 62
D 940
D 942
D 990
D 982
D 997

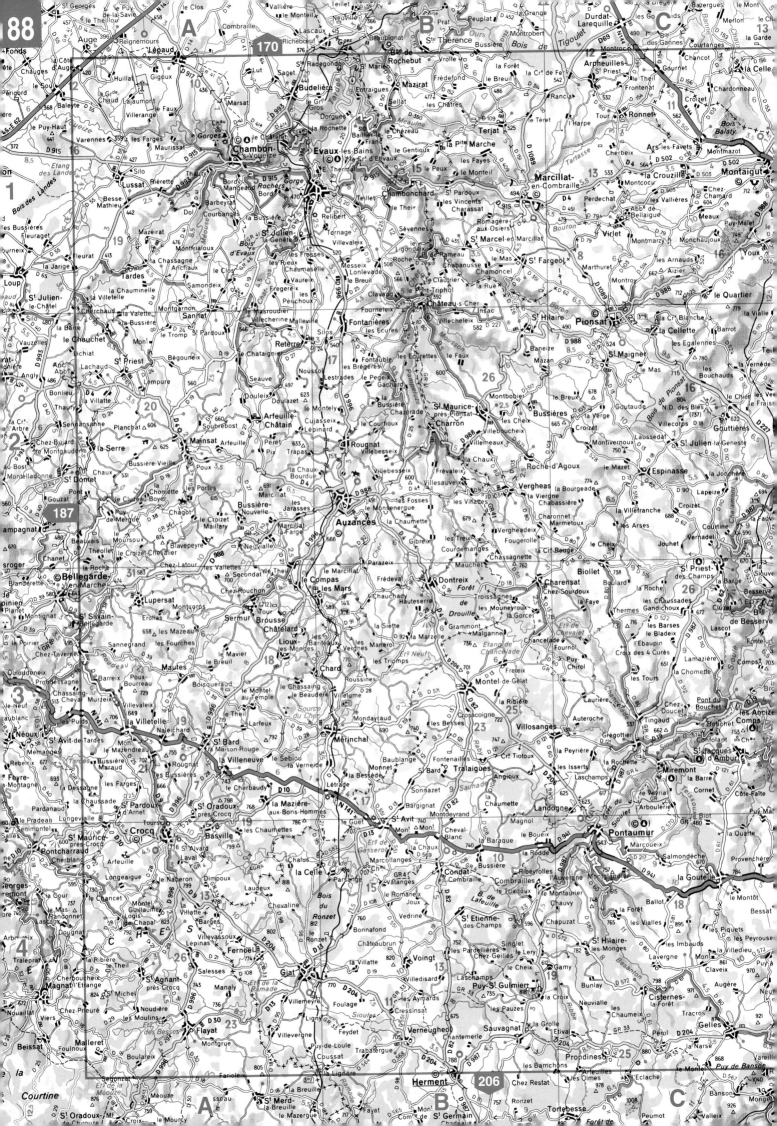
A
B
C
170
187
206
Lépaud
Auge
Chambon-s-Voueize
Evaux-les-Bains
Budelière
Mazirat
Terjat
Marcillat-en-Combraille
Montaigut
Arpheuilles-St Priest
Durdat-Larequille
Ronnet
Ars-les-Favets
La Crouzille
Lussat
Chambonchard
St Julien-la-Genête
St Marcel-en-Marcillat
St Fargeol
Virlet
Tardes
St Julien-le-Châtel
Château-s-Cher
Pionsat
St Hilaire
Sannat
Fontanières
St Maigner
Reterre
St Priest
Arfeuille-Châtain
St Maurice-près-Pionsat
Bussières
Charron
Mainsat
Rougnat
Espinasse
La Serre
St Domet
Vergheas
Roche-d'Agoux
Bussière-Nouvelle
Auzances
Bellegarde-en-Marche
Lupersat
Dontreix
Charensat
Biollet
St Priest-des-Champs
St Silvain-Bellegarde
Le Compas
Les Mars
Brousse
Châtelard
Sermur
Lioux-les-Monges
Chard
Mautes
Montel-de-Gelat
Villosanges
Tralaigues
La Villetelle
St Bard
Mérinchal
Néoux
St Avit-de-Tardes
La Villeneuve
Miremont
St Pardoux-d'Arnet
St Oradoux-près-Crocq
La Mazière-aux-Bons-Hommes
St Avit
Landogne
Crocq
Basville
Pontaumur
Pontcharraud
St Maurice-près-Crocq
La Celle
Condat-en-Combraille
St Etienne-des-Champs
St Hilaire-les-Monges
Giat
Voingt
Puy-St Gulmier
Cisternes-la-Forêt
Fernoël
St Agnant-près-Crocq
Magnat-l'Etrange
Flayat
Verneugheol
Sauvagnat
Gelles
Herment
Prondines
St Merd-la-Breuille
St Germain
Tortebesse
Courtine

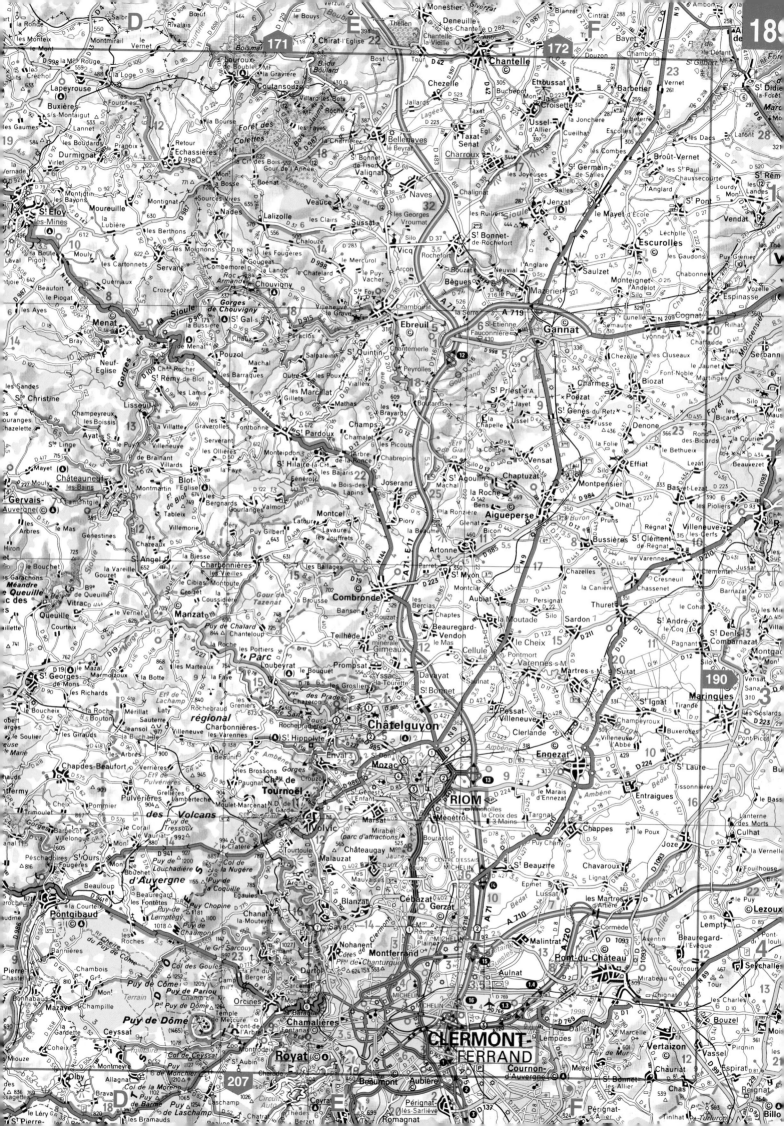

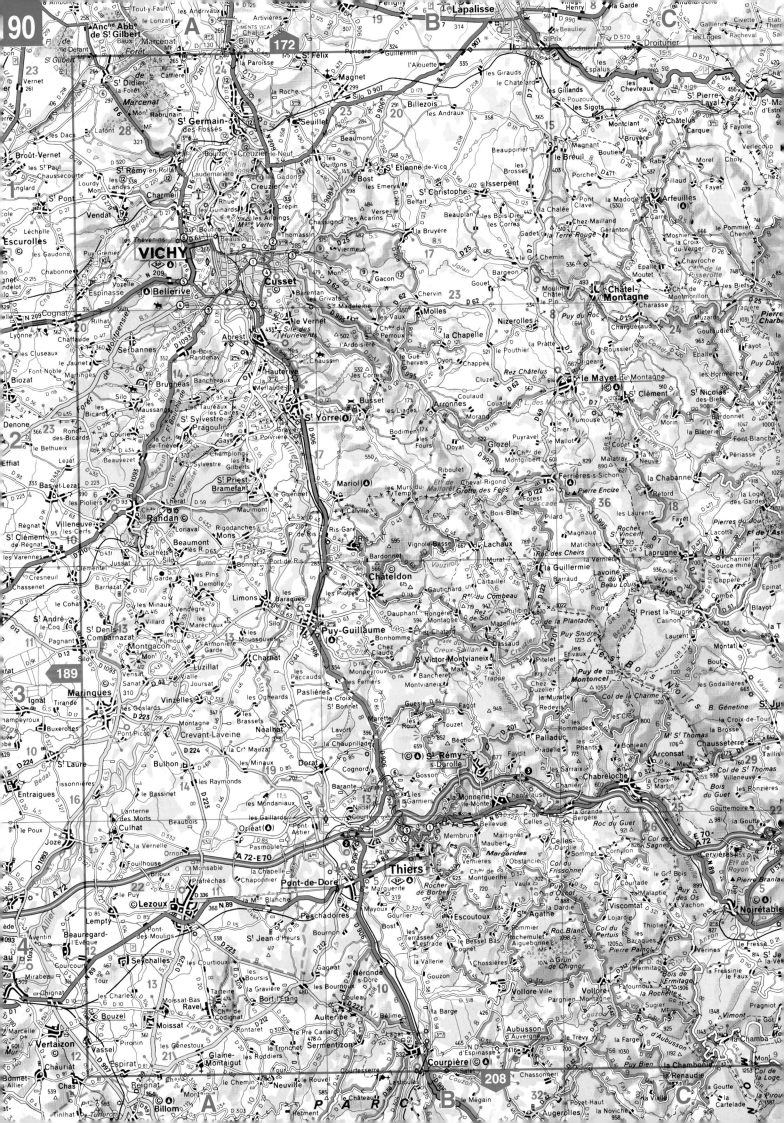

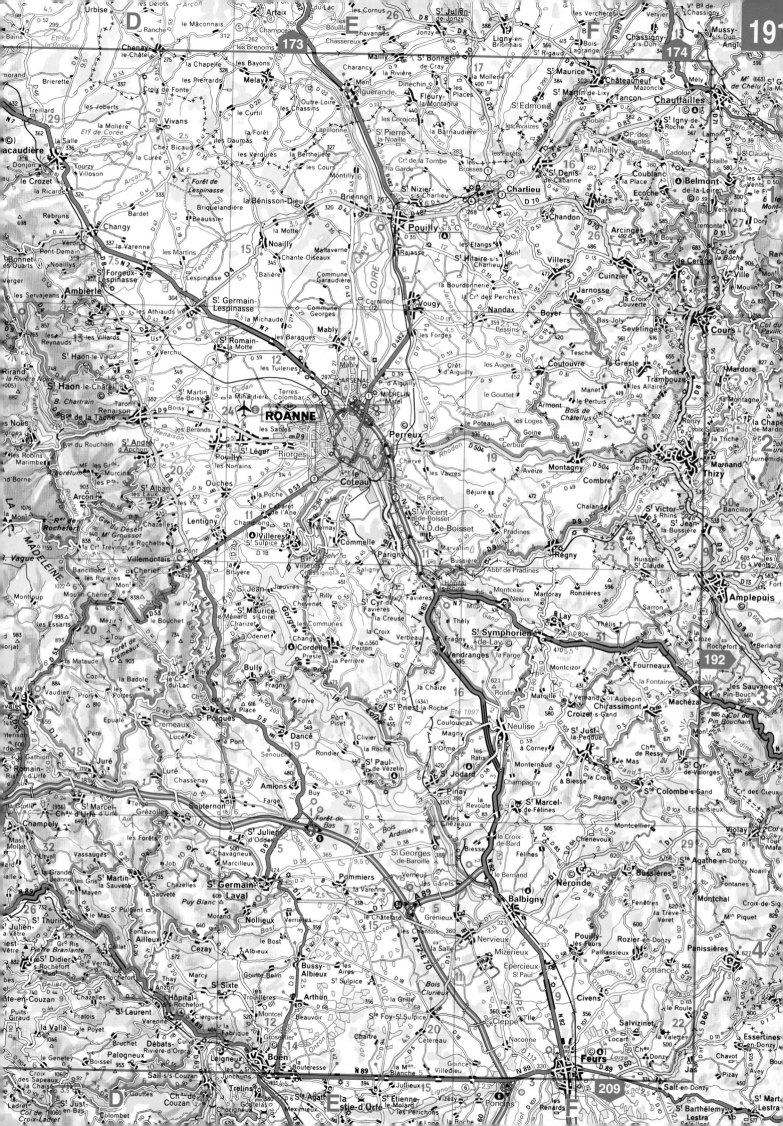

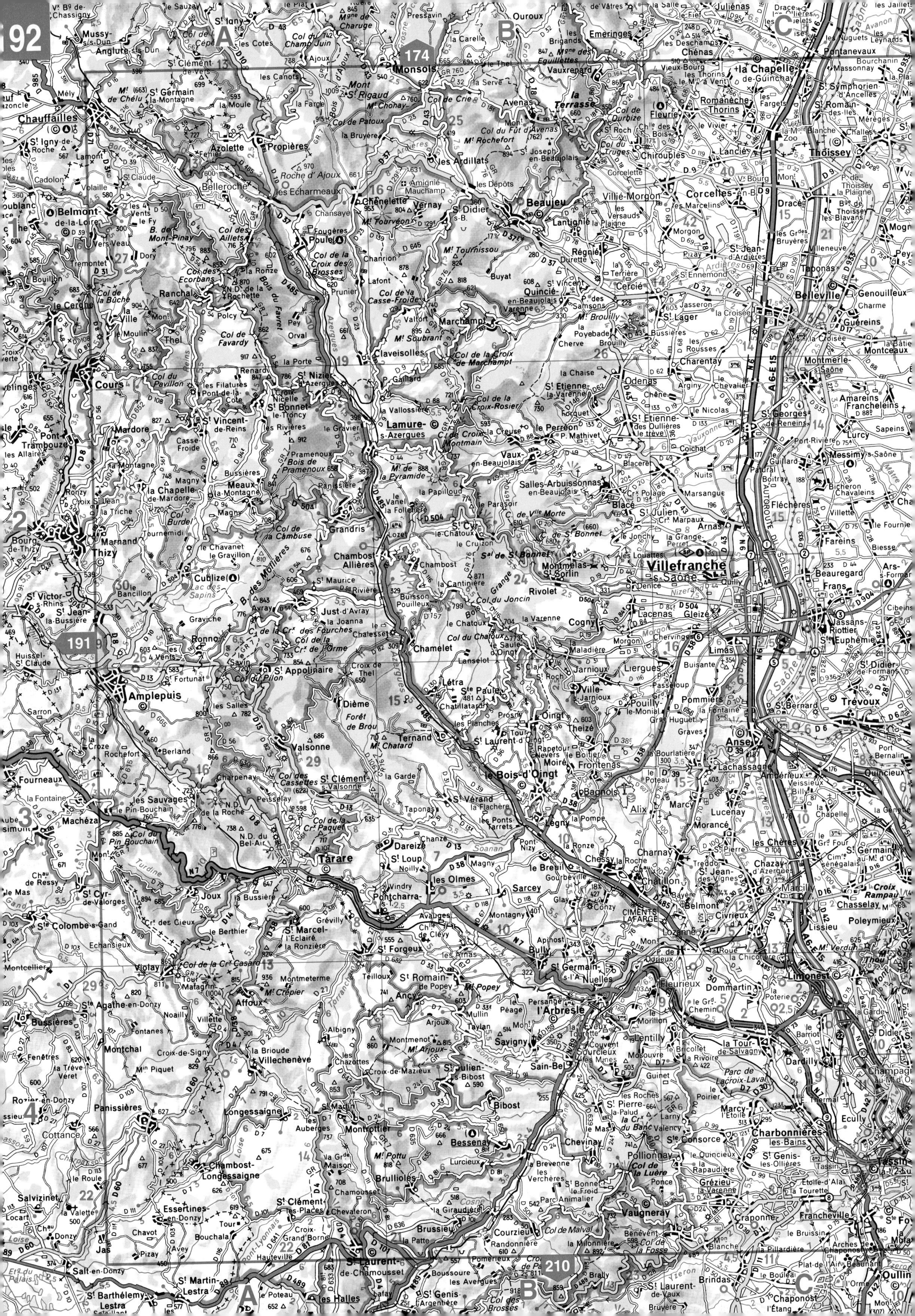

A B C

174

191

210

Chauffailles
Mussy-s/s-Dun
St Igny
Monsols
la Chapelle-de-Guinchay
la Terrasse
Beaujeu
Villié-Morgon
Corcelles-en-B
Thoissey
Belmont-de-la-Loire
Cours
Lamure-s-Azergues
Avenas
Régnié
Belleville
Thizy
Amplepuis
Grandris
Salles-Arbuissonnas-en-Beaujolais
Villefranche-s-Saône
Trévoux
Tarare
le Bois-d'Oingt
Anse
Joux
Dareizé
Chessy
Belmont
Chaponost
St Laurent-de-Chamousse
Brussieu
Vaugneray
Charbonnières-les-Bains
Bussières
Montchal
Panissières
Chambost-Longessaigne
St Romain-de-Popey
l'Arbresle
Lentilly
la Tour-de-Salvagny
Dardilly

A B C

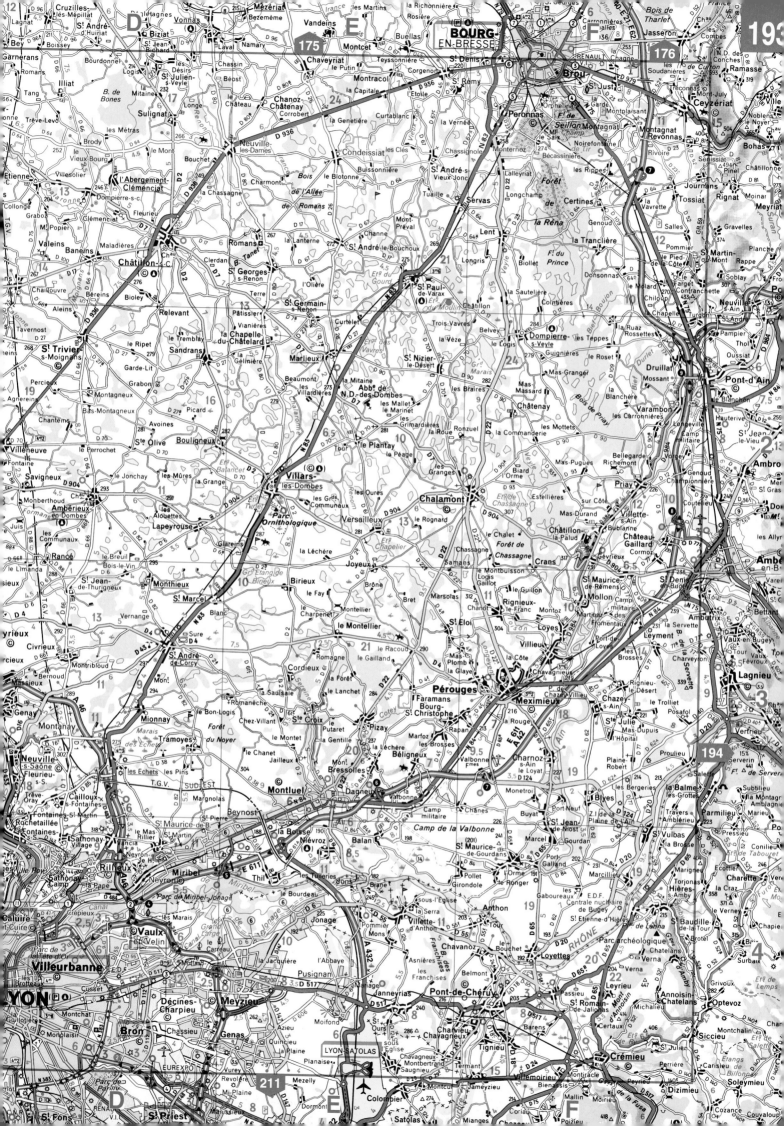

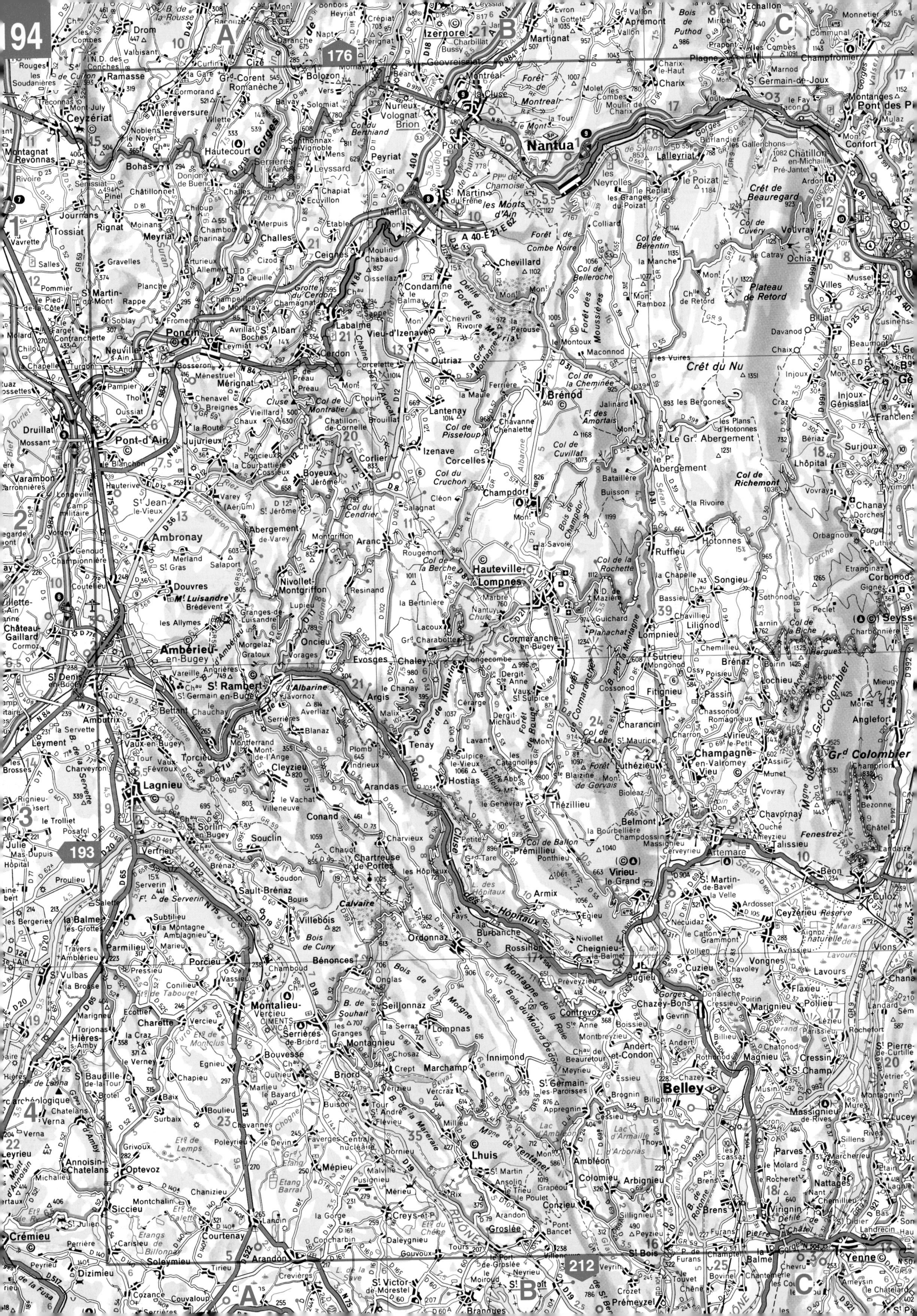

176
193
212
A
B
C
Ceyzériat
Nantua
Poncin
Pont-d'Ain
Ambronay
Ambérieu-en-Bugey
St Rambert-en-Bugey
Lagnieu
Hauteville-Lompnes
Brénod
Champdor
Tenay
Belley
Lhuis
Crémieu
Montalieu-Vercieu
Virieu-le-Grand
Culoz
Champagne-en-Valromey
Grd Colombier
Crêt du Nu
Plateau de Retord
Izernore
Montréal-la-Cluse
Cerdon
Lompnieu
Yenne
Brens
Artemare
Hautecourt
Meyriat
Corlier
Chalay
Argis
Hostias
Arandas
Conand
Souclin
Ordonnaz
Rossillon
Innimond
Marchamp
Briord
Bouvesse
Courtenay
Arandon
Groslée
St Bois
Chanaz
Lucey
Seyssel

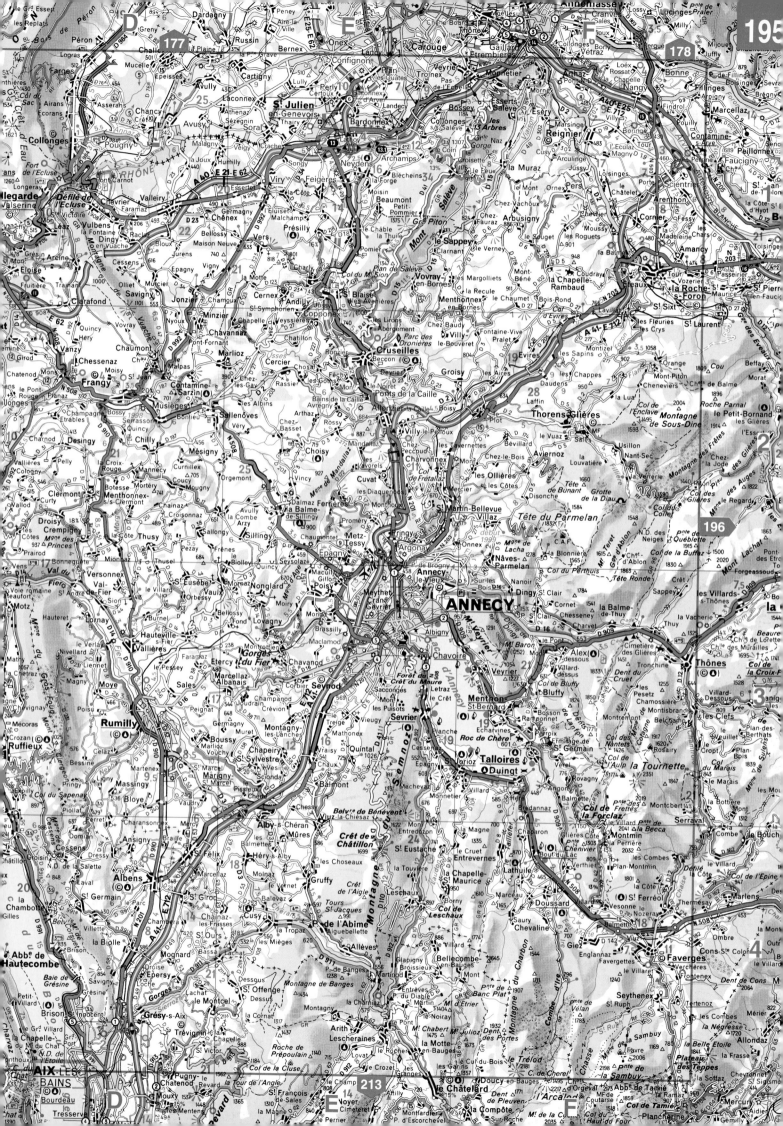
ANNECY
AIX-LES-BAINS
Annemasse
Carouge
St Julien-en-Genevois
Cruseilles
Frangy
Rumilly
Thônes
Faverges
Talloires
Seynod
La Roche-s-Foron
Reignier
Thorens-Glières
Collonges
Albens
Grésy-s-Aix
Le Châtelard
Doussard
Menthon-St-Bernard
Tête du Parmelan
La Tournette
Mont Salève
Crêt de Châtillon
Montagne du Semnoz
Lac d'Annecy
Col de Leschaux
Col de la Forclaz
Gorges du Fier
Parc des Dronières
Défilé de l'Écluse
RHÔNE
Abbe de Hautecombe
D
E
F
177
178
196
213
1
2
3
4

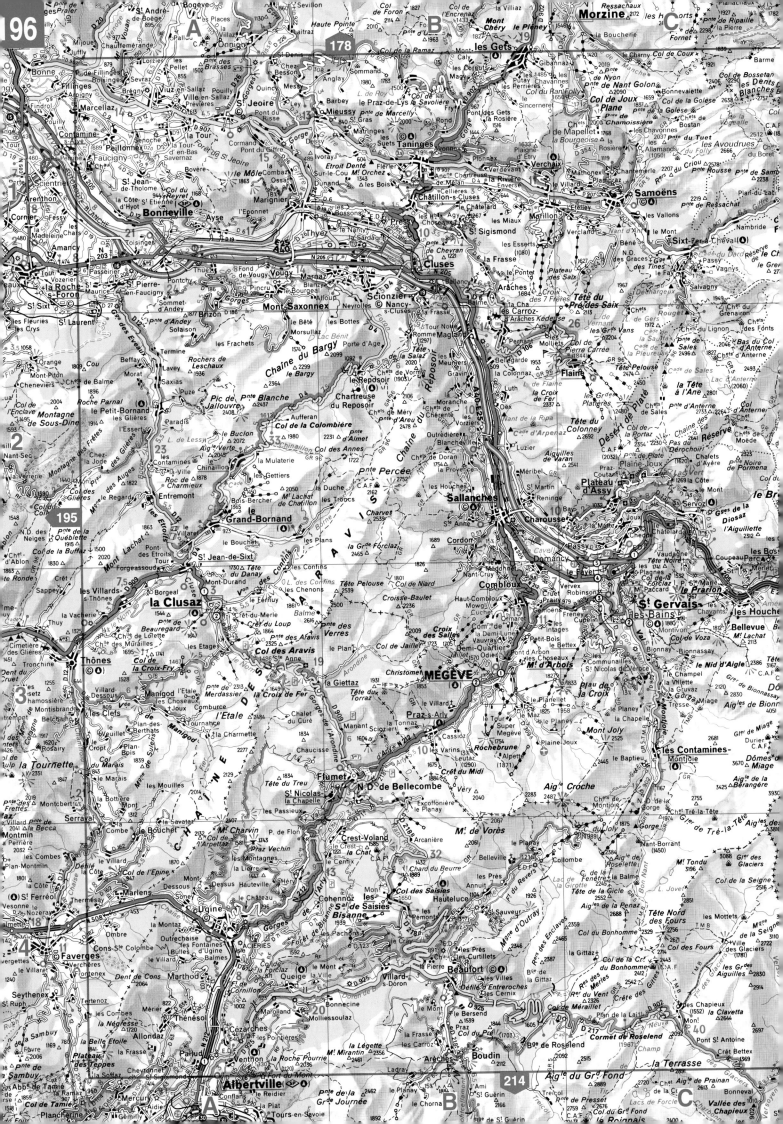
178
195
214
A
B
C
Morzine
les Gets
Samoëns
Taninges
Cluses
Bonneville
la Roche-s-Foron
St Jeoire
Marignier
Châtillon-s-Cluses
Sixt-Fer-à-Cheval
Flaine
Mont-Saxonnex
Chaîne du Bargy
le Reposoir
Col de la Colombière
le Grand-Bornand
St Jean-de-Sixt
la Clusaz
Thônes
Col des Aravis
Chaîne des Aravis
Sallanches
Plateau d'Assy
Passy
St Gervais-les-Bains
Combloux
MEGÈVE
Praz-s-Arly
Flumet
N.D. de Bellecombe
Crest-Voland
les Saisies
Hauteluce
Beaufort
Ugine
Faverges
Albertville
les Contamines-Montjoie
les Houches
Cormet de Roselend
Col du Bonhomme
la Tournette
Manigod
Col de la Croix-Fry
Chaîne du Reposoir
Désert de Platé

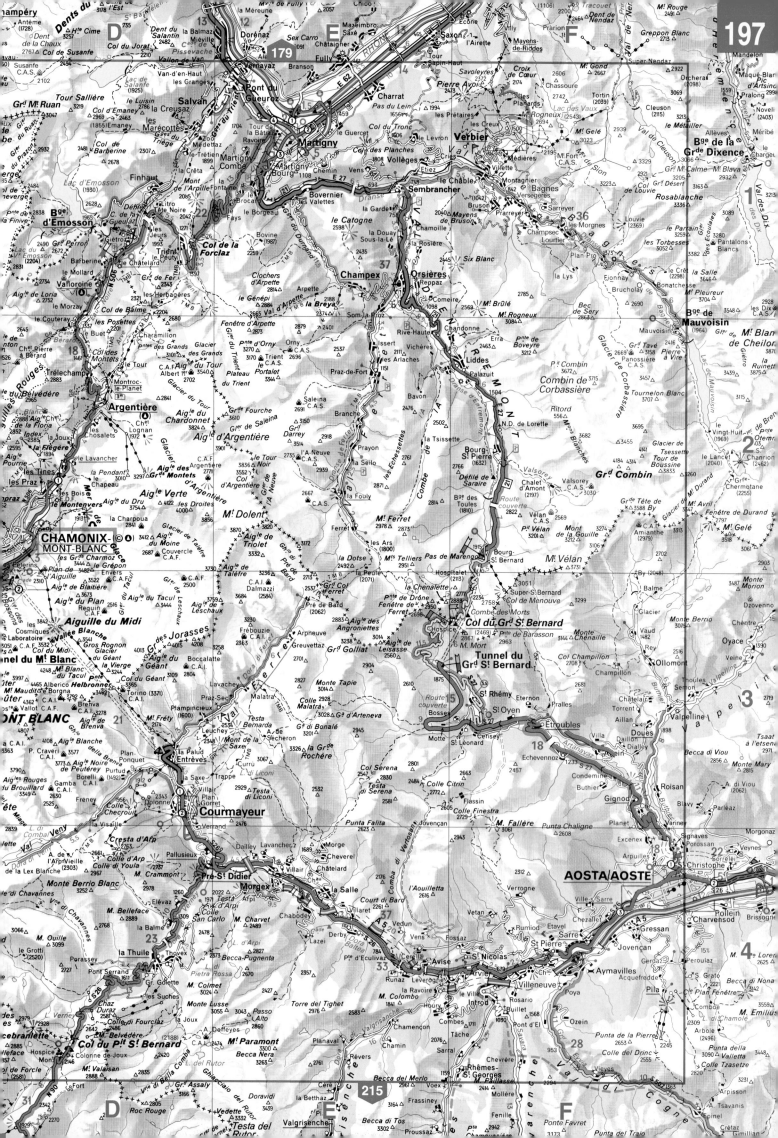

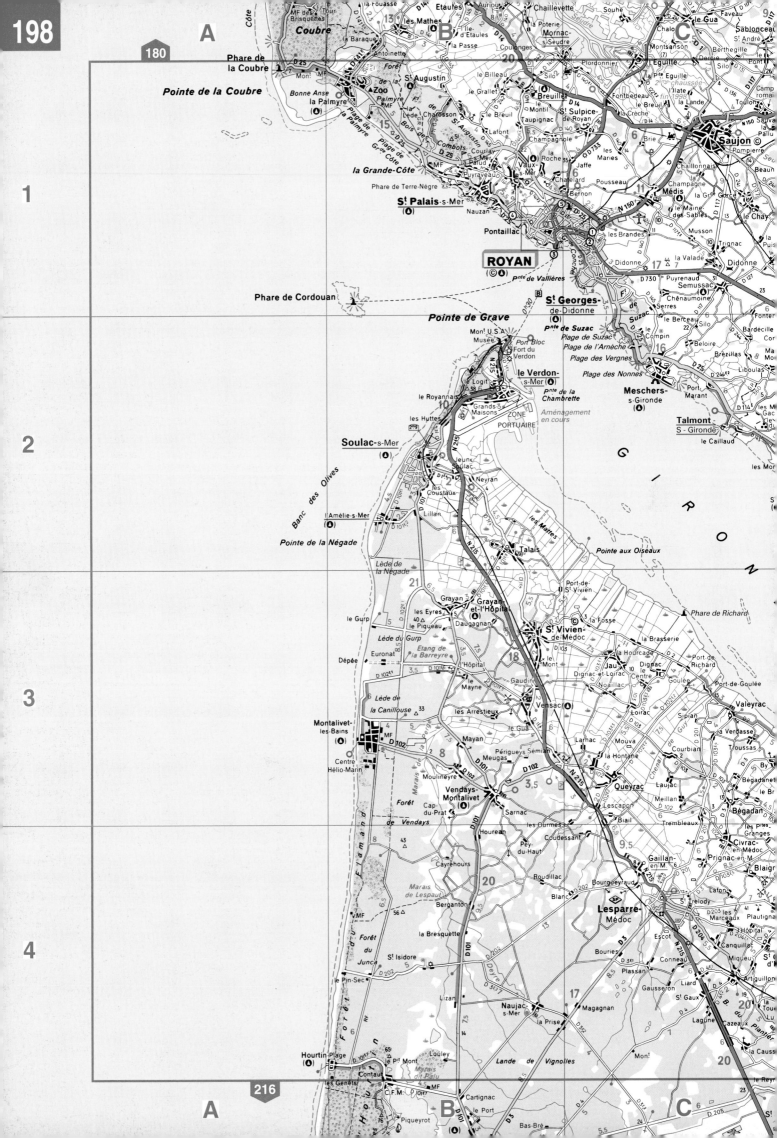

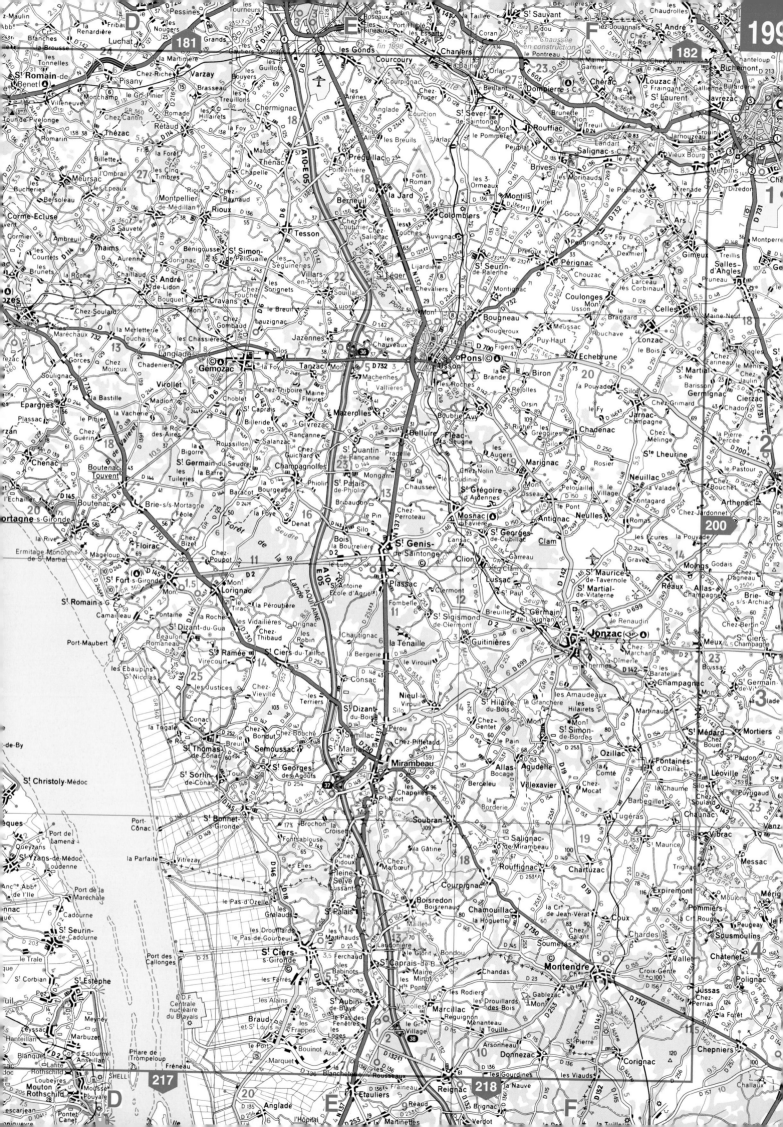

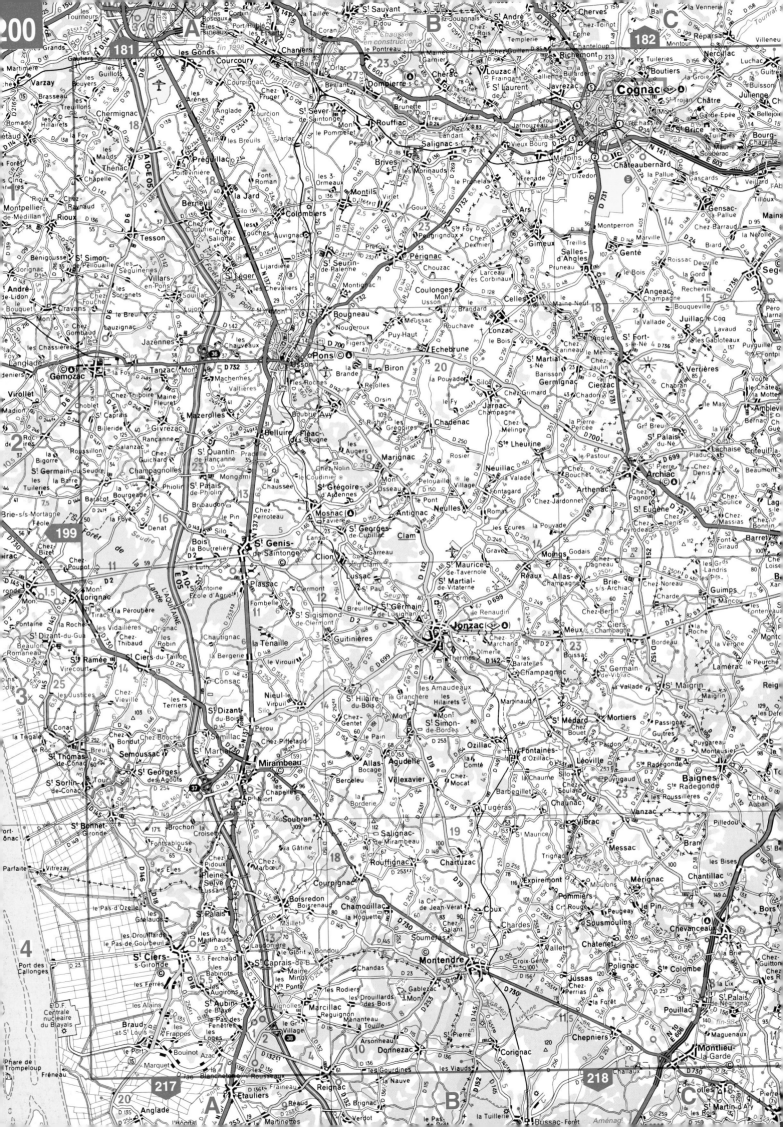
A
B
C
181
182
199
217
218
1
2
3
4
Cognac
Pons
Jonzac
Montendre
Mirambeau
Archiac
Gémozac
Baignes
Chevanceaux
Montlieu-la-Garde
St Genis-de-Saintonge
St Ciers-s-Gironde
Les Gonds
Courcoury
Chaniers
Dompierre-s-C.
Chérac
Javrezac
Châteaubernard
Jarnac-Champagne
Segonzac
St Fort-s-le-Né
Lonzac
Celles
Gimeux
Ars
Genté
Salles-d'Angles
Pérignac
Colombiers
Montils
Bougneau
Berneuil
Préguillac
Tesson
Rioux
Varzay
Cravans
Jazennes
Tanzac
Mazerolles
Belluire
Fléac-s-Seugne
Marignac
Chadenac
Echebrune
Biron
Neulles
Moings
Réaux
Allas-Champagne
Meux
St Germain-de-Lusignan
St Maurice-de-Tavernole
Guitinières
Nieul-le-Virouil
St Dizant-du-Bois
Semoussac
St Georges-des-Agoûts
St Thomas-de-Conac
St Sorlin-de-Conac
St Bonnet-s-Gironde
Soubran
Salignac-de-Mirambeau
Rouffignac
Chartuzac
Courpignac
Boisredon
Chamouillac
Soumeras
Coux
Tugéras
Ozillac
Fontaines-d'Ozillac
Léoville
Vibrac
Messac
Mérignac
Le Pin
Sousmoulins
Chatenet
Polignac
Pouillac
St Palais-de-Négrignac
Chepniers
Corignac
Donnezac
Marcillac
Reignac
Etauliers
Anglade
St Aubin-de-Blaye
Braud-et-St Louis
Pleine-Selve
St Palais
Centrale nucléaire du Blayais
Phare de Trompeloup
Port des Callonges
Forêt de Pons
Forêt de la Lande
L'AQUITAINE
A10-E05
N137
D732
D699
D730
N10
E606
N141
E603
Charente
Seugne
2ème chaussée en construction
fin 1998

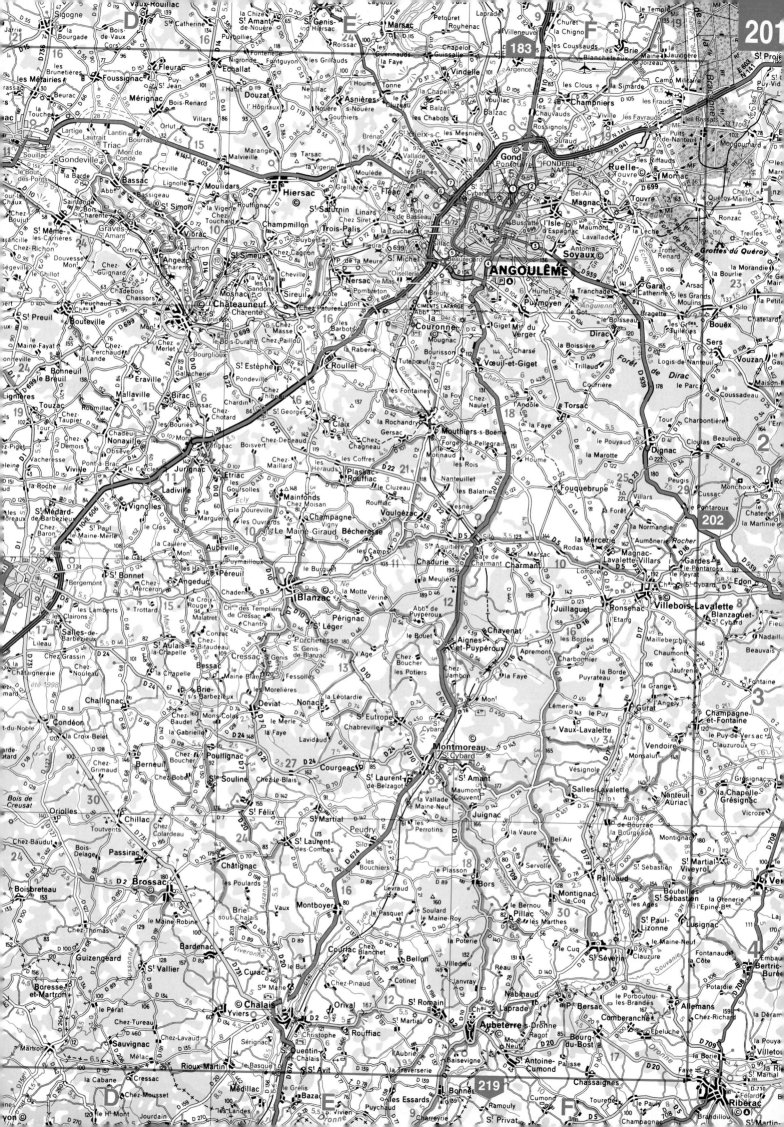
D
E
F
183
ANGOULÊME
Gond-Pontouvre
Ruelle-s-Touvre
Soyaux
L'Isle-d'Espagnac
Magnac-s-T.
Champniers
Mornac
Touvre
Puymoyen
Dirac
Forêt de Dirac
Garat
Bouëx
Sers
Vouzan
Dignac
Fouquebrune
Torsac
Vœuil-et-Giget
La Couronne
Nersac
St Michel
St Saturnin
Hiersac
Sireuil
Fléac
Vindelle
Balzac
Marsac
Asnières-s-Nouère
Douzat
Échallat
Fleurac
Foussignac
Mérignac
Sigogne
Triac
Bassac
Moulidars
Vibrac
Angeac-Charente
St Simeux
Mosnac
Châteauneuf-s-Charente
Bouteville
St Preuil
Graves-St Amant
St Même-les-Carrières
Bonneuil
Éraville
Malaville
Birac
Nonaville
Touzac
Viville
Jurignac
Étriac
Ladiville
Vignolles
Claix
Roullet
St Estèphe
Mouthiers-s-Boëme
Plassac-Rouffiac
Mainfonds
Champagne-Vigny
Le Maine-Giraud
Bécheresse
Voulgézac
Chadurie
Aubeville
Péreuil
Angeduc
St Bonnet
Blanzac
Pérignac
St Léger
Cressac-St Genis
Bessac
Brie-s/s-Barbezieux
Challignac
Condéon
Salles-de-Barbezieux
St Aulais-la-Chapelle
Deviat
Nonac
St Eutrope
Montmoreau-St Cybard
St Amant
Juignac
Poullignac
Berneuil
Ste Souline
Courgeac
St Laurent-de-Belzagot
St Félix
St Martial
St Laurent-des-Combes
Châtignac
Chillac
Passirac
Brossac
Boisbreteau
Guizengeard
St Vallier
Bardenac
Montboyer
Brie-sous-Chalais
Courlac
Curac
Chalais
Yviers
Orival
Bellon
St Romain
Rouffiac
Aubeterre-s-Dronne
Laprade
Nabinaud
Bors
Pillac
Montignac-le-Coq
Palluaud
Salles-Lavalette
Vaux-Lavalette
Gurat
Ronsenac
Juillaguet
Villebois-Lavalette
Magnac-Lavalette-Villars
Charmant
Chavenat
Aignes-et-Puypéroux
Edon
Blanzaguet-St Cybard
Champagne-et-Fontaine
Vendoire
Nanteuil-Auriac
La Chapelle-Grésignac
St Martial-Viveyrol
Bouteilles-St Sébastien
St Paul-Lizonne
Lusignac
St Séverin
Pt Bersac
Bourg-du-Bost
Allemans
Ribérac
St Antoine-Cumond
Chassaignes
Médillac
Bazac
St Quentin-de-Chalais
St Avit
Rioux-Martin
Sauvignac
Boresse-et-Martron
Cressac
Bonnes
Les Essards
202
219
Grottes du Quéroy
Forêt de Bois Blanc
Charente
N 10
E 606
N 141
E 603
D 674
D 939

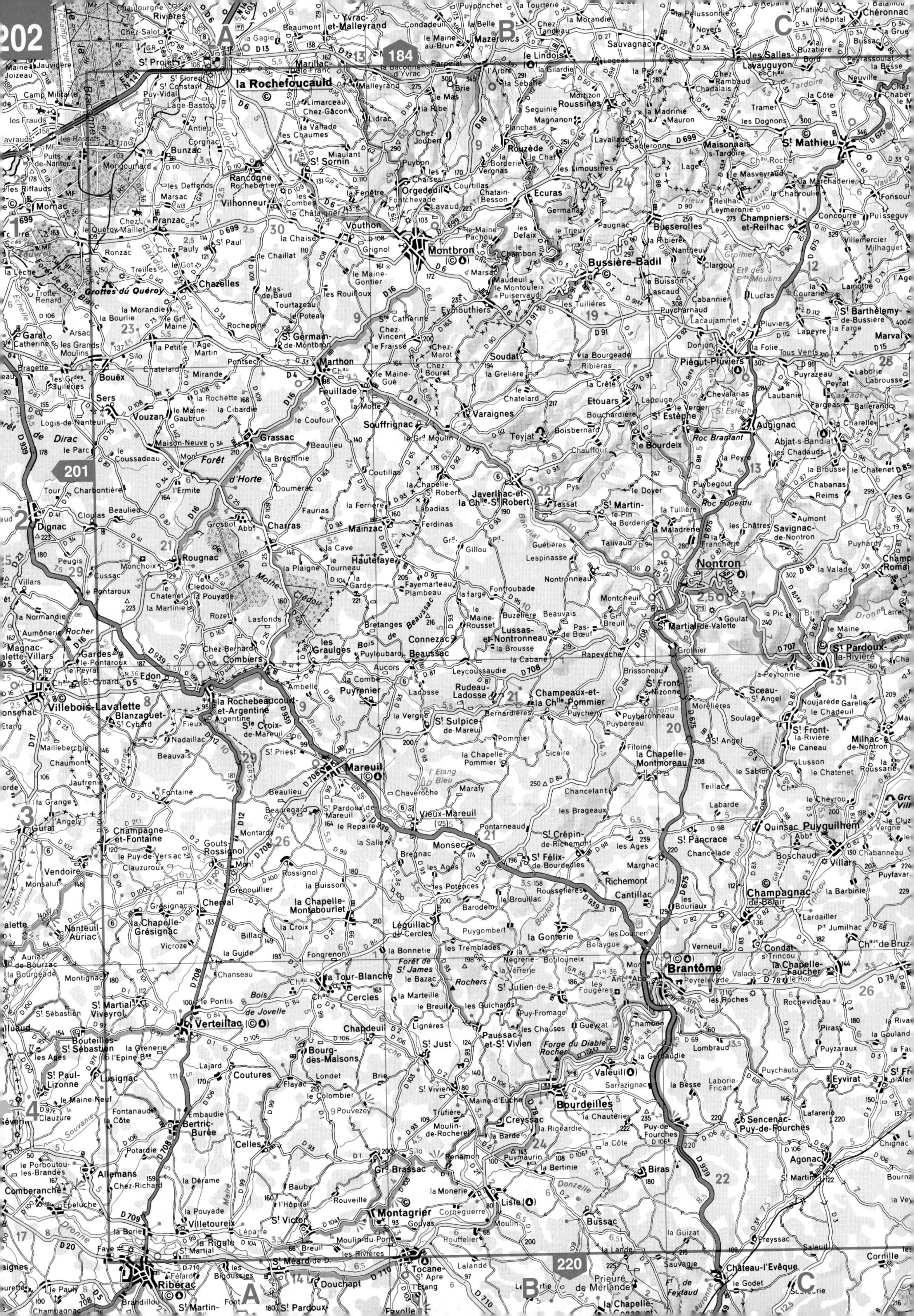
A
B
C
184
201
220
la Rochefoucauld
Rivières
St Projet
Mazerolles
Yvrac-et-Malleyrand
Marillac-le-Franc
Sauvagnac
les Salles-Lavauguyon
Chéronnac
Roussines
St Mathieu
Bunzac
Rancogne
St Sornin
Orgedeuil
Vilhonneur
Mornac
Pranzac
Vouthon
Montbron
Écuras
Busserolles
Champniers-et-Reilhac
Chazelles
Grottes du Quéroy
Eymouthiers
Bussière-Badil
St Barthélemy-de-Bussière
Marval
St Germain-de-Montbron
Marthon
Soudat
Piégut-Pluviers
Garat
Bouëx
Feuillade
Sers
Vouzan
Grassac
Forêt d'Horte
Souffrignac
Varaignes
Teyjat
Étouars
St Estèphe
Le Bourdeix
Augignac
Abjat-s-Bandiat
Dignac
Charras
Mainzac
Javerlhac-et-la Chle-St Robert
St Martin-le-Pin
Nontron
Savignac-de-Nontron
Rougnac
Hautefaye
Connezac
Lussas-et-Nontronneau
St Martial-de-Valette
St Pardoux-la-Rivière
Magnac-Villars
Villebois-Lavalette
Edon
Combiers
les Graulges
Beaussac
Puyrenier
Rudeau-Ladosse
Champeaux-et-la Chlle-Pommier
St Front-s-Nizonne
La Rochebeaucourt-et-Argentine
Blanzaguet-St Cybard
Ste Croix-de-Mareuil
St Sulpice-de-Mareuil
Mareuil
La Chapelle-Montmoreau
St Front-la-Rivière
Milhac-de-Nontron
Gurat
Champagne-et-Fontaine
Vieux-Mareuil
St Crépin-de-Richemont
St Félix-de-Bourdeilles
Quinsac
Puyguilhem
Villars
Vendoire
Gouts-Rossignol
La Chapelle-Montabourlet
Léguillac-de-Cercles
La Gonterie
Cantillac
Champagnac-de-Belair
Nanteuil-Auriac
La Chapelle-Grésignac
Cherval
Condat-s-Trincou
La Tour-Blanche
Cercles
Brantôme
La Chapelle-Faucher
St Martial-Viveyrol
Verteillac
Bois de Jovelle
Forêt de St James
St Julien-de-B.
Bouteilles-St Sébastien
St Paul-Lizonne
Lusignac
Chapdeuil
Bourg-des-Maisons
St Just
Paussac-et-St Vivien
Forge du Diable
Valeuil
Coutures
Bourdeilles
Eyvirat
Sencenac-Puy-de-Fourches
Bertric-Burée
Celles
Creyssac
Agonac
Allemans
Grd Brassac
Montagrier
Lisle
Biras
Villetoureix
St Victor
Bussac
Ribérac
Tocane-St Apre
St Méard-de-D.
Château-l'Évêque
Dronne
D 939
D 708
D 675
D 699

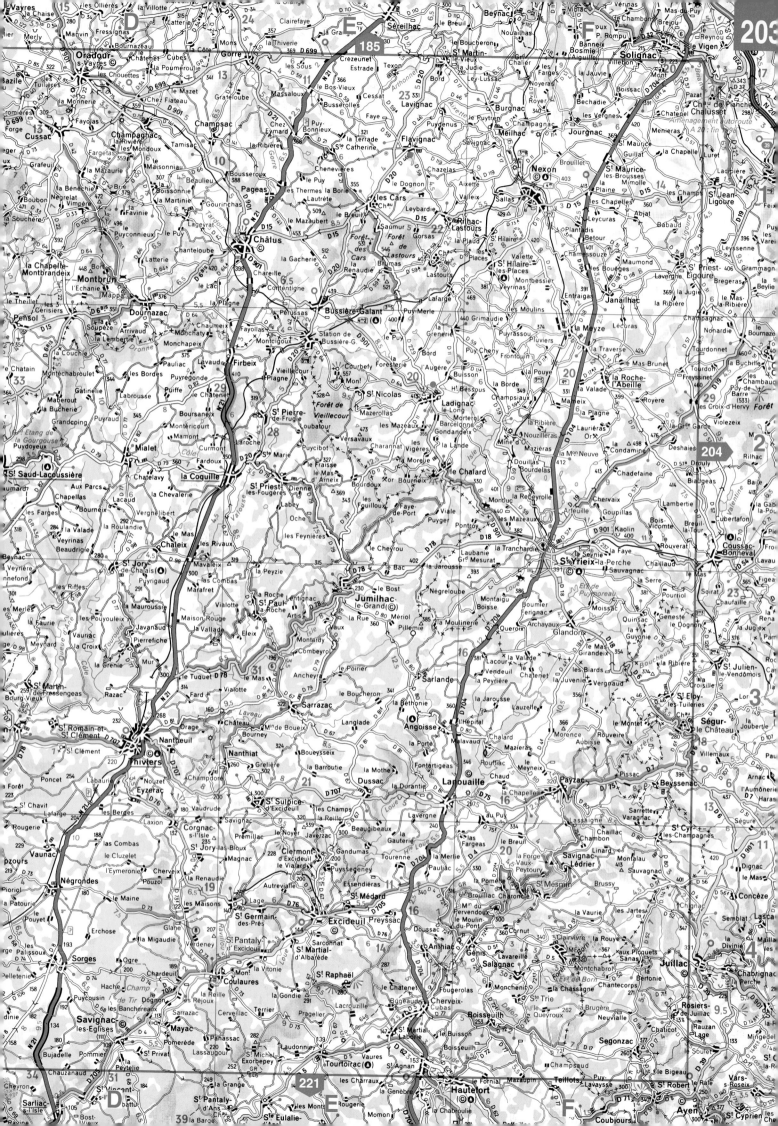
185
204
221
D
E
F
Oradour-s-Vayres
Cussac
Champagnac
Champsac
Gorre
Sereilhac
St Martin-le-Vieux
Beynac
Solignac
le Vigen
Lavignac
Flavignac
Burgnac
Meilhac
Jourgnac
Nexon
Pageas
Châlus
les Cars
Rilhac-Lastours
St Maurice-les-Brousses
St Jean-Ligoure
la Chapelle-Montbrandeix
Montbrun
Dournazac
Bussière-Galant
St Hilaire-les-Places
Janailhac
St Priest-Ligoure
Pensol
Firbeix
la Meyze
la Roche-l'Abeille
Mialet
St Pierre-de-Frugie
St Nicolas
Ladignac-le-Long
St Saud-Lacoussière
la Coquille
St Priest-les-Fougères
le Chalard
Chaleix
St Jory-de-Chalais
St Yrieix-la-Perche
Coussac-Bonneval
Jumilhac-le-Grand
St Paul-la-Roche
Glandon
St Julien-le-Vendômois
St Martin-de-Fressengeas
Sarlande
St Eloy-les-Tuileries
St Romain-et-St Clément
Sarrazac
Angoisse
Ségur-le-Château
Thiviers
Nanthiat
Lanouaille
Payzac
Beyssenac
St Sulpice-d'Excideuil
St Cyr-les-Champagnes
Corgnac-s-l'Isle
Vaunac
Clermont-d'Excideuil
Savignac-Lédrier
Négrondes
St Médard
St Mesmin
St Germain-des-Prés
Excideuil
Concèze
Sorges
Coulaures
Anthiac
Génis
Salagnac
Juillac
St Raphaël
Chabrignac
Savignac-les-Eglises
Mayac
Cherveix-Cubas
Boisseuilh
Rosiers-de-Juillac
Segonzac
Tourtoirac
Hautefort
Teillots
St Robert
Ayen
St Vincent-s-l'Isle
Sarliac-s-l'Isle
St Pantaly-d'Ans
Ste Eulalie
Vars-s-Roseix
St Cyprien

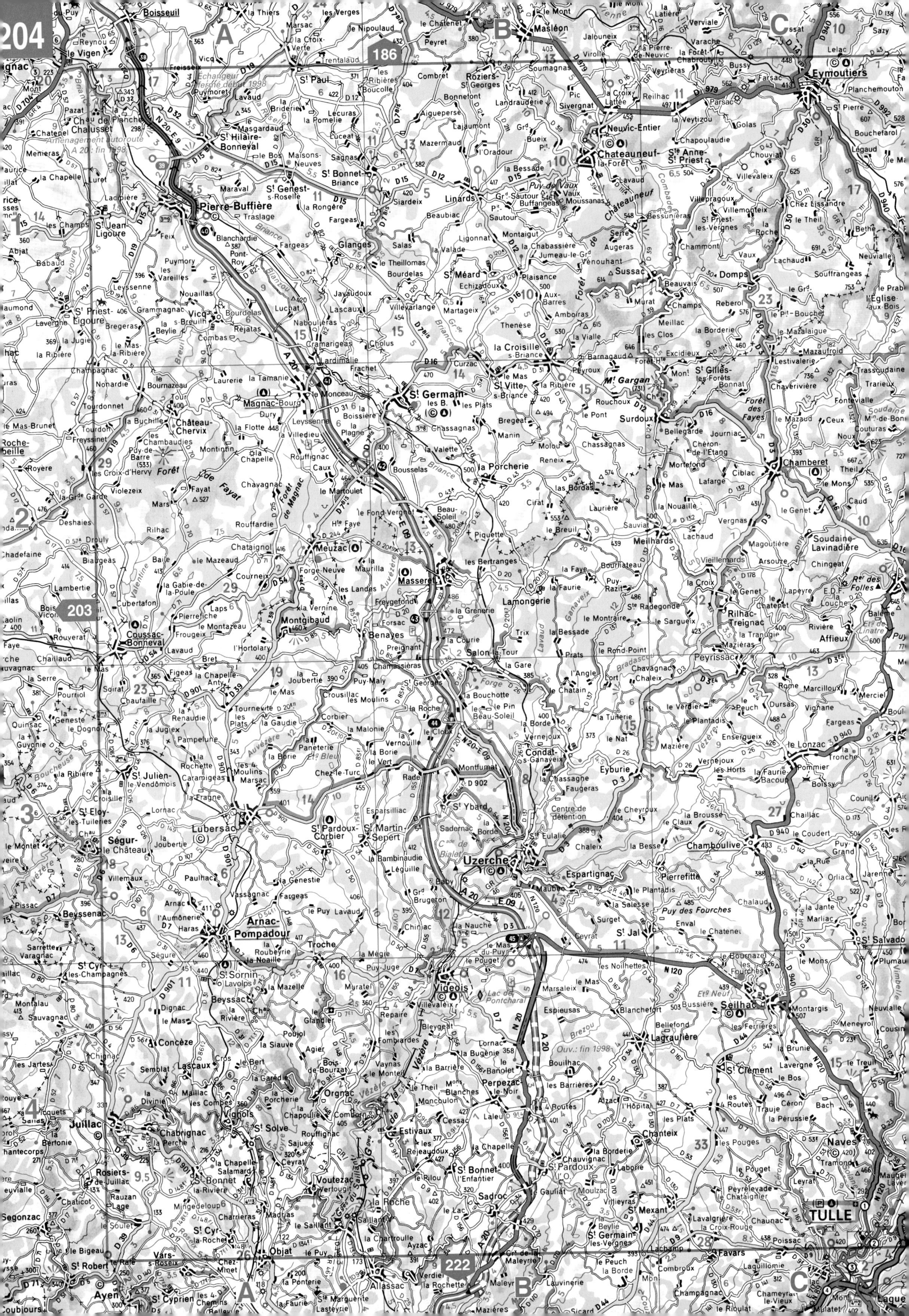
Boisseuil
Le Vigen
Masléon
Eymoutiers
St Paul
Roziers-St-Georges
Neuvic-Entier
St Hilaire-Bonneval
Chateauneuf-la-Forêt
Ste Anne-St Priest
St Bonnet-Briance
Linards
Pierre-Buffière
St Jean-Ligoure
Glanges
St Méard
Sussac
Domps
St Priest-Ligoure
Vicq-s-Breuilh
la Croisille-s-Briance
St Gilles-les-Forêts
St Germain-les B.
St Vitte-s-Briance
Surdoux
Magnac-Bourg
Château-Chervix
la Porcherie
Chamberet
Meuzac
Meilhards
Masseret
Lamongerie
Coussac-Bonneval
Montgibaud
Rilhac-Treignac
Affieux
Salon-la-Tour
Peyrissac
St Julien-le-Vendômois
Condat-s-Ganaveix
Eyburie
Le Lonzac
Lubersac
St Ybard
Ségur-le-Château
St Pardoux-Corbier
St Martin-Sepert
Uzerche
Chamboulive
Espartignac
Arnac-Pompadour
Troche
St Jal
Seilhac
Beyssenac
Vigeois
St Sornin-Lavolps
Beyssac
Lagraulière
Concèze
Lascaux
Perpezac-le-Noir
St Clément
Juillac
Vignols
Orgnac
Estivaux
Chanteix
Naves
Voutezac
St Bonnet-l'Enfantier
Sadroc
St Mexant
TULLE
Objat
Allassac
St Germain-les-Vergnes
Favars
St Cyprien
Ayen
Forêt de Fayat
Forêt de Magnac
Forêt de Châteauneuf
Forêt des Fayes
Mt Gargan
Puy des Fourches
A
B
C
186
203
222

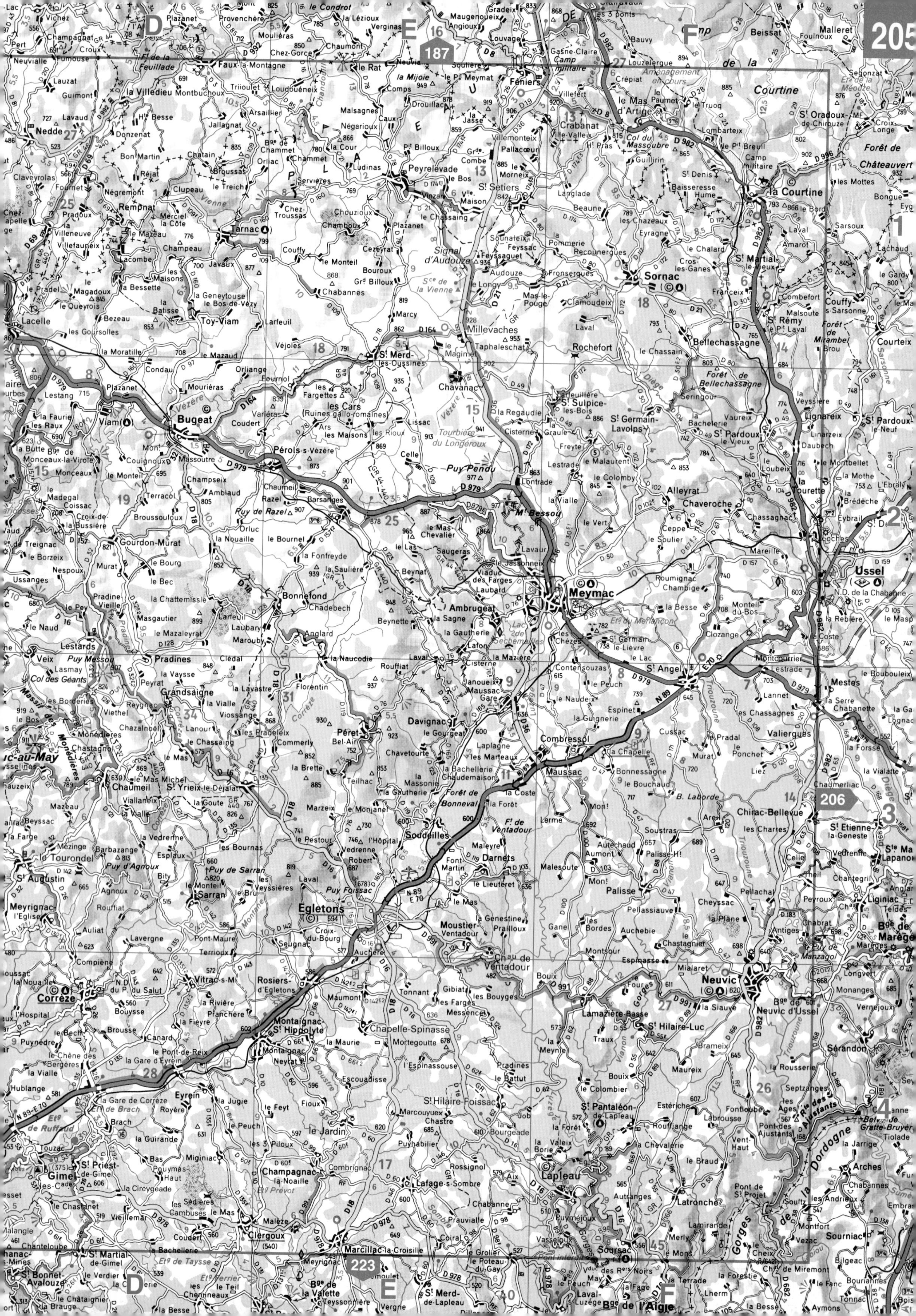

D
E
F
187
206
223
PLATEAU
Faux-la-Montagne
le Rat
Féniers
Courtine
la Villedieu
Nedde
Peyrelevade
Crabanat
le Mas d'Artige
Sornac
la Courtine
Rempnat
Tarnac
St Setiers
Signal d'Audouze
Lacelle
Toy-Viam
Millevaches
Rochefort
Bellechassagne
St Merd-les-Oussines
Chavanac
Bugeat
Viam
Pérols-s-Vézère
les Cars (Ruines gallo-romaines)
Tourbière du Longéroux
Puy Pendu
St Sulpice-les-Bois
St Germain-Lavolps
St Pardoux-le-Vieux
Lignareix
Mt Bessou
Alleyrat
Chaveroche
Gourdon-Murat
Ussel
Meymac
Bonnefond
Ambrugeat
St Angel
Mestes
Pradines
Grandsaigne
Davignac
Combressol
Maussac
Valiergues
Chaumeil
St Yrieix-le-Déjalat
Forêt de Bonneval
Chirac-Bellevue
Soudeilles
Darnets
Egletons
Moustier-Ventadour
Chau de Ventadour
Neuvic
Corrèze
Vitrac-s-M
Rosiers-d'Egletons
Montaignac-St Hippolyte
Lamazière-Basse
St Hilaire-Luc
Sérandon
Eyrein
St Hilaire-Foissac
St Pantaléon-de-Lapleau
Gimel
St Priest-de-Gimel
Champagnac-la-Noaille
Lafage-s-Sombre
Lapleau
Latronche
Arches
Clergoux
Marcillac-la-Croisille
Soursac
Gorges de la Dordogne
Sourniac

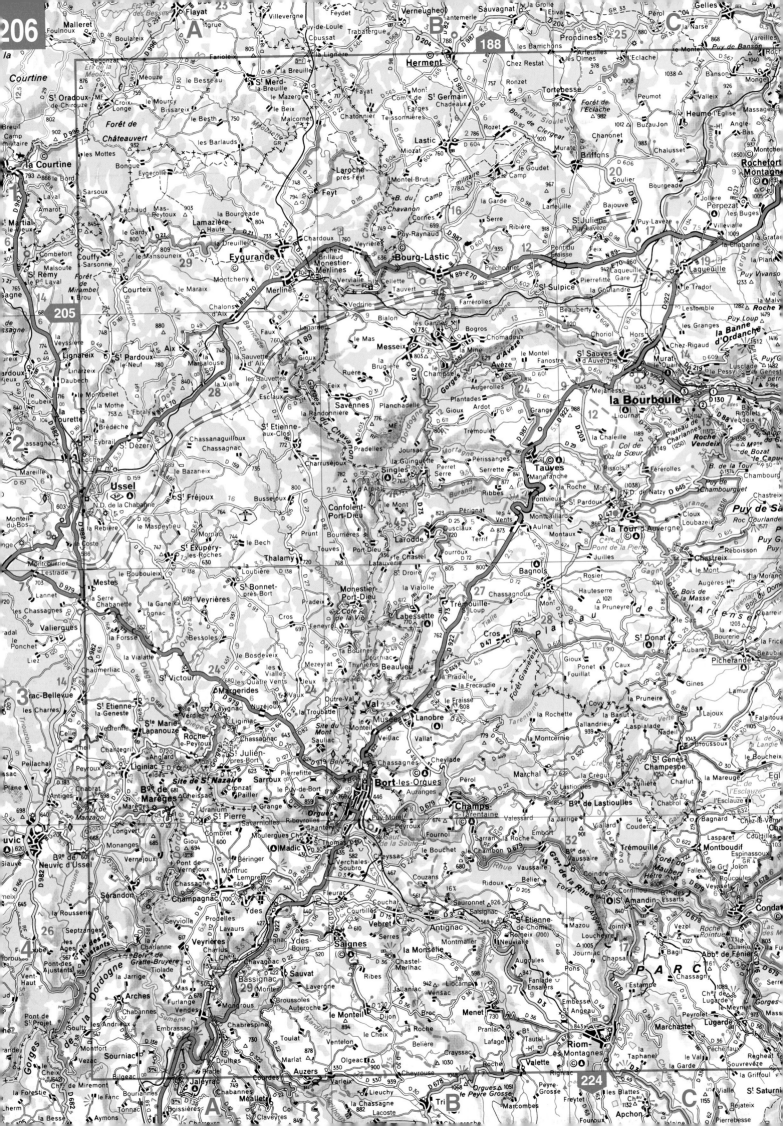

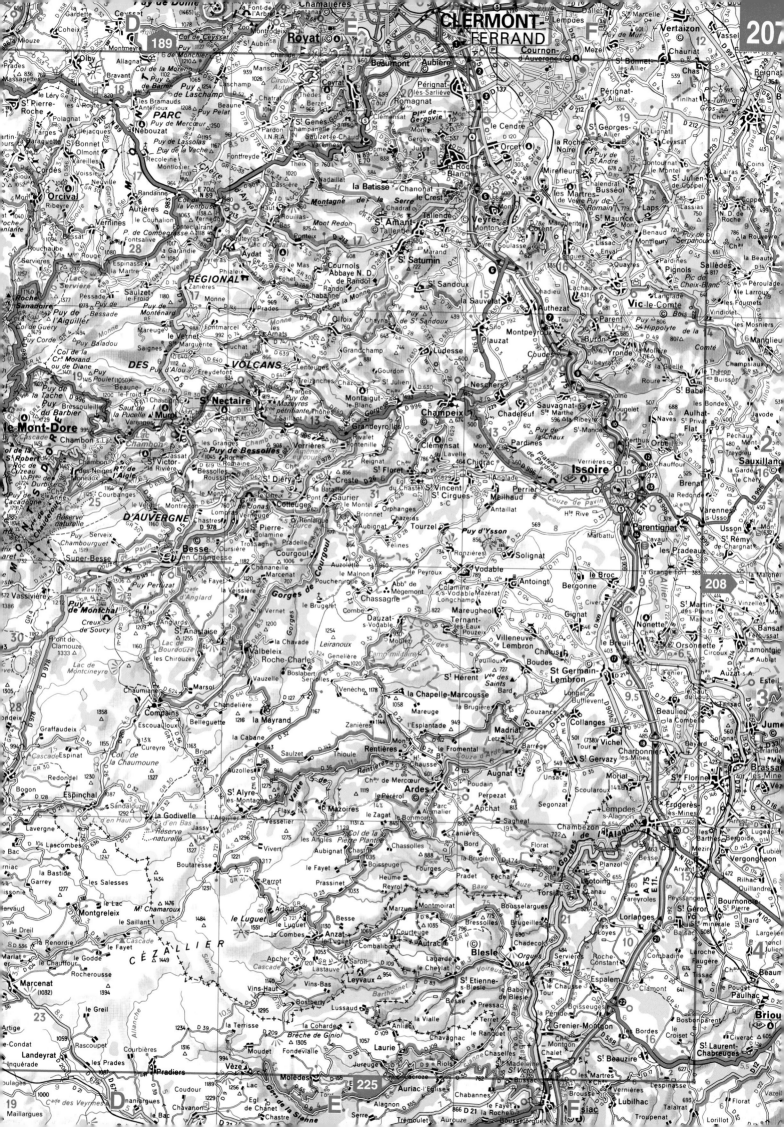

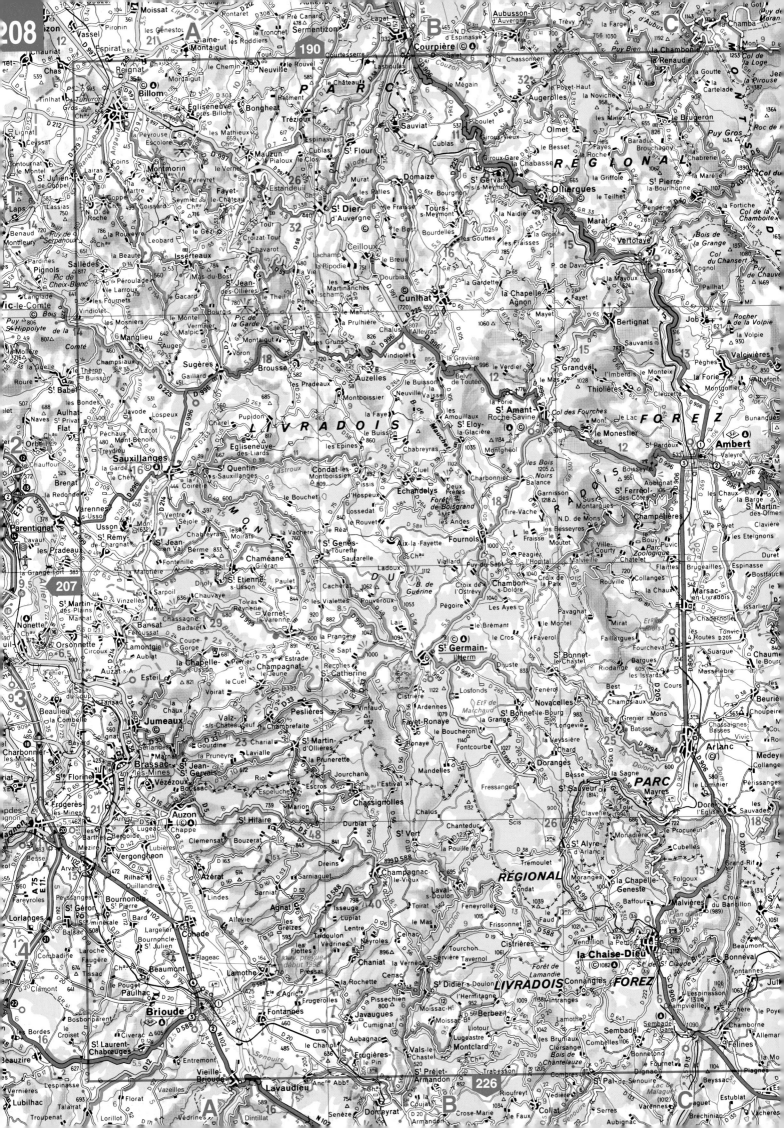
A
B
C
190
207
226
PARC
RÉGIONAL
LIVRADOIS
FOREZ
MONTS
DU
Courpière
Aubusson-d'Auvergne
Billom
Moissat
Vassel
Reignat
Chauriat
Chas
Egliseneuve-près-Billom
Bongheat
Trézioux
Neuville
Sermentizon
Sauviat
Augerolles
Olmet
Olliergues
Vertolaye
le Brugeron
St Flour
Mauzun
Montmorin
St Julien-de-Coppel
Laps
Fayet-le-Château
Estandeuil
St Dier-d'Auvergne
Domaize
Tours-s-Meymont
St Gervais-s-Meymont
Marat
Isserteaux
St Jean-des-Ollières
Ceilloux
Cunlhat
la Chapelle-Agnon
Bertignat
Job
Pignols
Sallèdes
Vic-le-Comte
Manglieu
Sugères
Brousse
Auzelles
Vindiolet
Grandval
Tours
Thiolières
Valcivières
St Babel
Aulhat-Flat
Sauxillanges
Egliseneuve-des-Liards
St Amant-Roche-Savine
St Eloy-la-Glacière
le Monestier
Ambert
St Quentin-s-Sauxillanges
Condat-lès-Montboissier
Echandelys
Forêt de Boisgrand
Fournols
St Ferréol-des-Côtes
Champétières
Parentignat
Varennes-s-Usson
Usson
St Rémy-de-Chargnat
St Jean-en-Val
Chaméane
Aix-la-Fayette
St Genès-la-Tourette
Sauterelle
Chambon-s-Dolore
Marsac-en-Livradois
St Etienne-s-Usson
Vernet-la-Varenne
Nonette
Orsonnette
St Martin-des-Plains
St Germain-l'Herm
St Bonnet-le-Chastel
Lamontgie
Esteil
la Chapelle-s-Usson
Champagnat-le-Jeune
Ste Catherine
Novacelles
St Bonnet-le-Bourg
Jumeaux
Valz-s/s-Châteauneuf
Peslières
Fayet-Ronaye
Arlanc
Brassac-les-Mines
St Martin-d'Ollières
Doranges
St Sauveur
Ste Florine
Vézézoux
Chassignolles
Dore-l'Eglise
Auzon
St Hilaire
St Vert
St Alyre-d'Arlanc
Frugerès-les-Mines
Vergongheon
Azérat
Champagnac-le-Vieux
Laval-s-Doulon
la Chapelle-Geneste
Malvières
Agnat
Cohade
Lamothe
Chaniat
Cistrières
la Chaise-Dieu
Bonneval
Brioude
Fontannes
Javaugues
St Didier-s-Doulon
Connangles
Berbezit
Sembadel
St Laurent-Chabreuges
Vieille-Brioude
Lavaudieu
Frugières-le-Pin
St Préjet-Armandon
Montclard
St Pal-de-Senouire
Domeyrat
Collat
Beyssac

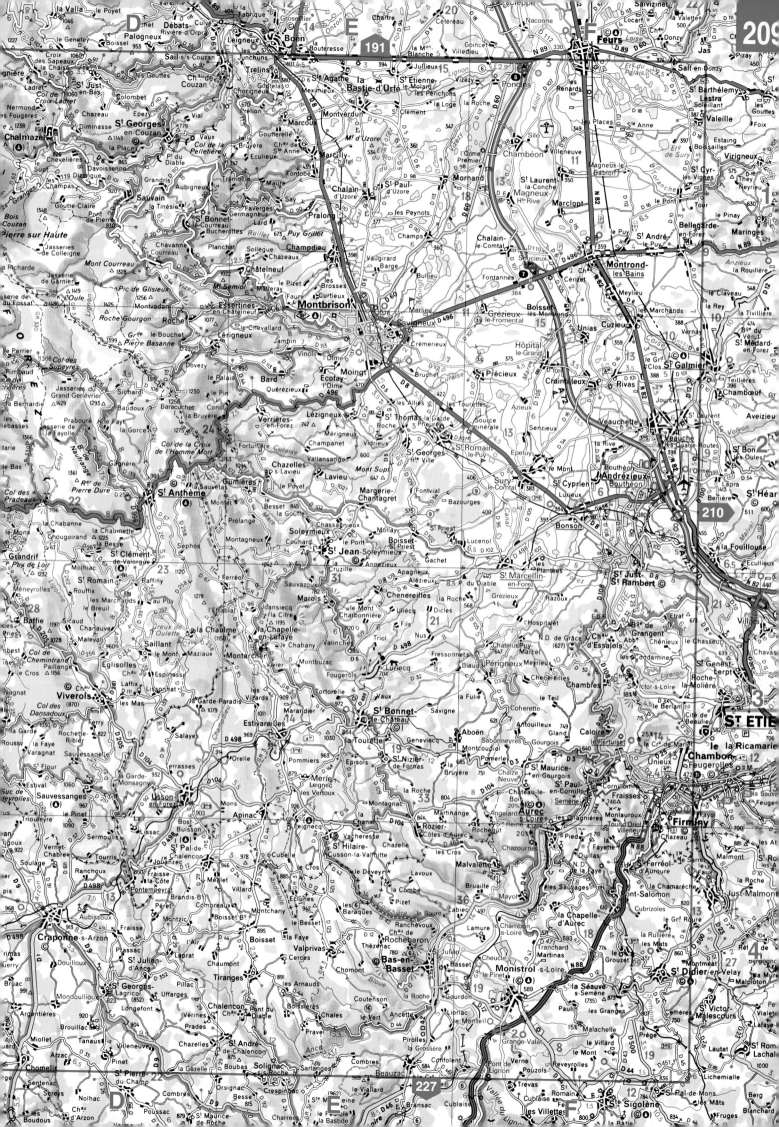

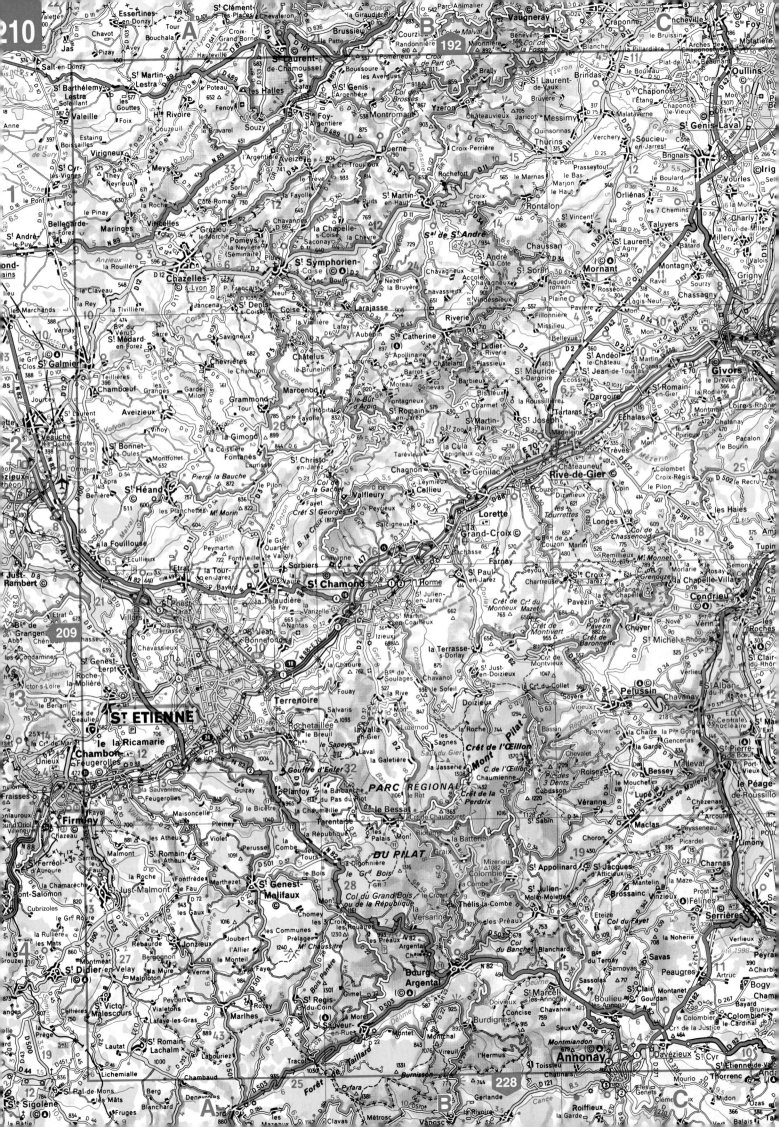
A
B
C
192
209
228
St Laurent-de-Chamousset
Vaugneray
Craponne
Oullins
St Genis-Laval
Brignais
Givors
Chazelles-s-Lyon
St Symphorien-s-Coise
St Galmier
Mornant
Rive-de-Gier
St Chamond
St ETIENNE
Firminy
Chambon-Feugerolles
la Ricamarie
Lorette
la Grand-Croix
St Héand
Montbrison
Pélussin
Condrieu
PARC RÉGIONAL DU PILAT
Crêt de l'Œillon
Mont Pilat
Crêt de la Perdrix
St Genest-Malifaux
Bourg-Argental
Annonay
Serrières
St Didier-en-Velay
Ste Sigolène
Maclas
Yzeron
Duerne
St Martin-en-Haut
Riverie
Ste Catherine
Vienne
Chavanay
St Pierre-de-Bœuf
Davézieux
Marlhes
Jonzieux
Tarentaise
le Bessat
Rochetaillée
Terrenoire
Sorbiers
Villars
St Priest-en-Jarez
Veauche
Andrézieux
St Just-St Rambert
Chambœuf
Fontanès
Grammond
Marcenod
Maringes
Virigneux
Bellegarde-en-Forez
St Cyr-les-Vignes
Meys
Grézieu-le-Marché
Pomeys
Aveize
St Foy-l'Argentière
Souzy
Montromant
Messimy
Thurins
Soucieu-en-Jarrest
Chaponost
Rontalon
St Laurent-d'Agny
Millery
Grigny
Chassagny
St Andéol-le-Château
Dargoire
Tartaras
St Joseph
Échalas
Trèves
Longes
Ste Croix-en-Jarez
Pavezin
Chuyer
Véranne
Roisey
Bessey
Lupé
Malleval
Limony
Charnas
St Appolinard
St Julien-Molin-Molette
Burdignes
St Sauveur-en-Rue
St Régis-du-Coin
Riotord
St Romain-Lachalm
Marlhes
Boulieu-lès-Annonay
Peaugres
Savas
Félines
Forêt de Taillard
Gouffre d'Enfer
Col du Grand Bois ou de la République
Crêt de Montvieux
Crêt de Baronnette
Crêt de Pavezin
Col de la Gachet
Crêt St Georges
Pierre la Bauche
Mt Morin

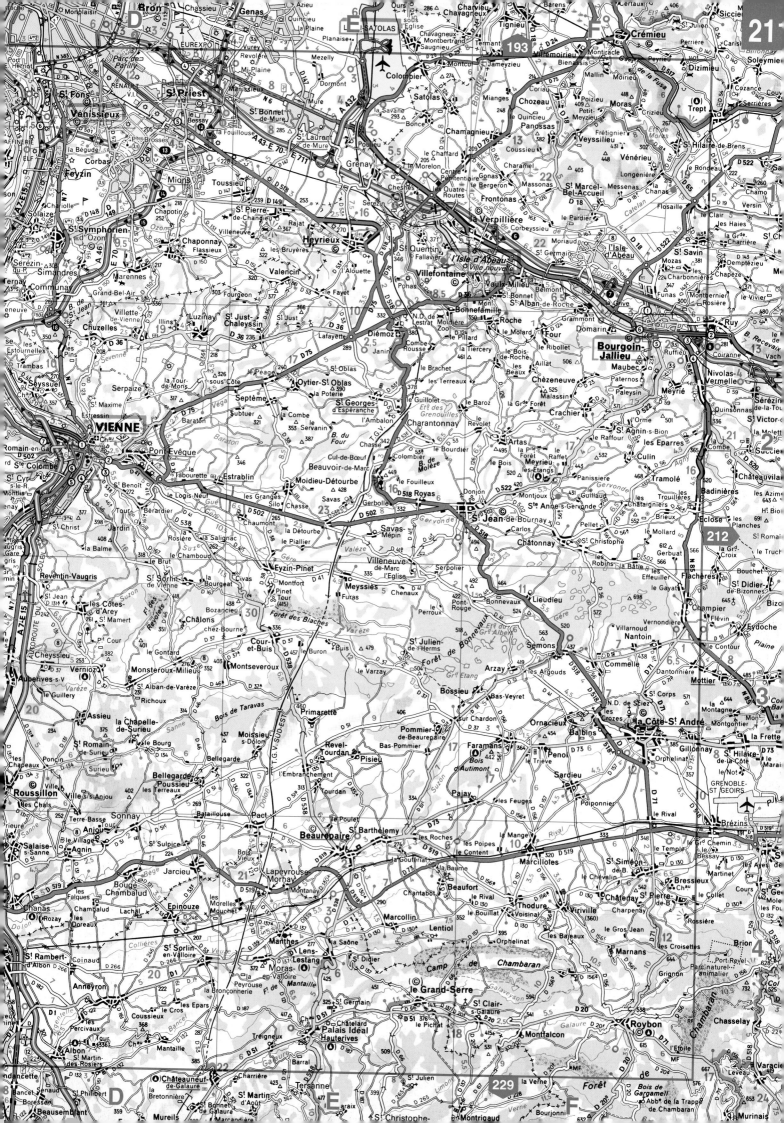

21
212
Bron
Chassieu
Genas
SATOLAS
Crémieu
EUREXPO
Parc de Parilly
St Fons
St Priest
Vénissieux
Feyzin
Corbas
Mions
Toussieu
Colombier
Satolas
Chozeau
Panossas
Chamagnieu
Grenay
St Laurent-de-Mure
St Bonnet-de-Mure
Heyrieux
St Pierre-de-Chandieu
Solaize
St Symphorien-d'Ozon
Chaponnay
Simandres
Communay
Marennes
Valencin
St Quentin-Fallavier
Villefontaine
l'Isle d'Abeau
Ville nouvelle
Vaulx-Milieu
la Verpillière
Frontonas
St Marcel-Bel-Accueil
Veyssilieu
Vénérieu
Moras
Trept
St Hilaire-de-Brens
St Savin
Bourgoin-Jallieu
Ruy
Nivolas-Vermelle
Domarin
Four
Roche
Bonnefamille
St Alban-de-Roche
Diémoz
St Just-Chaleyssin
Luzinay
Villette-de-Vienne
Chuzelles
Seyssuel
Serpaize
Septème
Oytier-St Oblas
St Georges-d'Espéranche
Charantonnay
Artas
Chèzeneuve
Crachier
Maubec
Meyrié
St Agnin-s-Bion
Les Eparres
Culin
Tramolé
Meyrieu-les-Etangs
VIENNE
Pont-Evêque
Estrablin
Moidieu-Détourbe
Beauvoir-de-Marc
Royas
St Jean-de-Bournay
Ste Anne-s-Gervonde
Châtonnay
Châteauvilain
Badinières
Eclose
Savas-Mépin
Villeneuve-de-Marc
Meyssiès
Eyzin-Pinet
Lieudieu
Reventin-Vaugris
les Côtes-d'Arey
Chalons
Cour-et-Buis
Montseveroux
Forêt des Blaches
St Julien-de-l'Herms
Forêt de Bonnevaux
Semons
Arzay
Commelle
Nantoin
Flachères
St Didier-de-Bizonnes
Eydoche
Mottier
Bossieu
Cheyssieu
Vernioz
Auberives-s-V
Monsteroux-Milieu
Primarette
Pommier-de-Beaurepaire
Ornacieux
Balbins
la Côte-St André
Gillonnay
Assieu
la Chapelle-de-Surieu
St Romain-de-Surieu
Moissieu-s-Dolon
Revel-Tourdan
Pisieu
Faramans
Penol
Sardieu
Roussillon
Bellegarde-Poussieu
Ville-s-Anjou
Sonnay
Pajay
Brézins
Anjou
Agnin
Salaise-s-Sanne
Pact
Beaurepaire
St Barthélemy
Marcilloles
St Siméon-de-B.
Bressieux
Jarcieu
Bougé-Chambalud
Lapeyrouse-Mornay
Beaufort
Thodure
Viriville
Châtenay
St Pierre-de-B.
Chanas
Epinouze
Manthes
Marcollin
Lentiol
Lens-Lestang
St Sorlin-en-Valloire
St Rambert-d'Albon
Moras-en-Valloire
St Didier
Camp de Chambaran
Marnans
Anneyron
le Grand-Serre
St Clair-s-Galaure
Roybon
Chasselay
Albon
Palais Idéal
Hauterives
Montfalcon
St Germain
Châteauneuf-de-Galaure
St Martin-d'Août
Tersanne
Forêt de Chambaran
Beausemblant
Mureils
Montrigaud
A 43 - E 70
A 432
A 46
A 7 - E 15
T.G.V. SUD-EST
193
229

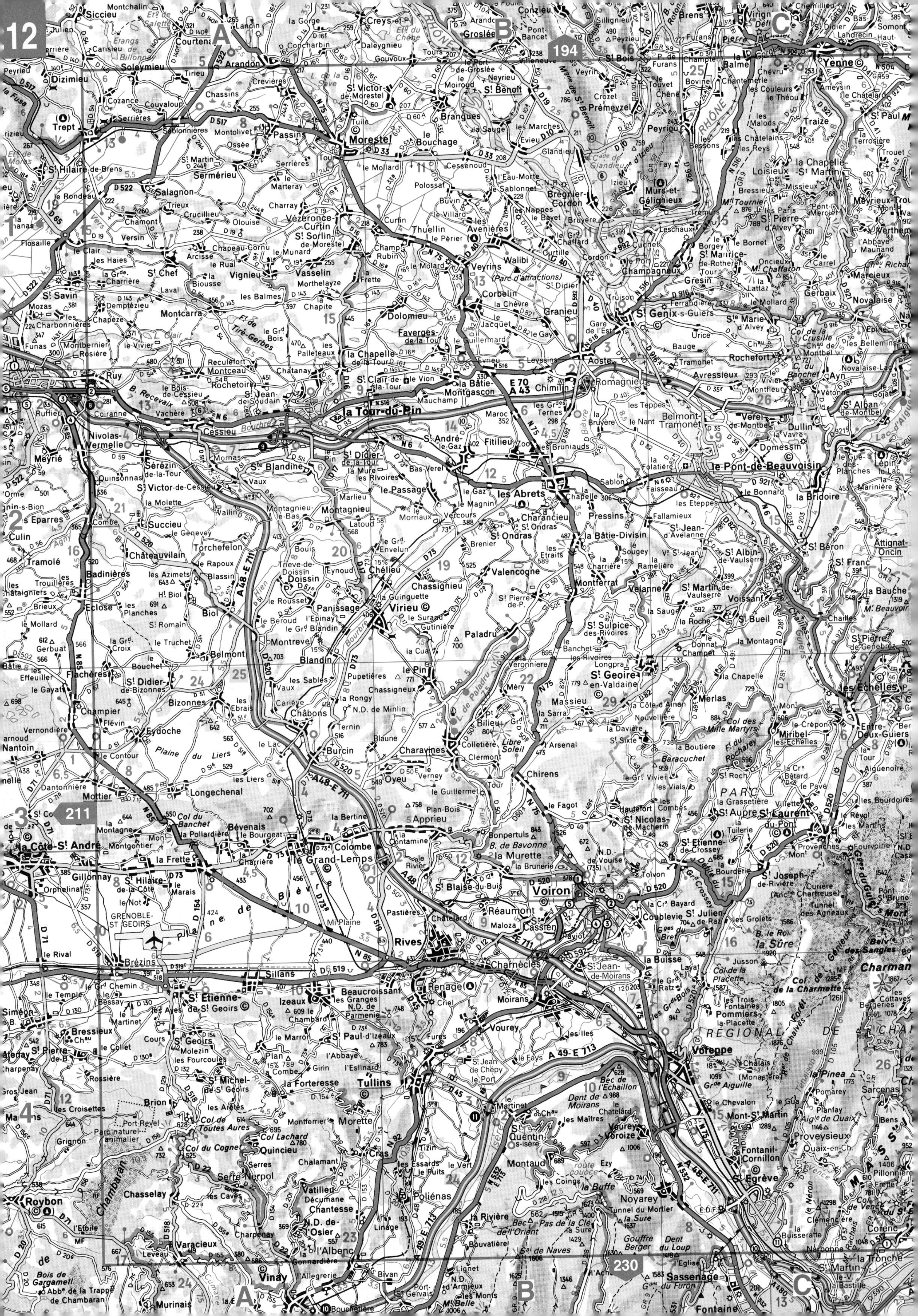

12
A
B
C
194
211
230
Courtenay
Morestel
Brangues
Yenne
St Genix-s-Guiers
Aoste
La Tour-du-Pin
Les Abrets
Le Pont-de-Beauvoisin
Virieu
Chélieu
Charavines
Voiron
Rives
Le Grand-Lemps
La Côte-St André
St Étienne-de-St Geoirs
Tullins
Moirans
Voreppe
St Egrève
Vinay
Roybon
Sassenage
St Laurent-du-Pont
Les Échelles
St Geoire-en-Valdaine
Walibi
Lac de Paladru
A 48 - E 711
A 43
A 49 - E 713
N 75
N 85
N 6
RHÔNE
Isère
Plaine de Bièvre
Grenoble-St Geoirs

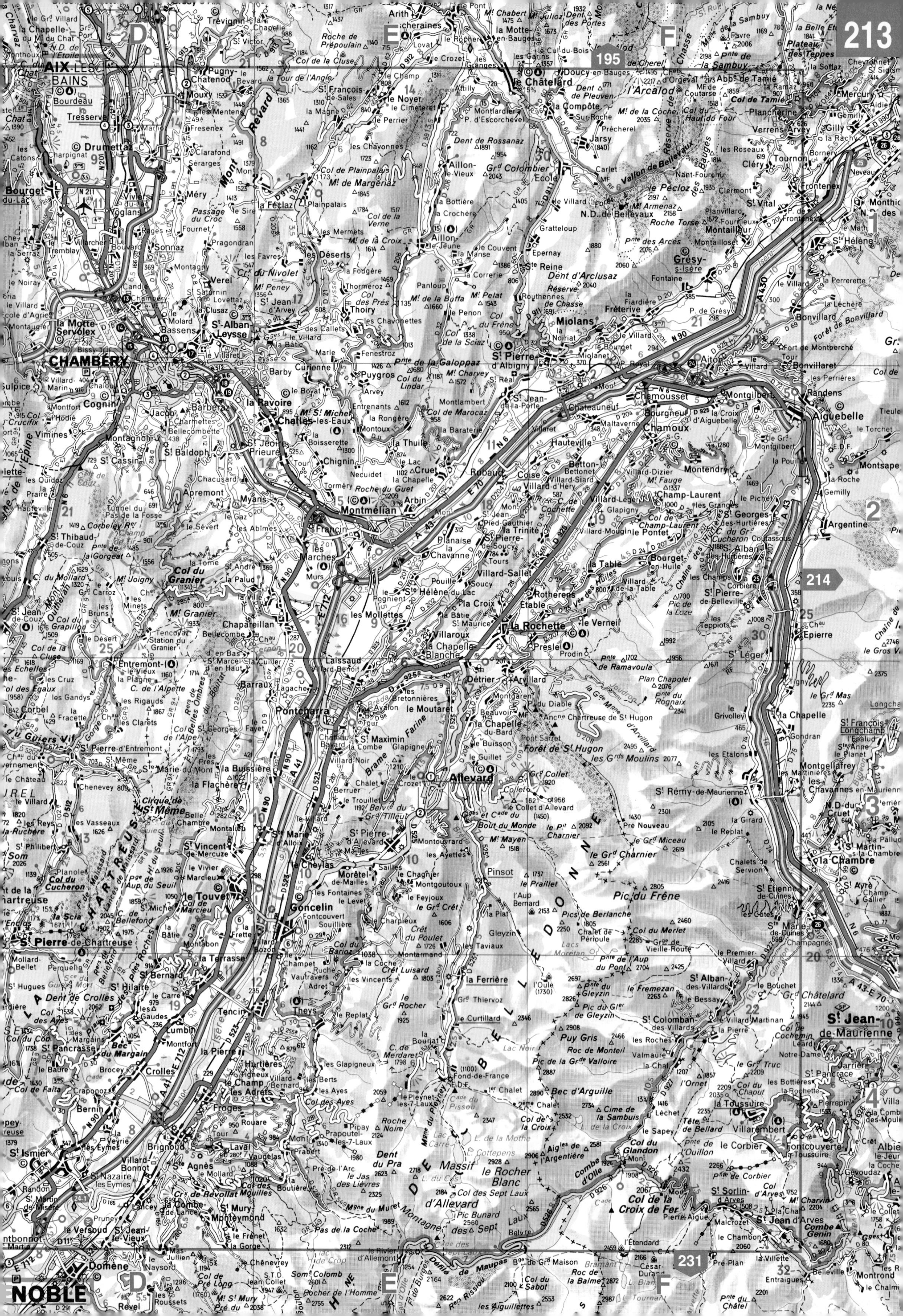

D
E
F
195
214
231
AIX-LES-BAINS
CHAMBÉRY
NOBLE
Montmélian
Allevard
Pontcharra
Goncelin
le Touvet
la Rochette
Aiguebelle
St Jean-de-Maurienne
la Chambre
Challes-les-Eaux
St Pierre-d'Albigny
Miolans
Chamoux-s-G.
Domène
Crolles
Brignoud
Theys
St Pierre-de-Chartreuse
Mont Revard
Massif d'Allevard
BELLEDONNE
CHARTREUSE
Col du Glandon
Col de la Croix de Fer
Col du Granier
Pic du Frêne
Vallon de Bellevaux
Réserve des Bauges
Col de Tamié
St Jean d'Arves

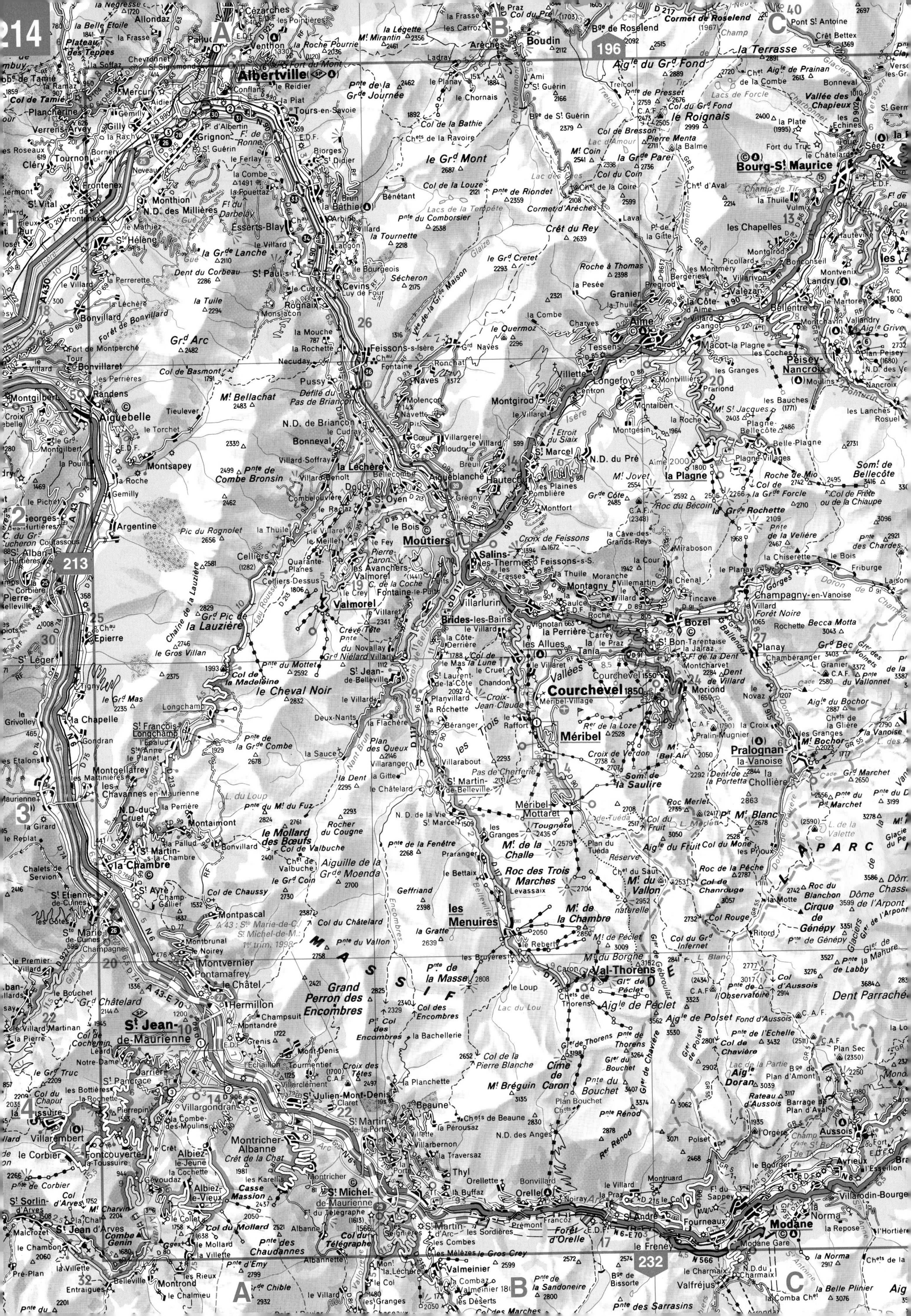
A
B
C
196
213
232
Albertville
Bourg-St Maurice
Aime
la Plagne
Moûtiers
Courchevel 1850
Méribel
Pralognan la-Vanoise
Val-Thorens
les Menuires
St Jean-de-Maurienne
St Michel-de-Maurienne
Modane
Aiguebelle
la Chambre
Brides-les-Bains
Salins-les-Thermes
Bozel
Valmorel
Aussois
St Jean d'Arves
Peisey-Nancroix
Grd Pic de la Lauzière
le Cheval Noir
Grand Perron des Encombres
Aigle de Péclet
Dent Parrachée
MASSIF
PARC

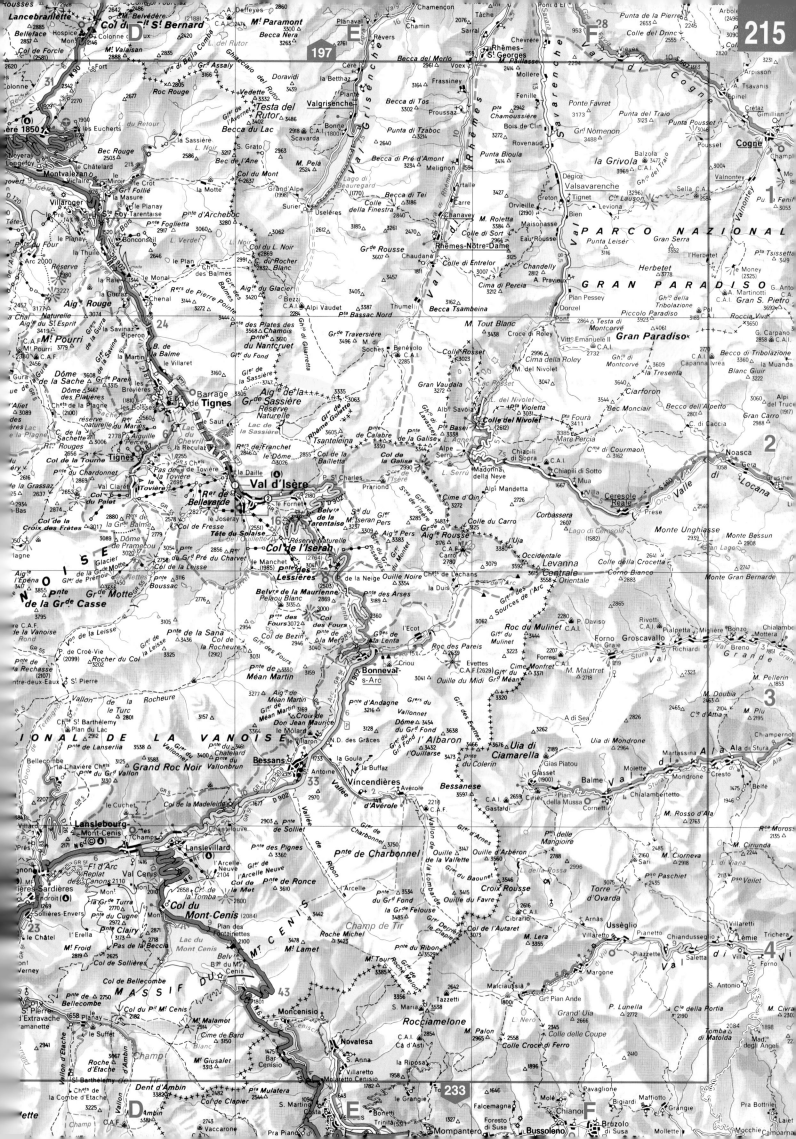

Col du Pt St Bernard
Mt Paramont
Becca Nera
Mt Valaisan
Grd Assaly
Roc Rouge
Testa del Rutor
Becca du Lac
Valgrisenche
Rhêmes-St Georges
Becca du Merlo
Frassiney
Becca di Tos
Punta di Tzaboc
Becca di Pré d'Amont
Becca di Tei
Punta Bioula
Rhêmes-Notre-Dame
Val di Rhêmes
Valsavarenche
Savarenche
Val di Cogne
Cogne
Punta del Traio
Punta Pousset
Grd Nomenon
la Grivola
Col Lauson
PARCO NAZIONALE
GRAN PARADISO
Gran Paradiso
Piccolo Paradiso
Herbetet
Gran Serra
Punta Leisèr
Ciarforon
Becco di Tribolazione
Becca Tsambeina
M. Tout Blanc
Colle del Nivolet
Noasca
Valle di Locana
Ceresole Reale
Monte Unghiasse
Levanna Centrale
Levanna Orientale
Colle della Crocetta
Monte Gran Bernarde
Bourg St Maurice
Montvalezan
Villaroger
Ste Foy-Tarentaise
Pte d'Archeboc
la Thuile
Aigle Rouge
Réserve Naturelle
Mt Pourri
Dôme de la Sache
Tignes
Lac du Chevril
Aigle de la Grde Sassière
Tsanteleina
Col de la Galise
Val d'Isère
Rer de Bellevarde
Col de l'Iseran
Pte des Lessières
Belvre de la Maurienne
Col des Fours
Pte de la Grde Casse
Grde Motte
Pte de la Sana
Col de la Rocheure
Pte de Méan Martin
Aigle Rousse
Aigle Pers
Bonneval-s-Arc
Ouille du Midi
Roc du Mulinet
Forno
Groscavallo
Val Grande
Uia di Ciamarella
l'Albaron
Bessans
Vincendières
Bessanese
Balme
Val d'Ala
Grand Roc Noir
PARC NATIONAL DE LA VANOISE
Col de la Madeleine
Lanslebourg-Mont-Cenis
Lanslevillard
Val Cenis
Col du Mont-Cenis
Lac du Mont Cenis
Mt CENIS
MASSIF DU Mt CENIS
Pte de Charbonnel
Croix Rousse
Torre d'Ovarda
Usseglio
Lèmie
Val di Viù
Rocciamelone
Novalesa
Moncenisio
Col du Pt Mt Cenis
Dent d'Ambin
Col de Clapier
Pta Mulatera
Col de Sollières
Pas de la Beccia
Roche Michel
Mt Lamet
Colle della Croce di Ferro
Colle delle Coupe
Mompantero
Bussoleno
Bruzolo di Susa
Chianoc
197
233
D
E
F
1
2
3
4

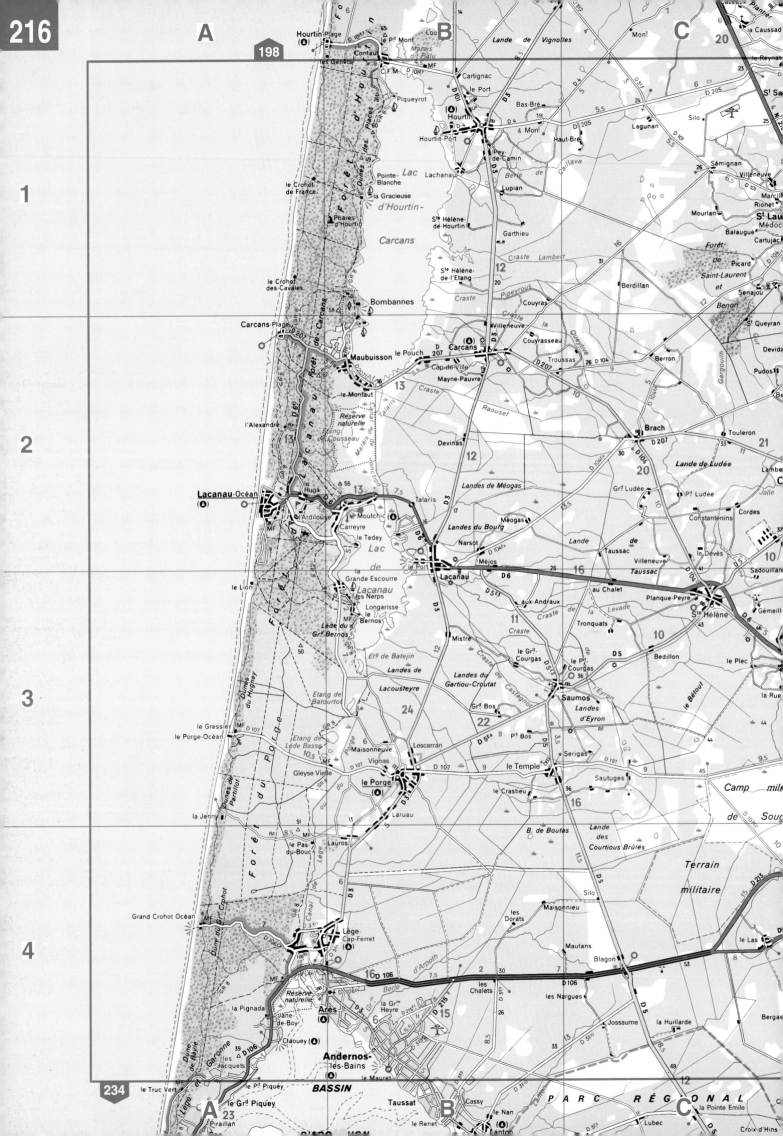
A
B
C
1
2
3
4
198
234
Hourtin-Plage
Contaut
les Genêts
Lande de Vignolles
Cartignac
le Port
Piqueyrot
Hourtin
Hourtin-Port
Bas-Bré
Haut-Bré
Lagunan
Silo
Pey-de-Camin
Lachanau
Lupian
Sémignan
Villeneuve
Marcil
Rionet
Mourlan
St Laurent-Médoc
Balaugué
Cartujac
Pointe-Blanche
la Gracieuse
Lac d'Hourtin-Carcans
le Crohot de France
Phares d'Hourtin
Ste Hélène-de-Hourtin
Garthieu
Forêt d'Hourtin
Dunes des Places
Craste Lambert
Ste Hélène-de-l'Etang
Berdillan
Forêt de Saint-Laurent et Benon
Picard
Senajou
St Queyran
le Crohot des Cavales
Bombannes
Couyras
Villeneuve
Couyrasseau
Troussas
Berron
Carcans-Plage
Forêt de Carcans
Maubuisson
le Pouch
Carcans
Cap-de-Ville
Mayne-Pauvre
Pudos
Devida
le Montaut
Raouset
Réserve naturelle
Etang de Cousseau
Marais de Talaris
Canal de Jonction
l'Alexandre
Devinas
Brach
Touleron
Lande de Ludée
Lacanau-Océan
le Huga
Talaris
Landes de Méogas
Grd Ludée
Pt Ludée
Constantenins
Cordes
l'Ardilouse
le Moutchic
Carreyre
le Tedey
Méogas
Landes du Bourg
Narsot
Lande de Taussac
Taussac
Villeneuve
le Devès
Sadouillan
Forêt de Lacanau
Lac de Lacanau
la Grande Escourre
le Port
Lacanau
Méjos
au Chalet
Planque-Peyre
Ste Hélène
le Lion
les Nerps
Longarisse
le Bernos
aux Andraux
Craste de la Levade
Tronquats
Gémeill
Lède du Grd Bernos
Mistre
Etg de Batejin
Landes de Lacousteyre
Landes du Gartiou-Croutat
le Grd Courgas
le Pt Courgas
Bedillon
le Plec
Dunes du Hugney
Etang de Batourtot
Saumos
Landes d'Eyron
le Bétout
la Rue
Grd Bos
le Gressier
le Porge-Océan
Etang de Lède Basse
Maisonneuve
Lescarran
Pt Bos
Serigas
Vignas
Gleyse Vielle
le Porge
le Temple
Sautuges
Camp militaire de Souge
Dunes de Partillot
Forêt du Porge
le Crastieu
la Jenny
Laruau
B. de Boutas
Lande des Courtious Brûlés
le Pas-du-Bouc
Lauros
Terrain militaire
Silo
Grand Crohot Océan
Dune du Grd Crohot
les Dorats
Maisonnieu
Lège-Cap-Ferret
Mautans
Blagon
le Las
Réserve naturelle
les Chalets
les Nargues
la Pignada
Jane-de-Boy
Arès
la Grde Heyre
Jossaume
la Huillarde
Claouey
Dune de Bayle
Garonne
les Jacquets
Andernos-les-Bains
le Mauret
le Truc Vert
le Pt Piquey
BASSIN
Taussat
PARC RÉGIONAL
la Pointe Emile
le Grd Piquey
Cassy
le Nan
Piraillan
le Renet
Lanton
Lubec
Croix-d'Hins
Lège

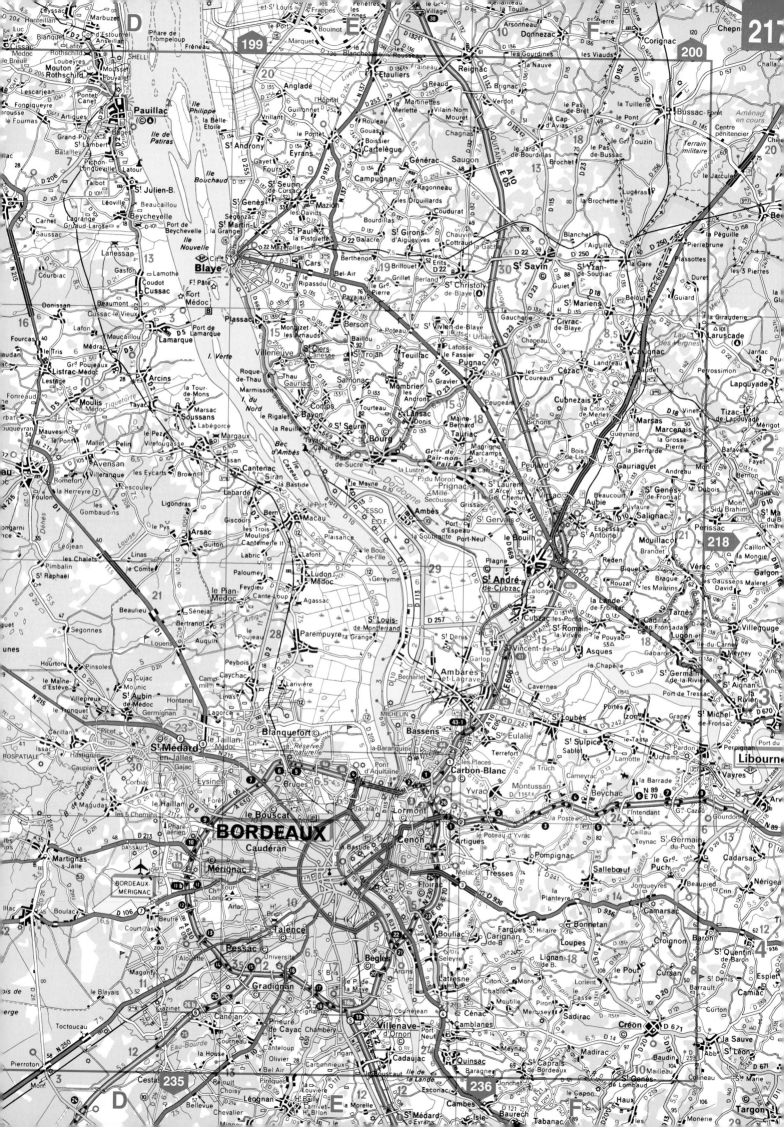

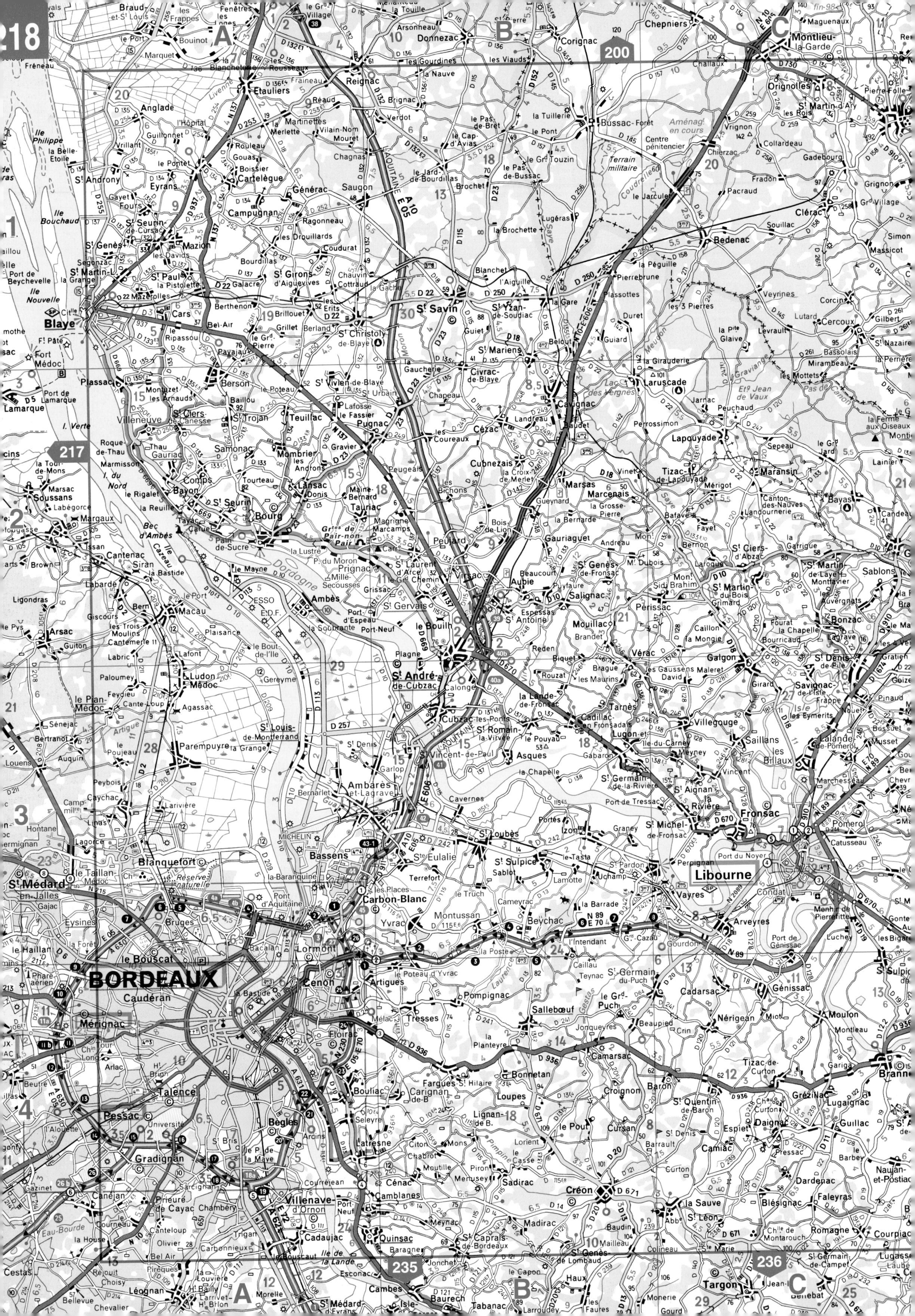

218

BORDEAUX

Blaye

Libourne

Fronsac

Pomerol

217 · 200 · 235 · 236 · 23

A · B · C

Étauliers · Reignac · Donnezac · Corignac · Chepniers · Montlieu-la-Garde

Anglade · St-Androny · Eyrans · Mazion · Campugnan · Générac · Saugon

St-Seurin-de-Cursac · St-Genès · St-Paul · St-Girons-d'Aiguevives · St-Savin · St-Yzan-de-Soudiac · Bussac-Forêt · Orignolles · Clérac · Bédenac

Cars · St-Christoly-de-Blaye · St-Mariens · Laruscade · Cercoux

Plassac · Berson · St-Vivien-de-Blaye · Civrac-de-Blaye · Cavignac · Lapouyade · Maransin

Villeneuve · St-Ciers-de-Canesse · St-Trojan · Teuillac · Pugnac · Cézac · Marsas · Marcenais · Tizac-de-Lapouyade

Roque-de-Thau · Gauriac · Comps · Bayon · St-Seurin · Mombrier · Lansac · Tauriac · Cubnezais · Gauriaguet · St-Genès-de-Fronsac · St-Ciers-d'Abzac · St-Martin-de-Laye

Marsac · Soussans · Margaux · Cantenac · Siran · Macau · Bourg · Prignac · St-Laurent-d'Arce · Virsac · Aubie · Salignac · Périssac · Vérac · Galgon · St-Denis-de-Pile · Savignac-de-l'Isle

Arsac · Ludon-Médoc · Ambès · St-Gervais · le Bouilh · St-André-de-Cubzac · Lalonde · Cadillac-en-Fronsadais · Lugon-et-l'Île-du-Carney · Villegouge · Saillans

le Pian-Médoc · Cante-Loup · Agassac · St-Louis-de-Montferrand · St-Denis · Cubzac-les-Ponts · St-Romain-la-Virvée · Asques · St-Germain-de-la-Rivière · St-Aignan · la Rivière · Fronsac

Parempuyre · la Grange · Vincent-de-Paul · la Chapelle · Gaboron · St-Michel-de-Fronsac · Pomerol

Blanquefort · Bassens · Ambarès-et-Lagrave · Cavernes · St-Loubès · Izon · Vayres · St-Germain-du-Puch · Libourne

St-Médard-en-Jalles · Bruges · Carbon-Blanc · Ste-Eulalie · St-Sulpice · le Tasta · St-Pardon · Arveyres

le Haillan · le Bouscat · Lormont · Yvrac · Montussan · Beychac · l'Intendant · Cadarsac

BORDEAUX · Caudéran · Cenon · Artigues · le Poteau d'Yvrac · la Poste · Gén. Cazau · Génissac

Mérignac · la Bastide · Floirac · Melac · Tresses · Pompignac · Salleboeuf · Beaupied · Moulon

Pessac · Talence · Bègles · Bouliac · Carignan-de-B · la Planteyre · Camarsac · Croignon · Baron · Tizac-de-Curton · Branne

Gradignan · Latresne · Cénac · Lignan-de-B · Loupes · le Pout · Cursan · St-Quentin-de-Baron · Daignac · Grézillac · Lugaignac · Guillac

Canéjan · Villenave-d'Ornon · Quinsac · Camblanes · Sadirac · Créon · la Sauve · St-Léon · Espiet · Camiac · Dardenac

Léognan · Cadaujac · St-Caprais-de-Bordeaux · Baurech · Madirac · St-Genès-de-Lombaud · Romagne · Blésignac · Naujan-et-Postiac

Cestas · Cambes · Haux · Baron · St-Germain-de-Campet · Targon · Courpiac · Faleyras

235 · 236

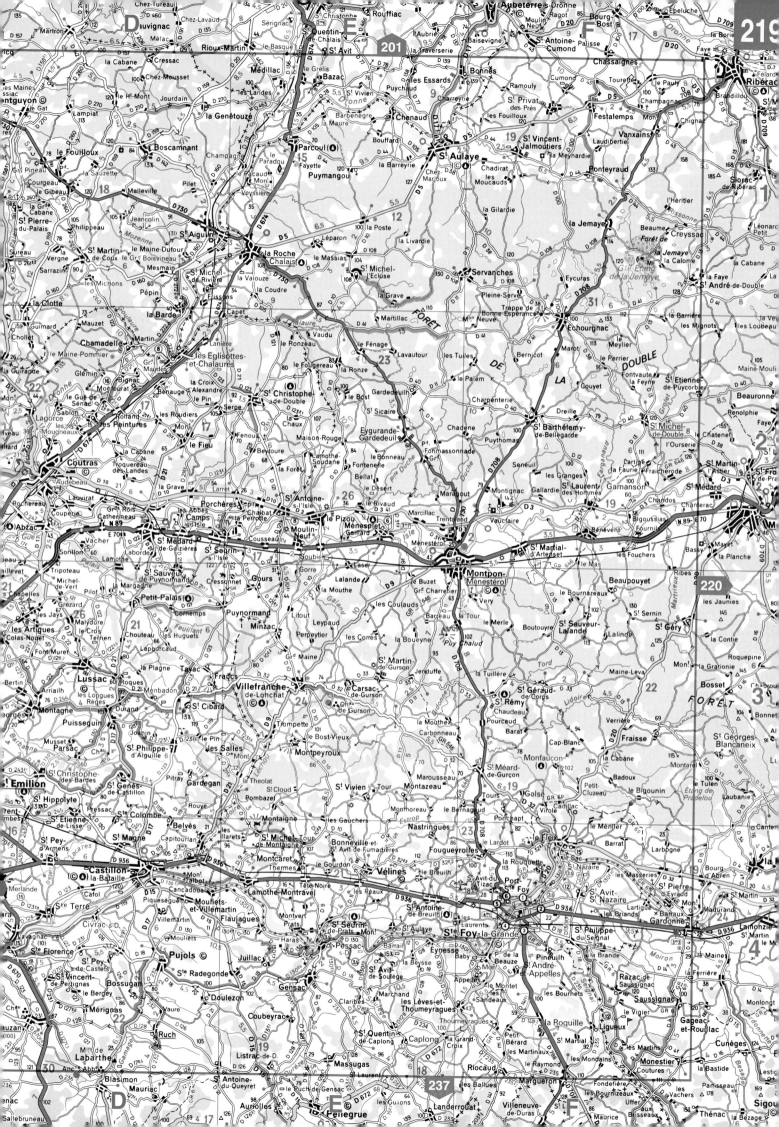

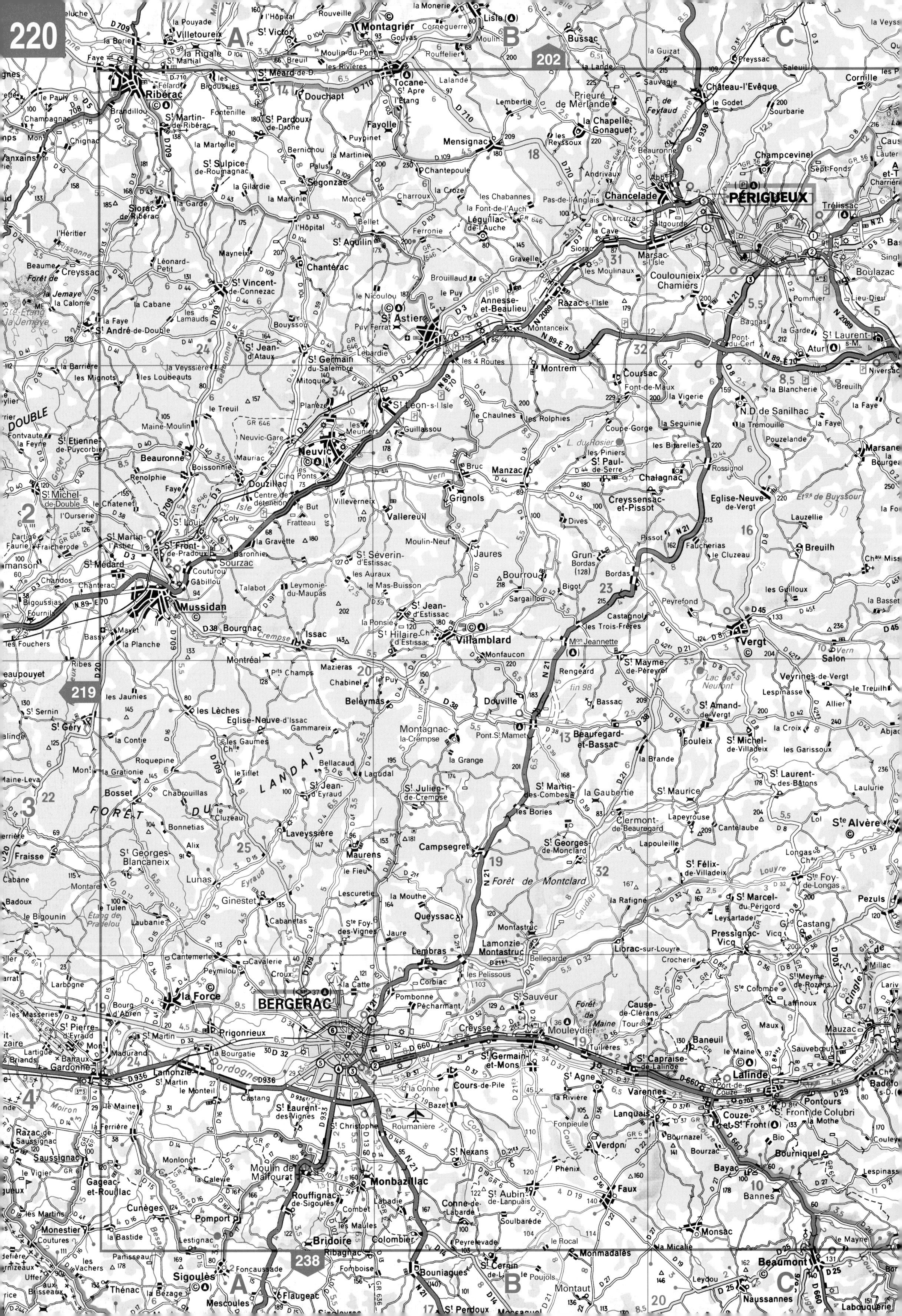

PÉRIGUEUX

Ribérac

BERGERAC

Mussidan

Neuvic

St Astier

Chancelade

Château-l'Évêque

la Chapelle-Gonaguet

Villamblard

Vergt

Lalinde

Monbazillac

Bridoire

Beaumont

DOUBLE

FORÊT DU LANDAIS

Forêt de Montclard

Montagrier

Tocane-St Apre

Lisle

Bussac

Champcevinel

Trélissac

Boulazac

St Laurent s-M.

N.D. de Sanilhac

Coursac

Montrem

Annesse-et-Beaulieu

Razac-s-l'Isle

Marsac-s-l'Isle

Chalagnac

Manzac

Grignols

Vallereuil

St Jean-d'Estissac

St Hilaire-d'Estissac

Douville

Beauregard-et-Bassac

St Georges-de-Monclard

Campsegret

Queyssac

Lembras

Lamonzie-Montastruc

Mouleydier

St Germain-et-Mons

St Capraise-de-Lalinde

Varennes

Couze-et-St Front

Pontours

Baneuil

Bournazel

Cause-de-Clérans

Creysse

Tuilières

Cours-de-Pile

Bazet

St Nexans

Roumanière

St Laurent-des-Vignes

Prigonrieux

La Force

St Pierre-d'Eyraud

Gardonne

Saussignac

Gageac-et-Rouillac

Cunèges

Pomport

Monestier

Sigoulès

Mescoules

Flaugeac

Bouniagues

Ribagnac

Colombier

St Aubin-de-Lanquais

Faux

Conne-de-Labarde

Verdon

Bayac

Naussannes

Monsac

Beaumont

Maurens

Laveyssière

St Jean-d'Eyraud

Ginestet

Lunas

Bosset

St Géry

St Sernin

Eglise-Neuve-d'Issac

Issac

Bourgnac

Sourzac

St Front-de-Pradoux

St Médard

St Louis

Douzillac

Beauronne

St Étienne-de-Puycorbier

St Michel-de-Double

St André-de-Double

St Vincent-de-Connezac

Chantérac

St Aquilin

Segonzac

St Germain-du-Salembre

St Léon-s-l'Isle

Léguillac-de-l'Auche

Mensignac

Chantepoule

Fayolle

Puypinet

St Pardoux-de-Drône

Douchapt

St Méard-de-D.

St Martial

St Victor

Villetoureix

Faye

la Borie

St Martin-de-Ribérac

Siorac-de-Ribérac

Creyssac

Forêt de la Jemaye

Gr.d Étang de la Jemaye

Egliseneuve-de-Vergt

St Paul-de-Serre

Creyssensac-et-Pissot

Bourrou

Grun-Bordas

Bordas

St Mayme-de-Péreyrol

St Amand-de-Vergt

St Michel-de-Villadeix

Fouleix

St Martin-des-Combes

Clermont-de-Beauregard

St Georges-de-Monclard

Lapeyrouse

Ste Alvère

St Félix-de-Villadeix

Ste Foy-de-Longas

St Marcel-du-Périgord

Pressignac-Vicq

Librac-sur-Louyre

St Sauveur

Pécharmant

Pombonne

Corbiac

la Catte

Bourg-d'Abren

Lamonzie-St Martin

St Christophe

Moulin de Malfourat

Rouffignac-de-Sigoulès

Combet

Thénac

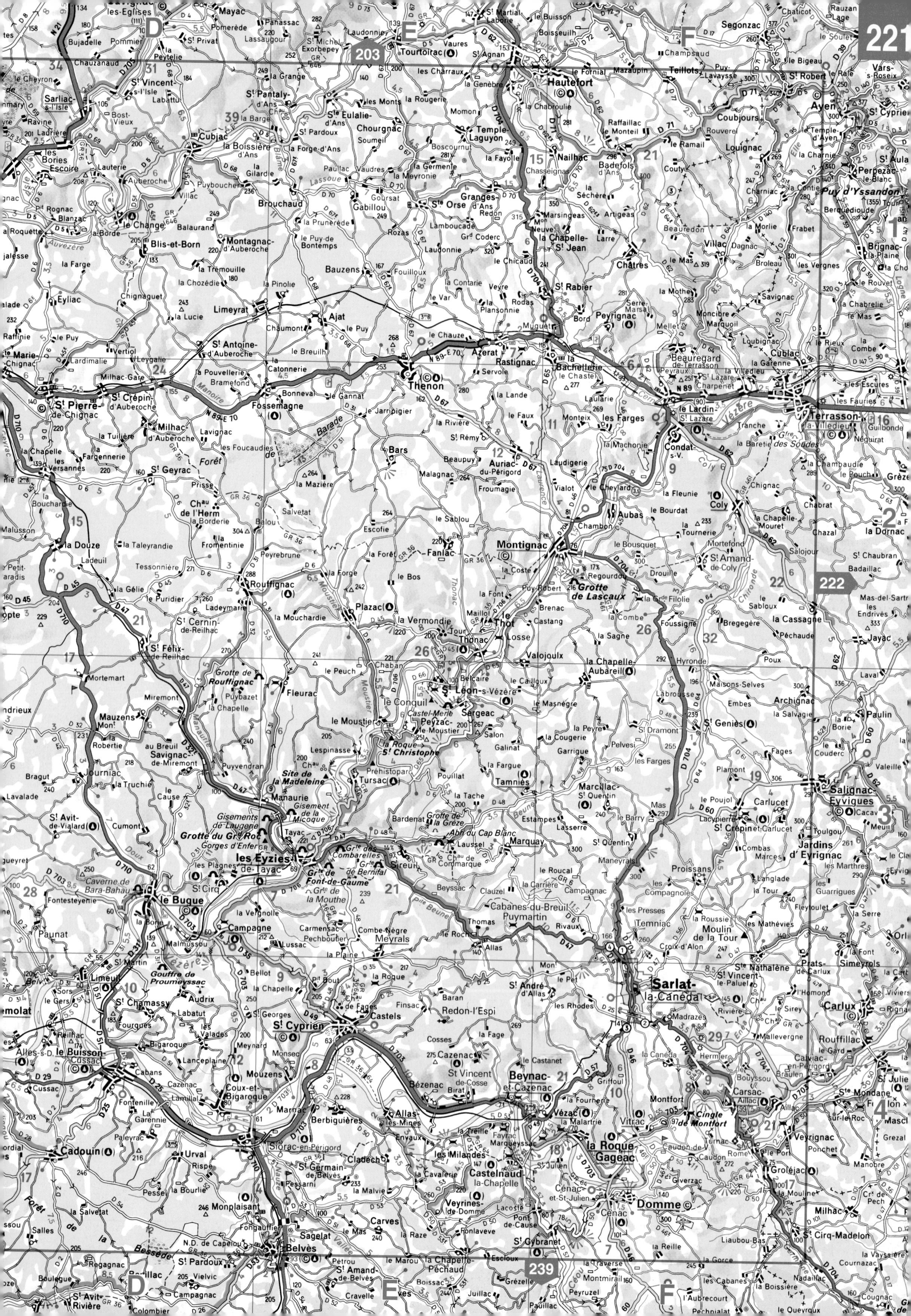
203
222
239
D
E
F
Hautefort
Tourtoirac
Ayen
Terrasson-la-Villedieu
Thenon
Montignac
Grotte de Lascaux
Rouffignac
Le Bugue
Les Eyzies-de-Tayac
St Cyprien
Sarlat-la-Canéda
Salignac-Eyvigues
Carlux
Beynac-et-Cazenac
La Roque-Gageac
Domme
Belvès
Cadouin
Le Buisson-Cussac
Castelnaud-la-Chapelle
St Pierre-de-Chignac
Le Change
Blis-et-Born
Brouchaud
Cubjac
Fossemagne
Le Lardin-St Lazare
Condat-s-V.
Aubas
Le Thot
Thonac
St Léon-s-Vézère
Sergeac
Peyzac-le-Moustier
Tursac
Marquay
Meyrals
Limeuil
Siorac-en-Périgord
Vitrac
Carsac-Aillac
Puy d'Yssandon

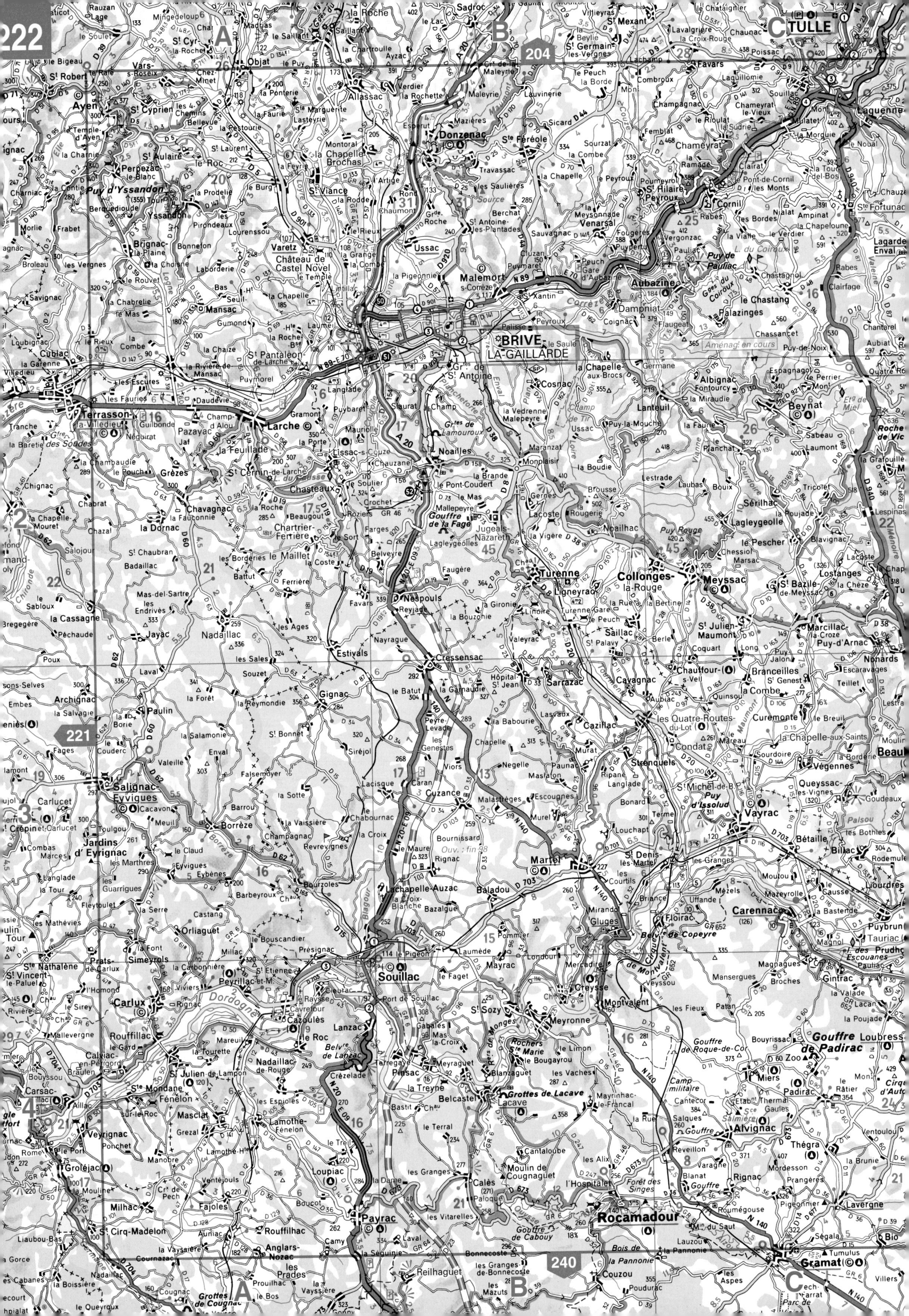
A
B
C
204
221
240
TULLE
BRIVE-LA-GAILLARDE
Objat
Allassac
Donzenac
Malemort-s-Corrèze
Aubazine
Cornil
Laguenne
Ayen
St Robert
St Cyprien
Perpezac-le-Blanc
Puy d'Yssandon
Yssandon
Brignac-la-Plaine
Varetz
Château de Castel Novel
Mansac
Cublac
Terrasson-la-Villedieu
Larche
St Pantaléon-de-Larche
Cosnac
Lanteuil
Beynat
Noailles
Gouffre de la Fage
Jugeals-Nazareth
Turenne
Collonges-la-Rouge
Meyssac
Nespouls
Cressensac
Chasteaux
Chartrier-Ferrière
Jayac
Nadaillac
Gignac
Estivals
Sarrazac
Cazillac
Strenquels
Vayrac
Martel
Cuzance
Baladou
Salignac-Eyvigues
Jardins d'Eyrignac
Borrèze
Lachapelle-Auzac
Souillac
Carlux
Peyrillac-et-M.
Cazoulès
Le Roc
Lanzac
Belvre de Lanzac
Pinsac
Meyronne
Creysse
Montvalent
Gluges
Floirac
Carennac
Gouffre de Padirac
Padirac
Miers
Alvignac
Grottes de Lacave
Lacave
Belcastel
Calès
Payrac
Rocamadour
Gramat
Dordogne
Groléjac
Carsac-Aillac
Ste Mondane
Fénelon
Masclat
Lamothe-Fénelon
Loupiac
Milhac
Fajoles
St Cirq-Madelon
Rouffilhac
Anglars-Nozac
Reilhaguet
Couzou
Grottes de Cougnac
A 20
N 20 - E 09
N 140
N 89
D 703
Ouv.: fin 98
Aménag.t en cours

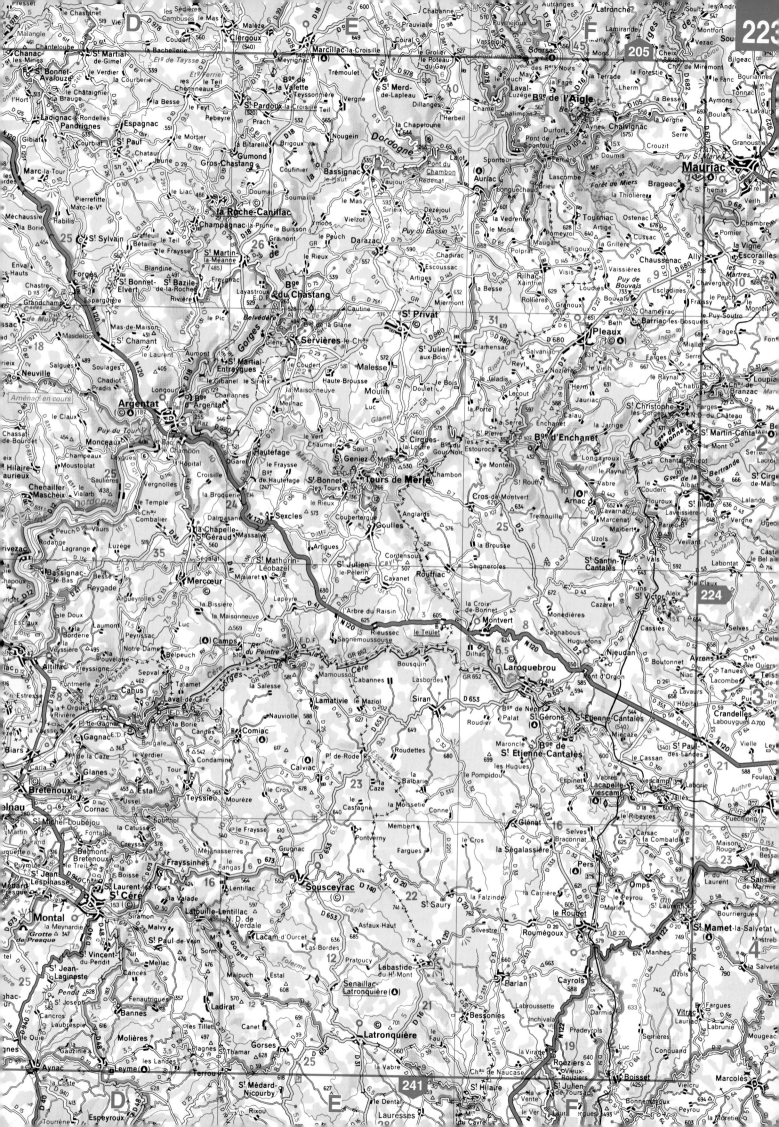
D
E
F
205
224
241
Clergoux
Marcillac-la-Croisille
Soursac
Latronche
Mauriac
Bge de l'Aigle
St Pardoux-la-Croisille
St Merd-de-Lapleau
Dordogne
Pont du Chambon
Auriac
Forêt de Miers
Brageac
Bassignac-le-Haut
Gumond
Gros-Chastang
la Roche-Canillac
Champagnac-la-Prune
St Sylvain
Forgès
St Martin-la-Méanne
Bge du Chastang
St Privat
Rilhac-Xaintrie
Chaussenac
Pleaux
Ally
Escorailles
Servières-le-Chau
St Chamant
St Martial-Entraygues
Argentat
Bge d'Argentat
Puy du Tour
Monceaux
Hautefage
Tours de Merle
St Geniez-Ô-Merle
St Cirgues-la-Loutre
Bge d'Enchanet
St Christophe-les-Gorges
St Martin-Cantalès
Arnac
St Illide
Sexcles
Goulles
la Chapelle-St Géraud
Cros-de-Montvert
St Santin-Cantalès
St Victor
Mercœur
St Mathurin-Léobazel
St Julien-le-Pèlerin
Rouffiac
Montvert
Laroquebrou
Nieudan
Camps
Cahus
Laval-de-Cère
Gagnac
Comiac
Lamativie
Siran
St Gérons
St Étienne-Cantalès
Bge de St Étienne-Cantalès
St Paul-des-Landes
Crandelles
Bretenoux
Glanes
Estal
Teyssieu
Calviac
Lacapelle-Viescamp
Cornac
Frayssinhes
Sousceyrac
Glénat
la Ségalassière
Pers
St Céré
Montal
Latouille-Lentillac
St Saury
Le Rouget
Omps
St Mamet-la-Salvetat
St Vincent-du-Pendit
St Paul-de-Vern
Lacam d'Ourcet
Labastide-du-Ht-Mont
Senaillac-Latronquière
Roumégoux
Parlan
Cayrols
Bannes
Ladirat
Latronquière
Bessonies
Molières
Gorses
Aynac
Leyme
St Médard-Nicourby
St Hilaire
Rouziers
St Julien-de-Toursac
Boisset
Marcolès
Vitrac
Aménag. en cours
Gorges de la Cère
Gorges de la Maronne

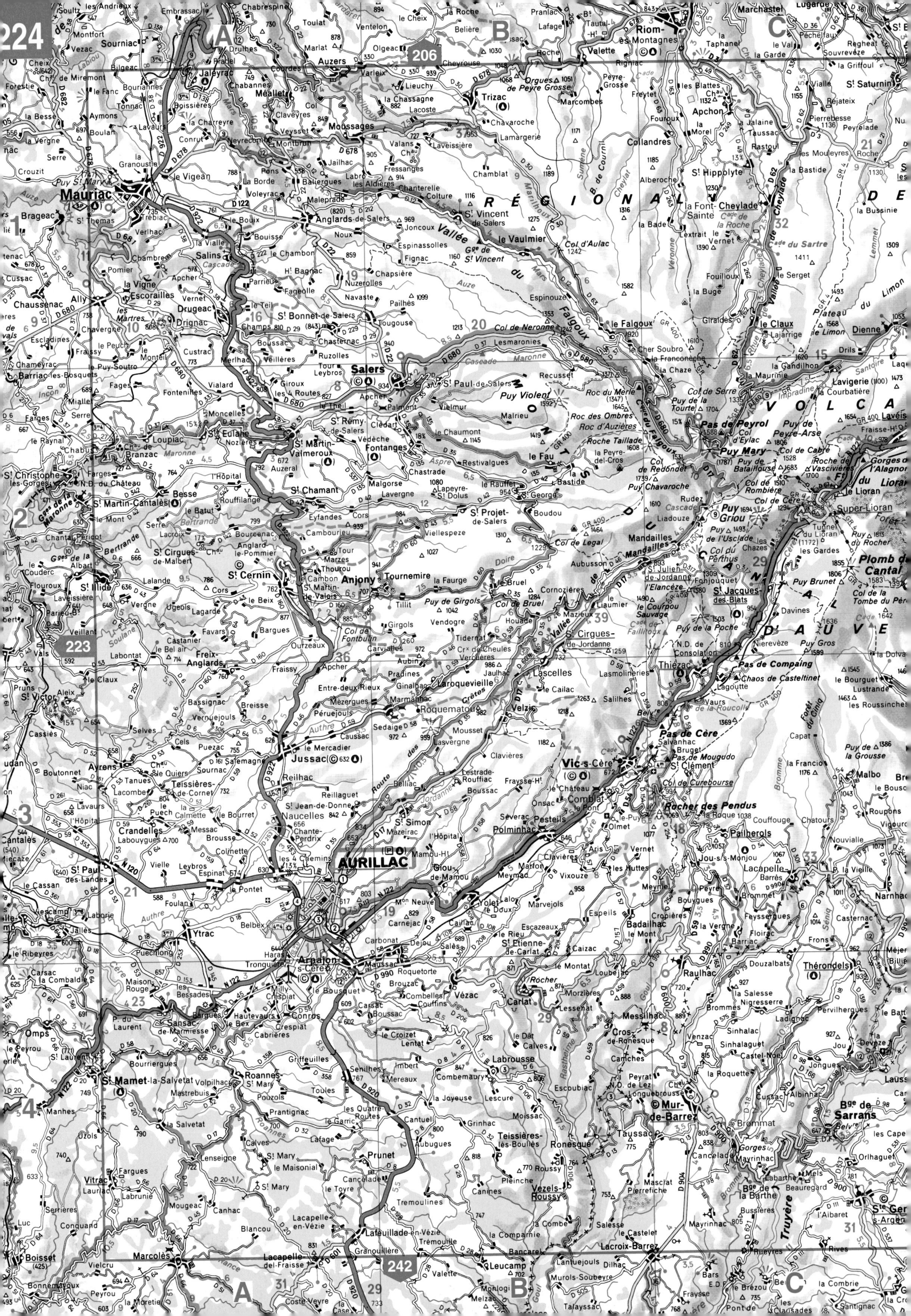

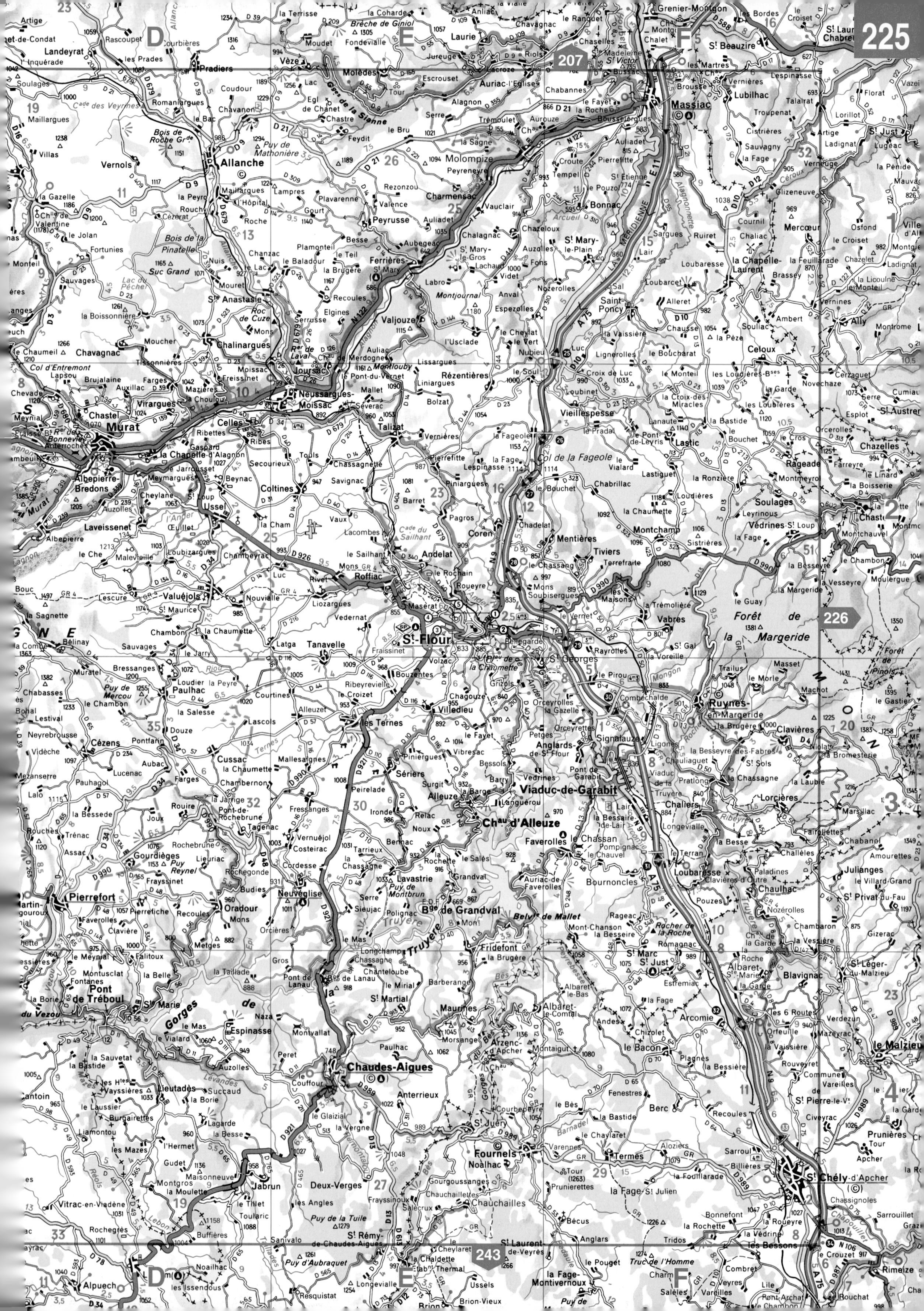
D
E
F
207
226
243
Allanche
Massiac
Murat
Neussargues-Moissac
Talizat
Coltines
Ussel
Valuéjols
Roffiac
Andelat
Coren
St-Flour
Tanavelle
Paulhac
Cussac
Pierrefort
Neuvéglise
Les Ternes
Villedieu
Sériers
Alleuze
Chau d'Alleuze
Viaduc-de-Garabit
Anglards-de-St-Flour
Ruynes-en-Margeride
Clavières
Lorcières
Chaliers
Loubaresse
Chaulhac
Faverolles
Bgc de Grandval
Chaudes-Aigues
Pont de Tréboul
Espinasse
Jabrun
Deux-Verges
St Rémy-de-Chaudes-Aigues
Fournels
Noalhac
St Chély-d'Apcher
Le Malzieu
Blavignac
Arcomie
Albaret-Ste-Marie
Termes
Vabres
Forêt de la Margeride
Lastic
Soulages
Montchamp
Tiviers
Mentières
Vieillespesse
Rézentières
Valjouze
Ferrières-St-Mary
Peyrusse
Molompize
Charmensac
Bonnac
Celoux
Lubilhac
Vernols
Chavagnac
Laveissenet
Virargues
Chalinargues
Landeyrat
Pradiers
Laurie
Moledes
Auriac-l'Église
St Beauzire
Grenier-Montgon
Col de la Fageole
LA MÉRIDIENNE
A 75
N 122
N 9
D 926
D 921
D 989
D 990
Gorges de la Truyère
Truyère
Puy de Mathonière
Bois de Roche Grde
Puy de Mercou
Puy de la Tuile
Truc de l'Homme

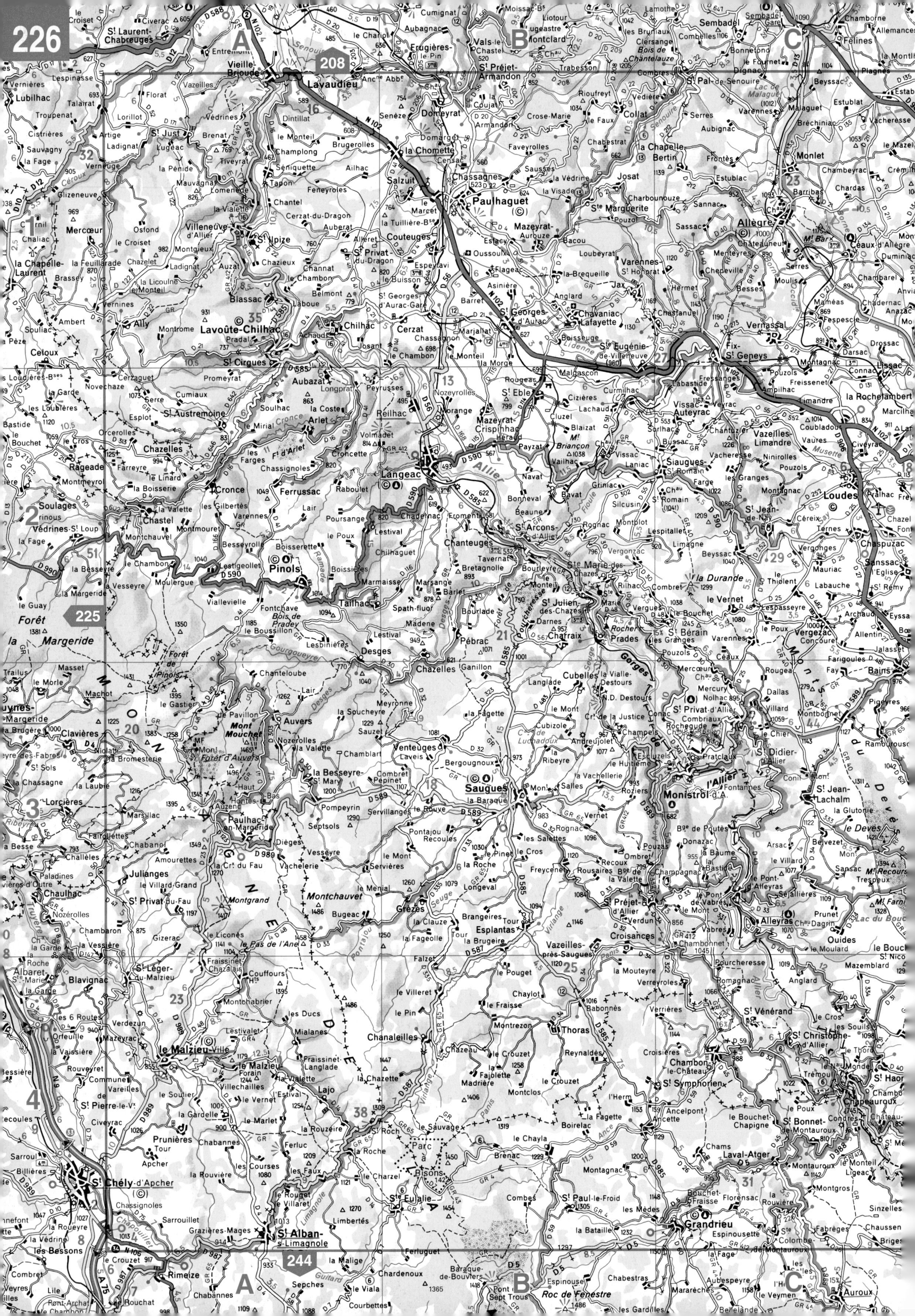
208
225
244
A
B
C
Lavaudieu
Paulhaguet
Allègre
Lavoûte-Chilhac
Langeac
Pinols
Saugues
Monistrol-d'A.
Loudes
Le Malzieu-Ville
St Chély-d'Apcher
St Alban-s-Limagnole
Grandrieu
Chapeauroux
Auroux
Mont Mouchet
Gorges de l'Allier
Forêt de la Margeride
Monts du Devès
Allier

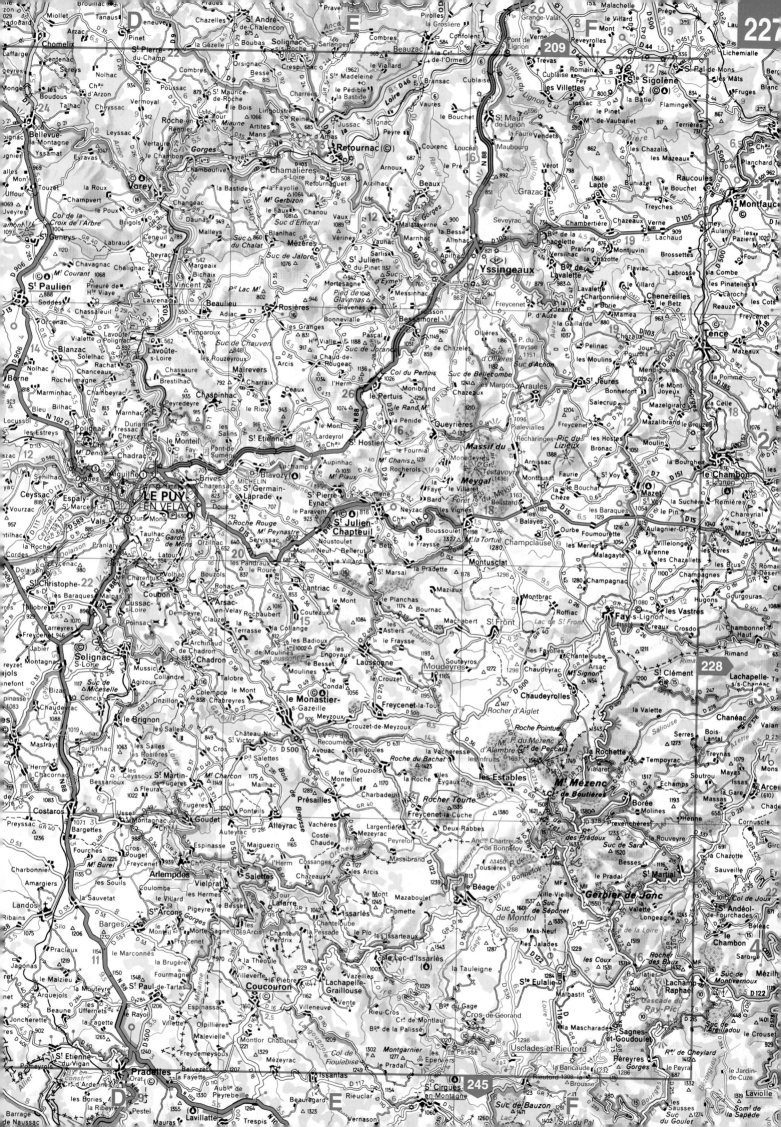
D
E
F
209
228
245
LE PUY EN VELAY
Yssingeaux
Retournac
Ste Sigolène
Montfaucon
Tence
le Chambon-s-Lignon
St Julien-Chapteuil
Massif du Meygal
Vorey
St Paulien
Lavoûte-s-Loire
Polignac
Espaly-St Marcel
Vals
Solignac-s-Loire
Cussac-s-Loire
le Monastier-s-Gazeille
Laussonne
Fay-s-Lignon
St Front
les Estables
Mt Mézenc
Gerbier de Jonc
Borée
St Martial
Le Béage
Présailles
Alleyrac
Goudet
Arlempdes
Costaros
Issarlès
Lac-d'Issarlès
Coucouron
Lachapelle-Graillouse
St Cirgues-en-Montagne
Pradelles
Langogne
Ste Eulalie
Sagnes-et-Goudoulet
Usclades-et-Rieutord
Lachamp-Raphaël
St Étienne-du-Vigan
Landos
Mazet-St Voy
St Jeures
Araules
Queyrières
Bessamorel
Rosières
Beaulieu
Chaspinhac
St Germain-Laprade
Blavozy
St Pierre-Eynac
Chanéac
St Clément
Lachapelle-s-s-Chanéac
Chaudeyrolles
Freycenet-la-Tour
Moudeyres
Mt Gerbizon
Suc de Chauvent
Dunières
Raucoules
Lapte
Grazac
Beaux
Malataverne
Chamalières-s-Loire
Bellevue-la-Montagne
Chomelix
St Geneys
Blanzac
Borne
Vielprat
St Arcons
St Paul-de-Tartas
Le Malzieu
Le Bouchet-St-Nicolas
Gorges de la Loire
Mars
Beauzac

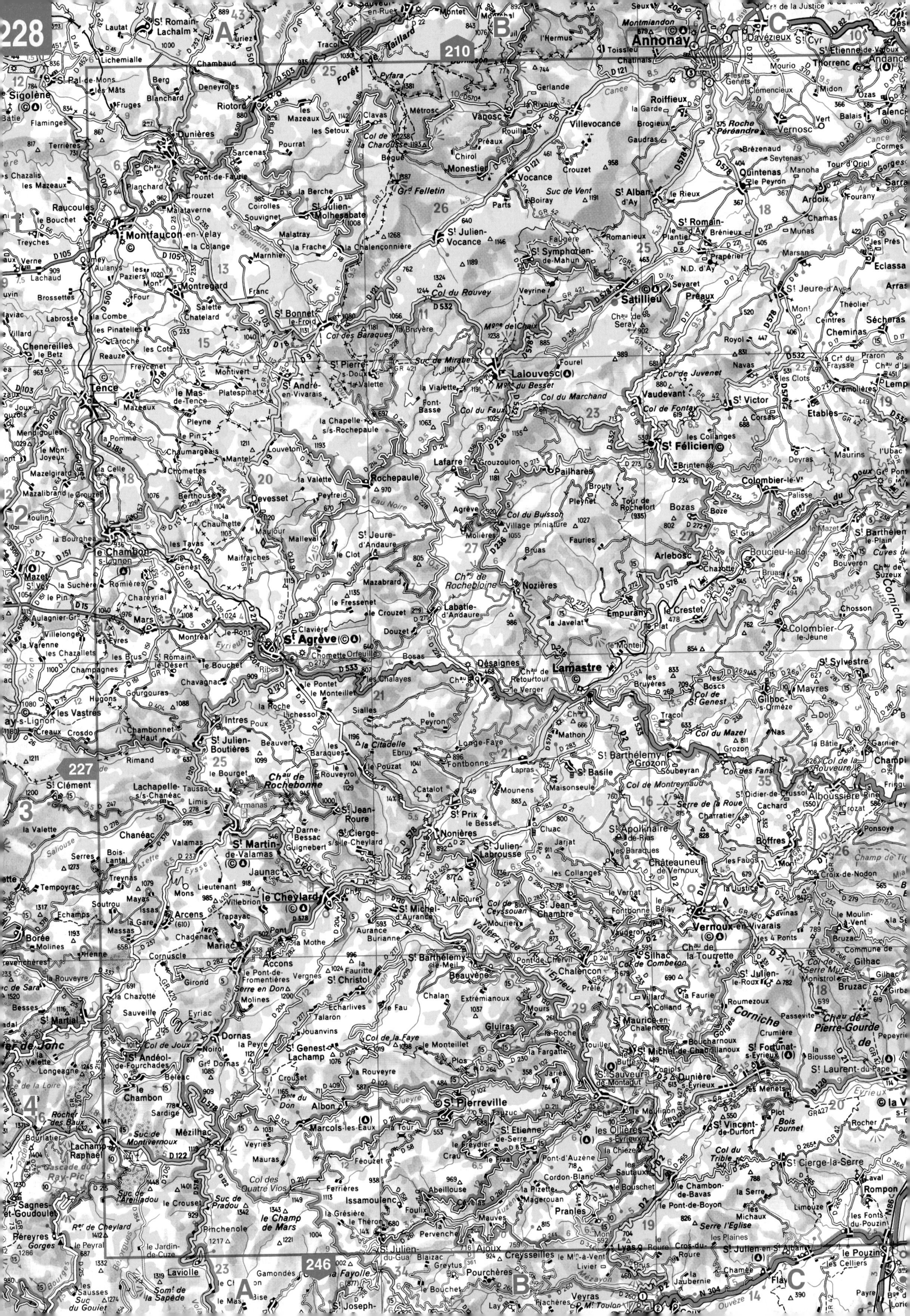
Annonay
Davézieux
St Romain-Lachalm
Riotord
Dunières
Vanosc
Villevocance
Forêt de Taillard
Montfaucon-en-Velay
Tence
Le Chambon-s-Lignon
St Agrève
Lalouvesc
Satillieu
St Félicien
Lamastre
Désaignes
Rochepaule
Le Cheylard
St Martin-de-Valamas
Vernoux-en-Vivarais
St Pierreville
Les Ollières-s-Eyrieux
Mézilhac
Col du Rouvey
Col du Marchand
Col de Juvenet
Col du Buisson
Corniche
Quintenas
Ardoix
Colombier-le-Vx
Boffres
Alboussière
St Fortunat-s-Eyrieux
Le Pouzin
Rompon
Gluiras
Marcols-les-Eaux
Sagnes-et-Goudoulet
Lachamp-Raphaël
Laviolle

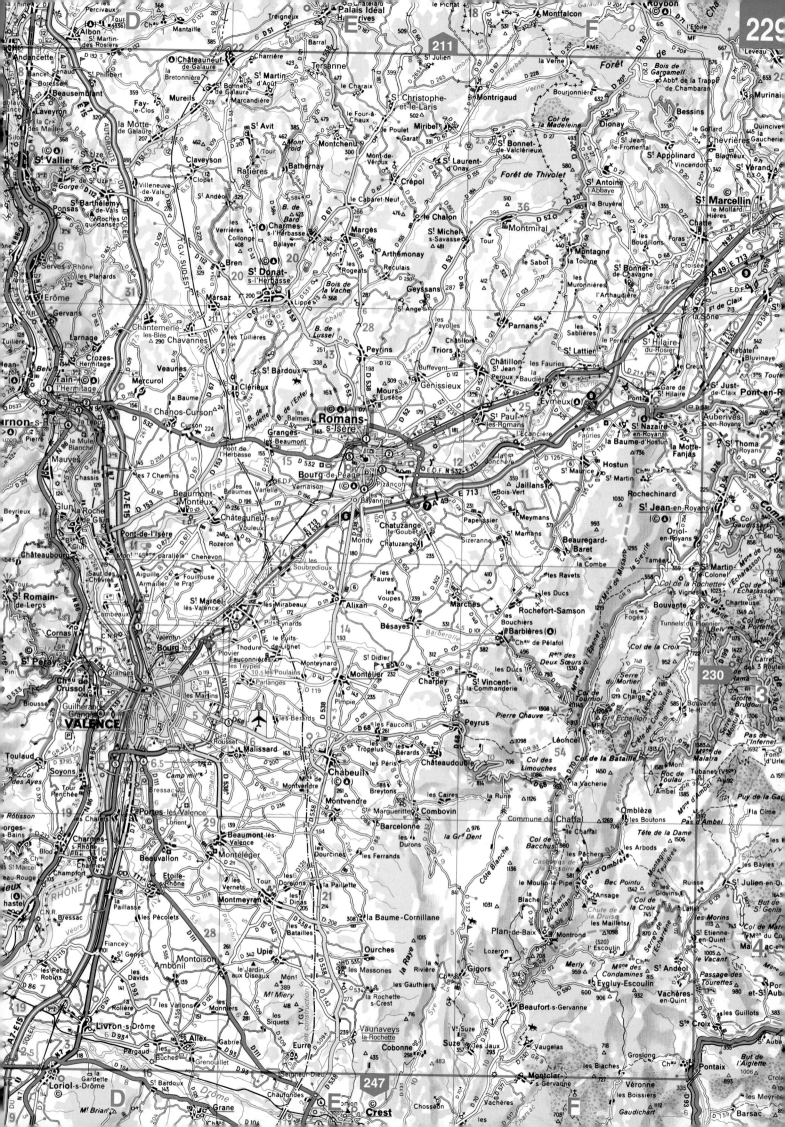

Palais Idéal
Hauterives
Montfalcon
Roybon
Albon
Andancette
Châteauneuf-de-Galaure
Tersanne
St Martin-d'Août
Montrigaud
Forêt de Chambaran
St Christophe-et-le-Laris
Beausemblant
Mureils
Laveyron
Col de la Madeleine
Dionay
Bessins
Chevrières
St Vallier
Claveyson
Ratières
Bathernay
Montchenu
Miribel
St Bonnet-de-Valclérieux
St Appolinard
St Laurent-d'Onay
Crépol
Forêt de Thivolet
St Antoine l'Abbaye
St Marcellin
Ponsas
St Barthélemy-de-Vals
Margès
le Chalon
St Michel-s-Savasse
Montmiral
Chatte
Charmes-s-l'Herbasse
Arthémonay
Montagne
St Bonnet-de-Chavagne
Serves-s-Rhône
Bren
St Donat-s-l'Herbasse
Erôme
Gervans
Marsaz
Geyssans
Parnans
Chantemerle-les-Blés
Chavannes
Larnage
Crozes-Hermitage
Peyrins
Triors
St Lattier
St Hilaire-du-Rosier
Tain-l'Hermitage
Mercurol
Veaunes
St Bardoux
Châtillon-St Jean
Génissieux
Clérieux
Chanos-Curson
Romans-s-Isère
St Paul-lès-Romans
Eymeux
St Nazaire-en-Royans
Auberives-en-Royans
Pont-en-Royans
St Thomas-en-Royans
Granges-les-Beaumont
La Baume-d'Hostun
Hostun
La Motte-Fanjas
Mauves
Bourg-de-Péage
Jaillans
Rochechinard
St Jean-en-Royans
Beaumont-Monteux
Châteauneuf-s-Isère
Chatuzange-le-Goubet
Meymans
Oriol-en-Royans
Glun
La Roche-de-Glun
Pont-de-l'Isère
Beauregard-Baret
Châteaubourg
St Martin-le-Colonel
Col de la Rochette
St Romain-de-Lerps
St Marcel-lès-Valence
Alixan
Marches
Rochefort-Samson
Bouvante
Cornas
Bourg-lès-Valence
Bésayes
Barbières
St Péray
Montélier
Charpey
St Vincent-la-Commanderie
Col de Tourniol
Crussol
Valence
Malissard
Chabeuil
Châteaudouble
Léoncel
Col de la Bataille
Toulaud
Soyons
Col des Limouches
Montvendre
Combovin
Portes-lès-Valence
Omblèze
Charmes-s-Rhône
Beaumont-lès-Valence
Barcelonne
Col de Bacchus
Montéléger
Beauvallon
Etoile-s-Rhône
Montmeyran
La Baume-Cornillane
Upie
Ourches
Plan-de-Baix
Montrond
Montoison
Ambonil
Gigors
Eygluy-Escoulin
Beaufort-s-Gervanne
Vachères-en-Quint
Livron-s-Drôme
Allex
Vaunaveys-la-Rochette
Cobonne
Suze
Pontaix
Loriol-s-Drôme
Grane
Crest
Montclar-s-Gervanne
Véronne
Barsac
Rhône
Isère
Drôme
D
E
F
211
230
247

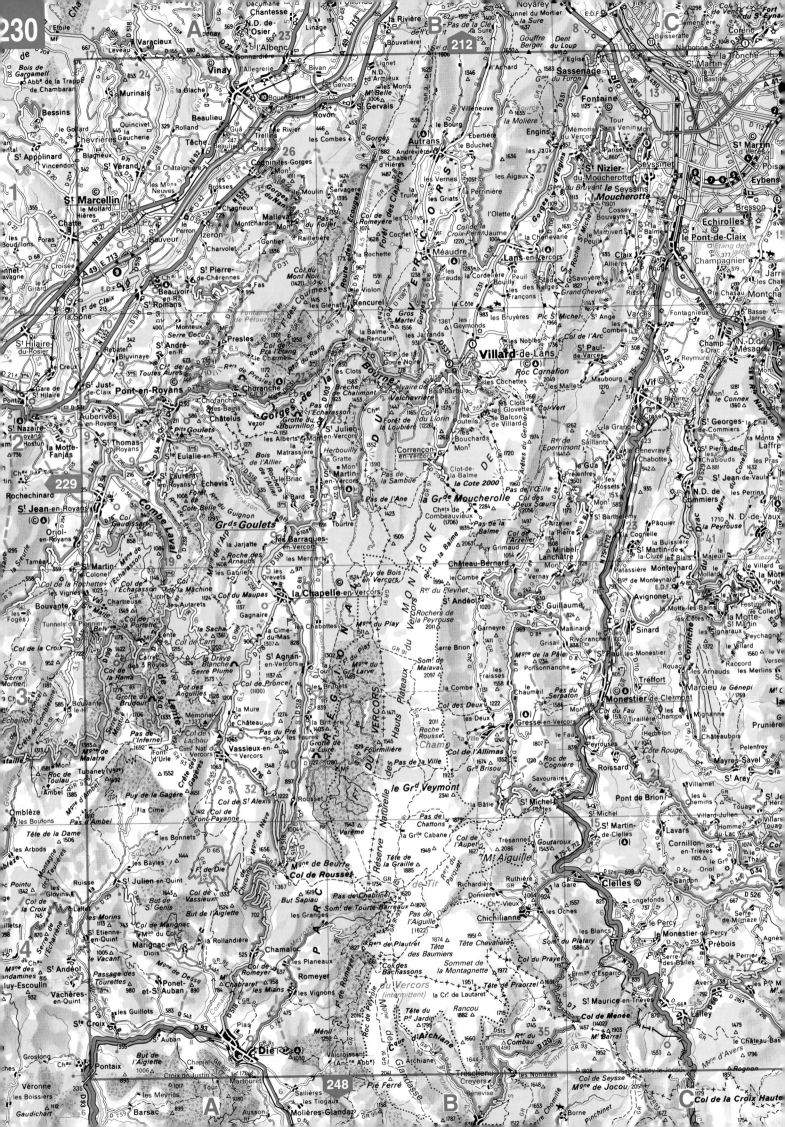
A
B
C
212
229
248
Vinay
St Marcellin
Chatte
Pont-en-Royans
St Jean-en-Royans
St Nazaire
la Motte-Fanjas
Rochechinard
Sassenage
Fontaine
Seyssinet
St Nizier-du-Moucherotte
Autrans
Méaudre
Lans-en-Vercors
Villard-de-Lans
Corrençon-en-Vercors
Rencurel
Choranche
Châtelus
St Julien-en-Vercors
St Martin-en-Vercors
les Barraques-en-Vercors
la Chapelle-en-Vercors
St Agnan-en-Vercors
Vassieux-en-Vercors
Col de Rousset
Chamaloc
Die
Pontaix
Châtillon
Marignac-en-Diois
St Julien-en-Quint
Gresse-en-Vercors
Château-Bernard
St Andéol
St Guillaume
Monestier-de-Clermont
Vif
Varces
Claix
Echirolles
le Pont-de-Claix
Eybens
St Martin-d'Hères
Corenc
Clelles
Chichilianne
Mt Aiguille
le Grd Veymont
la Grde Moucherolle
Grds Goulets
Combe Laval
Gorges de la Bourne
Col de la Croix Haute
St Maurice-en-Trièves
Lalley
Prébois
Treffort
Sinard
Avignonet
Monteynard
St Georges-de-Commiers
N.D. de Commiers
Laffrey
VERCORS
MASSIF DU VERCORS
MONTAGNE DE LANS
HAUTS PLATEAUX DU VERCORS
RÉSERVE NATURELLE DES HAUTS PLATEAUX DU VERCORS

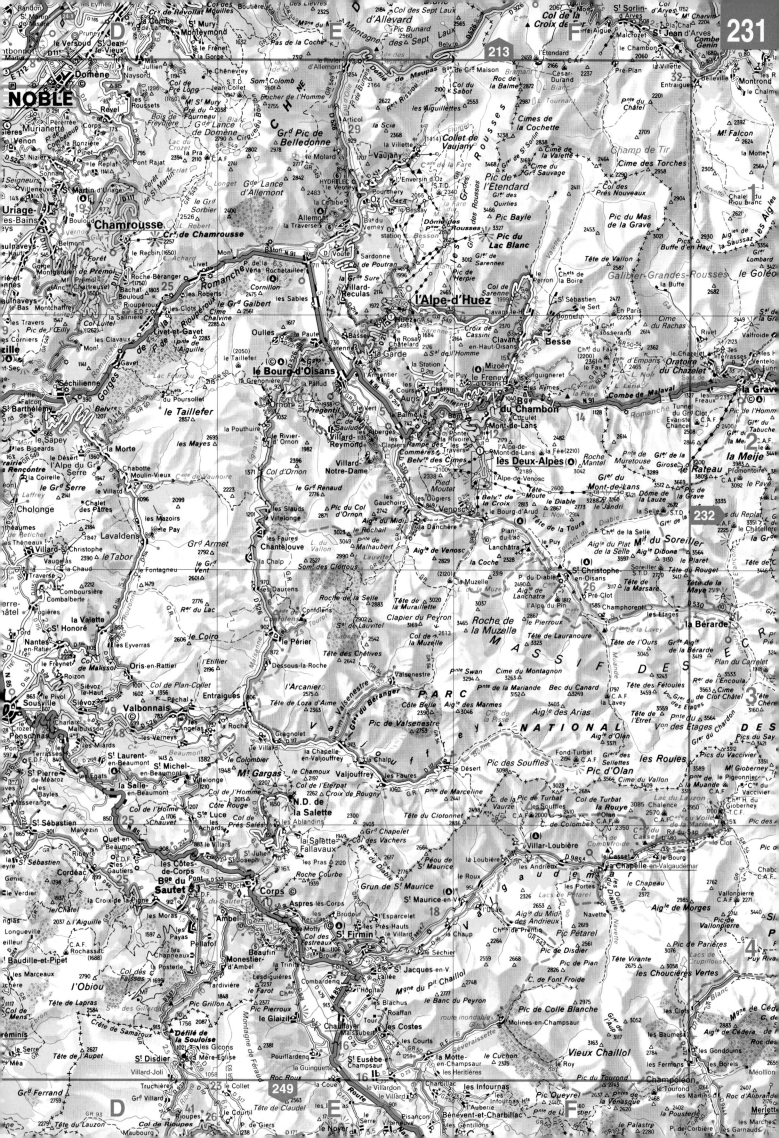
D
E
F
213
232
249
NOBLE
Domène
Revel
Uriage-les-Bains
Chamrousse
Cl de Chamrousse
St Martin-d'Uriage
Séchilienne
Gorges de la Romanche
Livet-et-Gavet
Cornillon
Grd Pic de Belledonne
Belledonne
Allemont
Vaujany
Collet de Vaujany
Pic de l'Etendard
Cimes de la Cochette
Grandes Rousses
Pic Bayle
Pic du Lac Blanc
L'Alpe-d'Huez
Huez
Oz
le Bourg-d'Oisans
Oulles
la Garde
Auris
Mizoën
Clavans-en-Haut-Oisans
Besse
Bge du Chambon
Mont-de-Lans
les Deux-Alpes
la Grave
la Meije
le Rateau
Combe de Malaval
Oratoire du Chazelet
Cime des Torches
Pic du Mas de la Grave
Tête de Vallon
Galibier-Grandes-Rousses
Mt Falcon
St Sorlin-d'Arves
St Jean d'Arves
Col de la Croix de Fer
Pic Bunard
d'Allevard
Col des Sept Laux
Col du Sabot
Roc de la Balme
Défilé de Maupas
le Taillefer
la Morte
Col d'Ornon
Villard-Reymond
Villard Notre-Dame
Venosc
Tête de la Toura
Pic du Col d'Ornon
Chantelouve
Lavaldens
le Grd Serre
Cholonge
Villard-St-Christophe
la Valette
St Honoré
Nantes-en-Ratier
Col de Malissol
Oris-en-Rattier
le Coiro
Roche de la Muzelle
Tête de la Muraillette
Clapier du Peyron
MASSIF DES ECRINS
PARC NATIONAL
St Christophe-en-Oisans
la Bérarde
Mt du Soreiller
Tête des Fétoules
Plan du Carrelet
Aigle des Arias
Cime du Montagnon
Bec du Canard
Pic de Valsenestre
Valsenestre
Valjouffrey
Gorges du Béranger
Entraigues
Valbonnais
Mt Gargas
N.D. de la Salette
Col de l'Homme
Corps
Bge du Sautet
les Côtes-de-Corps
Pic des Souffles
Pic d'Olan
les Rouies
Aigle d'Olan
Valgaudemar
la Chapelle-en-Valgaudémar
Villar-Loubière
St Maurice-en-V.
Grun de St Maurice
Aigle de Morges
Pic de Vallonpierre
les Choucières Vertes
St Firmin
Aspres-lès-Corps
Beaufin
St Jacques-en-V.
Mgne du Pit Chaillol
Pic de Colle Blanche
Vieux Chaillol
Molines-en-Champsaur
Pic Pétarel
Pic de Disdier
Cordéac
l'Obiou
Pic Grillon
Défilé de la Souloise
St Disdier
Grd Ferrand
Col de Mens
Le Glaizil
Chauffayer
les Costes
St Eusèbe-en-Champsaur
la Motte-en-Champsaur
Pic Queyrel
Champoléon
Bénévent-et-Charbillac
Roc d'Alibrande
Aigle de Cédera
Tête de Claudel
Col de Rioupes
Tête du Lauzon
Monestier-d'Ambel
Mens
Sousville
Ponsonnas
Malvezin
St Sébastien
Quet-en-Beaumont
St Laurent-en-Beaumont
St Michel-en-Beaumont
la Salle-en-Beaumont

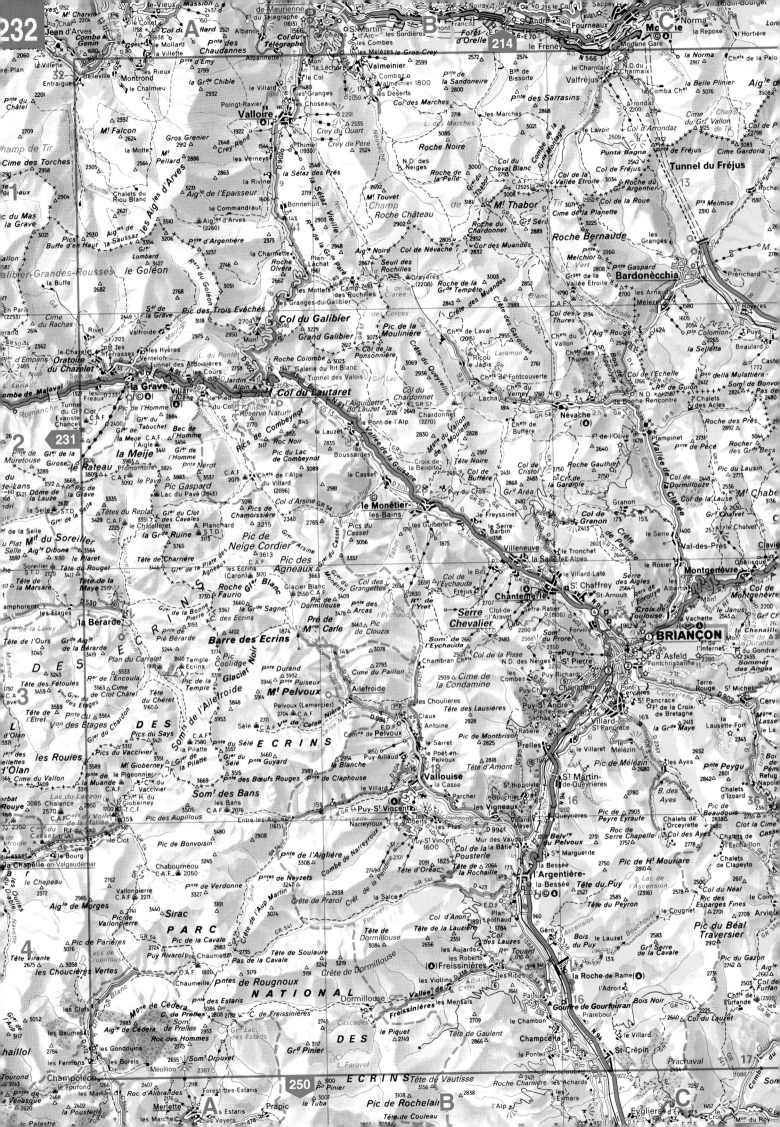
A
B
C
214
231
250
1
2
3
4
Jean d'Arves
Combe Genin
Montrond
Valloire
Valmeinier
Col du Télégraphe
St-Martin-d'Arc
Modane
Modane Gare
Fourneaux
St André
Forêt d'Orelle
Valfréjus
Tunnel du Fréjus
Mt Falcon
Cime des Torches
Gros Grenier
Crey Rond
Mt Pellard
les Aigles d'Arves
Aigle de l'Epaisseur
Aigles d'Arves
Roche Noire
Mt Thabor
Roche Château
Col des Marches
Pointe des Sarrasins
Roche Bernaude
Bardonècchia
Col de Fréjus
Punta Bagna
le Goléon
Col du Galibier
Grand Galibier
Pic des Trois Evêchés
Seuil des Rochilles
Col de Névache
Roche de la Grde Tempête
Crête des Muandes
Crête des Gardioles
Oratoire du Chazelet
Combe de Malaval
la Grave
Villar-d'Arène
Col du Lautaret
Tunnel des Valois
Pic de la Moulinière
Col de la Ponsonnière
Crête du Queyrellin
Névache
Vallée de la Clarée
Vallée de la Guisane
Pics de Combeynot
Roc Noir
le Casset
le Monêtier-les-Bains
le Rateau
la Meije
Bec de l'Homme
Pic Gaspard
Dôme de la Lauze
Mt du Soreiller
Pic de Neige Cordier
Pics de Chamoissière
Pic des Agneaux
Col de Granon
Crête de Peyrolle
Montgenèvre
Villeneuve
la Salle-les-Alpes
St Chaffrey
Chantemerle
Serre Chevalier
BRIANÇON
Puy-St Pierre
Puy-St André
Villard-St Pancrace
la Bérarde
Barre des Ecrins
Pré de Mme Carle
Glacier Noir
Mt Pelvoux
Ailefroide
Pic Coolidge
Somts de l'Ailefroide
DES ECRINS
PARC NATIONAL DES ECRINS
les Rouies
Vallouise
Puy-St Vincent
Somt des Bans
Pic des Bœufs Rouges
Pic de Montbrison
Pic de Mélézin
St Martin-de-Queyrières
l'Argentière-la-Bessée
Pic de Ht Mouriare
Tête du Puy
Pic du Béal Traversier
Freissinières
Gouffre de Gourfouran
la Roche-de-Rame
St-Crépin
Sirac
Pic de la Cavale
Pic des Aupillous
Pic de Bonvoisin
Chabournéou
Aigle de Morges
les Choucières Vertes
Tête Virante
Pntes de Rougnoux
Mgne de Cédera
Grd Pinier
Dormillouse
Champoléon
Merlette
Prapic
Pic de Rochelair
Tête de Vautisse
Champcella
Eygliers
Prachaval
la Chapelle-en-Valgaudemar

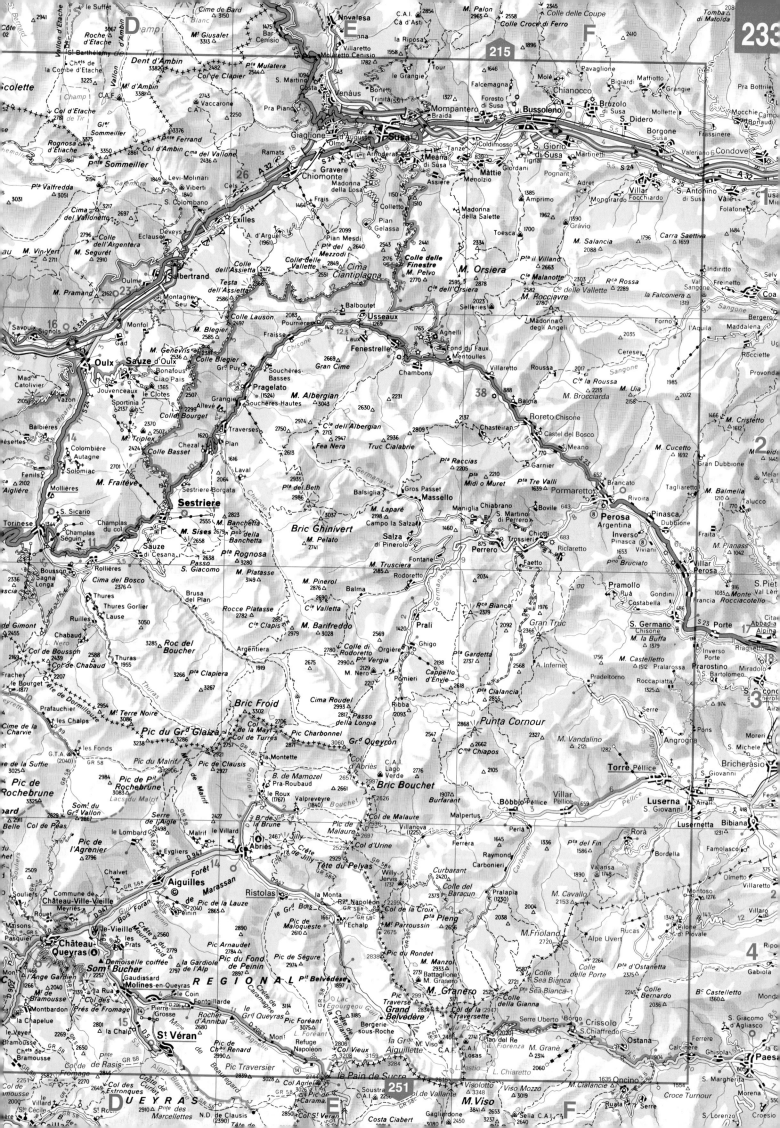
D
E
F
215
26
251
Novalesa
Colle Croce di Ferro
M. Palon
Tomba di Matolda
Dent d'Ambin
Col de Clapier
Pta Mulatera
Venàus
Mompantero
Bussoleno
Chianocco
Bruzolo di Susa
S. Didero
Borgone Susa
Condove
Giaglione
Susa
Meana di Susa
Mattie
S. Giorio di Susa
Villar Focchiardo
S. Antonino di Susa
Vaie
Chiomonte
Exilles
Salbertrand
Oulx
Sauze d'Oulx
Cesana Torinese
M. Orsiera
Colle delle Finestre
Cima Ciantiplagna
Usseaux
Fenestrelle
Pragelato
M. Albergian
Sestriere
M. Fraitève
M. Sises
Sauze di Cesana
Bric Ghinivert
Massello
Salza di Pinerolo
Perrero
Perosa Argentina
Pinasca
Villar Perosa
Pomaretto
Prali
Pta Rognosa
Punta Cornour
Bric Froid
Pic du Grd Glaiza
Grd Queyron
Bric Bouchet
Torre Pellice
Luserna S. Giovanni
Bibiana
Bricherasio
Abriès
Aiguilles
Ristolas
Château-Queyras
Molines-en-Queyras
St Véran
Tête du Pelvas
Col de la Croix
Pta Pleng
M. Granero
Grand Belvédère
Crissolo
Ostana
M. Viso
Le Pain de Sucre
Col Agnel
Paesana
Oncino
Croce Turnour
REGIONAL
QUEYRAS
A 32
S 24
S 25
S 23
D 947
D 902

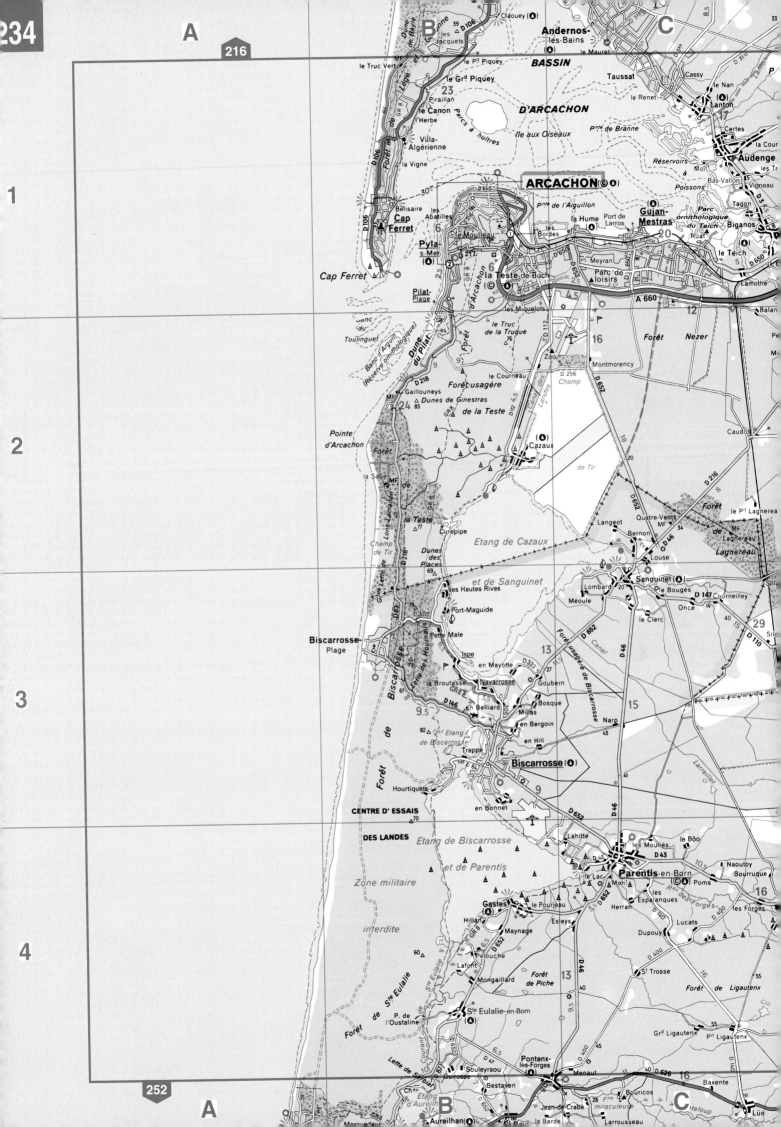
A
B
C
216
252
1
2
3
4
Andernos-les-Bains
BASSIN
D'ARCACHON
Claouey
les Jacquets
le Truc Vert
le Pit Piquey
le Grd Piquey
Taussat
le Renet
Cassy
le Nan
Lanton
Certes
Audenge
la Cour
Piraillan
le Canon
l'Herbe
Parcs à huîtres
Ile aux Oiseaux
Pnte de Branne
Réservoirs à Poissons
Villa-Algérienne
la Vigne
Dune de Bayle
Forêt de Lège et Garonne
Mont
Bas-Vallon
Vigneau
ARCACHON
Pnte de l'Aiguillon
Tagon
Bélisaire
Cap Ferret
les Abatilles
le Moulleau
la Hume
Port de Larros
Gujan-Mestras
Parc ornithologique du Teich
Biganos
Ruat
le Teich
les Bordes
Meyran
Parc de loisirs
Pyla-s-Mer
la Teste-de-Buch
Lamothe
Cap Ferret
Pilat-Plage
les Miquelots
A 660
Balan
Banc du Toulinguet
Banc d'Arguin (Réserve ornithologique)
Dune du Pilat
le Truc de la Truque
Forêt
Nezer
Zoo
Montmorency
le Courneau
Champ
Forêt usagère de la Teste
Gaillouneys
Dunes de Ginestras
Canal des Landes
Pointe d'Arcachon
Caudos
Cazaux
de Tir
D 216
la Salie
Forêt de la Teste
Lons Lamanon
Champ de Tir
Forêt de Lagnereau
le Pit Lagnereau
Quatre-Vents
Langeot
Bernon
Lagnereau
Curepipe
Etang de Cazaux
et de Sanguinet
Dunes des Places
Louse
Sanguinet
Lombard
le Bougès
Corneilley
Méoule
Once
le Clerc
les Hautes Rives
Port-Maguide
Petite Male
Biscarrosse-Plage
Forêt usagère de Biscarrosse
Canal
Ispe
en Mayotte
Navarrosse
Goubern
la Broutasse
Lette des Hournails
en Belliard
Bosque
Millas
Forêt de Biscarrosse
en Bergoin
Narp
Pit Etang de Biscarrosse
Trappe
en Hill
Biscarrosse
Hourtiquets
CENTRE D' ESSAIS DES LANDES
en Bonnet
Etang de Biscarrosse et de Parentis
Zone militaire interdite
Lahitte
les Mouliès
le Bôo
Parentis-en-Born
Naoutoy
Bourruque
le Lac
Poms
les Espalanques
Herran
les Forges
Gastes
le Pourjeau
Hillan
Esleys
Maynage
Lucats
Dupouy
Pelouche
Lafont
Mongaillard
Forêt de Piche
St Trosse
Forêt de Ligautenx
Forêt de Ste Eulalie
Ste Eulalie-en-Born
P. de l'Oustaline
Grd Ligautenx
Pit Ligautenx
Courant de Ste Eulalie
Pontenx-les-Forges
Menaut
Lette de Sebiar
Souleyraou
Guirosse
Bestaven
Baxente
Chau d'Aureilhan
Etang d'Aureilhan
Bouricos
Fne miraculeuse
Jean-de-Crabé
Lüe
Aureilhan
la Barde
Larrousseau

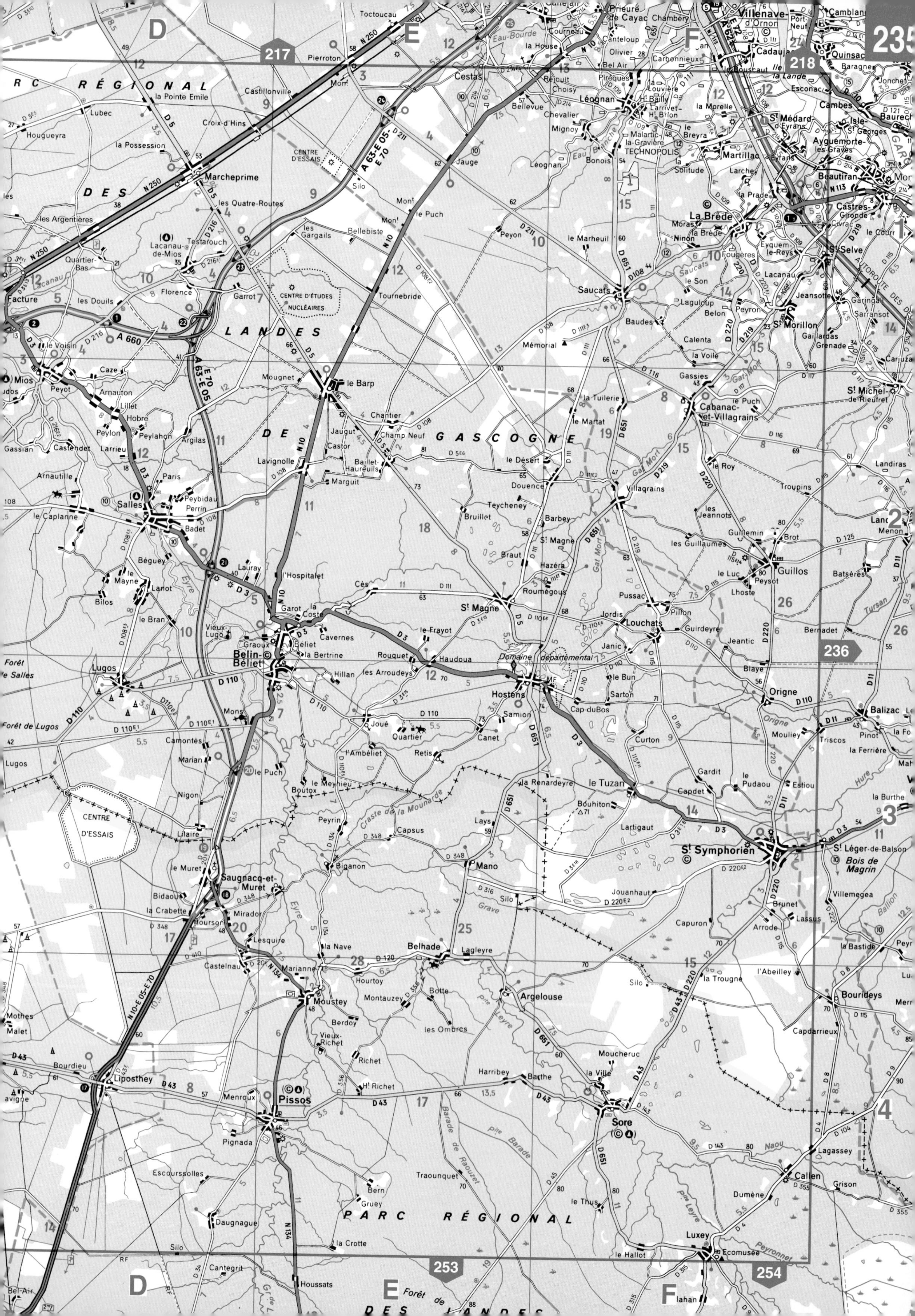

217   218

RC RÉGIONAL

DES

LANDES

DE

GASCOGNE

PARC RÉGIONAL

DES LANDES

Toctocau   Canejan   Prieuré de Cayac   Chambéry   Villenave-d'Ornon   Port-Neuf   Camblan

Pierroton   Eau-Bourde   Courneau   la House   Cantaloup   Carbonneaux   Cadaujac   Quinsac   Baragne

Castillonville   Mon   Cestas   Relouit Choisy   Bel Air   Pirèques   St Médard d'Eyrans   St Georges   Baurech

la Pointe Emile   Croix-d'Hins   Bellevue   Chevalier   Léognan   Ht Bailly   Larrivet-Ht Brion   la Morelle   Isle

Lubec   Hougueyra   la Possession   Mignoy   Malartic-la-Gravière   TECHNOPOLIS   la Breya   Ayguemorte-les-Graves   Eyrans   Martillac   Beautiran   Mor

les Argentières   Marcheprime   les Quatre-Routes   Silo   Léognan   Bonois   la Solitude   Larché   Castres-Gironde   Civrac

Quartier-Bas   Testarouch   Lacanau-de-Mios   les Gargails   Bellebiste   Mont   le Puch   la Prade   La Brède   Moras   la Brède   Ninon

Florence   Garrot   CENTRE D'ESSAIS   Peyon   le Marheuil   Eyquem-le-Reys   Fougères   St Selve

Lacanau   Facture   les Douils   CENTRE D'ÉTUDES NUCLÉAIRES   Tournebride   Saucats   le Son   Lacanau   Lagulpup   Jeansotte   Garingal

Mios   Peyot   Caze   Arnauton   Mougnet   Mémorial   Baudes   Belon   Peyron   St Morillon   Gaillardas   Grenade   Carjuza

le Voisin   Lillet   Hobre   le Barp   la Tuilerie   Calenta   la Voile   Gassies   le Puch   St Michel-de-Rieufret

Peylon   Peylahon   Argilas   Chantier   le Martat   Cabanac-et-Villagrains

Gassian   Castendet   Larrieu   Lavignolle   Jaugut   Castor   Champ Neuf   le Désert   Douence   le Roy   Landiras

Arnautille   Paris   Peybidau   Perrin   Marguit   Baillet-Haureuils   Teycheney   Barbey   Villagrains   Troupins

le Caplanne   Salles   Badet   Bruillet   St Magne   les Jeannots   les Guillaumes   Lanc

Béguey   Lauray   l'Hospitalet   Braut   Hazéra   Roumégous   Guillemin   Brot   Menon

le Mayne   Lanot   Cès   St Magne   Pussac   le Luc   Guillos   Batsères

Bilos   le Bran   Garot   la Coste   le Frayot   Jordis   Louchats   Lhoste   Peysot

Lugos   Vieux-Lugo   Cavernes   Rouquet   Haudoua   Domaine départemental   Pillon   Guirdeyre   Jeantic

Forêt de Salles   Graoux   Béliet   la Bertrine   les Arroudeys   Janic   Blaye   236

Belin-Béliet   Hillan   Hostens   MF   le Bun   Sarton   Origne

Forêt de Lugos   Mons   Joué   Quartier   Canet   Samion   Cap-duBos   Curton   Balizac

Camontès   Marian   le Puch   l'Ambéliet   Retis   le Tuzan   Gardit   le Pudaou   Estiou   Mouliey   Triscos   la Ferrière

Nigon   le Meynieu   Boutox   la Renardeyre   Bouhiton   Lartigaut   Capdet   la Burthe

CENTRE D'ESSAIS   Lilaire   Peyrin   Craste de la Mounarde   Lays   St Symphorien   St Léger-de-Balson

le Muret   Capsus   Jouanhaut   Bois de Magrin

Saugnacq-et-Muret   Biganon   Mano   Silo   Grave   Brunet   Villemegea   Lassus

Bidaou   Mirador   la Crabette   Mourson   Lesquire   la Nave   Belhade   Lagleyre   Capuron   Arrode   la Bastide

Castelnau   Marianne   Hourtoy   Silo   la Trougne   l'Abeilley   Bourideys   Peyr

Mothes   Malet   Moustey   Montauzey   Botte   Argelouse   Moucheruc   Capdarrieux

Berdoy   Vieux-Richet   les Ombres   la Ville   Merr

Bourdieu   Liposthey   Menroux   Richet   Ht Richet   Harribey   Bathe   Sore   Lagassey   Grison

Bel-Air   Pissos   Pignada   Callen   Dumène

Escourssolles   Bern   Gruey   Traounquet   le Thus   Luxey   Ecomusée   le Hallot

Daugnague   la Crotte   Houssats   Forêt de Landes   Ilahan

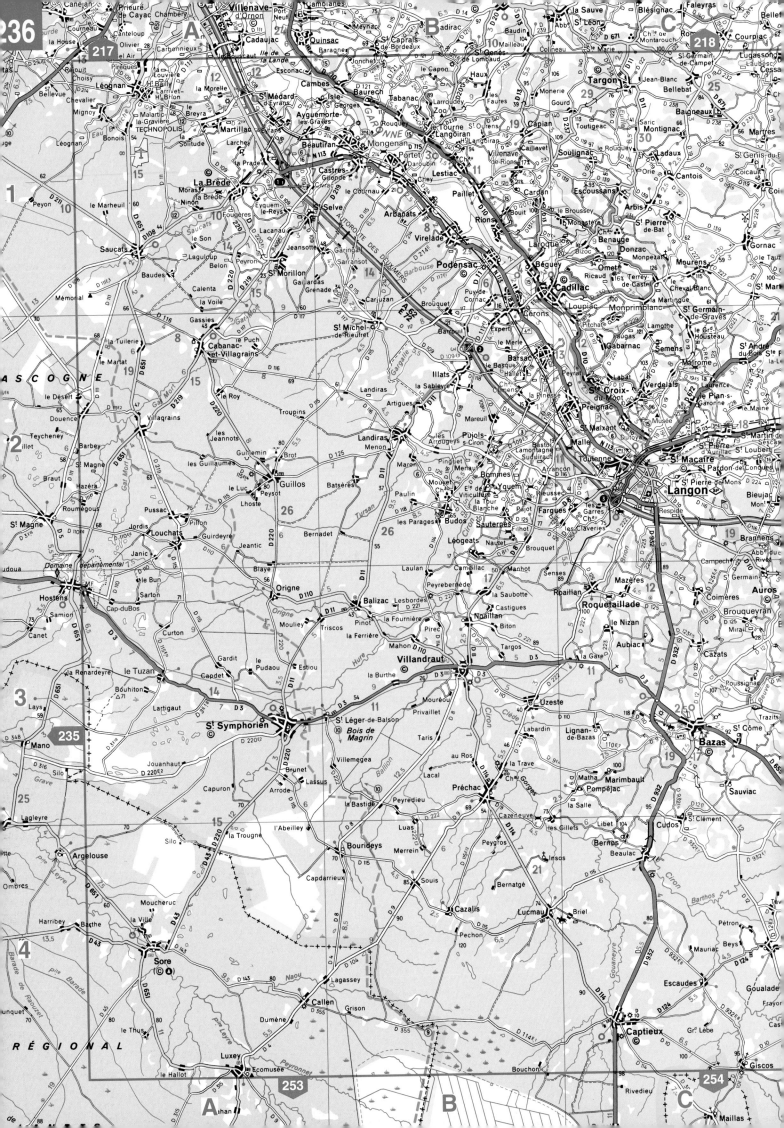

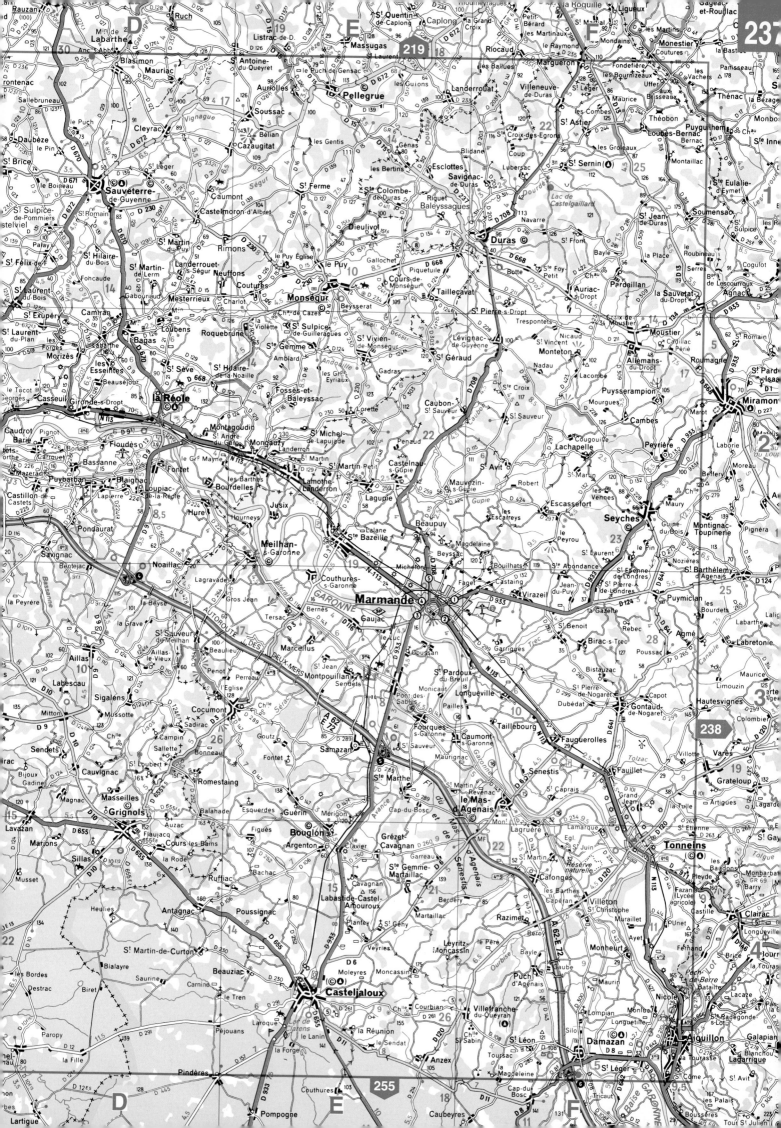
D
E
F
219
238
255
Rauzan
Ruch
St Quentin-de-Caplong
Caplong
Ligueux
Labarthe
Listrac-de-D.
Massugas
Riocaud
Margueron
Monestier
Blasimon
Mauriac
St Antoine-du-Queyret
Pellegrue
Landerrouat
Villeneuve-de-Duras
Thénac
Auriolles
Soussac
Cleyrac
Cazaugitat
St Astier
Théobon
Puyguilhem
Loubès-Bernac
Daubèze
St Brice
Sauveterre-de-Guyenne
Esclottes
Savignac-de-Duras
St Sernin
St Ferme
Ste Colombe-de-Duras
Riquet
Baleyssagues
Caumont
Castelmoron-d'Albret
Soumensac
St Jean-de-Duras
Ste Eulalie-d'Eymet
Dieulivol
Duras
Navarre
St Front
St Martin-du-Puy
Rimons
Le Puy
St Hilaire-du-Bois
St Félix-de-F.
St Martin-de-Lerm
Landerrouet-s-Ségur
Neuffons
Coutures
Monségur
Cours-de-Monségur
Taillecavat
Pardaillan
Auriac-s-Dropt
La Sauvetat-du-Dropt
St Laurent-du-Bois
Mesterrieux
St Exupéry
Camiran
Loubens
Roquebrune
St Sulpice-de-Guilleragues
St Vivien-de-Monségur
St Pierre-s-Dropt
Lévignac-de-Guyenne
Moustier
Allemans-du-Dropt
Monteton
Bagas
Morizès
Les Esseintes
Ste Gemme
St Géraud
St Sève
St Hilaire-de-la-Noaille
La Réole
Fossés-et-Baleyssac
Puysserampion
Miramont
Caumont
Gironde-s-Dropt
Casseuil
Caubon-St Sauveur
St Sauveur
Cambes
Montagoudin
Mongauzy
St Michel-de-Lapujade
Floudès
Lachapelle
Peyrière
Bassanne
St Martin-Petit
Castelnau-s-Gupie
St Avit
Puybarban
Blaignac
Fontet
Lamothe-Landerron
Bourdelles
Lagupie
Mauvezin-s-Gupie
Escassefort
Seyches
Castillon-de-Castets
Loupiac-de-la-Réole
Hure
Jusix
Pondaurat
Meilhan-s-Garonne
Ste Bazeille
Beaupuy
Montignac-Toupinerie
Savignac
Noaillac
Couthures-s-Garonne
Marmande
Virazeil
St Barthélemy-d'Agenais
Puymiclan
Gaujac
Birac-s-Trec
Agmé
Labretonie
St Sauveur-de-Meilhan
Marcellus
Aillas
Montpouillan
Longueville
St Pardoux-du-Breuil
Gontaud-de-Nogaret
Hautesvignes
Labescau
Sigalens
Cocumont
Fourques-s-Garonne
Caumont-s-Garonne
Taillebourg
Fauguerolles
Samazan
Mitton
Sendets
Cauvignac
Romestaing
Ste Marthe
Sénestis
Fauillet
Grateloup
Masseilles
Grignols
Guérin
Bouglon
Le Mas-d'Agenais
Tonneins
Lavazan
Marions
Argenton
Grézet-Cavagnan
Lagruère
Sillas
Ste Gemme-Martaillac
Calonges
Ruffiac
Antagnac
Poussignac
Labastide-Castel-Amouroux
Villeton
Clairac
Razimet
St Martin-de-Curton
Leyritz-Moncassin
Monheurt
Beauziac
Puch-d'Agenais
Casteljaloux
Villefranche-du-Queyran
Nicole
Aiguillon
St Léon
Damazan
Anzex
Pindères
St Léger
Lagarrigue
Couthures
Pompogne
Caubeyres
Lartigue
AUTOROUTE DES DEUX-MERS
GARONNE
A 62 E 72
N 113
D 933
D 708
D 668
D 670
D 655

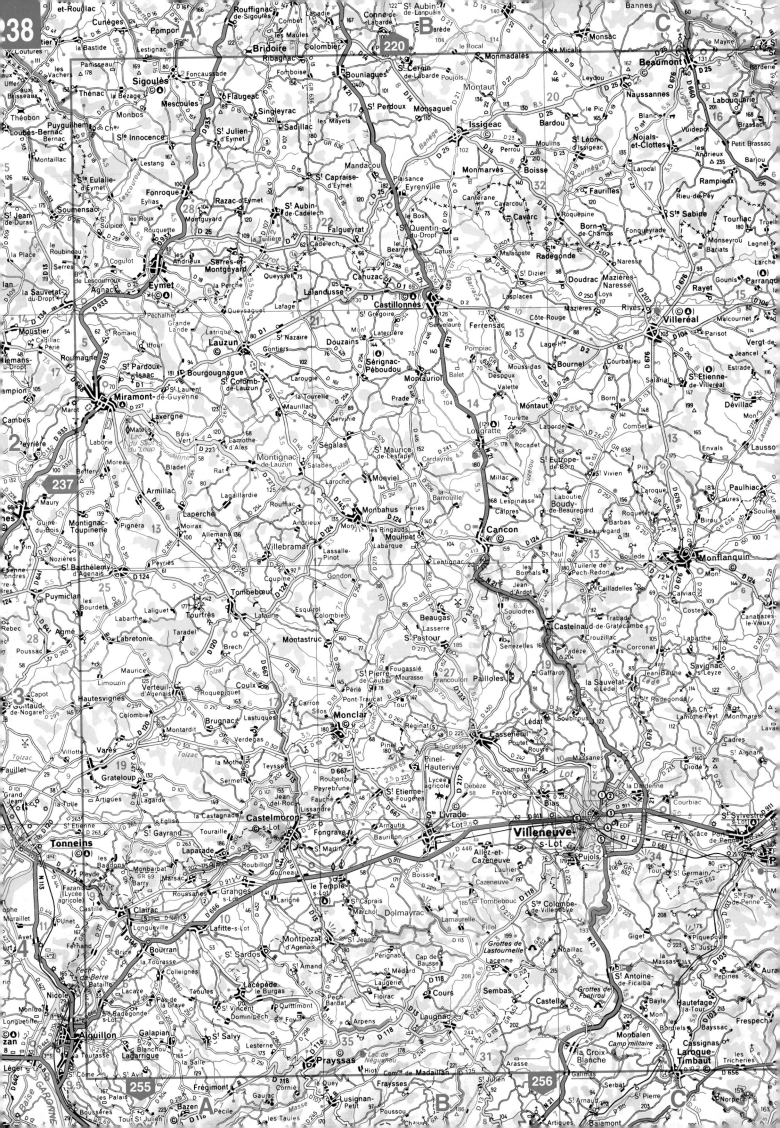

A
B
C
1
2
3
4
220
237
255
256
Rouffignac-de-Sigoulès
Conne-de-Labarde
Bridoire
Colombier
Monsac
Bouniagues
Beaumont
Naussannes
Sigoulès
Mescoules
Flaugeac
Singleyrac
Sadillac
St Perdoux
Monsaguel
Issigeac
Bardou
St Léon-d'Issigeac
Nojals-et-Clottes
Labouquerie
St Julien-d'Eymet
Ste Innocence
Puyguilhem
Loubès-Bernac
Monmarvès
Boisse
Faurilles
Ste Eulalie-d'Eymet
Fonroque
Razac-d'Eymet
St Aubin-de-Cadelech
St Capraise-d'Eymet
Plaisance
Eyrenville
Cavarc
Rampieux
Ste Sabine
Soumensac
St Jean-de-Duras
Falgueyrat
St Quentin-du-Dropt
Born-de-Champs
Ste Radegonde
Eymet
Serres-et-Montguyard
Cahuzac
Castillonnès
St Dizier
Doudrac
Mazières-Naresse
La Sauvetat-du-Dropt
Agnac
Lalandusse
Rayet
Parranquet
Villeréal
Lauzun
Douzains
Sérignac-Péboudou
Montauriol
Ferrensac
Bournel
Moustier
Roumagne
St Pardoux-Isaac
Bourgougnague
Miramont-de-Guyenne
Lavergne
Montaut
St Etienne-de-Villeréal
Dévillac
Ségalas
Lougratte
Montignac-de-Lauzun
St Maurice-de-Lestapel
St Eutrope-de-Born
Paulhiac
Armillac
Laperche
Monviel
Monbahus
Cancon
Boudy-de-Beauregard
Montignac-Toupinerie
Villebramar
Moulinet
Monflanquin
St Barthélemy-d'Agenais
Puymiclan
Tombebœuf
Tourtrès
Beaugas
Castelnaud-de-Gratecambe
Labretonie
Montastruc
St Pastour
Savignac-sur-Leyze
Verteuil-d'Agenais
Coulx
Pailloles
la Sauvetat-sur-Lède
Hautesvignes
Brugnac
Monclar
Lédat
Casseneuil
Gontaud-de-Nogaret
Varès
Grateloup
Pinel-Hauterive
St Etienne-de-Fougères
Castelmoron-s-Lot
Fongrave
Ste Livrade-s-Lot
Villeneuve-s-Lot
St Sylvestre-s-Lot
Tonneins
St Gayrand
Laparade
Allez-et-Cazeneuve
Pujols
Granges-s-Lot
le Temple-s-Lot
Dolmayrac
Ste Colombe-de-Villeneuve
Clairac
Lafitte-s-Lot
Montpezat-d'Agenais
St Sardos
Bourran
Grottes de Lastournelle
St Antoine-de-Ficalba
Lacépède
Cours
Sembas
Castella
Hautefage-la-Tour
Nicole
St Salvy
Laugnac
Monbalen
Frespech
Aiguillon
Galapian
Lagarrigue
Prayssas
la Croix Blanche
Cassignas
Laroque-Timbaut
Frégimont
Lusignan-Petit
Bazen
GARONNE
Lot
Drot

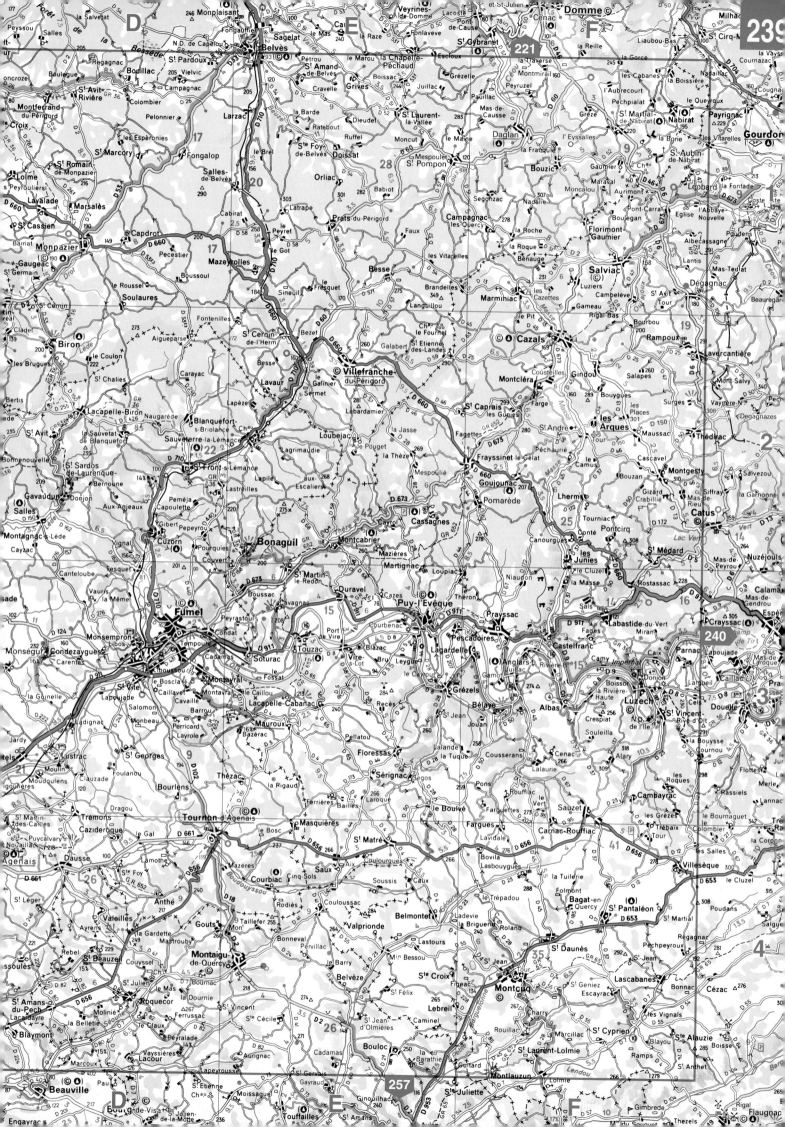
D
E
F
221
240
257
Domme
Belvès
Monplaisant
Sagelat
Veyrines-de-Domme
Cénac
St Cybranet
Daglan
Gourdon
Nabirat
Payrignac
St Cirq-Madelon
Milhac
Monpazier
Capdrot
Mazeyrolles
Salles-de-Belvès
Larzac
Doissat
St Pompon
Prats-du-Périgord
Orliac
Campagnac-lès-Quercy
Bouzic
Salviac
Léobard
Dégagnac
Cazals
Marminiac
Besse
Villefranche-du-Périgord
Biron
Soulaures
Lavaur
Loubejac
Lacapelle-Biron
Blanquefort-s-Briolance
Sauveterre-la-Lémance
St Front-s-Lémance
Gavaudun
Salles
Montcléra
Gindou
Rampoux
Lavercantière
Thédirac
les Arques
St Caprais
Frayssinet-le-Gélat
Goujounac
Pomarède
Cassagnes
Montgesty
Catus
Bonaguil
Cuzorn
Montcabrier
Fumel
Duravel
Puy-l'Évêque
Prayssac
les Junies
St Médard
Nuzéjouls
Castelfranc
Labastide-du-Vert
Crayssac
Monsempron-Libos
Condezaygues
Soturac
Touzac
Vire-s-Lot
Montayral
Lacapelle-Cabanac
Mauroux
Grézels
Bélaye
Albas
Luzech
St Vincent-Rive-d'Olt
Douelle
Parnac
Caillac
St Vite
Lustrac
St Georges
Floressas
Sérignac
Thézac
Bourlens
Tournon-d'Agenais
Masquières
St Matré
Sauzet
Carnac-Rouffiac
Cambayrac
Villesèque
Tremons
Cazideroque
Dausse
Courbiac
Saux
Bagat-en-Quercy
St Pantaléon
Belmontet
Montaigu-de-Quercy
Gouts
Anthé
Valeilles
St Beauzeil
Roquecor
Valprionde
Lascabanes
Montcuq
St Daunès
Lebreil
Ste Croix
Belvèze
Bouloc
St Cyprien
Ste Alauzie
St Laurent-Lolmie
Montlauzun
Ste Juliette
Blaymont
Lacour
St Amans-du-Pech
Beauville
Bourg-de-Visa
Touffailles
Engayrac
Gimbrède
Flaugnac
Cézac
Lot
Lémance
Lède
Thèze
Masse
Vert
Lendou
Séoune
Barguelonne
Boudouyssou
D 660
D 710
D 673
D 911
D 656
D 653
D 661
D 953
GR 36
GR 652
GR 65

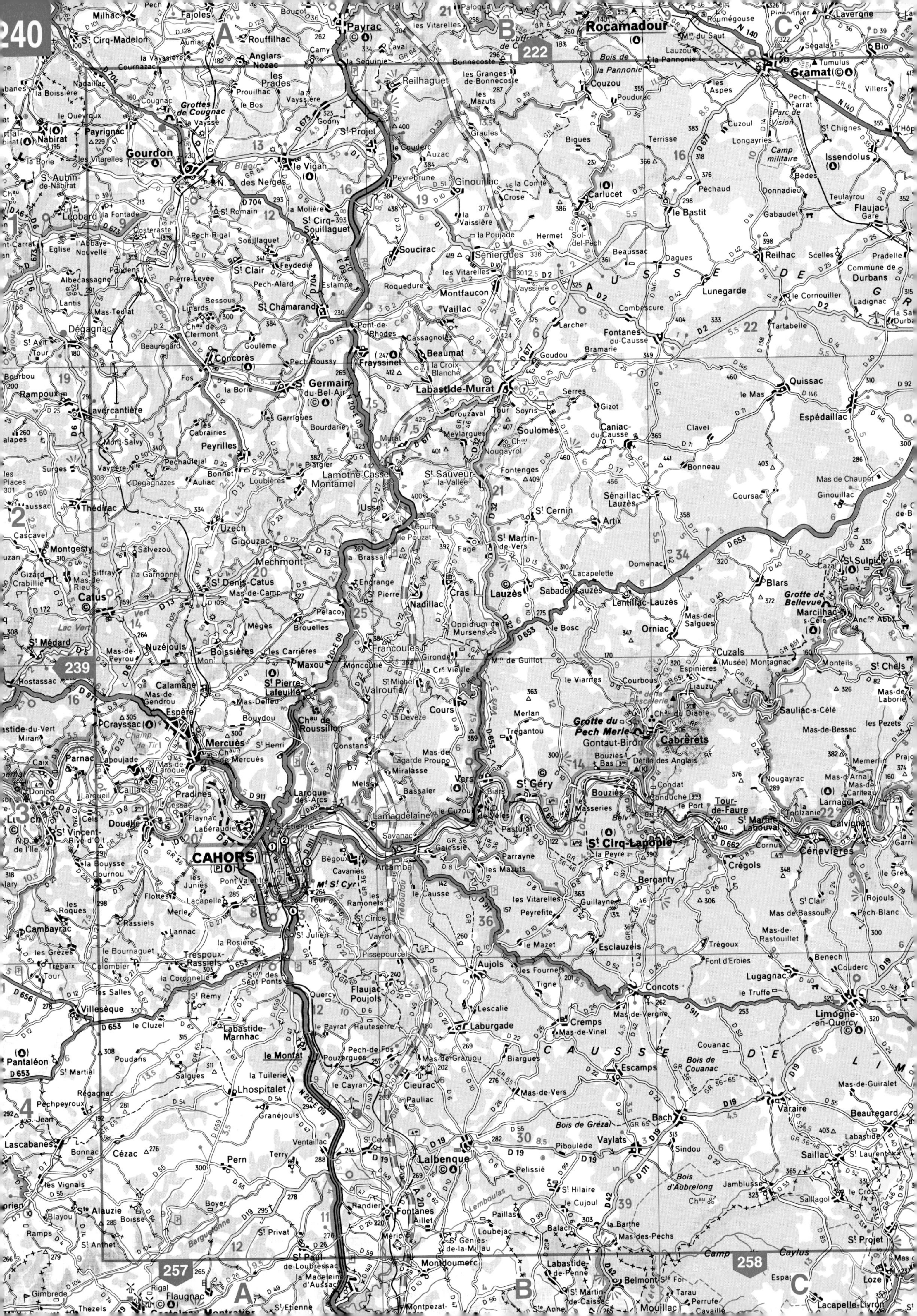

Payrac
Rocamadour
Gramat
Gourdon
Milhac
Fajoles
Rouffilhac
Anglars-Nozac
St Cirq-Madelon
Nabirat
Payrignac
Grottes de Cougnac
le Vigan
Reilhaguet
Couzou
Lavergne
Issendolus
Carlucet
le Bastit
Flaujac-Gare
St Cirq-Souillaguet
Ginouillac
Soucirac
Séniergues
Montfaucon
Vaillac
Reilhac
Lunegarde
Durbans
St Clair
St Chamarand
Concorès
Frayssinet
Beaumat
Labastide-Murat
Fontanes-du-Causse
Quissac
Espédaillac
St Germain-du-Bel-Air
Lavercantière
Dégagnac
Peyrilles
Soulomès
Caniac-du-Causse
Lamothe-Cassel
Montamel
Thédirac
Uzech
Ussel
St Sauveur-la-Vallée
Sénaillac-Lauzès
St Cernin
Artix
Montgesty
Gigouzac
Mechmont
St Martin-de-Vers
St Denis-Catus
Catus
Lauzès
Sabadel-Lauzès
Lentillac-Lauzès
Blars
St Sulpice
Grotte de Bellevue
Marcilhac-s-Célé
Nadillac
Cras
Orniac
St Médard
Nuzéjouls
Boissières
Maxou
St Pierre-Lafeuille
Valroufié
Cours
Cuzals
Grotte du Pech Merle
Cabrerets
Sauliac-s-Célé
Calamane
Espère
Crayssac
Mercuès
Parnac
Pradines
Douelle
Vers
St Géry
Bouziès
Tour-de-Faure
St Martin-Labouval
Calvignac
Cénevières
CAHORS
Laroque-des-Arcs
Lamagdelaine
Arcambal
St Cirq-Lapopie
Crégols
Cambayrac
Trespoux-Rassiels
Aujols
Esclauzels
Concots
Lugagnac
Limogne-en-Quercy
Villesèque
Flaujac-Poujols
Laburgade
Cremps
Lhospitalet
le Montat
Cieurac
Escamps
Bach
Vaylats
Varaire
Beauregard
Lalbenque
Saillac
Cézac
Pern
Fontanes
Lascabanes
Montdoumerc
Labastide-de-Penne
Belmont-Ste-Foi
Flaugnac
Lapelle-Livron
Caylus
C A U S S E D E G R
C A U S S E D E L I M
222
239
257
258
A
B
C
1
2
3
4

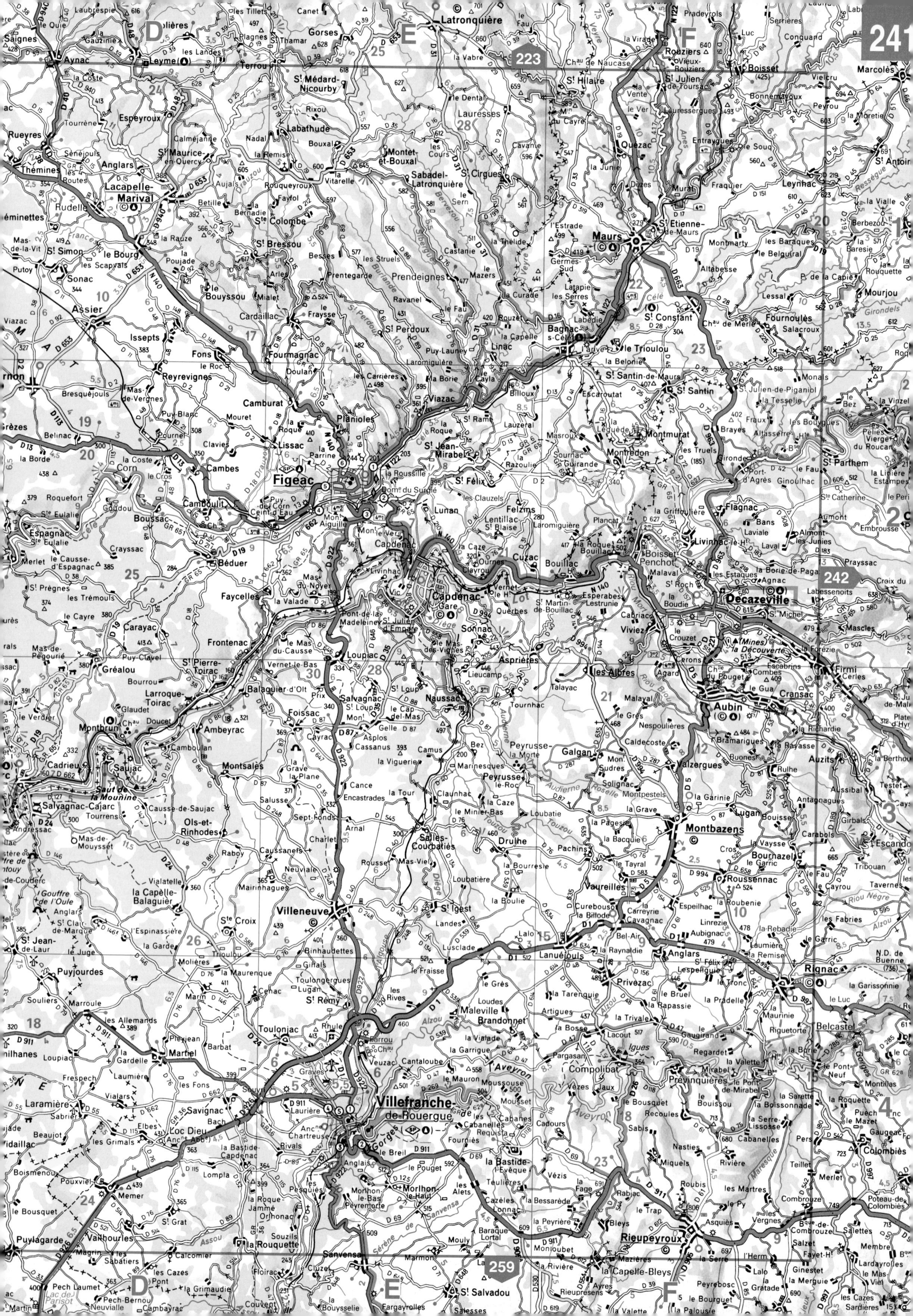

D   E   F

223

242

259

Figeac

Maurs

Capdenac

Capdenac-Gare

Decazeville

Aubin

Cransac

Firmi

Villefranche-de-Rouergue

Villeneuve

Montbazens

Rignac

Rieupeyroux

Belcastel

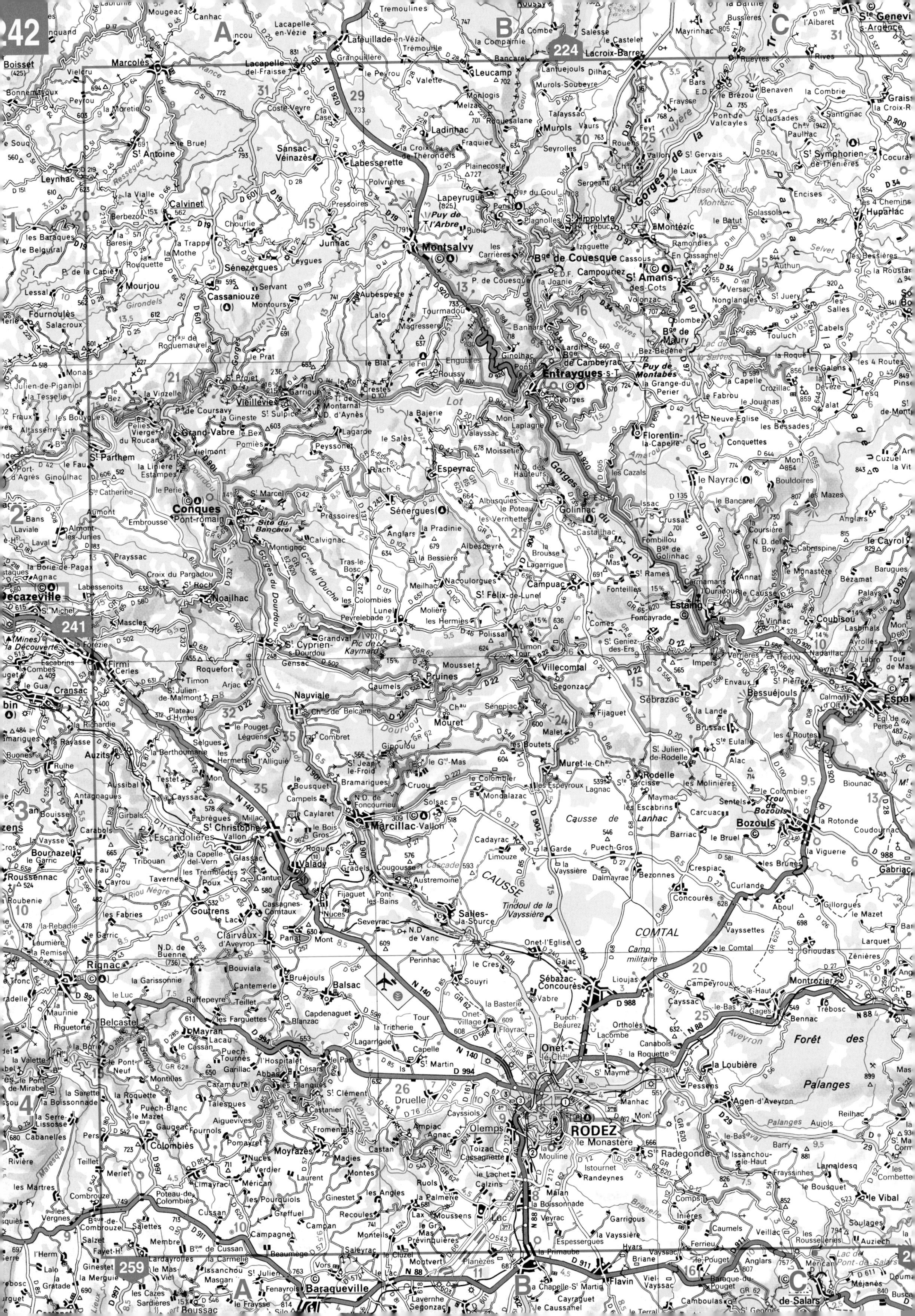

Michelin road map — Aveyron / Cantal region (grid A–C, rows 1–4)

Grid references: **242**, **224**, **241**, **259**

Major towns and features:
RODEZ, Montsalvy, Entraygues-s-T, Conques, Decazeville, Marcillac-Vallon, Bozouls, Rignac, Belcastel, Baraqueville, Espalion, St Amans-des-Cots, Lacroix-Barrez, Calvinet, Cassaniouze, Montézic, Golinhac, Estaing, Villecomtal, Pruines, Nauviale, Valady, Onet, Sébazac-Concourès, St Christophe-Vallon, Clairvaux-d'Aveyron, Naucelle, St Geniez-des-Ers.

Rivers: Lot, Truyère, Dourdou, Aveyron, Gorges du Lot, Selves.

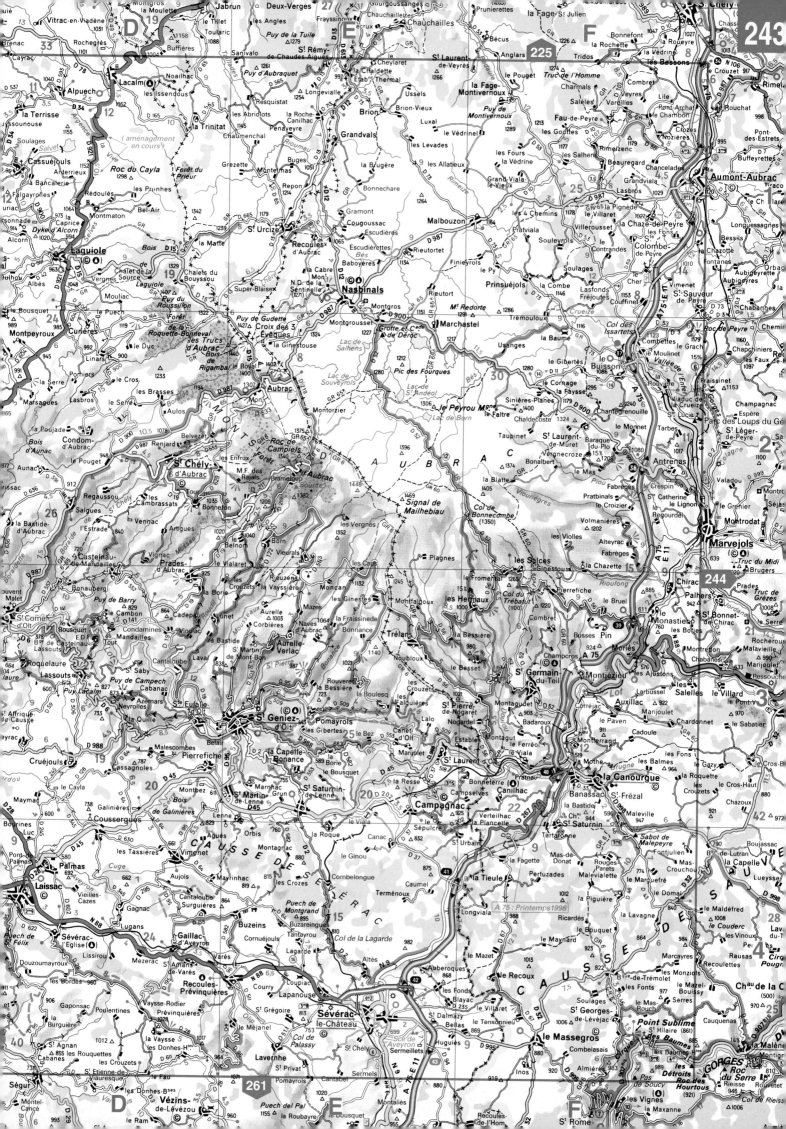

D
E
F
225
244
261
Jabrun
Deux-Verges
Chauchailles
la Fage-St Julien
Vitrac-en-Viadène
Lacalm
Alpuech
St Rémy-de-Chaudes-Aigues
la Chaldette
St Laurent-de-Veyrès
la Fage-Montivernoux
Truc de l'Homme
les Bessons
Aumont-Aubrac
la Trinitat
Brion
Grandvals
Fau-de-Peyre
Cassuéjouls
Roc du Cayla
Forêt du Prieur
Laguiole
St Urcize
Recoules-d'Aubrac
Malbouzon
la Chaze-de-Peyre
Ste Colombe-de-Peyre
Nasbinals
Prinsuéjols
Mt Redorte
St Sauveur de Peyre
Montpeyroux
Curières
Puy de Gudette
Croix des 3 Évêques
Marchastel
Col des Issartets
Roc de Peyre
Forêt de la Roquette-Bonneval
les Trucs d'Aubrac
Bois de Rigambal
Aubrac
Pic des Fourques
le Buisson
Vallée de l'Enfer
le Peyrou
Lac de Born
Parc des Loups du Gévaudan
Condom-d'Aubrac
Roc de Campiels
St Chély-d'Aubrac
MONTS D'AUBRAC
A U B R A C
Antrenas
Signal de Mailhebiau
Col de Bonnecombe (1350)
Forêt d'Aubrac
Marvejols
Truc du Midi
Prades-d'Aubrac
Castelnau-de-Mandailles
Puy de Barry
les Salces
les Hermaux
Col du Trébatut (1100)
Chirac
Palhers
St Bonnet-de-Chirac
St Côme-d'Olt
Aurelle-Verlac
Trélans
St Germain-du-Teil
Montjézieu
le Monastier
Roquelaure
Lassouts
Puy de Campech
Ste Eulalie-d'Olt
St Geniez-d'Olt
Pomayrols
St Pierre-de-Nogaret
Auxillac
les Salelles
le Villard
Pierrefiche
la Capelle-Bonance
St Laurent-d'Olt
la Canourgue
Banassac
St Frézal
St Martin-de-Lenne
St Saturnin-de-Lenne
Campagnac
Canilhac
St Saturnin
Coussergues
Vimenet
CAUSSE DE SÉVERAC
Sabot de Malepeyre
Palmas
Laissac
la Tieule
A 75 : Printemps 1998
Buzeins
Gaillac-d'Aveyron
Sévérac-l'Église
Col de la Lagarde
Recoules-Prévinquières
Sévérac-le-Château
CAUSSE DE SAUVETERRE
St Georges-de-Lévéjac
Point Sublime
le Massegros
Chau de la Caze
Ségur
Vézins-de-Lévézou
Col de Palassy
GORGES
Roc du Serre
les Détroits
Roc des Hourtous
Pas de Soucy
la Malène
St Rome-

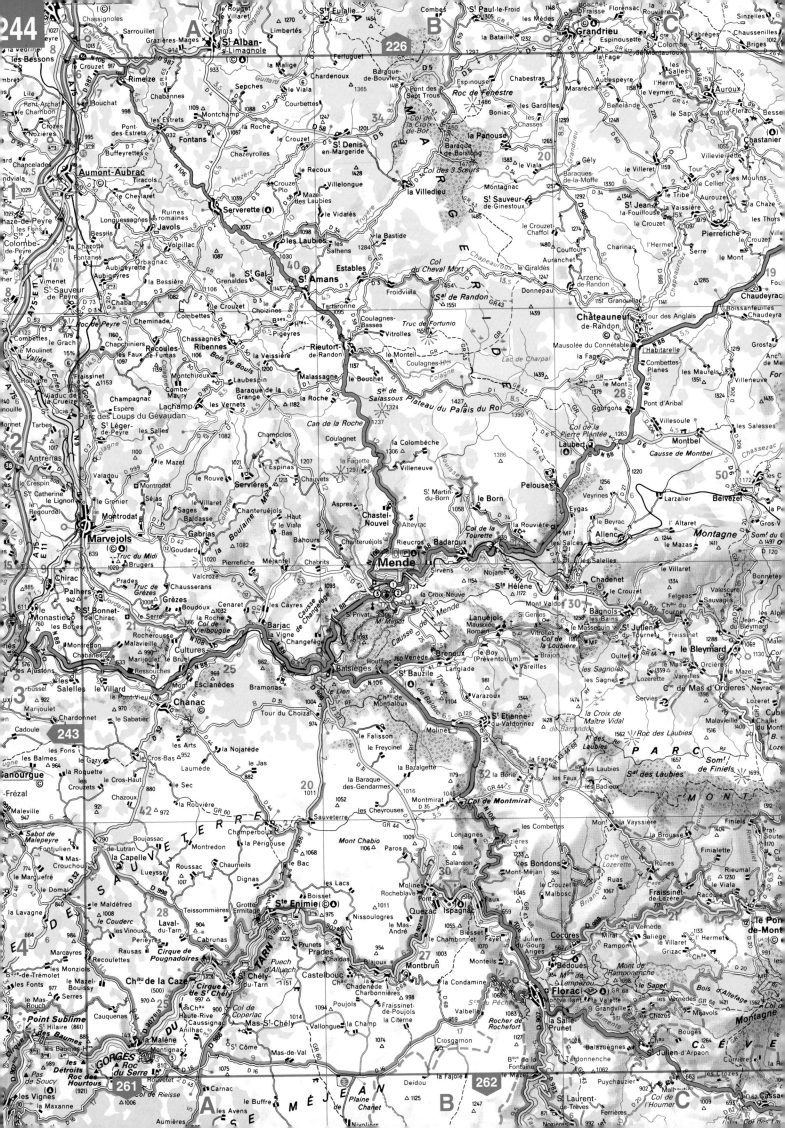
A
B
C
226
St Alban-s-Limagnole
Grandrieu
Rimeize
Aumont-Aubrac
Fontans
St Denis-en-Margeride
la Panouse
la Villedieu
Serverette
Javols
St Amans
Estables
Châteauneuf-de-Randon
Chaudeyrac
M A R G E R I D E
Roc de Fenestre
Col de la Croix-de-Bor
Col des 3 Sœurs
Col du Cheval Mort
Sal de Randon
Truc de Fortunio
Lac de Charpal
Plateau du Palais du Roi
Rieutort-de-Randon
Auroux
Chastanier
Laubert
Pelouse
le Born
Marvejols
Montrodat
Servières
Chastel-Nouvel
Mende
Badaroux
Chanac
Barjac
Balsièges
Causse de Changefège
Causse de Mende
Lanuéjols
Bagnols-les-Bains
St Julien-du-Tournel
le Bleymard
Chadenet
Allenc
Belvezet
Montbel
Causse de Montbel
Montagne
St Bauzile
St Étienne-du-Valdonnez
Col de Montmirat
Roc des Laubies
PARC
MONT
Sal des Laubies
Som! de Finiels
Chirac
Palhers
Grèzes
Antrenas
Parc des Loups du Gévaudan
Esclanèdes
Cultures
le Villard
Salelles
243
S A U V E T E R R E
Sauveterre
Mont Chabio
Ste Enimie
Quézac
Ispagnac
les Bondons
Fraissinet-de-Lozère
Cocurès
Bédouès
Florac
la Salle-Prunet
St Julien-d'Arpaon
Montbrun
St Chély-du-Tarn
Castelbouc
Prades
TARN
Cirque de St Chély
Cirque de Pougnadoires
Chau de la Caze
la Malène
GORGES DU
Roc du Serre
Point Sublime
les Baumes
Pas de Soucy
les Détroits
Roc des Hourtous
261
262
M É J E A N
Plaine Chanet
Mas-St-Chély
Col de Coperlac
Rocher de Rochefort
Mont de Ramponenche
Bois d'Altefage
Montagne
C É V E
St Laurent-de-Trèves
Col de l'Houmer
la Canourgue
Sabot de Malepeyre
la Capelle
Laval-du-Tarn
DE
1
2
3
4

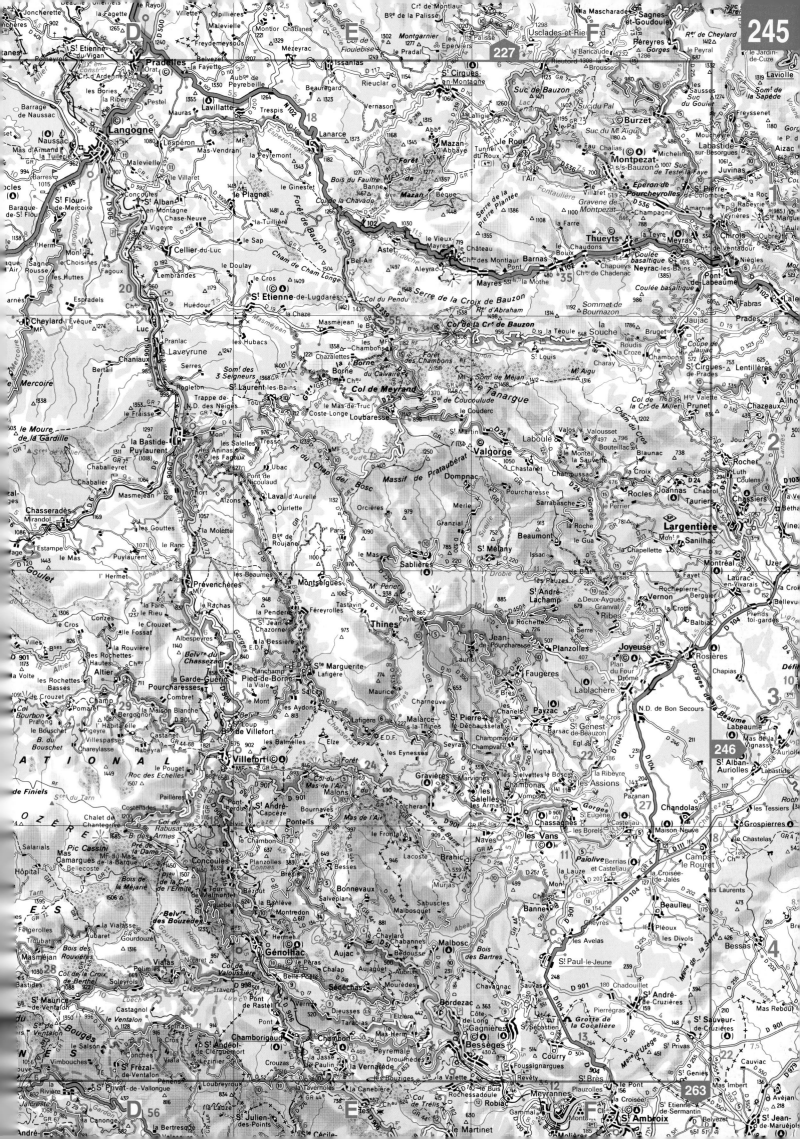
227
246
263
D
E
F
Pradelles
Langogne
Naussac
Lavillatte
Issanlas
St Cirgues-en-Montagne
Usclades-et-Rieutord
Sagnes-et-Goudoulet
Suc de Bauzon
Burzet
Montpezat-s/s-Bauzon
Mazan-l'Abbaye
Forêt de Mazan
Forêt de Bauzon
le Plagnal
St Alban-en-Montagne
Cellier-du-Luc
Thueyts
Meyras
Pont-de-Labeaume
Barnas
Mayres
Astet
St Etienne-de-Lugdarès
Serre de la Croix de Bauzon
Col de la Crᵉ de Bauzon
Jaujac
Luc
Laveyrune
Cheylard-l'Évêque
Mercoire
St Laurent-les-Bains
Col de Meyrand
le Tanargue
Loubaresse
Valgorge
Massif de Prataubérat
Largentière
Chassiers
Joannas
Rocles
la Bastide-Puylaurent
Chasseradès
Prévenchères
Montselgues
Thines
Sablières
St Mélany
St André-Lachamp
Joyeuse
Rosières
Planzolles
St Jean-de-Pourcharesse
Faugères
Lablachère
Payzac
Altier
la Garde-Guérin
Pourcharesses
Villefort
St André-Capcèze
Malons
Malarce-s-la-Thines
Gravières
les Salelles
Chambonas
les Vans
Chassagnes
les Assions
Chandolas
Labeaume
St Alban-Auriolles
Concoules
Génolhac
Aujac
Bonnevaux
Malbosc
Banne
St Paul-le-Jeune
Beaulieu
Bessas
Vialas
Sénéchas
Bordezac
Gagnières
Bessèges
Chamborigaud
Chambon
St Ambroix
Meyrannes
Robiac
St André-de-Cruzières
St Sauveur-de-Cruzières
Pic Cassini
Mas Camargues
Belvre des Bouzèdes
Gorges du Chassezac
Grotte de la Cocalière
Bois de Païolive
St Frézal-de-Ventalon
St Privat-de-Vallongue
St Maurice-de-Ventalon
Bougès
St Andéol-de-Clerguemort
St Julien-des-Points
Laviolle
Juvinas
Aizac
Chirols
Prades
Lentillères
Uzer
Montréal
Vinezac
Ribes
Vernon
Laurac-en-Vivarais
Grospierres
Beaumont

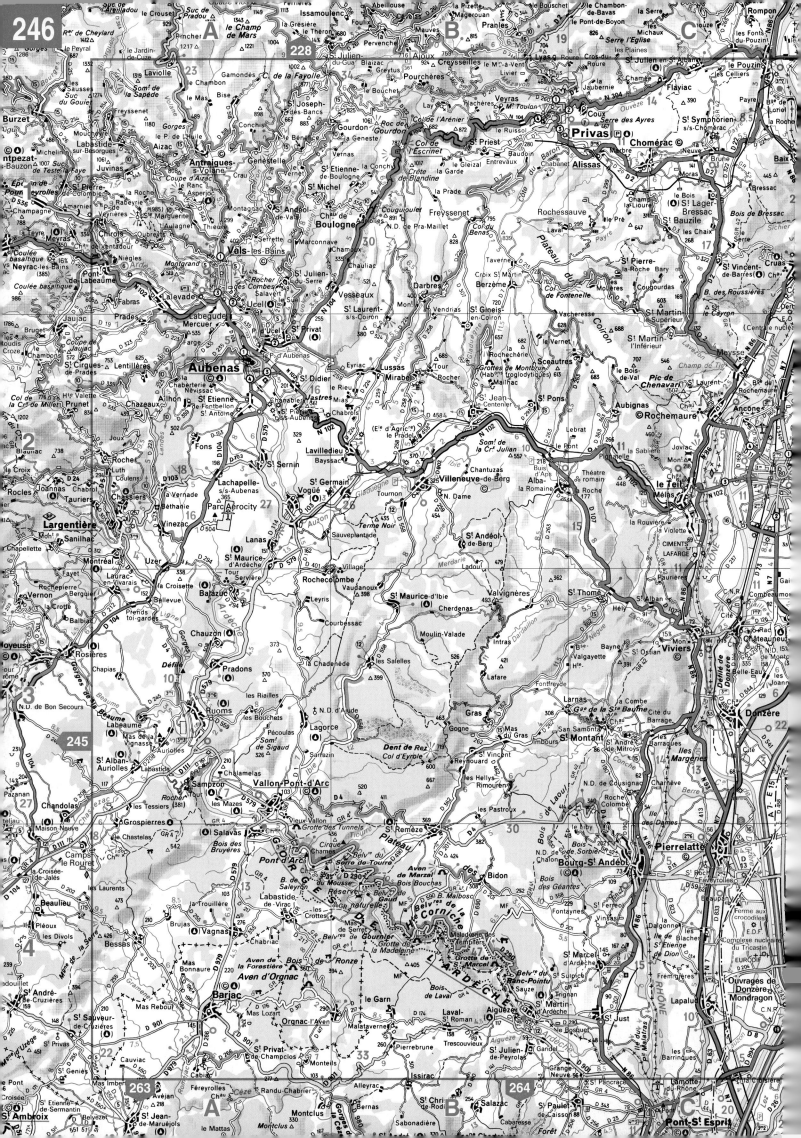
228
245
263
264
A
B
C
Privas
Aubenas
Vals-les-Bains
Antraigues-s-Volane
Villeneuve-de-Berg
Largentière
Vallon-Pont-d'Arc
Ruoms
Barjac
Bourg-St Andéol
Pierrelatte
Viviers
le Teil
Donzère
Pont-St Esprit
Rochemaure
Chomérac
Alissas
le Pouzin
Flaviac
Coux
Burzet
Neyrac-les-Bains
Pont-de-Labeaume
Lalevade
Labegude
Mercuer
Chassiers
Joyeuse
Rosières
Chandolas
Vogüé
Lavilledieu
St Germain
Lussas
Mirabel
Darbres
Vesseaux
St Privat
Ucel
Gourdon
Col de l'Escrinet
Plateau du Coiron
St Jean-le-Centenier
Aubignas
Alba-la-Romaine
Valvignères
St Thomé
St Maurice-d'Ibie
St Montant
Gras
St Remèze
Plateau des Gras
Gorges de l'Ardèche
Pont d'Arc
Aven d'Orgnac
Orgnac-l'Aven
Labastide-de-Virac
Vagnas
St Martin-d'Ardèche
Aiguèze
St Just
Lapalud
Ouvrages de Donzère-Mondragon
Complexe nucléaire du Tricastin
Lamotte-du-Rhône
St Paulet-de-Caisson
Salazac
Issirac
Montclus
St Ambroix
Goudargues
RHÔNE
N 102
N 104
N 86
N 7
A 7

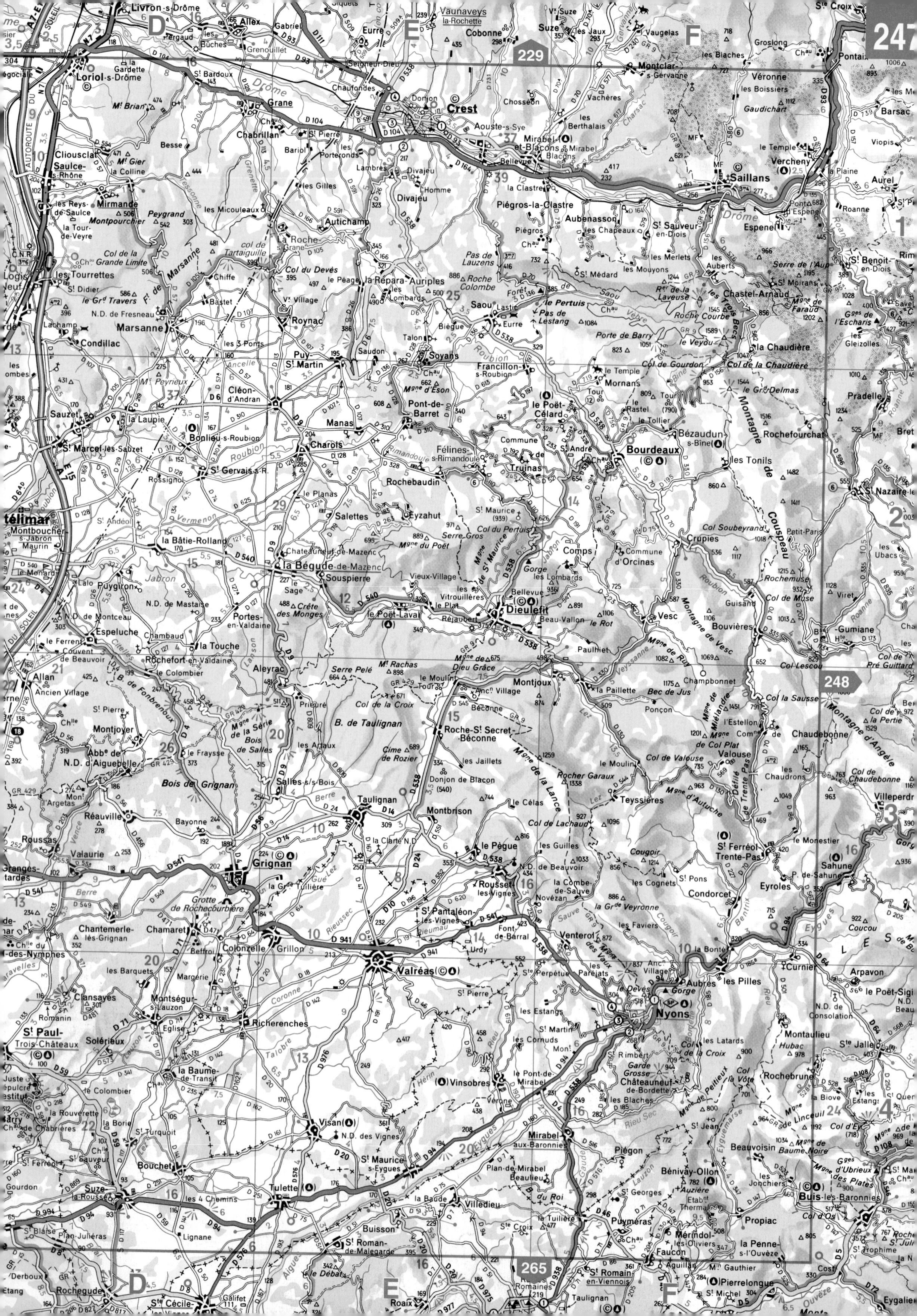

247

Crest · Saillans · Dieulefit · Bourdeaux · Grignan · Valréas · Nyons · Buis-les-Baronnies

229 · 248 · 265 · 228

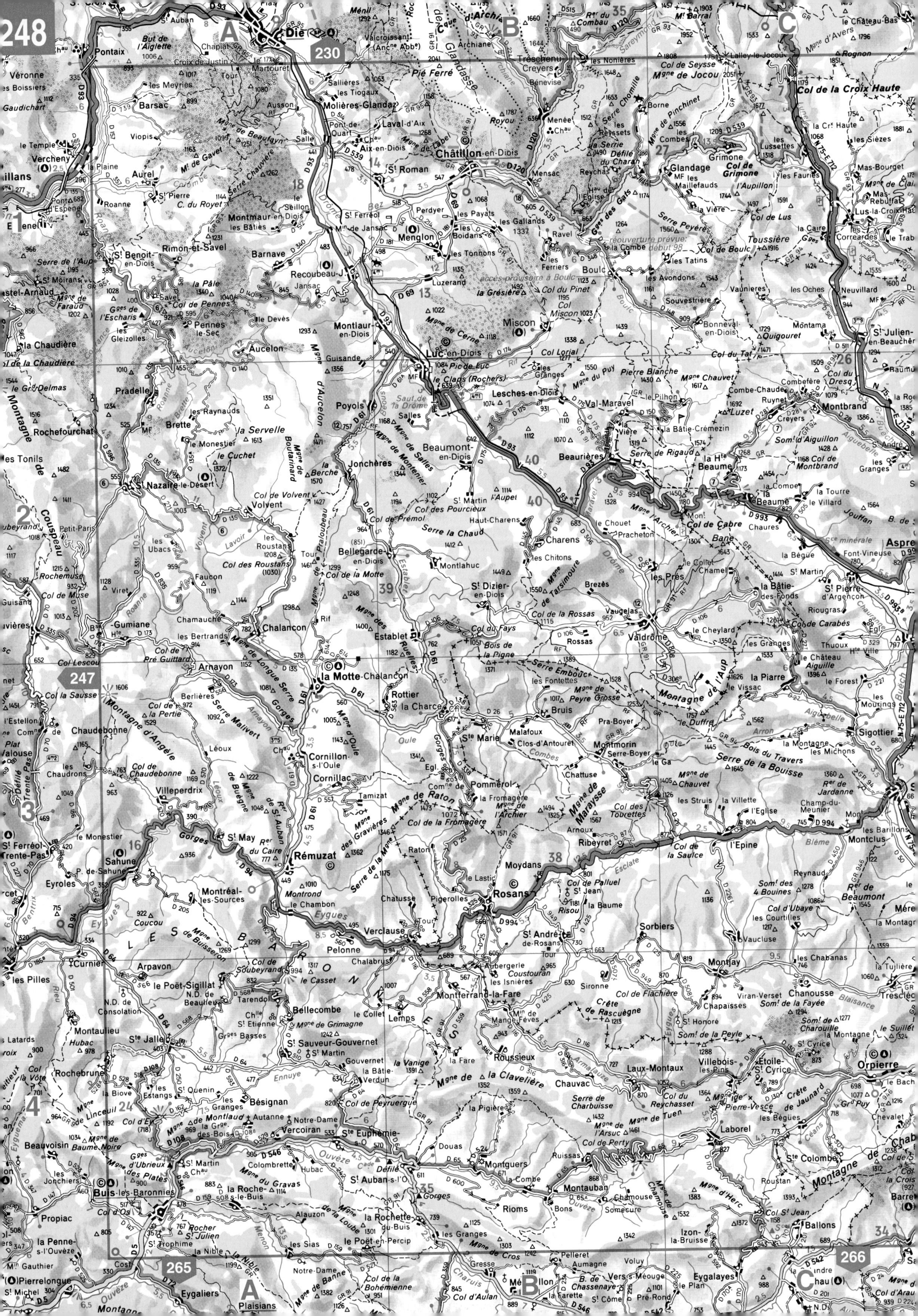

A · B · C

230

1

Die
St Auban
Pontaix
But de l'Aiglette
Croix de Justin
Chaplat
Martouret
Véronne
les Boissiers
Gaudichart
le Temple
Vercheny
Villans
Pont-d'Espenel
Roanne
Barsac
les Meyries
Aurel
Mt de Gavet
St Pierre
Viopis
Serre Chauvière
Montmaur-en-Diois
les Bâties
Ausson
Molières-Glandaz
Pont-de-Quart
la Salle
Aix-en-Diois
St Ferréol
St Roman
Perdyer
les Payats
les Gallands
Menglon
les Boidans
Châtillon-en-Diois
Mensac
Reychas
Glandage
les Maillefauds
Col de Grimone
Grimone
Col de Lus
Toussière
les Tatins
les Avondons

Col de la Croix Haute
la Cre Haute
les Lussettes
les Sièzes
Mas-Bourget
Lus-la-Croix-Haute
le Trab

2

247

la Chaudière
Col de la Chaudière
la Gde Delmas
Pradelle
les Raynauds
Brette
le Monestier
le Cuchet
St Nazaire-le-Désert
Volvent
Col de Volvent
Bellegarde-en-Diois
Montlahuc
St Dizier-en-Diois
Chamauche
Chalancon
Establet
la Motte-Chalançon
Arnayon
Berlières
Chaudebonne
Villeperdrix
Léoux
Cornillon-s-l'Oule
Cornillac
Rottier
la Charce
Bruis
Ste Marie
Malafoux
Clos-d'Antouret
Pommérol
Montmorin
Serre-Boyer
Chauvac
Montréal-les-Sources
St May
Rémuzat
Raton
Moydans
Rosans
St André-de-Rosans

3

Col la Sausse
Montagne d'Angèle
Chaudrons
Col de la Pertie
Couspeau
Rochemuse
Col de Muse
Viret
Faucon
les Ubacs
les Roustans
Tour
Col des Roustans
Col de la Motte
Rif
Pré Guittard
Serre Malivert
Cuisard
Gumiane
les Bertrands

4

265 · A · B · 266 · C

Buis-les-Baronnies
Propiac
la Penne-l'Ouvèze
Eygaliers
Plaisians
Sahune
Eyroles
Curnier
les Pilles
Arpavon
le Poët-Sigillat
Tarendol
Bellecombe
le Collet
Lemps
Montauban
Rioms
Rochebrune
Ste Jalle
St Sauveur-Gouvernet
St Martin
Gouvernet
Vercoiran
Bésignan
Montlaud
Notre-Dame
Montferrand-la-Fare
Roussieux
Laux-Montaux
Villebois-les-Pins
Étoile-St Cyrice
Orpierre
Laborel
Montguers
Montauban
Izon-la-Bruisse
Ballons
Eygalayes

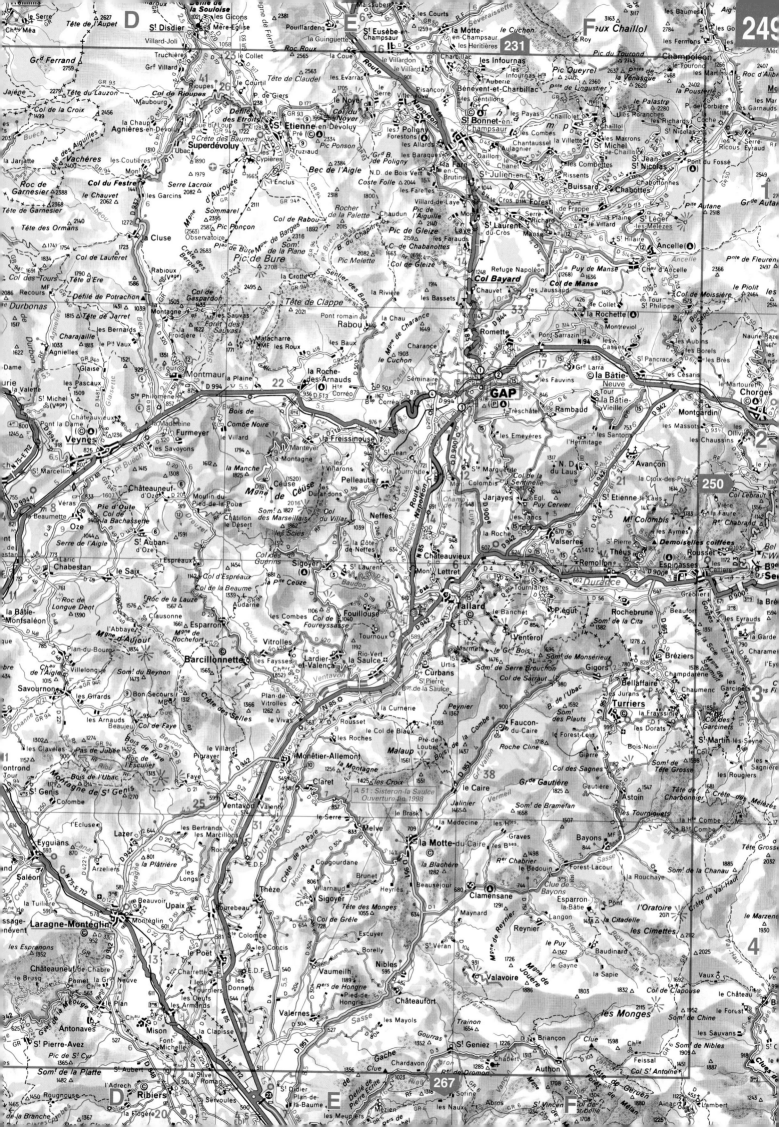
D
E
F
231
250
267
St Disdier
la Souloise
St Eusèbe-en-Champsaur
la Motte-en-Champsaur
Vieux Chaillol
Champoléon
Pic du Tourond
Grd Ferrand
Tête de l'Aupet
Tête du Lauzon
Col de Rioupes
Défilé des Etroits
St Etienne-en-Dévoluy
Superdévoluy
Agnières-en-Dévoluy
Crête des Aiguilles
Col du Noyer
le Noyer
Poligny
St Bonnet-en-Champsaur
Champsaur
les Infournas
Pic Queyrel
Bénévent-et-Charbillac
Chaillol
St Michel-de-Chaillol
St Jean-St Nicolas
Pont du Fossé
Roc de Garnesier
Col du Festre
Bec de l'Aigle
Pic Ponçon
Pic de Bure
Crête des Bergers
la Cluse
Col de Lauteret
Col des Tours
Défilé de Potrachon
Durbonas
Montagne de Durbon
Agnielles
Col de Gaspardon
Forêt des Sauvas
Tête de Clappe
Rabou
Col Bayard
Col de Manse
Puy de Manse
Chauvet
Ancelle
St Léger-les-Mélèzes
Forest
St Laurent-du-Cros
Laye
la Fare-en-Champsaur
Pic de Gleize
Col de Gleize
Montagne de Charance
Romette
la Rochette
Col de Moissière
Montmaur
la Roche-des-Arnauds
GAP
la Bâtie-Neuve
Chorges
Veynes
Furmeyer
la Freissinouse
Pelleautier
Rambaud
Montgardin
Avançon
Châteauneuf-d'Oze
Montagne de Céüse
Col de la Sentinelle
Jarjayes
St Etienne-le-Laus
Mt Colombis
Oze
Col de la Bachassette
St Auban-d'Oze
Neffes
Châteauvieux
Valserres
Théus
Remollon
Espinasses
Demoiselles coiffées
Chabestan
le Saix
Sigoyer
Lettret
Durance
Tallard
Fouillouse
Barcillonnette
Esparron
Vitrolles
Lardier-et-Valença
la Saulce
Curbans
Venterol
Piégut
Rochebrune
Gigors
Bellaffaire
Turriers
Savournon
Col de Faye
Crête des Selles
Monêtier-Allemont
Malaup
Faucon-du-Caire
Montagne de St Genis
St Genis
Ventavon
le Caire
Col des Sagnes
A 51: Sisteron-la Saulce Ouverture fin 1998
Eyguians
Lazer
Melve
la Motte-du-Caire
Bayons
Laragne-Montéglin
Upaix
Thèze
Sigoyer
Clamensane
Reynier
Col de Grêle
le Poët
Vaumeilh
Nibles
Châteaufort
Valavoire
les Monges
Mison
Valernes
Antonaves
St Geniez
Authon
Ribiers
Défilé de Pierre Écrite

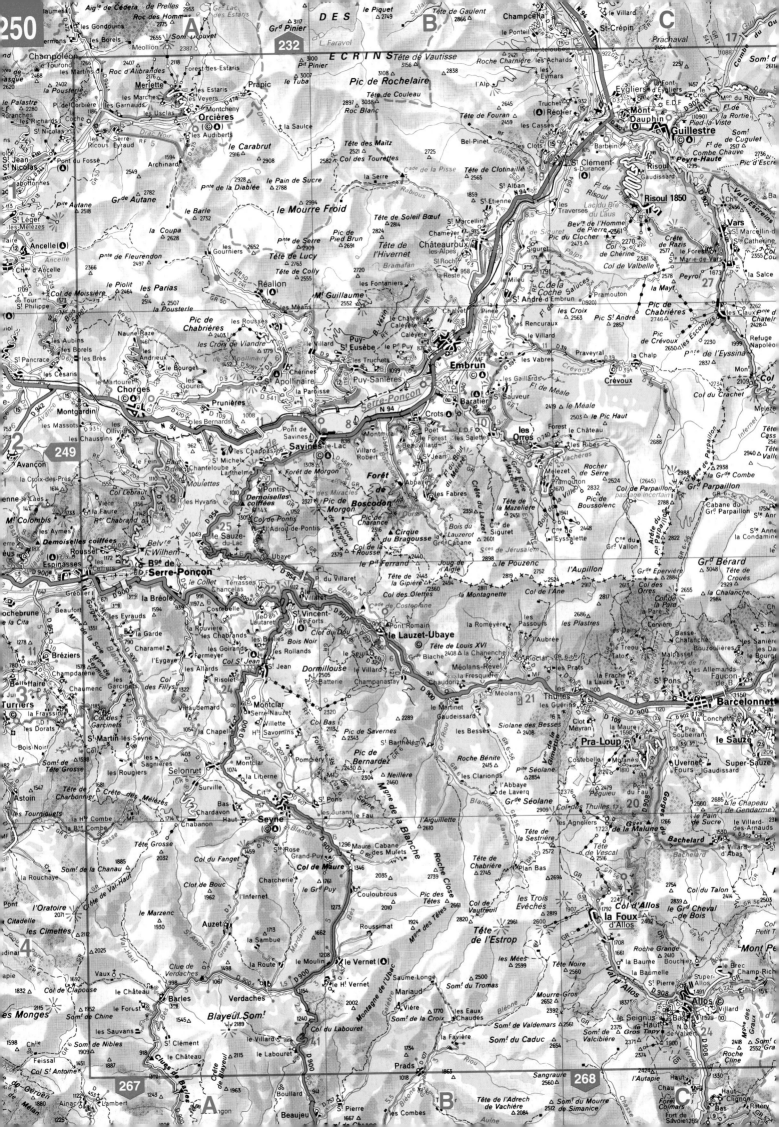

A
B
C
232
249
267
268
17
ECRINS
Pic de Rochelaire
Tête de Vautisse
Orcières
Merlette
Prapic
Champoléon
St-Crépin
Champcella
Réotier
Mont Dauphin
Eygliers
Guillestre
Risoul
Risoul 1850
Vars
le Mourre Froid
Grde Autane
Ancelle
Réallon
Châteauroux-les-Alpes
St André d'Embrun
Chorges
Embrun
Crots
Baratier
Savines-le-Lac
Serre-Ponçon
Crévoux
les Orres
Forêt de Boscodon
Pic de Morgon
Demoiselles coiffées
le Sauze-du-Lac
Espinasses
Bge de Serre-Ponçon
la Bréole
St Vincent-les-Forts
le Lauzet-Ubaye
Méolans-Revel
Barcelonnette
Pra-Loup
le Sauze
Super-Sauze
Turriers
Selonnet
Seyne
Montclar
Col St Jean
Grd Parpaillon
Col de Parpaillon
Grd Bérard
Col de Maure
Auzet
le Vernet
Barles
Verdaches
Blayeul Somt
Tête de l'Estrop
Les Trois Evêchés
Col d'Allos
la Foux d'Allos
Allos
Prads
Beaujeu
Col du Labouret
Clues de Barles
Tête Grosse
N 94
D 900
D 954

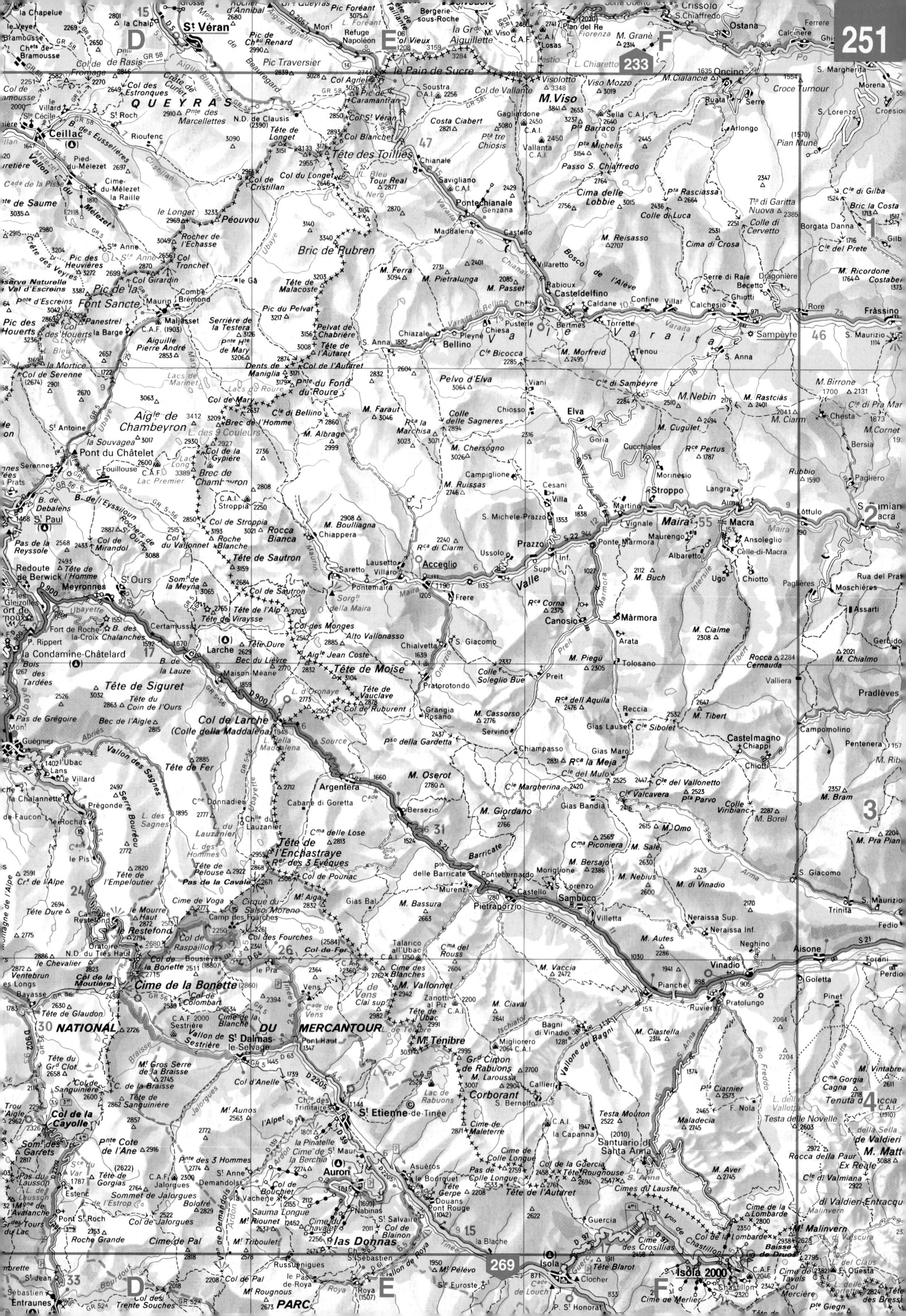
St Véran
QUEYRAS
Ceillac
Col Agnel
Pic de Caramantran
Col St Véran
Tête des Toillies
Col de Vallante
M. Viso
Viso Mozzo
Crissolo
Ostana
Oncino
Pontechianale
Castello
Casteldelfino
Sampeyre
Valle Varaita
Bellino
Elva
Stroppo
Macra
Maira
Acceglio
Prazzo
Valle
Marmora
Canosio
Castelmagno
Pradlèves
Larche
Col de Larche
(Colle della Maddalena)
Meyronnes
St Paul
Pont du Châtelet
Aigle de Chambeyron
Brec de Chambeyron
Bric de Rubren
Pic de la Font Sancte
Maljasset
Maurin
Tête de Sautron
Rocca Bianca
Tête de Moïse
Tête de Siguret
Argentera
Bersezio
Pietraporzio
Sambuco
Vinadio
Aisone
Pontebernardo
Tête de l'Enchastraye
Cime de la Bonette
Restefond
NATIONAL
DU
MERCANTOUR
St Dalmas-le-Selvage
St Etienne-de-Tinée
Auron
Isola
Isola 2000
Col de la Cayolle
Mt Ténibre
Corborant
Santuario di Santa Anna
Entraunes
Las Donnas
PARC
Roya
Valle Stura di Demonte
Col de Pal
Col des Trente Souches
Col de Jalorgues
Cime de Pal
Tête de Gorgias
Col des Fourches
Col de la Moutière
Col de la Gypière
M. Oserot
M. Giordano
M. Pelvo d'Elva
M. Chersogno
M. Faraut
M. Albrage
M. Mattt
Rocca della Paur
Ex Reale
Col de Valmiana
Valdieri
Trinità
S. Giacomo
S. Maurizio
Frassino
Rore
Colle di Sampeyre
M. Nebin
M. Reisasso
Cima delle Lobbie
Passo S. Chiaffredo
233
269
D
E
F
1
2
3
4

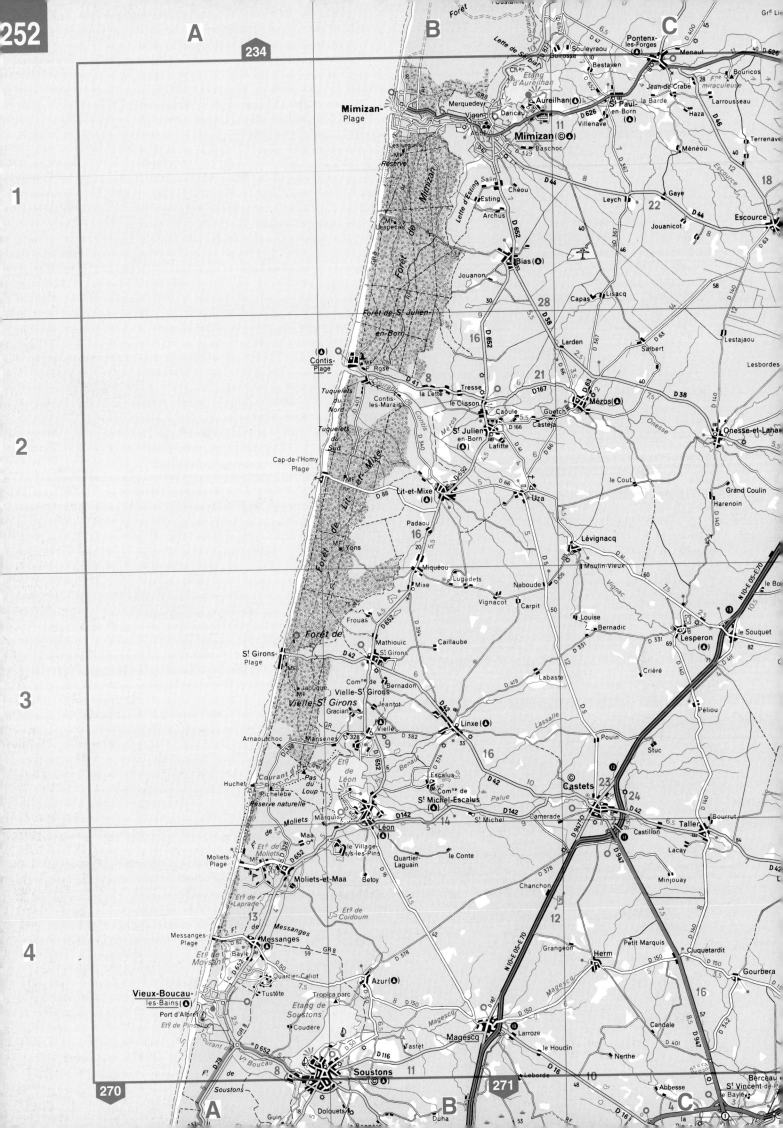
A
B
C
234
270
271
1
2
3
4
Mimizan-Plage
Mimizan
Aureilhan
Etang d'Aureilhan
Pontenx-les-Forges
Souleyraou
Guirosse
Bestaven
Menaut
Bouricos
Jean-de-Crabe
St Paul-en-Born
Villenave
Merquedeyre
Vigon
Daricau
Baschoc
la Barde
Larrousseau
Haza
Terrenave
Méneou
Forêt de Mimizan
Réserve
Salin
Esting
Archus
Chéou
Leych
Gaye
Jouanicot
Escource
Bias
Jouanon
Capas
Lisacq
Forêt de St Julien-en-Born
Contis-Plage
Larden
Salbert
Lestajaou
Lesbordes
Tuquelets du Nord
Tuquelets du Sud
Contis-les-Marais
la Lette
Tresse
le Clisson
Caoule
Guetch
Casteja
St Julien-en-Born
Lafitte
Mézos
Onesse-et-Laharie
Cap-de-l'Homy Plage
Forêt de Lit-et-Mixe
Lit-et-Mixe
Uza
le Cout
Grand Coulin
Harenoin
Padaou
Yons
Lévignacq
Moulin-Vieux
Miquéou
Mixe
Lugadets
Naboude
Vignacot
Carpit
Frouas
Louise
Bernadic
Lesperon
le Souquet
Mathiouic
Caillaube
St Girons-Plage
St Girons
Crièré
Comne de Vielle-St Girons
Bernadon
Labaste
Jeantot
Gracian
Vielle
Linxe
Péliou
Arnaoutchoc
Mansenes
Pouin
Stuc
Etg de Léon
Escalus
Comne de St Michel-Escalus
Castets
Huchet
Pas du Loup
Pichelèbe
Réserve naturelle
Moliets
Marquis
Léon
St Michel
Camerade
Castillon
Taller
Bourrut
Lacay
Maa
le Village-s/s-les-Pins
Quartier-Laguain
le Conte
Moliets-Plage
Moliets-et-Maa
Betoy
Minjouay
Chanchon
Etg de Laprade
Etg de Coidoum
Messanges-Plage
Messanges
Bayle
Etg de Moysan
Grangeon
Herm
Petit Marquis
Cluquetardit
Gourbera
Quartier-Caliot
Tustète
Azur
Vieux-Boucau-les-Bains
Port d'Albret
Etg de Pinsolle
Tropica parc
Etang de Soustons
Coudère
Magescq
Larroze
Candale
Tastet
le Houdin
Nerthe
Soustons
Leborde
Abbesse
Berceau
St Vincent-de-P
le Bayle
Dolouets
Guin
Duha
N 10-E 05-E 70
D 652
D 626
D 44
D 38
D 41
D 167
D 42
D 142
D 947
D 150
D 16

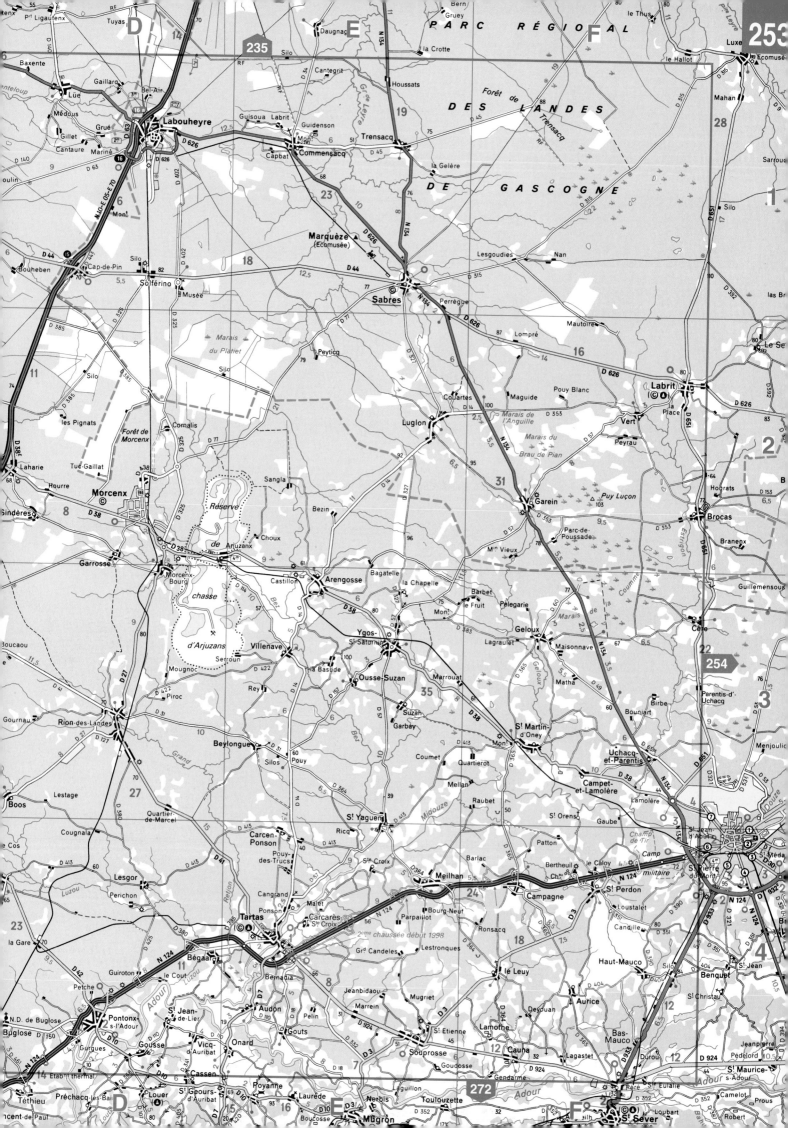
PARC RÉGIONAL
DES LANDES
DE GASCOGNE
Forêt de Trensacq
235
254
272
Labouheyre
Commensacq
Trensacq
Houssats
Daugnag
Silo
Cantegrit
Guisoua
Labrit
Guidenson
Capbat
la Crotte
la Gelère
Marquèze
(Ecomusée)
Sabres
Perrègue
Lesgoudies
Nan
Mautoire
Lompré
Labrit
Luxey
Ecomusée
le Hallot
Mahan
Lüe
Baxente
Gaillard
Bel-Air
Médous
Gillet
Grué
Cantaure
Mariné
Tuyas
Pt Ligautenx
Cap-de-Pin
Bouheben
Solférino
Musée
Marais du Platiet
Peyticq
Silo
les Pignats
Forêt de Morcenx
Cornalis
Laharie
Tuc-Gaillat
Hourre
Morcenx
Sindères
Sangla
Reserve de Arjuzanx
Choux
Bezin
Garrosse
Morcenx-Bourg
chasse d'Arjuzans
Castillon
Arengosse
Bagatelle
la Chapelle
Villenave
Serroun
Mougnoc
Ygos-St Saturnin
la Basode
Ousse-Suzan
Rey
Piroc
Suzan
Garbay
Rion-des-Landes
Beylongue
Silos
Pouy
Luglon
Colartes
Maguide
Pouy Blanc
Marais de l'Anguille
Marais du Brau de Pian
Vert
Peyrau
la Place
Garein
Puy Luçon
Parc-de-Poussade
Mn Vieux
Hourats
Brocas
Branenx
Estrigon
Guillemensous
Barbet
le Fruit
Pelegarie
Mont
Geloux
Maisonnave
Lagraulet
Matha
Marrouat
Cère
Parentis-d'Uchacq
Birbe
Bouniart
St Martin-d'Oney
Uchacq-et-Parentis
Campet-et-Lamolère
Lamolère
Coumet
Quartierot
Mellan
Raubet
Midouze
St Orens
Gaube
Champ de Tir
Camp militaire
Patton
St Jean-d'Août
St Pierre du Mont
Menjoulic
Boos
Lestage
Quartier-de-Marcel
Cougnala
St Yaguen
Ricq
Carcen-Ponson
Pouy-des-Trucs
Ste Croix
Meilhan
Campagne
Barlac
Bertheuil
le Caloy
St Perdon
Loustalet
Candille
Lesgor
Perichon
Luzou
Tartas
Carcarès-Ste Croix
Cangrand
Malet
Ponson
Bourg-Neuf
Parpaillot
Ronsacq
2ème chaussée début 1998
Grd Candeles
Lestronques
le Leuy
Haut-Mauco
Benquet
St Jean
St Christau
Bégaar
la Gare
Guiroton
le Cout
Petche
Bernadia
Jeanbidaou
Mugriet
Marrein
Aurice
Deyouan
Lamothe
Bas-Mauco
Durou
Jeanpierre
Pédelord
N.D. de Buglose
Buglose
Pontonx-s-l'Adour
Gurgues
Gousse
St Jean-de-Lier
Vicq-d'Auribat
Onard
Audon
Gouts
Pelin
St Etienne
Souprosse
Goudosse
Cauna
Lagastet
Gendarme
St Maurice-s-Adour
Etabt thermal
Cassen
Téthieu
Préchacq-les-Bains
Louer
St Geours-d'Auribat
Poyanne
Laurède
Nerbis
Laguillon
Toulouzette
Mugron
Boucosse
Péré
Ste Eulalie
Camelot
Prous
Loubart
Robert
St Sever
Adour
Bas
Le Sen
Sarrouc
Gournau
Boucaou
Cos
Icent-de-Paul
N 134
N 124
D 626
D 44
D 38
D 651
D 933
D 924
N 10-E 05-E 70

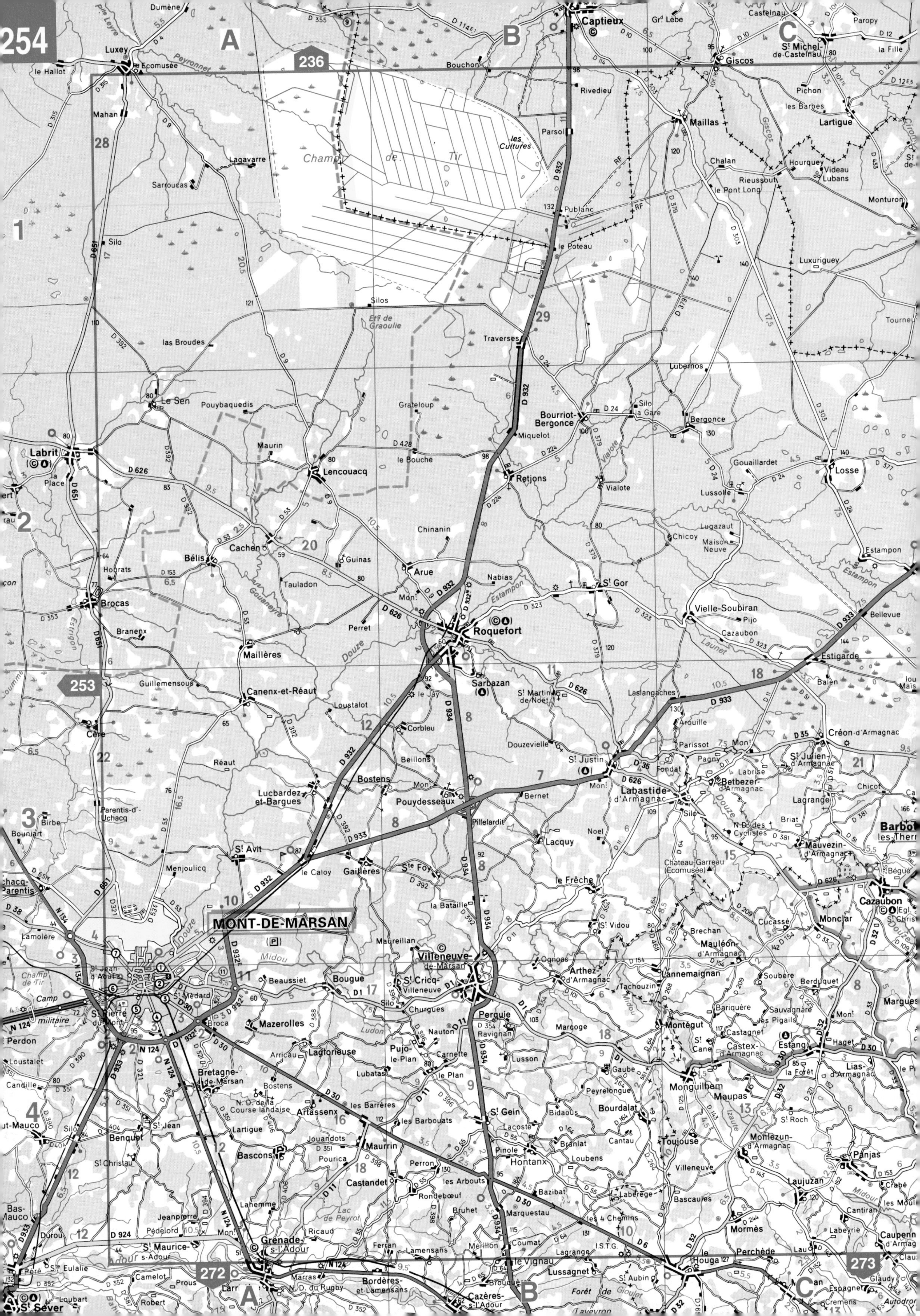

236

253

272 273

MONT-DE-MARSAN

Roquefort

Captieux

Giscos

St Michel-de-Castelnau

Labrit

Luxey

Écomusée

le Hallot

Mahan

Lagavarre

Sarroucas

Le Sen

Pouybaquedis

Maurin

Lencouacq

le Bouché

Bélis

Cachen

Guinas

Arue

Brocas

Branenx

Maillères

Guillemensous

Canenx-et-Réaut

Loustalot

Corbleu

Beillons

Bostens

Lucbardez-et-Bargues

Pouydesseaux

Pillelardit

St Avit

le Caloy

Gaillères

Ste Foy

la Bataille

Menjoulicq

St Jean-d'Août

St Pierre du Mont

St Médard

Broca

Mazerolles

Bougue

St Cricq-Villeneuve

Villeneuve-de-Marsan

Perguie

Ravignan

Lusson

Beaussiet

Churgues

Nauton

Carnette

le Plan

Lubatas

Pujo-le-Plan

Arricau

Lagloriouse

Bostens

Bretagne-de-Marsan

N.D. de la Course landaise

Artassenx

Jouandots

Bascons

Pourica

Maurrin

Perron

Castandet

Rondebœuf

St Gein

Lacoste

Pinole

Hontanx

Loubens

les Arbouts

Bazibat

Bruhet

Marquestau

Coumat

les 4 Chemins

I.S.T.G.

le Vignau

Lagrange

Grenade-s/l'Adour

Bordères-et-Lamensans

Cazères-s/l'Adour

Benquet

St Jean

Lartigue

St Christau

Lahemme

Jeanpierre

Pédelord

St Maurice-s-Adour

Bas-Mauco

Dúrou

Larrat

N.D. du Rugby

Marras

Camelot

Prous

Robert

Loubart

St Eulalie

St Sever

Parsol

Rivedieu

Bouchon

Publanc

le Poteau

Traverses

Bourriot-Bergonce

Miquelot

Retjons

Vialote

Gratsloup

Chinanin

Nabias

St Gor

Maillas

Chalan

Rieussout

le Pont Long

Lubernos

Bergonce

Gouaillardet

Lussolle

Chicoy

Maison Neuve

Lugazaut

Vielle-Soubiran

Pijo

Cazaubon

Losse

Estampon

Créon-d'Armagnac

St Julien-d'Armagnac

Lartigue

Videau

Hourquey

Luxuriguey

Monturon

Tournes

Pichon

les Barbes

Sarbazan

St Martin de Noët

Douzevielle

St Justin

Fondat

Pagny

Parissot

Arouille

Laslangaches

Estigarde

Balen

Labrise

Betbezer-d'Armagnac

Lagrange

Chicot

Barbo les Therm

Mauvezin-d'Armagnac

N.D. des Cyclistes

Château-Garreau (Écomusée)

Briat

Noël

P Lacquy

le Frêche

St Vidou

Bernet

Ognoas

Arthez-d'Armagnac

Marcoge

Brechan

Mauléon-d'Armagnac

Cucassé

Monclar

Bégue

Cazaubon

Estang

la Forêt

Lias-d'Armagnac

Haget

Maupas

Castex-d'Armagnac

St Cane

Peyrelongue

Gaube

Montégut

Bariquère

Sauvagnare

les Pigails

Soubère

Berduquet

Lannemaignan

Tachouzin

Bourdalat

Monguilhem

Bidaou

Cantau

Branle

Castagnet

St Roch

Toujouse

Villeneuve

Montlezun-d'Armagnac

Laujuzan

Panjas

Mormès

Labeyrie

Caupenn d'Armag

Perchède

le Houga

Lussagnet

Merillon

Ferran

Lamensans

Brouqué

Forêt de Gioulet

Espagnet

Cremens

l'Aveyron

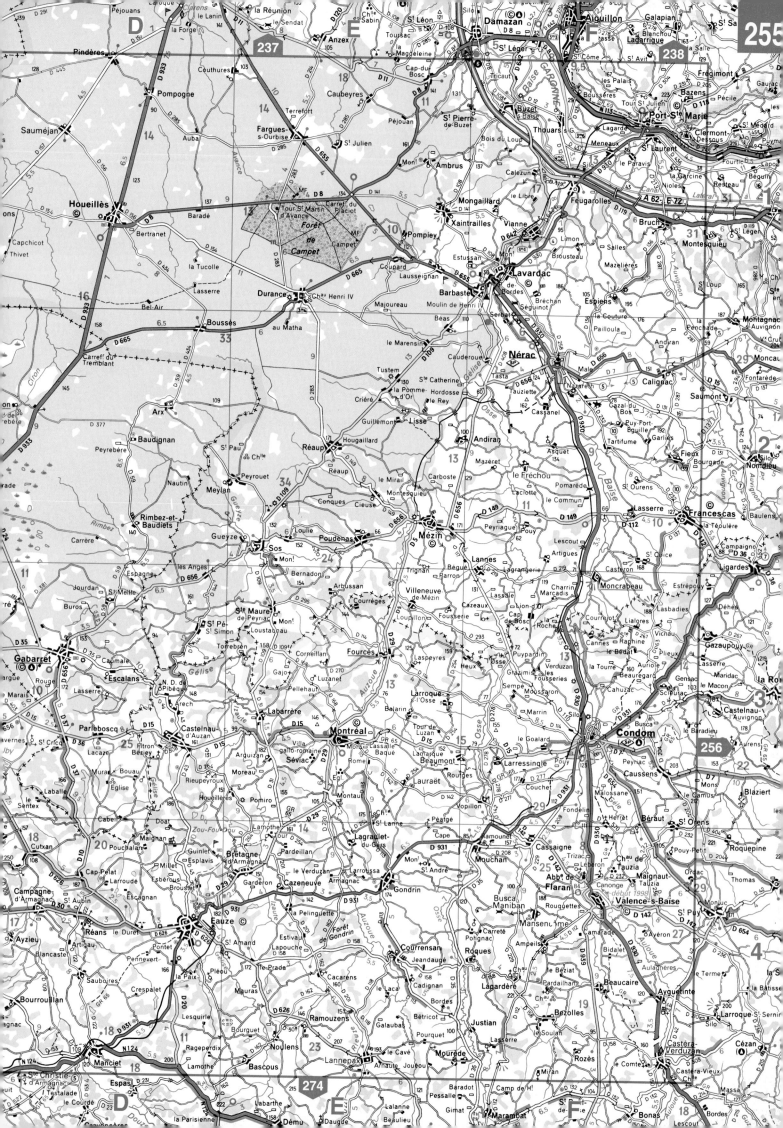
Aiguillon
Damazan
Port-Ste Marie
Houeillès
Durance
Forêt de Campet
Lavardac
Barbaste
Nérac
Francescas
Mézin
Montréal
Condom
Gabarret
Fourcès
Eauze
Gondrin
Valence-s-Baïse
Manciet
Castéra-Verduzan
Cazeneuve
Moncrabeau
Xaintrailles
Mongaillard
Vianne
Feugarolles
Montesquieu
Calignac
Poudenas
Sos
Réaup
Larroque-s-l'Osse
Cassaigne
Mouchan
Courrensan
Noulens
Bascous
Lannepax
Ramouzens
Beaucaire
Ayguetinte
Bretagne-d'Armagnac
Castelnau-d'Auzan
Parleboscq
Escalans
Labarrère
Séviac
Lagraulet-du-Gers
Campagne-d'Armagnac
Réans
A 62 - E 72
237
238
256
274

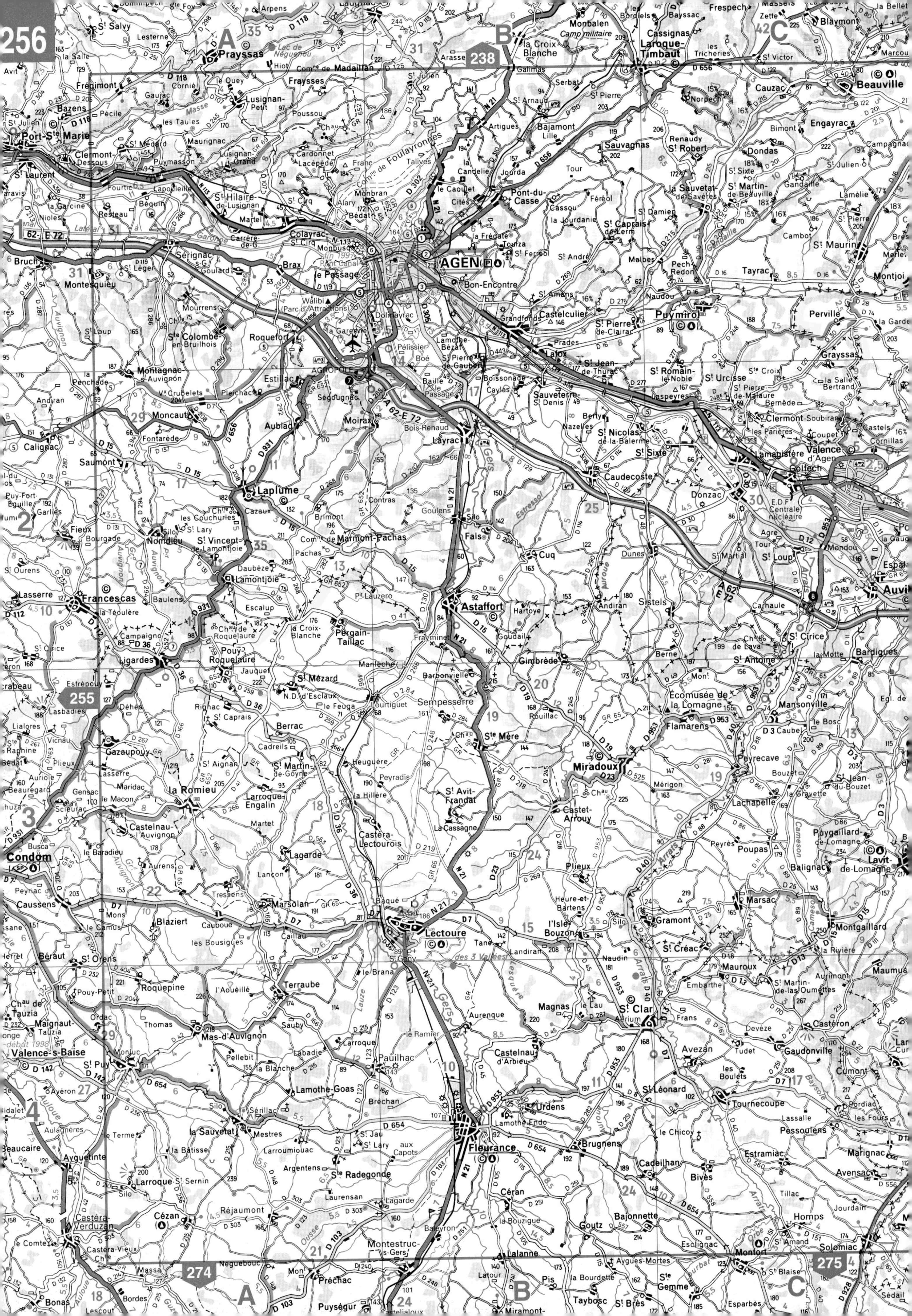

256

AGEN

Prayssas · St Salvy · Lesterne · Arpens · Frespech · Massels · Zette · Blaymont
St Julien · Monbalen · Camp militaire · Cassignas · Laroque-Timbaut · Bordiels · Bayssac
la Croix-Blanche · Arasse · 238 · Beauville · Cauzac · Engayrac · Campagne
Frégimont · Gaujac · Fraysses · Poussou · St Julien · Artigues · Bajamont · Lille · Sauvagnas · St Robert · Dondas · St Julien
Bazens · Pécile · les Taules · Cardonnet · Lacépède · Franc · la Candelie · Jourda · Renaudy · Dondas · St Sixte
Port-Ste-Marie · Clermont-Dessous · St Médard · Maurignac · Lusignan-Grand · Monbran · Bédat · le Caoulet · Pont-du-Casse · Cassou · la Sauvetat-de-Savères · St Martin-de-Beauville · Lamélie
St Laurent · Puymasson · St Hilaire-de-Lusignan · St Cirq · Alary · Cités · la Fregale · St Caprais-de-Lerm · St Damien · Gandaille
Fourtic · Lapouleille · Martel · Colayrac · Monbusq · N 113 · la Jourdanie · St Pierre · Cambot
62-E 72 · Garonne · Carrère-de-G · St Cirq · AGEN · Bon-Encontre · St André · Malbes · Pech-Redon · Tayrac · St Maurin · Merle
Bruch · Sérignac · Brax · le Passage · St Ferréol · St Amans · St Pierre-de-Clairac · Naudou · Montjoi
Montesquieu · Mourrens · Ste Colombe-en-Bruilhois · Roquefort · Walibi · Dolmayrac · Castelculier · Puymirol · Perville · la Garde
Montagnac-sur-Auvignon · Estillac · Agropole · Boé · St Pierre-de-Gaubert · Lafox · St Jean-de-Thurac · Grayssas
Moncaut · Aubiac · Moirax · Baille · Caylas · Sauveterre-St-Denis · St Romain-le-Noble · St Urcisse · Ste Croix
Calignac · Saumont · Laplume · Layrac · Bois-Renaud · Berty · Nazelles · St Nicolas-de-la-Balerme · St Sixte · Clermont-Soubiran · Castels · Cornillas
Fieux · les Couchuries · St Lary · Cazaux · Brimont · Contras · Goulens · Caudecoste · Donzac · Valence-d'Agen · Golfech
Lasserre · Francescas · Nomdieu · St Vincent-de-Lamontjoie · Pachas · Fals · Cuq · Dunes · St Martial · St Loup · Auvi
Ligardes · Lamontjoie · Escalup · la Croix-Blanche · Pergain-Taillac · Astaffort · Hartoye · Andiran · Sistels · St Crice · Bardigues
Estrépouy · Pouy-Roquelaure · Jauquet · St Mézard · Barbonvielle · Fraymine · Goudail · Gimbrède · Berne · St Antoine · la Motte
255 · Déhès · Rignac · St Caprais · N.D. d'Esclaux · le Feuga · Lourtiguet · Sempesserre · Rouillac · Écomusée de la Lomagne · Mansonville · le Bosc
Gazaupouy · St Aignan · St Martin-de-Goyne · Peyradis · Ste Mère · St Clair · Flamarens · Peyrecave · St Jean-du-Bouzet · Caube
la Romieu · Larroque-Engalin · Heuguère · la Hillère · St Avit-Frandat · Miradoux · Mérigon · Lachapelle · la Gravette · Puygaillard-de-Lomagne
Castelnau-l'Auvignon · Martet · Lagarde · Castéra-Lectourois · la Cassagne · Castet-Arrouy · Plieux · Peyrès · Poupas · Balignac · Lavit-de-Lomagne
Condom · Caussens · le Baradieu · Aurens · Lançon · Baqué · l'Isle-Bouzon · Heure-et-Bartens · Gramont · Marsac · Montgaillard
Blaziert · Caubove · Marsolan · Lectoure · Tane · Landiran · Naudin · St Créac · Mauroux · St Martin-de-las-Oumettes
Béraut · St Orens · Roquepine · l'Aouéillé · Terraube · le Brana · Aurengue · Magnas · le Lau · Avezan · Tudet · Gaudonville · Castéron
Maignaut-Talzia · Mas-d'Auvignon · Sauby · le Ramier · Castelnau-d'Arbieu · St Léonard · Tournecoupe · Marignac · Avensac
Valence-s-Baise · St Puy · Monluc · Pellebit · la Blanche · Pauilhac · Lamothe-Goas · Brechan · Urdens · Brugnens · Cadeilhan · Bives · Estramiac
la Sauvetat · Mestres · St Jau · St Lary · aux Capots · Fleurance · Lamothe-Endo · Bajonnette · Tillac · Jourdain
Aygues-Mortes · St Amand · Monfort · Solomiac
Castéra-Verduzan · Cézan · Réjaumont · Larroque-St-Sernin · St Radegonde · Laurensan · Lagarde · la Bouzigue · Goutz · Céran · Homps
274 · Bonas · Bordes · Préchac · Puységur · Mon · Pis · la Bourdette · Taybosc · St Brès · Esparbès · 275

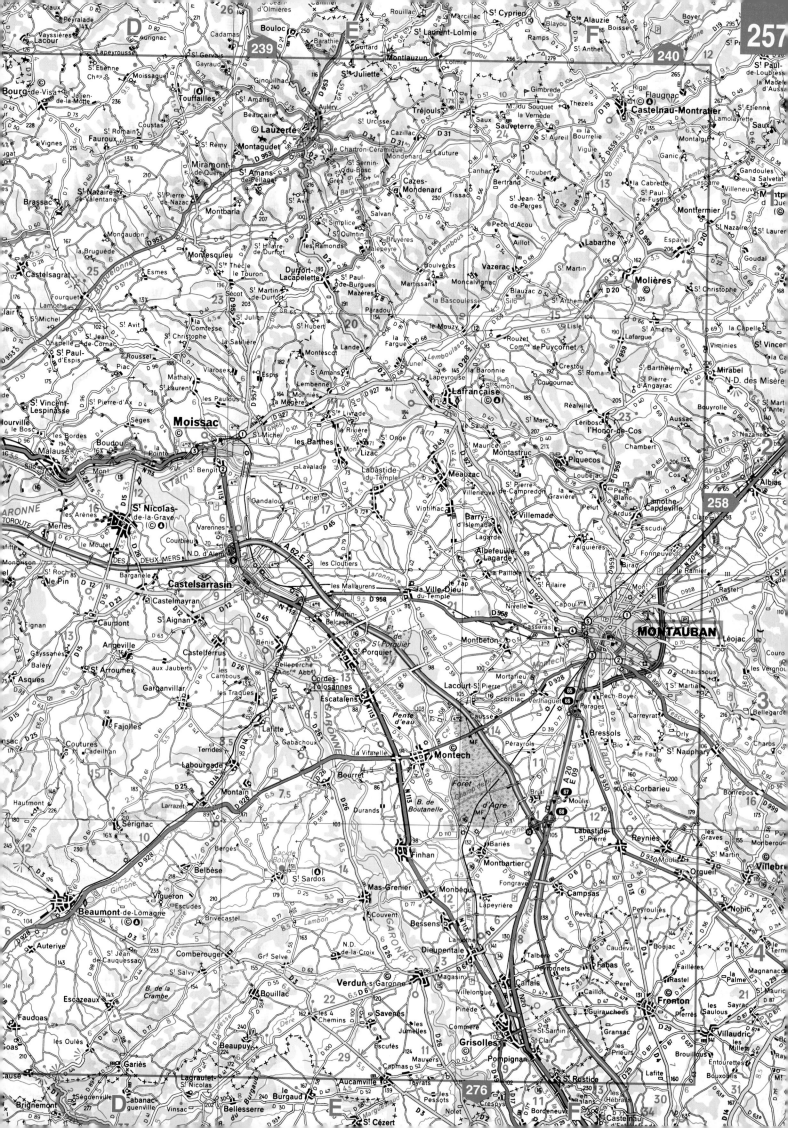
D
E
F
239
240
258
276
Bouloc
St Laurent-Lolmie
Montlauzun
Ste Juliette
St Cyprien
Ste Alauzie
Lendou
Aurignac
Lacour
Vayssières
Peyralade
Cadamas
Lapeyrousse
St Gervais
Gayraud
Bourg-de-Visa
St Julien-de-la-Motte
Moissaguel
Touffailles
Ginouilhac
St Amans
Beaucaire
Lauzerte
Aulery
St Urcisse
Tréjouls
Montagudet
Fauroux
St Romain
Coustas
St Rémy
Vignes
Miramont-de-Quercy
St Amans-de-Pellagal
Le Chartron-Céramique
St Sernin-du-Bosc
Grès
St Avit
Cazes-Mondenard
Mondenard
Lauture
Cazillac
Saux
Sauveterre
St Aureil
Flaugnac
Castelnau-Montratier
Gimbrede
Mn du Souquet
la Vernede
Thezels
Bourrelie
Viguie
Rigal
Lamolayrette
St Paul-de-Loubressac
St Etienne
Montaigu
Ganic
Gandoules
la Salvetat
Lesparre
Villeneuve
Lemboulas
Barguelonne
St Nazaire-de-Valentane
St Pierre-de-Nazac
Brassac
Montbarla
Salvan
St Simplice
St Quintin
Bruyères
Malepeyre
les Ramonds
Tissac
Canhac
Bertrand
Froubert
St Jean-de-Perges
la Cabrette
St Paul-de-Fusquet
Montfermier
St Nazaire
St Laurent
Pech-d'Acou
Aillot
Labarthe
Espanel
Goudal
Mongaudon
la Bruguède
Castelsagrat
Montesquieu
St Hilaire-de-Durfort
Ste Thècle
le Touron
Durfort-Lacapelette
St Paul-de-Burgues
Mazères
Boulvères
Martissan
Moncalvignac
Vazerac
Blauzac
Silo
St Martin
Molières
St Christophe
Esmes
Fourquet
Lamothe
Sécot
St Martin-de-Durfort
St Hubert
Paradou
la Bascoulesse
St Arthemie
Lisle
la Capelle
St Michel
St Julien
la Comtesse
St Avit
la Chapelle
St Jean-de-Cornac
St Paul-d'Espis
St Christophe
la Saulière
Montescot
la Lande
la Fargue
le Mouzy
Rouzet
Comne de Puycornet
Lafargue
St Amans
Viminies
St Vincent
Roussel
Piac
Viarose
Mathaly
St Laurent
Espis
St Amans
Lembenne
Lunel
Lapeyrouse
la Baronnie
Crestou
St Romain
St Barthélemy
St Pierre-d'Angayrac
Mirabel
N.-D. des Misère
St Vincent-Lespinasse
St Pierre-d'Ax
les Paulous
Monniès
la Magère
Lafrançaise
St Simon
Cougournac
Réalville
Bouyrolle
Moissac
Séges
Ste Livrade
la Rivière
Lizac
St Onge
St Michel
les Barthes
Tarn
le Saula
St Maurice
Montastruc
St Marc
Léribosc
l'Honor-de-Cos
Aussac
St Nazaire
Chambert
Malause
les Bordes
Boudou
la Pointe
Silo
Piquecos
Loubéjac
Cos
Albias
Aveyron
St Benoît
Lavalade
Labastide-du-Temple
Meauzac
Villeneuve
St Pierre-de-Campredon
la Gravière
Pelut
Pech-Blanc
Lamothe-Capdeville
la Claire
Gandalou
Leriet
Vintilhac
Barry-d'Islemade
Villemade
Ardus
Escudié
St Nicolas-de-la-Grave
les Arènes
Merles
le Moutet
Courbieu
Varennes
N.D. d'Alem
Lagarde
Albefeuille-Lagarde
Falguières
Fonneuve
Le Ramier
DES DEUX-MERS
Monbrison
St Roch
le Pin
Barganele
Castelsarrasin
les Cloutiers
Laronne
la Paillole
le Tap
Birac
Rastel
Léojac
les Mallaurens
la Ville-Dieu-du-Temple
St Hilaire
Nivelle
Capou
Castelmayran
Fignan
Caumont
St Aignan
St Martin-Belcassé
Bénis
Casseras
Montbeton
MONTAUBAN
Angeville
Gayssanès
Balery
Castelferrus
St Porquier
Forêt de St Porquier
Mortarieu
Asques
St Arroumex
aux Jauberts
les Cambous
Belleperche
Ance Abbe
Cordes-Tolosannes
Escatalens
Lacourt-St Pierre
Scorbiac
Verlhaguet
Parages
Pech-Boyer
Chaussous
St Martial
les Vergnou
Bellegarde
Garganvillar
les Traques
Canal latéral à la Garonne
Pente d'eau
Fajolles
Lafitte
Gabachoux
Causse
Pérayrols
Bressols
Carreyrat
Orly
Charos
Coutures
Cadeilhan
Terrides
la Vitarelle
Montech
Bio
le Fau
St Nauphary
Labourgade
Bourret
Forêt Champ de Tir d'Agre
Brial
Moulis
Corbarieu
Bonrepos
Montain
Durands
B. de Boutanelle
Labastide-St Pierre
Hautmont
Larrazet
Sérignac
Bergès
Finhan
Bariès
Montbartier
Reyniès
les Graves
St Martin
Monberou
Villebr
Orgueil
Moulis
Lac de Boulet
St Sardos
Belbèse
Vigueron
Escudès
Gimone
Mas-Grenier
Monbéqui
Fongrave
Campsas
Peyroulies
Nohic
Beaumont-de-Lomagne
Brivecastel
Couvent
Lapeyrière
Lambon
Bessens
Pevel
Boujac
Auterive
St Jean-de-Cauquessac
Comberouger
Grd Selve
N.D. de-la-Croix
Dieupental
Lamothe
Talbère
Caudeval
Fabas
Faillères
Magnanac
la Palme
St Salvy
Verdun-s-Garonne
Magasin
Peyronnets
Canals
Caillol
Perel
Rastel
Fronton
B. de la Crambe
Escazeaux
Bouillac
les 4 Chemins
Savenès
Villelongue
Pinède
Guirauchous
les Saulous
Sayrac
Pierres
Faudoas
les Oulès
Beaupuy
Escufès
les Jumelles
Commère
St Sarnin
Gransac
Villaudric
les Millets
Goas
Grisolles
St Clair
les Prieurs
Brouillous
Gariès
Mauvers
Capmas
Pompignan
Estourettes
Bouxoulis
Lagraulet-St Nicolas
Aucamville
Teyrats
St Rustice
Lafite
Cabanac-Séguenville
Séguenville
Brignemont
Vinsac
Bellesserre
le Burgaud
les Pessots
Nolet
Crespys
Bordeneuve
les Hébrails
Castelnau
St Cézert
Marguestaud
Garonne

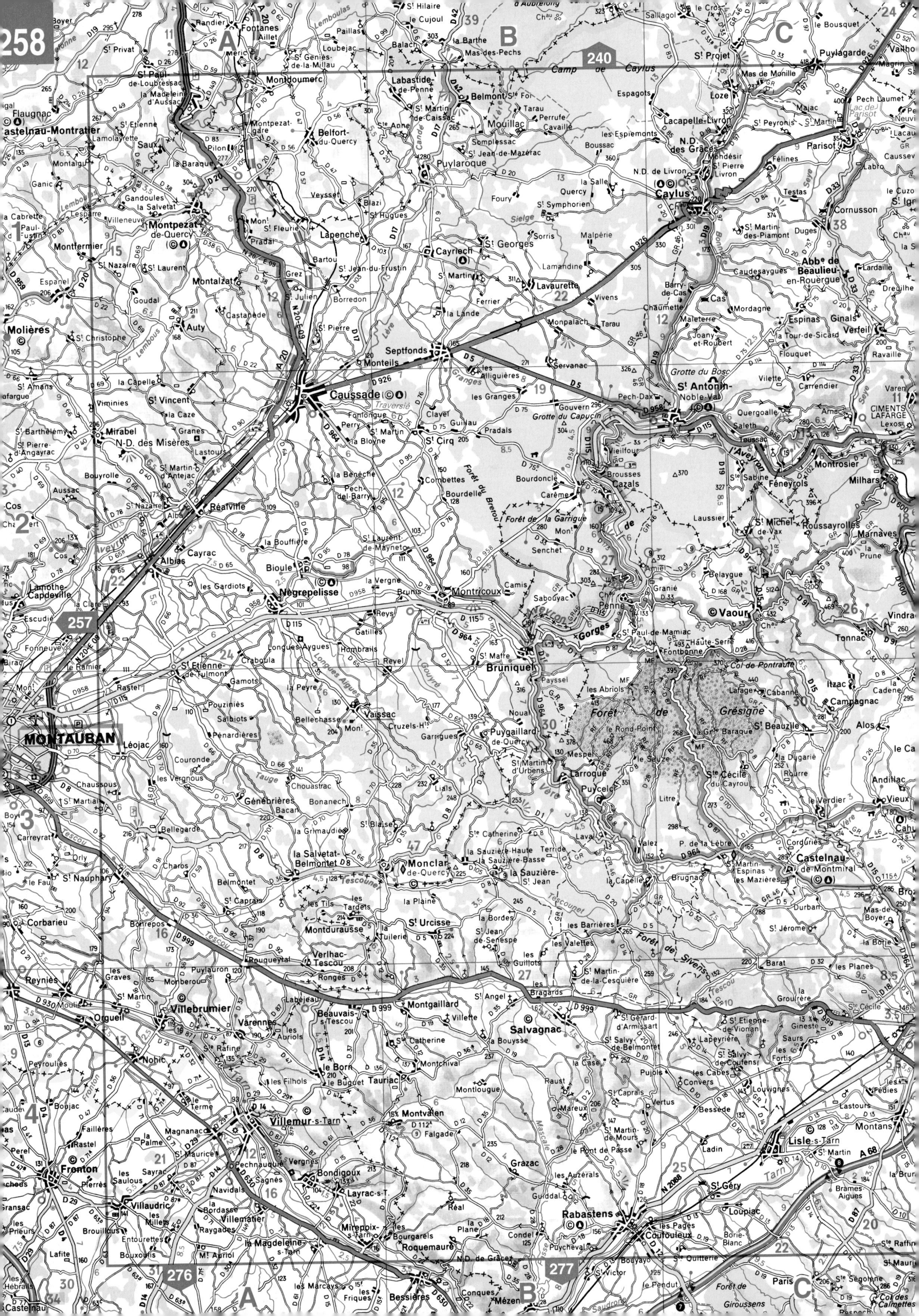

258

Grid columns: A | B | C (top and bottom)
Grid rows: 1, 2, 3 (left side)

240 **257** **276** **277**

Major towns and place names visible on the map:

MONTAUBAN, Caussade, Septfonds, Monteils, Negrepelisse, Montricoux, Bruniquel, Puygaillard-de-Quercy, Monclar-de-Quercy, St Antonin-Noble-Val, Caylus, Parisot, Verfeil, Castelnau-de-Montmiral, Vaour, Penne, Milhars, Vindrac, Salvagnac, Rabastens, Couffouleux, Lisle-s-Tarn, Villemur-s-Tarn, Fronton, Villebrumier, Villaudric, Bessières, Mézen, Roquemaure, Orgueil, Reyniès, St Nauphary, Léojac, Réalville, Cayrac, Albias, Bioule, Castelnau-Montratier, Molières, Montpezat-de-Quercy, Puylaroque, Belfort-du-Quercy, Labastide-de-Penne, Belmont-Ste-Foi, Mouillac, Lapenche, Cayriech, St Georges, Lavaurette, Loze, Puylagarde, St Projet, Lacapelle-Livron, N.D. des Grâces, Beaulieu-en-Rouergue, Espinas, Verfeil, Varen, Montrosier, Féneyrols, Roussayrolles, St Michel-de-Vax, Marnaves, Tonnac, Itzac, Campagnac, Alos, Andillac, Vieux, Cahu, Larroque, Puycelci, Ste Cécile-du-Cayrou, Montgaillard, Beauvais-s-Tescou, Varennes, St Rafine, le Born, Tauriac, Montvalen, Grazac, Bondigoux, Layrac-s-T, Mirepoix-s-Tarn, Bourgarels, Roquemaure, N.D. de Grâces

Forêt de la Garrigue, Forêt du Brétou, Forêt de Grésigne, Forêt de Sivens, Camp de Caylus, Lac de J. Parisot, Grotte du Bosc, Grotte du Capucin, Col de Pontraute

Rivers: Aveyron, Tarn, Tescou, Tescounet, Vère, Seye, Bonnette

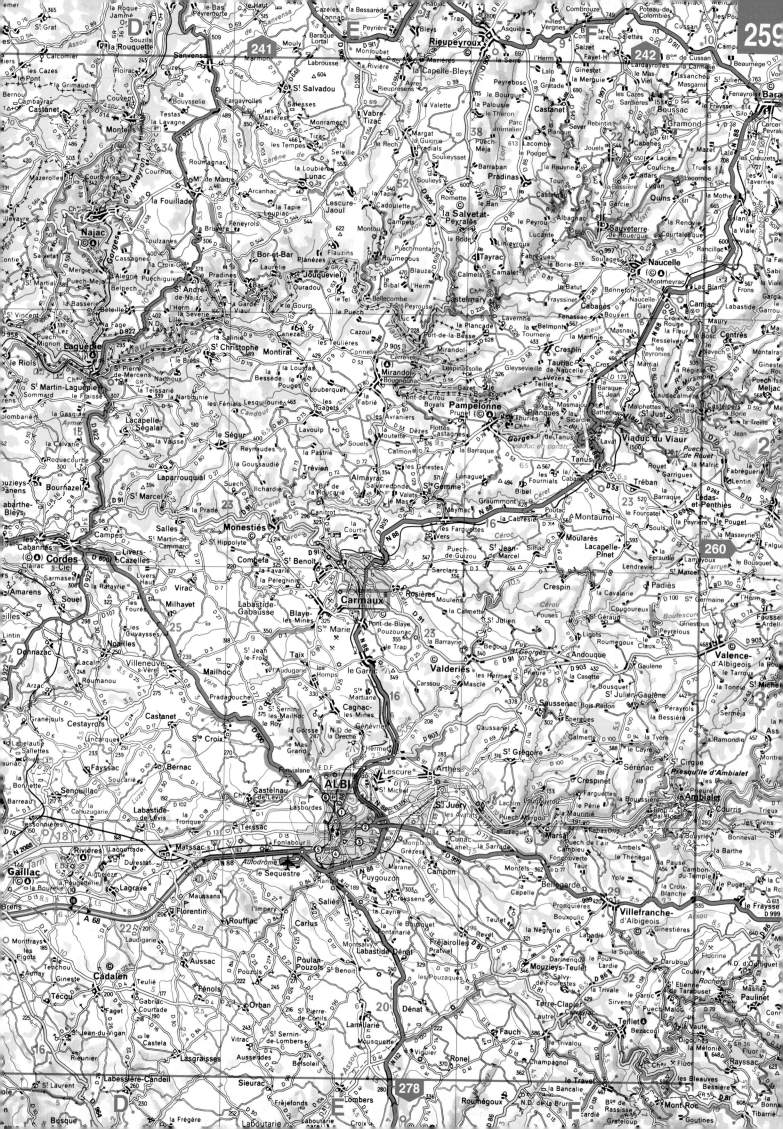
D
E
F
241
242
260
278
Rieupeyroux
la Capelle-Bleys
St Salvadou
Vabre-Tizac
Lunac
la Salvetat-Peyralès
Pradinas
Castanet
Sauveterre-de-Rouergue
Naucelle
Najac
Gorges de l'Aveyron
Monteils
la Fouillade
Laguépie
St Christophe
Montirat
Mirandol-Bourgnounac
Pampelonne
Crespin
Tauriac-de-Naucelle
Viaduc du Viaur
Lacapelle-Ségalar
le Ségur
Laparrouquial
St Marcel
Monestiés
Cordes-s-Ciel
Carmaux
Blaye-les-Mines
Valderiès
Valence-d'Albigeois
Saussenac
St Grégoire
Ambialet
Presqu'île d'Ambialet
ALBI
Lescure
Arthès
St Juéry
Marssac-s-T.
Gaillac
Rivières
Lagrave
Florentin
Cadalen
Fénols
Orban
Dénat
Fauch
Ronel
Villefranche-d'Albigeois
Teillet
Paulinet
Lombers
Sieurac
Roumégoux
Mont-Roc
Labessière-Candeil
Lasgraisses
Castelnau-de-Lévis
Cagnac-les-Mines
Labastide-Dénat
Mouzieys-Teulet
Bellegarde
Saliès
Puygouzon
Rouffiac
Carlus
Poulan-Pouzols
Lamillarié
A 68
N 88
D 600
D 999
D 903

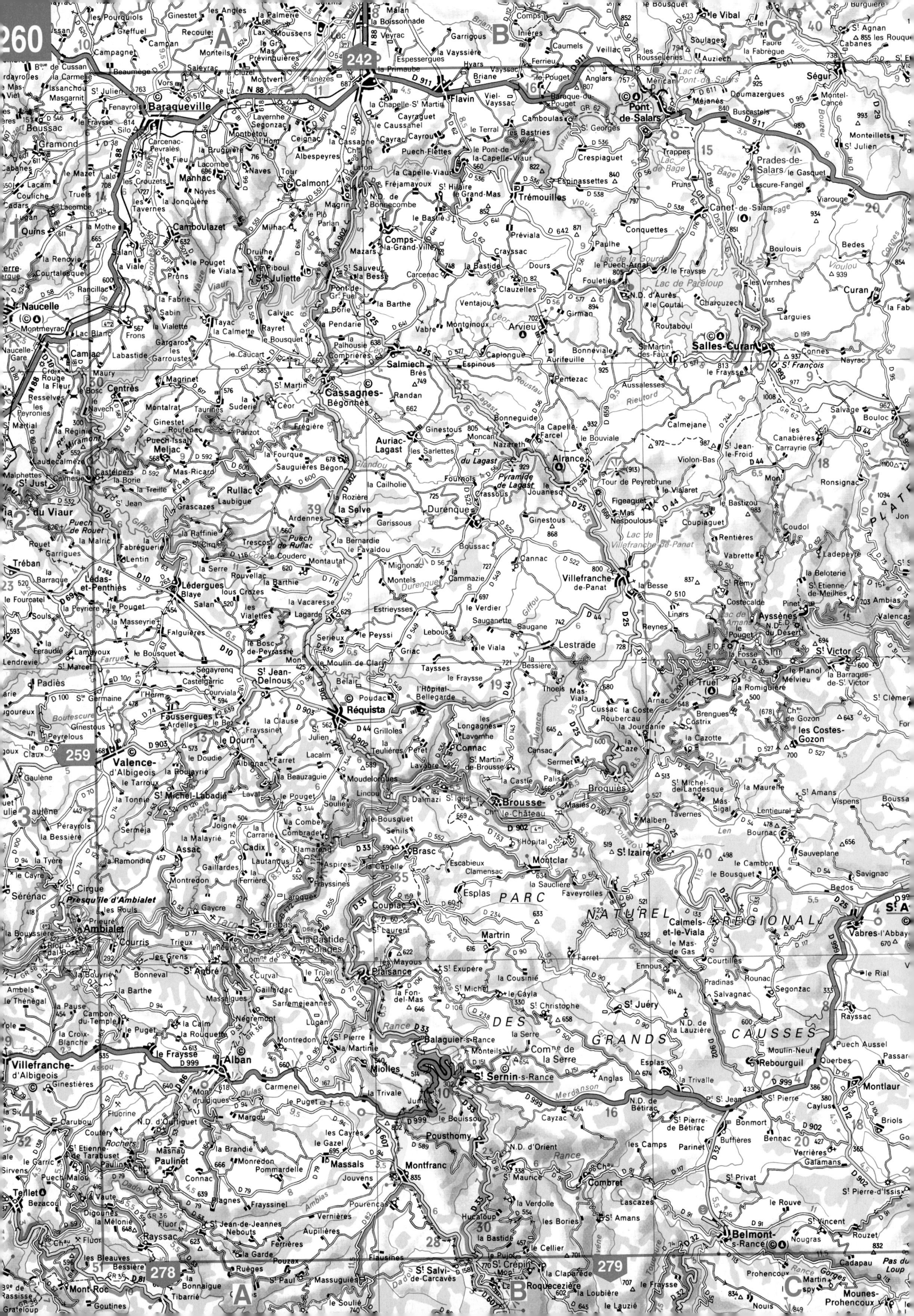

242 — **259** — **278** — **279**

Grid columns: A · B · C · Rows: 1 · 2 · 3 · 4

Major localities:

Baraqueville · Naucelle · Gramond · Manhac · Camboulazet · Calmont · Centrès · Meljac · Rullac · la Selve · Durenque · Cassagnes-Bégonhès · Salmiech · Auriac-Lagast · Arvieu · Pont-de-Salars · Prades-de-Salars · Canet-de-Salars · Salles-Curan · Trémouilles · Comps-la-Grand-Ville · Flavin · Ségur

Alrance · Villefranche-de-Panat · Aysssènes · St Victor · les Costes-Gozon · Lestrade · Réquista · Connac · Brousse-le-Château · St Martin-de-Brousse · Broquiès · St Izaire · Vabres-l'Abbaye

Lédergues · Lédas-et-Penthiès · St Jean-Delnous · le Dourn · Valence-d'Albigeois · St Michel-Labadié · Assac · Ambialet · Courris · St André · Alban · le Fraysse · Villefranche-d'Albigeois · Teillet · Paulinet · Massals · Montfranc · St Sernin-s-Rance · Plaisance · Balaguier-s-Rance · Rebourguil · Belmont-s-Rance · Combret · Montlaur · Roquecezière · St Salvi-de-Carcavès · Mont Roc

PARC NATUREL RÉGIONAL DES GRANDS CAUSSES

N 88 · N 88 · D 911 · D 999 · D 902 · D 25 · D 44 · D 33

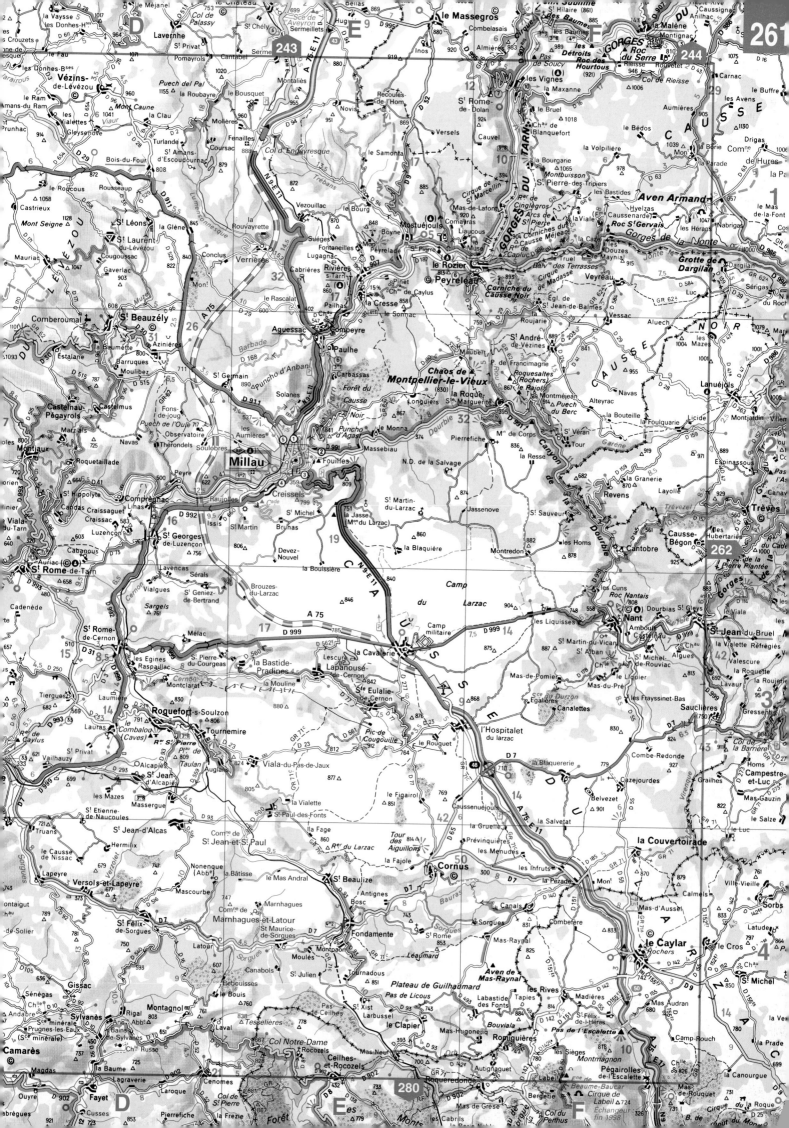

243
244
262
280
D
E
F
le Massegros
Lavernhe
Vézins-de-Lévézou
GORGES DU TARN
Roc du Serre
les Détroits
Roc des Hourtous
Pas de Soucy
les Vignes
la Malène
St Rome-de-Dolan
CAUSSE
Mont Caune
Puech del Pal
Col d'Engayresque
Cirque de St Marcellin
Montbuisson
St Pierre-des-Tripiers
Aven Armand
Roc St Gervais
Corniches du Causse Méjean
Gorges de la Jonte
Grotte de Dargilan
Mostuéjouls
le Rozier
Peyreleau
Corniche du Causse Noir
Rivière-s-Tarn
Vezouillac
St Léons
St Laurent-du-Lévézou
LÉVÉZOU
Mont Seigne
Verrières
Aguessac
Compeyre
Paulhe
St Beauzély
St André-de-Vézines
CAUSSE NOIR
Chaos de Montpellier-le-Vieux
la Roque-Ste Marguerite
Lanuéjols
Forêt du Causse Noir
Puncho d'Agast
Castelnau-Pégayrols
Montjaux
Millau
Creissels
Fouillès
Canyon de la Dourbie
Revens
Trèves
Causse-Bégon
Cantobre
St Rome-de-Tarn
St Georges-de-Luzençon
la Blaquière
Montredon
Camp du Larzac
Nant
St Jean-du-Bruel
la Cavalerie
St Rome-de-Cernon
la Bastide-Pradines
Lapanouse-de-Cernon
Ste Eulalie-de-Cernon
Roquefort-s-Soulzon
Tournemire
l'Hospitalet du larzac
Sauclières
St Jean-d'Alcapiès
Viala-du-Pas-de-Jaux
CAUSSE DU LARZAC
St Jean-et-St Paul
Tour des Aiguillons
Cornus
la Couvertoirade
Versols-et-Lapeyre
St Beaulize
Marnhagues-et-Latour
St Félix-de-Sorgues
Fondamente
le Caylar
Aven de Mas-Raynal
Plateau de Guilhaumard
Pas de Licous
Gissac
Sylvanès
Montagnol
Col Notre-Dame
Ceilhes-et-Rocozels
Romiguières
Pas de l'Escalette
Pégairolles-de-l'Escalette
Camarès
Fayet
Roqueredonde
St Michel
Cirque de Labeil
Col du Perthus
A 75
N9-E11
A 75-E 11
D 911
D 999
D 992
D 7

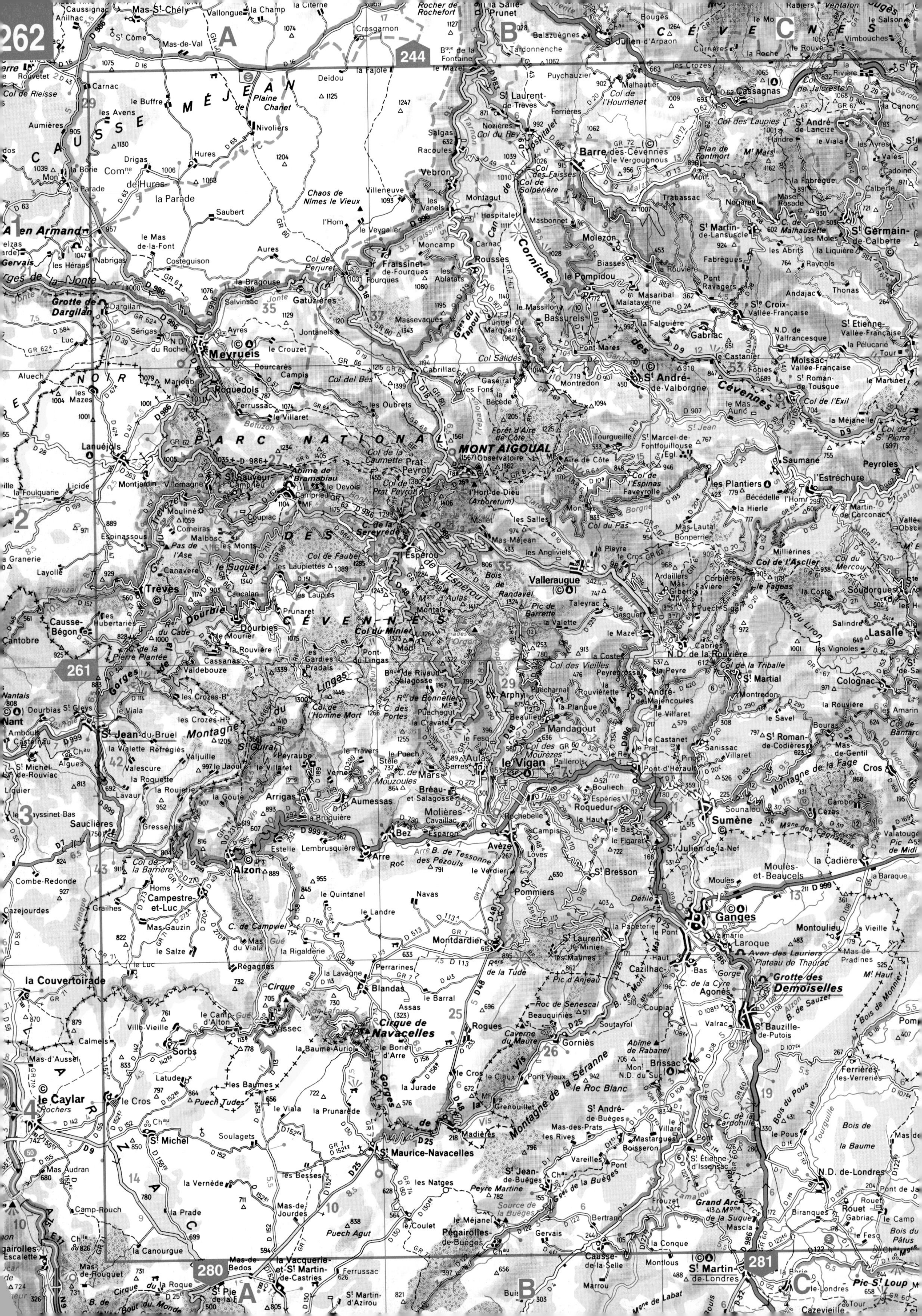
A
B
C
244
261
280
281
CAUSSE MÉJEAN
Meyrueis
PARC NATIONAL DES CÉVENNES
MONT AIGOUAL
Observatoire
Valleraugue
Trèves
Dourbies
St Jean-du-Bruel
Nant
Alzon
le Vigan
Sumène
Ganges
Grotte des Demoiselles
St Bauzille-de-Putois
Cirque de Navacelles
St Maurice-Navacelles
le Caylar
la Couvertoirade
St Jean-de-Buèges
St Martin-de-Londres
Pic St Loup
Barre-des-Cévennes
St André-de-Valborgne
St Germain-de-Calberte
St Jean-du-Gard
Lasalle
Cassagnas
Vebron
Gorges de la Jonte
Grotte de Dargilan
Abîme de Bramabiau
Col de la Triballe
Montagne de la Séranne
Gorges de la Vis
Corniche des Cévennes
Col de l'Asclier
Col du Minier
Col de Perjuret
St Martial
Colognac
Cros
Montdardier
Blandas
Rogues
Brissac
Pégairolles-de-Buèges
Causse-Bégon
Cantobre
Sauclières
Arre
Avèze
Molières-Cavaillac
Aumessas
Arrigas
Espérou
Camprieu
St Sauveur-Camprieu
Lanuéjols
Roquedols
Hures
Nivoliers
Fraissinet-de-Fourques
Gatuzières
Rousses
Bassurels
Saumane
les Plantiers
l'Estréchure
Soudorgues
St André-de-Majencoules
Mandagout
Roquedur
Pont-d'Hérault
Laroque
Agonès
Cazilhac
St Laurent-le-Minier
Pommiers
St Bresson
Sorbs
Campestre-et-Luc
St Michel
Soulagets
St Pierre-la-Fage
la Vacquerie-et-St Martin-de-Castries

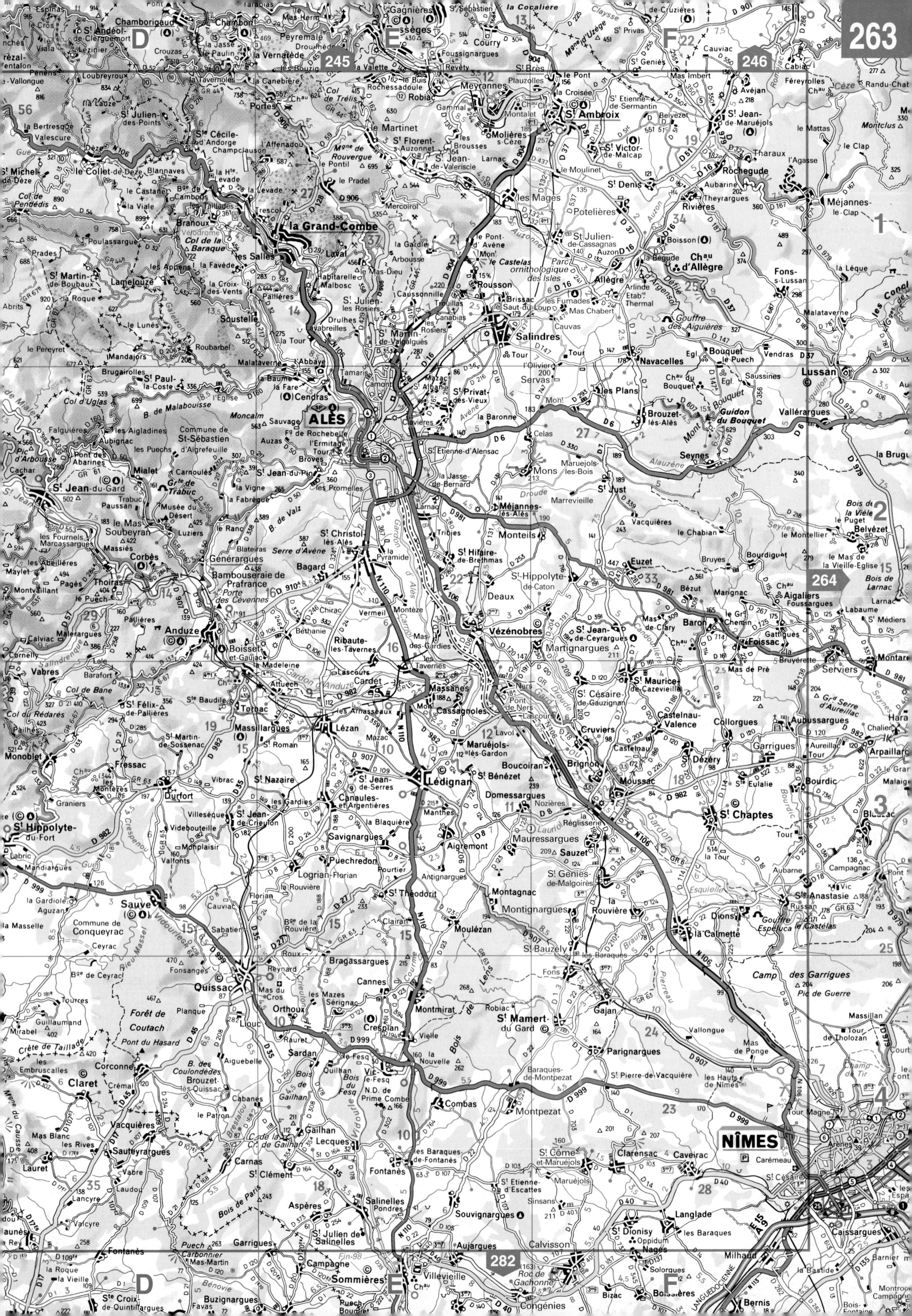
D
E
F
245
246
264
282
1
2
3
4
Chamborigaud
Chambon
Bessèges
Gagnières
Peyremale
la Vernarède
Portes
Robiac
Meyrannes
St Ambroix
Molières-s-Cèze
St Jean-de-Maruéjols
Rochegude
Méjannes-le-Clap
St Victor-de-Malcap
St Denis
Rivières
Chau d'Allègre
Allègre
les Mages
St Julien-de-Cassagnas
Rousson
Salindres
la Grand-Combe
les Salles
Laval
Branoux
St Martin-de-Boubaux
Lamelouze
Soustelle
St Paul-la-Coste
Cendras
ALÈS
St Jean-du-Gard
Mialet
St Jean-du-Pin
St Christol-lès-Alès
Bagard
Générargues
Anduze
Boisset-et-Gaujac
Massillargues
Tornac
Lézan
Ribaute-les-Tavernes
Cardet
Massanes
Cassagnoles
Vézénobres
St Hilaire-de-Brethmas
Deaux
St Hippolyte-de-Caton
Monteils
Méjannes-lès-Alès
Mons
St Just
Navacelles
Bouquet
Lussan
Brouzet-lès-Alès
Seynes
Guidon du Bouquet
Vallérargues
Euzet
Baron
Foissac
Serviers
Aigaliers
Belvézet
St Jean-de-Ceyrargues
Martignargues
St Maurice-de-Cazevieille
St Césaire-de-Gauzignan
Castelnau-Valence
Collorgues
Aubussargues
Garrigues
Arpaillargues
Bourdic
Blauzac
St Dézéry
Moussac
St Chaptes
Brignon
Cruviers
Boucoiran
Maruéjols-lès-Gardon
Lédignan
St Bénézet
Domessargues
Mauressargues
Sauzet
St Geniès-de-Malgoirès
la Rouvière
Dions
la Calmette
Ste Anastasie
Montignargues
Moulézan
St Bauzély
Gajan
St Mamert-du Gard
Montmirat
Crespian
Cannes
Bragassargues
Quissac
Sauve
Durfort
St Hippolyte-du-Fort
Monoblet
Fressac
Conqueyrac
Orthoux
Sardan
Corconne
Claret
Vacquières
Sauteyrargues
Lauret
Carnas
St Clément
Gailhan
Lecques
Fontanès
Salinelles
Aspères
St Julien de Salinelles
Sommières
Villevieille
Aujargues
Souvignargues
Combas
Montpezat
Parignargues
St Côme-et-Maruéjols
Clarensac
Caveirac
Calvisson
Langlade
St Dionisy
Nages
Boissières
Congénies
NÎMES
Caissargues
Bernis
Milhaud
Camp des Garrigues
Bois de Paris
Forêt de Coutach
Bois de Gailhan
N 106
N 110
D 999
D 982
D 907
D 904
D 6
D 981
D 979
A 9
LANGUEDOCIENNE

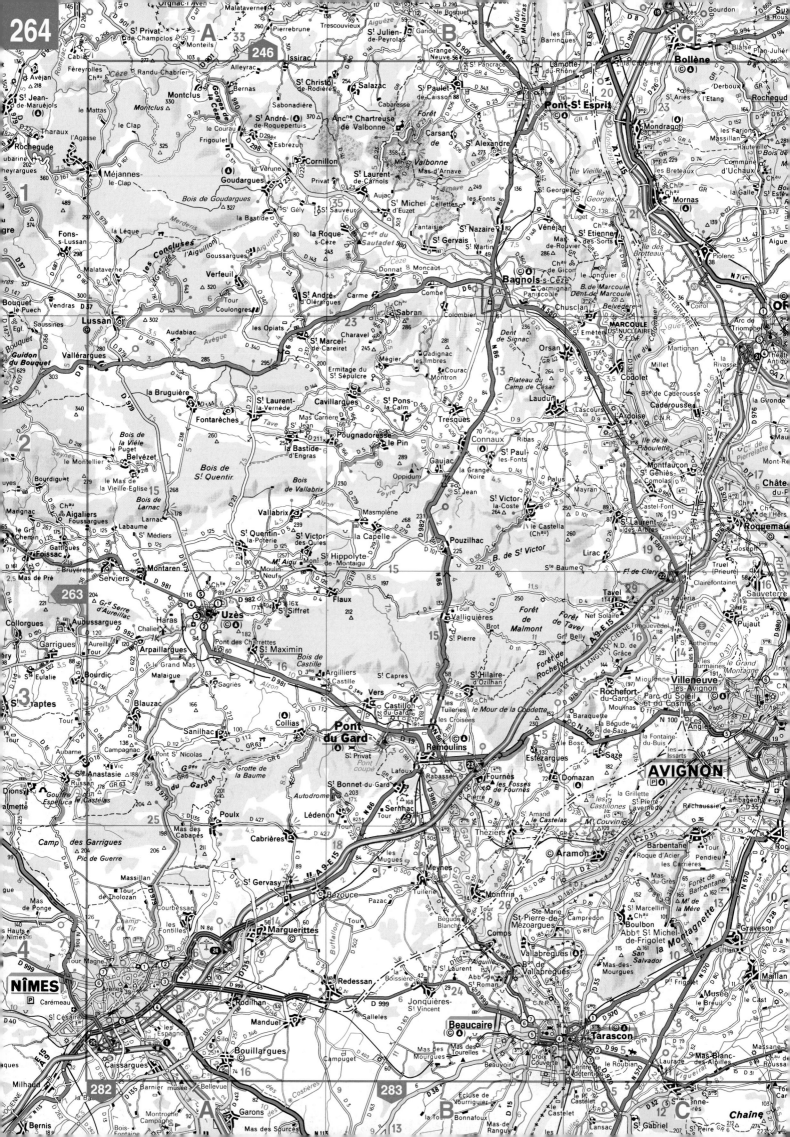
A
B
C
1
2
3
4
246
263
282
283
Bollène
Pont-St Esprit
Bagnols-s-Cèze
Lussan
Uzès
Pont du Gard
Remoulins
Nîmes
Avignon
Villeneuve-lès-Avignon
Beaucaire
Tarascon
Marguerittes
Roquemaure
Orange
Mondragon
Mornas
Goudargues
Cornillon
Montclus
Issirac
Salazac
Ancne Chartreuse de Valbonne
Forêt de Valbonne
Laudun
Codolet
Chusclan
Orsan
Connaux
Tresques
Cavillargues
Sabran
Vallabrix
Pouzilhac
Tavel
Rochefort-du-Gard
Aramon
Montfrin
Meynes
Redessan
Manduel
Bouillargues
Caissargues
Rodilhan
Collias
Blauzac
Sanilhac
Poulx
Cabrières
Lédenon
Domazan
Estézargues
Fournès
Théziers
Barbentane
Boulbon
Graveson
Maillane
Vallabrègues
Jonquières-St Vincent
Montaren
Serviers
Arpaillargues
St Maximin
Argilliers
Vers
Castillon-du-Gard
Valliguières
St Hilaire-d'Ozilhan
Forêt de Malmont
Forêt de Tavel
Forêt de Rochefort
Bois de St Quentin
Bois de Castille
Camp des Garrigues
Gorges du Gardon
Gorges de la Cèze
Les Concluses
Montagnette
Forêt de Barbentane
St Michel-de-Frigolet
Pujaut
Sauveterre
Caderousse
Piolenc
Mornas
Lamotte-du-Rhône
Vénéjan
St Nazaire
St Gervais
St Laurent-des-Arbres
St Victor-la-Coste
Gaujac
Fontarèches
La Bruguière
Vallérargues
Méjannes-le-Clap
Rochegude
Verfeuil
St André-d'Olérargues
St Marcel-de-Careiret
St Laurent-la-Vernède
Pougnadoresse
Bastide-d'Engras
St Quentin-la-Poterie
St Victor-des-Oules
St Hippolyte-de-Montaigu
Flaux
St Siffret
Aigaliers
Belvézet
Bezouce
St Gervasy
Sernhac
St Bonnet-du-Gard
Les Angles
Saze
Comps
Garons
Bernis

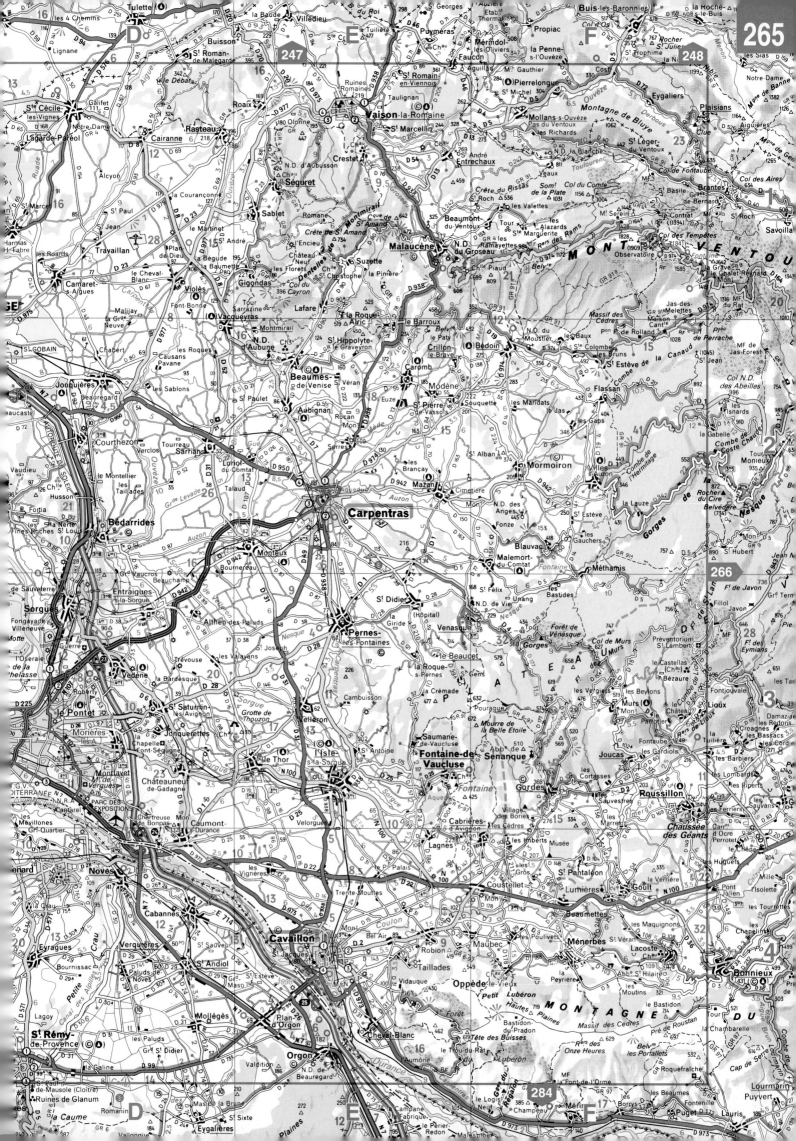

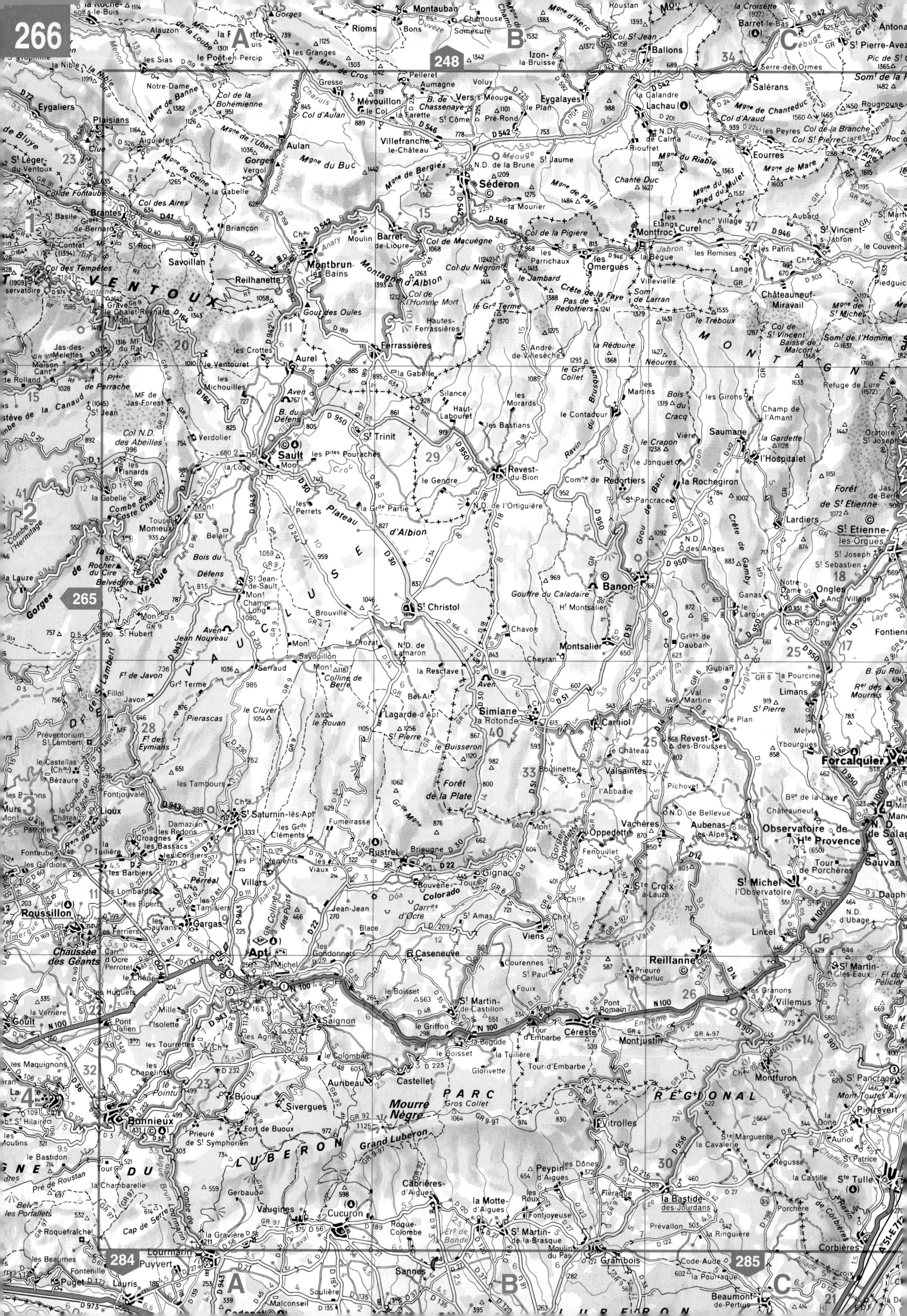

A B C

VENTOUX

Eygaliers · Plaisians · Brantes · Savoillan · Reilhanette · Montbrun-les-Bains · Aulan · Séderon · Montfroc · Curel · Eourres · Châteauneuf-Miraval · St Vincent-sur-Jabron

Aurel · Ferrassières · Sault · St Trinit · Revest-du-Bion · le Contadour · Saumane · l'Hospitalet · Lardiers

Monieux · St Jean-de-Sault · St Christol · Banon · Montsalier · St Etienne-les-Orgues · St Sebastien · Ongles · Fontienne

VAUCLUSE · Plateau d'Albion

Lioux · St Saturnin-lès-Apt · Rustrel · Simiane-la-Rotonde · Carniol · Limans · Forcalquier · St Pierre

Roussillon · Gargas · Villars · Gignac · Viens · Oppedette · Vachères · Aubenas-les-Alpes · Observatoire de Hte Provence · Sauvan

Apt · Saignon · Caseneuve · St Martin-de-Castillon · Céreste · Montjustin · Reillanne · Lincel · St Michel l'Observatoire

Goult · Bonnieux · Buoux · Sivergues · Castellet · Vitrolles · Montfuron · Pierrevert

PARC RÉGIONAL · **LUBERON**

Lourmarin · Puyvert · Cucuron · Vaugines · la Motte-d'Aigues · Cabrières-d'Aigues · Peypin-d'Aigues · St Martin-de-la-Brasque · Grambois · la Bastide-des-Jourdans · Ste Tulle

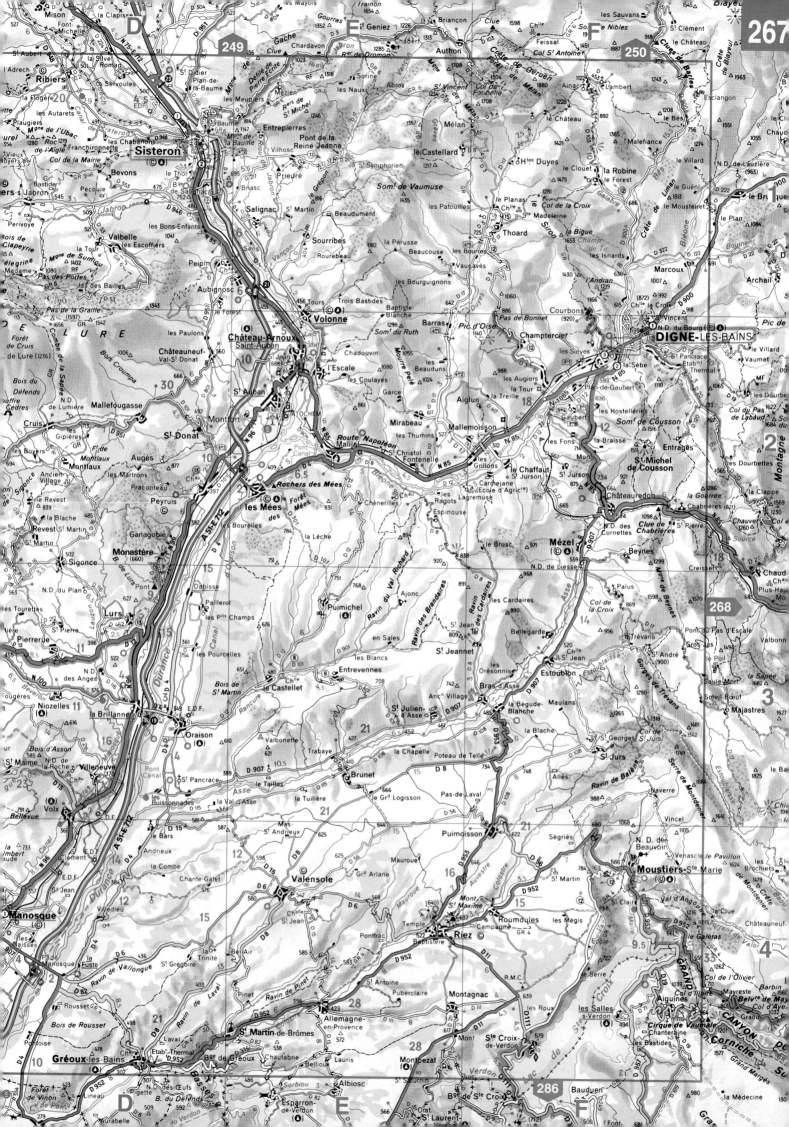

D
E
F
249
250
268
286
Sisteron
Mison
Ribiers
Bevons
Valbelle
Peipin
Aubignosc
Volonne
Château-Arnoux
Saint-Auban
L'Escale
Châteauneuf-Val-St Donat
Mallefougasse
Montfort
St Donat
Peyruis
Ganagobie
Monastère
Sigonce
Lurs
Pierrerue
la Brillanne
Niozelles
Villeneuve
Volx
Manosque
Oraison
Les Mées
Rochers des Mées
Malijai
Route Napoléon
Puimichel
Entrevennes
le Castellet
St Julien-d'Asse
Brunet
Valensole
Puimoisson
Riez
Roumoules
Montagnac
Allemagne-en-Provence
St Martin-de-Brômes
Gréoux-les-Bains
Montpezat
Ste Croix-de-Verdon
les Salles-s-Verdon
Moustiers-Ste Marie
Aiguines
Cirque de Vaumale
GRAND CANYON DU VERDON
Corniche Sublime
Bauduen
Esparron-de-Verdon
Albiosc
Mézel
Estoublon
Bras-d'Asse
Bellegarde
Châteauredon
Clue de Chabrières
DIGNE-LES-BAINS
Courbons
Champtercier
Aiglun
Mallemoisson
le Chaffaut-St Jurson
Mirabeau
Barras
Thoard
la Robine
Marcoux
Archail
St Michel de Cousson
Entrages
Authon
St Geniez
Mélan
le Castellard
Htes Duyes
Salignac
Sourribes
Entrepierres
Pont de la Reine Jeanne
Col de la Croix
Crête de Géruen
Clues de Barles
Majastres
St Jurs
Montagne de Lure
Canal de Sisteron
Durance
Bléone
Asse
Verdon
Lac de Ste Croix
Basses Gorges du Verdon
A 51-E 712
N 85
N 96
N 100
D 907
D 952

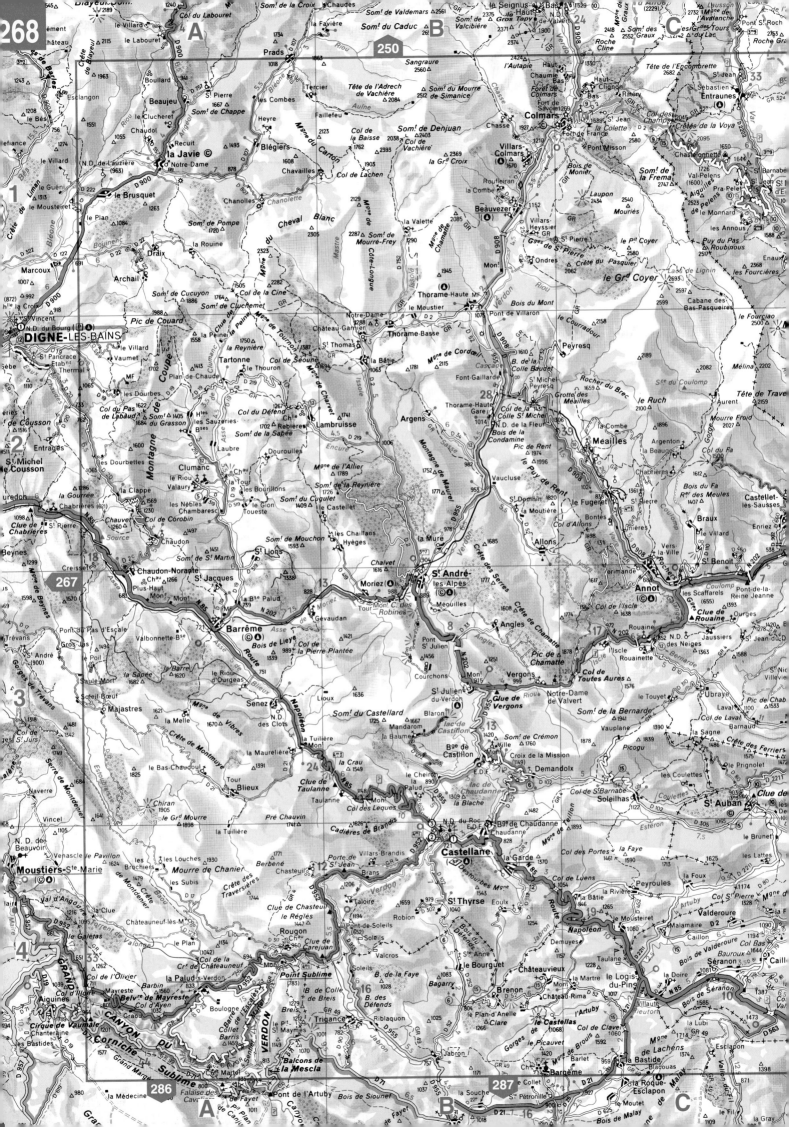
250
267
286
287
A
B
C
1
2
3
4
Col du Labouret
Prads
Som.t du Caduc
Som.t de Valdemars
Sangraure
Colmars
Beaujeu
la Javie ©
Blégiers
Mgne du Carton
Col de la Baisse
Som.t de Denjuan
Villars-Colmars
Beauvezer
le Brusquet
Draix
Archail
Mgne du Cheval Blanc
Thorame-Haute
Thorame-Basse
le Grd Coyer
Entraunes
Crêtes de la Voya
DIGNE-LES-BAINS
Pic de Couard
Montagne de Coupe
Tartonne
Col de Séoune
la Bâtie
Mgne de Cordoeil
Peyresq
Lambruisse
Argens
Méailles
Col du Defend
Clumanc
Montagne de Maurel
le Puy de Rent
Vaucluse
le Fugeret
Allons
Col de Corobin
Chaudon
Clue de Chabrières
Chabrières
St Lions
Chaudon-Norante
St Jacques
Barrême
Moriez
St André-les-Alpes
la Mure
Crête des Serres
Annot
Clue de Rouaine
Castellet-lès-Sausses
Bois de Lieye
Col de la Pierre Plantée
Angles
Crête de Chamatte
Pic de Chamatte
Vergons
Col de Toutes Aures
Senez
Route Napoléon
Som.t du Castellard
St Julien-du-Verdon
Clue de Vergons
lac de Castillon
Bge de Castillon
Demandolx
Blieux
Mgne de Vibres
Crête de Montmuye
Clue de Taulanne
Cadières de Brandis
Castellane
St Auban
Clue de la Bernarde
Soleilhas
Col de St Barnabé
Moustiers-Ste-Marie
Mourre de Chanier
Crête des Traversières
Porte de St Jean
Rougon
Clue de Carejuan
Point Sublime
St Thyrse
le Bourguet
Brenon
Châteauvieux
Peyroules
Valderoure
Séranon
la Palud-s-Verdon
Belvre de Mayreste
Aiguines
Cirque de Vaumale
GRAND CANYON DU VERDON
Corniche Sublime
Trigance
Balcons de la Mescla
le Castellas
Col de Clavel
Bargème
la Bastide
la Roque-Esclapon
Mgne de Lachens
Bois de Malay
Pont de l'Artuby

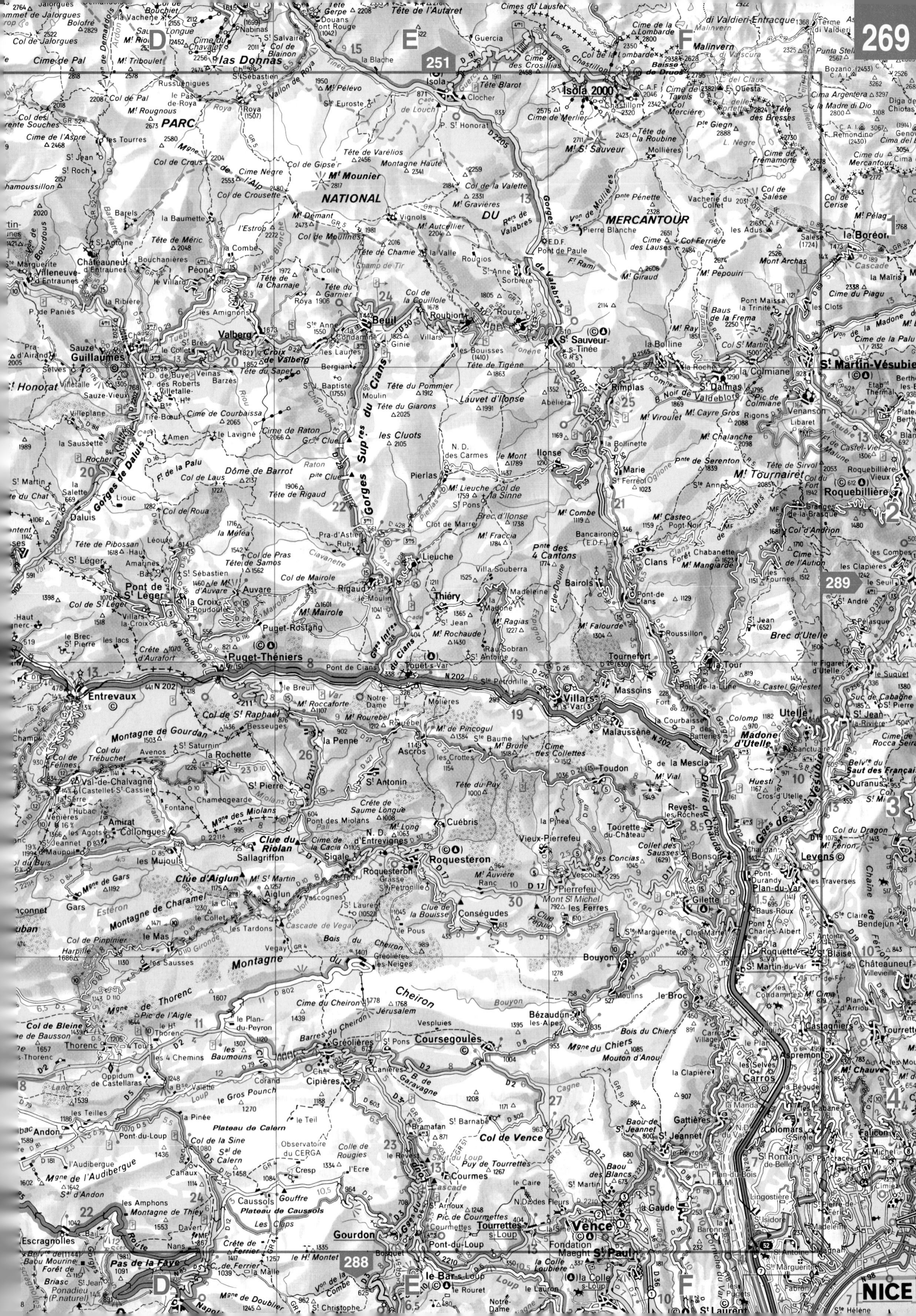

PARC NATIONAL DU MERCANTOUR

NICE

Selected place names

- las Donnas
- Isola
- Isola 2000
- Malinvern
- Valberg
- Beuil
- St Sauveur-s-Tinée
- St Martin-Vésubie
- Roquebillière
- Puget-Théniers
- Entrevaux
- Roquesteron
- Utelle
- Madone d'Utelle
- Levens
- Plan-du-Var
- Gourdon
- Courségoules
- Vence
- St Paul
- Col de Vence
- Thorenc
- Greolières
- Tourrettes-s-Loup
- Carros
- Gattières
- Colomars

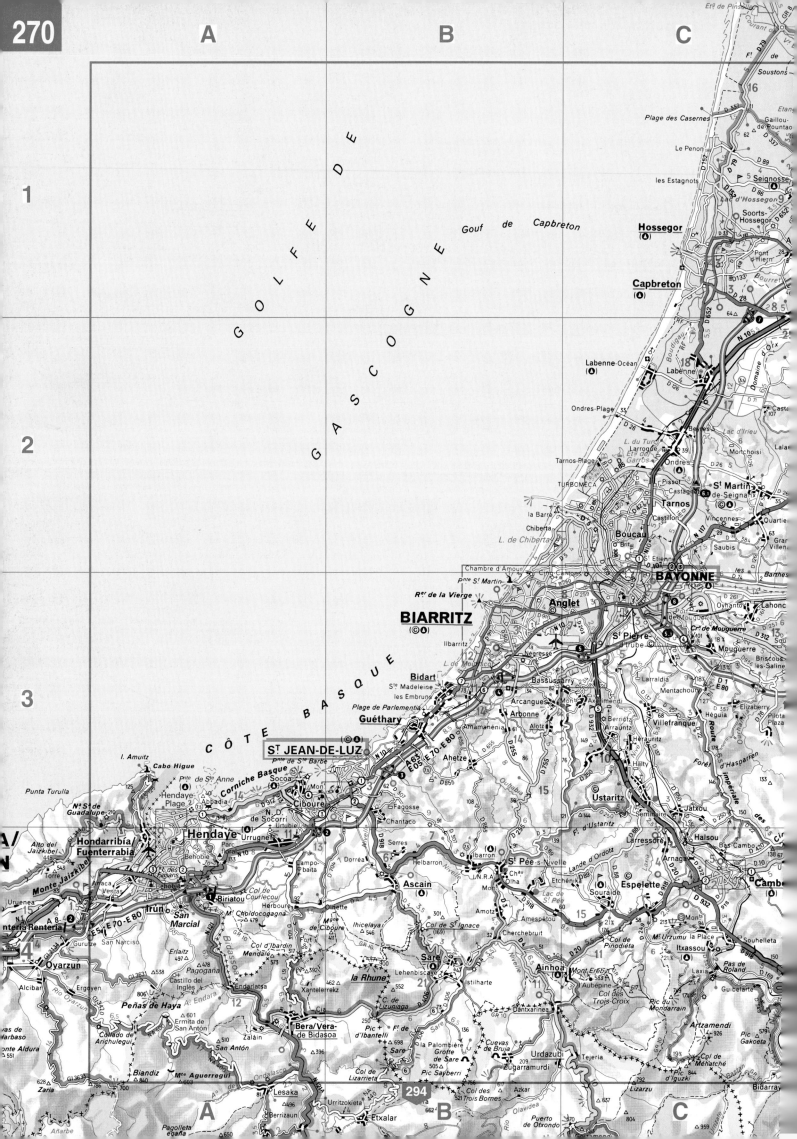
A
B
C
1
2
3
4
GOLFE DE GASCOGNE
Gouf de Capbreton
CÔTE BASQUE
Soustons
Plage des Casernes
Le Penon
les Estagnots
Seignosse
Lac d'Hossegor
Soorts-Hossegor
Hossegor
Capbreton
Labenne-Océan
Labenne
Ondres-Plage
Ondres
Tarnos-Plage
Tarnos
Boucau
St Martin-de-Seignanx
la Barre
Chiberta
L. de Chiberta
Chambre d'Amour
Pte St Martin
Rer de la Vierge
BIARRITZ
Anglet
BAYONNE
St Pierre-d'Irube
Mouguerre
Ilbarritz
Bidart
Ste Madeleine
les Embruns
Plage de Parlementia
Guéthary
Arcangues
Arbonne
Ahetze
Villefranque
Ustaritz
ST JEAN-DE-LUZ
Pte de Ste Barbe
I. Amuitz
Cabo Higue
Punta Turulla
Pte de Ste Anne
Corniche Basque
Socoa
Ciboure
Hendaye-Plage
Abbadia
Hendaye
Urrugne
Nª Sª de Guadalupe
Alto del Jaizkibel
Hondarribia/Fuenterrabia
Monte Jaizkibel
Behobie
Biriatou
Irún
San Marcial
Ascain
St Pée-s-Nivelle
Espelette
Souraide
Cambo
Larressore
Halsou
Jatxou
Col de St Ignace
Sare
Ainhoa
la Rhune
Mendale
Col d'Ibardin
Oyarzun
Renteria
Peñas de Haya
Ermita de San Antón
Bera/Vera-de Bidasoa
C. de Lizuniaga
Pic d'Ibantelli
Grotte de Sare
Cuevas de Bruja
Zugarramurdi
Urdazubi
Dantxarinea
Col des Trois-Croix
Pic du Mondarrain
Artzamendi
Itxassou
Pas de Roland
Col de Méhatché
Lesaka
Etxalar
Col des Trois Bornes
Puerto de Otxondo
Bidarray
294

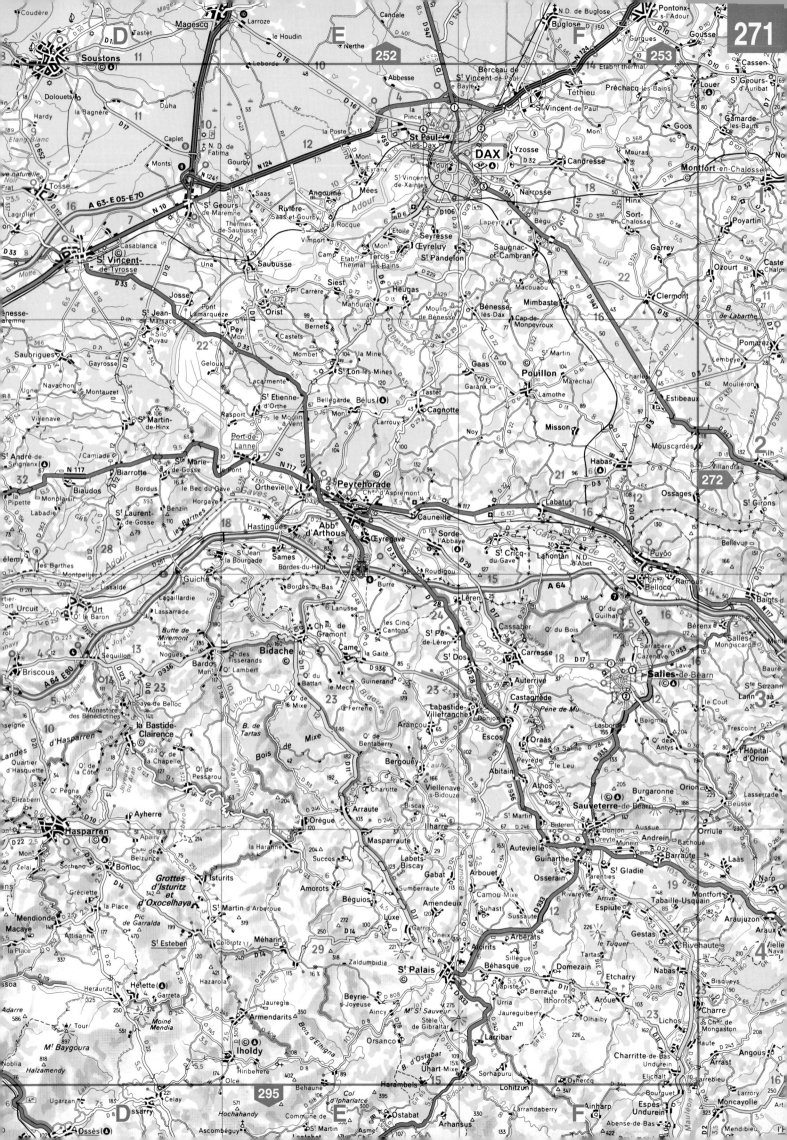
Soustons
Magescq
Larroze
le Houdin
Candale
Nerthe
252
N.D. de Buglose
Buglose
Pontonx-s-l'Adour
Gousse
253
Cassen
Dolouets
la Bagnère
Duha
Hardy
Caplet
N. D. de Fatima
Gourby
Monts
Tosse
Abbesse
Berceau de St Vincent-de-Paul
Téthieu
Préchacq-les-Bains
Louer
St Geours-d'Auribat
St Vincent-de-Paul
la Pince
la Poste
St Paul-lès-Dax
DAX
Yzosse
Candresse
Goos
Gamarde-les-Bains
Montfort-en-Chalosse
Mées
Eyrax
St Vincent-de-Xaintes
Narrosse
Hinx
Angoumé
Rivière-Saas-et-Gourby
Saas
St Geours-de-Maremne
Thermes-de-Saubusse
la Rocque
Lapeyre
Bégu
Sort-en-Chalosse
Poyartin
Casablanca
St Vincent-de-Tyrosse
Saubusse
l'Étoile
Seyresse
Œyreluy
St Pandelon
Tercis-les-Bains
Saugnac-et-Cambran
Garrey
Ozourt
Siest
Heugas
Macouaou
Mimbaste
Clermont
Josse
Orist
Mahourat
Bénesse-lès-Dax
Cap-de-Monpeyroux
St Jean-de-Marsacq
Pey
Bernets
Moulin de Bénesse
Pomarez
Saubrigues
Gayrosse
Castets
Mombet
la Mine
St Lon-les-Mines
Gaas
St Martin
Pouillon
Lembeye
Navachon
Montauzet
Lacarmente
St Etienne-d'Orthe
Bellegarde
Bélus
Tastet
Cagnotte
Lamothe
Maréchal
Estibeaux
Moulièron
St Martin-de-Hinx
Villenave
Rasport
le Moulin à Vent
Larrouy
Noy
Misson
Port-de-Lanne
Camiade
St André-de-Seignanx
Ste Marie-de-Gosse
Biarrotte
Peyrehorade
Habas
Mouscardès
Villandrau
Biaudos
Orthevielle
Chau d'Aspremont
Labatut
272
Ossages
St Girons
Monplaisir
Bordus
le Bec du Gave
Horgave
Benzin
St Laurent-de-Gosse
Hastingues
Abbe d'Arthous
Cauneille
Sorde-l'Abbaye
St Cricq-du-Gave
Lahontan
N.D. d'Abet
Puyôo
Bellevue
Labadie
Œyregave
Ramous
Chau Bellocq
St Jean la Bourgade
Sames
Bordes-du-Haut
Roudigou
Montpellier
Lissalde
Guiche
Bordes-du-Bas
Burre
Léren
Baigts-de-Béarn
Urcuit
Urt
Lagaillardie
Lassarrade
Lanusse
Cassaber
Qr du Bois
Qr du Guilhat
Bérenx
Salles-Mongiscard
Butte de Miremont
Chau de Gramont
les Cinq Cantons
St Pé-de-Léren
Sarrabère
Cazenave
Briscous
Séquillon
Nogues
Bardos
Qr des Tisserands
Qr Lambert
Bidache
Came
la Gaité
St Dos
Carresse
Salies-de-Béarn
Guinerand
Auterrive
St Suzanne
Abbaye de Belloc
Monastère des Bénédictines
Qr du Battan
le Mech
Labastide-Villefranche
Castagnède
Pène de Mu
la Ferrerie
Qr de Mixe
Donjon
le Cout
la Bastide-Clairence
d'Hasparren
B. de Tartas
Arancou
Escos
Oraàs
Lasbordes
Beigmau
Trescoint
Qr de Bentaberry
Bois de Mixe
la Saline
Qr des Antys
l'Hôpital-d'Orion
Quartier d'Hasquette
Qr de la Chapelle
Qr de Pessarou
Bergouey
Abitain
Peyrède
le Leu
Qr Pegna
Charritte
Viellenave-s-Bidouze
Athos
Aspis
Burgaronne
Orion
Elizaberri
Arraute
Biscay
Sauveterre-de-Béarn
Lasserrade
Beusse
Ayherre
Orègue
Ilharre
St Martin
Bideren
Aussue
Orriule
Hasparren
Apairy
Masparraute
Donjon
Oreyte
Andrein
Bachoué
Chau de Belzunce
Labets-Biscay
Autevielle
Munein
Camo
Barraute
Laàs
Mendionde
Bonloc
la Haranne
Succos
Guinarthe
St Gladie
Zelai
Sorhano
Isturits
Grottes d'Isturitz et d'Oxocelhaya
Gabat
Arbouet
Osserain
Parenties
Narp
Gréciette
Amorots
Sumberraute
Camou-Mixe
Rivareyte
Arrive
Montfort
Taballe-Usquain
la Place
St Martin-d'Arberoue
Béguios
Amendeuix
Suhast
Espiute
Araujuzon
Pic de Garralda
Luxe
Sussaute
Gestas
Araux
Macaye
Attisanne
Méharin
Garris
Oneix
Arbérats
le Tuquet
Rivehaute
la Place
St Esteben
Colorotz
Zaldumbidia
Aïcirits
Tartas
Nabas
Béhasque
Domezain
Sillègue
St Palais
Etcharry
Hélette
Hazarola
Beyrie-s-Joyeuse
Lapiste
Berraute
Ithorots
Aroue
Bisqueys
Garreta
Jauregia
Aincy
Mt St Sauveur
Stèle de Gibraltar
Urria
Jaureguiberry
Olhaiby
Lichos
Charre
Chau de Mongaston
Adarre
Tour
Moiné Mendia
Armendarits
Bois d'Ehigna
Mt Baygoura
Orsanco
Larribar
Haute
Angous
Arrast
Iholdy
B. d'Ostabat
Uhart-Mixe
Charritte-de-Bas
Undurein
Elichalt
Noblia
Halzamendy
Hiribehere
Sorhapuru
Olce
Harambels
Lohitzun
Oyhercq
Larrebieu
Larrory
Ugarzan
Celay
295
Behaune
Col d'Ipharlatcé
Ainharp
Espès-Undurein
Moncayolle
Ostabat
Hochahandy
Commune de E
Larrandaberry
Arhansus
Abense-de-Bas
Mendibieu
Ossès
Ascombéguy
St Martin
D
E
F
A 63-E 05-E 70
N 10
N 124
A 64
A 64 E 80
N 117
D 947
D 933
D 936
Adour
Gave de Pau
Gave d'Oloron
Bidouze
Luy
Saison
Joyeuse
Lihoury

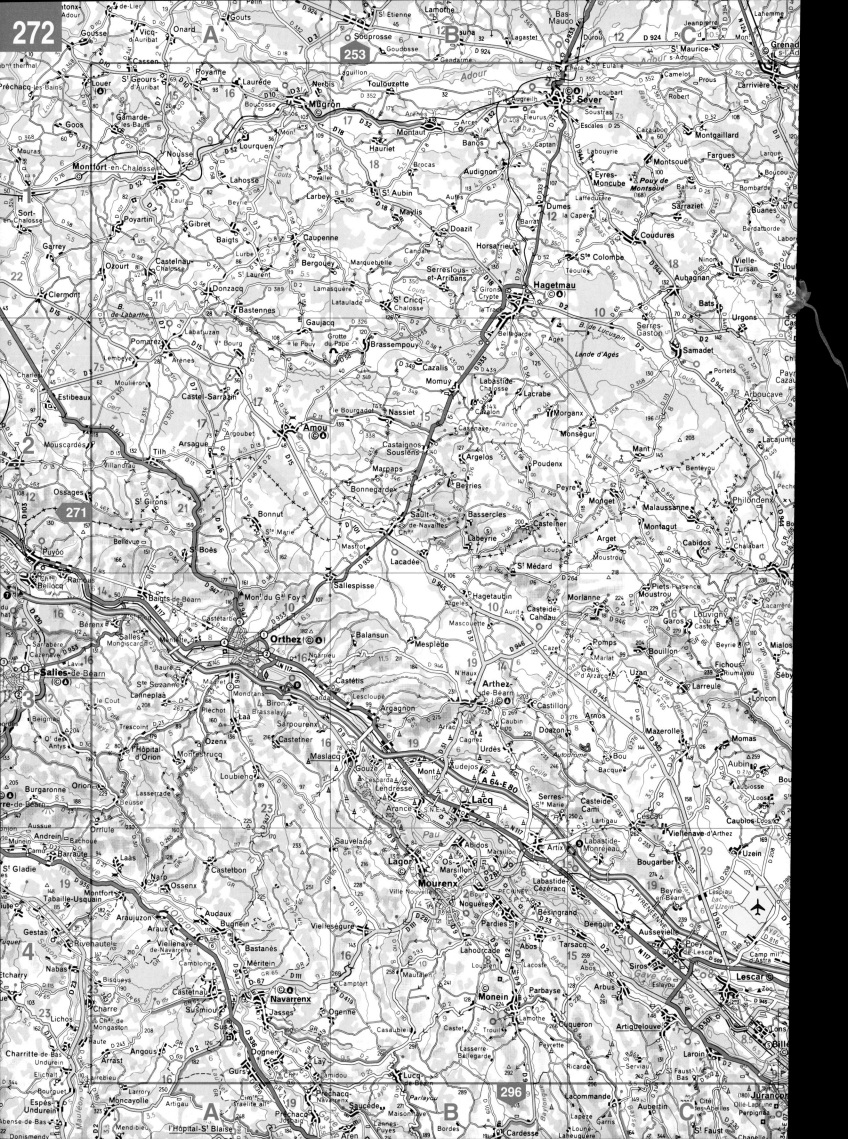
A
B
C
253
271
296
Mugron
St Sever
Hagetmau
Amou
Orthez
Salies-de-Béarn
Navarrenx
Mourenx
Lagor
Lacq
Monein
Lescar
Arthez-de-Béarn
Montfort-en-Chalosse
Pomarez
Castel-Sarrazin
Sault-de-Navailles
Puyôo
Bellocq
Baigts-de-Béarn
Sallespisse
Castétis
Argagnon
Maslacq
Abidos
Os-Marsillon
Noguères
Pardies
Artix
Labastide-Cézéracq
Besingrand
Denguin
Poey-de-Lescar
Siros
Artiguelouve
Laroin
Aussevielle
Uzein
Bougarber
Viellenave-d'Arthez
Samadet
Aubagnan
Coudures
Montgaillard
Montsoué
Eyres-Moncube
Audignon
Banos
Montaut
Hauriet
Doazit
Maylis
Caupenne
Donzacq
Bastennes
Gaujacq
Brassempouy
Cazalis
Momuy
Nassiet
Labastide-Chalosse
Lacrabe
Morganx
Monségur
Mant
Poudenx
Argelos
Beyries
Bassercles
Castelner
Monget
Malaussanne
Montagut
Arget
Cabidos
Philondenx
St Médard
Hagetaubin
Casteide-Candau
Morlanne
Garos
Louvigny
Bouillon
Pomps
Uzan
Larreule
Fichous-Riumayou
Mazerolles
Momas
Aubin
Caublos-Loos
Doazon
Arnos
Castillon
Urdès
Audéjos
Serres-Ste Marie
Casteide-Cami
Cescau
Labastide-Monréjeau
Mesplède
Balansun
Lacadée
Bonnegarde
Marpaps
Castaignos-Souslens
Arsague
Tilh
Ossages
St Girons
Bonnut
St Boès
Estibeaux
Mouscardès
Clermont
Garrey
Ozourt
Castelnau-Chalosse
Poyartin
Gibret
Baigts
Sort-en-Chalosse
Nousse
Lourquen
Lahosse
Larbey
St Aubin
Goos
Gamarde-les-Bains
Louer
St Geours-d'Auribat
Poyanne
Laurède
Nerbis
Toulouzette
Préchacq-les-Bains
Gousse
Onard
Gouts
Vicq-d'Auribat
Souprosse
St Etienne
Lamothe
Bas-Mauco
Dumes
Horsarrieu
Ste Colombe
Serreslous-et-Arribans
St Cricq-Chalosse
Serres-Gaston
Bats
Urgons
Arboucave
Lacajunte
Vielle-Tursan
Buanes
Sarraziet
Fargues
Bérenx
Salles-Mongiscard
Ste Suzanne
Lanneplaà
Baure
Biron
Sarpourenx
Castetner
Ozenx
Montestrucq
L'Hôpital-d'Orion
Orion
Burgaronne
Loubieng
Lendresse
Mont
Gouze
Arance
Sauvelade
Castetbon
Narp
Ossenx
Laàs
Barraute
Andrein
St Gladie
Montfort
Tabaille-Usquain
Araujuzon
Araux
Audaux
Bugnein
Bastanès
Viellenave-de-Navarrenx
Méritein
Vielleségure
Castetnau
Susmiou
Sus
Jasses
Ogenne
Charre
Lichos
Angous
Arrast
Gurs
Dognen
Lay
Lucq-de-Béarn
Préchacq-Navarrenx
Saucède
Préchacq-Josbaig
Moncayolle
Charritte-de-Bas
Rivehaute
Nabas
Gestas
Abos
Lahourcade
Tarsacq
Arbus
Parbayse
Cuqueron
Lasserre-Bellegarde
Cardesse
Lacommande
Aubertin
Jurançon
Bordes
A 64-E 80
N 117
D 933
D 947
Autodrome
Adour
Gave de Pau
Gave d'Oloron
Lande d'Agès
Lac d'Uzein

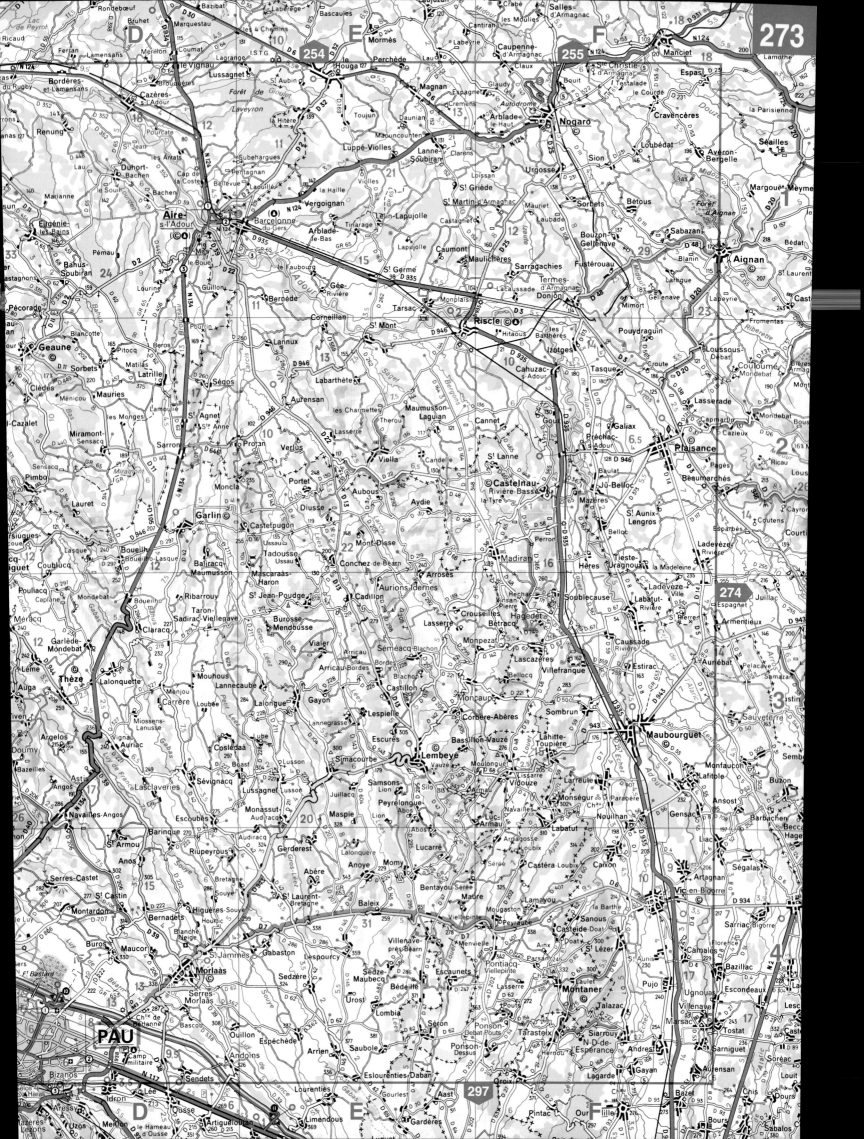
D
E
F
254
255
274
297
Manciet
Nogaro
Aire-s-l'Adour
Barcelonne-du-Gers
Riscle
Aignan
Plaisance
Geaune
Garlin
Castelnau-Rivière-Basse
Madiran
Maubourguet
Lembeye
Vic-en-Bigorre
Morlaàs
Montaner
Thèze
PAU
Eugénie-les-Bains
Cazères-s-l'Adour
Le Houga
Termes-d'Armagnac
Donjon
Cahuzac-s-Adour
Séailles
Sabazan
Lussagnet
Vergoignan
Lannux
Portet
Diusse
Conchez-de-Béarn
Cadillon
Crouseilles
Lascazères
Villefranque
Sombrun
Larreule
Caixon
Artagnan
Tostat
Bazillac
Ségalas
Sarriac-Bigorre
Navailles-Angos
Serres-Castet
Montardon
Buros
Maucor
Idron
Ousse
Sendets
Bizanos
Artigueloutan
Limendous
Lourenties
Eslourenties-Daban
Saubole
Espéchède
Ouillon
Andoins
Lagarde
Gayan
Andrest
Siarrouy
Tarasteix
Lombia
Séron
Urost
Bédeille
Escaunets
Sedzère
Gabaston
Lespourcy
Baleix
Bentayou-Sérée
Maure
Mougaston
Lamayou
Sanous
Caixon
Pujo
Camalès
Oroix

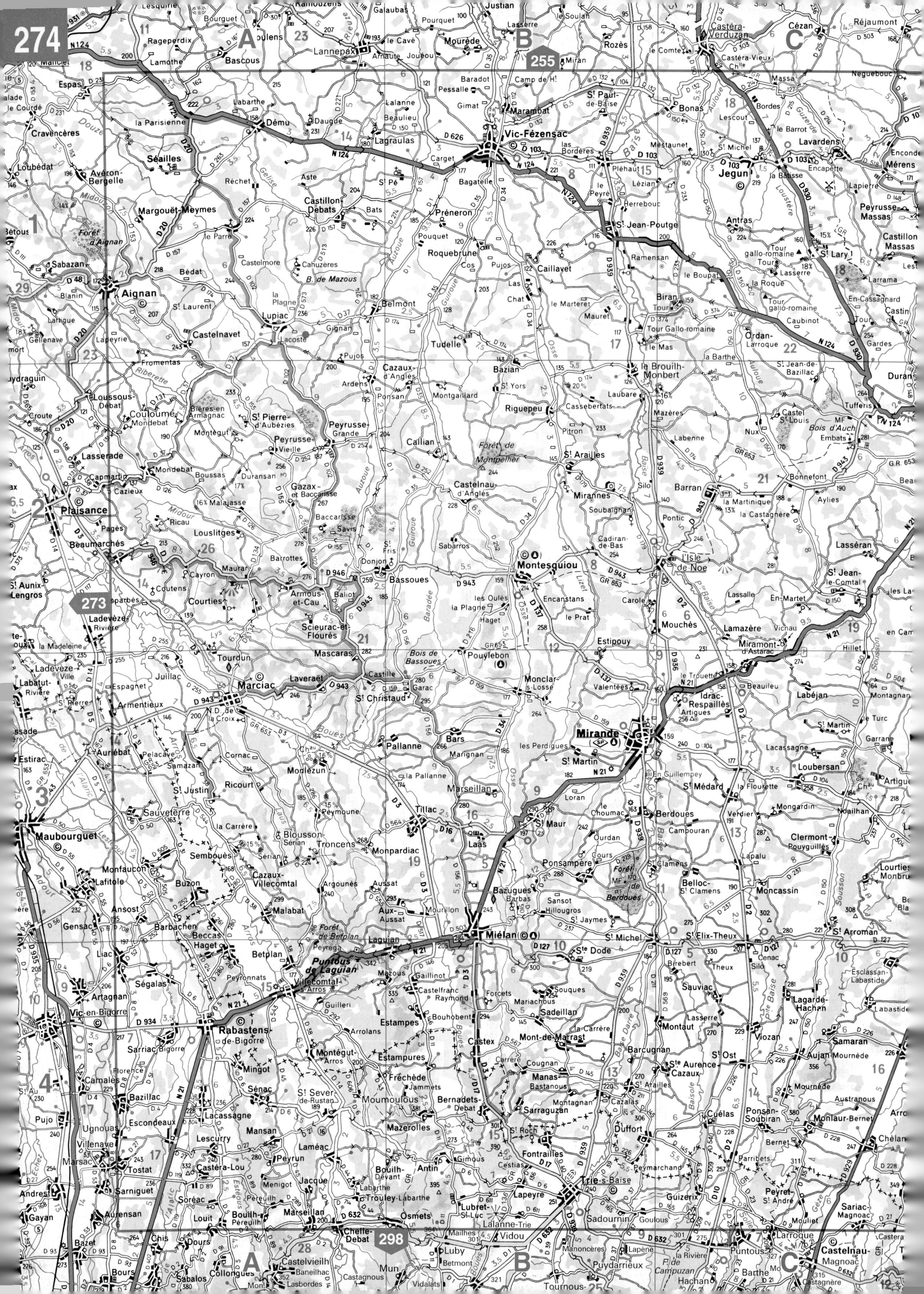

A
B
C
1
2
3
4
255
273
298
N 124
N 21
Vic-Fézensac
Aignan
Plaisance
Marciac
Mirande
Montesquiou
Bassoues
Maubourguet
Vic-en-Bigorre
Rabastens-de-Bigorre
Mielan
Trie-s-Baïse
Jegun
Castéra-Verduzan
Castelnau-Magnoac
Lannepax
Dému
Séailles
Lupiac
Belmont
St Jean-Poutge
Biran
Bazian
St Arailles
Barran
L'Isle-de-Noé
Montesquiou
Mouchès
Idrac-Respaillès
Miramont-d'Astarac
Berdoues
St Maur
Tillac
Troncens
Monpardiac
Laguian
Villecomtal-s-Arros
Estampes
Castex
Sarraguzan
Duffort
Puntous
Lavardens
Castillon-Massas
Peyrusse-Massas
Forêt d'Aignan
Forêt de Montpellier
Bois de Bassoues
Forêt de Berdoues
Puntous de Laguian

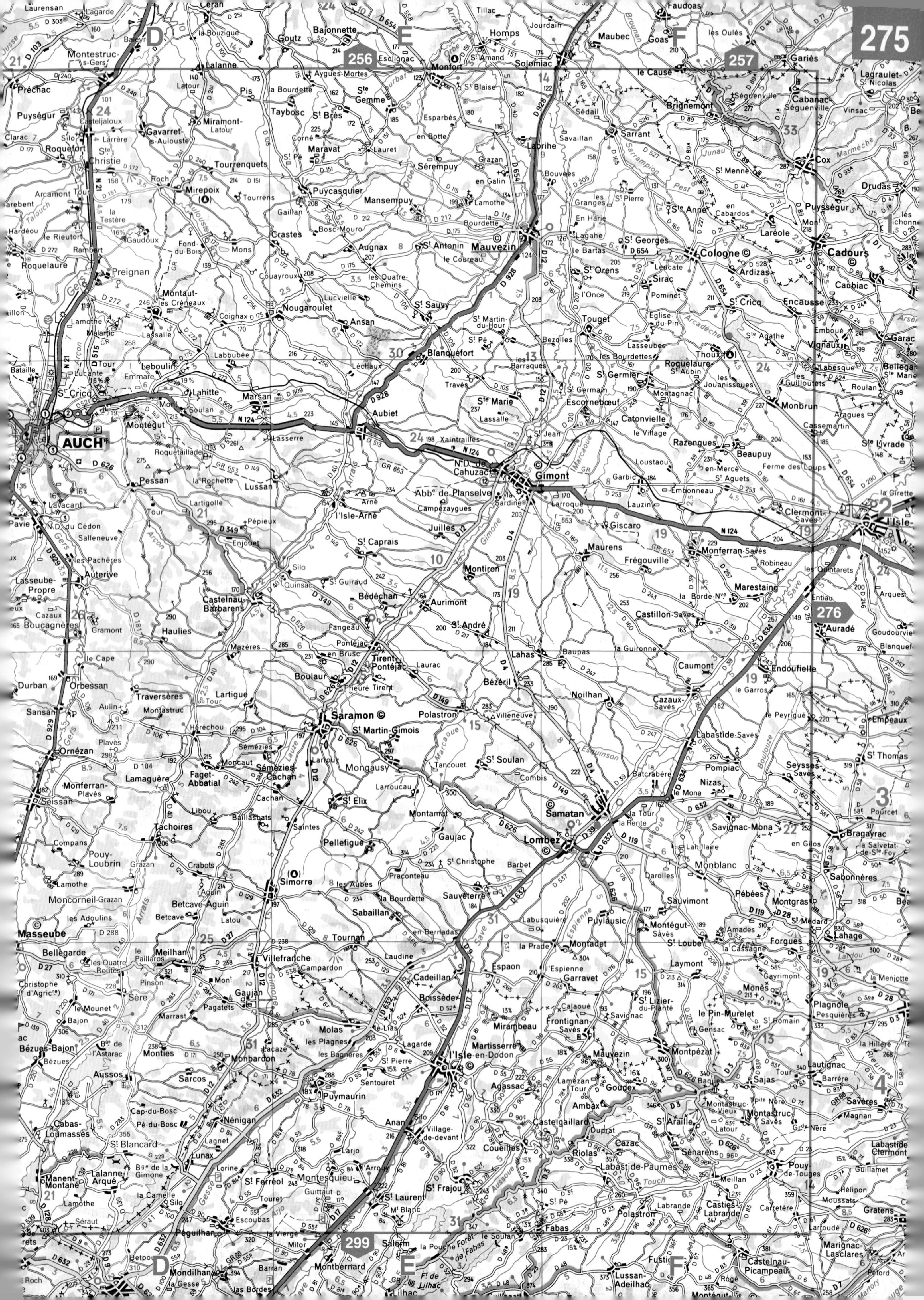
D
E
F
256
257
276
299
Préchac
Puységur
Roquefort
Ste Christie
Montestruc-s-Gers
Castéljaloux
Gavarret-s-Aulouste
Miramont-Latour
Tourrenquets
Mirepoix
Roquelaure
Preignan
Montaut-les Créneaux
Nougaroulet
Ansan
Lahitte
Marsan
Montégut
AUCH
Pessan
Lussan
Aubiet
Blanquefort
Puycasquier
Mansempuy
Crastes
Augnax
St Antonin
Mauvezin
St Sauvy
Bajonnette
Goutz
Monfort
Homps
Solomiac
Maubec
Faudoas
Goas
le Causé
Brignemont
Gariès
Lagraulet-St Nicolas
Cabanac-Séguenville
Cox
Drudas
Puysségur
Cadours
Cologne
Sirac
St Orens
Touget
St Germier
Roquelaure-St Aubin
Thoux
Monbrun
Vignaux
Escornebœuf
Catonvielle
Razengues
Beaupuy
Gimont
N.D. de Cahuzac
Abbe de Planselve
l'Isle-Arné
St Caprais
Juilles
Montiron
Maurens
Frégouville
Monferran-Savès
Clermont-Savès
l'Isle-Jourdain
Marestaing
Auradé
Castillon-Savès
Endoufielle
Caumont
Cazaux-Savès
Aurimont
Bédéchan
St André
Castelnau-Barbarens
Haulies
Tirent-Pontéjac
Boulaur
Saramon
St Martin-Gimois
Lahas
Bézéril
Noilhan
Polastron
St Soulan
Labastide-Savès
Pompiac
Nizas
Samatan
Lombez
Savignac-Mona
Monblanc
Bragayrac
Sabonnères
Empeaux
St Thomas
Orbessan
Traversères
Ornézan
Lamaguère
Faget-Abbatial
Sémézies-Cachan
Mongausy
St Elix
Montamat
Gaujac
Pellefigue
Tachoires
Pouy-Loubrin
Simorre
Betcave-Aguin
Masseube
Sabaillan
Tournan
Sauveterre
Puylausic
Montégut-Savès
St Loube
Montadet
Espaon
Garravet
Laymont
Forgues
Lahage
Villefranche
Meilhan
Bellegarde
Gaujan
Cadeillan
Boissède
Molas
Mirambeau
Frontignan-Savès
St Lizier-du-Planté
le Pin-Murelet
Plagnole
Monbardon
Montiès
Sarcos
Aussos
Puymaurin
l'Isle-en-Dodon
Martisserre
Mauvezin
Montpézat
Goudex
Agassac
Lautignac
Sajas
Savères
Nénigan
Cabas-Loumassès
St Blancard
Lunax
Anan
Castelgaillard
Ambax
St Araille
Montastruc-Savès
Cazac
Riolas
Sénarens
Coueilles
St Ferréol
Montesquieu-Guittaut
St Laurent
St Frajou
Labastide-Paumès
Pouy-de-Touges
Labastide-Clermont
Polastron
Casties-Labrande
Gratens
Fabas
Péguilhan
Escoubas
Salerm
Mondilhan
Montbernard
Lussan-Adeilhac
Castelnau-Picampeau
Marignac-Lasclares
Manent-Montané
Lalanne-Arqué
Seissan
Monferran-Plavès
Auterive
Lasseube-Propre
Durban
N 124
N 21
D 928
D 632
D 634
D 626
D 12
D 149
D 349

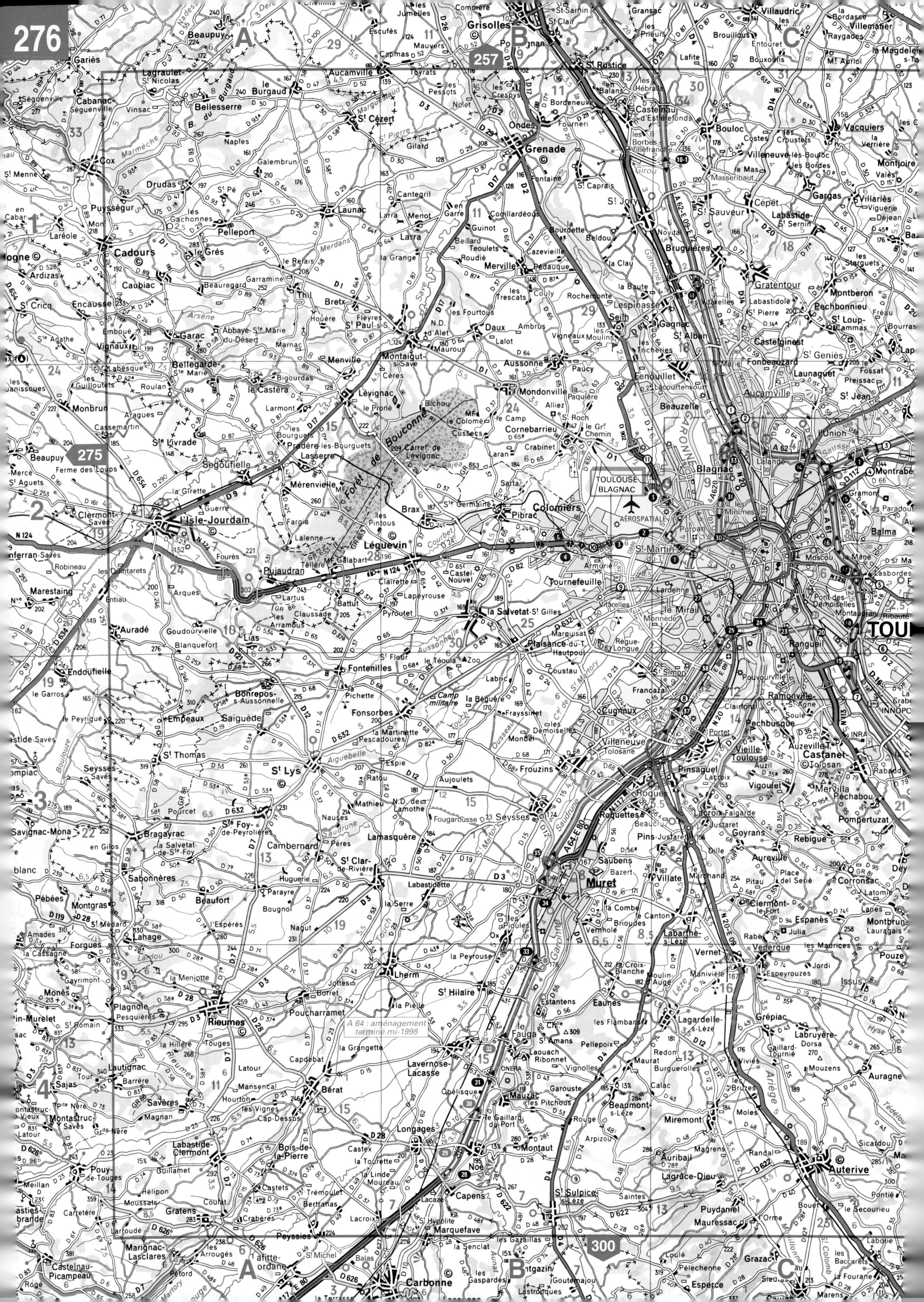

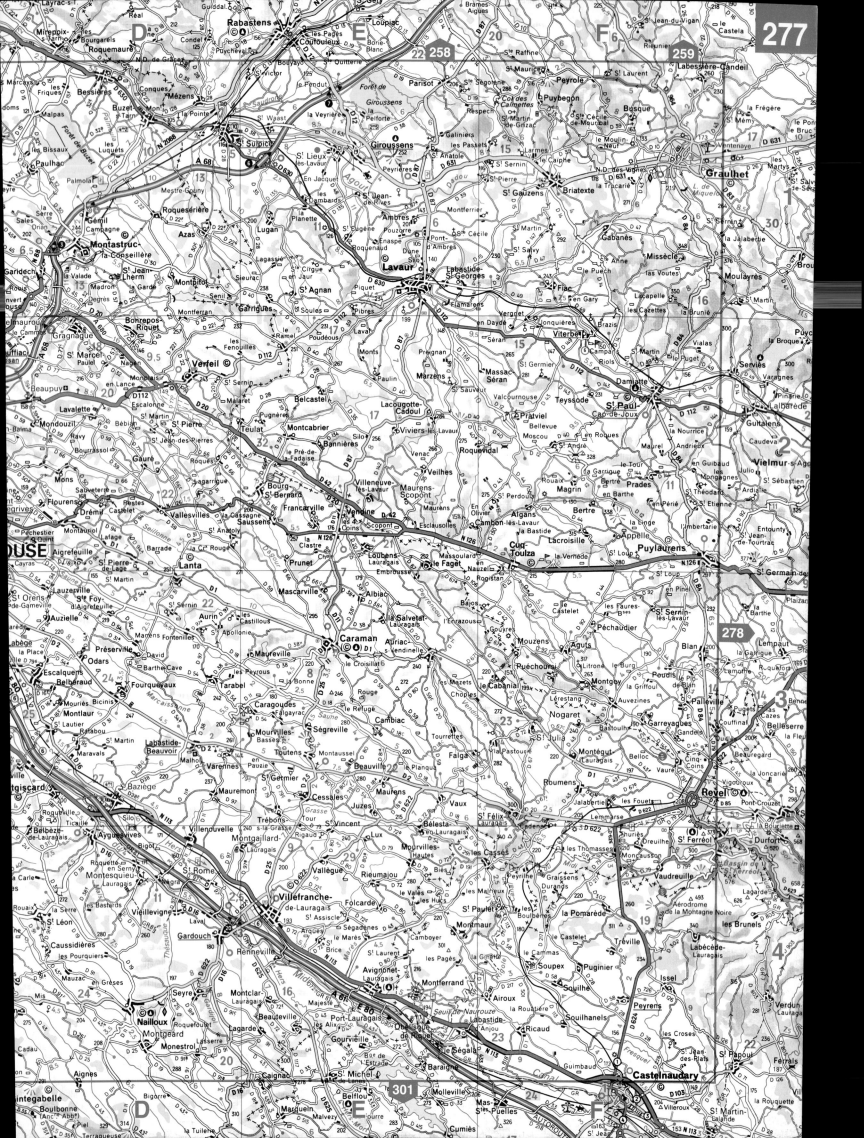

Rabastens
Coufouleux
Loupiac
Parisot
Peyrole
Labessière-Candeil
Graulhet
Mirepoix-s-Tarn
Roquemaure
Bessières
Buzet-s-Tarn
Mézens
St Sulpice
Giroussens
St Lieux-lès-Lavaur
Briatexte
St Gauzens
Busque
Montastruc-la-Conseillère
Azas
Lugan
Ambres
Lavaur
Labastide-St-Georges
Cabanès
Missècle
Moulayrès
Gragnague
Bonrepos-Riquet
Verfeil
St Agnan
Garrigues
Viterbe
Damiatte
St Paul-Cap-de-Joux
Serviès
Teulat
Belcastel
Montcabrier
Bannières
Lacougotte-Cadoul
Viviers-lès-Lavaur
Roquevidal
Prades
Vielmur-s-Agout
Guitalens
Bourg-St-Bernard
Francarville
Vendine
Maurens-Scopont
Cambon-lès-Lavaur
Algans
Bertre
Appelle
Puylaurens
Cuq-Toulza
Lanta
Loubens-Lauragais
le Faget
Prunet
Caraman
Mascarville
Albiac
la Salvetat-Lauragais
Auriac-s-Vendinelle
Mouzens
Péchaudier
Aguts
Puéchoursi
le Cabanial
Montgey
Palleville
Labège
Escalquens
Belberaud
Fourquevaux
Odars
Préserville
Tarabel
Caragoudes
Ségreville
Cambiac
Montégut-Lauragais
Garrevaques
Revel
Labastide-Beauvoir
Baziège
Vaux
St Félix-Lauragais
Vaudreuille
St Ferréol
Durfort
Ayguesvives
Montgaillard-Lauragais
Villefranche-de-Lauragais
les Cassés
St Paulet
Montmaur
la Pomarède
Labécède-Lauragais
Nailloux
Avignonet-Lauragais
Montferrand
Soupex
Puginier
Issel
Peyrens
Labastide-d'Anjou
Ricaud
Castelnaudary
St Papoul
Verdun-Lauragais
Gardouch
Villenouvelle
Montesquieu-Lauragais
Montclar-Lauragais
Beauteville
Port-Lauragais
Gourvieille
St Michel-de-Lanès
Baraigne
Molleville
Mas-Stes-Puelles
Belflou
Marquein
Cumiès
Aigues
Monestrol
Seyre
Caignac

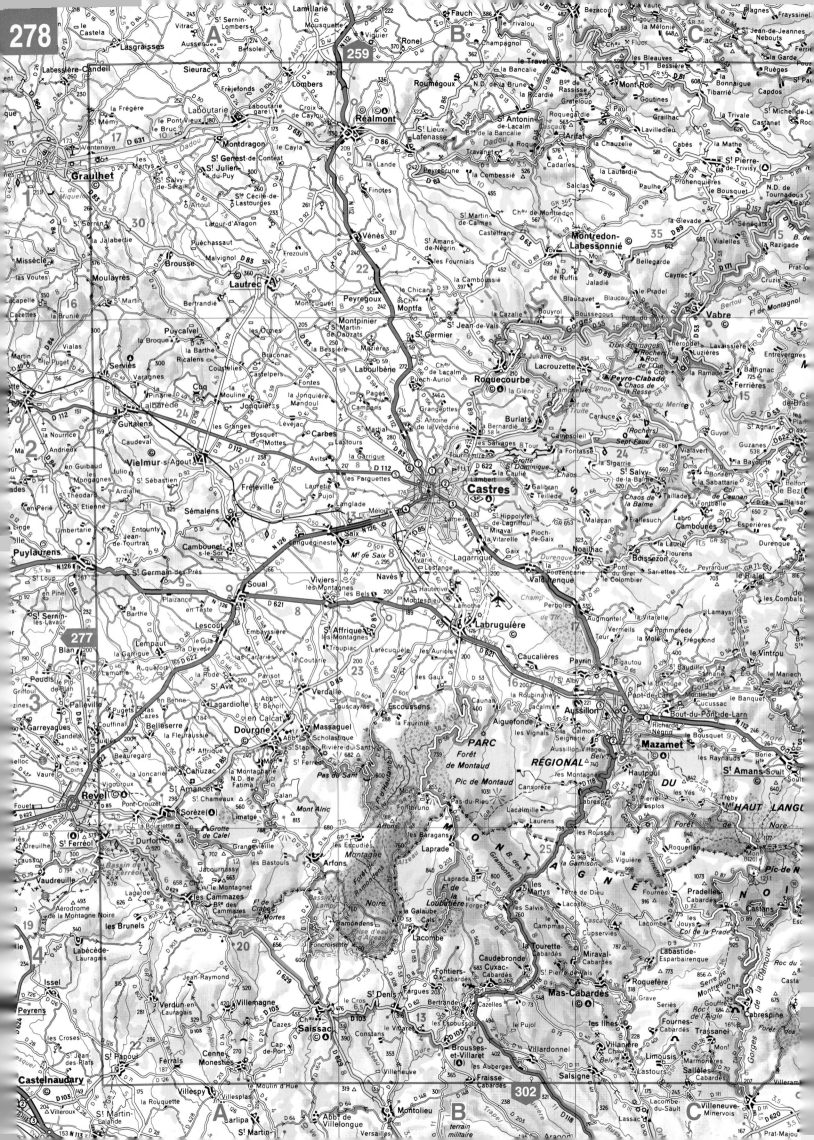
259
277
302
A
B
C
1
2
3
4
Graulhet
Réalmont
Lautrec
Castres
Vielmur-s-Agout
Puylaurens
Soual
Labruguière
Mazamet
Aussillon
Revel
Sorèze
Dourgne
Saissac
Castelnaudary
Mas-Cabardès
Montredon-Labessonnié
Roquecourbe
Vabre
St Amans-Soult
Lombers
Laboutarie
Montdragon
Sémalens
Saix
Viviers-lès-Montagnes
St Affrique-lès-Montagnes
Verdalle
Massaguel
Arfons
Les Cammazes
Durfort
St Ferréol
Labécède-Lauragais
Issel
St Papoul
Villemagne
Verdun-en-Lauragais
Cuxac-Cabardès
Brousses-et-Villaret
Villardonnel
Salsigne
Lastours
Villeneuve-Minervois
Cabrespine
Roquefère
Labastide-Esparbairenque
Pradelles-Cabardès
Castans
Montolieu
Aragon
Escoussens
Caucalières
Payrin
Noailhac
Boissezon
Valdurenque
Burlats
Lacrouzette
St Salvy-de-la-Balme
Cambounès
Lagarrigue
Navès
Cuq
Serviès
Guitalens
Lalbarède
Brousse
Moulayrès
Missècle
Labessière-Candeil
Lasgraisses
Roumégoux
St Antonin-de-Lacalm
Arifat
Vénès
Peyregoux
Montfa
St Germier
Laboulbène
Carbes
Fréjeville
Cambounet-s-le-Sor
St Germain-des-Prés
Lescout
Blan
Palleville
Garrevaques
Belleserre
Cahuzac
St Amancet
Vaudreuille
PARC RÉGIONAL DU HAUT LANGUEDOC
MONTAGNE NOIRE
Forêt de Montaud
Pic de Montaud
Pic de Nore
Pas du Sant
Mont Alric
Bassin de St Ferréol
Aérodrome de la Montagne Noire
Agout
Thoré
Dadou
Sor
N 112
N 126
D 612
D 621
D 622
Champ de Tir
Gorges de la Clamoux

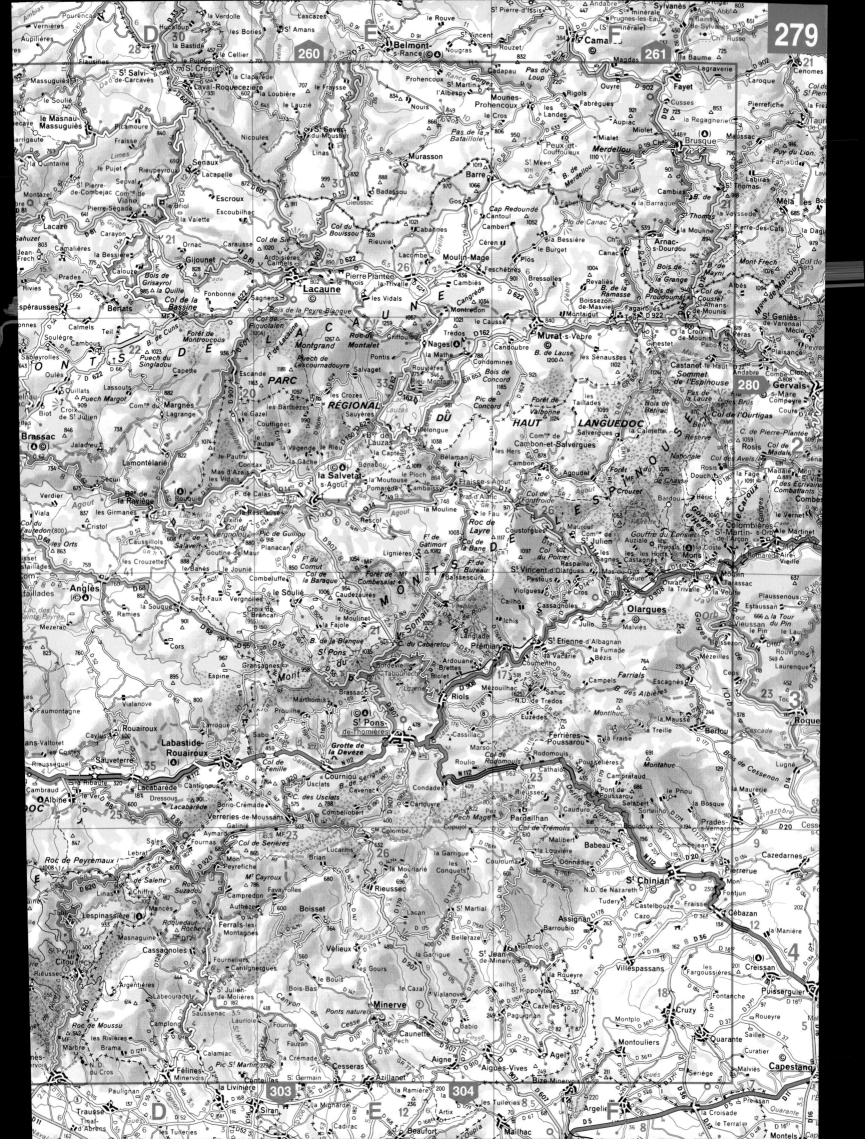

260
261
280
303
304
Belmont-s-Rance
Camarès
Sylvanès
Lacaune
Murat-s-Vèbre
Brusque
Fayet
Gijounet
Brassac
Anglès
la Salvetat-s-Agout
Fraisse-s-Agout
Olargues
St Pons-de-Thomières
Riols
Prémian
St Étienne-d'Albagnan
Labastide-Rouairoux
Lacabarède
Albine
St Chinian
Minerve
Azillanet
Aigues-Vives
Agel
Cruzy
Quarante
Capestang
Creissan
Puisserguier
Cessenon
Lamalou
Mons
Colombières
St Martin-de-l'Arçon
Gervais
Rosis
Castanet-le-Haut
Cambon-et-Salvergues
St Vincent-d'Olargues
Courniou
Ferrals-les-Montagnes
Cassagnoles
Rieussec
Félines-Minervois
Siran
la Livinière
Cesseras
Villespassans
Assignan
Pardailhan
Babeau
Berlou
PARC RÉGIONAL DU HAUT LANGUEDOC
MONTS DE LACAUNE
MONTS DE L'ESPINOUSE
Sommet de l'Espinouse
Mont Caroux
Forêt de Montroucous
Puech de Lescournadouyre
Roc de Montalet
Col de Fontfroide
Gorges d'Héric
Gorges de l'Orb
Canyon de la Cesse
Grotte de la Devèze
Montagne Noire

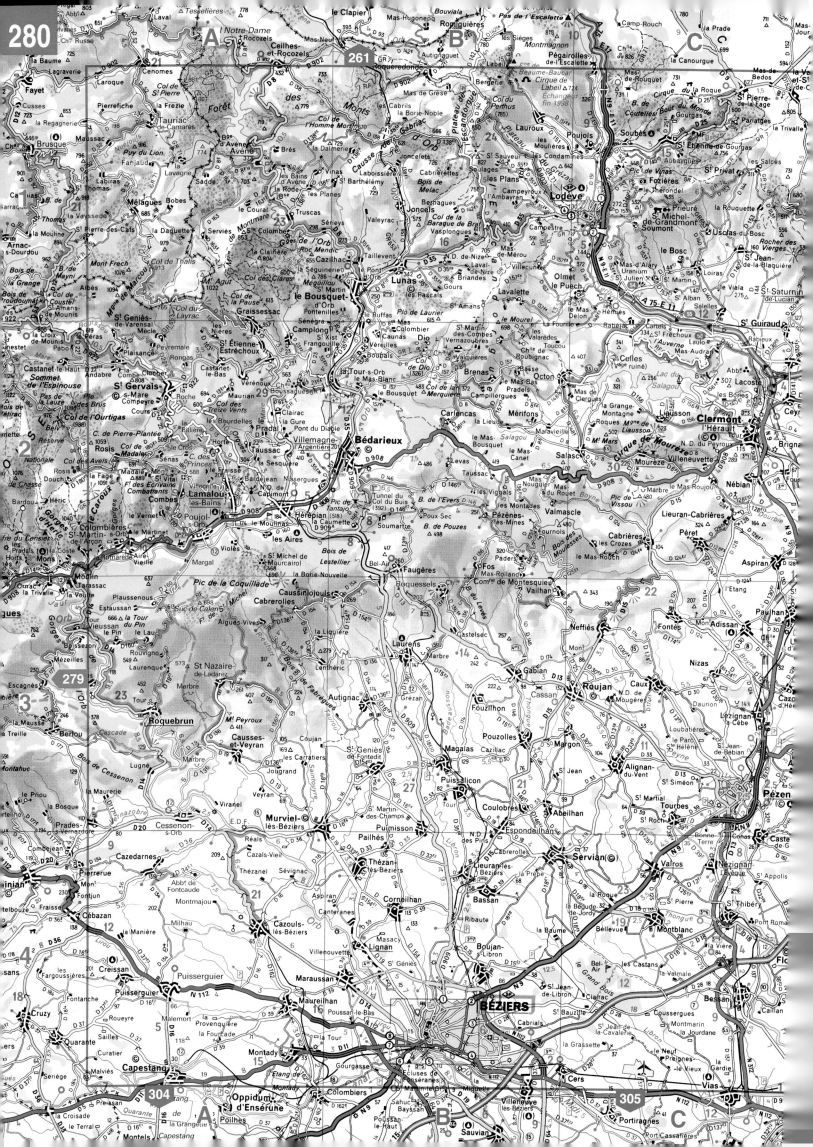
A
B
C
1
2
3
4
261
279
304
305
Lodève
Bédarieux
Clermont-l'Hérault
BÉZIERS
Lamalou-les-Bains
Le Bousquet-d'Orb
St Gervais-s-Mare
Roquebrun
Murviel-lès-Béziers
Magalas
Roujan
Gabian
Servian
Capestang
Puisserguier
Maureilhan
Lignan
Cazouls-lès-Béziers
Boujan-s-Libron
Bassan
Montblanc
Bessan
Vias
Portiragnes
Villeneuve-lès-Béziers
Sauvian
Colombiers
Montady
Oppidum d'Ensérune
Poilhes
Cers
Alignan-du-Vent
Valros
Tourbes
Pézenas
Paulhan
Nizas
Péret
Aspiran
Nébian
Villeneuvette
Mourèze
Salasc
Octon
Cirque de Mourèze
Lac du Salagou
Faugères
Laurens
Autignac
Caussiniojouls
Cabrerolles
Hérépian
Graissessac
Lunas
Avène
Mélagues
Brusque
Fayet
Soubès
Poujols
Pégairolles-de-l'Escalette
Pas de l'Escalette
St Étienne-de-Gourgas
Mas-de-Bedos
Cirque du Bout du Monde
Prieuré St-Michel-de-Grandmont
Olmet
Le Puech
Celles
Liausson
Brenas
Carlencas
Pézènes-les-Mines
Fos
Vailhan
Neffiès
Fontès
Adissan
Caux
Lézignan-la-Cèbe
Puissalicon
Espondeilhan
Coulobres
Abeilhan
Thézan-lès-Béziers
Corneilhan
Pailhès
Puimisson
Maraussan
Cessenon-s-Orb
Pierrerue
Cazedarnes
Creissan
Quarante
Cruzy
Cébazan
Causses-et-Veyran
St Nazaire-de-Ladarez
Colombières-s-Orb
Mons
St Martin-de-l'Arçon
Olargues
Castanet-le-Haut
Sommet de l'Espinouse
Col de l'Ourtigas
Forêt des Monts
Causse de Gabriac
Plateau de l'Escandorgue
Cirque de Labeil
Ceilhes-et-Rocozels
Roqueredonde
Romiguières
Tauriac-de-Camarès
Cenomes
Pic de la Coquillade
Bois de Fabrègues
Écluses de Fonserannes
A 75-E 11

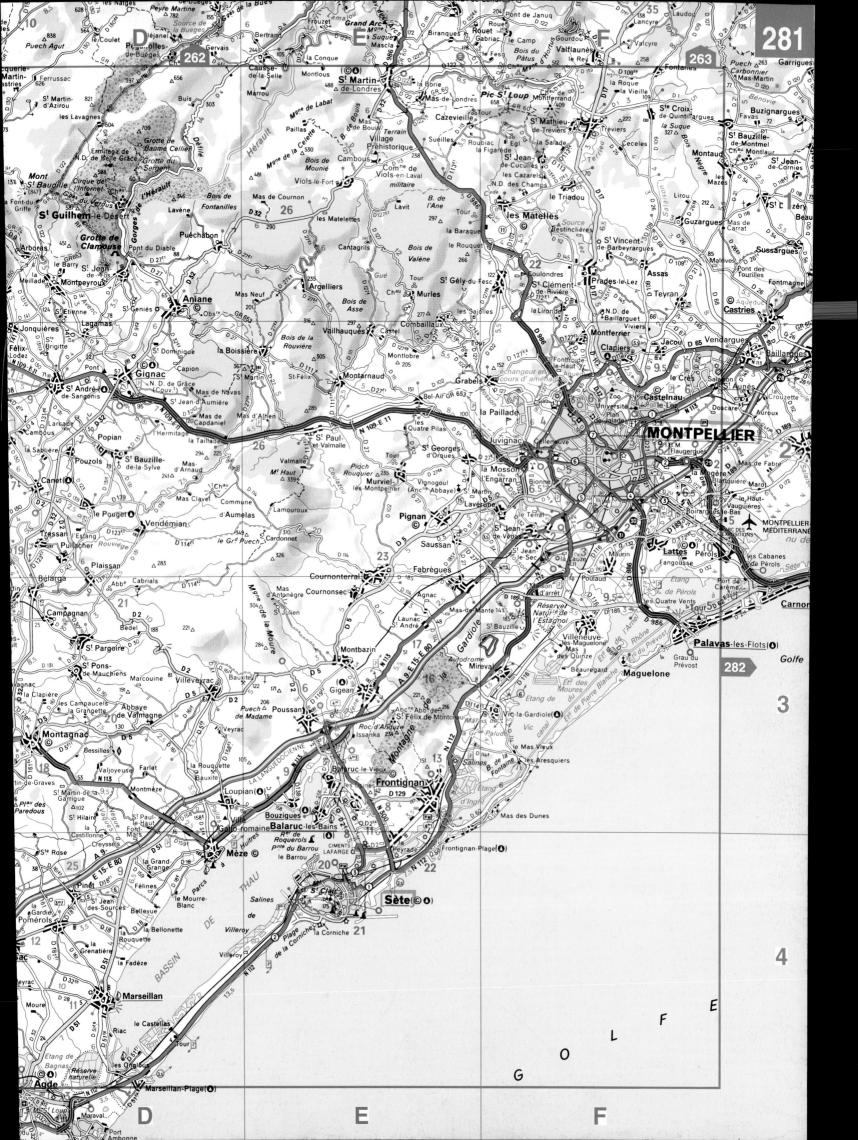
262
263
282
D
E
F
1
2
3
4
MONTPELLIER
Sète
Agde
Mèze
Frontignan
Marseillan
Gignac
Aniane
St Guilhem-le-Désert
Grotte de Clamouse
Gorges de l'Hérault
Cirque de l'Infernet
Mont St Baudille
St Martin-de-Londres
Pic St Loup
Les Matelles
St Gély-du-Fesc
Castelnau-le-Lez
Castries
Lattes
Pérols
Palavas-les-Flots
Maguelone
Carnon
Villeneuve-lès-Maguelone
Mireval
Vic-la-Gardiole
Balaruc-les-Bains
Balaruc-le-Vieux
Bouzigues
Loupian
Poussan
Gigean
Montbazin
Cournonterral
Cournonsec
Fabrègues
Pignan
Saussan
Lavérune
Juvignac
Grabels
Montarnaud
Vailhauquès
Argelliers
Puéchabon
Montpeyroux
St André-de-Sangonis
Canet
Clermont-l'Hérault
Montagnac
Pinet
Pomérols
Villeveyrac
St Pargoire
St Pons-de-Mauchiens
Plaissan
Pouzols
Popian
Le Pouget
Vendémian
Tressan
Puilacher
Bélarga
Campagnan
Aumelas
Murviel-lès-Montpellier
St Georges-d'Orques
Prades-le-Lez
Assas
Teyran
Jacou
Vendargues
Le Crès
Clapiers
Montferrier
Baillargues
Sussargues
Guzargues
St Vincent-de-Barbeyrargues
St Clément-de-Rivière
Combaillaux
Murles
Viols-le-Fort
Cazevieille
St Mathieu-de-Tréviers
Valflaunès
Montpellier-Méditerranée
Étang de Pérols
Étang de Vic
Étang d'Ingril
Bassin de Thau
Golfe
Marseillan-Plage
Frontignan-Plage
Montagne de la Gardiole
Réserve Naturelle de l'Estagnol

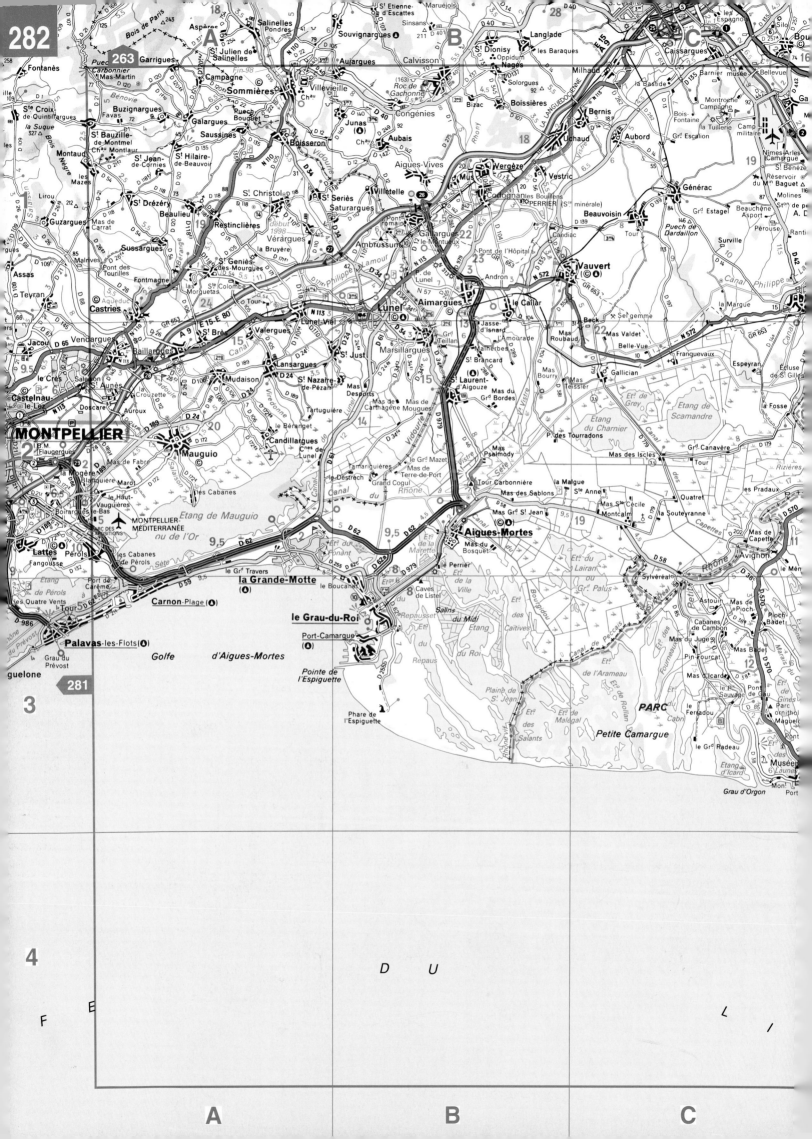
263
281
A
B
C
1
2
3
4
Aspères
Salinelles
St Julien de Salinelles
Souvignargues
St Étienne-d'Escattes
Sinsans
Langlade
les Baraques
St Dionisy
Nages
Caissargues
les Espagnols
Fontanès
Garrigues
Campagne
Sommières
Villevieille
Aujargues
Calvisson
Roc de Gachonne
Congénies
Solorgues
Boissières
Milhaud
Bernis
la Bastide
Barnier
Bellevue
Montroche
Campagne
Bois-Fontaine
la Tuilerie
Camp militaire
Nîmes-Arles-Camargue
Ste Croix-de-Quintillargues
Buzignargues
Galargues
Saussines
Junas
Aubais
Boisseron
Uchaud
Aubord
Gr. Escalion
St Bauzille-de-Montmel
Montaud
St Jean-de-Cornies
St Hilaire-de-Beauvoir
Aigues-Vives
Vergèze
Mus
Vestric
Générac
les Mazes
St Christol
St Sériès
Saturargues
Villetelle
Codognan
les Bouillens
PERRIER (Sce minérale)
Beauvoisin
Gd Estagel
Beauchêne
Asport
Guzargues
Mas de Carrat
St Drézéry
Beaulieu
Restinclières
Vérargues
Pont Romain
Gallargues-le-Montueux
Candiac
Puech de Dardaillon
Pérouse
Surville
Sussargues
Ambrussum
Pont de l'Hôpital
Vauvert
Assas
Teyran
Castries
St Geniès-des-Mourgues
Ste Colombe
Fontmagne
Canal Philippe Lamour
P. de Lunel
Andron
Aimargues
le Cailar
Canal Philippe
la Marque
Lunel
Lunel-Viel
Valergues
St Brès
Baillargues
Vendargues
Jacou
le Crès
Jasse-d'Isnard
l'Amourade
Mas Roubaud
Beck
Sel gemme
Mas Valdet
Belle-Vue
Franquevaux
Espeyran
Écluse de St Gilles
Marsillargues
Gd Teillan
Malherbes
St Brancard
St Just
Lansargues
Mudaison
St Nazaire-de-Pézan
Mas Desports
St Laurent-d'Aigouze
Mas du Gd Bordes
Mas Bourry
Mas Teissier
Gallician
Castelnau-le-Lez
Salaison
St Aunès
la Crouzette
Doscare
Auroux
Tartuguière
Mas de Carthagène
Mas de Mougues
Étg de Grey
Étang de Scamandre
la Fosse
MONTPELLIER
B.M. Flaugergues
Mauguio
le Béranget
Candillargues
Cnes de Lunel
Étang du Charnier
P. des Tourradons
Mas Psalmody
Gd Canavère
Mas des Iscles
Tour
la Mogère
Mas de Fabre
Blanquière
Marot
le Haut-Vauguières
les Cabanes
Tamariguières
le Destrech
le Gd Mazet
Mas de Terre-de-Port
Grand Cogul
Canal du Rhône à Sète
Tour Carbonnière
la Malgue
Ste Anne
Mas des Sablons
Mas Ste Cécile
Montcalm
Quatret
la Souteyranne
les Pradaux
Rizières
Boirargues
le-Bas
MONTPELLIER-MÉDITERRANÉE
PARC DES EXPOSITIONS
Étang de Mauguio ou de l'Or
Mas Gd St Jean
Aigues-Mortes
Mas du Bosquet
Étg de la Marette
Étg du Ponant
Mas de Capette
Avignon
Lattes
Pérols
Fangousse
les Cabanes de Pérols
Étang de Pérols
Port de Carême
les Quatre Vents
Tour
le Gd Travers
la Grande-Motte
le Boucanet
le Perrier
Étg de la Ville
Caves de Listel
Étg du Lairan ou Gd Palus
Sylvéréal
Astouin
Mas de Pioch
Pioch-Badet
Carnon-Plage
le Grau-du-Roi
Repausset
Salins du Midi
Étang du Roi
Étg des Caitives
Bourgidou
Canal de Peccais
Cabanes de Cambon
Mas du Juge
Pin-Fourcat
Mas Badet
Palavas-les-Flots
Grau du Prévost
Golfe d'Aigues-Mortes
Port-Camargue
Pointe de l'Espiguette
Étg de l'Arameau
Étg de Rollan
Étg des Fourneaux
Mas d'Icard
Pont de Gau
Parc ornithol.
Maguelonne
Plaine de St Jean
Étg des Salants
Étg de Malégal
Rhône Vif
Phare de l'Espiguette
PARC
Cabri
le Ferradou
Petite Camargue
le Gd Radeau
Étang d'Icard
Musée
Grau d'Orgon
Petit Rhône
Rhône
Vidourle
Vistre
A 9
E 15-E 80
A 54
N 113
N 572
D 62
D 979
GR 653
LA LANGUEDOCIENNE
D U
F E
L I

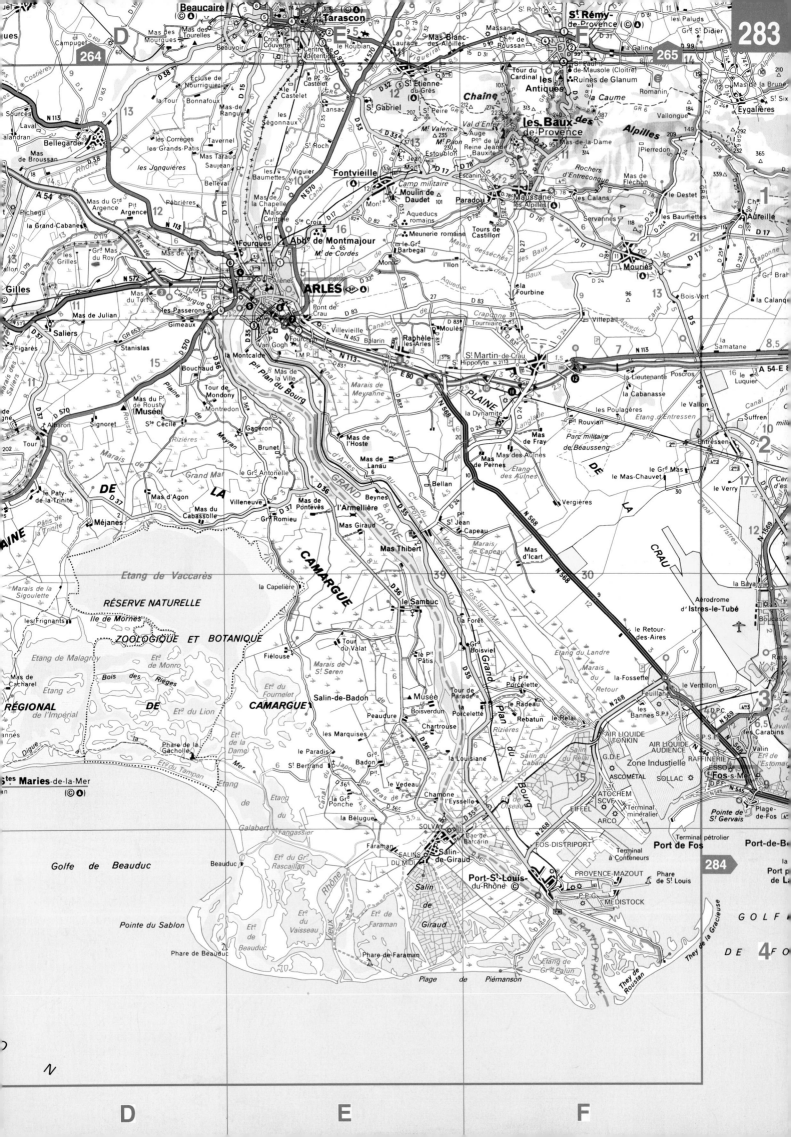

Beaucaire
Tarascon
St Rémy-de-Provence
Mas-Blanc-des-Alpilles
264
265
Bellegarde
St Etienne-du-Grès
St Gabriel
Chaîne des Alpilles
les Antiques
Ruines de Glanum
les Baux-de-Provence
Eygalières
Fontvieille
Moulin de Daudet
Paradou
Maussane-les-Alpilles
Mouriès
Aureille
Fourques
Abbe de Montmajour
ARLES
St Gilles
Saliers
Raphèle-lès-Arles
St Martin-de-Crau
PLAINE DE LA CRAU
Parc militaire de Beausseng
Entressen
Mas Thibert
Etang de Vaccarès
RÉSERVE NATURELLE ZOOLOGIQUE ET BOTANIQUE
CAMARGUE
PARC RÉGIONAL DE CAMARGUE
Le Sambuc
Salin-de-Badon
Stes Maries-de-la-Mer
Aerodrome d'Istres-le-Tubé
Fos-s-Mer
Zone Industrielle
Port de Fos
Salin-de-Giraud
Port-St-Louis-du-Rhône
Golfe de Beauduc
Pointe du Sablon
Phare de Beauduc
Phare de Faraman
Plage de Piémanson
GRAND RHÔNE
GOLFE DE FOS
284
D
E
F

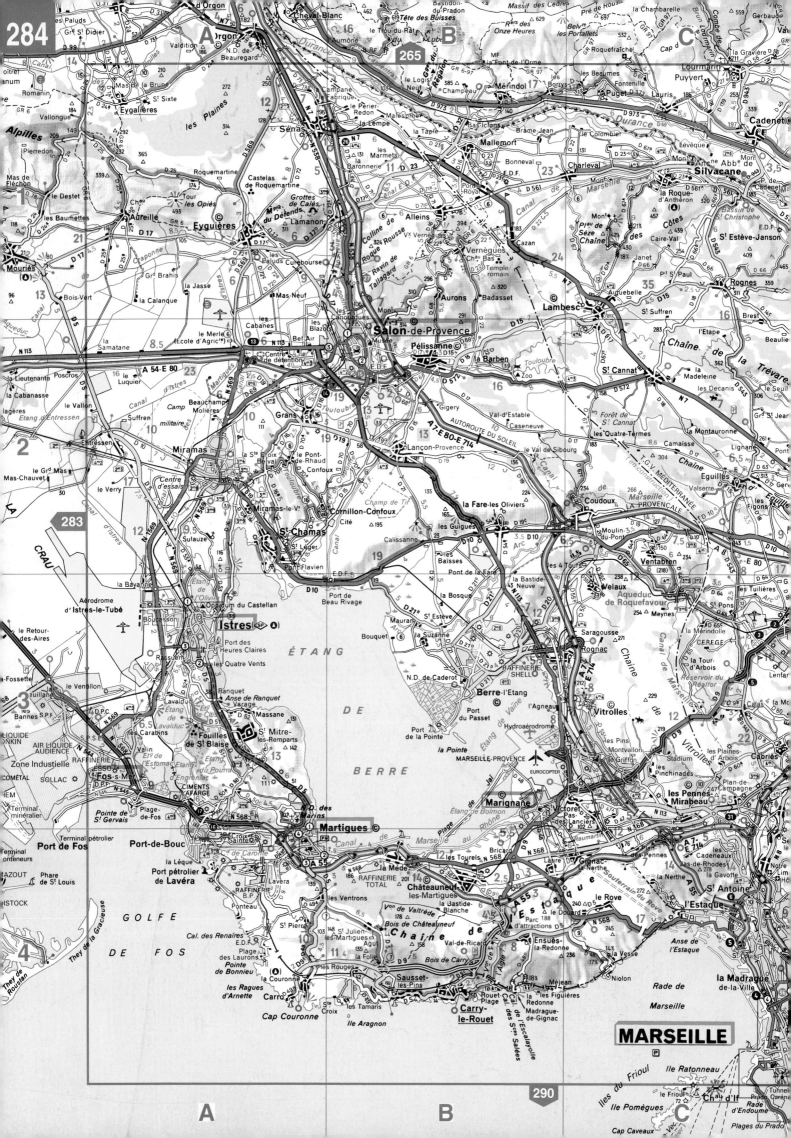
A
B
C
1
2
3
4
265
283
290
Orgon
Cheval-Blanc
Durance
Eygalières
Alpilles
les Plaines
Sénas
Mérindol
Lourmarin
Puyvert
Lauris
Cadenet
Mallemort
Charleval
Silvacane
la Roque-d'Anthéron
Roquemartine
Castelas de Roquemartine
Lamanon
Aureille
Eyguières
Alleins
Vernègues
Mouriès
Aurons
Lambesc
Rognes
Salon-de-Provence
Pélissanne
la Barben
St Cannat
Chaîne de la Trévaresse
Grans
Miramas
Lançon-Provence
AUTOROUTE DU SOLEIL
la Fare-les Oliviers
Coudoux
Eguilles
Entressen
Cornillon-Confoux
St Chamas
Ventabren
Velaux
Aqueduc de Roquefavour
CRAU
Istres
Aérodrome d'Istres-le-Tubé
ÉTANG
DE
BERRE
Berre-l'Etang
Rognac
Vitrolles
Chaîne de Vitrolles
St Mitre-les-Remparts
Fouilles de St Blaise
Fos-s-Mer
Zone Industielle
Marignane
MARSEILLE-PROVENCE
Martigues
Port-de-Bouc
Port de Fos
Port pétrolier de Lavéra
Châteauneuf-les-Martigues
Gignac-la-Nerthe
Les Pennes-Mirabeau
Cabriès
l'Estaque
Chaîne de l'Estaque
Le Rove
Ensuès-la-Redonne
Sausset-les-Pins
Carry-le-Rouet
Carro
Cap Couronne
GOLFE DE FOS
Rade de Marseille
MARSEILLE
Iles du Frioul
Ile Ratonneau
Ile Pomègues
Chau d'If
Cap Caveaux

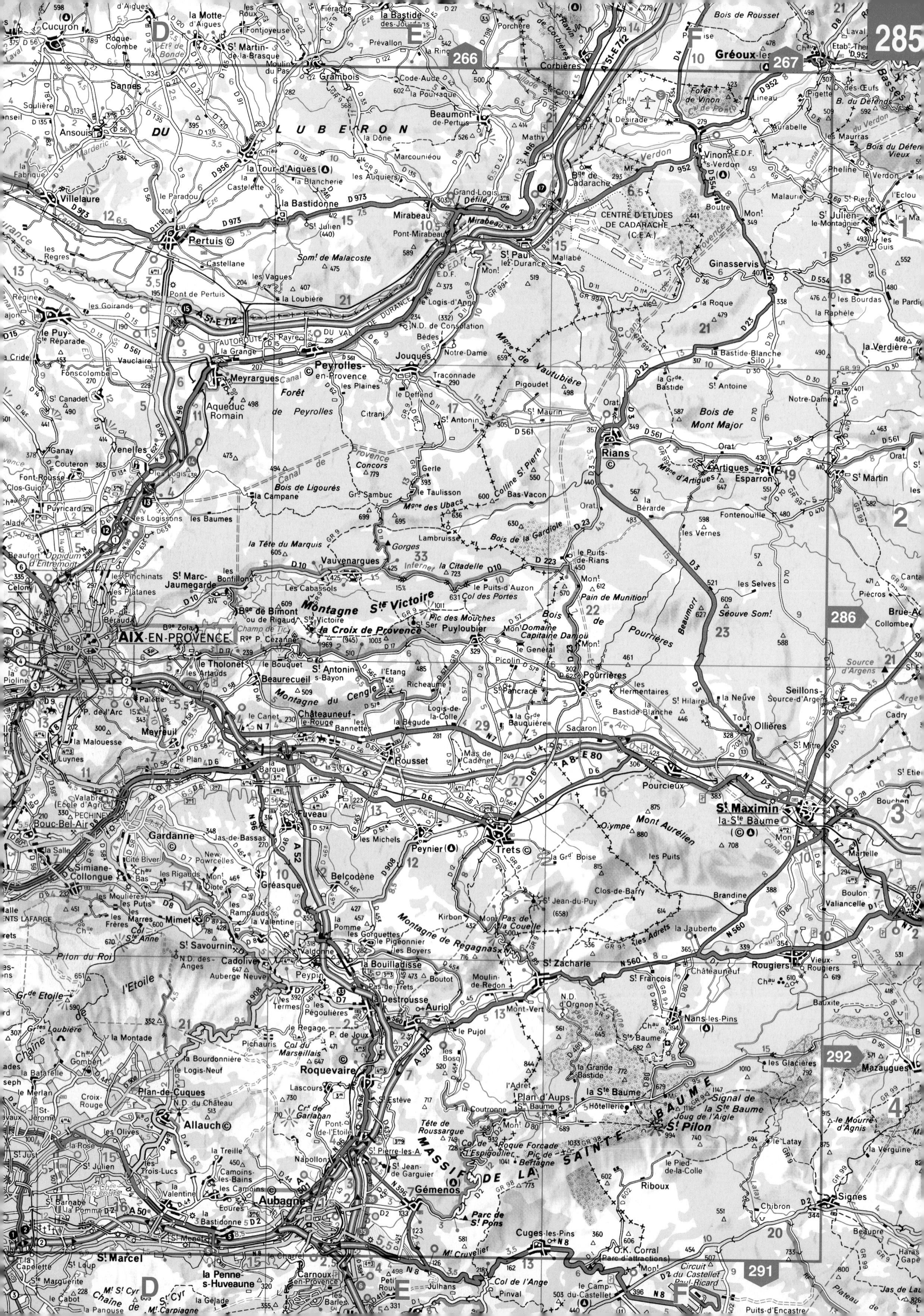

AIX-EN-PROVENCE

MASSIF DE LA SAINTE BAUME

LUBERON

Pertuis

Mirabeau

Rians

St Maximin la-Ste Baume

Trets

Gardanne

Aubagne

Roquevaire

Gréoux-les

266 267 286 292 291

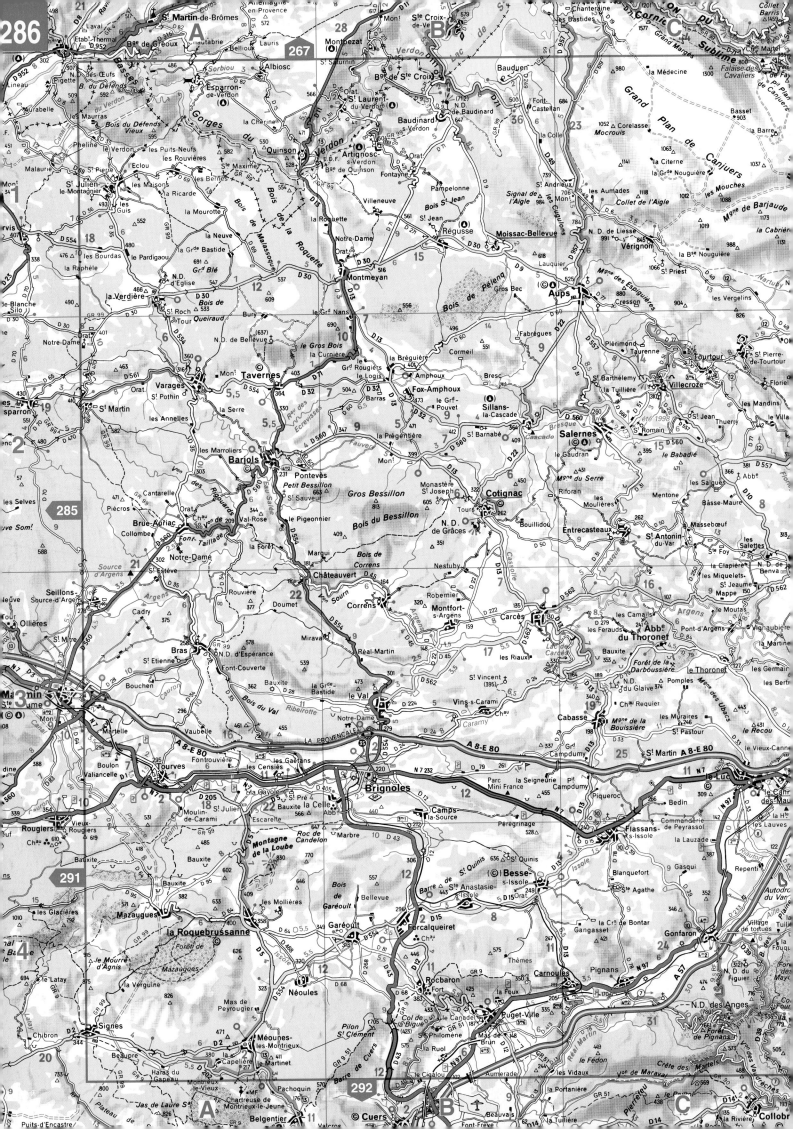
A
B
C
267
285
291
292
1
2
3
4
St Martin-de-Brômes
Gréoux
Allemagne-en-Provence
Montpezat
Ste Croix-de-Verdon
Corniche Sublime
Grand Plan de Canjuers
Basses Gorges du Verdon
Esparron-de-Verdon
Albiosc
St Laurent-du-Verdon
Baudinard-s-Verdon
Bauduen
Quinson
Artignosc-s-Verdon
St Julien-le-Montagnier
Régusse
Moissac-Bellevue
Vérignon
Montmeyan
La Verdière
Aups
Tourtour
Tavernes
Varages
Fox-Amphoux
Sillans-la-Cascade
Villecroze
Salernes
Barjols
Pontevès
Gros Bessillon
Bois du Bessillon
Cotignac
Entrecasteaux
St Antonin-du-Var
Brue-Auriac
Châteauvert
Correns
Montfort-s-Argens
Carcès
Abbe du Thoronet
Le Thoronet
Seillons-Source-d'Argens
Ollières
Bras
St Maximin-la-Ste-Baume
Le Val
Vins-s-Caramy
Cabasse
Tourves
Brignoles
La Celle
Camps-la-Source
Flassans-s-Issole
Le Luc
Rougiers
Montagne de la Loube
Besse-s-Issole
Mazaugues
La Roquebrussanne
Garéoult
Forcalqueiret
Gonfaron
Néoules
Rocbaron
Carnoules
Pignans
Signes
Méounes-les-Montrieux
Puget-Ville
Belgentier
Cuers
Collobrières
A 8-E 80
LA PROVENÇALE
N 7
N 97
A 57

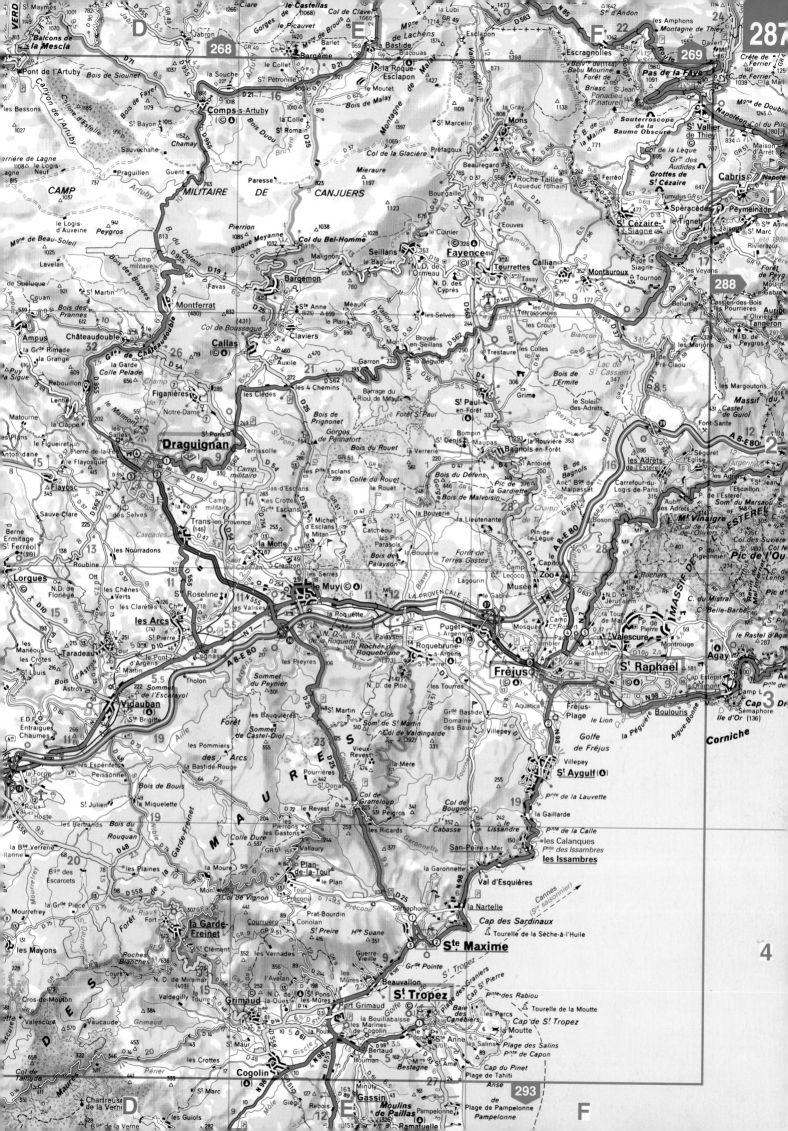

268
269
288
293
D
E
F
Balcons de la Mescla
Pont de l'Artuby
Comps-s-Artuby
Bargème
la Bastide
la Roque-Esclapon
Mons
Escragnolles
Pas de la Faye
St Vallier-de Thiey
Cabris
St Cézaire-s-Siagne
Peymeinade
CAMP
MILITAIRE
DE
CANJUERS
Col du Bel-Homme
Seillans
Fayence
Tourrettes
Callian
Montauroux
Bargemon
Montferrat
Châteaudouble
Ampus
Callas
Claviers
Figanières
Draguignan
Flayosc
Trans-en-Provence
la Motte
le Muy
Lorgues
les Arcs
Taradeau
Vidauban
St Paul-en-Forêt
Bagnols-en-Forêt
Lac de St Cassien
Massif du Tanneron
les Adrets-de-l'Esterel
MASSIF DE L'ESTEREL
Mt Vinaigre
Pic de l'Ours
Roquebrune-s-Argens
Puget-s-Argens
Fréjus
St Raphaël
Valescure
Agay
Cap Dramont
Boulouris
Golfe de Fréjus
St Aygulf
les Issambres
San-Peïre-s-Mer
Val d'Esquières
la Nartelle
Cap des Sardinaux
Ste Maxime
St Tropez
Port Grimaud
Grimaud
Cogolin
la Garde-Freinet
Plan-de-la-Tour
Col de Vignon
M A U R E S
D E S
Cap de St Tropez
Plage des Salins
Plage de Pampelonne
Gassin
Ramatuelle
Corniche
4

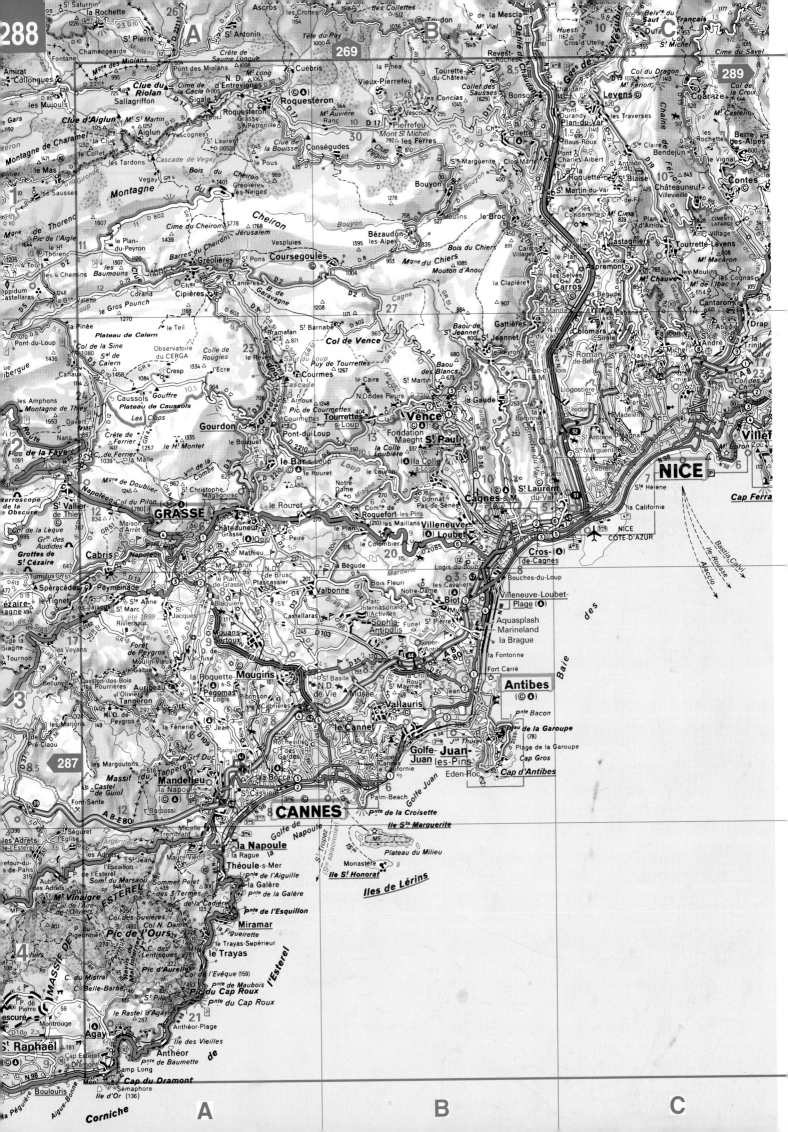
269
289
287
A
B
C
1
2
3
4
Roquesteron
Levens
Coaraze
Gilette
Aiglun
Conségudes
Montagne de Charamel
Montagne du Cheiron
Cheiron
Gréolières
Coursegoules
Bézaudun-les-Alpes
Cipières
Le Broc
Carros
Aspremont
Castagniers
Tourrette-Levens
Contes
Châteauneuf-Villevieille
St Martin-du-Var
Col de Vence
Plateau de Calern
Plateau de Caussols
Caussols
Gourdon
Tourrettes-s-Loup
Vence
St Paul
Gattières
St Jeannet
la Gaude
Colomars
Falicon
Cagnes-s-M.
St Laurent-du-Var
NICE
Villeneuve-Loubet
Cros-de-Cagnes
GRASSE
St Vallier-de Thiey
Cabris
Châteauneuf-Grasse
Le Rouret
Roquefort-les-Pins
Valbonne
Sophia-Antipolis
Biot
Mouans-Sartoux
Mougins
Pégomas
Auribeau
Tanneron
Vallauris
Antibes
Cap d'Antibes
Golfe-Juan
Juan-les-Pins
le Cannet
Mandelieu
la Napoule
CANNES
Golfe de la Napoule
Golfe Juan
Ile Ste Marguerite
Ile St Honorat
Iles de Lérins
Théoule-s-Mer
Miramar
le Trayas
Massif de l'Esterel
Pic de l'Ours
Pic du Cap Roux
Agay
Anthéor
St Raphaël
Cap du Dramont
Corniche de l'Esterel
Baie des Anges
Cap Ferrat
NICE CÔTE-D'AZUR
Bastia, Calvi, Ile-Rousse, Ajaccio

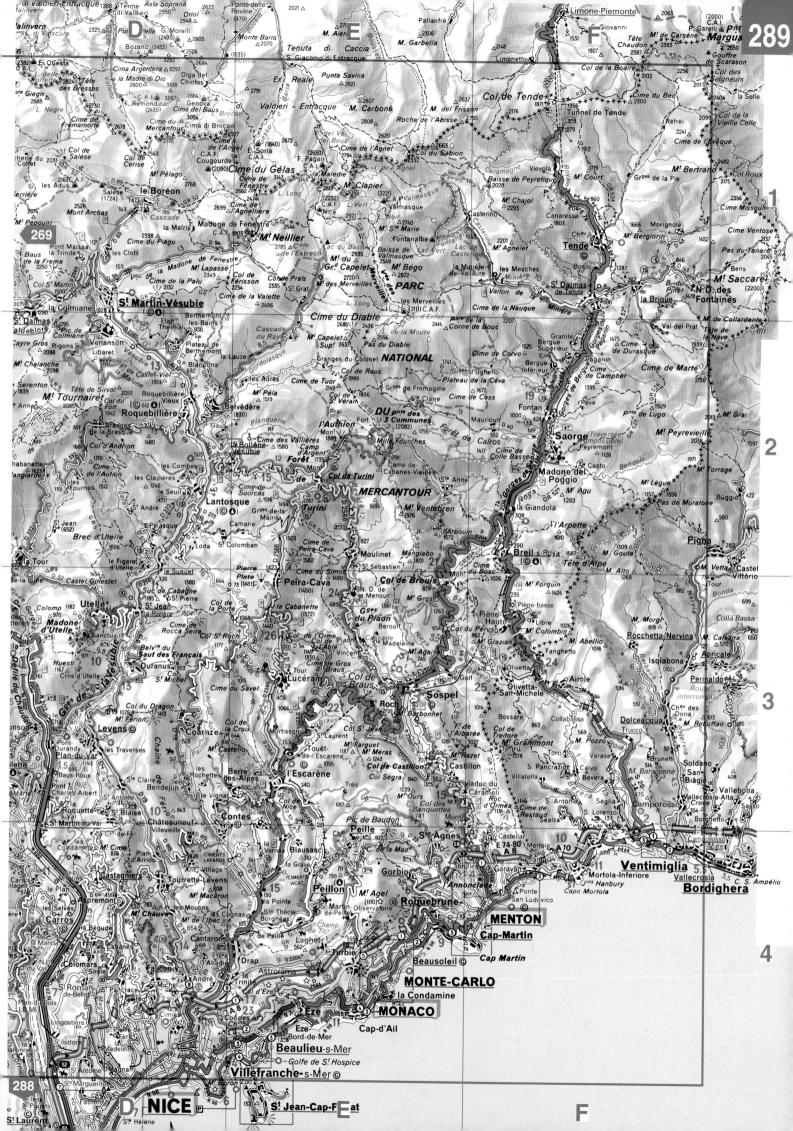
D
E
F
1
2
3
4
269
288
Limone-Piemonte
Col de Tende
Tunnel de Tende
Cime du Gélas
le Boréon
Mt Neillier
Madone de Fenestre
St Martin-Vésubie
Tende
St Dalmas-de-Tende
la Brigue
Mt Saccarel
N.D. des Fontaines
Mt Bégo
PARC
NATIONAL
DU
MERCANTOUR
Cime du Diable
Roquebillière
Belvédère
la Bollène-Vésubie
Saorge
Fontan
Madone del Poggio
Lantosque
Col de Turini
Breil-s-Roya
Pigna
Utelle
Madone d'Utelle
Peïra-Cava
Col de Brouis
Sospel
Lucéram
Levens
Coaraze
l'Escarène
Contes
Castillon
Ste Agnès
Peille
Dolceacqua
Ventimiglia
Bordighera
Roquebrune
MENTON
Cap-Martin
Beausoleil
MONTE-CARLO
la Condamine
MONACO
Eze
Cap-d'Ail
Beaulieu-s-Mer
Villefranche-s-Mer
St Jean-Cap-Ferrat
NICE
Golfe de St Hospice
Carros
Aspremont
Falicon
Tourrette-Levens
Châteauneuf
Drap
la Trinité
Peillon
Plan-du-Var
Défilé du Chaudan
Ggs de la Vésubie
Gorges de Saorge
Gorges de Bergue
Rocchetta-Nervina
Apricale
Airole
Olivetta-San-Michele
Camporosso
Vallecrosia

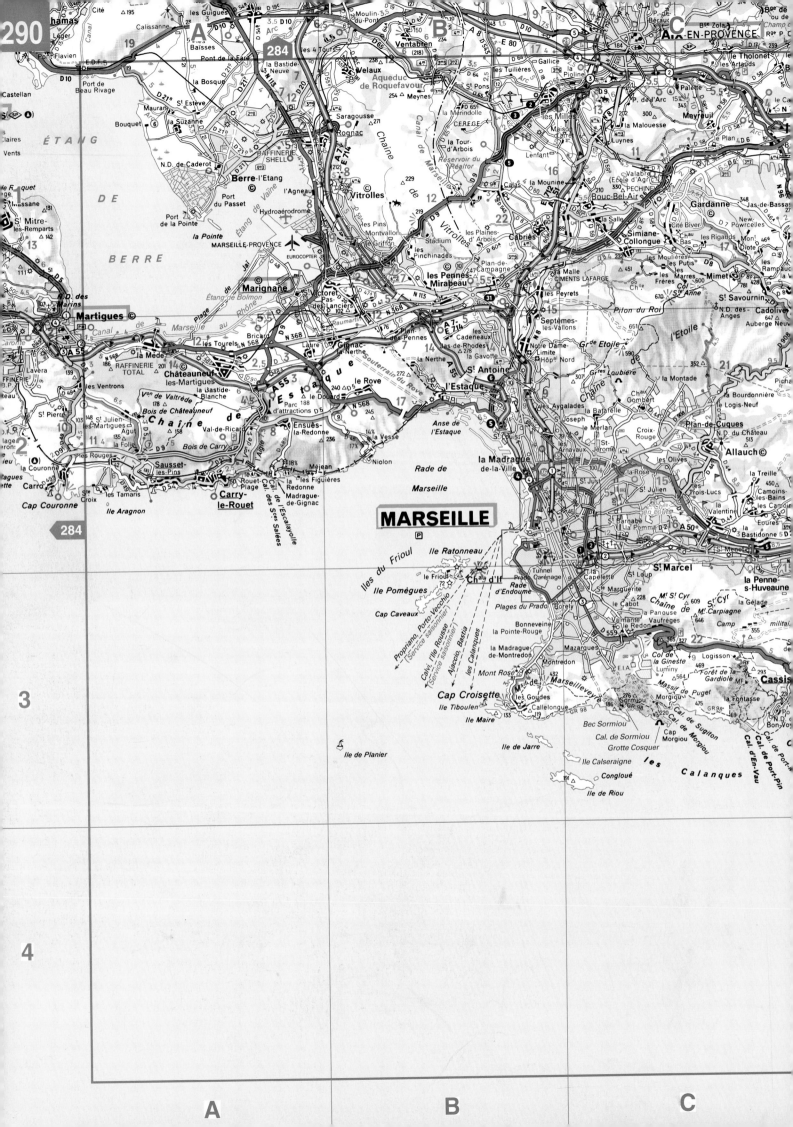
AIX-EN-PROVENCE
MARSEILLE
Martigues
Marignane
Berre-l'Etang
Vitrolles
Rognac
Velaux
Ventabren
Gardanne
Allauch
Cassis
Châteauneuf-les-Martigues
Sausset-les-Pins
Carry-le-Rouet
Les Pennes-Mirabeau
Gignac-la-Nerthe
Septèmes-les-Vallons
Cabriès
Simiane-Collongue
Bouc-Bel-Air
Mimet
Plan-de-Cuques
la Penne-s-Huveaune
ÉTANG DE BERRE
Rade de Marseille
Iles du Frioul
Ile Ratonneau
Ile Pomègues
Chau d'If
Cap Croisette
Ile de Planier
Ile Maire
Ile de Jarre
Ile de Riou
les Calanques
Chaîne de l'Estaque
Chaîne de l'Etoile
Massif de Marseilleveyre
Cap Couronne
MARSEILLE-PROVENCE
Canal de Marseille au Rhône
284

A B C

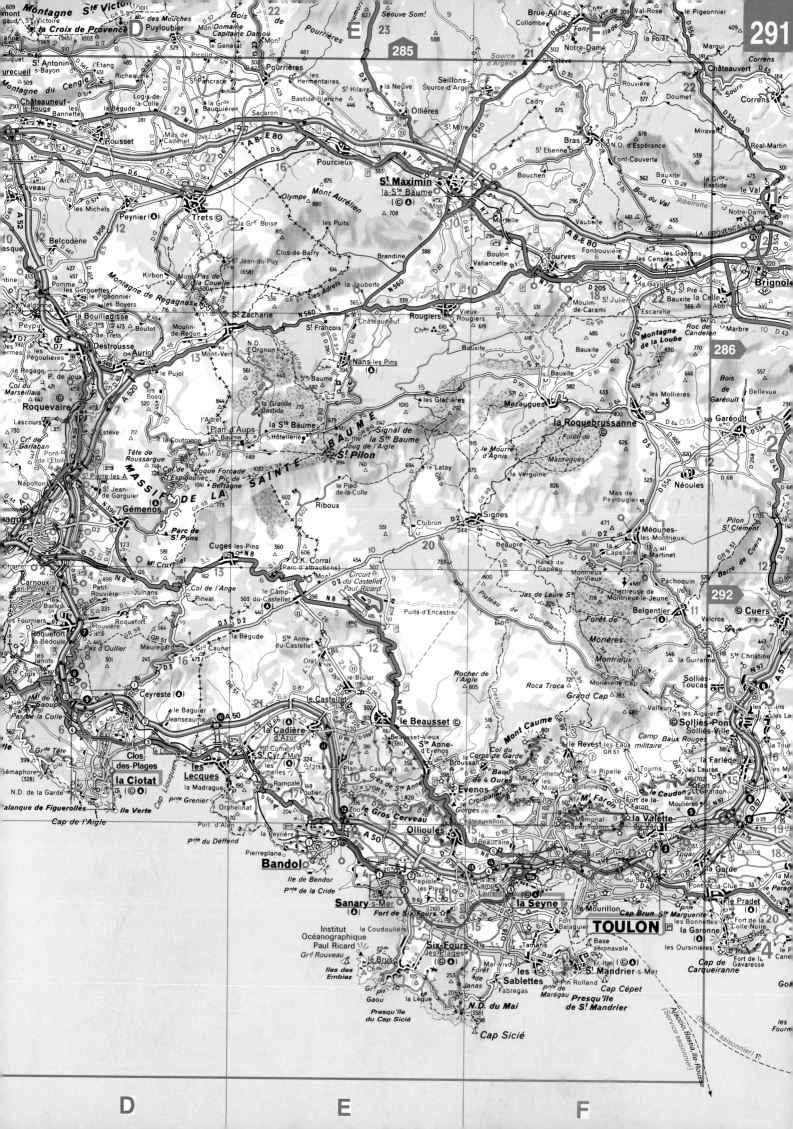
Montagne Ste Victoire
la Croix de Provence
Puyloubier
Pourrières
Séouve Som!
285
Brue-Auriac
Val-Rose
le Pigeonnier
Notre-Dame
St Antonin-s-Bayon
Montagne du Cengle
Châteauneuf-le-Rouge
St Pancrace
Seillons-Source-d'Argens
Source d'Argens
Châteauvert
Correns
Rousset
A8-E80
Ollières
Pourcieux
St Maximin-la-Ste Baume
Bras
N.D. d'Espérance
Fuveau
Peynier
Trets
Mont Aurélien
Olympe
les Michels
Belcodène
Tourves
Brignoles
LA PROVENÇALE
la Celle
Montagne de Regagnas
Pas de la Couelle
St Zacharie
Rougiers
Vieux-Rougiers
la Bouilladisse
la Destrousse
Auriol
Nans-les-Pins
Montagne de la Loube
Roc de Candelon
286
Roquevaire
Col du Marseillais
Plan-d'Aups-Ste Baume
la Ste Baume
Signal de la Ste Baume
St Pilon
MASSIF DE LA SAINTE BAUME
les Glacières
Mazaugues
la Roquebrussanne
Forêt de Mazaugues
Garéoult
Bois de Garéoult
Néoules
Tête de Roussargue
Col de l'Espigoulier
Roque Forcade
Pic de Bertagne
Gémenos
Parc de St Pons
Riboux
Signes
Chibron
Méounes-les-Montrieux
Pilon St Clément
Barre de Cuers
Cuges-les-Pins
O.K. Corral (Parc d'attractions)
Circuit du Castellet Paul Ricard
Col de l'Ange
Carnoux-en-Provence
Roquefort-la-Bédoule
le Camp-du-Castellet
Puits-d'Encastre
Plateau de Siou-Blanc
Chartreuse de Montrieux-le-Jeune
Forêt de Morières-Montrieux
Belgentier
292
Cuers
Ceyreste
Ste Anne-du-Castellet
le Castellet
Rocher de l'Aigle
Roca Troca
Grand Cap
Solliès-Toucas
Solliès-Pont
Solliès-Ville
Mt de la Saoupe
Pas de la Colle
la Cadière-d'Azur
le Beausset
Mont Caume
le Revest-les-Eaux
Camp militaire
la Farlède
Clos-des-Plages
la Ciotat
les Lecques
St Cyr-s-Mer
Évenos
Baou de 4 Oures
Mt Faron
la Valette-du-Var
Île Verte
Cap de l'Aigle
Calanque de Figuerolles
le Gros Cerveau
Ollioules
Bandol
Île de Bendor
Sanary-s-Mer
la Seyne
TOULON
Cap Brun
la Garde
le Pradet
Institut Océanographique Paul Ricard
Six-Fours-les-Plages
les Sablettes
St Mandrier-s-Mer
Presqu'île de St Mandrier
Cap Cépet
Îles des Embiez
Presqu'île du Cap Sicié
N.D. du Mai
Cap Sicié
Cap de Carqueiranne
Ajaccio, Bastia, Île-Rousse (Service saisonnier)
D
E
F

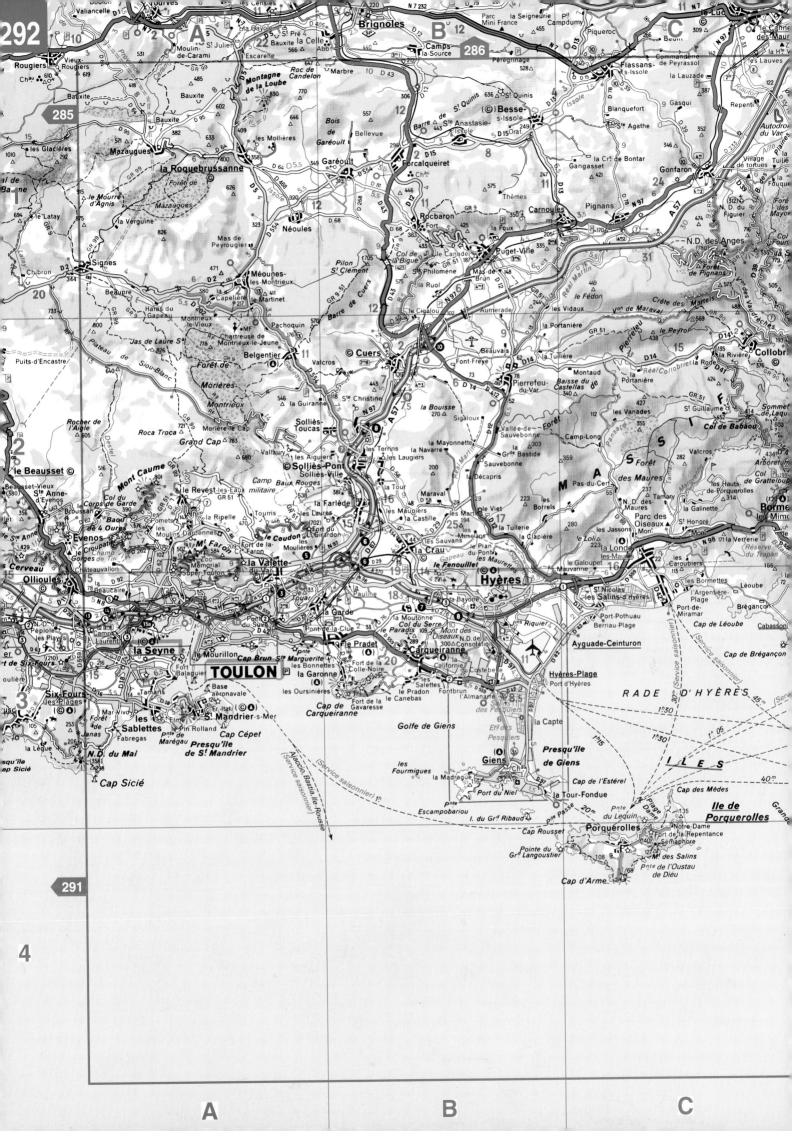
Brignoles
Camps-la-Source
Flassans-s-Issole
le Luc
Rougiers
Mazaugues
la Roquebrussanne
Montagne de la Loube
Garéoult
Forcalqueiret
Besse-s-Issole
Gonfaron
Carnoules
Pignans
Néoules
Rocbaron
Puget-Ville
Signes
Méounes-les-Montrieux
Forêt de Mazaugues
Barre de Cuers
Belgentier
Cuers
Pierrefeu-du-Var
Collobrières
Forêt de Morières-Montrieux
Solliès-Toucas
Solliès-Pont
Solliès-Ville
le Beausset
Mont Caume
Evenos
Ollioules
le Revest-les-Eaux
Mt Faron
la Valette-du-Var
la Farlède
la Crau
la Londe-les-Maures
Hyères
la Garde
le Pradet
Carqueiranne
TOULON
la Seyne
Six-Fours-les-Plages
les Sablettes
St Mandrier-s-Mer
Presqu'île de St Mandrier
Cap Sicié
Cap Cépet
Golfe de Giens
Presqu'île de Giens
Giens
la Tour-Fondue
Hyères-Plage
Ayguade-Ceinturon
RADE D'HYÈRES
Cap de Léoube
Cap de Brégançon
Porquerolles
Ile de Porquerolles
Cap d'Arme
Massif des Maures
Forêt des Maures
Col de Babaou
Bormes-les-Mimosas
Ajaccio, Bastia, Ile-Rousse (Service saisonnier)
285
286
291
A
B
C
1
2
3
4

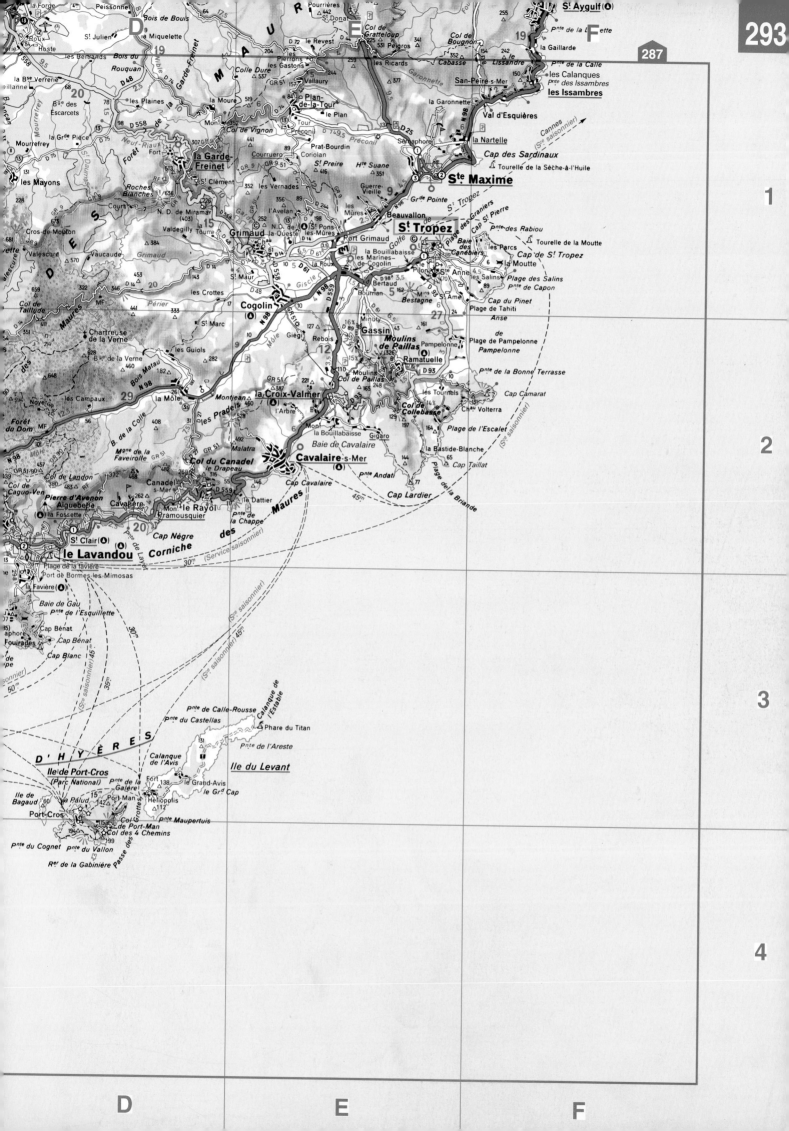

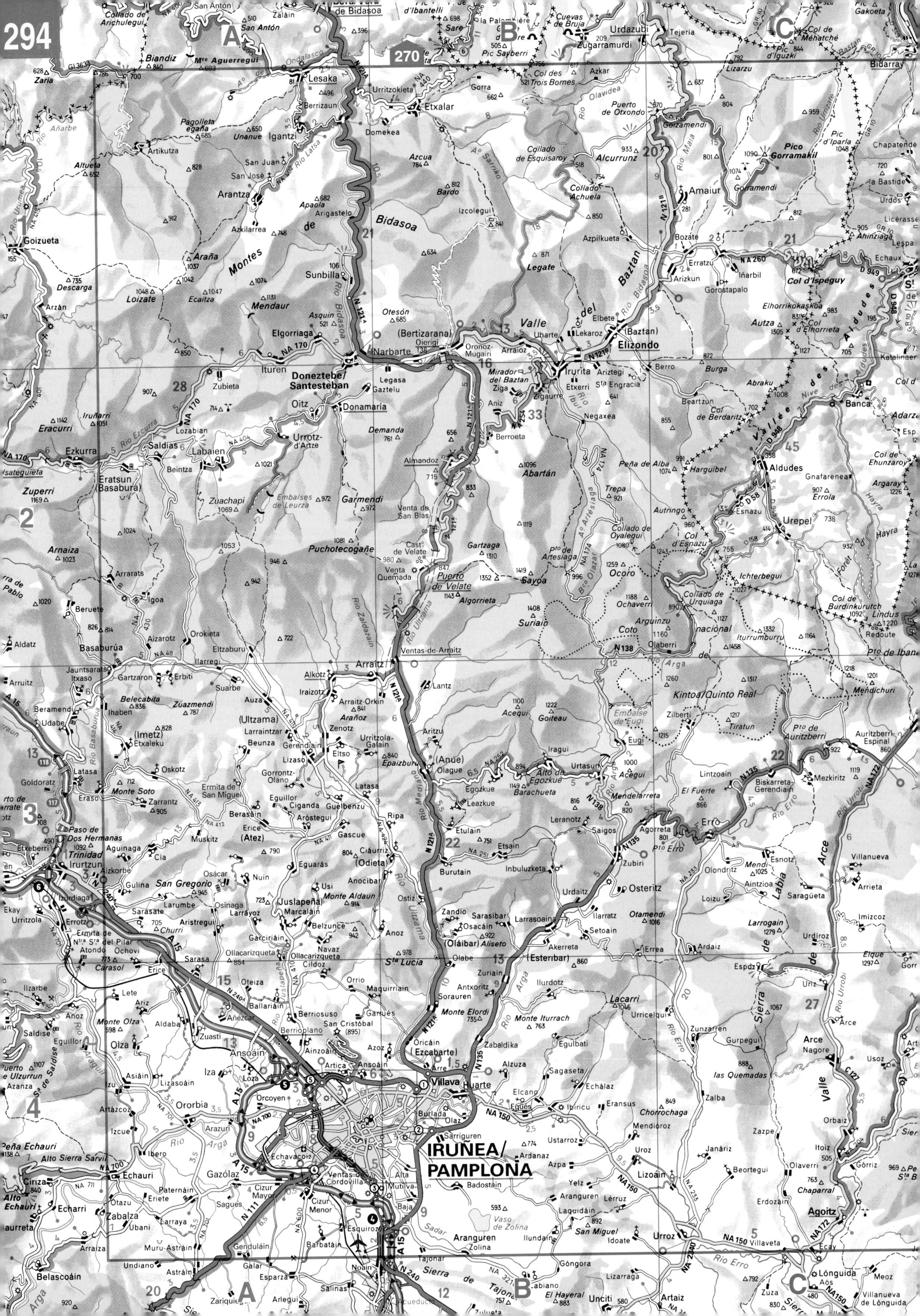
270
A
B
C
1
2
3
4
Collado de Arichulegui
San Antón
Zalain
Bera/Vera de Bidasoa
Sare
Cuevas de Bruja
Urdazubi
Zugarramurdi
Pic Sayberri
Col des Trois Bornes
Col de Méhatché
Pic d'Iguzki
Pic Gakoeta
Bidarray
Biandiz
Mte Aguerregui
Zaria
Lesaka
Urritzokieta
Etxalar
Gorra
Azkar
Lizarzu
Berrizaun
Domekea
Puerto de Otxondo
Goizamendi
Pagolleta egaña
Unanue
Igantzi
Artikutza
Azcua
Collado de Esquisaroy
Alcurrunz
Pico Gorramakil
Gorramendi
Pic d'Iparla
Chapatendé
Altueta
San Juan
San José
Bardo
Collado Achuela
Amaiur
La Bastide
Urdos
Arantza
Apaola
Arigastelo
Izcolegui
Licérasse
Goizueta
Azkilarrea
Montes de Bidasoa
Azpilkueta
Bozate
Ahinziaga
Lespa
Echaux
Araña
Legate
Baztan
Erratzu
Arizkun
Iñarbil
Gorostapalo
Col d'Ispéguy
Descarga
Loizate
Ecaitza
Sunbilla
Elhorrikokaskoa
Col d'Elhorrieta
Autza
Arzán
Mendaur
Asquin
Otesón
Valle del Baztan
Elbete
Lekaroz
Uharte
Elizondo
Elgorriaga
(Bertizarana)
Oieregi
Narbarte
Oronoz-Mugairi
Arraioz
Irurita
Etxerri
Sta Engracia
Ituren
Doneztebe/Santesteban
Legasa
Gaztelu
Mirador del Baztan
Ziga
Zigaurre
Berro
Burga
Katalinaer
Zubieta
Oitz
Donamaría
Aniz
Negaxea
Abraku
Beartzun
Col de Berdaritz
Vallée des Aldudes
Banca
Eracurri
Iruñarri
Lozabian
Urrotz-d'Artze
Demanda
Berroeta
Ezkurra
Saldias
Labaien
Beintza
Almandoz
Abartán
Peña de Alba
Harguibel
Aldudes
Gnafarenea
Col de Ehunzaroy
Argaray
Isateguieta
Eratsun (Basabura)
Zuperri
Zuachapi
Embalses de Leurza
Garmendi
Venta de San Blas
Trepa
Autringo
Esnazu
Urepel
Errola
Arnaiza
Puchotecogañe
Cast° de Velate
Gartzaga
Collado de Oyalegui
Col d'Esnazu
Hayra
Venta Quemada
Puerto de Velate
Pto de Artesiaga
Sayoa
Ocoro
Ichterbegui
Forêt d'Hayra
Sierra de Pablo
Arrarats
Igoa
Algorrieta
Ochaverri
Collado de Urquiaga
Col de Burdinkurutch
Beruete
Suriain
Arguinzu
Coto
Lindus
Redoute
Aldatz
Basaburúa
Aizarotz
Orokieta
Iturrumburu
Olaberri
Pto de Ibañeta
Eltzaburu
Ventas-de-Arraitz
Arraitz
Arruitz
Jauntsarats
Itxaso
Gartzaron
Erbiti
Ilarregi
Suarbe
Alkotz
Lantz
Kintoa/Quinto Real
Mendichuri
Beramendi
Udabe
Belecabita
Ihaben
Zuazmendi
Auza
Iraizotz
Arraitz-Orkin
Arañoz
Acequi
Goiteau
Embalse de Eugi
Zilberti
Tiratun
Pto de Auritzberri
Auritzberri Espinal
(Ultzama)
Larraintzar
Zenotz
Urritzola-Galain
Aritzu
(Imetz)
Etxaleku
Beunza
Gerendiain
Eltso
Epaizburu
(Anue)
Olague
Iragui
Eugi
Lintzoain
Goldoratz
Latasa
Oskotz
Lizaso
Egozkue
Alto de Egozkue
Urtasun
Ariztegi
Acegui
Biskarreta-Gerendiain
Mezkiritz
Gorrontz-Olano
Ermita de San Miguel
Zarrantz
Monte Soto
Eraso
Barachueta
Mendelarreta
El Fuerte
Leazkue
Erro
Equillor
Ciganda
Guelbenzu
Ripa
Berasain
Arostegui
Muskitz
Erice (Atez)
Gascue
Etulain
Leranotz
Saigos
Agorreta
Pto Erro
Paso de Dos Hermanas
Etxeberri
Irurtzun
Trinidad
Aguinaga
Cia
Eguarás
Ciáurriz (Odieta)
Etsain
Burutain
Inbuluzketa
Zubiri
Olondritz
Mendi
Esnotz
Villanueva
Aizkorbe
Gulina
San Gregorio
Osácar
Nuin
Anocibar
Urdaitz
Osteritz
Aintzioa
Arrieta
Izurdiaga
Juslapeña
Marcalain
Monte Aldaun
Ostiz
Saragüeta
Ekay
Urritzola
Sarasate
Larrumbe
Osinaga
Larrayoz
Zandio
Sarasibar
Osacain
Larrasoaina
Ilarratz
Setoain
Otamendi
Imizcoz
Erroltz
Aristregui
Belzunce
Loizu
Larrogain
Ermita de Nra Sra del Pilar
Atondo
Ochovi
Churri
Garciriain
Anoz
(Olaibar)
Aliseto
Akerreta
Errea
Ardaiz
Urdiroz
Carasol
Sarasa
Ollacarizqueta
Navaz
Sta Lucia
Olabe
(Esteribar)
Erice
Cildoz
Zuriain
Espoz
Elque
Ilzarbe
Lete
Oteiza
Orrio
Maquirriain
Antxoritz
Ilurdotz
Lacarri
Arce
Ariz
Ballariain
Sorauren
Urricelqui
Zunzarren
Gurpegui
Monte Olza
Aldaba
Añezcar
Berriosuso
Garrues
Monte Elordi
Monte Iturrach
Anoz
Saldise
Eguillor
Zuasti
San Cristóbal
Sa de Saldise
Olza
Berrioplano
Zabaldika
Egulbati
Nagore
Puerto de Ulzurrun
Ansoain
Ainzoáin
Azoz
Oricáin (Ezcabarte)
Alzuza
Sagaseta
Usoz
Azanza
Iza
Artica
Ansoáin
Arre
Villava
Huarte
Echálaz
Las Quemadas
Asiáin
Lizasoáin
Loza
Orcoyen
Elcano
Egüés
Ibiricu
Eransus
Chorrochaga
Zalba
Peña Echauri
Ororbia
Burlada
Olaz
Mendioroz
Orbaiz
Valle de Arce
Artazcoz
Izcue
Arazuri
Sarriguren
Ustarroz
Zazpe
Alto Sierra Sarvil
Ibero
Echavacoiz
IRUÑEA/ PAMPLONA
Ardanaz
Uroz
Janáriz
Itoiz
Ciriza
Echauri
Gazólaz
Ventas de Cordovilla
Alta
Azpa
Lizoáin
Beortegui
Olaverri
Górriz
Alto Echauri
Paternáin
Cizur Mayor
Mutilva
Badostáin
Yelz
Aranguren
Chaparral
Echarri
Otazu
Eriete
Sagues
Cizur Menor
Baja
Lerruz
Erdozáin
Agoitz
Aurreta
Zabalza
Larraya
Esquíroz
Vaso de Zolina
Laguidáin
San Miguel
Ubani
Arraiza
Muru-Astráin
Barbatáin
Aranguren
Zolina
Ilundáin
Idoate
Urroz
Villaveta
Ecay
Belascoáin
Genduláin
Undiano
Astráin
Galar
Noáin
Tajonar
Góngora
Río Erro
Sierra de Tajonar
Labiano
Lizarraga
Artaiz
Lónguida
Meoz
Aós
Esparza
Salinas
El Hayeral
Unciti
Villanueva de Lónguida
Zariquiegui
Arlegui
Zulueta
Sierra de Labia
Río Urumea
Río Añarbe
Río Bidasoa
Río Latsa
Río Ezcurra
Río Basaburua
Río Ultzama
Río Zaldazain
Río Mediano
Río Arga
Río Erro
Río Urrobi
Río Araquil
Río Juslapeña
Río Sadar
Río Olavidea
Río Maia
Río Ibur
Ao Artesiaga
Bco Olazar
Nive des Aldudes
A 15
N 121A
N 121B
NA 170
NA 150
N 135
N 138
NA 172
N 240
N 240A
N 111
NA 700
NA 411
NA 252
NA 251
C 127
D 948
D 949
D 58
NA 260
NA 174
NA 254
N 121
GR 10
Acueducto

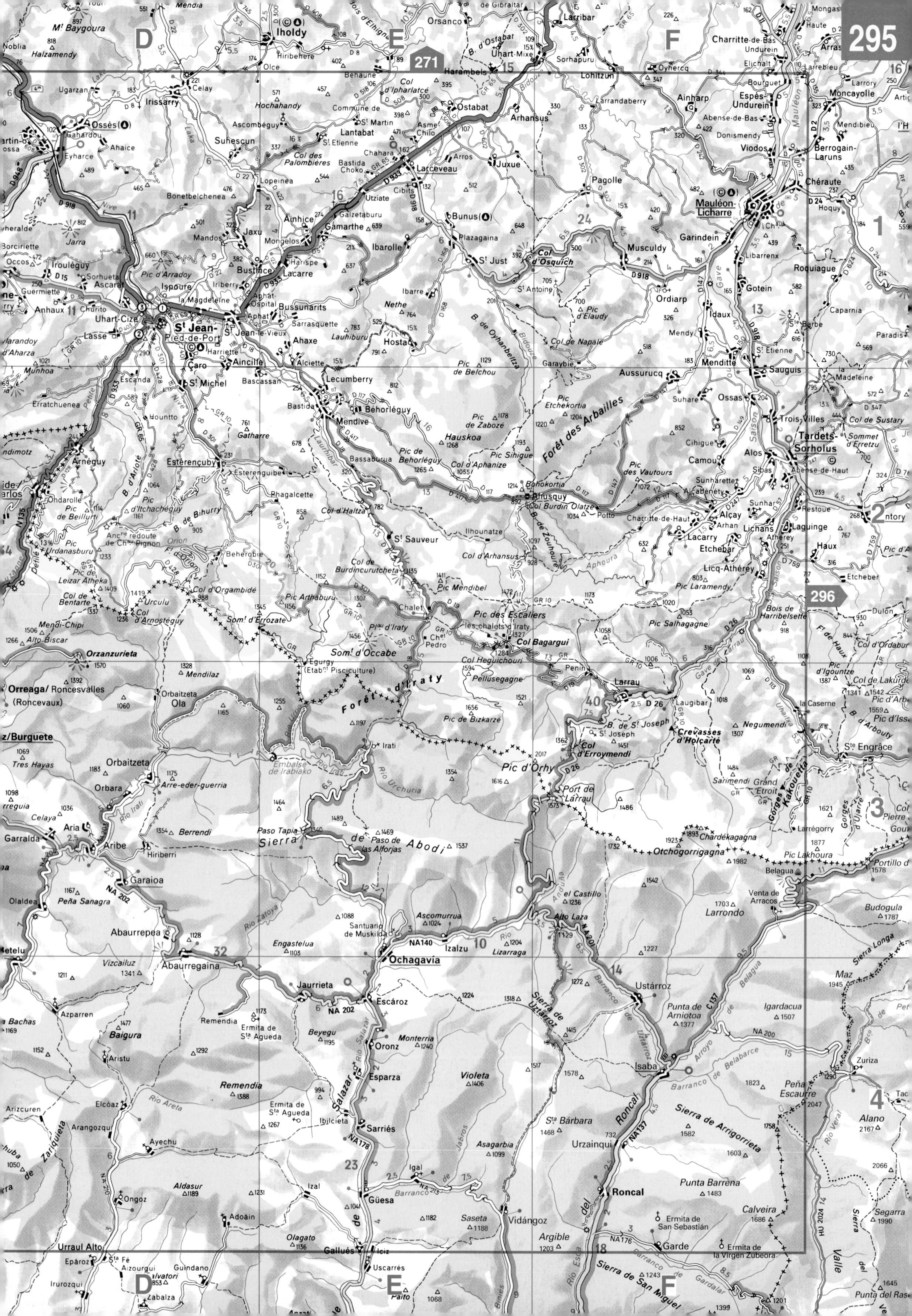

D
E
F
271
296
Mt Baygoura
Iholdy
Orsanco
Larribar
Harambels
Uhart-Mixe
Sorhapuru
Lohitzun
Charritte-de-Bas
Undurein
Arrast
Moncayolle
Irissarry
Ossès
Hochahandy
Ostabat
Arhansus
Larrandaberry
Ainharp
Espès-Undurein
Mendibieu
Suhescun
Lantabat
Col des Palombières
Larceveau
Juxue
Pagolle
Viodos
Berrogain-Laruns
Chéraute
Bonetbelchenea
Utziate
Cibits
Ainhice
Gamarthe
Bunus
Mauléon-Licharre
Hoquy
Jarra
Jaxu
Mongelos
Ibarolle
Plazagaina
St Just
Col d'Osquich
Musculdy
Garindein
Roquiague
Irouléguy
Ascarat
Bustince
Lacarre
Ordiarp
Gotein
Ispoure
Iriberry
Bussunarits
Uhart-Cize
St Jean-Pied-de-Port
St Jean-le-Vieux
Ahaxe
Hosta
Lasse
Nethe
Lauhiburu
Pic d'Elaudy
Col de Napale
Idaux
Mendy
Ste Barbe
Caro
Aincille
Alciette
Pic de Belchou
Garaybie
Menditte
Sauguis
St Michel
Bascassan
Lecumberry
Aussurucq
Ossas
Béhorléguy
Mendive
Pic de Zabozé
Pic Etchekortia
Forêt des Arbailles
Trois-Villes
Col de Sustary
Gatharre
Hauskoa
Pic Sihigue
Tardets-Sorholus
Arnéguy
Estérençuby
Pic de Behorléguy
Col d'Aphanize
Pic des Vautours
Camou
Alos
Sibas
Abense-de-Haut
Col d'Haltza
Ahusquy
Col Burdin Olatze
Alçay
Lichans
Laguinge
St Sauveur
Col d'Arhansus
Lacarry
Etchebar
Haux
Col de Burdincurutcheta
Pic Mendibel
Pic Laramendy
Licq-Athérey
Col d'Orgambidé
Urculu
Pic Arthaburu
Chalet Pedro
Pic des Escaliers
Col Bagargui
Pic Salhagagne
Bois de Harribelsette
Orzanzurieta
Mendilaz
Som. d'Occabe
Pellusegagne
Penin
Larrau
Col d'Ordabure
Orreaga/ Roncesvalles
(Roncevaux)
Ola
Forêt d'Iraty
Pic de Bizkarzé
Laugibar
B. de St Joseph
Crevasses d'Holcarté
Negumendi
Ste Engrâce
Orbaitzeta
Irati
Pic d'Orhy
Col d'Erroymendi
Gorges de Kakouetta
Orbara
Arre-eder-guerria
Port de Larrau
Sarimendi
Grand Etroit
Aria
Aribe
Berrendi
Paso Tapia
Sierra de Abodi
Paso de las Alforjas
Chardékagagna
Otchogorrigagna
Pic Lakhoura
Garralda
Garaioa
Belagua
Venta de Arracos
Peña Sanagra
Ascomurrua
Santuario de Muskilda
el Castillo
Alto Laza
Larrondo
Budogula
Abaurrepea
Izalzu
Ochagavia
Lizarraga
Engastelua
Abaurregaina
Vizcaiuz
Jaurrieta
Escároz
Sierra de Uztárroz
Ustárroz
Maz
Azparren
Remendia
Ermita de Sta Agueda
Beyegu
Monterria
Oronz
Punta de Arniotoa
Igardacua
Baigura
Aristu
Esparza
Violeta
Isaba
Zuriza
Remendia
Sta Bárbara
Roncal
Sierra de Arrigorrieta
Peña Escaurre
Elcóaz
Arizcuren
Ibilcieta
Sarriés
Urzainqui
Alano
Arangozqui
Ayechu
Asagarbia
Punta Barrena
Aldasur
Izal
Igal
Güesa
Calveira
Segarra
Ongoz
Adoáin
Olagato
Saseta
Vidángoz
Argible
Ermita de San Sebastián
Garde
Ermita de la Virgen Zubeora
Urraul Alto
Gallués
Iciz
Uscarrés
Sierra de San Miguel

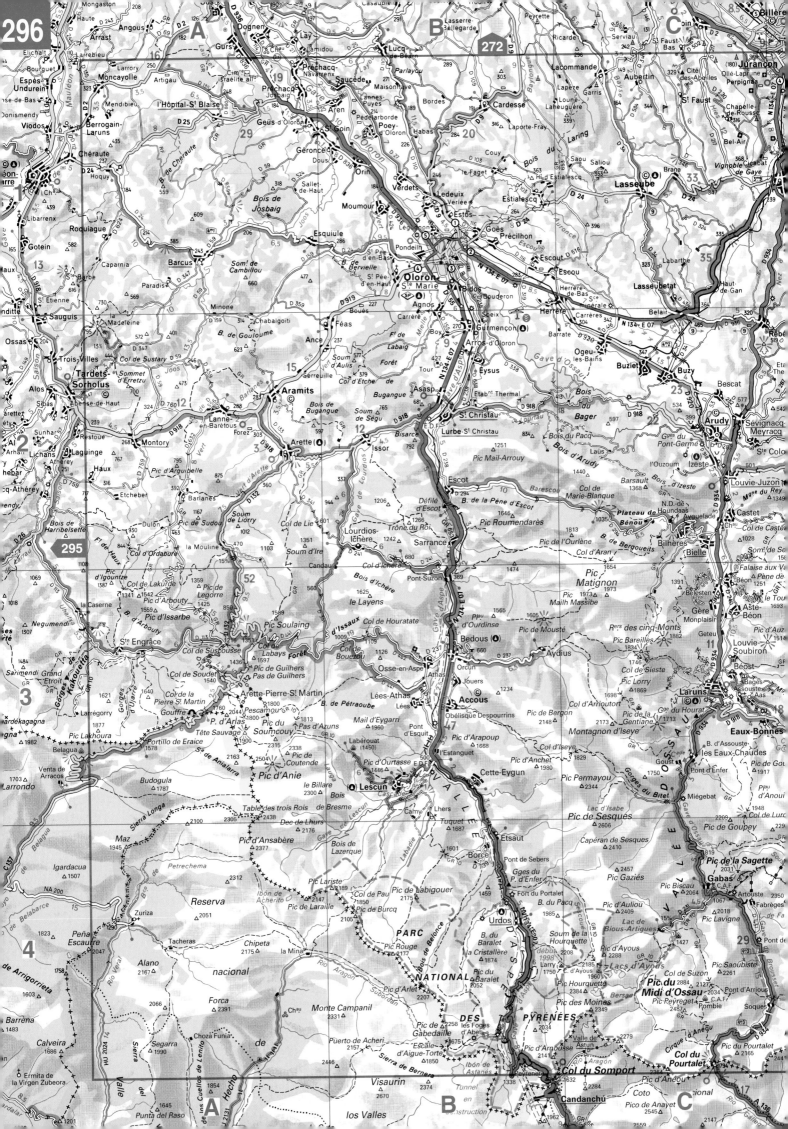
A
B
C
272
295
Oloron-Ste-Marie
Navarrenx
Lasseube
Jurançon
Tardets-Sorholus
Aramits
Arette
Lanne-en-Barétous
Montory
Barcus
Esquiule
Moumour
Ledeuix
Goès
Précilhon
Escout
Escou
Herrère
Ogeu-les-Bains
Buziet
Buzy
Arudy
Sévignacq-Meyracq
Bidos
Agnos
Gurmençon
Arros-d'Oloron
Eysus
Asasp
Lurbe-St Christau
St Christau
Escot
Sarrance
Lourdios-Ichère
Issor
Féas
Ance
Ste Engrâce
Osse-en-Aspe
Bedous
Aydius
Accous
Lées-Athas
Lescun
Cette-Eygun
Etsaut
Borce
Urdos
Laruns
Eaux-Bonnes
Les Eaux-Chaudes
Gabas
Louvie-Juzon
Bielle
Bilhères
Castet
Béost
Pic d'Anie
Pic du Midi d'Ossau
Col du Somport
Col du Pourtalet
Candanchú
Pic de Sesques
Pic Matignon
Pic Roumendarès
Col de Marie-Blanque
Plateau de Bénou
Vallée d'Aspe
Vallée d'Ossau
Parc National des Pyrénées
Gorges de Kakouetta
Arette-Pierre-St Martin
Col de la Pierre St Martin
Col de Soudet
Col de Labays
Forêt d'Issaux
Pic Lakhoura
Belagua
Larrondo
Reserva
Zuriza
Peña Escaurre
Alano
Chipeta
la Mina
Monte Campanil
Force
Sierra de Bernera
Visaurin
los Valles
Hecho
Calveira
Barrena
Ermita de la Virgen Zubeora
Tunnel en construction
Canfranc
Pic Peyreget
Lacs d'Ayous
Lac de Bious-Artigues
Gorges du Bitet
Miégebat
Pic de la Sagette
Artouste
Fabrèges
1
2
3
4

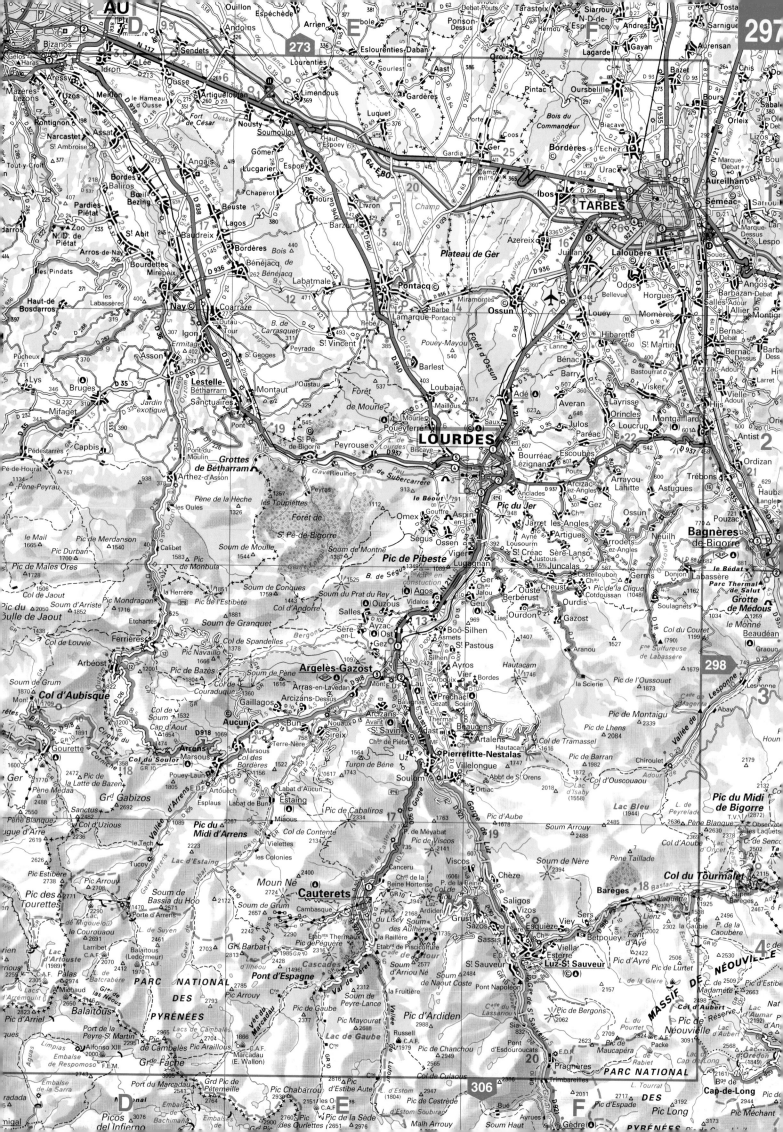

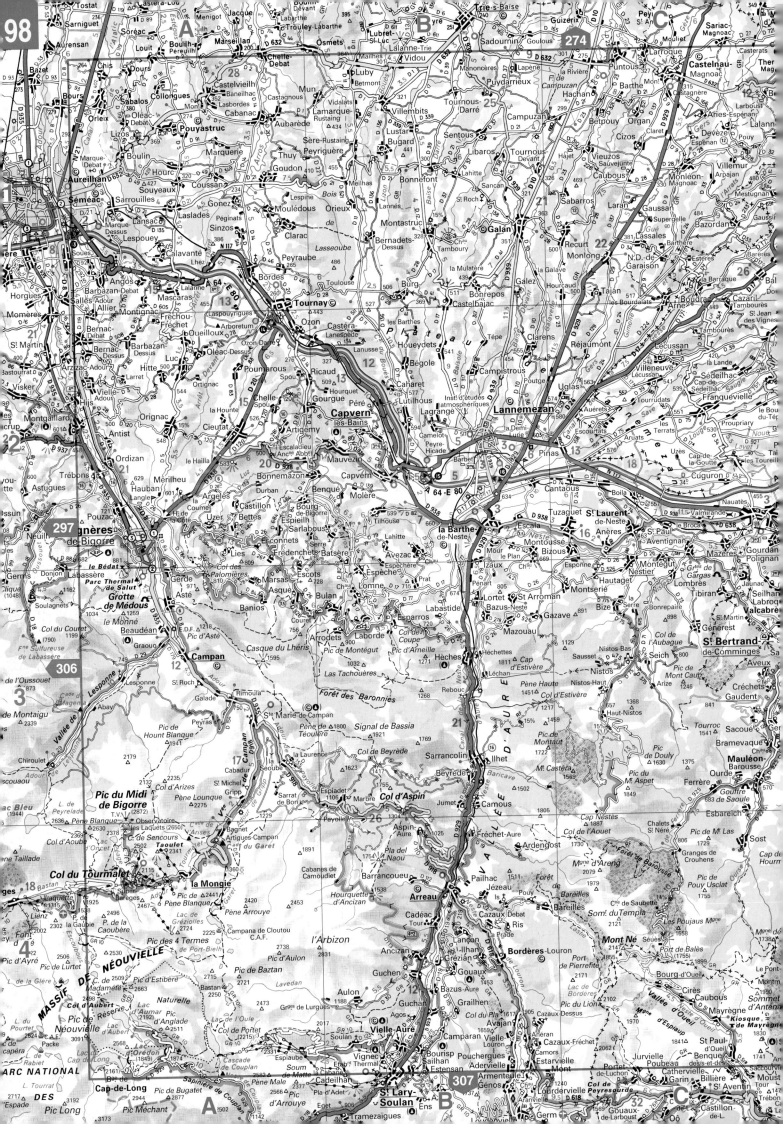

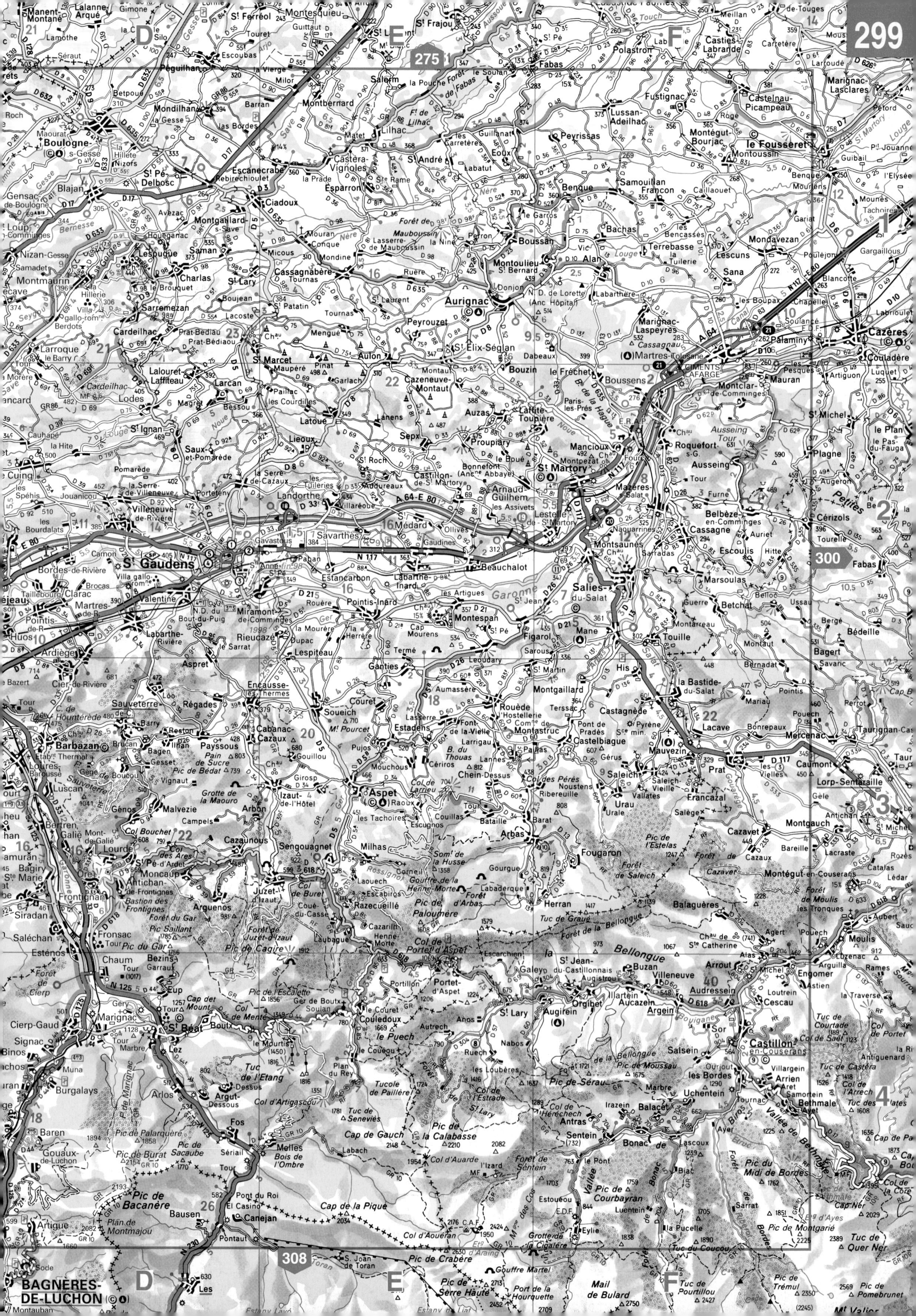

275
300
308
D
E
F
Boulogne-s-Gesse
Péguilhan
Mondilhan
Escanecrabe
St Pé-Delbosc
Ciadoux
Montgaillard-s-Save
Lespugue
Cassagnabère-Tournas
Charlas
St Lary
Sarremezan
Cardeilhac
St Marcet
Aulon
Aurignac
Peyrouzet
St Elix-Séglan
Bouzin
Boussan
Montoulieu-St Bernard
Alan
Benque
Peyrissas
Lilhac
Castéra-Vignoles
St André
Esparron
Salerm
Montbernard
St Frajou
Fabas
Polastron
Castelnau-Picampeau
Le Fousseret
Marignac-Lasclares
Lussan-Adeilhac
Fustignac
Montégut-Bourjac
Samouillan
Francon
Mondavezan
Sana
Lescuns
Terrebasse
Bachas
Marignac-Laspeyres
Martres-Tolosane
Cazères
Couladère
Palaminy
Mauran
Montclar-de-Comminges
Boussens
Roquefort-s-G.
Ausseing
St Martory
Mancioux
Latoue
Lieoux
Larcan
Lodes
St Ignan
Saux-et-Pomarède
Villeneuve-de-Rivière
St Gaudens
Valentine
Labarthe-Rivière
Miramont-de-Comminges
Landorthe
Savarthès
St Médard
Estancarbon
Labarthe-Inard
Pointis-Inard
Beauchalot
Montespan
Salies-du-Salat
Mane
Figarol
Touille
Cassagne
Mazères-s-Salat
Belbèze-en-Comminges
Escoulis
Marsoulas
Betchat
Cérizols
Bédeille
Fabas
Mercenac
Caumont
Lacave
Prat
La Bastide-du-Salat
Montgaillard
Castagnède
Mauvezin
Rouède
Aspet
Ganties
Soueich
Encausse-les-Thermes
Aspret
Sauveterre-de-C.
Barbazan
Arbon
Izaut-de-l'Hôtel
Cazaunous
Sengouagnet
Milhas
Arbas
Fougaron
Herran
Balaguères
Montégut-en-Couserans
Moulis
Castillon-en-Couserans
Engomer
Audressein
Argein
Orgibet
Augirein
Arrout
St Lary
Portet-d'Aspet
Col de Portet d'Aspet
Couledoux
Razecueillé
Juzet-d'Izaut
Arguenos
Moncaup
Frontignan
Saléchan
Marignac
St Béat
Cierp-Gaud
Fos
Melles
Canejan
Bausen
Pic de Bacanère
Pic de Crabère
Cap de la Pique
Pic de la Calabasse
Tuc de l'Etang
Antras
Sentein
Bonac
Balacet
Uchentein
Bethmale
Arrien
Pic du Midi de Bordes
Tuc de Quer Ner
Pic de Mont Valier
BAGNÈRES-DE-LUCHON
Les
Forêt de la Bellongue
Pic de Paloumère
Pic de Cagire

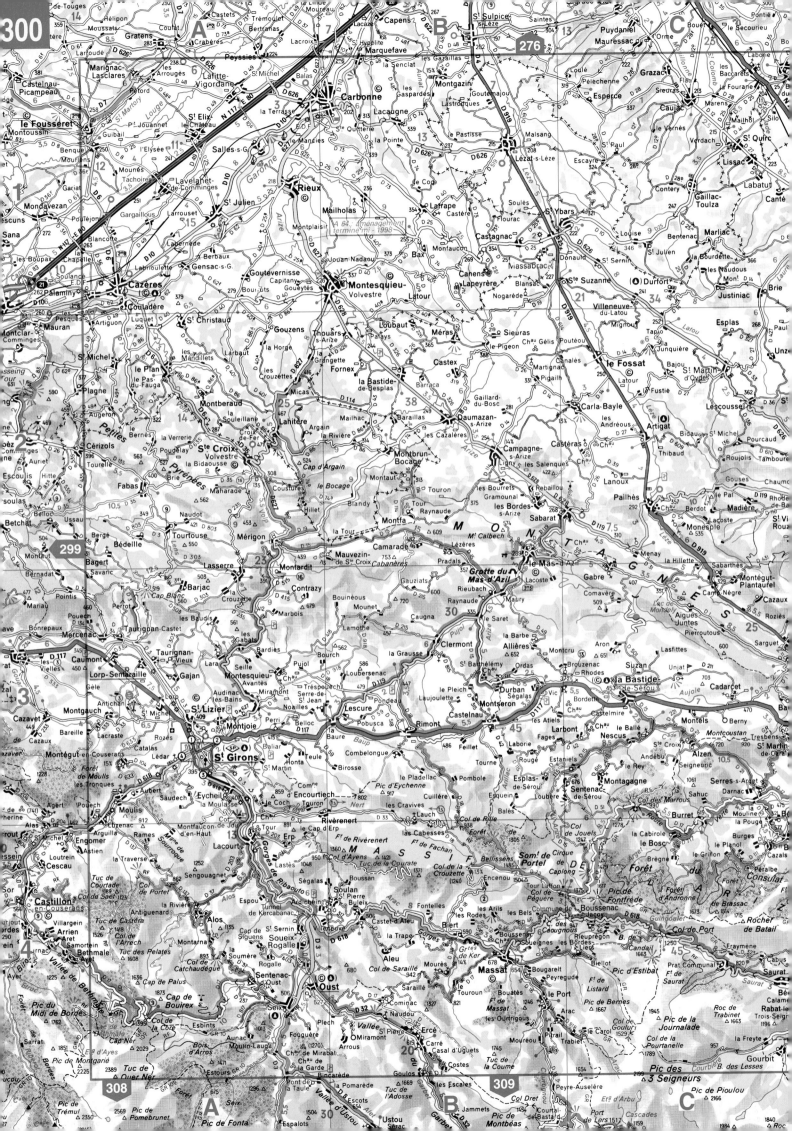
A
B
C
276
299
308
309
Gratens
Capens
St Sulpice-s-Lèze
Puydaniel
Mauressac
Marquefave
Peyssies
Marignac-Lasclares
Lafitte-Vigordane
Carbonne
Montgazin
Grazac
Esperce
Castelnau-Picampeau
le Fousseret
Montoussin
St Elix-le-Château
Lacaugne
Salles-s-G.
Lézat-s-Lèze
Caujac
St Quirc
Lissac
Lavelanet-de-Commingues
Rieux
Mailholas
St Julien
Mondavezan
Latrape
St Ybars
Gaillac-Toulza
Labatut
Canté
Castagnac
Marliac
Cazères
Palaminy
Couladère
Goutevernisse
Montesquieu-Volvestre
Bax
Canens
Lapeyrère
Massabrac
Ste Suzanne
Durfort
St Christaud
Mauran
Montclar-de-Comminges
Gouzens
Thouars-s-Arize
Loubaut
Méras
Sieuras
Villeneuve-du-Latou
Justiniac
Brie
Esplas
le Fossat
St Michel
le Plan
Fornex
la Bastide-de-Besplas
Castex
Plagne
Montberaud
Lahitère
Daumazan-s-Arize
Carla-Bayle
Artigat
Lescousse
Petites
Cérizols
Ste Croix-Volvestre
Montbrun-Bocage
Campagne-s-Arize
Castéras
Pyrénées
Fabas
le Bocage
les Bordes-s-Arize
Sabarat
Pailhès
Madière
Tourtouse
Bédeille
Mérigon
Montfa
Camarade
M O N T A G N E S
Bagert
Lasserre
Montardit
Mauvezin-de Ste Croix
Grotte du Mas-d'Azil
le Mas-d'Azil
Gabre
Montégut-Plantaurel
Barjac
Contrazy
Cap Blanc
la Crouzette
Mercenac
Taurignan-Castet
Clermont
Allières
Aigues-Juntes
Caumont
Taurignan-Vieux
Gajan
Montesquieu-Avantès
Lorp-Sentaraille
Durban
Montseron
la Bastide-de-Sérou
Cadarcet
St Lizier
Audinac-les-Bains
Lescure
Rimont
Castelnau
Montgauch
Montjoie
Cazavet
Larbont
Nescus
Montels
St Girons
Montégut-en-Couserans
Alzen
Esplas-de-Sérou
Sentenac-de-Sérou
Montagagne
Serres-s-Arget
Moulis
Eycheil
Encourtiech
Rivèrenert
Burret
Engomer
Lacourt
Col de Rille
Forêt de Rivèrenert
M A S S I F
Cescau
Som! de Portel
Forêt du Consulat
Castillon-en-Couserans
Gorges de Ribaouto
Soulan
Col de la Crouzette
Pic de Fontfrède
Arrien
Alos
Fontelles
Biert
Boussenac
Col de Port
Rocher de Batail
Bethmale
Vallée de Bethmale
Soueix-Rogalle
Aleu
Massat
Saurat
Oust
Seix
Ercé
Cap de Bouirex
Pic du Midi de Bordes
Pic de la Journalade
Pic de Montgarié
Tuc de Quer Ner
Pic des 3 Seigneurs
Pic de Trémul
Pic de Fonta
Ustou
Col Dret
Pic de Montbéas
Pic de Pioulou

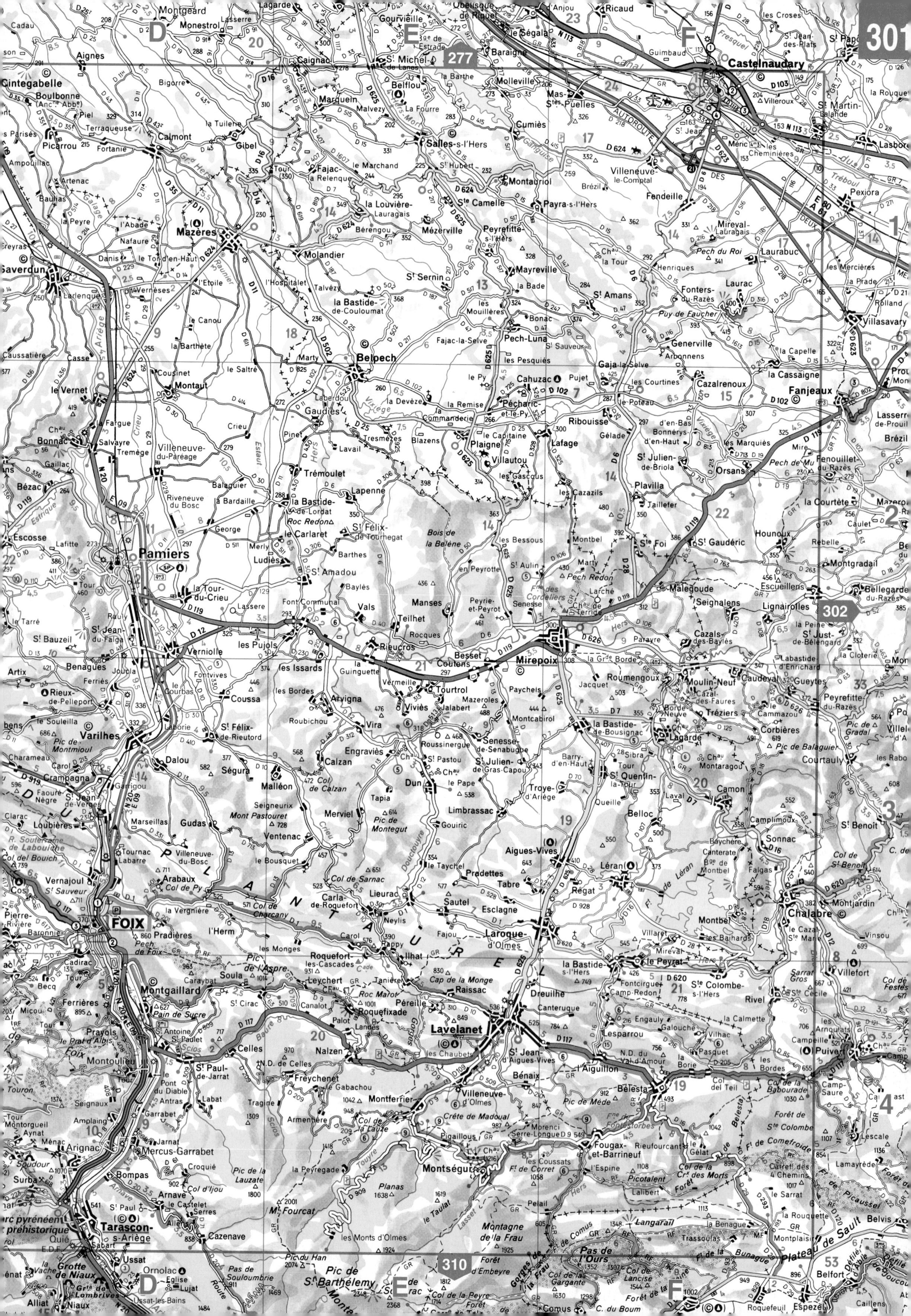
D
E
F
277
302
310
Castelnaudary
Montgeard
Monestrol
Cintegabelle
Calmont
Picarrou
Saverdun
Mazères
Molandier
Salles-s-l'Hers
Belpech
Pech-Luna
Gaja-la-Selve
Cazalrenoux
Fanjeaux
Villasavary
Laurac
Fonters-du-Razès
Generville
Mireval-Lauragais
Fendeille
Villeneuve-le-Comptal
Mas-Stes-Puelles
Cumiès
Montauriol
Ste Camelle
Payra-s-l'Hers
Mayreville
St Amans
Pamiers
Montaut
le Vernet
Villeneuve-du-Paréage
la Tour-du-Crieu
Verniolle
les Pujols
les Issards
Mirepoix
Rieucros
Teilhet
Vals
Manses
Tourtrol
Vira
Arvigna
Calzan
Dun
Ségura
Malléon
Varilhes
Dalou
Mont Pastouret
Limbrassac
Aigues-Vives
Léran
Régat
Camon
Lagarde
Chalabre
Montbel
Laroque-d'Olmes
Lavelanet
Dreuilhe
Bélesta
l'Aiguillon
Montferrier
Montségur
Fougax-et-Barrineuf
Puivert
Foix
Montgaillard
Pradières
Soula
Roquefixade
Celles
Nalzen
Freychenet
Mercus-Garrabet
Tarascon-s-Ariège
Ussat
Ornolac
Pic de St Barthélemy
Pas de l'Ours
Plateau de Sault
Belfort
Espezel
Roquefeuil
Comus
Montagne de la Frau
Ste Colombe-s-l'Hers
Rivel
la Bastide-s-l'Hers
St Benoît
Sonnac
Ste Foi
St Gaudéric
Hounoux
Montgradail
Lignairolles
Escueillens
Bellegarde-du-Razès
Peyrefitte-du-Razès
Corbières
Courtauly
Orsans
St Julien-de-Briola
Plavilla
Fenouillet-du-Razès
Brézil
Lasserre-de-Prouille
Pexiora
Lasbordes
St Martin-Lalande
AUTOROUTE DES DEUX MERS
PLANTAUREL
DU PLANTAUREL

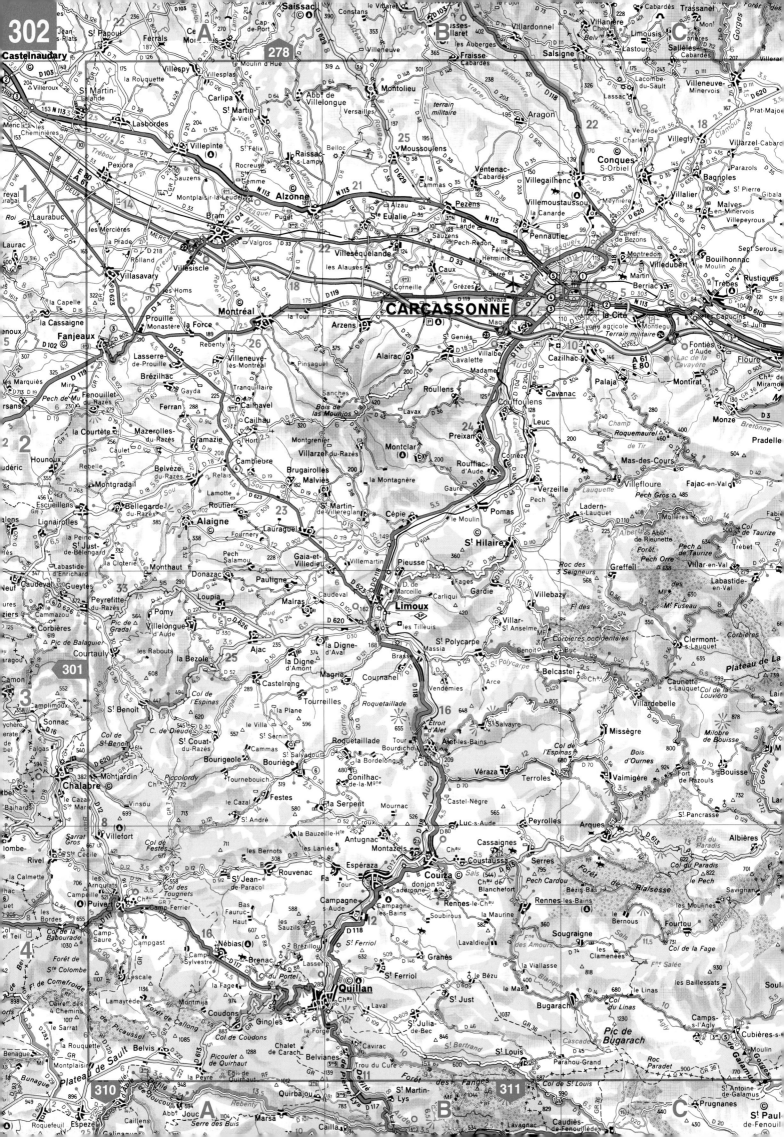
278
301
310
311
Castelnaudary
St Papoul
Ferrals
Saissac
Villespy
Villepinte
Pexiora
Lasbordes
St Martin-Lalande
Carlipa
Raissac-s-Lampy
Alzonne
Montolieu
Moussoulens
Aragon
Villegailhenc
Conques-s-Orbiel
Salsigne
Villardonnel
Villeneuve-Minervois
Bram
Laurabuc
Villasavary
Villesiscle
Ste Eulalie
Pezens
Villesèquelande
Pennautier
Villemoustaussou
Montréal
Arzens
CARCASSONNE
la Cité
Trèbes
Berriac
Fanjeaux
Prouille
la Force
Alairac
Lavalette
Cazilhac
Palaja
Montirat
Floure
Monze
Cavanac
Couffoulens
Leuc
Roullens
Preixan
Montclar
Rouffiac-d'Aude
Verzeille
Villefloure
Mas-des-Cours
Brézilhac
Cailhavel
Cailhau
Mazerolles-du-Razès
Gramazie
Brugairolles
Malviès
Villarzel-du-Razès
Belvèze-du-Razès
Montgradail
Cambieure
Bellegarde-du-Razès
Alaigne
Lauraguel
St Martin-de-Villereglan
Cépie
Pomas
St Hilaire
Ladern-s-Lauquet
Greffeil
Pieusse
Gaia-et-Villedieu
Limoux
Donazac
Peyrefitte-du-Razès
Loupia
Malras
Villelongue-d'Aude
Ajac
la Digne-d'Aval
la Digne-d'Amont
St Polycarpe
Villebazy
Belcastel
Caunette-s-Lauquet
Clermont-s-Lauquet
Labastide-en-Val
Castelreng
Magrie
Cournanel
Tourreilles
Roquetaillade
Alet-les-Bains
Véraza
Terroles
Missègre
Villardebelle
Valmigère
Bouisse
Chalabre
Sonnac
St Benoît
St Couat-du-Razès
Bourigeole
Bouriège
Festes
Conilhac-de-la-Mgne
la Serpent
Luc-s-Aude
Peyrolles
Arques
Villefort
Puivert
Rivel
St Jean-de-Paracol
Rouvenac
Espéraza
Couiza
Coustaussa
Serres
Rennes-le-Château
Rennes-les-Bains
Campagne-s-Aude
Montazels
Antugnac
Nébias
Brenac
Quillan
St Ferriol
Granès
Sougraigne
Bugarach
Pic de Bugarach
St Just
St Julia-de-Bec
St Louis
Belvis
Coudons
Ginoles
Belvianes
Camps-s-l'Agly
Cubières-s-Cinoble
Quirbajou
St Martin-Lys
Marsa
Espezel
Caudiès-de-Fenouillèdes
Prugnanes
St Paul-de-Fenouillet
Forêt des Fanges
Plateau de Sault
Défilé de Pierre-Lys
Col du Paradis
Forêt de Rialsesse
Albières
Fourtou
Lac de la Cavayère
A
B
C
1
2
3
4

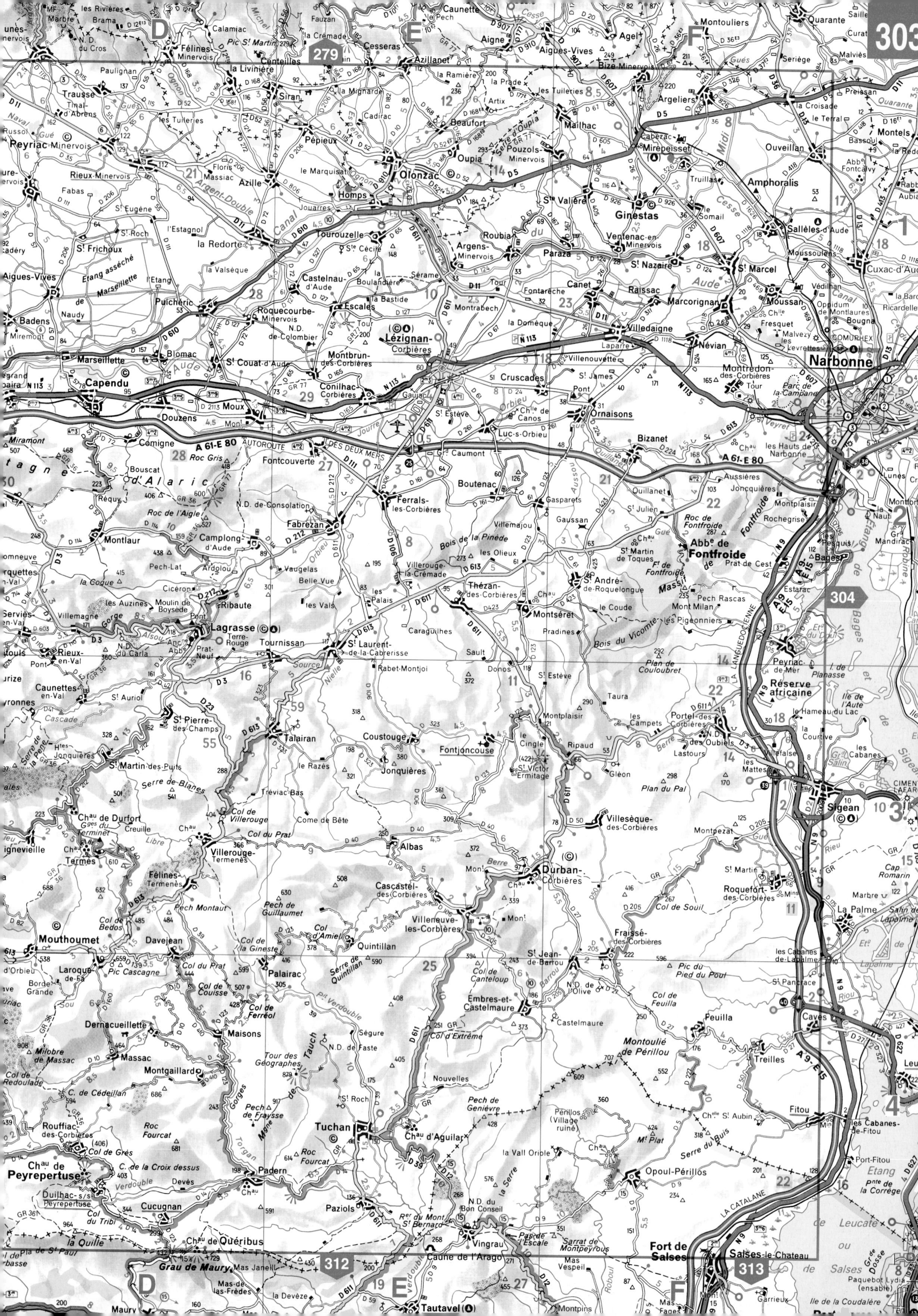

D — E — F

279

Narbonne

Peyriac-Minervois
Rieux-Minervois
Azille
Olonzac
Homps
Pépieux
Siran
Beaufort
Oupia
Pouzols-Minervois
Mailhac
Ginestas
Argeliers
Aigues-Vives
Bize-Minervois
Mirepeisset
Cabezac
Ouveillan
Montels
Amphoralis
Sallèles-d'Aude
Cuxac-d'Aude
Moussoulens

Trausse
Caunette
Cesseras
Azillanet
Artix
Ste Valière
Paraza
Argens-Minervois
Roubia
Ventenac-en-Minervois
St Nazaire
St Marcel
Névian
Montredon-des-Corbières

Capendu
Douzens
Moux
Comigne
Lézignan-Corbières
Cruscades
Ornaisons
Bizanet
Villedaigne
Raissac
Canet
Marcorignan
Moussan

A 61-E 80 AUTOROUTE DES DEUX MERS

Fontcouverte
Boutenac
Ferrals-les-Corbières
Fabrezan
Camplong-d'Aude
Montlaur
Ribaute
Lagrasse
Tournissan
St Laurent-de-la-Cabrerisse
Montséret
Thézan-des-Corbières
St André-de-Roquelongue
Abbe de Fontfroide
Bages
Peyriac-de-Mer
Réserve africaine

Rieux-en-Val
Caunettes-en-Val
St Pierre-des-Champs
Talairan
Coustouge
Fontjoncouse
Jonquières
Portel-des-Corbières
Sigean

Chau de Durfort
Termes
Félines-Termenès
Villerouge-Termenès
Albas
Durban-Corbières
Cascastel-des-Corbières
Villeneuve-les-Corbières
Fraissé-des-Corbières
Roquefort-des-Corbières
La Palme

Mouthoumet
Davejean
Laroque-de-Fa
Palairac
Quintillan
St Jean-de-Barrou
Caves

Dernacueillette
Maisons
Massac
Montgaillard
Rouffiac-des-Corbières
Tuchan
Chau d'Aguilar
Embres-et-Castelmaure
Feuilla
Treilles
Fitou

Chau de Peyrepertuse
Duilhac-s/s-Peyrepertuse
Cucugnan
Padern
Paziols
Opoul-Périllos
Fort de Salses

Grau de Maury
Tautavel
Salses-le-Chateau

304

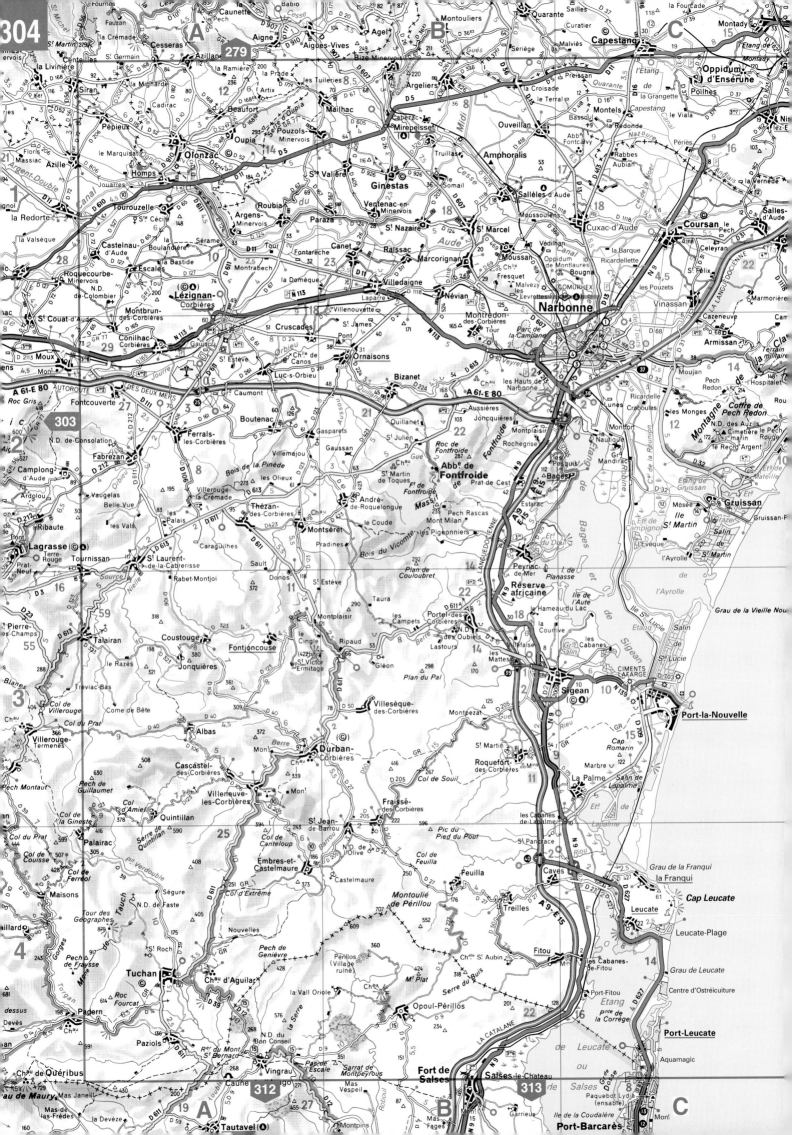

A
B
C
279
303
312
313
Caunette
Aigne
Aigues-Vives
Agel
Montouliers
Quarante
Capestang
Montady
Cesseras
Azillanet
la Livinière
Siran
Bize-Minervois
Argeliers
Oppidum d'Ensérune
Poilhes
Beaufort
Mailhac
Montels
Ouveillan
Pépieux
Oupia
Pouzols-Minervois
Mirepeisset
Olonzac
Homps
Azille
Amphoralis
Ginestas
Sallèles-d'Aude
Canal du Midi
Tourouzelle
Argens-Minervois
Roubia
Paraza
Ventenac-en-Minervois
St Nazaire
St Marcel
Cuxac-d'Aude
Coursan
Salles-d'Aude
Castelnau-d'Aude
Escales
Canet
Raissac
Marcorignan
Moussan
Roquecourbe-Minervois
Lézignan-Corbières
Villedaigne
Névian
Narbonne
Vinassan
St Couat-d'Aude
Montbrun-des-Corbières
Conilhac-Corbières
Cruscades
Montredon-des-Corbières
Armissan
Moux
Ornaisons
Luc-s-Orbieu
Bizanet
Fontcouverte
Boutenac
Ferrals-les-Corbières
Gasparets
Abbe de Fontfroide
Massif de Fontfroide
Montagne de la Clape
Fabrezan
Camplong-d'Aude
Bages
Gruissan
Ile St Martin
Ribaute
Lagrasse
Thézan-des-Corbières
St André-de-Roquelongue
Montséret
Tournissan
St Laurent-de-la-Cabrerisse
Peyriac-de-Mer
Réserve africaine
Étang de Bages et de Sigean
Talairan
Coustouge
Fontjoncouse
Jonquières
Portel-des-Corbières
Sigean
Port-la-Nouvelle
Villerouge-Termenès
Albas
Villesèque-des-Corbières
Durban-Corbières
Cascastel-des-Corbières
Roquefort-des-Corbières
Cap Romarin
La Palme
Étang de Lapalme
Villeneuve-les-Corbières
Quintillan
Palairac
Fraissé-des-Corbières
St Jean-de-Barrou
Embres-et-Castelmaure
Feuilla
Caves
La Franqui
Cap Leucate
Leucate
Leucate-Plage
Maisons
Treilles
Montoulié de Périllou
Tuchan
Chau d'Aguilar
Fitou
Grau de Leucate
Port-Leucate
Padern
Paziols
Opoul-Périllos
Étang de Leucate ou de Salses
Vingrau
Fort de Salses
Salses-le-Château
Chau de Quéribus
Tautavel
Port-Barcarès
A 61-E 80
A 9-E 15
N 9
N 113
LA LANGUEDOCIENNE
LA CATALANE

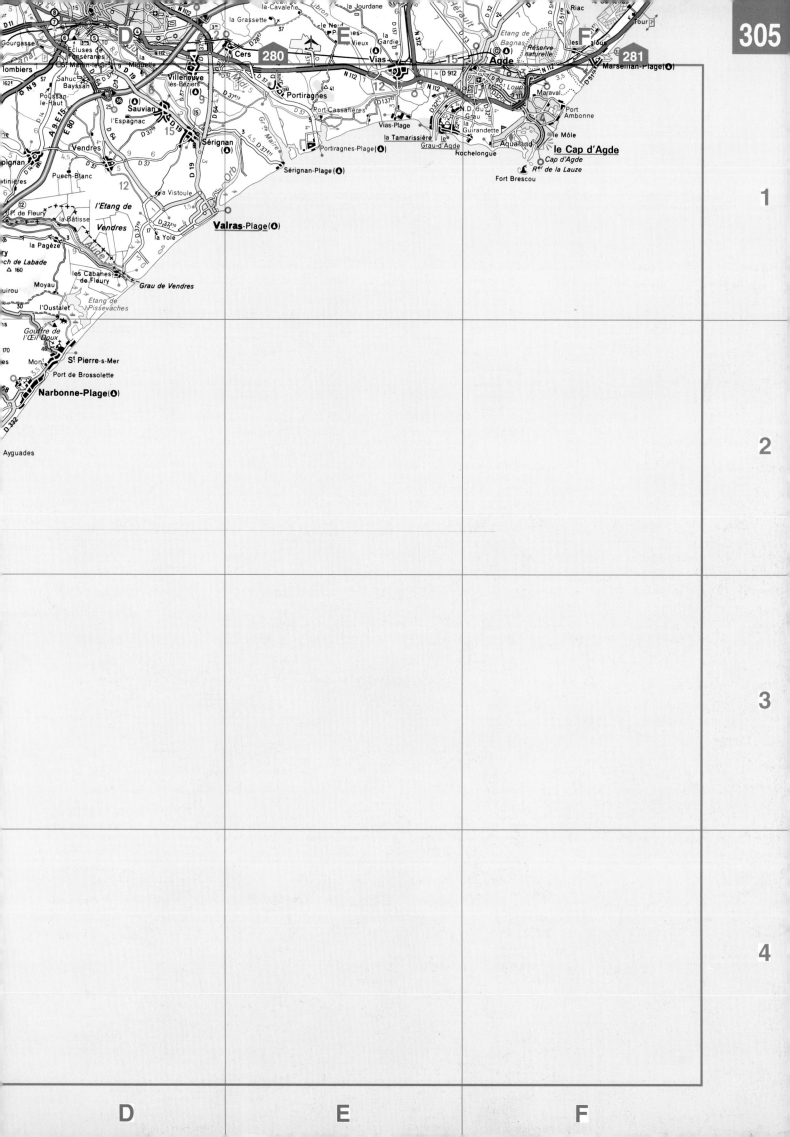
D
E
F
280
281
Cers
Vias
Agde
Marseillan-Plage
Etang de Bagnas
Réserve naturelle
Riac
la Jourdane
la Grassette
Ecluses de Fonséranes
Gourgasse
Villeneuve lès-Béziers
Sauvian
l'Espagnac
Sahuc
Bayssan
Poussan-le-Haut
Portiragnes
Port-Cassafières
Vias-Plage
la Tamarissière
le Grau-d'Agde
N.D. du Grau
la Guirandette
Rochelongue
Aqualand
le Cap d'Agde
Cap d'Agde
Port Ambonne
le Môle
Maraval
Fort Brescou
Rer de la Lauze
Sérignan
Sérignan-Plage
Portiragnes-Plage
Vendres
Puech-Blanc
la Vistoule
l'Etang de Vendres
Valras-Plage
la Yole
la Batisse
la Pagèze
les Cabanes de Fleury
Grau de Vendres
Moyau
l'Oustalet
Etang de Pissevaches
Gouffre de l'Œil Doux
St Pierre-s-Mer
Port de Brossolette
Narbonne-Plage
Ayguades
Orb
Aude
1
2
3
4
D
E
F

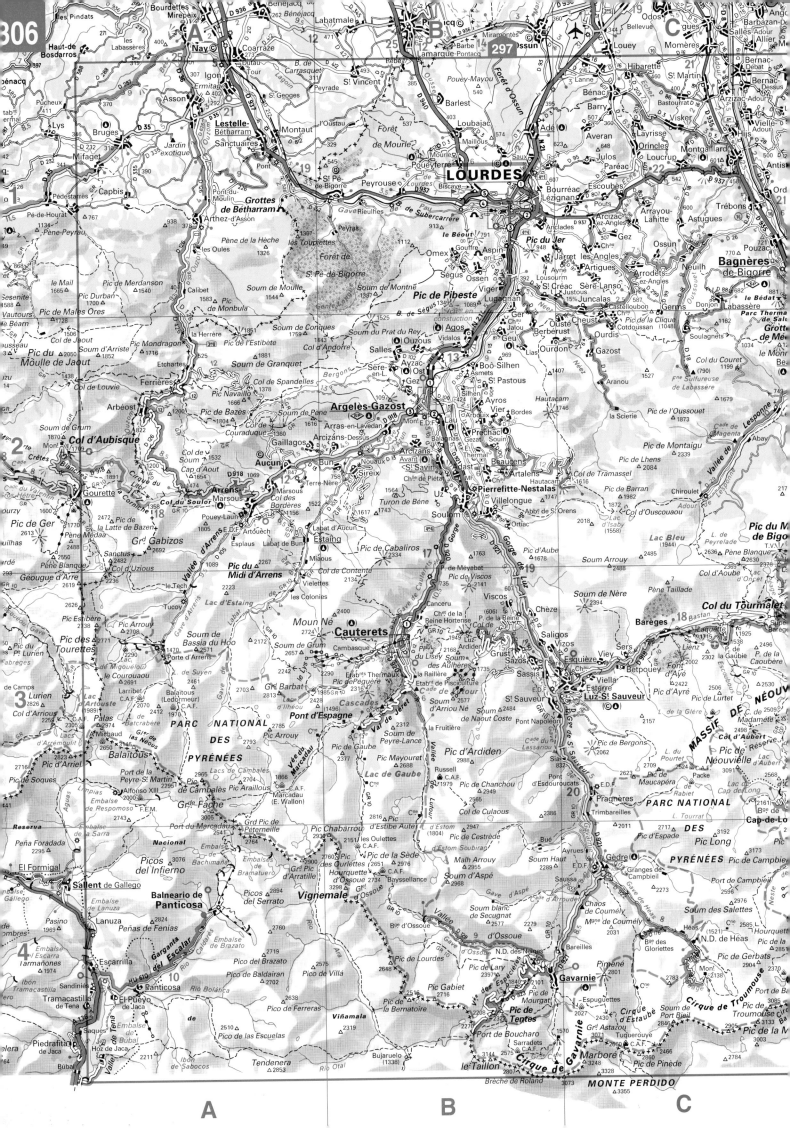
A
B
C
297
Nay
Coarraze
Bénéjacq
Ossun
Lestelle-Bétharram
Sanctuaires
Grottes de Bétharram
Forêt de Mourle
Forêt de St-Pé-de-Bigorre
St Pé-de-Bigorre
LOURDES
Pic du Jer
Pic de Pibeste
Bagnères-de-Bigorre
Argelès-Gazost
Arrens-Marsous
Col d'Aubisque
Col du Soulor
Gourette
Pic de Ger
Gd Gabizos
Pic du Midi d'Arrens
Pierrefitte-Nestalas
Hautacam
Col du Tourmalet
Barèges
Cauterets
Pont d'Espagne
Luz-St Sauveur
Pic d'Ardiden
PARC NATIONAL DES PYRÉNÉES
MASSIF DE NÉOUVIELLE
Pic de Néouvielle
Balaïtous
Vignemale
Gèdre
Gavarnie
Cirque de Gavarnie
Cirque de Troumouse
Marboré
MONTE PERDIDO
Brèche de Roland
Balneario de Panticosa
Sallent de Gallego
El Formigal
Piedrafita de Jaca
Picos del Infierno
Lac Bleu
Pic du Midi de Bigorre
Vallée d'Ossoue
Vallée de Lesponne
A
B
C

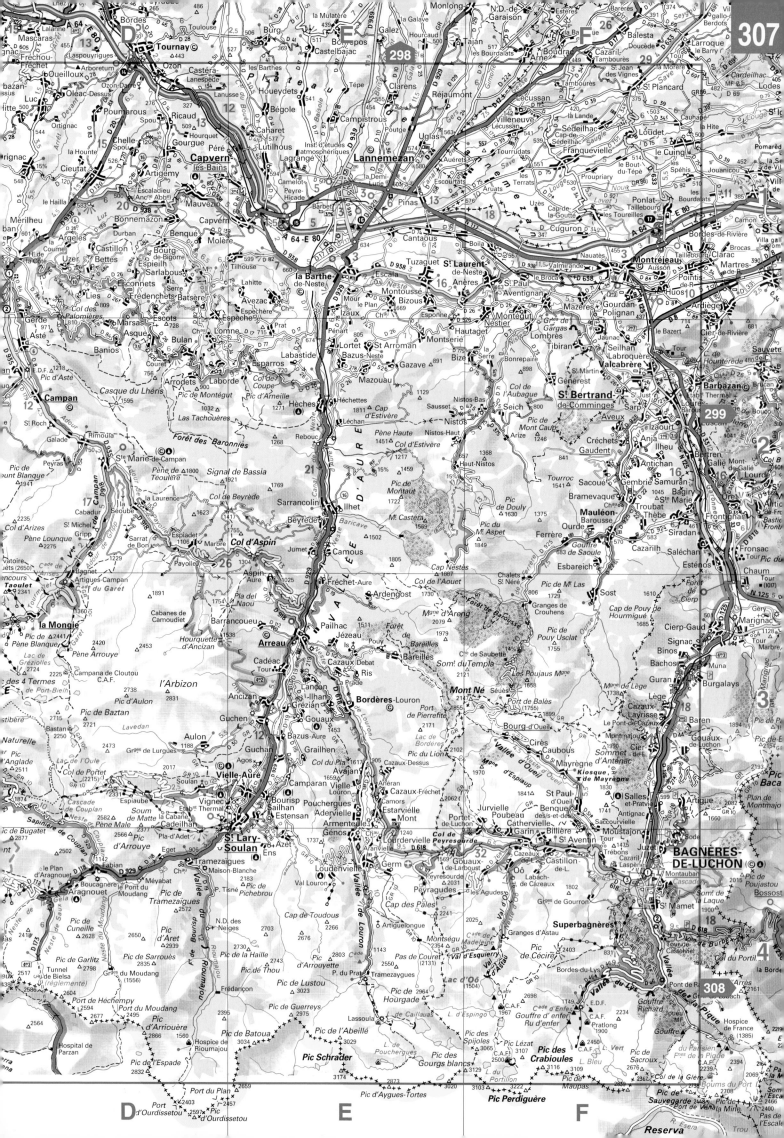

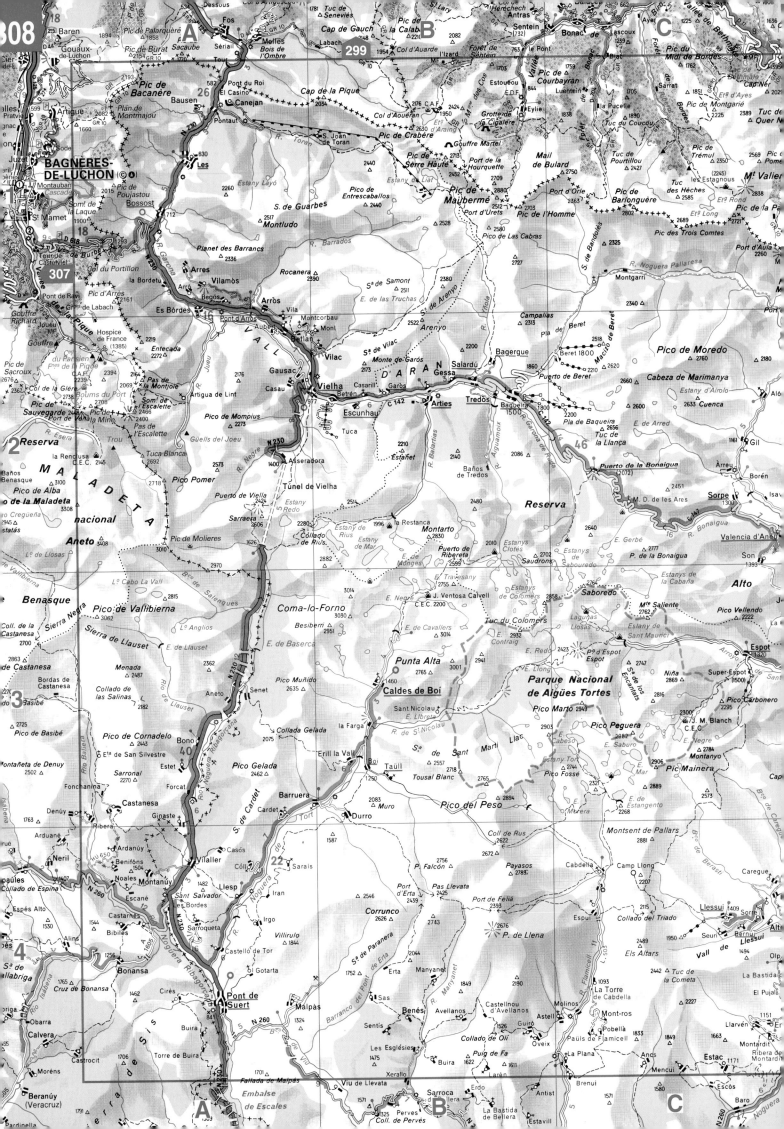

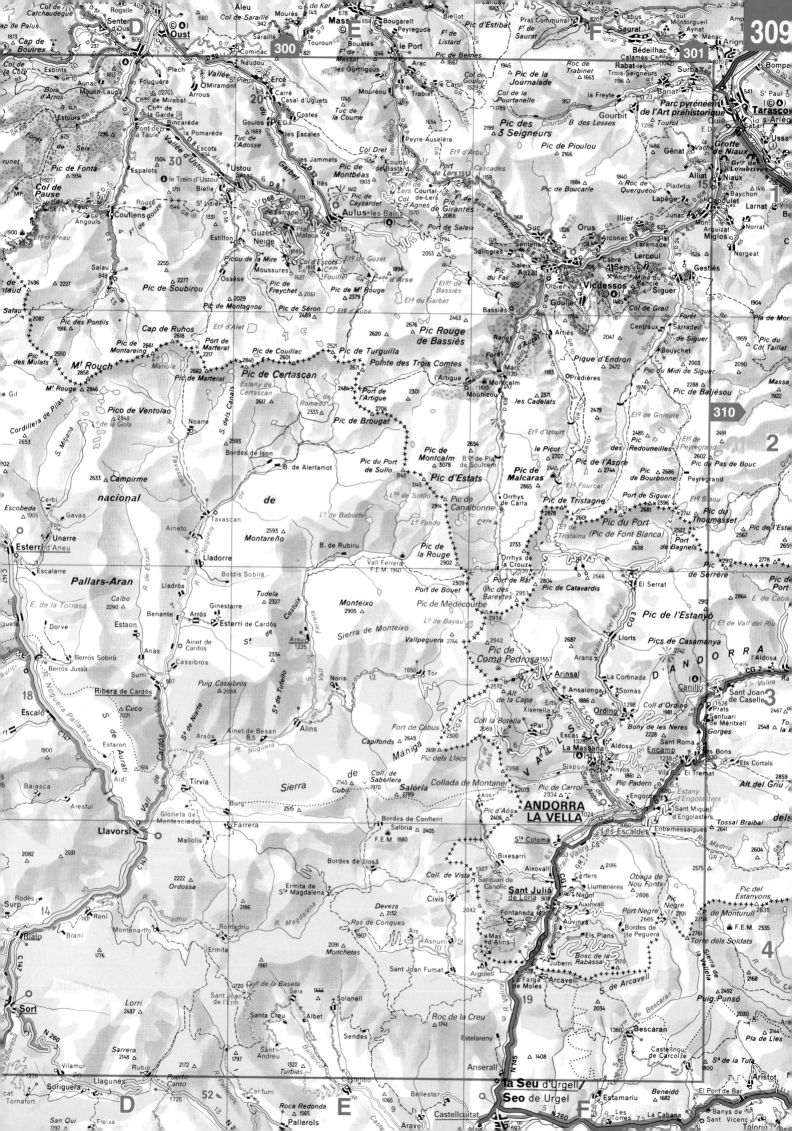

D
E
F
300
301
310
Oust
Seix
Massat
Col de Saraillé
Cap de Bouirex
Col de Catchaudégue
Col de la Core
Bois d'Arros
Forêt de Seix
Pic de Fonta
Col de Pause
Couflens
Vallée d'Ustou
Ustou
Aulus-les-Bains
Guzet Neige
Col de Latrape
Pic de Montbéas
Pic de Cayzardet
Port de Lers
Pic des 3 Seigneurs
Pic de Girantes
Pic de Piuolou
Pic de Boucarle
Pic de la Journalade
Parc pyrénéen de l'Art préhistorique
Grotte de Niaux
Tarascon s-Ariège
Niaux
Vicdessos
Auzat
Goulier
Siguer
Col de Grail
Pic Rouge de Bassiès
Pic de Soubirou
Pic de Montagnou
Pic de Séron
Pic de Mt Rouge
Cap de Ruhos
Port de Marterat
Pic de Marterat
Pic de Couillac
Pic de Turguilla
Pointe des Trois Comtes
Pic de Certascan
Estany de Certascan
Mt Rouch
Pic des Mulats
Pic des Pontils
Pico de Ventolao
Cordillera de Pilas
Port de l'Artigue
Pic de Brougat
Pic du Port de Sullo
Pic de Montcalm
Pic d'Estats
Pic de Canalbonne
Pic de Malcaras
Pic de l'Aspre
Pic de Tristagne
Pic du Port (Pic de Font Blanca)
Port de Siguer
Pic du Thoumasset
Port de Bagnels
Pic de Serrère
Pic de Baljésou
Pic du Midi de Siguer
Pic des Redouneilles
Pic de Bourbonne
Pic du Pas de Bouc
Campirme
nacional
de
Montareño
Pallars-Aran
Esterri d'Àneu
Tavascan
Lladorre
Vall Ferrera
Pic de la Rouge
Port de Rat
Pic de Catavardis
Pic des Bareytes
Port de Bovet
Pic de Médécourbe
Monteixo
Sierra de Monteixo
Vallpeguera
Pic de Coma Pedrosa
Arinsal
El Serrat
Pic de l'Estanyó
Pics de Casamanya
D'ANDORRA
Canillo
Ordino
VALLS
La Massana
Encamp
ANDORRA LA VELLA
Les Escaldes
Sta Coloma
Sant Julià de Lòria
Esterri de Cardós
Ribera de Cardós
Vall de Cardós
Tírvia
Alins
Àreu
Sierra de Salòria
Collada de Montaner
Llavorsí
Rialp
Sort
Pic de Carroi
Pic d'Aós
Tossal Braibal
Port Negre
Pic Negre
Pic de Monturull
Torre dels Soldats
Sierra de la Vallèta
Puig Punsó
S. de Arcavell
Bescaran
Roc de la Creu
Ras de Conques
Deveza
Monchetas
Ermita de Sta Magdalena
Ordossa
Lorri
Sarrera
Puerto Canto
Castellbò
Roca Redonda
Pallerols
La Seu d'Urgell / Seo de Urgel
Castellciutat
Anserall
Estamariu
Arcavell
Aristot

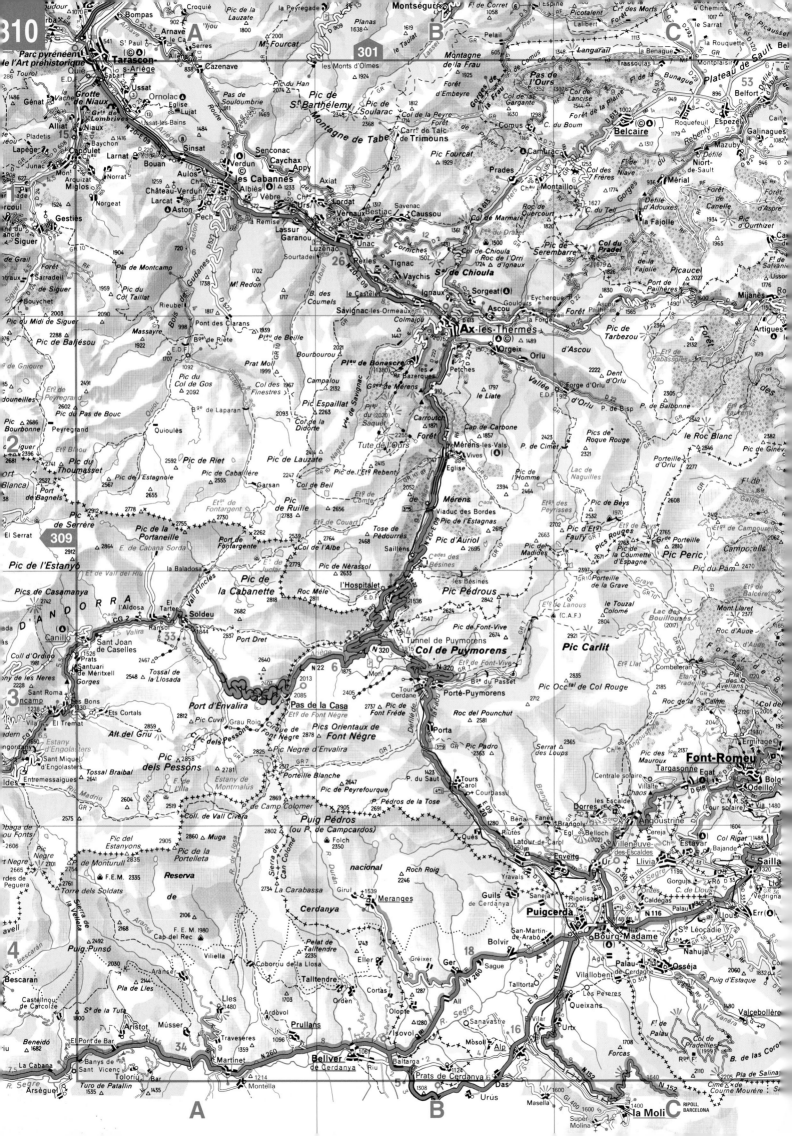
A
B
C
301
309
Tarascon-s-Ariège
Parc pyrénéen de l'Art préhistorique
Grotte de Niaux
Grte de Lombrives
Ussat
Ornolac
Ussat-les-Bains
Niaux
Alliat
Capoulet
Junac
Miglos
Norrat
Norgeat
Larnat
Bouan
Sinsat
Verdun
les Cabannes
Aulos
Château-Verdun
Larcat
Aston
Albiès
Vèbre
Senconac
Caychax
Appy
Axiat
Lordat
Urs
Vernaux
Bestiac
Caussou
Garanou
Luzenac
Unac
Lassur
Perles
Tignac
Vaychis
Gestiés
Siguer
Sarradeil
Pic de S! Barthélemy
Montagne de Tabe
Pic de Soularac
Pic Fourcat
Montségur
Montagne de la Frau
Forêt d'Embeyre
Gorges de la Frau
Pas de l'Ours
Col de la Gargante
Comus
Camurac
Belcaire
Espezel
Belfort
Plateau de Sault
Roquefeuil
Mazuby
Niort-de-Sault
Mérial
Galinagues
Prades
Montaillou
Col des 7 Frères
Col de Marmare
Roc de Quercourt
Pic de Serembarre
Col du Pradel
Col de Chioula
S! de Chioula
Roc de l'Orri d'Ignaux
Ignaux
Sorgeat
Ascou
Forêt d'Ascou
Pic de Tarbezou
Ax-les-Thermes
Orgeix
Orlu
Vallée d'Orlu
Forge d'Orlu
Savignac-les-Ormeaux
Pla de Montcamp
Pic du Col Taillat
M! Redon
Pic du Midi de Siguer
Pic de Baljésou
Massayre
Pont des Clarans
Pla de Beille
Bois de Gudanes
Pla de Bonascre
Pic du Col de Gos
Pic du Pas de Bouc
Pic Bourbonne
Pic Espaillat
Col des Finestres
Col de la Didorte
Pic de Lauzate
Pic du Thoumasset
Pic de Riet
Pic de Caballière
Pic de l'Estagnole
Pic de Ruille
Col de Beil
Tute de l'Ours
Mérens-les-Vals
Cap de Carbone
Mérens
Viaduc des Bordes
Pic de l'Estagnas
Pic d'Auriol
Pic de Serrère
Pic de la Portaneille
Port de Fontargente
Col de l'Albe
Pic de Nérassol
Pic de l'Estanyó
Pics de Casamanya
Pic de la Cabanette
l'Hospitalet
Pic Pédrous
Pic Carlit
Pic de Font-Vive
Tunnel de Puymorens
Col de Puymorens
Porté-Puymorens
Roc del Pounchut
Pic Occtal de Col Rouge
Pic Peric
Pic du Pam
Pic de Beys
Pics Rouges
Lac de Naguilles
Pic de Cimet
Pics de Roque Rouge
le Roc Blanc
Porteille d'Orlu
Campoells
Lac des Bouillouses
Mont Llaret
Roc d'Aude
D'ANDORRA
Canillo
Soldeu
El Tarter
l'Aldosa
Ransol
Sant Joan de Caselles
Prats
Santuari de Meritxell
Tossal de la Llosada
Port Dret
Pas de la Casa
Port d'Envalira
Grau Roig
Circ dels Pessons
Cirque de Font Nègre
Pics Orientaux de Font Nègre
Pic Negre d'Envalira
Alt del Griu
Pic dels Pessons
Encamp
Les Bons
Ets Cortals
El Tremat
Sant Miquel d'Engolasters
Estany d'Engolasters
Tossal Braibal
Entremessaigues
Estany de Montmalús
Porteille Blanche
Pic de Peyrefourque
P. Pédros de la Tose
Coll. de Vall Civera
Puig Pédros (ou P. de Campcardos)
Pic del Estanyons
Pic de la Portelleta
Muga
Reserva nacional de Cerdanya
Roch Roig
Pic Padro
Porta
Tours Carol
Courbassil
Serrat des Loups
Font-Romeu
Targasonne
Egat
Odeillo
Dorres
les Escaldes
Angoustrine
Villeneuve-des-Escaldes
Estavar
Llivia
Latour-de-Carol
Enveitg
Ur
Puigcerdà
Bourg-Madame
Guils de Cerdanya
Saneja
Rigolisa
San-Martin-de-Arabó
Palau-de-Cerdagne
Osséja
Nahuja
Err
Sta Léocadie
Valcebollère
Col de Pradelles
Puig d'Estaque
Merangès
Girul
La Carabassa
Sierra de Can Coloné
Pelat de Talltendre
Talltendre
Eller
Gréixer
Ger
Bolvir
Sague
Talltorta
Queixans
Urtx
Alp
Das
Urús
Masella
la Molina
Prats de Cerdanya
Baltarga
Bellver de Cerdanya
Isovol
Olopte
Sanavastre
All
Prullans
Ardòvol
Orden
Cortàs
Martinet
Travesères
Lles
Músser
Aristot
Pic del Rec
Puig Punsó
Pla de Lles
Coborriu de la Llosa
Viliella
Aransa
Torre dels Soldats
Sierra de la Vellela
Bescaran
Castellnou de Carcolze
Sa de la Tuta
Beneidó
El Pont de Bar
Toloriu
Bar
Banys de Sant Vicenç
Arsèguel
La Cabana
Turo de Patallin
Montella
Forcas
RIPOLL, BARCELONA

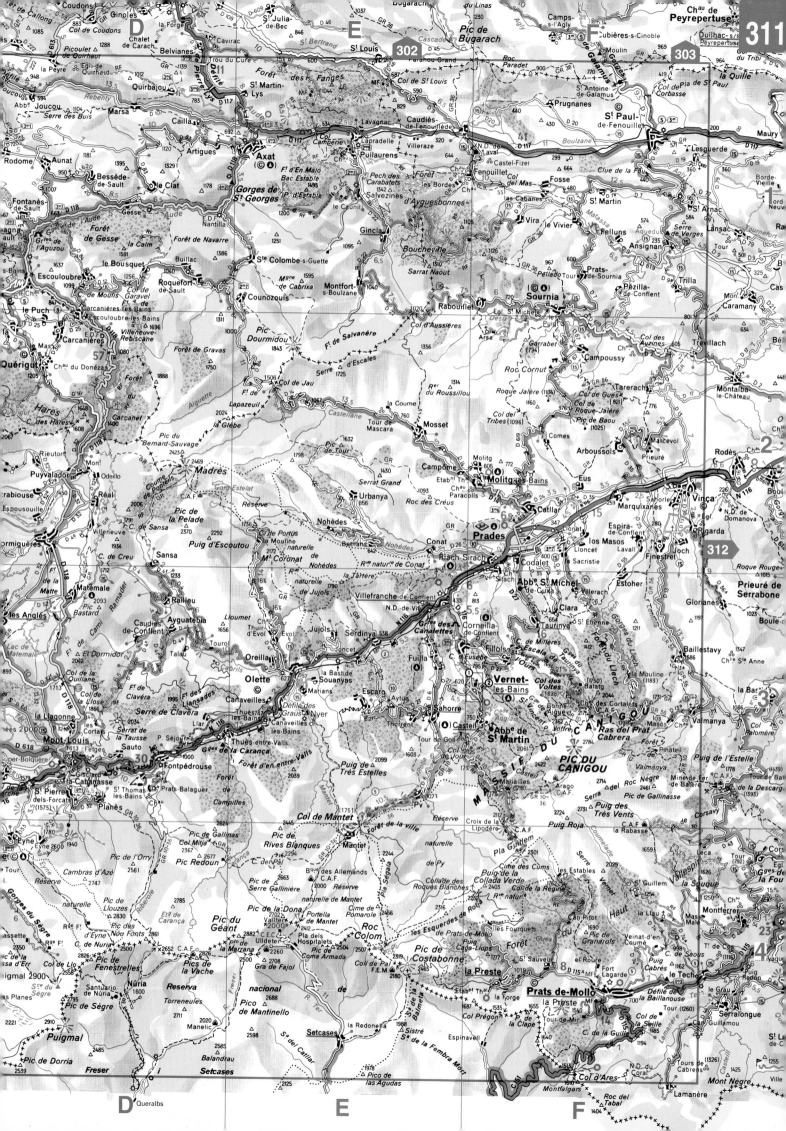
D
E
F
302
303
312
Pic de Bugarach
Peyrepertuse
Axat
Gorges de St Georges
Quérigut
Forêt de Gesse
Pic Dourmidou
Col de Jau
Mosset
Sournia
Prades
Molitg-les-Bains
Vinça
Olette
Villefranche-de-Conflent
Vernet-les-Bains
Abbe St Michel-de-Cuxa
Mont-Louis
Fontpédrouse
Pic du Canigou
Massif du Canigou
Prats-de-Mollo
la Preste
Col de Mantet
Pic du Géant
Núria
Puigmal
Setcases
Col d'Ares
Prieuré de Serrabone
Queralbs

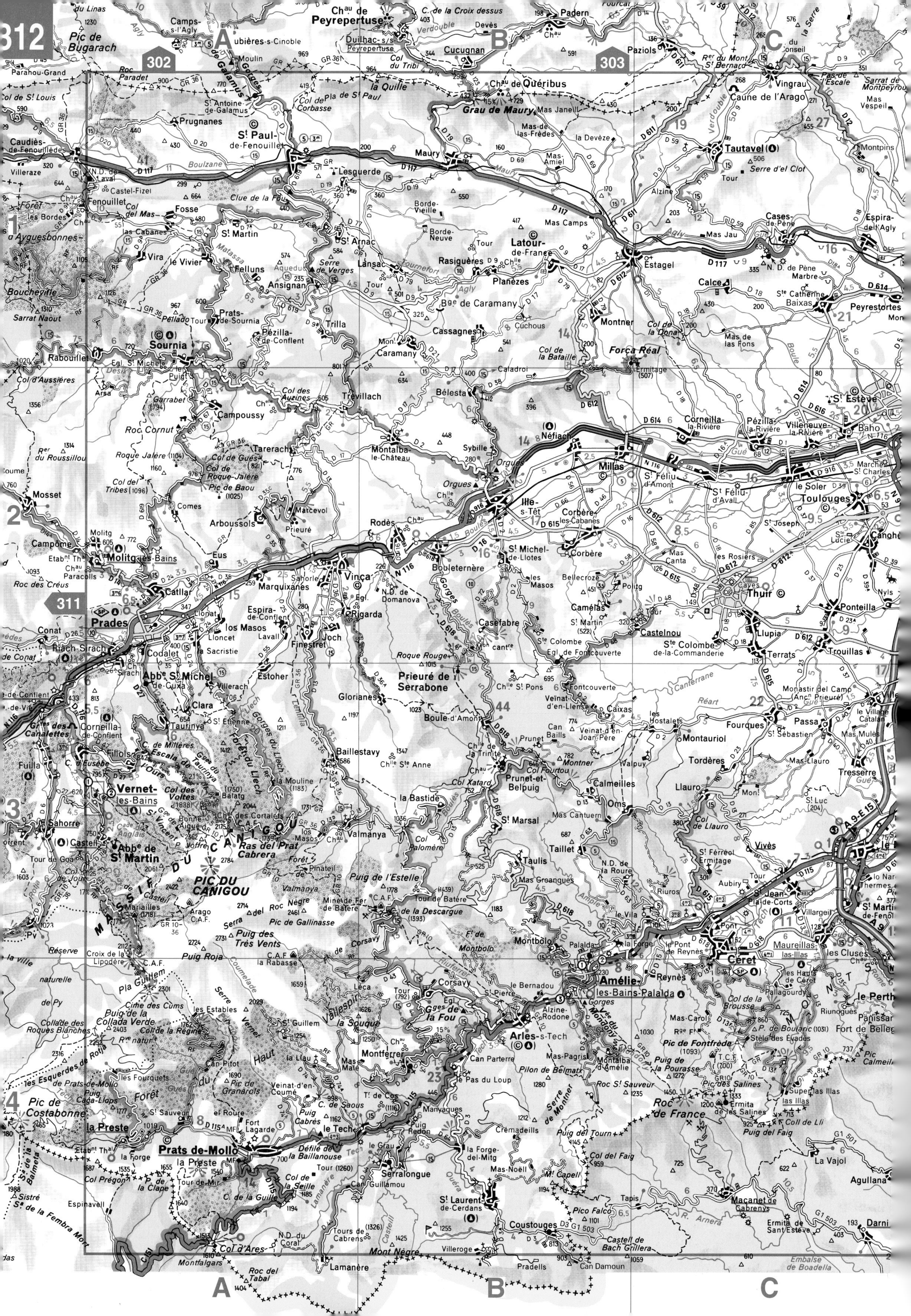

302 303

Pic de Bugarach · Camps-s-l'Agly · Château de Peyrepertuse · C. de la Croix dessus · Padern · Paziols · Vingrau · Caune de l'Arago

St Paul-de-Fenouillet · Maury · Grau de Maury · Tautavel · Cases-de-Pène · Espira-de-l'Agly

Caudiès-de-Fenouillèdes · Fenouillet · Fosse · St Martin · St Arnac · Lesquerde · Latour-de-France · Estagel · Calce · Ste Catherine · Baixas · Peyrestortes

Sournia · Rabouillet · Pézilla-de-Conflent · Trilla · Cassagnes · Bélesta · Forca Réal · Corneilla-la-Rivière · Pézilla-la-Rivière · Villeneuve-la-Rivière · Baho · St Estève

Mosset · Campoussy · Tarerach · Montalba-le-Château · Néfiach · Millas · St Féliu-d'Amont · St Féliu-d'Avall · Toulouges · le Soler

Molitg-les-Bains · Arboussols · Rodès · Illes-s-Têt · St Michel-de-Llotes · Corbère · Corbère-les-Cabanes · Thuir · Canohès

Prades · Catllar · Marquixanes · Vinça · Espira-de-Conflent · Rigarda · Casefabre · Camélas · St Martin · Castelnou · Llupia · Ponteilla · Trouillas · Terrats

Abbé St Michel-de-Cuxa · Clara · Taurinya · Glorianes · Prieuré de Serrabone · Boule-d'Amont · Caixas · Fourques · Passa · Montauriol · Tordères · Llauro · Tresserre

Vernet-les-Bains · MASSIF DU CANIGOU · Baillestavy · St Marsal · Prunet-et-Belpuig · Calmeilles · Oms · Vivès · St Jean-Pla-de-Corts

Abbé de St Martin · PIC DU CANIGOU · Valmanya · Taulis · Taillet · Montbolo · Palalda · Céret · Maureillas-las-Illas · les Cluses

Prats-de-Mollo · la Preste · Corsavy · Arles-s-Tech · Amélie-les-Bains-Palalda · Reynès · le Perthus

Pic de Costabonne · Montferrer · le Tech · Serralongue · St Laurent-de-Cerdans · Coustouges · Roc de France · Macanet de Cabrenys · La Vajol · Agullana · Darni

A · B · C

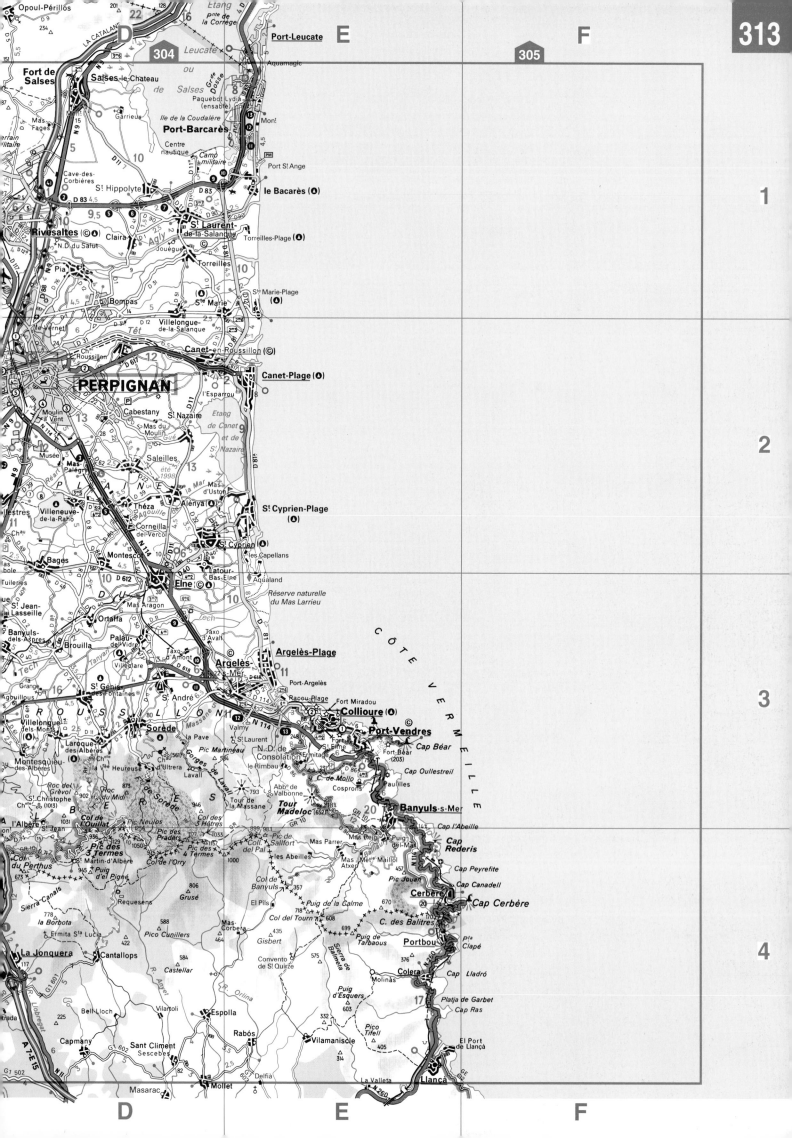
D
E
F
304
305
1
2
3
4
Opoul-Périllos
Port-Leucate
Aquamagic
Fort de Salses
Salses-le-Chateau
Leucate ou de Salses
Paquebot Lydia (ensablé)
Ile de la Coudalère
Port-Barcarès
Centre nautique
Camp militaire
Port St Ange
Cave-des-Corbières
St Hippolyte
le Bacarès
Rivesaltes
N.D. du Salut
Claira
St Laurent-de-la-Salanque
Torreilles-Plage
Jouègue
Torreilles
Pia
Bompas
Ste Marie
Ste Marie-Plage
le Vernet
Villelongue-de-la-Salanque
Têt
Ch. Roussillon
Canet-en-Roussillon
Canet-Plage
PERPIGNAN
l'Esparrou
Cabestany
St Nazaire
Moulin à Vent
Mas du Moulin
Etang de Canet et de St Nazaire
Musée
Mas Palégry
Saleilles
Mas d'Uston
Théza
Alenya
St Cyprien-Plage
Villeneuve-de-la-Raho
Corneilla-del-Vercol
St Cyprien
les Capellans
Bages
Montescot
Latour-Bas-Elne
Aqualand
Elne
Réserve naturelle du Mas Larrieu
St Jean-Lasseille
Mas Aragon
Ortaffa
Tech
Taxo d'Avall
Banyuls-dels-Aspres
Brouilla
Palau-del-Vidre
Taxo d'Amont
Argelès-Plage
Villeclare
Argelès-s-Mer
Port-Argelès
CÔTE VERMEILLE
St Génis-des-Fontaines
St André
Racou-Plage
Fort Miradou
Collioure
Villelongue-dels-Monts
Sorède
Valmy
Port-Vendres
St Laurent
Cap Béar
Laroque-des-Albères
la Pave
Pic Martineau
N.D. de Consolation
Ermitage
Fort Béar
Montesquieu-des-Albères
Gorges de Lavall
le Rimbau
Cap Oullestreil
Paulilles
C. de Mollo
Cosprons
Abbe de Valbonne
Tour de la Massane
Tour Madeloc
Banyuls-s-Mer
Cap l'Abeille
St Christophe
Col de l'Ouillat
Pic Neulos
Col des 3 Hêtres
Pic des Pradets
Pic de Sallfort
Coll. del Pal
Mas Parrer
Mas Reig
Puig-del-Mas
Cap Rederis
l'Albère
St Jean
Pic des 3 Termes
Pic des 4 Termes
les Abeilles
Mas Atxer
Mas Maillol
Col du Perthus
St Martin-d'Albère
Col de l'Orry
Cap Peyrefite
Puig d'el Pigné
Col de Banyuls
Pic Jouan
Cap Canadell
Cerbère
Cap Cerbère
Sierra Canals
Requesens
Grusé
El Pils
Puig de la Calme
Col del Tourn
C. des Balitres
la Borbota
Ermita Sta Lucia
Pico Cunillers
Mas Corbera
Gisbert
Puig de Tarbaous
Portbou
Pta Clapé
La Jonquera
Cantallops
Castellar
Convento de St Quirze
Sierra de Balmeta
Colera
Cap Lladró
Molinàs
Puig d'Esquers
Platja de Garbet
Cap Ras
Bell-Lloch
Vilartoli
Espolla
R. Orlina
Capmany
Sant Climent Sescebes
Rabós
Vilamaniscle
Pico Tifell
El Port de Llançà
Llançà
La Valleta
Masarac
Mollet
Delfià
A 7-E 15
N 114
N 260

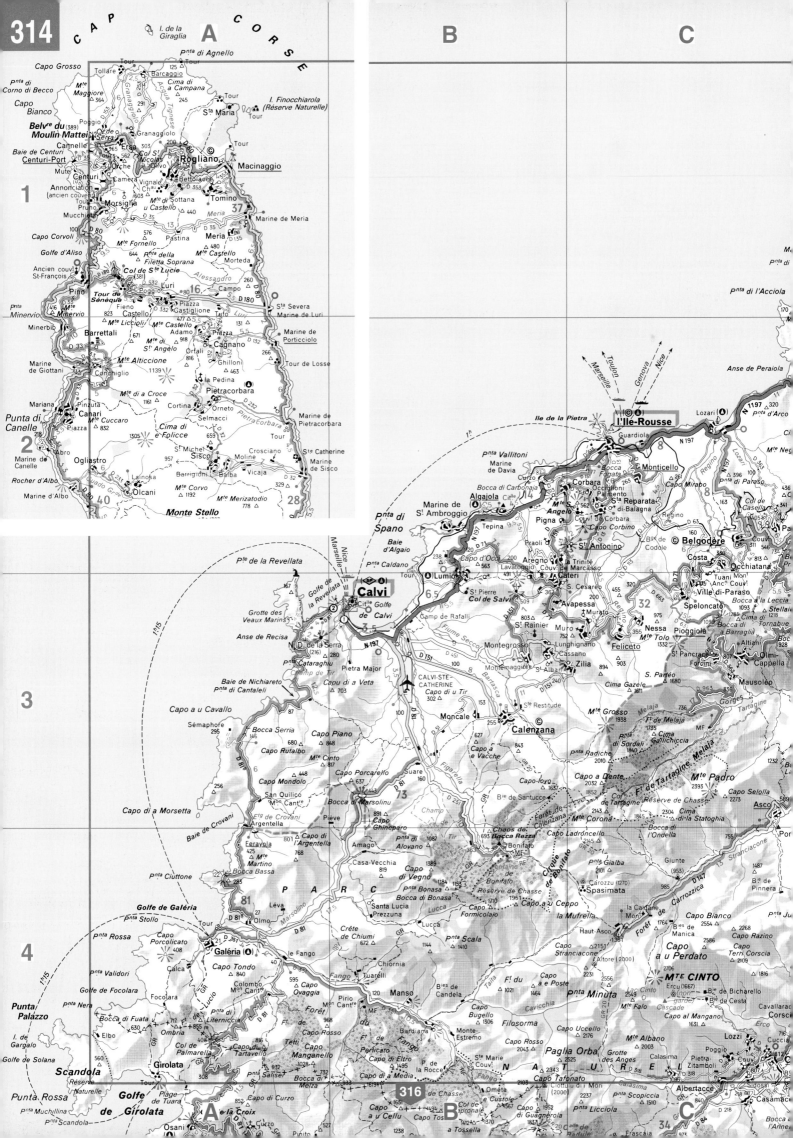

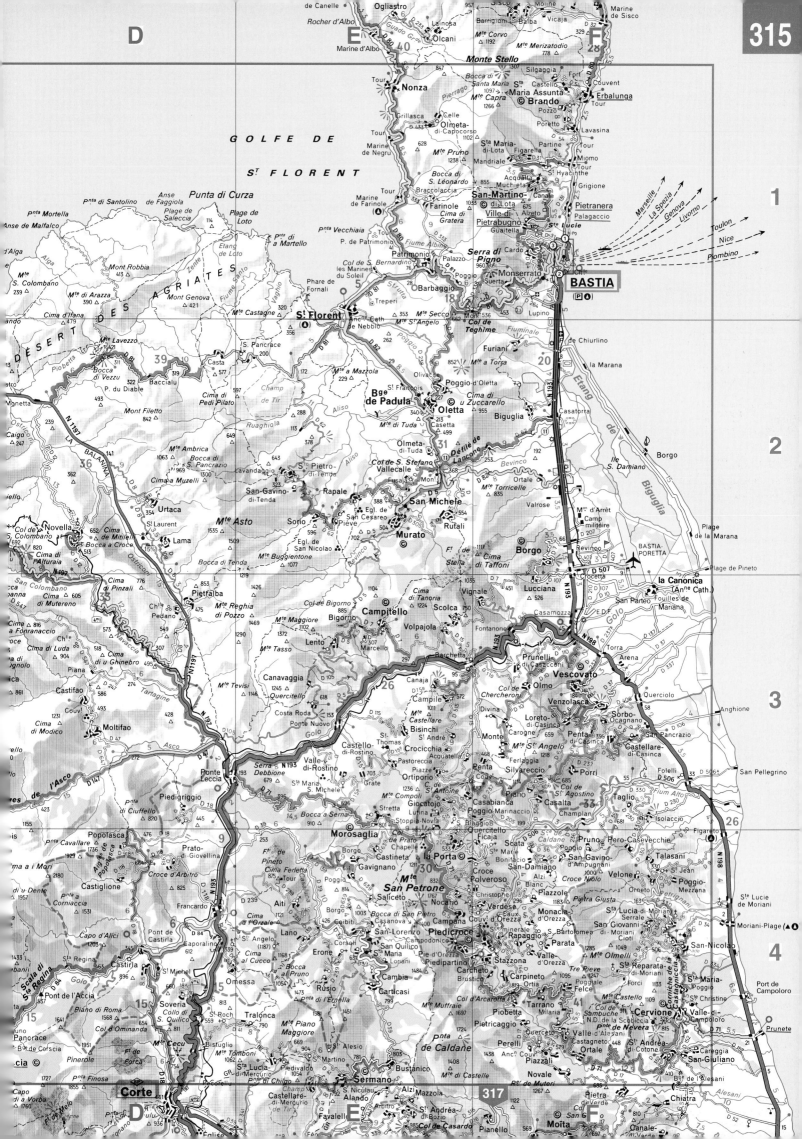
D
E
F
1
2
3
4
GOLFE DE
ST FLORENT
DÉSERT DES AGRIATES
Monte Stello
Nonza
Brando
Erbalunga
BASTIA
Marseille
La Spezia
Genova
Livorno
Toulon
Nice
Piombino
St Florent
Punta di Curza
Patrimonio
San-Martino-di-Lota
Ville-di-Pietrabugno
Pietranera
Serra di Pigno
Barbaggio
Col de Teghime
Furiani
Biguglia
Etang de Biguglia
Oletta
Bge de Padula
Défilé de Lancone
San Michele
Murato
Borgo
Lucciana
La Canonica
Vescovato
Venzolasca
Campitello
Ponte Leccia
Morosaglia
La Porta
Mte San Petrone
Piedicroce
Cervione
Moltifao
Castifao
Pietralba
Urtaca
Lama
Novella
Castirla
Omessa
Soveria
Corte
Sermano
Alando
Moïta
317
Mte Asto
Mte Cecu
Pinerole
Tralonca
Prunete
Moriani-Plage
San-Nicolao
San-Giuliano
Chiatra

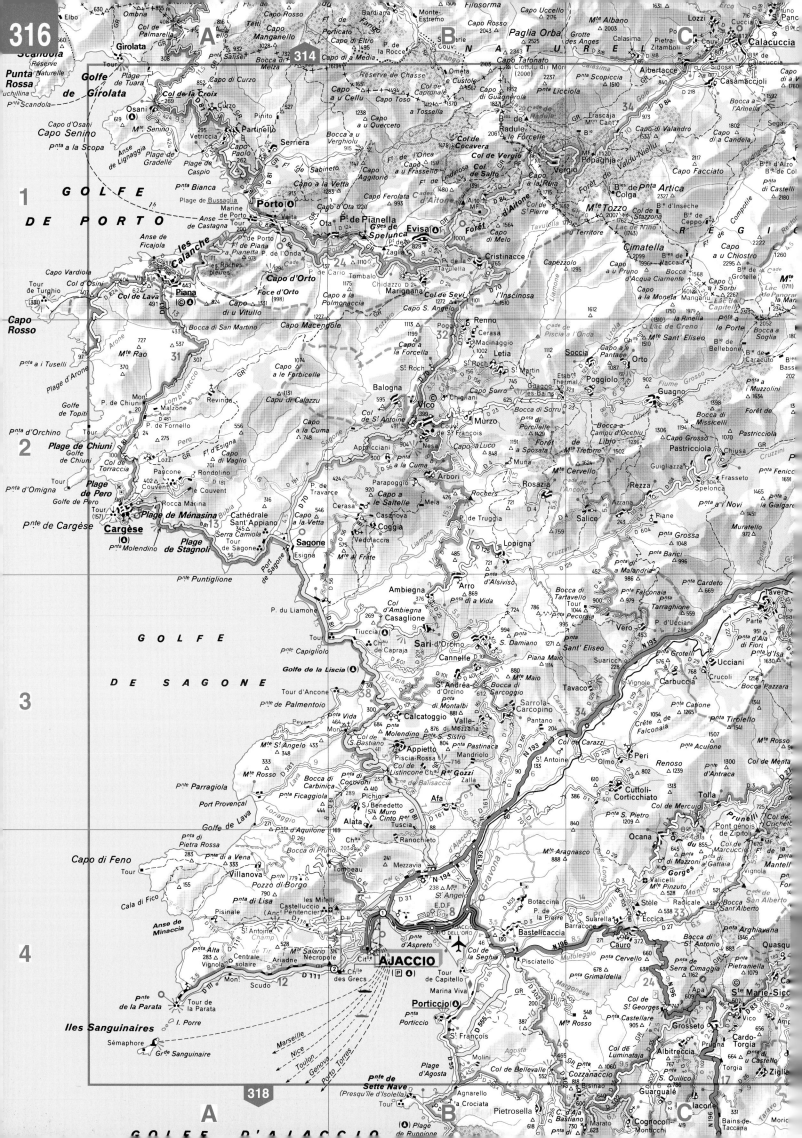
Golfe de Girolata
Girolata
Punta Rossa
Col de la Croix
Osani
Capo Senino
Partinello
Serriera
Golfe de Porto
Porto
Ota
Pt de Pianella
Gges de Spelunca
Evisa
Forêt d'Aitone
Col de Vergio
Vergio
Paglia Orba
Calacuccia
Albertacce
Casamaccioli
Mte Tozzo
Cimatella
Forêt de Valdu-Niellu
Popaghja
les Calanche
Piana
Capo d'Orto
Col de Lava
Capo Rosso
Cristinacce
Marignana
Col de Sevi
Renno
Letia
Soccia
Orto
Poggiolo
Guagno
Balogna
Vico
Murzo
Mte Rao
Plage de Chiuni
Golfe de Chiuni
Plage de Pero
Cargèse
Plage de Ménasina
Plage de Stagnoli
Sagone
Coggia
Arbori
Rosazia
Salice
Lopigna
Arro
Ambiegna
Casaglione
Sari-d'Orcino
Cannelle
Golfe de Sagone
Golfe de la Liscia
Calcatoggio
Appietto
Sarrola-Carcopino
Valle-di-Mezzana
Afa
Alata
Villanova
Capo di Feno
Cala di Fico
Anse de Minaccia
Iles Sanguinaires
Pte de la Parata
AJACCIO
Porticcio
Bastelicaccia
Cauro
Cuttoli-Corticchiato
Peri
Tavaco
Carbuccia
Ucciani
Vero
Tavera
Ocana
Grosseto
Albitreccia
Cardo-Torgia
Pte de Sette Nave
Golfe d'Ajaccio
Marseille
Nice
Toulon
Genova
Porto Torres
A
B
C
1
2
3
4
314
318

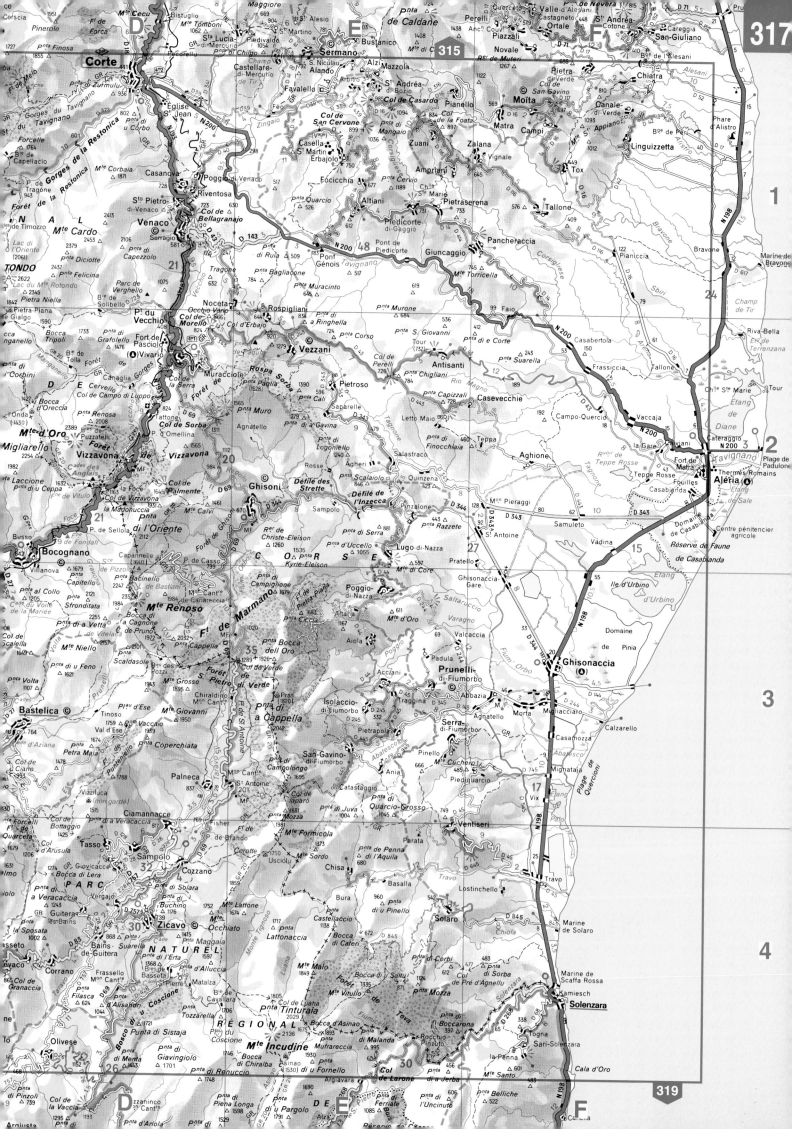

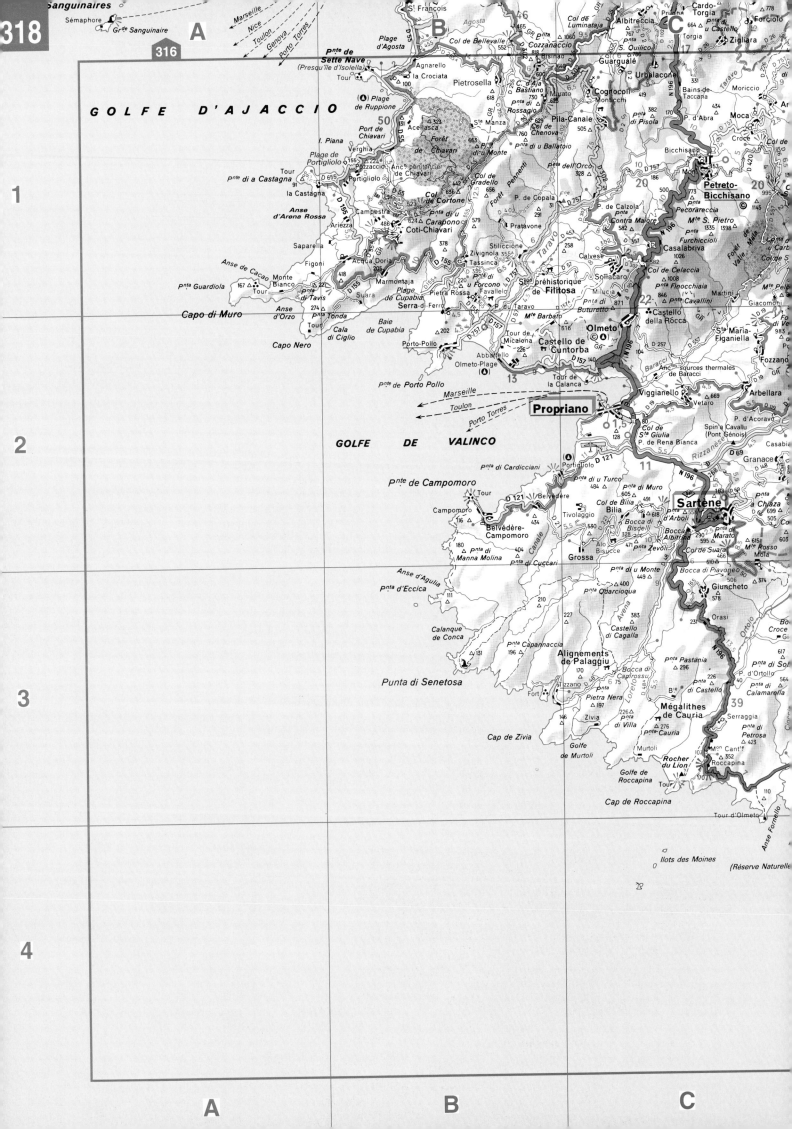
316
A
B
C
1
2
3
4
Sanguinaires
Sémaphore
Grde Sanguinaire
Marseille
Nice
Toulon
Genova
Porto Torres
GOLFE D'AJACCIO
Pnte de Sette Nave
(Presqu'île d'Isolella)
Plage d'Agosta
St François
Agnarello
la Crociata
Pietrosella
Plage de Ruppione
Port de Chiavari
Acellasca
Forêt de Chiavari
I. Piana
Verghia
Plage de Portigliolo
Portigliolo
Pozzaccio
Anc. pénitencier de Chiavari
Tour
Pnte di a Castagna
la Castagna
Anse d'Arena Rossa
Campestra
Ariezza
Col de Cortone
Carapono
Coti-Chiavari
Saparella
Figoni
Acqua Doria
Anse de Cacao
Monte Bianco
Pnta Guardiola
Pnta di Tavis
Anse d'Orzo
Pnta Tonda
Capo di Muro
Cala di Ciglio
Capo Nero
Marmontaja
Suara
Plage de Cupabia
Baie de Cupabia
Serra-di-Ferro
Pietra Rossa
Porto-Pollo
Olmeto-Plage
Abbartello
Pnte de Porto Pollo
Col de Bellevalle
Cozzanaccio
Col de Luminataja
Albitreccia
Guargualé
Urbalacone
Cognocoli-Monticchi
Pila-Canale
Marato
Col de Chenova
Pnta di u Ballatoio
Pnta dell'Orco
Forêt Pennenti
Col de Gradello
P. de Copala
Pratavone
Stiliccione
Zivignola
Tassinca
u Forcono
Favallello
P. du Taravo
Sites préhistorique de Filitosa
Mte Barbaro
Tour de Micalona
Castello de Cuntorba
Olmeto
Tour de la Calanca
Propriano
Golfe de Valinco
Calvese
Sollacaro
Pnta di Buturetto
Castello della Rocca
Casalabriva
Col de Celaccia
Pnta Finocchiaia
Pnta Cavallini
Petreto-Bicchisano
Bicchisano
Mte S. Pietro
Moca
Croce
P. d'Abra
Bains-de-Taccana
Moriccio
Cardo-Torgia
Torgia
Zigliara
Forciolo
Martini
Giacomoni
Sta Maria-Figaniella
Fozzano
Arbellara
sources thermales de Baracci
Viggianello
Vetaro
P. d'Acoravo
Col de Sta Giulia
P. de Rena Bianca
Spin'a Cavallu (Pont Génois)
Granace
Rizzanese
Pnta di Cardicciani
Portigliolo
Pnte de Campomoro
Tour
Campomoro
Belvédère
Belvédère-Campomoro
Pnta di u Turco
Pnta di Muro
Col de Bilia
Bilia
Tivolaggio
Sartène
Pnta d'Arboli
Bocca di Bisoelli
Bocca Albitrina
Pnta di Marato
Col de Suara
Mte Rosso
Grossa
Pnta di Manna Molina
Pnta di Cuccari
Anse d'Agulia
Pnta d'Eccica
Pnta di u Monte
Pnta Quarcioqua
Bocca di Piavone
Giuncheto
Orasi
Calanque de Conca
Castello di Cagalla
Pnta Capannaccia
Alignements de Palaggiu
Punta di Senetosa
Tizzano
Fort
Bocca di Capirossu
Pnta Pietra Nera
Zivia
Pnta di Villa
Pnta Pastania
Pnta di Castello
Mégalithes de Cauria
Pnta Cauria
Serraggia
Pnta di Petrosa
Cap de Zivia
Golfe de Murtoli
Murtoli
Rocher du Lion
Roccapina
Golfe de Roccapina
Cap de Roccapina
Tour d'Olmeto
Anse Fornello
Ilots des Moines
(Réserve Naturelle

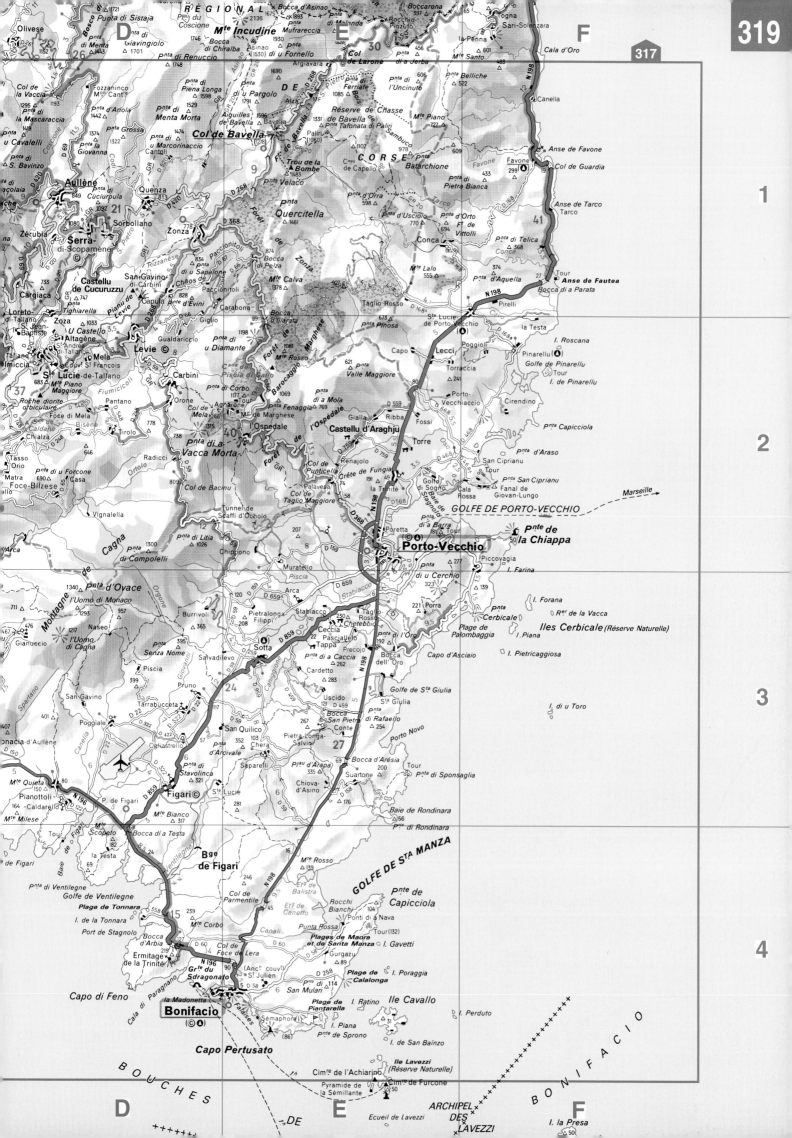

317
D
E
F
1
2
3
4
Mte Incudine
Col de Bavella
Aiguilles de Bavella
Bavella
Trou de la Bombe
Pnta di Quercitella
Aullène
Quenza
Zonza
Serra-di-Scopamène
Sorbollano
Zérubia
Castellu de Cucuruzzu
Cargiaca
Loreto-di-Tallano
Zoza
Altagène
Ste Lucie-de-Tallano
Levie
Carbini
Orone
Col de Mela
l'Ospedale
Forêt de l'Ospédale
Pnta di a Vacca Morta
Castellu d'Araghju
Sari-Solenzara
Cala d'Oro
Canella
Anse de Favone
Favone
Col de Guardia
Anse de Tarco
Tarco
Conca
Pnta di Telica
Anse de Fautea
Bocca di a Parata
Pirelli
Ste Lucie-de Porto-Vecchio
Lecci
la Testa
I. Roscana
Pinarellu
Golfe de Pinarellu
I. de Pinarellu
Cirendino
Pnta Capicciola
Pnta d'Araso
San Ciprianu
Pnta San Ciprianu
Fanal de Giovan-Lungo
Marseille
GOLFE DE PORTO-VECCHIO
Pnte de la Chiappa
Porto-Vecchio
Piccovagia
I. Farina
I. Forana
Iles Cerbicale (Réserve Naturelle)
Plage de Palombaggia
I. Pietricaggiosa
Capo d'Asciaio
Golfe de Sta Giulia
Sta Giulia
I. di u Toro
Pnta di Sponsaglia
Baie de Rondinara
Pnta di Rondinara
GOLFE DE STA MANZA
Pnte de Capicciola
Plages de Maora et de Santa Manza
I. Gavetti
Plage de Calalonga
I. Poraggia
I. Ratino
Ile Cavallo
I. Perduto
I. Piana
Pnte de Sprono
I. de San Baïnzo
Ile Lavezzi (Réserve Naturelle)
Cimre de l'Achiarino
Cimre de Furcone
Pyramide de la Sémillante
ARCHIPEL DES LAVEZZI
Ecueil de Lavezzi
I. la Presa
BOUCHES DE BONIFACIO
Capo Pertusato
Bonifacio
la Madonetta
Grte du Sdragonato
Capo di Feno
Ermitage de la Trinité
Bocca d'Arbia
Port de Stagnolo
I. de la Tonnara
Plage de Tonnara
Golfe de Ventilegne
Pnta di Ventilegne
Bge de Figari
Figari
P. de Figari
Bocca di a Testa
Pianottoli-Caldarello
Mte Quieta
Mte Milese
Sotta
Muratello
Arca
Chiappono
Montagne de Cagna
l'Uomo di Cagna
Pnta d'Ovace
Gianuccio
Tunnel de Scaffi d'Ocholo
Col de Bacinu
Vignalella
San Gavino
Poggiale
Tarrabucceta
San Quilico
Chera
Mte Rosso
Col de Parmentile
Foce-Bilzese
Chialza
N198
N196

A

Aast *64* ... 297 E1
Abainville *55* ... 93 D1
Abancourt *59* ... 9 D4
Abancourt *60* ... 17 E4
Abaucourt *54* ... 68 B2
Abaucourt-lès-Soupppleville *55* ... 40 B4
Abbans-Dessous *25* ... 160 A1
Abbans-Dessus *25* ... 160 A1
Abbaretz *44* ... 126 B1
Abbécourt *02* ... 36 A1
Abbecourt *60* ... 34 A3
Abbenans *25* ... 142 A1
Abbeville *80* ... 17 E1
Abbéville-la-Rivière *91* ... 86 C3
Abbéville-lès-Conflans *54* ... 41 D4
Abbeville-Saint-Lucien *60* ... 34 A1
Abbévillers *25* ... 142 C2
Abeilhan *34* ... 280 B3
Abelcourt *70* ... 118 C3
L'Aber-Wrac'h *29* ... 47 E1
Abère *64* ... 273 E4
L'Abergement-Clémenciat *01* 193 D1
L'Abergement-de-Cuisery *71* 175 E1
L'Abergement-de-Varey *01* ... 194 A2
Abergement-la-Ronce *39* ... 159 D1
Abergement-le-Grand *39* ... 159 F3
Abergement-le-Petit *39* ... 159 F3
Abergement-lès-Thésy *39* ... 160 A2
Abergement-Saint-Jean *39* ... 159 D3
L'Abergement-Sainte-Colombe *71* ... 158 B4
Abidos *64* ... 272 B3
Abilly *37* ... 150 A3
Abîme (Pont de l') *74* ... 195 E4
Abitain *64* ... 271 F3
Abjat-sur-Bandiat *24* ... 202 C2
Ablain-Saint-Nazaire *62* ... 8 A2
Ablaincourt-Pressoir *80* ... 19 E3
Ablainzevelle *62* ... 8 B4
Ablancourt *51* ... 65 D3
Ableiges *95* ... 60 B1
Les Ableuvenettes *88* ... 94 B4
Ablis *78* ... 86 A2
Ablon *14* ... 30 C2
Ablon-sur-Seine *94* ... 61 D4
Aboën *42* ... 209 E3
Aboncourt *57* ... 42 A3
Aboncourt *54* ... 94 A3
Aboncourt-Gesincourt *70* ... 118 A3
Aboncourt-sur-Seille *57* ... 68 B3
Abondance *74* ... 179 D3
Abondant *28* ... 59 E3
Abos *64* ... 272 B4
Abreschviller *57* ... 70 A3
Abrest *03* ... 190 A2
Les Abrets *38* ... 212 B2
Abriès *05* ... 233 D4
Abscon *59* ... 9 E3
L'Absie *79* ... 164 C1
Abzac *33* ... 219 D2
Abzac *16* ... 184 C2
Accarias (Col) *38* ... 230 C4
Accia (Pont de l') *2B* ... 315 D4
Accolans *25* ... 142 A1
Accolay *89* ... 136 C1
Accons *07* ... 228 A3
Accous *64* ... 296 B3
Achain *57* ... 69 D2
Achen *57* ... 44 A4
Achenheim *67* ... 71 D3
Achères *18* ... 134 A4
Achères *78* ... 60 B2
Achères-la-Forêt *77* ... 87 E3
Achery *02* ... 20 B4
Acheux-en-Amiénois *80* ... 18 C1
Acheux-en-Vimeu *80* ... 17 D1
Acheville *62* ... 8 B2
Achey *70* ... 140 B1
Achicourt *62* ... 8 B3
Achiet-le-Grand *62* ... 8 B4
Achiet-le-Petit *62* ... 8 B4
Achun *58* ... 155 F1
Achy *60* ... 33 F1
Acigné *35* ... 79 F4
Aclou *27* ... 31 E4
Acon *27* ... 58 C4
Acq *62* ... 8 A3
Acqueville *14* ... 56 A2
Acqueville *50* ... 24 B2
Acquigny *27* ... 32 B4
Acquin *62* ... 3 D4
Acy *02* ... 36 B3
Acy-en-Multien *60* ... 62 A1
Acy-Romance *08* ... 38 B1
Adaincourt *57* ... 68 C1
Adainville *78* ... 59 F4
Adam-lès-Passavant *25* ... 141 F3
Adam-lès-Vercel *25* ... 141 F4
Adamswiller *67* ... 70 A1
Adast *65* ... 297 E3
Adé *65* ... 297 F2
Adelange *57* ... 69 D1
Adelans-et-le-Val-de-Bithaine *70* ... 118 C4
Adervielle *65* ... 298 B4
Adilly *79* ... 165 D1
Adinfer *62* ... 8 A4
Adissan *34* ... 280 C3
Les Adjots *16* ... 183 F2
Adon *45* ... 111 F4
Les Adrets *38* ... 213 D4
Les Adrets-de-l'Esterel *83* ... 287 F2
Adriers *86* ... 167 E4
Aérocity (Parc) *07* ... 246 A2
Afa *2A* ... 316 B3
Affieux *19* ... 204 C2
Affléville *54* ... 41 D3
Affoux *69* ... 192 A4
Affracourt *54* ... 94 B2
Affringues *62* ... 3 D4
Agassac *31* ... 275 E4
Agay *83* ... 288 A4
Agde *34* ... 305 F1
Agel *34* ... 279 F4
Agen *47* ... 256 B1
Agen-d'Aveyron *12* ... 242 C4
Agencourt *21* ... 158 B1
Agenville *80* ... 7 D4
Agenvillers *80* ... 6 C4
Les Ageux *60* ... 35 D3
Ageville *52* ... 116 C1
Agey *21* ... 138 C4
Aghione *2B* ... 317 F2
Agincourt *54* ... 68 B3
Agmé *47* ... 237 F3
Agnac *47* ... 238 A1
Agnat *43* ... 208 A4
Agneaux *50* ... 27 E4
Agnetz *60* ... 34 C3
Agnez-lès-Duisans *62* ... 8 A3
Agnicourt-et-Séchelles *02* ... 21 E4
Agnières *80* ... 17 E4
Agnières *62* ... 8 A3
Agnières-en-Dévoluy *05* ... 249 D1
Agnin *38* ... 211 D4
Agnos *64* ... 296 B1
Agny *62* ... 8 B3
Agon-Coutainville *50* ... 53 F1
Agonac *24* ... 202 C4
Agonès *34* ... 262 C4
Agonges *03* ... 172 A1
Agonnay *17* ... 181 E3
Agos-Vidalos *65* ... 297 E3
Agris *16* ... 184 A4
Agudelle *17* ... 199 F3
Les Agudes *31* ... 307 F4
Aguessac *12* ... 261 E2
Aguilar (Château d') *11* ... 303 E4
Aguilcourt *02* ... 37 F2
Aguts *81* ... 277 F3
Agy *14* ... 28 C3
Ahaxe-Alciette-Bascassan *64* 295 D1
Ahetze *64* ... 270 B3
Ahéville *88* ... 94 B3
Ahuillé *53* ... 104 C1
Ahun *23* ... 187 E2
Ahusquy *64* ... 295 E2
Ahuy *21* ... 139 D3
Aibes *59* ... 10 C2
Aibre *25* ... 142 B1
Aïcirits *64* ... 271 E4
Aiffres *79* ... 164 C4
Aigaliers *30* ... 263 F2
L'Aigle *61* ... 57 F4
Aigle (Barrage de l') *19* ... 223 F1
Aiglemont *08* ... 22 C3

AJACCIO

Fesch (R. Cardinal) ... Z
Grandval (Cours) ... Z
Napoléon (Cours) ... Z
Premier-Consul (Av. du) ... Z 45
Bonaparte (R.) ... Z 6
Dr-Ramaroni (Av. du) ... Z 17
Fiorella (R. du Gén.) ... Z 19
Forcioli-Conti (R.) ... Z 20
Macchini (Av. E.) ... Z 27
Napoléon III (Av.) ... Z 37
Notre-Dame (R.) ... Z 39
Pozzo-di-Borgo (R.) ... Z 44
République (Q. de la) ... Z 48
Roi-de-Rome (R.) ... Z 49
Roi-Jérôme (Bd) ... Z 50
Sérafini (Av. A.) ... Z 52
Sœur-Alphonse (R.) ... Z 53
St-Charles (R.) ... Z 54
Vero (R. Lorenzo) ... Z 58
Zévaco-Maire (R.) ... Z 60

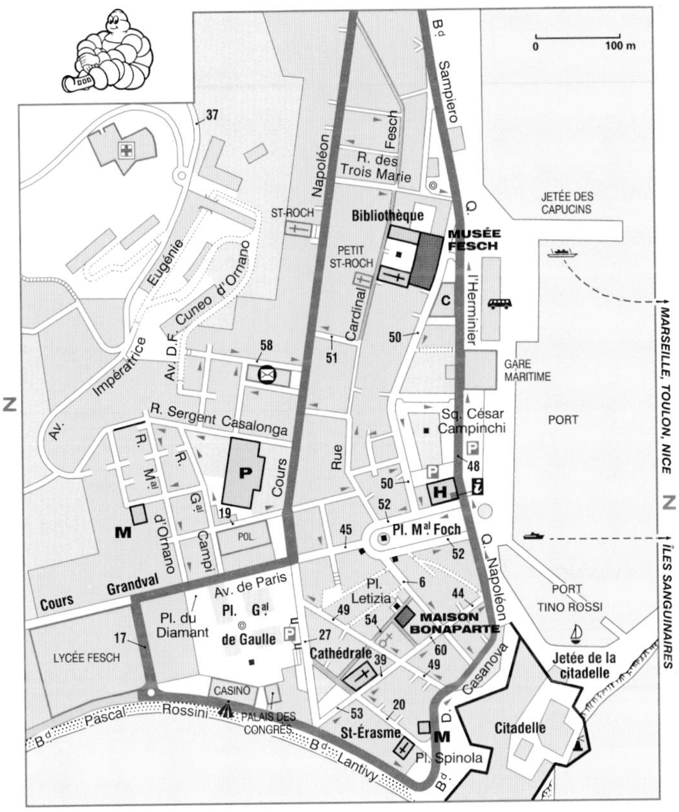

Aiglepierre *39* ... 160 A2
Aigleville *27* ... 59 E2
Aiglun *06* ... 269 E3
Aiglun *04* ... 267 F2
Aignan *32* ... 273 F1
Aignay-le-Duc *21* ... 138 C1
Aigne *34* ... 279 E4
Aigné *72* ... 106 C1
Aignerville *14* ... 27 F3
Aignes *31* ... 277 D4
Aignes-et-Puypéroux *16* ... 201 E3
Aigneville *80* ... 17 D1
Aigny *51* ... 64 B1
Aigonnay *79* ... 165 D4
Aigoual (Mont) *30* ... 262 B2
Aigre *16* ... 183 E3
Aigrefeuille *31* ... 277 D2
Aigrefeuille-d'Aunis *17* ... 181 D1
Aigrefeuille-sur-Maine *44* ... 146 A1
Aigremont *52* ... 117 E1
Aigremont *30* ... 263 E3
Aigremont *89* ... 114 A4
Aigremont *78* ... 60 B3
Aiguebelette-le-Lac *73* ... 212 C2
Aiguebelle *83* ... 293 D2
Aiguebelle *73* ... 213 F2
Aigueblanche *73* ... 214 B2
Aiguefonde *81* ... 278 B3
Aigueperse *63* ... 189 F2
Aigueperse *69* ... 174 B4
Aigues-Juntes *09* ... 300 C3
Aigues-Mortes *30* ... 282 B2
Aigues-Vives *11* ... 303 D1
Aigues-Vives *09* ... 301 E3
Aigues-Vives *34* ... 279 E4
Aigues-Vives *30* ... 282 B1
Aiguèze *30* ... 246 B4
Aiguilhe *43* ... 227 D2
Aiguilles *05* ... 233 D4
Aiguillon *47* ... 237 F4
L'Aiguillon *09* ... 301 F4
L'Aiguillon-sur-Mer *85* ... 163 D3
L'Aiguillon-sur-Vie *85* ... 145 D4
Aiguines *83* ... 267 F4
Aigurande *36* ... 169 E3
Ailefroide *05* ... 232 A3
Ailhon *07* ... 246 A2
Aillant-sur-Milleron *45* ... 112 A4
Aillant-sur-Tholon *89* ... 113 D3
Aillas *33* ... 237 D3
Ailleux *42* ... 191 D4
Aillevans *70* ... 141 F1
Ailleville *10* ... 91 E4
Aillevillers-et-Lyaumont *70* ... 118 C2
Aillianville *52* ... 93 D3
Aillières-Beauvoir *72* ... 83 D3
Aillon-le-Jeune *73* ... 213 E1
Aillon-le-Vieux *73* ... 213 E1
Ailloncourt *70* ... 118 C3
Ailly *27* ... 32 B4
Ailly-le-Haut-Clocher *80* ... 17 F1
Ailly-sur-Meuse *55* ... 67 D2
Ailly-sur-Noye *80* ... 18 B4
Ailly-sur-Somme *80* ... 18 A2
Aimargues *30* ... 282 B1
Aime *73* ... 214 B1
Ain (Source de l') *39* ... 160 B4
Ainac *04* ... 267 F1
Ainay-le-Château *03* ... 171 D1
Ainay-le-Vieil *18* ... 170 C1
Aincille *64* ... 295 D1
Aincourt *95* ... 60 A1
Aincreville *55* ... 39 F2
Aingeray *54* ... 68 A3
Aingeville *88* ... 93 E4
Aingoulaincourt *52* ... 92 C2
Ainharp *64* ... 295 F1
Ainhice-Mongelos *64* ... 295 E1
Ainhoa *64* ... 270 B4
Ainvelle *88* ... 117 F2
Ainvelle *70* ... 118 B3
Airaines *80* ... 17 F2
Airan *14* ... 56 B1
Aire *08* ... 38 A2
Aire-sur-la-Lys *62* ... 3 E4
Aire-sur-l'Adour *40* ... 273 D1
Airel *50* ... 27 E4
Les Aires *34* ... 280 A2
Airion *60* ... 34 C2
Airon-Notre-Dame *62* ... 6 B2
Airon-Saint-Vaast *62* ... 6 B2
Airoux *11* ... 277 E4
Airvault *79* ... 148 B3
Aiserey *21* ... 158 C1
Aisey-et-Richecourt *70* ... 118 A2
Aisey-sur-Seine *21* ... 115 E4
Aisne *85* ... 163 F3
Aisonville-et-Bernoville *02* ... 20 B2
Aïssey *25* ... 141 F3
Aisy-sous-Thil *21* ... 137 F3
Aisy-sur-Armançon *89* ... 137 F1
Aiti *2B* ... 315 E4
Aiton *73* ... 213 F1
Aix *59* ... 9 D1
Aix *19* ... 206 A2
Les Aix-d'Angillon *18* ... 153 F1
Aix-en-Diois *26* ... 248 A1
Aix-en-Ergny *62* ... 6 C1
Aix-en-Issart *62* ... 6 C2
Aix-en-Othe *10* ... 89 F4
Aix-en-Provence *13* ... 285 D2
Aix-la-Fayette *63* ... 208 B2
Aix-les-Bains *73* ... 195 D4
Aix-Noulette *62* ... 8 A2
Aixe-sur-Vienne *87* ... 185 E4
Aizac *07* ... 246 A1
Aizanville *52* ... 115 F1
Aize *36* ... 152 A1
Aizecourt-le-Bas *80* ... 19 F2
Aizecourt-le-Haut *80* ... 19 E2
Aizecq *16* ... 183 F2
Aizelles *02* ... 37 E2
Aizenay *85* ... 145 E4
Aizier *27* ... 31 E2
Aizy-Jouy *02* ... 36 C2
Ajac *11* ... 302 A3
Ajaccio *2A* ... 316 B4
Ajain *23* ... 187 E1
Ajat *24* ... 221 E1
Ajoncourt *57* ... 68 B2
Ajou *27* ... 58 A2
Ajoux *07* ... 228 B4
Alaigne *11* ... 302 A2
Alaincourt *70* ... 118 A2
Alaincourt *02* ... 20 B3
Alaincourt-la-Côte *57* ... 68 B2
Alairac *11* ... 302 B2
Alaise *25* ... 160 B2
Alan *31* ... 299 F1
Alando *2B* ... 317 E1
Alata *2A* ... 316 B4
Alba-la-Romaine *07* ... 246 B2
Alban *81* ... 260 A4
Albaret-le-Comtal *48* ... 225 E4
Albaret-Sainte-Marie *48* ... 225 F4
Albarine (Gorges de l') *01* ... 194 B2
L'Albaron *13* ... 283 D2
Albas *11* ... 303 E3
Albas *46* ... 239 F3
Albé *67* ... 96 B1
Albefeuille-Lagarde *82* ... 257 F3
L'Albenc *38* ... 212 A4
Albens *73* ... 195 D4
Albepierre-Bredons *15* ... 225 D2
L'Albère *66* ... 313 D3
Albert *80* ... 19 D2
Albert-Louppe (Pont) *29* ... 47 F3
Albertacce *2B* ... 316 C1
Albertville *73* ... 196 A4
Albestroff *57* ... 69 E2
Albi *81* ... 259 E4
Albiac *31* ... 277 E3
Albiac *46* ... 240 C1
Albias *82* ... 258 A2
Albières *11* ... 302 C4
Albiès *09* ... 310 A1
Albiez-le-Jeune *73* ... 214 A4
Albiez-le-Vieux *73* ... 214 A4
Albignac *19* ... 222 C2
Albigny *74* ... 195 E3
Albigny-sur-Saône *69* ... 192 C3
Albine *81* ... 279 D3
Albiosc *04* ... 286 A1
Albitreccia *2A* ... 316 C4
Albon *26* ... 211 D4
Albon *07* ... 228 A4
Alboussière *07* ... 228 C3
Les Albres *12* ... 241 F2
Albussac *19* ... 222 C2
Alby-sur-Chéran *74* ... 195 E3
Alçay-Alçabéhéty-Sunharette *64* ... 295 F2
Aldudes *64* ... 294 C2
Alembon *62* ... 2 C3
Alençon *61* ... 82 C2
Alénya *66* ... 313 D2

AIX-EN-PROVENCE

Agard (Passage) ... CY 2
Bagniers (R. des) ... BY 4
Clemenceau (R.) ... BY 18
Cordeliers (R. des) ... BY 20
Espariat (R.) ... BY 26
Fabrot (R.) ... BY 28
Méjanes (R.) ... BY 51
Mirabeau (Cours) ... BY
Paul-Bert (R.) ... BX 66
Thiers (R.) ... CY 80
Bon-Pasteur (R.) ... BX 9
Boulégon (R.) ... BX 12
Brossolette (Av.) ... AZ 13
Cardeurs (Pl. des) ... BY 16
De-la-Roque (R. J.) ... BX 25
Hôtel-de-Ville (Pl.) ... BY 37
Italie (R. d') ... CY 42
Lattre-de-T. (Av.) ... AY 46
Matheron (R.) ... BY 49
Minimes (Crs. des) ... AY 52
Montigny (R. de) ... BY 55
Napoléon Bonaparte (Av.) ... AY 57
Nazareth (R.) ... BY 58
Opéra (R. de l') ... CY 62
Pasteur (Av.) ... BX 64
Prêcheurs (Pl. des) ... CY 70
Richelme (Pl.) ... BY 72
Saporta (R. G.-de) ... BX 75
Verdun (Pl. de) ... CY 85
4-Septembre (R.) ... BZ 87

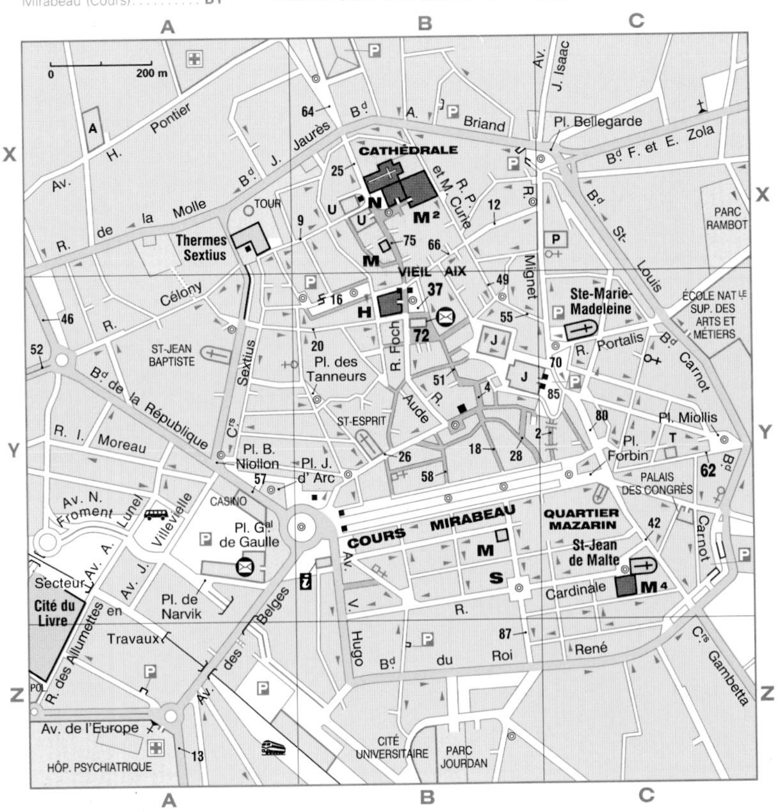

Aléria 2B	317 F2	Allas-Bocage 17	199 F3	Alleyrat 23	187 E3	Alluy 58	155 F2	Alzi 2B	317 E1	Ambert 63	208 C2
Alès 30	263 E2	Allas-Champagne 17	199 F3	Alleyrat 19	205 F2	Alluyes 28	85 D4	Alzing 57	42 B3	Ambès 33	217 E2
Alet-les-Bains 11	302 B3	Allas-les-Mines 24	221 E4	Allez-et-Cazeneuve 47	238 B4	Ally 15	223 F1	Alzon 30	262 A3	Ambeyrac 12	241 E3
Alette 62	6 C1	Allassac 19	222 A1	Alliancelles 51	65 F3	Ally 43	225 F1	Alzonne 11	302 A1	Ambialet 81	259 F3
Aleu 09	300 B4	Allauch 13	285 C4	Alliat 09	310 A1	Almayrac 81	259 E2	Amage 70	119 D3	Ambiegna 2A	316 B3
Alex 74	195 F3	Allègre 30	263 F1	Allibaudières 10	90 B1	Almenêches 61	56 C4	Amagne 08	38 B1	Ambierle 42	191 D2
Alexain 53	81 D4	Allègre 43	226 C1	Allichamps 52	91 F1	Almont-les-Junies 12	241 D4	Amagney 25	141 E3	Ambiévillers 70	118 B2
Aleyrac 26	247 D3	Allègre (Château d') 30	263 F1	Allier 65	297 F1	Alos 09	300 A4	Amailloux 79	148 A4	Ambillou 37	130 B2
Alfortville 94	61 D3	Allègre 13	284 B1	Allières 09	300 B3	Alos 81	258 C3	Amance 10	91 D3	Ambillou-Château 49	128 C4
Algajola 2B	314 B2	Allemagne-		Les Alliés 25	161 D2	Alos-Sibas-Abense 64	295 F2	Amance 70	118 A3	Ambilly 74	178 A4
Algans 81	277 F2	en-Provence 04	267 E4	Alligny-Cosne 58	135 E2	Alouettes		Amance 54	68 B3	Amblaincourt 55	66 B2
Algolsheim 68	97 D2	Allemanche-Launay-		Alligny-en-Morvan 58	137 F4	(Mont des) 85	146 C3	Amancey 25	160 B1	Amblainville 60	34 A4
Algrange 57	41 E2	et-Soyer 51	89 F1	Allimas (Col de l') 38	230 B3	Aloxe-Corton 21	158 A1	Amancy 74	195 F1	Amblans-et-Velotte 70	118 C4
Alièze 39	176 C1	Allemans 24	201 F4	Allineuc 22	77 D2	L'Alpe-d'Huez 38	231 E1	Amange 39	140 B4	Ambleny 02	36 A3
Alignan-du-Vent 34	280 C3	Allemans-du-Dropt 47	237 F2	Allinges 74	178 B3	Alpuech 12	243 D1	Amanlis 35	103 F1	Ambléon 01	194 B4
Alincourt 60	33 E4	Allemant 51	63 F4	Allogny 18	134 A4	Alquines 62	2 C3	Amanty 55	93 D1	Ambleteuse 62	2 A3
Alincourt 08	38 B2	Allemant 02	36 C2	Allondans 25	142 B1	Alrance 12	260 B2	Amanvillers 57	41 E4	Ambleville 95	33 E4
Alincthun 62	2 B3	Allemont 38	231 E1	Allondaz 73	196 A4	Alsting 57	43 D3	Amanzé 71	174 A4	Ambleville 16	200 C2
Alise-Sainte-Reine 21	138 A2	Allenay 80	16 C1	Allondrelle-		Altagène 2A	319 D3	Amareins 01	192 C2	Amblie 14	29 E3
Alissas 07	246 B1	Allenc 48	244 C2	la-Malmaison 54	40 B1	Alteckendorf 67	70 C1	Amarens 81	259 D3	Amblimont 08	23 E4
Alix 69	192 B3	Allenjoie 25	142 C1	Allonne 79	165 D1	Altenach 68	120 A1	Amathay-Vésigneux 25	160 C1	Ambloy 41	108 B4
Alixan 26	229 E3	Allennes-les-Marais 59	8 C1	Allonne 60	34 A2	Altenbach 68	120 A1	Amayé-sur-Orne 14	55 F1	Ambly-Fleury 08	38 B2
Alizay 27	32 B3	Allenwiller 67	70 B3	Allonnes 49	129 E4	Altenheim 67	70 C2	Amayé-sur-Seulles 14	55 E1	Ambly-sur-Meuse 55	66 C1
Allain 54	93 F1	Allerey 21	138 A4	Allonnes 28	85 F3	Altenstadt 67	45 E3	Amazy 58	136 B3	Amboise 37	131 E3
Allaines 80	19 E2	Allerey-sur-Saône 71	158 B3	Allonnes 72	106 C2	Altharen-des-Paluds 84	265 D3	Ambacourt 88	94 B3	Ambon 56	123 E2
Allaines-Mervilliers 28	86 A4	Allériot 71	158 B3	Allons 04	268 A2	Altiani 2B	317 E1	Ambarès-et-Lagrave 33	217 E3	Ambonil 26	229 D4
Allainville 28	59 D4	Allery 80	17 E2	Allons 47	254 C1	Altier 48	245 D3	Ambax 31	275 F4	Ambonnay 51	64 B1
Allainville 78	86 A2	Alles-sur-Dordogne 24	221 D4	Allonville 80	18 B2	Altillac 19	223 D3	Ambazac 87	186 A3	Ambonville 52	92 A3
Allainville-en-Beauce 45	86 B4	Les Alleuds 79	183 E1	Allonzier-la-Caille 74	195 E2	Altkirch 68	120 B3	Ambel 38	231 D4	Ambourville 76	15 F4
Allaire 56	102 B4	Les Alleuds 49	128 C3	Allos 04	250 C4	Altorf 67	70 C4	Ambenay 27	58 A3	Ambrault 36	152 B4
Allamont 54	41 D4	Les Alleux 08	39 D2	Allos (Col d') 04	250 C4	Altrippe 57	69 E1	Ambérac 16	183 E3	Ambres 81	277 E1
Allamps 54	93 F1	Alleuze 15	225 E3	Allouagne 62	7 F1	Altviller 57	42 C4	Ambérieu-en-Bugey 01	193 F2	Ambricourt 62	7 D2
Allan 26	247 D3	Allevard 38	213 E3	Alloue 16	184 B2	Altwiller 67	69 F2	Ambérieux 69	192 C3	Ambrief 02	36 B3
Allanche 15	225 D1	Allèves 74	195 E4	Allouis 18	153 D1	Aluze 71	157 F3	Ambérieux-		Ambrières 51	91 F1
Alland'Huy-		Allex 26	229 D4	Allouville-Bellefosse 76	15 E3	Alvignac 46	222 C4	en-Dombes 01	193 D2	Ambrières-	
et-Sausseuil 08	38 C1	Alleyrac 43	227 E3	Les Allues 73	214 B2	Alvimare 76	15 E3	Ambernac 16	184 B3	les-Vallées 53	81 E2
Allarmont 88	95 F1	Alleyras 43	226 C1	Les Alluets-le-Roi 78	60 A2	Alzen 09	300 C1	Amberre 86	149 D4	Ambrines 62	7 F3

AMIENS

Beauvais (R. de) .... BY
Catelas
 (R. Jean) .... BY
Delambre (R.) .... BY 32
Duméril (R.) .... BY 38
Gambetta (R.) .... BY 53
Goblet (Pl. René) .... CY 55
Gresset (R.) .... BY 59

Jacobins (R. des) .... CY 65
Noyon (R. de) .... CZ 91
Aguesseau (Pl.) .... CY 3
Allart (R.) .... CYZ 4
Alsace-Lorraine (Bd d') ... CY 5
Belu (R.) .... CY 13
Cange (Pt. du) .... CY 15
Célestins (Bd des) ...... CX 19
Chapeau-des-Violettes (R.) . BY 20
Châteaudun (Bd de) .... AZ 21

Chaudronniers (R. des) ... BY 23
Cormont (R.) .... CY 27
Défontaine (R. du Cdt) ... BY 31
Denfert-Rochereau (R.) ... AZ 33
Déportés (R. des) .... CX 34
Dodane (R. de la) .... CY 35
Don (Pl. du) .... CY 36
Engoulvent (R. d') .... CY 40
Fil (Pl. au) .... BY 43
Fiquet (Pl. Alphonse) ... CZ 44
Flatters (R.) .... CY 45

Francs-Mûriers (R. des) ... CY 51
Fusillés (Bd des) .... CX 52
Gloriette (R.) .... CY 54
Gde Rue de la Veillère (R. BY 57
Granges (R. des) .... CY 58
Henri IV (R.) .... CY 60
Jardin-des-Plantes (Bd) ... BX 64
Lattre-de-T. (R. Mar. de) . BY 76
Leclerc (R. du Gén.) .... BY 78
Lefèvre (R. Adéodat) .... CY 80
Leroux (R. Florimond) ... BY 81

Lin (R. au) .... BY 83
Majots (R. des) .... CY 85
Marché-aux-
 Chevaux (R. du) ...... BY 87
Marché-de-
 Lanselles (R. du) ..... BY 88
Motte (R.) .... CY 89
Oratoire (R. de l') .... CY 93
Otages (R. des) .... CZ 94
Parmentiers (Pl.) .... CY 96
Prémontrées (R. des) .... AY 102

République
 (R. de la) .... BZ 105
Résistance
 (R. de la) .... BX 106
St-Fuscien (R.) .... CZ 108
Sergents (R. des) .... CY 115
Trois-Cailloux (R. des) ... CY 120
Vanmarcke (R.) .... CY 121
Vergeaux (R. des) ...... BY 122
Victor-Hugo (R.) .... CY 123
2e-D.-B. (R. de la) ...... BY 124

Ambronay 01 .... 194 A2
Ambrugeat 19. .... 205 E2
Ambrumesnil 76 .... 16 A3
Ambrus 47. .... 255 E1
Amécourt 27 .... 33 E3
Amel-sur-l'Étang 55 .... 40 C3
Amelécourt 57 .... 68 C2
Amélie-les-Bains-Palalda 66. 312 B3
L'Amélie-sur-Mer 33. .... 198 B2
Amendeuix-Oneix 64 .... 271 E4
Amenoncourt 54 .... 69 E4
Amencourt 95 .... 59 F1
Ames 62 .... 7 F1
Amettes 62 .... 7 F1
Ameugny 71 .... 175 D2
Ameuvelle 88 .... 118 A2
Amfreville 50 .... 25 D4
Amfreville 14 .... 29 F3
Amfreville-la-Campagne 27 . 32 A4
Amfreville-la-Mi-Voie 76 .... 32 B2
Amfreville-les-Champs 76.... 15 F2
Amfreville-les-Champs 27.... 32 C3
Amfreville-
sous-les-Monts 27 .... 32 B3
Amfreville-sur-Iton 27 ...... 58 C1
Amfroipret 59 .... 10 A2
Amiens 80 .... 18 B2
Amifontaine 02. .... 37 E2
Amigny 50. .... 27 E4
Amigny-Rouy 02 .... 36 B1
Amillis 77. .... 62 B4
Amilly 28 .... 85 D2
Amilly 45 .... 111 F2
Amions 42 .... 191 E3
Amirat 06 .... 269 D3
Ammerschwihr 68 .... 96 B3
Ammerzwiller 68. .... 120 B3
Ammeville 14 .... 56 C4
Amné 72. .... 106 B1
Amnéville 57 .... 41 F3
Amoncourt 70. .... 118 A4
Amondans 25 .... 160 B1
Amont-et-Effreney 70....... 119 D2
Amorots-Succos 64. .... 271 E4
Amou 40 .... 272 A4
Amphion-les-Bains 74 ...... 178 C3
Ampiac 12 .... 242 A4
Ampilly-le-Sec 21 .... 115 D3
Ampilly-les-Bordes 21 ...... 138 B1
Amplepuis 69 .... 191 F2
Amplier 62. .... 7 F4
Ampoigné 53 .... 105 D3
Amponville 77 .... 87 E4
Ampriani 2B 317 E1
Ampuis 69 .... 210 C2
Ampus 83 .... 286 C2
Amuré 79. .... 164 B4
Amy 80 .... 19 E4
Anais 17 .... 181 D1
Anais 16 .... 183 F4
Anan 31 .... 275 E4
Ance 64 .... 296 A2
Anceaumeville 76 .... 32 A1
Anceins 61 .... 57 E3
Ancelle 05 .... 249 F1
Ancemont 55 .... 66 C1
Ancenis 44. .... 127 D3
Ancerville 55 .... 66 A4
Ancerville 57 .... 68 C1
Ancerviller 54 .... 95 E1
Ancey 21 .... 138 C3
Anchamps 08 .... 11 F4
Anché 37 .... 149 D1
Anché 86 .... 166 A3
Anchenoncourt-et-Chazel 70 118 B3
Ancienville 02. .... 36 A4
Ancier 70 .... 140 B2
Ancinnes 72 .... 82 C3
Ancizan 65 .... 298 B4
Les Ancizes-Comps 63 ...... 188 C3
Ancône 26 .... 246 C2
Ancourt 76 .... 16 B2
Ancourteville-
sur-Héricourt 76 .... 15 E2
Ancretiéville-Saint-Victor 76. 16 D3
Ancretteville-sur-Mer 76 .... 15 D2
Ancteville 50. .... 26 C4
Anctoville 14. .... 55 E1
Anctoville-sur-Boscq 50. .... 53 F2
Ancy 69 .... 192 B4
Ancy-le-Franc 89 .... 114 B4
Ancy-le-Libre 89. .... 114 B4
Ancy-sur-Moselle 57. ...... 68 A1
Andaine (Bec d') 50. ...... 53 F4
Andainville 80. .... 17 E2
Andance 07 .... 228 C1
Andancette 26 .... 210 C1
Andard 49 .... 128 C2
Andé 27 .... 32 B4
Andechy 80 .... 19 D4
Andel 22 .... 51 F4
Andelain 02 .... 20 B4
Andelaroche 03 .... 173 D4
Andelarre 70 .... 141 E1
Andelarrot 70 .... 141 E1
Andelat 15 .... 225 E2
Andelnans 90 .... 142 C1
Andelot 52 .... 92 C4
Andelot-en-Montagne 39 .... 160 A3
Andelot-lès-Saint-Amour 39. 176 B3
Andelu 78 .... 60 A3
Les Andelys 27 .... 32 C4
Andernay 55 .... 66 A3
Andernos-les-Bains 33. .... 216 B3
Anderny 54 .... 41 D3
Andert-et-Condon 01. ...... 194 B4
Andevanne 08 .... 39 F2
Andeville 60 .... 34 A4
Andigné 49 .... 105 D4

Andillac 81. .... 258 C3
Andilly 95. .... 61 D2
Andilly 74. .... 195 E1
Andilly 54. .... 67 F3
Andilly 17. .... 163 F4
Andilly-en-Bassigny 52 ..... 117 D2
Andiran 47. .... 255 F2
Andlau 67 .... 96 C1
Andoins 64 .... 273 D4
Andolsheim 68. .... 96 C4
Andon 06 .... 269 D4
Andonville 45 .... 86 B4
Andornay 70 .... 119 D4
Andouillé 53 .... 81 D4
Andouillé-Neuville 35. ...... 79 E3
Andouque 81 .... 259 F3
Andrein 64 .... 271 F4
Andres 62 .... 2 C1
Andrest 65 .... 273 F4
Andrésy 78 .... 60 B2
Andrezé 49 .... 127 F4
Andrezel 77 .... 87 F1
Andrézieux-Bouthéon 42..... 209 F2
Andryes 89 .... 136 A2
Anduze 30 .... 263 D2
Anéran-Camors 65 .... 298 B4
Anères 65. .... 298 C2
Anet 28 .... 59 E3
Anetz 44 .... 127 E3
Angaïs 64. .... 297 D1
Angé 41 .... 131 F3
Angeac-Champagne 16 ...... 200 C1
Angeac-Charente 16 .... 201 D1
Angecourt 08 .... 23 E4
Angeduc 16. .... 201 D3
Angely 89 .... 137 E1
Angeot 90 .... 120 A3
Angers 49 .... 128 B2
Angerville 14. .... 30 A4
Angerville 91. .... 86 B3
Angerville-Bailleul 76....... 15 D3
Angerville-la-Campagne 27 . 58 C2
Angerville-la-Martel 76 ..... 15 D2
Angerville-l'Orcher 76 ...... 14 C3
Angervilliers 91 .... 86 B1
Angeville 82 .... 257 D3
Angevillers 57. .... 41 E2
Angey 50 .... 53 F3
Angicourt 60 .... 34 C3
Angiens 76 .... 15 E1
Angirey 70 .... 140 C2
Angivillers 60 .... 34 C2
Anglade 33 .... 217 E1
Anglards-de-Saint-Flour 15. 225 D1
Anglards-de-Salers 15 ...... 224 A1
Anglars 46 .... 241 D1
Anglars-Juillac 46 .... 239 F3
Anglars-Nozac 46 .... 222 A4
Anglars-Saint-Félix 12 ...... 241 F3
Anglefort 01 .... 194 C3
Anglemont 88. .... 95 D2
Anglès 81. .... 279 D3
Les Angles 66 .... 311 D3
Les Angles 85 .... 163 D3
Les Angles 65 .... 297 F2
Les Angles 30 .... 264 C3
Les Angles-sur-Corrèze 19 . 204 C4
Angles-sur-l'Anglin 86 ...... 167 E1
Anglesqueville-
la-Bras-Long 76 .... 15 E2
Anglesqueville-l'Esneval 76 . 14 B3
Anglet 64 .... 270 B3
Angliers 17 .... 163 F4
Angliers 86 .... 148 C3
Anglure 51. .... 89 F1
Anglure-sous-Dun 71 ...... 174 B2
Anglus 52 .... 91 E2
Angluzelles-et-Courcelles 51 64 A4
Angoisse 24 .... 203 E3

Angomont 54 .... 95 F1
Angos 65 .... 298 A1
Angoulême 16 .... 201 F1
Angoulins 17. .... 180 C1
Angoumé 40 .... 271 E1
Angoué 64 .... 272 A4
Angoustrine 66. .... 310 C3
Angoville 14 .... 56 A2
Angoville-au-Plain 50. ...... 25 D2
Angoville-en-Saire 50. ...... 25 E2
Angoville-sur-Ay 50 .... 26 C3
Angres 62 .... 8 B2
Angresse 40 .... 270 C1
Angrie 49 .... 127 F1
Anguilcourt-le-Sart 02 ...... 20 B4
Angviller-lès-Bisping 57..... 69 E3
Angy 60 .... 34 C3
Anhaux 64 .... 295 D1
Anhiers 59. .... 9 D2
Aniane 34. .... 281 D1
Aniche 59 .... 9 D3
Anisy 14 .... 29 E3
Anizy-le-Château 02 .... 36 C2
Anjeux 88 .... 118 B2
Anjony (Château d') 15...... 224 C1
Anjou 38. .... 211 D4
Anjoutey 90 .... 119 F4
Anla 65 .... 298 C3
Anlezy 58 .... 155 F2
Anlhiac 24 .... 203 E4
Annay 58 .... 135 D2
Annay 62 .... 8 B2
Annay-la-Côte 89. .... 137 D2
Annay-sur-Serein 89. ...... 114 A4
Annebault 14 .... 30 B3
Annebecq 14. .... 54 C2
Annecy 74 .... 195 E3
Annecy-le-Vieux 74. ...... 195 E3

Annelles 08 .... 38 B2
Annemasse 74 .... 178 A4
Annéot 89 .... 137 D2
Annepont 17 .... 181 F3
Annesse-et-Beaulieu 24..... 220 B1
Annet-sur-Marne 77 .... 61 F2
Anneux 59 .... 9 D4
Anneville-en-Saire 50. ...... 25 E2
Anneville-la-Prairie 52 ...... 92 B4
Anneville-sur-Mer 50 ...... 26 C4
Anneville-sur-Scie 76 ...... 16 A3
Anneville-sur-Seine 76. .... 15 F4
Anneyron 26 .... 211 D4
Annezay 17 .... 181 F2
Annezin 62. .... 8 A1
Annœullin 59 .... 8 C1
Annoire 39. .... 159 D2
Annois 02 .... 20 A4
Annoisin-Chatelans 38...... 193 F4
Annoix 18 .... 153 E3
Annonay 07. .... 228 C1
Annonciation
(Couvent de l') 2B 314 A1
Annonville 52 .... 92 C3
Annot 04 .... 268 C2
Annouville-Vilmesnil 76..... 14 C3
Annoux 89 .... 137 E1
Annoville 50 .... 53 F1
Anor 59 .... 10 C4
Anos 64 .... 273 D4
Anost 71 .... 156 C1
Anould 88 .... 95 F4
Anoux 54 .... 41 D3
Anoye 64 .... 273 E4
Anquetierville 76 .... 15 E4
Anrosey 52 .... 117 E3
Ansac-sur-Vienne 16. ...... 184 B2
Ansacq 60 .... 34 C3
Ansan 32 .... 275 E1

Ansauville 54 .... 67 F3
Ansauvillers 60. .... 34 C1
Anse 69 .... 192 C3
Anserville 60. .... 34 B4
Ansignan 66 .... 311 F3
Ansigny 73 .... 195 D4
Ansost 85 .... 285 D1
Anstaing 59. .... 9 D1
Antagnac 47 .... 237 D4
Anterrieux 15 .... 225 E4
Anteuil 25 .... 142 A4
Antezant 17 .... 182 B2
Anthé 47. .... 239 D4
Anthelupt 54 .... 68 C4
Anthenay 51 .... 37 D4
Antheny 08 .... 22 A4
Anthéor 83. .... 288 C1
Antheuil 21 .... 157 F1
Antheuil-Portes 60. ...... 35 E2
Anthien 58. .... 136 C4
Anthon 38 .... 193 E4
Anthy-sur-Léman 74. ...... 178 B3
Antibes 06 .... 288 B3
Antibes (Cap d') 06 .... 288 B3
Antichan 65. .... 298 C3
Antichan-de-Frontignes 31 . 299 D3
Antignac 17 .... 199 F2
Antignac 15. .... 206 B4
Antignac 31 .... 298 C4
Antigny 86 .... 167 E2
Antigny 85. .... 164 A1
Antigny-la-Ville 21. ...... 157 E1
Antilly 57 .... 41 F4
Antilly 60 .... 35 F4
Antin 65 .... 274 B4
Les Antiques 13 .... 283 F1
Antisanti 2B. 317 E2
Antist 65. .... 298 A2
Antogny le Tillac 37. ...... 149 F2

ANGERS

Alsace (R. d') .... CZ
Beaurepaire (R.) .... AY
Bressigny (R.) .... CZ
Chaperonnière (R.) .. BYZ 15
Foch (Bd Mar.) .... BCZ
Laiterie (Pl.) .... AY
Lenepveu (R.) .... CY 40
Lices (R. des) .... BZ
Lionnaise (R.) .... AY
Plantagenêt (R.) .... BY 57

Ralliement (Pl. du) .... BY 66
Roë (R. de la) .... BY 70
St-Aubin (R.) .... BZ 73
St-Julien (R.) .... BCY
Voltaire (R.) .... BZ 93

Aragon
(Av. Yolande d') .... AY 2
Baudrière (R.) .... AY 5
Bichat (R.) .... AY 8
Bon-Pasteur (Bd du) .... AY 9
Bout-du-Monde
(Prom. du) .... AY 12

Commerce (R. du) .... CY 19
David-d'Angers (R.) .... CY 21
Denis-Papin (R.) .... BZ 22
Espine (R. de l') .... BY 27
Estoile (Sq. J. de l') .... AY 28
Freppel (Pl.) .... BY 31
Gare (R. de la) .... BZ 32
La Rochefoucauld-
Liancourt (Pl.) .... ABY 38
Lise (R. P.) .... CY 43
Marceau (Bd) .... AZ 45
Mirault (Bd) .... BY 49
Oisellerie (R.) .... BY 53

Parcheminerie (R.) .... BY 54
Pasteur (Av.) .... CY 55
Pilori (Pl. du) .... CY 56
Pocquet-de-
Livonnières (R.) .... CY 58
Poëliers (R. des) .... CY 59
Poissonnerie (Pl. de la) .... BY 60
Prés.-Kennedy
(Place) .... AZ 62
Résistance-et-de-
la-Déport. (Bd) .... CY 68
Robert (Bd) .... BY 69
Ronceray (Bd du) .... AY 71

St-Aignan (R.) .... AY 72
St-Étienne (R.) .... CY 75
St-Laud (R.) .... BY 77
St-Lazare (R.) .... AY 79
St-Martin (R.) .... BZ 80
St-Maurice (Mtée) .... BY 82
St-Maurille (R.) .... CY 83
St-Michel (Bd) .... CY 85
Ste-Croix (Pl.) .... BZ 86
Talot (R.) .... BZ 89
Tonneliers
(R. des) .... AY 90
8 mai 1945 (Av. du) .... CZ 94

ANNECY

Lac (R. du) ..... EY 57
Pâquier (R. du) ..... EY 71
République (R.) ..... DY 83
Royale (R.) ..... DY 85
Ste-Claire (Fg et R.) ..... DY 91

Chambéry (Av. de) ..... DY 23
Chappuis (Q. Eustache) ..... EY 26
Filaterie (R.) ..... EY 43
Grenette (R.) ..... EY 51
Hôtel-de-Ville (Pl.) ..... EY 53
Jean-Jacques-Rousseau (R.) ..... DY 55

Libération (Pl. de la) ..... EY 61
Perrière (R.) ..... EY 75
Poste (R. de la) ..... DY 77
St-François-de-Sales (Pl.) ..... EY 87
St-François-de-Sales (R.) ..... DY 89
Tour-la-Reine (Ch.) ..... EY 95

Argelès-Plage 66 ..... 313 E3
Argelès-sur-Mer 66 ..... 313 E3
Argeliers 11 ..... 303 E1
Argelos 64 ..... 273 D3
Argelos 40 ..... 272 B2
Argelouse 40 ..... 235 E4
Argences 14 ..... 29 F4
Argens 04 ..... 268 B2
Argens-Minervois 11 ..... 303 E1
Argent-sur-Sauldre 18 ..... 134 A2
Argentan 61 ..... 56 B4
Argentat 19 ..... 223 D2
Argentenay 89 ..... 114 B3
Argenteuil 95 ..... 60 C2
Argenteuil-sur-Armançon 89 ..... 114 B4
Argentière 74 ..... 197 D2
L'Argentière-la-Bessée 05 ..... 232 B4
Argentières 77 ..... 88 A1
Argentine 73 ..... 213 F2
Argentolles 52 ..... 91 F4
Argenton 29 ..... 47 D2
Argenton 47 ..... 237 E4
Argenton-Château 79 ..... 147 F2
Argenton-l'Église 79 ..... 148 A2
Argenton-Notre-Dame 53 ..... 105 F4
Argenton-sur-Creuse 36 ..... 168 C2
Argentré 53 ..... 105 E1
Argentré-du-Plessis 35 ..... 104 B1
Argenvières 18 ..... 154 B1
Argenvilliers 28 ..... 84 B4
Argers 51 ..... 65 F1
Argiésans 90 ..... 142 C1
Argillières 70 ..... 117 E4
Argilliers 30 ..... 264 B3
Argilly 21 ..... 158 B1
Argis 01 ..... 194 A3
Argiusta-Moriccio 2A 318 C1
Argœuves 80 ..... 18 A2
Argol 29 ..... 47 F4
Argonay 74 ..... 195 E2
Argouges 50 ..... 80 A1
Argoules 80 ..... 6 C3
Arguel 76 ..... 33 D1
Arguel 25 ..... 141 E4
Arguenos 31 ..... 299 D3
Argut-Dessous 31 ..... 299 D4
Argut-Dessus 31 ..... 299 D4
Argy 36 ..... 151 E3
Arhansus 64 ..... 295 E1
Aries-Espénan 65 ..... 298 C1
Arifat 81 ..... 278 C1
Arignac 09 ..... 301 D4
Arinthod 39 ..... 176 C3
Arith 73 ..... 195 E4
Arjuzanx 40 ..... 253 D2
Arlanc 63 ..... 208 C3
Arlay 39 ..... 159 E4
Arlebosc 07 ..... 228 C2
Arlempdes 43 ..... 227 D2
Arles 13 ..... 283 E1
Arles-sur-Tech 66 ..... 312 B4
Arlet 43 ..... 226 A2
Arleuf 58 ..... 156 B2
Arleux 59 ..... 9 D3
Arleux-en-Gohelle 62 ..... 8 B2
Arlos 31 ..... 299 D4
Armaillé 49 ..... 104 B4
Armancourt 80 ..... 19 D4
Armancourt 60 ..... 35 E3
Armaucourt 54 ..... 68 B3
Armbouts-Cappel 59 ..... 3 E1
Armeau 89 ..... 112 C2
Armendarits 64 ..... 271 D4
Armenonville-les-Gâtineaux 28 ..... 85 F1
Armenteule 65 ..... 298 B4
Armentières 59 ..... 4 B4
Armentières-en-Brie 77 ..... 62 B2
Armentières-sur-Avre 27 ..... 58 A4
Armentières-sur-Ourcq 02 ..... 36 B4
Armentieux 32 ..... 273 F3
Armes 58 ..... 136 B2
Armillac 47 ..... 238 A2
Armissan 11 ..... 304 C2
Armix 01 ..... 194 B3
Armous-et-Cau 32 ..... 274 A2
Armoy 74 ..... 178 C3
Arnac 15 ..... 223 F2
Arnac-la-Poste 87 ..... 168 B4
Arnac-Pompadour 19 ..... 204 A3
Arnac-sur-Dourdou 12 ..... 279 F2
Arnage 72 ..... 106 C2
Arnancourt 52 ..... 92 A3
Arnas 69 ..... 192 C2
Arnaud-Guilhem 31 ..... 299 E3
Arnave 09 ..... 301 D4
Arnaville 54 ..... 68 A1
Arnay-le-Duc 21 ..... 157 E1
Arnay-sous-Vitteaux 21 ..... 138 A2
Arnayon 26 ..... 248 A3
Arné 65 ..... 298 C1
Arnèke 59 ..... 3 E2
Arnicourt 08 ..... 38 B1
Arnières-sur-Iton 27 ..... 58 C2
Aroncourt-sur-Apance 52 ..... 117 E2
Arnos 64 ..... 272 B3
Arnouville-lès-Gonesse 95 ..... 61 D2
Arnouville-lès-Mantes 78 ..... 59 F2
Aroffe 88 ..... 93 F2
Aromas 39 ..... 176 B4
Aron 53 ..... 81 E3
Arone (Plage d') 2A 316 A2
Aroz 70 ..... 141 D2
Arpaillargues-et-Aureillac 30 ..... 264 A3

Arpajon 91 ..... 86 C1
Arpajon-sur-Cère 15 ..... 224 A4
Arpavon 26 ..... 248 A4
Arpenans 70 ..... 141 F1
Arpenaz (Cascade d') 74 ..... 196 B2
Arpheuilles 36 ..... 151 D3
Arpheuilles 18 ..... 153 F4
Arpheuilles-Saint-Priest 03 ..... 188 C1
Arphy 30 ..... 262 B3
Arquenay 53 ..... 105 E2
Arques 62 3
Les Arques 46 ..... 239 F2
Arques 12 ..... 242 C4
Arques 11 ..... 302 C4
Arques-la-Bataille 76 ..... 16 A2
Arquettes-en-Val 11 ..... 302 C2
Arquèves 80 ..... 18 C1
Arquian 58 ..... 135 C2
Arracourt 54 ..... 69 D3
Arraincourt 57 ..... 68 C1
Arrancourt 91 ..... 86 C3
Arrancy 02 ..... 37 D2
Arrancy-sur-Crusne 55 ..... 40 C2
Arras 62 ..... 8 B3
Arras-en-Lavedan 65 ..... 297 E3
Arras-sur-Rhône 07 ..... 228 C1
Arrast-Larrebieu 64 ..... 271 F4
Arraute-Charritte 64 ..... 271 E3
Arraye-et-Han 54 ..... 68 B2
Arrayou-Lahitte 65 ..... 297 F3
Arre 30 ..... 262 A3
Arreau 65 ..... 298 B4
Arrelles 10 ..... 114 C1
Arrembécourt 10 ..... 91 E1
Arrènes 23 ..... 186 B2
Arrens (Porte d') 65 ..... 297 D4
Arrens-Marsous 65 ..... 297 D3
Arrentès-de-Corcieux 88 ..... 95 F4
Arrentières 10 ..... 91 F4
Arrest 80 ..... 6 A4
Arreux 08 ..... 22 C3
Arriance 57 ..... 68 C1
Arricau-Bordes 64 ..... 273 E3
Arrien 64 ..... 273 E4
Arrien-en-Bethmale 09 ..... 299 F4
Arrigas 30 ..... 262 A3
Arrigny 51 ..... 91 E1
Arro 2A 316 B3
Arrodets 65 ..... 298 A3
Arrodets-ez-Angles 65 ..... 297 F3
Arromanches-les-Bains 14 ..... 29 D3
Arronnes 03 ..... 190 B2
Arronville 95 ..... 34 A4
Arros-de-Nay 64 ..... 297 D1
Arros-d'Oloron 64 ..... 296 C1
Arrosès 64 ..... 273 E2
Arrou 28 ..... 108 C1
Arrouède 32 ..... 274 C2
Arrout 09 ..... 299 F4
Arry 57 ..... 68 A1
Arry 80 ..... 6 B2
Ars-en-Ré 17 ..... 162 C4
Ars-Laquenexy 57 ..... 41 F4
Ars-les-Favets 63 ..... 188 C1
Ars-sur-Formans 01 ..... 192 C2
Ars-sur-Moselle 57 ..... 68 A1
Arsac 33 ..... 217 D2

Arsac-en-Velay 43 ..... 227 D3
Arsague 40 ..... 272 A2
Arsans 70 ..... 140 B3
L'Arsenal 42 ..... 191 E2
Arsonval 10 ..... 91 E4
Arsure-Arsurette 39 ..... 160 B4
Les Arsures 39 ..... 160 A3
Arsy 60 ..... 35 D2
Art-sur-Meurthe 54 ..... 68 B4
Artagnan 65 ..... 273 F4
Artaise-le-Vivier 08 ..... 39 E1
Artaix 71 ..... 173 F4
Artalens-Souin 65 ..... 297 E3
Artannes-sur-Indre 37 ..... 130 C4
Artannes-sur-Thouet 49 ..... 129 E4
Artas 38 ..... 211 F2
Artassenx 40 ..... 254 A4
Artemare 01 ..... 194 C3
Artemps 02 ..... 20 A3
Artenay 45 ..... 110 A3
Arthaz-Pont-Notre-Dame 74 ..... 195 F1
Arthel 58 ..... 136 A4
Arthémonay 26 ..... 229 E1
Arthenac 17 ..... 200 C2
Arthenas 39 ..... 176 B3
Arthès 81 ..... 259 E3
Arthez-d'Armagnac 40 ..... 254 A4
Arthez-d'Asson 64 ..... 297 D2
Arthez-de-Béarn 64 ..... 272 B3
Arthezé 72 ..... 106 B4
Arthies 95 ..... 60 A1
Arthon 36 ..... 169 D1
Arthon-en-Retz 44 ..... 144 C1
Arthonnay 89 ..... 114 C2
Arthous (Abbaye d') 40 ..... 271 E3
Arthun 42 ..... 191 E4
Artigat 09 ..... 300 C2
Artige (Prieuré de l') 87 ..... 186 B4
Artignosc-sur-Verdon 83 ..... 286 B1
Artigue 31 ..... 299 D4
Artiguedieu 32 ..... 274 C3
Artigueloutan 64 ..... 297 D1
Artiguelouve 64 ..... 272 C4
Artiguemy 65 ..... 298 A2
Artigues 11 ..... 311 D1
Artigues 09 ..... 311 D1
Artigues 65 ..... 297 F2
Artigues 83 ..... 285 F2
Artigues-Campan 65 ..... 298 A3
Les Artigues-de-Lussac 33 ..... 218 C3
Artigues-près-Bordeaux 33 ..... 217 E4
Artins 41 ..... 108 A4
Artix 46 ..... 240 B2
Artix 64 ..... 272 C3
Artix 09 ..... 300 C3
Artolsheim 67 ..... 97 D2
Artonges 02 ..... 63 E2
Artonne 63 ..... 189 E2
Artres 59 ..... 9 F3
Artuby (Pont de l') 83 ..... 286 C1
Artzenheim 68 ..... 97 D3
Arudy 64 ..... 296 C2
Arue 40 ..... 254 B2
Arvant 43 ..... 207 F4
Arvert 17 ..... 180 C4
Arveyres 33 ..... 218 C3
Arvieu 12 ..... 260 B1
Arvieux 05 ..... 232 C4
Arvigna 09 ..... 301 E3
Arvillard 73 ..... 213 E2
Arville 77 ..... 87 E4
Arville 41 ..... 108 B1

Antoigné 49 ..... 148 B1
Antoigny 61 ..... 81 F1
Antoingt 63 ..... 207 F3
Antonaves 05 ..... 249 D4
Antonne-et-Trigonant 24 ..... 220 C1
Antony 92 ..... 61 D4
Antorpe 25 ..... 140 C4
Antraigues-sur-Volane 07 ..... 246 A1
Antrain 35 ..... 79 F2
Antran 86 ..... 149 F3
Antras 09 ..... 299 E4
Antras 32 ..... 274 C1
Antrenas 48 ..... 243 F2
Antugnac 11 ..... 302 B4
Antully 71 ..... 157 D3
Anvéville 76 ..... 15 E2
Anville 16 ..... 183 D4
Anvin 62 ..... 7 E2
Any-Martin-Rieux 02 ..... 21 F3
Anzat-le-Luguet 63 ..... 207 E4
Anzeling 57 ..... 42 A3
Anzème 23 ..... 169 E4
Anzex 47 ..... 237 E4
Anzin 59 ..... 9 F2
Anzin-Saint-Aubin 62 ..... 8 B3
Anzy-le-Duc 71 ..... 173 F4
Aoste 38 ..... 212 B1
Aougny 51 ..... 37 D4
Aouste 08 ..... 22 A3
Aouste-sur-Sye 26 ..... 247 E1
Aouze 88 ..... 93 F2
Apach 57 ..... 42 A1
Apchat 63 ..... 207 E3
Apchon 15 ..... 224 C1
Apinac 42 ..... 209 E3
Apothicairerie (Grotte de l') 56 ..... 122 A3
Appelle 81 ..... 277 F2
Appenai-sous-Bellême 61 ..... 83 F3
Appenans 25 ..... 142 A2
Appenwihr 68 ..... 96 C4
Appeville 50 ..... 27 D3
Appeville-Annebault 27 ..... 31 E3
Appietto 2A 316 B3
Appilly 60 ..... 36 A1
Appoigny 89 ..... 113 E2
Apprieu 38 ..... 212 B3
Appy 09 ..... 310 A1
Apremont 73 ..... 213 D2
Apremont 01 ..... 177 D4
Apremont 85 ..... 145 D3
Apremont 08 ..... 39 E3
Apremont 70 ..... 140 A3
Apremont 60 ..... 34 C4
Apremont-la-Forêt 55 ..... 67 D3
Apremont-sur-Allier 18 ..... 154 C3
Aprey 52 ..... 116 B4
Apt 84 ..... 266 A4
Arabaux 09 ..... 301 D3
Arâches 74 ..... 196 B3
Araghju (Castellu d') 2A 319 E2
Aragnouet 65 ..... 307 D4
Aragon 11 ..... 302 B1
Aramits 64 ..... 296 A2
Aramon 30 ..... 264 C4
Aranc 01 ..... 194 A2
Arance 64 ..... 272 B3
Arancou 64 ..... 271 E3
Arandas 01 ..... 194 A3
Arandon 38 ..... 194 A4

Araujuzon 64 ..... 272 A4
Araules 43 ..... 227 A2
Araux 64 ..... 272 A4
Aravis (Col des) 74 ..... 196 A3
Arbanats 33 ..... 236 B1
Arbas 31 ..... 299 E3
Arbecey 70 ..... 118 A4
Arbellara 2A 318 C2
Arbent 01 ..... 177 D4
Arbéost 65 ..... 297 D3
Arbérats-Sillègue 64 ..... 271 F4
Arbignieu 01 ..... 194 B4
Arbigny 01 ..... 175 E2
Arbigny-sous-Varennes 52 ..... 117 E3
Arbin 73 ..... 213 E1
Arbis 33 ..... 236 C1
Arblade-le-Bas 32 ..... 273 E1
Arblade-le-Haut 32 ..... 273 E1
Arbois 39 ..... 159 F3
Arbois (Mont d') 74 ..... 196 B3
Arbon 31 ..... 299 D3
Arbonne 64 ..... 270 B3
Arbonne-la-Forêt 77 ..... 87 E3
Arboras 34 ..... 280 C1
Arbori 2A 316 B2
Arbot 52 ..... 116 A3
Arbouans 25 ..... 142 C1
Arboucave 40 ..... 272 C2
Arbouet-Sussaute 64 ..... 271 F4
Arbourse 58 ..... 135 F2
Arboussols 66 ..... 311 F2
L'Arbresle 69 ..... 192 B4
L'Arbret 62 ..... 7 F4
Arbrissel 35 ..... 104 A2
Arbus 64 ..... 272 C4
Arbusigny 74 ..... 195 F1
Arc 1800 73 ..... 214 C1
Arc-en-Barrois 52 ..... 116 A2
Arc-et-Senans 25 ..... 159 F2
Arc-lès-Gray 70 ..... 140 C2
Arc-sous-Cicon 25 ..... 161 D1
Arc-sous-Montenot 25 ..... 160 B2
Arc-sur-Tille 21 ..... 139 E2
Arcachon 33 ..... 234 B1
Arçais 79 ..... 164 B4
Arcambal 46 ..... 240 B3
Arcangues 64 ..... 270 B3
Arçay 18 ..... 153 D2
Arçay 86 ..... 148 C2
Arceau 21 ..... 139 E2
Arcenant 21 ..... 158 A1
Arcens 07 ..... 228 A3
Arces 89 ..... 113 E1
Arces 17 ..... 198 C2
Arcey 25 ..... 142 B1
Arcey 21 ..... 138 C4
Archail 04 ..... 268 A1
Archamps 74 ..... 195 E1
Archelange 39 ..... 159 E1
Archéodrome 21 ..... 158 A2
Arches 88 ..... 95 D4
Arches 15 ..... 205 F4
Archettes 88 ..... 95 D4
Archiac 17 ..... 200 C2
Archiane (Cirque d') 26 ..... 230 B4
Archignac 24 ..... 221 F3
Archignat 03 ..... 170 B3
Archigny 86 ..... 167 D3
Archingeay 17 ..... 181 F3
Archon 02 ..... 21 F4

Arcier 25 ..... 141 E4
Arcine 74 ..... 195 D1
Arcinges 42 ..... 191 F1
Arcins 33 ..... 217 D2
Arcis-le-Ponsart 51 ..... 37 D4
Arcis-sur-Aube 10 ..... 90 B1
Arcizac-Adour 65 ..... 297 F2
Arcizac-ez-Angles 65 ..... 297 F2
Arcizans-Avant 65 ..... 297 E3
Arcizans-Dessus 65 ..... 297 E3
Arcomie 48 ..... 225 F4
Arcomps 18 ..... 170 B1
Arçon 42 ..... 191 D2
Arçon 25 ..... 161 D2
Arconcey 21 ..... 138 A4
Arçonnay 72 ..... 82 C3
Arconsat 63 ..... 190 C3
Arconville 10 ..... 91 E4
L'Arcouest (Pointe de) 22 ..... 51 D1
Les Arcs 83 ..... 287 D3
Les Arcs 73 ..... 214 C1
Arcueil 94 ..... 61 D3
Arcy-Sainte-Restitue 02 ..... 36 C4
Arcy-sur-Cure 89 ..... 136 C1
Ardelles 28 ..... 84 C1
Ardelu 28 ..... 86 A3
Ardenais 18 ..... 170 B1
Ardenay-sur-Mérize 72 ..... 107 E2
Ardengost 65 ..... 298 B4
Ardenne (Abbaye d') 14 ..... 29 E4
Ardentes 36 ..... 152 A4
Ardes 63 ..... 207 E3
Ardeuil-et-Montfauxelles 08 ..... 39 D3
Ardevon 50 ..... 79 F1
Ardiège 31 ..... 299 D2
Les Ardillats 69 ..... 192 B1
Ardilleux 79 ..... 183 D1
Ardillières 17 ..... 181 E2
Ardin 79 ..... 164 C2
Ardizas 32 ..... 275 F1
L'Ardoise 30 ..... 264 C2
Ardoix 07 ..... 228 C1
Ardon 45 ..... 110 A4
Ardon 39 ..... 160 A4
Ardouval 76 ..... 16 B4
Ardres 62 ..... 2 C2
Arèches 73 ..... 196 B4
Aregno 2B 314 B2
Areines 41 ..... 108 C2
Aren 64 ..... 296 A1
Arenberg 59 ..... 9 E2
Arengosse 40 ..... 253 E2
Arenthon 74 ..... 195 F1
Arès 33 ..... 216 A3
Ares (Col d') 66 ..... 311 F4
Ares (Col des) 31 ..... 299 D3
Aresches 39 ..... 160 A3
Aressy 64 ..... 297 D1
Arette 64 ..... 296 A2
Arette-Pierre-Saint-Martin 64 ..... 296 A3
Arfeuille-Châtain 23 ..... 188 A2
Arfeuilles 03 ..... 190 C1
Arfons 81 ..... 278 A4
Argagnon 64 ..... 272 B3
Arganchy 14 ..... 28 C3
Argançon 10 ..... 91 E4
Argancy 57 ..... 41 F4
Argein 09 ..... 299 F4
Argelès 65 ..... 298 A2
Argelès-Gazost 65 ..... 297 E3

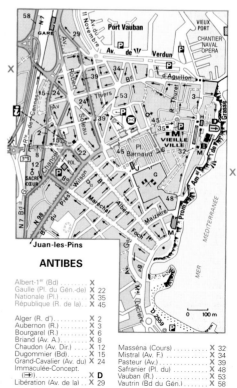

ANTIBES

Albert-1er (Bd) X
Gaulle (Pl. du Gén.-de) ..... X 22
Nationale (Pl.) ..... X 35
République (R. de la) ..... X 45
Alger (R. d') ..... X 2
Aubernon (R.) ..... X 3
Bourgarel (R.) ..... X 6
Briand (Av. A.) ..... X 8
Chaudon (Av. du) ..... X 12
Dugommier (Bd) ..... X 15
Grand-Cavalier (Av. du) ..... X 24
Immaculée-Concept. ..... D
Libération (Av. de la) ..... X 29

Masséna (Cours) ..... X 32
Mistral (Av. F.) ..... X 34
Pasteur (Av.) ..... X 39
Safranier (Pl. du) ..... X 48
Vauban (R.) ..... X 53
Vautrin (Bd du Gén.) ..... X 58

Arvillers 80 .... 19 D4
Arx 40 .... 255 D2
Arzacq-Arraziguet 64 .... 272 C2
Arzal 56 .... 123 F2
Arzano 29 .... 100 A2
Arzay 38 .... 211 F3
L'Arzelier (Col de) 38 .... 230 B2
Arzembouy 58 .... 136 A4
Arzenc-d'Apcher 48 .... 225 E4
Arzenc-de-Randon 48 .... 244 B1
Arzens 11 .... 302 B1
Arzillières-Neuville 51 ...... 65 E4
Arzon 56 .... 122 C2
Arzviller 57 .... 70 A2
Asasp 64 .... 296 B2
Ascain 64 .... 270 B4
Ascarat 64 .... 295 D1
Aschbach 67 .... 45 F4
Aschères-le-Marché 45 ...... 110 B1
Asclier (Col de l') 30 .... 262 C2
Asco 2B 314 C3
Asco (Gorges de l') 2B 314 C3
Ascou 09 .... 310 B1
Ascou-Pailhérès 09 .... 310 C1
Ascoux 45 .... 110 C1
Ascros 06 .... 269 E3
Asfeld 08 .... 37 F2
Aslonnes 86 .... 166 B3
Asnan 58 .... 136 B4
Asnans 39 .... 159 D2
Asnelles 14 .... 29 D3
Asnières 27 .... 31 D4
Asnières
  (Ancienne abbaye d') 49 .. 148 B1
Asnières-en-Bessin 14 ...... 27 F2
Asnières-en-Montagne 21 .... 114 C4
Asnières-en-Poitou 79 ...... 182 C1
Asnières-la-Giraud 17 ...... 182 A3
Asnières-les-Bourges 18 ..... 153 E1
Asnières-lès-Dijon 21 ...... 139 E3
Asnières-sous-Bois 89 ...... 136 B2
Asnières-sur-Blour 86 ...... 184 C1
Asnières-sur-Nouère 16 ..... 201 E1
Asnières-sur-Oise 95 ...... 61 D1
Asnières-sur-Saône 01 ..... 175 E3
Asnières-sur-Seine 92 ...... 61 D3
Asnières-sur-Vègre 72 ...... 106 A3
Asnois 86 .... 184 A1
Asnois 58 .... 136 B3
Aspach 57 .... 69 F4
Aspach 68 .... 120 B3
Aspach-le-Bas 68 .... 120 B2
Aspach-le-Haut 68 .... 120 A2
Aspères 30 .... 263 E4
Asperjoc 07 .... 246 A1
Aspet 31 .... 299 E3
Aspin (Col d') 65 .... 298 B3
Aspin-Aure 65 .... 298 B4
Aspin-en-Lavedan 65 ...... 297 E2
Aspiran 34 .... 280 C2
Aspremont 06 .... 288 C1
Aspremont 05 .... 248 C2
Les Aspres 61 .... 57 F4
Aspres-lès-Corps 05 .... 231 E4
Aspres-sur-Buëch 05 ...... 248 C2
Aspret-Sarrat 31 .... 299 D2
Asprières 12 .... 241 E2
Asque 65 .... 298 A3
Asques 82 .... 257 D3
Asques 33 .... 217 F3
Asquins 89 .... 136 C2
Assac 81 .... 260 A3
Assainvillers 80 .... 35 D1
Assais 79 .... 148 B4
Assas 34 .... 281 F1
Assat 64 .... 297 D1
Assay 37 .... 149 D1
Assé-le-Bérenger 53 ...... 82 A4
Assé-le-Boisne 72 ...... 82 B3
Assé-le-Riboul 72 .... 82 C4
Assenay 10 .... 90 B4
Assencières 10 .... 90 B3
Assenoncourt 57 ...... 69 E3
Assérac 44 .... 123 F3
Assevent 59 .... 10 C2
Assevillers 80 .... 19 E2
Assier 46 .... 241 D1
Assieu 38 .... 211 D3
Assignan 34 .... 279 F4
Assigny 76 .... 16 B2
Assigny 18 .... 134 C3
Les Assions 07 .... 245 F3
Assis-sur-Serre 02 ...... 20 C4
Asson 64 .... 297 D1
Asswiller 67 .... 70 A1
Assy 14 .... 56 B2
Astaffort 47 .... 256 B2
Astaillac 19 .... 222 C3
Asté 65 .... 298 A3
Aste-Béon 64 .... 296 C3
Astérix (Parc) 60 ...... 61 E1
Astet 07 .... 245 E1
Astillé 53 .... 104 C2
Astis 64 .... 273 D3
Astoin 04 .... 249 F3
Aston 09 .... 310 A1
Astugue 65 .... 297 F2
Athée 21 .... 139 F4
Athée 53 .... 104 C3
Athée-sur-Cher 37 .... 131 E3
Athesans 70 .... 142 A1
Athie 89 .... 137 D2
Athie 21 .... 137 F1
Athienville 54 .... 68 C3
Athies 80 .... 19 E3
Athies 62 .... 8 C3
Athies-sous-Laon 02 ...... 37 D1
Athis 51 .... 64 C1
Athis-de-l'Orne 61 ...... 55 F3
Athis-Mons 91 .... 61 D4

Athos-Aspis 64 .... 271 F3
Athose 25 .... 161 D1
Attainville 95 .... 61 D1
Attancourt 52 .... 92 A1
Les Attaques 62 .... 2 C2
Attenschwiller 68 .... 120 C4
Attiches 59 .... 8 C1
Attichy 60 .... 35 F2
Attignat 01 .... 175 F4
Attignat-Oncin 73 .... 212 C2
Attignéville 88 .... 93 F2
Attigny 88 .... 118 A1
Attigny 08 .... 38 C2
Attilloncourt 57 .... 68 C3
Attilly 02 .... 19 F3
Attin 62 .... 6 B1
Atton 54 .... 68 A2
Attray 45 .... 110 C1
Attricourt 70 .... 140 A2
Atur 24 .... 220 C1
Aubagnan 40 .... 272 C1
Aubagne 13 .... 285 E4
Aubaine 21 .... 157 F1
Aubais 30 .... 282 B1
Aubarède 65 .... 298 A1
Aubas 24 .... 221 F2
Aubazat 43 .... 226 A2
Aubazine 19 .... 222 C1
Aube 61 .... 57 F4
Aube 57 .... 68 B1
Aubéguimont 76 .... 17 D3
Aubenas 07 .... 246 A2
Aubenas-les-Alpes 04 ...... 266 C3
Aubenasson 26 .... 247 F1
Aubencheul-au-Bac 59 ..... 9 D3
Aubencheul-aux-Bois 02 ..... 20 A1
Aubenton 02 .... 21 F3
Aubepierre 77 .... 88 A1
Aubepierre-sur-Aube 52 ..... 116 A2
L'Aubépin 39 .... 176 B3
Auberchicourt 59 .... 9 D3
Aubercourt 80 .... 18 C3
Aubergenville 78 .... 60 B2
Auberive 52 .... 116 A3
Aubérive 51 .... 38 B4
Auberives-en-Royans 38 .... 230 A2
Auberives-sur-Varèze 38 .... 210 C3
Aubermesnil-aux-Érables 76 .. 17 D3
Aubermesnil-Beaumais 76 .... 16 B1
Aubers 59 .... 8 B1
Aubertans 70 .... 141 E2
Aubertin 64 .... 296 C1
Auberville 14 .... 30 A3
Auberville-la-Campagne 76 . 15 D1
Auberville-la-Manuel 76 .... 15 D1
Auberville-la-Renault 76 ... 14 C3
Aubervilliers 93 .... 61 D2
Aubeterre 10 .... 90 B2
Aubeterre-sur-Dronne 16 ... 201 E4
Aubevoye 27 .... 32 C4
Aubiac 47 .... 256 A2
Aubiac 33 .... 236 C3
Aubiat 63 .... 189 F3
Aubie-et-Espessas 33 ..... 217 F2
Aubière 63 .... 207 E1
Les Aubiers 79 .... 147 E2
Aubiet 32 .... 275 E2
Aubignan 84 .... 265 E2
Aubignas 07 .... 246 C2
Aubigné 79 .... 183 D2
Aubigné 35 .... 79 E3
Aubigné-Racan 72 .... 107 D4
Aubigné-sur-Layon 49 ...... 128 C4
Aubigney 70 .... 140 A3
Aubignosc 04 .... 267 E1
Aubigny 03 .... 172 A1
Aubigny 14 .... 56 A2
Aubigny 79 .... 148 B4
Aubigny 85 .... 162 C1
Aubigny 80 .... 18 C2
Aubigny-au-Bac 59 ...... 9 D3
Aubigny-aux-Kaisnes 02 .... 19 F3
Aubigny-en-Artois 62 ...... 8 A3
Aubigny-en-Laonnois 02 .... 37 E2
Aubigny-en-Plaine 21 ...... 158 C1
Aubigny-la-Ronce 21 ...... 157 F2
Aubigny-les-Pothées 08 .... 22 B3
Aubigny-lès-Sombernon 21 .. 138 B4
Aubigny-sur-Nère 18 ...... 134 A2
Aubilly 51 .... 37 E4
Aubin 12 .... 241 F3
Aubin 64 .... 272 C3
Aubin-Saint-Vaast 62 ...... 6 C2
Aubinges 18 .... 134 B4
Aubisque (Col d') 64 ...... 297 D3
Auboncourt-Vauzelles 08 .... 38 B1
Aubonne 25 .... 161 D1
Aubord 30 .... 282 C1
Auboué 54 .... 41 E4
Aubous 64 .... 273 E2
Aubrac 12 .... 243 D2
Aubres 26 .... 247 F4
Aubréville 55 .... 39 F4
Aubrives 08 .... 13 D3
Aubrometz 62 .... 7 D3
Aubry-du-Hainaut 59 ...... 9 E2
Aubry-en-Exmes 61 ...... 56 C3
Aubry-le-Panthou 61 ...... 57 D3
Auburé 68 .... 96 B2
Aubussargues 30 .... 264 A3
Aubusson 61 .... 55 E3
Aubusson 23 .... 187 F3
Aubusson-d'Auvergne 63 ... 190 B4
Aubvillers 80 .... 18 C4
Auby 59 .... 8 C2
Aucaleuc 22 .... 78 B2
Aucamville 82 .... 257 F4
Aucamville 31 .... 276 C1
Aucazein 09 .... 299 F4

Aucelon 26 .... 248 A1
Aucey-la-Plaine 50 ...... 79 F1
Auch 32 .... 275 D2
Auchel 62 .... 7 F1
Auchonvillers 80 .... 19 D1
Auchy-au-Bois 62 ...... 7 F1
Auchy-la-Montagne 60 ..... 34 A1
Auchy-lès-Hesdin 62 ...... 7 D2
Auchy-les-Mines 62 ...... 8 B1
Auchy-lez-Orchies 59 ..... 9 D2
Aucun 65 .... 297 D3
Audaux 64 .... 272 A4
Audejos 64 .... 272 B3
Audelange 39 .... 159 E1
Audeloncourt 52 .... 117 D1
Audembert 62 .... 2 B2
Audencourt 59 .... 20 B1
Audenge 33 .... 234 C1
Auderville 50 .... 24 A1
Audes 03 .... 170 C4
Audeux 25 .... 140 C4
Audeville 45 .... 86 C4
Audierne 29 .... 72 C3
Audignicourt 02 .... 36 A2
Audignies 59 .... 10 A2
Audignon 40 .... 272 B1
Audigny 02 .... 20 C3
Audincourt 25 .... 142 C2
Audincthun 62 .... 7 D1
Audinghen 62 .... 2 A2
Audon 40 .... 253 E4
Audouville-la-Hubert 50 .... 25 E4
Audrehem 62 .... 2 C3
Audressein 09 .... 299 F4
Audresselles 62 .... 2 A2
Audrieu 14 .... 29 D4
Audrix 24 .... 221 D4
Auducq 62 .... 3 D2
Audun-le-Roman 54 ...... 41 D2
Audun-le-Tiche 57 ...... 41 E1
Auenheim 67 .... 71 F1
Auffargis 78 .... 60 A4
Auffay 76 .... 16 A4
Aufferville 77 .... 87 E4
Auffreville-Brasseuil 78 .... 59 F2
Auflance 08 .... 23 F4
Auga 64 .... 272 C3
Augan 56 .... 102 A2
Augé 79 .... 165 D3
Auge 08 .... 22 A3
Auge 23 .... 170 B4
Auge-Saint-Médard 16 ...... 183 D3
Augea 39 .... 176 B2
Auger-Saint-Vincent 60 .... 35 E4
Augerans 39 .... 159 E2
Augères 23 .... 186 C2
Augerolles 63 .... 208 B1
Augers-en-Brie 77 ...... 63 D4
Augerville-la-Rivière 45 .... 87 D4
Augès 04 .... 267 D2
Augeville 52 .... 92 C3
Augicourt 70 .... 117 F3
Augignac 24 .... 202 C2
Augirein 09 .... 299 E4
Augisey 39 .... 176 B2
Augnat 63 .... 207 F3
Augnax 32 .... 275 E1
Augne 87 .... 186 C4
Augny 57 .... 68 A1
Auguaise 61 .... 57 F4
Augy 89 .... 113 E4
Augy 02 .... 36 C3
Augy-sur-Aubois 18 ...... 154 A4
Aujac 30 .... 245 E4
Aujac 17 .... 182 B3
Aujan-Mournède 32 ...... 274 C4
Aujargues 30 .... 282 A1
Aujeurres 52 .... 116 B4
Aujols 46 .... 240 B4
Aulac (Col d') 15 ...... 224 B1
Aulan 26 .... 266 A1
Aulas 30 .... 262 B3
Aulhat-Saint-Privat 63 .... 207 F2
Aullène 2A 319 D1
Aulnat 63 .... 189 E4
Aulnay 10 .... 91 D2
Aulnay 17 .... 182 C2
Aulnay 86 .... 148 C3
Aulnay-aux-Planches 51 .... 64 A3
Aulnay-la-Rivière 45 ...... 87 D4
Aulnay-l'Aître 51 ...... 65 D3
Aulnay-sous-Bois 93 ...... 61 E2
Aulnay-sur-Iton 27 ...... 58 C2
Aulnay-sur-Marne 51 ...... 64 B2
Aulnay-sur-Mauldre 78 .... 60 A2
Les Aulneaux 72 .... 83 D2
Aulnizeux 51 .... 64 A3
Aulnois 88 .... 93 E3
Aulnois-en-Perthois 55 .... 66 B4
Aulnois-sous-Laon 02 ...... 36 C1
Aulnois-sous-Vertuzey 55 ... 67 E3
Aulnois-sur-Seille 57 ...... 68 B3
Aulnoy 77 .... 62 B3
Aulnoy-lez-Valenciennes 59 . 9 F3
Aulnoy-sur-Aube 52 ...... 116 A3
Aulnoye-Aymeries 59 ...... 10 B2
Aulon 31 .... 299 E1
Aulon 65 .... 298 A4
Aulon 23 .... 186 C2
Aulos 09 .... 310 A1
Ault 80 .... 16 C1
Aulteribe (Château d') 63 .. 190 B4
Aulus-les-Bains 09 ...... 309 E1
Aulx-lès-Cromary 70 ...... 141 E3
Aumagne 17 .... 182 B3
Aumale 76 .... 17 D3
Aumâtre 80 .... 17 E2
Aumelas 34 .... 281 D2
Auménancourt 51 .... 37 F2
Aumerval 62 .... 7 F1

Aumes 34 .... 280 C3
Aumessas 30 .... 262 A3
Aumetz 57 .... 41 E2
Aumeville-Lestre 50 ...... 25 E3
Aumont 80 .... 17 F2
Aumont 39 .... 159 F3
Aumont-Aubrac 48 .... 243 F1
Aumont-en-Halatte 60 ...... 35 D4
Aumontzey 88 .... 95 E4
Aumur 39 .... 159 D1
Aunac 16 .... 183 F3
Aunay-en-Bazois 58 ...... 155 F1
Aunay-les-Bois 61 ...... 83 D1
Aunay-sous-Auneau 28 ..... 86 A2
Aunay-sous-Crécy 28 ...... 59 D4
Aunay-sur-Odon 14 ...... 55 E1
Auneau 28 .... 86 A2
Auneuil 60 .... 34 A3
Aunou-le-Faucon 61 ...... 56 C4
Aunou-sur-Orne 61 ...... 83 D1
Auppegard 76 .... 16 A3
Aups 83 .... 286 B1
Auquainville 14 .... 57 D1
Auquemesnil 76 .... 16 B2
Auradé 32 .... 275 E2
Auradou 47 .... 238 C4
Auragne 31 .... 276 C4
Aure 08 .... 38 C3
Aurec-sur-Loire 43 ...... 209 F4
Aureil 87 .... 186 A4
Aureilhan 65 .... 297 F1
Aureilhan 40 .... 252 B1
Aureille 13 .... 284 A1
Aurel 84 .... 266 A1
Aurel 26 .... 248 A1
Aurelle-Verlac 12 ...... 243 E3
Aurensan 32 .... 273 E2
Aurensan 65 .... 273 F4
Aureville 31 .... 276 C3
Auriac 64 .... 273 D3
Auriac 19 .... 223 E1
Auriac 11 .... 302 C4
Auriac-de-Bourzac 24 ...... 201 F3
Auriac-du-Périgord 24 ...... 221 E2
Auriac-l'Église 15 ...... 207 E4
Auriac-Lagast 12 .... 260 B2
Auriac-sur-Dropt 47 ...... 237 F1
Auriac-sur-Vendinelle 31 ... 277 E3
Auriat 23 .... 186 B3
Auribail 31 .... 276 B4
Auribeau 84 .... 266 B4
Auribeau-sur-Siagne 06 .... 288 A3
Aurice 40 .... 253 F4
Auriébat 65 .... 273 F3
Aurières 63 .... 207 D1
Aurignac 31 .... 299 E1
Aurillac 15 .... 224 B1
Aurimont 32 .... 275 E2
Aurin 31 .... 277 D3
Auriol 13 .... 285 E4
Auriolles 33 .... 237 E1
Auriolles 07 .... 246 A3
Aurions-Idernes 64 ...... 273 E2
Auris 38 .... 231 E2
Auron 06 .... 251 E4
Aurons 13 .... 284 B1
Auros 33 .... 236 C3
Aurouër 03 .... 172 A1
Auroux 48 .... 244 C1
Aussac 81 .... 259 D4
Aussac-Vadalle 16 ...... 183 F4
Ausseing 31 .... 299 F2
Aussevielle 64 .... 272 C4
Aussillon 81 .... 278 C3
Aussois 73 .... 214 C3
Ausson 31 .... 298 C2
Aussonce 08 .... 38 B3
Aussonne 31 .... 276 B1
Aussos 32 .... 275 D4
Aussurucq 64 .... 295 F2
Autainville 41 .... 109 D3
Autechaux 25 .... 141 F2
Autechaux-Roide 25 ...... 142 C2
Les Autels 02 .... 21 F3
Les Autels-Saint-Bazile 14 .. 56 C2
Les Autels-Villevillon 28 .... 108 B1
Auterive 32 .... 275 D2
Auterive 82 .... 257 D4
Auterive 31 .... 276 C4
Auterrive 64 .... 271 F3
Autet 70 .... 140 B1
Auteuil 78 .... 60 A3
Auteuil 60 .... 34 A3
Autevielle-
  Saint-Martin-Bideren 64 . 271 F3
Authe 08 .... 39 E2
Autheuil 28 .... 109 D2
Autheuil 61 .... 83 F1
Autheuil-Authouillet 27 .... 59 D1
Autheuil-en-Valois 60 ...... 35 F4
Authevernes 27 .... 33 E4
Authezat 63 .... 207 F1
Authie 14 .... 29 E4
Authie 80 .... 18 C1
Authieule 80 .... 7 F4
Les Authieux 27 ...... 59 D3
Les Authieux-du-Puits 61 .... 57 D4
Les Authieux-Papion 14 .... 56 C1
Authieux-Ratiéville 76 ...... 32 B1
Les Authieux-sur-
  le-Port-Saint-Ouen 76 .... 32 B3
Authiou 70 .... 141 E2
Authon 41 .... 131 D1
Authon 04 .... 249 F4
Authon 17 .... 182 B4

Authon-du-Perche 28 ...... 84 B4
Authon-la-Plaine 91 ...... 86 B2
Authou 27 .... 31 E4
Authuille 80 .... 19 D1
Authume 39 .... 159 E1
Authumes 71 .... 159 D3
Autichamp 26 .... 247 D1
Autignac 34 .... 280 B3
Autigny 76 .... 15 F2
Autigny-la-Tour 88 ...... 93 E2
Autigny-le-Grand 52 ...... 92 B2
Autigny-le-Petit 52 ...... 92 B2
Autingues 62 .... 2 C3
Autoire 46 .... 222 C4
Autoreille 70 .... 140 C3
Autouillet 78 .... 60 A3
Autrac 43 .... 207 E4
Autrans 38 .... 230 B1
Autrèche 37 .... 131 E2
Autrechêne 90 .... 120 A4
Autrêches 60 .... 36 A2
Autrecourt-et-Pourron 08 ... 23 E4
Autrécourt-sur-Aire 55 ...... 66 B1
Autremencourt 02 ...... 21 D4
Autrepierre 54 .... 69 E4
Autreppes 02 .... 21 D2
Autretot 76 .... 15 E3
Autreville 88 .... 93 F2
Autreville 02 .... 36 A1
Autréville-Saint-Lambert 55 . 39 F1
Autréville-sur-la-Renne 52 .. 116 A1
Autreville-sur-Moselle 54 ... 68 A3
Autrey 88 .... 95 E3
Autrey 54 .... 94 A1
Autrey-le-Vay 70 .... 141 F1
Autrey-lès-Cerre 70 ...... 141 F1
Autrey-lès-Gray 70 ...... 140 A2
Autricourt 21 .... 115 E2
Autruche 08 .... 39 E2
Autruy-sur-Juine 45 ...... 86 B4
Autry 08 .... 39 D3
Autry-Issards 03 .... 171 F2
Autry-le-Châtel 45 ...... 134 B1
Autun 71 .... 157 D2
Auty 82 .... 258 A1
Auvare 06 .... 269 D2
Auve 51 .... 65 E1
Auvernaux 91 .... 87 E2
Auvers 50 .... 27 D3
Auvers 43 .... 226 A3
Auvers-le-Hamon 72 ...... 105 F3
Auvers-Saint-Georges 91 ... 86 C2
Auvers-sous-Montfaucon 72 . 106 A2
Auvers-sur-Oise 95 ...... 60 C1
Auverse 49 .... 129 F2
Auvet-et-la-Chapelotte 70 .. 140 A2
Auvillar 82 .... 256 C2
Auvillars 14 .... 30 B4
Auvillars-sur-Saône 21 ..... 158 B1
Auvilliers-en-Gâtinais 45 ... 111 E2
Auvilliers 76 .... 17 D3
Aux-Aussat 32 .... 274 A3
Aux Marais 60 .... 34 A2
Auxais 50 .... 27 D4
Auxange 39 .... 140 B4
Auxant 21 .... 157 F1
Auxelles-Bas 90 .... 119 E3
Auxelles-Haut 90 .... 119 E3
Auxerre 89 .... 113 E4
Auxey-Duresses 21 ...... 157 F2
Auxi-le-Château 62 ...... 7 D4
Auxillac 48 .... 243 F3
Auxon 10 .... 114 A1
Auxon 70 .... 118 B4
Auxon-Dessous 25 ...... 141 D3
Auxon-Dessus 25 ...... 141 D3
Auxonne 21 .... 140 A4
Auxy 71 .... 157 D3
Auxy 45 .... 111 E1
Auzances 23 .... 188 B2
Auzas 31 .... 299 E2
Auzat 09 .... 309 F1
Auzat-sur-Allier 63 ...... 207 F3
Auzay 85 .... 164 A2
Auzebosc 76 .... 15 E3
Auzécourt 55 .... 66 A2
Auzelles 63 .... 208 B2
Auzers 15 .... 224 A1
Auzet 04 .... 250 A1
Auzéville-en-Argonne 55 ... 66 A1
Auzeville-Tolosane 31 ...... 276 C2
Auzielle 31 .... 277 D3
Auzits 12 .... 241 F3
Auzon 43 .... 208 A3
Auzouer-en-Touraine 37 ... 131 E2
Auzouville-Auberbosc 76 ... 15 D3
Auzouville-l'Esneval 76 .... 15 F3
Auzouville-sur-Ry 76 ...... 32 C2
Auzouville-sur-Saâne 76 .... 15 F2
Availles-en-Châtellerault 86 . 149 E1
Availles-Limouzine 86 ...... 184 C1
Availles-sur-Chizé 79 ...... 182 C1
Availles-sur-Seiche 35 ...... 104 B2
Availles-Thouarsais 79 ..... 148 B3
Avajan 65 .... 298 B4
Avallon 89 .... 137 D2
Les Avanchers-Valmorel 73 . 214 A2
Avançon 05 .... 249 F2
Avançon 08 .... 38 A2
Avanne 25 .... 141 D4
Avant-lès-Marcilly 10 ...... 89 E2
Avant-lès-Ramerupt 10 ..... 90 C2
Avanton 86 .... 166 B1
Avapessa 2B 314 B3
Avaray 41 .... 109 E4
Avaugour (Chapelle d') 22 .. 50 C4
Avaux 08 .... 37 F2

Aveizieux 42 .... 210 A2
Avelanges 21 .... 139 D1
Avelesges 80 .... 17 F2
Avelin 59 .... 8 C1
Aveluy 80 .... 19 D1
Aven Armand 48 .... 261 F1
Avenas 69 .... 192 B3
Avenay 14 .... 55 F1
Avenay-Val-d'Or 51 ...... 64 C1
Avène 34 .... 280 A1
Aveney 25 .... 141 D4
Avenheim 67 .... 70 C2
Les Avenières 38 .... 212 B1
Avensac 32 .... 256 C4
Avensan 33 .... 217 D2
Aventignan 65 .... 298 C2
Averan 65 .... 297 F2
Averdoingt 62 .... 7 F4
Averdon 41 .... 132 A1
Avermes 03 .... 172 A2
Avernes 95 .... 60 A1
Avernes-Saint-Gourgon 61 . 57 D2
Avernes-sous-Exmes 61 ... 57 D3
Avéron-Bergelle 32 ...... 273 F1
Averton 53 .... 82 A3
Avesnelles 59 .... 10 B3
Avesnes 62 .... 6 C1
Avesnes-Chaussoy 80 ...... 17 E2
Avesnes-en-Bray 76 ...... 33 E2
Avesnes-en-Saosnois 72 .... 83 E4
Avesnes-en-Val 76 ...... 16 C2
Avesnes-le-Comte 62 ...... 7 F4
Avesnes-le-Sec 59 ...... 9 E3
Avesnes-les-Aubert 59 ..... 9 E4
Avesnes-lès-Bapaume 62 ... 19 E1
Avesnes-sur-Helpe 59 ..... 10 B3
Avessac 44 .... 102 C4
Avessé 72 .... 106 A2
Aveux 65 .... 298 C3
Avezac-Prat 65 .... 298 A3
Avezan 32 .... 256 C4
Avezé 72 .... 83 F4
Avèze 63 .... 206 B2
Avèze 30 .... 262 B3
Aviernoz 74 .... 195 F2
Avignon 84 .... 264 C3
Avignonet 38 .... 230 C4
Avignon-lès-Saint-Claude 39 177 D3
Avignonet-Lauragais 31 .... 277 E4
Avillers 88 .... 94 B3
Avillers 54 .... 40 C3
Avillers-Sainte-Croix 55 .... 67 E1
Avilley 25 .... 141 F2
Avilly-Saint-Léonard 60 ... 35 D4
Avion 62 .... 8 B2
Avioth 55 .... 40 A1
Avirey-Lingey 10 .... 114 C2
Aviron 27 .... 59 C1
Avize 51 .... 64 A2
Avocourt 55 .... 39 F4
Avoine 37 .... 129 F4
Avoine 61 .... 56 B4
Avoise 72 .... 106 A3
Avolsheim 67 .... 70 C3
Avon 77 .... 87 F3
Avon 79 .... 165 F3
Avon-la-Pèze 10 .... 89 E3
Avon-les-Roches 37 ...... 149 E1
Avondance 62 .... 7 D2
Avord 18 .... 153 F2
Avoriaz 74 .... 178 C3
Avosnes 21 .... 138 B3
Avot 21 .... 139 D1
Avoudrey 25 .... 142 A4
Avrainville 54 .... 67 F3
Avrainville 52 .... 92 A1
Avrainville 88 .... 94 B2
Avrainville 91 .... 86 C1
Avranches 50 .... 54 A4
Avranville 88 .... 93 D2
Avrechy 60 .... 34 C2
Avrecourt 52 .... 117 D2
Avrée 58 .... 156 A4
Avregny 74 .... 195 E2
Avremesnil 76 .... 15 F1
Avressieux 73 .... 212 C2
Avreuil 10 .... 114 A2
Avricourt 57 .... 69 E4
Avricourt 60 .... 19 E4
Avricourt 54 .... 69 E4
Avrieux 73 .... 214 C4
Avrigney 70 .... 140 C3
Avrigny 60 .... 35 D3
Avril 54 .... 41 E3
Avril-sur-Loire 58 ...... 155 D4
Avrillé 49 .... 128 B2
Avrillé 85 .... 163 D2
Avrillé-les-Ponceaux 37 ... 130 A3
Avrilly 61 .... 81 E1
Avrilly 03 .... 173 D4
Avrilly 27 .... 58 C2
Avroult 02 .... 3 D4
Avy 17 .... 199 E2
Awoingt 59 .... 9 E4
Axat 11 .... 311 E1
Axiat 09 .... 310 B1
Ay 51 .... 64 A1
Ay-sur-Moselle 57 ...... 41 F3
Ayat-sur-Sioule 63 ...... 189 D2
Aydat 63 .... 207 D1
Aydie 64 .... 273 E2
Aydius 64 .... 296 B3
Aydoilles 88 .... 95 D4
Ayen 19 .... 221 F1
Ayencourt 80 .... 35 D1
Ayette 62 .... 8 A4
Ayguade-Ceinturon 83 .... 292 C2
Ayguatébia-Talau 66 ...... 311 D3

AVIGNON

Fourbisseurs (R. des)	EY 34
Jaurès (Cours J.)	EZ
Marchands (R. des)	EY 49
République (R. de la)	EYZ
St-Agricol (R.)	EY 94
Vernet (R. J.)	EYZ
Vieux-Sextier (R.)	EFY 122

Amirande (Pl. de l')	EY 2
Arroussaire (Av. de l')	FZ 3
Aubanel (R. Théodore)	EZ 5

Balance (R. de la)	EY 7
Bancasse (R.)	EY 9
Bertrand (R.)	FY 10
Bon-Martinet (R. du)	FZ 13
Campane (R.)	FY 14
Collège-d'Annecy (R. du)	EZ 18
Collège-du-Roure (R. du)	EY 19
Corps-Saints (Pl. des)	EZ 20
David (R. Félicien)	EY 22
Dorée (R.)	EY 23
Folco-de-Baroncelli (R.)	EY 28
Four (R. du)	FY 33

Four-de-la-Terre (R. du)	FZ 35
Galante (R.)	EY 37
Grande-Fusterie (R. de la)	EY 39
Grottes (R. des)	EY 41
Italiens (Av. des)	GY 44
Jérusalem (Pl.)	FY 45
Ledru-Rollin (R.)	EY 47
Manivet (R. P.)	EFZ 48
Masse (R. de la)	FZ 52
Molière (R.)	EY 54
Monclar (Av.)	EZ 55
Mons (R. de)	EY 59
Muguet (R.)	GY 62

Ortolans (R. des)	EZ 63
Palais (Pl. du)	EY 64
Palapharnerie (R.)	FY 66
Petite-Calade (R. de la)	EY 67
Petite-Fusterie (R. de la)	EY 68
Petite-Saunerie (R. de la)	FY 70
Pétramale (R.)	EZ 72
Peyrollerie (R.)	EY 73
Prés.-Kennedy (Cours)	EZ 76
Prévot (R.)	EZ 77
Rascas (R. de)	GY 79

Rempart-de-l'Oulle (R. du)	DY 82
Rempart-du-Rhône (R. du)	EY 83
Rempart-St-Michel (R. du)	FZ 84
Rempart-St-Roch (R. du)	DEZ 86
Rhône (Pte du)	EY 88
Rouge (R.)	EY 90
St-Christophe (R.)	EZ 97
St-Dominique (Bd)	DZ 98
St-Étienne (R.)	EY 99
St-Jean-le-Vieux (Pl.)	FY 101
St-Jean-le-Vieux (R.)	FY 102

St-Joseph (R.)	FY 104
St-Michel (R.)	EZ 105
St-Pierre (Pl.)	EY 106
St-Ruf (Av.)	FZ 108
Ste-Catherine (R.)	FY 109
Sarailerie (R. de la)	EYZ 110
Tour (R. de la)	GY 114
Vernet (R. Horace)	EZ 118
Viala (R. Jean)	EZ 119
Vice-Légat (R.)	EY 120
3-Faucons (R. des)	EZ 126
3-Pilats (R. des)	FY 127

Ayguemorte-les-Graves 33	236	A1
Ayguesvives 31	277	D4
Ayguetinte 32	255	F4
Ayherre 64	271	D3
Ayn 73	212	C2
Aynac 46	223	D4
Les Aynans 70	119	D4
Ayrens 15	223	F3
Ayron 86	165	F1
Ayros-Arbouix 65	297	E3
Ayse 74	196	A1
Ayssènes 12	260	C2
Aytré 17	180	C1
Les Ayvelles 08	22	C4
Ayzac-Ost 65	297	E3
Ayzieu 32	255	D4
Azannes-et-Soumazannes 55	40	B3
Azans 39	159	E1
Azas 31	277	D1
Azat-Châtenet 23	186	C2
Azat-le-Ris 87	167	F4
Azay-le-Brûlé 79	165	D3
Azay-le-Ferron 36	150	C3
Azay-le-Rideau 37	130	B4
Azay-sur-Cher 37	131	D3
Azay-sur-Indre 37	131	E3
Azay-sur-Thouet 79	165	D1
Azé 53	105	D3
Azé 71	175	D3
Azé 41	108	B3
Azelot 54	94	B1
Azerables 23	168	C4
Azerailles 54	95	E1
Azerat 24	221	E1
Azérat 43	208	A4
Azereix 65	297	E3
Azet 65	307	E4
Azeville 50	25	D4

Azillanet 34	279	E4
Azille 11	303	D1
Azilone-Ampaza 2A	317	D4
Azincourt 62	7	D2
Azolette 69	192	A1
Azoudange 57	69	D1
Azur 40	252	B4
Azy 18	154	A1
Azy-le-Vif 58	155	D4
Azy-sur-Marne 02	63	D2
Azzana 2A	316	C2

B

Baâlon 55	40	A1
Baâlons 08	38	C1
Babeau 57	292	C2
Babeau-Bouldoux 34	279	F4
Babœuf 60	36	A1
Le Babory-de-Blesle 43	207	F4
Baby 77	89	D3
Baccarat 54	95	E2
Baccon 45	109	F3
Bach 46	240	B4
Bachant 59	10	B2
Bachas 31	299	F1
La Bachellerie 24	221	E1
Bachivillers 60	33	F3
Bachos 31	299	D4
Bachy 59	9	D1
Bacilly 50	53	F4
Le Bacon 48	225	F4
Baconnes 51	38	B4
La Baconnière 53	80	C4
Bacouël 60	34	C1
Bacouel-sur-Selle 80	18	A3

Bacourt 57	68	C2
Bacquepuis 27	58	B1
Bacqueville 27	32	C3
Bacqueville-en-Caux 76	16	A2
Badailhac 15	224	B3
Badaroux 48	244	B2
Badecon-le-Pin 36	168	C2
Badefols-d'Ans 24	221	F1
Badefols-sur-Dordogne 24	220	C4
Baden 56	100	C4
Badens 11	302	C1
Badevel 25	142	C1
Badinières 38	211	F2
Badménil-aux-Bois 88	95	D3
Badonviller 54	95	F1
Badonvilliers 55	93	D1
Baerendorf 67	70	A1
Baerenthal 57	44	C4
La Baffe 88	95	D4
Baffie 63	208	C3
Bagard 30	263	E2
Bagargui (Col) 64	295	E2
Bagas 33	237	D2
Bagat-en-Quercy 46	239	F4
Bagatelle (Parc de) 62	6	A2
Bâgé-la-Ville 01	175	E4
Bâgé-le-Châtel 01	175	E4
Bagert 09	299	F2
Bages 66	313	D2
Bages 11	303	F2
Bagiry 31	299	D3
Bagnac-sur-célé 46	241	E1
Bagneaux 89	89	E4
Bagneaux-sur-Loing 77	87	F4
Bagnères-de-Bigorre 65	298	A2
Bagnères-de-Luchon 31	307	F4
Bagneux 92	61	D3
Bagneux 49	129	E4

Bagneux 54	93	F1
Bagneux 51	89	F1
Bagneux 79	148	A1
Bagneux 03	172	A1
Bagneux 36	152	A1
Bagneux 02	36	B2
Bagneux-la-Fosse 10	114	C2
Bagnizeau 17	182	C3
Bagnoles 11	302	C1
Bagnoles-de-l'Orne 61	81	F1
Bagnolet 93	61	D3
Bagnols 63	206	B3
Bagnols 69	192	B3
Bagnols-en-Forêt 83	287	E2
Bagnols-les-Bains 48	244	C3
Bagnols-sur-Cèze 30	264	C3
Bagnot 21	158	B1
Baguer-Morvan 35	79	D1
Baguer-Pican 35	79	E1
Baho 66	312	C2
Bahus-Soubiran 40	273	D1
Baigneaux 41	109	D4
Baigneaux 33	236	C1
Baignes 70	141	D1
Baignes-Sainte-Radegonde 16	200	C3
Baigneux-les-Juifs 21	138	B1
Baignolet 28	109	F1
Baigts 40	272	A1
Baigts-de-Béarn 64	272	A2
Baillargues 34	282	A2
Baillé 35	80	A3
Bailleau-l'Évêque 28	85	D2
Bailleau-sous-Gallardon 28	85	F2
Baillestavy 66	311	F3
Bais 35	104	A1
Baisieux 59	5	D4

Bailleul 80	17	E1
Bailleul 59	4	A3
Le Bailleul 72	106	A4
Bailleul 61	56	C3
Bailleul (Château de) 76	15	D3
Bailleul-aux-Cornailles 62	7	F2
Bailleul-la-Vallée 27	31	D4
Bailleul-le-Soc 60	35	D2
Bailleul-lès-Pernes 62	7	F1
Bailleul-Neuville 76	16	C3
Bailleul-Sir-Berthoult 62	8	B3
Bailleul-sur-Thérain 60	34	B3
Bailleulmont 62	8	A4
Bailleulval 62	8	A4
Bailleval 60	34	C2
Baillolet 76	16	C3
Baillou 41	108	A2
Bailly 60	35	F2
Bailly 78	60	B3
Bailly-aux-Forges 52	91	F2
Bailly-Carrois 77	88	B1
Bailly-en-Rivière 76	16	B2
Bailly-le-Franc 10	91	E1
Bailly-Romainvilliers 77	62	A3
Bain-de-Bretagne 35	103	E3
Baincthun 62	2	A4
Bainghen 62	2	C3
Bains 43	226	C3
Bains-de-Guitera 2A	317	D4
Bains-les-Bains 88	118	B1
Bains-sur-Oust 35	102	B4
Bainville-aux-Miroirs 54	94	B2
Bainville-aux-Saules 88	94	A3
Bainville-sur-Madon 54	94	A1
Bairols 06	269	F2
Bais 53	81	F4
Bais 35	104	A1

Baissey 52	116	C4
Baives 59	11	D3
Baix 07	246	C1
Baixas 66	312	C1
Baizieux 80	18	C2
Le Baizil 51	63	F2
Bajamont 47	256	B1
Bajonnette 32	256	B4
Bajus 62	7	F2
Balacet 09	299	F4
Baladou 46	222	B3
Balagny-sur-Thérain 60	34	B3
Balaguères 09	299	F3
Balaguier d'Olt 12	241	D3
Balaguier-sur-Rance 12	260	B4
Balaine (Arboretum de) 03	172	A1
Balaiseaux 39	159	E2
Balaives-et-Butz 08	22	C4
Balan 08	23	D4
Balan 01	193	E4
Balanod 39	176	B2
Balansun 64	272	A3
Balanzac 17	181	E4
Balaruc-le-Vieux 34	281	E3
Balaruc-les-Bains 34	281	E3
Balâtre 80	19	E4
Balazé 35	80	B4
Balazuc 07	246	A3
Balbigny 42	191	F4
Balbins 38	211	F3
Balbronn 67	70	C3
Baldenheim 67	97	D2
Baldersheim 68	120	C2
La Baleine 50	54	A2
Baleines (Phare des) 17	162	C4
Baleix 64	273	E4
Balesmes 37	150	A3
Balesmes-sur-Marne 52	116	C3

Balesta 31 ... 298 C1
Baleyssagues 47 ... 237 E1
Balgau 68 ... 121 D1
Balham 08 ... 38 A2
Balignac 82 ... 256 C3
Balignicourt 10 ... 91 D2
Bâlines 27 ... 58 B4
Balinghem 62 ... 2 C2
Baliracq-Maumusson 64 ... 273 D2
Baliros 64 ... 297 D1
Balizac 33 ... 236 B3
Balizy 91 ... 61 D4
Ballainvilliers 91 ... 61 D4
Ballaison 74 ... 178 A3
Ballan-Miré 37 ... 130 C3
Ballancourt-sur-Essonne 91 ... 87 D2
Ballans 17 ... 182 C4
Ballay 08 ... 39 D2
Balledent 87 ... 185 F1
Balleray 58 ... 105 F2
Ballée 53 ... 105 F2
Balleray 58 ... 155 D2
Balleroy 14 ... 28 C4
Ballersdorf 68 ... 120 B3
Balléville 88 ... 93 F3
Ballon 17 ... 181 D2
Ballon 72 ... 83 D4
Ballon de Servance 88 ... 119 E3
Ballons 26 ... 248 C4
Ballore 71 ... 174 B2
Ballots 53 ... 104 B2
Balloy 77 ... 88 B3
Balma 31 ... 276 C2
La Balme 73 ... 194 C4
La Balme-de-Sillingy 74 ... 195 E3
La Balme-de-Thuy 74 ... 195 F3
La Balme-d'Épy 39 ... 176 B3
La Balme-les-Grottes 38 ... 193 D3
Balmont 74 ... 195 E3
Balnot-la-Grange 10 ... 114 B2
Balnot-sur-Laignes 10 ... 114 C2
Bologna 2A ... 316 B2
Balot 21 ... 115 D3
Balsac 12 ... 242 A4
Balschwiller 68 ... 120 B3
Balsièges 48 ... 244 A3
Baltzenheim 68 ... 97 D3
Balzac 16 ... 201 E1
Bambecque 59 ... 3 F2
Bambiderstroff 57 ... 42 B4
Ban-de-Laveline 88 ... 96 A2
Ban-de-Sapt 88 ... 95 F2
Le Ban-Saint-Martin 57 ... 41 F4
Ban-sur-Meurthe-Clefcy 88 ... 95 F4
Banassac 48 ... 243 F3
Banat 09 ... 300 C4
Banca 64 ... 294 C2
Bancarel (Site du) 12 ... 242 A4
Bancigny 02 ... 21 E3
Bancourt 62 ... 19 E1
Bandol 83 ... 291 E4
Baneins 01 ... 193 D1
Baneuil 24 ... 220 C4
Bangor 56 ... 122 A4
Banhars 12 ... 242 B1
Banios 65 ... 298 A3
Banize 23 ... 187 D3
Bannalec 29 ... 99 F1
Bannans 25 ... 160 C3
Bannay 18 ... 135 D3
Bannay 51 ... 63 F3
Bannay 57 ... 42 B4
Banne 07 ... 245 F4
Bannegon 18 ... 154 A4
Bannes 46 ... 223 D4
Bannes 53 ... 105 F2
Bannes 51 ... 64 A3
Bannes 52 ... 116 C2
Banneville-la-Campagne 14 ... 29 E4
Banneville-sur-Ajon 14 ... 55 E1
Bannières 81 ... 277 D2
Bannoncourt 55 ... 67 D2
Bannost 77 ... 62 C4
Banogne-Recouvrance 08 ... 37 F1
Banon 04 ... 266 B2
Banos 40 ... 272 B1
Bans 39 ... 159 E4
Bansat 63 ... 208 A3
Bantanges 71 ... 175 F2
Banteux 59 ... 20 A1
Banthelu 95 ... 60 A1
Bantheville 55 ... 39 F3
Bantigny 59 ... 9 D4
Bantouzelle 59 ... 20 A1
Bantzenheim 68 ... 121 D1
Banvillars 90 ... 142 C1
Banville 14 ... 29 E3
Banvou 61 ... 55 E4
Banyuls-dels-Aspres 66 ... 313 D3
Banyuls-sur-Mer 66 ... 313 E3
Baon 89 ... 114 B3
Baons-le-Comte 76 ... 15 D4
Baou de 4 Oures 83 ... 291 F4
Bapaume 62 ... 19 E1
Bapeaume-lès-Rouen 76 ... 32 A2
Bar 19 ... 204 C4
Bar-le-Duc 55 ... 66 B3
Bar-lès-Buzancy 08 ... 39 E2
Bar-sur-Aube 10 ... 91 E4
Le Bar-sur-Loup 06 ... 288 C2
Bar-sur-Seine 10 ... 114 C1
Baracé 49 ... 128 C1
Baracuchet (Col de) 63 ... 209 D2
Baraigne 11 ... 277 E3
Baraize 36 ... 168 C2
Baralle 62 ... 8 C4
Baraqueville 12 ... 260 C1
Barastre 62 ... 19 E1
Baratier 05 ... 250 B2
Barbachen 65 ... 274 A3
Barbaggio 2B ... 315 D2

Barbaira 11 ... 302 C2
Barbaise 08 ... 22 B4
Barbas 54 ... 95 E1
Barbaste 47 ... 255 F1
Barbâtre 85 ... 144 B2
Barbazan 31 ... 299 D3
Barbazan-Debat 65 ... 297 F1
Barbazan-Dessus 65 ... 298 A2
Barbechat 44 ... 127 D3
La Barben 13 ... 284 B2
Barbentane 13 ... 264 C3
Barberaz 73 ... 213 D2
Barberey-aux-Moines 10 ... 90 A3
Barberey-Saint-Sulpice 10 ... 90 A3
Barbery 60 ... 35 D4
Barbery 14 ... 56 A1
Barbeville 14 ... 28 C3
Barbey 77 ... 88 B3
Barbey-Seroux 88 ... 95 F4
Barbezières 16 ... 183 D3
Barbezieux 16 ... 201 D3
Barbières 26 ... 229 F3
Barbirey-sur-Ouche 21 ... 138 C4
Barbizon 77 ... 87 E2
Barbonne-Fayel 51 ... 89 E1
Barbonville 54 ... 94 C1
Barbotan-les-Thermes 32 ... 254 C3
Le Barboux 25 ... 161 F1
Barbuise 10 ... 89 E1
Barby 73 ... 213 D1
Barby 08 ... 38 A1
Barc 27 ... 58 A1
Barcaggio 2B ... 314 A4
Le Barcarès 66 ... 313 E1
Barcelonne 26 ... 229 E3
Barcelonne-du-Gers 32 ... 273 D1
Barcelonnette 04 ... 250 C3
Barchain 57 ... 69 F3
Barchetta 2B ... 315 E3
Barcillonnette 05 ... 249 D3
Barcugnan 32 ... 274 B4
Barcus 64 ... 296 A1
Barcy 77 ... 62 A2
Bard 42 ... 209 E2
Bard-le-Régulier 21 ... 157 D1
Bard-lès-Époisses 21 ... 137 F2
Bard-lès-Pesmes 70 ... 140 B4
La Barde 17 ... 219 D1
Bardenac 16 ... 201 D4
Bardiana 2B ... 314 B4
Bardigues 82 ... 256 C2
Le Bardon 45 ... 109 F3
Bardos 64 ... 271 D3
Bardou 24 ... 238 B1
Bardouville 76 ... 32 A2
Barèges 65 ... 297 F4
Bareilles 65 ... 298 B4
Barembach 67 ... 70 B4
Baren 31 ... 299 D4
Barentin 76 ... 15 F4
Barenton 50 ... 81 D1
Barenton-Bugny 02 ... 20 C4
Barenton-Cel 02 ... 20 C4
Barenton-sur-Serre 02 ... 20 C4
Barésia-sur-l'Ain 39 ... 177 D2
Barfleur 50 ... 25 E2
Barfleur (Pointe de) 50 ... 25 E2
Bargème 83 ... 268 B4
Bargemon 83 ... 287 E1
Barges 43 ... 227 D4
Barges 21 ... 139 E4
Bargny 60 ... 35 F4
Barie 33 ... 237 D2
Les Barils 27 ... 58 A4
Barinque 64 ... 273 D4
Barisey-au-Plain 54 ... 93 F1
Barisey-la-Côte 54 ... 93 F1
Barisis 02 ... 36 B1
Barizey 71 ... 157 F1
Barjac 09 ... 300 A3
Barjac 48 ... 244 A3
Barjac 30 ... 246 A4
Barjols 83 ... 286 A2
Barjon 21 ... 139 D1
Barjouville 28 ... 85 E3
Barles 04 ... 250 A4
Barlest 65 ... 297 E2
Barleux 80 ... 19 E2
Barlin 62 ... 8 A2
Barly 80 ... 7 F4
Barly 62 ... 7 F3
Barmainville 28 ... 86 B4
Barnas 07 ... 245 F1
Barnave 26 ... 248 A1
Barnay 71 ... 157 D1
Barnenez (Tumulus de) 29 ... 49 E2
Barneville-Carteret 50 ... 24 B4
Barneville-la-Bertran 14 ... 30 C3
Barneville-sur-Seine 27 ... 31 F3
La Baroche-Gondouin 53 ... 81 F2
La Baroche-sous-Lucé 61 ... 81 E1
Les Baroches 54 ... 41 D3
Baromesnil 76 ... 16 B2
Baron 60 ... 35 E4
Baron 30 ... 263 F2
Baron 33 ... 217 F4
Baron 71 ... 174 A2
Baron-sur-Odon 14 ... 29 E4
Baronville 57 ... 69 D2
Barou-en-Auge 14 ... 56 B2
Baroville 10 ... 91 E4
Le Barp 33 ... 235 D2
La Barque 13 ... 285 D3
Barquet 27 ... 58 A1
Barr 67 ... 96 C1
Barracone 2A ... 316 C4

Barrais-Bussolles 03 ... 173 D4
Barran 32 ... 274 C2
Barrancoueu 65 ... 298 A4
Les Barraques-en-Vercors 26 ... 230 A2
Barras 04 ... 267 E2
Barraute-Camu 64 ... 271 F4
Barraux 38 ... 213 D3
Barre 81 ... 279 E1
La Barre 70 ... 141 E2
La Barre 39 ... 159 F1
La Barre-de-Monts 85 ... 144 B2
La Barre-de-Semilly 50 ... 27 F4
Barre-des-Cévennes 48 ... 262 B1
La Barre-en-Ouche 27 ... 57 F2
Barrême 04 ... 268 A3
Barret 16 ... 200 C3
Barret-de-Lioure 26 ... 266 B3
Barret-le-Bas 05 ... 248 C1
Barretaine 39 ... 159 F3
Barrettali 2B ... 314 A2
Barriac-les-Bosquets 15 ... 223 F1
Barricourt 08 ... 39 F2
Barro 16 ... 183 F2
Barrou 37 ... 150 A3
Le Barroux 84 ... 265 E2
Barry 65 ... 297 F2
Barry 84 ... 246 C4
Barry-d'Islemade 82 ... 257 F2
Bars 24 ... 221 E2
Bars 32 ... 274 B3
Barsac 26 ... 248 A1
Barsac 33 ... 236 B2
Barsanges 19 ... 205 E2
Barst 57 ... 43 D4
Bart 25 ... 142 B1
Bartenheim 68 ... 120 C3
Barthe 65 ... 298 C1
Barthe (Barrage de la) 12 ... 224 C4
La Barthe-de-Neste 65 ... 298 B2
Bartherans 25 ... 160 A1
Les Barthes 82 ... 257 E2
Bartrès 65 ... 297 E2
Barville 61 ... 83 D2
Barville 27 ... 31 D4
Barville 88 ... 93 E2
Barville 76 ... 15 E2
Barville-en-Gâtinais 45 ... 111 D1
Barzan 17 ... 198 C2
Barzun 64 ... 297 E1
Barzy-en-Thiérache 02 ... 10 A4
Barzy-sur-Marne 02 ... 63 E1
Bas-en-Basset 43 ... 209 E4
Bas-et-Lezat 63 ... 189 F2
Bas-Lieu 59 ... 10 B3
Bas-Mauco 40 ... 253 F2
Bas-Rupts 88 ... 119 F1
Bascons 40 ... 254 A4
Bascous 32 ... 255 E4
Baslieux 54 ... 40 C2
Baslieux-lès-Fismes 51 ... 37 D3
Baslieux-sous-Châtillon 51 ... 63 F1
Basly 14 ... 29 E3
Bassac 16 ... 201 F1
Bassan 34 ... 280 B4
Bassanne 33 ... 237 D2
Basse-Goulaine 44 ... 126 C4
Basse-Ham 57 ... 41 F2
Basse-Indre 44 ... 126 A4
Basse-Rentgen 57 ... 41 F1
Basse-sur-le-Rupt 88 ... 119 E1
La Basse-Vaivre 70 ... 118 A2
La Bassée 59 ... 8 B1
Bassemberg 67 ... 96 B1
Basseneville 14 ... 29 F4
Bassens 73 ... 213 D1
Bassens 33 ... 217 E3
Bassercles 40 ... 272 B2
Basses 86 ... 148 C2
Basseux 62 ... 8 A4
Bassevelle 77 ... 62 C2
Bassignac 15 ... 206 A4
Bassignac-le-Bas 19 ... 223 D3
Bassignac-le-Haut 19 ... 223 E1
Bassigney 70 ... 118 B3
Bassilac 24 ... 220 C1
Bassillon-Vauzé 64 ... 273 E3
Bassing 57 ... 69 E2
Bassoles-Aulers 02 ... 36 B1
Bassoncourt 52 ... 117 D1
Bassou 89 ... 113 E3
Bassoues 32 ... 274 A2
Bassu 51 ... 65 E3
Bassuet 51 ... 65 E3
Bassurels 48 ... 262 B1
Bassussarry 64 ... 270 B3
Bassy 74 ... 194 C2
Bastanès 64 ... 272 A4
Bastelica 2A ... 317 D3
Bastelicaccia 2A ... 316 B4
Bastennes 40 ... 272 A1
Bastia 2B ... 315 F1
La Bastide 66 ... 312 B3
La Bastide 83 ... 268 C4
La Bastide-Clairence 64 ... 271 D3
La Bastide-de-Besplas 09 ... 300 B2
La Bastide-de-Bousignac 09 ... 301 F3
La Bastide de Couloumat 11 ... 301 E1
La Bastide-de-Lordat 09 ... 301 D3
La Bastide-de-Sérou 09 ... 300 C3
La Bastide-d'Engras 30 ... 264 A2
La Bastide-des-Jourdans 84 ... 266 C3
La Bastide-du-Salat 09 ... 299 F3
La Bastide-l'Évêque 12 ... 241 E4
La Bastide-Pradines 12 ... 261 E2
La Bastide-Puylaurent 48 ... 245 D2
La Bastide-Solages 12 ... 260 A3
La Bastide-sur-l'Hers 09 ... 301 E3
La Bastidonne 84 ... 285 D1
La Bastidonne 13 ... 285 D4

La Bastie-d'Urfé (Château de) 42 ... 209 E1
Le Bastit 46 ... 240 B1
Basville 23 ... 188 A4
La Bataille 79 ... 183 D2
Bataille (Col de la) 26 ... 229 F3
La Batarelle 13 ... 285 D4
Bataville 57 ... 69 E4
Bathelémont-lès-Bauzemont 54 ... 69 D4
Bathernay 26 ... 229 E1
La Bâthie 73 ... 214 A1
La Bâtie-Crémezin 26 ... 248 B2
La Bâtie-des-Fonds 26 ... 248 C2
La Bâtie-Divisin 38 ... 212 B2
La Bâtie-Montgascon 38 ... 212 B2
La Bâtie-Montsaléon 05 ... 248 C3
La Bâtie-Neuve 05 ... 249 E2
La Bâtie-Rolland 26 ... 247 D2
La Bâtie-Vieille 05 ... 249 F2
Les Bâties 70 ... 140 C2
Batilly 54 ... 41 E4
Batilly 61 ... 56 B4
Batilly-en-Gâtinais 45 ... 111 D1
Batilly-en-Puisaye 45 ... 135 D1
Bats 40 ... 272 C1
Batsère 65 ... 298 B2
Battenans-les-Mines 25 ... 141 E2
Battenans-Varin 25 ... 142 B3
Battenheim 68 ... 120 C2
Battexey 88 ... 94 B2
Battigny 54 ... 94 A2
Battrans 70 ... 140 B2
Batz (Ile de) 29 ... 49 D1
Batz-sur-Mer 44 ... 123 E4
Batzendorf 67 ... 71 D2
Baubigny 21 ... 157 F2
La Bauche 73 ... 212 C2
Baud 56 ... 100 C2
Baudement 51 ... 89 F1
Baudignan 40 ... 255 D2
Baudinard-sur-Verdon 83 ... 286 B1
Baudoncourt 70 ... 118 C3
Baudonvilliers 55 ... 66 A4
Baudre 50 ... 54 C1
Baudrecourt 52 ... 92 A2
Baudrecourt 57 ... 68 C1
Baudreix 64 ... 297 D1
Baudrémont 55 ... 66 C3
Baudres 36 ... 151 F2
Baudreville 28 ... 86 A3
Baudreville 50 ... 26 B3
Baudricourt 88 ... 94 A3
Baudrières 71 ... 175 E1
Bauduen 83 ... 286 B1
Baugé 49 ... 129 E2
Baugy 60 ... 35 E2
Baugy 71 ... 173 F4
Baugy 18 ... 154 A2
Baulay 70 ... 118 A3
Baule 45 ... 109 F4
La Baule-Escoublac 44 ... 123 F4
Baulme-la-Roche 21 ... 138 C2
Baulne 91 ... 87 D2
Baulne-en-Brie 02 ... 63 E2
Baulny 55 ... 39 E3
Baulon 35 ... 102 C1
Baulou 09 ... 300 C3

La Baume 74 ... 178 C3
Baume (Cirque de) 39 ... 159 F4
La Baume-Cornillane 26 ... 229 E4
La Baume-de-Transit 26 ... 247 D4
La Baume-d'Hostun 26 ... 229 F2
Baume-les-Dames 25 ... 141 E3
Baume-les-Messieurs 39 ... 159 F4
Bauné 49 ... 128 C2
Baupte 50 ... 27 D3
Bauquay 14 ... 55 F1
Baurech 33 ... 236 B1
La Baussaine 35 ... 79 D3
La Baussaine 35 ... 8 B1
Les Baux-de-Breteuil 27 ... 58 A3
Les Baux-de-Provence 13 ... 283 F1
Les Baux-Sainte-Croix 27 ... 58 A1
Bauzemont 54 ... 69 D4
Bauzy 41 ... 132 C2
Bavans 25 ... 142 B2
Bavay 59 ... 10 A2
Bavelincourt 80 ... 18 C2
Bavella (Col de) 2A ... 319 E1
Bavent 14 ... 29 F4
Baverans 39 ... 159 E1
Bavilliers 90 ... 119 F4
Bavinchove 59 ... 3 F3
Bavincourt 62 ... 8 A4
Bax 31 ... 300 B1
Bay 08 ... 21 F3
Bay 70 ... 140 B3
Bay-sur-Aube 52 ... 116 B3
Bayac 24 ... 220 C4
Bayard (Château de) 38 ... 213 D3
Bayard (Col) 05 ... 249 E1
Bayas 33 ... 218 C2

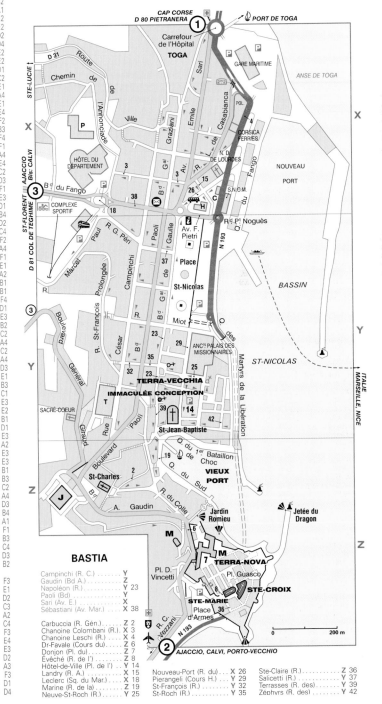

BASTIA

Campinchi (R. C.) ... Y
Gaudin (Bd A.) ... Y
Napoléon (R.) ... Y 23
Paoli (Bd) ... Y
Sari (Av. E.) ... X
Sébastiani (Av. Mar.) ... X 38

Carbuccia (R. Gén.) ... Z 2
Chanoine Colombani (R.) ... X 3
Chanoine Leschi (R.) ... X 4
Dr-Favale (Cours du) ... Z 6
Donjon (Pl. du) ... Z 7
Évêché (R. de l') ... Z 8
Hôtel-de-Ville (Pl. de l') ... Y 14
Landry (R. A.) ... X 15
Leclerc (Sq. du Mar.) ... X 18
Marine (R. de la) ... Z 19
Neuve-St-Roch (R.) ... Y 25

Nouveau-Port (R. du) ... X 26
Pierangeli (Cours H.) ... Y 29
St-François (R.) ... Y 32
St-Roch (R.) ... Y 35

Ste-Claire (R.) ... Z 36
Salicetti (R.) ... X 37
Terrasses (R. des) ... Y 39
Zéphyrs (R. des) ... Y 42

BAYONNE

Port-Neuf (R. du) ... AY 98
Thiers (R.) ... AY
Victor-Hugo (R.) ... AZ 125

Allées Marines (Av. des) ... AY 2
Argenterie (R.) ... AZ 3
Basques (Pl. des) ... AY 10
Bernède (R.) ... AY 15
Bonnat (Av. Léon) ... AY 16
Bourg-Neuf (R.) ... BYZ 17
Chanoine-Lamarque (Av.) ... AZ 23
Château-Vieux (Pl.) ... AZ 24
Dubourdieu (Q. Amiral) ... BZ 31
Duvergier-de Hauranne (Av.) ... BZ 32
Génie (Pont du) ... BZ 39
Gouverneurs (R. des) ... AZ 41
Jauréguiberry (Q.) ... AZ 57
Lachepaillet (Rempart) ... AZ 64
Laffitte (R. Jacques) ... BYZ 65
Liberté (Pl. de la) ... BY 73
Lormond (R.) ... AY 74
Marengo (Pont et R.) ... BZ 80
Mayou (Pont) ... BY 83
Monnaie (R. de la) ... AZ 86
Orbe (R.) ... AZ 92
Pannecau (Pont) ... BZ 93
Port-de-Castets (R.) ... AZ 97
Ravignan (R.) ... BZ 104
Roquebert (Q. du Cdt) ... BZ 108
Tour-de-Sault (R.) ... AZ 120
11-Novembre (Av.) ... AY 128
49e (R. du) ... AY 129

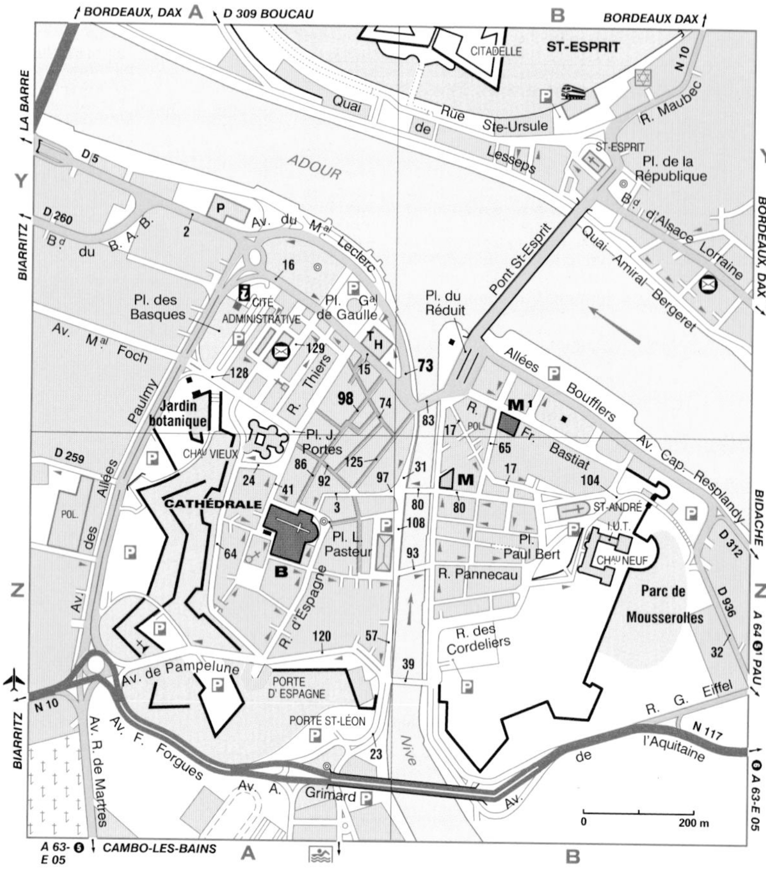

Baye 29 ... 99 F2
Baye 51 ... 63 F3
Bayecourt 88 ... 95 D3
Bayel 10 ... 91 F4
Bayencourt 80 ... 8 A4
Bayenghem-lès-Éperlecques 62 ... 3 D3
Bayenghem-lès-Seninghem 62 ... 3 D4
Bayers 16 ... 183 F3
Bayet 03 ... 172 A4
Bayeux 14 ... 28 C3
Bayon 54 ... 94 B1
Bayon-sur-Gironde 33 ... 217 E2
Bayonne 64 ... 270 C2
Bayons 04 ... 249 F4
Bayonville 08 ... 39 E2
Bayonville-sur-Mad 54 ... 67 F1
Bayonvillers 80 ... 19 D3
Bazac 16 ... 219 E1
Bazaiges 36 ... 168 C2
Bazailles 54 ... 41 D2
Bazainville 78 ... 59 F3
Bazancourt 60 ... 33 E1
Bazancourt 51 ... 38 A3
Bazarnes 89 ... 136 B1
Bazas 33 ... 236 C3
Bazauges 17 ... 183 D3
Bazegney 88 ... 94 B3
Bazeilles 08 ... 23 E4
Bazeilles-sur-Othain 55 ... 40 B1
Bazelat 23 ... 168 C4
Bazemont 78 ... 60 A2
Bazens 47 ... 255 F1
Bazentin 80 ... 19 D1
Bazenville 14 ... 29 D3
Bazet 65 ... 297 F1
La Bazeuge 87 ... 167 F4
Bazian 32 ... 274 B1
Bazicourt 60 ... 35 D3
Baziège 31 ... 277 D3
Bazien 88 ... 95 E2
Bazillac 65 ... 273 F4
Bazincourt-sur-Epte 27 ... 33 E3
Bazincourt-sur-Saulx 55 ... 66 B4
Bazinghen 62 ... 2 A3
Bazinval 76 ... 17 D2
La Bazoche-Gouet 28 ... 108 B1
Bazoches 58 ... 136 C3
Bazoches-au-Houlme 61 ... 56 A3
Bazoches-en-Dunois 28 ... 109 E1
Bazoches-lès-Bray 77 ... 88 C3
Bazoches-les-Gallerandes 45 ... 110 B1
Bazoches-les-Hautes 28 ... 110 A1
Bazoches-sur-Guyonne 78 ... 60 A4
Bazoches-sur-Hoëne 61 ... 83 E1
Bazoches-sur-le Betz 45 ... 112 B1
Bazoches-sur-Vesles 02 ... 37 D3
La Bazoge 72 ... 106 C1
La Bazoge 50 ... 54 C4
La Bazoge-Montpinçon 53 ... 81 E3
Bazoges-en-Paillers 85 ... 146 B3
Bazoges-en-Pareds 85 ... 164 A1
Bazoilles-et-Ménil 88 ... 94 A3
Bazoilles-sur-Meuse 88 ... 93 E3
Bazolles 58 ... 155 F1
Bazoncourt 57 ... 68 B1
Bazonville 54 ... 41 D2
La Bazoque 61 ... 55 E3
La Bazoque 14 ... 28 B4
Bazoques 27 ... 31 D4
Bazordan 65 ... 298 C1
La Bazouge-de-Chemeré 53 ... 105 F2
La Bazouge-des-Alleux 53 ... 81 E4
La Bazouge-du-Désert 35 ... 80 B2
Bazougers 53 ... 105 E2
Bazouges 53 ... 105 D3
Bazouges-la-Pérouse 35 ... 79 F2
Bazouges-sous-Hédé 35 ... 79 D3
Bazouges-sur-le-Loir 72 ... 106 A4
Bazuel 59 ... 20 C1
Bazugues 32 ... 274 B3
Bazus 31 ... 276 C1
Bazus-Aure 65 ... 298 B4
Bazus-Neste 65 ... 298 B3
Le Béage 07 ... 227 E4
Béal (Col du) 42 ... 208 C1
Béalcourt 80 ... 7 D4
Béalencourt 62 ... 7 D2
Béard 58 ... 155 D3
Beaubec-la-Rosière 76 ... 16 C4
Beaubery 71 ... 174 B3
Beaubigny 50 ... 24 B4
Beaubray 27 ... 58 B2
Beaucaire 32 ... 255 F4
Beaucaire 30 ... 264 B4
Beaucamps-le-Jeune 80 ... 17 E3
Beaucamps-le-Vieux 80 ... 17 E3
Beaucamps-Ligny 59 ... 8 B1
Beaucé 35 ... 80 B3
Beaucens 65 ... 297 E3
Le Beaucet 84 ... 265 E3
Beauchalot 31 ... 299 E2
Beauchamp 95 ... 60 C2
Beauchamps 50 ... 54 A3
Beauchamps 80 ... 16 C1
Beauchamps-sur-Huillard 45 ... 111 D3
Beaucharmoy 52 ... 117 E2
Beauchastel 07 ... 229 D4
Beauche 28 ... 58 B4
Beauchemin 52 ... 116 C2
Beauchêne 61 ... 55 D4
Beauchêne 41 ... 108 B2
Beauchery-Saint-Martin 77 ... 89 D1
Beauclair 55 ... 39 F2
Beaucoudray 50 ... 54 B2
Beaucourt 90 ... 142 C1
Beaucourt-en-Santerre 80 ... 18 C3
Beaucourt-sur-l'Ancre 80 ... 19 D1
Beaucourt-sur-l'Hallue 80 ... 18 B2
Beaucouzé 49 ... 128 B2
Beaucroissant 38 ... 212 A4
Beaudéan 65 ... 298 A3
Beaudéduit 60 ... 17 F4
Beaudignies 59 ... 9 F4
Beaudricourt 62 ... 7 F3
Beaufai 61 ... 57 E4
Beaufay 72 ... 107 D1
Beauficel 50 ... 54 C4
Beauficel-en-Lyons 27 ... 33 D2
Beaufin 38 ... 231 E4
Beaufort 34 ... 303 E1
Beaufort 38 ... 211 E4
Beaufort 31 ... 276 A3
Beaufort 39 ... 176 B1
Beaufort 59 ... 10 B2
Beaufort 73 ... 196 B4
Beaufort-Blavincourt 62 ... 7 F3
Beaufort-en-Argonne 55 ... 39 F2
Beaufort-en-Santerre 80 ... 19 D3
Beaufort-en-Vallée 49 ... 129 D2
Beaufort-sur-Gervanne 26 ... 229 F4
Beaufou 85 ... 145 F3
Beaufour 14 ... 30 A4
Beaufremont 88 ... 93 E3
Beaugas 47 ... 238 B3
Beaugeay 17 ... 181 D3
Beaugency 45 ... 109 F4
Beaugies-sous-Bois 60 ... 19 F4
Beaujeu 04 ... 268 A1
Beaujeu 69 ... 192 B1
Beaujeu-Saint-Vallier-et-Pierrejux 70 ... 140 B2
Beaulac 33 ... 236 C4
Beaulandais 61 ... 81 E1
Beaulencourt 62 ... 19 E1
Beaulieu 14 ... 55 D2
Beaulieu 43 ... 227 D2
Beaulieu 63 ... 207 F3
Beaulieu 21 ... 115 F4
Beaulieu 07 ... 245 F4
Beaulieu 34 ... 282 A1
Beaulieu 38 ... 230 A1
Beaulieu 08 ... 22 A2
Beaulieu 61 ... 58 A4
Beaulieu 15 ... 206 B3
Beaulieu 36 ... 168 B3
Beaulieu 58 ... 136 B4
Beaulieu 25 ... 142 C2
Beaulieu-en-Argonne 55 ... 66 A1
Beaulieu-en-Rouergue (Abbaye de) 82 ... 258 C1
Beaulieu-les-Fontaines 60 ... 19 E4
Beaulieu-lès-Loches 37 ... 150 C1
Beaulieu-sous-Bressuire 79 ... 147 E3
Beaulieu-sous-la-Roche 85 ... 145 E4
Beaulieu-sous-Parthenay 79 ... 165 E1
Beaulieu-sur-Dordogne 19 ... 222 C3
Beaulieu-sur-Layon 49 ... 128 B3
Beaulieu-sur-Loire 45 ... 135 D2
Beaulieu-sur-Mer 06 ... 288 C2
Beaulieu-sur-Oudon 53 ... 104 C2
Beaulieu-sur-Sonnette 16 ... 184 A3
Beaulon 03 ... 173 D1
Beaumais 14 ... 56 B2
Beaumarchés 32 ... 273 F2
Beaumat 46 ... 240 B1
Beaumé 02 ... 21 F3
La Beaume 05 ... 248 C2
Beauménil 88 ... 95 E4
Beaumerie-Saint-Martin 62 ... 6 B2
Beaumes-de-Venise 84 ... 265 E2
Beaumesnil 27 ... 58 A2
Beaumesnil 14 ... 54 C2
Beaumettes 84 ... 265 F4
Beaumetz 80 ... 7 D4
Beaumetz-lès-Aire 62 ... 7 E1
Beaumetz-lès-Cambrai 62 ... 8 C4
Beaumetz-lès-Loges 62 ... 8 A4
Beaumont 63 ... 207 E1
Beaumont 74 ... 195 E1
Beaumont 89 ... 113 E3
Beaumont 54 ... 67 E3
Beaumont 86 ... 149 E4
Beaumont 07 ... 245 F2
Beaumont 32 ... 255 F3
Beaumont 43 ... 208 A4
Beaumont 24 ... 238 C1
Beaumont 19 ... 204 C3
Beaumont-de-Lomagne 82 ... 257 D4
Beaumont-de-Pertuis 84 ... 285 E1
Beaumont-du-Gâtinais 77 ... 111 E1
Beaumont-du-Lac 87 ... 187 D4
Beaumont-du-Ventoux 84 ... 265 F1
Beaumont-en-Argonne 08 ... 39 F1
Beaumont-en-Auge 14 ... 30 B3
Beaumont-en-Beine 02 ... 19 F4
Beaumont-en-Cambrésis 59 ... 9 E4
Beaumont-en-Diois 26 ... 248 B2
Beaumont-en-Verdunois 55 ... 40 B3
Beaumont-en-Véron 37 ... 129 F4
Beaumont-Hague 50 ... 24 B2
Beaumont-Hamel 80 ... 19 D1
Beaumont-la-Ferrière 58 ... 154 C1
Beaumont-la-Ronce 37 ... 130 C1
Beaumont-le-Hareng 76 ... 16 B4
Beaumont-le-Roger 27 ... 58 A1
Beaumont-les-Autels 28 ... 84 B4
Beaumont-les-Nonains 60 ... 34 A3
Beaumont-lès-Randan 63 ... 190 A2
Beaumont-lès-Valence 26 ... 229 D4
Beaumont-Monteux 26 ... 229 D2
Beaumont-Pied-de-Bœuf 72 ... 107 E4
Beaumont-Pied-de-Bœuf 53 ... 105 F2
Beaumont-Sardolles 58 ... 155 E3
Beaumont-sur-Dême 72 ... 107 F4
Beaumont-sur-Grosne 71 ... 175 E1
Beaumont-sur-Lèze 31 ... 276 B4
Beaumont-sur-Oise 95 ... 61 D1
Beaumont-sur-Sarthe 72 ... 82 C4
Beaumont-sur-Vesle 51 ... 38 A4
Beaumont-sur-Vingeanne 21 ... 139 F2
Beaumont-Village 37 ... 151 D1
Beaumontel 27 ... 58 A1
Beaumotte-lès-Montbozon 70 ... 141 E2
Beaumotte-lès-Pin 70 ... 140 C3
Beaunay 51 ... 63 F3
Beaune 21 ... 158 A2
Beaune 73 ... 214 B4
Beaune-d'Allier 03 ... 171 E4
Beaune-la-Rolande 45 ... 111 D1
Beaune-le-Froid 63 ... 207 D2
Beaune-les-Mines 87 ... 185 F3
Beaune-sur-Arzon 43 ... 208 C4
Beaunotte 21 ... 115 E4
Beaupont 01 ... 176 A3
Beauport (Abbaye de) 22 ... 51 D2
Beaupouyet 24 ... 219 F3
Beaupréau 49 ... 127 E4
Beaupuy 47 ... 237 E2
Beaupuy 82 ... 257 E4
Beaupuy 32 ... 275 F2
Beaupuy 31 ... 276 C2
Beauquesne 80 ... 18 B1
Beaurain 59 ... 9 F4
Beaurains 62 ... 8 B3
Beaurains-lès-Noyon 60 ... 35 F1
Beaurainville 62 ... 6 C2
Beaurecueil 13 ... 285 D3
Beauregard 01 ... 192 C2
Beauregard 46 ... 240 C4
Beauregard-Baret 26 ... 229 F2
Beauregard-de-Terrasson 24 ... 221 F1
Beauregard-et-Bassac 24 ... 220 B3
Beauregard-l'Évêque 63 ... 189 F4
Beauregard-Vendon 63 ... 189 E3
Beaurepaire 60 ... 35 D3
Beaurepaire 38 ... 211 E4
Beaurepaire 76 ... 14 B3
Beaurepaire 85 ... 146 B3
Beaurepaire-en-Bresse 71 ... 176 B1
Beaurepaire-sur-Sambre 59 ... 10 A4
Beaurevoir 02 ... 20 A2
Beaurières 26 ... 248 B2
Beaurieux 02 ... 37 D2
Beaurieux 59 ... 10 C3
Beauronne 24 ... 220 A2
Beausemblant 26 ... 229 D1
Beausoleil 06 ... 289 E4
Beaussac 24 ... 202 A2
Beaussais 79 ... 165 E4
Beaussault 76 ... 17 D4
Beausse 49 ... 127 F3
Le Beausset 83 ... 291 E3
Beauteville 31 ... 277 E4
Beautheil 77 ... 62 B4
Beautiran 33 ... 236 B1
Beautor 02 ... 20 B4
Beautot 76 ... 16 A4
Beauvain 61 ... 82 A1
Beauvais 60 ... 34 A2
Beauvais-sur-Matha 17 ... 182 C3
Beauvais-sur-Tescou 81 ... 258 A4
Beauval 80 ... 18 B1
Beauval-en-Caux 76 ... 16 A4
Beauvallon 26 ... 229 D4
Beauvallon 83 ... 287 E4
Beauvau 49 ... 129 D1
Beauvène 07 ... 228 B4
Beauvernois 71 ... 159 E3
Beauvezer 04 ... 268 B1
Beauville 31 ... 277 E3
Beauville 47 ... 256 C1
Beauvilliers 41 ... 109 D3
Beauvilliers 89 ... 137 E3
Beauvilliers 28 ... 85 F4
Beauvoir 89 ... 113 D4
Beauvoir 50 ... 79 F1
Beauvoir 77 ... 88 A1
Beauvoir 60 ... 34 B1
Beauvoir (Château de) 03 ... 172 C3
Beauvoir-de-Marc 38 ... 211 E2
Beauvoir-en-Lyons 76 ... 33 D2
Beauvoir-en-Royans 38 ... 230 A1
Beauvoir-sur-Mer 85 ... 144 C2
Beauvoir-sur-Niort 79 ... 182 B1
Beauvoir-sur-Sarce 10 ... 114 C2
Beauvoir-Wavans 62 ... 7 D4
Beauvois 62 ... 7 E2
Beauvois-en-Cambrésis 59 ... 9 E4
Beauvois-en-Vermandois 02 ... 19 F3
Beauvoisin 39 ... 159 D3
Beauvoisin 26 ... 247 F4
Beauvoisin 30 ... 282 C1
Beaux 43 ... 227 E1
Beauzac 43 ... 209 E4
Beauzée-sur-Aire 55 ... 66 B2
Beauzelle 31 ... 276 B2
Beauziac 47 ... 237 D4
Bébing 57 ... 69 F3
Beblenheim 68 ... 96 B3
Bec-de-Mortagne 76 ... 15 D2
Le Bec-Hellouin 27 ... 31 E4
Le Bec-Thomas 27 ... 32 A4
Beccas 32 ... 274 A3
Béceleuf 79 ... 164 C2
Béchamps 54 ... 40 C4
Bécherel 35 ... 78 C3
Bécheresse 16 ... 201 E2
Béchy 57 ... 68 C1
Bécon-les-Granits 49 ... 128 A2
Béconne 26 ... 247 E3
Bécordel-Bécourt 80 ... 19 D2
Bécourt 62 ... 2 C4
Becquigny 02 ... 20 B1
Becquigny 80 ... 18 C4
Bédarieux 34 ... 280 A2
Bédarrides 84 ... 265 D2
Beddes 18 ... 170 A1
Bédéchan 32 ... 275 E2
Bédée 35 ... 78 C4
Bédeilhac-et-Aynat 09 ... 300 C4
Bédeille 64 ... 273 E4
Bédeille 09 ... 300 A2
Bedenac 17 ... 218 C1
Bédoin 84 ... 265 F2
Bédouès 48 ... 244 B4
Bedous 64 ... 296 B3
Béduer 46 ... 241 D2
Beffes 18 ... 154 B1
Beffia 39 ... 176 C2
Beffu-et-le-Morthomme 08 ... 39 E2
Beg-Meil 29 ... 98 C2
Bégaar 40 ... 253 D4
Bégadan 33 ... 198 C3
Béganne 56 ... 125 D1
Bégard 22 ... 50 B3
Bègles 33 ... 217 E4
Begnécourt 88 ... 94 B4
Bégole 65 ... 298 B2
Bégrolles-en-Mauges 49 ... 146 C1
La Bégude-de-Mazenc 26 ... 247 D2
Bègues 03 ... 189 E1
Béguey 33 ... 236 B1
Béguios 64 ... 271 E4
Béhagnies 62 ... 8 B4
Béhasque-Lapiste 64 ... 271 E4
Béhen 80 ... 17 E1
Béhencourt 80 ... 18 C2
Béhéricourt 60 ... 35 F1
Behlenheim 67 ... 71 D3
Béhobie 64 ... 270 A4
Behonne 55 ... 66 B3
Béhorléguy 64 ... 295 E2
Béhoust 78 ... 59 F3
Behren-lès-Forbach 57 ... 43 D4
Béhuard 49 ... 128 A3
Beignon 56 ... 102 B1
Beillé 72 ... 107 E1
Beine 89 ... 113 F3
Beine-Nauroy 51 ... 38 A4
Beinheim 67 ... 71 F1
Beire-le-Châtel 21 ... 139 E3
Beire-le-Fort 21 ... 139 F4
Beissat 23 ... 187 F4
Bel-Air 49 ... 104 C4
Bel-Homme (Col du) 83 ... 287 E1
Bélâbre 36 ... 168 A2
Belan-sur-Ource 21 ... 115 E2
Bélarga 34 ... 281 D3
Bélaye 46 ... 239 F3
Belberaud 31 ... 277 D3
Belbèse 82 ... 257 D4
Belbeuf 76 ... 32 B2
Belbèze-de-Lauragais 31 ... 276 C4
Belbèze-en-Comminges 31 ... 299 F2
Belcaire 11 ... 310 C1
Belcastel 81 ... 277 E2
Belcastel 12 ... 242 A4
Belcastel (Château de) 46 ... 222 B4
Belcastel-et-Buc 11 ... 302 B3
Belcodène 13 ... 285 E3
Bélesta 09 ... 301 F4
Bélesta 66 ... 312 B1
Bélesta-en-Lauragais 31 ... 277 E3
Beleymas 24 ... 220 A3
Belfahy 70 ... 119 E3
Belfays 25 ... 142 C3
Belflou 11 ... 301 E1
Belfonds 61 ... 82 C1
Belfort 90 ... 119 F4
Belfort-du-Quercy 46 ... 258 A1
Belfort-sur-Rebenty 11 ... 310 C1
Belgeard 53 ... 81 E4
Belgentier 83 ... 291 F3
Belgodère 2B ... 314 C2
Belhade 40 ... 235 E3
Belhomert-Guéhouville 28 ... 84 C2
Le Bélieu 25 ... 161 E1
Béligneux 01 ... 193 E3
Belin-Béliet 33 ... 235 E3
Bélis 40 ... 254 A2
Bellac 87 ... 185 E1
Bellaffaire 04 ... 249 F3
Bellagranajo (Col de) 2B ... 317 D1
Bellaing 59 ... 9 E2
Bellancourt 80 ... 17 F1
Bellange 57 ... 69 D2
Bellavilliers 61 ... 83 E2
Le Bellay-en-Vexin 95 ... 33 F4
Belle-Église 60 ... 34 B4
Belle-et-Houllefort 62 ... 2 B3
Belle-Île 56 ... 122 A3
Belle-Isle-en-Terre 22 ... 50 A3
Belleau 54 ... 68 A3
Belleau 02 ... 62 C1
Bellebat 33 ... 236 C1
Bellebrune 62 ... 2 B4
Bellechassagne 19 ... 205 F1

BEAUVAIS

Carnot (R.)
Gambetta (R.)
Hachette (Pl. J.) 10
Madeleine (R. de la)
Malherbe (R. de) 18
St-Pierre (R.) 24

Beauregard (R.) 2

Brière (Bd J.) 3
Clemenceau (Pl.) 4
Dr-Gérard (R.) 5
Dr-Lamotte (Bd du) 6
Dreux (R. Ph. de) 7
Grenier-à-Sel (R.) 8
Guéhengnies (R. de) 9
Halles (Pl. des) 12
Leclerc (R. Mar.) 13
Lignières (R. J. de) 15
Loisel (Bd A.) 16

Nully-d'Hécourt (R.) 19
République (Av. de la) 20
St-André (Bd) 22
St-Laurent (R.) 23
St-Vincent-de-Beauvais (R.) 26
Scellier (Cours) 27
Taillerie (R. de la) 29
Tapisserie (R. de la) 30
Villiers de l'Isle Adam (R.) 35
Watrin (R. du Gén.) 36
27 Juin (R. du) 38

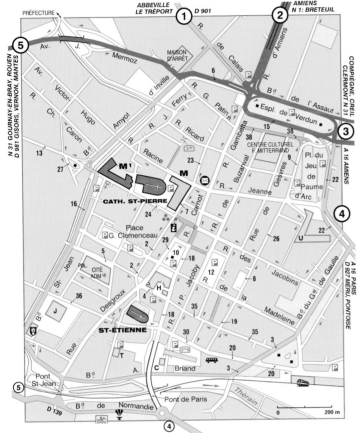

Benney 54	94 B1	Berjou 61	55 F3	Berny-Rivière 02	36 A2
Bennwihr 68	96 B3	Berlaimont 59	10 A2	Bérou-la-Mulotière 28	58 B4
Bénodet 29	98 C2	Berlancourt 02	21 D3	Berrac 32	256 A3
Benoisey 21	138 A1	Berlancourt 60	19 F4	Berre-des-Alpes 06	288 C1
Benoîtville 50	24 B3	Berlats 81	279 D1	Berre-l'Étang 13	284 B3
Benon 17	164 A4	Berlencourt-le-Cauroy 62	7 F3	Berriac 11	302 C1
Bénonces 01	194 A4	Berles-au-Bois 62	8 A4	Berrias-et-Casteljau 07	245 F4
Bénouville 14	29 F4	Berles-Monchel 62	7 F3	Berric 56	101 F4
Bénouville 76	14 B2	La Berlière 08	39 E1	Berrie 86	148 B1
Benque 31	299 E1	Berling 57	70 A2	Berrien 29	49 E4
Benqué 65	298 B2	Berlise 02	21 F4	Berrieux 02	37 E2
Benque-Dessous-		Bermerain 59	9 F3	Berrogain-Laruns 64	295 F1
et-Dessus 31	307 F3	Berméricourt 51	37 F3	Berru 51	38 A3
Benquet 40	254 A4	Bermeries 59	10 A2	Berrwiller 68	120 B1
Bentayou-Sérée 64	273 E4	Bermering 57	69 D2	Berry-au-Bac 02	37 E2
Bény 01	176 A4	Bermesnil 80	17 E2	Berry-Bouy 18	153 D1
Le Bény-Bocage 14	55 D2	Bermicourt 62	7 E2	Le Bersac 05	248 C3
Bény-sur-Mer 14	29 E3	Bermont 90	142 C1	Bersac-sur-Rivalier 87	186 A2
Béon 89	112 C2	Bermonville 76	15 E3	Bersaillin 39	159 E3
Béon 01	194 C4	Bernac 81	259 D3	Bersée 59	9 D2
Béost 64	296 C3	Bernac 16	183 F2	Bersillies 59	10 B1
La Bérarde 38	232 A3	Bernac-Debat 65	297 F2	Berson 33	217 E1
Bérat 31	276 A4	Bernac-Dessus 65	297 F2	Berstett 67	71 D2
Béraut 32	255 F3	Bernadets 64	273 D4	Berstheim 67	71 D1
Berbérust-Lias 65	297 F3	Bernadets-Debat 65	274 B4	Bert 03	173 D4
Berbezit 43	208 B4	Bernadets-Dessus 65	298 B1	Bertangles 80	18 B2
Berbiguières 24	221 E4	Berc 85	162 C2	Berteaucourt-Epourdon 02	36 B1
Bercenay-en-Othe 10	90 A4	Le Bernard 85	146 A1	Berteaucourt-les-Dames 80	18 A1
Bercenay-le-Hayer 10	89 E3	La Bernardière 85	146 A1	Berteaucourt-	
Berchères-la-Maingot 28	85 E2	Bernardswiller 67	70 C4	lès-Thennes 80	18 C3
Berchères-les-Pierres 28	85 E3	Bernardvillé 67	96 C1	Bertheauville 76	15 D3
Berchères-sur-Vesgre 28	59 E3	Bernâtre 80	7 D4	Berthecourt 60	34 B3
Berck-Plage 62	6 A2	Bernaville 80	7 D4	Berthegon 86	149 D3
Berck-sur-Mer 62	6 A2	Bernay 27	57 F1	Berthelange 25	140 C4
Bercloux 17	182 B4	Bernay 17	181 F2	Berthelming 57	69 F2
Berd'Huis 61	84 A3	Bernay 72	106 B1	Berthen 59	4 A3
Berdoues 32	274 A3	Bernay-en-Brie 77	62 A4	Berthenay 37	130 B3
Bérelles 59	10 C2	Bernay-en-Ponthieu 80	6 B3	Berthenicourt 02	20 B3
Bérengeville-		Berné 56	100 A1	Berthenonville 27	33 E4
la-Campagne 27	58 C1	Bernécourt 54	67 F3	La Berthenoux 36	169 F1
Berentzwiller 68	120 C4	Bernède 32	273 D1	Berthez 33	236 C3
Bérenx 64	272 A3	La Bernerie-en-Retz 44	144 C1	Bertholène 12	242 C4
Béréziat 01	175 F3	Bernes 80	19 F2	Berthouville 27	31 E4
Berfay 72	108 A2	Bernes-sur-Oise 95	34 B4	Bertignat 63	208 C2
Berg 67	70 A1	Bernesq 14	27 F3	Bertignolles 10	115 D1
Berg-sur-Moselle 57	42 A2	Berneuil 17	199 E1	Bertincourt 62	19 E1
Berganty 46	240 B3	Berneuil 87	185 E2	Bertoncourt 08	38 B1
Bergbieten 67	70 C3	Berneuil 80	18 A1	Bertrambois 54	69 F4
Bergerac 24	220 A4	Berneuil-en-Bray 60	34 A3	Bertrancourt 80	18 C1
Bergères 10	91 E4	Berneuil-sur-Aisne 60	35 F2	Bertrange 57	41 F3
Bergères-lès-Vertus 51	64 A3	Berneval-le-Grand 76	16 B2	Bertre 81	277 F2
Bergères-sous-Montmirail 51	63 E3	Berneville 62	8 A3	Bertren 65	299 D3
Bergesserin 71	174 C3	Bernex 74	178 C3	Bertreville 76	15 D2
Bergheim 68	96 B2	Bernienville 27	58 B1	Bertreville-Saint-Ouen 76	16 A3
Bergholtz 68	120 B1	Bernières 76	15 D3	Bertric-Burée 24	202 A4
Bergholtzzell 68	120 B1	Bernières-d'Ailly 14	56 B2	Bertrichamps 54	95 E2
Bergicourt 80	17 F4	Bernières-le-Patry 14	55 D3	Bertricourt 02	37 F2
Bergnicourt 08	38 A2	Bernières-sur-Mer 14	29 E3	Bertrimont 76	16 A4
Bergonne 63	207 F2	Bernières-sur-Seine 27	32 C4	Bertrimoutier 88	96 A3
Bergouey 64	271 E3	Bernieulles 62	6 B1	Bertry 59	20 B1
Bergouey 40	272 A1	Bernin 38	213 D4	Béru 89	114 A4
La Bergue 74	178 A4	Bernis 30	282 B1	Béruges 86	166 A2
Bergueneuse 62	7 E2	Bernolsheim 67	71 D2	Bérulle 10	89 E4
Bergues 59	3 F2	Bernon 10	114 A2	Bérus 72	82 C3
Bergues-sur-Sambre 02	10 A4	Bernos-Beaulac 33	236 C4	Berven 29	48 C3
Berguette 62	3 F4	Bernot 02	20 B3	Berville 76	15 F2
Berhet 22	50 B2	Bernouil 89	114 A3	Berville 95	34 A4
Bérig-Vintrange 57	69 D1	Bernwiller 68	120 B3	Berville 14	56 C2
Bérigny 50	27 F4	Berny-en-Santerre 80	19 E3	Berville-en-Roumois 27	31 F3
				Berville-la-Campagne 27	58 B1
				Berville-sur-Mer 27	30 C2

Bellechaume 89	113 E2	Bellevue 44	126 C4	Belval 50	54 A1
Bellecombe 39	177 E3	Bellevue (Grotte de) 46	240 C2	Belval 88	96 A1
Bellecombe 73	214 B2	Bellevue-Coëtquidan 56	102 B2	Belval 08	22 C3
Bellecombe-		Bellevue-la-Montagne 43	226 C1	Belval-Bois-des-Dames 08	39 E2
en-Bauges 73	195 E4	Belley 10	90 B3	Belval-en-Argonne 51	66 A2
Bellecombe-Tarendol 26	248 A4	Belley 01	194 C4	Belval-sous-Châtillon 51	63 F1
Bellefond 21	139 E3	Belleydoux 01	177 D4	Belvédère 06	289 D2
Bellefond 33	218 C4	Bellicourt 02	20 A2	Belvédère-Campomoro 2A	318 B2
Bellefonds 86	166 C1	La Bellière 76	33 D1	Belverne 70	119 E4
Bellefontaine 95	61 E1	La Bellière 61	82 B1	Belvès 24	221 D4
Bellefontaine 39	177 F1	Belligné 44	127 E2	Belvès-de-Castillon 33	219 D3
Bellefontaine 88	118 C4	Bellignat 01	176 C4	Belvèze 82	239 E4
Bellefontaine 50	54 C4	Bellignies 59	10 A1	Belvèze-du-Razès 11	302 A2
Bellefosse 67	96 B1	La Belliole 89	112 B1	Belvézet 30	264 A2
Bellegarde 30	283 D1	Belloc 09	301 F3	Belvezet 48	244 C2
Bellegarde 45	111 D2	Belloc-Saint-Clamens 32	274 B3	Belvianes-et-Cavirac 11	302 B4
Bellegarde 32	275 D4	Bellocq 64	271 F2	Belvis 11	302 A4
Bellegarde 81	259 F4	Bellon 16	201 E4	Belvoir 25	142 B3
Bellegarde-du-Razès 11	302 A2	Bellonne 62	8 C3	Belz 56	100 B4
Bellegarde-en-Diois 26	248 A2	Bellot 77	62 C3	Bémécourt 27	58 B3
Bellegarde-en-Forez 42	209 F1	Bellou 14	57 D2	Bénac 65	297 F2
Bellegarde-en-Marche 23	187 F3	Bellou-en-Houlme 61	55 F4	Bénac 09	300 C4
Bellegarde-Poussieu 38	211 D3	Bellou-le-Trichard 61	83 F4	Benagues 09	301 D2
Bellegarde-Sainte-Marie 31	276 A3	Bellou-sur-Huisne 61	84 A1	Benais 37	129 F4
Bellegarde-		Belloy 60	35 D1	Bénaix 09	301 E4
sur-Valserine 01	194 C1	Belloy-en-France 95	61 D1	Bénaménil 54	95 D1
Belleherbe 25	142 B3	Belloy-en-Santerre 80	19 E3	Bénarville 76	15 D3
Bellemagny 68	120 A3	Belloy-Saint-Léonard 80	17 E2	Benassay 86	165 F2
Bellême 61	83 F3	Belloy-sur-Somme 80	18 A2	La Bénate 44	145 E2
Bellenaves 03	189 E1	Belluire 17	199 E2	La Bénate 17	181 F2
Bellencombre 76	16 B4	Belmesnil 76	16 A3	Benauge (Château de) 33	236 C1
Belleneuve 21	139 F3	Belmont 70	119 D3	Benay 02	20 A3
Bellenglise 02	20 A2	Belmont 52	117 D4	Benayes 19	204 A2
Bellengreville 14	56 B1	Belmont 39	159 E2	Bendejun 06	288 C1
Bellengreville 76	16 B2	Belmont 25	141 F4	Bendor (Ile de) 83	291 E4
Bellenod-sur-Seine 21	115 E4	Belmont 32	274 A1	Bendorf 68	120 B4
Bellenot-sous-Pouilly 21	138 B4	Belmont 38	212 A4	Bénéjacq 64	297 D1
Bellentre 73	214 C1	Belmont 67	96 B1	Benerville-sur-Mer 14	30 B3
Belleray 55	40 B4	Belmont 69	192 B3	Bénesse-lès-Dax 40	271 E4
Bellerive-sur-Allier 03	190 A1	Belmont 01	194 B3	Bénesse-Maremne 40	270 C1
Belleroche 42	192 A1	Belmont-Bretenoux 46	223 D4	Benest 16	184 A2
Belleserre 81	278 A3	Belmont-de-la-Loire 42	191 F1	Bénestroff 57	69 E2
Bellesserre 31	276 A1	Belmont-lès-Darney 88	118 A1	Bénesville 76	15 F2
Belleu 02	36 B3	Belmont-Sainte-Foi 46	258 B1	Benet 85	164 B3
Belleuse 80	18 A4	Belmont-sur-Buttant 88	95 E3	Beneuvre 21	116 A4
Bellevaux 74	178 C4	Belmont-sur-Rance 12	260 C4	Bénévent-et-Charbillac 05	249 E1
Bellevesvre 71	159 D3	Belmont-sur-Vair 88	93 F3	Bénévent-l'Abbaye 23	186 B1
Belleville 54	68 A3	Belmont-Tramonet 73	212 C2	Beney-en-Woëvre 55	67 E2
Belleville 79	182 B1	Belonnet 46	239 E4	Benfeld 67	97 D1
Belleville 69	192 C1	Belonchamp 70	119 D3	Bengy-sur-Craon 18	154 A2
Belleville-en-Caux 76	16 A4	Belon 29	99 E2	Bénifontaine 62	8 B2
Belleville-sur-Bar 08	39 D2	Belpech 11	301 E2	Béning-lès-Saint-Avold 57	43 D1
Belleville-sur-Loire 18	135 D2	Belrain 55	66 C3	La Bénisson-Dieu 42	191 E1
Belleville-sur-Mer 76	16 A2	Belrupt 88	118 A1	Bénivay-Ollon 26	247 F4
Belleville-sur-Meuse 55	40 A4	Belrupt-en-Verdunois 55	40 B4	Bennecourt 78	59 E1
Belleville-sur-Vie 85	145 F4	Bélus 40	271 E4	Bennetot 76	15 D3

BELFORT

Ancêtres (Fg des) .... Y 3
Carnot (Bd) .... Z 15
Dr-Corbis (Pl. du) .... Z 23
France (Fg de) .... Z 30

Armes (Pl. d') .... Y 5
As-de-Carreau (R. de l') . Z 6
Besançon (R. de) .... X 9
Bourgeois (Pl. des) ...... Y 12
Clemenceau (R. G.) .... Y 20
Denfert-Rochereau (R.) ... Z 21
Dr-Fréry (R. du) .... Y 24
Dreyfus-Schmidt (R.) ..... Y 25

Dunant (Bd H.) .... X 27
Espérance (Av. de l') .... Y 28
Foch (Av. Mar.) .... Y 29
Gaulard (R. du Gén.) ..... Z 31
Grande-Fontaine (R.) ..... Y 33
Grand'Rue .... Y 34
Joffre (Bd du Mar.) ...... Y 37
Lebleu (R. F.) .... Y 40
Magasin (Q. du) .... Y 45
Metz-Juteau (R.) .... Y 45
Pompidou (R. G.) .... Y 48
République (Pl. de la) ... Y 49
République (R. de la) .... Z 50
Roussel (R. du Gén.) ..... Y 51
Sarrail (Av. du Gén.) .... Z 52
Vauban (Q.) .... Y 60

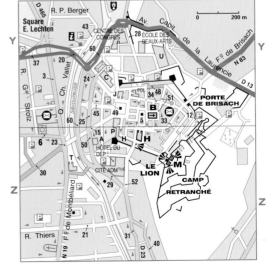

BESANÇON

Street	Grid
Battant (R.)	AY
Bersot (R.)	BY
Carnot (Av.)	BY 7
Grande-Rue	ABYZ
Granges (R. des)	BY
République (R. de la)	BY 40
Battant (Pont)	AY 3
Castan (Sq.)	BZ 8
Chapitre (R. du)	BZ 14
Denfert-Rochereau (Av.)	BY 17
Denfert-Rochereau (Pont)	ABY 18
Fusillés-de-la-Résistance (R. des)	BZ 20
Gambetta (R.)	BY 21
Gare-d'eau (Av. de la)	AZ 22
Gaulle (Bd Ch.-de)	AZ 23
Girod de Chantrans (R.)	AYZ 24
Krug (R. Ch.)	BY 25
Leclerc (Pl. Mar.)	AY 28
Madeleine (R. de la)	AY 29
Martelots (R. des)	BZ 30
Mégevand (R.)	ABZ 32
Moncey (R.)	BY 33
Orme-de-Chamars (R. de l')	AZ 36
Pouillet (R. C.)	AY 39
Révolution (Pl. de la)	AY 41
Rivotte (Faubourg)	BZ 42
Rousseau (R.)	AY 45
Saint-Amour (Sq.)	BY 48
Sarrail (R. Gén.)	BY 52
Vauban (Quai)	AY 56
1re-Armée-Française (Pl.)	BY 58

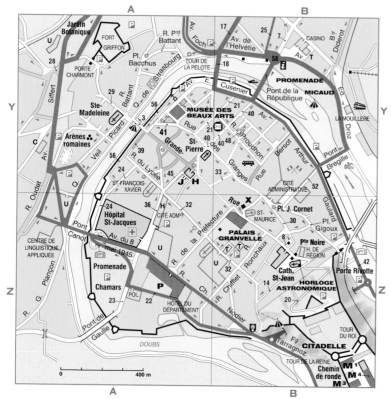

Bévenais 38 .... 212 A3
Beveuge 70 .... 142 A1
Béville-le-Comte 28 .... 85 F2
Bévillers 59 .... 9 E4
Bevons 04 .... 267 D1
Bévy 21 .... 158 A1
Bey 01 .... 175 E4
Bey 71 .... 158 B3
Bey-sur-Seille 54 .... 68 B3
Beychac-et-Caillau 33 .... 217 F3
Beychevelle 33 .... 217 D1
Beylongue 40 .... 253 E3
Beynac 87 .... 185 F4
Beynac-et-Cazenac 24 .... 221 E4
Beynat 19 .... 222 C2
Beynes 04 .... 287 D1
Beynes 78 .... 60 A3
Beynost 01 .... 193 D4
Beyrède (Col de) 65 .... 298 B3
Beyrède-Jumet 65 .... 298 B3
Beyren-lès-Sierck 57 .... 41 F1
Beyrie-en-Béarn 64 .... 272 C4
Beyrie-sur-Joyeuse 64 .... 271 E4
Beyries 40 .... 272 B2
Beyssac 19 .... 204 A4
Beyssac (Château de) 24 .... 221 E4
Beyssenac 19 .... 203 F3
Le Bez 81 .... 278 C2
Bez-et-Esparon 30 .... 262 B3
Bézac 09 .... 301 D2
Bezalles 77 .... 62 C4
Bézancourt 76 .... 33 D2
Bezange-la-Grande 54 .... 68 C3
Bezange-la-Petite 57 .... 69 D3
Bezannes 51 .... 37 F4
Les Bézards 45 .... 111 F4
Bézaudun-les-Alpes 06 .... 269 E4
Bézaudun-sur-Bîne 26 .... 247 F2
Bézaumont 54 .... 68 A2
Bèze 21 .... 139 F2
Bézenac 24 .... 221 E4
Bézenet 03 .... 171 E4
Bézéril 32 .... 275 E3
Béziers 34 .... 280 B4
Bezinghem 62 .... 6 C1
Bezins-Garraux 31 .... 299 D4
La Bezole 11 .... 302 A3
Bezolles 32 .... 255 F4
Bezons 95 .... 60 C2
Bezonvaux 55 .... 40 B3
Bézouce 30 .... 264 B4
Bézouotte 21 .... 139 F3
Bézu-la-Forêt 27 .... 33 D2
Bézu-le-Guéry 02 .... 62 C2
Bézu-Saint-Éloi 27 .... 33 E3
Bézu-Saint-Germain 02 .... 63 D1
Bézues-Bajon 32 .... 274 C4
Biache-Saint-Vaast 62 .... 8 C3
Biaches 80 .... 19 E4
Bians-les-Usiers 25 .... 160 C2
Biard 86 .... 166 B2

Les Biards 50 .... 80 B1
Biarne 39 .... 159 E1
Biarre 80 .... 19 E4
Biarritz 64 .... 270 B3
Biarritz-Bayonne-Anglet (Aéroport de) 64 .... 270 B3
Biarrotte 40 .... 271 D2
Biars-sur-Cère 46 .... 223 D3
Bias 40 .... 252 B1
Bias 47 .... 238 B3
Biaudos 40 .... 271 D2
Bibiche 57 .... 42 B2
Biblisheim 67 .... 71 E1
Bibost 69 .... 192 B4
Biches 58 .... 155 F2
Bickenholtz 57 .... 70 A2
Bicqueley 54 .... 67 F4
Bidache 64 .... 271 E3
Bidarray 64 .... 270 C4
Bidart 64 .... 270 B3
Bidestroff 57 .... 69 E2
Biding 57 .... 69 E1
Bidon 07 .... 246 B4
Bidos 64 .... 296 B1
Biécourt 88 .... 93 F3
Biederthal 68 .... 120 C4
Bief 25 .... 142 C3
Bief-des-Maisons 39 .... 160 B4
Bief-du-Fourg 39 .... 160 B3
Biefmorin 39 .... 159 E3
Biefvillers-lès-Bapaume 62 .... 19 E1
Bielle 64 .... 296 C1
Bielsa (Tunnel de) 65 .... 307 D4
Bienassis (Château de) 22 .... 51 F3
Biencourt 80 .... 17 D2
Biencourt-sur-Orge 55 .... 92 C1
Bienville 60 .... 35 E2
Bienville-la-Petite 54 .... 68 C4
Bienvillers-au-Bois 62 .... 8 A4
Biermes 08 .... 38 B2
Biermont 60 .... 35 E1
Bierne 59 .... 3 E1
Bierné 53 .... 105 E3
Bierre-lès-Semur 21 .... 137 F3
Bierry-les-Belles-Fontaines 89 .... 137 F1
Biert 09 .... 300 B4
Bierville 76 .... 32 B1
Biesheim 68 .... 97 D4
Biesles 52 .... 116 C1
Bietlenheim 67 .... 71 E2
Bieujac 33 .... 236 C2
Bieuxy 02 .... 36 B2
Bieuzy 56 .... 100 C1
Bieuzy-Lanvaux 56 .... 100 C1
Biéville 50 .... 55 D1
Biéville-Beuville 14 .... 29 E1
Biéville-en-Auge 14 .... 30 A4
Biéville-Quétiéville 14 .... 56 B1

Berville-sur-Seine 76 .... 15 F4
Berviller-en-Moselle 57 .... 42 C3
Berzé-la-Ville 71 .... 175 D3
Berzé-le-Châtel 71 .... 175 D3
Berzème 07 .... 246 B1
Berzieux 51 .... 39 D4
Berzy-le-Sec 02 .... 36 B3
La Besace 08 .... 39 E1
Besain 39 .... 160 A4
Besançon 25 .... 141 D4
Bésayes 26 .... 229 E3
Bescat 64 .... 296 C2
Bésignan 26 .... 248 A4
Bésingrand 64 .... 272 B4
Beslé 44 .... 103 D4
La Beslière 50 .... 54 A3
Beslon 50 .... 54 B3
Besmé 02 .... 36 A1
Besmont 02 .... 21 F3
Besnans 70 .... 141 F2
Besné 44 .... 125 E2
Besneville 50 .... 24 C4
Besny-et-Loizy 02 .... 36 C1
Bessac 16 .... 201 D3
Bessais-le-Fromental 18 .... 154 A4
Bessamorel 43 .... 227 E2
Bessan 34 .... 280 C4
Bessancourt 95 .... 60 C1
Bessans 73 .... 215 E3
Bessas 07 .... 246 A4
Le Bessat 42 .... 210 B3
Bessay 85 .... 163 E2
Bessay-sur-Allier 03 .... 172 B3
La Besse 15 .... 223 E1
Besse 24 .... 239 E1
Bessé 16 .... 183 E3
Besse 38 .... 231 F2
Besse 15 .... 224 A2
Besse-en-Chandesse 63 .... 207 D2
Bessé-sur-Braye 72 .... 108 A3
Besse-sur-Issole 83 .... 286 B4
Bessède-de-Sault 11 .... 311 D1
Bessèges 30 .... 245 E4
Bessenay 69 .... 192 B4
Bessens 82 .... 257 F4
Besset 09 .... 301 E3
Bessey 42 .... 210 C3
Bessey-en-Chaume 21 .... 157 F1
Bessey-la-Cour 21 .... 157 F1
Bessey-lès-Cîteaux 21 .... 158 C1
La Besseyre-Saint-Mary 43 .... 226 A3
Bessières 31 .... 277 D1
Bessines 79 .... 164 C4
Bessines-sur-Gartempe 87 .... 186 A2
Bessins 38 .... 229 F1
Besson 03 .... 172 A3
Bessoncourt 90 .... 119 F4
Bessonies 46 .... 223 E4
Les Bessons 48 .... 243 F1

Bessuéjouls 12 .... 242 C3
Bessy 10 .... 90 A1
Bessy-sur-Cure 89 .... 136 C1
Bestiac 09 .... 310 B1
Bétaille 46 .... 222 C3
Betaucourt 70 .... 117 F3
Betbeze 65 .... 298 C1
Betbezer-d'Armagnac 40 .... 254 C3
Betcave-Aguin 32 .... 275 D3
Betchat 09 .... 299 F3
Bétête 23 .... 169 F4
Béthancourt-en-Valois 60 .... 35 E3
Béthancourt-en-Vaux 02 .... 36 A1
Bétharram (Grottes de) 64 .... 297 D2
Béthelainville 55 .... 40 A4
Béthemont-la-Forêt 95 .... 60 C1
Béthencourt 59 .... 9 E4
Béthencourt-sur-Mer 80 .... 16 C1
Béthencourt-sur-Somme 80 .... 19 E3
Bétheniville 51 .... 38 B3
Bétheny 51 .... 37 F3
Béthincourt 55 .... 40 A3
Béthines 86 .... 167 F2
Béthisy-Saint-Martin 60 .... 35 E3
Béthisy-Saint-Pierre 60 .... 35 E3
Bethmale 09 .... 299 F4
Bethon 51 .... 89 E1
Béthon 72 .... 82 C3
Bethoncourt 25 .... 142 C1
Béthonsart 62 .... 7 F4
Bethonvilliers 90 .... 119 F4
Béthonvilliers 28 .... 84 B4
Béthune 62 .... 8 A1
Bétignicourt 10 .... 91 D2
Beton-Bazoches 77 .... 62 C4
Betoncourt-lès-Brotte 70 .... 118 C4
Betoncourt-les-Ménétriers 70 .... 117 F4
Betoncourt-Saint-Pancras 70 .... 118 B2
Betoncourt-sur-Mance 70 .... 117 E3
Bétous 32 .... 273 F1
Betplan 32 .... 274 A4
Betpouey 65 .... 297 F4
Betpouy 65 .... 298 C1
Betracq 64 .... 273 E2
Betschdorf 67 .... 45 E4
Bettaincourt-sur-Rognon 52 .... 92 B3
Bettainvillers 54 .... 41 D3
Bettancourt-la-Ferrée 52 .... 66 A4
Bettancourt-la-Longue 51 .... 65 F3
Bettange 57 .... 42 B3
Bettant 01 .... 194 A3
Bettborn 57 .... 69 F3
Bettegney-Saint-Brice 88 .... 94 B3
Bettelainville 57 .... 42 A3
Bettembos 80 .... 17 E3
Bettencourt-Rivière 80 .... 17 F2
Bettencourt-Saint-Ouen 80 .... 18 A1
Bettendorf 68 .... 120 B4
Bettes 65 .... 298 A2

Betteville 76 .... 15 E4
Bettignies 59 .... 10 B1
Betting-lès-Saint-Avold 57 .... 43 D4
Bettlach 68 .... 120 C4
Betton 35 .... 79 E4
Betton-Bettonet 73 .... 213 F2
Bettoncourt 88 .... 94 B3
Bettoncourt-le-Haut 52 .... 92 C3
Bettrechies 59 .... 10 A1
Bettviller 57 .... 43 F4
Bettwiller 67 .... 70 A1
Betz 60 .... 35 F4
Betz-le-Château 37 .... 150 B2
Beugin 62 .... 7 F2
Beugnâtre 62 .... 8 B4
Beugneux 02 .... 36 B4
Beugnies 59 .... 10 C1
Le Beugnon 79 .... 164 C1
Beugny 62 .... 19 E1
Beuil 06 .... 269 E1
Le Beulay 88 .... 96 A2
Beulotte-Saint-Laurent 70 .... 119 E2
Beure 25 .... 141 D4
Beurey 10 .... 91 D4
Beurey-Bauguay 21 .... 138 A4
Beurey-sur-Saulx 55 .... 66 A3
Beurières 63 .... 208 C3
Beurizot 21 .... 138 A3
Beurlay 17 .... 181 E3
Beurville 52 .... 91 F3
Beussent 62 .... 6 B1
Beuste 64 .... 297 D1
Beutal 25 .... 142 B2
Beutin 62 .... 6 B1
Beuvardes 02 .... 63 D1
Beuveille 54 .... 40 C2
Beuvezin 54 .... 93 F2
Beuvillers 14 .... 57 D1
Beuvillers 54 .... 41 D2
Beuvraignes 80 .... 19 D4
Beuvrequen 62 .... 2 A3
Beuvron (Mont) 71 .... 156 B3
Beuvron-en-Auge 14 .... 30 A4
Beuvry 62 .... 8 A1
Beuvry-la-Forêt 59 .... 9 D2
Beux 57 .... 68 B1
Beuxes 86 .... 149 D1
Beuzec-Cap-Sizun 29 .... 73 D3
Beuzeville 27 .... 30 C3
Beuzeville-au-Plain 50 .... 25 E4
Beuzeville-la-Bastille 50 .... 25 D4
Beuzeville-la-Grenier 76 .... 14 C3
Beuzeville-la-Guérard 76 .... 15 E2
Beuzevillette 76 .... 15 D3

BÉZIERS

Street	Grid
Flourens (R.)	BY 23
Péri (Pl. G.)	BYZ 49
République (R. de la)	BY 55
Riquet (R. P.)	BY 58
Abreuvoir (R. de l')	BZ 2
Albert-1er (Av.)	CY 3
Canterelles (R.)	BZ 6
Capus (R. du)	BZ 7
Citadelle (R. de la)	BZ 9
Drs-Bourguet (R. des)	BZ 13
Dr-Vernhes (R.)	BZ 16
Estienne-d'Orves (Av.)	BZ 22
Garibaldi (Pl.)	CZ 26
Joffre (Av. Mar.)	CZ 32
Massol (R.)	BZ 43
Moulins (Rampe des)	BY 44
Orb (R. de l')	BZ 47
Puits-des-Arènes (R.)	BZ 54
Révolution (Pl. de la)	BZ 57
St-Jacques (R.)	BZ 60
Strasbourg (Bd de)	CY 64
Tourventouse (Bd)	BZ 65
Victoire (Pl. de la)	BCY 69
Viennet (R.)	BZ 69
4-Septembre (R. du)	BY 72
11-Novembre (Pl. du)	CY 74

Biéville-sur-Orne 14 . . . . 29 E4
Bièvres 02 . . . . 37 D2
Bièvres 08 . . . . 40 A1
Bièvres 91 . . . . 60 C4
Biffontaine 88 . . . . 95 E4
Biganos 33 . . . . 234 C1
Bignac 16 . . . . 183 E4
Bignan 56 . . . . 101 D2
Bignay 17 . . . . 181 F3
La Bigne 14 . . . . 55 E1
Bignicourt 08 . . . . 38 B2
Bignicourt-sur-Marne 51 . . . . 65 E4
Bignicourt-sur-Saulx 51 . . . . 65 F3
Le Bignon 44 . . . . 145 F1
Le Bignon-du-Maine 53 . . . . 105 E2
Le Bignon-Mirabeau 45 . . . . 112 A1
Bignoux 86 . . . . 166 C1
Bigny 18 . . . . 153 E4
Bigorno 2B 315 E3
La Bigottière 53 . . . . 81 D4
Biguglia 2B 315 F2
Bihorel 76 . . . . 32 B2
Bihucourt 62 . . . . 8 B4
Bilazais 79 . . . . 148 B3
Bile (Pointe du) 56 . . . . 123 E3
Bilhères 64 . . . . 296 C2
Bilia 2A 318 C2
Bilieu 38 . . . . 212 B3
Billac 19 . . . . 222 C3
Billancelles 28 . . . . 84 C2
Billancourt 80 . . . . 19 E4
Les Billanges 87 . . . . 186 B3
Billaude (Cascade de la) 39 . 160 B4
Les Billaux 33 . . . . 218 C3
Billé 35 . . . . 80 A3
Billecul 39 . . . . 160 B4
Billère 64 . . . . 272 C4
Billey 21 . . . . 159 D1
Billezois 03 . . . . 190 B1
Billiat 01 . . . . 194 C1
Billième 73 . . . . 194 C4
Billière 31 . . . . 307 F4
Billiers 56 . . . . 123 E2
Billio 56 . . . . 101 E2
Billom 63 . . . . 208 A1
Billy 14 . . . . 56 B1
Billy 03 . . . . 172 B4
Billy 41 . . . . 132 B4
Billy-Berclau 62 . . . . 8 B1
Billy-Chevannes 58 . . . . 155 E2
Billy-le-Grand 51 . . . . 64 B1
Billy-lès-Chanceaux 21 . . . . 138 C2
Billy-Montigny 62 . . . . 8 B2
Billy-sous-les-Côtes 55 . . . . . . 67 E1
Billy-sous-Mangiennes 55... 40 C3
Billy-sur-Aisne 02 . . . . 36 A3
Billy-sur-Oisy 58 . . . . 136 A2
Billy-sur-Ourcq 02 . . . . 36 B4
Bilwisheim 67 . . . . 71 D2
Bilzheim 68 . . . . 96 C4
Bimont 62 . . . . 6 C1
Binarville 51 . . . . 39 E4
Binas 41 . . . . 109 E3
Bindernheim 67 . . . . 97 D2
Binges 21 . . . . 139 F3
Binic 22 . . . . 51 E3
Bining 57 . . . . 44 A4
Biniville 50 . . . . 25 D4
Binos 31 . . . . 299 D4
Binson-et-Orquigny 51 . . . . . 63 F1
Bio 46 . . . . 222 C4
Biol 38 . . . . 212 A2
La Biolle 73 . . . . 195 D4
Biollet 63 . . . . 188 C3
Bion 50 . . . . 80 C1
Bioncourt 57 . . . . 68 C3
Bionville 54 . . . . 95 F1
Bionville-sur-Nied 57 . . . . . . 42 A4
Biot 06 . . . . 288 B3
Le Biot 74 . . . . 178 C4
Bioule 82 . . . . 258 A2
Bioussac 16 . . . . 183 F2
Biozat 03 . . . . 189 F2
Birac 16 . . . . 201 D2
Birac 33 . . . . 236 C3
Birac-sur-Trec 47 . . . . 237 F3
Biran 32 . . . . 274 B1
Biras 24 . . . . 202 B4
Biriatou 64 . . . . 270 A4
Birieux 01 . . . . 193 E3
Birkenwald 67 . . . . 70 B3
Birlenbach 67 . . . . 45 E4
Biron 24 . . . . 238 B1
Biron 17 . . . . 199 F2
Biron 64 . . . . 272 A3
Bisanne (Signal de) 73 . . . . . 196 B4
Biscarrosse 40 . . . . 234 B3
Biscarrosse-Plage 40 . . . . . . 234 B3
Bischheim 67 . . . . 71 D3
Bischholtz 67 . . . . 70 C1
Bischoffsheim 67 . . . . 70 C4
Bischtroff-sur-Sarre 67 . . . . 69 F2
Bischwihr 68 . . . . 96 C3
Bischwiller 67 . . . . 71 E2
Bisel 68 . . . . 120 B4
Bisinao 2A 318 B1
Bisinchi 2B 315 E3
Bislée 55 . . . . 67 D2
Bisping 57 . . . . 69 F3
Bissert 67 . . . . 69 F1
Bisseuil 51 . . . . 64 B1
Bissey-la-Côte 21 . . . . 115 E3
Bissey-la-Pierre 21 . . . . 115 D3
Bissey-sous-Cruchaud 71 ... 157 F4
Bisseuil 59 . . . . 3 E4
Bissières 14 . . . . 56 B1
Bissy-la-Mâconnaise 71 . . . . 175 D3
Bissy-sous-Uxelles 71 . . . . . 175 D2
Bissy-sur-Fley 71 . . . . 174 C1
Bisten-en-Lorraine 57 . . . . . . 42 B4

Bistroff 57 . . . . 69 D1
Bitche 57 . . . . 44 B3
Bitry 58 . . . . 135 E2
Bitry 60 . . . . 36 A2
Bitschhoffen 67 . . . . 71 D1
Bitschwiller-lès-Thann 68 .. 120 A2
Biver 13 . . . . 285 D3
Bivès 32 . . . . 256 C4
Biviers 38 . . . . 212 C4
Biville 50 . . . . 24 B2
Biville-la-Baignarde 76 . . . . 16 A4
Biville-la-Rivière 76 . . . . 15 F2
Biville-sur-Mer 76 . . . . 16 B2
Bivilliers 61 . . . . 83 F1
Bizanet 11 . . . . 303 F1
Bizanos 64 . . . . 273 D4
Bize 52 . . . . 117 E3
Bize 65 . . . . 298 C3
Bize-Minervois 11 . . . . 303 F1
Bizeneuille 03 . . . . 171 D3
Le Bizet 59 . . . . 4 B4
Biziat 01 . . . . 175 E4
Bizonnes 38 . . . . 212 A3
Le Bizot 25 . . . . 142 B4
Les Bizots 71 . . . . 157 D4
Bizou 61 . . . . 84 A2
Bizous 65 . . . . 298 B2
Blacé 69 . . . . 192 B2
Blaceret 69 . . . . 192 B2
Blacourt 60 . . . . 33 F2
Blacqueville 76 . . . . 15 F4
Blacy 51 . . . . 65 D4
Blacy 89 . . . . 137 E1
Blaesheim 67 . . . . 71 D4
Blagnac 31 . . . . 276 B2
Blagny 08 . . . . 23 F4
Blagny-sur-Vingeanne 21 .. 139 F2
Blaignac 33 . . . . 237 D2
Blaignan 33 . . . . 198 C4
Blain 44 . . . . 126 A2
Blaincourt-lès-Précy 60 . . . . 34 C4
Blaincourt-sur-Aube 10 . . . . 91 D3
Blainville-Crevon 76 . . . . 32 C2
Blainville-sur-l'Eau 54 . . . . . 94 C1
Blainville-sur-Mer 50 . . . . . . 53 F1
Blainville-sur-Orne 14 . . . . . . 29 F4
Blairville 62 . . . . 8 A4
Blaise 52 . . . . 92 A3
Blaise 08 . . . . 38 C2
Blaise-sous-Arzillières 51 ... 65 E4
Blaison 49 . . . . 128 C3
Blaisy 52 . . . . 92 A4
Blaisy-Bas 21 . . . . 138 C3
Blaisy-Haut 21 . . . . 138 C3
Blajan 31 . . . . 299 D1
Blajoux 48 . . . . 244 B4
Blâmont 54 . . . . 69 E4
Blamont 25 . . . . 142 C2
Blan 81 . . . . 277 F3
Le Blanc 36 . . . . 167 F1
Blanc (Lac) 68 . . . . 96 A3
Le Blanc-Mesnil 93 . . . . 61 D2
Blanc-Misseron 59 . . . . 9 F2
Blanc-Nez (Cap) 62 . . . . 2 B2
Blancafort 18 . . . . 134 B2
Blancey 21 . . . . 138 A4
Blancfossé 60 . . . . 18 A4
Blanche-Église 57 . . . . 69 D3
Blanchefontaine 25 . . . . 142 C3
Blanchefosse 08 . . . . 21 F3
Blancherupt 67 . . . . 96 A1
Blancheville 52 . . . . 92 C4
Blandainville 28 . . . . 85 D3
Blandas 30 . . . . 262 A4
Blandin 38 . . . . 212 A2
Blandouet 53 . . . . 106 A1
Blandy 77 . . . . 87 F1
Blandy 91 . . . . 86 C3
Blangermont 62 . . . . 7 E3
Blangerval 62 . . . . 7 E3
Blangy-le-Château 14 . . . . . . 30 C4
Blangy-sous-Poix 80 . . . . 17 F3
Blangy-sur-Bresle 76 . . . . 17 D2
Blangy-sur-Ternoise 62 . . . . 7 D2
Blangy-Tronville 80 . . . . 18 B3
Blannay 89 . . . . 136 C2
Blanot 71 . . . . 175 D2
Blanot 21 . . . . 156 C1
Blanquefort 33 . . . . 217 D3
Blanquefort 32 . . . . 275 E1
Blanquefort-sur-Briolance 47 239 D2
Blanzac 43 . . . . 227 D2
Blanzac 87 . . . . 185 E1
Blanzac 16 . . . . 201 E3
Blanzac-lès-Matha 17 . . . . . 182 B3
Blanzaguet-Saint-Cybard 16. 201 F3
Blanzat 63 . . . . 189 E4
Blanzay 86 . . . . 183 F1
Blanzay-sur-Boutonne 17 .. 182 B2
Blanzée 55 . . . . 40 B4
Blanzy 71 . . . . 174 B1
Blanzy-la-Salonnaise 08.... 38 A2
Blanzy-lès-Fismes 02 . . . . . . 37 D3
Blargies 60 . . . . 17 E2
Blarians 25 . . . . 141 E2
Blaringhem 59 . . . . 3 E4
Blars 46 . . . . 240 C2
Blaru 78 . . . . 59 E1
Blasimon 33 . . . . 237 D1
Blaslay 86 . . . . 149 D4
Blassac 43 . . . . 226 A1
Blaudeix 23 . . . . 187 E1
Blausasc 06 . . . . 289 E4
Blauvac 84 . . . . 265 F2
Blauzac 30 . . . . 264 A3
Blavignac 48 . . . . 225 F1
Blavozy 43 . . . . 227 D2
Blay 14 . . . . 28 C3
Blaye 33 . . . . 217 D1
Blaye-les-Mines 81 . . . . 259 E3

Blaymont 47 . . . . 238 C4
Blaziert 32 . . . . 256 A3
Blécourt 59 . . . . 9 D4
Blécourt 52 . . . . 92 A3
Blégiers 04 . . . . 268 A1
Bleigny-le-Carreau 89 . . . . . 113 F3
Bleine (Col de) 06 . . . . 269 D4
Blémerey 54 . . . . 69 E4
Blémerey 88 . . . . 94 A3
Blendecques 62 . . . . 3 E4
Bléneau 89 . . . . 112 A4
Blennes 77 . . . . 88 B4
Blénod-
 lès-Pont-à-Mousson 54 . . . . 68 A2
Blénod-lès-Toul 54 . . . . 93 F1
Bléquin 62 . . . . 2 C4
Blérancourt 02 . . . . 36 A1
Blercourt 55 . . . . 66 B1
Bléré 37 . . . . 131 E3
Bléruais 35 . . . . 78 B4
Blésignac 33 . . . . 218 C4
Blesle 43 . . . . 207 F4
Blesme 51 . . . . 65 F4
Blesmes 02 . . . . 63 D1
Blessac 23 . . . . 187 E3
Blessey 21 . . . . 138 B2
Blessy 62 . . . . 3 E4
Blet 18 . . . . 154 A3
Bletterans 39 . . . . 159 E4
Bleurville 88 . . . . 118 A1
Bleury 28 . . . . 85 F2
Blevaincourt 88 . . . . 117 E1
Blèves 72 . . . . 83 D2
Blévy 28 . . . . 84 C1
Le Bleymard 48 . . . . 244 C3
Blicourt 60 . . . . 34 A1
Blienschwiller 67 . . . . 96 C1
Blies-Ébersing 57 . . . . 43 E4
Blies-Guersviller 57 . . . . 43 E4
Bliesbruck 57 . . . . 43 F4
Blieux 04 . . . . 268 A3
Blignicourt 10 . . . . 91 D2
Bligny 10 . . . . 91 E4
Bligny 51 . . . . 37 E4
Bligny-en-Othe 89 . . . . 113 E2
Bligny-le-Sec 21 . . . . 138 C2
Bligny-lès-Beaune 21 . . . . . . 158 A2
Bligny-sur-Ouche 21 . . . . . . 157 F1
Blincourt 60 . . . . 35 D3
Blingel 62 . . . . 7 D2
Blis-et-Born 24 . . . . 221 D1
Blismes 58 . . . . 156 A1
Blodelsheim 68 . . . . 121 D1
Blois 41 . . . . 132 A1
Blois-sur-Seille 39 . . . . 159 F4
Blomac 11 . . . . 303 D1
Blomard 03 . . . . 171 F4
Blombay 08 . . . . 22 B3
Blond 87 . . . . 185 E2
Blondefontaine 70 . . . . 117 F3
Blonville-sur-Mer 14 . . . . . . 30 B3
Blosseville 76 . . . . 15 F1
Blosville 50 . . . . 25 E4
Blot-l'Église 63 . . . . 189 D2
Blotzheim 68 . . . . 121 D3
Blou 49 . . . . 129 E3
Blousson-Sérian 32 . . . . 274 A3
La Bloutière 50 . . . . 54 B2
Bloye 74 . . . . 195 D3
Bluffy 74 . . . . 195 F3
Blumeray 52 . . . . 91 F3
Blussangeaux 25 . . . . 142 B2
Blussans 25 . . . . 142 B2
Blye 39 . . . . 177 D1
Blyes 01 . . . . 193 F3
Le Bô 14 . . . . 55 F2
Bobigny 93 . . . . 61 D3
Bobital 22 . . . . 78 C2
Le Bocasse 76 . . . . 32 A1
La Bocca 06 . . . . 288 A3
Bocca Bassa (Col de) 2B 314 A4
Bocca di Vezzu 2B 315 D2
Bocé 49 . . . . 129 E2
Bocognano 2A 317 E2
Bocquegney 88 . . . . 94 B4
Bocquencé 61 . . . . 57 E3
Le Bodéo 22 . . . . 77 D2
Bodilis 29 . . . . 48 C3
Boé 47 . . . . 256 B1
Boëcé 61 . . . . 83 E2
Boëge 74 . . . . 178 B4
Boeil-Bezing 64 . . . . 297 D1
Le Boël 35 . . . . 103 D1
Boën 42 . . . . 191 E4
Bœrsch 67 . . . . 70 C4
Boeschepe 59 . . . . 4 A3
Boëséghem 59 . . . . 3 F4
Bœsenbiesen 67 . . . . 97 D2
Boësse 28 . . . . 111 D1
Boësse 79 . . . . 147 F2
Bœssé-le-Sec 72 . . . . 107 F1
Bœurs-en-Othe 89 . . . . 113 F1
Boffles 62 . . . . 7 E3
Boffres 07 . . . . 228 C3
Bogève 74 . . . . 178 B4
Bogny-sur-Meuse 08 . . . . . . 22 C2
Bogros 63 . . . . 206 B2
Bogy 07 . . . . 210 C4
Bohain-en-Vermandois 02... 20 B2
Bohal 56 . . . . 101 F3
La Bohalle 49 . . . . 128 C2
Bohars 29 . . . . 47 D3
Bohas 01 . . . . 194 A1
Boigneville 91 . . . . 87 D3
Boigny-sur-Bionne 45 . . . . . . 110 B3
Boinville-en-Mantois 78 . . . . 60 A2
Boinville-en-Woëvre 55 . . . . 40 C4
Boinville-le-Gaillard 78 . . . . . 86 A2

Boinvilliers 78 . . . . 59 F2
Boiry-Becquerelle 62 . . . . . . 8 B4
Boiry-Notre-Dame 62 . . . . . . 8 C3
Boiry-Saint-Martin 62 . . . . . . 8 B4
Boiry-Sainte-Rictrude 62 . . . 8 B4
Bois 17 . . . . 199 E2
Le Bois 73 . . . . 214 B2
Bois-Anzeray 27 . . . . 57 F2
Bois-Arnault 27 . . . . 58 A3
Bois-Aubry (Abbaye de) 37.. 149 E2
Bois-Bernard 62 . . . . 8 B2
Bois-Chenu (Basilique du) 88 93 E2
Bois-Chevalier
 (Château de) 44 . . . . 145 E2
Bois-Colombes 92 . . . . 60 C2
Bois-d'Amont 39 . . . . 177 F2
Bois-d'Arcy 78 . . . . 60 B3
Bois-d'Arcy 89 . . . . 136 C2
Bois-de-Céné 85 . . . . 145 D2
Bois-de-Champ 88 . . . . 95 E3
Bois-de-Gand 39 . . . . 159 E3
Bois-de-la-Chaize 85 . . . . . . 144 B1
Bois-de-la-Pierre 31 . . . . 276 A4
Bois-d'Ennebourg 76 . . . . . . 32 B2
Le Bois-d'Oingt 69 . . . . 192 B3
Bois Dousset (Château du) 86 166 C1
Bois-du-Four 12 . . . . 261 D1
Bois-Grenier 59 . . . . 4 B4
Bois-Guilbert 76 . . . . 32 C1
Bois-Guillaume 76 . . . . 32 B2
Bois-Hellain 27 . . . . 30 C3
Bois-Héroult 76 . . . . 32 C1
Bois-Herpin 91 . . . . 86 C3
Bois-Himont 76 . . . . 15 E3
Bois-Jérôme-Saint-Ouen 27. 59 E1
Bois-la-Ville 25 . . . . 141 F3
Bois-le-Roi 27 . . . . 59 D3
Bois-le-Roi 77 . . . . 87 F2
Bois-lès-Pargny 02 . . . . 20 C4
Bois-l'Évêque 76 . . . . 32 B2
Bois Noirs 42 . . . . 190 C3
Bois-Normand-près-Lyre 27. 58 A2
Le Bois-Plage-en-Ré 17 . . . . 163 D4
Le Bois-Robert 76 . . . . 16 A3
Bois-Sainte-Marie 71 . . . . . . 174 B4
Bois-Sir-Amé
 (Château de) 18 . . . . 153 E3
Bois-Thibault
 (Château de) 53 . . . . 81 F2
Boisbergues 80 . . . . 7 E4
Boisbreteau 16 . . . . 201 D4
Boiscommun 45 . . . . 111 D2
Boisdinghem 62 . . . . 3 D3
Boisdon 77 . . . . 62 C4
Boisemont 27 . . . . 33 D3
Boisemont 95 . . . . 60 B2
Boisgasson 28 . . . . 108 C2
Boisgervilly 35 . . . . 78 C4
Boisjean 62 . . . . 6 B2
Le Boisle 80 . . . . 6 C3
Boisleux-au-Mont 62 . . . . . . 8 B4
Boisleux-Saint-Marc 62 . . . . 8 B4
Boismé 79 . . . . 147 F4
Boismont 80 . . . . 6 B4
Boismont 54 . . . . 40 C2
Boismorand 45 . . . . 111 F4
Boisney 27 . . . . 31 E4
Boisrault 80 . . . . 17 E3
Boisredon 17 . . . . 199 E4
Boisroger 50 . . . . 26 C4
Boissay 76 . . . . 32 C1
La Boisse 01 . . . . 193 E3
Boisse 24 . . . . 238 B1
Boisse-Penchot 12 . . . . 241 F2
Boisseau 41 . . . . 109 D4
Boisseaux 45 . . . . 86 B4
Boissède 31 . . . . 275 E4
Boissei-la-Lande 61 . . . . 56 C4
Boisserolles 79 . . . . 182 B1
Boisseron 34 . . . . 282 A1
Les Boisses 73 . . . . 215 D2
Boisset 43 . . . . 209 D4
Boisset 34 . . . . 279 E4
Boisset 15 . . . . 223 F4
Boisset-et-Gaujac 30 . . . . . . 263 D3
Boisset-lès-Montrond 42 . . . 209 F1
Boisset-les-Prévanches 27 .. 59 D2
Boisset-Saint-Priest 42 . . . . . 209 E2
Boissets 78 . . . . 59 F3
Boissettes 77 . . . . 87 F1
Boisseuil 87 . . . . 186 A4
Boisseuilh 24 . . . . 203 F4
Boissey 01 . . . . 175 E4
Boissey 14 . . . . 56 C1
Boissey-le-Châtel 27 . . . . 31 F3
Boissezon 81 . . . . 278 C2
Boissia 39 . . . . 177 D1
La Boissière 34 . . . . 281 D2
La Boissière 14 . . . . 30 B4
La Boissière 39 . . . . 176 C3
La Boissière 53 . . . . 104 C3
La Boissière
 (Ancienne abbaye) 49 . . . . 129 F1
La Boissière-d'Ans 24 . . . . . 221 D1
La Boissière-de-Montaigu 85 146 B2
La Boissière-des-Landes 85 . 162 C1
La Boissière-du-Doré 44 . . . . 127 D4
La Boissière-École 78 . . . . . . 59 F4
La Boissière-en-Gâtine 79 .. 165 D2
La Boissière-sur-Èvre 49 . . . 127 E3
Boissières 46 . . . . 240 A2
Boissières 30 . . . . 282 B1
Boisse-la-Bertrand 77 . . . . . . 87 E2
Boisse-le-Roi 77 . . . . 87 E2
Boissy-aux-Cailles 77 . . . . . . 87 D3
Boissy-en-Drouais 28 . . . . . . 59 D4
Boissy-Fresnoy 60 . . . . 35 E4
Boissy-la-Rivière 91 . . . . 86 C3
Boissy-l'Aillerie 95 . . . . 60 B1

Boissy-Lamberville 27 . . . . . 31 E4
Boissy-le-Bois 60 . . . . 33 F3
Boissy-le-Châtel 77 . . . . 62 B3
Boissy-le-Cutté 91 . . . . 87 D2
Boissy-le-Repos 51 . . . . 63 E3
Boissy-le-Sec 91 . . . . 86 B2
Boissy-lès-Perche 28 . . . . . . 58 B4
Boissy-Maugis 61 . . . . 84 A2
Boissy-Mauvoisin 78 . . . . . . 59 F2
Boissy-Saint-Léger 94 . . . . . 61 E4
Boissy-sans-Avoir 78 . . . . . . 60 A3
Boissy-sous-Saint-Yon 91 .. 86 C1
Boistrudan 35 . . . . 103 F2
Boisville-la-Saint-Père 28 .. 85 F3
Boisyvon 50 . . . . 54 B3
Boitron 61 . . . . 83 D1
Boitron 77 . . . . 62 C3
Bolandoz 25 . . . . 160 B2
Bolazec 29 . . . . 49 F4
Bolbec 76 . . . . 15 D3
Bollène 84 . . . . 246 C4
La Bollène-Vésubie 06 . . . . . 289 D2
Bolleville 76 . . . . 15 D3
Bolleville 50 . . . . 26 C3
Bollezeele 59 . . . . 3 E2
La Bolline 06 . . . . 269 F1
Bollwiller 68 . . . . 120 B1
Bologne 52 . . . . 92 B4
Bolozon 01 . . . . 194 A1
Bolquère 66 . . . . 311 D3
Bolsenheim 67 . . . . 97 D1
Bombannes 33 . . . . 216 B1
Bombon 77 . . . . 88 A1
Bommes 33 . . . . 236 B2
Bommiers 36 . . . . 152 B4
Bompas 66 . . . . 313 D1
Bompas 09 . . . . 301 D4
Bomy 62 . . . . 7 E1
Bon-Encontre 47 . . . . 256 B1
Bona 58 . . . . 155 E2
Bonac-Irazein 09 . . . . 299 F4
Bonaguil (Château de) 47 .. 239 D2
Bonas 32 . . . . 274 B1
Bonboillon 70 . . . . 140 B3
Boncé 28 . . . . 85 E3
Bonchamp-lès-Laval 53 . . . . 105 D1
Boncourt 02 . . . . 59 D1
Boncourt 54 . . . . 41 D4
Boncourt 02 . . . . 37 E1
Boncourt 28 . . . . 59 E3
Boncourt-le-Bois 21 . . . . 158 B1
Boncourt-sur-Meuse 55 . . . . 67 D3
Bondaroy 45 . . . . 110 C1
Bondeval 25 . . . . 142 C2
Bondigoux 31 . . . . 258 A4
Les Bondons 48 . . . . 244 B4
Bondoufle 91 . . . . 87 D1
Bondues 59 . . . . 4 C4
Bondy 93 . . . . 61 E3
Bonen 22 . . . . 76 B3
Bonette (Cime de la) 04 . . . . 251 D3
Bongheat 63 . . . . 208 A1
Le Bonhomme 68 . . . . 96 A3
Bonhomme (Col du) 68 . . . . 96 A3
Bonifacio 2A 319 E4
Bonifato (Cirque de) 2B 314 B4
Bonlier 60 . . . . 34 A2
Bonlieu 39 . . . . 177 D1
Bonlieu-sur-Roubion 26 . . . 247 D2
Bonloc 64 . . . . 271 D4
Bonnac 15 . . . . 225 E1
Bonnac 09 . . . . 301 D2
Bonnac-la-Côte 87 . . . . 185 F3
Bonnal 25 . . . . 141 F1
Bonnard 89 . . . . 113 E3
Bonnat 23 . . . . 169 E4
Bonnatrait 74 . . . . 178 B3
Bonnaud 39 . . . . 176 B1
Bonnay 25 . . . . 141 D3
Bonnay 80 . . . . 18 C2
Bonnay 71 . . . . 174 C2
Bonne 74 . . . . 178 A4
Bonne-Fontaine 57 . . . . 70 B2
Bonne-Fontaine
 (Château de) 35 . . . . 79 F2
Bonnebosq 14 . . . . 30 B4
Bonnecourt 52 . . . . 117 D2
Bonnée 45 . . . . 111 D4
Bonnefamille 38 . . . . 211 E1
Bonnefoi 61 . . . . 57 F4
Bonnefond 19 . . . . 205 D2
Bonnefont 65 . . . . 298 B1
Bonnefontaine 39 . . . . 159 F4
Bonnefontaine (Ancienne
 Abbaye de) 08 . . . . 21 F3
Bonnegarde 40 . . . . 272 A2
Bonneil 02 . . . . 62 C2
Bonnelles 78 . . . . 86 B1
Bonnemain 35 . . . . 79 D2
Bonnemaison 14 . . . . 55 E1
Bonnemazon 65 . . . . 298 A2
Bonnencontre 21 . . . . 158 C1
Bonnes 86 . . . . 219 E1
Bonnes 16 . . . . 166 C1
Bonnesvalyn 02 . . . . 62 C1
Bonnet 55 . . . . 92 C1
Bonnétable 72 . . . . 83 E4
Bonnétage 25 . . . . 142 B4
Bonnetan 33 . . . . 217 F4
Bonneuil 16 . . . . 201 D2
Bonneuil 36 . . . . 168 A3
Bonneuil-en-France 95 . . . . . 61 D2
Bonneuil-en-Valois 60 . . . . . 35 F3
Bonneuil-les-Eaux 60 . . . . . . 18 A4
Bonneuil-Matours 86 . . . . . . 166 C1
Bonneuil-sur-Marne 94 . . . . 61 E4
Bonneval 28 . . . . 85 D4
Bonneval 73 . . . . 214 A2

Bonneval 43 . . . . 208 C4
Bonneval-en-Diois 26 . . . . . 248 C1
Bonneval-sur-Arc 73 . . . . . . 215 D3
Bonnevaux 30 . . . . 245 E4
Bonnevaux 25 . . . . 160 C3
Bonnevaux 74 . . . . 178 C3
Bonnevaux-le-Prieuré 25 . . . 160 C1
Bonneveau 41 . . . . 108 A3
Bonnevent-Velloreille 70 . . . 141 D3
La Bonneville 50 . . . . 25 D4
Bonneville 16 . . . . 183 D4
Bonneville 74 . . . . 196 A1
Bonneville 80 . . . . 18 A1
Bonneville-Aptot 27 . . . . 31 F4
Bonneville-et-Saint-Avit-
 de-Fumadières 24 . . . . 219 E4
Bonneville-la-Louvet 14 . . . . 30 C3
La Bonneville-sur-Iton 27 .. 58 B2
Bonneville-sur-Touques 14 . 30 B3
Bonnières 62 . . . . 7 E3
Bonnières 60 . . . . 33 F2
Bonnières-sur-Seine 78 . . . . 59 F1
Bonnieux 84 . . . . 266 A4
Bonningues-lès-Ardres 62 .. 2 C3
Bonningues-lès-Calais 62 .. 2 B2
Bonnœil 14 . . . . 56 A2
Bonnœuvre 44 . . . . 127 D1
Bonnut 64 . . . . 272 A2
Bonny-sur-Loire 45 . . . . 135 D2
Bono 56 . . . . 100 C4
Bonrepos 66 . . . . 298 B1
Bonrepos-Riquet 31 . . . . 277 D2
Bonrepos-
 sur-Aussonnelle 31 . . . . . . 276 A3
Bons-en-Chablais 74 . . . . . . 178 B4
Bons-Tassilly 14 . . . . 56 A2
Bonsecours 76 . . . . 32 B2
Bonsmoulins 61 . . . . 83 F1
Bonson 42 . . . . 209 F2
Bonson 06 . . . . 288 B1
Bonvillard 73 . . . . 213 F1
Bonvillaret 73 . . . . 213 F1
Bonviller 54 . . . . 68 C4
Bonvillers 60 . . . . 34 B1
Bonvillet 88 . . . . 118 A1
Bonvouloir (Tour de) 61 . . . . 81 F1
Bony 02 . . . . 20 A2
Bonzac 33 . . . . 218 C2
Bonzée-en-Woëvre 55 . . . . . 67 D1
Boô-Silhen 65 . . . . 297 E3
Boofzheim 67 . . . . 97 D1
Boos 40 . . . . 253 D2
Boos 76 . . . . 32 B2
Bootzheim 67 . . . . 97 D2
Boqueho 22 . . . . 51 D4
Boquen (Abbaye de) 22 . . . . 78 A3
Bor-et-Bar 12 . . . . 259 F1
Boran-sur-Oise 60 . . . . 34 C4
Borce 64 . . . . 296 B4
Borcq-sur-Airvault 79 . . . . . 148 B3
Bord-Saint-Georges 23 . . . . 170 A4
Bordeaux 33 . . . . 217 E4
Bordeaux-en-Gâtinais 45 .. 111 E4
Bordeaux-Mérignac
 (Aéroport de) 33 . . . . 217 D4
Bordeaux-Saint-Clair 76 . . . 14 B2
Bordères 64 . . . . 297 D1
Bordères-et-Lamensans 40 . 273 D1
Bordères-Louron 65 . . . . 298 B4
Bordères-sur-l'Echez 65 . . . 297 F1
Les Bordes 89 . . . . 113 D1
Les Bordes 64 . . . . 297 D1
Les Bordes 45 . . . . 111 D4
Les Bordes 36 . . . . 152 B2
Les Bordes 71 . . . . 158 B3
Les Bordes-Aumont 10 . . . . 90 B4
Bordes-de-Rivière 31 . . . . . . 299 D1
Les Bordes-sur-Arize 09 . . . 300 B2
Les Bordes-sur-Lez 09 . . . . . 299 F4
Bordezac 30 . . . . 245 E4
Bords 17 . . . . 181 E3
Borée 07 . . . . 227 F3
Le Boréon 06 . . . . 289 D1
Boresse-et-Martron 17 . . . . . 201 D4
Borest 60 . . . . 35 D4
Borey 70 . . . . 141 F1
Borgo 2B 315 F2
Bormes-les-Mimosas 83 . . . 293 D2
Le Born 31 . . . . 258 A4
Le Born 48 . . . . 244 B2
Born-de-Champs 24 . . . . 238 C1
Bornambusc 76 . . . . 14 C3
Bornay 39 . . . . 176 C1
Borne 07 . . . . 245 E2
La Borne 18 . . . . 134 B4
Borne 43 . . . . 226 C2
Bornel 60 . . . . 34 B4
Borny 57 . . . . 41 F4
Boron 90 . . . . 120 A4
Borre 59 . . . . 3 F3
Borrèze 24 . . . . 222 A3
Bors 16 . . . . 201 E4
Bors 16 . . . . 200 C4
Bort-les-Orgues 19 . . . . 206 B3
Bort-l'Étang 63 . . . . 190 A4
Borville 54 . . . . 94 C2
Le Bosc 34 . . . . 280 C1
Le Bosc 09 . . . . 300 C1
Bosc-Bénard-Commin 27 .. 31 F3
Bosc-Bénard-Crescy 27 . . . . 31 F3
Bosc-Bérenger 76 . . . . 16 B4
Bosc-Bordel 76 . . . . 32 C1
Bosc-Edeline 76 . . . . 32 C1
Bosc-Guérard-
 Saint-Adrien 76 . . . . 32 B1
Bosc-Hyons 76 . . . . 33 E2
Bosc-le-Hard 76 . . . . 16 B4
Bosc-Mesnil 76 . . . . 16 B4
Le Bosc-Morel 27 . . . . 57 F2

BORDEAUX

Albret (Crs d')		**CY**
Alsace et Lorraine (Crs d')		**DEZ**
Clemenceau (Crs G.)		**DX**
Intendance (Crs de l')		**DX**

Jaurès (Pl. J.)		**EX**
Porte-Dijeaux (R. de la)		**DX**
Ste-Catherine (R.)		**DXY**
Tourny (Allée de)		**DX**
Victor-Hugo (Crs)		**EY**
Argentiers (R. des)		**EY** 4
Ausone (R.)		**EY** 7

Bordelaises (Galeries)		**DX** 21
Capdeville (R.)		**CX** 30
Chapeau-Rouge (Crs)		**EX** 36
Chartres (Allées de)		**DX** 37
Château-d'Eau (R. du)		**CXY** 40
Comédie (Pl. de la)		**DX** 43
Dr. Nancel-Pénard (R.)		**CX** 48

Domercq (R. C.)		**FZ** 49
Douane (Quai de la)		**EX** 52
Duffour-Dubergier (R.)		**DY** 57
Esprit des Lois (R. de l')		**EX** 62
Ferme de Richemont (Pl. de la)		**DY** 63
Foch (R. Mar.)		**DX** 64

Fusterie (R. de la)		**EY** 65
Grands Hommes (Pl. des)		**DX** 75
Meynard (Pl.)		**EY** 102
Orléans (Allée d')		**EX** 106
Parlement (Pl. du)		**EX** 109
Parlement St-Pierre (R. du)		**EX** 110
Pas St-Georges (R. du)		**EXY** 112

Philippart (R. F.)		**EX** 114
Porte de la Monnaie (R.)		**EY** 118
Rousselle (R. de la)		**EY** 126
St-Pierre (Pl.)		**EX** 129
St-Rémi (R.)		**EX** 130
Verdun (Crs de)		**DX** 139
Vilaris (R.)		**EZ** 142

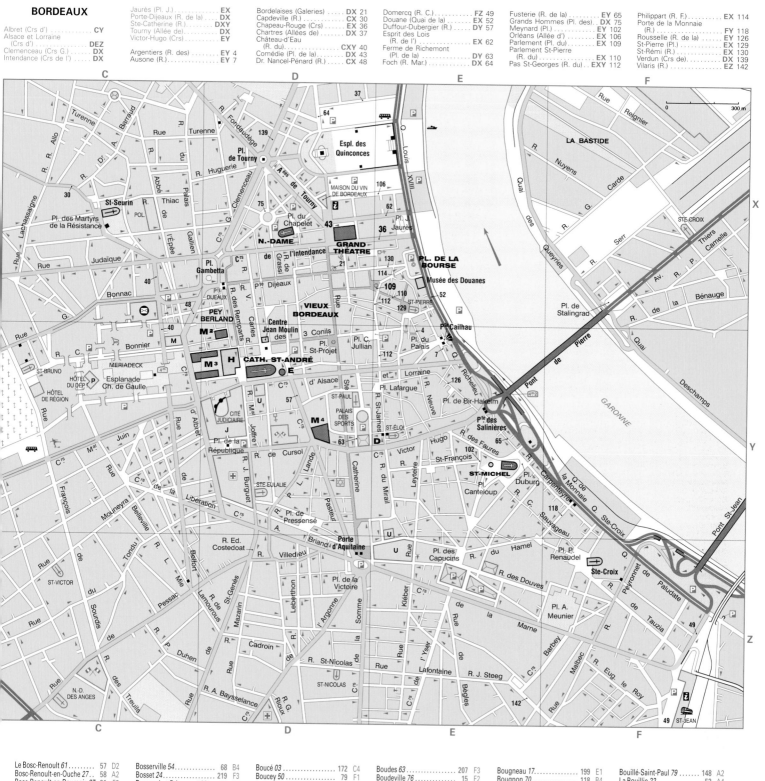

Le Bosc-Renoult 61	57	D2
Bosc-Renoult-en-Ouche 27	58	A2
Bosc-Renoult-en-Roumois 27	31	F3
Le Bosc-Roger-en-Roumois 27	31	F3
Bosc-Roger-sur-Buchy 76	32	C1
Boscamnant 17	219	D1
Boscherville 27	31	F3
Boscodon (Abbaye de) 05	250	B2
Bosdarros 64	296	C1
Bosgouet 27	31	F3
Bosguérard-de-Marcouville 27	31	F3
Bosjean 71	159	D4
Bosmie-l'Aiguille 87	203	F1
Bosmont-sur-Serre 02	21	D4
Bosmoreau-les-Mines 23	186	C2
Bosnormand 27	31	F3
Le Bosquel 80	18	A4
Bosquentin 27	33	D2
Bosrobert 27	31	F4
Bosroger 23	187	F3
Bossancourt 10	91	E3
Bossay-sur-Claise 37	150	B4
La Bosse 41	109	D3
La Bosse 72	83	E4
La Bosse 25	142	B4
La Bosse-de-Bretagne 35	103	E3
Bossée 37	150	A1
Bosselshausen 67	70	C1
Bossendorf 67	70	C1

Bosserville 54	68	B4
Bosset 24	219	F3
Bosseval-et-Briancourt 08	23	D3
Bossey 74	195	E1
Bossieu 38	211	E3
Les Bossons 74	196	C2
Bossugan 33	219	D4
Bossus-lès-Rumigny 08	21	F3
Bost 03	190	B1
Bostens 40	254	B3
Bostz (Château du) 03	172	A3
Bosville 76	15	E2
Botans 90	142	C1
Botforn 29	73	E4
Botmeur 29	49	D4
Botsorhel 29	49	F3
Les Bottereaux 27	57	F3
Botz-en-Mauges 49	127	E3
Bou 45	110	B3
Bouafle 78	60	A2
Bouafles 27	32	C4
Bouan 09	310	A4
Boubers-lès-Hesmond 62	6	C2
Boubers-sur-Canche 62	7	E3
Boubiers 60	33	F4
Bouc-Bel-Air 13	284	C3
Boucagnères 32	275	D2
Boucard (Château de) 18	134	C3
Boucau 64	270	C2
Boucé 61	56	B4

Boucé 03	172	C4
Boucey 50	79	F1
Le Bouchage 16	184	A2
Le Bouchage 38	212	B1
Bouchain 59	9	E3
Bouchamps-les-Craon 53	104	C3
Le Bouchaud 39	159	E3
Le Bouchaud 03	173	E4
Bouchavesnes-Bergen 80	19	E2
Bouchemaine 49	128	B2
Boucheporn 57	42	B4
Bouchet 26	247	D4
Bouchet (Château du) 36	151	D4
Bouchet (Lac du) 43	226	C3
Le Bouchet-Saint-Nicolas 43	226	C4
Bouchevilliers 27	33	E2
Bouchoir 80	19	D4
Les Boucholeurs 17	180	C2
Bouchon 80	17	F1
Le Bouchon-sur-Saulx 55	92	B1
Les Bouchoux 39	177	D4
Bouchy-Saint-Genest 51	89	D1
Boucieu-le-Roi 07	228	C2
Bouclans 25	141	F4
Boucoiran-et-Nozières 30	263	D3
Bouconville 08	39	D3
Bouconville-sur-Madt 55	67	E3
Bouconville-Vauclair 02	37	D2
Bouconvillers 60	33	F4
Boucq 54	67	E3

Boudes 63	207	F3
Boudeville 76	15	F2
Boudin 73	196	B4
Boudou 82	257	D2
Boudrac 31	298	C1
Boudreville 21	115	F2
Boudy-de-Beauregard 47	238	B2
Boué 02	10	A4
Bouée 44	125	F3
Boueilh-Boueilho-Lasque 64	273	D2
Bouelles 76	16	C4
Bouër 72	107	F1
Bouère 53	105	F3
Bouessay 53	105	F3
Bouesse 36	169	D1
Bouëx 16	201	F1
La Bouëxière 35	79	F4
Bouffémont 95	61	D1
Boufféré 85	146	A2
Bouffignereux 02	37	E3
Boufflers 80	7	E3
Bouffry 41	108	C2
Bougainville 80	17	F3
Bougarber 64	146	A4
Bougé-Chambalud 38	211	D4
Bouges-le-Château 36	151	F2
Bougey 70	117	F3
Bougival 78	60	C3
Bouglainval 28	85	E1
Bougligny 77	87	F4
Bouglon 47	237	D3

Bougneau 17	199	E1
Bougnon 70	118	B4
Bougon 79	165	F3
Bougue 40	254	A4
Bouguenais 44	126	B4
Bougy 14	55	F1
Bougy-lez-Neuville 45	110	B2
Bouhans 71	159	D4
Bouhans-et-Feurg 70	140	A2
Bouhans-lès-Lure 70	118	C4
Bouhans-lès-Montbozon 70	141	F2
Bouhet 17	181	E1
Bouhey 21	138	B4
Bouhy 58	135	F2
Bouilh (Château du) 33	217	F2
Bouilh-Devant 65	274	A4
Bouilh-Péreuilh 65	274	A4
Bouilhonnac 11	302	C1
Bouillac 24	239	D1
Bouillac 12	241	E2
Bouillac 82	257	E4
La Bouilladisse 13	285	E4
Bouillancourt-en-Séry 80	17	D2
Bouillancourt-la-Bataille 80	18	C4
Bouillancy 60	62	A1
Bouilland 21	158	A1
Bouillargues 30	264	A4
La Bouille 76	32	A3
Bouillé-Courdault 85	164	B3
Bouillé-Loretz 79	148	A1
Bouillé-Ménard 49	104	C4

Bouillé-Saint-Paul 79	148	A2
La Bouillie 22	52	A4
Le Bouillon 61	82	C1
Bouillon 64	272	C2
Bouillonville 54	67	F2
Bouillouses (Lac des) 66	310	C3
Bouilly 89	113	E2
Bouilly 51	37	E4
Bouilly 10	90	A4
Bouilly-en-Gâtinais 45	111	D1
Bouin 79	183	E2
Bouin 85	144	C2
Bouin 62	6	C2
Bouin-Plumoison 62	6	C2
Bouisse 11	302	C3
Bouix 21	115	D3
Boujailles 25	160	B3
Boujan-sur-Libron 34	280	B4
Boujeons 25	160	C4
Boulages 10	90	A1
Boulaincourt 88	94	A2
Boulancourt 77	87	D4
Boulange 57	41	E2
Boulaur 32	275	E3
Le Boulay 37	131	D1
Le Boulay 88	95	D4
Boulay-les-Barres 45	110	A2
Boulay-les-Ifs 53	82	B2
Le Boulay-Morin 27	58	C1
Boulay-Moselle 57	42	B4
La Boulaye 71	156	C4

BOULOGNE-SUR-MER

Faidherbe (R.) .... Y
Grande-Rue .... Y
Lampe (R. de la) .... Z 32
Thiers (R. A.) .... YZ 60
Victor-Hugo (R.) .... YZ

Aumont (R. d') .... Z 7
Beaucerf (Bd.) .... Z 8
Bras-d'Or (R. du) .... Z 13
Dutertre (R.) .... Y 20
Entente-Cordiale
 (Pont de l') .... Z 23
Lattre-de-Tassigny
 (Av. de) .... Y 33
Lille (R. de) .... Y 37
Marguet (Pont) .... Y 38

Mitterrand (Bd F.) .... Z 40
Perrochel (R.) .... Z 48
Porte-Neuve (R.) .... Y 49
Puits-d'Amour
 (R.) .... Z 53
Résistance (Pl.) .... Y 55
St-Louis (R.) .... Y 56
Ste-Beuve (Bd) .... Y 59
Tour-N.-Dame (R.) ...... Y 61
Victoires (R. des) ...... Y 63

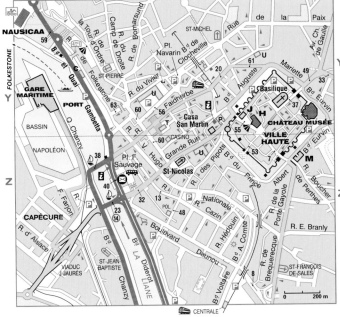

Boulazac 24 .... 220 C1
Boulbon 13 .... 264 C4
Boulc 26 .... 248 B1
Boule d'Amont 66 .... 312 B3
Bouleternère 66 .... 312 B2
Bouleurs 77 .... 62 A3
Bouleuse 51 .... 37 E4
Bouliac 33 .... 217 E4
Boulieu-lès-Annonay 07 .. 210 C4
Bouligneux 01 .... 193 D2
Bouligney 70 .... 118 B2
Bouligny 55 .... 40 C3
Boulin 65 .... 298 A1
Boullarre 60 .... 62 B1
Le Boullay-
 les-Deux-Églises 28 .... 85 D1
Boullay-les-Troux 91 .... 60 B4
Le Boullay-Mivoye 28 .... 85 D1
Le Boullay-Thierry 28 ... 85 E1
Boulleret 18 .... 135 D3
Boulleville 27 .... 30 C3
Bouloc 82 .... 239 E4
Bouloc 31 .... 276 C1
Boulogne 85 .... 146 A3
Boulogne (Château de) 07 246 A1
Boulogne-Billancourt 92 . 60 C3
Boulogne-la-Grasse 60 ... 35 D1
Boulogne-sur-Gesse 31 .. 299 D1
Boulogne-sur-Helpe 59 .. 10 A1
Boulogne-sur-Mer 62 .... 2 A4
Bouloire 72 .... 107 F2
Boulon 14 .... 55 F1
Boulot 70 .... 141 D3
Le Boulou 66 .... 312 C3
Boulouris 83 .... 287 F3
La Boulouze 50 .... 54 B4
Boult 70 .... 141 D3
Boult-aux-Bois 08 ...... 39 D2
Boult-sur-Suippe 51 .... 38 A3
Le Boulvé 46 .... 239 E3
Boulzicourt 08 .... 22 C4
Boumois (Château de) 49 129 D3
Boumourt 64 .... 272 C3
Bouniagues 24 .... 238 B1
Le Boupère 85 .... 146 C4
Bouquehault 62 .... 2 C3
Bouquelon 27 .... 31 D2
Bouquemaison 80 .... 7 E4
Bouquemont 55 .... 66 C1
Bouquet 30 .... 263 F1
Bouquetot 27 .... 31 F3
Bouqueval 95 .... 61 D2
Bouranton 10 .... 90 B3
Bouray-sur-Juine 91 .... 87 D2
Bourbach-le-Bas 68 .... 120 A2
Bourbach-le-Haut 68 ... 120 A2
La Bourbansais
 (Château de) 35 .... 79 D2
Bourberain 21 .... 139 F2
Bourbévelle 70 .... 118 A2
Bourbon-Lancy 71 ...... 173 D1
Bourbon-l'Archambault 03 171 F2
Bourbonne-les-Bains 52 . 117 E2
La Bourboule 63 .... 206 C2
Bourbourg 59 .... 3 E2
Bourbriac 22 .... 50 B4
Bourcefranc-le-Chapus 17 180 C3
Bourcia 39 .... 176 B3
Bourcq 08 .... 39 D2
Bourdainville 76 .... 15 F3
Bourdalat 40 .... 254 B4

Bourdeau 73 .... 213 D1
Bourdeaux 26 .... 247 F2
Bourdeilles 24 .... 202 B4
Le Bourdeix 24 .... 202 B2
Bourdelles 33 .... 237 D2
Bourdenay 10 .... 89 E3
Le Bourdet 79 .... 164 B4
Bourdettes 64 .... 297 D1
Bourdic 30 .... 264 A3
La Bourdinière-
 Saint-Loup 28 .... 85 E3
Bourdon 80 .... 17 F2
Bourdonnay 57 .... 69 E3
Bourdonné 78 .... 59 F4
Bourdons-sur-Rognon 52 92 C4
Bourecq 62 .... 7 F1
Bouresches 02 .... 62 C1
Bouresse 86 .... 167 D3
Bouret-sur-Canche 62 . 7 E3
Boureuilles 55 .... 39 F4
Le Bourg 46 .... 241 D1
Bourg 33 .... 217 E2
Bourg 52 .... 116 C3
Bourg-Achard 27 ...... 31 F3
Bourg-Archambault 86 . 167 F3
Bourg-Argental 42 .... 210 B4
Bourg-Beaudouin 27 ... 32 C3
Bourg-Blanc 29 .... 47 E2
Bourg-Bruche 67 ...... 96 A1
Bourg-Charente 16 .... 200 C1
Le Bourg-d'Arud 38 ... 231 E2
Bourg-de-Bigorre 65 .. 298 A2
Bourg-de-Péage 26 ... 229 E2
Bourg-de-Sirod 39 .... 160 B4
Bourg-de-Thizy 69 .... 191 F2
Bourg-de-Visa 82 ..... 257 D1
Bourg-des-Comptes 35 . 103 D2
Bourg-des-Maisons 24 . 202 A4
Le Bourg-d'Hem 23 ... 169 E4
Le Bourg-d'Iré 49 .... 104 C4
Le Bourg-d'Oisans 38 . 231 E2
Bourg-d'Oueil 31 ..... 298 C4
Le Bourg-du-Bost 24 .. 201 F4
Le Bourg-Dun 76 ..... 15 F1
Bourg-en-Bresse 01 ... 176 A4
Bourg-et-Comin 02 ... 37 D2
Bourg-Fidèle 08 ...... 22 B2
Bourg-la-Reine 92 .... 61 D4
Bourg-Lastic 63 ...... 206 B1
Bourg-le-Comte 71 ... 173 F4
Bourg-le-Roi 72 ...... 82 C3
Bourg-lès-Valence 26 . 229 D3
Bourg-l'Évêque 49 ... 104 B4
Bourg-Madame 66 .... 310 C4
Bourg-Saint-Andéol 07 246 C4
Bourg-Saint-Bernard 31 277 D2
Bourg-Saint-Christophe 01 193 E3
Le Bourg-Saint-Léonard 61 56 C4
Bourg-Sainte-Marie 52 93 D4
Bourg-Sainte-Maurice 73 214 C1
Bourg-sous-Châtelet 90 119 F4
Bourgaltroff 57 ...... 69 E2
Bourganeuf 23 .... 186 C3
Bourgbarré 35 .... 103 E1
Bourgeauville 14 ..... 30 B3
Bourges 18 .... 153 E2
Le Bourget 93 .... 61 D2
Le Bourget-du-Lac 73 . 213 D1
Bourget-en-Huile 73 .. 213 F2
Bourgheim 67 .... 96 C1
Bourghelles 59 .... 9 D1

Bourgnac 24 .... 220 A2
Bourgneuf 17 .... 181 D1
Bourgneuf 73 .... 213 F2
Bourgneuf-en-Mauges 49 127 F3
Bourgneuf-en-Retz 44 . 144 C1
Le Bourgneuf-la-Forêt 53 80 C4
Bourgneuf-Val-d'Or 71 157 F3
Bourgogne 51 .... 37 F3
Bourgoin-Jallieu 38 ... 211 F2
Bourgon 53 .... 80 B4
La Bourgonnière
 (Chapelle de) 49 ..... 127 E3
Bourgougnague 47 ... 238 A2
Bourgtheroulde-Infreville 27 31 F3
Bourguébus 14 .... 56 A1
Bourgueil 37 .... 129 F4
Bourguenolles 50 .... 54 A3
Le Bourguet 83 ...... 268 B4
Bourguignon 25 ...... 142 C2
Bourguignon-
 lès-Conflans 70 ..... 118 B3
Bourguignon-
 lès-la-Charité 70 .... 141 D2
Bourguignon-lès-Morey 70 117 E4
Bourguignon-sous-Coucy 02 36 A1
Bourguignon-
 sous-Montbavin 02 ... 36 C1
Bourguignons 10 ..... 114 C1
Bourgvilain 71 .... 174 C3
Bourideys 33 .... 236 A4
Bourièges 11 .... 302 A3
Bourigeole 11 .... 302 A3
Bourisp 65 .... 298 B4
Bourlens 47 .... 239 D3
Bourlon 62 .... 9 D4
Bourmont 52 .... 93 D4
Bournainville-Faverolles 27 57 E1
Bournan 37 .... 150 A2
Bournand 86 .... 148 C1
Bournazel 81 .... 259 D2
Bournazel 12 .... 241 F3
Bourneau 85 .... 164 A2
Bournel 47 .... 238 B2
Bourneville 27 ...... 31 E2
Bournezeau 85 ...... 163 E1
Bourniquel 24 .... 220 C4
Bournois 25 .... 142 A1
Bournoncle-Saint-Pierre 43 207 F4
Bournoncles 15 ...... 225 F3
Bournonville 62 ..... 2 B4
Bournos 64 .... 272 C3
Bourogne 90 .... 142 C1
Bourran 47 .... 238 A4
Bourré 41 .... 131 F3

Bourréac 65 .... 297 F2
Bourret 82 .... 257 E3
Bourriot-Bergonce 40 . 254 B2
Bourron-Marlotte 77 .. 87 F3
Bourrou 24 .... 220 B2
Bourrouillan 32 ..... 255 D3
Bours 65 .... 297 F1
Bours 62 .... 7 F2
Boursault 51 .... 63 F1
Boursay 41 .... 108 B2
Bourscheid 57 ...... 70 A2
Bourseul 22 .... 78 B1
Bourseville 80 ...... 16 C1
Boursières 70 ...... 141 D1
Boursies 59 .... 8 C4
Boursin 62 .... 2 B3
Boursonne 60 ...... 35 F4
Bourth 27 .... 58 A4
Bourthes 62 .... 6 C1
Bourtzwiller 68 .... 120 C2
Bourville 76 .... 15 F2
Boury-en-Vexin 60 . 33 E4
Bousbach 57 ...... 43 D4
Bousbecque 59 .... 4 C1
Le Bouscat 33 .... 217 E3
Bousies 59 .... 9 F4
Bousignies 59 .... 9 E2
Bousignies-sur-Roc 59 10 C2
Le Bousquet 11 ... 311 D1
Le Bousquet-d'Orb 34 280 A1
Boussac 46 .... 241 D2
Boussac 12 .... 259 F1
Boussac 23 .... 170 A4
Boussac-Bourg 23 . 170 A3
Boussais 79 ...... 148 A3
Boussan 31 .... 299 E1
Boussay 44 .... 146 B1
Boussay 37 .... 150 B3
Bousse 57 .... 41 F3
Bousse 72 .... 106 B4
Bousselange 21 ... 158 C2
Boussenac 09 .... 300 B4
Boussenois 21 ... 139 E1
Boussens 31 ..... 299 F2
Bousseraucourt 70 117 F2
Boussès 47 ...... 255 D2
Bousseviller 57 .. 44 C3
Boussey 21 ...... 138 B3
Boussicourt 80 .. 18 C1
Boussières 25 ... 141 D4
Boussières-en-Cambrésis 59 9 E4

Boussières-sur-Sambre 59 . 10 B2
Boussois 59 .... 10 C2
Boussy 74 .... 195 D3
Boussy-Saint-Antoine 91 . 61 E4
Boust 57 .... 41 F2
Boustroff 57 ...... 69 D1
Le Bout-d'Oye 62 . 3 D1
Bout-du-Lac 74 ... 195 F4
Bout du Monde
 (Cirque du) 21 .... 157 F2
Bout-du-Pont-de-Larn 81 278 C3
Boutancourt 08 .... 22 C4
Boutavent 60 ...... 17 E4
La Bouteille 02 .... 21 E3
Bouteilles-
 Saint-Sébastien 24 201 F4
Boutenac 11 .... 303 E2
Boutenac-Touvent 17 . 199 D2
Boutencourt 60 .... 33 F3
Bouteville 16 ...... 201 D2
Bouthéon 42 .... 209 F2
Boutiers-Saint-Trojan 16 200 C1
Boutigny 77 .... 62 A2
Boutigny-sur-Essonne 91 87 D2
Boutigny-sur-Opton 28 59 F4
Bouttencourt 80 ... 17 D2
Boutteville 50 .... 25 E4
Boutx 31 .... 299 D4
Bouvaincourt-sur-Bresle 80 16 C1
Bouvancourt 51 ... 37 E3
Bouvante 26 ...... 229 F3
Bouvante-le-Haut 26 229 F3
Bouvelinghem 62 . 2 C3
Bouvellemont 08 . 38 C1
Bouvent 01 ...... 176 A3
Bouverans 25 .... 160 C3
Bouvesse-Quirieu 38 194 A4
Bouvières 26 .... 247 F2
Bouvignies 59 ... 9 D2
Bouvigny-Boyeffles 62 8 A2
Bouville 91 ...... 87 D2
Bouville 28 ...... 85 D4
Bouville 76 ...... 15 F4
Bouvincourt-
 en-Vermandois 80 . 19 F2
Bouvines 59 ..... 9 D1
Bouvresse 60 .... 17 E4
Bouvron 54 ...... 67 F3
Bouvron 44 ...... 126 A2
Boux-sous-Salmaise 21 138 B2
Bouxières-aux-Bois 88 94 C3

BOURGES

Auron (R. d') .... Z
Jaurès (Av. Jean) .... Y
Moyenne (R.) .... YZ

Armuriers (R. des) .... Z 2
Barbès (R.) .... Z 4
Calvin (R.) .... Y 7
Cambournac (R.) .... Y 8
Casse-Cou
 (Passage) .... Y 10

Champ de Foire (R. du) ... Z 12
Commerce (R. du) .... Y 13
Dr-Témoin (R. du) .... Y 17
Dormoy (Av. Marx) ...... Y 19
Hémerettes (R. des) ..... Z 29
Jacobins
 (Cour des) .... Z 31
Jacques-Cœur (R.) ...... Y 32
J.-J.-Rousseau (R.) ..... Y 33
Joyeuse (R.) .... Y 35
Juranville (Pl.) .... Z 36
Leblanc (R. N.) .... YZ 41
Louis XI (Av.) .... Z 43

Mallet (R. L.) .... Z 44
Marceau (Rampe) .... Z 45
Mirebeau (R.) .... Y 46
Orléans (Av. d') .... Y 48
Pelvoysin (R.) .... Y 50
Poissonnerie (R. de la) . Y 52
Prinal (R. du) .... Y 55
Rimbault (R. J.) .... Z 61
Strasbourg (Bd de) .... Z 71
Thaumassière (R. de la) Y 72
Tory (R. G.) .... Y 73
Victor-Hugo (R.) ...... Z 74
95e-de-Ligne (R. du) .. Z 75

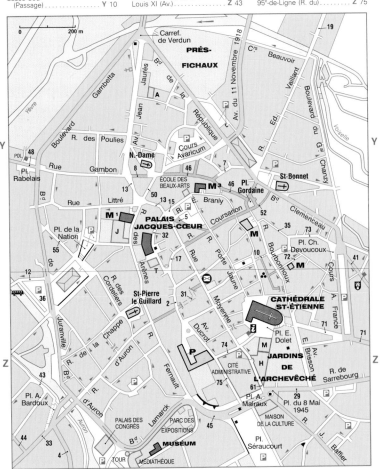

Bouxières-aux-Chênes 54 ... 68 B3
Bouxières-aux-Dames 54 ... 68 A3
Bouxières-sous-Froidmont 54 ... 68 A2
Bouxurulles 88 ... 94 B3
Bouxwiller 67 ... 70 C1
Bouxwiller 68 ... 120 C1
Bouy 51 ... 64 C1
Bouy-Luxembourg 10 ... 90 C3
Bouy-sur-Orvin 10 ... 89 D3
Bouyon 06 ... 269 F3
Le Bouyssou 46 ... 241 D1
Bouzais 18 ... 170 C1
Bouzancourt 52 ... 92 A3
Bouzanville 54 ... 94 A2
Bouze-lès-Beaune 21 ... 158 A2
Bouzèdes (Belvédère des) 30 245 D4
Bouzel 63 ... 189 F4
Bouzemont 88 ... 94 B3
Bouzeron 71 ... 157 F3
Bouzic 24 ... 239 F1
Bouziès 46 ... 240 B3
Bouzigues 34 ... 281 E3
Bouzillé 49 ... 127 E3
Bouzin 31 ... 299 E1
Bouzincourt 80 ... 18 C1
Bouzon-Gellenave 32 ... 273 F1
Bouzonville 57 ... 42 B3
Bouzonville-aux-Bois 45 ... 110 C1
Bouzonville-en-Beauce 45 ... 86 C4
Bouzy 51 ... 64 B1
Bouzy-la-Forêt 45 ... 111 D3
Bovée-sur-Barboure 55 ... 67 D4
Bovel 35 ... 102 C2
Bovelles 80 ... 18 A2
Boves 80 ... 18 B3
Boviolles 55 ... 66 C4
Boyardville 17 ... 180 B2
Boyaval 62 ... 7 E2
Boyelles 62 ... 8 B4
Boyer 71 ... 175 E1
Boyer 42 ... 191 F2
Boyeux-Saint-Jérôme 01 ... 194 A2
Boynes 45 ... 111 D1
Boz 01 ... 175 E3
Bozas 07 ... 228 C3
Bozel 73 ... 214 B2
Bozouls 12 ... 242 C3
Brabant-en-Argonne 55 ... 39 F4
Brabant-le-Roi 55 ... 66 A3
Brabant-sur-Meuse 55 ... 40 A3
Brach 33 ... 216 C2
Brachay 52 ... 92 A3
Braches 80 ... 18 C4
Brachy 76 ... 15 F2
Bracieux 41 ... 132 B2
Bracon 39 ... 160 A2
Bracquemont 76 ... 16 A2
Bracqueuil 76 ... 16 A4
Bradiancourt 76 ... 16 C4
Braffais 50 ... 54 A3
Bragassargues 30 ... 263 E3
Bragayrac 31 ... 275 F3
Brageac 15 ... 223 F1
Bragelogne 10 ... 114 C2
Bragny-sur-Saône 71 ... 158 A3
La Brague 06 ... 288 B3
Brahic 07 ... 245 E4
Braillans 25 ... 141 E3
Brailly-Cornehotte 80 ... 6 C4
Brain 21 ... 138 A2
Brain-sur-Allonnes 49 ... 129 F4
Brain-sur-l'Authion 49 ... 128 C2
Brain-sur-Longuenée 49 ... 128 A1
Brain-sur-Vilaine 35 ... 102 C4
Brainans 39 ... 159 F3
Braine 02 ... 36 C3
Brains 44 ... 126 A4
Brains-sur-Gée 72 ... 106 A2
Brains-sur-les-Marches 53 ... 104 B2
Brainville 54 ... 41 D4
Brainville 50 ... 53 F1
Brainville-sur-Meuse 52 ... 93 D4
Braisnes 60 ... 35 E2
Braize 03 ... 171 D1
Bralleville 54 ... 94 A2
Bram 11 ... 302 A1
Bramabiau (Abîme du) 30 ... 262 A2
Bramans 73 ... 214 C4
Brametot 76 ... 15 F2
Bramevaque 65 ... 298 C3
Bran 17 ... 200 C4
Branceilles 19 ... 222 C3
Branches 89 ... 113 D2
Brancourt-en-Laonnois 02 ... 36 B1
Brancourt-le-Grand 02 ... 20 B2
Brandérion 56 ... 100 B3
Brandeville 55 ... 40 A2
Brandivy 56 ... 100 C3
Brando 2B ... 315 F1
Brandon 71 ... 174 C3
Brandonnet 12 ... 241 E4
Brandonvillers 51 ... 91 D1
Branféré (Parc Zoologique de) 56 ... 101 F4
Branges 71 ... 175 F1
Branges 02 ... 36 C2
Brangues 38 ... 212 B1
Brannay 89 ... 88 B4
Branne 21 ... 142 A2
Branne 33 ... 218 C4
Brannens 33 ... 236 C2
Branoux-les-Taillades 30 ... 263 D1
Brans 39 ... 140 B4
Bransat 03 ... 172 A4
Branscourt 51 ... 37 E3
Bransles 77 ... 112 A1
Brantes 84 ... 266 A1
Brantigny 88 ... 94 B3

Brantôme 24 ... 202 B4
Branville 14 ... 30 A3
Branville-Hague 50 ... 24 B2
Braquis 55 ... 40 C4
Bras 83 ... 286 A3
Bras-d'Asse 04 ... 267 E3
Bras-sur-Meuse 55 ... 40 A4
Brasc 12 ... 260 B3
Brasles 02 ... 63 D1
Braslou 37 ... 149 E2
Brasparts 29 ... 75 D2
Brassac 82 ... 257 D1
Brassac 81 ... 278 C2
Brassac 09 ... 300 C4
Brassac-les-Mines 63 ... 207 F3
Brasseitte 55 ... 67 D3
Brasseuse 60 ... 35 D4
Brassy 58 ... 137 D4
Brassy 80 ... 17 F4
Bratte 54 ... 68 B3
Braucourt 52 ... 91 F1
Braud-et-Saint-Louis 33 ... 199 E4
Braus (Col de) 06 ... 289 E3
Brauvilliers 55 ... 92 B1
Braux 10 ... 91 D2
Braux 21 ... 138 A3
Braux 04 ... 268 C2
Braux 08 ... 22 C3
Braux-le-Châtel 52 ... 116 A1
Braux-Saint-Remy 51 ... 65 F1
Braux-Sainte-Cohière 51 ... 65 F1
Bravone 2B ... 317 F1
Brax 47 ... 256 A1
Brax 31 ... 276 B2
Bray 71 ... 175 D2
Bray 27 ... 58 A1
Bray-Dunes 59 ... 3 F1
Bray-en-Val 45 ... 111 D3
Bray-et-Lû 95 ... 59 F1
Bray-la-Campagne 14 ... 56 B1
Bray-lès-Mareuil 80 ... 17 D1
Bray-Saint-Christophe 02 ... 19 F3
Bray-sur-Seine 77 ... 88 C3
Bray-sur-Somme 80 ... 19 D2
Braye 02 ... 36 B2
Braye-en-Laonnois 02 ... 37 D2
Braye-en-Thiérache 02 ... 21 E3
Braye-sous-Faye 37 ... 149 E2
Braye-sur-Maulne 37 ... 130 A1
Brazey-en-Morvan 21 ... 157 D1
Brazey-en-Plaine 21 ... 158 C1
Bréal-sous-Montfort 35 ... 103 D1
Bréal-sous-Vitré 35 ... 104 B1
Bréançon 95 ... 60 B1
Bréau 77 ... 88 A1
Bréau-et-Salagosse 30 ... 262 B3
Bréauté 76 ... 14 C3
Bréban 51 ... 91 D1
Brebières 62 ... 8 C3
Brebotte 90 ... 120 A4
Brecé 53 ... 81 D2
Brecé 35 ... 103 F1
Brécey 50 ... 54 B4
Brech 56 ... 100 C3
Brechainville 88 ... 93 D3
Bréchamps 28 ... 59 E4
Bréchaumont 68 ... 120 A3
Brèche au Diable 14 ... 56 A2
Brèches 37 ... 130 B1
Breconchaux 25 ... 141 F3
Brectouville 50 ... 54 C1
Brécy 18 ... 153 F1
Brécy 02 ... 36 C4
Brécy-Brières 08 ... 39 D3
La Brède 33 ... 235 F1
Brée 53 ... 81 E4
La Brée-les-Bains 17 ... 180 B2
Bréel 61 ... 55 F3
Bréginer-Cordon 01 ... 212 B1
Brégy 60 ... 62 A1
Bréhain 57 ... 68 C2
Bréhain-la-Ville 54 ... 41 D2
Bréhal 50 ... 53 F2
Bréhan 56 ... 101 E1
Bréhand 22 ... 77 F2
Bréhec-en-Plouha 22 ... 51 D2
Bréhémont 37 ... 130 A4
Bréhéville 55 ... 40 A2
Breidenbach 57 ... 44 B3
Breil 49 ... 129 F2
Le Breil-sur-Mérize 72 ... 107 E2
Breil-sur-Roya 06 ... 289 F2
La Breille-les-Pins 49 ... 129 F3
Breilly 80 ... 18 A2
Breistroff-la-Grande 57 ... 41 F1
Breitenau 67 ... 96 B1
Breitenbach 67 ... 96 B1
Breitenbach-Haut-Rhin 68 ... 96 A4
Brélès 29 ... 47 D2
Brélidy 22 ... 50 B2
Brem-sur-Mer 85 ... 162 A1
Bréménil 54 ... 95 F1
Brèmes 62 ... 2 C2
Bremmelbach 67 ... 45 E4
Brémoncourt 54 ... 94 C1
Brémondans 25 ... 141 F4
Brémontier-Merval 76 ... 33 D2
Brémoy 14 ... 55 D2
Brémur-et-Vaurois 21 ... 115 E4
Bren 26 ... 229 D1
Brenac 11 ... 302 A4
Brenas 34 ... 280 B2
Brenat 63 ... 207 F2
Brénaz 01 ... 194 C4
Brenelle 02 ... 36 C3
Brengues 46 ... 240 C2
Brennes 52 ... 116 C3
Brennilis 29 ... 75 D2
Brénod 01 ... 194 B2

Brenon 83 ... 268 B4
Brenouille 60 ... 35 D3
Brenoux 48 ... 244 B3
Brens 81 ... 259 D4
Brens 01 ... 194 C4
Brenthonne 74 ... 178 B4
Breny 02 ... 36 B4
La Bréole 04 ... 250 A4
Brères 25 ... 160 A1
Bréry 39 ... 159 E4
Bresdon 17 ... 183 D3
Les Bréseux 25 ... 142 C3
Bresilley 70 ... 140 B4
Bresle 80 ... 18 C2
Bresles 60 ... 34 B2
Bresnay 03 ... 172 A3
Bresolettes 61 ... 83 F1
La Bresse 88 ... 119 F1
Bresse-sur-Grosne 71 ... 175 D1
Bressey-sur-Tille 21 ... 139 E3
Bressieux 38 ... 211 E4
Bressolles 01 ... 193 E3
Bressolles 03 ... 172 B2
Bressols 82 ... 257 F3
Bresson 38 ... 230 C1
Bressoncourt 52 ... 92 C2
Bressuire 79 ... 147 F3
Brest 29 ... 47 E3
Brestot 27 ... 31 E3
Bretagne 36 ... 152 A2
Bretagne 90 ... 120 A4
Bretagne-d'Armagnac 32 ... 255 E4
Bretagne-de-Marsan 40 ... 254 A4
Bretagnolles 27 ... 59 D2
Breteau 45 ... 135 D1
Breteil 35 ... 79 D4
Bretenière 21 ... 139 E4
La Bretenière 39 ... 159 F4
La Bretenière 25 ... 141 F2
Bretenières 39 ... 159 E2
Bretenoux 46 ... 223 D3
Breteuil 60 ... 34 B1
Breteuil 27 ... 58 B3
Breteuil (Château de) 78 ... 60 B4
Brethel 61 ... 57 F4
Brethenay 52 ... 92 B4
Le Brethon 03 ... 171 D2
Bretigney 25 ... 142 B2
Bretigney-Notre-Dame 25 ... 141 F3
Bretignolles 79 ... 147 E3
Bretignolles (Château de) 37 ... 149 E1
Bretignolles-sur-Mer 85 ... 162 A1
Bretigny 21 ... 139 E3
Brétigny 27 ... 31 E4
Brétigny 60 ... 36 A1
Brétigny-sur-Orge 91 ... 87 D1
Bretoncelles 61 ... 84 B2
Brétenelle 02 ... 36 C3
La Bretonnière 85 ... 163 E2
Bretonvillers 25 ... 142 B4
Brette 26 ... 248 A2
Brette-les-Pins 72 ... 107 D2
Bretten 68 ... 120 A3

Brettes 16 ... 183 E2
Brettnau 50 ... 24 C2
Bretteville-du-Grand-Caux 76 14 C3
Bretteville-le-Rabet 14 ... 56 A1
Bretteville-l'Orgueilleuse 14 ... 29 D4
Bretteville-Saint-Laurent 76 . 15 F2
Bretteville-sur-Ay 50 ... 26 B3
Bretteville-sur-Dives 14 ... 56 C1
Bretteville-sur-Laize 14 ... 56 A1
Bretteville-sur-Odon 14 ... 29 E4
Brettnach 57 ... 42 B3
Bretx 31 ... 276 A1
Breuches 70 ... 118 C3
Breuchotte 70 ... 119 D3
Breugnon 58 ... 136 A3
Le Breuil 51 ... 63 E2
Le Breuil 71 ... 157 E4
Le Breuil 03 ... 190 B1
Le Breuil 69 ... 192 B3
Breuil-Barret 85 ... 164 B1
Le Breuil-Bernard 79 ... 147 E4
Breuil-Bois-Robert 78 ... 59 F2
Breuil-Chaussée 79 ... 147 E3
Le Breuil-en-Auge 14 ... 30 C4
Le Breuil-en-Bessin 14 ... 28 B3
Breuil-la-Réorte 17 ... 181 F2
Breuil-le-Sec 60 ... 34 C3
Breuil-le-Vert 60 ... 34 C3
Breuil-Magné 17 ... 181 D2
Breuil-Mingot (Château du) 86 ... 166 B2
Le Breuil-sous-Argenton 79 . 147 F2
Le Breuil-sur-Couze 63 ... 207 F3
Breuil-sur-Marne 52 ... 92 B2
Breuilaufa 87 ... 185 E2
Breuilh 24 ... 220 C2
Breuillet 17 ... 198 B1
Breuillet 91 ... 86 C1
Breuilpont 27 ... 59 E2
Breurey-lès-Faverney 70 ... 118 B3
Breuschwickersheim 67 ... 71 D3
Breuvannes 52 ... 117 E1
Breuvery-sur-Coole 51 ... 64 C3
Breuville 50 ... 24 C3
Breux 55 ... 40 A1
Breux-Jouy 91 ... 86 C1
Breux-sur-Avre 27 ... 58 C4
Brévainville 41 ... 109 D2
Bréval 78 ... 59 E2
Brévands 50 ... 27 E3
Brevans 39 ... 159 E1
Le Brévedent 14 ... 30 C4
Brèves 58 ... 136 A3
Les Bréviaires 78 ... 60 A4
Bréviandes 10 ... 90 B4
Bréville 50 ... 27 E3
Bréville 16 ... 182 C4
Bréville-sur-Mer 50 ... 53 F2
Brévillers 62 ... 7 D3
Brévillers 80 ... 7 F4

Brevilliers 70 ... 142 C1
Brévilly 08 ... 23 E4
Brévonnes 10 ... 91 D3
Bréxent-Énocq 62 ... 6 B1
Brey-et-Maison-du-Bois 25 .. 160 C4
Brézal (Moulin de) 29 ... 48 C3
Brézé 49 ... 148 B1
Brézellec (Pointe de) 29 ... 72 C3
Bréziers 05 ... 249 F3
Brézilhac 11 ... 302 A2
Brézins 38 ... 211 F4
Brézolles 28 ... 58 C4
Brezons 15 ... 224 C3
Le Brézouard 68 ... 96 A3
Briançon 05 ... 232 C3
Briançonnet 06 ... 269 D3
Brianny 21 ... 138 A3
Briant 71 ... 173 F4
Briantes 36 ... 169 F2
Briare 45 ... 134 C1
Briarres-sur-Essonne 45 ... 87 D4
Briastre 59 ... 9 F4
Briatexte 81 ... 277 F1
Briaucourt 70 ... 118 B3
Briaucourt 52 ... 92 B4
Bricon 52 ... 116 A1
Briconville 28 ... 85 D3
Bricot-la-Ville 51 ... 63 E4
Bricquebec 50 ... 24 C3
Bricquebosq 50 ... 24 B3
Bricqueville 14 ... 27 F3
Bricqueville-la-Blouette 50 .. 53 F1
Bricqueville-sur-Mer 50 ... 53 F2
Bricy 45 ... 110 A2
Brides-les-Bains 73 ... 214 B2
La Bridoire 73 ... 212 C2
Bridoire (Château de) 24 ... 220 A4
Bridoré 37 ... 150 C2
Brie 09 ... 19 E3
Brie 35 ... 103 F2
Brie 79 ... 148 B3
Brie 02 ... 36 C1
Brie 16 ... 183 F4
Brie-Comte-Robert 77 ... 61 E4
Brié-et-Angonnes 38 ... 230 C2
Brie-sous-Archiac 17 ... 200 C3
Brie-sous-Barbezieux 16 ... 201 D3
Brie-sous-Chalais 16 ... 201 D4
Brie-sous-Matha 17 ... 182 C4
Brie-sous-Mortagne 17 ... 199 D2
Briec 29 ... 75 D4
Briel-sur-Barse 10 ... 90 C4
Brienne 71 ... 175 F2
Brienne-la-Vieille 10 ... 91 D3
Brienne-le-Château 10 ... 91 D3
Brienne-sur-Aisne 08 ... 37 F2
Briennon 42 ... 191 E1
Brienon-sur-Armançon 89 ... 113 D2
Brières-les-Scellés 91 ... 86 C2
Brieuil-sur-Chizé 79 ... 182 C1
Brieulles-sur-Bar 08 ... 39 D2

Brieulles-sur-Meuse 55 ... 39 F3
Brieux 61 ... 56 B3
Briey 54 ... 41 E3
Briffons 63 ... 206 B1
Brignac 87 ... 186 A4
Brignac 56 ... 78 A4
Brignac 34 ... 280 C2
Brignac-la-Plaine 19 ... 222 A1
Brignais 69 ... 210 C1
Brignancourt 95 ... 60 B1
Brigné 49 ... 128 C4
Brignemont 31 ... 275 F1
Brignogan-Plages 29 ... 47 F1
Brignoles 83 ... 286 B3
Le Brignon 43 ... 227 D3
Brignon 30 ... 263 F3
Brignoud 38 ... 213 D4
La Brigue 06 ... 289 F1
Brigueil-le-Chantre 86 ... 167 E3
Brigueuil 16 ... 185 D3
Briis-sous-Forges 91 ... 86 C1
Brillac 16 ... 184 C2
La Brillanne 04 ... 267 D3
Brillecourt 10 ... 90 C2
Brillevast 50 ... 25 D2
Brillon 59 ... 9 E2
Brillon-en-Barrois 55 ... 66 A4
Brimeux 62 ... 6 C2
Brimont 51 ... 37 F3
Brin-sur-Seille 54 ... 68 B3
Brinay 58 ... 155 F2
Brinay 18 ... 152 C1
Brinckheim 68 ... 120 C3
Brindas 69 ... 210 C1
Bringolo 22 ... 51 D3
Brinon-sur-Beuvron 58 ... 136 B4
Brinon-sur-Sauldre 18 ... 133 F2
Briod 39 ... 176 C1
Briollay 49 ... 128 C2
Brion 49 ... 129 D2
Brion 89 ... 113 D2
Brion 48 ... 243 E1
Brion 36 ... 152 A3
Brion 01 ... 194 B1
Brion 86 ... 166 C4
Brion (Pont de) 38 ... 230 C2
Brion-près-Thouet 79 ... 148 B2
Brion-sur-Ource 21 ... 115 E2
Brionne 27 ... 31 E4
La Brionne 23 ... 186 C1
Briord 01 ... 194 A4
Briosne-lès-Sables 72 ... 83 E4
Briot 60 ... 17 F4
Briou 41 ... 109 E4
Brioude 43 ... 208 A4
Brioux-sur-Boutonne 79 ... 182 C1
Briouze 61 ... 55 F4
Briquemesnil-Floxicourt 80 .. 18 A2
Briquenay 08 ... 39 E2
Briscous 64 ... 270 C3
Brison 73 ... 195 D4

BREST

Clemenceau (Av. G.) ... EY
Jaurès (R. Jean) ... EY
Liberté (Pl. de la) ... EY
Lyon (R. de) ... DEY
Siam (R. de) ... EY
Algésiras (R. d') ... EY 2
Colbert (R.) ... EY 5
Foch (Av. Mar.) ... EY 14
Français Libres (Bd des) ... DZ 16
Frégate-la-Belle-Poule (R.) ... EZ 17
Kérabécam (R. de) ... EY 22
Marine (Bd de la) ... DZ 25
Réveillère (R. Amiral) ... EY 33
Roosevelt (Av. F.) ... DZ 34
11-Martyrs (R. des) ... EY 42

Map of Brest labels: HÔPITAL DES ARMÉES — Pl. de la Liberté — St-Louis — CENTRE CULTUREL QUARTZ — ARSENAL MARITIME — Porte Tourville — Pont de Recouvrance — Tour Tanguy — CHÂTEAU — PRÉFECTURE MARITIME — Tour Rose — COURS DAJOT — Pl. Wilson — PORT DE COMMERCE — Bd Gambetta — Penfeld. Grid: D / E (top), Y / Z (sides). Scale: 200 m.

Brison-Saint-Innocent 73.... 195 D4
Brissac 34 .... 262 C4
Brissac (Château de) 49 .. 128 C3
Brissac-Quincé 49 .... 128 C3
Brissarthe 49............. 105 F4
Brissay-Choigny 02........ 20 B4
Brissy-Hamégicourt 02..... 20 B4
Brive-la-Gaillarde 19..... 222 B1
Brives 36 .... 152 B4
Brives-Charensac 43....... 227 D2
Brives-sur-Charente 17 ... 199 F1
Brivezac 19 .... 223 D2
Brix 50 .... 24 C3
Brixey-aux-Chanoines 55 .. 93 E2
Brizay 37 .... 149 E1
Brizeaux 55 .... 66 A1
Brizon 74 .... 196 A1
Broc 49 .... 129 F1
Le Broc 63 .... 207 F3
Le Broc 06 .... 269 F4
Brocas 40 .... 253 F2
Brochon 21 .... 139 D4
Brocottes 14 .... 30 A4
Brocourt 80 .... 17 E4
Brocourt-en-Argonne 55 ... 66 B1
Broglie 27 .... 57 F2
Brognard 25 .... 142 C1
Brognon 21 .... 139 E3
Brognon 08 .... 22 A2
Broin 21 .... 158 C1
Broindon 21 .... 139 E4
Broissia 39............... 176 B3
Brombos 60............... 17 E4
Bromeilles 45 .... 87 E4

Brommat 12 .... 224 C4
Bromont-Lamothe 63........ 188 C4
Bron 69.................. 193 D4
Broncourt 52............. 117 E4
Bronvaux 57 .... 41 E4
Broons 21 .... 78 B3
Broons-sur-Vilaine 35.... 79 F4
La Broque 67............. 70 B4
Broquiers 60 .... 17 E4
Broquiès 12.............. 260 B3
Brossac 16............... 201 D4
Brossainc 07............. 210 C4
Brossay 49............... 148 A1
La Brosse-Montceaux 77.... 88 B3
Brosses 89............... 136 C2
Brosville 27............. 58 C1
Brotonne (Pont de) 76.... 15 E4
Brotte-lès-Luxeuil 70.... 118 C3
Brotte-lès-Ray 70........ 140 B1
Brottes 52............... 116 B1
Brou 01.................. 193 F1
Brou 28.................. 84 C4
Brou-sur-Chantereine 77... 61 E3
Brouage 17 .... 180 C3
Brouains 50.............. 54 C4
Broualan 35.............. 79 E1
Brouay 14 .... 29 D4
Brouchaud 24............. 221 D1
Brouchy 80............... 19 F4
Brouck 57................ 42 B4
Brouckerque 59........... 3 E2
Brouderdorff 57.......... 70 A2
Broué 28................. 59 E4
Brouennes 55............. 40 A1
Le Brouilh-Monbert 32..... 274 B1

Brouilla 66............... 313 D3
Brouillet 51 .... 37 D4
Brouis (Col de) 06 .... 289 E2
Brouqueyran 33........... 236 C3
Brousse 81............... 278 A1
Brousse 63............... 208 A2
Brousse 23............... 188 A3
La Brousse 17............ 182 B3
Brousse-le-Château 12..... 260 B3
Brousses-et-Villaret 11... 278 B4
Brousseval 52............ 92 A2
Broussey-en-Blois 55 ..... 67 D4
Broussey-en-Woëvre 55 .... 67 E3
Broussy-le-Grand 51....... 64 A3
Broussy-le-Petit 51 ...... 63 F3
Broût-Vernet 03 .... 189 F1
Brouthières 52 .... 92 C3
Brouvelieures 88 .... 95 E3
Brouville 54............. 95 F1
Brouviller 57 .... 70 A2
Brouy 91................. 86 C3
Brouzet-lès-Alès 30....... 263 F2
Brouzet-lès-Quissac 30.... 263 D4
Les Brouzils 85.......... 146 A3
Brovès 83................ 287 E1
Broxeele 59.............. 3 E3
Broye 71................. 157 D3
Broye-les-Loups-
  et-Verfontaine 70....... 140 A2
Broye-les-Pesmes 70...... 140 A3
Broyes 51................ 63 F4
Broyes 60................ 34 C1
Broze 81................. 258 C3
Brû 88................... 95 E2
Bruailles 71............. 176 A1

Bruay-la-Buissière 62..... 7 F2
Bruay-sur-l'Escaut 59 .... 9 F2
Bruc-sur-Aff 35.......... 102 C3
Brucamps 80.............. 17 F1
Bruch 47................. 255 F1
Brucheville 50........... 25 E4
Brucourt 14.............. 30 A4
Brue-Auriac 83........... 286 A2
Brueback 68.............. 120 C3
Brueil-en-Vexin 78....... 60 A1
Bruère-Allichamps 18..... 153 E4
La Bruère-sur-Loir 72 .... 130 A1
La Bruffière 85.......... 146 B2
Brugairolles 11.......... 302 A2
Le Brugeron 63........... 208 C1
Bruges 64................ 297 D2
Bruges 33................ 217 E3
Brugheas 03.............. 190 A2
Brugnac 47............... 238 A3
Brugnens 32.............. 256 B4
Brugny-Vaudancourt 51..... 63 F2
La Bruguière 30.......... 264 A2
Bruguières 31............ 276 C1
Bruille-lez-Marchiennes 59 . 9 D3
Bruille-Saint-Amand 59 ... 9 F2
Bruis 05................. 248 B3
Brûlain 79............... 182 C1
Les Brulais 35........... 102 C2
Brulange 52.............. 69 D1
La Brûlatte 53........... 104 C1
Bruley 54................ 67 F4
Brullemail 61............ 57 D4
Brullioles 69............ 192 A4
Brûlon 72................ 106 A2
Brumath 67............... 71 D2

Brumetz 02 .... 62 B1
Brunehamel 02............ 21 F3
Brunelles 28 .... 84 B3
Les Brunels 11 .... 278 A4
Brunembert 62 .... 2 C4
Brunémont 59............. 9 D3
Brunet 04................ 267 E3
Bruniquel 82............. 258 B2
Brunissard 05............ 232 C4
Brunoy 91................ 61 E4
Brunstatt 68............. 120 C2
Brunville 76............. 16 B2
Brunvillers-la-Motte 60 .. 34 C1
Le Brusc 83.............. 291 E4
Brusque 12............... 279 F1
Le Brusquet 04........... 268 A1
Brussey 70............... 140 C3
Brussieu 69.............. 192 B4
Brusson 51............... 65 E4
Brusvily 22.............. 78 B3
Brutelles 80............. 6 A4
Bruville 54.............. 41 E4
Brux 86.................. 166 A4
La Bruyère 70............ 119 D3
Bruyères 88.............. 95 E4
Bruyères-et-Montbérault 02 . 37 D1
Bruyères-le-Châtel 91..... 86 C1
Bruyères-sur-Fère 02 ..... 36 C4
Bruyères-sur-Oise 95 ..... 34 B4
Bruys 02................. 36 C3
Bruz 35.................. 103 D1
Bry-sur-Marne 94......... 61 E3
Bryas 62................. 7 F2
Bû 28.................... 59 E3

Le Bû-sur-Rouvres 14 ..... 56 B1
Buais 50................. 80 C1
Buanes 40 .... 272 C1
Bubertré 61 .... 83 F1
Bubry 56................. 100 B1
Buc 90................... 119 F4
Buc 78................... 60 C4
Bucamps 60............... 34 B1
Bucéels 14............... 29 D4
Bucey-en-Othe 10......... 90 A4
Bucey-lès-Gy 70.......... 140 C2
Bucey-lès-Traves 70 ..... 141 D1
Buchelay 78.............. 59 F2
Buchères 10.............. 90 B4
Buchey 52................ 91 F4
Buchy 57................. 68 B1
Buchy 76................. 32 C1
Bucilly 02............... 21 F3
Bucquoy 62............... 8 A4
Bucy-le-Long 02.......... 36 B2
Bucy-le-Roi 45........... 110 A1
Bucy-lès-Cerny 02........ 36 C1
Bucy-lès-Pierrepont 02... 21 E4
Bucy-Saint-Liphard 45 ... 110 A3
Budelière 23............. 188 A1
Buding 57................ 42 A2
Budling 57............... 42 A2
Budos 33................. 236 B2
Bué 18................... 134 C4
Bueil 27................. 59 E2
Bueil-en-Touraine 37 .... 130 C1
Buellas 01............... 175 F4
Le Buet 74............... 197 D2
Buethwiller 68........... 120 B3
Buffard 25............... 160 A1

CAEN

Alliés (Bd des) .... DY 3
Ecuyère (R.) .... CY
Guillouard (Pl. L.) .... CYZ 36
Leclerc (Bd Mar.) .... DEYZ
St-Jean (R.) .... DEYZ
St-Pierre (R.) .... DY
Strasbourg (R. de) .... DY 83
6-Juin (Av. du) .... DEYZ

Académie (R. de l') .... CY 2

Bagatelle (Av. de) .... CX 4
Barbey-d'Aurevilly (R.) ... CX 7
Bayeux (R. de) .... CY 8
Bir-Hakeim (Pont de) ...... EZ 9
Caponière (R.) .... CY 12
Carrières-St-Julien (R. des) ... CDX 13
Caumont (R. A. de) .... CY 15
Chanoine X. de St-Paul (R.) ... CX 16
Chaussée-Ferrée (R. de la) ... EZ 18

Churchill (Pont) .... EZ 21
Courtonne (Pl.) .... EY 26
Creully (Av. de) .... CX 27
Decaen (R. Gén.) .... EZ 28
Délivrande (R. de la) ..... DX 29
Docteur-Rayer (R. du) ..... CX 32
Doumer (R. Paul) .... DX 33
Edimbourg (Av. d') .... DX 35
Falaise (R. de) .... EZ 38
Foch (Pl. du Mar.) .... DZ 39
Fontette (Pl.) .... CY 40
Froide (R.) .... DY 42
Fromages (R. aux) .... CY 43

Gardin (R. R.) .... CDZ 45
Guillaume-le-Conquérant (R.) ... CY 46
Juifs (R. aux) .... CX 47
Lair (R. P.-A.) .... DY 49
Lebisey (R. de) .... EX 50
Lebret (R. G.) .... DYZ 51
Malherbe (Pl.) .... CY 54
Manissier (R.) .... EX 55
Marot (R. J.) .... CY 56
Miséricorde (R. de la) .... EY 57
Montalivet (Cours) .... EZ 58
Montoir-Poissonnerie (R.) ... DY 61

Petit-Vallerent (Bd du) ... CZ 65
Pont St-Jacques (R. du) ... DY 68
Reine Mathilde (Pl. de la) ... EX 69
Sadi-Carnot (R.) .... DZ 72
St-Gabriel (R.) .... CX 74
St-Manvieu (R.) .... CY 75
St-Michel (R.) .... EY 77
St-Nicolas (R.) .... CXY 78
St-Pierre (Pl.) .... DY 80
Sévigné (Prom. de) .... EZ 81
Vaucelles (R. de) .... CZ
Vaugueux (R. du) .... DX 86
11-Novembre (R. du) .... EZ 90

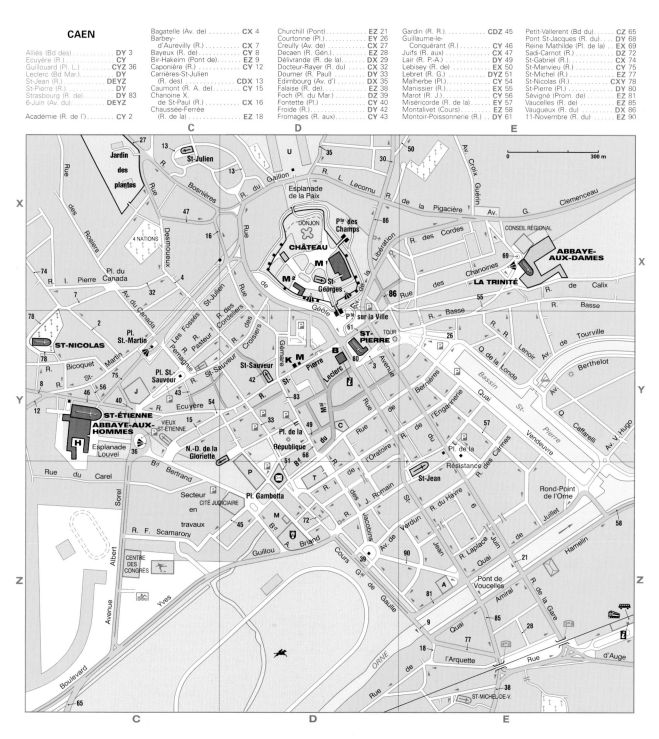

Buffières 71 ... 174 C3
Buffignécourt 70 ... 118 A3
Buffon 21 ... 137 F1
Bugarach 11 ... 302 B4
Bugard 65 ... 298 B1
Bugeat 19 ... 205 D2
Bugnein 64 ... 272 A4
Bugnicourt 59 ... 9 D3
Bugnières 52 ... 116 B2
Bugny 25 ... 161 D2
Le Bugue 24 ... 221 D3
Buhl 67 ... 45 F4
Buhl 68 ... 120 B1
Buhl-Lorraine 57 ... 70 A2
Buhy 95 ... 33 E4
Buicourt 60 ... 33 F1
Buigny-l'Abbé 80 ... 17 F1
Buigny-lès-Gamaches 80 ... 17 D1
Buigny-Saint-Maclou 80 ... 6 B4
Buire 02 ... 21 E2
Buire-au-Bois 62 ... 7 D3
Buire-Courcelles 80 ... 19 F2
Buire-le-Sec 62 ... 6 C2
Buire-sur-l'Ancre 80 ... 18 C2
Buironfosse 02 ... 10 B4
Le Buis 87 ... 185 F2
Buis-les-Baronnies 26 ... 248 A4
Buis-sur-Damville 27 ... 58 C3
Buissard 05 ... 249 F1
La Buisse 38 ... 212 B4
La Buissière 38 ... 213 D3
Buisson 84 ... 247 E4
Le Buisson 51 ... 65 E4
Le Buisson 48 ... 243 F2
Le Buisson-Cussac 24 ... 221 D4
Buissoncourt 54 ... 68 B4
Buissy 62 ... 8 C4
Bujaleuf 87 ... 186 B4
Bulainville 55 ... 66 B1
Bulan 65 ... 298 A3
Bulat-Pestivien 22 ... 50 B4
Bulcy 58 ... 135 E4
Buléon 56 ... 101 E2
Bulgnéville 88 ... 93 F4
Bulhon 63 ... 190 A3
Bullainville 28 ... 109 E1
Bulle 25 ... 160 C3
Bullecourt 62 ... 8 C4
Bulles 60 ... 34 B2
Bulligny 54 ... 93 F1
Bullion 78 ... 86 B1
Bullou 28 ... 85 D4
Bully 42 ... 191 D3
Bully 14 ... 55 F1
Bully 69 ... 192 B3
Bully 76 ... 16 C4
Bully-les-Mines 62 ... 8 A2
Bulson 08 ... 23 D4
Bult 88 ... 95 D3
Bun 65 ... 297 E3
Buncey 21 ... 115 E3
Buneville 62 ... 7 E3
Buno-Bonnevaux 91 ... 87 D3
Bunodière (Hêtre de la) 76 ... 33 D2
Bunus 64 ... 295 E1
Bunzac 16 ... 202 A1
Buoux 84 ... 266 A4
Burbach 67 ... 70 A1
La Burbanche 01 ... 194 B3
Burbure 62 ... 7 F1
Burcin 38 ... 212 A3
Burcy 14 ... 55 D2
Burcy 77 ... 87 E4
Burdignes 42 ... 210 B4
Burdignin 74 ... 178 B4
Bure 57 ... 41 E2
Buré 61 ... 83 E2
Bure 55 ... 92 C1
Bure-les-Templiers 21 ... 116 A4
Burelles 02 ... 21 E3
Bures 54 ... 69 D4
Bures 61 ... 83 E1
Bures-en-Bray 76 ... 16 B3
Bures-les-Monts 14 ... 54 C2
Bures-sur-Dives 14 ... 29 F4
Bures-sur-Yvette 91 ... 60 C4
Le Buret 53 ... 105 E2
Burey 27 ... 58 B2
Burey-en-Vaux 55 ... 93 E1
Burey-la-Côte 55 ... 93 E1
Burg 65 ... 298 B1
Burgalays 31 ... 299 D4
Burgaronne 64 ... 271 F3
Le Burgaud 31 ... 276 A1
Burgille 25 ... 140 C4
Burgnac 87 ... 203 E1
Burgy 71 ... 175 D2
Burie 17 ... 182 B4
Buriville 54 ... 95 E1
Burlats 81 ... 278 B2
Burlioncourt 57 ... 69 D2
Burnand 71 ... 174 C1
Burnevillers 25 ... 143 D3
Burnhaupt-le-Bas 68 ... 120 B2
Burnhaupt-le-Haut 68 ... 120 B2
Buron 63 ... 207 F2
Buros 64 ... 273 D4
Burosse-Mendousse 64 ... 273 E3
Burret 09 ... 300 C4
Bursard 61 ... 83 D1
Burthecourt-aux-Chênes 54 ... 94 B1
Burtoncourt 57 ... 42 A3
Bury 60 ... 34 B3
Burzet 07 ... 245 F1
Burzy 71 ... 174 C1
Bus 62 ... 19 E1
Bus-la-Mésière 80 ... 19 D4
Bus-lès-Artois 80 ... 18 C1
Bus-Saint-Rémy 27 ... 59 F1
Busca-Maniban (Château de) 32 ... 255 F4
Buschwiller 68 ... 121 D4
Busigny 59 ... 20 B1
Busloup 41 ... 108 C3
Busnes 62 ... 7 F1
Busque 81 ... 277 F1
Bussac 24 ... 202 B4
Bussac-Forêt 17 ... 217 F1
Bussac-sur-Charente 17 ... 181 F4
Bussaglia (Plage de) 2A ... 316 A1
Bussang 88 ... 119 F2
Bussang (Col de) 88 ... 119 F2
Le Busseau 79 ... 164 B1
Busseau-sur-Creuse 23 ... 187 E1
Busseaut 21 ... 115 E4
Busséol 63 ... 207 F1
Busserolles 24 ... 202 B1
Busserotte-et-Montenaille 21 ... 139 D1
Busset 03 ... 190 B2
Bussiares 02 ... 62 C1
La Bussière 86 ... 167 E1
La Bussière 45 ... 111 F4
Bussière-Badil 24 ... 202 B1
Bussière-Boffy 87 ... 185 D2
Bussière-Dunoise 23 ... 169 D4
Bussière-Galant 87 ... 203 E1
Bussière-Nouvelle 23 ... 188 A2
Bussière-Poitevine 87 ... 167 E4
Bussière-Saint-Georges 23 ... 170 A3
La Bussière-sur-Ouche 21 ... 138 C4
Bussières 21 ... 139 D1
Bussières 70 ... 141 D3
Bussières 71 ... 175 D3
Bussières 89 ... 137 E3
Bussières 42 ... 191 F4
Bussières 63 ... 188 B2
Bussières 77 ... 62 C2
Bussières-et-Pruns 63 ... 189 F2
Bussières-lès-Belmont 52 ... 117 D4
Busson 52 ... 92 C3
Bussu 80 ... 19 E2
Bussunarits-Sarrasquette 64 ... 295 D1
Bussurel 70 ... 142 C1
Bussus-Bussuel 80 ... 17 F1
Bussy 60 ... 35 F1
Bussy 18 ... 153 F3
Bussy-Albieux 42 ... 191 E4
Bussy-en-Othe 89 ... 113 E2
Bussy-la-Côte 55 ... 66 A3
Bussy-la-Pesle 58 ... 136 A4
Bussy-la-Pesle 21 ... 138 C3
Bussy-le-Château 51 ... 65 D1
Bussy-le-Grand 21 ... 138 A1
Bussy-le-Repos 51 ... 65 E2
Bussy-le-Repos 89 ... 112 C1
Bussy-lès-Daours 80 ... 18 B2
Bussy-lès-Poix 80 ... 17 F3
Bussy-Lettrée 51 ... 64 C3
Bussy-Rabutin (Château de) 21 ... 138 A1
Bussy-Saint-Georges 77 ... 61 F3
Bussy-Saint-Martin 77 ... 61 F3
Bust 67 ... 70 A1
Bustanico 2B ... 315 E4
Bustince-Iriberry 64 ... 295 D1
Buswiller 67 ... 70 C1
Busy 25 ... 141 D4
Butgnéville 55 ... 67 E1
Buthiers 70 ... 141 D3
Buthiers 77 ... 87 D4
Butot 76 ... 32 A1
Butot-Vénesville 76 ... 15 D1
Butry-sur-Oise 95 ... 60 C1
Butteaux 89 ... 113 F2
Butten 67 ... 44 A4
Buverchy 80 ... 19 E4
Buvilly 39 ... 159 F3
La Buxerette 36 ... 169 E2
Buxerolles 21 ... 116 A3
Buxerolles 86 ... 166 B1
Buxerulles 55 ... 67 E2
Buxeuil 10 ... 115 D1
Buxeuil 36 ... 152 A1
Buxeuil 86 ... 150 A2
Buxières-d'Aillac 36 ... 169 D1
Buxières-lès-Clefmont 52 ... 117 D1
Buxières-les-Mines 03 ... 171 E3
Buxières-lès-Villiers 52 ... 116 A1
Buxières-sous-les-Côtes 55 ... 67 E2
Buxières-sous-Montaigut 63 ... 189 D1
Buxières-sur-Arce 10 ... 115 D1
Buxy 71 ... 157 F4
Buysscheure 59 ... 3 E3
Buzan 09 ... 299 F4
Buzançais 36 ... 151 E3
Buzancy 08 ... 39 E2
Buzancy 02 ... 36 B3
Buzeins 12 ... 243 D4
Buzet-sur-Baïse 47 ... 255 F1
Buzet-sur-Tarn 31 ... 277 D1
Buziet 64 ... 296 C2
Buzignargues 34 ... 282 A1
Buzon 65 ... 274 A3
Buzy 64 ... 296 C2
Buzy 55 ... 40 C4
By 25 ... 160 A2
Byans-sur-Doubs 25 ... 160 A1

C

Cabanac 65 ... 298 A1
Cabanac-Cazaux 31 ... 299 D3
Cabanac-et-Villagrains 33 ... 235 F2
Cabanac-Séguenville 31 ... 275 F1
La Cabanasse 66 ... 311 D3
Cabanès 12 ... 259 F1
Cabanès 81 ... 277 F1
Les Cabanes-de-Fitou 11 ... 303 F4
Le Cabanial 31 ... 277 E3
Les Cabannes 81 ... 259 D2
Cabannes 13 ... 265 D4
Les Cabannes 09 ... 310 A1
Cabara 33 ... 218 C4
Cabariot 17 ... 181 E3
Cabas-Loumassès 32 ... 274 C4
Cabasse 83 ... 286 C3
Cabasson 83 ... 293 D2
Le Cabellou 29 ... 99 D2
Cabestany 66 ... 313 D2
Cabidos 64 ... 272 C2
Cabourg 14 ... 30 A3
Cabre (Col de) 05 ... 248 B2
Cabrerets 46 ... 240 B3
Cabrerolles 34 ... 280 A3
Cabrespine 11 ... 278 C4
Cabrières 30 ... 264 A4
Cabrières 34 ... 280 C2
Cabrières-d'Aigues 84 ... 266 B4
Cabrières-d'Avignon 84 ... 265 F4
Cabriès 13 ... 284 C3
Cabris 06 ... 287 F1
Cachan 94 ... 61 D3
Cachen 40 ... 254 A2
Cachy 80 ... 18 C3
Cadalen 81 ... 259 D4
Cadarache (Barrage de) 13 ... 285 E1
Cadarcet 09 ... 300 C3
Cadarsac 33 ... 218 C4
Cadaujac 33 ... 217 E4
Cadéac 65 ... 298 B4
Cadeilhan 32 ... 256 B4
Cadeilhan-Trachère 65 ... 298 B4
Cadeillan 32 ... 275 E4
Cademène 25 ... 160 B1
Caden 56 ... 102 A4
Les Cadeneaux 13 ... 284 C4
Cadenet 84 ... 284 C1
Caderousse 84 ... 264 C2
La Cadière-d'Azur 83 ... 291 E3
La Cadière-et-Cambo 30 ... 262 C3
Cadillac 33 ... 236 B1
Cadillac-en-Fronsadais 33 ... 217 F3
Cadillon 64 ... 273 E3
Cadix 81 ... 260 A3
Cadolive 13 ... 285 D4
Cadouin 24 ... 221 D4
Cadours 31 ... 275 F1
Cadrieu 46 ... 241 D3
Caen 14 ... 29 E4
Caëstre 59 ... 4 A3
Caffiers 62 ... 2 B3
Cagnac-les-Mines 81 ... 259 E3
Cagnano 2B ... 314 A2
Cagnes-sur-Mer 06 ... 288 B2
Cagnicourt 62 ... 8 C4
Cagnoncles 59 ... 9 E4
Cagnotte 40 ... 271 E2
Cagny 14 ... 29 F4
Cagny 80 ... 18 B3
Cahagnes 14 ... 55 D1
Cahagnolles 14 ... 28 C4
Cahaignes 27 ... 33 D4
Cahan 61 ... 55 F3
Caharet 65 ... 298 B2
Cahon 80 ... 17 E1
Cahors 46 ... 240 A3
Cahus 46 ... 223 D3
Cahuzac 11 ... 301 E2
Cahuzac 81 ... 278 A3
Cahuzac 47 ... 238 B1
Cahuzac-sur-Adour 32 ... 273 F2
Cahuzac-sur-Vère 81 ... 259 D3
Caignac 31 ... 277 D4
Le Cailar 30 ... 282 B1
Cailhau 11 ... 302 A2
Cailhavel 11 ... 302 A2
Cailla 11 ... 311 D1
Caillac 46 ... 240 A3
Caillavet 32 ... 274 B1
Caille 06 ... 268 C4
Caille (Ponts de la) 74 ... 195 E2
La Caillère 85 ... 164 A1
Cailleville 76 ... 15 E1
Caillouël-Crépigny 02 ... 36 A1
Caillouet-Orgeville 27 ... 59 D2
Cailloux-sur-Fontaines 69 ... 193 D3
Cailly 76 ... 32 B1
Cailly-sur-Eure 27 ... 58 C1
La Caine 14 ... 55 F1
Cairanne 84 ... 265 D1
Le Caire 04 ... 249 E3
Cairon 14 ... 29 E4
Caisnes 60 ... 36 A1
Caissargues 30 ... 264 A4
Caix 80 ... 19 D3
Caixas 66 ... 312 C3
Caixon 65 ... 273 F4
Cajarc 46 ... 240 C3
Cala Rossa 2A ... 319 F2
Calacuccia 2B ... 314 C4
Calais 62 ... 2 B2
Calamane 46 ... 240 A3
Calan 56 ... 100 A2
Calanhel 22 ... 50 A4
Calas 13 ... 284 C3
Calavanté 65 ... 298 A1
Calcatoggio 2A ... 316 B3
Calce 66 ... 312 C1
Caldégas 66 ... 310 C4
Calenzana 2B ... 314 B3
Calès 46 ... 222 B4
Calès 24 ... 220 C4
Calignac 47 ... 255 F2
Caligny 61 ... 55 E3
Callac 56 ... 101 F3
Callac 22 ... 50 A4
Callas 83 ... 287 D2
Callen 40 ... 235 F4
Callengeville 76 ... 16 C3
Calleville 27 ... 31 F4
Calleville-les-Deux-Églises 76 ... 16 A4
Callian 83 ... 287 F1
Callian 32 ... 274 B2
Calmeilles 66 ... 312 B3
Calmels-et-le-Viala 12 ... 260 C3
La Calmette 30 ... 263 F3
Calmont 31 ... 301 D1
Calmont 12 ... 260 A1
Calmoutier 70 ... 118 C4
Caloire 42 ... 209 F3
Calonges 47 ... 237 F4
Calonne-Ricouart 62 ... 7 F1
Calonne-sur-la-Lys 62 ... 4 A4
Calorguen 22 ... 78 C2
La Calotterie 62 ... 6 B2
Caluire-et-Cuire 69 ... 193 D4
Calvaire des Dunes 50 ... 24 B2
Calvi 2B ... 314 B3
Calviac 46 ... 223 E3
Calviac-en-Périgord 24 ... 221 F4
Calvignac 46 ... 240 C3
Calvinet 15 ... 242 A1
Calvisson 30 ... 282 B1
Calzan 09 ... 301 E3
Camalès 65 ... 273 F4
Camarade 09 ... 300 B2
Camarès 12 ... 261 D4
Camaret-sur-Aigues 84 ... 265 D1

CALAIS

Fontinettes (R. des) ... CDY 24
Gambetta (Bd Léon) ... CY
Jacquard (Bd) ... CDY
Lafayette (Bd) ... DY
Pasteur (Bd) ... DY
Royale (R.) ... CX 63

Amsterdam (R. d') ... DXY 3
Angleterre (Pl. d') ... DX 4
Barbusse (Pl. Henri) ... DX 6
Bonningue (R. du Cdt) ... DX 7
Bruxelles (R. de) ... DX 10
Chanzy (R. du Gén.) ... DY 13
Commune de Paris (R. de la) ... CDY 16
Escaut (Quai de l') ... CY 21
Foch (Pl. Mar.) ... CXY 22
George-V (Pont) ... CY 31
Jacquard (Pont) ... CY 36
Jean-Jaurès (R.) ... DY 37
Londres (R. de) ... DX 42
Mer (R. de la) ... CX 45
Notre-Dame (R.) ... CD 46
Paix (R. de la) ... CX 48
Paul-Bert (R.) ... CDY 49
Prés.-Wilson (Av. du) ... CY 54
Quatre-Coins (R. des) ... CY 55
Rhin (Quai du) ... CY 58
Richelieu (R.) ... CX 60
Rome (R. de) ... CY 61
Soldat-Inconnu (Pl. du) ... DY 64
Tamise (Quai de la) ... CDY 66
Thermes (R. des) ... CX 67
Varsovie (R. de) ... DY 70
Vauxhall (R. du) ... CY 72

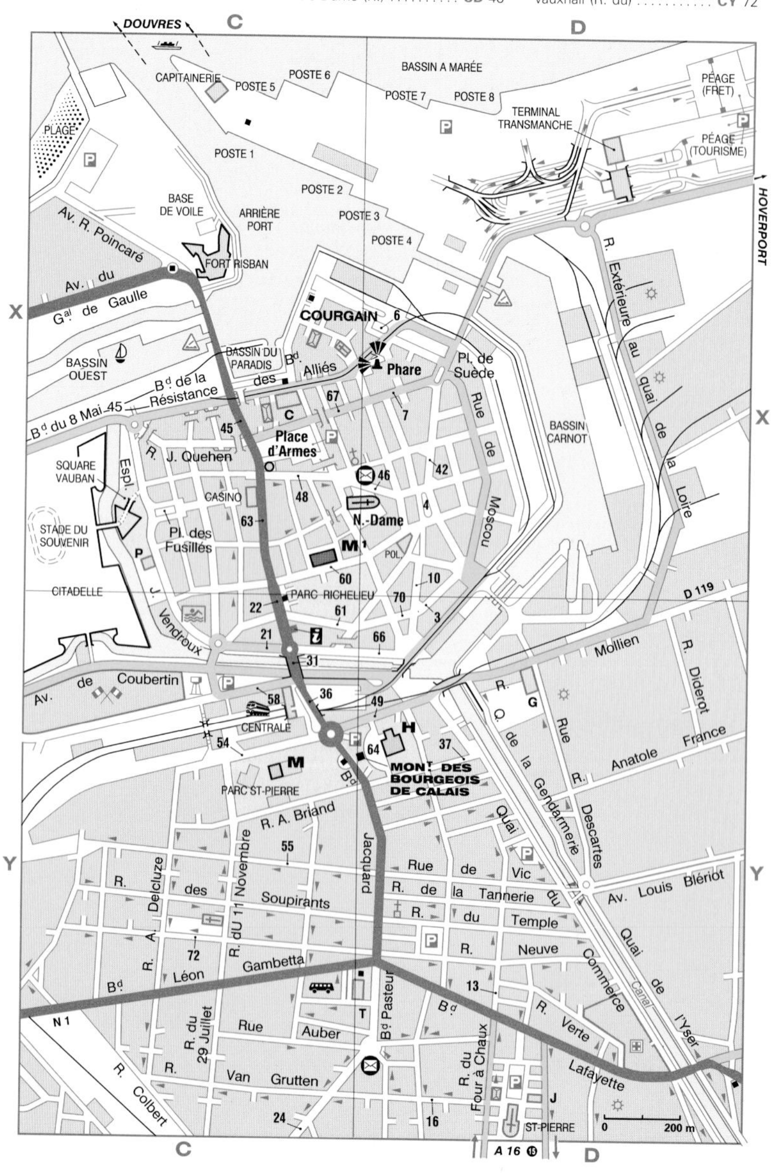
DOUVRES
C
D
X
Y
CAPITAINERIE
POSTE 5
POSTE 6
BASSIN A MARÉE
POSTE 7
POSTE 8
TERMINAL TRANSMANCHE
PÉAGE (FRET)
PÉAGE (TOURISME)
HOVERPORT
PLAGE
POSTE 1
POSTE 2
POSTE 3
POSTE 4
BASE DE VOILE
ARRIÈRE PORT
FORT RISBAN
Av. R. Poincaré
Av. du Gal de Gaulle
COURGAIN
BASSIN OUEST
BASSIN DU PARADIS
Bd des Alliés
Phare
Pl. de Suède
Bd de la Résistance
Bd du 8 Mai 45
Place d'Armes
R. J. Quehen
Rue de Moscou
BASSIN CARNOT
R. Extérieure au quai de la Loire
SQUARE VAUBAN
Espl.
CASINO
N.-Dame
STADE DU SOUVENIR
Pl. des Fusillés
POL
CITADELLE
PARC RICHELIEU
D 119
Vendroux
Av. de Coubertin
Mollien
R. Diderot
CENTRALE
MONT DES BOURGEOIS DE CALAIS
PARC ST-PIERRE
R. A. Briand
R. Anatole France
Rue de Vic
R. de la Tannerie
R. du Temple
R. Neuve
Av. Louis Blériot
Quai de la Gendarmerie
Rue Descartes
Quai du Commerce
Canal
Quai de l'Yser
R. des Soupirants
R. A. Delcluze
R. du 11 Novembre
Bd Jacquard
Bd Léon Gambetta
N 1
R. du 29 Juillet
Rue Auber
R. Van Grutten
R. Colbert
Bd Pasteur
R. du Four à Chaux
R. Verte
Bd Lafayette
ST-PIERRE
A 16
0
200 m

Camaret-sur-Mer 29 .... 47 D4
Camarsac 33 .... 217 F4
Cambayrac 46 .... 239 F3
La Cambe 14 .... 27 F3
Cambernard 31 .... 276 A3
Cambernon 50 .... 54 A1
Cambes 46 .... 241 D2
Cambes 47 .... 237 F2
Cambes 33 .... 236 A1
Cambes-en-Plaine 14 ...... 29 E4
Cambia 2B 315 E4
Cambiac 31 .... 277 E3
Cambieure 11 .... 302 A2
Camblain-Châtelain 62 ..... 7 F2
Camblain-l'Abbé 62 .... 8 A2
Camblanes-et-Meynac 33 ... 217 A2
Cambligneul 62 .... 7 F2
Cambo-les-Bains 64 ...... 270 C4
Cambon 81 .... 259 E4
Cambon-et-Salvergues 34 .. 279 F2
Cambon-lès-Lavaur 81 .... 277 C2
Camboulazet 12 .... 260 A1
Camboulit 46 .... 241 D2
Cambounès 81 .... 278 C2
Cambounet-sur-le-Sor 81 .. 278 A2
Le Cambout 22 .... 101 E1
Cambrai 59 .... 9 D4
Cambremer 14 .... 30 B4
Cambrin 62 .... 8 B1
Cambron 80 .... 17 E1
Cambronne-lès-Clermont 60 . 34 C3
Cambronne-lès-Ribécourt 60 . 35 F2
Camburat 46 .... 241 D2
Came 64 .... 271 E3
Camélas 66 .... 312 C2
Camelin 02 .... 36 A1
Camembert 61 .... 57 D2
Cametours 50 .... 54 A1
Camiac-et-Saint-Denis 33 .. 218 C4
Camiers 62 .... 6 A1
Camiran 33 .... 237 D2
Camjac 12 .... 259 F1
Camlez 22 .... 50 B1
Les Cammazes 81 .... 278 A4
Camoël 56 .... 123 F3
Camon 09 .... 301 F3
Camon 80 .... 18 B2
Camors 56 .... 100 C2
Camou-Cihigue 64 ...... 295 F2
Camou-Mixe-Suhast 64 .. 271 E4
Camous 65 .... 298 B3
Le Camp-du-Castellet 83 .. 291 E3
Campagna-de-Sault 11 ... 310 C1
Campagnac 12 .... 243 E3
Campagnac 81 .... 258 C3
Campagnac-les-Quercy 24 . 239 E1
Campagnan 34 .... 281 D3
Campagne 24 .... 221 D3
Campagne 60 .... 19 E4
Campagne 40 .... 253 F4
Campagne 34 .... 282 A1
Campagne-d'Armagnac 32 . 255 D4
Campagne-lès-Boulonnais 62 ... 2 C4
Campagne-lès-Guînes 62 ... 2 C3
Campagne-lès-Hesdin 62 ... 6 C2
Campagne-lès-Wardrecques 62 ... 3 E4
Campagne-sur-Arize 09 ... 300 B2
Campagne-sur-Aude 11 ... 302 B4
Campagnolles 14 .... 54 C2

Campan 65 .... 298 A3
Campana 2B 315 E4
Campandré-Valcongrain 14 . 55 D2
Camparan 65 .... 298 B4
Campbon 44 .... 125 F2
Campeaux 60 .... 33 E1
Campeaux 14 .... 54 C2
Campel 35 .... 102 C2
Campénéac 56 .... 102 A2
Campes 81 .... 259 D2
Campestre-et-Luc 30 .... 262 A3
Campet-et-Lamolère 40 .. 253 F3
Camphin-en-Carembault 59 . 8 C1
Camphin-en-Pévèle 59 ..... 9 D1
Campi 2B 317 F1
Campigneulles-les-Grandes ... 6 B2
Campigneulles-les-Petites 62 ... 6 B2
Campigny 27 .... 28 C3
Campigny 14 .... 28 C3
Campile 2B 315 E3
Campistrous 65 .... 298 B3
Campitello 2B 315 E3
Camplong 34 .... 280 A2
Camplong-d'Aude 11 .... 303 D3
Campneuseville 76 .... 17 D3
Campo 2A 316 C4
Campôme 66 .... 311 F2
Campouriez 12 .... 242 B1
Campoussy 66 .... 311 F2
Campremy 60 .... 34 B1
Camprond 50 .... 54 A1
Camps 19 .... 223 D3
Camps-en-Amiénois 80 ... 17 F2
Camps-la-Source 83 ..... 286 B3
Camps-sur-l'Agly 11 .... 302 C4
Camps-sur-l'Isle 33 .... 219 D2
Campsas 82 .... 257 F4
Campsegret 24 .... 220 B3
Campuac 12 .... 242 B2
Campugnan 33 .... 217 E1
Campuzan 65 .... 298 B1
Camurac 11 .... 310 C1
Can Parterre 66 .... 312 B4
Canadel (Col du) 83 .... 293 D2
Canadel-sur-Mer 83 .... 293 D2
Canaille (Cap) 13 ..... 291 D3
Canale-di-Verde 2B 317 F1
Canals 82 .... 257 F4
Canaples 80 .... 18 A1
Canappeville 27 .... 32 A4
Canapville 61 .... 57 D2
Canapville 14 .... 30 B3
Canari 2B 314 A2
Canaules-et-Argentières 30 . 263 D3
Canavaggia 2B 315 E3
Canaveilles 66 .... 311 E3
Cancale 35 .... 53 D4
Canchy 14 .... 27 F3
Canchy 80 .... 6 C4
Cancon 47 .... 238 B2
Candas 80 .... 18 A1
Candé 49 .... 127 E1
Candé-sur-Beuvron 41 .. 132 A2
Candes-Saint-Martin 37 . 129 F4
Candillargues 34 ...... 282 A2
Candor 60 .... 35 F1
Candresse 40 .... 271 F1
Canehan 76 .... 16 B2
Canéjan 33 .... 217 D2

Canens 31 .... 300 B1
Canenx-et-Réaut 40 .... 254 A3
Canet 34 .... 281 D2
Canet 11 .... 303 F1
Canet-de-Salars 12 .... 260 C1
Canet-en-Roussillon 66 . 313 E2
Canet-Plage 66 .... 313 E2
Canettemont 62 .... 7 E3
Cangey 37 .... 131 E2
Caniac-du-Causse 46 ... 240 B2
Canihuel 22 .... 76 D2
Canilhac 48 .... 243 F3
Canisy 50 .... 54 B1
Canly 60 .... 35 D3
Cannectancourt 60 ..... 35 F1
Cannelle 2B 314 A1
Cannelle 2A 316 B3
Cannes 06 .... 288 B3
Cannes-Écluse 77 ...... 88 A3
Cannes-et-Clairan 30 ... 263 E4
Cannessières 80 .... 17 E2
Cannet 32 .... 273 E2
Le Cannet 06 .... 288 B3
Le Cannet-des-Maures 83 . 286 C3
Canny-sur-Matz 60 ..... 35 E1
Canny-sur-Thérain 60 ... 33 E1
Canohès 66 .... 312 C2
Le Canon 33 .... 234 B1
Canon 14 .... 56 B1
La Canonica 2B 315 F3
La Canonica (Ancienne Cathédrale) 2B ... 315 F3
La Canourgue 48 ...... 243 F3
Canouville 76 .... 15 D2
Cantaing-sur-Escaut 59 ... 9 D4
Cantaous 65 .... 298 B2
Cantaron 06 .... 288 C1
Canté 09 .... 300 C1
Cantebonne 54 .... 41 D1
Canteleu 76 .... 32 A4
Canteleux 62 .... 7 E4
Canteloup 50 .... 25 D2
Canteloup 14 .... 30 A4
Cantenac 33 .... 217 D2
Cantenay-Épinard 49 .. 128 B1
Cantiers 27 .... 33 D4
Cantigny 80 .... 18 C4
Cantillac 24 .... 202 B3
Cantin 59 .... 9 D3
Cantobre 12 .... 261 F2
Cantoin 12 .... 224 C4
Cantois 33 .... 236 C1
Canville-la-Rocque 50 .. 24 C4
Canville-les-Deux-Églises 76 ... 15 F2
Cany-Barville 76 ...... 15 E2
Caorches-Saint-Nicolas 27 . 57 F1
Caouënnec-Lanvézéac 22 . 50 A2
Caours 80 .... 6 C4
Cap Corse 2B 314 D1
Cap-Coz 29 .... 73 F4
Le Cap-d'Agde 34 .... 305 F2
Cap-d'Ail 06 .... 289 E4
Cap-de-l'Homy-Plage 40 . 252 B2
Cap-de-Long (Barrage de) 65 ... 298 A4
Cap Ferrat 06 .... 288 C2
Cap-Ferret 33 .... 234 B1
Cap-Martin 06 .... 289 E4
Capbis 64 .... 297 D2
Capbreton 40 .... 270 C1

Capdenac 46 .... 241 E2
Capdenac-Gare 12 ..... 241 E2
Capdrot 24 .... 239 D1
Capelle 59 .... 9 F4
La Capelle 48 .... 243 F4
La Capelle 02 .... 10 B4
La Capelle-Balaguier 12 . 241 D3
La Capelle-Bleys 12 ... 241 F4
La Capelle-Bonance 12 . 243 E3
La Capelle-et-Masmolène 30 ... 264 B2
Capelle-Fermont 62 ..... 8 A3
La Capelle-lès-Boulogne 62 ... 2 B3
Capelle-les-Grands 27 .. 57 E1
Capelle-lès-Hesdin 62 ... 6 C3
Capendu 11 .... 303 D2
Capens 31 .... 276 B4
Capestang 34 .... 280 A4
Capian 33 .... 236 B1
Capinghem 59 .... 4 C4
Caplong 33 .... 219 E4
Capoulet-et-Junac 09 .. 310 A1
Cappel 57 .... 43 D4
Cappelle-Brouck 59 ..... 3 D2
Cappelle-en-Pévèle 59 ... 9 D1
Cappelle-la-Grande 59 ... 3 E1
Cappy 80 .... 19 D2
La Capte 83 .... 292 B3
Captieux 33 .... 236 C4
Capula (Castello de) 2A . 319 D1
Capvern 65 .... 298 B2
Capvern-les-Bains 65 .. 298 B2
Carabès (Col de) 05 ... 248 C2
Caradeuc (Château de) 22 . 78 C3
Caragoudes 31 .... 277 D3
Caraman 31 .... 277 E3
Caramany 66 .... 312 B1
Carantec 29 .... 49 D2
Carantilly 50 .... 54 B1
Carayac 46 .... 241 D2
Carbay 49 .... 104 A4
Carbes 81 .... 278 A2
Carbini 2A 319 D2
Carbon-Blanc 33 ..... 217 E3
Carbonne 31 .... 300 A1
Carbuccia 2A 316 C3
Carcagny 14 .... 29 D3
Carcanières 09 ...... 311 D1
Carcans 33 .... 216 B2
Carcans-Plage 33 .... 216 B2
Carcarès-Sainte-Croix 40 . 253 E4
Carcassonne 11 ..... 302 C2
Carcès 83 .... 286 B3
Carcheto-Brustico 2B .. 315 F4
Cardaillac 46 .... 241 D1
Cardan 33 .... 236 B1
Cardeilhac 31 .... 299 D1
Cardesse 64 .... 296 B1
Cardet 30 .... 263 E3
Cardo-Torgia 2A 316 C4
Cardonnette 80 ...... 18 B2
Le Cardonnois 80 .... 34 C1
Cardonville 14 ...... 27 E2
Cardroc 35 .... 79 D3
Careil 44 .... 123 F4
Carelles 53 .... 80 C2
Carency 62 .... 8 A2
Carennac 46 .... 222 C4
Carentan 50 .... 27 D3
Carentoir 56 .... 102 B3
Cargèse 2A 316 A2
Cargiaca 2A 319 D1

Carhaix-Plouguer 29 ... 75 F2
Carignan 08 .... 23 F4
Carignan-de-Bordeaux 33 . 217 F4
Carisey 89 .... 113 F3
Carla-Bayle 09 ...... 300 B2
Carla-de-Roquefort 09 . 301 E1
Le Carlaret 09 ...... 301 D2
Carlat 15 .... 224 B4
Carlencas-et-Levas 34 . 280 B3
Carlepont 60 .... 35 F2
Carling 57 .... 42 C4
Carlipa 11 .... 302 A1
Carlucet 24 .... 221 F3
Carlucet 46 .... 240 B1
Carlus 81 .... 259 E4
Carlux 24 .... 222 A4
Carmaux 81 .... 259 E3
Carnac 56 .... 100 B4
Carnac-Plage 56 .... 100 B4
Carnac-Rouffiac 46 .. 239 F3
Carnas 30 .... 263 D4
La Carneille 61 ...... 55 F3
Carnet 50 .... 80 A1
Carnetin 77 .... 61 F3
Carneville 50 .... 25 D2
Carnières 59 .... 9 E4
Carnin 59 .... 8 C1
Carniol 04 .... 266 B3
Carnoët 22 .... 75 F2
Carnoules 83 ...... 286 B4
Carnoux-en-Provence 13 . 291 D3
Carnoy 80 .... 19 D2
Caro 64 .... 295 D1
Caro 56 .... 102 A2
Carolles 50 .... 53 F3
Caromb 84 .... 265 E2
Carpentras 84 ..... 265 E2
Carpineto 2B 315 F4
Carpiquet 14 .... 29 E4
Carquebut 50 ...... 25 D4
Carquefou 44 ...... 126 C3
Carqueiranne 83 .... 292 B3
La Carquois 22 ..... 52 A3
Carrépuis 80 .... 19 E4
Carrère 64 .... 273 D3
Carresse 64 .... 271 F3
Carri (Col de) 26 ... 230 A3
Carrières-sous-Bois 78 . 60 C2
Carrières-sous-Poissy 78 . 60 B2
Carrières-sur-Seine 78 . 60 C3
Carro 13 .... 284 A4
Carros 06 .... 288 C1
Carrouges 61 .... 82 B1
Les Carroz-d'Arâches 74 . 196 B2
Carry-le-Rouet 13 ... 284 B4
Les Cars 87 .... 203 E1
Cars 33 .... 217 E1
Les Cars (Ruines gallo-romaines) 19 ... 205 E2
Carsac-Aillac 24 .... 221 F4
Carsac-de-Gurson 24 . 219 E3
Carsan 30 .... 264 B1
Carsen-Ponson 40 ... 253 E4
Carsix 27 .... 57 F1
Carspach 68 .... 120 B3
Cartelègue 33 ..... 217 E1
Carteret 50 .... 24 B4
Carticasi 2B 315 E4
Cartignies 59 .... 10 B3

Cartigny 80 .... 19 F2
Cartigny-l'Épinay 14 .. 27 F3
Carves 24 .... 221 E4
Carville 14 .... 55 D2
Carville-la-Folletière 76 . 15 F3
Carville-Pot-de-Fer 76 . 15 E2
Carvin 62 .... 8 C1
Cas (Château de) 82 . 258 C1
Casabianca 2B 315 E3
Casaglione 2A 316 B3
Casalabriva 2A 318 C1
Casalta 2B 315 F3
Casamaccioli 2B 316 C1
Casamozza 2B 315 F3
Casanova 2B 317 D1
Casardo (Col de) 2B . 317 E1
Casatorra 2B 315 F2
Cascastel-des-Corbières 11 . 303 E3
Casefabre 66 ...... 312 B2
Caseneuve 84 ...... 266 B3
Cases-de-Pène 66 ... 312 C1
Casevecchie 2B 317 F2
Cassaber 64 .... 271 F3
Cassagnabère-Tournas 31 . 299 E1
Cassagnas 48 ...... 262 C1
La Cassagne 24 .... 221 F2
Cassagne 31 .... 299 F2
Cassagnes 46 ...... 239 E2
Cassagnes 66 ...... 312 B1
Cassagnes-Bégonhès 12 . 260 B2
Cassagnoles 34 .... 279 D4
Cassagnoles 30 .... 263 E3
La Cassaigne 11 .... 301 F1
Cassaigne 32 ...... 255 F4
Cassaignes 11 ..... 302 C4
Cassaniouze 15 .... 242 A1
Cassano 2B 314 B3
Cassel 59 .... 3 E2
Cassen 40 .... 253 D4
Casseneuil 47 ..... 238 B3
Les Cassés 11 ..... 277 F4
Casset (Cascade du) 05 . 231 F4
Casseuil 33 .... 237 D2
Cassignas 47 ...... 238 C4
La Cassine 08 ...... 23 F4
Cassis 13 .... 291 D3
Casson 44 .... 126 B2
Cassuéjouls 12 .... 242 C1
Cast 29 .... 73 F2
Castagnac 31 ..... 300 B1
Castagnède 64 .... 271 F3
Castagnède 31 .... 299 F3
Castagniers 06 .... 288 C1
Castaignos-Souslens 40 . 272 B2
Castandet 40 ...... 254 B4
Castanet 82 .... 259 D1
Castanet 81 .... 259 D3
Castanet 12 .... 259 F1
Castanet-le-Haut 34 . 279 E2
Castanet-Tolosan 31 . 276 C3
Castans 11 .... 278 C4
Casteide-Cami 64 ... 272 B3
Casteide-Candau 64 . 272 B3
Casteide-Doat 64 ... 273 F4
Casteil 66 .... 311 F3
Castel-Sarrazin 40 .. 272 A3
Castel Vendon (Rocher du) 50 ... 24 B2
Castelbajac 65 ..... 298 B1
Castelbiague 31 .... 299 E3
Castelbouc (Château de) 48 ... 244 A4
Castelculier 47 .... 256 B1

CANNES

André (R. du Cdt) ..... CZ
Antibes (R. d') ..... BCY
Belges (R. des) ..... BZ 12
Chabaud (R.) ..... CY 22
Croisette (Bd de la) ..... BDZ

Félix-Faure (R.) ..... ABZ
Foch (R. du Mar.) ..... BY 44
Joffre (R. du Mar.) ..... BY 60
Riouffe (R. Jean de) ... BY 98

Anc. Combattants d'Afrique du Nord (Av.) ..... AYZ 4

Bachaga Saïd Boualam (Av.) ..... AY 5
Buttura (R.) ..... BZ 17
Castre (Pl. de la) ..... AZ 21
Delaup (R.) ..... AY 30
Dr-Pierre Gazagnaire (R.) ..... AZ 32

Dollfus (R. Jean) ..... AZ 33
Etats-Unis (R. des) ..... CZ 35
Ferrage (Bd de la) ..... ABY 40
Gallieni (R. du Mar.) ..... BY 48
Gaulle (Pl. Gén.-de) ..... BZ 51
Lattre-de-T. (Av. de) ..... AY 63
Macé (R.) ..... CZ 66

Mont-Chevalier (R. du) ..... AZ 72
Montfleury (Bd) ..... CDY 74
Monti (R. Marius) ..... AY 75
Pastour (R. Louis) ..... AY 90
Perrissol (R. Louis) ..... AZ 93
Rouguière (R.) ..... BY 100

St-Antoine (R.) ..... AZ 102
St-Nicolas (Av.) ..... BY 105
Serbes (R. des) ..... BZ 110
Teisseire (R.) ..... CY 114
Tuby (Bd Victor) ..... AYZ 115
Vallombrosa (Bd) ..... AY 118
Vidal (R. du Cdt) ..... CY 120

Street map of Cannes with grid references A–D (columns) and Y–Z (rows). Notable labels: CHAPELLE DU SOUVENIR, CENTRE SPORTIF MONTFLEURY, Av. de Grasse, R. Jean Jaurès, Bd Carnot, d'Alsace, Bd de Strasbourg, Av. Gal Kœnig, Meynadier, Rue d'Antibes, République, Centre Administratif, Marché Forville, Allées de la Liberté, Le Suquet, N.-D. D'ESPÉRANCE, Le Pantiéro, Gare maritime, Palais des Festivals et des Congrès, CASINO CANNES CROISETTE, Esplanade G. Pompidou, CASINO NOGA HILTON, CARLTON CASINO, BOULEVARD DE LA CROISETTE, MUSÉE DE LA CASTRE, PORT (CANNES I), PLAGE DU MIDI, Quai St-Pierre, Quai Max Laubeuf, GOLFE DE LA NAPOULE, MARTINEZ, ÎLES DE LÉRINS, Pointe de la Croisette. Scale: 200 m.

Le Castelet 09 . . . . 310 B1
Castelferrus 82 . . . . 257 D3
Castelfranc 46 . . . . 239 F3
Castelgaillard 31 . . . . 275 D4
Castelginest 31 . . . . 276 C1
Casteljaloux 47 . . . . 237 E4
Casteljau 07 . . . . 245 F3
Castella 47 . . . . 238 B4
Castellane 04 . . . . 268 B4
Castellar 06 . . . . 289 F3
Le Castellard 04 . . . . 267 E1
Castellare-di-Casinca 2B . . . 315 F3
Castellare-di-Mercurio 2B . . 317 E1
Le Castellet 83 . . . . 291 E4
Le Castellet 04 . . . . 267 E4
Castellet 84 . . . . 266 B4
Castellet-les-Sausses 04 . . . 268 C2
Castelli (Pointe du) 44 . . . . . 123 E4
Castello 2B 314 A4
Castellare-di-Rostino 2B . . . 315 E3
Castelmary 81 . . . . 259 F1
Castelmaurou 31 . . . . 276 C1
Castelmayran 82 . . . . 257 D3
Castelmoron-d'Albret 33 . . . 237 D1
Castelmoron-sur-Lot 47 . . . . 238 A4
Castelnau-Barbarens 32 . . . 275 D2
Castelnau-Bretenoux
(Château de) 46 . . . . 222 C4
Castelnau-Chalosse 40 . . . . 272 A1
Castelnau-d'Anglès 32 . . . . . 274 B2
Castelnau-d'Arbieu 32 . . . . . 256 B4
Castelnau-d'Aude 11 . . . . . . 303 D1
Castelnau-d'Auzan 32 . . . . . 255 D3
Castelnau-de-Brassac 81 . . . 278 C2
Castelnau-de-Guers 34 . . . . 280 C4
Castelnau-de-Lévis 81 . . . . . 259 E3
Castelnau-de-Mandailles 12 . 243 D3
Castelnau-de-Médoc 33 . . . . 217 D2
Castelnau-de-Montmiral 81 . 258 C3
Castelnau-d'Estrétefonds 31 . 276 B1
Castelnau-Durban 09 . . . . . . 300 B3
Castelnau-le-Lez 34 . . . . 281 E1
Castelnau-Magnoac 65 . . . . . 298 C1
Castelnau-Montratier 46 . . . 257 F2
Castelnau-Pégayrols 12 . . . . 261 D2
Castelnau-Picampeau 31 . . . 299 F1
Castelnau-Rivière-Basse 65 . 273 F2
Castelnau-sur-Gupie 47 . . . . 237 E2
Castelnau-Tursan 40 . . . . . . 272 C1
Castelnau-Valence 30 . . . . . 263 F3
Castelnau-
de-Gratecambe 47 . . . . . . 238 B3
Castelnaud-Fayrac 24 . . . . . 221 E4
Castelnaudary 11 . . . . 301 F1
Castelnavet 32 . . . . 274 A1
Castelner 40 . . . . 272 B2
Castelnou 66 . . . . 312 C2
Castelpers 12 . . . . 260 A2
Castelreng 11 . . . . 302 A3
Castels 24 . . . . 221 E4
Castelsagrat 82 . . . . 257 D1
Castelsarrasin 82 . . . . 257 E3
Castelvieilh 65 . . . . 298 A1
Castelviel 33 . . . . 236 C1
Castennec (Site de) 56 . . . . . 100 C1
Le Castéra 31 . . . . 276 A2
Castéra-Bouzet 82 . . . . 256 C3
Castéra-Lanusse 65 . . . . 298 B2
Castéra-Lectourois 32 . . . . . 256 B3
Castéra-Lou 65 . . . . 274 A4
Castéra-Loubix 64 . . . . 273 F4
Castéra-Verduzan 32 . . . . . . 255 F4
Castéra-Vignoles 31 . . . . . . 299 E1
Castéras 09 . . . . 300 C2
Casterets 65 . . . . 274 C4
Castéron 32 . . . . 256 C4
Castet 64 . . . . 296 C2
Castet-Arrouy 32 . . . . 256 B3
Castetbon 64 . . . . 272 A4
Castétis 64 . . . . 272 A3
Castetnau-Camblong 64 . . . . 272 A4
Castetner 64 . . . . 272 A3
Castetpugon 64 . . . . 273 D2
Castets 40 . . . . 252 C3
Castets-en-Dorthe 33 . . . . . . 236 C2
Castex 09 . . . . 300 B2
Castex 32 . . . . 274 B4
Castex-d'Armagnac 32 . . . . . 254 C4
Casties-Labrande 31 . . . . . . 275 F4
Castifao 2B 315 D3
Castiglione 2B 315 D4
Castillon 64 . . . . 273 E3
Castillon 06 . . . . 289 E3
Castillon 65 . . . . 298 A2
Castillon 64 . . . . 272 B3
Castillon 14 . . . . 28 C1
Castillon (Barrage de) 04 . . . 268 B3
Castillon (Col de) 06 . . . . . . 289 E3
Castillon-de-Castets 33 . . . . 237 D2
Castillon-de-Larboust 31 . . . 307 F4
Castillon-
de-Saint-Martory 31 . . . . . 299 E2
Castillon-Debats 32 . . . . 274 A1
Castillon-du-Gard 30 . . . . . . 264 B3
Castillon-en-Auge 14 . . . . . . 56 C1
Castillon-en-Couserans 09 . . 299 F3
Castillon-la-Bataille 33 . . . . 219 D4
Castillon-Massas 32 . . . . 274 C1
Castillon-Savès 32 . . . . 275 F2
Castillonnès 47 . . . . 238 B1
Castilly 14 . . . . 27 F3
Castin 32 . . . . 274 C1
Castineta 2B 315 E4
Castirla 2B 315 D4
Castres 02 . . . . 20 A3
Castres 81 . . . . 278 B2
Castres-Gironde 33 . . . . 236 B1
Castries 34 . . . . 282 A1
Le Cateau-Cambrésis 59 . . . 20 C1

Le Catelet 02 . . . . 20 A1
Le Catelier 76 . . . . 16 A4
Catenay 76 . . . . 32 C1
Catenoy 60 . . . . 34 C3
Cateri 2B 314 B3
Cathervielle 31 . . . . 307 F4
Catheux 60 . . . . 18 A4
Catigny 60 . . . . 19 E4
Catillon-Fumechon 60 . . . . . 34 C1
Catillon-sur-Sambre 59 . . . . 20 C1
Catllar 66 . . . . 311 F2
Les Catons 73 . . . . 213 D1
Catonvielle 32 . . . . 275 F2
Cattenières 59 . . . . 9 E4
Cattenom 57 . . . . 41 F2
Catteville 50 . . . . 24 C4
Catus 46 . . . . 239 F3
Catz 50 . . . . 27 E3
Caubeyres 47 . . . . 255 E1
Caubiac 31 . . . . 276 A1
Caubios-Loos 64 . . . . 272 C3
Caubon-Saint-Sauveur 47 . . 237 E2
Caubous 65 . . . . 298 C1
Caubous 31 . . . . 298 C4
La Cauchie 62 . . . . 8 A4
Cauchy-à-la-Tour 62 . . . . 7 F1
Caucourt 62 . . . . 8 A2
Caudan 56 . . . . 100 A2
Caudebec-en-Caux 76 . . . . . 15 E4
Caudebec-lès-Elbeuf 76 . . . . 32 A3
Caudebronde 11 . . . . 278 B4
Caudecoste 47 . . . . 256 B2
Caudéran 33 . . . . 217 E4
Caudeval 11 . . . . 301 F3
Caudiès-de-Conflent 66 . . . . 311 E4
Caudiès-de-Fenouillèdes 66 . 311 F1
Caudon-de-Vitrac 24 . . . . . . 221 F4
Caudos 33 . . . . 235 D2
Caudry 59 . . . . 20 B1
Cauffry 60 . . . . 34 C3
Caugé 27 . . . . 58 B2
Caujac 31 . . . . 300 C1
Caulaincourt 02 . . . . 19 F3
Le Caule-Sainte-Beuve 76 . . 17 D3
Caulières 80 . . . . 17 E3
Caullery 59 . . . . 20 B1
Caulnes 22 . . . . 78 B3
La Caume (Panorama de) 13 . 283 F1
Caumont 33 . . . . 237 D1
Caumont 82 . . . . 257 D3
Caumont 62 . . . . 7 D3
Caumont 32 . . . . 273 E1
Caumont 09 . . . . 299 F3
Caumont 27 . . . . 31 F3
Caumont 02 . . . . 36 A1
Caumont (Château de) 32 . . . 275 F3
Caumont-l'Éventé 14 . . . . . . 55 D1
Caumont-sur-Durance 84 . . . 265 D4
Caumont-sur-Garonne 47 . . . 237 E2
Caumont-sur-Orne 14 . . . . . . 55 F2
Cauna 40 . . . . 253 F4
Caunay 79 . . . . 183 E1
Cauneille 40 . . . . 271 E2
Caunes-Minervois 11 . . . . . . 279 D4
La Caunette 34 . . . . 279 E4
Caunette-sur-Lauquet 11 . . . 302 C3
Caunettes-en-Val 11 . . . . 303 D3
Caupenne 40 . . . . 272 A1
Caupenne-d'Armagnac 32 . . 254 C4
La Caure 51 . . . . 63 F2
Caurel 51 . . . . 38 A3
Caurel 22 . . . . 76 C3
Cauria (Mégalithes de) 2A . . 318 C3
Cauro 2A 316 C4
Cauroir 59 . . . . 9 E4
Cauroy 08 . . . . 38 B3
Cauroy-lès-Hermonville 51 . . 37 E3
Le Causé 82 . . . . 257 D4
Cause-de-Clérans 24 . . . . . . 220 B4
Caussade 82 . . . . 258 A2
Caussade-Rivière 65 . . . . . . 273 F3
Causse-Bégon 30 . . . . 261 F2
Causse-de-la-Selle 34 . . . . . 261 E4
Causse Noir (Corniche du) 12 261 F1
Caussens 32 . . . . 255 F3
Causses-et-Veyran 34 . . . . . 280 A3
Caussidières 31 . . . . 277 D4
Caussiniojouls 34 . . . . 280 A4
Caussols 06 . . . . 269 E4
Caussou 09 . . . . 310 B3
Cauterets 65 . . . . 297 E4
Cauverville-en-Roumois 27 . . 31 E3
Cauvicourt 14 . . . . 56 A1
Cauvignac 33 . . . . 237 D3
Cauvigny 60 . . . . 34 B3
Cauville 14 . . . . 55 E2
Cauville 76 . . . . 14 B3
La Cauvinière (Haras) 14 . . . 57 D2
Caux 34 . . . . 280 C3
Caux-et-Sauzens 11 . . . . 302 B1
Cauzac 47 . . . . 256 C1
Cavagnac 46 . . . . 222 B3
Cavaillon 84 . . . . 265 E4
Cavalaire-sur-Mer 83 . . . . . . 293 E2
La Cavalerie 12 . . . . 261 E3
Cavaliers (Falaise des) 83 . . 286 C1
Cavan 22 . . . . 50 C3
Cavanac 11 . . . . 302 B2
Cavarc 47 . . . . 238 B1
Caveirac 30 . . . . 263 F4
Caves 11 . . . . 303 F4
Cavignac 33 . . . . 217 F2
Cavigny 50 . . . . 27 E4
Cavillargues 30 . . . . 264 B2
Cavillon 80 . . . . 17 F2
Cavron-Saint-Martin 62 . . . . 6 C2
Caychax 09 . . . . 310 A1

Cayeux-en-Santerre 80 . . . . 18 C3
Cayeux-sur-Mer 80 . . . . 6 A4
Le Cayla (Musée) 81 . . . . . . 258 C3
Le Caylar 34 . . . . 261 F4
Caylus 82 . . . . 258 C1
La Cayolle (Col de) 06 . . . . . 251 D4
Cayrac 82 . . . . 258 A2
Cayres 43 . . . . 226 C3
Cayriech 82 . . . . 258 B1
Le Cayrol 12 . . . . 242 C2
Cayrols 15 . . . . 223 F4
Cazac 31 . . . . 275 D4
Cazalis 40 . . . . 272 B2
Cazalis 33 . . . . 236 B4
Cazalrenoux 11 . . . . 301 F2
Cazals 46 . . . . 239 F2
Cazals 82 . . . . 258 B2
Cazals-des-Baylès 09 . . . . . . 301 F2
Cazaril-Laspènes 31 . . . . . . 307 F4
Cazaril-Tambourès 31 . . . . . 298 C1
Cazarilh 65 . . . . 298 C3
Cazats 33 . . . . 236 C3
Cazaubon 32 . . . . 254 C3
Cazaugitat 33 . . . . 237 D1
Cazaunous 31 . . . . 299 D3
Cazaux 33 . . . . 234 C1
Cazaux 09 . . . . 300 C3
Cazaux-d'Anglès 32 . . . . 274 B2
Cazaux-Debat 65 . . . . 298 B4
Cazaux-Fréchet 65 . . . . 298 B4
Cazaux-Layrisse 31 . . . . 298 C4
Cazaux-Savès 32 . . . . 275 F3
Cazaux-Villecomtal 32 . . . . . 274 A3
Cazavet 09 . . . . 299 F3
La Caze (Château de) 48 . . . 244 A4
Cazeaux-de-Larboust 31 . . . 307 F4
Cazedarnes 34 . . . . 280 A4
Cazenave-Serres-
et-Allens 09 . . . . 301 D4
Cazeneuve 32 . . . . 255 E4
Cazeneuve-Montaut 31 . . . . 299 E2
Cazères 31 . . . . 300 A1
Cazères-sur-l'Adour 40 . . . . 273 D1
Cazes-Mondenard 82 . . . . . . 257 E1
Cazevieille 34 . . . . 281 E1
Cazideroque 47 . . . . 239 D4
Cazilhac 11 . . . . 302 B2
Cazilhac 34 . . . . 262 C4
Cazilhac (Château de) 34 . . . 280 A1
Cazillac 46 . . . . 222 B3
Cazoulès 24 . . . . 222 A4
Cazouls-d'Hérault 34 . . . . . . 280 C3
Cazouls-lès-Béziers 34 . . . . 280 A4
Céaucé 61 . . . . 81 E2
Céaulmont 36 . . . . 168 C2
Céaux 50 . . . . 54 A4
Céaux-d'Allègre 43 . . . . 226 C1
Ceaux-en-Couhé 86 . . . . 166 A4
Ceaux-en-Loudun 86 . . . . . . 149 D2

Cébazan 34 . . . . 279 F4
Cébazat 63 . . . . 189 E4
Ceccia
(Site préhistorique) 2A . . . 319 E3
Ceffia 39 . . . . 176 C4
Ceffonds 52 . . . . 91 F2
Ceignac 12 . . . . 260 A1
Ceignes 01 . . . . 194 A1
Ceilhes-et-Rocozels 34 . . . . 280 A1
Ceillac 05 . . . . 251 D1
Ceilloux 63 . . . . 208 B1
Ceintrey 54 . . . . 94 B1
La Celette 18 . . . . 170 C1
La Celle 18 . . . . 153 E4
La Celle 63 . . . . 188 A4
La Celle 63 . . . . 188 A4
La Celle 03 . . . . 188 C1
La Celle-Condé 18 . . . . 152 C4
La Celle-Dunoise 23 . . . . . . 169 D4
La Celle-en-Morvan 71 . . . . 156 C2
La Celle-Guenand 37 . . . . . . 150 B2
La Celle-les-Bordes 78 . . . . 86 B1
Celle-Lévescault 86 . . . . 166 A3
La Celle-Saint-Avant 37 . . . . 149 F2
La Celle-Saint-Cloud 78 . . . . 60 C3
La Celle-Saint-Cyr 89 . . . . . . 112 C2
La Celle-
sous-Chantemerle 51 . . . . 89 E1
La Celle-sous-Gouzon 23 . . . 187 F1
Cazaux-sous-Montmirail 02 . 63 D3
La Celle-sur-Loire 58 . . . . . . 135 D2
La Celle-sur-Morin 77 . . . . . 62 A3
La Celle-sur-Nièvre 58 . . . . 154 C1
La Celle-sur-Seine 77 . . . . . 88 A3
Cellefrouin 16 . . . . 184 A3
Celles 15 . . . . 225 D2
Celles 09 . . . . 301 D4
Celles 17 . . . . 199 F1
Celles 34 . . . . 280 C2
Celles-en-Bassigny 52 . . . . . 117 D2
Celles-lès-Condé 02 . . . . . . 63 D2
Celles-sur-Aisne 02 . . . . 36 C2
Celles-sur-Belle 79 . . . . 165 E4
Celles-sur-Durolle 63 . . . . . 190 B4
Celles-sur-Ource 10 . . . . . . 115 D1
Celles-sur-Plaine 88 . . . . . . 95 F1
La Cellette 23 . . . . 169 F3
La Cellette 63 . . . . 188 C2
Cellettes 16 . . . . 183 E3
Cellettes 41 . . . . 132 A2
Le Cellier 44 . . . . 126 C3
Cellier-du-Luc 07 . . . . 245 D1
Celliers 73 . . . . 214 A2
Cellieu 42 . . . . 210 B2
Cellule 63 . . . . 189 E3
Celon 36 . . . . 168 C2
Celony 13 . . . . 284 C2

Celoux 15 . . . . 225 F1
Celsoy 52 . . . . 117 D3
Cély 77 . . . . 87 E2
Cemboing 70 . . . . 117 F3
Cempuis 60 . . . . 17 F4
Cénac 33 . . . . 217 E4
Cénac-et-Saint-Julien 24 . . . 221 F4
Cenans 70 . . . . 141 E2
Cendras 30 . . . . 263 E2
Le Cendre 63 . . . . 207 F1
Cendrecourt 70 . . . . 117 F3
Cendrey 25 . . . . 141 E2
Cendrieux 24 . . . . 220 C3
Cenne-Monestiés 11 . . . . . . 278 A4
Cenomes 12 . . . . 261 D4
Cenon 33 . . . . 217 E4
Cenon-sur-Vienne 86 . . . . . 149 F4
Censeau 39 . . . . 160 B3
Censerey 21 . . . . 138 A4
Censy 89 . . . . 114 B4
Les Cent-Acres 76 . . . . 16 A3
Centeilles (Chapelle de) 34 . 279 D4
Centrès 12 . . . . 260 A2
Centuri 2B 314 A1
Centuri-Port 2B 314 A1
Cenves 69 . . . . 174 C4
Céon 71 . . . . 173 E4
Cépet 31 . . . . 276 C1
Cépie 11 . . . . 302 B2
Cepoy 45 . . . . 111 F2
Céran 32 . . . . 256 B4
Cérans-Foulletourte 72 . . . . 106 C3
Cerbère 66 . . . . 313 F4
Cerbois 18 . . . . 152 C1
Cercié 69 . . . . 192 B1
Cercier 74 . . . . 195 E2
Cercles 24 . . . . 202 A4
Cercottes 45 . . . . 110 A2
Cercoux 17 . . . . 218 C1
Le Cercueil 61 . . . . 82 C1
Cercy-la-Tour 58 . . . . 155 F3
Cerdon 01 . . . . 194 A1
Cerdon 45 . . . . 134 A1
Cerdon (Grottes du) 01 . . . . 194 A1
Cère 40 . . . . 254 A3
Cère (Pas de) 15 . . . . 224 B3
Céré-la-Ronde 37 . . . . 131 F4
Cerelles 37 . . . . 130 C2
Cérences 50 . . . . 54 A2
Céreste 04 . . . . 266 B4
Céret 66 . . . . 312 C3
Cerfontaine 59 . . . . 10 C2
Le Cergne 42 . . . . 191 F1
Cergy 95 . . . . 60 B1
Cergy-Pontoise
(Ville Nouvelle) 95 . . . . . . 60 B1
Cérilly 21 . . . . 115 D3
Cérilly 03 . . . . 171 E1
Cérilly 89 . . . . 89 E4

Cerisé 61 . . . . 82 C2
Cerisières 52 . . . . 92 A3
Cerisiers 89 . . . . 113 D1
Cerisy 80 . . . . 19 D2
Cerisy-Belle-Étoile 61 . . . . . 55 E3
Cerisy-Buleux 80 . . . . 17 E2
Cerisy-la-Forêt 50 . . . . 27 F4
Cerisy-la-Salle 50 . . . . 54 A1
Cerizay 79 . . . . 147 E3
Cérizols 09 . . . . 299 F2
Cerizy 02 . . . . 20 A3
La Cerlangue 76 . . . . 14 C4
La Cerleau 08 . . . . 22 A3
Cernans 39 . . . . 160 A2
Cernay 14 . . . . 57 D1
Cernay 86 . . . . 149 D3
Cernay 28 . . . . 85 D3
Cernay 68 . . . . 120 B2
Cernay-en-Dormois 51 . . . . 39 D4
Cernay-la-Ville 78 . . . . 60 B4
Cernay-l'Église 25 . . . . 142 C3
Cernay-lès-Reims 51 . . . . . . 37 F3
Cernex 77 . . . . 63 D4
Cernex 74 . . . . 195 E1
Cerniébaud 39 . . . . 160 C4
Cernion 08 . . . . 22 A3
Cernon 39 . . . . 176 C3
Cernon 51 . . . . 64 C3
Cernoy 60 . . . . 35 D2
Cernoy-en-Berry 45 . . . . 134 C2
Cernusson 49 . . . . 128 B4
Cerny 91 . . . . 87 D2
Cerny-en-Laonnois 02 . . . . . 37 D2
Cerny-lès-Bucy 02 . . . . 36 C1
Céron 71 . . . . 173 E4
Cérons 33 . . . . 236 B1
Les Cerqueux 49 . . . . 147 E2
Cerqueux 14 . . . . 57 E2
Les Cerqueux-
sous-Passavant 49 . . . . . . 147 F3
Cerre-lès-Noroy 70 . . . . 141 F1
Cers 34 . . . . 280 B4
Cersay 79 . . . . 148 A2
Cerseuil 02 . . . . 36 C3
Cersot 71 . . . . 157 F4
Certémery 39 . . . . 159 F2
Certilleux 88 . . . . 93 E3
Certines 01 . . . . 193 F1
Cervens 74 . . . . 178 B3
Cervières 05 . . . . 232 C3
Cervières 42 . . . . 190 C4
Cerville 54 . . . . 68 B4
Cervione 2B 315 F4
Cervon 58 . . . . 136 C4
Cerzat 43 . . . . 226 A1
Cesancey 39 . . . . 176 B3
Césarches 73 . . . . 196 A4
Césarville-Dossainville 45 . . 86 C4
Cescau 09 . . . . 299 F4

CHÂLONS-
EN-CHAMPAGNE

Bourgeois (R. Léon) . . . . BY
Croix-des-Teinturiers
(R.) . . . . AZ 9
Foch (Pl. Mar.) . . . . AY 14
Jaurès (R. Jean) . . . . AZ 20

Marne (R. de la) . . . . AY 27
République (Pl. de la) . . . . . AZ 39
Arche-de-Mauvillain
(Pt de l') . . . . BZ 2
Chastillon (R. de) . . . . ABZ 6
Flocmagny (R. du) . . . . BY 12
Gaulle
(Av. Charles-de) . . . . BZ 15
Godart (Pl.) . . . . AY 17

Jessaint (R. de) . . . . BZ 22
Libération (Pl. de la) . . . . . . AZ 24
Mariniers (Pt des) . . . . AY 26
Martyrs-de-la-Résistance
(R. des) . . . . BY 29
Ormesson (Cours d') . . . . . . AZ 32
Prieur-de-la-Marne (R.) . . . . BY 36
Récamier (R. Juliette) . . . . . AZ 38
Vaux (R. de) . . . . AY 47
Viviers (Pt des) . . . . AY 50

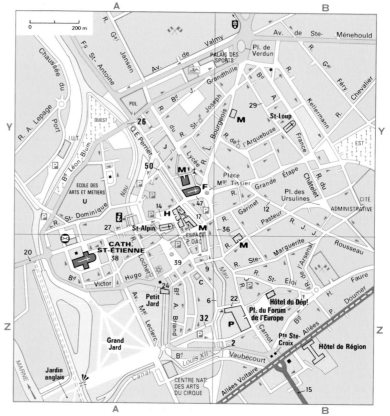

CHALON-SUR-SAÔNE

Grande-Rue .... **BCZ** 18
Leclerc (R. Gén.) ... **BZ**
République (Bd) .... **ABZ** 42

Banque (R. de la) .... **BZ** 3
Châtelet (Pl. du) .... **BZ** 5
Châtelet (R. du) .... **CZ** 6

Citadelle (R. de la) .. **BY** 7
Couturier (R. Ph.-L.) . **BZ** 9
Duhesme (R. du Gén.) **AY** 12
Edgar-Quinet (R.) ... **CZ** 13
Evêché (R. de l') .... **CZ** 15
Fèvres (R. aux) ..... **CZ** 17
Hôtel-de-Ville
(Pl. de l') ...... **BZ** 19
Messiaen (R. O.) .... **AZ** 24
Obélisque (Pl. de l') . **BYZ** 27
Pasteur (R.) .... **BZ** 28
Poissonnerie (R. de la) **CZ** 31

Pompidou (Av. G.) ... **AZ** 32
Pont (R. du) .... **CZ** 35
Porte-de-Lyon
.... **BZ** 36
Port-Villiers (R. du) .. **BZ** 37
Poterne (Q. de la) ... **CZ** 38
Pretet (R. René) .... **AZ** 40
St-Georges (R.) ..... **BZ** 45
St-Vincent
(Pl. et R.) ...... **CZ** 46
Strasbourg (R. de) ... **CZ** 48
Trémouille (R. de la) . **BCY** 51

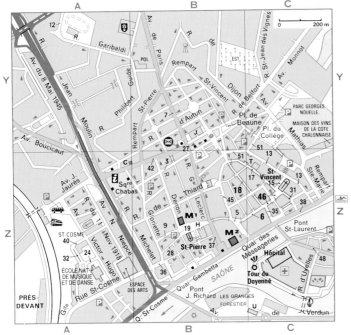

La Chamba 42	190	C4	
Chambain 21	116	A3	
Chambeire 21	139	F4	
Chambellay 49	105	D4	
Chambéon 42	209	F1	
Chambérat 03	170	B3	
Chamberaud 23	187	E2	
Chamberet 19	204	C2	
Chambéria 39	176	C2	
Chambéry 73	213	D2	
Chambéry-le-Vieux 73	213	D1	
Chambeugle 89	112	B3	
Chambezon 43	207	F4	
Chambilly 71	173	F4	
Chamblac 27	57	F2	
Chamblanc 21	158	C2	
Chamblay 39	159	F2	
Chambles 42	209	F3	
Chamblet 03	171	D4	
Chambley-Bussières 54	67	F1	
Chambly 60	34	B4	
Chambœuf 21	139	D4	
Chambœuf 42	209	E4	
Chambois 61	56	C3	
Chambolle-Musigny 21	139	D4	
Chambon 18	153	D4	
Chambon 17	181	E1	
Chambon 30	245	E4	
Le Chambon 07	227	F4	
Chambon 37	150	A3	
Chambon (Barrage du) 38	231	F2	
Chambon (Lac) 63	207	D2	
Chambon (Lac de) 36	168	C3	
Le Chambon-Feugerolles 42	210	A3	
Chambon-la-Forêt 45	111	D2	
Chambon-le-Château 48	226	C4	
Chambon-Sainte-Croix 23	169	D4	
Chambon-sur-Cisse 41	131	F2	
Chambon-sur-Dolore 63	208	B3	
Chambon-sur-Lac 63	207	D2	
Le Chambon-sur-Lignon 43	227	F2	
Chambon-sur-Voueize 23	188	A1	
Chambonas 07	245	E4	
Chambonchard 23	188	B1	
La Chambonie 42	190	C4	
Chamborand 23	186	B1	
Chambord 23	186	B1	
Chambord 27	57	F3	
Chambord 41	132	B1	
Chamboret 87	185	E2	
Chamborigaud 30	245	E4	
Chambornay-lès-Bellevaux 70	141	E2	
Chambornay-lès-Pin 70	141	D3	
Chambors 60	33	E4	
Chambost-Allières 69	192	A2	
Chambost-Longessaigne 69	192	A4	
La Chambotte 73	195	D4	
Chamboulive 19	204	C3	
Chambourcy 78	60	B2	
Chambourg-sur-Indre 37	150	B1	
Chambray 27	59	D1	
Chambray 27	58	B3	
Chambray-lès-Tours 37	130	C3	
La Chambre 73	213	F3	
Chambrecy 51	37	E4	
Les Chambres 50	54	A3	
Chambretaud 85	146	C2	
Chambrey 57	68	C3	
Chambroncourt 52	92	C3	
Chambroutet 79	147	F3	
Chambry 02	37	D1	
Chambry 77	62	A2	
Chaméane 63	208	A2	
Chamelet 69	192	A2	
Chameroy 52	116	B3	
Chamery 51	37	E4	
Chamesey 25	142	B4	
Chamesol 25	142	C3	
Chamesson 21	115	E4	
Chameyrat 19	222	C1	
Chamigny 77	62	B1	
Chamilly 71	157	F3	
Chammes 53	105	F1	
Chamole 39	159	F3	
Chamonix-Mont-Blanc 74	197	D2	
Chamouillac 17	199	F4	
Chamouille 02	37	D2	
Chamouilley 52	92	A1	
Chamousset 73	213	F3	
Chamoux 89	136	B2	
Chamoux-sur-Gelon 73	213	F3	
Chamoy 10	114	A2	
Champ de Bataille (Château du) 27	31	F4	
Le Champ-de-la-Pierre 61	82	A1	
Champ-d'Oiseau 21	137	D2	
Champ-Dolent 27	58	B2	
Champ-Dolent (Menhir de) 35	79	E1	
Champ-du-Boult 14	54	C3	
Champ du Feu 67	96	B1	
Champ-Haut 61	57	D4	
Champ-Laurent 73	213	F2	
Champ-le-Duc 88	95	E4	
Le Champ-près-Froges 38	213	D4	
Le Champ-Saint-Père 85	163	D2	
Champ-sur-Barse 10	91	D4	
Champ-sur-Drac 38	230	C2	
Le Champ-sur-Layon 49	128	B4	
Champagnac 17	199	F3	
Champagnac 15	206	A4	
Champagnac-de-Belair 24	202	C3	
Champagnac-la-Noaille 19	205	D4	
Champagnac-la-Prune 19	223	E1	
Champagnac-la-Rivière 87	203	D1	
Champagnac-le-Vieux 43	208	B4	
Champagnat 23	187	F2	
Champagnat 71	176	B2	
Champagnat-le-Jeune 63	208	A3	
Champagné 72	107	D2	
Champagne 17	181	D3	
Champagne 28	59	E4	
Champagne 07	210	C4	
Champagne-au-Mont-d'Or 69	192	C4	
Champagne-en-Valromey 01	194	B3	
Champagne-et-Fontaine 24	201	F3	
Champagné-le-Sec 86	183	F1	
Champagné-les-Marais 85	163	E3	
Champagne-Mouton 16	184	A2	
Champagne-Saint-Hilaire 86	166	B4	
Champagne-sur-Loue 39	160	A1	
Champagne-sur-Oise 95	60	C1	
Champagne-sur-Seine 77	87	F3	
Champagne-sur-Vingeanne 21	140	A2	
Champagne-Vigny 16	201	E2	
Champagneux 73	212	C1	
Champagney 25	141	D4	
Champagney 70	119	E4	
Champagney 39	140	A4	
Champagnier 38	230	C1	
Champagnole 39	160	A4	
Champagnolles 17	199	E2	
Champagny 39	160	A3	
Champagny 77	138	C2	
Champagny-en-Vanoise 73	214	C2	
Champagny-sous-Uxelles 71	175	D1	
Champallement 58	136	B4	
Champanges 74	178	C3	
Champaubert 51	63	F3	
Champcella 05	232	B4	
Champcenest 77	62	C4	
Champcerie 61	56	A3	
Champcervon 50	54	A3	
Champcevinel 24	220	C1	
Champcevrais 89	112	A4	
Champcey 50	53	F4	
Champclause 43	227	F2	
Champcourt 52	92	A3	
Champcueil 91	87	D2	
Champdeniers 79	165	D2	
Champdeuil 77	87	F1	
Champdieu 42	209	E1	
Champdivers 39	159	D2	
Champdolent 17	181	E3	
Champdor 01	194	B2	
Champdôtre 21	139	F4	
Champdray 88	95	E4	
Champeau-en-Morvan 21	137	E4	
Champeaux 79	165	D2	
Champeaux 77	87	F1	
Champeaux 50	53	F4	
Champeaux 35	80	A4	
Les Champeaux 61	56	C2	
Champeaux-et-la-Chapelle-Pommier 24	202	B3	
Champeaux-sur-Sarthe 61	83	E1	
Champeix 63	207	E2	
Champenard 27	59	D1	
La Champenoise 36	152	A3	
Champenoux 54	68	B3	
Champéon 53	81	F3	
Champétières 63	208	C2	
Champey 70	142	B1	
Champey-sur-Moselle 54	68	A2	
Champfleur 72	82	C3	
Champfleury 51	37	F4	
Champfleury 10	90	A1	
Champforgeuil 71	158	A3	
Champfrémont 53	82	B2	

Cescau 64	272	C3	
Cesny-aux-Vignes 14	56	B1	
Cesny-Bois-Halbout 14	55	F2	
Cessac 33	236	C1	
Cessales 31	277	E3	
Cesse 55	39	F1	
Cesseins 01	192	C2	
Cessenon-sur-Orb 34	280	A3	
Cessens 73	195	D4	
Cesseras 34	279	E4	
Cesset 03	172	A4	
Cesseville 27	32	B4	
Cessey 25	160	A1	
Cessey-sur-Tille 21	139	F4	
Cessières 02	36	C1	
Cessieu 38	212	A2	
Cesson 77	87	E1	
Cesson 22	51	E4	
Cesson-Sévigné 35	79	E4	
Cessoy-en-Montois 77	88	B2	
Cessy 01	177	F3	
Cessy-les-Bois 58	135	F3	
Cestas 33	217	E4	
Cestayrols 81	259	D3	
Ceton 61	84	A4	
Cette-Eygun 64	296	B3	
Cêuze 05	249	E2	
Cevins 73	214	A1	
Ceyras 34	280	C2	
Ceyrat 63	207	E1	
Ceyreste 13	291	D3	
Ceyroux 23	186	C2	
Ceyssac 43	227	D2	
Ceyssat 63	189	D4	
Ceyzériat 01	193	F1	
Ceyzérieu 01	194	C3	
Cézac 33	217	F2	
Cézac 46	239	F4	
Cezais 85	164	A1	
Cézan 32	256	A4	
Cezay 42	191	D4	
Cézens 15	225	D3	
Cézia 39	176	C3	
Cézy 89	113	D2	
Chaalis (Abbaye de) 60	61	F1	
Chabanais 16	184	C3	
La Chabanne 03	190	C2	
La Chabasse (Église de) 63	208	B1	
Chabestan 05	249	D3	
Chabeuil 26	229	F3	
Chablis 89	113	F3	
Chabons 38	212	A3	
La Chabossière 44	126	A4	
La Chabotterie (Château de) 85	145	F3	
Chabottes 05	249	F1	
Chabournay 86	149	D4	
Chabrac 03	184	C3	
Chabreloche 63	190	C3	
Chabrières 04	267	F2	
Chabrignac 19	204	A4	
Chabrillan 26	247	D1	
Chabris 36	132	C4	
Chacé 49	129	E4	
Chacenay 10	115	D1	
Chacrise 02	36	B3	
Chadeleuf 63	207	F2	
Chadenac 17	199	F2	
Chadenet 48	244	B3	
Chadrac 43	227	D2	
Chadron 43	227	D3	
Chadurie 16	201	E2	
Le Chaffal 73	229	E3	
Le Chaffaut-Saint-Jurson 04	267	F2	
Chaffois 25	160	C2	
Chagey 70	119	E4	
Chagnolet 17	180	C1	
Chagny 42	210	B2	
Chagny 08	39	D1	
Chagny 71	157	F3	
Chahaignes 72	107	E4	
Chahains 61	82	B1	
Chaignay 21	139	E2	
Chaignes 27	59	E2	
Chail 79	183	D1	
Chaillac 36	168	B3	
Chaillac-sur-Vienne 87	185	D3	
Chailland 53	80	C4	
Chaillé-les-Marais 85	163	F3	
Chaillé-sous-les-Ormeaux 85	163	D1	
Chailles 41	132	A2	
Chaillevette 17	180	C4	
Chaillevois 02	36	C1	
Chailley 89	113	F1	
Chaillol 05	249	F1	
Chaillon 55	67	D4	
Chailloué 61	57	D4	
Chailly-en-Bière 77	87	E2	
Chailly-en-Brie 77	62	B3	
Chailly-en-Gâtinais 45	111	E2	
Chailly-lès-Ennery 57	41	F3	
Chailly-sur-Armançon 21	138	A4	
Chainaz-les-Frasses 74	195	D4	
Chaînée-des-Coupis 39	159	E2	
Chaingy 45	110	A3	
Chaintré 71	175	D4	
Chaintreaux 77	88	A4	
Chaintrix-Bierges 51	64	B2	
La Chaise 10	91	E3	
La Chaise-Baudouin 50	54	B3	
La Chaise-Dieu 43	208	C4	
Chaise-Dieu-du-Theil 27	58	B4	
Chaix 85	164	A3	
La Chaize-Giraud 85	145	D4	
La Chaize-le-Vicomte 85	146	A4	
Chalabre 11	301	F3	
Chalagnac 24	220	B2	
Chalain (Lac de) 39	160	A4	
Chalain-d'Uzore 42	209	E1	
Chalain-le-Comtal 42	209	E1	
Chalaines 55	93	E1	
Chalais 36	168	A3	
Chalais 16	201	E4	
Chalais 24	219	F1	
Chalamont 01	193	E2	
Chalampé 68	121	D2	
Chalancey 52	116	B4	
Chalancon 26	248	A2	
Chalandray 86	165	F1	
Chalandry 02	20	C4	
Chalandry-Elaire 08	22	C4	
Le Chalange 61	83	D1	
Le Chalard 87	203	E2	
Chalautre-la-Grande 77	89	D1	
Chalautre-la-Petite 77	88	C2	
Chalautre-la-Reposte 77	88	B2	
Chalaux 58	137	D3	
La Chaldette 48	243	E1	
Chaleins 01	192	C2	
Chaleix 24	203	D2	
Chalencon 07	228	B4	
Chalencon (Château de) 43	209	D4	
Les Chalesmes 39	160	B4	
Châtelet-sur-Loing 45	111	F2	
Chalette-sur-Voire 10	91	D2	
Chaley 01	194	B2	
Chalèze 25	141	E4	
Chalezeule 25	141	E4	
Chaliers 15	225	F3	
Chalifert 77	61	F2	
Chaligny 54	68	A4	
Chalinargues 15	225	D1	
Chalindrey 52	117	D3	
Chalivoy-Milon 18	153	F3	
Challain-la-Potherie 49	127	E1	
Challans 85	145	D3	
Challement 58	136	B4	
Challerange 08	39	D3	
Challes 72	107	E2	
Challes 01	194	A1	
Challes-les-Eaux 73	213	D2	
Challet 28	85	E1	
Challex 01	195	D1	
Challignac 16	201	E3	
Challonges 74	194	C2	
Challuy 58	154	C3	
Chalmaison 77	88	C2	
Chalmazel 42	209	D1	
Chalmessin 52	116	B4	
Chalmoux 71	173	E1	
Chalo-Saint-Mars 91	86	B2	
Le Chalon 26	229	E1	
Chalon-sur-Saône 71	158	A4	
Chalonnes-sous-le-Lude 49	129	F1	
Chalonnes-sur-Loire 49	128	A3	
Châlons 38	211	D3	
Châlons 17	181	D4	
Châlons-du-Maine 53	81	E4	
Châlons-en-Champagne 51	64	C2	
Châlons-sur-Vesle 51	37	E3	
Châlonvillars 70	119	F4	
Chalou-Moulineux 91	86	B3	
La Chalp 05	232	C4	
Chaltrait 51	64	A2	
Châlus 87	203	D1	
Chalus 63	207	F3	
Chalusset (Château de) 87	203	F1	
Chalvignac 15	223	F1	
Chalvraines 52	93	D3	
Chamadelle 33	219	D2	
Chamagne 88	94	B2	
Chamagnieu 38	211	E1	
Chamalières 63	189	E4	
Chamalières-sur-Loire 43	209	D4	
Chamaloc 26	230	A4	
Chamant 60	35	D4	
Chamarande 91	86	C2	
Chamarandes 52	116	B1	
Chamaret 26	247	D3	

CHAMBÉRY

Boigne (R. de) .... **B**
Colonne (Bd de la) ... **B** 12
Juiverie (R.) .... **A**
St-Léger (R.) .... **B**

Allobroges (Q. des) ... **A** 2
Banque (R. de la) .... **B** 3
Basse-du-Château (R.) . **A** 4
Bernardines (R. des) .. **A** 6
Borrel
(Q. du Sénateur A.) . **B** 7

Charvet (R. F.) ...... **B** 9
Château
(Pl. du) .... **A** 10
Ducis (R.) .... **B** 13
Ducs-de-Savoie
(Av. des) .... **B** 14
Europe
(Espl. de l') ..... **B** 16
Freizier (R. de) ..... **AB** 17
Gaulle (Av. Gén.-de) . **B** 18
Italie (R. d') .... **B** 20
Jaurès (Av. J.) ...... **A** 21
Jeu-de-Paume
(Q. du) .... **A** 23

Lans (R. de) .... **A** 24
Libération (Pl. de la) .. **B** 25
Maché (Pl.) .... **A** 27
Maché (R. du Fg) .... **B** 28
Martin (R. Cl.) ...... **B** 30
Métropole (Pl.) ..... **B** 31
Michaud (R.) .... **B** 32
Mitterrand (Pl. F.) ... **B** 33
Musée (Bd du) ..... **AB** 34
Ravet (Q. Ch.) ..... **B** 35
St-Antoine (R.) ..... **A** 36
St-François (R.) ..... **B** 38
Théâtre (Bd du) ..... **B** 39
Vert (Av. du Comte) . **A** 40

Champfromier 01 .... 177 D4
Champgenéteux 53......... 81 F3
Champguyon 51 .... 63 E4
Champhol 28 .... 85 E2
Champien 80.............. 19 E4
Champier 38.............. 211 E3
Champigné 49 .... 105 E4
Champignelles 89 .... 112 B4
Champigneul-
  Champagne 51............ 64 B2
Champigneul-sur-Vence 08... 22 C4
Champigneulle 08......... 39 E3
Champigneulles 54........ 68 A3
Champigneulles-
  en-Bassigny 52.......... 93 E4
Champignol-
  lez-Mondeville 10 .... 115 E1
Champignolles 21......... 157 E2
Champignolles 27......... 58 A2
Champigny 51 .... 37 F3
Champigny 89 .... 88 B3
Champigny-en-Beauce 41... 109 D4
Champigny-la-Futelaye 27 .. 59 D3
Champigny-le-Sec 86...... 149 E4
Champigny-lès-Langres 52.. 116 C3
Champigny-
  sous-Varennes 52........ 117 E3
Champigny-sur-Aube 10.... 90 B1
Champigny-sur-Marne 94... 61 E3
Champigny-sur-Veude 37... 149 E2
Champillet 36............. 169 F2
Champillon 51 .... 64 A1
Champis 07.............. 228 C3
Champlan 91.............. 60 C4
Champlat-et-Boujacourt 51.. 37 E4
Champlay 89............. 113 D2
Champlecy 71............ 174 A2
Champlemy 58........... 136 A4
Champlieu 71............ 175 D1
Champlieu (Ruines
  Gallo-Romaines de) 60.... 35 E3
Champlin 08 .... 22 A3
Champlin 58 .... 136 A4
Champlitte-et-le-Prélot 70... 140 A1
Champlitte-la-Ville 70..... 140 A1
Champlive 25 .... 141 F3
Champlon 55 .... 67 D1
Champlost 89............. 113 E2
Champmillon 16 .... 201 E1
Champmotteux 91......... 87 D3
Champnétery 87 .... 186 B4
Champneuville 55 .... 40 A3
Champniers 16............ 201 F1
Champniers 86............ 184 A1
Champniers-et-Reilhac 24.. 202 C1
Champoléon 05 .... 231 F4
Champoly 42............. 191 D4
Champosoult 61.......... 57 D3
Champougny 55 .... 93 E1
Champoulet 45........... 135 D1
Champoux 25 .... 141 E3
Champrenault 21......... 138 B3
Champrepus 50 .... 54 A3
Champrond 72........... 108 A1
Champrond-en-Gâtine 28... 84 C3
Champrond-en-Perchet 28.. 84 A3
Champrosay 91.......... 87 D1
Champrougier 39......... 159 E3
Champs 63 .... 189 E2
Champs 61 .... 83 F1
Champs 02 .... 36 A1
Champs (Col des) 06....... 268 C1
Les Champs-de-Losque 50.. 27 E4
Les Champs-Géraux 22 .... 78 C2
Champs-Romain 24 .... 202 C2
Champs-sur-Marne 77..... 61 E3
Champs-sur-Tarentaine 15.. 206 B3
Champs-sur-Yonne 89..... 113 E4
Champsac 87............. 203 D1
Champsanglard 23........ 169 E4
Champsecret 61.......... 81 E1
Champseru 28 .... 85 F2
Champtercier 04......... 267 F2
Champteussé-
  sur-Baconne 49 .... 105 E4
Champtocé-sur-Loire 49 ... 127 F2
Champtoceaux 49......... 127 D3
Champtonnay 70......... 140 B3
Champvallon 89.......... 113 D2
Champvans 39........... 159 D1
Champvans 70........... 140 B3
Champvans-les-Baume 25.. 141 F3
Champvans-les-Moulins 25. 141 D4
Champvert 58........... 155 E3
Champvoisy 51 .... 63 E1
Champvoux 58........... 154 C1
Chamrousse 38.......... 231 D1
Chamvres 89............ 113 D2
Chanac 48 .... 244 A3
Chanac-les-Mines 19 ..... 222 C1
Chanaleilles 43........... 226 B4
Chanas 38 .... 210 C4
Chanat-la-Mouteyre 63 ... 189 E4
Chanay 01.............. 194 C2
Chanaz 73............... 194 C4
Chançay 37.............. 131 D2
Chancé 35............... 103 F1
Chanceaux 21............ 138 C2
Chanceaux-près-Loches 37.. 150 B1
Chanceaux-sur-Choisille 37.. 130 C3
Chancelade 24 .... 220 B1
Chancenay 52............ 66 A4
Chancey 70 .... 140 B3
Chancia 39.............. 176 C3
Chandai 61.............. 58 A4
Chandolas 07............ 245 F3
Chandon 42.............. 191 D2
Chanéac 07............. 228 A3
Chaneins 01 .... 192 C1
Chânes 71 .... 175 D4

Changé 53.............. 105 D1
Le Change 24 .... 221 D1
Changé 72.............. 107 D2
Change 71.............. 157 F3
Changey 52............. 116 C2
Changis-sur-Marne 77.... 62 B2
Changy 42.............. 191 D1
Changy 51.............. 65 E3
Changy-Tourny 71....... 174 A3
Chaniat 43.............. 208 A4
Chaniaux 07............ 245 D2
Chaniers 17............. 181 F4
Channay 21............. 114 C3
Channay-sur-Lathan 37... 130 A3
Channes 10............. 114 C2
Chanonat 63............ 207 E1
Chanos-Curson 26....... 229 D2
Chanousse 05........... 248 C4
Chanoy 52.............. 116 C2
Chanoz-Châtenay 01...... 193 E1
Chanteau 45............ 110 B2
Chantecoq 45........... 112 A2
Chantecorps 79.......... 165 E2
Chanteheux 54.......... 69 D4
Chanteix 19............. 204 B4
Chantelle 03............ 172 A4
Chanteloup 35.......... 103 E2
Chanteloup 50.......... 53 F2
Chanteloup 79.......... 147 F4
Chanteloup 27.......... 58 B3
Chanteloup (Pagode de) 37.. 131 E3
Chanteloup-en-Brie 77.... 61 F3
Chanteloup-les-Bois 49.... 147 E1
Chanteloup-les-Vignes 78.. 60 B2
Chantelouve 38.......... 231 E2
Chantemerle 51......... 89 E1
Chantemerle 05......... 232 B3
Chantemerle-les-Blés 26... 229 D2
Chantemerle-lès-Grignan 26 247 D3
Chantemerle-
  sur-la-Soie 17.......... 181 F2
Chantemesle 95.......... 59 F1
Chantenay-Saint-Imbert 58.. 154 C4
Chantenay-Villedieu 72.... 106 A2
Chantepie 35............ 103 E1
Chantérac 24............ 220 A1
Chanterelle 15........... 206 C4
Chantes 70.............. 141 D1
Chantesse 38............ 212 A4
Chanteuges 43........... 226 B2
Chantillac 16............ 200 C4
Chantilly 60............. 34 C4
Chantôme 36............ 168 C3
Chantonnay 85.......... 146 B4
Chantraine 88........... 94 C4
Chantraines 52.......... 92 B4
Chantrans 25............ 160 C1
Chantrigné 53........... 81 E2
Chanturgue (Plateau de) 63.. 189 E4
Chanu 61............... 55 E3
Chanville 57............ 68 C1
Chanzeaux 49........... 128 A4
Chaon 41............... 133 F1
Chaouilley 54........... 94 A2
Chaource 10............ 114 B1
Chaourse 02............ 21 E4
Chapaize 71............ 175 D2
Chapareillan 38......... 213 D2
Chaparon 74............ 195 F4
Chapdes-Beaufort 63..... 189 D3
Chapdeuil 24............ 202 A4
Chapeau 03............. 172 C2
Chapeauroux 48......... 226 C4
Chapeiry 74............. 195 E3
Chapelaine 51........... 91 D1
La Chapelaude 03........ 170 C3
La Chapelle 08 .... 23 E3
La Chapelle 16 .... 183 E4
La Chapelle 73 .... 213 F3
La Chapelle 19 .... 205 F3
La Chapelle 03 .... 190 B2
La Chapelle-Achard 85.... 162 B1
La Chapelle-Agnon 63 .... 208 B1
La Chapelle-Anthenaise 53.. 105 E1
La Chapelle-au-Mans 71... 173 E1
La Chapelle-au-Moine 61... 55 E4
La Chapelle-au-Riboul 53... 81 F3
La Chapelle-Aubareil 24... 221 F1
La Chapelle-aux-Bois 88... 118 C1
La Chapelle-aux-Brocs 19.. 222 B1
La Chapelle-aux-Chasses 03. 172 C1
La Chapelle-aux-Choux 72.. 130 A1
La Chapelle-
  aux-Filtzméens 35 ...... 79 D2
La Chapelle-aux-Lys 85.... 164 B1
La Chapelle-aux-Naux 37... 130 B3
La Chapelle-aux-Saints 19.. 222 C3
La Chapelle-Baloue 23.... 168 C3
La Chapelle-Basse-Mer 44.. 126 C3
La Chapelle-Bâton 79..... 165 D2
La Chapelle-Bâton 86..... 184 A1
La Chapelle-Bâton 17..... 182 B2
La Chapelle-Bayvel 27 .... 31 D3
La Chapelle-Bertin 43..... 226 B1
La Chapelle-Bertrand 79... 165 E1
La Chapelle-Biche 61..... 55 E4
La Chapelle-Blanche 73... 213 E2
La Chapelle-Blanche 22... 78 B3
La Chapelle-Blanche-
  Saint-Martin 37........ 150 A1
La Chapelle-Bouëxic 35... 102 C2
La Chapelle-Caro 56...... 101 F2
La Chapelle-Cécelin 50.... 54 B3
La Chapelle-Chaussée 35... 79 D3
La Chapelle-Craonnaise 53.. 104 C2
La Chapelle-d'Abondance 74 179 D3
La Chapelle-d'Aligné 72... 106 A4
La Chapelle-d'Alignon 15... 225 D2
La Chapelle-d'Andaine 61... 81 F1
La Chapelle-d'Angillon 18... 134 A3

La Chapelle-
  d'Armentières 59......... 4 B4
La Chapelle-d'Aunainville 28 86 A2
La Chapelle-d'Aurec 43 ... 209 F4
La Chapelle-de-Bragny 71... 175 D1
La Chapelle-de-Brain 35... 102 C4
La Chapelle-de-Guinchay 71.. 192 C1
La Chapelle-de-la-Tour 38... 212 A2
La Chapelle-de-Mardore 69.. 192 A2
La Chapelle-de-Surieu 38... 211 D3
La Chapelle-des-Bois 25 ... 177 F1
La Chapelle-
  des-Fougeretz 35........ 79 E4
La Chapelle-des-Marais 44.. 125 D2
La Chapelle-des-Pots 17.... 182 A4
La Chapelle-
  devant-Bruyères 88....... 95 E4
Chapelle-d'Huin 25....... 160 C2
La Chapelle-du-Bard 38.... 213 E3
La Chapelle-du-Bois 72 ... 83 F4
La Chapelle-
  du-Bois-des-Faulx 27 .... 58 C1
La Chapelle-du-Bourgay 76.. 16 A3
La Chapelle-du-Châtelard 01 193 E2
La Chapelle-du-Chêne 72... 106 A3
La Chapelle-du-Fest 50..... 54 C1
La Chapelle-du-Genêt 49... 127 E4
La Chapelle-du-Lou 35..... 78 C4
La Chapelle-
  du-Mont-de-France 71... 174 C3
La Chapelle-
  du-Mont-du-Chat 73...... 195 D4
La Chapelle-du-Noyer 28... 109 D2
La Chapelle-en-Juger 50 ... 27 E4
La Chapelle-en-Lafaye 42... 209 D3
La Chapelle-en-Serval 60... 61 E1
La Chapelle-
  en-Valgaudémar 05....... 231 F4
La Chapelle-en-Vercors 26... 230 A3
La Chapelle-en-Vexin 95 ... 33 E4
La Chapelle-Enchérie 41 ... 108 C3
La Chapelle-Engerbold 14... 55 E2
La Chapelle-Erbrée 35 .... 80 B4
La Chapelle-Faucher 24 ... 202 C4
La Chapelle-Felcourt 51.... 65 E1
La Chapelle-Forainvilliers 28 59 E4
La Chapelle-Fortin 28 ..... 84 A1
La Chapelle-Gaceline 56 ... 102 B3
La Chapelle-Gaudin 79..... 147 F3
La Chapelle-Gaugain 72.... 107 F4
La Chapelle-Gauthier 27 ... 57 E2
La Chapelle-Gauthier 77 ... 88 A1
La Chapelle-Geneste 43 ... 208 C4
La Chapelle-Glain 44...... 127 D1
La Chapelle-Gonaguet 24... 220 B1
La Chapelle-Grésignac 24... 201 F3
Chapelle-Guillaume 28..... 108 B1
La Chapelle-Hareng 27..... 57 E1
La Chapelle-Haute-Grue 14.. 56 C2
La Chapelle-Hermier 85.... 145 D4
La Chapelle-Heulin 44...... 126 C4
La Chapelle-Hugon 18 .... 154 B1
La Chapelle-Hullin 49 ..... 104 B4
La Chapelle-Huon 72...... 108 A3
La Chapelle-Iger 77....... 88 B1
La Chapelle-Janson 35..... 80 B3
La Chapelle-la-Reine 77.... 87 E3
La Chapelle-Largeau 79.... 147 D2
La Chapelle-Lasson 51..... 89 F1
La Chapelle-Launay 44..... 125 D2
La Chapelle-Laurent 15.... 225 F1
La Chapelle-lès-Luxeuil 70.. 118 C3
La Chapelle-Marcousse 63.. 207 E3
La Chapelle-Montabourlet 24 202 A3
La Chapelle-
  Montbrandeix 87......... 203 D1
La Chapelle-Monthodon 02.. 63 E1
La Chapelle-Montligeon 61... 83 F2
La Chapelle-Montlinard 18.. 154 B1
La Chapelle-Montmartin 41.. 132 C4
La Chapelle-Montmoreau 24 202 B3
La Chapelle-Montreuil 86... 166 A2
Chapelle-Morthemer 86.... 166 C2
La Chapelle-Moulière 86.... 166 C1
La Chapelle-Moutils 77..... 63 D4
La Chapelle-Naude 71 .... 176 A1
La Chapelle-Neuve 22..... 50 A4
La Chapelle-Neuve 56..... 100 C2
La Chapelle-Onzerain 45... 109 F2
La Chapelle-Orthemale 36... 151 E3
La Chapelle-Palluau 85..... 145 E3
La Chapelle-Péchaud 24.... 221 E4
La Chapelle-Pouilloux 79... 183 E1
La Chapelle-près-Sées 61... 82 C1
La Chapelle-Rablais 77..... 88 A2
La Chapelle-Rainsouin 53... 105 E1
La Chapelle-Rambaud 74... 195 F1
La Chapelle-Réanville 27... 59 D1
La Chapelle-Rousselin 49... 128 A4
Chapelle-Royale 28....... 108 B1
La Chapelle-Saint-André 58.. 136 A4
La Chapelle-Saint-Aubert 35. 80 A3
La Chapelle-Saint-Aubin 72.. 106 C2
La Chapelle-Saint-Étienne 79 164 C1
La Chapelle-Saint-Florent 49 127 E3
La Chapelle-Saint-Fray 72... 106 C1
La Chapelle-Saint-Géraud 19 223 D2
La Chapelle-Saint-Jean 24... 221 E1
La Chapelle-Saint-Laud 49... 128 C1
La Chapelle-Saint-Laurent 79 147 F4
La Chapelle-Saint-Laurian 36 152 A1
La Chapelle-Saint-Luc 10... 90 B3
La Chapelle-Saint-Martial 23 187 D2
La Chapelle-Saint-Martin-
  en-Plaine 41............ 109 D4
La Chapelle-Saint-Martin 73. 212 C1
La Chapelle-
  Saint-Maurice 74........ 195 E4
La Chapelle-
  Saint-Mesmin 45........ 110 A3

La Chapelle-Saint-Ouen 76... 32 C1
La Chapelle-
  Saint-Quillain 70........ 140 C2
La Chapelle-
  Saint-Rémy 72 .... 107 E1
La Chapelle-
  Saint-Sauveur 71........ 159 D3
La Chapelle-
  Saint-Sauveur 44........ 127 F2
La Chapelle-
  Saint-Sépulcre 45 .... 112 A2
La Chapelle-Saint-Sulpice 77 88 C1
La Chapelle-Saint-Ursin 18... 153 D2
La Chapelle-Souëf 61...... 83 F3
La Chapelle-
  sous-Brancion 71........ 175 D2
La Chapelle-sous-Dun 71... 174 A4
La Chapelle-sous-Orbais 51.. 63 F2
La Chapelle-sous-Uchon 71.. 156 C2
Chapelle-Spinasse 19...... 205 E4
La Chapelle-sur-Aveyron 45. 111 E2
La Chapelle-sur-Chézy 02... 63 D2
La Chapelle-sur-Coise 69... 210 A1
La Chapelle-sur-Crécy 77... 62 A3
La Chapelle-sur-Dun 76 ... 15 F1
La Chapelle-sur-Erdre 44... 126 B3
La Chapelle-sur-Furieuse 39. 160 A2
La Chapelle-sur-Loire 37 ... 129 F4
La Chapelle-sur-Oudon 49.. 105 D4
La Chapelle-sur-Usson 63... 208 A3
La Chapelle-sur-Vire 50 ... 54 C1
La Chapelle-Taillefert 23.... 187 D2
La Chapelle-Thècle 71..... 175 F2
La Chapelle-Thémer 85.... 163 F1
La Chapelle-Thireuil 79 .... 164 C2
La Chapelle-Thouarault 35.. 79 E4
La Chapelle-Urée 50...... 54 B4
Chapelle-Vallon 10....... 90 A2
La Chapelle-Vaupelteigne 89 113 F3
La Chapelle-Vendômoise 41. 131 F1
La Chapelle-Vicomtesse 41... 108 B2
La Chapelle-Viel 41....... 57 F4
La Chapelle-Villars 42..... 210 C3
Chapelle-Viviers 86....... 167 D2
Chapelle-Voland 39....... 159 D4
La Chapelle-Yvon 14...... 57 E1

Les Chapelles 53 .... 82 A2
Les Chapelles 73 .... 214 C1
Les Chapelles-Bourbon 77.. 62 A4
Chapelon 45............. 111 E2
La Chapelotte 18 .... 134 B3
Chapet 78................ 60 B2
Les Chapieux 73......... 196 C4
Chapois 39............... 160 B3
Chaponnay 69........... 211 D1
Chaponost 69............ 210 C1
Chaponost (Arches de) 69... 192 C4
Chappes 03............. 171 E3
Chappes 63.............. 189 F3
Chappes 08.............. 38 A1
Chappes 10.............. 90 C4
Chaptelat 87............ 185 F3
Chaptuzat 63............ 189 F2
Charade 63.............. 207 E1
Charancieu 38........... 212 B2
Charancin 01............ 194 B3
Charantonnay 38........ 211 E2
Charavines 38........... 212 B3
Charbogne 08........... 38 C1
Charbonnat 71.......... 156 C4
Charbonnier-les-Mines 63.. 207 F3
Charbonnières 71........ 175 D3
Charbonnières 28........ 84 B4
Charbonnières-les-Bains 69. 192 C4
Charbonnières-les-Sapins 25 141 E1
Charbonnières-
  les-Varennes 63......... 189 D3
Charbonnières-les-Vieilles 63 189 D2
Charbuy 89............. 113 D3
La Charce 26............ 248 B2
Charcé-Saint-Ellier-
  sur-Aubance 49......... 128 C3
Charcenne 70........... 140 C3
Charchigné 53........... 81 F2
Charchilla 39............ 177 D2
Charcier 39............. 177 D1
Chard 23............... 188 A3
Chardeny 08............ 38 C2
Chardes 17.............. 199 F4
Chardogne 55............ 66 B3
Chardonnay 71.......... 175 E2
Chareil-Cintrat 03........ 172 A4
Charency 21............. 138 B3

Charency 39............. 160 B4
Charency-Vezin 54........ 40 B1
Charens 26............. 248 B2
Charensat 63............ 188 B3
Charentay 69............ 192 B2
Charentenay 89.......... 136 B1
Charentenay 70.......... 140 C1
Charentilly 37........... 130 C2
Charenton 58............ 135 E4
Charenton-du-Cher 18 .... 153 F4
Charenton-le-Pont 94..... 61 D3
Charentonnay 18......... 154 A1
Charette 38............. 211 A4
Charette-Varennes 71..... 158 C3
Charey 54............... 67 F1
Charézier 39............ 177 D1
Chargé 37............... 131 E3
Chargey-lès-Gray 70...... 140 B2
Chargey-lès-Port 70....... 118 A4
Chariez 70.............. 141 D1
Charigny 21............. 138 A3
La Charité-sur-Loire 58.... 154 B1
Charix 01............... 194 B1
Charlas 31.............. 299 D1
Charleval 13............ 284 B1
Charleval 27............ 32 C3
Charleville 51 .... 63 E3
Charleville-Mézières 08 ... 22 C4
Charleville-sous-Bois 57 ... 42 A4
Charlieu 42............. 191 E1
Charly 18............... 154 A3
Charly 69............... 210 C1
Charly 02............... 62 C2
Charly-Oradour 57........ 41 F4
Charmant 16............ 201 F2
Charmauvillers 25........ 143 D3
Charmé 16.............. 183 E3
La Charme 39............ 159 E3
Le Charme 45 .... 112 B4
Charmeil 03............. 190 A1
Le Charmel 02............ 63 D1
Charmensac 15.......... 225 E1
Charmentray 77.......... 61 F2
Charmes 03............. 189 F2
Charmes 21............. 139 F3
Charmes 88.............. 94 B2

CHARLEVILLE-
MÉZIÈRES

Arches (Av. d') .... AZ
Bérégovoy (R.) .... AY 3
Bourbon (R.).......... AXY 4
Carré (R. Irénée) ...... AX 5
Flandre (R. de) .... AX 8
Hôtel-de-Ville (Pl.) ..... AZ 9
Jaurès (Av. Jean) ...... BY
Mantoue (R. de) ...... AX 21
Monge (R.) .... AZ 22
Moulin (R. du) .... BX 25
Nevers (R. de) .... AX 27
Petit-Bois (R. du) ...... BX 28
République
  (R. de la) .... AX 30
Théâtre (R. du) .... AX 34

Arquebuse (R. de l') ... BY 2
Corneau (Av. G.) ...... BY 6
Fg. de Pierre (R. du) ... AX
Leclerc (Av. Mar.) ..... BY 20
Mitterrand (R. de) ..... AXY
Montjoly (R. de) ...... AXY 24
Moulinet (Pl. du) ...... AX 26
Résistance (Pl. de la).... AX 31

St-Julien (Av. de) ..... AZ 32
91e-Régt-d'Infanterie
  (Av. du) .... AZ 36

Séviané (R. Mme de) . AY 33

CHARTRES

Ballay (R. Noël) .... Y 5
Bois-Merrain (R. du) .... Y 9
Changes (R. des) .... Y 16
Cygne (Pl. du) .... Y 26
Delacroix (R. Jacques) .. Z 27
Guillaume (R. Porte) .... Y 41
Marceau (Pl.) .... Y 49
Marceau (R.) .... Y 50
Soleil-d'Or (R. du) ..... Y 70

Aligre (Av. d') .... X 3
Alsace-Lorraine (Av. d') . X 4
Beauce (Av. Jehan-de).. Y 7
Bethouart (Av.) .... Y 8
Bourg (R. du) .... Y 10

Brèche (R. de la) ...... X 12
Cardinal-Pie (R. du) .... Y 14
Casanova (R. Danièle) .. Y 15
Châteaudun (R. de) ..... Z 17
Châtelet (Pl.) .... Y 18
Cheval-Blanc (R. du) ... Y 19
Clemenceau (Bd) .... Y 20
Collin-d'Harleville (R.) .. Y 23
Couronne (R. de la) .... Y 24
Dr-Gibert (R. du) ...... Z 28
Drouaise (R. Porte) .... X 29
Écuyers (R. des) .... Z 30
Épars (Pl. des) .... Z 32
Faubourg La Grappe
    (R. du) .... Y 33
Félibien (R.) .... Y 35
Foulerie (R. de la) .... Y 36
Gaulle (Pl. Gén.-de) ... Y 37

Grenets (R. des) .... Y 38
Guillaume (R. du Fg) ... Y 39
Halles (Pl. des) .... Z 42
Koenig (R. du Gén.) .... Y 44
Massacre (R. du) .... Y 51
Morard (Pl.) .... Y 52
Morard (R. de la Porte). Y 53
Moulin (Pl. Jean) ...... Y 54
Péri (R. Gabriel) ...... Y 56
Poêle-Percée (R. de la). Z 59
Résistance (Bd de la) .. Y 61
St-Hilaire (R. du Pont) . Z 62
St-Maurice (R.) .... Z 64
St-Michel (R.) .... Z 65
Semard (Pl. Pierre) .... Y 67
Tannerie (R. de la) .... Y 71
Teinturiers (Q. des) ... Y 72
Viollette (Bd Maurice) . Y 73

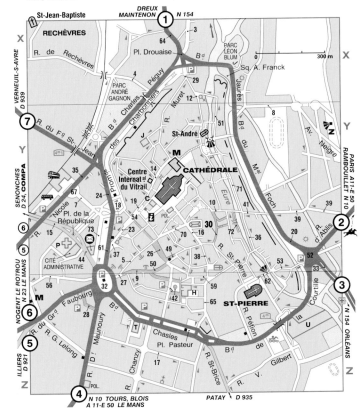

CHÂTEAUROUX

Gare (R. de la) .... BY
J.-J.-Rousseau (R.) ..... BY 27
St-Luc (R.) .... BY 46
Victor-Hugo (R.) .... ABY 53

Albert 1er (R.) .... BY 2
Bourdillon (R.) .... BZ 8
Brauderie (Av. de la) ... BZ 9

Cantrelle (R.) .... ABZ 10
Château-Raoul (R. du) .. AY 13
Châtre (Av. de la) ..... BZ 14
Croix-Normand (Bd) .... BZ 17
États-Unis (R. des) .... BY 20
Fournier (R. A.) .... BY 23
Gallieni (R.) .... BZ 24
Gambetta (Pl.) .... BY 25
Grande (R.) .... AY 28
Jeux Marins (Av. des) .. AY 28
Kennedy (Av. J.-F.) .... AZ 29

Ledru-Rollin (R.) ...... BY 32
Marins (Av. des) .... AY 33
Mitterrand (Av. F.) .... AY 35
Palais de Justice
    (R. du) .... ABZ 37
Paris (Av. de) .... BY 38
Pont-Neuf (Av. du) ..... AY 40
Renan (R. E.) .... AY 43
République (Pl. de la) .. AY 44
Ste-Hélène (Pl.) .... BY 48
Vrille (Bd de la) ...... AZ 54

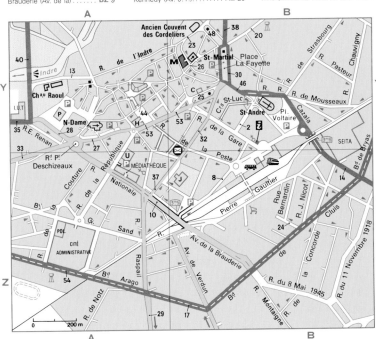

Charmes 02 .... 20 B4
Charmes 52 .... 116 C2
Charmes-en-l'Angle 52 .. 92 A3
Charmes-la-Côte 54 ..... 67 F4
Charmes-la-Grande 52 ... 92 A3
Charmes-Saint-Valbert 70 . 117 E4
Charmes-sur-l'Herbasse 26 . 229 D4
Charmes-sur-Rhône 07 ... 229 D4
Charmette (Col de la) 38 .. 212 C4
Les Charmettes 73 ...... 213 D2
Charmoille 25 .... 142 B4
Charmoille 70 .... 118 B4
Charmoilles 52 .... 116 C2
Charmois 90 .... 142 C1
Charmois 54 .... 94 C1
Charmois-
  devant-Bruyères 88 .... 95 D4
Charmois-l'Orgueilleux 88 . 118 B1
Charmont 51 .... 65 F3
Charmont 95 .... 60 A1
Charmont-en-Beauce 45 ... 86 B4
Charmont-sous-Barbuise 10 . 90 B3
Les Charmontois 51 .... 66 A2
Charmoy 89 .... 113 D2
Charmoy 71 .... 157 D2
Charmoy 10 .... 89 E3
Charmoy 52 .... 117 E3
Charnas 07 .... 210 C4
Charnat 63 .... 190 A3
Charnay 25 .... 160 A1
Charnay 69 .... 192 B3
Charnay-lès-Chalon 71 ... 158 B2
Charnay-lès-Mâcon 71 ... 175 D4
Charnècles 38 .... 212 B3
Charnizay 37 .... 150 B3
Charnod 39 .... 176 B3
Charnois 08 .... 13 D3
Charnoz-sur-Ain 01 ..... 193 F3
Charny 77 .... 61 F2
Charny 21 .... 138 A3
Charny 89 .... 112 B3
Charny-le-Bachot 10 .... 90 A1
Charny-sur-Meuse 55 .... 40 A4
Charolles 71 .... 174 A3
Charols 26 .... 247 E2
Charonville 28 .... 85 D4
Chârost 18 .... 152 C2
Charousse 74 .... 196 B2
Charpentry 55 .... 39 E3
Charpey 26 .... 229 E3
Charpont 28 .... 59 E4
Charquemont 25 .... 142 C4
Charrais 86 .... 166 A1
Charraix 43 .... 226 B2
Charras 16 .... 202 A2
Charray 28 .... 109 D2
Charre 64 .... 271 F4
Charrecey 71 .... 157 F4
Charrey-sur-Saône 21 ... 158 C1
Charrey-sur-Seine 21 ... 115 D2
Charrin 58 .... 155 F4
Charritte-de-Bas 64 .... 271 F4
Charron 17 .... 163 E4
Charron 23 .... 188 B2
Charroux 03 .... 189 E1
Charroux 86 .... 184 A1
Chars 95 .... 33 F4
Charsonville 45 .... 109 E3
Chartainvilliers 28 .... 85 E1
Chartèves 02 .... 63 D1
La Chartre-sur-le-Loir 72 . 107 F4
Chartrené 49 .... 129 E2
Chartres 28 .... 85 E2
Chartres-de-Bretagne 35 .. 103 E1
Chartrettes 77 .... 87 F2
Chartrier-Ferrière 19 ... 222 A2
Chartronges 77 .... 62 C4
Chartuzac 17 .... 199 F2
Charvieu-Chavagneux 38 . 193 E4
Charvonnex 74 .... 195 E2
Chas 63 .... 207 F1
Chaserey 10 .... 114 B2
Chasnais 85 .... 163 E2
Chasnans 25 .... 161 D1
Chasnay 58 .... 135 F4
Chasné-sur-Illet 35 .... 79 F3
Chaspinhac 43 .... 227 D2
Chaspuzac 43 .... 226 C2
Chassagne 63 .... 207 E3
La Chassagne 39 ...... 159 E3
Chassagne-Montrachet 21 . 157 F3
Chassagne-Saint-Denis 25 . 160 B1
Chassagnes 07 .... 245 F3
Chassagnes 43 .... 226 B1
Chassagny 69 .... 210 C4
Chassaignes 24 .... 201 F4
Chassal 39 .... 177 D3
Chassant 28 .... 84 C4
Chassé 72 .... 83 D2
Chasse-sur-Rhône 38 ... 210 C2
Chasseguey 50 .... 54 B4
Chasselas 71 .... 175 D4
Chasselay 38 .... 212 A4
Chasselay 69 .... 192 C3
Chassemy 02 .... 36 C2
Chassenard 03 .... 173 F4
Chasseneuil 36 .... 168 C1
Chasseneuil-du-Poitou 86 . 166 B1
Chasseneuil-
  sur-Bonnieure 16 ...... 184 A4
Chassenon 16 .... 184 C4
Chasseradès 48 .... 245 D2
Chassey 21 .... 138 A3
Chassey-Beaupré 55 .... 92 C4
Chassey-le-Camp 71 ... 157 F3
Chassey-lès-Montbozon 70 . 141 F1
Chassey-lès-Scey 70 ... 141 D1
Chassezac (Belvédère du) 48 . 245 D3
Chassiecq 16 .... 184 A3
Chassiers 07 .... 246 A1

Chassieu 69 .... 193 D4
Chassignelles 89 ...... 114 B4
Chassignieu 38 .... 212 B2
Chassignolles 36 ...... 169 E2
Chassignolles 43 ...... 208 B3
Chassigny 52 .... 116 C4
Chassigny-sous-Dun 71 .. 174 A4
Chassillé 72 .... 106 B2
Chassiron (Phare de) 17 . 180 A2
Chassors 16 .... 200 C1
Chassy 89 .... 113 D3
Chassy 71 .... 173 F2
Chassy 18 .... 154 A2
Le Chastang 19 .... 222 C1
Chastang (Barrage du) 19 . 223 E1
Chastanier 48 .... 244 C1
Chasteaux 19 .... 222 A2
Chastel 43 .... 225 F2
Chastel-Arnaud 26 ..... 247 F1
Chastel-Nouvel 48 ..... 244 B2
Chastel-sur-Murat 15 ... 225 D2
Chastellux-sur-Cure 89 . 137 D3
Chasteloy 03 .... 171 D2
Chastenay 89 .... 136 A1
Chasteuil 04 .... 268 A4
Chastreix 63 .... 206 C2
La Châtaigneraie 85 .... 164 B1
Chatain 86 .... 184 A2
Châtaincourt 28 ...... 59 D4
Châtas 88 .... 96 A1
Château 71 .... 174 C3
Château-Arnoux-
  Saint-Auban 04 ...... 267 E2
Château-Bas 13 .... 284 B1
Château-Bernard 38 .... 230 B2
Château-Bréhain 57 .... 68 C2
Château-Chalon 39 ..... 159 F4
Château-Chervix 87 .... 204 A2
Château-Chinon 58 .... 156 B2
Le Château-d'Almenêches 61 . 56 C4
Château-des-Prés 39 ... 177 E2
Le Château-d'Oléron 17 . 180 C3
Château-d'Olonne 85 ... 162 B2
Château-du-Loir 72 .... 107 E4
Château-Farine 25 ..... 141 D4
Château-Gaillard 01 ... 193 F2
Château-Gaillard 28 ... 110 A1
Château-Gaillard 27 ... 32 C4
Château-Garnier 86 .... 166 B4
Château-Gombert 13 ... 285 D4
Château-Gontier 53 .... 105 D3
Château-Guibert 85 .... 163 E1
Château-Guillaume 36 .. 168 A2
Château-la-Vallière 37 .. 130 A2
Château-l'Abbaye 59 ... 9 F1
Château-Lambert 70 ... 119 E2
Château-Landon 77 .... 111 F1
Château-Larcher 86 .... 166 B3
Château-l'Évêque 24 ... 220 C1
Château-l'Hermitage 72 . 106 C3
Château-Porcien 08 .... 38 A1
Château-Queyras 05 .... 233 D4
Château-Regnault 08 ... 22 C2
Château-Renault 37 .... 131 E1
Château-Rouge 57 ..... 42 B3
Château-Salins 57 ..... 68 C3
Château-sur-Allier 03 .. 154 B4
Château-sur-Cher 63 ... 188 B3
Château-sur-Epte 27 ... 33 E4
Château-Thébaud 44 ... 145 F1
Château-Thierry 02 .... 63 D1
Château-Verdun 09 .... 310 A1
Château-Ville-Vieille 05 . 233 D4
Château-Voué 57 ...... 69 D2
Châteaubernard 16 .... 200 C1
Châteaubleau 77 ...... 88 B1
Châteaubourg 07 ...... 229 D2
Châteaubourg 35 ...... 103 F1
Châteaubriant 44 ..... 103 F4
Châteaudouble 83 ..... 287 D2
Châteaudouble 26 ..... 229 E3
Châteaudun 28 .... 109 D1
Châteaufort 04 .... 249 E4
Châteaufort 78 .... 60 B4
Châteaugay 63 .... 189 E4
Châteaugiron 35 ...... 103 F1
Châteaumeillant 18 .... 170 A2
Châteauneuf 71 ...... 191 F1
Châteauneuf 73 ...... 213 F2
Châteauneuf 42 ...... 210 B2
Châteauneuf 39 ...... 140 B4
Châteauneuf 21 ...... 138 B4
Châteauneuf 85 ...... 144 C2
Châteauneuf-de-Bordette 26 . 247 F4
Châteauneuf-de-Chabre 05 . 249 D4
Châteauneuf-de-Gadagne 84 . 265 D3
Châteauneuf-de-Galaure 26 . 229 D4
Châteauneuf-de-Randon 48 . 244 C2
Châteauneuf-de-Vernoux 07 . 228 C2
Châteauneuf-d'Entraunes 06 . 269 D1
Châteauneuf-
  d'Ille-et-Vilaine 35 ... 79 D1
Châteauneuf-d'Oze 05 ... 249 D2
Châteauneuf-du-Faou 29 . 75 E3
Châteauneuf-du-Pape 84 . 265 D2
Châteauneuf-du-Rhône 26 . 246 C3
Châteauneuf-
  en-Thymerais 28 ...... 85 D1
Châteauneuf-Grasse 06 .. 288 A2
Châteauneuf-la-Forêt 87 . 204 B1
Châteauneuf-le-Rouge 13 . 285 D3
Châteauneuf-les-Bains 63 . 189 D2
Châteauneuf-
  les-Martigues 13 ..... 284 B4
Châteauneuf-
  lès-Moustiers 04 ..... 268 A4
Châteauneuf-Miravail 04 . 266 C1
Châteauneuf-
  sur-Charente 16 ...... 201 D2

Châteauneuf-sur-Cher 18 . 153 D3
Châteauneuf-sur-Isère 26 . 229 D2
Châteauneuf-sur-Loire 45 . 110 C3
Châteauneuf-sur-Sarthe 49 . 105 E4
Châteauneuf-
  Val-de-Bargis 58 ..... 135 F4
Châteauneuf-
  Val-Saint-Donat 04 ... 267 D2
Châteauneuf-Villevieille 06 . 288 C1
Châteauponsac 87 ..... 185 F1
Châteauredon 04 ...... 267 F2
Châteaurenard 13 ..... 265 D4
Châteaurenard 45 ..... 112 A3
Châteaurenaud 71 ..... 176 A1
Châteauroux 36 .... 152 A4
Châteauroux-les-Alpes 05 . 250 B1
Châteauvert 83 .... 286 A2
Châteauvieux 05 ...... 249 E2
Châteauvieux 41 ...... 132 A4
Châteauvieux 83 ...... 268 B4
Châteauvieux-les-Fossés 25 . 160 C1
Châteauvilain 38 ...... 212 A4
Châteauvillain 52 ..... 116 A3
Châtel 74 .... 179 D3
Le Châtel 73 .... 214 A4
Châtel-Censoir 89 ..... 136 A1
Châtel-Chéhéry 08 .... 39 E3
Châtel-de-Joux 39 .... 177 D2
Châtel-de-Neuvre 03 ... 172 B3
Châtel-Gérard 89 ..... 137 E1
Châtel-Montagne 03 ... 190 C1
Châtel-Moron 71 ...... 157 F4
Châtel-Saint-Germain 57 . 41 E4
Châtel-sur-Moselle 88 .. 94 C3
Châtelaillon-Plage 17 ... 180 C1
Châtelain 53 .... 105 E3
La Châtelaine 39 ...... 160 A3
Châtelais 49 .... 104 C4
Le Châtelard 73 ...... 213 E1
Châtelard 38 .... 231 E2
Châtelard 23 .... 188 A3
Châteludren 22 .... 51 D4
Châtelay 39 .... 159 F2
Châtelblanc 25 .... 160 C4
Châteldon 63 .... 190 B3
Le Châtelet 18 .... 170 A1
Châtelet (Pont du) 04 .. 251 D2
Le Châtelet-en-Brie 77 . 87 F2
Le Châtelet-sur-Retourne 08 . 38 A2
Le Châtelet-
  sur-Sormonne 08 ..... 22 B3
Les Châtelets 28 ..... 84 B1
Le Chateley 39 .... 159 E3
Châtelguyon 63 ...... 189 E3
Le Châtelier 51 ...... 65 F2
Châtellenot 21 .... 138 A4
Châtellerault 86 ...... 149 F4
Le Châtellier 61 ..... 55 E4
Le Châtellier 35 ..... 80 A2
Les Châtelliers-
  Châteaumur 85 ...... 147 D3
Les Châtelliers-
  Notre-Dame 28 ...... 84 C3
Châtelneuf 42 .... 209 D2
Châtelneuf 39 .... 160 A4
Châtelperron 03 ...... 172 C3
Châtelraould-
  Saint-Louvent 51 .... 65 D4
Châtelus 38 .... 230 A4
Châtelus 42 .... 210 A2
Châtelus 03 .... 190 C1
Châtelus-le-Marcheix 23 . 186 B2
Châtelus-Malvaleix 23 .. 169 F4
Châtenay 01 .... 193 F2
Châtenay 38 .... 211 F4
Châtenay 28 .... 86 A3
Châtenay 71 .... 174 B4
Châtenay-en-France 95 .. 61 D1
Châtenay-Mâcheron 52 .. 116 C3
Châtenay-Malabry 92 ... 60 C4
Châtenay-sur-Seine 77 .. 88 B3
Châtenay-Vaudin 52 .... 117 D3
Châtenet 17 .... 200 C4
Le Châtenet-en-Dognon 87 . 186 B3
Châtenay 70 .... 118 C4
Châtenois 39 .... 159 E1
Châtenois 88 .... 93 F3
Châtenois 67 .... 96 C3
Châtenois 70 .... 118 C4
Châtenois-les-Forges 90 . 142 C1
Châtenoy 45 .... 111 D3
Châtenoy 77 .... 87 E4
Châtenoy-en-Bresse 71 .. 158 A4
Châtenoy-le-Royal 71 ... 158 A4
Châtignac 16 .... 201 D4
Châtignonville 91 ..... 86 A2
Châtillon 92 .... 61 D3
Châtillon 03 .... 171 F3
Châtillon 86 .... 166 A4
Châtillon 69 .... 192 B3
Châtillon (Crêt de) 74 .. 195 E4
Châtillon-Coligny 45 ... 112 A3
Châtillon-en-Bazois 58 .. 155 F2
Châtillon-en-Diois 26 ... 248 B1
Châtillon-en-Dunois 28 .. 108 C1
Châtillon-en-Michaille 01 . 194 C1
Châtillon-en-Vendelais 35 . 80 B4
Châtillon-Guyotte 25 ... 141 E3
Châtillon-la-Borde 77 ... 87 F1
Châtillon-la-Palud 01 ... 193 F2
Châtillon-le-Duc 25 .... 141 D3
Châtillon-le-Roi 45 .... 110 C1
Châtillon-lès-Sons 02 ... 20 C3
Châtillon-Saint-Jean 26 .. 229 E2
Châtillon-sous-les-Côtes 55 . 40 B4
Châtillon-sur-Bar 08 ... 39 D2
Châtillon-sur-Broué 51 .. 91 E1
Châtillon-sur-Chalaronne 01 . 193 D1
Châtillon-sur-Cher 41 .. 132 A4

Châtillon-sur-Cluses 74 ..... 196 B1
Châtillon-sur-Colmont 53 .... 81 D3
Châtillon-sur-Indre 36...... 151 D2
Châtillon-sur-Lison 25 ...... 160 B1
Châtillon-sur-Loire 45 ...... 134 C1
Châtillon-sur-Marne 51 ..... 63 E4
Châtillon-sur-Morin 51 ...... 63 E4
Châtillon-sur-Oise 02 ...... 20 B3
Châtillon-sur-Saône 88 ..... 117 F4
Châtillon-sur-Seine 21 ...... 115 E3
Châtillon-sur-Thouet 79..... 165 E1
Châtin 58 .... 156 A1
Chatoillenot 52............ 116 C4
Châtonnay 38............. 211 F3
Chatonnay 39............. 176 C3
Chatonrupt 52............. 92 B2
Chatou 78 .... 60 C3
La Châtre 36............. 169 F2
La Châtre-Langlin 36....... 168 B3
Châtres 24............... 221 F1
Châtres 10............... 89 F2
Châtres 77............... 61 F4
Châtres-la-Forêt 53 .... 105 F1
Châtres-sur-Cher 41....... 133 D4
Châtrices 51 .... 65 F1
Chattancourt 55.......... 40 A4
Chatte 38............... 229 F1
Chatuzange-le-Goubet 26 ... 229 E2
Chaucenne 25............ 140 D2
Chauchailles 48 .... 225 E4
Chauché 85.............. 146 A3
Le Chauchet 23........... 188 A2
Chauchigny 10........... 90 A2
Chauconin 77............ 62 A2
Chauconin-Neufmontiers 77 62 A2
Chaucre 17 .... 180 B2
Chaudanne (Barrage de) 04 . 268 B3
Chaudardes 02........... 37 E2
Chaudebonne 26.......... 247 F3
Chaudefonds-sur-Layon 49.. 128 A3
Chaudefontaine 25........ 141 E3
Chaudefontaine 51........ 65 F1
Chaudenay 52............ 117 D3
Chaudenay 71............ 158 A3
Chaudenay-la-Ville 21 ..... 157 F1
Chaudenay-le-Château 21... 157 F1
Chaudenay-sur-Moselle 54.. 67 F4
Chaudes-Aigues 15........ 225 E4
Chaudeyrac 48........... 244 C1
Chaudeyrolles 43.......... 227 F3
La Chaudière 26.......... 247 F1
Chaudière (Col de la) 26.... 247 F1
Chaudon 28.............. 85 E1
Chaudon-Norante 04 ...... 268 A2
Chaudrey 10............. 90 C2
Chaudron-en-Mauges 49.... 127 E3
Chaudun 02.............. 36 B3
Chauffailles 71........... 191 F1
Chauffayer 05............ 231 E4
Chauffour-lès-Bailly 10..... 90 C4
Chauffour-lès-Étrechy 91.... 86 C1
Chauffour-sur-Vell 19...... 222 B3
Chauffours 28............ 85 D3
Chauffourt 52............ 117 D2
Chauffry 77 .... 62 C3
Chaufour-lès-Bonnières 78.. 59 E2
Chaufour-Notre-Dame 72 ... 106 C2
Chaugey 21.............. 116 A4
Chaulgnes 58............ 154 C1
Chaulhac 48 .... 225 F3
Chaulieu 50.............. 55 D4
La Chaulme 63........... 209 D3
Chaulnes 80 .... 19 D3
Chaum 31............... 299 D4
Chaumard 58............ 156 B1
La Chaume 21............ 115 F3
La Chaume 85............ 162 A2
Chaume-et-Courchamp 21.. 139 F1
Chaume-lès-Baigneux 21... 138 B1
Chaumeil 19 .... 205 D3
Chaumercenne 70......... 140 B3
Chaumeré 35............. 103 F1
Chaumergy 39 .... 159 E3
Chaumes-en-Brie 77....... 88 A1
Chaumesnil 10........... 91 E3
Chaumont 74............. 195 D2
Chaumont 61............. 57 D3
Chaumont 39 .... 177 E3
Chaumont 18............. 154 A4
Chaumont 52............. 116 B1
Chaumont 89............. 88 B3
Chaumont (Château de) 71.. 174 B2
Chaumont-d'Anjou 49 ..... 129 D2
Chaumont-
devant-Damvillers 55.... 40 B3
Chaumont-en-Vexin 60 .... 33 F4
Chaumont-la-Ville 52 ...... 93 E4
Chaumont-le-Bois 21 ...... 115 E2
Chaumont-le-Bourg 63..... 208 C3
Chaumont-Porcien 08...... 22 A4
Chaumont-sur-Aire 55 ..... 66 B2
Chaumont-sur-Loire 41 .... 131 F2
Chaumont-sur-Tharonne 41. 133 D1
Chaumontel 95........... 61 D1
Chaumot 58.............. 136 B4
Chaumot 89.............. 112 C1
Chaumousey 88........... 94 C4
Chaumoux-Marcilly 18...... 154 A1
Chaumussay 37........... 150 B3
La Chaumusse 39 .... 177 E1
Chaumuzy 51 .... 37 E4
Chaunac 17 .... 199 F3
Chaunay 86.............. 183 F1
Chauny 02 .... 36 A1
Chauray 79 .... 165 D3
Chauriat 63 .... 189 F1
Chausey (Iles) 50 .... 53 D2
La Chaussade 23......... 187 F3
La Chaussaire 49 .... 127 E3

Chaussan 69 .... 210 B1
La Chaussée 76 .... 16 A3
La Chaussée 86 .... 148 C3
La Chaussée-d'Ivry 28 .... 59 E3
La Chaussée-Saint-Victor 41. 132 A1
La Chaussée-sur-Marne 51.. 65 D3
La Chaussée-Tirancourt 80.. 18 A2
Chaussenac 15........... 223 F1
Chaussenans 39.......... 159 F3
Chaussin 39.............. 159 D2
Chaussoy-Epagny 80....... 18 B4
Chaussy 95.............. 59 F1
Chaussy 45.............. 110 B1
Le Chautay 18............ 154 B2
Chauvac 26.............. 248 B4
Chauvé 44............... 125 F4
Chauvé d'Aspremont
(Mont) 06............. 288 C1
Chauvency-le-Château 55... 40 A1
Chauvency-Saint-Hubert 55.. 40 A1
Chauvigné 35............ 79 F2
Chauvigny 86............ 167 D2
Chauvigny-du-Perche 41.... 108 C2
Chauvincourt 27.......... 33 E3
Chauvirey-le-Châtel 70..... 117 F3
Chauvirey-le-Vieil 70....... 117 F3
Chauvoncourt 55.......... 67 D2
Chauvry 95.............. 60 C1
La Chaux 25............. 161 D1
La Chaux 71............. 159 D3
Chaux 90................ 119 F4
Chaux 21................ 158 A1
La Chaux 61............. 82 A1
Chaux-Champagny 39..... 160 A3
Chaux-des-Crotenay 39.... 177 E1
Chaux-des-Prés 39........ 177 E1
La Chaux-du-Dombief 39... 177 E1
La Chaux-en-Bresse 39..... 159 E3
Chaux-la-Lotière 70........ 141 D3
Chaux-lès-Clerval 25....... 142 A2
Chaux-lès-Passavant 25.... 141 F4
Chaux-lès-Port 70......... 118 A4
Chaux-Neuve 25 .... 160 C4
Chauzon 07.............. 246 A3
Chavagnac 15............ 225 D1
Chavagnac 24............ 222 A2
Chavagne 35............. 103 D1
Chavagnes 49............ 128 C4
Chavagnes-en-Paillers 85.. 146 A3
Chavagnes-les-Redoux 85.. 146 C4
Chavagneux-
Montbertand 38......... 193 E4
Chavaignes 49........... 129 E2
Chavanac 19............. 205 E2
Chavanat 23............. 187 D3
Chavanatte 90........... 120 A4
Chavanay 42............. 210 C3
Chavanges 10............ 91 E2
Chavaniac-Lafayette 43.... 226 B1
Chavannaz 74............ 195 D2
La Chavanne 73.......... 213 E2
Chavanne 70............. 142 B1
Chavanne 39............. 176 B1
Chavannes 26............ 229 D2
Chavannes 18............ 153 E3
Les Chavannes-
en-Maurienne 73....... 213 F3
Chavannes-les-Grands 90.. 120 A4
Chavannes-sur-l'Étang 68... 120 A3
Chavannes-
sur-Reyssouze 01....... 175 E3
Chavannes-sur-Suran 01... 176 B4
Chavanod 74............. 195 E3
Chavanoz 38............. 193 F4
Les Chavants 74.......... 196 C3
Chavaroux 63............ 189 F4
La Chavatte 80........... 19 D4
Chaveignes 37........... 149 E2
Chavelot 88.............. 94 C3
Chavenat 16............. 201 E3
Chavenay 78............. 60 B3
Chavençon 60............ 33 F4
Chavenon 03............. 171 E3
Chavéria 39.............. 176 C2
Chaveroche 19........... 205 F2
Chaveyriat 01............ 193 E1
Chavignon 02............ 36 C3
Chavigny 54............. 68 A4
Chavigny 02............. 36 B2
Chavigny (Château de) 37.. 148 C1
Chavigny-Bailleul 27....... 58 C3
Chaville 92.............. 60 C3
Chavin 36............... 168 C2
Chavoire 74............. 195 E3
Chavonne 02............. 36 C2
Chavornay 01............ 194 C3
Chavot-Courcourt 51 ...... 64 A2
Chavoy 50............... 54 A4
Chavroches 03........... 172 C3
Chay 25................. 160 A1
Le Chay 17............. 198 C1
Chazay-d'Azergues 69..... 192 C3
La Chaze-de-Peyre 48..... 243 F1
Chazé-Henry 49.......... 104 B4
Chazé-sur-Argos 49........ 127 F1
Chazeaux 07............. 246 A2
Le Chazelet 05........... 231 F2
Chazelet 36.............. 168 B2
Chazelles 16............. 202 A1
Chazelles 15............. 226 A2
Chazelles 43............. 226 B2
Chazelles 39............. 176 B3
Chazelles-sur-Albe 54...... 69 E4
Chazelles-sur-Lavieu 42.... 209 E2
Chazelles-sur-Lyon 42..... 210 A1
Chazelot 25............. 141 F2
Chazemais 03............ 170 C2
Chazeuil 21.............. 139 F1

Chazeuil 58 .... 136 A4
Chazey-Bons 01.......... 194 C4
Chazey-sur-Ain 01........ 193 F2
Chazilly 21.............. 157 E1
Chazot 25............... 142 A3
Chazoy 25............... 140 C4
La Chebuette 44.......... 126 C4
Chécy 45 .... 110 B3
Chedde 74............... 196 C2
Chédigny 37............. 131 E4
Chef-Boutonne 79........ 183 D1
Chef-du-Pont 50.......... 25 D4
Chef-Haut 88............. 94 A3
Cheffes 49............... 128 B1
Cheffois 85.............. 164 A1
Cheffreville-Tonnencourt 14. 57 D1
Chéhéry 08.............. 23 D4
Cheignieu-la-Balme 01..... 194 B4
Cheillé 37............... 130 B4
Cheilly-lès-Maranges 71.... 157 F3
Chein-Dessus 31.......... 299 E3
Cheissoux 87............ 186 B4
Le Cheix 44............. 207 E2
Le Cheix 63............. 189 F3
Cheix-en-Retz 44......... 126 A4
Chélan 32............... 274 C4
Chelers 62............... 7 F2
Chélieu 38............... 212 A2
Chelle-Debat 65.......... 274 A4
Chelle-Spou 65........... 298 A2
Chelles 77............... 61 E3
Chelles 60............... 35 F3
Chelun 35............... 104 A3
Chemaudin 25........... 140 C4
Chemault 45............. 111 D2
Chemazé 53............. 105 D3
Chemellier 49............ 128 C3
Chemenot 39............ 159 E4
Chéméré 44............. 145 D1
Chéméré-le-Roi 53........ 105 F2
Chémery 57.............. 69 D1
Chémery 41.............. 132 B3
Chémery-les-Deux 57...... 42 A3
Chémery-sur-Bar 08....... 39 E1
Chemilla 39.............. 176 C3
Chemillé 49.............. 128 A4
Chemillé-sur-Dême 37..... 130 C1
Chemillé-sur-Indrois 37.... 151 D1
Chemilli 61.............. 83 E3
Chemilly 70.............. 118 A4
Chemilly 03.............. 172 B2
Chemilly-sur-Serein 89..... 114 A4
Chemilly-sur-Yonne 89..... 113 E3
Chemin 39............... 159 D2
Le Chemin 51............ 66 A1
Chemin-d'Aisey 21........ 115 E4
Cheminas 07............. 228 C1
Cheminon 51............. 65 F4
Cheminot 57............. 68 A2
Chemiré-en-Charnie 72.... 106 A1
Chemiré-le-Gaudin 72..... 106 B2
Chemiré-sur-Sarthe 49..... 105 F4
Chemy 59............... 8 C1
Chenac-
Saint-Seurin-d'Uzet 17.... 199 D2
Chenailler-Mascheix 19.... 222 C2
La Chenalotte 25......... 161 F1
Chénas 69............... 175 D4
Chenaud 24............. 219 E1
Chenay 51............... 37 E3
Chenay 79............... 165 F4
Chenay 72............... 82 C2
Chenay-le-Châtel 71....... 191 D1
Le Chêne 10............. 90 B1
Chêne-Arnoult 89........ 112 B3
Chêne-Bernard 39........ 159 E3
Chêne-Chenu 28......... 85 D1
Chêne-en-Semine 74...... 194 C2
Chêne-Sec 39............ 159 E3
Chenebier 70............ 119 E4
Chenecey-Buillon 25....... 160 A1
Cheneché 86............. 149 D4
Chênedollé 14............ 55 D3
Chênedouit 61........... 56 A3
Chênehutte-les-Tuffeaux 49. 129 D3
Chênelette 69............ 192 A1
Chénérailles 23........... 187 F2
Chenereilles 42........... 209 E3
Chenereilles 43........... 227 F1
Chénerilles 04............ 267 E2
Chenevelles 86........... 149 F4
Chenevières 54........... 69 D1
Chenevrey-et-Morogne 70.. 140 C3
Chênex 74............... 195 D1
Cheney 89............... 114 A3
Chenicourt 54............ 68 B2
Chennebrun 27........... 58 A4
Chennevières 55.......... 66 C4
Chennevières-lès-Louvres 95 61 D1
Chennevières-sur-Marne 94. 61 E3
Chenois 55............... 68 C1
Chenoise 77.............. 88 C1
Chenommet 16........... 183 F3
Chenon 16............... 183 F3
Chenonceau (Château de) 37 131 E3
Chenonceaux 37.......... 131 E3
Chenou 77............... 111 F1
Chenôve 21.............. 139 D4
Chenôves 71............. 174 C1
Chens-sur-Léman 74...... 178 A3
Chenu 72................ 130 A1
Cheny 89................ 113 E2
Chepniers 17............. 200 C4

Chepoix 60 .... 34 C1
La Cheppe 51............ 65 D1
Cheppes-la-Prairie 51...... 65 D3
Cheppy 55............... 39 F4
Cheptainville 91.......... 86 C1
Chépy 80................ 17 D1
Chepy 51................ 65 D2
Chérac 17............... 199 F1
Chérancé 53............. 104 C3
Chérancé 72............. 82 C3
Chéraute 64............. 295 F1
Chéray 17............... 180 B2
Cherbonnières 17........ 182 C3
Cherbourg 50............ 24 C2
Chérence 95............. 59 F1
Chérence-lès-Héron 50.... 54 B3
Chérencé-le-Roussel 50.... 54 C4
Chéreng 59.............. 5 D4
Les Chères 69............ 192 C3
Chérêt 02............... 37 D1
Chériennes 62............ 7 D3
Cherier 42............... 191 D3
Chérigné 79............. 183 D1
Les Chéris 50............ 54 A4
Chérisay 72.............. 82 C3
Chérisey 57.............. 68 B1
Chérisy 28............... 59 E4
Chérisy 62............... 8 B4
Chérizet 71.............. 174 C2
Chermignac 17........... 199 D1
Chermisey 88............ 93 D2
Chermizy-Ailles 02........ 37 D2
Chéronnac 87............ 184 C4
Chéronvilliers 27.......... 58 A3
Chéroy 89............... 88 B4
Cherré 49............... 105 E4
Cherré 72............... 83 F4
Cherreau 72............. 83 F4
Cherrueix 35............. 53 E4
Chéry 18................ 152 C1
Chéry-Chartreuve 02...... 37 D4
Chéry-lès-Pouilly 02....... 20 C4
Chéry-lès-Rozoy 02........ 21 F4
Chesley 10.............. 114 B2
Le Chesnay 78........... 60 C3
Le Chesne 08............ 39 D1
Le Chesne 27............ 58 B3
Chesnel 16.............. 182 B4
Chesnois-Aubincourt 08... 38 C1
Chesny 57............... 68 B1
Chessenaz 74............ 195 D2
Chessy 77............... 61 F3
Chessy 69............... 192 B3
Chessy-les-Prés 10........ 114 A2
Chéu 89................ 113 F2
Cheuge 21.............. 140 A3
Cheust 65............... 297 F3
Cheux 14................ 29 D4
Chevagnes 03............ 172 C1
Chevagny-les-Chevrières 71. 174 D4
Chevagny-sur-Guye 71.... 174 C2
Chevaigné 35............ 79 E4
Chevaigné-du-Maine 53.... 81 F2
Le Chevain 72........... 82 C2
Cheval-Blanc 84.......... 265 E4
La Chevalerie 17......... 180 B3
Chevaline 74............. 195 F4
La Chevallerais 44........ 126 B2
Le Chevalon 38.......... 212 C4
Chevanceaux 17.......... 200 C4
Chevannay 21............ 138 B3

Chevannes 91............ 87 D2
Chevannes 89............ 113 D4
Chevannes 45............ 112 A1
Chevannes 21............ 158 A1
Chevannes-Changy 58..... 136 A4
Chevennes 02............ 21 D3
Chevenon 58............. 155 D3
Chevenoz 74............. 178 C3
Cheverny 41............. 132 B2
Cheveuges 08............ 23 D4
Chevières 08............. 39 E3
Chevigney 70............ 140 B3
Chevigney-lès-Vercel 25.... 141 F4
Chevigney-sur-l'Ognon 25.. 140 B4
Chevigny 39............. 140 A4
Chevigny-Saint-Sauveur 21. 139 E4
Chevillard 01............. 194 B1
Cheville 72.............. 106 A2
Chevillon 52............. 92 B1
Chevillon 89............. 112 C3
Chevillon-sur-Huillard 45... 111 E2
La Chevillotte 25......... 141 E4
Chevilly 45.............. 110 A2
Chevilly-Larue 94........ 61 D4
Chevinay 69............. 192 B4
Chevincourt 60........... 35 E2
Cheviré-le-Rouge 49...... 129 D1
Chevrainvilliers 77........ 87 E4
Chèvre (Cap de la) 29..... 72 C2
Chevreaux 39............ 176 B2
Chevregny 02............ 36 C2
Chèvremont 90........... 119 F4
La Chèvrerie 16.......... 183 E2
Chèvrerie (Vallon de la) 74.. 178 C4
Chevresis-les-Dames 02.... 20 C4
Chevresis-Monceau 02..... 20 C3
Chevreuse 78............ 60 B4
Chèvreville 60............ 62 A1
Chèvreville 50............ 80 C1
Chevrier 74............. 195 D1
Chevrières 39............. 176 B2
Chevrières 42............ 210 A2
Chevroches 58............ 136 B2
Chevrotaine 39........... 177 D1
Chevroux 01............. 175 E3
Chevroz 25.............. 141 D3
Chevru 77............... 62 C4
Chevry 39............... 177 D3
Chevry 01............... 177 F4
Chevry 50............... 54 B2
Chevry-Cossigny 77....... 61 F4
Chevry-en-Sereine 77..... 88 A4
Chevry-sous-le-Bignon 45.. 112 A1
Chey 79................ 165 F4
Cheylade 15............. 224 C1
Le Cheylard 07........... 228 A3
Cheylard-l'Évêque 48...... 244 C2
Le Cheylas 38............ 213 E4
Cheyssieu 38............ 211 D3
Chezal-Benoît 18......... 152 C4
La Chèze 22............. 77 E4
Chèze 65................ 297 F4
Chézeaux 52............. 117 E3
Chezelle 03.............. 189 E1
Chezelles 37............. 149 E2
Chezelles 36............. 151 F3
Chézeneuve 38........... 211 F2
Chézery-Forens 01........ 177 E4
Chézy 03................ 172 B1
Chézy-en-Orxois 02....... 62 C1
Chézy-sur-Marne 02....... 63 D2
Chiappa (Pointe de la) 2A.. 319 F2
Chiatra 2B.............. 317 F1
Chiché 79............... 148 A4
Chicheboulle 14........... 56 A1
Chichée 89.............. 113 F4
Chichery 89............. 113 E3
Chichey 51.............. 63 F4

Chichilianne 38........... 230 B4
Chicourt 57.............. 68 C2
Chiddes 58.............. 156 B3
Chiddes 71.............. 174 C3
Chidrac 63.............. 207 E2
Chierry 02............... 63 D1
Chieulles 57............. 41 F4
Chigné 49............... 129 F1
Chignin 73.............. 213 E2
La Chignolle 16.......... 183 F4
Chigny 02............... 21 D2
Chigny-les-Roses 51...... 37 F4
Chigy 89................ 89 D4
Chilhac 43.............. 226 A1
Chillac 16............... 201 D3
Chille 39................ 159 E4
Chilleurs-aux-Bois 45...... 110 C1
Le Chillou 79............ 148 B4
Chilly 74................ 195 D2
Chilly 80................ 19 D3
Chilly 08................ 22 B3
Chilly-le-Vignoble 39...... 176 B1
Chilly-Mazarin 91......... 61 D4
Chilly-sur-Salins 39....... 160 A3
Chimilin 38.............. 212 B2
Le Chinaillon 74.......... 196 A2
Chindrieux 73............ 194 C3
Chinon 37............... 149 D1
Chinon (Centre de production
nucléaire) 37.......... 129 F4
Chioula (Col de) 09....... 310 B1
Chipilly 80.............. 19 D2
Chirac 48............... 243 F2
Chirac 16............... 184 B3
Chirac-Bellevue 19........ 205 F3
Chirassimont 42.......... 191 F3
Chirat-l'Église 03......... 171 F4
Chiré-en-Montreuil 86..... 166 A1
Chirens 38.............. 212 B3
Chirmont 80............. 18 B4
Chirols 07............... 245 F1
Chiroubles 69............ 192 B1
Chiry-Ourscamps 60...... 35 F1
Chis 65................. 297 F1
Chisa 2B................ 317 E4
Chissay-en-Touraine 41.... 131 F3
Chisseaux 37............. 131 F3
Chisséria 39.............. 176 C3
Chissey-en-Morvan 71..... 156 C1
Chissey-lès-Mâcon 71..... 175 D2
Chissey-sur-Loue 39....... 159 F2
Chitenay 41.............. 132 A2
Chitray 36............... 168 B1
Chitry 89................ 113 F4
Chitry-les-Mines 58....... 136 A4
Chiuni (Plage de) 2A...... 316 A4
Chives 17............... 183 D3
Chivres 21............... 158 B2
Chivres-en-Laonnois 02.... 21 D4
Chivres-Val 02........... 36 C2
Chivy-lès-Étouvelles 02.... 36 C1
Chizé 79................ 182 C1
Chocques 62............. 8 A1
Choignes 52............. 116 B3
Choilley 52.............. 117 D1
Choisel 78............... 60 B4
Choiseul 52.............. 117 D1
Choisey 39.............. 159 E1
Choisies 59.............. 10 C3
Choisy 74................ 195 E2
Choisy-au-Bac 60......... 35 E2
Choisy-en-Brie 77......... 62 C4
Choisy-la-Victoire 60...... 35 D3
Choisy-le-Roi 94.......... 61 D4
Cholet 49................ 147 D1
Cholonge 38............. 231 D2
Choloy-Ménillot 54........ 67 F4
Chomelix 43............. 209 D4
Chomérac 07............. 246 C1
La Chomette 43.......... 226 A1
Chonas-l'Amballan 38..... 210 C3

CHOLET

Clemenceau (R. G.)........ Z 9
Nantaise (R.)............. Z 39
Nationale (R.)............ Z
Travot (Pl.).............. Z 52
Travot (R.).............. Z 53

Abreuvoir (Av. de l')...... Z 2
Bons-Enfants (R. des)..... Z 3
Bourg-Baudry (R.)........ Z 6

Bretonnaise (R.)......... Z 7
Guérineau (Pl. A.)........ Z 20
Hôtel-de-Ville (R. de l')... Z 22
Maudet (Av.)............ Z 30
Moine (R. de la).......... Z 36
Montfort (R. G. de)....... Z 37
Puits-de-l'Aire (R. du)..... Z 45
Richard (Bd G.).......... Z 46
Salberie (R.)............. Z 49
Sardinerie (R. de la)...... Z 50
Vieux-Greniers (R. des)... Z 56
8-Mai-1945 (Pl. du)....... Z 58

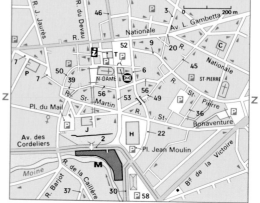

Chonville 55 .... 67 D3
Chooz 08 .... 13 D3
Choqueuse-les-Bénards 60.. 17 F4
Choranche 38 .... 230 A2
Chorey 21 .... 158 A2
Chorges 05 .... 250 A2
Chouain 14 .... 29 D4
Chouday 36 .... 152 B2
Choue 41 .... 108 B2
Chougny 58 .... 156 A1
Chouilly 51 .... 64 A1
Chouppes 86 .... 149 D4
Chourgnac 24 .... 221 E1
Choussy 41 .... 132 A3
Chouvigny 03 .... 189 D1
Chouvigny (Gorges de) 63.. 189 D1
Choux 39 .... 177 D4
Les Choux 45 .... 111 F4
Chouy 02 .... 36 B4
Chouzé-sur-Loire 37 .... 129 F4
Chouzelot 25 .... 160 A1
Chouzy-sur-Cisse 41 ... 131 F2
Choye 70 .... 140 C3
Chozeau 38 .... 211 F1
Chuelles 45 .... 112 A2
Chuffilly-Roche 08. ..... 38 C2
Chuignes 80 .... 19 D2
Chuignolles 80 .... 19 D2
Chuisnes 28 .... 84 C2
Chusclan 30 .... 264 C1
Chuyer 42 .... 210 C3
Chuzelles 38 .... 211 D2
Ciadoux 31 .... 299 D1
Ciamannacce 2A 317 D4
Cians (Gorges du) 06 ... 269 E2
Ciboure 64 .... 270 A3
Cideville 76 .... 15 F3
Ciel 71. .... 158 B3
Cier-de-Luchon 31. ..... 298 C4

Cier-de-Rivière 31 ...... 299 D3
Cierges 02 .... 36 C4
Cierges-sous-Montfaucon 55 39 F3
Cierp-Gaud 31 .... 299 D4
Cierrey 27 .... 59 D2
Cierzac 17 .... 200 C2
Cieurac 46 .... 240 A4
Cieutat 65 .... 298 A2
Cieux 87 .... 185 E2
Ciez 58 .... 135 F3
Cigné 53 .... 81 E2
Cigogné 37 .... 131 E4
Cilly 02 .... 21 D4
Cinais 37 .... 149 D1
Cindré 03 .... 172 C4
Cinq-Chemins 74 ...... 178 B3
Cinq-Mars-la-Pile 37 ... 130 B3
Cinqueux 60 .... 35 D3
Cintegabelle 31 .... 300 C1
Cinteaux 14 .... 56 A1
Cintray 28 .... 85 D2
Cintray 27 .... 58 B3
Cintré 35 .... 79 D4
Cintrey 70 .... 117 F4
La Ciotat 13 .... 291 D3
Cipières 06 .... 269 E4
Ciral 61 .... 82 B2
Ciran 37 .... 150 B2
Circourt 88 .... 94 B3
Circourt-sur-Mouzon 88.. 93 E3
Ciré-d'Aunis 17 ...... 181 D2
Cirès 31 .... 298 C4
Cires-lès-Mello 60 ..... 34 C3
Cirey 70 .... 141 E2
Cirey 21 .... 157 F2
Cirey-lès-Mareilles 52. .. 92 C4
Cirey-lès-Pontailler 21 .. 139 F3
Cirey-sur-Blaise 52 .... 92 A3

Cirey-sur-Vezouze 54 ..... 69 F4
Cirfontaines-en-Azois 52.. 115 F1
Cirfontaines-en-Ornois 52.. 92 C2
Cirières 79 .... 147 E3
Ciron 36 .... 168 A1
Cirque (Belvédère du) 05.. 233 E4
Ciry-le-Noble 71 .... 174 A1
Ciry-Salsogne 02 ...... 36 C3
Cisai-Saint-Aubin 61 .... 57 F3
Cisery 89 .... 137 E2
Cissac-Médoc 33 ...... 198 C4
Cissé 86 .... 166 A1
Cisternes-la-Forêt 63. ... 188 C4
Cistrières 43 .... 208 B4
Cîteaux (Abbaye de) 21 .. 158 B1
Citerne 80 .... 17 E2
Citers 70 .... 118 C4
Citey 70 .... 140 C2
Citou 11 .... 279 D4
Citry 77 .... 62 C2
Civaux 86 .... 167 D3
Civens 42 .... 191 F4
Civières 27 .... 33 D4
Civrac-de-Blaye 33 .... 217 F1
Civrac-en-Médoc 33 ... 198 C3
Civrac-sur-Dordogne 33.. 219 D4
Civray 86 .... 183 F1
Civray 18 .... 152 C2
Civray-de-Touraine 37 .. 131 E3
Civray-sur-Esves 37 ... 150 A2
Civrieux 01 .... 193 D3
Civrieux-d'Azergues 69 . 192 C3
Civry 28 .... 109 E1
Civry-en-Montagne 21 .. 138 B4
Civry-la-Forêt 78 ...... 59 F3
Civry-sur-Serein 89 .... 137 D1
Cizancourt 80 .... 19 E3
Cizay-la-Madeleine 49 .. 129 D4
Cize 39 .... 160 A4

Cize 01 .... 176 B4
Cizely 58 .... 155 E2
Cizos 65 .... 298 C1
Clacy-et-Thierret 02 .... 36 C1
Cladech 24 .... 221 E4
Claira 66 .... 313 D1
Clairac 47 .... 238 A4
Clairefontaine-
 en-Yvelines 78 ...... 86 A1
Clairefougère 61 ...... 55 E3
Clairegoutte 70 .... 119 E4
Clairfontaine 02 ...... 10 B4
Clairmarais 62 .... 3 E4
Clairoix 60 .... 35 E2
Clairvaux 10 .... 115 F1
Clairvaux-d'Aveyron 52 . 242 A1
Clairvaux-les-Lacs 39 .. 177 D1
Clairvivre 24 .... 203 F4
Clairy-Saulchoix 80 .... 18 A3
Clais 76 .... 16 C3
Claix 16 .... 201 E2
Claix 38 .... 230 C1
Clam 17 .... 199 F2
Clamanges 51 .... 64 B3
Clamart 92 .... 60 C3
Clamecy 58 .... 136 B2
Clamecy 02 .... 36 B2
Clamensane 04 ...... 249 E4
Clamerey 21 .... 138 A3
Clamouse (Grotte de) 34 . 281 D1
Clans 70 .... 141 D1
Clans 06 .... 269 F2
Clansayes 26. .... 247 D4
Le Claon 55 .... 39 E4
Le Clapier 12 .... 261 E4
Clapiers 34 .... 281 F2

La Claquette 67 .... 70 A4
Clara 66 .... 311 F3
Clarac 31 .... 299 D2
Clarac 65 .... 298 A1
Claracq 64 .... 273 D3
Clarafond 74 .... 195 D1
Clarbec 14 .... 30 B4
Clarens 65 .... 298 B2
Clarensac 30 .... 263 F4
Claret 34 .... 263 D4
Claret 04 .... 249 E3
Clarques 62 .... 3 E4
La Clarté 22 .... 50 A1
Clary 59 .... 20 B1
Classun 40 .... 272 C1
Clastres 02 .... 20 A4
Clasville 76 .... 15 E2
Le Clat 11 .... 311 D1
Claudon 88 .... 118 A1
Les Claux 05 .... 250 C1
Le Claux 15 .... 224 C1
Clavans-en-Haut-Oisans 38.. 231 E3
Clavé 79 .... 165 E2
Claveisolles 69 ..... 192 A1
Clavette 17 .... 181 D1
Claveyson 26 .... 229 D1
Clavières 15. .... 225 F3
Claviers 83 .... 287 E1
Claville 27 .... 58 B1
Claville-Motteville 76 .. 32 B1
Clavy-Warby 08 ..... 22 B3
La Claye 85 .... 163 D2
Claye-Souilly 77 .... 61 F2
Clayes 35 .... 79 D4
Les Clayes-sous-Bois 78 . 60 B3
Clayeures 54 .... 94 C1
Clazay 79 .... 147 E3
Clécy 14 .... 55 F2

Cléden-Cap-Sizun 29 ...... 72 C3
Cléden-Poher 29 .... 75 E3
Cléder 29 .... 48 C2
Clèdes 40 .... 272 C2
Cleebourg 67 .... 45 E4
Clefmont 52. .... 117 D2
Clefs 49 .... 129 E1
Les Clefs 74 .... 195 E1
Cléguer 56 .... 100 A2
Cléguérec 56 .... 76 C4
Clelles 38 .... 230 C1
Clémencey 21 .... 139 D4
Clémensat 63 .... 207 E2
Clémery 54 .... 68 A2
Clément 18 .... 134 A2
Clénay 21 .... 139 E3
Clenleu 62 .... 6 C1
Cléon 76 .... 32 A3
Cléon-d'Andran 26 ... 247 D3
Cleppé 42 .... 191 F4
Clérac 17 .... 218 C1
Cléré-du-Bois 36 .... 150 C3
Cléré-les-Pins 37 .... 130 A3
Cléré-sur-Layon 49 ... 147 D2
Clères 76 .... 32 B1
Clérey 10 .... 90 B4
Clérey-la-Côte 88 .... 93 E2
Clérey-sur-Brenon 54 . 94 A1
Clergoux 19 .... 205 D2
Clérieux 26 .... 229 D2
Les Clérimois 89. .... 89 D3
Le Clerjus 88 .... 118 C2
Clerlande 63 .... 189 F3
Clermain 71. .... 174 C3
Clermont 74 .... 195 D2
Clermont 40 .... 271 F1
Clermont 09 .... 300 B3
Clermont 60 .... 34 C3
Clermont (Abbaye de) 53.. 104 C1

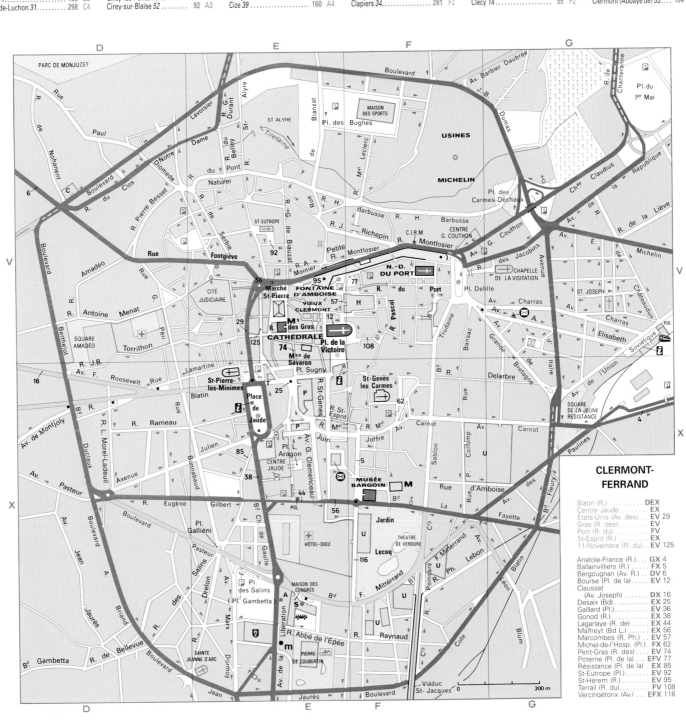

CLERMONT-FERRAND

Blatin (R.) .... DEX
Centre Jaude .... EX
États-Unis (Av. des) .. EV 29
Gras (R. des) .... EV
Port (R. du) .... FV
St-Esprit (R.) .... EX
11-Novembre (R. du). . EV 125

Anatole-France (R.) ... GX 4
Ballainvilliers (R.) .... FX 5
Bergougnan (Av. R.) .. DV 6
Bourse (Pl. de la) .... EV 12
Claussat
 (Av. Joseph) ...... DX 16
Desaix (Bd) .... EX 25
Gaillard (Pl.) .... EV 36
Gonod (R.) .... EX 38
Lagarlaye (R. de) .... EX 44
Malfreyt (Bd L.) ..... EX 56
Marcombes (R. Ph.) .. EV 57
Michel-de-l'Hosp. (Pl.) FX 62
Petit-Gras (R. des) ... EV 74
Poterne (Pl. de la) ... EFV 77
Résistance (Pl. de la) . EV 85
St-Eutrope (Pl.) ..... EV 92
St-Hérem (R.) .... EV 95
Terrail (R. du) .... FV 108
Vercingétorix (Av.) ... EFX 116

Clermont-Créans 72 ... 106 B4
Clermont-de-Beauregard 24 ... 220 B3
Clermont-Dessous 47 ... 255 F1
Clermont-d'Excideuil 24 ... 203 E4
Clermont-en-Argonne 55 ... 66 A1
Clermont-en-Auge 14 ... 30 A4
Clermont-Ferrand 63 ... 189 E4
Clermont-le-Fort 31 ... 276 C3
Clermont-les-Fermes 02 ... 21 E4
Clermont-l'Hérault 34 ... 280 C2
Clermont-Pouyguillès 32 ... 274 C3
Clermont-Savès 32 ... 275 F2
Clermont-Soubiran 47 ... 256 C2
Clermont-sur-Lauquet 11 ... 302 C3
Cléron 25 ... 160 B1
Clerques 62 ... 2 C3
Clerval 25 ... 142 A2
Cléry 73 ... 213 F1
Cléry 21 ... 140 A3
Cléry-en-Vexin 95 ... 60 A1
Cléry-Grand 55 ... 39 F2
Cléry-Petit 55 ... 39 F2
Cléry-Saint-André 45 ... 109 F3
Cléry-sur-Somme 80 ... 19 E2
Clesles 51 ... 89 F2
Clessé 71 ... 175 D3
Clessé 79 ... 147 F4
Clessy 71 ... 173 F2
Cléty 62 ... 3 D4
Cleurie 88 ... 119 E1
Cleuville 76 ... 15 E2
Cléville 76 ... 15 D3
Cléville 14 ... 30 A4
Clévilliers 28 ... 85 D1
Cleyrac 33 ... 237 D1
Cleyzieu 01 ... 194 A3
Clézentaine 88 ... 95 D2
Clichy 92 ... 61 D3
Clichy-sous-Bois 93 ... 61 E2
Climbach 67 ... 45 E4
Le Climont 67 ... 96 A1
Clinchamp 52 ... 93 D4
Clinchamps-sur-Orne 14 ... 55 F1
Clion 36 ... 151 D3
Clion 17 ... 199 E2
Le Clion-sur-Mer 44 ... 144 C1
Cliousclat 26 ... 247 D1
Cliponville 76 ... 15 E3
Cliron 08 ... 22 C3
Clis 44 ... 123 E4
La Clisse 17 ... 181 E4
Clisson 44 ... 146 A1
Clitourps 50 ... 25 D2
Clohars-Carnoët 29 ... 99 F2
Clohars-Fouesnant 29 ... 73 F4
Le Cloître-Pleyben 29 ... 75 D2
Le Cloître-
Saint-Thégonnec 29 ... 49 E4
Clomot 21 ... 138 A4
Clonas-sur-Varèze 38 ... 210 C3
Clos (Futaie des) 72 ... 107 E4
Clos-Fontaine 77 ... 88 B1
La Clotte 17 ... 218 C1
Clouange 57 ... 41 E3
Cloué 86 ... 166 A3
Les Clouzeaux 85 ... 162 C1
Cloyes-sur-le-Loir 28 ... 108 C2
Cloyes-sur-Marne 51 ... 65 E4
Clucy 39 ... 160 A2
Clugnat 23 ... 169 F4
Cluis 36 ... 169 D2
Clumanc 04 ... 268 A2
Cluny 71 ... 174 C3
La Clusaz 74 ... 196 A3
La Cluse 05 ... 249 D1
La Cluse 01 ... 194 B1
La Cluse-et-Mijoux 25 ... 161 D3
Les Cluses 66 ... 313 D3
Cluses 74 ... 196 B1
Clussais-la-Pommeraie 79 ... 183 E1
Clux 71 ... 158 C2
Coadout 22 ... 50 B4
Coaraze 06 ... 288 C1
Coarraze 64 ... 297 D1
Coat-Méal 29 ... 47 E2
Coatascorn 22 ... 50 B2
Coatfrec (Château de) 22 ... 50 A2
Coatréven 22 ... 50 B2
Cobonne 26 ... 229 E4
Cobrieux 59 ... 9 D1
Cocalière (Grotte de la) 30 ... 245 F4
La Cochère 61 ... 56 C4
Cocherel 27 ... 59 D1
Cocherel 77 ... 62 B2
Cocheren 57 ... 43 D4
Coclois 10 ... 90 C2
Cocquerel 80 ... 17 F1
Cocumont 47 ... 237 D3
Cocurès 48 ... 244 B4
Codalet 66 ... 311 F2
Codognan 30 ... 282 B1
Codolet 30 ... 264 C2
Coémont 72 ... 107 E4
Coësmes 35 ... 103 F2
Coëtlogon 22 ... 77 F4
Coëtmieux 22 ... 51 F4
Coëtquidan-Saint-Cyr
(Camp de) 56 ... 102 B2
Cœuilly 94 ... 61 E3
Cœuvres-et-Valsery 02 ... 36 A3
Coëx 85 ... 145 D4
Coggia 2A ... 316 B2
Coglès 35 ... 80 A2
Cogna 39 ... 177 D1
Cognac 16 ... 200 C1
Cognac-la-Forêt 87 ... 185 E4
Cognat-Lyonne 03 ... 189 F2
Cogners 72 ... 107 F3
Cognet 38 ... 230 C3
Cognières 70 ... 141 F2
Cognin 73 ... 213 D2
Cognin-les-Gorges 38 ... 230 A1
Cognocoli-Monticchi 2A ... 318 C1
Cogny 18 ... 153 F3
Cogny 69 ... 192 B2
Cogolin 83 ... 287 E4
Cohade 43 ... 208 A4
Cohan 02 ... 37 D4
Cohennoz 73 ... 196 A4
Cohiniac 22 ... 51 D4
Cohons 52 ... 116 C3
Coiffy-le-Bas 52 ... 117 E2
Coiffy-le-Haut 52 ... 117 E2
Coigneux 80 ... 8 A4
Coignières 78 ... 60 A4
Coigny 50 ... 27 D3
Coimères 33 ... 236 C3
Coin-lès-Cuvry 57 ... 68 A1
Coin-sur-Seille 57 ... 68 A1
Coinces 45 ... 109 F2
Coinches 88 ... 96 A2
Coincourt 54 ... 69 D4
Coincy 57 ... 42 A4
Coincy 02 ... 36 B4
Coings 36 ... 152 A3
Coingt 02 ... 21 F3
Coirac 33 ... 236 C1
Coise 69 ... 210 A1
Coise-Saint-Jean-
Pied-Gauthier 73 ... 213 E2
Coiserette 39 ... 177 D3
Coisevaux 70 ... 142 B1
Coisia 39 ... 176 C4
Coisy 80 ... 18 B2
Coivert 17 ... 182 B2
Coivrel 60 ... 35 D1
Coizard-Joches 51 ... 63 F3
Colayrac-Saint-Cirq 47 ... 256 A1
Colembert 62 ... 2 B3
Coligny 51 ... 64 A3
Coligny 01 ... 176 B3
Colincamps 80 ... 18 C1
Collan 89 ... 114 A3
La Collancelle 58 ... 155 F1
Collandres 15 ... 224 B1
Collandres-Quincarnon 27 ... 58 A2
Collanges 63 ... 207 F3
Collat 43 ... 226 B1
La Colle-sur-Loup 06 ... 288 B2
Collégien 77 ... 61 F3
Collemiers 89 ... 112 C1
Colleret 59 ... 10 C2
Le Collet 88 ... 96 A4
Le Collet-d'Allevard 38 ... 213 E3
Le Collet-de-Dèze 48 ... 263 D1
Colletot 27 ... 31 E3
Colleville 76 ... 15 D2
Colleville-Montgomery 14 ... 29 F3
Colleville-sur-Mer 14 ... 28 C3
Collias 30 ... 264 A3
Colligis-Crandelain 02 ... 37 D2
Colligny 57 ... 42 A4
Colline-Beaumont 62 ... 6 B3
Collinée 22 ... 77 F3
Collioure 66 ... 313 E3
Collobrières 83 ... 292 C1
Collonge-en-Charollais 71 ... 174 C1
Collonge-la-Madeleine 71 ... 157 E3
Collonges 01 ... 195 D1
Collonges-au-Mont-d'Or 69 ... 192 C4
Collonges-la-Rouge 19 ... 222 B2
Collonges-lès-Bévy 21 ... 158 A1
Collonges-lès-Premières 21 ... 139 F4
Collonges-sous-Salève 74 ... 195 E1
Collongues 06 ... 269 E3
Collongues 65 ... 298 A1
Collorec 29 ... 75 E2
Collorgues 30 ... 263 F3
Colmar 68 ... 96 C3
Colmars 04 ... 268 C1
Colmen 57 ... 42 B2
Colméry 58 ... 135 F3
Colmesnil-Manneville 76 ... 16 A3
Colmey 54 ... 40 B2
Colmier-le-Bas 52 ... 116 A4
Colmier-le-Haut 52 ... 116 A4
Colognac 30 ... 262 C3
Cologne 32 ... 275 F1
Colomars 06 ... 288 C1
La Colombe 41 ... 109 D3
Colombe 38 ... 212 A3
La Colombe 50 ... 54 B2
Colombé-la-Fosse 10 ... 91 F4
Colombé-le-Sec 10 ... 91 F4
Colombe-lès-Bithaine 70 ... 118 C4
Colombe-lès-Vesoul 70 ... 141 E1
Colombelles 14 ... 29 F4
Colombes 92 ... 60 C2
Colombey-les-Belles 54 ... 93 F1
Colombey-lès-Choiseul 52 ... 117 E1
Colombey-
les-Deux-Églises 52 ... 91 F4
Colombier 03 ... 171 D4
Colombier 21 ... 157 F1
Colombier 24 ... 220 A4
Colombier 42 ... 210 B4
Colombier 70 ... 118 B4
Colombier-Châtelot 25 ... 142 B2
Colombier-en-Brionnais 71 ... 174 B3
Colombier-Fontaine 25 ... 142 B2
Colombier-le-Cardinal 07 ... 210 C4
Colombier-le-Jeune 07 ... 228 C2
Colombier-le-Vieux 07 ... 228 C2
Colombier-Saugnieu 69 ... 193 E4
Colombière (Col de la) 74 ... 196 A2
Colombières 14 ... 27 F3
Colombières-sur-Orb 34 ... 280 A2
Colombiers 34 ... 305 D1
Colombiers 17 ... 199 E1
Colombiers 86 ... 149 E4
Colombiers 18 ... 170 C1
Colombiers 61 ... 82 C2
Colombiers-du-Plessis 53 ... 81 D2
Colombiers-sur-Seulles 14 ... 29 D3
Colombiès 12 ... 242 A4
Colombotte 70 ... 118 C4
Colomby 50 ... 25 D3
Colomby de Gex (Mont) 01 ... 177 E3
Colomby-sur-Thaon 14 ... 29 E3
Colomiers 31 ... 276 B2
Colomieu 01 ... 194 B4
Colonard-Corubert 61 ... 83 F3
Colondannes 23 ... 168 C4
Colonfay 02 ... 20 C3
Colonne 39 ... 159 E3
Colonzelle 26 ... 247 D3
Colpo 56 ... 101 D3
Colroy-la-Grande 88 ... 96 A2
Colroy-la-Roche 67 ... 96 A1
Coltainville 28 ... 85 F2
Coltines 15 ... 225 D2
Coly 24 ... 221 F2
Combaillaux 34 ... 281 E1
Combas 30 ... 263 E4
La Combe-de-Lancey 38 ... 213 D4
La Combe des Eparres 38 ... 211 F2
Combe Laval 26 ... 229 F2
Combeaufontaine 70 ... 117 F4
Combefa 81 ... 259 E2
La Combelle 63 ... 207 F3
Comberanche-
et-Épeluche 24 ... 201 F4
Comberjon 70 ... 118 B4
Comberouger 82 ... 257 E4
Combéroumal
(Prieuré de) 12 ... 261 D2
Combertault 21 ... 158 A2
Les Combes 25 ... 161 E1
Combes 34 ... 280 A2
Combiers 16 ... 202 A2
Comblanchien 21 ... 158 A1
Combles 80 ... 19 E1
Combles-en-Barrois 55 ... 66 B3
Comblessac 35 ... 102 B2
Combleux 45 ... 110 B3
Comblot 61 ... 83 F2
Combloux 74 ... 196 B3
Combon 27 ... 58 B1
Combourg 35 ... 79 E2
Combourtillé 35 ... 80 A3
Combovin 26 ... 229 E3
Combrailles 63 ... 188 B4
Combrand 79 ... 147 E3
Combray 14 ... 55 F2
Combre 42 ... 191 F2
Combrée 49 ... 104 B4
Combres 28 ... 84 C3
Combres-sous-les-Côtes 55 ... 67 D1
Combressol 19 ... 205 E3
Combret 12 ... 260 B4
Combreux 45 ... 111 D2
Combrimont 88 ... 96 A2
Combrit 29 ... 73 E4
Combronde 63 ... 189 E3
Combs-la-Ville 77 ... 61 E4
La Comelle 71 ... 156 C3
Comiac 46 ... 223 D3
Comigne 11 ... 303 D2
Comines 59 ... 4 C3
Commana 29 ... 49 D4
Commarin 21 ... 138 B4
Commeaux 61 ... 56 B3
Commelle 38 ... 211 F3
Commelle-Vernay 42 ... 191 E2
Commenailles 39 ... 159 E3
Commenchon 02 ... 19 F4
Commensacq 40 ... 253 E1
Commentry 03 ... 171 D4
Commeny 95 ... 60 A1
Commequiers 85 ... 145 D4
Commer 53 ... 81 E4
Commercy 55 ... 67 D3
Commerveil 72 ... 83 D3
Commes 14 ... 28 C3
Commissey 89 ... 114 B3
Communailles-
en-Montagne 39 ... 160 B3
Communay 69 ... 211 D1
Compaing (Pas de) 15 ... 224 C2
Compains 63 ... 207 D3
Compainville 76 ... 17 D4
Compans 77 ... 61 F2
Le Compas 23 ... 188 A3
Compertrix 51 ... 64 C2
Compeyre 12 ... 261 E2
Compiègne 60 ... 35 E2
Compigny 89 ... 88 C3
Compolibat 12 ... 241 F4
La Compôte 73 ... 213 E1
Comprégnac 12 ... 261 D2
Compreignac 87 ... 185 F2
Comps 26 ... 247 E2
Comps 33 ... 217 E2
Comps 30 ... 264 B4
Comps-la-Grand-Ville 12 ... 260 B1
Comps-sur-Artuby 83 ... 287 D1
La Comté 62 ... 7 F2
Comus 11 ... 310 B1
Conan 41 ... 109 D4
Conand 01 ... 194 A3
Conat 66 ... 311 E2
Conca 2A ... 319 E1
Concarneau 29 ... 99 D2
Concevreux 02 ... 37 E3
Concèze 19 ... 204 A4
Conches-en-Ouche 27 ... 58 B2
Conches-sur-Gondoire 77 ... 61 F3
Conchez-de-Béarn 64 ... 273 E2
Conchil-le-Temple 62 ... 6 B2
Conchy-les-Pots 60 ... 35 E1
Conchy-sur-Canche 62 ... 7 E3
Les Concluses 30 ... 264 A1
Concorès 46 ... 240 A1
Concoret 56 ... 102 B1
Concots 46 ... 240 B4
Concoules 30 ... 245 D4
Concourson-sur-Layon 49 ... 148 A1
Concremiers 36 ... 167 F1
Concressault 18 ... 134 B2
Concriers 41 ... 109 E4
Condac 16 ... 183 F2
Condal 71 ... 176 A2
Condamine 01 ... 194 B1
Condamine 39 ... 176 B1
La Condamine-Châtelard 04 ... 251 D2
Condat 46 ... 222 B3
Condat 15 ... 206 C4
Condat-en-Combraille 63 ... 188 B4
Condat-lès-Montboissier 63 ... 208 B2
Condat-sur-Ganaveix 19 ... 204 B3
Condat-sur-Trincou 24 ... 202 C3
Condat-sur-Vézère 24 ... 221 F2
Condat-sur-Vienne 87 ... 185 F4
Condé 36 ... 152 B3
Condé-en-Barrois 55 ... 66 B3
Condé-en-Brie 02 ... 63 E2
Condé-Folie 80 ... 17 F1
Condé-lès-Autry 08 ... 39 E3
Condé-lès-Herpy 08 ... 38 A1
Condé-Northen 57 ... 42 A4
Condé-Sainte-Libiaire 77 ... 62 A3
Condé-sur-Aisne 02 ... 36 C2
Condé-sur-Huisne 61 ... 84 A3
Condé-sur-Ifs 14 ... 56 B1
Condé-sur-Iton 27 ... 58 B3
Condé-sur-l'Escaut 59 ... 9 F2
Condé-sur-Marne 51 ... 64 B1
Condé-sur-Noireau 14 ... 55 E3
Condé-sur-Risle 27 ... 31 E3
Condé-sur-Sarthe 61 ... 82 C2
Condé-sur-Seulles 14 ... 29 D4
Condé-sur-Suippe 02 ... 37 E2
Condé-sur-Vesgre 78 ... 59 F4
Condé-sur-Vire 50 ... 54 C1
Condeau 61 ... 84 A3
Condécourt 95 ... 60 B1
Condeissiat 01 ... 193 E1
Condéon 16 ... 201 D3
Condes 52 ... 116 B1
Condes 39 ... 176 C3
Condette 62 ... 2 A4
Condezaygues 47 ... 239 D3
Condillac 26 ... 247 D1
Condom 32 ... 255 F3
Condom-d'Aubrac 12 ... 243 D2
Condorcet 26 ... 247 F3
Condren 02 ... 36 B1
Condrieu 69 ... 210 C3
Conflandey 70 ... 118 A4
Conflans-en-Jarnisy 54 ... 41 D4
Conflans-Sainte-Honorine 78 ... 60 B2
Conflans-sur-Anille 72 ... 108 A2
Conflans-sur-Lanterne 70 ... 118 B3
Conflans-sur-Loing 45 ... 111 F2
Conflans-sur-Seine 51 ... 89 E1
Confolens 16 ... 184 C2
Confolens (Cascade de) 38 ... 231 E3
Confolent-Port-Dieu 19 ... 206 A2
Confort 29 ... 73 D3
Confort 01 ... 194 C1
Confracourt 70 ... 117 F4
Confrançon 01 ... 175 F4
Congé-sur-Orne 72 ... 83 D4
Congénies 30 ... 282 B1
Congerville 91 ... 86 B3
Congerville-Thionville 91 ... 86 B3
Congis-sur-Thérouanne 77 ... 62 A2
Congrier 53 ... 104 B3
Congy 51 ... 63 F3
Conie-Molitard 28 ... 109 E1
Conilhac-Corbières 11 ... 303 E2
Conilhac-de-la-Montagne 11 ... 302 A3
Conjux 73 ... 194 C4
Conlie 72 ... 106 B1
Conliège 39 ... 176 C1
Connac 12 ... 260 B3
Connangles 43 ... 208 B4
Connantray-Vaurefroy 51 ... 64 B4
Connantre 51 ... 64 A4
Connaux 30 ... 264 B2
Conne-de-Labarde 24 ... 220 B4
Connelles 27 ... 32 B4
Connerré 72 ... 107 E1
Connezac 24 ... 202 B2
Connigis 02 ... 63 D1
Conquereuil 44 ... 103 D4
Conques 12 ... 242 A2
Conques-sur-Orbiel 11 ... 302 C1
Le Conquet 29 ... 46 C3
Conqueyrac 30 ... 263 D3
Cons-la-Grandville 54 ... 40 C1
Cons-Sainte-Colombe 74 ... 195 F4
Consac 17 ... 199 E3
Conségudes 06 ... 269 F3
Consenvoye 55 ... 40 A3
Consigny 52 ... 92 C4
Consolation (Cirque de) 25 ... 142 B4
Consolation-
Maisonnettes 25 ... 142 B4
Contalmaison 80 ... 19 D1
Contamine-Sarzin 74 ... 195 D2
Contamine-sur-Arve 74 ... 195 F1
Les Contamines-Montjoie 74 ... 196 C3
Contault 51 ... 65 F2
Contay 80 ... 18 C1
Conte 39 ... 160 B4
Contes 06 ... 288 C1
Contes 62 ... 6 C2
Contescourt 02 ... 20 A3
Contest 53 ... 81 E4
Conteville 27 ... 31 D2
Conteville 80 ... 7 D4
Conteville 76 ... 17 D4
Conteville 60 ... 17 F4
Conteville 14 ... 56 A1
Conteville-en-Ternois 62 ... 7 E2
Conteville-lès-Boulogne 62 ... 2 B3
Conthil 57 ... 69 D2
Contigné 49 ... 105 E4
Contigny 03 ... 172 A4
Contilly 72 ... 83 E3
Continvoir 37 ... 130 A3
Contis-Plage 40 ... 252 B2
Contoire 80 ... 18 C4
Contrazy 09 ... 300 A3
Contre 80 ... 18 A4
Contré 17 ... 182 C2
Contréglise 70 ... 118 A3
Contremoulins 76 ... 15 D2
Contres 18 ... 153 E3
Contres 41 ... 132 B3
Contreuve 08 ... 38 C3
Contrevoz 01 ... 194 B4
Contrexéville 88 ... 93 F4
Contrières 50 ... 54 A1
Contrisson 55 ... 66 A3
Conty 80 ... 18 A4
Contz-les-Bains 57 ... 42 A1
Conzieu 01 ... 194 B4
Coole 51 ... 64 C4
Coolus 51 ... 64 C2
La Copechagnière 85 ... 146 A3
Copponex 74 ... 195 E2
Coq (Col du) 38 ... 213 D4
Coquainvilliers 14 ... 30 B4
Coquelles 62 ... 2 B2
La Coquille 24 ... 203 D2
Corancez 28 ... 85 E3
Corancy 58 ... 156 B1
Coray 29 ... 75 D4
Corbara 2B ... 314 B2
Corbarieu 82 ... 257 F3
Corbas 69 ... 211 D1
Corbehem 62 ... 8 C3
Corbeil 51 ... 91 D1
Corbeil-Cerf 60 ... 34 A3
Corbeil-Essonnes 91 ... 87 E1
Corbeilles 45 ... 111 E1
Corbel 73 ... 213 D3
Corbelin 38 ... 212 B1
Corbenay 70 ... 118 C2

COLMAR

Boulangers (R. des) ... BY 3
Clefs (R. des) ... BY
Kléber (R.) ... AY 6
République (Av.) ... AYZ
Têtes (R. des) ... BY 27
Vauban (R.) ... CY

Bains (R. des) ... ABY 2
Champ de Mars (Bd du) ... BYZ 4
Golbery (R.) ... BX 5
Lattre-de-T. (Av. de) ... AY 7
Leclerc (Bd du Gén.) ... ABZ 9
Marchands (R. des) ... BY 12
Marne (Av. de la) ... AYZ 13
Nord (R. du) ... BCY 16
Preiss (R. J.) ... AY 18
St-Joseph (Pl.) ... AX 22
St-Nicolas (R.) ... BY 23
Serruriers (R. des) ... BY 24
Turenne (R.) ... BZ 28
Unterlinden (R. des) ... ABY 29
5e-Div.-Blindée (R.) ... AX 31
18-Novembre (Pl.) ... ABY 33

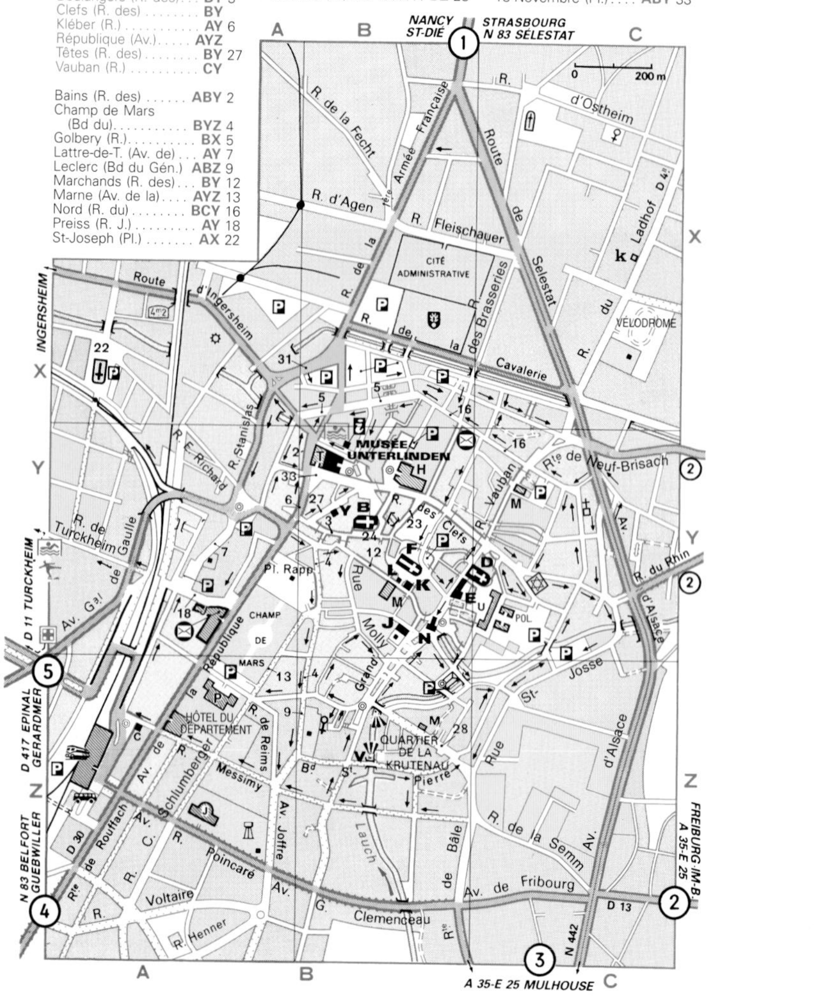

Corbeny 02 .... 37 E2
Corbère 66 .... 312 B2
Corbère-Abères 64 ..... 273 E4
Corbère-les-Cabanes 66... 312 B2
Corberon 21 .... 158 B2
Corbès 30 .... 263 D2
Corbie 80 .... 18 C2
Le Corbier 73 .... 213 F4
La Corbière 70 .... 119 D3
Corbières 11 .... 301 F3
Corbières 04 .... 266 C4
Corbigny 58 .... 136 C4
Corbon 61 .... 83 F2
Corbon 14 .... 30 A4
Corbonod 01 .... 194 C2
Corbreuse 91 .... 86 B2
Corcelle-Mieslot 25 .... 141 E3
Corcelles 70 .... 142 B1
Corcelles 01 .... 194 B2
Corcelles 58 .... 154 C2
Corcelles-en-Beaujolais 69 . 192 C1
Corcelles-Ferrières 25 .... 140 C4
Corcelles-les-Arts 21 .... 158 A2
Corcelles-lès-Cîteaux 21 .... 158 B1
Corcelles-les-Monts 21 .... 139 D4
Corcieux 88 .... 95 F4
Corcondray 25 .... 140 C4
Corconne 30 .... 263 D4
Corcoué-sur-Logne 44 .... 145 E2
Corcy 02 .... 36 A4
Cordéac 38 .... 231 D4
Cordebugle 14 .... 57 E1
Cordelle 42 .... 191 E3
Cordemais 44 .... 125 F3
Cordes-sur-Ciel 81 .... 259 D2
Cordes-Tolosannes 82 .... 257 E3
Cordesse 71 .... 157 D2
Cordey 14 .... 56 A3
Cordieux 01 .... 193 E3
Cordiron 25 .... 140 C4
Cordon 74 .... 196 B2
Cordonnet 70 .... 141 D2
Coren 15 .... 225 E2
Corenc 38 .... 212 C4
Corent 63 .... 207 F1
Corfélix 51 .... 63 E3
Corgengoux 21 .... 158 B2
Corgenon 01 .... 193 E1
Corgirnon 52 .... 117 D3
Corgnac-sur-l'Isle 24 .... 203 D4
Corgoloin 21 .... 158 A1
Corignac 17 .... 199 F4
Corlay 22 .... 76 C2
Corlée 52 .... 116 C3
Corlier 01 .... 194 A2
Cormainville 28 .... 109 F1
Cormaranche-en-Bugey 01.. 194 B2
Cormatin 71 .... 175 D2
Corme-Écluse 17 .... 198 C1
Corme-Royal 17 .... 181 E4
Cormeilles 60 .... 18 A4
Cormeilles 27 .... 30 C4
Cormeilles-en-Parisis 95 .... 60 C2
Cormeilles-en-Vexin 95 .... 60 B1
Cormeilles-le-Royal 14 .... 29 E4
Le Cormenier 79 .... 182 B1
Cormenon 41 .... 108 A2
Cormeray 50 .... 79 F1
Cormeray 41 .... 132 A2
Cormery 37 .... 131 D4
Cormes 72 .... 83 F4
Cormet de Roselend 73 .... 196 C4
Cormicy 51 .... 37 E3
Le Cormier 27 .... 59 D2
Cormolain 14 .... 28 C4
Cormont 62 .... 6 B1
Cormontreuil 51 .... 37 E4
Cormoranche-sur-Saône 01. 175 E4
Cormost 10 .... 90 B4
Cormot-le-Grand 21 .... 157 F2
Cormoyeux 51 .... 64 A1
Cormoz 01 .... 176 A2
Corn 46 .... 241 D2
Cornac 46 .... 223 D3
Cornant 89 .... 112 C1
Cornas 07 .... 229 D3
Cornay 08 .... 39 E3
Corné 49 .... 128 C2
Cornebarrieu 31 .... 276 B2
Corneilhan 34 .... 280 B4
Corneilla-de-Conflent 66 .... 311 F3
Corneilla-del-Vercol 66.... 313 D2
Corneilla-la-Rivière 66 .... 312 C2
Corneillan 32 .... 273 E2
Corneuil 27 .... 58 C3
Corneville-la-Fouquetière 27 58 A1
Corneville-sur-Risle 27 .... 31 E4
Cornier 74 .... 195 F1
Corniéville 55 .... 67 E3
Cornil 19 .... 222 C1
Cornillac 26 .... 248 A3
Cornillé 35 .... 104 A1
Cornillé 14 .... 220 C4
Cornillé-les-Caves 49 .... 129 D2
Cornillon 30 .... 264 A1
Cornillon-Confoux 13 .... 284 A4
Cornillon-en-Trièves 38 .... 230 C4
Cornillon-sur-l'Oule 26 .... 248 A3
Cornimont 88 .... 119 F2
Cornod 39 .... 176 C3
Cornot 70 .... 117 F4
La Cornuaille 49 .... 127 F2
Cornus 12 .... 261 E4
Cornusse 18 .... 154 A3
Cornusson (Château de) 82. 258 C1
Corny 27 .... 33 D3
Corny-Machéroménil 08 .... 38 B1
Corny-sur-Moselle 57 .... 68 A1
Coron 49 .... 147 E1
Corong (Gorges du) 22 .... 76 A2

Corpe 85 .... 163 E2
Corpeau 21 .... 157 F3
Corpoyer-la-Chapelle 21 .... 138 B2
Corps 38 .... 231 E4
Corps-Nuds 35 .... 103 E2
Corquilleroy 45 .... 111 F2
Corquoy 18 .... 153 D3
Corrano 2A 317 D4
Corravillers 70 .... 119 D2
Corre 70 .... 118 A3
Corrençon-en-Vercors 38.... 230 B2
Correns 83 .... 286 B3
Corrèze 19 .... 205 D4
Corribert 51 .... 63 F2
Corrobert 51 .... 63 F2
Corrombles 21 .... 137 F2
Corronsac 31 .... 276 C3
Corroy 51 .... 64 A4
Corsaint 21 .... 137 F2
Corsavy 66 .... 312 B4
Corscia 2B 314 C4
Corsen (Pointe de) 29 .... 46 C3
Corsept 44 .... 125 E3
Corseul 22 .... 78 B1
Cortambert 71 .... 175 D2
Corte 2B 317 D1
Cortevaix 71 .... 174 C2
Cortone (Col de) 2A 318 B1
Cortrat 45 .... 111 F3
Les Corvées-les-Yys 28 .... 84 C3
Corveissiat 01 .... 176 B4
Corvol-d'Embernard 58 .... 136 A4
Corvol-l'Orgueilleux 58 .... 136 A3
Corzé 49 .... 128 C1
Cos 09 .... 301 D3
Cosges 39 .... 159 D4
Coslédaà-Lube-Boast 64 .... 273 D3
Cosmes 53 .... 104 C2
Cosnac 19 .... 222 B2
Cosne-d'Allier 03 .... 171 E3
Cosne-sur-Loire 58 .... 135 D3
Cosnes-et-Romain 54 .... 40 C1
Cosqueville 50 .... 25 D2
Cossaye 58 .... 155 E4
Cossé-d'Anjou 49 .... 147 E1
Cossé-en-Champagne 53 .... 105 F2
Cossé-le-Vivien 53 .... 104 C2
Cossesseville 14 .... 55 F2
Cosswiller 67 .... 70 B3
Costa 2B 314 C2
Costaros 43 .... 227 D4
Les Costes 05 .... 231 E4
Les Costes-Gozon 12 .... 260 C3
La Côte 70 .... 119 D4
Cote 304 55 .... 40 A4
La Côte-d'Aime 73 .... 214 C1
La Côte-d'Arbroz 74 .... 178 C4
La Côte-en-Couzan 42 .... 190 C4
La Côte-Saint-André 38 .... 211 F3
Le Coteau 42 .... 191 E2
Côtebrune 25 .... 141 F4
Les Côtes-d'Arey 38 .... 211 D3
Les Côtes-de-Corps 38 .... 231 D4
Coti-Chiavari 2A 318 B1
Cotignac 83 .... 286 B2
La Cotinière 17 .... 180 B3
Cottance 42 .... 191 F4
Cottenchy 80 .... 18 B3
Cottévrard 76 .... 16 B4
Cottier 25 .... 140 C4
Cottun 14 .... 28 C3
Cou (Col de) 74 .... 178 B4
La Couarde 79 .... 165 E4
La Couarde-sur-Mer 17 .... 162 C4
Couargues 18 .... 135 D4
Coubert 77 .... 61 F4
Coubeyrac 33 .... 219 E4
Coubisou 12 .... 242 C2
Coubjours 24 .... 221 F1
Coublanc 52 .... 117 D4
Coublanc 71 .... 191 F1
Coublevie 38 .... 212 B3
Coublucq 64 .... 273 D2
Coubon 43 .... 227 D3
La Coubre (Phare de) 17.... 180 B4
Coubron 93 .... 61 E2
Couches 71 .... 157 E3
Couchey 21 .... 139 D4
La Coucourde 26 .... 246 C1
Coucouron 07 .... 227 E4
Coucy 08 .... 38 B1
Coucy-la-Ville 02 .... 36 B1
Coucy-le-Château-
 Auffrique 02 .... 36 B1
Coucy-lès-Eppes 02 .... 37 D1
Couddes 41 .... 132 A3
Coudehard 61 .... 56 C3
Coudekerque 59 .... 3 F1
Coudekerque-Branche 59 .... 3 E1
Coudes 63 .... 207 F2
Coudeville-sur-Mer 50 .... 53 F2
Le Coudon 83 .... 292 A2
Coudons 11 .... 302 A4
Coudoux 13 .... 284 B2
Coudray 27 .... 33 D3
Coudray 45 .... 87 D4
Le Coudray 28 .... 85 E2
Coudray 53 .... 105 E3
Le Coudray 44 .... 126 A1
Coudray-au-Perche 28 .... 84 A4
Le Coudray-Macouard 49 . 129 D3
Le Coudray-Montceaux 91 . 87 D1
Coudray-Rabut 14 .... 30 B1
Le Coudray-Saint-Germer 60 33 F2
Coudray-Salbart
 (Château de) 79 .... 164 C3
Le Coudray-sur-Thelle 60 . 34 A3
La Coudre 79 .... 147 F2
Les Coudreaux 77 .... 61 E1
Coudreceau 28 .... 84 B3

Coudrecieux 72 .... 107 F2
Coudres 27 .... 59 D3
Coudroy 45 .... 111 E3
Coudun 60 .... 35 E2
Coudures 40 .... 272 C1
Coueilles 31 .... 275 E4
Couëlan (Château de) 22 .... 78 B3
Couëron 44 .... 126 A4
Couesmes 37 .... 130 A1
Couesmes-en-Froulay 53.... 81 D2
Couesque (Barrage de) 12.. 242 B1
Les Couets 44 .... 126 B4
Couffé 44 .... 127 D3
Couffi 41 .... 132 B4
Couffoulens 11 .... 302 B2
Couffy-sur-Sarsonne 19.... 206 A1
Couflens 09 .... 309 D1
Coufouleux 81 .... 258 B4
Cougnac (Grottes de) 46 .... 240 A1
Couhé 86 .... 166 A4
Couilly-Pont-aux-Dames 77 . 62 A3
Couin 62 .... 7 F4
Couiza 11 .... 302 B4
Couladère 31 .... 300 A1
Coulaines 72 .... 107 D2
Coulandon 03 .... 172 A2
Coulangeron 89 .... 136 A1
Coulanges 89 .... 173 E2
Coulanges 41 .... 131 F2
Coulanges-la-Vineuse 89.... 113 E4
Coulanges-lès-Nevers 58.... 154 C2
Coulanges-sur-Yonne 89 .... 136 B2
Coulans-sur-Gée 72 .... 106 B2
Coulans-sur-Lizon 25 .... 160 B2
Coulaures 24 .... 203 D4
Couledoux 31 .... 299 E4
Couleuvre 03 .... 171 E1
Coulevon 70 .... 118 B4
Coulgens 16 .... 183 F4
Coulimer 61 .... 83 E2
Coullemelle 80 .... 18 B4
Coullemont 62 .... 7 F4
Coullons 45 .... 134 B1
Coulmer 61 .... 57 D4
Coulmier-le-Sec 21 .... 115 D4
Coulmiers 45 .... 109 F3
Coulobres 34 .... 280 B3
Couloisy 60 .... 35 F2
Coulombiers 86 .... 166 A2
Coulombiers 72 .... 82 C3
Coulombs 14 .... 29 D3
Coulombs 28 .... 85 E1
Coulombs-en-Valois 77 .... 62 B1
Coulomby 62 .... 2 C4
Coulommes 77 .... 62 A2
Coulommes-et-Marqueny 08 38 C2
Coulommes-la-Montagne 51 37 E4
Coulommiers 77 .... 62 C2
Coulommiers-la-Tour 41 .... 108 C4
Coulon 79 .... 164 B3
Coulonces 14 .... 54 C2
Coulonces 61 .... 56 C3
La Coulonche 61 .... 55 F4
Coulongé 72 .... 106 C4
Coulonge-sur-Charente 17 . 181 F3
Coulonges 16 .... 183 E4
Coulonges 17 .... 199 F1
Coulonges 86 .... 168 A3
Coulonges 27 .... 58 C3
Coulonges-Cohan 02 .... 37 D4
Coulonges-les-Sablons 61 .. 84 B3
Coulonges-sur-l'Autize 79.. 164 B2
Coulonges-sur-Sarthe 61.... 83 E1
Coulonges-Thouarsais 79 .. 148 A3
Coulonvillers 80 .... 7 D4
Couloumé-Mondebat 32 .... 273 F2
Coulounieix-Chamiers 24 .. 220 C1
Coulours 89 .... 113 E1
Couloutre 58 .... 135 F3
Coulouvray-Boisbenâtre 50 . 54 B3
Coulvain 14 .... 55 E1
Coulx 47 .... 238 A3
Coume 57 .... 42 B3
Counozouls 11 .... 311 E1
Coupelle-Neuve 62 .... 7 D1
Coupelle-Vieille 62 .... 7 D1
Coupesarte 14 .... 56 C1
Coupetz 51 .... 64 C3
Coupéville 51 .... 65 E2
Coupiac 12 .... 260 B3
Coupray 52 .... 116 A2
Coupru 02 .... 62 C1
Couptrain 53 .... 82 A2
Coupvray 77 .... 61 F3
Couquèques 33 .... 198 C3
Cour-Cheverny 41 .... 132 B2
Cour-et-Buis 38 .... 211 E4
La Cour-Marigny 45 .... 111 E3
Cour-Saint-Maurice 25 .... 142 B3
Cour-sur-Loire 41 .... 132 B1
Courances 91 .... 87 D2
Courant 17 .... 181 F2
Courban 21 .... 115 F2
La Courbe 61 .... 56 B4
Courbehaye 28 .... 109 F1
Courbépine 27 .... 57 F1
Courbes 02 .... 20 B4
Courbesseaux 54 .... 68 C4
Courbette 39 .... 176 C1
Courbeveille 53 .... 104 C2
Courbevoie 92 .... 60 C3
Courbiac 47 .... 239 E4
Courbillac 16 .... 182 C4
Courboin 02 .... 63 D2
Courbons 04 .... 267 F1
Courbouzon 41 .... 109 E4
Courbouzon 39 .... 176 C1
Courboyer (Manoir de) 61.. 83 F3

Courçais 03 .... 170 B3
Courçay 37 .... 131 D4
Courceaux 89 .... 89 D3
Courcebœufs 72 .... 107 D1
Courcelette 80 .... 19 D1
Courcelle 91 .... 60 B4
Courcelles 45 .... 111 D1
Courcelles 25 .... 160 A1
Courcelles 54 .... 94 A2
Courcelles 58 .... 136 A3
Courcelles 90 .... 120 A4
Courcelles 17 .... 182 B3
Courcelles-au-Bois 80 .... 18 C1
Courcelles-Chaussy 57 .... 42 A4
Courcelles-de-Touraine 37 . 130 A2
Courcelles-en-Barrois 55 .... 66 C3
Courcelles-en-Bassée 77 .... 88 B3
Courcelles-en-Montagne 52. 116 B3
Courcelles-Épayelles 60 .... 35 D1
Courcelles-Frémoy 21 .... 137 E2
Courcelles-la-Forêt 72 .... 106 B4
Courcelles-le-Comte 62 .... 8 B4
Courcelles-lès-Gisors 60 .... 33 E4
Courcelles-lès-Lens 62 .... 8 C2
Courcelles-lès-Montbard 21. 138 A1
Courcelles-
 lès-Montbéliard 25 .... 142 C1
Courcelles-lès-Semur 21 .... 137 F2
Courcelles-Sapicourt 51 .... 37 E4
Courcelles-
 sous-Châtenois 88 .... 93 F3
Courcelles-
 sous-Moyencourt 80 .... 17 F3
Courcelles-sous-Thoix 80 .. 17 F4
Courcelles-sur-Aire 55 .... 66 B2
Courcelles-sur-Aujon 52 .... 116 B3
Courcelles-sur-Blaise 52 .... 92 A2
Courcelles-sur-Nied 57 .... 68 B1
Courcelles-sur-Seine 27 .... 32 C4
Courcelles-sur-Vesle 02 .... 36 C3
Courcelles-sur-Viosne 95 .. 60 B1
Courcelles-sur-Voire 10 .... 91 D2
Courcelles-Val-d'Esnoms 52. 116 C4
Courcemain 51 .... 90 A1
Courcemont 72 .... 83 D4
Courcerac 17 .... 182 B3
Courcerault 61 .... 83 F2
Courceroy 10 .... 89 D2
Courchamp 21 .... 139 F1
Courchamp 77 .... 88 C1
Courchamps 49 .... 129 D4
Courchamps 02 .... 62 C1
Courchapon 25 .... 140 C4
Courchaton 70 .... 142 A1
Courchelettes 59 .... 8 C3
Courchevel 73 .... 214 B3
Courcité 53 .... 82 A3
Courcival 72 .... 83 E4
Courcôme 16 .... 183 E2
Courçon 17 .... 164 A4
Courcoué 37 .... 149 E2
Courcouronnes 91 .... 87 D1
Courcoury 17 .... 199 E1
Courcuire 70 .... 140 C3
Courcy 51 .... 37 F3
Courcy 50 .... 54 A1
Courcy 14 .... 56 B2
Courcy-aux-Loges 45 .... 110 C1
Courdemanche 27 .... 59 D3
Courdemanche 72 .... 107 F3
Courdemanges 51 .... 65 D4
Courdimanche 95 .... 60 B1
Courdimanche-
 sur-Essonne 91 .... 87 D3
Couret 31 .... 299 E3
Courgeac 16 .... 201 E3
Courgenard 72 .... 108 A1
Courgenay 89 .... 89 E4
Courgent 78 .... 59 F3
Courgeon 61 .... 83 F2
Courgeoût 61 .... 83 E2
Courgis 89 .... 113 F4
Courgivaux 51 .... 63 D4
Courgoul 63 .... 207 D2
Courjeonnet 51 .... 63 F3
Courlac 16 .... 201 E4
Courlandon 51 .... 37 D3
Courlans 39 .... 176 B1
Courlaoux 39 .... 176 B1
Courlay 79 .... 147 F2
Courlay-sur-Mer 17 .... 198 B1
Courléon 49 .... 129 F3
Courlon 21 .... 139 D1
Courlon-sur-Yonne 89 .... 88 C3
Courmangoux 01 .... 176 B3
Courmas 51 .... 37 E4
Courmelles 02 .... 36 B3
Courmemin 41 .... 132 C2
Courménil 61 .... 57 D3
Courmes 06 .... 269 F4
Courmont 70 .... 119 D4
Courmont 02 .... 36 C4
Cournanel 11 .... 302 B3
La Courneuve 93 .... 61 D2
Courniou 34 .... 279 E3
Cournols 63 .... 207 E1
Cournon 56 .... 102 B3
Cournon-d'Auvergne 63 .... 207 F1
Cournonsec 34 .... 281 E3
Cournonterral 34 .... 281 E3
La Couronne 16 .... 201 E2
La Couronne 13 .... 284 A4
Courouvre 55 .... 66 C2
Courpalay 77 .... 88 A1
Courpiac 33 .... 218 C4
Courpignac 17 .... 199 F4
Courpière 63 .... 190 B4
Courquetaine 77 .... 61 F4
Courrensan 32 .... 255 E4

Courrières 62 .... 8 C2
Courris 81 .... 260 A3
Courry 30 .... 245 F4
Cours 79 .... 165 D2
Cours 58 .... 135 D3
Cours 69 .... 191 F1
Le Cours 56 .... 101 F3
Cours 46 .... 240 B1
Cours 47 .... 238 B4
Cours-de-Monségur 33 .... 237 E1
Cours-de-Pile 24 .... 220 B1
Cours-les-Bains 33 .... 237 D4
Cours-les-Barres 18 .... 154 B2
Coursac 24 .... 220 B2
Coursan 11 .... 304 C1
Coursan-en-Othe 10 .... 113 F1
Coursegoules 06 .... 269 F4
Courset 62 .... 2 B4
Courseulles-sur-Mer 14 .... 29 E3
Courson 14 .... 54 C2
Courson (Château de) 91.... 86 C1
Courson-les-Carrières 89 .. 136 B1
Courson-Monteloup 91 .... 86 C1
Courtacon 77 .... 62 C4
Courtagnon 51 .... 37 E4
Courtalain 28 .... 108 C1
Courtangis (Château de) 72. 108 A1
Courtaoult 10 .... 114 A2
Courtauly 11 .... 301 F3
Courtavon 68 .... 143 E2
Courtefontaine 39 .... 160 A1
Courtefontaine 25 .... 142 C3
Courteilles 27 .... 58 B4
Courteix 19 .... 206 A1
Courtelevant 90 .... 120 A4
Courtemanche 80 .... 18 C4
Courtemaux 45 .... 112 A2
Courtémont 51 .... 39 D4
Courtemont-Varennes 02 .. 63 E1
Courtempierre 45 .... 111 E1
Courtenay 38 .... 194 A4
Courtenay 45 .... 112 B2
Courtenot 10 .... 114 C1
Courteranges 10 .... 90 C2
Courteron 10 .... 115 D2
Courtes 01 .... 175 F2
Courtesoult-et-Gatey 70.... 140 B1
Courtetain-et-Salans 25 .. 142 A3
La Courtète 11 .... 302 A2
Courteuil 60 .... 34 C4
Courthézon 84 .... 265 D2
Courthiézy 51 .... 63 E1
Courties 32 .... 274 A2
Courtieux 60 .... 36 A3
Courtillers 72 .... 106 A3
Courtils 50 .... 54 A4
La Courtine 23 .... 205 F1
Courtisols 51 .... 65 D2
Courtivron 21 .... 139 D2
Courtoin 89 .... 112 B1
Courtois-sur-Yonne 89 .... 88 C4
Courtomer 61 .... 83 E1
Courtomer 77 .... 88 A1
Courtonne-la-Meurdrac 14 . 57 D1
Courtonne-
 les-Deux-Églises 14 .... 57 E1
Courtrizy-et-Fussigny 02 .. 37 E1
Courtry 77 .... 61 E2
Courvaudon 14 .... 55 E1
Courvières 25 .... 160 B3
Courville 51 .... 37 D3
Courville-sur-Eure 28 .... 85 D2
Courzieu 69 .... 192 B4
Cousance 39 .... 176 B2
Cousances-au-Bois 55 .... 66 C3
Cousances-les-Forges 55 .. 92 A1
Cousolre 59 .... 10 C2
Coussa 09 .... 301 D3
Coussac-Bonneval 87 .... 203 F3
Coussan 65 .... 298 A1
Coussay 86 .... 149 D3
Coussay-les-Bois 86 .... 150 A4
Coussegrey 10 .... 114 A2
Coussergues 12 .... 243 D3
Coussey 88 .... 93 E2
Coust 18 .... 170 C1
Coustaussa 11 .... 302 B4
Coustellet 84 .... 265 F4
Coustouge 11 .... 303 E3
Coustouges 66 .... 312 B4
Coutances 50 .... 54 A1
Coutansouze 03 .... 189 E1
Coutarnoux 89 .... 137 D1
Coutençon 77 .... 88 B2
Coutens 09 .... 301 E3
Couterne 61 .... 81 F1
Couternon 21 .... 139 D3
Coutevroult 77 .... 62 A3
Couthenans 70 .... 142 B1
Couthures-sur-Garonne 47. 237 E3
Coutiches 59 .... 9 D2
Coutières 79 .... 165 E2
Coutouvre 42 .... 191 F2
Coutras 33 .... 219 D2
La Couture 85 .... 163 D2
La Couture 16 .... 183 F3
La Couture 62 .... 8 A1
La Couture-Boussey 27 .... 59 E3
Couture-d'Argenson 79 .... 183 D2
Couture-sur-Loir 41 .... 107 F4
Couturelle 62 .... 7 F4
Coutures 33 .... 237 D1
Coutures 82 .... 257 D3
Coutures 24 .... 202 A4
Coutures 57 .... 68 C3
Coutures 49 .... 128 C3
Couvains 61 .... 57 F3
Couvains 50 .... 27 F4

La Couvertoirade 12 .... 261 F4
Couvertpuis 55 .... 92 C1
Couvignon 10 .... 91 E4
Couville 50 .... 24 C3
Couvonges 55 .... 66 A3
Couvrelles 02 .... 36 C3
Couvron-et-Aumencourt 02 . 20 B4
Couvrot 51 .... 65 D4
Coux 17 .... 199 F4
Coux 07 .... 246 B1
Coux-et-Bigaroque 24 .... 221 D1
Couy 18 .... 154 A1
La Couyère 35 .... 103 E4
Couze (Château de) 42 .... 209 D1
Couze-et-Saint-Front 24 .... 220 C4
Couziers 37 .... 149 D1
Couzon 03 .... 171 F1
Couzon-au-Mont-d'Or 69 .. 192 C3
Couzou 46 .... 240 B1
Cox 31 .... 275 F4
Coye-la-Forêt 60 .... 61 E1
Coyecques 62 .... 7 E1
Coyolles 02 .... 35 F4
Coyrière 39 .... 177 E3
Coyron 39 .... 177 D2
Coyviller 54 .... 94 B1
Cozes 17 .... 199 D2
Cozzano 2A 317 D4
Crach 56 .... 100 C4
Craches 78 .... 86 A1
Crachier 38 .... 211 F2
Crain 89 .... 136 B2
Craincourt 57 .... 68 B2
Craintilleux 42 .... 209 F2
Crainvilliers 88 .... 93 F4
Cramaille 02 .... 36 C4
Cramans 39 .... 159 F2
Cramant 51 .... 64 A2
Cramchaban 17 .... 164 B4
Craménil 61 .... 55 F4
Cramoisy 60 .... 34 C4
Cramont 80 .... 7 D4
Crampagna 09 .... 301 D3
Cran-Gevrier 74 .... 195 E3
Crancey 10 .... 89 E2
Crançot 39 .... 159 F4
Crandelles 15 .... 224 B2
Crannes-en-Champagne 72 . 106 B2
Crans 01 .... 193 F3
Crans 39 .... 160 B4
Cransac 12 .... 241 F4
Crantenoy 54 .... 94 B2
Cranves-Sales 74 .... 178 A4
Craon 53 .... 104 C3
Craon 86 .... 148 C4
Craonne 02 .... 37 D2
Craonnelle 02 .... 37 D2
Crapeaumesnil 60 .... 19 D4
Craponne 69 .... 192 C4
Craponne-sur-Arzon 43 .... 209 D4
Cras 38 .... 212 A4
Cras 46 .... 240 B2
Cras-sur-Reyssouze 01.... 175 F4
Crastatt 67 .... 70 C3
Crastes 32 .... 275 D1
Crasville 50 .... 25 E3
Crasville 27 .... 32 A4
Crasville-la-Mallet 76 .... 15 E3
Crasville-la-Rocquefort 76.. 15 F2
La Crau 83 .... 292 B2
Cravanche 90 .... 119 F4
Cravans 17 .... 199 D1
Cravant 45 .... 109 E3
Cravant 89 .... 136 C1
Cravant-les-Côteaux 37 .... 149 E1
Cravencères 32 .... 273 F1
Cravent 78 .... 59 E2
Crayssac 46 .... 239 F3
Craywick 59 .... 3 E2
Craz 01 .... 194 C2
Crazannes 17 .... 181 F3
Cré 72 .... 106 A4
Créac'h (Phare de) 29 .... 46 A2
Créances 50 .... 26 C4
Créancey 52 .... 115 F2
Créancey 21 .... 138 B4
Crécey-sur-Tille 21 .... 139 E1
La Crèche 79 .... 165 D3
Crêches-sur-Saône 71 .... 175 D4
Créchets 65 .... 298 C3
Créchy 03 .... 172 B4
Crécy-au-Mont 02 .... 36 B2
Crécy-Couvé 28 .... 59 D4
Crécy-en-Ponthieu 80 .... 6 C3
Crécy-la-Chapelle 77 .... 62 A3
Crécy-sur-Serre 02 .... 20 C4
Crédin 56 .... 101 E3
Crégols 46 .... 240 C3
Crégy-lès-Meaux 77 .... 62 A2
Créhange 57 .... 69 D1
Créhen 22 .... 78 B1
Creil 60 .... 34 C4
Creissan 34 .... 280 A4
Creissels 12 .... 261 E2
Crémarest 62 .... 2 B3
Cremeaux 42 .... 191 D3
Crémery 80 .... 19 E4
Crémieu 38 .... 193 E4
Crempigny-Bonneguête 74. 195 D2
Cremps 46 .... 240 B4
Crenans 39 .... 177 D2
Creney-près-Troyes 10 .... 90 B3
Crennes-sur-Fraubée 53 .... 82 A3
Creno (Lac de) 2A 316 C2
Créon 33 .... 217 F4
Créon-d'Armagnac 40 .... 254 C3
Créot 71 .... 157 F2
Crépand 21 .... 137 F2

Crépey 54 . . . . . 93 F1
Crépieux-la-Pape 69 . . . . 193 D4
Crépin 55 . . . . 40 A3
Crépol 26 . . . . 229 E1
Crépon 14 . . . . 29 D3
Crépy 62 . . . . 7 E2
Crépy 02 . . . . 36 C1
Crépy-en-Valois 60 . . . . 35 F4
Créquy 62 . . . . 7 D1
Le Crès 34 . . . . 281 F2
Cresancey 70 . . . . 140 B3
Crésantignes 10 . . . . 114 A1
Les Cresnays 50 . . . . 54 B4
Crespian 30 . . . . 263 E4
Crespières 78 . . . . 60 A3
Crespin 12 . . . . 259 F2
Crespin 81 . . . . 259 F3
Crespin 59 . . . . 10 A1
Crespinet 81 . . . . 259 F3
Crespy-le-Neuf 10 . . . . 91 E1
Cressac-Saint-Genis 16 . . . . 201 E1
Cressanges 03 . . . . 172 A3
Cressat 23 . . . . 187 F1
La Cresse 12 . . . . 261 E1
Cressé 17 . . . . 182 C3
Cressely 78 . . . . 60 B4
Cressensac 46 . . . . 222 B3
Cresserons 14 . . . . 29 E3
Cresseveuille 14 . . . . 30 A4
Cressia 39 . . . . 176 B2
Cressin-Rochefort 01 . . . . 194 C4
La Cressonnière 14 . . . . 57 E1
Cressonsacq 60 . . . . 35 D2
Cressy 76 . . . . 16 A4
Cressy-Omencourt 80 . . . . 19 E4
Cressy-sur-Somme 71 . . . . 173 E1
Le Crest 63 . . . . 207 E1
Crest 26 . . . . 247 E1
Crest-Voland 73 . . . . 196 A3
Creste 63 . . . . 207 E2
Crestet 84 . . . . 265 E1
Le Crestet 07 . . . . 228 C2
Crestot 27 . . . . 32 A4
Créteil 94 . . . . 61 D4
Créton 27 . . . . 58 C3
Cretteville 50 . . . . 25 D4
Creuë 55 . . . . 67 E2
Creully 14 . . . . 29 D3
Creuse 80 . . . . 18 A3
La Creuse 70 . . . . 118 C4
Le Creusot 71 . . . . 157 E4
Creutzwald 57 . . . . 42 C3
Creuzier-le-Neuf 03 . . . . 190 A1
Creuzier-le-Vieux 03 . . . . 190 A1
Crevans-et-la-Chapelle-
lès-Granges 70 . . . . 142 A1
Crevant 36 . . . . 169 E2
Crevant-Laveine 63 . . . . 190 A3
Crévéchamps 54 . . . . 94 B1
Crèvecœur-en-Auge 14 . . . . 56 C1
Crèvecœur-en-Brie 77 . . . . 62 A4
Crèvecœur-le-Grand 60 . . . . 34 A1
Crèvecœur-le-Petit 60 . . . . 34 C1
Crèvecœur-sur-l'Escaut 59 . . . . 20 A1
Creveney 70 . . . . 118 C4
Crévic 54 . . . . 68 C4
Crévin 35 . . . . 103 E2
Crévoux 05 . . . . 250 C2
Creys-Mépieu 38 . . . . 194 A4
Creyssac 24 . . . . 202 B4
Creysse 24 . . . . 220 B4
Creysse 46 . . . . 222 B4
Creysseilles 07 . . . . 246 B2
Creyssensac-et-Pissot 24 . . . . 220 B2
Crézançay-sur-Cher 18 . . . . 153 D4
Crézancy 02 . . . . 63 D1
Crézancy-en-Sancerre 18 . . . . 134 C4
Crézières 79 . . . . 183 D2
Crézilles 54 . . . . 93 F1
Cricquebœuf 14 . . . . 30 B2
Cricqueville-en-Auge 14 . . . . 30 A4
Cricqueville-en-Bessin 14 . . . . 25 F4
Criel-sur-Mer 76 . . . . 16 B1
Crillat 39 . . . . 177 D1
Crillon 60 . . . . 33 F1
Crillon-le-Brave 84 . . . . 265 E2
Crimolois 21 . . . . 139 E4
Crion 54 . . . . 69 D4
La Crique 76 . . . . 16 B4
Criquebeuf-en-Caux 76 . . . . 14 C2
Criquebeuf-la-Campagne 27 . . . . 32 A4
Criquebeuf-sur-Seine 27 . . . . 32 A3
Criquetot-le-Mauconduit 76 . . . . 15 D2
Criquetot-l'Esneval 76 . . . . 14 C3
Criquetot-sur-Longueville 76 . . . . 16 A3
Criquetot-sur-Ouville 76 . . . . 15 F3
Criquiers 76 . . . . 17 D4
Crisenoy 77 . . . . 87 F1
Crisolles 60 . . . . 35 F1
Crissay-sur-Manse 37 . . . . 149 F1
Crissé 72 . . . . 82 B4
Crissey 39 . . . . 159 E1
Crissey 71 . . . . 158 A3
Cristinacce 2A 316 B1
Cristot 14 . . . . 29 D4
Criteuil-la-Magdeleine 16 . . . . 200 C4
Critot 76 . . . . 16 B4
Croce 2B 315 F4
Crochte 59 . . . . 3 E2
Crocicchia 2B 315 E3
Crocq 23 . . . . 188 A4
Le Crocq 60 . . . . 34 B1
Crocy 14 . . . . 56 B4
Crœttwiller 67 . . . . 45 F4
Croignon 33 . . . . 217 E4
Croisances 43 . . . . 226 B3
La Croisette 74 . . . . 195 E1
Croisette 62 . . . . 7 E3
Le Croisic 44 . . . . 123 E4
La Croisière 23 . . . . 186 A1

La Croisille 27 . . . . 58 B2
La Croisille-sur-Briance 87 . . . . 204 B3
Croisilles 61 . . . . 57 D4
Croisilles 28 . . . . 59 E4
Croisilles 14 . . . . 55 F1
Croisilles 62 . . . . 8 B1
Croismare 54 . . . . 69 D4
Croissanville 14 . . . . 56 B1
Croissy-Beaubourg 77 . . . . 61 F3
Croissy-sur-Celle 60 . . . . 18 A4
Croissy-sur-Seine 78 . . . . 60 C3
Le Croisty 56 . . . . 76 A4
Croisy 18 . . . . 154 A3
Croisy-sur-Andelle 76 . . . . 32 C2
Croisy-sur-Eure 27 . . . . 59 D1
Croix 90 . . . . 143 D2
Croix 59 . . . . 5 D4
Croix (Col de la) 2A 316 A1
Croix (Plateau de la) 74 . . . . 196 C3
La Croix-aux-Bois 08 . . . . 39 D2
La Croix-aux-Mines 88 . . . . 96 A2
La Croix-Avranchin 50 . . . . 80 A1
La Croix-Blanche 71 . . . . 175 D3
La Croix-Blanche 47 . . . . 238 B4
Croix-Caluyau 59 . . . . 9 F4
Croix-Chapeau 17 . . . . 181 D1
La Croix-Comtesse 17 . . . . 182 B2
Croix-de-Bauzon
(Col de la) 07 . . . . 245 E2
La Croix-de-Berny 92 . . . . 61 D4
Croix-de-Fer (Col de la) 73 . . . . 213 F4
La Croix-de-la-Rochette 73 . . . . 213 E2
Croix-de-l'Homme-Mort
(Col de la) 42 . . . . 209 D2
Croix-de-Vie 85 . . . . 144 C4
Croix-du-Bac 59 . . . . 4 B4
La Croix-du-Perche 28 . . . . 84 B4
La Croix-en-Brie 77 . . . . 88 B1
La Croix-en-Champagne 51 . . . . 65 E1
La Croix-en-Ternois 62 . . . . 7 E2
La Croix-en-Touraine 37 . . . . 131 E3
Croix-Fonsommes 02 . . . . 20 B2
La Croix-Fry (Col de) 74 . . . . 196 A3
La Croix-Haute (Col de la) 38 . . . . 248 C1
La Croix-Helléan 56 . . . . 101 F1
Croix-Mare 76 . . . . 15 F3
Croix-Moligneaux 80 . . . . 19 F3
Croix-Morand ou de Diane
(Col de la) 63 . . . . 207 D2
La Croix-Rampau 69 . . . . 192 C3
La Croix-Saint-Leufroy 27 . . . . 59 D1
Croix-Saint-Robert
(Col de la) 63 . . . . 206 C2
Croix Saint-Thomas 21 . . . . 138 A4
La Croix-Sainte 13 . . . . 284 A3
La Croix-sur-Gartempe 87 . . . . 185 E1
La Croix-sur-Ourcq 02 . . . . 36 B4
La Croix-sur-Roudoule 06 . . . . 269 E2
La Croix-Valmer 83 . . . . 293 E2
Croixanvec 56 . . . . 77 D4
Croixdalle 76 . . . . 16 C3
La Croixille 53 . . . . 80 B4
Croixrault 80 . . . . 17 F1
Croizet-sur-Gand 42 . . . . 191 F3
Crolles 38 . . . . 213 D4
Crollon 50 . . . . 80 A1
Cromac 87 . . . . 168 B4
Cromary 70 . . . . 141 E3
Cronat 71 . . . . 155 F4
Cronce 43 . . . . 226 A2
La Cropte 53 . . . . 105 F2
Cropus 76 . . . . 16 A4
Le Cros 34 . . . . 262 A4
Cros 63 . . . . 206 B3
Cros 30 . . . . 262 C3
Cros-de-Cagnes 06 . . . . 288 B2
Cros-de-Géorand 07 . . . . 227 E4
Cros-de-Montvert 15 . . . . 223 E2
Cros-de-Ronesque 15 . . . . 224 B4
Crosey-le-Grand 25 . . . . 142 A3
Crosey-le-Petit 25 . . . . 142 A3
Crosmières 72 . . . . 106 A4
Crosne 91 . . . . 61 D4
Crossac 44 . . . . 123 F2
Crosses 18 . . . . 153 F2
Crosville-la-Vieille 27 . . . . 32 A4
Crosville-sur-Douve 50 . . . . 25 D4
Crosville-sur-Scie 76 . . . . 16 A3
Crotelles 37 . . . . 131 D2
Crotenay 39 . . . . 160 A4
Croth 27 . . . . 59 D3
Le Crotoy 80 . . . . 6 A4
Crots 05 . . . . 250 B2
Crottes-en-Pithiverais 45 . . . . 110 B1
Crottet 01 . . . . 175 E4
Le Crouais 35 . . . . 78 B4
Crouay 14 . . . . 28 C3
La Croupte 14 . . . . 57 D1
Crouseilles 64 . . . . 273 E3
Croutelle 86 . . . . 166 B2
Les Croûtes 10 . . . . 114 A2
Croutoy 60 . . . . 35 F3
Crouttes 61 . . . . 56 C2
Crouttes-sur-Marne 02 . . . . 62 C2
Crouy 80 . . . . 17 F2
Crouy 02 . . . . 36 B2
Crouy-en-Thelle 60 . . . . 34 B4
Crouy-sur-Cosson 41 . . . . 132 C1
Crouy-sur-Ourcq 77 . . . . 62 B1
Le Crouzet 39 . . . . 160 C4
Crouzet-Migette 25 . . . . 160 B2
La Crouzille 87 . . . . 186 A3
La Crouzille 63 . . . . 188 C1
Crouzilles 37 . . . . 149 E1
Crozant 23 . . . . 169 D3
Croze 23 . . . . 187 F4
Crozes-Hermitage 26 . . . . 229 D3
Le Crozet 42 . . . . 191 D1
Crozet 01 . . . . 177 F4
Les Crozets 39 . . . . 177 D2

Crozon 29 . . . . 47 E4
Crozon-sur-Vauvre 36 . . . . 169 E2
Cruas 07 . . . . 246 C1
Crucey 28 . . . . 58 C4
Crucheray 41 . . . . 108 C4
Cruéjouls 12 . . . . 243 D3
Cruet 73 . . . . 213 E2
Crugey 21 . . . . 157 F1
Crugny 51 . . . . 37 D4
Cruguel 56 . . . . 101 E2
Cruis 04 . . . . 267 D2
Crulai 61 . . . . 57 F4
Crupies 26 . . . . 247 F2
Crupilly 02 . . . . 21 D2
Cruscades 11 . . . . 303 F1
Cruseilles 74 . . . . 195 E2
Crusnes 54 . . . . 41 D2
Crussol (Château de) 07 . . . . 229 D3
Cruviers-Lascours 30 . . . . 263 F3
Crux-la-Ville 58 . . . . 155 E1
Cruzille 71 . . . . 175 D2
Cruzilles-lès-Mépillat 01 . . . . 175 E4
Cruzy 34 . . . . 279 F4
Cruzy-le-Châtel 89 . . . . 114 C3
Cry 89 . . . . 114 C4
Cubelles 43 . . . . 226 B3
Cubières 48 . . . . 244 C3
Cubières-sur-Cinoble 11 . . . . 302 C4
Cubiérettes 48 . . . . 244 C3
Cubjac 24 . . . . 221 D1
Cublac 19 . . . . 221 F1
Cublize 69 . . . . 192 A2
Cubnezais 33 . . . . 217 F2
Cubrial 25 . . . . 141 F2
Cubry 25 . . . . 141 F2
Cubry-lès-Faverney 70 . . . . 118 C3
Cubry-lès-Soing 70 . . . . 140 C1
Cubzac-les-Ponts 33 . . . . 217 F3
Cucharmoy 77 . . . . 88 C1
Cucheron (Col du) 38 . . . . 213 D3
Cuchery 51 . . . . 63 F1
Cucq 62 . . . . 6 A2
Cucugnan 11 . . . . 303 D4
Cucuron 84 . . . . 266 A4
Cucuruzzu (Castellu de) 2A 319 D1
Cudos 33 . . . . 236 C3
Cudot 89 . . . . 112 C2
Cuébris 06 . . . . 269 F3
Cuélas 32 . . . . 274 C4
Cuers 83 . . . . 292 B1
Cuffies 02 . . . . 36 B2
Cuffy 18 . . . . 154 C3
Cugand 85 . . . . 146 A1
Cuges-les-Pins 13 . . . . 285 E4
Cugnaux 31 . . . . 276 B3
Cugney 70 . . . . 140 B3
Cugny 02 . . . . 19 F4
Cugny-lès-Crouttes 02 . . . . 36 B4
Cuguen 35 . . . . 79 E2
Cuguron 31 . . . . 298 C2
Cuhon 86 . . . . 148 C4
Cuignières 60 . . . . 34 C2
Cuigy-en-Bray 60 . . . . 33 F2
Cuille 53 . . . . 104 B2
Cuinchy 62 . . . . 8 B1
Cuincy 59 . . . . 8 C2
Le Cuing 31 . . . . 299 D2
Cuinzier 42 . . . . 191 F1
Cuirieux 02 . . . . 21 D4
Cuiry-Housse 02 . . . . 36 C3
Cuiry-lès-Chaudardes 02 . . . . 37 D2
Cuiry-lès-Iviers 02 . . . . 21 F3
Cuis 51 . . . . 64 A2
Cuise-la-Motte 60 . . . . 35 F3
Cuiseaux 71 . . . . 176 B2
Cuiserey 21 . . . . 139 F3
Cuisery 71 . . . . 175 E2
Cuisia 39 . . . . 176 B2
Cuisiat 01 . . . . 176 B4
Cuisles 51 . . . . 63 F1
Cuissai 61 . . . . 82 C2
Cuissy-et-Geny 02 . . . . 37 D2
Cuisy 77 . . . . 61 F2
Cuisy 55 . . . . 39 F3
Cuisy-en-Almont 02 . . . . 36 A2
La Cula 42 . . . . 210 B2
Culan 18 . . . . 170 B2
Culêtre 21 . . . . 157 E1
Culey 55 . . . . 66 B3
Culey-le-Patry 14 . . . . 55 F2
Culhat 63 . . . . 189 F4
Culin 38 . . . . 211 F2
Culles-les-Roches 71 . . . . 174 C1
Cully 14 . . . . 29 D3
Culmont 52 . . . . 117 D3
Culoison 10 . . . . 90 B3
Culoz 01 . . . . 194 C3
Cult 70 . . . . 140 C3
Cultures 48 . . . . 244 A3
Cumières 51 . . . . 64 A1
Cumières-
le-Mort-Homme 55 . . . . 40 A4
Cumiès 11 . . . . 301 E1
Cumont 82 . . . . 256 C4
Cunac 81 . . . . 259 E4
Cunault 49 . . . . 129 D3
Cuncy-lès-Varzy 58 . . . . 136 A3
Cunèges 24 . . . . 220 A4
Cunel 55 . . . . 39 F3
Cunelières 90 . . . . 120 A3
Cunfin 10 . . . . 115 E1
Cunlhat 63 . . . . 208 B1
Cuntorba (Castello de) 2A 318 C2
Cuon 49 . . . . 129 E2
Cuperly 51 . . . . 65 D1
Cuq 81 . . . . 278 A2
Cuq 47 . . . . 256 B2
Cuq-Toulza 81 . . . . 277 F2
Curac 16 . . . . 201 E4

Curan 12 . . . . 260 C1
Curbans 04 . . . . 249 E3
Curbigny 71 . . . . 174 A4
Curçay-sur-Dive 86 . . . . 148 B2
Curchy 80 . . . . 19 E3
Curciat-Dongalon 01 . . . . 175 F2
Curdin 71 . . . . 173 F1
La Cure 39 . . . . 177 F2
Curebourse (Col de) 15 . . . . 224 B3
Curel 52 . . . . 92 B2
Curel 04 . . . . 266 C1
Curemonte 19 . . . . 222 C3
Cures 72 . . . . 106 B1
Curgies 59 . . . . 9 F3
Curgy 71 . . . . 157 D2
Curienne 73 . . . . 213 E2
Curières 12 . . . . 243 D2
Curis-au-Mont-d'Or 69 . . . . 192 C3
Curley 21 . . . . 139 D4
Curlu 80 . . . . 19 D2
Curmont 52 . . . . 92 A4
Curnier 26 . . . . 247 F3
Cursan 33 . . . . 217 F4
Curtafond 01 . . . . 175 F4
Curtil-Saint-Seine 21 . . . . 139 D2
Curtil-sous-Buffières 71 . . . . 174 C2
Curtil-sous-Burnand 71 . . . . 174 C1
Curtil-Vergy 21 . . . . 158 A1
Curtin 38 . . . . 212 A1
Curvalle 81 . . . . 260 A3
Curzay-sur-Vonne 86 . . . . 165 F2
Curzon 85 . . . . 163 D2
Cusance 25 . . . . 142 A3
Cuse-et-Adrisans 25 . . . . 141 F2
Cusey 52 . . . . 139 F1
Cussac 87 . . . . 203 D1
Cussac 15 . . . . 225 D3
Cussac-Fort-Médoc 33 . . . . 217 D1
Cussac-sur-Loire 43 . . . . 227 D3
Cussangy 10 . . . . 114 B2
Cussay 37 . . . . 150 A2
Cusset 03 . . . . 190 A1
Cussey-les-Forges 21 . . . . 139 E1
Cussey-sur-l'Ognon 25 . . . . 141 D3
Cussey-sur-Lison 25 . . . . 160 A1
Cussy 14 . . . . 28 C3
Cussy-en-Morvan 71 . . . . 156 C1
Cussy-la-Colonne 21 . . . . 157 F2
Cussy-le-Châtel 21 . . . . 157 E1
Cussy-les-Forges 89 . . . . 137 E2
Custines 54 . . . . 68 A3
Cusy 74 . . . . 195 E4
Cusy 89 . . . . 114 B4
Cutry 02 . . . . 36 A3
Cutry 54 . . . . 40 C1
Cuts 60 . . . . 36 A1
Cutting 57 . . . . 69 E2
Cuttoli-Corticchiato 2A 316 C3
Cuttura 39 . . . . 177 D3
Cuvat 74 . . . . 195 E2
Cuve 39 . . . . 160 B3
Cuvergnon 60 . . . . 35 F4
Cuverville 14 . . . . 29 F4
Cuverville 76 . . . . 14 C3
Cuverville 27 . . . . 32 C3
Cuverville-sur-Yères 76 . . . . 16 C2
Cuvéry (Col de) 01 . . . . 194 C1
Cuves 52 . . . . 117 D1
Cuves 50 . . . . 54 B4
Cuvier 39 . . . . 160 B3
Cuvillers 59 . . . . 9 D2
Cuvilly 60 . . . . 35 D1
Cuvry 57 . . . . 68 A1
Cuxac-Cabardès 11 . . . . 278 B4
Cuxac-d'Aude 11 . . . . 303 F1
Cuy 60 . . . . 35 F1
Cuy 89 . . . . 88 C4
Cuy-Saint-Fiacre 76 . . . . 33 E2
Cuzac 46 . . . . 241 E2
Cuzals (Musée de) 46 . . . . 240 C2
Cuzance 46 . . . . 222 B3
Cuzieu 42 . . . . 209 F2
Cuzieu 01 . . . . 194 C4
Cuzion 36 . . . . 168 C2
Cuzorn 47 . . . . 239 D2
Cuzy 71 . . . . 156 B4
Cys-la-Commune 02 . . . . 36 C2
Cysoing 59 . . . . 9 D1

D

Dabisse 04 . . . . 267 D3
Dabo 57 . . . . 70 B3
Dabo (Rocher de) 57 . . . . 70 B3
Dachstein 67 . . . . 70 C3
Dadonville 45 . . . . 110 C1
Daglan 24 . . . . 239 F1
Dagneux 01 . . . . 193 E3
Dagny 77 . . . . 62 C4
Dagny-Lambercy 02 . . . . 21 E3
Dagonville 55 . . . . 66 C3
La Daguenière 49 . . . . 128 C2
Dahlenheim 67 . . . . 70 C3
Daignac 33 . . . . 218 C4
Daigny 08 . . . . 23 E4
Daillancourt 52 . . . . 92 A3
Daillecourt 52 . . . . 117 D1
Dainville 62 . . . . 8 A3
Dainville-Bertheléville 55 . . . . 93 D2
Daix 21 . . . . 139 D3
Dalem 57 . . . . 42 C3
Dalhain 57 . . . . 69 D2
Dalhunden 67 . . . . 71 F1
Dallet 63 . . . . 189 F4
Dallon 02 . . . . 20 A3

Dalou 09 . . . . 301 D3
Dalstein 57 . . . . 42 A3
Daluis 06 . . . . 269 D2
Damas-aux-Bois 88 . . . . 94 C2
Damas-et-Bettegney 88 . . . . 94 B1
Damazan 47 . . . . 237 F4
Dambach 67 . . . . 45 D4
Dambach-la-Ville 67 . . . . 96 C1
Dambelin 25 . . . . 142 B2
Dambenois 25 . . . . 142 C1
Dambenoît-lès-Colombe 70 . . . . 118 C2
Damblain 88 . . . . 117 E1
Damblainville 14 . . . . 56 B2
Dambron 28 . . . . 110 A1
Dame-Marie 61 . . . . 83 F3
Dame-Marie 27 . . . . 58 C1
Dame-Marie-les-Bois 37 . . . . 131 E2
Damelevières 54 . . . . 94 C1
Daméraucourt 60 . . . . 17 F4
Damerey 71 . . . . 158 B3
Damery 80 . . . . 19 D4
Damery 51 . . . . 63 F1
Damgan 56 . . . . 123 E2
Damiatte 81 . . . . 277 F2
Damigny 61 . . . . 82 C2
Damloup 55 . . . . 40 B4
Dammard 02 . . . . 62 C1
Dammarie 28 . . . . 85 E3
Dammarie-les-Lys 77 . . . . 87 F2
Dammarie-sur-Loing 45 . . . . 112 A4
Dammarie-sur-Saulx 55 . . . . 92 B1
Dammartin 39 . . . . 140 A4
Dammartin-en-Goële 77 . . . . 61 F1
Dammartin-en-Serve 78 . . . . 59 F3
Dammartin-les-Templiers 25 . . . . 141 F3
Dammartin-sur-Meuse 52 . . . . 117 D1
Dammartin-sur-Tigeaux 77 . . . . 62 A3
Damousies 59 . . . . 10 C2
Damouzy 08 . . . . 22 C3
Damparis 39 . . . . 159 D1
Dampierre 14 . . . . 55 D1
Dampierre 39 . . . . 159 F1
Dampierre 10 . . . . 90 C1
Dampierre 52 . . . . 116 C2
Dampierre-au-Temple 51 . . . . 64 C1
Dampierre-en-Bray 76 . . . . 33 E1
Dampierre-en-Bresse 71 . . . . 158 C3
Dampierre-en-Burly 45 . . . . 111 E4
Dampierre-en-Crot 18 . . . . 134 B2
Dampierre-en-Graçay 18 . . . . 152 B1
Dampierre-en-Montagne 21 . . . . 138 B2
Dampierre-en-Yvelines 78 . . . . 60 B4
Dampierre-et-Flée 21 . . . . 139 F2
Dampierre-le-Château 51 . . . . 65 F1
Dampierre-les-Bois 25 . . . . 142 C1
Dampierre-lès-Conflans 70 . . . . 118 B3
Dampierre-Saint-Nicolas 76 . . . . 16 B3
Dampierre-sous-Bouhy 58 . . . . 135 E2
Dampierre-sous-Brou 28 . . . . 84 C4
Dampierre-sur-Avre 28 . . . . 58 C4
Dampierre-sur-Blévy 28 . . . . 84 C1
Dampierre-sur-Boutonne 17 . . . . 182 C2
Dampierre-sur-le-Doubs 25 . . . . 142 B2
Dampierre-sur-Linotte 70 . . . . 141 E1
Dampierre-sur-Loire 49 . . . . 129 E4
Dampierre-sur-Moivre 51 . . . . 65 D2
Dampierre-sur-Salon 70 . . . . 140 B1
Dampjoux 25 . . . . 142 B3
Dampleux 02 . . . . 36 A4
Dampmart 77 . . . . 61 F3
Dampniat 19 . . . . 222 B1
Damprichard 25 . . . . 142 C3
Les Damps 27 . . . . 32 B3
Dampsmesnil 27 . . . . 33 D4
Dampvalley-lès-Colombe 70 . . . . 118 B4
Dampvalley-
Saint-Pancras 70 . . . . 118 B2
Dampvitoux 54 . . . . 67 F1
Damrémont 52 . . . . 117 E2
Damville 27 . . . . 58 C3
Damvillers 55 . . . . 40 B3
Damvix 85 . . . . 164 B4
Dancé 42 . . . . 191 E3
Dancé 61 . . . . 84 A3
Dancevoir 52 . . . . 115 F2
Dancharia 64 . . . . 270 B4
Dancourt 76 . . . . 17 D2
Dancourt-Popincourt 80 . . . . 19 D4
Dancy 28 . . . . 109 E1
Danestal 14 . . . . 30 A3
Dangé-Saint-Romain 86 . . . . 149 F3
Dangeau 28 . . . . 85 D2
Dangers 28 . . . . 85 D2
Dangeul 72 . . . . 83 D4
Dangolsheim 67 . . . . 70 C3
Dangu 27 . . . . 33 E4
Dangy 50 . . . . 54 B1
Danizy 02 . . . . 20 B4
Danjoutin 90 . . . . 119 F4
Danne-et-Quatre-Vents 57 . . . . 70 B2
Dannelbourg 57 . . . . 70 B2
Dannemarie 78 . . . . 59 F4
Dannemarie 68 . . . . 120 A3
Dannemarie 25 . . . . 142 C2
Dannemarie-sur-Crète 25 . . . . 141 D4
Dannemoine 89 . . . . 114 A3
Dannemois 91 . . . . 87 E2
Dannes 62 . . . . 6 A1
Dannevoux 55 . . . . 40 A3
Danvou-la-Ferrière 14 . . . . 55 E2
Danzé 41 . . . . 108 B3
Daon 53 . . . . 105 E4
Daoulas 29 . . . . 47 F3
Daoulas (Gorges du) 22 . . . . 76 C3
Daours 80 . . . . 18 B2
Darazac 19 . . . . 223 E1
Darbonnay 39 . . . . 159 F3
Darbres 07 . . . . 246 B1
Darcey 21 . . . . 138 B2

Dardenac 33 . . . . 218 C4
Dardenay 52 . . . . 139 F1
Dardez 27 . . . . 58 C1
Dardilly 69 . . . . 192 C4
Dareize 69 . . . . 192 A3
Dargies 60 . . . . 17 F4
Dargilan (Grotte de) 48 . . . . 262 A1
Dargnies 80 . . . . 16 C1
Dargoire 42 . . . . 210 C2
Darmannes 52 . . . . 92 B4
Darmont 55 . . . . 40 C4
Darnac 87 . . . . 185 D1
Darnétal 76 . . . . 32 B2
Darnets 19 . . . . 205 E3
Darney 88 . . . . 118 A1
Darney-aux-Chênes 88 . . . . 93 F3
Darnieulles 88 . . . . 94 C4
Darois 21 . . . . 139 D3
Darvault 77 . . . . 87 F4
Darvoy 45 . . . . 110 B3
Dasle 25 . . . . 142 C2
Daubensand 67 . . . . 97 D1
Daubeuf-la-Campagne 27 . . . . 32 A4
Daubeuf-près-Vatteville 27 . . . . 32 C4
Daubeuf-Serville 76 . . . . 15 D2
Daubèze 33 . . . . 236 C1
Dauendorf 67 . . . . 71 D1
Daumazan-sur-Arize 09 . . . . 300 B2
Daumeray 49 . . . . 105 F4
Dauphin 04 . . . . 266 C3
Dausse 47 . . . . 239 D4
Daux 31 . . . . 276 B1
Dauzat-sur-Vodable 63 . . . . 207 E3
Davayat 63 . . . . 189 E3
Davayé 71 . . . . 175 D4
Davejean 11 . . . . 303 D3
Davenescourt 80 . . . . 18 C4
Davézieux 07 . . . . 210 C4
Davignac 19 . . . . 205 E3
Davrey 10 . . . . 114 A1
Davron 78 . . . . 60 B3
Dax 40 . . . . 271 E1
Deauville 14 . . . . 30 B2
Deaux 30 . . . . 263 E3
Débats-Rivière-d'Orpra 42 . . . . 191 D4
Decazeville 12 . . . . 241 F4
Dechy 59 . . . . 9 D3
Décines-Charpieu 69 . . . . 193 D4
Decize 58 . . . . 155 E4
Dédeling 57 . . . . 69 D2
La Défense 92 . . . . 60 C3
Dégagnac 46 . . . . 239 F1
Degré 72 . . . . 106 C1
Dehault 72 . . . . 83 F4
Dehéries 59 . . . . 20 A1
Dehlingen 67 . . . . 44 A4
Deinvillers 88 . . . . 95 D2
Delain 70 . . . . 140 B1
Delettes 62 . . . . 3 F4
Delincourt 60 . . . . 33 F4
Delle 90 . . . . 120 A4
Delme 57 . . . . 68 C2
Delouze 55 . . . . 93 D1
Le Déluge 60 . . . . 34 A3
Delut 55 . . . . 40 B3
Deluz 25 . . . . 141 E3
Demandolx 04 . . . . 268 B3
Demange-aux-Eaux 55 . . . . 93 D1
Demangevelle 70 . . . . 118 A2
Demi-Quartier 74 . . . . 196 B3
La Demie 70 . . . . 141 E1
Demigny 71 . . . . 158 A3
Demoiselle Coiffée 05 . . . . 233 D4
Demoiselles (Grotte des) 34 . . . . 262 C4
Demoiselles Coiffées 05 . . . . 249 F2
Démouville 14 . . . . 29 F4
Dému 32 . . . . 274 A1
Démuin 80 . . . . 18 C3
Denain 59 . . . . 9 E3
Dénat 81 . . . . 259 E4
Denazé 53 . . . . 104 C3
Dénecourt (Tour) 77 . . . . 87 F2
Denée 49 . . . . 128 B3
Dénestanville 76 . . . . 16 A3
Deneuille-lès-Chantelle 03 . . . . 172 A4
Deneuille-les-Mines 03 . . . . 171 D3
Deneuvre 54 . . . . 95 E2
Denèvre 70 . . . . 140 B1
Dénezé-sous-Doué 49 . . . . 129 D4
Dénezé-sous-le-Lude 49 . . . . 129 F2
Denezières 39 . . . . 177 D1
Denguin 64 . . . . 272 C4
Denicé 69 . . . . 192 B2
Denier 62 . . . . 7 F3
Denipaire 88 . . . . 95 F2
Dennebrœucq 62 . . . . 7 D1
Dennemont 78 . . . . 59 F2
Denneville 50 . . . . 24 C4
Dennevy 71 . . . . 157 F3
Denney 90 . . . . 119 F4
Denone (Château de) 63 . . . . 189 F2
Denonville 28 . . . . 86 A3
Denting 57 . . . . 42 B4
Déols 36 . . . . 152 A4
Der-Chantecoq (Lac du) 52 . . . . 91 E1
Derbamont 88 . . . . 94 B3
Dercé 86 . . . . 149 D2
Derchigny 76 . . . . 16 B2
Dercy 02 . . . . 20 C4
Dernacueillette 11 . . . . 303 D4
Dernancourt 80 . . . . 19 D2
Derval 44 . . . . 103 E4
Désaignes 07 . . . . 228 B3
Désandans 25 . . . . 142 B1
Descartes 37 . . . . 150 A2
Le Deschaux 39 . . . . 159 E2
Le Désert 14 . . . . 55 D2
Le Désert 38 . . . . 231 E3
Désertines 53 . . . . 81 D2
Désertines 03 . . . . 170 C3

Les Déserts 73 .... 213 E1
Déservillers 25 .... 160 B2
Desges 43 .... 226 A2
Desingy 74 .... 195 D2
Desmonts 45 .... 87 E4
Desnes 39 .... 159 E4
Desseling 57 .... 69 E3
Dessenheim 68 .... 96 C4
Dessia 39 .... 176 B3
Destord 88 .... 95 D3
La Destrousse 13 .... 285 E4
Destry 57 .... 69 D2
Desvres 62 .... 2 B4
Détain-et-Bruant 21 .... 158 A1
Détrier 73 .... 213 E2
Le Détroit 14 .... 56 A3
Les Détroits 48 .... 243 F4
Dettey 71 .... 156 C4
Dettwiller 67 .... 70 C2
Deuil-la-Barre 95 .... 61 D2
Deuillet 02 .... 36 B1
Deûlémont 59 .... 4 B3
Les Deux-Alpes 38 .... 231 E2
Deux Amants (Côte des) 27 .... 32 B3
Deux-Chaises 03 .... 171 F3
Deux-Évailles 53 .... 81 E4
Les Deux-Fays 39 .... 159 E3
Deux-Jumeaux 14 .... 27 F3
Deux-Verges 15 .... 225 E4
Les Deux-Villes 08 .... 23 F4
Deuxnouds-aux-Bois 55 .... 67 D2
Deuxnouds-devant-Beauzée 55 .... 66 B2
Deuxville 54 .... 68 C4
Devay 58 .... 155 E4
Devecey 25 .... 141 D3
Devesset 07 .... 228 A2
Devèze 65 .... 298 C1
Devèze (Grotte de la) 34 .... 279 E3
Deviat 16 .... 201 E3
Dévillac 47 .... 238 C2
Deville 08 .... 22 C2
Déville-lès-Rouen 76 .... 32 A2
La Devinière (Musée) 37 .... 149 D1
Devise 80 .... 19 F3
Devrouze 71 .... 158 C4
Deycimont 88 .... 95 D4
Deyme 31 .... 276 C3
Deyvillers 88 .... 95 D4
Le Dézert 50 .... 27 E4
Dezize-lès-Maranges 71 .... 157 F3
Dhuisy 77 .... 62 B1
Dhuizel 02 .... 37 D3
Dhuizon 41 .... 132 C1
Diable (Roche du) 88 .... 119 E1
Diable (Roches du) 29 .... 99 F1
Diancey 21 .... 157 D1
Diane-Capelle 57 .... 69 F3
Diant 77 .... 88 B4
Diarville 54 .... 94 A2
Le Diben 29 .... 49 E2
Diconne 71 .... 158 C4
Dicy 89 .... 112 B3
Didenheim 68 .... 120 B2
Die 26 .... 230 A4
Diebling 57 .... 43 D4
Diebolsheim 67 .... 97 D2
Diedendorf 67 .... 69 F2
Dieffenbach-au-Val 67 .... 96 B1
Dieffenbach-lès-Wœrth 67 .... 45 D4
Dieffenthal 67 .... 96 C2
Diefmatten 68 .... 120 A3
Dielette 50 .... 24 B3
Dième 69 .... 192 A3
Diemeringen 67 .... 44 A4
Diémoz 38 .... 211 E2
Diénay 21 .... 139 E2
Dienne 15 .... 224 C1
Dienné 86 .... 166 C3
Diennes-Aubigny 58 .... 155 F3
Dienville 10 .... 91 D3
Dieppe 76 .... 16 A2
Dieppe-sous-Douaumont 55 .... 40 B4
Dieppedalle-Croisset 76 .... 32 A2
Dierre 37 .... 131 E3
Dierrey-Saint-Julien 10 .... 89 F3
Dierrey-Saint-Pierre 10 .... 89 F3
Diesen 57 .... 42 C4
Dietwiller 68 .... 120 C3
Dieudonné 60 .... 34 B4
Dieue-sur-Meuse 55 .... 66 C1
Dieulefit 26 .... 247 E3
Dieulivol 33 .... 237 E1
Dieulouard 54 .... 68 A3
Dieupentale 82 .... 257 F4
Dieuze 57 .... 69 E3
Diéval 62 .... 7 F2
Diffembach-lès-Hellimer 57 .... 69 E1
Diges 89 .... 113 D4
Digna 39 .... 176 B2
Dignac 16 .... 201 F2
La Digne-d'Amont 11 .... 302 A3
La Digne-d'Aval 11 .... 302 A3
Digne-les-Bains 04 .... 267 F2
Dignonville 88 .... 95 D3
Digny 28 .... 84 C2
Digoin 71 .... 173 D2
Digoine (Château de) 71 .... 174 A2
Digosville 50 .... 25 D2
Digulleville 50 .... 24 B1
Dijon 21 .... 139 E2
Dilo 89 .... 113 E1
Dimancheville 45 .... 87 D4
Dimbsthal 67 .... 70 B3
Dimechaux 59 .... 10 C2
Dimont 59 .... 10 C2
Dinan 22 .... 78 C4
Dinan (Pointe de) 29 .... 47 D4
Dinard 35 .... 52 C4
Dinéault 29 .... 73 F2

Dingé 35 .... 79 E2
Dingsheim 67 .... 71 D3
Dingy-en-Vuache 74 .... 195 D1
Dingy-Saint-Clair 74 .... 195 F3
Dinozé 88 .... 94 C4
Dinsac 87 .... 168 A4
Dinsheim 67 .... 70 C4
Dinteville 52 .... 115 F1
Dio-et-Valquières 34 .... 280 B2
Dionay 38 .... 229 F1
Dions 30 .... 263 F3
Diors 36 .... 152 A4
Diou 03 .... 172 F3
Diou 36 .... 152 C2
Dirac 16 .... 201 F2
Dirinon 29 .... 47 F3
Dirol 58 .... 136 B4
Disneyland Paris 77 .... 61 F3
Dissais 85 .... 163 E2
Dissangis 89 .... 137 D1
Dissay 86 .... 166 B1
Dissay-sous-Courcillon 72 .... 130 B3
Dissé-sous-Ballon 72 .... 83 D4
Dissé-sous-le-Lude 72 .... 129 F1
Distré 49 .... 129 E4
Distroff 57 .... 41 F2
Diusse 64 .... 273 D2
Divajeu 26 .... 247 E1
Dives 60 .... 35 E1
Dives-sur-Mer 14 .... 30 A3
Divion 62 .... 7 F2
Divonne-les-Bains 01 .... 177 F3
Dixmont 89 .... 113 D1
Dizimieu 38 .... 193 F4
Dizy 51 .... 64 A1
Dizy-le-Gros 02 .... 21 E4
Doazit 40 .... 272 B1
Doazon 64 .... 272 B2
Docelles 88 .... 95 D4
Doëlan 29 .... 99 F3
Dœuil-sur-le-Mignon 17 .... 182 A1
Dognen 64 .... 272 A4

Dogneville 88 .... 94 C4
Dohem 62 .... 3 D4
Dohis 02 .... 21 F3
Doignies 59 .... 8 C4
Doingt 80 .... 19 E2
Doissat 24 .... 239 E1
Doissin 38 .... 212 A2
Doix 85 .... 164 A3
Doizieux 42 .... 210 B3
Dol-de-Bretagne 35 .... 79 E1
Dolaincourt 88 .... 93 F3
Dolancourt 10 .... 91 E4
Dolcourt 54 .... 93 F1
Dole 39 .... 159 E1
Dolignon 02 .... 21 F4
Dolleren 68 .... 119 F3
Dollon 72 .... 107 F2
Dollot 89 .... 88 B4
Dolmayrac 47 .... 238 C2
Dolo 22 .... 78 A2
Dolomieu 38 .... 212 A1
Dolus-d'Oléron 17 .... 180 B3
Dolus-le-Sec 37 .... 150 B1
Dolving 57 .... 69 F1
Dom-le-Mesnil 08 .... 23 D4
Domagné 35 .... 103 F1
Domaize 63 .... 208 B1
Domalain 35 .... 104 A2
Domancy 74 .... 196 B2
Domarin 38 .... 211 F1
Domart-en-Ponthieu 80 .... 18 A1
Domart-sur-la-Luce 80 .... 18 C3
Domats 89 .... 112 B1
Domazan 30 .... 264 B3
Dombasle-devant-Darney 88 .... 94 A4
Dombasle-en-Argonne 55 .... 39 F4
Dombasle-en-Xaintois 88 .... 94 A3
Dombasle-sur-Meurthe 54 .... 68 C4
Domblain 52 .... 92 A2
Domblans 39 .... 159 E4
Dombras 55 .... 40 B2
Dombrot-le-Sec 88 .... 93 F4

Dombrot-sur-Vair 88 .... 93 F3
Domcy-sur-Cure 89 .... 136 C3
Domecy-sur-le-Vault 89 .... 136 C2
Doméliers 60 .... 34 A1
Domène 38 .... 231 D1
Domérat 03 .... 170 C3
Domesmont 80 .... 18 A1
Domessargues 30 .... 263 E3
Domessin 73 .... 212 C2
Domèvre-en-Haye 54 .... 67 F4
Domèvre-sous-Montfort 88 .... 94 A3
Domèvre-sur-Avière 88 .... 94 C3
Domèvre-sur-Durbion 88 .... 94 C3
Domèvre-sur-Vezouze 54 .... 95 E1
Domeyrat 43 .... 226 A3
Domeyrot 23 .... 170 A4
Domezain-Berraute 64 .... 271 E3
Domfaing 88 .... 95 E3
Domfessel 67 .... 44 A4
Domfront 60 .... 35 D1
Domfront 61 .... 81 E1
Domfront-en-Champagne 72 .... 106 C1
Domgermain 54 .... 67 F4
La Dominelais 35 .... 103 E3
Domino 17 .... 180 A3
Dominois 80 .... 6 C3
Domjean 50 .... 54 C1
Domjevin 54 .... 95 E1
Domjulien 88 .... 94 A3
Domléger 80 .... 7 D4
Domloup 35 .... 103 F1
Dommarie-Eulmont 54 .... 94 A2
Dommarien 52 .... 116 C4
Dommartemont 54 .... 68 B4
Dommartin 25 .... 161 D3
Dommartin 01 .... 175 E3
Dommartin 58 .... 156 A2
Dommartin 80 .... 18 B3
Dommartin 69 .... 192 C4
Dommartin-aux-Bois 88 .... 94 B4
Dommartin-Dampierre 51 .... 65 F1
Dommartin-la-Chaussée 54 .... 67 F1

Dommartin-la-Montagne 55 .... 67 D1
Dommartin-le-Coq 10 .... 90 C2
Dommartin-le-Franc 52 .... 92 A2
Dommartin-le-Saint-Père 52 .... 92 A2
Dommartin-lès-Cuiseaux 71 .... 176 A2
Dommartin-lès-Remiremont 88 .... 119 E1
Dommartin-lès-Toul 54 .... 67 F4
Dommartin-lès-Vallois 88 .... 94 A4
Dommartin-Lettrée 51 .... 64 C4
Dommartin-sous-Amance 54 .... 68 B3
Dommartin-sous-Hans 51 .... 65 F1
Dommartin-sur-Vraine 88 .... 93 F3
Dommartin-Varimont 51 .... 65 F2
Dommary-Baroncourt 55 .... 40 C3
Domme 24 .... 221 D1
Dommery 08 .... 38 A3
Dommiers 02 .... 36 A3
Domnon-lès-Dieuze 57 .... 69 E2
Domont 95 .... 61 D2
Dompaire 88 .... 94 B4
Dompcevrin 55 .... 67 D2
Dompierre 60 .... 35 D1
Dompierre 88 .... 95 D3
Dompierre 61 .... 55 E4
Dompierre-aux-Bois 55 .... 67 D1
Dompierre-Becquincourt 80 .... 19 D2
Dompierre-du-Chemin 35 .... 80 B3
Dompierre-en-Morvan 21 .... 137 F3
Dompierre-les-Églises 87 .... 185 F1
Dompierre-les-Ormes 71 .... 174 B3
Dompierre-les-Tilleuls 25 .... 160 C3
Dompierre-sous-Sanvignes 71 .... 174 A1
Dompierre-sur-Authie 80 .... 6 C3
Dompierre-sur-Besbre 03 .... 173 D2
Dompierre-sur-Chalaronne 01 .... 193 D1
Dompierre-sur-Charente 17 .... 199 F1
Dompierre-sur-Helpe 59 .... 10 B3
Dompierre-sur-Héry 58 .... 136 B3
Dompierre-sur-Mer 17 .... 163 F4

Dompierre-sur-Mont 39 .... 176 C1
Dompierre-sur-Nièvre 58 .... 135 F4
Dompierre-sur-Veyle 01 .... 193 F2
Dompierre-sur-Yon 85 .... 145 F4
Dompnac 07 .... 245 E2
Domprel 25 .... 142 A4
Dompremy 51 .... 65 E4
Domprix 54 .... 41 D3
Domps 87 .... 204 C1
Domptail 88 .... 95 D2
Domptail-en-l'Air 54 .... 94 B1
Domptin 02 .... 62 C2
Domqueur 80 .... 17 F1
Domremy-aux-Bois 55 .... 66 C2
Domremy-en-Ornois 52 .... 92 B3
Domremy-la-Canne 55 .... 40 C3
Domrémy-la-Pucelle 88 .... 93 E3
Domsure 01 .... 176 A3
Domvallier 88 .... 94 A3
Domvast 80 .... 6 C3
Don 59 .... 8 B1
Donazac 11 .... 302 A3
Donchery 08 .... 23 D4
Doncières 88 .... 95 D2
Doncourt-aux-Templiers 55 .... 67 E1
Doncourt-lès-Conflans 54 .... 41 E4
Doncourt-lès-Longuyon 54 .... 40 C2
Doncourt-lès-Meuse 52 .... 93 D4
Dondas 47 .... 256 C1
Donges 44 .... 125 E3
Donjeux 52 .... 92 B3
Donjeux 57 .... 68 C2
Le Donjon 03 .... 173 D2
Donnay 14 .... 55 F2
Donnazac 81 .... 259 D3
Donnelay 57 .... 69 D3
Donnemain-Saint-Mamès 28 .... 109 C1
Donnemarie-Dontilly 77 .... 88 B2
Donnement 10 .... 91 D2
Donnenheim 67 .... 71 D2
Donnery 45 .... 110 B3

DIJON

Darcy (Pl.) .... CY
Foch (Av. Mar.) .... CY 43
Liberté (R. de la) .... CY
Briand (Av. A.) .... EX 8
Brosses (Bd de) .... CY 9
Champagne (Bd de) .... EX 14
Charrue (R.) .... DY 18
Chouette (R. de la) .... DY 21
Comte (R. A.) .... DY 27
Dr-Chaussier (R.) .... CY 32
Dubois (Pl. A.) .... CY 33
École-de-Droit (R.) .... DY 35
Godrans (R. des) .... DY 51
Grangier (Pl.) .... DY 54
Libération (Pl. de la) .... DY 57
Magenta (R.) .... EZ 58
Michelet (R.) .... CY 64
Petit-Potet (R. du) .... DY 71
Rameau (R.) .... DY 77
Rude (R. F.) .... DY 81
St-Bénigne (Pl.) .... CY 82
St-Bernard (Pl.) .... DY 83
St-Michel (Pl.) .... DY 86
Vaillant (R.) .... DY 92
Verdun (Bd de) .... EX 93
1er-Mai (Pl. du) .... CZ 94
1re-Armée-Fse (Av.) .... CY 95
26e-Dragons (R. du) .... EX 98

DUNKERQUE

Albert-Ier (R.) .... CZ 2
Alexandre-III (Bd) .... CZ 3
Clemenceau (R.) .... CZ 21
Digue de Mer .... DY
Faidherbe (Av.) .... DY
Geeraert (Av. Adolphe) .... DY
Jean-Bart (Pl.) .... CZ 41
Malo (Av. Gaspard) .... DY 49
Thiers (R.) .... CZ 65
Turenne (Pl.) .... DY 67

Arbres (R. des) .... CDY 6
Asseman (Pl. P.) .... DY 8
Bergues (R. du Canal-de) .... CZ 9
Bollaert (Pl. Émile) .... CZ 12
Calonne (Pl.) .... DZ 16
Carnot (Bd) .... DY 18
Carton Lurat (Av.) .... DZ 19
Écluse-de-Bergues (R.) .... CZ 26
Fusiliers-Marins (R.) .... CZ 30
Gare (Pl. de la) .... CZ 32
Gaulle (Pl. du Gén.-de) .... CZ 33
Hermitte (R. l') .... CY 35
Hollandais (Quai des) .... CZ 36
Hôtel-de-Ville (R. de l') .... DY 37
Jardins (Quai des) .... CZ 38
Jaurès (R. Jean) .... CZ 40
Jeu-de-Paume (R. du) .... CZ 42
Leclerc (R. du Mar.) .... CY 43
Leughenaer (R. du) .... CY 44
Lille (R. de) .... CZ 45
Magasin-Général (R.) .... CZ 48
Mar.-de-France (Av. des) .... DY 51
Minck (Pl. du) .... CY 53
Paris (R. de) .... CZ 54
Prés.-Poincaré (R. du) .... CZ 57
Prés.-Wilson (R. du) .... CZ 58
Quatre-Écluses (Quai) .... CZ 59
Valentin (Pl. C.) .... CZ 68
Verley (Bd Paul) .... DY 69
Victoire (Pl. et R. de la) .... CDY 70
Victor-Hugo (Bd) .... CZ 72

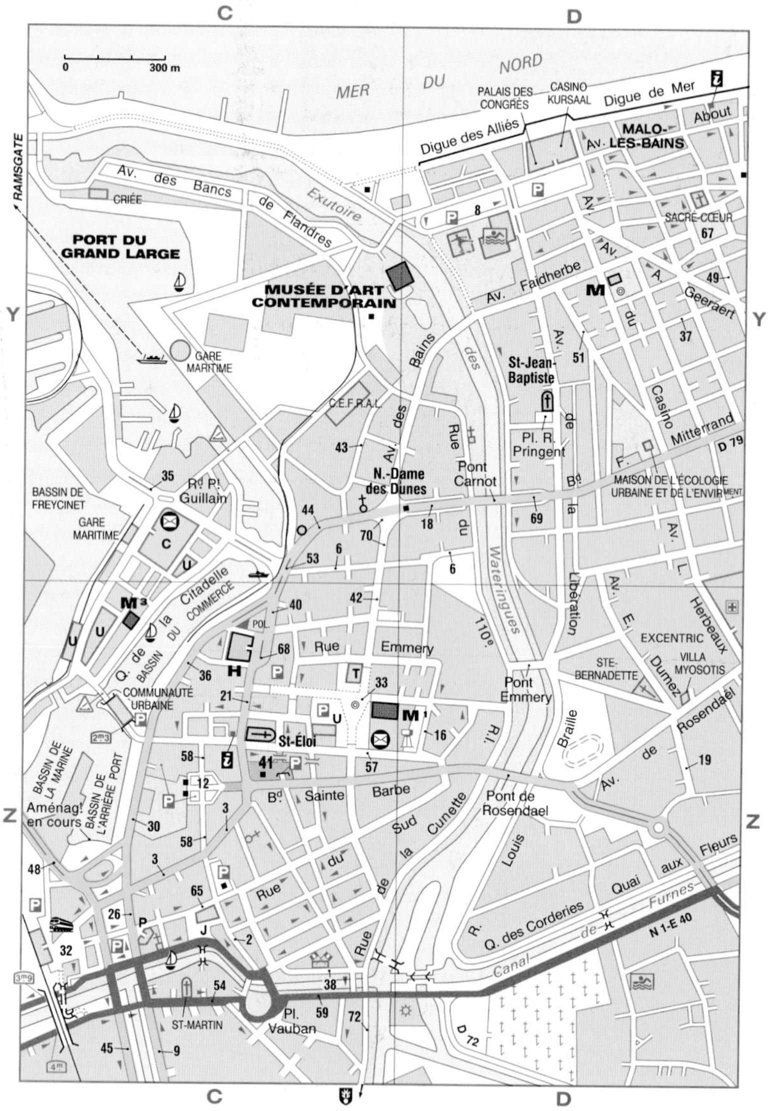

Donneville 31 .... 276 C3
Donnezac 33 .... 199 F4
Donon (Col du) 67 .... 70 A4
Dontreix 23 .... 188 B3
Dontrien 51 .... 38 B4
Donville-les-Bains 50 .... 53 F2
Donzac 33 .... 236 C1
Donzac 82 .... 256 C2
Donzacq 40 .... 272 A1
Le Donzeil 23 .... 187 D2
Donzenac 19 .... 222 B1
Donzère 26 .... 246 C3
Donzy 58 .... 135 E3
Donzy-le-National 71 .... 174 C3
Donzy-le-Pertuis 71 .... 175 D3
Donzy-le-Pré 58 .... 135 E3
Doranges 63 .... 208 B3
Dorans 90 .... 142 C1
Le Dorat 87 .... 185 E1
Dorat 63 .... 190 A3
Dorceau 61 .... 84 A2
Dordives 45 .... 111 F1
Dore-l'Église 63 .... 208 C3
La Dorée 53 .... 80 C2
Dorengt 02 .... 10 A4
Dorignies 59 .... 8 C2
Dorlisheim 67 .... 70 C4
Dormans 51 .... 63 E1
Dormelles 77 .... 88 A3
La Dornac 24 .... 222 A2
Dornas 07 .... 228 A4
Dornecy 58 .... 136 B3
Dornes 58 .... 172 B1
Dornot 57 .... 68 A1
Dorres 66 .... 310 C3
Dortan 01 .... 176 C3
Dosches 10 .... 90 C3
Dosnon 10 .... 90 C1
Dossenheim-Kochersberg 67 .... 70 C3
Dossenheim-sur-Zinsel 67 .... 70 B1
Douadic 36 .... 168 A1
Douai 59 .... 8 C2
Douains 27 .... 59 E1
Douarnenez 29 .... 73 E3
Douaumont 55 .... 40 B4
Doubs 25 .... 161 D2
Doucelles 72 .... 82 C4
Douchapt 24 .... 220 A1
Douchy 02 .... 19 F3
Douchy 45 .... 112 B2
Douchy-lès-Ayette 62 .... 8 A4
Douchy-les-Mines 59 .... 9 E3
Doucier 39 .... 177 D1
Doucy 73 .... 214 A2
Doucy-en-Bauges 73 .... 195 E4
Doudeauville 76 .... 33 E1
Doudeauville 62 .... 2 B4
Doudeauville-en-Vexin 27 .... 33 D3
Doudelainville 80 .... 17 E1
Doudeville 76 .... 15 E2
Doudrac 47 .... 238 B1
Doue 77 .... 62 B3
Doué-la-Fontaine 49 .... 129 D4
Douelle 46 .... 240 A3
Le Douhet 17 .... 181 F4
Douillet 72 .... 82 B4
Douilly 80 .... 19 F3
Doulaincourt 52 .... 92 B3
Doulaize 25 .... 160 B1
Doulcon 55 .... 39 F2
Doulevant-le-Château 52 .... 92 A3
Doulevant-le-Petit 52 .... 92 A2
Doulezon 33 .... 219 D4
Le Doulieu 59 .... 4 A4
Doullens 80 .... 7 E4
Doumely-Bégny 08 .... 22 A4
Doumy 64 .... 272 C3
Dounoux 88 .... 118 C1
Les Dourbes 04 .... 268 A2
Dourbies 30 .... 262 A2
Dourdain 35 .... 80 A4
Dourdan 91 .... 86 B2
Dourges 62 .... 8 C2
Dourgne 81 .... 278 A3
Douriez 62 .... 6 C3
Dourlers 59 .... 10 B3
Le Dourn 81 .... 260 A3
Dournazac 87 .... 203 D1
Dournon 39 .... 160 B2
Dours 65 .... 298 A1
Doussard 74 .... 195 F4
Doussay 86 .... 149 D3
Douvaine 74 .... 178 A3
Douville 24 .... 220 B3
Douville-en-Auge 14 .... 30 A3
Douville-sur-Andelle 27 .... 32 C3
Douvrend 76 .... 16 B3
Douvres 01 .... 194 A2
Douvres-la-Délivrande 14 .... 29 E3
Douvrin 62 .... 8 B1
Doux 08 .... 38 B1
Doux 79 .... 148 C4
Douy 28 .... 109 D2
Douy-la-Ramée 77 .... 62 A1
Douzains 47 .... 238 B2
Douzat 16 .... 201 E1
La Douze 24 .... 221 D2
Douzens 11 .... 303 D2
Douzies 59 .... 10 B2
Douzillac 24 .... 220 A2
Douzy 08 .... 23 E4
Doville 50 .... 24 C4
La Doye 39 .... 177 F2
Doye 39 .... 160 B4
Doyet 03 .... 171 D4
Dozulé 14 .... 30 A4
Dracé 69 .... 192 C1
Draché 37 .... 149 F2
Drachenbronn 67 .... 45 E4
Dracy 89 .... 112 C4
Dracy-le-Fort 71 .... 158 A4
Dracy-lès-Couches 71 .... 157 E3
Dracy-Saint-Loup 71 .... 157 D2
Dragey 50 .... 53 F4
Draguignan 83 .... 287 D2
Draillant 74 .... 178 B3
Drain 49 .... 127 D3
Draix 04 .... 268 A1
Draize 08 .... 22 A4
Drambon 21 .... 139 F3
Dramelay 39 .... 176 C3
Le Dramont 83 .... 287 F3
Drancy 93 .... 61 D2
Drap 06 .... 288 C1
Dravegny 02 .... 37 D4
Draveil 91 .... 61 D4
Drée 21 .... 138 B3
Drée (Château de) 71 .... 174 A4
Drefféac 44 .... 125 E2
Drémil-Lafage 31 .... 277 D2
Le Drennec 29 .... 47 F2
Dreslincourt 60 .... 35 F1
Dreuil-Hamel 80 .... 17 F2
Dreuil-lès-Amiens 80 .... 18 A2
Dreuil-lès-Molliens 80 .... 17 F2
Dreuilhe 09 .... 301 E4
Dreux 28 .... 59 D4
Drevant 18 .... 170 C1
Dricourt 08 .... 38 C2
Driencourt 80 .... 19 F2
Drignac 15 .... 224 A1
Drincham 59 .... 3 E2
Drocourt 78 .... 60 A1
Drocourt 62 .... 8 C2
Droisy 74 .... 195 D2
Droisy 27 .... 58 C3
Droitaumont 54 .... 41 D4
Droitfontaine 25 .... 142 B3
Droiturier 03 .... 173 D4
Droizy 02 .... 36 B3
Drom 01 .... 176 B4
Dromesnil 80 .... 17 E2
Drosay 76 .... 15 E2
Drosnay 51 .... 91 E1
Droué 41 .... 108 C2
Droue-sur-Drouette 28 .... 85 F1
Drouges 35 .... 104 A2
Drouilly 51 .... 65 D3
Droupt-Saint-Basle 10 .... 90 A2
Droupt-Sainte-Marie 10 .... 90 A2
Drouville 54 .... 68 C4
Drouvin-le-Marais 62 .... 8 A1
Droux 87 .... 185 F1
Droyes 52 .... 91 E2
Drubec 14 .... 30 B3
Drucat 80 .... 6 C4
Drucourt 27 .... 57 E1
Drudas 31 .... 276 A1
Druelle 12 .... 242 B4
Drugeac 15 .... 224 A1
Druillat 01 .... 193 F2
Drulhe 12 .... 241 E3
Drulingen 67 .... 70 A1
Drumettaz-Clarafond 73 .... 213 D1
Drusenheim 67 .... 71 F2
Druval 14 .... 30 A4
Druy-Parigny 58 .... 155 D3
Druye 37 .... 130 B4
Druyes-les-Belles-Fontaines 89 .... 136 A2
Dry 45 .... 109 F4
Duault 22 .... 76 A2
Ducey 50 .... 54 A4
Duclair 76 .... 15 F4
Ducy-Sainte-Marguerite 14 .... 29 D4
Duerne 69 .... 210 B1
Duesme 21 .... 138 B1
Duffort 32 .... 274 B4
Dugny 93 .... 61 D2
Dugny-sur-Meuse 55 .... 66 C1
Duhort-Bachen 40 .... 273 D1
Duilhac-sous-Peyrepertuse 11 .... 303 D4
Duingt 74 .... 195 F3
Duisans 62 .... 8 A3
Dullin 73 .... 212 C2
Dumes 40 .... 272 B1
Dun 09 .... 301 E3
Dun-le-Palestel 23 .... 169 D4
Dun-le-Poëlier 36 .... 152 A1
Dun-les-Places 58 .... 137 E4
Dun-sur-Auron 18 .... 153 F3
Dun-sur-Grandry 58 .... 156 A1
Dun-sur-Meuse 55 .... 39 F2
Duneau 72 .... 107 E1
Dunes 82 .... 256 C2
Dunet 36 .... 168 B3
Dung 25 .... 142 B1
Dunière-sur-Eyrieux 07 .... 228 C4
Dunières 43 .... 228 A1
Dunkerque 59 .... 3 E1
Duntzenheim 67 .... 70 C2
Duppigheim 67 .... 71 D4
Duran 32 .... 274 C2
Durance 47 .... 255 E1
Duranus 06 .... 289 D3
Duranville 27 .... 31 D4
Duras 47 .... 237 E1
Duravel 46 .... 239 E3
Durban 32 .... 274 C3
Durban-Corbières 11 .... 303 E3
Durban-sur-Arize 09 .... 300 B3
Durbans 46 .... 240 C1
Durbelière (Château de la) 79 .... 147 E2
Durcet 61 .... 55 F4
Durdat-Larequille 03 .... 171 D4
Dureil 72 .... 106 A3
Durenque 12 .... 260 B2
Durette 69 .... 192 B1
Durfort 81 .... 278 A4
Durfort 09 .... 300 C1
Durfort-et-Saint-Martin-de-Sossenac 30 .... 263 D3
Durfort-Lacapelette 82 .... 257 E1
Durlinsdorf 68 .... 120 B4
Durmenach 68 .... 120 C4
Durmignat 63 .... 189 D1
Durnes 25 .... 160 C1
Durningen 67 .... 70 C2
Durrenbach 67 .... 71 D1
Durrenentzen 68 .... 96 C3
Durstel 67 .... 70 A1
Durtal 49 .... 106 A4
Durtol 63 .... 189 E4
Dury 02 .... 19 F4
Dury 80 .... 18 B3
Dury 62 .... 8 C3
Dussac 24 .... 203 E3
Duttlenheim 67 .... 70 C4
Duvy 60 .... 35 E4
Duzey 55 .... 40 C2
Dyé 89 .... 114 A3
Dyo 71 .... 174 A3

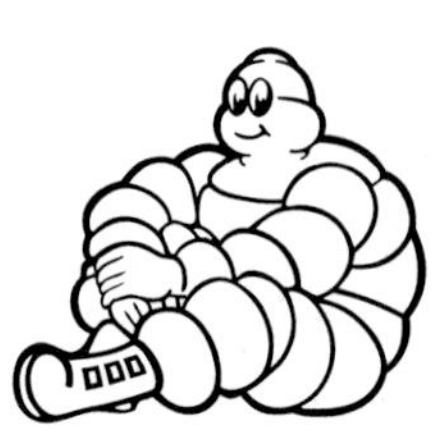

E

Eancé 35. ... 104 A3
Eaubonne 95. ... 60 C2
Eaucourt-sur-Somme 80. ... 17 E1
Eaunes 31. ... 276 B4
Eaux-Bonnes 64. ... 296 C3
Eaux-Chaudes 64. ... 296 C3
Eaux-Puiseaux 10 ... 114 A1
Eauze 32. ... 255 D4
Ébange 57. ... 41 F3
Ébaty 21. ... 158 A3
Ebblinghem 59. ... 3 E3
Eberbach-Seltz 67. ... 45 F4
Eberbach-Wœrth 67. ... 45 D4
Ebersheim 67. ... 96 C2
Ebersmunster 67. ... 96 C1
Ébersviller 57. ... 42 A3
Éblange 57. ... 42 B3
Ébouleau 02. ... 21 D4
Ébréon 16. ... 183 E1
Ébreuil 03. ... 189 E1
L'Écaille 08. ... 38 A2
Écaillon 59. ... 9 D3
Écajeul 14. ... 56 B1
Ecalgrain (Baie d') 50 ... 24 A1
Écalles-Alix 76. ... 15 F3
Écaquelon 27. ... 31 E3
Écardenville-la-Campagne 27. ... 58 A1
Écardenville-sur-Eure 27. ... 59 D1
Écausseville 50. ... 25 D3
Écauville 27. ... 58 B1
Eccica-Suarella 2A. ... 316 C4
Eccles 59. ... 10 C1
Échalas 69. ... 210 C2
Échallat 16. ... 201 D1
Échallon 01. ... 177 D4
Échalot 21. ... 138 C1
Échalou 61. ... 55 F4
Échandelys 63. ... 208 B2
Échannay 21. ... 138 B4
Écharcon 91. ... 87 D1
Les Écharmeaux 69. ... 192 A1
Échassières 03. ... 189 D1
Échauffour 61. ... 57 E4
Échavanne 70. ... 119 E4
Échay 25. ... 160 A1
Échebrune 17. ... 199 F2
L'Échelle 08. ... 22 B3
L'Échelle-Saint-Aurin 80 ... 19 D4
Les Échelles 73. ... 212 C3
Échemines 10. ... 89 F3
Échemiré 49. ... 129 D1
Échenans 25. ... 142 B1
Échenans-sous-Mont-Vaudois 70. ... 142 B1
Échenay 52. ... 92 C2
Échenevex 01. ... 177 F3
Échenon 21. ... 159 D1
Échenoz-la-Méline 70. ... 141 E1
Échenoz-le-Sec 70. ... 141 E1
Échery 68. ... 96 B1
Les Échets 01. ... 193 D3
Échevanne 70. ... 140 B2
Échevannes 21. ... 139 E2
Échevannes 25. ... 160 A1
Échevis 26. ... 230 A4
Échevronne 21. ... 158 A1
Échigey 21. ... 139 E4
Échillais 17. ... 181 D3
Échilleuses 45. ... 111 D1
Échinghen 62. ... 2 A4
Échiré 79. ... 164 C3
Échirolles 38. ... 230 C1
Échouboulains 77. ... 88 A2
Échourgnac 24. ... 219 F1
Eckartswiller 67. ... 70 B2
Eckbolsheim 67. ... 71 D3
Eckmühl (Phare d') 29. ... 98 A2
Eckwersheim 67. ... 71 D2
Éclaibes 59. ... 10 B2
Éclaires 51. ... 66 A1
Éclance 10. ... 91 E3
Éclans 39. ... 159 E1
Éclaron 52. ... 91 F1
Éclassan 07. ... 228 C1
Écleux 39. ... 159 F2
Éclimeux 62. ... 7 D2
Éclose 38. ... 211 F2
Écluse (Défilé de l') 01. ... 195 D1
Éclusier-Vaux 80. ... 19 D2
Écluzelles 28. ... 59 E4
Écly 08. ... 38 A1
Écoche 42. ... 191 F1
Écoivres 62. ... 7 E3
École 25. ... 141 D4
École 73. ... 213 E1
Écollemont 51. ... 91 E1
Écoman 41. ... 109 D3
Écommoy 72. ... 107 D3
Écomusée de Haute-Alsace 68. ... 120 B1
Écoquenéauville 50. ... 25 E4
Écorcei 61. ... 57 F4
Les Écorces 25. ... 142 C4
Écorches 61. ... 56 C3
Écordal 08. ... 38 C1
Écorpain 72. ... 107 F2
Écos 27. ... 33 D4
Écot 25. ... 142 B2
Écot-la-Combe 52. ... 92 C4
Écotay-l'Olme 42. ... 209 D2
Écots 14. ... 56 C2
Écouché 61. ... 56 B4
Écouen 95. ... 61 D2
Écouflant 49. ... 128 B2
Écouis 27. ... 32 C4

Écourt-Saint-Quentin 62. ... 8 C3
Écoust-Saint-Mein 62. ... 8 B4
Écouves (Forêt d') 61 ... 82 C1
Écouviez 55. ... 40 B1
L'Écouvotte 25. ... 141 F3
Écoyeux 17. ... 182 B4
Ecquedecques 62. ... 7 F1
Ecques 62. ... 3 E4
Ecquetot 27. ... 32 A4
Ecquevilly 78. ... 60 B2
Écrainville 76. ... 14 C3
Les Écrennes 77. ... 88 A2
Écretteville-lès-Baons 76. ... 15 E3
Écretteville-sur-Mer 76. ... 15 D2
Écriennes 51. ... 65 E4
Écrille 39. ... 176 C2
Écromagny 70. ... 119 D3
Écrosnes 28. ... 85 F1
Écrouves 54. ... 67 F4
Ectot-l'Auber 76. ... 15 F3
Ectot-lès-Baons 76. ... 15 F3
Écublé 28. ... 85 D1
Écueil 51. ... 37 E4
Écueillé 36. ... 151 E1
Écuélin 59. ... 10 B2
Écuelle 70. ... 140 A1
Écuelles 77. ... 88 A3
Écuelles 71. ... 158 B2
Écuillé 49. ... 128 B1
Écuires 62. ... 6 B2
Écuisses 71. ... 157 E4
Écuillé 50. ... 24 B2
Éculy 69. ... 192 C4
Écuras 16. ... 202 B1
Écurat 17. ... 181 F4
Écurcey 25. ... 142 C2
Écurey-en-Verdunois 55. ... 40 A2
Écurie 62. ... 8 B3
Écury-le-Repos 51. ... 64 A3
Écury-sur-Coole 51. ... 64 C2
Écutigny 21. ... 157 F1
Écuvilly 60. ... 19 E3
Edern 29. ... 75 D4
Édon 16. ... 202 A3
Les Éduts 17. ... 182 C2
Eecke 59. ... 4 A3
Effiat 63. ... 189 F2
Effincourt 52. ... 92 B2
Effry 02. ... 21 E2
Égat 66. ... 310 C3
Égleny 89. ... 113 D4
Égletons 19. ... 205 E3
Égligny 77. ... 88 B2
Eglingen 68. ... 120 B3
L'Église-aux-Bois 19. ... 204 C1
Église-Neuve-de-Vergt 24. ... 220 C2
Église-Neuve-d'Issac 24. ... 220 A3
Égliseneuve-d'Entraigues 63 ... 206 C3
Égliseneuve-des-Liards 63. ... 208 A2
Égliseneuve-près-Billom 63 ... 208 A1
Les Églises d'Argenteuil 17. ... 182 B2
Églisolles 63. ... 209 D3
Les Églisottes-et-Chalaures 33 ... 219 D2
Égly 91. ... 86 C1
Égreville 77. ... 112 A1
Égriselles-le-Bocage 89. ... 112 C1
Égry 45. ... 111 D1
Eguelshardt 57. ... 44 C4
Eguenigue 90. ... 119 F4
L'Éguille 17. ... 181 D4
Éguilles 13. ... 284 C2
Éguilly 21. ... 138 A4
Éguilly-sous-Bois 10. ... 115 D1
Eguisheim 68. ... 96 B4
Éguzon 36. ... 168 C3
Éguzon (Barrage d') 36. ... 168 C3
Éhuns 70. ... 118 C3
Eichhoffen 67. ... 96 C1
Eincheville 57. ... 69 D1
Einvaux 54. ... 94 C1
Einville-au-Jard 54. ... 68 C4
Eix 55. ... 40 B4
Élan 08. ... 22 C4
Élancourt 78. ... 60 B4
Elbach 68. ... 120 A3
Elbeuf 76. ... 32 A3
Elbeuf-en-Bray 76. ... 33 E2
Elbeuf-sur-Andelle 76. ... 32 C2
Élencourt 60. ... 17 E4
Élesmes 59. ... 10 C1
Életot 76. ... 15 D2
Éleu-Dit-Leauwette 62. ... 8 B2
Élincourt-Sainte-Marguerite 60 ... 35 E1
Élisabethville 78. ... 60 A2
Élise-Daucourt 51. ... 65 F1
Elizaberry 64. ... 270 C3
Ellecourt 76. ... 17 D3
Elliant 29. ... 99 D1
Ellon 14. ... 29 D4
Elne 66. ... 313 D2
Elnes 62. ... 3 D4
Éloie 90. ... 119 F4
Éloise 74. ... 194 C1
Éloyes 88. ... 119 D1
Elsenheim 67. ... 96 C3
Elvange 57. ... 68 C1
Elven 56. ... 101 E3
Elzange 57. ... 42 A2
Émagny 25. ... 140 C3
Émalleville 27. ... 58 C1
Émancé 78. ... 85 F1
Émanville 76. ... 15 F3
Émanville 27. ... 58 B1
Embermémil 54. ... 95 F2
Embourie 16. ... 183 D2
Embres-et-Castelmaure 11. ... 303 E4

Embreville 80. ... 17 D1
Embrun 05. ... 250 B2
Embry 62. ... 6 C1
Émerainville 77. ... 61 E3
Émerchicourt 59. ... 9 D2
Émeringes 69. ... 175 D4
Éméville 60. ... 35 F3
Émiéville 14. ... 29 F4
Emlingen 68. ... 120 B3
Emmerin 59. ... 8 C1
Émondeville 50. ... 25 D4
Empeaux 31. ... 276 A3
Empurany 07. ... 228 B2
Empuré 16. ... 183 E2
Empury 58. ... 136 C3
Encausse 32. ... 275 F1
Encausse-les-Thermes 31. ... 299 D3
Enchanet (Barrage d') 15. ... 223 F2
Enchastrayes 04. ... 250 C3
Enchenberg 57. ... 44 B4
L'Enclave-de-la-Martinière 79 ... 165 E4
Encourtiech 09. ... 300 A3
Encrenaz (Col de l') 74. ... 178 C4
Endoufielle 32. ... 275 F3
Énencourt-le-Sec 60. ... 33 F3
Énencourt-Léage 60. ... 33 F3
Enfer (Gouffre d') 42. ... 210 A3
Enfer (Portes d') 86. ... 167 E4
Enfonvelle 52. ... 117 F2
Engarran (Château de l') 34. ... 281 D2
Engayrac 47. ... 256 C1
Engayresque (Col d') 12. ... 261 E1
Engente 10. ... 91 F4
Enghien-les-Bains 95. ... 61 D2
Engins 38. ... 230 B1
Englancourt 02. ... 21 D2
Englebelmer 80. ... 18 C1
Englefontaine 59. ... 9 F4
Englesqueville-en-Auge 14. ... 30 B3
Englesqueville-la-Percée 14. ... 27 F2
Englos 59. ... 4 B4
Engomer 09. ... 299 F4
Engraviès 09. ... 301 E3
Enguinegatte 62. ... 7 E1
Engwiller 67. ... 71 D1
Ennemain 80. ... 19 E3
Ennery 57. ... 41 F3
Ennery 95. ... 60 C1
Ennetières-en-Weppes 59. ... 4 B4
Ennevelin 59. ... 9 D1
Ennezat 63. ... 189 F3
Ennordres 18. ... 134 A3
Enquin-les-Mines 62. ... 7 E1
Enquin-sur-Baillons 62. ... 6 C1
Ens 65. ... 307 E4
Ensérune (Oppidum d') 34. ... 304 C1
Ensigné 79. ... 182 C2
Ensisheim 68. ... 120 C1
Ensuès-la-Redonne 13. ... 284 B4
Entrages 04. ... 267 F2
Entraigues 38. ... 231 D3
Entraigues 63. ... 189 F3
Entraigues-sur-la-Sorgue 84. ... 265 D3
Entrains-sur-Nohain 58. ... 135 F2
Entrammes 53. ... 105 D2
Entrange 57. ... 41 E2
Entraunes 06. ... 268 C1
Entraygues-sur-Truyère 12. ... 242 B2
Entre-deux-Eaux 88. ... 95 F3
Entre-deux-Guiers 38. ... 212 C3
Entre-deux-Monts 39. ... 177 E1
Entrecasteaux 83. ... 286 C2
Entrechaux 84. ... 265 E1
Entremont 74. ... 196 A2
Entremont-le-Vieux 73. ... 213 D2
Entrepierres 04. ... 267 E1
Entressen 13. ... 284 A2
Entrevaux 04. ... 269 D3
Entrevennes 04. ... 267 E3
Entrevernes 74. ... 195 F4
Entzheim 67. ... 71 D4
Enval 63. ... 189 E3
Enveitg 66. ... 310 C4
Envermeu 76. ... 16 B2
Envronville 76. ... 15 E3
Eoulx 04. ... 268 B4
Éourres 05. ... 266 C1
Éoux 31. ... 299 E1
Épagne 10. ... 91 D3
Épagne-Épagnette 80. ... 17 E1
Épagny 21. ... 139 E2
Épagny 74. ... 195 E2
Épagny 02. ... 36 A2
Épaignes 27. ... 31 D3
Épaney 14. ... 56 B2
Épannes 79. ... 164 B4
Éparcy 02. ... 21 E2
Les Éparges 55. ... 67 D1
Épargnes 17. ... 199 D2
Les Éparres 38. ... 211 F2
Épau (Abbaye de l') 72 ... 107 D2
Épaumesnil 80. ... 17 E2
Épaux-Bézu 02. ... 62 C1
Épautrolles 28. ... 85 D3
Épécamps 80. ... 18 A1
Épégard 27. ... 31 F4
Épehy 80. ... 19 F1
Épeigné-les-Bois 37. ... 131 F4
Épeigné-sur-Dême 37. ... 130 C1
Épénancourt 80. ... 19 E3
Épenède 16. ... 184 B2
Épenouse 25. ... 141 F4
Épenoy 25. ... 161 D1
Épense 51. ... 65 F2
Épercieux-Saint-Paul 42. ... 191 F4
Éperlecques 62. ... 3 D3
Épernay 51. ... 64 A1

Épernay-sous-Gevrey 21. ... 139 E4
Épernon 28. ... 85 F1
Éperrais 61. ... 83 F2
Épersy 73. ... 195 D4
Épertully 71. ... 157 F2
Épervans 71. ... 158 A4
Les Epesses 85. ... 146 C3
Épeugney 25. ... 160 B1
Epfig 67. ... 96 C1
Épiais 41. ... 109 D4
Épiais-lès-Louvres 95. ... 61 E1
Épiais-Rhus 95. ... 60 B1
Épieds 02. ... 63 D1
Épieds 27. ... 59 E2
Épieds 49. ... 148 B1
Épieds-en-Beauce 45. ... 109 F2
Épierre 73. ... 213 F2
Épiez-sur-Chiers 54. ... 40 B1
Épiez-sur-Meuse 55. ... 93 E1
Épinac 71. ... 157 E2
Épinal 88. ... 94 C4
Épinant 52. ... 117 D2
Épinay 27. ... 57 F2
Épinay-Champlâtreux 95. ... 61 D1
L'Épinay-le-Comte 61. ... 81 D2
Épinay-sous-Sénart 91. ... 61 E4
Épinay-sur-Duclair 76. ... 15 F4
Épinay-sur-Odon 14. ... 55 E1
Épinay-sur-Orge 91. ... 61 D4
Épinay-sur-Seine 93. ... 61 D2
L'Épine 51. ... 65 D2
L'Épine 85. ... 144 A3
Épine (Col de l') 73. ... 212 C1
L'Épine-aux-Bois 02. ... 63 D3
Épineau-les-Voves 89. ... 113 D2
Épineuil 89. ... 114 A3
Épineuil-le-Fleuriel 18. ... 170 C1
Épineuse 60. ... 35 D2
Épineux-le-Seguin 53. ... 105 F2
Épiniac 35. ... 79 E1
Épinonville 55. ... 39 F3
Épinouze 26. ... 211 D4
Épinoy 62. ... 9 D3
Épire 49. ... 128 B3
Épiry 58. ... 155 F1
Épisy 77. ... 87 F3
Épizon 52. ... 92 C3
Éplessier 80. ... 17 F3
Épluches 95. ... 60 C1
Éply 54. ... 68 A2
Époisses 21. ... 137 E2
Épône 78. ... 60 A2
Épothémont 10. ... 91 E2
Épouville 76. ... 14 B4
Époye 51. ... 38 A3
Eppe-Sauvage 59. ... 10 C3
Eppes 02. ... 37 D1
Eppeville 80. ... 19 F4
Epping 57. ... 43 F4
Épretot 76. ... 14 C4
Épreville 76. ... 14 C2
Épreville-en-Lieuvin 27. ... 31 D4
Épreville-en-Roumois 27. ... 31 F3
Épreville-près-le-Neubourg 27. ... 58 B1
Épron 14. ... 29 E4
Eps 62. ... 7 E2
Épuisay 41. ... 108 B3
Équancourt 80. ... 19 F1
Équemauville 14. ... 30 C2
Équennes-Éramecourt 80. ... 17 F3
Équeurdreville-Hainneville 50. ... 24 C2
Équevillé 70. ... 118 D3
Équevilon 39. ... 160 B4
Équihen-Plage 62. ... 2 A4
Équilly 50. ... 54 A3
Équirre 62. ... 7 E2
Éragny 95. ... 60 B2
Éragny-sur-Epte 60. ... 33 E3
Eraines 14. ... 56 B2
Éramecourt 80. ... 17 F3
Éraville 16. ... 201 D2
Erbajolo 2B. ... 317 E1
Erbalunga 2B. ... 315 F1
Erbéviller-sur-Amezule 54. ... 68 C3
Erbray 44. ... 104 A4
Erbrée 35. ... 104 B1
Ercé 09. ... 300 B4
Ercé-en-Lamée 35. ... 103 E3
Ercé-près-Liffré 35. ... 79 F3
Erceville 45. ... 86 B4
Erches 80. ... 19 D4
Ercheu 80. ... 19 E4
Erchin 59. ... 9 D3
Erching 57. ... 43 F4
Erckartswiller 67. ... 70 B1
Ercourt 80. ... 17 D1
Ercuis 60. ... 34 B4
Erdeven 56. ... 100 B4
Éréac 22. ... 78 A3
Ergersheim 67. ... 70 C3
Ergnies 80. ... 17 F1
Ergny 62. ... 6 C1
Ergué-Gabéric 29. ... 73 F4
Érigné 49. ... 128 B3
Érin 62. ... 7 E2
Éringes 21. ... 138 A1
Eringhem 59. ... 3 E3
Ériseul 52. ... 116 B3
Érize-la-Brûlée 55. ... 66 B3
Érize-la-Grande 55. ... 66 B3
Érize-la-Petite 55. ... 66 B3
Érize-Saint-Dizier 55. ... 66 B3
Erlon 02. ... 21 D4
Erloy 02. ... 21 D2
Ermenonville 60. ... 61 F1
Ermenonville-la-Grande 28. ... 85 D3

Ermenonville-la-Petite 28. ... 85 D4
Ermenouville 76. ... 15 E2
Ermitage-du-Frère-Joseph 88. ... 119 C2
Ermont 95. ... 60 C2
Ernecourt 55. ... 66 C4
Ernée 53. ... 80 C3
Ernemont-Boutavent 60. ... 33 E1
Ernemont-la-Villette 76. ... 33 E2
Ernemont-sur-Buchy 76. ... 32 C1
Ernes 14. ... 56 B1
Ernestviller 57. ... 43 D4
Ernolsheim-Bruche 67. ... 70 C3
Ernolsheim-lès-Saverne 67. ... 70 B2
Erny-Saint-Julien 62. ... 7 E1
Érôme 26. ... 229 D1
Érondelle 80. ... 17 E1
Érone 2B. ... 315 E3
Éroudeville 50. ... 25 D3
Erp 09. ... 300 A3
Erquery 60. ... 34 C2
Erquières 62. ... 7 D3
Erquinghem-le-Sec 59. ... 4 B4
Erquinghem-Lys 59. ... 4 B4
Erquinvillers 60. ... 34 C2
Erquy 22. ... 52 A4
Err 66. ... 310 C4
Erre 59. ... 9 E3
Errevet 70. ... 119 E4
Errouville 54. ... 41 D2
Ersa 2B. ... 314 A1
Erstein 67. ... 97 D1
Erstroff 57. ... 69 E1
Ervauville 45. ... 112 B1
Erviller 62. ... 8 B4
Ervy-le-Châtel 10. ... 114 A2
Esbareich 65. ... 298 C4
Esbarres 21. ... 158 C1
Esbly 77. ... 61 F3
Esboz-Brest 70. ... 118 C3
Escala 65. ... 298 B2
Escalans 40. ... 255 D3
Les Escaldes 66. ... 310 C3
L'Escale 04. ... 267 E2
Escalette (Pas de l') 34. ... 261 F4
Escalles 62. ... 2 B2
Escalquens 31. ... 277 D3
Escames 60. ... 33 E1
Escamps 89. ... 113 D3
Escamps 46. ... 240 B4
Escandolières 12. ... 242 A3
Escanecrabe 31. ... 299 D1
Escardes 51. ... 63 D4
L'Escarène 06. ... 289 E3
Escarmain 59. ... 9 F4
Escaro 66. ... 311 E3
Escassefort 47. ... 237 F2
Escatalens 82. ... 257 E3
Escaudain 59. ... 9 E3
Escaudes 33. ... 236 C4
Escaudœuvres 59. ... 9 D4
Escaufour 59. ... 20 B1
Escaunets 65. ... 273 E4
Escautpont 59. ... 9 F2
Escazeaux 82. ... 257 D4
Eschau 67. ... 71 D4
Eschbach 67. ... 71 D1
Eschbach-au-Val 68. ... 96 A4
Eschbourg 67. ... 70 B1
Eschène-Autrage 90. ... 120 A4
Eschentzwiller 68. ... 120 C2
Escherange 57. ... 41 E2
Esches 60. ... 34 A4
Eschwiller 67. ... 70 A1
Esclagne 09. ... 301 E3
Esclainvillers 80. ... 18 B4
Esclanèdes 48. ... 244 A3
Esclangon 04. ... 250 A4
Esclassan-Labastide 32. ... 274 C4
Esclauzels 46. ... 240 B4
Esclavelles 76. ... 16 C3
Esclavolles-Lurey 51. ... 89 E1
Escles 88. ... 94 B4
Escles-Saint-Pierre 60. ... 17 E4
Esclimont 28. ... 86 A2
Esclottes 47. ... 237 E1
Escobecques 59. ... 4 B4
Escœuilles 62. ... 2 C2
Escoire 24. ... 221 D1
Escolives-Sainte-Camille 89. ... 113 E4
Escombres-et-le-Chesnois 08 ... 23 E4
Esconac 33. ... 236 A1
Escondeaux 65. ... 274 A4
Esconnets 65. ... 298 A4
Escorailles 15. ... 223 F1
Escornebœuf 32. ... 275 E2
Escorpain 28. ... 58 C4
Escos 64. ... 271 F3
Escosse 09. ... 300 C2
Escot 64. ... 296 B2
Escots 65. ... 298 B2
Escou 64. ... 296 B2
Escoubès 64. ... 273 E3
Escoubès-Pouts 65. ... 297 F2
Escoublère (Manoir de l') 53. ... 105 E4
Escoulis 31. ... 299 F2
Escouloubre 11. ... 311 D1
Escource 40. ... 252 C1
Escoussans 33. ... 236 C1
Escoussens 81. ... 278 B3
Escoutoux 63. ... 190 B4
Escoville 14. ... 29 F4
Escragnolles 06. ... 269 D4
Escrennes 45. ... 110 C1
Escrignelles 45. ... 112 A4
Escrinet (Col de l') 07. ... 246 B1
Escroux 81. ... 279 D1

Escurès 64. ... 273 E3
Escures-sur-Favières 14. ... 56 B1
Escurolles 03. ... 189 F1
Ésery 74. ... 195 F1
Eslettes 76. ... 32 A1
Esley 88. ... 94 A4
Eslourenties-Daban 64. ... 273 E4
Esmans 77. ... 88 A3
Esmery-Hallon 80. ... 19 F4
Esmoulières 70. ... 119 D3
Esmoulins 70. ... 140 B3
Esnandes 17. ... 163 E4
Esnans 25. ... 141 F3
Esnes 59. ... 20 A1
Esnes-en-Argonne 55. ... 40 A4
Esnoms-au-Val 52. ... 116 B4
Esnon 89. ... 113 E2
Esnouveaux 52. ... 116 C1
Espagnac 19. ... 223 D1
Espagnac-Sainte-Eulalie 46 ... 240 C2
Espagnols (Pointe des) 29 ... 47 E3
Espalais 82. ... 256 C2
Espalem 43. ... 207 F4
Espalion 12. ... 242 C3
Espaly-Saint-Marcel 43. ... 227 D2
Espanès 31. ... 276 C3
Espaon 32. ... 275 E4
Esparron 05. ... 249 D3
Esparron 31. ... 299 E1
Esparron 83. ... 285 F2
Esparron-de-Verdon 04. ... 286 A1
Esparron-la-Bâtie 04. ... 249 F4
Esparros 65. ... 298 B3
Esparsac 82. ... 257 D4
Espartignac 19. ... 204 B3
Espas 32. ... 255 D4
Espaubourg 60. ... 33 F2
Espèche 65. ... 298 B2
Espéchède 64. ... 273 E4
Espédaillac 46. ... 240 C2
Espelette 64. ... 270 C4
Espeluche 26. ... 247 D2
Espenel 26. ... 247 F1
Espérausses 81. ... 279 D1
Espéraza 11. ... 302 B4
Esperce 31. ... 300 C1
L'Espérou 30. ... 262 B2
Espès-Undurein 64. ... 295 F1
Espeyrac 12. ... 242 B2
Espeyroux 46. ... 241 D1
Espezel 11. ... 310 C1
Espiells 65. ... 298 A4
Espiens 47. ... 255 F1
Espiet 33. ... 218 C4
Espinas 82. ... 258 C1
Espinasse 15. ... 225 D4
Espinasse 63. ... 188 C2
Espinasse-Vozelle 03. ... 189 F1
Espinasses 05. ... 249 F2
Espinchal 63. ... 207 D3
Espinouse 04. ... 267 E2
Espins 14. ... 55 F1
Espira-de-Conflent 66. ... 311 F2
Espira-de-l'Agly 66. ... 312 C1
Espirat 63. ... 190 A4
Espiute 64. ... 271 F4
Esplantas 43. ... 226 B3
Esplas 09. ... 300 C2
Esplas-de-Sérou 09. ... 300 B3
Espoey 64. ... 297 E1
Espondeilhan 34. ... 280 B3
Esprels 70. ... 141 F1
Esquay-Notre-Dame 14. ... 55 F1
Esquay-sur-Seulles 14. ... 29 D3
Esquéhéries 02. ... 10 A4
Esquelbecq 59. ... 3 F2
Esquennoy 60. ... 18 A4
Esquerchin 59. ... 8 C2
Esquerdes 59. ... 3 D4
Esquibien 29. ... 72 C3
Esquièze-Sère 65. ... 297 F4
Esquillon (Pointe de l') 06 ... 288 A4
Esquiule 64. ... 296 A1
Essalois (Château d') 42. ... 209 F3
Les Essards 16. ... 219 E1
Les Essards 17. ... 181 E4
Les Essards 37. ... 130 A3
Les Essards-Taignevaux 39. ... 159 D3
Essarois 21. ... 115 F4
Essars 62. ... 8 A1
Les Essarts 41. ... 107 F4
Les Essarts 76. ... 32 A3
Les Essarts 85. ... 146 A4
Les Essarts 27. ... 58 B3
Les Essarts-le-Roi 78. ... 60 B4
Les Essarts-le-Vicomte 51. ... 63 E4
Les Essarts-lès-Sézanne 51. ... 63 E4
Les Essarts-Varimpré 76. ... 16 C2
Essavilly 39. ... 160 B3
Essay 61. ... 83 D1
Esse 16. ... 184 C2
Essé 35. ... 103 F2
Essegney 88. ... 94 B2
Les Esseintes 33. ... 237 D2
Essert 90. ... 119 F4
Essert 74. ... 196 C1
Essert-Romand 74. ... 178 C4
Essertaux 80. ... 18 A4
Essertenne 71. ... 157 F4
Essertenne-et-Cecey 70. ... 140 A3
Essertines-en-Châtelneuf 42. ... 209 E2
Essertines-en-Donzy 42. ... 192 A4
Esserts-Blay 73. ... 214 A1
Esserts-Salève 74. ... 195 F1
Esserval-Combe 39. ... 160 B3
Esserval-Tartre 39. ... 160 B3
Essey 21. ... 138 B4
Essey-et-Maizerais 54. ... 67 E2
Essey-la-Côte 54. ... 94 B3

Essey-les-Eaux 52 .... 116 C1
Essey-lès-Nancy 54 ...... 68 B4
Essey-les-Ponts 52 ...... 115 F1
Essia 39 .... 176 C1
Essigny-le-Grand 02 .... 20 A3
Essigny-le-Petit 02. ..... 20 A3
Essises 02 .... 63 D2
Essômes-sur-Marne 02 ... 63 D1
Esson 14 .... 55 F2
Essoyes 10 .... 115 D1
Essuiles 60 .... 34 B2
Les Estables 43 .... 227 F3
Estables 48 .... 244 B1
Establet 26 .... 248 B2
Estadens 31 .... 299 E3
Estagel 66 .... 312 C1
Estaing 65 .... 297 E3
Estaing 12 .... 242 C2
Estaires 59 .... 4 A4
Estal 46 .... 223 D3
Estampes 32 .... 274 C4
Estampures 65 .... 274 B4
Estancarbon 31 .... 299 E2
Estandeuil 63 .... 208 A1
Estang 32 .... 254 C4
L'Estaque 13 .... 284 C4
Estarvielle 65 .... 298 B4
Estavar 66 .... 310 C4
Esteil 63 .... 208 A3
Estenc 06 .... 251 D4
Esténos 31 .... 299 D4
Estensan 65 .... 298 B4
Estérençuby 64 ...... 295 D2
Esternay 51 .... 63 E4
Esterre 65 .... 297 F4
Estevelles 62 ...... 8 C2
Esteville 76 .... 32 B1
Estézargues 30 ..... 264 B3
Estialescq 64 ...... 296 B1
Estibeaux 40 .... 271 F2
Estigarde 40 .... 254 C2
Estillac 47 .... 256 A2
Estipouy 32 .... 274 B2
Estirac 65 .... 273 F3
Estissac 10 .... 89 F4
Estivals 19 .... 222 B4
Estivareilles 42 ... 209 E3
Estivareilles 03 ... 170 C3
Estivaux 19 ...... 204 A4
Estoher 66 .... 311 F2
Estos 64 .... 296 B1
Estoublon 04 ..... 267 F3
Estouches 91 ..... 86 C3
Estourmel 59 ..... 9 E4
Estouteville-Écalles 76 .. 32 C1
Estouy 45 .... 87 D4
Estrablin 38 ..... 211 D2
Estramiac 32 .... 256 C4
Estrebay 08 ..... 22 A3
Estrébœuf 80 .... 6 A4
L'Estréchure 30 .. 262 C2
Estrée 62 .... 6 B1
Estrée-Blanche 62 . 7 E1
Estrée-Cauchy 62 . 8 A2
Estrée-Wamin 62 . 7 F3
Estréelles 62 .... 6 B1
Estrées 02 ..... 20 A2
Estrées 59 ..... 8 C3
Estrées-Deniécourt 80 ... 19 E3
Estrées-en-Chaussée 80 .. 19 F3
Estrées-la-Campagne 14 .. 56 A1
Estrées-lès-Crécy 80 ... 6 C3
Estrées-Saint-Denis 60 .. 35 D2
Estrées-sur-Noye 80 ... 18 B3
Estrennes 88 ..... 94 A3
Estreux 59 ..... 9 F3
Estrun 59 ..... 9 E3
Estry 14 ..... 55 D2
Esves-le-Moutier 37 ... 150 B2
Esvres 37 ..... 131 D4
Eswars 59 ..... 9 D4
Étable 73 ..... 213 E2
Étables 07 ..... 228 C2
Étables-sur-Mer 22 ... 51 D3
Étagnac 16 ..... 184 C3
Étaimpuis 76 ..... 16 A4
Étain 55 ..... 40 C4
Étaing 62 ..... 8 C3
Étainhus 76 ..... 14 C3
Étais 21 ..... 115 D4
Étais-la-Sauvin 89 ... 136 A4
Étalans 25 ..... 141 F4
Étalante 21 ..... 138 C1
Étalle 08 ..... 22 B3
Étalleville 76 ..... 15 F2
Étalon 80 ..... 19 E3
Étalondes 76 ..... 16 C1
Étampes 91 ..... 86 C2
Étampes-sur-Marne 02 .. 63 D1
L'Étang-Bertrand 50 ... 24 C3
L'Étang-la-Ville 78 ... 60 B3
Étang-sur-Arroux 71 ... 156 C3
L'Étang-Vergy 21 ... 158 A1
Les Étangs 57 ..... 42 A4
Étaples 62 ..... 6 B1
Étaule 89 ..... 137 D2
Étaules 21 ..... 139 D3
Étaules 17 ..... 180 C4
Étauliers 33 ..... 217 E1
Étaves-et-Bocquiaux 02 .. 20 B2
Étavigny 60 ..... 62 A1
Etcharry 64 ..... 271 F4
Etchebar 64 ..... 295 F2
Éteaux 74 ..... 195 F1
Éteignières 08 ..... 22 A2
Éteimbes 68 ..... 120 A3
Étel 56 ..... 100 B4
Ételfay 80 ..... 18 C4
L'Ételon 03 ..... 170 C1
Étercy 74 ..... 195 D3

Éternoz 25 ..... 160 B2
Éterpigny 80 ..... 19 E2
Éterpigny 62 ..... 8 C3
Éterville 14 ..... 29 E4
Étevaux 21 ..... 139 F3
Eth 59 ..... 10 A1
Étienville 50 ..... 25 D4
Étigny 89 ..... 112 C1
Les Étilleux 28 ..... 84 A4
Étinehem 80 ..... 19 D2
Étiolles 91 ..... 87 E1
Étival 39 ..... 177 D2
Étival-Clairefontaine 88 .. 95 F2
Étivey 89 ..... 137 E1
Étobon 70 ..... 119 E4
Étoges 51 ..... 63 F3
L'Étoile 39 ..... 159 E4
L'Étoile 80 ..... 17 F1
Étoile-Saint-Cyrice 05 ... 248 C4
Étoile-sur-Rhône 26 ... 229 D4
Éton 55 ..... 40 C3
Étormay 21 ..... 138 B1
Étouars 24 ..... 202 B2
Étourvy 10 ..... 114 B2
Étoutteville 76 ..... 15 E3
Étouvans 25 ..... 142 B2
Étouvelles 02 ..... 36 C1
Étouy 60 ..... 34 C2
Étrabonne 25 ..... 140 C4
Étrappe 25 ..... 142 A2
L'Étrat 42 ..... 210 A3
Étray 25 ..... 161 D1
Étraye 55 ..... 40 A3
Étréaupont 02 ..... 21 E2
Étrechet 36 ..... 152 A4
Étréchy 18 ..... 154 A1
Étréchy 51 ..... 64 A3
Étréchy 91 ..... 86 C2
Étréham 14 ..... 28 C3
Étreillers 02 ..... 19 F3
Étréjust 80 ..... 17 E2
Étrelles 35 ..... 104 B1
Étrelles-et-la-Montbleuse 70. 140 C3
Étrelles-sur-Aube 10 ... 89 F1
Étrembières 74 ..... 178 A4
Étrépagny 27 ..... 33 D3
Étrepigney 39 ..... 159 F1
Étrépigny 08 ..... 22 C4
Étrépilly 77 ..... 62 A1
Étrépilly 02 ..... 62 C1
Étrepy 51 ..... 65 F3
Étretat 76 ..... 14 B2
Étreux 02 ..... 10 A4
Étreval 54 ..... 94 A2
Étréville 27 ..... 31 E3
Étrez 01 ..... 176 A3
Étriac 16 ..... 201 D2
Étricourt-Manancourt 80 .. 19 E1
Étrigny 71 ..... 175 D1
Étrochey 21 ..... 115 D3
Étrœungt 59 ..... 10 B4
Étroitefontaine 70 ... 142 A1
Étroussat 03 ..... 189 F1
Étrun 62 ..... 8 A3
Etsaut 64 ..... 296 B4
Ettendorf 67 ..... 70 C1
Etting 57 ..... 44 A4
Étueffont 90 ..... 119 F4
Étupes 25 ..... 142 C1
Éturqueraye 27 ..... 31 E3
Étusson 79 ..... 147 F2
Étuz 70 ..... 141 D3
Etzling 57 ..... 43 D4
Eu 76 ..... 16 C1
Euffigneix 52 ..... 116 A1
Eugénie-les-Bains 40 ... 273 D1
Euilly-et-Lombut 08 ... 23 E4
Eulmont 54 ..... 68 B3
Eup 31 ..... 299 D4
Eurre 26 ..... 229 E4
Eurville-Bienville 52 ... 92 A1
Eus 66 ..... 311 F2
Euvezin 54 ..... 67 F2
Euville 55 ..... 67 D3
Euvy 51 ..... 64 A4
Euzet 30 ..... 263 F2
Évaillé 72 ..... 107 F3
Évans 39 ..... 140 C4
Évaux-et-Ménil 88 ... 94 B3
Évaux-les-Bains 23 ... 188 A4
Ève 60 ..... 61 F1
Évecquemont 78 ..... 60 B2
Évenos 83 ..... 291 F3
Évergnicourt 02 ..... 37 F2
Everly 77 ..... 88 C2
Évette-Salbert 90 ..... 119 F4
Éveux 69 ..... 192 B4
Évian-les-Bains 74 ... 178 C2
Évigny 08 ..... 22 C4
Évillers 25 ..... 160 C2
Évin-Malmaison 62 ... 8 C2
Évires 74 ..... 195 F2
Évisa 2A 316 B1
Évosges 01 ..... 194 A2
Évran 22 ..... 78 C2
Évrange 57 ..... 41 F1
Évrecy 14 ..... 55 F1
Évres 55 ..... 66 A2
Évricourt 60 ..... 35 F1
Évriguet 56 ..... 102 A1
Évron 53 ..... 81 F4
Évry 91 ..... 87 E1
Évry 89 ..... 88 C4
Évry-Grégy-sur-Yerres 77 .. 87 E1
Excenevex 74 ..... 178 B3
Excideuil 24 ..... 203 E4

Exermont 08 .... 39 E3
Exideuil 16 .... 184 C3
Exincourt 25 .... 142 C1
Exireuil 79 .... 165 E3
Exmes 61 .... 57 D4
Exoudun 79 .... 165 E4
Expiremont 17 .... 199 F4
Eybens 38 .... 230 C1
Eybouleuf 87 .... 186 A3
Eyburie 19 .... 204 B3
Eycheil 09 .... 300 A3
Eydoche 38 .... 212 A3
Eygalayes 26 .... 266 B1
Eygalières 13 .... 284 A1
Eygaliers 26 .... 265 F1
Eygliers 05 .... 250 C1
Eygluy-Escoulin 26 .... 229 F4
Eyguians 05 .... 249 D4
Eyguières 13 .... 284 A1
Eygurande 19 .... 206 A1
Eygurande-Gardedeuil 24 .. 219 E2
Eyharce 64 .... 295 D1
Eyjeaux 87 .... 186 A4
Eyliac 24 .... 221 D1
Eymet 24 .... 238 A1
Eymeux 26 .... 229 F2
Eymouthiers 16 .... 202 B1
Eymoutiers 87 .... 204 C1
Eyne 66 .... 311 D3
Eyne 2600 66 .... 311 D3
Eynesse 33 .... 219 E4
Eyrans 33 .... 217 E1
Eyrein 19 .... 205 D1
Eyrenville 24 .... 238 B1
Eyres-Moncube 40 .... 272 B1
Eyrignac (Jardins d') 24 .. 221 F3
Eyroles 26 .... 247 F3
Eysines 33 .... 217 D3
Eysson 25 .... 142 A4
Eysus 64 .... 296 B2
Eyvirat 24 .... 202 C4
Eywiller 67 .... 70 A1
Eyzahut 26 .... 247 E2
Eyzerac 24 .... 203 D3
Les Eyzies-de-Tayac 24 .. 221 E3
Eyzin-Pinet 38 .... 211 E3
Ézanville 95 .... 61 D1
Èze 06 .... 289 E4
Ézy-sur-Eure 27 .... 59 E3

F

Fa 11 .... 302 A4
Fabas 31 .... 275 E4
Fabas 82 .... 257 F4
Fabas 09 .... 300 A2
Fabras 07 .... 245 F1
Fabrègues 34 .... 281 E3
Fabrezan 11 .... 303 E2
Faches-Thumesnil 59 ... 8 C1
Fâchin 58 .... 156 B2
Facture 33 .... 235 D1
Fades (Viaduc des) 63 .. 188 C3
Fage (Gouffre de la) 19 .. 222 B2
La Fage-Montivernoux 48 .. 243 F1
La Fage-Saint-Julien 48 .. 225 F2
Fageole (Col de la) 15 .. 225 E2
Le Faget 31 .... 277 E2
Faget-Abbatial 32 .... 275 D3
Fagnières 51 .... 64 C2
Fagnon 08 .... 22 C4
Fahy-lès-Autrey 70 ... 140 A2
Failly 57 .... 41 F4
Faimbe 25 .... 142 B2
Fain-lès-Montbard 21 ... 138 A1
Fain-lès-Moutiers 21 ... 137 F1
Fains 27 .... 59 D2
Fains-la-Folie 28 .... 85 F4
Fains-les-Sources 55 ... 66 B3
Faissault 08 .... 38 C1
Fajac-en-Val 11 .... 302 C2
Fajac-la-Relenque 11 ... 301 E1
Fajoles 46 .... 222 A4
La Fajolle 11 .... 310 C1
Fajolles 82 .... 257 D3
Falaise 08 .... 39 D2
La Falaise 78 .... 60 A2
Falaise 14 .... 56 B2
Falck 57 .... 42 B3
Faleyras 33 .... 218 C4
Falga 31 .... 277 E3
Le Falgoux 15 .... 224 B1
Falgueyrat 24 .... 238 B1
Falicon 06 .... 288 C2
Falkwiller 68 .... 120 A3
Fallencourt 76 .... 17 D3
Fallerans 25 .... 160 C1
Falleron 85 .... 145 E3
Falletans 39 .... 159 E1
Fallières 88 .... 119 D1
Fallon 70 .... 142 A1
La Faloise 80 .... 18 B4
Fals 47 .... 256 A2
Falvy 80 .... 19 E3
Famars 59 .... 9 F3
Famechon 80 .... 17 F3
Famechon 62 .... 7 F4
Fameck 57 .... 41 F3
Familly 14 .... 57 E2
Fampoux 62 .... 8 B3
Fanget (Col du 04 ... 250 A4
Fanjeaux 11 .... 301 F2
Fanlac 24 .... 221 E2
Le Faou 29 .... 73 F1
Le Faouët 56 .... 99 F1
Le Faouët 22 .... 50 C2
Faramans 01 .... 193 E4

Faramans 38 .... 211 F3
Farbus 62 .... 8 B3
Farceaux 27 .... 33 D3
Farcheville (Château de) 91.. 87 D2
La Fare-en-Champsaur 05 .. 249 E1
La Fare-les-Oliviers 13 .. 284 C3
Farébersviller 57 .... 43 D4
Fareins 01 .... 192 C2
Faremoutiers 77 .... 62 B3
Farges 01 .... 195 D1
Les Farges 24 .... 221 F2
Farges-Allichamps 18 ... 153 E4
Farges-en-Septaine 18 ... 153 F2
Farges-lès-Chalon 71 ... 158 A3
Farges-lès-Mâcon 71 ... 175 D2
Fargniers 02 .... 20 A4
Fargues 46 .... 239 F4
Fargues 33 .... 236 B2
Fargues 40 .... 272 C1
Fargues-Saint-Hilaire 33 .. 217 F4
Fargues-sur-Ourbise 47 .. 255 F1
Farincourt 52 .... 117 E4
Farinole 2B 315 E1
La Farlède 83 .... 292 B2
Farnay 42 .... 210 B2
Faron (Mont) 83 .... 291 F3
Faronville 45 .... 86 B4
Farschviller 57 .... 43 D4
Fatines 72 .... 107 D1
Fatouville-Grestain 27 ... 30 C2
Le Fau 15 .... 224 B2
Fau-de-Peyre 48 .... 243 F1
Fauch 81 .... 259 F4
Faucigny 74 .... 195 F1
La Faucille (Col de) 01 .. 177 F3
Faucogney-et-la-Mer 70 .. 119 D3
Faucompierre 88 .... 95 E4
Faucon 84 .... 247 F4
Faucon-de-Barcelonnette 04. 250 C3
Faucon-du-Caire 04 ... 249 F3
Fauconcourt 88 .... 95 D2
Faucoucourt 02 .... 36 C1
Faudoas 82 .... 257 D4
Le Fauga 31 .... 276 B4
Faugères 07 .... 245 F3
Faugères 34 .... 280 B2
Fauguernon 14 .... 30 C4
Fauguerolles 47 .... 237 F3
Fauillet 47 .... 237 F3
Le Faulq 14 .... 30 C4
Faulquemont 57 .... 69 D1
Faulx 54 .... 68 B3
Faumont 59 .... 9 D2
Fauquembergues 62 ... 7 D1
La Faurie 05 .... 248 C2
Faurilles 24 .... 238 C1
Fauroux 82 .... 257 D1
Faussergues 81 .... 260 A3
La Faute-sur-Mer 85 ... 163 D3
Fauverney 21 .... 139 E4
Fauville 27 .... 58 C1
Fauville-en-Caux 76 ... 15 D3
Faux 08 .... 38 B1
Faux 24 .... 220 B4
Faux de Verzy 51 .... 38 A4
Faux-Fresnay 51 .... 90 A1
Faux-la-Montagne 23 ... 205 D1
Faux-Mazuras 23 .... 186 C3
Faux-Vésigneul 51 ... 64 C3
Faux-Villecerf 10 .... 89 F3
Favalello 2B 317 E1
Favars 19 .... 204 C4
La Favède 30 .... 263 D1
Faveraye-Mâchelles 49 .. 128 B4
Faverdines 18 .... 170 C1
Faverelles 45 .... 135 D1
Faverges 74 .... 195 F4
Faverges-de-la-Tour 38 .. 212 B1
Faverney 70 .... 118 B3
Faverois 90 .... 120 A4
Faverolles 80 .... 19 D4
Faverolles 36 .... 151 E1
Faverolles 15 .... 225 E3
Faverolles 28 .... 59 F4
Faverolles 61 .... 56 A4
Faverolles 02 .... 36 A4
Faverolles 52 .... 116 B2
Faverolles-et-Coëmy 51 .. 37 E4
Faverolles-la-Campagne 27 . 58 B2
Faverolles-lès-Lucey 21 .. 115 F3
Faverolles-les-Mares 27 .. 57 F1
Faverolles-sur-Cher 41 .. 131 F3
La Favière 83 .... 293 D2
La Favière 39 .... 160 B4
La Favière (Plage de) 83 . 293 D2
Favières 54 .... 93 F2
Favières 77 .... 61 F4
Favières 80 .... 6 B4
Favières 28 .... 84 C2
Favone 2A 319 E4
Favresse 51 .... 65 E4
Favreuil 62 .... 19 E1
Favrieux 78 .... 59 F2
Le Favril 27 .... 31 D4
Le Favril 59 .... 10 A3
Le Favril 28 .... 84 C2
Fay 80 .... 19 E2
Fay 61 .... 57 E4
Le Fay 71 .... 176 A1
Fay 72 .... 106 C2
Fay-aux-Loges 45 .... 110 C3
Fay-de-Bretagne 44 ... 126 A2
Fay-en-Montagne 39 ... 159 F4
Fay-le-Clos 26 .... 229 D1
Fay-les-Étangs 60 .... 33 F4
Fay-lès-Marcilly 10 ... 89 E3
Fay-lès-Nemours 77 ... 87 F2
Le Fay-Saint-Quentin 60 .. 34 B2
Fay-sur-Lignon 43 .... 227 F3

Faycelles 46 .... 241 D2
La Faye 16 .... 183 E2
Faye 41 .... 108 C4
La Faye (Pas de) 06 ... 287 F1
Faye-d'Anjou 49 .... 128 B3
La Faye-la-Vineuse 37 ... 149 E2
Faye-l'Abbesse 79 .... 148 A3
Faye-sur-Ardin 79 .... 164 C2
Le Fayel 60 .... 35 D3
Fayence 83 .... 287 E1
Fayet 12 .... 279 F1
Fayet 02 .... 20 A3
Le Fayet 74 .... 196 C2
Fayet-le-Château 63 ... 208 A1
Fayet-Ronaye 63 .... 208 B3
Fayl-Billot 52 .... 117 E3
Faymont 70 .... 142 A1
Faymoreau 85 .... 164 B2
Fays 88 .... 95 E4
Fays 52 .... 92 A2
Fays-la-Chapelle 10 ... 114 A1
Fayssac 81 .... 259 D3
Féas 64 .... 296 A2
Febvin-Palfart 62 .... 7 E1
Fécamp 76 .... 14 C2
Féchain 59 .... 9 D3
Fêche-l'Église 90 .... 120 A4
La Féclaz 73 .... 213 D1
Fécocourt 54 .... 94 A2
Fédry 70 .... 140 C1
Fegersheim 67 .... 71 D4
Fégréac 44 .... 125 E1
Feigères 74 .... 195 E1
Feigneux 60 .... 35 F4
Feignies 59 .... 10 B2
Feings 61 .... 83 F1
Feings 41 .... 132 A3
Feins 35 .... 79 E3
Feins-en-Gâtinais 45 ... 112 A4
Feissons-sur-Isère 73 ... 214 A1
Feissons-sur-Salins 73 ... 214 B2
Le Fel 12 .... 242 B1
Fel 61 .... 56 C3
Felce 2B 315 E4
Feldbach 68 .... 120 B4
Feldkirch 68 .... 120 B1
Feliceto 2B 314 C3
Félines 07 .... 210 C4
Félines 43 .... 208 C4
Félines-Minervois 34 ... 279 D4
Félines-sur-Rimandoule 26 .. 247 E2
Félines-Termenès 11 ... 303 D3
Felleries 59 .... 10 C3
Fellering 68 .... 120 A1
Felletin 23 .... 187 F3
Felluns 66 .... 311 F1
Fenain 59 .... 9 E2
Fénay 21 .... 139 E4
Fendeille 11 .... 301 F1
Fénery 79 .... 165 D1
Fénétrange 57 .... 69 F2
Feneu 49 .... 128 B2
Féneyrols 82 .... 258 C2
Féniers 23 .... 205 E1
Féniers (Abbaye de) 15 .. 206 C1
Fenioux 17 .... 181 F3
Fenioux 79 .... 164 C2
Le Fenouiller 85 .... 144 C4
Fenouillet 66 .... 311 F1
Fenouillet 31 .... 276 B2
Fenouillet (Sommet du) 83 . 292 B2
Fenouillet-du-Razès 11 ... 301 F2
Fépin 08 .... 11 F4
Fer à Cheval (Cirque du) 74 . 196 C1
Ferayola 2B 314 A4
Fercé 44 .... 103 F3
Fercé-sur-Sarthe 72 ... 106 B3
Ferdrupt 88 .... 119 E2
La Fère 02 .... 20 B4
Fère (Château de) 02 ... 36 C4
Fère-Champenoise 51 ... 64 A4
Fère-en-Tardenois 02 ... 36 C4
La Férée 08 .... 22 A3
Férel 56 .... 123 F3
Ferfay 62 .... 7 F1
Féricy 77 .... 87 F2
Férin 59 .... 8 C3
Fermanville 50 .... 25 D2
Ferme de Navarin
(Monument de la) 51... 38 C4
La Fermeté 58 .... 155 D2
Fernoël 63 .... 188 A4
Ferney-Voltaire 01 ... 177 F4
Férolles 45 .... 110 C3
Férolles-Attilly 77 .... 61 E4
Féron 59 .... 10 C4
Ferques 62 .... 2 B3
Ferrals-les-Corbières 11 .. 303 E2
Ferrals-les-Montagnes 34 .. 279 D4
Ferran 11 .... 302 C1
Ferrassières 26 .... 266 B1
Le Ferré 35 .... 80 A1
Ferrensac 47 .... 238 B1
Ferrère 65 .... 298 C3
Les Ferres 06 .... 269 F3
Ferrette 68 .... 120 C4
Ferreux 10 .... 89 E2
La Ferrière 37 .... 131 D1
La Ferrière 38 .... 213 E4
La Ferrière 22 .... 77 F4
La Ferrière 85 .... 146 A4
La Ferrière-au-Doyen 14 .. 55 D1
La Ferrière-au-Doyen 61 .. 57 E4

La Ferrière-aux-Étangs 61 .. 55 F4
La Ferrière-Béchet 61 ... 82 C1
La Ferrière-Bochard 61 ... 82 B2
La Ferrière-de-Flée 49 ... 104 C4
La Ferrière-Duval 14 ... 55 E2
La Ferrière-en-Parthenay 79 . 165 F1
Ferrière-et-Lafolie 52 ... 92 A2
La Ferrière-Harang 14 ... 55 D2
Ferrière-la-Grande 59 ... 10 B2
Ferrière-la-Petite 59 ... 10 C2
Ferrière-Larçon 37 ... 150 B2
Ferrière-sur-Beaulieu 37 ... 150 C1
La Ferrière-sur-Risle 27 ... 58 A2
Ferrières 65 .... 297 D3
Ferrières 74 .... 195 E2
Ferrières 45 .... 111 F2
Ferrières 80 .... 18 A2
Ferrières 17 .... 164 A4
Ferrières 54 .... 94 B1
Ferrières 50 .... 80 C1
Ferrières 60 .... 34 C1
Ferrières 81 .... 278 C2
Ferrières-en-Bray 76 ... 33 E2
Ferrières-en-Brie 77 ... 61 F3
Ferrières-Haut-Clocher 27 . 58 B2
Ferrières-la-Verrerie 61 ... 57 E4
Ferrières-le-Lac 25 ... 142 C3
Ferrières-les-Bois 25 ... 140 C4
Ferrières-les-Ray 70 ... 140 C1
Ferrières-lès-Scey 70 ... 118 A4
Ferrières-les-Verreries 34 . 262 C4
Ferrières-Poussarou 34 ... 279 F3
Ferrières-Saint-Hilaire 27 . 57 F1
Ferrières-Saint-Mary 15 ... 225 E1
Ferrières-sur-Ariège 09 ... 301 D4
Ferrières-sur-Sichon 03 ... 190 B2
Ferrussac 43 .... 226 A2
Fertans 25 .... 160 B2
La Ferté 39 .... 159 F2
La Ferté-Alais 91 .... 87 D2
La Ferté-Beauharnais 41 ... 133 D2
La Ferté-Bernard 72 ... 83 F4
La Ferté-Chevresis 02 ... 20 C4
La Ferté-Frênel 61 ... 57 E3
La Ferté-Gaucher 77 ... 62 C3
La Ferté-Hauterive 03 ... 172 B3
La Ferté-Imbault 41 ... 133 E3
La Ferté-Loupière 89 ... 112 C3
La Ferté-Macé 61 .... 81 F1
La Ferté-Milon 02 .... 36 A4
La Ferté-Saint-Aubin 45 ... 110 B4
La Ferté-Saint-Cyr 41 ... 132 C1
La Ferté-Saint-Samson 76 . 33 D1
La Ferté-sous-Jouarre 77 ... 62 B2
La Ferté-sur-Chiers 08 ... 40 A1
La Ferté-Vidame 28 ... 84 B1
La Ferté-Villeneuil 28 ... 109 D2
Fertrève 58 .... 155 F2
Fervaches 50 .... 54 C1
Fervaques 14 .... 57 D1
Fescamps 80 .... 19 D4
Fesches-le-Châtel 25 ... 142 C1
Fesmy-le-Sart 02 .... 10 A4
Fesques 76 .... 16 C3
Fessanvilliers-
Mattanvilliers 28 .... 58 B4
Fessenheim 68 .... 121 D1
Fessenheim-le-Bas 67 ... 70 C3
Fessevillers 25 .... 142 C3
Les Fessey 70 .... 119 D3
Fessy 74 .... 178 B4
Festalemps 24 .... 219 F1
Festes-et-Saint-André 11 . 302 A3
Festieux 02 .... 37 D1
Festigny 89 .... 136 B2
Festigny 51 .... 63 F1
Festre (Col du) 05 ... 249 D1
Le Fête 21 .... 157 E1
Féternes 74 .... 178 C2
Fétigny 39 .... 176 C2
Feucherolles 78 .... 60 B3
Feuchy 62 .... 8 B3
Feugarolles 47 .... 255 F1
Feuges 10 .... 90 B3
Feugères 50 .... 27 D4
Feuguerolles 27 .... 58 C1
Feuguerolles-sur-Orne 14 ... 55 F1
Feuguerolles-sur-Seulles 14 . 29 D4
Feuilla 11 .... 303 F4
Feuillade 16 .... 202 A2
La Feuillade 24 .... 222 A2
La Feuillée 29 .... 49 E4
Feuillères 80 .... 19 E2
La Feuillie 76 .... 33 D2
La Feuillie 50 .... 26 C4
Feule 25 .... 142 B3
Feuquières 60 .... 17 E4
Feuquières-en-Vimeu 80 ... 17 D1
Feurs 42 .... 191 F4
Feusines 36 .... 169 F2
Feux 18 .... 135 D4
Fèves 57 .... 41 F4
Fey 57 .... 68 A1
Fey-en-Haye 54 .... 67 F2
Feyt 19 .... 206 A1
Feytiat 87 .... 186 A4
Feyzin 69 .... 211 D1
Fiac 81 .... 277 F1
Ficaja 2B 315 F4
Ficajola 2A 316 A1
Ficheux 62 .... 8 B4
Fichous-Riumayou 64 ... 272 C3
Le Fidelaire 27 .... 58 A2
Le Fied 39 .... 159 F4
Le Fief-Sauvin 49 .... 127 E4
Fieffes 80 .... 18 A1
Fiefs 62 .... 7 E1
Fiennes 62 .... 2 B3
Fienvillers 80 .... 18 A1

Fier (Gorges du) 74 . . . . 195 E3
Fierville-la-Campagne 14. . . . 56 B1
Fierville-les-Mines 50 . . . . . 24 C4
Fierville-les-Parcs 14. . . . . . 30 C4
Le Fieu 33. . . . . 219 D1
Fieulaine 02. . . . . 20 B2
Fieux 47 . . . . 255 F1
Figanières 83 . . . . 287 D2
Figareto 2B 315 F4
Figari 2A. 319 D3
Figarol 31. . . . . 299 E2
Figeac 46 . . . . 241 E2
Fignévelle 88. . . . . 117 F2
Fignières 80. . . . . 18 C4
Filain 70 . . . . 141 E1
Filain 02 . . . . 36 C2
Filitosa (Station
  Préhistorique de) 2A. 318 C1
Fillé 72 . . . . 106 C3
Fillières 54. . . . . 41 D2
Fillièvres 62. . . . . 7 D3
Fillinges 74 . . . . 195 F1
Fillols 66. . . . . 311 F3
Filstroff 57. . . . . 42 B2
Fiménil 88 . . . . 95 E4
Findrol 74. . . . . 195 F1
Finestret 66 . . . . 311 F2
Finhan 82. . . . . 257 E4
Finiels (Col de) 48 . . . . 244 C3
Les Fins 25. . . . . 161 E1
Fins 80 . . . . 19 F1
Fiquefleur-Équainville 27. . . . 30 C2
Firbeix 24. . . . . 203 D2
Firfol 14 . . . . 30 C4
Firmi 12 . . . . 241 F2
Firminy 42 . . . . 209 F4
Fislis 68 . . . . 120 C4
Fismes 51. . . . . 37 D3
Fitignieu 01. . . . . 194 B3
Fitilieu 38. . . . . 212 B2
Fitou 11 . . . . 303 F4
Fitz-James 60 . . . . 34 C3
Fix-Saint-Geneys 43 . . . . . . 226 C1
Fixem 57 . . . . 41 F2
Fixin 21. . . . . 139 D4
Flabas 55 . . . . 40 B3
Flacé-lès-Mâcon 71. . . . . . . 175 D4
Flacey 28 . . . . 109 D1
Flacey 21 . . . . 139 E2
Flacey-en-Bresse 71 . . . . . . 176 B1
La Flachère 38. . . . . 213 D3
Flachères 38 . . . . 211 F2
Flacourt 78. . . . . 59 F2
Flacy 89 . . . . 89 E4
Flagey 25 . . . . 160 B1
Flagey 52 . . . . 116 C3
Flagey-Echézeaux 21 . . . . . 158 B1
Flagey-lès-Auxonne 21 . . . . 159 D1
Flagey-Rigney 25. . . . . 141 E2
Flagnac 12. . . . . 241 F1
Flagy 77 . . . . 88 A3
Flagy 70 . . . . 118 B4
Flagy 71 . . . . 174 C2
Flaignes-Havys 08 . . . . 22 A3
Flaine 74. . . . . 196 B3
Flainval 54 . . . . 68 C4
Flamanville 76 . . . . 15 F3
Flamanville 50 . . . . 24 B3
Flamarens 32 . . . . 256 C3
La Flamengrie 59 . . . . 10 A1
La Flamengrie 02 . . . . 10 B4
Flamets-Frétils 76 . . . . 17 D4
Flammerans 21 . . . . 140 A4
Flammerécourt 52. . . . . 92 A3
Flancourt-Catelon 27 . . . . . . 31 F3
Flangebouche 25 . . . . 142 A4
Flaran (Abbaye de) 32. . . . . . 255 F4
Flassan 84 . . . . 265 F2
Flassans-sur-Issole 83 . . . . . 286 C3
Flassigny 55 . . . . 40 B2
Flastroff 57 . . . . 42 B2
Flat 63. . . . . 207 F2
Flaucourt 80 . . . . 19 E2
Flaugeac 24. . . . . 238 A1
Flaugnac 46. . . . . 257 F1
Flaujac-Gare 46 . . . . 240 C1
Flaujac-Poujols 46. . . . . 240 B3
Flaujagues 33 . . . . 219 D4
Flaumont-Waudrechies 59 . . 10 B3
Flaux 30 . . . . 264 B3
Flavacourt 60 . . . . 33 F2
Flaviac 07. . . . . 246 C1
Flavignac 87 . . . . 203 E1
Flavignerot 21. . . . . 139 D4
Flavigny 51 . . . . 64 A2
Flavigny 18 . . . . 154 A2
Flavigny-le-Grand-
  et-Beaurain 02 . . . . 20 C2
Flavigny-sur-Moselle 54 . . . . 94 B1
Flavigny-sur-Ozerain 21. . . . 138 B2
Flavin 12. . . . . 260 B1
Flavy-le-Martel 02 . . . . 20 A4
Flavy-le-Meldeux 60 . . . . 19 F4
Flaxieu 01 . . . . 194 C3
Flaxlanden 68 . . . . 120 C3
Flayat 23. . . . . 188 A4
Flayosc 83 . . . . 287 D2
Fléac 16 . . . . 201 E1
Fléac-sur-Seugne 17. . . . . . . 199 F3
La Flèche 72 . . . . 106 B4
Fléchères (Château de) 01 . . 192 C2
Fléchin 62 . . . . 7 E1
Fléchy 60 . . . . 18 A4
Fleckenstein (Château de) 67 . 45 D3
Flée 72 . . . . 107 E4
Flée 21 . . . . 137 F2
Fleigneux 08 . . . . 23 D3
Fleisheim 57 . . . . 70 A2
Fleix 86. . . . . 167 D4
Le Fleix 24 . . . . 219 F4

Flérá-la-Rivière 36 . . . . 150 C2
Flers 80. . . . . 19 E1
Flers 62. . . . . 7 E3
Flers 61. . . . . 55 E4
Flers-en-Escrebieux 59. . . . . 8 C2
Flers-sur-Noye 80 . . . . 18 A4
Flesquières 59 . . . . 9 D4
Flesselles 80. . . . . 18 A1
Flétrange 57 . . . . 69 D1
Flêtre 59 . . . . 4 A3
Fléty 58. . . . . 156 B4
Fleurac 16 . . . . 201 D1
Fleurac 24 . . . . 221 D3
Fleurance 32 . . . . 256 B4
Fleurat 23. . . . . 169 D4
Fleurbaix 62 . . . . 4 B4
Fleuré 61 . . . . 56 B4
Fleuré 86. . . . . 166 C2
Fleurey 25 . . . . 142 C3
Fleurey-lès-Faverney 70 . . . . 118 A4
Fleurey-lès-Lavoncourt 70 . . 117 F4
Fleurey-lès-Saint-Loup 70 . . 118 C2
Fleurey-sur-Ouche 21. . . . . . 138 C3
Fleurie 69. . . . . 192 C1
Fleuriel 03. . . . . 172 A4
Fleurieu-sur-Saône 69 . . . . . 192 C3
Fleurieux-sur-l'Arbresle 69 . . 192 B4
Fleurigné 35 . . . . 80 B3
Fleurigny 89 . . . . 89 D4
Fleurines 60. . . . . 35 D4
Fleurville 71. . . . . 175 E3
Fleury 62 . . . . 7 E2
Fleury 60 . . . . 33 F4
Fleury 57 . . . . 68 A1
Fleury 50 . . . . 54 A3
Fleury 80 . . . . 18 A4
Fleury 02 . . . . 36 A4
Fleury 11 . . . . 304 C1
Fleury-
  devant-Douaumont 55 . . . . 40 B4
Fleury-en-Bière 77. . . . . 87 E2
Fleury-la-Forêt 27 . . . . 33 D2
Fleury-la-Montagne 71. . . . . 191 E1
Fleury-la-Rivière 51 . . . . 63 F1
Fleury-la-Vallée 89. . . . . 113 D3
Fleury-les-Aubrais 45 . . . . . 110 A3
Fleury-Mérogis 91 . . . . 87 D1
Fleury-sur-Aire 55 . . . . 66 B1
Fleury-sur-Andelle 27 . . . . . . 32 C3
Fleury-sur-Loire 58 . . . . 155 D4
Fleury-sur-Orne 14 . . . . 29 E4
Flévieu 01 . . . . 194 A4
Fléville 08. . . . . 39 E3
Fléville-devant-Nancy 54 . . . 68 B4
Fléville-Lixières 54. . . . . 41 D3
Flexanville 78 . . . . 59 F3
Flexbourg 67. . . . . 70 C3
Fley 71 . . . . 174 C1
Fleys 89 . . . . 114 A3
Flez-Cuzy 58 . . . . 136 B3
Fligny 08 . . . . 22 A2
Flin 54 . . . . 95 D1
Flines-lès-Mortagne 59 . . . . 9 E1
Flines-lez-Raches 59. . . . . . . 9 D2
Flins-Neuve-Église 78. . . . . . 59 F3
Flins-sur-Seine 78 . . . . 60 A2
Flipou 77 . . . . 32 B3
Flirey 54. . . . . 67 F2
Flixecourt 80 . . . . 17 F1
Flize 08 . . . . 22 C4
La Flocellière 85 . . . . 147 D3
Flocourt 57 . . . . 68 C1
Flocques 76. . . . . 16 C1
Flogny-la-Chapelle 89. . . . . . 114 A2
Floing 08 . . . . 23 D4
Floirac 17. . . . . 199 D2
Floirac 33. . . . . 217 E4
Florac 48 . . . . 244 B4
Florange 57. . . . . 41 F3
Florémont 88 . . . . 94 B2
Florensac 34 . . . . 280 C4
Florent-en-Argonne 51. . . . . . 39 E4
Florentia 39 . . . . 176 B3
Florentin 81. . . . . 259 D4
Florentin-la-Capelle 12. . . . . 242 B2
Floressas 46 . . . . 239 E3
Florimont 90 . . . . 120 A4
Florimont-Gaumier 24 . . . . . 239 F1
Floringhem 62 . . . . 7 F1
Flornoy 52. . . . . 92 A1
La Flotte 17 . . . . 163 D4
Flottemanville 50. . . . . 25 D3
Flottemanville-Hague 50. . . . 24 B2
Floudès 33. . . . . 237 D2
Floure 11 . . . . 302 C2
Flourens 31. . . . . 277 D2
Floursies 59. . . . . 10 B3
Floyon 59. . . . . 10 B4
Flumet 73. . . . . 196 B3
Fluquières 02 . . . . 19 F3
Fluy 80 . . . . 18 A3
Foameix 55 . . . . 40 C3
Foce 2A 319 D2
Focicchia 2B 317 E1
Le Fœil 22. . . . . 51 D4
Foisches 08 . . . . 13 D3
Foissac 12 . . . . 241 D3
Foissac 30 . . . . 263 F2
Foissiat 01 . . . . 176 A3
Foissy 21 . . . . 157 F1
Foissy-lès-Vézelay 89 . . . . . 136 C3
Foissy-sur-Vanne 89 . . . . . . 89 D4
Foix 09 . . . . 301 D1
Folcarde 31 . . . . 277 E4
Folelli 2B 315 F3
Folembray 02. . . . . 36 B1
Folgensbourg 68. . . . . 120 C4

Le Folgoët 29 . . . . 47 F2
La Folie 14 . . . . 27 F3
Folies 80. . . . . 19 D3
Folkling 57. . . . . 43 D4
Follainville-Dennemont 78 . . 59 F2
Folles 87. . . . . 186 A1
Folleville 80. . . . . 18 B3
La Folletière (Château de) 27 . 59 E2
La Folletière-Abenon 14. . . . . 57 E2
Folleville 27 . . . . 31 D4
Folleville 80 . . . . 18 B4
Folligny 50. . . . . 54 A3
Folpersviller 57 . . . . 43 E4
Fomerey 88. . . . . 94 C4
Fomperron 79. . . . . 165 E2
Fonbeauzard 31 . . . . 276 C2
Foncegrive 21. . . . . 139 E1
Fonches-Fonchette 80 . . . . . 19 E3
Foncine-le-Bas 39 . . . . 177 F1
Foncine-le-Haut 39 . . . . 177 F1
Foncquevillers 62 . . . . 8 A4
Fond-de-France 38 . . . . 213 E4
Fondamente 12 . . . . 261 E4
Fondettes 37. . . . . 130 C3
Fondremand 70 . . . . 141 D2
Fongalop 24 . . . . 239 D1
Fongrave 47 . . . . 238 A4
Fongueusemare 76. . . . . 14 C3
Fonroque 24 . . . . 238 A1
Fons 46. . . . . 241 D1
Fons 30. . . . . 263 F4
Fons 07. . . . . 246 A2
Fons-sur-Lussan 30. . . . . . . 263 F1
Fonsommes 02. . . . . 20 B2
Fonsorbes 31 . . . . 276 A3
Font-Romeu-Odeillo-Via 66 . 310 C3
Fontain 25 . . . . 141 D4
Fontaine 10 . . . . 91 E4
Fontaine 90. . . . . 120 A3
Fontaine 38. . . . . 230 C1
Fontaine-au-Bois 59 . . . . 10 A3
Fontaine-au-Pire 59. . . . . 9 E4
Fontaine-Bellenger 27 . . . . . 32 B4
Fontaine-Bonneleau 60 . . . . 18 A4
Fontaine-Chaalis 60 . . . . 35 D4
Fontaine-Chalendray 17. . . . 183 D3
Fontaine-Couverte 53. . . . . . 104 B2
Fontaine-Daniel 53 . . . . 81 E3
Fontaine-de-Vaucluse 84. . . 265 E3
Fontaine-Denis-Nuisy 51. . . . 89 E1
Fontaine-en-Bray 76 . . . . . . 16 C4
Fontaine-en-Dormois 51. . . . 39 D4
Fontaine-Étoupefour 14. . . . . 29 E4
Fontaine-Fourches 77. . . . . . 89 D3
Fontaine-Française 21 . . . . . 139 F2
Fontaine-Guérard
  (Abbaye de) 27. . . . . 32 C3
Fontaine-Guérin 49. . . . . 129 D2
Fontaine-Henry 14. . . . . 29 E3
Fontaine-Heudebourg 27. . . . 59 D1
Fontaine-la-Gaillarde 89 . . . . 89 D4
Fontaine-la-Guyon 28. . . . . . 85 D2
Fontaine-la-Louvet 27. . . . . . 31 D4
Fontaine-la-Mallet 76 . . . . . . 14 B4
Fontaine-la-Rivière 91 . . . . . 86 C3
Fontaine-la-Soret 27 . . . . . . 31 E4
Fontaine-l'Abbé 27. . . . . 58 A1
Fontaine-Lavaganne 60 . . . . 33 F1
Fontaine-le-Bourg 76 . . . . . . 32 B1
Fontaine-le-Comte 86. . . . . . 166 B2
Fontaine-le-Dun 76 . . . . 15 F2
Fontaine-le-Pin 14 . . . . 56 A4
Fontaine-le-Port 77 . . . . 87 F2
Fontaine-le-Puits 73 . . . . . . 214 B2
Fontaine-le-Sec 80 . . . . 17 E2
Fontaine-les-Bassets 61. . . . 56 C3
Fontaine-lès-Boulans 62 . . . 7 E1
Fontaine-lès-Cappy 80 . . . . . 19 D2
Fontaine-lès-Clercs 02 . . . . . 20 A3
Fontaine-lès-Clerval 25 . . . . 142 A2
Fontaine-les-Coteaux 41 . . . 108 A4
Fontaine-lès-Croisilles 62 . . . 8 B4
Fontaine-lès-Dijon 21 . . . . . 139 D3
Fontaine-lès-Grès 10. . . . . . 90 A2
Fontaine-lès-Hermans 62 . . . 7 F1
Fontaine-lès-Luxeuil 70 . . . . 118 C1
Fontaine-les-Ribouts 28. . . . 85 D1
Fontaine-lès-Vervins 02 . . . . 21 E3
Fontaine-l'Étalon 62 . . . . 7 D3
Fontaine-Luyères 10. . . . . . . 90 B3
Fontaine-Mâcon 10. . . . . 89 D2
Fontaine-Milon 49. . . . . 129 D2
Fontaine-Notre-Dame 59. . . . 9 D4
Fontaine-Notre-Dame 02. . . . 20 B2
Fontaine-Raoul 41. . . . . 108 C2
Fontaine-Saint-Lucien 60. . . 34 A2
La Fontaine-Saint-Martin 72 . 106 C4
Fontaine-Simon 28 . . . . 84 B2
Fontaine-sous-Jouy 27. . . . . 59 D1
Fontaine-
  sous-Montaiguillon 77. . . . 89 D1
Fontaine-sous-Montdidier 80 . 18 C4
Fontaine-sous-Préaux 76. . . . 32 B2
Fontaine-sur-Ay 51 . . . . 64 B1
Fontaine-sur-Coole 51 . . . . . 64 C3
Fontaine-sur-Maye 80 . . . . . 6 C4
Fontaine-sur-Somme 80 . . . . 17 F1
Fontaine-Uterte 02 . . . . 20 B2
Fontainebleau 77. . . . . 87 F3
Fontainebrux 39. . . . . 159 E4
Fontaines 71. . . . . 158 A3
Fontaines 85 . . . . 164 A3
Fontaines 89 . . . . 112 C4
Fontaines-d'Ozillac 17 . . . . . 199 F3
Fontaines-en-Duesmois 21 . . 138 B1
Fontaines-en-Sologne 41 . . . 132 B2
Fontaines-les-Sèches 21 . . . 114 C4
Fontaines-Saint-Clair 55 . . . 40 A2
Fontaines-Saint-Martin 69. . . 193 D3

Fontaines Salées
  (Fouilles des) 89. . . . . 136 C2
Fontaines-sur-Marne 52. . . . . 92 B1
Fontaines-sur-Saône 69. . . . 193 D3
Les Fontainettes 60 . . . . 33 F2
Fontains 77 . . . . 88 B2
Fontan 06. . . . . 289 F2
Fontanès 34. . . . . 263 D4
Fontanès 30. . . . . 263 D4
Fontanès 42. . . . . 210 A2
Fontanès 48. . . . . 240 A4
Fontanes 48. . . . . 244 C1
Fontanès-de-Sault 11. . . . . . 311 D1
Fontanes-du-Causse 46. . . . 240 B1
Fontanges 15 . . . . 224 B2
Fontangy 21 . . . . 138 A3
Fontanières 23 . . . . 188 A2
Fontanil-Cornillon 38 . . . . . . 212 C4
Fontannes 43 . . . . 208 A4
Fontans 48. . . . . 244 A1
Fontarèches 30. . . . . 264 A3
Fontcaude (Abbaye de) 34. . . 280 A4
Fontclaireau 16. . . . . 183 F3
Fontcouverte 11. . . . . 303 E2
Fontcouverte 17. . . . . 181 F4
Fontcouverte-la-Toussuire 73 . 213 F4
Fontdouce (Abbaye de) 17 . . 182 B4
La Fontelaye 76 . . . . 15 F3
Fontenai-les-Louvets 61. . . . 82 B1
Fontenai-sur-Orne 61. . . . . . 56 B4
Fontenailles 89 . . . . 136 A1
Fontenailles 77 . . . . 88 A1
Fontenay 27 . . . . 33 D4
Fontenay 88 . . . . 95 D4
Fontenay 71 . . . . 174 A2
Fontenay 36 . . . . 152 A2
Fontenay 76 . . . . 14 B3
Fontenay 50 . . . . 54 C4
Fontenay (Abbaye de) 21. . . . 138 A1
Fontenay-aux-Roses 92 . . . . 61 D3
Fontenay-de-Bossery 10 . . . . 89 D2
Fontenay-en-Parisis 95. . . . . 61 D1
Fontenay-le-Comte 85 . . . . . 164 A2
Fontenay-le-Fleury 78. . . . . . 60 B3
Fontenay-le-Marmion 14. . . . 56 A1
Fontenay-le-Pesnel 14 . . . . . 29 D4
Fontenay-le-Vicomte 91 . . . . 87 D1
Fontenay-lès-Briis 91 . . . . . . 86 C1
Fontenay-Mauvoisin 78. . . . . 59 F2
Fontenay-près-Chablis 89 . . . 113 F3
Fontenay-près-Vézelay 89 . . . 136 C3
Fontenay-Saint-Père 78 . . . . 60 A2
Fontenay-sous-Bois 94 . . . . . 61 D2
Fontenay-sous-Fouronnes 89 . 136 B1
Fontenay-sur-Conie 28. . . . . 109 F1
Fontenay-sur-Eure 28. . . . . . 85 E3
Fontenay-sur-Loing 45. . . . . 111 F1
Fontenay-sur-Mer 50. . . . . . . 25 D3
Fontenay-sur-Vègre 72. . . . . 106 A3
Fontenay-Torcy 60. . . . . 33 E1
Fontenay-Trésigny 77. . . . . . 62 A4
Fontenelle 21 . . . . 139 F2
La Fontenelle 35. . . . . 79 F2
Fontenelle 90 . . . . 119 F4
La Fontenelle 41. . . . . 108 B1
Fontenelle 02 . . . . 11 D4
Fontenelle (Château de) 04. . 267 E4
Fontenelle-en-Brie 02 . . . . . . 63 D2
Fontenelle-Montby 25 . . . . . . 141 F2
Les Fontenelles 25. . . . . 142 B4
Fontenelles (Abbaye des) 85. . 145 F4
Fontenermont 14. . . . . 54 B3
Fontenet 17. . . . . 182 B3
Fontenille 79 . . . . 183 D1
Fontenille 16. . . . . 183 F3
Fontenilles 31. . . . . 276 A3
Les Fontenis 70 . . . . 141 D2
Fontenois-la-Ville 70. . . . . . . 118 B2
Fontenois-lès-Montbozon 70 . 141 E2
Fontenotte 25 . . . . 141 F3
Fontenouilles 89 . . . . 112 B3
Fontenoy 89 . . . . 135 F1
Fontenoy 02 . . . . 36 A2
Fontenoy-la-Joûte 54 . . . . . . 95 D2
Fontenoy-le-Château 88. . . . . 118 B2
Fontenoy-sur-Moselle 54. . . . 67 F4
Fontenu 39 . . . . 160 A4
Fonteny 39. . . . . 160 A3
Fonteny 57 . . . . 68 C2
Fonters-du-Razès 11. . . . . . . 301 F1
Fontès 34 . . . . 280 C3
Fontet 33 . . . . 237 D2
Fontette 10 . . . . 115 E1
Fontevraud-l'Abbaye 49 . . . . 148 C1
Fontfreide 63. . . . . 207 E1
Fontfroide (Abbaye de) 11. . . 303 F2
Fontgombault 36. . . . . 167 F1
Fontguenand 36. . . . . 132 B4
Fontienne 04. . . . . 267 D2
Fontiers-Cabardès 11. . . . . . 278 B4
Fontiès-d'Aude 11. . . . . 302 C2
Fontjoncouse 11 . . . . 303 E3
Fontoy 57. . . . . 41 E2
Fontpédrouse 66. . . . . 311 D3
Fontrabiouse 66. . . . . 311 D2
Fontrailles 65 . . . . 274 B4
Fontvannes 10. . . . . 90 A2
Fontvieille 13. . . . . 283 E4
Forbach 57. . . . . 43 D4
Forca Réal (Ermitage de) 66 . 312 C1
Forcalqueiret 83. . . . . 286 B4
Forcalquier 04. . . . . 266 C3
Forcé 53 . . . . 105 D1
La Force 11 . . . . 302 C2
La Force 24 . . . . 220 A4
Forcelles-Saint-Gorgon 54. . 94 A1
Forcelles-sous-Gugney 54. . . 94 A1
Forceville 80 . . . . 18 C1
Forceville-en-Vimeu 80 . . . . . 17 E2
Forcey 52 . . . . 92 C4

Forciolo 2A 316 C4
La Forclaz 74. . . . . 178 C3
Forclaz (Col de la) 74. . . . . . 195 F3
Forest-en-Cambrésis 59 . . . . 9 F4
Forest-l'Abbaye 80 . . . . 6 C4
La Forest-Landerneau 29. . . . 47 F3
Forest-Montiers 80 . . . . 6 B3
Forest-Saint-Julien 05 . . . . . 249 E1
Forest-sur-Marque 59. . . . . . 5 D4
Foreste 02 . . . . 19 F3
La Forestière 51 . . . . 89 E1
Forestière (Aven de la) 07 . . . 246 A4
La Forêt 33. . . . . 217 D3
La Forêt-Auvray 61 . . . . 56 A3
La Forêt-de-Tessé 16. . . . . . 183 E2
La Foret-du-Parc 27 . . . . 59 D2
La Forêt-du-Temple 23 . . . . . 169 E3
La Forêt-Fouesnant 29. . . . . 98 C1
Forêt-la-Folie 27. . . . . 33 D4
La Forêt-le-Roi 91. . . . . 86 B2
La Forêt-Sainte-Croix 91 . . . 86 C3
La Forêt-sur-Sèvre 79 . . . . . 147 E4
Forfry 77 . . . . 62 A1
Forgès 19. . . . . 223 D1
Forges 49. . . . . 129 D4
Forges 17. . . . . 181 E1
Les Forges 56 . . . . 101 E1
Les Forges 23 . . . . 187 F1
Les Forges 79 . . . . 165 F2
Forges 77 . . . . 88 A3
Forges 61. . . . . 82 C2
Les Forges 88. . . . . 94 C4
Les Forges-de-Paimpont 35 . 102 B1
Forges-la-Forêt 35 . . . . 104 A3
Forges-les-Bains 91. . . . . . . 86 B1
Forges-les-Eaux 76 . . . . 33 D1
Forges-sur-Meuse 55 . . . . . . 40 A3
Forgevieille 23 . . . . 168 C4
Forges 31. . . . . 275 F4
La Forie 63. . . . . 208 C2
Forléans 21. . . . . 137 F2
Formentin 14 . . . . 30 B4
Formerie 60. . . . . 17 E4
Formigny 14 . . . . 27 F3
Formiguères 66 . . . . 311 D2
Fornex 09. . . . . 300 B2
Fors 79 . . . . 164 C4
Forstfeld 67. . . . . 71 F1
Forstheim 67. . . . . 71 D1
Fort-Bloqué 56. . . . . 99 F3
Fort-du-Plasne 39. . . . . 177 E1
Fort-Louis 67. . . . . 71 F1
Fort-Mahon-Plage 80 . . . . . . 6 A3
Fort-Mardyck 59. . . . . 3 E1
Fort-Médoc 33. . . . . 217 D1
Fort-Moville 27. . . . . 31 D3
Fortan 41. . . . . 108 B3
Fortel-en-Artois 62. . . . . 7 E3
La Forteresse 38. . . . . 212 A4
Fortschwihr 68 . . . . 96 C3
Fos 31 . . . . 299 D4
Fos 34 . . . . 280 B2
Fos-sur-Mer 13. . . . . 284 A3
Le Fossat 09. . . . . 300 C2
Le Fossé 76. . . . . 33 D1
Fossé 08. . . . . 39 E2
Fossé 66. . . . . 311 F1
Fossé 41. . . . . 132 A1
La Fosse (Hameau
  troglodytique de) 49 . . . . . 129 D4
La Fosse Arthour 50 . . . . 81 D1
La Fosse-Corduan 10 . . . . . . 89 E2
La Fosse-de-Tigné 49 . . . . . . 128 C4
Fossemagne 24. . . . . 221 D2
Fossemanton 80. . . . . 18 A3
Fosses 95. . . . . 61 E1
Les Fosses 79 . . . . 182 B1
Fossés-et-Baleyssac 33 . . . . 237 D2
La Fossette 83. . . . . 293 D2
Fosseux 62. . . . . 8 A3
Fossieux 57. . . . . 68 C2
Fossoy 02. . . . . 63 D1
Fou (Gorges de la) 66 . . . . . 312 B4
Foucarmont 76 . . . . 17 D3
Foucart 76. . . . . 15 D3
Foucarville 50. . . . . 25 E4
Foucaucourt-en-Santerre 80. . 19 D3
Foucaucourt-Hors-Nesle 80 . 17 E2
Foucaucourt-sur-Thabas 55 . 66 A1
Fouchécourt 88 . . . . 117 F1
Fouchécourt 70 . . . . 118 A3
Foucherans 39. . . . . 159 E1
Foucherans 25 . . . . 141 E4
Fouchères 89 . . . . 112 B1
Fouchères 10 . . . . 114 C1
Fouchères-aux-Bois 55. . . . . 92 B1
Foucherolles 45. . . . . 112 A2
Fouchy 67 . . . . 96 B1
Foucrainville 27. . . . . 59 D2
Fouday 67 . . . . 96 A1
Fouencamps 80 . . . . 18 B3
Fouesnant 29 . . . . 98 C1
Foufflin-Ricametz 62. . . . . . . 7 F3
Foug 54 . . . . 67 E4
Fougaron 31 . . . . 299 E3
Fougax-et-Barrineuf 09 . . . . 301 F4
Fougeré 49 . . . . 129 D1
Fougeré 85. . . . . 163 E1
Fougères 35 . . . . 80 B3
Fougères-sur-Bièvre 41 . . . . 132 A2
Les Fougerêts 56. . . . . 102 B3
Fougerolles 36 . . . . 169 E2
Fougerolles 70 . . . . 118 C2
Fougerolles-du-Plessis 53. . . 80 C2
Fougueyrolles 24. . . . . 219 E4
La Fouillade 12. . . . . 259 D4
Fouilleuse 60. . . . . 35 D2
Fouillouse 05. . . . . 249 E3

La Fouillouse 42 . . . . 209 F2
La Fouilloux 17. . . . . 219 E3
Fouillouse 04. . . . . 251 D2
Fouilloy 60. . . . . 17 E4
Fouilloy 80. . . . . 18 C2
Fouju 77. . . . . 87 F1
Foulain 52. . . . . 116 B1
Foulangues 60 . . . . 34 B3
Foulayronnes 47 . . . . 256 B1
Foulbec 27. . . . . 31 D2
Foulcrey 57. . . . . 69 E4
Fouleix 24 . . . . 220 B3
Foulenay 39 . . . . 159 E3
Fouligny 57. . . . . 42 B4
Foulognes 14. . . . . 28 C4
Foulzy 08. . . . . 22 A3
Fouquebrune 16. . . . . 201 F2
Fouquenies 60 . . . . 34 A2
Fouquereuil 62. . . . . 8 A1
Fouquerolles 60. . . . . 34 B2
Fouquescourt 80 . . . . 19 D3
Fouqueure 16 . . . . 183 E3
Fouqueville 27 . . . . 32 A4
Fouquières-lès-Béthune 62. . 8 A1
Fouquières-lès-Lens 62 . . . . 8 C1
Four 38 . . . . 211 F2
Fouras 17. . . . . 180 C2
Fourbanne 25. . . . . 141 F3
Fourcatier-
  et-Maison-Neuve 25 . . . . . 161 D4
Fourcès 32. . . . . 255 E3
Fourchambault 58. . . . . 154 C2
Fourchaud (Château de) 03. . 172 A3
Fourches 14. . . . . 56 B3
Fourcigny 80. . . . . 17 E3
Fourdrain 02. . . . . 36 C1
Fourdrinoy 80. . . . . 18 A2
Fourg 25 . . . . 160 A1
Fourges 27. . . . . 59 F1
Les Fourgs 25 . . . . 161 D3
Fourilles 03 . . . . 172 A4
Fourmagnac 46. . . . . 241 D1
Fourmetot 27. . . . . 31 E3
Fourmies 59 . . . . 10 C4
Fournaudin 89 . . . . 113 E1
Fourneaux 23 . . . . 187 E2
Fourneaux 42 . . . . 191 F3
Fourneaux 45 . . . . 110 A3
Fourneaux 50 . . . . 54 C2
Fourneaux 73 . . . . 214 C4
Fourneaux-le-Val 14 . . . . 56 A3
Fournels 48 . . . . 225 E4
Fournès 30. . . . . 264 B3
Fournes-Cabardès 11 . . . . . 278 C4
Fournes-en-Weppes 59 . . . . 8 B1
Le Fournet 14. . . . . 30 B4
Fournet-Blancheroche 25 . . . 142 C4
Fourneville 14. . . . . 30 C3
Fournival 60. . . . . 34 C2
Fournols 63. . . . . 208 B2
Fournoulès 15. . . . . 241 F1
Fouronnes 89 . . . . 136 B1
Fourques 30. . . . . 283 D1
Fourques 66 . . . . 312 C3
Fourques-sur-Garonne 47. . . 237 E3
Fourqueux 78 . . . . 60 B3
Fourquevaux 31. . . . . 277 D3
Fours 33 . . . . 217 E1
Fours 58 . . . . 155 F4
Fours-en-Vexin 27 . . . . 33 D4
Fourtou 11 . . . . 302 C4
Foussais-Payré 85 . . . . 164 B2
Foussemagne 90 . . . . 120 A3
Le Fousseret 31 . . . . 299 F1
Foussignac 16. . . . . 201 D1
Foussignargues 30 . . . . 245 F4
Fouvent-le-Bas 70 . . . . 117 E4
Fouvent-le-Haut 70 . . . . 140 B1
La Foux 83 . . . . 287 E4
La Foux-d'Allos 04. . . . . 250 C4
Fouzilhon 34. . . . . 280 B3
Foville 57. . . . . 68 B2
Fox-Amphoux 83. . . . . 286 B2
La Foye-Monjault 79. . . . . . . 182 A1
Fozières 34. . . . . 280 C1
Fozzano 2A 318 C2
Fragnes 71. . . . . 158 A3
Frahier-et-Chatebier 70 . . . . 119 E4
Fraignot-et-Vesvrotte 21 . . . 139 D1
Fraillicourt 08. . . . . 21 F4
Fraimbois 54 . . . . 95 D1
Frain 88 . . . . 117 F1
Frais 90 . . . . 120 A3
Frais-Marais 59. . . . . 9 D2
Fraisans 39 . . . . 159 F1
Fraisnes-en-Saintois 54 . . . . 94 A2
Fraisse 24. . . . . 219 F3
Fraisse-Cabardès 11 . . . . . . 278 B4
Fraissé-des-Corbières 11. . . 303 F3
Fraisse-sur-Agout 34 . . . . . . 279 E2
Fraisses 42. . . . . 209 F3
Fraissines 81. . . . . 260 A3
Fraissinet-de-Fourques 48. . . 262 B1
Fraissinet-de-Lozère 48 . . . . 244 C4
Fraize 88. . . . . 95 F4
Fralignes 10. . . . . 90 C4
La Framboisière 28 . . . . 84 B1
Frambouhans 25 . . . . 142 C4
Framecourt 62. . . . . 7 E3
Framerville-Rainecourt 80. . . 19 D3
Framicourt 80. . . . . 17 D2
Framont 70 . . . . 140 B1
Frampas 52 . . . . 91 F1
Francalmont 70. . . . . 118 B3
Francaltroff 57. . . . . 69 E1
Francardo 2B 315 D4
Francarville 31. . . . . 277 E2
Francastel 60. . . . . 34 A1
Français 41. . . . . 131 F1
Francazal 31 . . . . 299 F3

Francescas 47 255 F2
Francheleins 01 192 C2
Franchesse 03 171 F1
Francheval 08 23 E4
Franchevelle 70 119 D4
Francheville 51 65 D2
Francheville 21 139 D2
Francheville 39 159 E3
Francheville 54 67 F3
Francheville 27 58 A3
Francheville 61 82 B1
La Francheville 08 22 C4
Francheville 69 192 C4
Francières 60 35 D2
Francières 80 17 F1
Francillon 36 151 F3
Francillon-sur-Roubion 26 247 E1
Francilly-Selency 02 20 A3
Francin 73 213 E2
Franclens 74 194 C2
François 79 165 D3
Francon 31 299 F1
Franconville 54 94 C1
Franconville 95 60 C2
Francoulès 46 240 A2
Francourt 70 117 E4
Francourville 28 85 F3
Francs 33 219 D3
Francueil 37 131 E4
Franey 25 140 C4
Frangy 74 195 D2
Frangy-en-Bresse 71 159 D4
Franken 68 120 C3
Franleu 80 17 D1
Franois 25 141 D4
Franquevielle 31 298 C2
Franqueville 02 21 D3
Franqueville 27 31 E4
Franqueville 80 18 A1
Franqueville-Saint-Pierre 76 32 B2
La Franqui 11 304 C4
Frans 01 192 C2
Fransart 80 19 D3
Fransèches 23 187 E2
Fransu 80 18 A1
Fransures 80 18 A4
Franvillers 80 18 C2
Franxault 21 159 D1
Frapelle 88 96 A2
Fraquelfing 57 69 F4
Fraroz 39 160 B4
Frasnay-Reugny 58 155 E2
Frasne 39 140 A4
Frasne 25 160 C3
Frasne-le-Château 70 140 C2
La Frasnée 39 177 D1
Le Frasnois 39 177 E1
Frasnoy 59 10 A2
La Frasse 74 196 B1
Frasseto 2A 317 D4
Frauenberg 57 43 E4
Frausseilles 81 259 D3
Fravaux 10 91 E4
Le Fraysse 81 260 A4
Frayssinet 46 240 A1
Frayssinet-le-Gélat 46 239 E2
Frayssinhes 46 223 D4
Frazé 28 84 C4
Fréauville 76 16 C3
Frebécourt 88 93 E2
Frébuans 39 176 B1
Le Frêche 40 254 B3
Fréchède 65 274 A4
Fréchencourt 80 18 B2
Fréchendets 65 298 A2
Le Fréchet 31 299 F2
Fréchet-Aure 65 298 B4
Le Fréchou 47 255 F2
Fréchou-Fréchet 65 298 A1
Frécourt 52 117 D2
Frédéric-Fontaine 70 119 E4
La Frédière 17 181 F3
Frédille 36 151 E2
Frégimont 47 256 A1
Frégouville 32 275 F2
Fréhel 22 52 A4
Fréhel (Cap) 22 52 A4
Freigné 49 127 E1
Freissinières 05 232 B4
La Freissinouse 05 249 E2
Freistroff 57 42 B3
Freix-Anglards 15 224 A3
Fréjairolles 81 259 F4
Fréjeville 81 278 A2
Fréjus 83 287 F3
Fréjus (Parc Zoologique) 83 287 F2
Fréjus (Tunnel du) 73 214 C4
Fréland 68 96 B3
Frelinghien 59 4 B4
Frémainville 95 60 A1
Frémécourt 95 60 B1
Fréménil 54 95 E1
Frémeréville-sous-les-Côtes 55 67 E3
Frémery 57 68 C2
Frémestroff 57 69 E1
Frémicourt 62 19 E1
Fremifontaine 88 95 E3
Frémontiers 80 17 F3
Frémonville 54 69 F4
La Frénaye 76 15 D4
Frencq 62 6 B1
Frêne (Col du) 73 213 E1
Frenelle-la-Grande 88 94 A3
Frenelle-la-Petite 88 94 A3
Frênes 61 55 E3
Freneuse 78 59 F1
Freneuse 76 32 A3
Freneuse-sur-Risle 27 31 E4
Freney 73 214 B4
Le Freney-d'Oisans 38 231 E2
Fréniches 60 19 F4
Frénois 21 139 D2
Frénois 88 94 A4
Frénouse (Musée de la) 53 104 C2
Frénouville 14 29 F4
Frépillon 95 60 C1
Fresles 76 16 B4
La Fresnaie-Fayel 61 57 D3
La Fresnais 35 53 D4
Fresnay 10 91 F3
Fresnay-en-Retz 44 145 D1
Fresnay-le-Comte 28 85 E3
Fresnay-le-Gilmert 28 85 E2
Fresnay-le-Long 76 16 A4
Fresnay-le-Samson 61 57 D3
Fresnay-l'Evêque 28 86 A4
Fresnay-sur-Sarthe 72 82 C3
La Fresnaye-au-Sauvage 61 56 A4
La Fresnaye-sur-Chédouet 72 83 D2
Le Fresne 51 65 E2
Le Fresne 27 58 B2
Le Fresne-Camilly 14 29 E3
Fresne-Cauverville 27 31 D4
Fresné-la-Mère 14 56 B2
Fresne-l'Archevêque 27 32 C3
Fresne-le-Plan 76 32 C2
Fresne-Léguillon 60 33 F4
Le Fresne-Poret 50 55 D4
Fresne-Saint-Mamès 70 140 C1
Le Fresne-sur-Loire 44 127 F3
Fresneaux-Montchevreuil 60 34 A3
Fresnes 94 61 D4
Fresnes 21 138 A1
Fresnes 41 132 A3
Fresnes 89 114 A4
Fresnes 02 36 B1
Fresnes-au-Mont 55 66 C2
Fresnes-en-Saulnois 57 68 C2
Fresnes-en-Tardenois 02 36 C4
Fresnes-en-Woëvre 55 67 D1
Fresnes-lès-Montauban 62 8 C3
Fresnes-lès-Reims 51 37 F3
Fresnes-Mazancourt 80 19 E3
Fresnes-sur-Apance 52 117 F2
Fresnes-sur-Escaut 59 9 F2
Fresnes-sur-Marne 77 61 F2
Fresnes-Tilloloy 80 17 E2
Fresneville 80 17 E2
Fresney 27 59 D2
Fresney-le-Puceux 14 56 A1
Fresney-le-Vieux 14 55 F1
Fresnicourt-le-Dolmen 62 8 A2
Fresnières 60 35 E1
Fresnois-la-Montagne 54 40 C1
Fresnoy 62 7 D2
Fresnoy-Andainville 80 17 E2
Fresnoy-au-Val 80 17 F3
Fresnoy-en-Bassigny 52 117 E1
Fresnoy-en-Chaussée 80 18 C3
Fresnoy-en-Gohelle 62 8 B2
Fresnoy-en-Thelle 60 34 B4
Fresnoy-Folny 76 16 C2
Fresnoy-la-Rivière 60 35 F3
Fresnoy-le-Château 10 90 C4
Fresnoy-le-Grand 02 20 B2
Fresnoy-le-Luat 60 35 E4
Fresnoy-lès-Roye 80 19 D4
Frespech 47 238 C4
Fresquiennes 76 32 A1
Fressac 30 263 D3
Fressain 59 9 D3
Fressancourt 02 36 B1
Fresse 70 119 E3
Fresse-sur-Moselle 88 119 E2
Fresselines 23 169 D3
Fressenneville 80 17 D1
Fressies 59 9 D3
Fressin 62 7 D2
Fressines 79 165 D4
Le Frestoy-Vaux 60 35 D1
Fresville 50 25 D4
Le Fret 29 47 E4
Fréterive 73 213 F1
Fréteval 41 108 C3
Fréthun 62 2 B2
Fretigney-et-Velloreille 70 141 D2
Frétigny 28 84 B3
Fretin 59 9 D1
Frétoy 77 62 C4
Frétoy-le-Château 60 19 E4
La Frette 71 175 F1
La Frette 38 212 A3
La Frette-sur-Seine 95 60 C2
Frettecuisse 80 17 E2
Frettemeule 80 17 D1
Frettemolle 80 17 E4
Fretterans 71 159 D3
Frettes 70 117 D4
Le Fréty 08 22 A4
Freulleville 76 16 B3
Frévent 62 7 E3
Fréville 88 93 D3
Fréville 76 15 F4
Fréville-du-Gâtinais 45 111 D2
Frévillers 62 7 F2
Frévin-Capelle 62 8 A3
Freybouse 57 69 E1
Freycenet-la-Cuche 43 227 E3
Freycenet-la-Tour 43 227 E3
Freychenet 09 301 D4
Freyming-Merlebach 57 42 C4
Freyssenet 07 246 B1
Friaize 28 84 C2
Friardel 14 57 E2
Friaucourt 80 16 C1
Friauville 54 41 D4
Fribourg 57 69 E3
Fricamps 80 17 F3
Frichemesnil 76 32 B1
Fricourt 80 19 D2
Fridefont 15 225 E4
Friedolsheim 67 70 C2
Frières-Faillouël 02 20 A4
Friesen 68 120 B4
Friesenheim 67 97 D1
Frignicourt 51 65 E4
Le Friolais 25 142 B4
Frise 80 19 E2
Friville-Escarbotin 80 17 D1
Frizon 88 94 C3
Froberville 76 14 C2
Frocourt 60 34 A3
Frœningen 68 120 B3
Frœschwiller 67 45 D4
Froges 38 213 D4
Frohen-le-Grand 80 7 E4
Frohen-le-Petit 80 7 E4
Frohmuhl 67 70 B1
Froideconche 70 118 C3
Froidefontaine 39 160 B3
Froidefontaine 90 142 C1
Froidestrées 02 21 E2
Froideterre 70 119 D4
Froidevaux 25 142 B3
Froideville 39 159 E3
Froidfond 85 145 D3
Froidmont-Cohartille 02 20 C4
Froidos 55 66 A1
Froissy 60 34 B1
Frolois 54 94 A1
Frôlois 21 138 B2
Fromelennes 08 13 D3
Fromelles 59 8 B1
Fromental 87 186 A1
Fromentières 53 105 E3
Fromentières 51 63 F3
Fromentine 85 144 B2
Fromentine (Pont de) 85 144 B2
Fromeréville-les-Vallons 55 40 A4
Fromezey 55 40 C4
Fromont 77 87 E4
Fromy 08 40 A1
Froncles-Buxières 52 92 B3
Fronsac 31 299 D3
Fronsac 33 218 C3
Frontenac 46 241 D2
Frontenac 33 236 C1
Frontenard 71 158 C3
Frontenas 69 192 B3
Frontenaud 71 176 A2
Frontenay 39 159 F4
Frontenay-Rohan-Rohan 79 164 C4
Frontenay-sur-Dive 86 148 C3
Frontenex 73 213 F1
Frontignan 34 281 E3
Frontignan-de-Comminges 31 299 D3
Frontignan-Plage 34 281 E4
Frontignan-Savès 31 275 F4
Fronton 31 257 F4
Frontonas 38 211 F1
Fronville 52 92 B2
Frossay 44 125 F4
Frotey-lès-Lure 70 119 D4
Frotey-lès-Vesoul 70 141 E1
Frouard 54 68 A3
Frouville 95 60 C1
Frouzins 31 276 B3
Froville 54 94 C2
Froyelles 80 6 C4
Frozes 86 166 A1
Frucourt 80 17 E2
Frugères-les-Mines 43 207 F3
Fruges 62 7 D1
Frugières-le-Pin 43 208 A4
Fruncé 28 84 C3
Fry 76 33 D1
Fuans 25 142 B4
Fublaines 77 62 A2
Le Fugeret 04 268 C2
Le Fuilet 49 127 E3
Fuilla 66 311 E3
Fuissé 71 175 D4
Fuligny 10 91 E3
Fulleren 68 120 B3
Fultot 76 15 E2
Fulvy 89 114 B4
Fumay 08 11 F4
Fumel 47 239 D3
Fumichon 14 30 C4
Furchhausen 67 70 C2
Furdenheim 67 70 C3
Fures 38 212 B4
Furiani 2B 315 F2
Furmeyer 05 249 D2
Fussey 21 158 A1
Fussy 18 153 E1
La Fuste 04 267 D4
Fustérouau 32 273 F1
Fustignac 31 299 F1
Futeau 55 66 A1
Futuroscope 86 166 B1
Fuveau 13 285 D3
Fyé 89 113 F3
Fyé 72 82 C3

G

Gaas 40 271 E2
Gabarnac 33 236 C2
Gabarret 40 255 D3
Gabas 64 296 C4
Gabaston 64 273 D4
Gabat 64 271 E4
Gabian 34 280 B3
Gabillou 24 221 E1
Gabre 09 300 C3
Gabriac 48 262 C1
Gabriac 12 242 C3
Gabrias 48 244 A2
Gacé 61 57 D3
La Gacilly 56 102 B3
Gâcogne 58 137 D4
Gadancourt 95 60 A1
Gadencourt 27 59 E2
Gaël 35 78 B4
Gageac-et-Rouillac 24 219 F4
Gages-le-Haut 12 242 C4
Gagnac-sur-Cère 46 223 D3
Gagnac-sur-Garonne 31 276 B1
Gagnières 30 245 F4
Gagny 93 61 E3
Gahard 35 79 F3
Gailhan 30 263 E4
Gaillac 81 258 C4
Gaillac-d'Aveyron 12 243 D4
Gaillac-Toulza 31 300 C1
Gaillagos 65 297 E3
Gaillan-en-Médoc 33 198 C4
Gaillard 74 178 A4
Gaillardbois-Cressenville 27 32 C3
La Gaillarde 76 15 F1
Gaillefontaine 76 17 D4
Gaillères 40 254 A3
Gaillon 27 32 C4
Gaillon-sur-Montcient 78 60 A2
Gainneville 76 14 B4
Gaja-et-Villedieu 11 302 A2
Gaja-la-Selve 11 301 F2
Gajac 33 236 C3
Gajan 30 263 F4
Gajan 09 300 A3
Gajoubert 87 185 D1
Galametz 62 7 D3
Galamus (Gorges de) 66 302 C4
Galan 65 298 B1
Galapian 47 238 A4
Galargues 34 282 A1
La Galère 06 288 A4
Galéria 2B 314 A4
Galey 09 299 E4
Galez 65 298 B1
Galfingue 68 120 B3
Galgan 12 241 F3
Galgon 33 218 C2
Galiax 32 273 F2
Galibier (Col du) 05 232 A2
Galié 31 299 D3
Galinagues 11 310 C1
Gallardon 28 85 F2
Gallargues-le-Montueux 30 282 B1
Gallerande (Château de) 72 106 C4
Le Gallet 60 34 A1
Galluis 78 60 A3
Gamaches 80 17 D2
Gamaches-en-Vexin 27 33 D3
Gamarde-les-Bains 40 271 F1
Gamarthe 64 295 E1
Gambais 78 59 F4
Gambaiseuil 78 59 F4
Gambsheim 67 71 E2
Gan 64 296 C1
Ganac 09 300 C4
Ganagobie 04 267 D2
Ganagobie (Prieuré de) 04 267 D2
Gancourt-Saint-Étienne 76 33 E1
Gandelain 61 82 B2
Gandelu 02 62 C1
Gandrange 57 41 F3
Ganges 34 262 C3
Gannat 03 189 F2
Gannay-sur-Loire 03 155 F4
Les Gannes 63 206 B2
Gannes 60 34 C1
Gans 33 236 C3
Ganties 31 299 E3
Ganzeville 76 14 C2
Gap 05 249 E2
Gapennes 80 6 C4
Gâprée 61 83 D1
Garabit (Viaduc de) 15 225 F3
Garac 31 276 A1
Garancières 78 60 A3
Garancières-en-Beauce 28 86 A2
Garancières-en-Drouais 28 59 D4
Garanou 09 310 B1
Garat 16 201 F1
Garcelles-Secqueville 14 56 A1
Garche 57 41 F2
Garches 92 60 C3
Garchizy 58 154 C2
Garchy 58 135 E4
Gardanne 13 285 D3
La Garde 38 231 E2
La Garde 48 225 F4
La Garde 83 292 A2
La Garde 04 268 B4
La Garde-Adhémar 26 246 C3
La Garde-Freinet 83 287 D4
La Garde-Guérin 48 245 D3
Gardefort 18 135 D4
Gardegan-et-Tourtirac 33 219 D3
Gardères 65 297 E1
Les Gardes 49 147 D1
Gardes-le-Pontaroux 16 201 F2
Gardie 11 302 B3
Gardonne 24 219 F4
Gardouch 31 277 D4
Garein 40 253 F2
Garencières 27 59 D2
La Garenne-Colombes 92 60 C3
Garennes-sur-Eure 27 59 E2
Garentreville 77 87 E4
Garéoult 83 286 A4
La Garette 79 164 B4
Gargan (Mont) 87 204 B2
Garganvillar 82 257 D3
Gargas 84 266 A3
Gargas 31 276 C1
Gargenville 78 60 A2
Garges-lès-Gonesse 95 61 D2
Gargilesse-Dampierre 36 168 C2
Garidech 31 277 D1
Gariès 82 257 D4
Garigny 18 154 B1
Garin 31 307 F4
Garindein 64 295 F1
Garlan 29 49 E3
Garlède-Mondebat 64 273 D3
Garlin 64 273 D2
Le Garn 30 246 B4
La Garnache 85 145 D3
Garnat-sur-Engièvre 03 173 D1
Garnay 28 59 D4
Garnerans 01 175 E4
Garnetot 14 56 C2
La Garonne 83 292 B3
Garons 30 282 C1
Garos 64 272 C3
Garravet 32 275 E4
Garrebourg 57 70 A2
Garrevaques 81 277 F3
Garrey 40 271 F1
Le Garric 81 259 E3
Garrigues 81 277 E1
Garrigues 34 263 E4
Garrigues-Sainte-Eulalie 30 263 F3
Garrosse 40 253 D2
Gars 06 269 D3
Gartempe 23 186 C1
Gas 28 85 F1
Gaschney 68 96 A4
Gasny 27 59 F1
Gasques 82 256 C2
Gassin 83 293 E1
Le Gast 14 54 C3
Gastes 40 234 B4
Gastines 53 104 B2
Gastins 77 88 B1
Gasville-Oisème 28 85 E2
Gâtelles 28 85 D1
Gatey 39 159 D2
Gathemo 50 54 C3
Gatteville-le-Phare 50 25 E2
Gattières 06 288 B1
Gatuzières 48 262 A1
Gaubertin 45 111 D1
La Gaubretière 85 146 B2
Gauchin-Légal 62 8 A2
Gauchin-Verloingt 62 7 E2
Gauchy 02 20 A3
Gauciel 27 59 D1
La Gaudaine 28 84 B3
La Gaude 06 269 F4
Gaudechart 60 33 F1
Gaudent 65 298 C3
Gaudiempré 62 7 F4
Gaudiès 09 301 E2
Gaudonville 32 256 C4
Gaudreville-la-Rivière 27 58 B2
Gaugeac 24 239 D1
Gaujac 47 237 E3
Gaujac 32 275 E3
Gaujac 30 264 B2
Gaujacq 40 272 A1
Gaujan 32 275 D4
Le-Gault-du-Perche 41 108 B1
Le Gault-Saint-Denis 28 85 E4
Le Gault-Soigny 51 63 E3
Gauré 31 277 D2
Gauriac 33 217 E2
Gauriaguet 33 217 F2
Gaussan 65 298 C1
Gausson 22 77 E3
Les Gautherets 71 174 A1
Gauville 80 17 E3
Gauville 61 57 F3
Gauville-la-Campagne 27 58 C1
Gavarnie 65 306 B4
Gavarnie (Port de) 65 306 B4
Gavarret-sur-Aulouste 32 275 D1
Gavaudun 47 239 D2
Gavet 38 231 D2
Gavignano 2B 315 E4
Gavisse 57 41 F2
La Gavotte 13 284 C4
Gavray 50 54 A2
Le Gâvre 44 126 A1
Gavrelle 62 8 B3
Gâvres 56 100 A3
Gavrinis (Cairn de) 56 122 C2
Gavrus 14 29 D4
Gayan 65 273 F4
Gaye 51 63 F4
Gayon 64 273 E3
Gazaupouy 32 256 A3
Gazave 65 298 B3
Gazax-et-Baccarisse 32 274 A2
Gazeran 78 86 A1
Gazinet 33 217 D4
Gazost 65 297 F3
Géanges 71 158 A2
Geaune 40 273 D2
Geay 17 181 E3
Geay 79 148 A3
Gèdre 65 306 C4
Gée 49 129 D2
Gée-Rivière 32 273 E1
Geffosses 50 26 C4
Géfosse-Fontenay 14 25 F4
Gehée 36 151 E2
Geishouse 68 120 A1
Geispitzen 68 120 C3
Geispolsheim 67 71 D4
Geiswasser 68 97 D4
Geiswiller 67 70 C2
Gélacourt 54 95 E1
Gélannes 10 89 E2
Gélaucourt 54 94 A2
Gellainville 28 85 E3
Gellenoncourt 54 68 C4
Gelles 63 188 C4
Gellin 25 160 C4
Gelos 64 296 C1
Geloux 40 253 F3
Gelucourt 57 69 E3
Gelvécourt-et-Adompt 88 94 B4
Gémages 61 83 F3
Gemaingoutte 88 96 A2
Gembrie 65 298 C3
Gemeaux 21 139 E2
Gémenos 13 285 E4
Gémigny 45 109 F2
Gémil 31 277 D1
Gemmelaincourt 88 94 A3
Gémonval 25 142 A1
Gémonville 54 93 F2
Gémozac 17 199 D2
Genac 16 183 E4
Genainville 95 60 A1
Genas 69 193 D4
Génat 09 309 F1
Genay 21 137 F2
Genay 69 192 C3
Gençay 86 166 B3
Gendreville 88 93 E4
Gendrey 39 140 B4
Gené 49 128 A1
Génébrières 82 258 A3
Genech 59 9 D1
Génelard 71 174 A2
Générac 33 217 E1
Générac 30 282 C1
Générargues 30 263 D2
Générest 65 298 C3
Generville 11 301 F1
Geneslay 61 81 F1
Le Genest 53 104 C1
Genestelle 07 246 A1
Geneston 44 145 F1
La Genête 71 175 F2
La Genétouze 17 219 D1
La Genétouze 85 145 F4
Genêts 50 53 F4
Les Genettes 61 57 F4
Geneuille 25 141 D3
La Genevraie 61 57 D4
La Genevraye 77 87 F3
Genevreuille 70 118 C4
Genevrey 70 118 C4
Genevrières 52 117 E4
La Genevroye 52 92 A3
Geney 25 142 A2
La Geneytouse 87 186 A4
Génicourt 95 60 B1
Génicourt-sous-Condé 55 66 B3
Génicourt-sur-Meuse 55 66 C1
Genilac 42 210 B2
Genillé 37 150 C1
Genin (Lac) 01 177 D4
Génis 24 203 E4
Génissac 33 218 C4
Génissiat (Barrage de) 74 194 C2
Génissieux 26 229 E2
Genlis 21 139 F4
Gennes 49 129 D3
Gennes 25 141 E4
Gennes-Ivergny 62 7 D3
Gennes-sur-Glaize 53 105 E3
Gennes-sur-Seiche 35 104 B2
Genneteil 49 129 F1
Gennetines 03 172 B1
Genneton 79 147 F1
Genneville 14 30 C3
Gennevilliers 92 61 D2
Genod 39 176 C3
Génois (Pont) 2B 317 E1
Génois (Pont) 2B 314 C4
Génolhac 30 245 D4
Génos 31 299 D3
Génos 65 307 E4
Genouillac 23 169 F4
Genouillac 16 184 B4
Genouillé 17 181 E2
Genouillé 86 184 A1
Genouilleux 01 192 C1
Genouilly 18 152 B1
Genouilly 71 174 C1
Genrupt 52 117 E2
Gensac 82 257 D3
Gensac 33 219 E4
Gensac 65 273 F3
Gensac-de-Boulogne 31 298 C1
Gensac-la-Pallue 16 200 C1
Gensac-sur-Garonne 31 300 A1
Genté 16 200 C1
Gentelles 80 18 C3
Gentilly 94 61 D3
Gentioux 23 187 D4
Genvry 60 35 F1
Georfans 70 142 A1
Géovreisset 01 176 C4
Géovreissiat 01 194 B1
Ger 50 55 D4
Ger 64 297 E1
Ger 65 297 E2
Geraise 39 160 A2
Gérardmer 88 119 F1
Géraudot 10 90 C3
Gérauvilliers 55 93 D1
Gerbaix 73 212 C1
Gerbamont 88 119 E1
Gerbécourt 57 68 C2
Gerbécourt-et-Haplemont 54 94 B1
Gerbépal 88 95 F4
Gerberoy 60 33 F1
Gerbéviller 54 95 D1

Gerbier de Jonc 07 .... 227 F4
Gercourt-et-Drillancourt 55.. 40 A3
Gercy 02............... 21 D3
Gerde 65............... 298 A2
Gerderest 64............ 273 E4
Gère-Bélesten 64......... 296 C3
Gergny 02.............. 21 E2
Gergovie (Plateau de) 63... 207 E1
Gergueil 21............. 138 C4
Gergy 71............... 158 B3
Gerland 21.............. 158 B1
Germ 65............... 307 E4
Germagnat 01........... 176 B3
Germagny 71............ 174 C1
Germaine 02............ 19 F3
Germaine 51............ 64 A1
Germaines 52............ 116 A3
Germainville 28.......... 59 E4
Germainvilliers 52........ 117 E1
Germay 52.............. 92 C2
Germéfontaine 25........ 142 A4
Germenay 58............ 136 B4
Germignac 17........... 199 F2
Germigny 39............ 159 F2
Germigny 70............ 140 A3
Germignonville 28........ 85 F4
Germigny 51............ 37 E4
Germigny 89............ 113 F2
Germigny-des-Prés 45..... 110 C3
Germigny-l'Évêque 77..... 62 A2
Germigny-l'Exempt 18..... 154 B3
Germigny-
   sous-Coulombs 77...... 62 B1
Germigny-sur-Loire 58..... 154 B2
Germinon 51............ 64 B3
Germiny 54............. 94 A1
Germisay 52............ 92 C2
Germolles (Château de) 71. 158 A4
Germolles-sur-Grosne 71... 174 C4
Germond-Rouvre 79....... 164 C2
Germondans 25.......... 141 E4
Germont 08............. 39 E2
Germonville 54.......... 94 B2
Germs-sur-l'Oussouet 65... 297 F3
Gernelle 08............. 23 D3
Gernicourt 02........... 37 E2
Géronce 64............. 296 A1
Gerponville 76.......... 15 D2
Gerrots 14............. 30 A4
Gerstheim 67........... 97 D1
Gertwiller 67........... 96 C1
Geruge 39.............. 176 C1
Gervans 26............. 229 D2
Gerville 76............. 14 C2
Gerville-la-Forêt 50...... 26 C3
Géry 55............... 66 C3
Gerzat 63.............. 189 E4
Gesnes 53.............. 81 E4
Gesnes-en-Argonne 55.... 39 F3
Gesnes-le-Gandelin 72.... 82 C3
Gespunsart 08.......... 23 D3
Gestas 64............. 271 F4
Gesté 49.............. 127 E4
Gestel 56............. 100 A2
Gestiès 09............ 309 F1
Gesvres 53............ 82 B3
Gesvres-le-Chapitre 77... 62 A1
Gétigné 44............ 146 A1
Les Gets 74........... 178 C4
Geu 65............... 297 E3
Geudertheim 67......... 71 D2
Géus-d'Arzacq 64....... 272 C3
Geüs-d'Oloron 64....... 296 A1
Gévezé 35............ 79 D4
Gevigney-et-Mercey 70... 118 A3
Gevingey 39........... 176 B1
Gevresin 25........... 160 B2
Gevrey-Chambertin 21.... 139 D4
Gevrolles 21.......... 115 F2
Gevry 39............. 159 E1
Gex 01.............. 177 F3
Geyssans 26.......... 229 E1
Gez 65.............. 297 E3
Gez-ez-Angles 65....... 297 F2
Gézaincourt 80......... 7 E4
Gezier-et-Fontenelay 70... 140 C3
Gézoncourt 54......... 67 F3
Ghisonaccia 2B........ 317 F3
Ghisoni 2B............ 317 E2
Ghissignies 59......... 9 F4
Ghyvelde 59........... 3 F1
Giat 63.............. 188 A4
Gibeaumeix 54......... 93 E1
Gibel 31............. 301 D1
Gibercourt 02......... 20 A4
Giberville 14.......... 29 F4
Gibles 71............ 174 B4
Gibourne 17.......... 182 C3
Gibret 40............ 272 A1
Le Gicq 17........... 182 C3
Gidy 45............. 110 A2
Giel-Courteilles 61...... 56 A3
Gien 45............. 134 B1
Gien-sur-Cure 58....... 156 C1
Giens 83............. 292 B3
Gières 38............ 230 C3
La Giettaz 73......... 196 A3
Giéville 50........... 27 F4
Gièvres 41............ 132 C4
Giey-sur-Aujon 52....... 116 B2
Giez 74.............. 195 F4
Gif-sur-Yvette 91....... 60 C4
Giffaumont-Champaubert 51 91 F1
Gigean 34............ 281 E3
Gignac 34............ 281 D2
Gignac 46............ 222 A3
Gignac 84............ 266 B3
Gignac-la-Nerthe 13..... 284 B4
Gignat 63............ 207 F3
Gignéville 88.......... 117 F1

Gigney 88............ 94 C4
Gigny 39............. 176 B2
Gigny 89............. 114 C3
Gigny-Bussy 51......... 91 D1
Gigny-sur-Saône 71..... 175 E1
Gigondas 84.......... 265 E1
Gigors 04............ 249 F3
Gigors-et-Lozeron 26.... 229 E4
Gigouzac 46.......... 240 A2
Gijounet 81........... 279 D1
Gildwiller 68.......... 120 B3
Gilette 06............ 269 F3
Gilhac-et-Bruzac 07..... 228 C4
Gilhoc-sur-Ormèze 07.... 228 C3
Gillancourt 52......... 92 A4
Gillaumé 52........... 92 C2
Gilles 28............. 59 E2
Gilley 25............. 161 E1
Gilley 52............. 117 E4
Gillois 39............ 160 B4
Gillonnay 38.......... 211 F3
Gilly-lès-Cîteaux 21..... 158 B1
Gilly-sur-Isère 73....... 214 A1
Gilly-sur-Loire 71....... 173 D2
Gilocourt 60.......... 35 E4
Gimat 82............. 257 D4
Gimbrède 32.......... 256 B2
Gimbrett 67........... 71 D2
Gimeaux 63........... 189 E3
Gimécourt 55.......... 66 C3
Gimel-les-Cascades 19... 205 D4
Gimeux 16............ 199 F1
La Gimond 42.......... 210 A2
Gimont 32............ 275 E2
Gimouille 58.......... 154 C3
Ginai 61............. 57 D4
Ginals 82............ 258 C1
Ginasservis 83......... 285 F1
Ginchy 80............ 19 E1
Gincla 11............ 311 E1
Gincrey 55........... 40 C3
Gindou 46............ 239 F2
Ginestas 11........... 303 F1
Ginestet 24........... 220 A3
Gingsheim 67......... 71 D2
Ginoles 11............ 302 A4
Ginouillac 46.......... 240 B1
Gintrac 46............ 222 C4
Giocatojo 2B.......... 315 E3
Gionges 51........... 64 A2
Giou-de-Mamou 15...... 224 B3
Gioux 23............. 187 E4
Gipcy 03............. 171 F2
Girac 46............. 222 C3
Girancourt 88......... 94 C4
Giraumont 60......... 35 E2
Giraumont 54......... 41 E4
Girauvoisin 55......... 67 D3
Gircourt-lès-Viéville 88.... 94 B3
Girecourt-sur-Durbion 88.. 95 D3
Girefontaine 70....... 118 B2
Giremoutiers 77....... 62 B3
Girgols 15........... 224 A2
Giriviller 54.......... 94 C2
Girmont 88........... 94 C3
Girmont-Val-d'Ajol 88.... 119 D2
Girolles 45........... 111 F1
Girolles 89........... 136 C2
Giromagny 90......... 119 F3
Giron 01............. 177 D4
Gironcourt-sur-Vraine 88... 93 F3
Gironde-sur-Dropt 33..... 237 D2
Girondelle 08......... 22 A3
Gironville 77......... 87 E4
Gironville-et-Neuville 28... 85 D1
Gironville-sous-les-Côtes 55. 67 E3
Gironville-sur-Essonne 91... 87 D3
Le Girouard 85........ 162 C1
Giroussens 81......... 277 E1
Giroux 36............ 152 B2
Girovillers-sous-Montfort 88 94 A3
Giry 58.............. 136 A4
Gisay-la-Coudre 27...... 57 F2
Giscaro 32........... 275 F2
Giscos 33............ 236 C4
Gissac 12............ 261 D4
Gissey-le-Vieil 21...... 138 A3
Gissey-sous-Flavigny 21.. 138 B2
Gissey-sur-Ouche 21.... 138 C4
Gisy-les-Nobles 89..... 88 C4
Giuncaggio 2B........ 317 F1
Giuncheto 2A......... 318 C3
Givardon 18.......... 154 A4
Givarlais 03.......... 171 D3
Givenchy-en-Gohelle 62.. 8 B2
Givenchy-le-Noble 62.... 7 F3
Givenchy-lès-la-Bassée 62.. 8 B1
Giverny 27........... 59 E1
Giverville 27......... 31 D4
Givet 08............. 13 D3
Givonne 08........... 23 E4
Givors 69............ 210 C2
Givraines 45.......... 111 D1
Givrand 85........... 163 D2
Le Givre 85.......... 162 C2
Givrezac 17.......... 199 E2
Givron 08............ 22 A4
Givry 71............. 157 F4
Givry 89............. 136 C2
Givry 08............. 38 C2
Givry-en-Argonne 51.... 65 F2
Givry-lès-Loisy 51...... 64 A3
Givrycourt 57......... 69 F2
Gizaucourt 51......... 65 F1
Gizay 86............. 166 B3
Gizeux 37............ 129 F3
Gizia 39............. 176 B2
Gizy 02............. 37 D1

La Glacerie 50........ 24 C2
Glacière (Grotte de la) 25.. 141 F4
Glageon 59........... 10 C3
Glaignes 60.......... 35 E4
Glainans 25.......... 142 A2
Glaine-Montaigut 63..... 190 A4
Glaire 08............ 23 D4
Le Glaizil 05.......... 231 E4
Glamondans 25........ 141 F3
Gland 01............. 63 D1
Gland 89............. 114 C3
Glandage 26.......... 248 B1
Glandon 87........... 203 F3
Glandon (Col du) 73..... 213 F4
Glanes 46............ 223 D3
Glanges 87........... 204 A1
Glannes 51........... 65 D4
Glanon 21............ 158 B2
Glanville 14.......... 30 B4
Glatens 82............ 256 C4
Glatigny 60........... 33 F2
Glatigny 57........... 42 A4
Glatigny 50........... 26 B3
Glay 25.............. 142 C2
Gleizé 69............ 192 C2
Glénac 56............ 102 B4
Glénat 15............ 223 F3
Glénay 79............ 148 A3
Glénic 23............ 187 D1
Glennes 02........... 37 D3
Glénouze 86.......... 148 C2
Glère 25............. 143 D3
Glicourt 76........... 16 B2
Glisolles 27.......... 58 B2
Glisy 80............. 18 B3
Glomel 22............ 76 A3
Glonville 54.......... 95 E1
Glorianes 66.......... 312 B3
Glos 14.............. 57 D1
Glos-la-Ferrière 61..... 57 F3
Glos-sur-Risle 27...... 31 E3
Gluges 46............ 222 B3
Gluiras 07........... 228 B4
Glun 07............. 229 D2
Glux-en-Glenne 58..... 156 B2
Goas 82............. 257 D4
La Godefroy 50........ 54 A4
Godenvillers 60....... 35 D1
Goderville 76......... 14 C3
Godewaersvelde 59..... 4 A3
Godisson 61.......... 57 D4
La Godivelle 63....... 207 D3
Godoncourt 88........ 117 F2
Gœrlingen 67......... 70 A2
Gœrsdorf 67.......... 45 D4
Gœs 64............. 296 B1
Goetzenbruck 57...... 44 B4
Gœulzin 59.......... 8 C3
Gœuilly 54........... 69 E4
Gognies-Chaussée 59... 10 B1
La Gohannière 50...... 54 A4
Gohier 49............ 128 C3
Gohory 28............ 108 C1
Goin 57............. 68 B1
Goincourt 60......... 34 A2
Golancourt 60........ 19 F4
Golbey 88........... 94 C4
Goldbach 68.......... 120 A1
Golfe-Juan 06......... 288 B3
Golfech 82........... 256 C2
Golleville 50......... 24 C4
Gombergean 41....... 131 F1
Gomelange 57........ 42 B3
Gomené 22........... 77 F4
Gomer 64............ 297 E1
Gometz-la-Ville 91..... 60 C4
Gometz-le-Châtel 91.... 60 C4
Gomiécourt 62........ 8 B4
Gommecourt 78....... 59 F1
Gommecourt 62....... 8 A4
Gommegnies 59....... 10 A2
Gommenec'h 22....... 50 C3
Gommersdorf 68....... 120 A3
Gommerville 28....... 86 B3
Gommerville 76....... 14 C4
Gommeville 21........ 115 D2
Gomont 08........... 38 A1
Gonaincourt 52....... 93 D4
Goncelin 38.......... 213 D3
Goncourt 52.......... 93 D4
Gond-Pontouvre 16.... 201 F1
Gondecourt 59........ 8 C1
Gondenans-les-Moulins 25.. 141 F2
Gondenans-Montby 25... 142 A2
Gondeville 16......... 201 D1
Gondrecourt-Aix 54.... 41 D2
Gondrecourt-le-Château 55. 93 D1
Gondreville 45........ 111 F2
Gondreville 60........ 35 F4
Gondreville 54........ 67 F4
Gondrexange 57....... 69 F4
Gondrexon 54........ 69 E4
Gondrin 32........... 255 F2
Les Gonds 17......... 181 F4
Gonesse 95........... 61 D2
Gonez 65............ 298 A1
Gonfaron 83.......... 286 C4
Gonfreville 50........ 27 D4
Gonfreville-Caillot 76... 14 C3
Gonfreville-l'Orcher 76... 14 B4
La Gonfrière 61....... 57 E3
Gonnehem 62......... 8 A1
Gonnelieu 59......... 19 F1
Gonnetot 76.......... 15 F2
Gonneville 50........ 25 D2
Gonneville-en-Auge 14... 29 F3
Gonneville-la-Mallet 76... 14 B3
Gonneville-sur-Honfleur 14. 30 C2
Gonneville-sur-Mer 14.... 30 A4

Gonneville-sur-Scie 76.... 16 A3
Gonsans 25........... 141 F4
Gontaud-de-Nogaret 47... 237 F3
La Gonterie-Boulouneix 24.. 202 B3
Gonvillars 70......... 142 B1
Gonzeville 76........ 15 F2
Goos 40............. 271 F1
Gorbio 06............ 289 E4
Gorcy 54............ 40 C1
Gordes 84............ 265 F3
Gorenflos 80......... 17 F1
Gorges 50........... 27 D3
Gorges 44........... 146 A1
Gorges 80........... 18 A1
La Gorgue 59......... 4 A4
Gorhey 88........... 94 B4
Gornac 33........... 236 C1
Gorniès 34........... 262 B4
Gorre 87............ 203 D1
Gorrevod 01.......... 175 E3
Gorron 53........... 81 D2
Gorses 46............ 223 E4
Gorze 57............ 67 F1
Gosnay 62........... 8 A1
Gosné 35............ 79 F3
Gosselming 57........ 69 F3
Gotein-Libarrenx 64.... 295 F1
Gottenhouse 67....... 70 B2
Gottesheim 67........ 70 C2
Gouaix 77........... 88 C2
Goualade 33.......... 236 C4
Gouarec 22.......... 76 B3
Gouaux 65........... 298 B4
Gouaux-de-Larboust 31... 307 F4
Gouaux-de-Luchon 31... 299 D4
Gouberville 50........ 25 E2
Goudargues 30........ 264 C1
Goudelancourt-
   lès-Berrieux 02...... 37 E2
Goudelancourt-
   lès-Pierrepont 02...... 21 D4
Goudelin 22.......... 50 C3
Goudet 43........... 227 D4
Goudex 31........... 275 F4
Goudon 65........... 298 A1
Goudourville 82....... 256 C2
Gouesnach 29......... 73 F4
La Gouesnière 35...... 53 D4
Gouesnou 29......... 47 E3
Gouex 86............ 167 D3
Gouézec 29.......... 75 D3
Gougenheim 67....... 70 C2
Gouhelans 70......... 141 F2
Gouhenans 70........ 142 A1
Gouillons 28......... 86 A3
Gouise 03............ 172 B3
Goujounac 46......... 239 F2
Le Goulafrière 27...... 57 E2
Goulaine (Château de) 44. 126 C4
Goulet 61............ 56 C3
Goulien 29........... 72 C3
Goulier 09........... 309 F1
Goulles 19........... 223 E2
Les Goulles 21........ 116 A3
Gouloux 58........... 137 E4
Goult 84............ 265 F4
Goulven 29........... 47 F1
Goumois 25.......... 143 D3
Goupillières 14........ 55 F1
Goupillières 27........ 58 A1
Goupillières 76........ 32 A1
Goupillières 78........ 60 A3
Gouraincourt 55....... 40 C3
Le Gouray 22......... 77 F2
Gourbera 40.......... 252 C4
Gourbesville 50....... 25 D3
Gourbit 09........... 300 C4
Gourchelles 60........ 17 E4
Gourdan-Polignan 31.... 298 C2
Gourdièges 15........ 225 D3
Gourdon 06.......... 269 E4
Gourdon 46.......... 240 A1
Gourdon 07.......... 246 A1
Gourdon 71.......... 174 B1
Gourdon-Murat 19..... 205 D2
Gourette 64.......... 297 D3
Gourfaleur 50......... 54 B1
Gourgançon 51........ 64 A4
Gourgé 79............ 148 B4
Gourgeon 70......... 117 F4
Gourgue 65.......... 298 A2
Gourhel 56........... 102 A2
Gourin 56............ 75 F4
Gourlizon 29......... 73 E3
Gournay 79........... 183 D1
Gournay 36........... 169 D2
Gournay 76.......... 14 B4
Gournay-en-Bray 76.... 33 E2
Gournay-le-Guérin 27... 58 A4
Gournay-sur-Aronde 60.. 35 D2
Gournay-sur-Marne 93... 61 E3
Les Gours 16......... 183 D1
Gours 33............ 219 D3
Gourvieille 11........ 277 E4
Gourville 16.......... 183 D1
Gourvillette 17....... 182 C2
Goury 50............ 24 A1
Gouron 25........... 92 A1
Goussaincourt 55...... 93 E2
Goussainville 95...... 61 E2
Goussainville 28...... 59 E4
Goussancourt 02...... 37 D4
Gousse 40........... 253 D4
Goussonville 78....... 60 A2
Goustranville 14...... 30 A4
La Goutelle 63........ 188 C4
Goutevernisse 31...... 300 A1
Goutrens 12.......... 242 A2

Gouts 82............ 239 D4
Gouts 40............ 253 E4
Gouts-Rossignol 24..... 202 A3
Gouttes (Parc des) 03.... 172 C3
Gouttières 27......... 58 A1
Gouttières 63......... 188 C3
Goutz 32............ 256 B4
Gouvernes 77......... 61 F3
Gouves 62........... 8 A3
Gouvets 50........... 54 B2
Gouvieux 60.......... 34 C4
Gouville 27.......... 58 B3
Gouville-sur-Mer 50.... 26 B4
Gouvix 14........... 56 A1
Goux 39............. 159 E1
Goux 32............. 273 F2
Goux-lès-Dambelin 25... 142 B2
Goux-les-Usiers 25..... 160 C2
Goux-sous-Landet 25.... 160 A1
Gouy 02............. 20 A1
Gouy 76............. 32 B3
Gouy-en-Artois 62..... 8 A3
Gouy-en-Ternois 62..... 7 F3
Gouy-les-Groseillers 60.. 18 A4
Gouy-l'Hôpital 80..... 17 F3
Gouy-Saint-André 62.... 6 C2
Gouy-Servins 62....... 8 A2
Gouy-sous-Bellonne 62... 8 C3
Gouzangrez 95........ 60 A1
Gouze 64............ 272 B3
Gouzeaucourt 59....... 19 F1
Gouzens 31........... 300 A2
Gouzon 23........... 187 F1
Gouzougnat 23........ 187 F1
Goven 35............ 103 D1
Goviller 54........... 94 A1
Goxwiller 67.......... 70 C4
Goyencourt 80........ 19 D4
Goyrans 31.......... 276 C3
Grabels 34........... 281 E2
Graçay 18............ 152 A1
Grâce-Uzel 22........ 77 E3
Grâces 22........... 50 B3
Gradignan 33......... 217 E4
Graffigny-Chemin 52.... 93 E4
Gragnague 31......... 277 D2
Graignes 50.......... 27 D3
Grailhen 65.......... 298 B4
Graimbouville 76...... 14 C3
Graincourt-
   lès-Havrincourt 62..... 8 C4
Grainville 27......... 32 C3
Grainville-la-Teinturière 76.. 15 E2
Grainville-Langannerie 14.. 56 A1
Grainville-sur-Odon 14.... 29 D4
Grainville-sur-Ry 76..... 32 C2
Grainville-Ymauville 76... 14 C3
Le Grais 61.......... 56 A4
Graissac 12.......... 242 C1
Graissessac 34........ 280 A2
Graix 42............ 210 B4
Le Grallet 17......... 198 B1
Gramat 46........... 240 C1
Grambois 84.......... 266 B4
Grammond 42......... 210 A2
Grammont 70......... 142 A1
Gramond 12.......... 259 F1
Gramont 82.......... 256 C3
Granace 2A.......... 318 C2
Grancey-le-Château 21... 116 A4
Grancey-sur-Ource 21... 115 E2
Grand 88............ 93 D2
Le Grand-Abergement 01.. 194 B2
Grand-Auverné 44..... 127 D1
Grand-Ballon 68....... 120 A1
Grand Bois ou de la République
   (Col du) 42.......... 210 A4
Le Grand-Bornand 74.... 196 A2
Le Grand-Bourg 23..... 186 B1
Grand-Brassac 24..... 202 A4
Grand-Camp 76....... 15 D4
Grand-Camp 27....... 57 F1
Grand-Castang 24..... 220 C3
Le Grand-Celland 50.... 54 B4
Grand-Champ 56...... 101 D2
Grand-Charmont 25.... 142 C1
Grand-Châtel 39....... 177 D3
La Grand-Combe 30.... 263 E1
Grand-Corent 01...... 176 B4
Grand-Couronne 76.... 32 A3
La Grand-Croix 42..... 210 B2
Grand-Failly 54....... 40 B2
Grand-Fayt 59........ 10 A3
Grand-Fenestrez 01.... 194 C3
Grand-Fort-Philippe 59... 3 D1
Grand-Fougeray 35.... 103 D4
Grand-Laviers 80...... 6 B4
Le Grand-Lemps 38.... 212 A3
Le Grand-Lucé 72..... 107 E3
Le Grand-Madieu 16... 184 A3
Grand Phare 85....... 144 A4
Le Grand Piquey 33.... 234 B1
Grand-Pressigny 37.... 150 A3
Le Grand-Puch (Château du) 33. 217 F4
Le Grand-Quevilly 76.... 32 A2
Grand-Rozoy 02....... 36 B4
Grand-Rullecourt 62.... 7 F3
Le Grand-Serre 26..... 211 E4
Grand Taureau 25..... 161 D2
Grand-Vabre 12....... 242 A2
Le Grand-Valtin 88..... 95 F4
Grand-Verly 02....... 20 C2
Le Grand-Village-Plage 17. 180 B3
Grandcamp-Maisy 14.... 25 D4
Grandchain 27........ 57 F1
Grandchamp 78....... 59 F4
Grandchamp 08....... 22 A4
Grandchamp 89....... 112 B4

Grandchamp 72........ 82 C3
Grandchamp-
   des-Fontaines 44...... 126 B3
Grandchamp-le-Château 14.. 56 C1
Grand'Combe-Châtelu 25.. 161 E1
Grand'Combe-des-Bois 25.. 142 C4
Grandcourt 80......... 19 D1
Grandcourt 76......... 16 C2
Grande Chartreuse
   (Couvent de la) 38..... 212 C3
La Grande-Fosse 88.... 96 A1
La Grande-Motte 34.... 282 A2
La Grande-Paroisse 77... 88 A3
La Grande-Résie 70.... 140 B3
Grande-Rivière 39..... 177 E2
Grande-Synthe 59..... 3 E1
La Grande-Verrière 71... 156 C2
Grandecourt 70....... 140 C1
Les Grandes-Armoises 08.. 39 E1
Les Grandes-Chapelles 10.. 90 A2
Les Grandes-Dalles 76... 15 D1
Les Grandes-Loges 51... 64 C1
Les Grandes-Rivières 17... 181 D1
Les Grandes-Ventes 76... 16 B3
Grandeyrolles 63...... 207 E2
Grandfontaine 25..... 141 D4
Grandfontaine 67..... 70 A4
Grandfontaine-Fournets 25.. 161 E1
Grandfontaine-sur-Creuse 25 142 A4
Grandfresnoy 60...... 35 D3
Grandham 08......... 39 E3
Grandjean 17......... 181 F3
Grand'Landes 85...... 145 E3
Grandlup-et-Fay 02.... 21 D4
Grandmesnil 14....... 56 C2
Grandmesnil 14....... 56 C2
Grandouet 14........ 30 B4
Grandpré 08......... 39 E3
Grandpuits 77........ 88 A1
Grandrieu 48......... 226 B4
Grandrieux 02........ 21 F4
Grandris 63.......... 208 C2
Grandris 69.......... 192 A2
Grandrû 60.......... 36 A1
Grandrupt 88........ 96 A1
Grandrupt-de-Bains 88... 118 B3
Les Grands-Chézeaux 87.. 168 B4
Grandsaigne 19....... 205 D3
Grandval 63.......... 208 B2
Grandval (Barrage de) 15.. 225 E3
Grandvals 48......... 243 E1
Grandvaux 71......... 174 A2
Grandvelle-la-Teinturière 76.. 141 D2
Grandvillars 90....... 120 A4
La Grandville 08...... 23 D3
Grandville 10........ 90 C1
Grandvillers 88....... 95 E3
Grandvillers-aux-Bois 60... 35 D2
Grandvilliers 60...... 17 F4
Grandvilliers 27...... 58 C3
Grane 26............ 247 D1
Granès 11........... 302 A4
La Grange 25......... 142 B2
Grange-de-Vaivre 39.... 160 A2
Grange-le-Bocage 89.... 89 D3
Grangent (Barrage de) 42.. 209 F3
Grangermont 45....... 87 D4
Granges 71.......... 157 F4
Les Granges 10....... 114 B1
Granges 01.......... 176 B4
Les Granges (Château) 58.. 135 E3
Granges-d'Ans 24..... 221 E1
Les Granges-de-Vienney 25.. 141 E4
Les Granges-Gontardes 26.. 246 C3
Granges-la-Ville 70.... 142 A1
Granges-le-Bourg 70.... 142 A1
Les Granges-le-Roi 91... 86 B3
Granges-les-Beaumont 26.. 229 E2
Granges-les-Valence 07... 229 D3
Granges-Maillot 25.... 160 C2
Granges-Narboz 25.... 161 D3
Granges-Sainte-Marie 25. 161 D3
Granges-sur-Aube 51.... 89 F1
Granges-sur-Baume 39... 159 F4
Granges-sur-Lot 47..... 238 A4
Granges-sur-Vologne 88... 95 E4
Les Grangettes 25..... 161 D3
Grangues 14......... 30 A3
Granier 73........... 214 B1
Granier (Col du) 73.... 213 D2
Granieu 38........... 212 B1
Granon (Col de) 05..... 232 B2
Grans 13............ 284 A2
Granville 50......... 53 F3
Granzay 79.......... 164 C4
Les Gras 25......... 161 E2
Gras 07............. 246 B3
Gras (Plateau des) 07... 246 B3
Grassac 16.......... 202 A2
Grasse 06........... 288 A4
Grassendorf 67....... 71 D1
Grateloup 47......... 238 A3
Gratens 31.......... 300 B1
Gratentour 31........ 276 C1
Gratibus 80.......... 18 C4
Gratot 50............ 53 F1
Gratreuil 51......... 38 C4
Grattepanche 80...... 18 B3
Le Gratteris 25....... 141 E4
Grattery 70.......... 118 A4
Le Grau-d'Agde 34.... 305 E1
Grau de Maury 66..... 303 D4
Le Grau-du-Roi 30.... 282 B2
Graufthal 67......... 70 B1
Les Graulges 24...... 202 A2
Graulhet 81.......... 277 F1
Grauves 51.......... 64 A2
Graval 76........... 16 C4
La Grave 05......... 232 A2
La Grave 06......... 288 C1

Grave (Pointe de) 33 .... 198 B2
Gravelines 59 .... 3 D1
La Gravelle 53 .... 104 C1
Gravelotte 57 .... 41 E4
La Graverie 14 .... 55 D2
Graveron-Sémerville 27 ... 58 B1
Graves-Saint-Amant 16 ... 201 D1
Graveson 13 .... 264 C4
Gravières 07 .... 245 E3
Gravigny 27 .... 58 C1
Gravon 77 .... 88 B3
Gray 70 .... 140 B2
Gray-la-Ville 70 ...... 140 B2
Grayan-et-l'Hôpital 33 .. 198 B3
Graye-et-Charnay 39 .... 176 B2
Graye-sur-Mer 14 .... 29 E3
Grayssas 47 .... 256 C1
Grazac 43 .... 227 F1
Grazac 81 .... 258 B4
Grazac 31 .... 300 C1
Grazay 53 .... 81 F3
Gréalou 46 .... 241 D2
Gréasque 13 .... 285 D3
Grébault-Mesnil 80 ..... 17 D1
Grécourt 80 .... 19 F4
Gredisans 39 .... 159 E1
La Grée-Penvins 56 ..... 123 D2
La Grée-Saint-Laurent 56 .. 101 F1
Gréez-sur-Roc 72 ...... 108 A1
Greffeil 11 .... 302 C3
Grèges 76 .... 16 A2
Grégy-sur-Yerres 77 .... 61 E4
Grémecey 57 .... 68 C3
Grémévillers 60 .... 33 F1
Gremilly 55 .... 40 B3
Grémonville 76 .... 15 F3
Grenade 31 .... 276 B1
Grenade-sur-l'Adour 40 .. 272 C1
Grenand-lès-Sombernon 21 .. 138 C4
Grenant 52 .... 117 D4

Grenay 38 .... 211 E1
Grenay 62 .... 8 B2
Grendelbruch 67 .... 70 B4
Greneville-en-Beauce 45 .. 86 C4
Grenier-Montgon 43 ..... 207 F4
Gréning 57 .... 69 E1
Grenoble 38 .... 230 C1
Grenois 58 .... 136 B4
Grentheville 14 .... 29 F4
Grentzingen 68 .... 120 C4
Greny 76 .... 16 B2
Gréolières 06 .... 269 E4
Gréolières-les-Neiges 06 .. 269 E4
Gréoux-les-Bains 04 .... 267 D4
Grépiac 31 .... 276 C4
Le Grès 31 .... 276 A1
Grésigny-Sainte-Reine 21 .. 138 A1
Gresin 73 .... 212 C1
La Gresle 42 .... 191 F2
Gresse-en-Vercors 38 ... 230 B3
Gressey 78 .... 59 F3
Gresswiller 67 .... 70 C4
Gressy 77 .... 61 F2
Grésy-sur-Aix 73 ...... 195 D4
Grésy-sur-Isère 73 .... 213 F1
Gretz-Armainvilliers 77 .. 61 F4
Greucourt 70 .... 140 C1
Greuville 76 .... 16 A4
Greux 88 .... 93 E2
La Grève-sur-Mignon 17 .. 164 A4
Gréville-Hague 50 ...... 24 B2
Grévillers 62 .... 19 D4
Grevilly 71 .... 175 D2
Grez 60 .... 17 F4
Grez-en-Bouère 53 ..... 105 E3
Grez-Neuville 49 ...... 128 A1
Grez-sur-Loing 77 ..... 87 F3
Grézac 17 .... 198 C1

Grézels 46 .... 239 E3
Grèzes 24 .... 222 A2
Grèzes 48 .... 244 A3
Grèzes 43 .... 226 B3
Grèzes 46 .... 240 C2
Grézet-Cavagnac 47 .... 237 E4
Grézian 65 .... 298 B4
Grézieu-la-Varenne 69 .. 192 C4
Grézieu-le-Marché 69 ... 210 A1
Grézieux-le-Fromental 42 .. 209 D1
Grézillac 33 .... 218 C4
Grézillé 49 .... 128 C3
Grézolles 42 .... 191 D4
Gricourt 02 .... 20 A2
Grièges 01 .... 175 E4
Griesbach 67 .... 71 D1
Griesbach-au-Val 68 ... 96 B4
Griesbach-le-Bastberg 67 ... 70 C1
Griesheim-près-Molsheim 67 ... 70 C4
Griesheim-sur-Souffel 67 ... 71 D3
Grignan 26 .... 247 D3
Grigneuseville 76 ..... 16 A4
Grignols 33 .... 237 D4
Grignols 24 .... 220 B2
Grignon 21 .... 138 A1
Grignon 73 .... 214 A1
Grignoncourt 88 .... 117 F2
Grigny 91 .... 87 D1
Grigny 62 .... 7 D2
Grigny 69 .... 210 C1
La Grigonnais 44 ...... 126 B1
Grillemont (Château de) 37 .. 150 A1
Grillon 84 .... 247 D3
Grilly 01 .... 177 F3
Grimaucourt-en-Woëvre 55 . 40 B4
Grimaucourt-
  près-Sampigny 55 ..... 67 D3
Grimaud 83 .... 287 E4

La Grimaudière 86 .... 148 C4
Grimault 89 .... 137 D1
Grimbosq 14 .... 55 F1
Grimesnil 50 .... 54 A2
Grimone 26 .... 248 C1
Grimone (Col de) 26 ... 248 C1
Grimonviller 54 .... 94 A2
Grincourt-lès-Pas 62 .... 7 F4
Grindorff 57 .... 42 B2
Gripp 65 .... 298 A3
La Gripperie-
  Saint-Symphorien 17 ... 181 D4
Gripport 54 .... 94 B2
Gript 79 .... 164 C1
Gris-Nez (Cap) 62 ..... 2 A2
Griscourt 54 .... 68 A3
Griselles 45 .... 112 A1
Griselles 21 .... 114 C3
Grisolles 02 .... 63 D1
Grisolles 82 .... 257 F3
Grisy 14 .... 56 B2
Grisy-les-Plâtres 95 ... 60 B1
Grisy-Suisnes 77 ..... 61 F4
Grisy-sur-Seine 77 .... 88 C2
La Grive 38 .... 211 F1
Grives 24 .... 239 E1
Grivesnes 80 .... 18 C4
Grivillers 80 .... 19 D4
Grivy-Loisy 08 .... 38 C2
Groffliers 62 .... 6 A2
La Groise 59 .... 10 A3
Groises 18 .... 154 A1
Groissiat 01 .... 176 C4
Groix 56 .... 99 F4
Groléjac 24 .... 221 F4
Gron 18 .... 154 A1
Gron 89 .... 112 C1
Gronard 02 .... 21 D3
Le Gros Cerveau 83 ... 291 E3

Gros-Chastang 19 ...... 223 D1
Gros-Réderching 57 .... 43 F4
Le Gros-Theil 27 ...... 31 F4
Grosbliederstroff 57 ... 43 E4
Grosbois 25 .... 141 F3
Grosbois (Château de) 94 .. 61 D4
Grosbois-en-Montagne 21 .. 138 B3
Grosbois-lès-Tichey 21 .. 158 C2
Grosbreuil 85 .... 162 B1
Les Groseillers 79 ... 165 D2
Groslay 95 .... 61 D2
Groslée 01 .... 194 B4
Grosley-sur-Risle 27 .. 58 A1
Grosmagny 90 .... 119 F4
Grosne 90 .... 120 A4
Grospierres 07 ...... 246 A3
Grosrouvre 78 .... 60 A4
Grosrouvres 54 ...... 67 F3
Grossa 2A 318 C2
Grosseto-Prugna 2A ... 316 C4
Grossœuvre 27 .... 58 C2
Grossouvre 18 .... 154 B3
Grostenquin 57 ...... 69 E1
Grosville 50 .... 24 B3
Le Grouanec 29 ...... 47 E1
La Groulais (Château de) 44 . 126 A2
La Groutte 18 .... 170 C1
Grozon 39 .... 159 F3
Gruchet-le-Valasse 76 . 15 D4
Gruchet-Saint-Siméon 76 . 15 F1
Grues 85 .... 163 D3
Gruey-lès-Surance 88 . 118 B1
Gruffy 74 .... 195 E4
Grugé-l'Hôpital 49 ... 104 B4
Grugies 02 .... 20 A3
Grugny 76 .... 32 B1

Gruissan-Plage 11 ..... 304 C2
Grumesnil 76 .... 33 E1
Grun-Bordas 24 .... 220 B2
Grundviller 57 .... 69 F1
Gruny 80 .... 19 E4
Grury 71 .... 173 E1
Gruson 59 .... 9 D1
Grusse 39 .... 176 B1
Grussenheim 68 ...... 96 C3
Grust 65 .... 297 E4
Gruyères 08 .... 22 B4
Le Gua 11 .... 181 D4
Le Gua 38 .... 230 C2
Guagno 2A 316 C2
Guagno-les-Bains 2A .. 316 C2
Guainville 28 .... 59 E2
Guarbecque 62 .... 3 F4
Guargualé 2A 318 C1
Guchan 65 .... 298 B4
Guchen 65 .... 298 B4
Gudas 09 .... 301 D3
Gudmont 52 .... 92 B3
Le Gué-d'Alléré 17 ... 181 E1
Le Gué-de-la-Chaîne 61 . 83 E3
Le Gué-de-Longroi 28 .. 85 F2
Le Gué-de-Velluire 85 . 163 F3
Gué-d'Hossus 08 ...... 11 E4
Le Gué-du-Loir 41 .... 108 B3
Guebenhouse 57 ...... 43 D4
Gueberschwihr 68 .... 96 B4
Guébestroff 57 ...... 69 E2
Guéblange-lès-Dieuze 57 .. 69 D3
Guébling 57 .... 69 E2
Guebwiller 68 .... 120 B1
Guécélard 72 .... 106 C3
Le Guédéniau 49 ..... 129 E2
Guégon 56 .... 101 F2
Guéhébert 50 .... 54 A2
Guéhenno 56 .... 101 F2
Le Guélian 72 .... 82 C4

GRENOBLE

Blanchard (R. P.) .... EYZ
Bonne (R. de) .... EY 12
Foch (Bd Mar.) .... DEZ
Grande-Rue .... EY 37
Grenette (Pl.) .... EY

Lafayette (R.) .... EY 39
Poulat (R. F.) .... EZ 48
Victor-Hugo (Pl.) .... EZ

Alsace-Lorraine (Av.) .... DZ 3
Bayard (R.) .... FY 6
Belgique (Av. Albert-Ier-de) ... EFZ 7

Belgrade (R. de) .... EY 9
Bistesi (R.) .... FZ 10
Brenier (R. C.) .... DY 13
Brocherie (R.) .... EY 15
Casimir-Perier (R.) ...... EZ 16
Champollion (R.) .... FZ 17
Chenoise (R.) .... FY 18
Clot-Bey (R.) .... EZ 21

Diables-Bleus (Bd des) ... FZ 24
Dr-Girard (Pl.) .... FY 26
Driant (Bd Col.) .... FZ 27
Dubedout (Pl. H.) .... DY 28
Fantin-Latour (R.) .... FZ 31
Flandrin (R. J.) .... GZ 32
Fourier (R.) .... FZ 33

Lavalette (Pl.) .... FY 40
L'Herminier (R. Cdt) ..... FY 41
Lyautey (Bd Mar.) .... EZ 42
Montorge (R.) .... EY 43
Palanka (R.) .... FY 44
Pasteur (Pl.) .... FZ 45
Perrière (Q.) .... EY 46
Rivet (Pl. G.) .... EZ 53

Rousseau (R. J.-J.) ...... EY 55
St-André (Pl.) .... EY 56
Ste-Claire (Pl.) .... EY 57
Servan (R.) .... FY 59
Strasbourg (R. de) .... FZ 62
Très-Cloîtres (R.) .... FY 64
Vicat (R.) .... EZ 66
Voltaire (R.) .... FY 68

Gueltas 56.......... 77 D4
Guémappe 62......... 8 B3
Guémar 68.......... 96 C3
Guémené-Penfao 44.... 103 D4
Guémené-sur-Scorff 56.. 76 B4
Guémicourt 80....... 17 E3
Guemps 62.......... 2 C2
Guénange 57........ 41 F3
Guengat 29......... 73 E3
Guénin 56.......... 100 C2
Guénouvry 44........ 126 A1
Guenroc 22......... 78 C3
Guenrouet 44........ 125 F1
Guentrange 57....... 41 F2
Guenviller 57....... 42 C4
Guêprei 61......... 56 C3
Guer 56........... 102 B2
Guérande 44........ 123 E4
Guérard 77......... 62 A3
Guerbigny 80........ 19 D4
La Guerche 37....... 150 A3
La Guerche-de-Bretagne 35.. 104 A2
La Guerche-sur-l'Aubois 18.. 154 B3
Guercheville 77...... 87 E4
Guerchy 89......... 113 D3
Guéreins 01........ 192 C1
Guéret 23.......... 187 D1
Guerfand 71........ 158 B4
Guérigny 58........ 154 C1
Guérin 47.......... 237 E3
La Guérinière 85...... 144 B2
Guerlédan (Lac de) 22... 76 C3
Guerlesquin 29...... 49 F3
Guermange 57....... 69 E3
Guermantes 77....... 61 F3
Guern 56.......... 100 C1
Guernanville 27...... 58 A3
Guernes 78......... 59 F2
Le Guerno 56....... 123 F2
Guerny 27.......... 33 E4
La Guéroulde 27..... 58 B3
Guerpont 55........ 66 B4
Guerquesalles 61..... 57 D2
Les Guerreaux 71..... 173 E2
Guerstling 57....... 42 B2
Guerting 57........ 42 B4
Guerville 78........ 59 F2
Guerville 76........ 16 C2
Gueschart 80....... 7 D4
Guesnain 59........ 9 D3
Guesnes 86......... 149 D3
Guessling-Hémering 57.. 69 D1
Guéthary 64........ 270 B3
Le Guétin 18....... 154 C3
Gueudecourt 80...... 19 E1
Gueugnon 71........ 173 F1
Gueures 76......... 15 F1
Gueutteville 76...... 16 A4
Gueutteville-les-Grès 76.. 15 E1
Gueux 51.......... 37 E4
Guevenatten 68...... 120 A3
Guewenheim 68...... 120 A2
Gueynard 33........ 217 F2
Gueytes-et-Labastide 11.. 301 F3
Gueyze 47.......... 255 E2
Gugnécourt 88...... 95 D3
Gugney 54......... 94 A2
Gugney-aux-Aulx 88... 94 B3
Guibermesnil 80..... 17 E3
Guibeville 91....... 86 C1
Guichainville 27..... 58 C2
Guiche 64.......... 271 D2
La Guiche 71....... 174 B2
Guichen 35......... 103 D2
Guiclan 29......... 49 D3
Guidel 56.......... 99 F2
Guidon du Bouquet 30.. 263 F2
La Guierche 72...... 107 D1
Guignecourt 60...... 34 A2
Guignemicourt 80.... 18 A3
Guignen 35......... 103 D2
Guignes 77......... 87 F1
Guigneville 45...... 86 C4
Guigneville-sur-Essonne 91.. 87 D2
Guignicourt 02...... 37 F2
Guignicourt-sur-Vence 08.. 22 C4
Guignière 37........ 130 C3
Guignonville 45..... 86 C4
Guigny 62.......... 7 D3
Guilberville 50..... 54 C1
Le Guildo 22....... 78 B1
Guiler-sur-Goyen 29... 73 D3
Guilers 29......... 47 E3
Guilherand-Granges 07.. 229 D3
Guillac 56.......... 101 F2
Guillac 33.......... 218 C4
Guillaucourt 80..... 19 D3
Guillaumes 06...... 269 D1
Guillemont 80...... 19 E1
La Guillermie 03.... 190 B3
Guillerval 91....... 86 C3
Guillestre 05....... 250 C1
Guilleville 28...... 86 A4
Guilliers 56........ 102 A1
Guilligomarc'h 29.... 100 A1
Guillon 89......... 137 D2
Guillon-les-Bains 25... 141 F3
Guillonville 28..... 109 F1
Guilly 36.......... 152 A2
Guilly 45.......... 110 C4
Guilmécourt 76..... 16 B2
Guilvinec 29....... 98 B2
Guimaëc 29........ 49 F2
Guimiliau 29....... 49 D3
Guimps 16.......... 200 C3
Guinarthe-Parenties 64.. 271 F4
Guincourt 08....... 38 C1
Guindrecourt-aux-Ormes 52.. 92 A3

Guindrecourt-sur-Blaise 52.. 92 A3
Guinecourt 62...... 7 E3
Guînes 62.......... 2 C2
Guingamp 22........ 50 C3
Guinglange 57...... 68 C1
Guinkirchen 57..... 42 A3
Guinzeling 57...... 69 E2
Guipavas 29........ 47 F3
Guipel 35.......... 79 E3
Guipronvel 29...... 47 E2
Guipry 35.......... 103 D3
Guipy 58........... 136 B4
Guirlange 57....... 42 B3
Guiry-en-Vexin 95... 60 A1
Guiscard 60........ 19 F4
Guiscriff 56........ 75 F4
Guise 02........... 20 C2
Guiseniers 27...... 33 D4
Le Guislain 50...... 54 B2
Guissény 29........ 47 F1
Guisy 62........... 7 D2
Guitalens 81........ 278 A2
Guitera-les-Bains 2A.. 317 D4
Guitinières 17...... 199 E3
Guitrancourt 78..... 60 A2
Guîtres 33.......... 218 C2
Guitry 27.......... 33 D4
Guitté 22.......... 78 C3
Guivry 02.......... 19 F4
Guizancourt 80..... 17 F4
Guizengeard 16..... 201 D4
Guizerix 65........ 274 C1
Gujan-Mestras 33.... 234 C1
Gumbrechtshoffen 67.. 71 D1
Gumery 10.......... 89 D2
Gumiane 26......... 247 F2
Gumières 42........ 209 D2
Gumond 19......... 223 D1
Gundershoffen 67.... 71 D1
Gundolsheim 68..... 120 B1
Gungwiller 67....... 70 A1
Gunsbach 68........ 96 B4
Gunstett 67........ 45 D4
Guntzviller 57...... 70 A2
Guny 02........... 36 B1
Guran 31.......... 299 D4
Gurat 16........... 201 F3
Gurcy-le-Châtel 77... 88 B2
Gurgy 89.......... 113 E3
Gurgy-la-Ville 21.... 116 A3
Gurgy-le-Château 21... 116 A3
Gurmençon 64...... 296 B2
Gurs 64............ 272 A4
Gurunhuel 22....... 50 B4
Gury 60............ 35 E1
Gussainville 55..... 40 C4
Gussignies 59...... 10 A1
Guyancourt 78...... 60 B4
Guyans-Durnes 25.... 160 C1
Guyans-Vennes 25.... 142 A4
Guyencourt 02...... 37 E3
Guyencourt-Saulcourt 80.. 19 F2
Guyencourt-sur-Noye 80.. 18 B3
La Guyonnière 85.... 146 A2
Guyonvelle 52...... 117 E3
Guzargues 34....... 281 F1
Guzet-Neige 09..... 309 E1
Gy 70............. 140 C2
Gy-en-Sologne 41.... 132 B3
Gy-les-Nonains 45... 112 A2
Gy-l'Évêque 89..... 113 E4
Gye 54............ 67 F4
Gyé-sur-Seine 10.... 115 D2

H

Habarcq 62......... 8 A3
Habas 40........... 271 F2
Habère-Lullin 74.... 178 B4
Habère-Poche 74..... 178 B4
L'Habit 27......... 59 D3
L'Habitarelle 30..... 245 D3
L'Habitarelle 48..... 244 C2
Hablainville 54..... 95 E1
Habloville 61....... 56 B3
Habonville 54...... 41 E4
Haboudange 57...... 69 D2
Habsheim 68........ 120 C2
Hachan 65......... 298 C1
Hâcourt 52......... 93 D4
Hacqueville 27..... 33 D3
Hadancourt-
le-Haut-Clocher 60... 33 F4
Hadigny-les-Verrières 88.. 94 C3
Hadol 88........... 118 C1
Hadonville-
lès-Lachaussée 55... 67 E1
Haegen 67.......... 70 B2
Hagécourt 88....... 94 B4
Hagedet 65......... 273 F3
Hagen 57........... 41 F1
Hagenbach 68....... 120 B3
Hagenthal-le-Bas 68.. 121 D4
Hagenthal-le-Haut 68.. 121 D4
Haget 32........... 274 A4
Hagetaubin 64...... 272 B3
Hagetmau 40........ 272 B1
Hagéville 54........ 67 F2
Hagnéville-et-Roncourt 88.. 93 F3
Hagnicourt 08...... 38 C1
Hagondange 57..... 41 F3
La Hague
(Usine atomique de) 50.. 24 B2
Haguenau 67........ 71 E1
La Haie-Fouassière 44.. 126 C4
La Haie-Longue 49... 128 A3
La Haie-Traversaine 53.. 81 E3
Les Haies 69....... 210 C2

Haigneville 54...... 94 C1
Haillainville 88..... 94 C2
Le Haillan 33....... 217 D3
Hailles 80.......... 18 B3
Haillicourt 62...... 8 A2
Haimps 17.......... 182 C3
Haims 86........... 167 E2
Hainvillers 60...... 35 D1
Haironville 55...... 66 A4
Haisnes 62......... 8 B1
Haleine 61......... 81 F1
Halinghen 62....... 6 B1
Hallencourt 80...... 17 E2
Hallennes-lez-Haubourdin 59.. 4 C4
Hallering 57........ 42 B4
Les Halles 69...... 210 A1
Halles-sous-les-Côtes 55.. 39 F2
Hallignicourt 52.... 65 F4
Hallines 62......... 3 D4
Halling-lès-Boulay 57.. 42 B4
Hallivillers 80...... 18 B4
La Hallotière 76.... 33 D1
Halloville 54....... 95 E1
Halloy 60.......... 17 F4
Halloy 62.......... 7 F4
Halloy-lès-Pernois 80.. 18 A1
Hallu 80........... 19 D3
Halluin 59......... 4 C3
Halsou 64.......... 270 C3
Halstroff 57........ 42 B2
Le Ham 50......... 25 D4
Le Ham 53......... 81 F3
Ham 80............ 19 F4
Le Ham 14......... 30 A4
Ham (Roches de) 50.. 54 C1
Ham-en-Artois 62... 7 F1
Ham-les-Moines 08... 22 B3
Ham-sous-Varsberg 57.. 42 C4
Ham-sur-Meuse 08... 13 D3
Hamars 14.......... 55 F1
Hambach 57........ 43 E4
Hambers 53......... 81 F4
Hamblain-les-Prés 62.. 8 C3
Hambye 50......... 54 A2
Hambye (Abbaye de) 50.. 54 B2
Hameau-de-la-Mer 50.. 24 C2
Le Hamel 60....... 17 F4
Le Hamel 80....... 18 C2
Hamel 59.......... 8 C3
Hamelet 80......... 18 C2
Hamelin 50......... 80 B1
Hamelincourt 62.... 8 B4
Hames-Boucres 62... 2 B2
Hammeville 54...... 94 A1
Hamonville 54...... 67 E3
Hampigny 10........ 91 E2
Hampont 57........ 69 D2
Han-Devant-Pierrepont 54.. 40 C2
Han-lès-Juvigny 55... 40 A1
Han-sur-Meuse 55.... 67 D2
Han-sur-Nied 57..... 68 C1
Hanau (Étang de) 57.. 44 C4
Hanc 79............ 183 E2
Hanches 28......... 85 F1
Hancourt 80........ 19 F2
Handschuheim 67.... 71 D3
Hangard 80......... 18 C3
Hangenbieten 67.... 71 D3
Hangest-en-Santerre 80.. 18 C4
Hangest-sur-Somme 80.. 17 F2
Hangviller 57....... 70 A1
Hannaches 60....... 33 E2
Hannapes 02........ 20 C2
Hannappes 08....... 21 F3
Hannescamps 62.... 8 A4
Hannocourt 57...... 68 C2
Hannogne-Saint-Martin 08.. 23 D4
Hannogne-Saint-Rémy 08.. 37 F1
Hannonville-
sous-les-Côtes 55... 67 D1
Hannonville-Suzémont 54.. 67 E1
Le Hanouard 76..... 15 E2
Hans 51............ 65 E1
Hantay 59.......... 8 B1
Hantz (Col du) 88... 96 A1
Hanvec 29.......... 73 F1
Hanviller 57........ 44 C3
Hanvoile 60........ 33 F2
Haplincourt 62..... 19 E1
Happencourt 02..... 20 A3
Happonvilliers 28... 84 C3
Harambels 64....... 271 E4
Haramont 02........ 35 F3
Haraucourt 08...... 23 E4
Haraucourt 54...... 68 C4
Haraucourt-sur-Seille 57.. 69 D3
Haraumont 55....... 40 A3
Haravesnes 62...... 7 D3
Haravilliers 95..... 34 A4
Harbonnières 80.... 19 D3
Harbouey 54........ 95 F1
Harcanville 76...... 15 E2
Harchéchamp 88..... 93 E2
Harcigny 02........ 21 E3
Harcourt 27........ 31 F4
Harcy 08........... 22 B3
Hardancourt 88..... 95 D2
Hardanges 53....... 81 F3
Hardecourt-aux-Bois 80.. 19 E2
Hardelot-Plage 62... 2 A4
Hardencourt-Cocherel 27.. 59 D1
Hardifort 59........ 3 F3
Hardinghen 62...... 2 B3
Hardinvast 50....... 24 C2
Hardivillers 60..... 34 B1
Hardivillers-en-Vexin 60.. 33 F3
La Hardoye 08...... 21 F4
Hardricourt 78..... 60 A2
La Harengère 27.... 32 A4
Haréville 88........ 94 A4

Harfleur 76......... 14 B4
Hargarten-aux-Mines 57.. 42 B3
Hargeville 78....... 59 F3
Hargeville-sur-Chée 55.. 66 B3
Hargicourt 02....... 20 A2
Hargicourt 80....... 18 C4
Hargnies 08......... 13 D4
Hargnies 59......... 10 B2
Haricourt 27........ 59 E1
Harly 02........... 20 A3
Harméville 52....... 92 C2
Harmonville 88...... 93 F2
La Harmoye 22...... 77 D2
Harnes 62.......... 8 B2
Harol 88........... 94 B4
Haroué 54.......... 94 B2
Harponville 80...... 18 C1
Harprich 57........ 69 D1
Harquency 27....... 33 D4
Harreberg 57....... 70 A3
Harréville-les-Chanteurs 52.. 93 E3
Harricourt 08....... 39 E2
Harricourt 52....... 92 A3
Harsault 88........ 118 B1
Harskirchen 67..... 69 F2
Hartennes-et-Taux 02.. 36 B3
Hartmannswiller 68... 120 B1
Hartzviller 57...... 70 A3
Harville 55......... 67 E1
Hary 02............ 21 E3
Haselbourg 57...... 70 A2
Hasnon 59.......... 9 E2
Hasparren 64....... 271 D3
Haspelschiedt 57.... 44 C3
Haspres 59......... 9 E3
Hastingues 40...... 271 E2
Hatrize 54.......... 41 D4
Hatten 67.......... 45 E4
Hattencourt 80..... 19 D3
Hattenville 76...... 15 D3
Hattigny 57........ 69 F4
Hattmatt 67........ 70 C2
Hattonchâtel 55.... 67 E1
Hattonville 55...... 67 E1
Hattstatt 68........ 96 B4
Hauban 65......... 298 A2
Haubourdin 59...... 4 C4
Hauconcourt 57..... 41 F3
Haucourt 62........ 17 D4
Haucourt 60........ 33 F2
Le Haucourt 02..... 20 A2
Haucourt 76........ 8 C3
Haucourt-en-Cambrésis 59.. 20 A1
Haucourt-la-Rigole 55.. 40 C3
Haucourt-Moulaine 54.. 41 D1
Haudainville 55..... 40 B4
Haudiomont 55...... 40 B4
Haudivillers 60..... 34 B2
Haudonville 54..... 94 C1
Haudrecy 08........ 22 C3
Haudricourt 76..... 17 D2
Haulchin 59........ 9 E3
Haulies 32......... 275 D2
Haulmé 08.......... 22 C2
Haumont-lès-Lachaussée 55.. 67 E1
Haumont-
près-Samogneux 55... 40 A3
Hauriet 40......... 272 B1
Hausgauen 68....... 120 C3
Haussez 76......... 33 E1
Haussignémont 51... 65 E4
Haussimont 51...... 64 B4
Haussonville 54..... 94 B1
Haussy 59.......... 9 F4
Haut-Asco 2B....... 314 C4
Haut-Barr (Château du) 67.. 70 B2
Le Haut-Clocher 57.. 69 F3
Le Haut-Corlay 22... 76 C2
Le Haut-du-Them 70.. 119 D3
Haut-Kœnigsbourg
(Château du) 67..... 96 B2
Haut-Lieu 59....... 10 B3
Haut-Loquin 62..... 2 C3
Haut-Mainil 62..... 7 D3
Haut-Mauco 40...... 253 F4
Le Haut Planet (Balcon) 78.. 59 F4
Hautaget 65........ 298 C2
Hautbos 60......... 33 F1
Haut-Avesnes 62.... 8 A3
La Haute-Beaume 05.. 248 C2
La Haute-Chapelle 61.. 81 E1
Haute-Epine 60..... 34 A1
Haute-Goulaine 44... 126 C4
Haute-Isle 95....... 59 F1
Haute-Kontz 57..... 42 A1
La Haute-Maison 77.. 62 B3
Haute Provence
(Observatoire de) 04.. 266 C3
Haute-Rivoire 69.... 210 A1
Haute-Vigneulles 57.. 42 B4
Hautecloque 62..... 7 E2
Hautecombe (Abbaye de) 73.. 194 C2
Hautecôte 62....... 7 E3
Hautecour 39....... 177 D1
Hautecour 73....... 214 B2
Hautecourt 01...... 194 A1
Hautecourt-lès-Broville 55.. 40 B4
Hautefage 19....... 223 D2
Hautefage-la-Tour 47.. 238 C4
Hautefaye 24....... 202 A2
Hautefeuille 77..... 62 A4
Hautefond 71....... 174 A3
Hautefontaine 60.... 36 A3
Hautefort 24....... 203 E3
Hauteluce 73....... 196 B4
Hautepierre-le-Châtelet 25.. 160 C1
Hauterive 61....... 83 D2
Hauterive 89....... 113 E3
Hauterive 03....... 190 A2

Hauterive-la-Fresse 25.. 161 D2
Hauterives 26....... 211 E4
Hauteroche 21...... 138 B2
Hautes-Duyes 04.... 267 F1
Les Hautes-Rivières 08.. 23 D2
Hautesvignes 47.... 237 F3
Hautevelle 70...... 118 C3
Hautesvesnes 02.... 62 C1
Hauteville 51...... 91 F1
Hauteville 73....... 213 F2
Hauteville 08....... 38 A1
Hauteville 51...... 31 F2
Hauteville 02...... 20 B3
Hauteville-Gondon 73.. 214 C1
Hauteville-la-Guichard 50.. 27 D4
Hauteville-lès-Dijon 21.. 139 D3
Hauteville-Lompnes 01.. 194 B2
Hauteville-sur-Fier 74.. 195 D3
Hauteville-sur-Mer 50.. 53 F1
L'Hautil 78......... 60 B2
Haution 02......... 21 D3
Hautmont 59........ 10 B2
Hautmougey 88..... 118 B1
Hautot-l'Auvray 76... 15 E2
Hautot-le-Vatois 76... 15 E3
Hautot-Saint-Sulpice 76.. 15 E3
Hautot-sur-Mer 76... 16 A2
Hautot-sur-Seine 76... 32 A3
Hautteville-Bocage 50.. 25 D4
Hautvillers 51...... 64 A1
Hautvillers-Ouville 80.. 6 B4
Hauville 27......... 31 F2
Hauviné 08......... 38 B3
Haux 64............ 295 F2
Haux 33............ 236 B1
Havange 57......... 41 E2
Havelu 28.......... 59 E3
Haveluy 59......... 9 E3
Havernas 80........ 18 A1
Haverskerque 59.... 3 F4
Le Havre 76........ 14 B4
Le Havre-Antifer
(Port pétrolier) 76.... 14 B3
Havrincourt 62..... 19 F1
Hayange 57......... 41 E3
Haybes 08.......... 11 F4
La Haye 88......... 118 B1
La Haye 76......... 32 C2
La Haye-Aubrée 27... 31 E2
La Haye-Bellefond 50.. 54 B1
La Haye-de-Calleville 27.. 31 F4
La Haye-de-Routot 27.. 31 F2
La Haye-d'Ectot 50... 24 B4
La Haye-du-Puits 50.. 26 C3
La Haye-du-Theil 27.. 31 F4
La Haye-le-Comte 27.. 32 A4
La Haye-Malherbe 27.. 32 A4
La Haye-Pesnel 50... 54 A3
La Haye-Saint-Sylvestre 27.. 57 F2
Les Hayes 41....... 108 A4
Hayes 57........... 42 A4
Haynecourt 59...... 9 D4
Les Hays 39........ 159 D3
Hazebrouck 59...... 3 F4
Hazembourg 57..... 69 F1
Héas 65............ 306 C4
Le Heaulme 95...... 34 A4
Héauville 50........ 24 B2
Hébécourt 27....... 33 E3
Hébécourt 80....... 18 A3
Hébécrevon 50...... 27 E4
Héberville 76....... 15 F2
Hébuterne 62....... 8 A4
Hèches 65.......... 298 B3
Hecken 68.......... 120 A3
Hecmanville 27..... 31 E4
Hécourt 60......... 33 E1
Hécourt 27......... 59 E2
Hecq 59............ 10 A3
Hectomare 27....... 32 A4
Hédauville 80....... 18 C1
Hédé 35............ 79 D3
Hédouville 95....... 34 A4
Hegeney 67......... 71 D1
Hégenheim 68....... 121 D4
Heidolsheim 67..... 96 C2
Heidwiller 68....... 120 B3
Heiligenberg 67..... 70 B4
Heiligenstein 67.... 96 C1
Heillecourt 54...... 68 B4
Heilles 60.......... 34 B3
Heilly 80........... 18 C2
Heiltz-le-Hutier 51.. 65 F4
Heiltz-le-Maurupt 51.. 65 F3
Heiltz-l'Évêque 51... 65 E3
Heimersdorf 68..... 120 B4
Heimsbrunn 68..... 120 B2
Heining-lès-Bouzonville 57.. 42 B3
Heippes 55......... 66 B1
Heiteren 68......... 97 D4
Heiwiller 68........ 120 B3
Hélette 64.......... 271 D4
Helfaut 62......... 3 E4
Helfrantzkirch 68... 120 C3
Helléan 56......... 101 F1
Hellemmes-Lille 59.. 4 C4
Hellenvilliers 27.... 58 C3
Hellering-lès-Fénétrange 57.. 69 F2
Helleville 50........ 24 B3
Hellimer 57......... 69 E1
Héloup 61.......... 82 C3
Helstroff 57........ 42 B4
Hem 59............ 5 D4
Hem-Hardinval 80... 7 E4
Hem-Lenglet 59..... 9 D3
Hem-Monacu 80..... 19 E2

Hémevez 50......... 25 D3
Hémévillers 60...... 35 D2
Hémilly 57......... 68 C1
Héming 57.......... 69 F4
Hémonstoir 22...... 77 D4
Hénaménil 54....... 69 D4
Hénanbihen 22...... 78 A1
Hénansal 22........ 78 A1
Hendaye 64......... 270 A4
Hendecourt-
lès-Cagnicourt 62... 8 C4
Hendecourt-lès-Ransart 62.. 8 B4
Hénencourt 80...... 18 C1
Henflingen 68....... 120 B4
Hengoat 22......... 50 C2
Hengwiller 67....... 70 B3
Hénin-Beaumont 62.. 8 B3
Hénin-sur-Cojeul 62.. 8 B4
Héninel 62......... 8 B4
Hennebont 56....... 100 A2
Hennecourt 88...... 94 B4
Hennemont 55...... 40 C4
Henneveux 62....... 2 B3
Hennezel 88........ 118 A1
Hennezis 27........ 33 D4
Hénon 22.......... 77 E2
Hénonville 60....... 34 A4
Hénouville 76...... 15 F4
Henrichemont 18.... 134 B4
Henridorff 57....... 70 A2
Henriville 57....... 43 D4
Hénu 62............ 7 F4
Henvic 29.......... 49 D2
Hérange 57......... 70 A2
L'Herbaudière 85.... 144 A1
Herbault 41......... 131 F1
Herbeauvilliers 77... 87 E4
Herbécourt 80...... 19 E2
Herbelles 62........ 3 D4
L'Herbergement 85... 146 A2
Herbeuval 08....... 40 A1
Herbeuville 55...... 67 D1
Herbeville 78....... 60 A3
Herbéviller 54...... 95 E1
Herbeys 38......... 230 C1
Les Herbiers 85..... 146 C2
Herbignac 44....... 123 F3
Herbinghen 62...... 2 C3
Herbisse 10......... 90 B1
Herbitzheim 67..... 69 F1
Herblay 95......... 60 C2
Herbsheim 67....... 97 D1
Hercé 53........... 81 D2
Herchies 60........ 34 A2
La Hérelle 60....... 34 C1
Hérépian 34........ 280 A2
Hères 65........... 273 F2
Hergnies 59........ 9 F2
Hergugney 88....... 94 B2
Héric 44........... 126 B2
Héricourt 70....... 142 B1
Héricourt 62....... 7 E2
Héricourt-en-Caux 76.. 15 E2
Héricourt-sur-Thérain 60.. 33 E1
Héricy 77.......... 87 F2
La Hérie 02......... 21 E2
Le Hérie-la-Viéville 02.. 20 C3
Hériménil 54....... 94 C1
Hérimoncourt 25.... 142 C2
Hérin 59........... 9 E3
Hérissart 80........ 18 B1
Hérisson 03........ 171 D2
Hérisson (Cascades du) 39.. 177 D1
Herleville 80....... 19 D2
La Herlière 62...... 8 A4
Herlin-le-Sec 62.... 7 E3
Herlincourt 62...... 7 E3
Herly 80........... 19 E4
Herly 62........... 6 C1
L'Herm 09.......... 301 D3
Herm 40............ 252 C4
L'Herm (Château de) 24.. 221 D2
Hermanville 76..... 16 A3
Hermanville-sur-Mer 14.. 29 F3
Les Hermaux 48..... 243 E4
Hermaville 62....... 8 A3
Hermé 77........... 89 D2
Hermelange 57...... 69 F4
Hermelinghen 62.... 2 C3
L'Hermenault 85.... 164 A2
Herment 63......... 206 A1
Hermeray 78........ 85 F1
Hermes 60.......... 34 B3
Hermeville 76....... 14 C3
Herméville-en-Woëvre 55.. 40 C4
Hermies 62......... 19 F1
Hermillon 73....... 214 A4
Hermin 62.......... 8 A2
Hermival-les-Vaux 14.. 30 C4
Hermonville 51..... 37 E3
Hernicourt 62...... 7 E3
Herny 57........... 68 C1
Le Héron 76........ 32 C1
Héronchelles 76.... 32 C1
Hérouville 95....... 60 C1
Hérouville-Saint-Clair 14.. 29 F4
Hérouvillette 14.... 29 F4
Herpelmont 88..... 95 E4
La Herpinière (Moulin) 49.. 129 E4
Herpont 51......... 65 E2
Herpy-l'Arlésienne 08.. 38 A1
Herqueville 50...... 24 B2
Herqueville 27...... 32 B4

LE HAVRE

Briand (R. A.) . . . . HY
Delavigne (R. C.) . . . . GHY
Etretat (R. d') . . . . EY
Joffre (R. Maréchal) . . . . . . GHY
Paris (R. de) . . . . FZ

République (Cours de la) . . . HY
Alma (R. de l') . . . . EY 3
Anfray (R.) . . . . GZ 5
Angoulême (Chaussée d') . . GZ 6
Archinard (Av. Gén.) . . . . . . GZ 9
Bernardin-de-St-Pierre (R.) . . FZ 13
Bretagne (R. de) . . . . FGZ 14

Brindeau (R. L.) . . . . EFZ 15
Chevalier-de-la-
Barre (Cours) . . . . HZ 18
Churchill (Bd W.) . . . . HZ 24
Commerce (Passerelle du) . . GZ 26
Delavigne (Quai C.) . . . . . . GZ 29
Drapiers (R. des) . . . . FZ 32
Faidherbe (R. Gén.) . . . . . . GZ 36

Féré (Quai Michel) . . . . FZ 37
Genestal (R. H.) . . . . FY 43
Honegger (R. A.) . . . . FZ 46
Hôtel-de-Ville (Pl. de l') . . . FYZ 47
Ile (Quai de l') . . . . GZ 51
Kennedy (Chée J.) . . . . . . EFZ 53
La Bourdonnais (R.) . . . . . . EY 54

Lamblardie (Quai) . . . . . . FGZ 57
Leclerc (Av. Gén.) . . . . FY 58
Le Testu (Quai G.) . . . . FZ 61
Louer (R. J.) . . . . FY 63
Massillon (R.) . . . . HY 65
Maupassant (R. G.-de) . . . . EY 67
Neustrie (R. de) . . . . HY 71
Notre-Dame (Quai) . . . . FZ 72

Pasteur (R.) . . . . HY 75
Perret (Pl. Auguste) . . . . . . FZ 76
Risson (R. F.) . . . . GY 80
Victor-Hugo (R.) . . . . FZ 91
Videcoq (Quai) . . . . FZ 92
Voltaire (R.) . . . . EFZ 94
Wilson (R. Président) . . . . . . EY 96
24e-Territorial (Chée du) . . . GZ 97

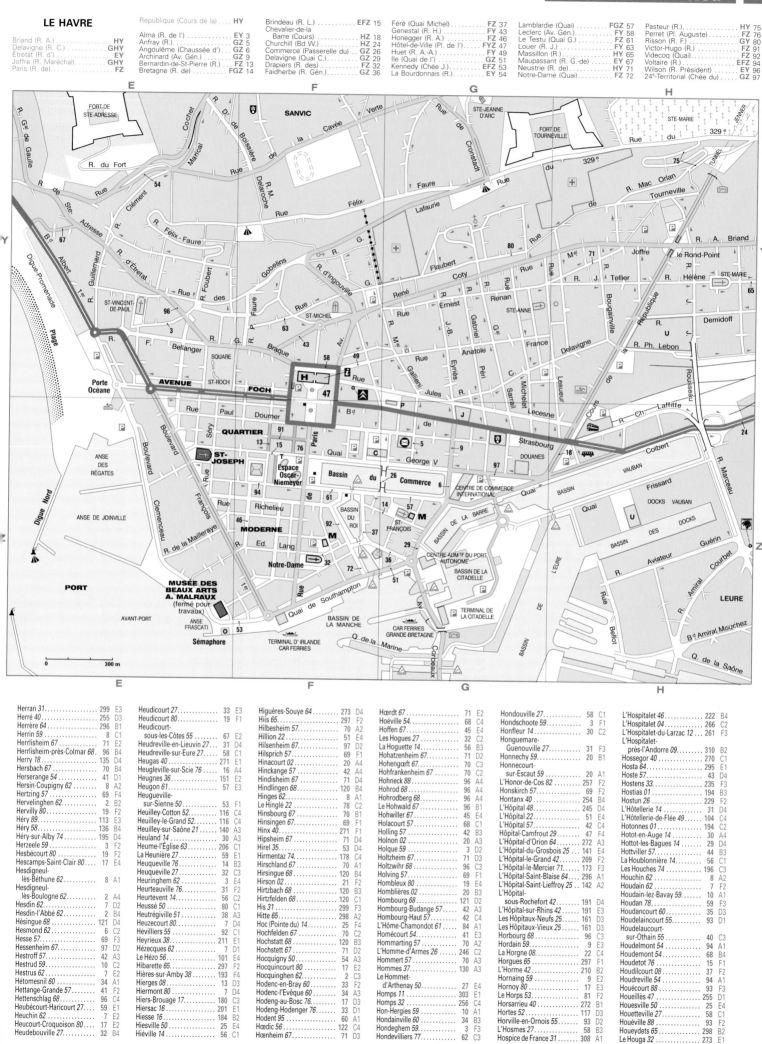

Herran 31	299 E3	Heudicourt 27	33 E3	Higuères-Souye 64	273 D4	Hœrdt 67	71 E2	Hondouville 27	58 C1	L'Hospitalet 46	222 B4
Herré 40	255 D3	Heudicourt 80	19 F1	Hiis 65	297 F2	Hoéville 54	68 C4	Hondschoote 59	3 F1	L'Hospitalet 04	266 C2
Herrère 64	296 B1	Heudicourt-		Hilbesheim 57	70 A2	Hoffen 67	45 E4	Honfleur 14	30 C2	L'Hospitalet-du-Larzac 12	261 F3
Herrin 59	8 C1	sous-les-Côtes 55	67 E2	Hillion 22	51 E4	Les Hogues 27	32 C2	Honguemare-		L'Hospitalet-	
Herrlisheim 67	71 E2	Heudreville-en-Lieuvin 27	31 D4	Hilsenheim 67	97 D2	La Hoguette 14	56 B3	Guenouville 27	31 F3	près-l'Andorre 09	310 B2
Herrlisheim-près-Colmar 68	96 B4	Heudreville-sur-Eure 27	58 C1	Hilsprich 57	69 F1	Hohatzenheim 67	71 D2	Honnechy 59	20 B1	Hossegor 40	270 C1
Herry 18	135 D4	Heugas 40	271 E1	Hinacourt 02	20 A4	Hohengœft 67	70 C3	Honnecourt-		Hosta 64	295 E1
Hersbach 67	70 B4	Heugleville-sur-Scie 76	16 A4	Hinckange 57	42 A4	Hohfrankenheim 67	70 C3	sur-Escaut 59	20 A1	Hoste 57	43 D4
Herserange 54	41 D1	Heugnes 36	151 E2	Hindisheim 67	71 D4	Hohneck 88	96 A4	L'Honor-de-Cos 82	257 F2	Hostens 33	235 F3
Hersin-Coupigny 62	8 A2	Heugon 61	57 E3	Hindlingen 68	120 B4	Hohrod 68	96 A4	Honskirch 57	69 F2	Hostias 01	194 B3
Hertzing 57	69 F4	Heugueville-		Hinges 62	8 A1	Hohrodberg 68	96 A4	Hontanx 40	254 B4	Hostun 26	229 F2
Hervelinghen 62	2 B2	sur-Sienne 50	53 F1	Le Hinglé 22	78 C2	Le Hohwald 67	96 B1	L'Hôpital 48	245 D4	L'Hôtellerie 14	31 D4
Hervilly 80	19 F2	Heuilley-Cotton 52	116 C4	Hinsbourg 67	70 B1	Hohwiller 67	45 E4	L'Hôpital 22	51 E4	L'Hôtellerie-de-Flée 49	104 C4
Héry 89	113 E3	Heuilley-le-Grand 52	116 C4	Hinsingen 67	69 F1	Holacourt 57	68 C1	L'Hôpital 57	42 C4	Hotonnes 01	194 C2
Héry 58	136 B4	Heuilley-sur-Saône 21	140 A3	Hinx 40	271 F1	Holling 57	42 B3	Hôpital-Camfrout 29	47 F4	Hotot-en-Auge 14	30 A4
Héry-sur-Alby 74	195 D4	Heuland 14	30 A3	Hipsheim 67	71 D4	Holnon 02	20 A3	L'Hôpital-d'Orion 64	272 A3	Hottot-les-Bagues 14	29 D4
Herzeele 59	3 F2	Heume-l'Église 63	206 C1	Hirel 35	53 D4	Holque 59	3 D2	L'Hôpital-du-Grosbois 25	141 E4	Hottviller 57	44 B3
Hesbécourt 80	19 F2	La Heunière 27	59 E1	Hirmentaz 74	178 C4	Holtzheim 67	71 D3	L'Hôpital-le-Grand 42	209 F2	La Houblonnière 14	56 C1
Hescamps-Saint-Clair 80	17 E4	Heuqueville 76	14 B3	Hirschland 67	70 A1	Holtzwihr 68	96 C3	L'Hôpital-le-Mercier 71	173 F3	Les Houches 74	196 C3
Hesdigneul-		Heuqueville 27	32 C3	Hirsingue 68	120 B4	Holving 57	69 F1	L'Hôpital-Saint-Blaise 64	296 A1	Houchin 62	8 A2
lès-Béthune 62	8 A1	Heuringhem 62	3 E4	Hirson 02	21 F2	Hombleux 80	19 E4	L'Hôpital-Saint-Lieffroy 25	142 A2	Houdain 62	7 F2
Hesdigneul-		Heurteauville 76	31 F2	Hirtzbach 68	120 B3	Homblières 02	20 A3	L'Hôpital-		Houdain-lez-Bavay 59	10 A1
lès-Boulogne 62	2 A4	Heurtevent 14	56 C2	Hirtzfelden 68	120 C1	Hombourg 68	121 D2	sous-Rochefort 42	191 D3	Houdan 78	59 F3
Hesdin 62	7 D2	Heussé 50	80 C1	His 31	299 F3	Hombourg-Budange 57	42 A3	L'Hôpital-sur-Rhins 42	191 E3	Houdancourt 60	35 D3
Hesdin-l'Abbé 62	2 B4	Heutrégiville 51	38 A3	Hitte 65	298 A2	Hombourg-Haut 57	42 C4	Les Hôpitaux-Neufs 25	161 D2	Houdelaincourt 55	93 D1
Hésingue 68	121 D4	Heuzecourt 80	7 D4	Hoc (Pointe du) 14	25 F4	L'Hôme-Chamondot 61	84 A1	Les Hôpitaux-Vieux 25	161 D2	Houdelaucourt-	
Hesmond 62	6 C2	Hévilliers 55	92 C1	Hochfelden 67	70 C2	Homécourt 54	41 E3	Horbourg 68	96 C3	sur-Othain 55	40 C3
Hesse 57	69 F3	Heyrieux 38	211 E1	Hochstatt 68	120 B3	Hommarting 57	70 A2	Hordain 59	9 E3	Houdemont 54	94 A1
Hessenheim 67	97 D2	Hézecques 62	7 E1	Hochstett 67	71 D2	L'Homme-d'Armes 26	246 C4	La Horgne 08	22 C4	Houdemont 54	68 B4
Hettange-Grande 57	41 F2	Le Hézo 56	101 E4	Hocquigny 50	54 A3	Hommert 57	70 A3	Horgues 65	297 F1	Houdetot 76	15 F1
Hettenschlag 68	96 C4	Hibarette 65	297 F2	Hocquincourt 80	17 E2	Hommes 37	130 A3	L'Horme 42	210 B2	Houdilcourt 08	37 F2
Heubécourt-Haricourt 27	59 E1	Hières-sur-Amby 38	193 F2	Hocquinghen 62	2 C3	Le Hommet-		Hornaing 59	9 E2	Houdreville 54	94 A1
Heuchin 62	7 E2	Hierges 08	13 D3	Hodenc-en-Bray 60	33 F2	d'Arthenay 50	27 E4	Hornoy 80	17 E3	Houécourt 88	93 F3
Heudebouville 27	32 B4	Hiermont 80	7 D4	Hodenc-l'Evêque 60	34 A3	Homps 11	303 E1	Le Horps 53	81 F2	Houeillès 47	255 D1
		Hiers-Brouage 17	180 C3	Hodeng-au-Bosc 76	17 D3	Homps 32	256 C4	Horsarrieu 40	272 B1	Houesville 50	25 E4
		Hiersac 16	201 E1	Hodeng-Hodenger 76	33 D1	Hon-Hergies 59	10 A1	Hortes 52	117 D3	Houetteville 27	58 C1
		Hiesse 16	184 B2	Hodent 95	60 A1	Hondainville 60	34 B3	Horville-en-Ornois 55	93 D1	Houéville 88	93 F3
		Hiesville 50	25 E4	Hœdic 56	122 C4	Hondeghem 59	3 F3	L'Hosmes 27	58 B3	Houeydets 65	298 B2
		Hiéville 14	56 C1	Hœnheim 67	71 D3	Hondevilliers 77	62 B3	Hospice de France 31	308 A1	Le Houga 32	273 E1

Houilles 78 . . . 60 C2
Houlbec-Cocherel 27 . . . 59 D1
Houlbec-près-le-Gros-Theil 27 . . . 31 F4
Houldizy 08 . . . 22 C3
Houlette 16 . . . 182 C4
Houlgate 14 . . . 30 A3
Houlle 62 . . . 3 D3
Le Houlme 76 . . . 32 A2
L'Houmeau 17 . . . 163 E4
Hounoux 11 . . . 301 E2
Houplin-Ancoisne 59 . . . 8 C1
Houplines 59 . . . 4 B4
Houppeville 76 . . . 32 A1
Houquetot 76 . . . 14 C3
Hourc 65 . . . 298 A1
Le Hourdel 80 . . . 6 A4
Hourges 51 . . . 37 D3
Hours 64 . . . 297 E1
Hourtin 33 . . . 216 B1
Hourtin-Plage 33 . . . 198 A4
Hourtous (Roc des) 48 . . . 243 F4
Houry 02 . . . 21 D3
Houssay 53 . . . 105 D2
Houssay 41 . . . 108 B4
La Houssaye 27 . . . 58 A2
La Houssaye-Béranger 76 . . . 16 A4
La Houssaye-en-Brie 77 . . . 62 A4
Le Housseau 53 . . . 81 F2
Houssen 68 . . . 96 C3
Housseras 88 . . . 95 E3
Housset 02 . . . 20 C3
Housséville 54 . . . 94 A2
La Houssière 88 . . . 95 F4
La Houssoye 60 . . . 33 F3
Houtaud 25 . . . 161 D2
Houtkerque 59 . . . 3 F2
Houtteville 50 . . . 25 D4
Houville-en-Vexin 27 . . . 32 C3
Houville-la-Branche 28 . . . 85 F2
Houvin-Houvigneul 62 . . . 7 F3
Houx 28 . . . 85 F1
Hoymille 59 . . . 3 F1
Huanne-Montmartin 25 . . . 141 F2
Hubersent 62 . . . 6 B1
Hubert-Folie 14 . . . 29 F4
Huberville 50 . . . 25 D3
Huby-Saint-Leu 62 . . . 7 D2
Huchenneville 80 . . . 17 E1
Huclier 62 . . . 7 E2
Hucqueliers 62 . . . 6 C1
Hudimesnil 50 . . . 53 F2
Hudiviller 54 . . . 68 C4
Huelgoat 29 . . . 75 E2
Huest 27 . . . 58 C1
Huêtre 45 . . . 110 A2
Huez 38 . . . 231 E2
Hugier 70 . . . 140 B3
Hugleville-en-Caux 76 . . . 16 A4
Huillé 49 . . . 129 D1
Huilliécourt 52 . . . 93 D4
Huilly-sur-Seille 71 . . . 175 F1
Huiron 51 . . . 65 D4
Huismes 37 . . . 130 A4
Huisnes-sur-Mer 50 . . . 53 F4
D'Huison-Longueville 91 . . . 87 D2
Huisseau-en-Beauce 41 . . . 108 B4
Huisseau-sur-Cosson 41 . . . 132 B1
Huisseau-sur-Mauves 45 . . . 109 F3
L'Huisserie 53 . . . 105 D1
Hulluch 62 . . . 8 B1
Hultehouse 57 . . . 70 B2
Humbauville 51 . . . 65 D4
Humbécourt 52 . . . 91 F1
Humbercamps 62 . . . 8 A4
Humbercourt 80 . . . 7 F4
Humbert 62 . . . 6 C1
Humberville 52 . . . 92 C3
Humbligny 18 . . . 134 C4
La Hume 33 . . . 234 C1
Humerœuille 62 . . . 7 E2
Humes 52 . . . 116 C2
Humières 62 . . . 7 E2
Hunaudaye (Château de la) 22 . . . 78 A1
Hunawihr 68 . . . 96 B3
Hundling 57 . . . 43 D4
Hundsbach 68 . . . 120 C3
Huningue 68 . . . 121 D3
Hunspach 67 . . . 45 E4
Hunting 57 . . . 42 A2
Huos 31 . . . 298 C2
Huparlac 12 . . . 242 C1
Huppain 14 . . . 28 C3
Huppy 80 . . . 17 E1
Hurbache 88 . . . 95 F2
Hure 33 . . . 237 D2
Hurecourt 70 . . . 118 A2
Hures-la-Parade 48 . . . 261 F1
Huriel 03 . . . 170 C3
Hurigny 71 . . . 175 D3
Hurtières 38 . . . 213 D4
Hurtigheim 67 . . . 71 D3
Husseren-les-Châteaux 68 . . . 96 B4
Husseren-Wesserling 68 . . . 120 A1
Hussigny-Godbrange 54 . . . 41 D1
Husson 50 . . . 80 C1
La Hutte 72 . . . 82 C3
Huttendorf 67 . . . 71 D1
Huttenheim 67 . . . 97 D1
Hyds 03 . . . 171 E4
Hyémondans 25 . . . 142 B2
Hyencourt-le-Grand 80 . . . 19 E3
Hyenville 50 . . . 53 F1
Hyères 83 . . . 292 B3
Hyères-Plage 83 . . . 292 B3
Hyet 70 . . . 141 E2
Hyèvre-Magny 25 . . . 142 A3
Hyèvre-Paroisse 25 . . . 142 A3
Hymont 88 . . . 94 B3

I

Ibarrolle 64 . . . 295 E1
Ibarron 64 . . . 270 B4
Ibigny 57 . . . 69 F4
Ibos 65 . . . 297 F1
Ichtratzheim 67 . . . 71 D4
Ichy 77 . . . 87 E4
Idaux-Mendy 64 . . . 295 F1
Idrac-Respaillès 32 . . . 274 C3
Idron 64 . . . 273 D4
Ids-Saint-Roch 18 . . . 170 A1
If (Château d') 13 . . . 284 C4
Iffendic 35 . . . 78 C4
Iffs 35 . . . 79 D3
Les Iffs 35 . . . 79 D3
Ifs 14 . . . 29 E4
Les Ifs 76 . . . 16 C2
Igé 71 . . . 175 D3
Igé 61 . . . 83 E3
Ignaucourt 80 . . . 18 C3
Ignaux 09 . . . 310 B1
Igney 54 . . . 69 E4
Igney 88 . . . 94 C3
Ignol 18 . . . 154 A2
Igny 70 . . . 140 C2
Igny 91 . . . 60 C4
Igny-Comblizy 51 . . . 63 F2
Igon 64 . . . 297 D2
Igornay 71 . . . 157 D2
Igoville 27 . . . 32 B3
Iguerande 71 . . . 191 E1
Iholdy 64 . . . 271 D4
Île-aux-Moines 56 . . . 101 D4
L'Île-Bouchard 37 . . . 149 E1
Île-d'Aix 17 . . . 180 C2
Île-d'Arz 56 . . . 101 D4
Île-de-Batz 29 . . . 49 D1
Île-de-Bréhat 22 . . . 51 D1
L'Île-d'Elle 85 . . . 163 F3
Île-d'Houat 56 . . . 122 B3
L'Île-d'Olonne 85 . . . 162 A1
Île-de-Sein 29 . . . 72 B3
Île-d'Yeu 85 . . . 144 A4
Île-Molène 29 . . . 46 B3
L'Île-Rousse 2B . . . 314 C2
L'Île-Saint-Denis 93 . . . 61 D2
Île-Tudy 29 . . . 98 B2
Ilhan 65 . . . 298 B4
Ilharre 64 . . . 271 E3
Ilhat 09 . . . 301 E4
Les Ilhes 11 . . . 278 C4
Ilhet 65 . . . 298 B3
Ilheu 65 . . . 298 C3
Illange 57 . . . 41 F3
Illartein 09 . . . 299 F4
Las Illas 66 . . . 312 C4
Illats 33 . . . 236 B2
Ille-sur-Têt 66 . . . 312 B2
Illeville-sur-Montfort 27 . . . 31 E3
Illfurth 68 . . . 120 B3
Illhaeusern 68 . . . 96 C3
Illiat 01 . . . 193 D1
Illier-et-Laramade 09 . . . 309 F1
Illiers-Combray 28 . . . 85 D3
Illiers-l'Évêque 27 . . . 59 D3
Illies 59 . . . 8 B1
Illifaut 22 . . . 78 A4
Illkirch-Graffenstaden 67 . . . 71 D4
Illois 76 . . . 17 D4
Illoud 52 . . . 93 D4
Illy 08 . . . 23 D3
Illzach 68 . . . 120 C2
Ilonse 06 . . . 269 F2
Imbleville 76 . . . 15 F2
Imbsheim 67 . . . 70 C1
Imécourt 08 . . . 39 E2
Imling 57 . . . 69 F3
Immonville 54 . . . 41 D3
Imphy 58 . . . 155 D3
Inaumont 08 . . . 38 A1
Incarville 27 . . . 32 B3
Incheville 76 . . . 16 C1
Inchy 59 . . . 9 F4
Inchy-en-Artois 62 . . . 8 C4
Incourt 62 . . . 7 D2
Indevillers 25 . . . 143 D3
Indre 44 . . . 126 A4
Ineuil 18 . . . 153 D4
Les Infournas 05 . . . 249 E1
Infreville 27 . . . 31 F3
Ingenheim 67 . . . 70 C2
Ingersheim 68 . . . 96 B3
Inghem 62 . . . 3 E4
Inglange 57 . . . 42 A2
Ingolsheim 67 . . . 45 E4
Ingouville 76 . . . 15 E1
Ingrandes 36 . . . 167 F1
Ingrandes 49 . . . 127 F3
Ingrandes 86 . . . 149 F3
Ingrandes-de-Touraine 37 . . . 130 A4
Ingrannes 45 . . . 110 C2
Ingré 45 . . . 110 A3
Inguiniel 56 . . . 100 B1
Ingwiller 67 . . . 70 C1
Injoux-Génissiat 01 . . . 194 C2
Innenheim 67 . . . 71 D4
Innimond 01 . . . 194 B4
Inor 55 . . . 39 F1
Insming 57 . . . 69 E1
Insviller 57 . . . 69 F2
Intraville 76 . . . 16 B2
Intres 07 . . . 228 A3
Intréville 28 . . . 86 B4
Intville-la-Guétard 45 . . . 86 C4
Inval-Boiron 80 . . . 17 D2
Inxent 62 . . . 6 B1
Inzinzac-Lochrist 56 . . . 100 B2
Ippécourt 55 . . . 66 B1
Ippling 57 . . . 43 E4

Irai 61 . . . 58 A4
Irais 79 . . . 148 B3
Irancy 89 . . . 113 E4
Iré-le-Sec 55 . . . 40 A2
Irigny 69 . . . 210 C1
Irissarry 64 . . . 271 D4
Irles 80 . . . 19 D1
Irmstett 67 . . . 70 C3
Irodouër 35 . . . 78 C3
Iron 02 . . . 10 A4
Irouléguy 64 . . . 295 D1
Irreville 27 . . . 58 C1
Irvillac 29 . . . 48 C4
Is-en-Bassigny 52 . . . 117 D1
Is-sur-Tille 21 . . . 139 E2
Isbergues 62 . . . 3 F4
Isches 88 . . . 117 F1
Isdes 45 . . . 133 F1
Isenay 58 . . . 155 F3
Iseran (Col de l') 73 . . . 215 E2
Isigny-le-Buat 50 . . . 54 B4
Isigny-sur-Mer 14 . . . 27 D4
Isle 87 . . . 185 F4
L'Isle-Adam 95 . . . 60 C1
L'Isle-Arné 32 . . . 275 E2
Isle-Aubigny 10 . . . 90 C4
Isle-Aumont 10 . . . 90 B4
L'Isle-Bouzon 32 . . . 256 B3
Isle-Briand (Haras de l') 49 . . . 128 A1
L'Isle-d'Abeau 38 . . . 211 F1
L'Isle-d'Abeau (Ville Nouvelle) 38 . . . 211 E1
L'Isle-de-Noé 32 . . . 274 B2
L'Isle-d'Espagnac 16 . . . 201 F1
L'Isle-en-Dodon 31 . . . 275 E4
Isle-et-Bardais 03 . . . 171 D1
Isle-Saint-Georges 33 . . . 236 A1
Isle-Savary (Château d') 36 . . . 151 D3
L'Isle-sur-la-Sorgue 84 . . . 265 E3
L'Isle-sur-le-Doubs 25 . . . 142 A2
Isle-sur-Marne 51 . . . 65 E4
L'Isle-sur-Serein 89 . . . 137 D1
Les Isles-Bardel 14 . . . 56 A3
Isles-les-Meldeuses 77 . . . 62 B2
Isles-lès-Villenoy 77 . . . 62 A2
Isles-sur-Suippe 51 . . . 38 A3
Les Islettes 55 . . . 66 A1
Isneauville 76 . . . 32 B2
Isola 06 . . . 269 F1
Isola 2000 06 . . . 251 F4
Isolaccio-di-Fiumorbo 2B . . . 317 E3
Isômes 52 . . . 139 F1
Ispagnac 48 . . . 244 B4
Ispe 40 . . . 234 B3
Ispoure 64 . . . 295 D1
Isques 62 . . . 2 A4
Issac 24 . . . 220 A2
Issamoulenc 07 . . . 228 A4
Issancourt-et-Rumel 08 . . . 23 D3
Issanlas 07 . . . 245 E1
Issans 25 . . . 142 B1
Les Issards 09 . . . 301 E2
Issarlès 07 . . . 227 E4
Isse 51 . . . 64 B1
Issé 44 . . . 126 C1
Issel 11 . . . 277 F4
Issendolus 46 . . . 240 C1
Issenhausen 67 . . . 70 C1
Issenheim 68 . . . 120 B1
Issepts 46 . . . 241 D1
Isserpent 03 . . . 190 B1
Isserteaux 63 . . . 208 A1
Issigeac 24 . . . 238 B1
Issirac 30 . . . 264 A1
Issoire 63 . . . 207 F2
Issoncourt 55 . . . 66 B2
Issor 64 . . . 296 B2
Issou 78 . . . 60 A2
Issoudun 36 . . . 152 B3
Issoudun-Létrieix 23 . . . 187 E2
Issus 31 . . . 276 C4
Issy-les-Moulineaux 92 . . . 60 C3
Issy-l'Évêque 71 . . . 173 E1
Isturits 64 . . . 271 D4
Itancourt 02 . . . 20 A3
Iteuil 86 . . . 166 B2
Ithorots-Olhaïby 64 . . . 271 F4
Ittenheim 67 . . . 71 D3
Itterswiller 67 . . . 96 C1
Itteville 91 . . . 87 D2
Itxassou 64 . . . 270 C4
Itzac 81 . . . 258 C3
Ivergny 62 . . . 7 F4
Iverny 77 . . . 61 F2
Iviers 02 . . . 21 F3
Iville 27 . . . 31 F4
Ivors 60 . . . 35 F4
Ivory 39 . . . 160 A2
Ivoy-le-Pré 18 . . . 134 B3
Ivrey 39 . . . 160 A2
Ivry-en-Montagne 21 . . . 157 F2
Ivry-la-Bataille 27 . . . 59 E3
Ivry-le-Temple 60 . . . 34 A4
Ivry-sur-Seine 94 . . . 61 D3
Iwuy 59 . . . 9 E4
Izaourt 65 . . . 298 C3
Izaut-de-l'Hôtel 31 . . . 299 D3
Izaux 65 . . . 298 B2
Izé 53 . . . 82 A4
Izeaux 38 . . . 212 A4
Izel-lès-Équerchin 62 . . . 8 C3
Izel-les-Hameaux 62 . . . 7 F3
Izenave 01 . . . 194 B2

Izernore 01 . . . 176 C4
Izeron 38 . . . 230 A1
Izeste 04 . . . 296 C2
Izeure 21 . . . 158 C1
Izier 21 . . . 139 E4
Izieu 01 . . . 212 B1
Izon 33 . . . 217 F3
Izon-la-Bruisse 26 . . . 248 C4
Izotges 32 . . . 273 F2
Izy 45 . . . 110 B1

J

Jablines 77 . . . 61 F2
Jabreilles-les-Bordes 87 . . . 186 B2
Jabrun 15 . . . 225 D4
Jacob-Bellecombette 73 . . . 213 D2
Jacou 34 . . . 281 F2
Jacque 65 . . . 274 A4
Jagny-sous-Bois 95 . . . 61 D1
Jaignes 77 . . . 62 B2
La Jaille-Yvon 49 . . . 105 D4
Jaillans 26 . . . 229 F2
Jaillon 54 . . . 67 F3
Jailly 58 . . . 155 E1
Jailly-les-Moulins 21 . . . 138 B2
Jainvillotte 88 . . . 93 E3
Jalesches 23 . . . 169 F4
Jaleyrac 15 . . . 224 A1
Jaligny-sur-Besbre 03 . . . 172 C3
Jallais 49 . . . 127 F4
Jallanges 21 . . . 158 C2
Jallans 28 . . . 109 D1
Jallaucourt 57 . . . 68 C2
Jallerange 25 . . . 140 B4
Jalognes 18 . . . 134 C4
Jalogny 71 . . . 174 C3
Jâlons 51 . . . 64 B2
La Jalousie 14 . . . 56 A1
Jambles 71 . . . 157 F4
Jambville 78 . . . 60 A1
Jaméricourt 60 . . . 33 F3
Jametz 55 . . . 40 A2
Jameyzieu 38 . . . 193 E4
Janailhac 87 . . . 203 F1
Janaillat 23 . . . 186 C2
Jancigny 21 . . . 140 A3
Jandun 08 . . . 22 B4
Janneyrias 38 . . . 193 E4
Jans 44 . . . 126 B1
Jansac 26 . . . 248 A1
Janville 60 . . . 35 E2
Janville 14 . . . 29 E4
Janville 28 . . . 86 A4
Janville-sur-Juine 91 . . . 86 C2
Janvilliers 51 . . . 63 E3
Janvry 51 . . . 37 E4
Janvry 91 . . . 86 C1
Janzé 35 . . . 103 F2
Jarcieu 38 . . . 211 D4
La Jard 17 . . . 199 E1
Jard-sur-Mer 85 . . . 162 C2
Jardin 38 . . . 211 D2
Le Jardin 19 . . . 205 E4
Jardres 86 . . . 166 C2
Jargeau 45 . . . 110 C3
Jarjayes 05 . . . 249 F2
Jarménil 88 . . . 95 D4
Jarnac 16 . . . 201 D1
Jarnac-Champagne 17 . . . 199 F2
Jarnages 23 . . . 187 E1
La Jarne 17 . . . 181 D1
Jarnioux 69 . . . 192 B3
Jarnosse 42 . . . 191 F1
Jarny 54 . . . 41 D4
Jarret 65 . . . 297 F2
La Jarrie 17 . . . 181 D1
Jarrie 38 . . . 230 C1
La Jarrie-Audouin 17 . . . 182 B2
Jarrier 73 . . . 214 A4
Jars 18 . . . 134 C3
Jarsy 73 . . . 213 F1
Jarville-la-Malgrange 54 . . . 68 B4
Jarzé 49 . . . 129 D1
Jas 42 . . . 191 F4
Jasney 70 . . . 118 C3
Jassans-Riottier 01 . . . 192 C2
Jasseines 10 . . . 90 C2
Jasseron 01 . . . 176 A4
Jasses 64 . . . 272 A4
Jatxou 64 . . . 270 C3
Jau (Col de) 66 . . . 311 D2
Jau-Dignac-et-Loirac 33 . . . 198 C3
Jaucourt 10 . . . 91 E4
La Jaudonnière 85 . . . 163 F1
Jaudrais 28 . . . 84 C1
Jaujac 07 . . . 245 F2
Jauldes 16 . . . 183 F4
Jaulges 89 . . . 113 F2
Jaulgonne 02 . . . 63 E1
Jaulnay 37 . . . 149 E3
Jaulnes 77 . . . 88 C3
Jaulny 54 . . . 67 F2
Jaulzy 60 . . . 35 F3
Jaunac 07 . . . 228 A3
Jaunay-Clan 86 . . . 166 B1
Jaures 24 . . . 220 B4
Jausiers 04 . . . 250 C2
Jaux 60 . . . 35 E3
Jauze 72 . . . 83 E4
Javaugues 43 . . . 208 A4
Javené 35 . . . 80 B3
Javerdat 87 . . . 185 D3
Javerlhac-et-la-Chapelle-Saint-Robert 24 . . . 202 B2
Javernant 10 . . . 114 A1
La Javie 04 . . . 268 A1

Javols 48 . . . 244 A1
Javrezac 16 . . . 199 F3
Javron 53 . . . 82 A2
Jax 43 . . . 226 B1
Jaxu 64 . . . 295 D1
Jayac 24 . . . 222 A2
Jayat 01 . . . 175 F3
Jazeneuil 86 . . . 165 F2
Jazennes 17 . . . 199 E3
Jeancourt 02 . . . 19 F2
Jeandelaincourt 54 . . . 68 B2
Jeandelize 54 . . . 41 D4
Jeanménil 88 . . . 95 E3
Jeansagnière 42 . . . 209 D1
Jeantes 02 . . . 21 E3
Jebsheim 68 . . . 96 C3
Jegun 32 . . . 274 C1
La Jemaye 24 . . . 219 F1
Jenlain 59 . . . 9 F3
Jenzat 03 . . . 189 F1
Jésonville 88 . . . 94 A4
Jessains 10 . . . 91 E3
Jetterswiller 67 . . . 70 C3
Jettingen 68 . . . 120 C3
Jeu-les-Bois 36 . . . 169 E1
Jeu-Maloches 36 . . . 151 E2
Jeufosse 78 . . . 59 E1
Jeugny 10 . . . 114 B1
Jeumont 59 . . . 10 C1
Jeure 39 . . . 177 D3
Jeurre 39 . . . 177 D3
Jeux-lès-Bard 21 . . . 137 F2
Jeuxey 88 . . . 95 D4
Jevoncourt 54 . . . 94 B2
Jezainville 54 . . . 68 A2
Jézeau 65 . . . 298 B4
Joannas 07 . . . 245 F2
Job 63 . . . 208 C2
Jobourg 50 . . . 24 A2
Jobourg (Nez de) 50 . . . 24 A2
Joch 66 . . . 311 F2
Jœuf 54 . . . 41 E3
Joganville 50 . . . 25 D3
Joigny 89 . . . 113 D2
Joigny-sur-Meuse 08 . . . 22 C3
Joinville 52 . . . 92 B2
Joinville-le-Pont 94 . . . 61 D3
Joiselle 51 . . . 63 E4
Jolimetz 59 . . . 10 A2
Jolivet 54 . . . 68 C4
Jonage 69 . . . 193 E4
Joncels 34 . . . 280 B1
La Jonchère 85 . . . 163 D2
La Jonchère-Saint-Maurice 87 . . . 186 A2
Jonchères 26 . . . 248 A2
Joncherey 90 . . . 120 A4
Jonchery 52 . . . 116 B1
Jonchery-sur-Suippe 51 . . . 38 B4
Jonchery-sur-Vesle 51 . . . 37 E3
Joncourt 02 . . . 20 A2
Joncreuil 10 . . . 91 E2
Joncy 71 . . . 174 C1
Jongieux 73 . . . 194 C4
Jonquerets-de-Livet 27 . . . 57 F1
Jonquerettes 84 . . . 265 D3
Jonquery 51 . . . 37 E4
Jonquières 84 . . . 265 D2
Jonquières 11 . . . 303 E3
Jonquières 81 . . . 278 A3
Jonquières 34 . . . 280 C2
Jonquières-Saint-Vincent 30 . . . 264 B4
Jons 69 . . . 193 E4
Jonval 08 . . . 38 C1
Jonvelle 70 . . . 117 F2
Jonville-en-Woëvre 55 . . . 67 E1
Jonzac 17 . . . 199 F3
Jonzier-Épagny 74 . . . 195 D1
Jonzieux 42 . . . 210 A4
Joppécourt 54 . . . 41 D2
Jorquenay 52 . . . 116 C2
Jort 14 . . . 56 B2
Jorxey 88 . . . 94 B3
Josat 43 . . . 226 B1
Joserand 63 . . . 189 E2
Josnes 41 . . . 109 E4
Josse 40 . . . 271 D1
Josselin 56 . . . 101 F2
Jossigny 77 . . . 61 F3
Jou-sous-Monjou 15 . . . 224 C3
Jouac 87 . . . 168 A4
Jouaignes 02 . . . 36 C3
Jouancy 89 . . . 114 B4
Jouarre 77 . . . 62 B2
Jouars-Pontchartrain 78 . . . 60 A3
Jouaville 54 . . . 41 E4
Joucas 84 . . . 265 F3
Joucou 11 . . . 311 D1
Joudes 71 . . . 176 B2
Joudreville 54 . . . 41 D3
Joué-du-Bois 61 . . . 82 A1
Joué-du-Plain 61 . . . 56 B4
Joué-en-Charnie 72 . . . 106 A2
Joué-Étiau 49 . . . 128 B4
Joué-l'Abbé 72 . . . 107 D1
Joué-lès-Tours 37 . . . 130 C3
Joué-sur-Erdre 44 . . . 126 C2
Jouet-sur-l'Aubois 18 . . . 154 B2
Jouey 21 . . . 157 E1
Jougne 25 . . . 161 D4
Jouhe 39 . . . 159 F1
Jouhet 86 . . . 167 E2
Jouillat 23 . . . 169 E4
Jouques 13 . . . 285 E2
Jouqueviel 81 . . . 259 E1
Journans 01 . . . 193 F1
Journet 86 . . . 167 F3
Journiac 24 . . . 221 D3
Journy 62 . . . 2 C3

Jours-en-Vaux 21 . . . 157 F2
Jours-lès-Baigneux 21 . . . 138 B3
Joursac 15 . . . 225 E1
Joux 43 . . . 166 C4
Jouvençon 71 . . . 175 F1
La Jouvente 35 . . . 52 C4
Joux 69 . . . 192 A3
Joux (Château de) 25 . . . 161 D3
Joux (Forêt de la) 39 . . . 160 B3
Joux-la-Ville 89 . . . 137 D1
Joux Plane (Col de la) 74 . . . 196 C1
Joux Verte (Col de la) 74 . . . 179 D4
Jouy 28 . . . 85 E2
Jouy 89 . . . 112 A1
Jouy-aux-Arches 57 . . . 68 A1
Jouy-en-Argonne 55 . . . 40 A4
Jouy-en-Josas 78 . . . 60 C4
Jouy-en-Pithiverais 45 . . . 110 B1
Jouy-le-Châtel 77 . . . 62 B4
Jouy-le-Moutier 95 . . . 60 B2
Jouy-le-Potier 45 . . . 110 A4
Jouy-lès-Reims 51 . . . 37 E4
Jouy-Mauvoisin 78 . . . 59 F2
Jouy-sous-les-Côtes 55 . . . 67 E3
Jouy-sous-Thelle 60 . . . 34 A3
Jouy-sur-Eure 27 . . . 59 D1
Jouy-sur-Morin 77 . . . 62 C3
Joyeuse 07 . . . 245 F3
Joyeux 01 . . . 193 E2
Joze 63 . . . 189 F4
Jû-Belloc 32 . . . 273 F2
Juan-les-Pins 06 . . . 288 B3
Juaye-Mondaye 14 . . . 28 C4
Jubainville 88 . . . 93 E2
La Jubaudière 49 . . . 127 F4
Jubécourt 55 . . . 66 B1
Jublains 53 . . . 81 F4
Le Juch 29 . . . 73 E3
Jugazan 33 . . . 218 C4
Jugeals-Nazareth 19 . . . 222 B2
Jugon-les-Lacs 22 . . . 78 A2
Jugy 71 . . . 175 E1
Juicq 17 . . . 181 F3
Juif 71 . . . 175 F1
Juignac 16 . . . 201 E3
Juigné-des-Moutiers 44 . . . 104 A4
Juigné-sur-Loire 49 . . . 128 B3
Juigné-sur-Sarthe 72 . . . 106 A3
Juignettes 27 . . . 57 F3
Juillac 33 . . . 219 E4
Juillac 12 . . . 203 F4
Juillac 32 . . . 274 A3
Juillac-le-Coq 16 . . . 200 C2
Juillaguet 16 . . . 201 F3
Juillan 65 . . . 297 F1
Juillé 79 . . . 182 C1
Juillé 72 . . . 82 C4
Juillé 16 . . . 183 E3
Juillenay 21 . . . 137 F3
Juilles 32 . . . 275 E2
Juilley 50 . . . 80 A1
Juilly 77 . . . 61 F2
Juilly 21 . . . 138 A2
Jujols 46 . . . 311 E3
Jujurieux 01 . . . 194 A2
Julianges 48 . . . 225 F3
Juliénas 69 . . . 175 D4
Julienne 16 . . . 200 C1
Julienrupt 88 . . . 119 E1
Jullianges 43 . . . 208 C4
Jullié 69 . . . 175 D4
Jullouville 50 . . . 53 F3
Jully 89 . . . 114 C4
Jully-lès-Buxy 71 . . . 175 D1
Jully-sur-Sarce 10 . . . 114 C1
Julos 65 . . . 297 F2
Julvécourt 55 . . . 66 B1
Jumeauville 78 . . . 60 A2
Jumeaux 63 . . . 208 A3
Les Jumeaux 79 . . . 148 B4
Jumel 80 . . . 18 B4
Jumelles 49 . . . 129 E2
Jumelles 27 . . . 58 C2
La Jumellière 49 . . . 128 A4
Jumencourt 02 . . . 36 B2
Jumièges 76 . . . 31 F2
Jumigny 02 . . . 37 D2
Jumilhac-le-Grand 24 . . . 203 F3
Junas 30 . . . 282 A1
Junay 89 . . . 114 A3
Juncalas 65 . . . 297 F2
Jungholtz 68 . . . 120 B1
Junhac 15 . . . 242 A1
Les Junies 46 . . . 239 F2
Juniville 08 . . . 38 B2
Jupilles 72 . . . 107 E4
Jurançon 64 . . . 272 C4
Juranville 45 . . . 111 E2
Juré 42 . . . 191 D3
Jurignac 16 . . . 201 D2
Jurques 14 . . . 55 E1
Jurvielle 31 . . . 298 C4
Jury 57 . . . 68 B1
Juscorps 79 . . . 165 D4
Jusix 47 . . . 237 E2
Jussac 15 . . . 224 A3
Jussarupt 88 . . . 95 E4
Jussas 17 . . . 199 F4
Jussecourt-Minecourt 51 . . . 65 F3
Jussey 70 . . . 117 F2
Jussy 74 . . . 195 E1
Jussy 89 . . . 113 E4
Jussy 57 . . . 41 E4
Jussy 02 . . . 20 A1
Jussy-Champagne 18 . . . 153 F2
Jussy-le-Chaudrier 18 . . . 154 B1
Justian 32 . . . 255 F4
Justine-Herbigny 08 . . . 38 A1
Justiniac 09 . . . 300 C1
Jutigny 77 . . . 88 C2

Juvaincourt 88 .... 94 A3
Juvancourt 10 .... 115 F1
Juvanzé 10 .... 91 D3
Juvardeil 49 .... 128 B1
Juvelize 57 .... 69 D3
Juvignac 34 .... 281 E2
Juvigné 53 .... 80 C4
Juvignies 60 .... 34 A4
Juvigny 02 .... 36 B2
Juvigny 74 .... 178 A4
Juvigny 51 .... 64 C1
Juvigny-en-Perthois 55 .... 92 B1
Juvigny-le-Tertre 50 .... 54 C4
Juvigny-sous-Andaine 61 .. 81 F1
Juvigny-sur-Loison 55 .... 40 A2
Juvigny-sur-Orne 61 .... 56 C4
Juvigny-sur-Seulles 14 .... 29 D4
Juvinas 07 .... 246 A1
Juvincourt-et-Damary 02 ... 37 E2
Juvisy-sur-Orge 91 .... 61 D4
Juvrecourt 54 .... 69 D3
Juxue 64 .... 295 E1
Juzanvigny 10 .... 91 E4
Juzennecourt 52 .... 92 A4
Juzes 31 .... 277 D3
Juzet-de-Luchon 31 .... 307 F4
Juzet-d'Izaut 31 .... 299 D3
Juziers 78 .... 60 A2

K
Kalhausen 57 .... 44 A4
Kaltenhouse 67 .... 71 E1
Kanfen 57 .... 41 E2
Kappelen 68 .... 120 C3
Kappelkinger 57 .... 69 F1
Les Karellis 73 .... 214 A4
Katzenthal 68 .... 96 B3
Kauffenheim 67 .... 71 F1
Kaysersberg 68 .... 96 B3
Kédange-sur-Canner 57 .... 42 A3
Keffenach 67 .... 45 E4
Kembs 68 .... 121 D3
Kembs-Loéchlé 68 .... 121 D3
Kemplich 57 .... 42 A2
Kerazan (Manoir de) 29 .... 98 B2
Kerbach 57 .... 43 D4
Kerbors 22 .... 50 C1
Kerdéniel (Pointe de) 29 .... 47 E4
Kerdévot (Chapelle de) 29 ... 99 D1
Kerfany-les-Pins 29 .... 99 E2
Kerfons (Chapelle de) 22 ... 50 A2
Kerfot 22 .... 50 C2
Kerfourn 56 .... 101 D1
Kergloff 29 .... 75 F2
Kergonadeac'h
 (Château de) 29 .... 48 C2
Kergrist 56 .... 77 D2
Kergrist (Château de) 22 ... 50 A2
Kergrist-Moëlou 22 .... 76 B3
Kergroadès (Château de) 29 . 47 D2
Kerguehennec
 (Château de) 56 .... 101 E2
Kerien 22 .... 76 B2
Kérity 29 .... 98 A2
Kerjean (Château de) 29 .... 48 C3
Kerlaz 29 .... 73 E3
Kerling-lès-Sierck 57 .... 42 A2
Kerlouan 29 .... 47 F1
Kermaria 56 .... 101 D2
Kermaria (Chapelle) 22 .... 51 D2
Kermaria-Sulard 22 .... 50 B1
Kermoroc'h 22 .... 50 B3
Kernascléden 56 .... 100 A1
Kernével 29 .... 99 E1
Kernilis 29 .... 47 F2
Kernouës 29 .... 47 F2
Kérouzéré (Château de) 29 .. 49 D2
Kerpape 56 .... 100 A3
Kerpert 22 .... 76 C2
Kerprich-aux-Bois 57 .... 69 F3
Kersaint 29 .... 47 D2
Kersaint-Plabennec 29 .... 47 F3
Kertzfeld 67 .... 97 D1
Kervignac 56 .... 100 B3
Keskastel 67 .... 69 F1
Kesseldorf 67 .... 71 F1
Kienheim 67 .... 70 C2
Kientzheim 68 .... 96 B3
Kientzville 67 .... 96 C2
Kiffis 68 .... 143 F2
Killem 59 .... 3 F2
Kilstett 67 .... 71 E2
Kindwiller 67 .... 70 C1
Kingersheim 68 .... 120 C2
Kintzheim 67 .... 96 C2
Kirchberg 68 .... 119 F3
Kirchheim 67 .... 70 C3
Kirrberg 67 .... 69 F2
Kirrwiller 67 .... 70 C1
Kirsch-lès-Sierck 57 .... 42 A2
Kirschnaumen 57 .... 42 A2
Kirviller 57 .... 69 F1
Klang 57 .... 42 A3
Kleinfrankenheim 67 .... 70 C2
Kleingœft 67 .... 70 C2
Klingenthal 67 .... 70 C4
Knœringue 68 .... 120 C4
Knœrsheim 67 .... 70 C2
Knutange 57 .... 41 E2
Koeking 57 .... 41 F2
Kœnigsmacker 57 .... 41 F2
Kœstlach 68 .... 120 B4
Kœtzingue 68 .... 120 C3
Kœur-la-Grande 55 .... 67 D3
Kœur-la-Petite 55 .... 67 D3
Kogenheim 67 .... 96 C1

Kolbsheim 67 .... 71 D3
Krautergersheim 67 .... 71 D4
Krautwiller 67 .... 71 D2
Le Kremlin-Bicêtre 94 .... 61 D3
Kreuzweg (Col du) 67 .... 96 B1
Kriegsheim 67 .... 71 D2
Kruth 68 .... 119 F2
Kuhlendorf 67 .... 45 E4
Kunheim 68 .... 97 D3
Kuntzig 57 .... 41 F2
Kurtzenhouse 67 .... 71 E2
Kuttolsheim 67 .... 70 C3
Kutzenhausen 67 .... 45 E4

L
Laà-Mondrans 64 .... 272 A3
Laàs 64 .... 271 F4
Laas 32 .... 274 B3
Laas 45 .... 110 C1
Labalme 01 .... 194 A1
Labarde 33 .... 217 D2
Labaroche 68 .... 96 B3
Labarrère 32 .... 255 E3
Labarthe 82 .... 257 F1
Labarthe 32 .... 274 C3
Labarthe (Moulin de) 33 ... 219 D4
Labarthe-Bleys 81 .... 259 D2
Labarthe-Inard 31 .... 299 D2
Labarthe-Rivière 31 .... 299 D2
Labarthe-sur-Lèze 31 .... 276 C3
Labarthète 32 .... 273 D2
Labastide 65 .... 297 F2
Labastide 65 .... 298 B3
Labastide-Beauvoir 31 .... 277 D3
Labastide-
 Castel-Amouroux 47 .... 237 E4
Labastide-Cézéracq 64 .... 272 B4
Labastide-Chalosse 32 .... 272 B2
Labastide-Clermont 31 .... 276 A4
Labastide-d'Anjou 11 .... 277 F4
Labastide-d'Armagnac 40 .... 254 C3
Labastide-de-Lévis 81 .... 259 D3
Labastide-de-Penne 82 .... 258 B1
Labastide-de-Virac 07 .... 246 A1
Labastide-Dénat 81 .... 259 D3
Labastide-du-Haut-Mont 46 . 223 E4
Labastide-du-Temple 82 . 257 F2
Labastide-du-Vert 46 .... 239 F3
Labastide-en-Val 11 .... 302 C3
Labastide-Esparbairenque 11 278 C4
Labastide-Gabausse 81 .... 259 E3
Labastide-Marnhac 46 .... 240 A4
Labastide-Monréjeau 64 .... 272 C4
Labastide-Murat 46 .... 240 B2
Labastide-Paumès 31 .... 275 F4
Labastide-Rouairoux 81 .... 279 D1
Labastide-Saint-Georges 81 . 277 E1
Labastide-Saint-Pierre 82 ... 257 F4
Labastide-Saint-Sernin 31 ... 276 C1
Labastide-Savès 32 .... 275 F3
Labastide-sur-Bésorgues 07 . 245 F1
Labastide-Villefranche 64 ... 271 E4
Labastidette 31 .... 276 B3
Labathude 46 .... 241 D1
Labatie-d'Andaure 07 .... 228 B2
Labatmale 64 .... 297 E1
Labatut 40 .... 271 F2
Labatut 64 .... 273 F3
Labatut 09 .... 300 C1
Labatut-Rivière 65 .... 273 F3
Labbeville 95 .... 60 C1
Labeaume 07 .... 246 A3
Labécède-Lauragais 11 .... 277 F4
Labège 31 .... 276 C3
Labégude 07 .... 246 A1
Labéjan 32 .... 274 C3
Labenne 40 .... 270 C2
Labenne-Océan 40 .... 270 C2
Labergement-du-Navois 25 . 160 B2
Labergement-Foigney 21 . 139 F4
Labergement-
 lès-Auxonne 21 .... 159 D1
Labergement-lès-Seurre 21 . 158 B2
Labergement-
 Sainte-Marie 25 .... 160 C4
Laberlière 60 .... 35 E1
Labescau 33 .... 237 D3
Labessette 63 .... 206 B3
Labessière-Candeil 81 .... 277 E1
Labets-Biscay 64 .... 271 E4
Labeuvrière 62 .... 8 A1
Labeyrie 64 .... 272 B2
Lablachère 07 .... 245 F3
Laboissière-en-Santerre 80 . 19 D4
Laboissière-en-Thelle 60 ... 34 A3
Laboissière-Saint-Martin 17 . 182 C1
Laborde 65 .... 298 B3
Laborel 26 .... 248 C4
Labosse 60 .... 33 F3
Labouiche
 (Rivière souterraine de) 09 301 D3
Laboulbène 81 .... 278 B2
Laboule 07 .... 245 F2
Labouquerie 24 .... 238 C1
Labouret (Col du) 04 .... 250 A4
Labourgade 82 .... 257 E3
Labourse 62 .... 8 A1
Laboutarie 81 .... 278 A1
Labretonie 47 .... 237 F3
Labrihe 32 .... 275 D2
Labrit 40 .... 253 F2
Labroquère 31 .... 298 C2
Labrosse 45 .... 87 D4
Labrousse 15 .... 224 B4

Labroye 62 .... 6 C3
Labruguière 81 .... 278 B3
Labruyère 21 .... 158 C2
Labruyère 60 .... 34 C3
Labruyère-Dorsa 31 .... 276 C4
Labry 54 .... 41 D4
Laburgade 46 .... 240 B4
Lac-des-Rouges-Truites 39 . 177 E1
Le Lac-d'Issarlès 07 .... 227 E4
Lacabarède 81 .... 279 D3
Lacadée 64 .... 272 B2
Lacajunte 40 .... 272 C2
Lacalm 12 .... 243 D1
Lacam-d'Ourcet 46 .... 223 D4
Lacanau 33 .... 216 B2
Lacanau-de-Mios 33 .... 235 D1
Lacanau-Océan 33 .... 216 A2
Lacanche 21 .... 157 E1
Lacapelle-Barrès 15 .... 224 C3
Lacapelle-Biron 47 .... 239 D2
Lacapelle-Cabanac 46 .... 239 E3
Lacapelle-del-Fraisse 15 ... 242 A1
Lacapelle-Livron 82 .... 258 C1
Lacapelle-Marival 46 .... 241 D1
Lacapelle-Pinet 81 .... 259 F2
Lacapelle-Ségalar 81 .... 259 D2
Lacapelle-Viescamp 15 ... 223 F3
Lacarre 64 .... 295 D1
Lacarry-Arhan-
 Charritte-de-Haut 64 .... 295 F2
Lacassagne 65 .... 274 A4
Lacaugne 31 .... 300 B1
Lacaune 81 .... 279 E1
Lacaussade 47 .... 238 C1
Lacave 09 .... 299 F3
Lacave 46 .... 222 C4
Lacaze 81 .... 278 C1
Lacelle 19 .... 204 C1
Lacenas 69 .... 192 B3
Lacépède 47 .... 238 A4
Lachaise 16 .... 200 C4
Lachalade 55 .... 39 E4
Lachambre 57 .... 42 C4
Lachamp 48 .... 244 A4
Lachamp-Raphaël 07 .... 227 F4
Lachapelle 47 .... 237 F2
Lachapelle 80 .... 17 F3
Lachapelle 82 .... 256 C3
Lachapelle-aux-Pots 60 ... 33 F2
Lachapelle-Auzac 46 .... 222 B4
Lachapelle-en-Blaisy 52 ... 92 A4
Lachapelle-Graillouse 07 ... 227 E4
Lachapelle-Saint-Pierre 60 .. 34 B4
Lachapelle-sous-Aubenas 07 246 A2
Lachapelle-sous-Chanéac 07 228 A1
Lachapelle-sous-Chaux 90 . 119 F4
Lachapelle-
 sous-Gerberoy 60 .... 33 F1
Lachapelle-
 sous-Rougemont 90 .... 120 A3
Lachassagne 69 .... 192 C3
Lachau 26 .... 266 B1
Lachaussée 55 .... 67 E1
Lachaussée-
 du-Bois-d'Écu 60 .... 34 A1
Lachaux 63 .... 190 B2
Lachelle 60 .... 35 E2
Lachy 51 .... 63 F4
Lacollonge 90 .... 120 A3
Lacombe 11 .... 278 B4
Lacommande 64 .... 296 C1
Lacoste 84 .... 265 F4
Lacoste 34 .... 280 C2
Lacougotte-Cadoul 81 .... 277 E2
Lacour 82 .... 239 D4
Lacour-d'Arcenay 21 .... 137 F3
Lacourt 09 .... 300 A4
Lacourt-Saint-Pierre 82 ... 257 F3
Lacq 64 .... 272 B3
Lacquy 40 .... 254 B3
Lacrabe 40 .... 272 B2
Lacres 62 .... 6 B1
Lacroisille 81 .... 277 F2
Lacroix-Barrez 12 .... 242 B1
Lacroix-Falgarde 31 .... 276 C3
Lacroix-Saint-Ouen 60 ... 35 E3
Lacroix-sur-Meuse 55 .... 67 D2
Lacropte 24 .... 220 C2
Lacrouzette 81 .... 278 B2
Lacs 36 .... 169 F2
Ladapeyre 23 .... 169 F4
Ladaux 33 .... 236 C1
Ladern-sur-Lauquet 11 .... 302 C2
Ladevèze-Rivière 32 .... 273 F2
Ladevèze-Ville 32 .... 273 F2
Ladignac-le-Long 87 .... 203 E2
Ladignac-sur-Rondelles 19 .. 223 D1
Ladinhac 15 .... 242 B1
Ladirat 46 .... 223 D4
Ladiville 16 .... 201 D2
Ladoix 21 .... 158 A1
Ladoix-Serrigny 21 .... 158 A1
Ladon 45 .... 111 E2
Ladoye-sur-Seille 39 .... 159 F4
Laduz 89 .... 113 D3
Lafage 11 .... 301 E2
Lafage-sur-Sombre 19 ... 205 E4
Lafare 84 .... 265 E1
Lafarre 43 .... 227 E4
Lafarre 07 .... 228 B2
Lafat 23 .... 168 C4
Lafauche 52 .... 93 D3
Laféline 03 .... 172 A3
Laferté-sur-Amance 52 ... 117 E3
Laferté-sur-Aube 52 .... 115 F1
Lafeuillade-en-Vézie 15 ... 224 A4

Laffaux 02 .... 36 B2
Laffite-Toupière 31 .... 299 E2
Laffrey 38 .... 230 C2
Lafite Rothschild
 (Château de) 33 .... 199 D4
Lafitole 65 .... 273 F3
Lafitte 82 .... 257 E3
Lafitte-sur-Lot 47 .... 238 A4
Lafitte-Vigordane 31 .... 300 A1
Lafosse 33 .... 217 E2
Lafox 47 .... 256 B1
Lafraye 60 .... 34 B2
Lafresnoye 80 .... 17 E3
Lafrimbolle 57 .... 69 F4
Lagamas 34 .... 281 D2
Lagarde 31 .... 277 D4
Lagarde 57 .... 69 E4
Lagarde 09 .... 301 F3
Lagarde 65 .... 273 F4
Lagarde 32 .... 256 A3
Lagarde d'Apt 84 .... 266 B3
Lagarde-Enval 19 .... 222 C1
Lagarde-Hachan 32 .... 274 C1
Lagarde-Paréol 84 .... 265 D1
Lagarde-sur-le-Né 16 .... 200 C2
Lagardelle 46 .... 239 E3
Lagardelle-sur-Lèze 31 ... 276 B4
Lagardère 32 .... 255 F4
Lagardiolle 81 .... 278 A3
Lagarrigue 47 .... 238 A4
Lagarrigue 81 .... 278 B2
Lagatjar (Alignements de) 29 . 47 D4
Lageon 79 .... 148 A4
Lagery 51 .... 37 D4
Lagesse 10 .... 114 B2
Laghet 06 .... 289 E4
Lagleygeolle 19 .... 222 C2
Laglorieuse 40 .... 254 A4
Lagnes 84 .... 265 E3
Lagney 54 .... 67 F4
Lagnicourt-Marcel 62 .... 8 C4
Lagny 60 .... 35 F1
Lagny-le-Sec 60 .... 61 F1
Lagny-sur-Marne 77 .... 61 F3
Lagor 64 .... 272 B4
Lagorce 33 .... 219 D2
Lagorce 07 .... 246 A3
Lagord 17 .... 163 E4
Lagos 64 .... 297 D1
Lagrâce-Dieu 31 .... 276 C4
Lagrand 05 .... 249 D4
Lagrange 90 .... 120 A3
Lagrange 65 .... 298 B2
Lagrange 40 .... 254 C3
Lagrasse 11 .... 303 D2
Lagraulas 32 .... 274 A1
Lagraulet-du-Gers 32 .... 255 E4
Lagraulet-Saint-Nicolas 31 . 276 A1
Lagraulière 19 .... 204 B4
Lagrave 81 .... 259 D4
Lagruère 47 .... 237 F3
Laguenne 19 .... 222 C1
Laguépie 82 .... 259 D2
Laguian-Mazous 32 .... 274 A4
Laguinge-Restoue 64 .... 295 F2
Laguiole 12 .... 243 D1
Lagupie 47 .... 237 E2
Lahage 31 .... 275 F3
Laharie 40 .... 253 D2
Laharmand 52 .... 92 B4
Lahas 32 .... 275 E3
Lahaye-Saint-Romain 80 ... 17 F4
Lahaymeix 55 .... 66 C2
Lahayville 55 .... 67 E2
Laheycourt 55 .... 66 A2
Lahitère 31 .... 300 A2
Lahitte 32 .... 275 D2
Lahitte 65 .... 298 B2
Lahitte-Toupière 65 .... 273 F3
Lahonce 64 .... 270 C3
Lahontan 64 .... 271 F2
Lahosse 40 .... 272 A1
Lahourcade 64 .... 272 B4
Lahoussoye 80 .... 18 C2
Lahour 08 .... 22 C2
Laigné 53 .... 105 D3
Laigné-en-Belin 72 .... 107 D3
Laignelet 35 .... 80 B2
Laignes 21 .... 114 C3
Laigneville 60 .... 34 C3
Laigny 02 .... 21 D3
Laillé 35 .... 103 E2
Lailly 89 .... 89 E4
Lailly-en-Val 45 .... 109 F4
Laimont 55 .... 66 A3
Lain 89 .... 136 A1
Laines-aux-Bois 10 .... 90 A4
Lains 39 .... 176 B3
Lainsecq 89 .... 135 F2
Lainville 78 .... 60 A1
Laire 25 .... 142 B1
Laires 62 .... 7 E2
Lairière 11 .... 302 C3
Lairoux 85 .... 163 D3
Laissac 12 .... 243 D3
Laissaud 73 .... 213 E2
Laissey 25 .... 141 E3
Laître-sous-Amance 54 ... 68 B3
Laives 71 .... 175 D1
Laix 54 .... 41 D2
Laizé 71 .... 175 D3
Laize-la-Ville 14 .... 56 A1
Laizy 71 .... 156 C2
Lajo 48 .... 226 A4
Lajoux 39 .... 177 E2
Lalacelle 61 .... 82 B2

Lalande 89 .... 135 F1
Lalande-de-Pomerol 33 ... 218 C3
Lalande-en-Son 60 .... 33 F3
Lalandelle 60 .... 33 F2
Lalandusse 47 .... 238 B1
Lalanne 32 .... 256 A3
Lalanne 65 .... 298 C1
Lalanne-Arqué 32 .... 275 D4
Lalanne-Trie 65 .... 274 B1
Lalaye 67 .... 96 B1
Lalbarède 81 .... 278 A2
Lalbenque 46 .... 240 B4
Laleu 61 .... 83 E1
Laleu 80 .... 17 F2
Lalevade-d'Ardèche 07 .... 246 A1
Lalheue 71 .... 175 D1
Lalinde 24 .... 220 C4
Lalizolle 03 .... 189 D1
Lallaing 59 .... 9 D2
Lalleu 35 .... 103 F3
Lalley 38 .... 230 C4
Lalleyriat 01 .... 194 C1
Lalobbe 08 .... 22 A4
Lalœuf 54 .... 94 A2
Lalongue 64 .... 273 E3
Lalonquette 64 .... 273 D3
Lalouberie 65 .... 297 F1
Lalouret-Laffiteau 31 .... 299 D2
Lalouvesc 07 .... 228 B2
Laluque 40 .... 253 D4
Lama 2B 315 E2
Lamadeleine-
 Val-des-Anges 90 .... 119 F3
Lamagdelaine 46 .... 240 A3
Lamagistère 82 .... 256 C2
Lamaguère 32 .... 275 D3
Lamaids 03 .... 170 B4
Lamairé 79 .... 148 B4
Lamalou-les-Bains 34 .... 280 A2
Lamancine 52 .... 92 B4
Lamanère 66 .... 311 F4
Lamanon 13 .... 284 A1
Lamarche 88 .... 117 F1
Lamarche-en-Woëvre 55 ... 67 E2
Lamarche-sur-Saône 21 ... 140 A2
Lamargelle 21 .... 138 C2
Lamarque 33 .... 217 D2
Lamarque-Pontacq 65 .... 297 E1
Lamarque-Rustaing 65 .... 298 B1
Lamasquère 31 .... 276 B3
Lamastre 07 .... 228 B3
Lamath 54 .... 94 C1
Lamative 46 .... 223 E4
Lamayou 64 .... 273 F4
Lamazère 32 .... 274 C2
Lamazière-Basse 19 .... 205 F4
Lamazière-Haute 19 .... 206 A1
Lambach 57 .... 44 B4
Lambader 29 .... 49 D3
Lamballe 22 .... 51 F4
Lamberville 76 .... 16 A3
Lamberville 50 .... 55 D1
Lambesc 13 .... 284 C1
Lamblore 28 .... 84 B1
Lambres 62 .... 3 E4
Lambres-lez-Douai 59 .... 9 D2
Lambrey 70 .... 118 A3
Lambruisse 04 .... 268 A2
Laméac 65 .... 274 A4
Lamécourt 60 .... 34 C2
Lamelouze 30 .... 263 D1
Lamenay-sur-Loire 58 ... 155 F4
Lamérac 16 .... 200 C3
Lametz 08 .... 39 D1
Lamillarié 81 .... 259 E4
Lammerville 76 .... 16 A1
Lamnay 72 .... 107 F1
Lamongerie 19 .... 204 B2
Lamontélarié 81 .... 279 D2
Lamontgie 63 .... 208 A3
Lamontjoie 47 .... 256 A2
Lamonzie-Montastruc 24 ... 220 B3
Lamonzie-Saint-Martin 24 ... 220 A4
Lamorlaye 60 .... 34 C4
Lamorville 55 .... 67 D2
Lamothe 40 .... 253 F4
Lamothe 43 .... 208 A4
Lamothe-Capdeville 82 ... 257 F2
Lamothe-Cassel 46 .... 240 A2
Lamothe-Cumont 82 .... 256 C3
Lamothe-en-Blaisy 52 ... 92 A4
Lamothe-Fénelon 46 .... 222 A4
Lamothe-Goas 32 .... 256 A4
Lamothe-Landerron 33 ... 237 E2
Lamothe-Montravel 24 ... 219 D4
Lamotte-Beuvron 41 .... 133 E1
Lamotte-Brebière 80 .... 18 B2
Lamotte-Buleux 80 .... 6 C4
Lamotte-du-Rhône 84 .... 264 C1
Lamotte-Warfusée 80 ... 18 C3
Lamouilly 55 .... 40 A1
Lamoura 39 .... 177 E3
Lampaul 29 .... 46 B2
Lampaul-Guimiliau 29 ... 49 D3
Lampaul-Plouarzel 29 .... 47 D2
Lampaul-Ploudalmézeau 29 . 47 D2
Lampertheim 67 .... 71 D3
Lampertsloch 67 .... 45 E4
Lamure-sur-Azergues 69 ... 192 A2
Lanans 25 .... 142 A3
Lanarce 07 .... 245 E1
Lanarvily 29 .... 47 F2
Lanas 07 .... 246 A2
Lancé 41 .... 108 B4
Lanchères 80 .... 6 A4
Lanches-Saint-Hilaire 80 ... 18 A1

Lanchy 02 .... 19 F3
Lancié 69 .... 192 C1
Lancieux 22 .... 52 B4
Lancôme 41 .... 131 F1
Lançon 08 .... 39 E3
Lançon 65 .... 298 B4
Lançon-Provence 13 .... 284 B2
Lancrans 01 .... 194 C1
Landal (Château de) 35 ... 79 E1
Landange 57 .... 69 F4
Landas 59 .... 9 E2
Landaul 56 .... 100 C3
Landaville 88 .... 93 E3
Landavran 35 .... 80 A4
La Lande-Chasles 49 .... 129 E3
La Lande-d'Airou 50 .... 54 A3
La Lande-de-Fronsac 33 ... 217 E2
La Lande-de-Goult 61 .... 82 B1
La Lande-de-Lougé 61 .... 56 A4
La Lande-Patry 61 .... 55 E4
La Lande-Saint-Léger 27 ... 30 C3
La Lande-Saint-Siméon 61 . 55 F3
La Lande-sur-Drôme 14 ... 55 D1
La Lande-sur-Eure 61 .... 84 A1
La Lande-Vaumont 14 .... 55 D3
Landéan 35 .... 80 B2
Landebaëron 22 .... 50 B3
Landébia 22 .... 78 A1
La Landec 22 .... 78 B2
Landécourt 54 .... 94 C1
Landéda 29 .... 47 E1
Landéhen 22 .... 77 F2
Landeleau 29 .... 75 E3
Landelles 28 .... 84 C2
Landelles-et-Coupigny 14 ... 54 C2
Landemont 49 .... 127 D4
Landepéreuse 27 .... 57 F2
Landerneau 29 .... 47 F2
Landeronde 85 .... 145 E4
Landerrouat 33 .... 237 E2
Landerrouet-sur-Ségur 33 ... 237 D1
Landersheim 67 .... 70 C2
Landes 17 .... 181 E2
Les Landes-Genusson 85 ... 146 B2
Landes-le-Gaulois 41 .... 131 F1
Landes-sur-Ajon 14 .... 55 E1
Landes-Vieilles-et-Neuves 76 . 17 D3
Landévant 56 .... 100 B3
Landévennec 29 .... 47 F4
Landevieille 85 .... 162 A1
Landéville 52 .... 92 C3
Landeyrat 15 .... 207 D4
Landifay-
 et-Bertaignemont 02 .... 20 C3
Landigou 61 .... 55 F4
Le Landin 27 .... 31 F2
Landiras 33 .... 236 B2
Landisacq 61 .... 55 E3
Landivisiau 29 .... 48 C3
Landivy 53 .... 80 C2
Landogne 63 .... 188 B3
Landonvillers 57 .... 42 A4
Landorthe 31 .... 299 D2
Landos 43 .... 227 D4
Landouge 87 .... 185 F4
Landouzy-la-Cour 02 .... 21 E3
Landouzy-la-Ville 02 .... 21 E3
Landrais 17 .... 181 E1
Le Landreau 44 .... 127 D4
Landrecies 59 .... 10 A3
Landrecourt 55 .... 66 C1
Landrellec 22 .... 50 A1
Landremont 54 .... 68 A2
Landres 54 .... 41 D3
Landres-et-Saint-Georges 08 . 39 E3
Landresse 25 .... 142 A3
Landrethun-le-Nord 62 ... 2 B3
Landrethun-lès-Ardres 62 ... 2 C3
Landrévarzec 29 .... 73 F3
Landreville 10 .... 115 D1
Landrichamps 08 .... 13 D3
Landricourt 51 .... 91 F1
Landricourt 02 .... 36 B2
Landroff 57 .... 69 D1
Landry 73 .... 214 C1
Landser 68 .... 120 C3
Landudal 29 .... 75 D4
Landudec 29 .... 73 E3
Landujan 35 .... 78 C3
Landunvez 29 .... 47 D2
Lanéria 39 .... 176 B3
Lanespède 65 .... 298 A2
Lanessan (Château de) 33 ... 217 D1
Lanester 56 .... 100 A3
Lanet 11 .... 302 C3
Laneuvelle 52 .... 117 E2
Laneuvelotte 54 .... 68 B3
Laneuville-aux-Bois 54 ... 69 D4
Laneuville-
 derrière-Foug 54 .... 67 E4
Laneuville-
 devant-Bayon 54 .... 94 B2
Laneuville-
 devant-Nancy 54 .... 68 B4
Laneuville-ès-Saulnois 57 . 68 C2
Laneuville-lès-Lorquin 57 .. 69 F4
Laneuville-à-Bayard 52 ... 92 A1
Laneuville-au-Pont 52 .... 91 F2
Laneuville-au-Bois 52 ... 92 C2
Laneuville-au-Pont 52 .... 91 F1
Laneuville-sur-Meuse 55 ... 39 F1
Laneuvilleroy 60 .... 35 D2
Lanfains 22 .... 77 D2
Lanfroicourt 54 .... 68 B3
Langast 22 .... 77 E3
Langatte 57 .... 69 F3
Langé 36 .... 151 F2
Langeac 43 .... 226 B2

Langeais 37 .... 130 B3
Langensoultzbach 67 ...... 45 D4
Langeron 58 .... 154 C4
Langesse 45 .... 111 F3
Langey 28 .... 108 C2
Langlade 30 .... 263 F4
Langley 88 .... 94 C2
Langoat 22 .... 50 B2
Langoëlan 56 .... 76 B4
Langogne 48 .... 245 D1
Langoiran 33 .... 236 B1
Langolen 29 .... 75 D4
Langon 35 .... 103 D4
Langon 41 .... 133 D4
Le Langon 85 .... 163 F2
Langon 33 .... 236 C2
Langonnet 56 .... 75 F4
Langonnet (Abbaye de) 56 . 76 A4
Langouet 35 .... 79 D3
Langourla 22 .... 78 A3
Langres 52 .... 116 C3
Langrolay-sur-Rance 22 .... 78 C1
Langrune-sur-Mer 14 ...... 29 E3
Languédias 22 .... 78 B2
Languenan 22 .... 78 B1
Langueux 22 .... 51 E4
Languevoisin-Quiquery 80 .. 19 E4
Languidic 56 .... 100 B2
Languidou (Chapelle de) 29 . 73 D4
Languimberg 57 .... 69 E3
Languivoa (Chapelle de) 29 . 73 E4
Langy 03 .... 172 C4
Lanhélin 35 .... 79 D2
Lanhères 55 .... 40 C4
Lanhouarneau 29 .... 48 C3
Lanildut 29 .... 47 D2
Laning 57 .... 69 E1
Laniscat 22 .... 76 C3
Laniscourt 02 .... 36 C1
Lanleff 22 .... 50 C2
Lanloup 22 .... 51 D2
Lanmérin 22 .... 50 B2
Lanmeur 29 .... 49 E2
Lanmodez 22 .... 50 C1
Lann-Bihoué 56 .... 100 A3
Lanne 65 .... 297 F2
Lanne-en-Barétous 64 ..... 296 A2
Lanne-Soubiran 32 .... 273 E1
Lannéanou 29 .... 49 F4
Lannebert 22 .... 51 D3
Lannecaube 64 .... 273 D3
Lannédern 29 .... 75 D2
Lannemaignan 32 .... 254 C3
Lannemezan 65 .... 298 B2
Lannepax 32 .... 255 E4
Lanneplaà 64 .... 272 A3
Lanneray 28 .... 109 D1
Lannes 47 .... 255 F2
Lannes 52 .... 116 C2
Lanneuffret 29 .... 48 C3
Lannilis 29 .... 47 E2
Lannion 22 .... 50 A2
Lannoy 59 .... 5 D4
Lannoy-Cuillère 60 .... 17 E4
Lannux 32 .... 273 E2
Lano 2B 315 E4
Lanobre 15 .... 206 B3
Lanouaille 24 .... 203 E3
Lanouée 56 .... 101 F1
Lanoux 09 .... 300 C2
Lanquais 24 .... 220 B4
Lanques-sur-Rognon 52 .... 116 C1
Lanquetot 76 .... 15 D3
Lanrelas 22 .... 78 A3
Lanrigan 35 .... 79 D2
Lanrivain 22 .... 76 B2
Lanrivoaré 29 .... 47 D2
Lanrodec 22 .... 50 C4
Lans 71 .... 158 B4
Lans-en-Vercors 38 .... 230 B1
Lansac 33 .... 217 E2
Lansac 65 .... 298 A1
Lansac 66 .... 312 B2
Lansargues 34 .... 282 A2
Lanslebourg-Mont-Cenis 73 . 215 D4
Lanslevillard 73 .... 215 D3
Lanta 31 .... 277 D3
Lantabat 64 .... 295 E1
Lantages 10 .... 114 C1
Lantan 18 .... 153 F3
Lantéfontaine 54 .... 41 D3
Lantenay 21 .... 139 D3
Lantenay 01 .... 194 B3
Lantenne-Vertière 25 ..... 140 C4
Lantenot 70 .... 119 D3
La Lanterne-
et-les-Armonts 70 .... 119 D3
Lanteuil 19 .... 222 B2
Lanthenans 25 .... 142 B2
Lanthes 21 .... 158 C2
Lantheuil 14 .... 29 D3
Lantic 22 .... 51 D3
Lantignié 69 .... 192 B1
Lantillac 56 .... 101 E1
Lantilly 21 .... 138 A2
Lanton 33 .... 234 C1
Lantosque 06 .... 289 D1
Lantriac 43 .... 227 E3
Lanty 58 .... 156 A4
Lanty-sur-Aube 52 .... 115 F2
Lanuéjols 30 .... 262 A2
Lanuéjols 48 .... 244 B3
Lanuéjouls 12 .... 241 E3
Lanvallay 22 .... 78 C2
Lanvaudan 56 .... 100 B2
Lanvellec 22 .... 49 F3
Lanvénégen 56 .... 99 F1
Lanvéoc 29 .... 47 E4
Lanvézéac 22 .... 50 B2
Lanvollon 22 .... 51 D3

Lanzac 46 .... 222 A4
Laon 02 .... 37 D1
Laons 28 .... 58 C4
Laouzas (Barrage de) 81 .... 279 E2
Lapalisse 03 .... 172 C4
Lapalud 84 .... 246 C4
Lapan 18 .... 153 D3
Lapanouse 12 .... 243 E4
Lapanouse-de-Cernon 12 .. 261 E3
Laparade 47 .... 238 A4
Laparrouquial 81 .... 259 D2
Lapège 09 .... 309 F1
Lapenche 82 .... 258 B1
Lapenne 09 .... 301 E2
Lapenty 50 .... 80 C1
Laperche 47 .... 238 A2
Laperrière-sur-Saône 21 ... 159 D1
Lapeyre 65 .... 274 B4
Lapeyrère 31 .... 300 B1
Lapeyrouse 63 .... 189 D1
Lapeyrouse 01 .... 193 D2
Lapeyrouse-Fossat 31 ..... 276 C1
Lapeyrouse-Mornay 26 .... 211 E4
Lapeyrugue 15 .... 242 B1
Lapleau 19 .... 205 F4
Laplume 47 .... 256 A2
Lapoutroie 68 .... 96 A3
Lapouyade 33 .... 218 C2
Lappion 02 .... 37 E1
Laprade 16 .... 201 F4
Laprade 11 .... 278 B4
Lapradelle 11 .... 311 E1
Laprugne 03 .... 190 C2
Laps 63 .... 207 F1
Lapte 43 .... 227 F1
Lapugnoy 62 .... 7 F1
Laquenexy 57 .... 68 B1
Laqueuille 63 .... 206 C1
Laragne-Montéglin 05 .... 249 D4
Larajasse 69 .... 210 B1
Laramière 46 .... 241 D4
Laran 65 .... 298 C1
Larbey 40 .... 272 A1
Larbont 09 .... 300 B3
Larbroye 60 .... 35 F1
Larcan 31 .... 299 D2
Larcat 09 .... 310 A1
Larçay 37 .... 131 D3
Larceveau-Arros-Cibits 64 .. 295 E1
Larchamp 61 .... 55 E4
Larchamp 53 .... 80 C3
Larchant 77 .... 87 E4
Larche 04 .... 251 D2
Larche 19 .... 222 A2
Larche (Col de) 04 .... 251 D3
Le Larderet 39 .... 160 B3
Lardier-et-Valença 05 ..... 249 E3
Lardiers 04 .... 266 C2
Le Lardin-Saint-Lazare 24 .. 221 F2
Lardy 91 .... 86 C2
Larée 32 .... 254 C3
Laréole 31 .... 275 F1
Largeasse 79 .... 147 F4
Largentière 07 .... 245 F2
Largillay-Marsonnay 39 .... 176 C1
Largitzen 68 .... 120 B4
Largny-sur-Automne 02 .... 35 F4
Largoët (Forteresse de) 56 .. 101 E3
Larians-et-Munans 70 ..... 141 E2
Larivière 90 .... 120 A3
Larivière-sur-Apance 52 .... 117 E1
Larmor-Baden 56 .... 101 D4
Larmor-Plage 56 .... 100 A3
Larnage 26 .... 229 D2
Larnagol 46 .... 240 C3
Larnas 07 .... 246 B3
Larnat 09 .... 310 A1
Larnaud 39 .... 159 E4
Larnod 25 .... 141 D4
Laroche-près-Feyt 19 ..... 206 B1
Laroche-Saint-Cydroine 89 .. 113 D2
Larochemillay 58 .... 156 B3
Larodde 63 .... 206 B2
Laroin 64 .... 272 C4
Larone (Col de) 2A 317 E4
Laronxe 54 .... 95 D1
Laroque 33 .... 236 B1
Laroque 34 .... 262 C3
Laroque-de-Fa 11 .... 303 D4
Laroque-des-Albères 66 .... 313 D3
Laroque-des-Arcs 46 ...... 240 A3
Laroque-d'Olmes 09 ...... 301 E3
Laroque-Timbaut 47 ...... 238 C4
Laroquebrou 15 .... 223 F3
Laroquevieille 15 .... 224 B3
Larouillies 59 .... 10 B4
Larra 31 .... 276 A1
Larrau 64 .... 295 F3
Larrazet 82 .... 257 D3
Larré 56 .... 101 F4
Larré 61 .... 82 C2
Larressingle 32 .... 255 F3
Larressore 64 .... 270 C4
Larret 29 .... 47 D2
Larret 70 .... 140 B1
Larreule 65 .... 273 F3
Larreule 64 .... 272 C3
Larrivière 40 .... 272 C1
Larrivoire 39 .... 177 D3
Larroque 31 .... 299 D1
Larroque 81 .... 258 B3
Larroque 65 .... 274 C4
Larroque-Engalin 32 ...... 256 A3
Larroque-Saint-Sernin 32 .. 256 A4
Larroque-sur-l'Osse 32 .... 255 E3
Larroque-Toirac 46 .... 241 D3
Lartigue 32 .... 275 D3

Lartigue 33 .... 254 C1
Laruns 64 .... 296 C3
Laruscade 33 .... 217 F2
Larzac 24 .... 239 D1
Larzicourt 51 .... 91 E1
Lasalle 30 .... 263 D2
Lasbordes 11 .... 302 A1
Lascabanes 46 .... 239 F4
Lascaux 19 .... 204 A4
Lascaux (Grotte de) 24 .... 221 E4
Lascazères 65 .... 273 F3
Lascelle 15 .... 224 B3
Laschamps-de-Chavanat 23 . 187 D1
Lasclaveries 64 .... 273 D3
Lasfaillades 81 .... 278 C2
Lasgraisses 81 .... 259 D4
Laslades 65 .... 298 A1
Lassales 65 .... 298 C1
Lassay-les-Châteaux 53 .... 81 F2
Lassay-sur-Croisne 41 .... 132 C3
Lasse 64 .... 295 D1
Lasse 49 .... 129 E2
Lasserade 32 .... 273 F2
Lasséran 32 .... 274 C2
Lasserre 64 .... 273 E3
Lasserre 47 .... 255 F2
Lasserre 31 .... 276 A2
Lasserre 09 .... 300 A3
Lasserre-de-Prouille 11 .... 302 A2
Lasseube 64 .... 296 C1
Lasseube-Propre 32 ...... 275 D2
Lasseubetat 64 .... 296 C1
Lassicourt 10 .... 91 D2
Lassigny 60 .... 35 E1
Lasson 14 .... 29 E4
Lasson 89 .... 113 F1
Lassouts 12 .... 243 D3
Lassur 09 .... 310 A1
Lassy 95 .... 61 D1
Lassy 35 .... 103 D3
Lassy 14 .... 55 E2
Lastelle 50 .... 26 C3
Lastic 15 .... 225 F2
Lastic 63 .... 206 B1
Lastioulles (Barrage de) 15 .. 206 B3
Lastours 11 .... 278 C4
Lataule 60 .... 35 D1
Le Latet 39 .... 160 A3
La Latette 39 .... 160 B4
Lathuile 74 .... 195 F4
Lathus 86 .... 167 F4
Latillé 86 .... 165 F1
Latoue 31 .... 299 D2
Latouille-Lentillac 46 ..... 223 D4
Latour 31 .... 300 B1
Latour-Bas-Elne 66 ...... 313 E4
Latour-de-Carol 66 .... 310 B4
Latour-de-France 66 ...... 312 B1
Latour-en-Woëvre 55 ..... 67 E1
Latrape 31 .... 300 B1
Latrecey 52 .... 115 F2
Latresne 33 .... 217 E4
Latrille 40 .... 273 D2
Latronche 19 .... 205 F4
Latronquière 46 .... 223 E4
Lattainville 60 .... 33 E4
Lattes 34 .... 281 F2
Lattre-Saint-Quentin 62 .... 8 A3
Lau-Balagnas 65 .... 297 E3
Laubach 67 .... 71 D1
Laubert 48 .... 244 B2
Les Laubies 48 .... 244 A1
Laubressel 10 .... 90 B3
Laubrières 53 .... 104 B3
La Lauch (Lac de) 68 ..... 120 A1
Laucourt 80 .... 19 D4
Laudrefang 57 .... 42 C4
Laudun 30 .... 264 B2
Laugnac 47 .... 238 B4
Launac 31 .... 276 A1
Launaguet 31 .... 276 C1
Launay 27 .... 58 A1
Launay-Villiers 53 .... 80 C4
Launois-sur-Vence 08 ..... 22 B4
Launoy 02 .... 36 B4
Launstroff 57 .... 42 B2
La Laupie 26 .... 247 D2
Laurabuc 11 .... 301 F1
Laurac 11 .... 301 F1
Laurac-en-Vivarais 07 ..... 245 F3
Lauraguel 11 .... 302 A2
Lauraët 32 .... 255 F3
Laure-Minervois 11 ...... 302 C1
Laurède 40 .... 272 A1
Laurenan 22 .... 77 F3
Laurens 34 .... 280 B3
Lauresses 46 .... 241 E1
Lauret 40 .... 273 D2
Lauret 34 .... 263 D4
Laurie 15 .... 207 E4
Laurière 24 .... 221 D1
Laurière 87 .... 186 A2
Lauris 84 .... 284 C1
Lauroux 34 .... 280 B1
Laussac 34 .... 224 C4
Laussonne 43 .... 227 E3
Laussou 47 .... 238 C2
Lautaret (Col du) 05 ...... 232 A2
Lautenbach 68 .... 120 A1
Lautenbachzell 68 .... 120 A1
Lauterbourg 67 .... 45 F4
Lauthiers 86 .... 167 D1
Lautignac 31 .... 275 F4
Lautrec 81 .... 278 A1
Lauw 68 .... 120 A2

LAVAL

Déportés (R. des) .... Y 13
Gaulle (R. Gén.-de) .... Y
Paix (R. de la) .... Y

Avesnières (Q. d') .... Z 2
Avesnières (R. d') .... Z 3
Briand (Pont A.) .... Y 8
Britais (R. du) .... Y 9
Chapelle (R. de) .... Z 12
Douanier-
Rousseau (R.) .... Z 14
Gambetta (Quai) .... Z 16
Gavre (Q. B. de) .... Y 17
Grande-Rue .... Z 19

Hardy-de-Lévaré (Pl.) .... Z 22
Jean-Fouquet (Q.) .... Y 26
La Trémoille (Pl. de) .... Z 28
Moulin (Pl. J.) .... Y 34
Orfèvres (R. des) .... Z 36
Paradis (R. de) .... Z 37
Pin-Doré (R. du) .... Z 40
Pont-de-Mayenne
(R. du) .... Z 43
Renaise (R.) .... Y 44
Résistance (Crs de la) .... Y 45
Serruriers (R. des) .... Z 47
Solférino (R.) .... Y 48
Souchu-Servinière (R.) .... Y 50
Strasbourg (R. de) .... Y 52
Trinité (R. de la) .... Z 55
Val-de-Mayenne (R. du) .. YZ 60

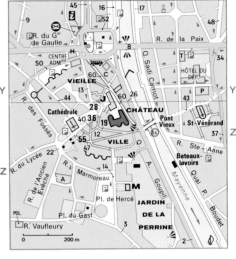

Lauwin-Planque 59 .... 8 C2
Laux-Montaux 26 .... 248 B4
Lauzach 56 .... 101 F4
Lauzerte 82 .... 257 E1
Lauzerville 31 .... 277 D3
Lauzès 46 .... 240 B2
Le Lauzet-Ubaye 04 ...... 250 B3
Lauzières 17 .... 163 E4
Lauzun 47 .... 238 A2
Lava (Col de) 2A 316 A1
Lava (Golfe de) 2A 316 A3
Lavacquerie 60 .... 18 A4
Laval 53 .... 105 D1
Laval 38 .... 213 D4
Laval (Chalets de) 05 ..... 232 B2
Laval-Atger 48 .... 226 C4
Laval-d'Aix 26 .... 248 A1
Laval-d'Aurelle 07 .... 245 D2
Laval-de-Cère 46 .... 223 D3
Laval-du-Tarn 48 .... 244 A4
Laval-en-Brie 77 .... 88 B2
Laval-en-Laonnois 02 ..... 36 C1
Laval-le-Prieuré 25 ...... 142 B4
Laval-Morency 08 .... 22 B3
Laval-Pradel 30 .... 263 E1
Laval-Roquecezière 12 .... 279 D1
Laval-Saint-Roman 30 .... 246 B4
Laval-sur-Doulon 43 ..... 208 B4
Laval-sur-Luzège 19 ..... 223 E1
Laval-sur-Tourbe 51 ...... 39 D4
Laval-sur-Vologne 88 ..... 95 E4
Lavalade 24 .... 239 D1
Lavaldens 38 .... 231 D2
Lavalette 31 .... 277 D2
Lavalette 34 .... 280 B1
Lavalette 11 .... 302 B2
Lavalette (Barrage de) 43 .. 227 F1
Lavallée 55 .... 66 C3
Le Lavancher 74 .... 197 D2
Lavancia-Epercy 39 ...... 177 D3
Le Lavandou 83 .... 293 D2
Lavangeot 39 .... 159 E1
Lavannes 51 .... 38 A3
Lavans-lès-Dole 39 ...... 159 F1
Lavans-lès-Saint-Claude 39 . 177 D3
Lavans-Quingey 25 ...... 160 A1
Lavans-sur-Valouse 39 .... 176 C3
Lavans-Vuillafans 25 ..... 160 C1
Lavaqueresse 02 .... 10 A4
Lavardac 47 .... 255 F1
Lavardens 32 .... 274 C1
Lavardin 41 .... 108 A4
Lavardin 72 .... 106 C2
Lavaré 72 .... 107 F1
Lavars 38 .... 230 C4
Lavasina 2B 315 F1
Lavastrie 15 .... 225 E3
Lavatoggio 2B 314 B3
Lavau 89 .... 135 E1
Lavau 10 .... 90 B3
Lavau-sur-Loire 44 .... 125 F3
Lavaudieu 43 .... 208 A4
Lavaufranche 23 .... 170 A4
Lavault-de-Frétoy 58 ..... 156 B1
Lavault-Sainte-Anne 03 ... 170 C4
Les Lavaults 89 .... 137 E3
Lavaur 81 .... 277 E1
Lavaur 24 .... 239 E2
Lavaurette 82 .... 258 B1
Lavausseau 86 .... 165 F2
Lavaveix-les-Mines 23 .... 187 D2
Lavazan 33 .... 237 D2

Laveissenet 15 .... 225 D2
Laveissière 15 .... 224 C2
Lavelanet 09 .... 301 E4
Lavelanet-de-Comminges 31 300 A1
Laveline-devant-Bruyères 88 95 E4
Laveline-du-Houx 88 ...... 95 E4
Lavenay 72 .... 107 F3
Laventie 62 .... 4 A4
Lavéra 13 .... 284 A4
Laveraët 32 .... 274 A3
Lavercantière 46 .... 239 F2
Laverdines 18 .... 154 A2
Lavergne 47 .... 238 A2
Lavergne 46 .... 222 C4
Lavernat 72 .... 107 D4
Lavernay 25 .... 140 C4
Lavernhe 12 .... 243 E4
Lavernose-Lacasse 31 .... 276 B4
Lavernoy 52 .... 117 D2
Laverrière 60 .... 17 F4
Laversine 02 .... 36 A3
Laversines 60 .... 34 B2
Laverune 34 .... 281 E2
Laveyron 26 .... 229 D1
Laveyrune 07 .... 245 D2
Laveyssière 24 .... 220 A3
Lavieu 42 .... 209 E2
Lavieville 80 .... 18 C2
Lavigerie 15 .... 224 C2
Lavignac 87 .... 203 E1
Lavigney 70 .... 117 F4
Lavignolle 33 .... 235 E2
Lavigny 39 .... 159 F4
Lavillatte 07 .... 245 D1
Laville-aux-Bois 52 ...... 116 B1
Lavilledieu 07 .... 246 A2
Lavilleneuve 52 .... 117 D1
Lavilleneuve-au-Roi 52 .... 92 A4
Lavilleneuve-aux-Fresnes 52 91 F4
Lavilletertre 60 .... 33 F4
Lavincourt 55 .... 66 B4
Laviolle 07 .... 246 A1
Laviron 25 .... 142 A3
Lavit-de-Lomagne 82 ..... 256 C3
Lavoine 03 .... 190 C3
Lavoncourt 70 .... 140 C1
Lavours 01 .... 194 C4
Lavoûte-Chilhac 43 ...... 226 A1
Lavoûte-sur-Loire 43 ..... 227 D2
Lavoux 86 .... 166 C1
Lavoye 55 .... 66 B1
Lawarde-Mauger-l'Hortoy 80 18 B4
Laxou 54 .... 68 A4
Lay 42 .... 191 F3
Lay-Lamidou 64 .... 272 A4
Lay-Saint-Christophe 54 .. 68 B3
Lay-Saint-Remy 54 ...... 67 E4
Laymont 32 .... 275 F4
Layrac 47 .... 256 B2
Layrac-sur-Tarn 31 ...... 258 A4
Layrisse 65 .... 297 F2
Laz 29 .... 75 E3
Lazenay 18 .... 152 C2
Lazer 05 .... 249 D4
Léalvillers 80 .... 18 C1
Léaupartie 14 .... 30 B4
Léaz 01 .... 195 D1
Lebetain 90 .... 120 A4
Lebeuville 54 .... 94 B2

Lebiez 62 .... 6 C2
Leboulin 32 .... 275 D2
Lebreil 46 .... 239 E4
Lebucquière 62 .... 19 E1
Lécaude 14 .... 56 C1
Lecci 2A 319 E3
Lecelles 59 .... 9 E2
Lecey 52 .... 117 D3
Lechâtelet 21 .... 158 C1
Léchelle 77 .... 89 D1
Léchelle 62 .... 19 E1
La Léchère 73 .... 214 A2
Les Lèches 24 .... 220 A3
Lechiagat 29 .... 98 B2
Lécluse 59 .... 8 C3
Lécourt 52 .... 117 D1
Lécousse 35 .... 80 B3
Les Lecques 83 .... 291 D3
Lecques 30 .... 263 E4
Lect 39 .... 177 D3
Lectoure 32 .... 256 B3
Lecumberry 64 .... 295 E2
Lécussan 31 .... 298 C2
Lédas-et-Penthiès 81 .... 259 F2
Lédat 47 .... 238 B3
Lédenon 30 .... 264 A2
Lédergues 12 .... 260 A2
Lederzeele 59 .... 3 E3
Ledeuix 64 .... 296 B1
Lédignan 30 .... 263 E3
Ledinghem 62 .... 2 C4
Ledringhem 59 .... 3 F2
Lée 64 .... 297 D1
Leers 59 .... 5 D4
Lées-Athas 64 .... 296 B3
Lefaux 62 .... 6 B1
Leffard 14 .... 56 A2
Leffincourt 08 .... 38 C2
Leffond 70 .... 117 D4
Leffonds 52 .... 116 B2
Leffrinckoucke 59 ...... 3 F1
Leforest 62 .... 8 C2
Legé 44 .... 145 E3
Lège 31 .... 298 C4
Lège-Cap-Ferret 33 ..... 216 A4
Légéville-et-Bonfays 88 .. 94 B4
Léglantiers 60 .... 35 D2
Légna 39 .... 176 C3
Légny 69 .... 192 B3
Léguevin 31 .... 276 A2
Léguillac-de-Cercles 24 .. 202 B3
Léguillac-de-l'Auche 24 .. 220 B1
Léhélec (Château de) 56 .. 123 F2
Léhon 22 .... 78 C2
Leigné-les-Bois 86 ...... 150 A4
Leigné-sur-Usseau 86 .... 149 E3
Leignes-sur-Fontaine 86 .. 167 E2
Leigneux 42 .... 191 D4
Leimbach 68 .... 120 A2
Leintrey 54 .... 69 E4
Leiterswiller 67 .... 45 E4
Lélex 01 .... 177 E3
Lelin-Lapujolle 32 ...... 273 E1
Lelling 57 .... 69 D1
Lemainville 54 .... 94 B1
Lembach 67 .... 45 D4
Lemberg 57 .... 44 B4
Lembeye 64 .... 273 F4
Lembras 24 .... 220 B4
Lemé 02 .... 21 D3
Lème 64 .... 273 D3
Leménil-Mitry 54 .... 94 B2

Lémeré 37 ... 149 E1
Lemmecourt 88 ... 93 E3
Lemmes 55 ... 66 B1
Lemoncourt 57 ... 68 C2
Lempaut 81 ... 278 A3
Lempdes 63 ... 189 F4
Lempdes-sur-Allagnon 43 ... 207 F3
Lempire 02 ... 19 F2
Lempire-aux-Bois 55 ... 66 C1
Lemps 26 ... 248 A4
Lemps 07 ... 228 C2
Lempty 63 ... 189 F4
Lempzours 24 ... 202 C4
Lemud 57 ... 68 B1
Lemuy 39 ... 160 B3
Lénault 14 ... 55 E2
Lenax 03 ... 173 E4
Lencloître 86 ... 149 E4
Lencouacq 40 ... 254 A1
Lendresse 64 ... 272 B3
Lengelsheim 57 ... 44 B3
Lengronne 50 ... 54 A4
Lenharrée 51 ... 64 B3
Léning 57 ... 69 E1
Lénizeul 52 ... 117 E1
Lennon 29 ... 75 D3
Lenoncourt 54 ... 68 B1
Lens 62 ... 8 B2
Lens-Lestang 26 ... 211 E4
Lent 01 ... 193 E1
Lent 39 ... 160 B4
Lentigny 42 ... 191 D2
Lentillac-Lauzès 46 ... 240 B2
Lentillac-Saint-Blaise 46 ... 241 E4
Lentillères 07 ... 246 A2
Lentilles 10 ... 91 E2
Lentilly 69 ... 192 B4
Lentiol 38 ... 211 E4
Lento 2B ... 315 E3

Léobard 46 ... 239 F1
Léogeats 33 ... 236 B2
Léognan 33 ... 235 F1
Léojac 82 ... 258 A3
Léon 40 ... 252 B3
Léoncel 26 ... 229 F3
Léotoing 43 ... 207 F4
Léouville 45 ... 86 B4
Léoville 17 ... 199 F3
Lépanges-sur-Vologne 88 ... 95 E4
Lépaud 23 ... 188 A1
Lépin-le-Lac 73 ... 212 C2
Lépine 62 ... 6 D2
Lépron-les-Vallées 08 ... 22 B3
Lepuix 90 ... 119 F3
Lepuix-Neuf 90 ... 120 A4
Léran 09 ... 301 F3
Lercoul 09 ... 309 F1
Léré 18 ... 135 D2
Léren 64 ... 271 E3
Lérigneux 42 ... 209 D2
Lerm-et-Musset 33 ... 236 C4
Lerné 37 ... 148 C1
Lérouville 55 ... 67 D3
Lerrain 88 ... 94 B4
Léry 27 ... 32 B3
Léry 21 ... 138 C1
Lerzy 02 ... 10 B4
Lesbœufs 80 ... 19 E1
Lesbois 53 ... 81 D2
Lescar 64 ... 272 C4
Leschaux 74 ... 195 E4
Leschelles 02 ... 10 A4
Lescheraines 73 ... 195 E4
Leschères 39 ... 177 D2
Leschères-sur-le-Blaiseron 52 ... 92 A3
Lescherolles 77 ... 63 D4

Lescheroux 01 ... 175 F3
Lesches 77 ... 61 F2
Lesches-en-Diois 26 ... 248 B2
Lesconil 29 ... 98 B2
Lescouët-Gouarec 22 ... 76 B3
Lescouët-Jugon 22 ... 78 A2
Lescousse 09 ... 300 C2
Lescout 81 ... 278 A3
Lescun 64 ... 296 B3
Lescuns 31 ... 299 F1
Lescure 09 ... 300 A3
Lescure-d'Albigeois 81 ... 259 E3
Lescure-Jaoul 12 ... 259 E1
Lescurry 65 ... 274 A4
Lesdain 59 ... 20 A1
Lesdins 02 ... 20 A2
Lesges 02 ... 36 C3
Lesgor 40 ... 253 D4
Lésignac-Durand ...
Lésigny 77 ... 61 E4
Lésigny 86 ... 150 A3
Le Leslay 22 ... 51 D4
Lesme 71 ... 173 D1
Lesménils 54 ... 68 A2
Lesmont 10 ... 91 D2
Lesneven 29 ... 47 F2
Lesparre-Médoc 33 ... 198 C4
Lesparrou 09 ... 301 F3
Lespéron 07 ... 245 D1
Lesperon 40 ... 252 C3
Lespesses 62 ... 7 F1
Lespielle 64 ... 273 E3
Lespignan 34 ... 305 D1
Lespinasse 31 ... 276 B1
Lespinassière 11 ... 279 D4
Lespinoy 62 ... 6 C2
Lespiteau 31 ... 299 D2
Lesponne 65 ... 298 A3
Lespouey 65 ... 298 A1
Lespourcy 64 ... 273 E4

Lespugue 31 ... 299 D1
Lesquerde 66 ... 312 B1
Lesquielles-Saint-Germain 02 ... 20 C2
Lesquin 59 ... 9 D1
Lessac 16 ... 184 C2
Lessard-en-Bresse 71 ... 158 C4
Lessard-et-le-Chêne 14 ... 56 C1
Lessard-le-National 71 ... 158 A3
Lessay 50 ... 26 C3
Lesse 57 ... 68 C1
Lesseux 88 ... 96 A3
Lesson 85 ... 164 C3
Lessy 57 ... 41 F4
Lestanville 76 ... 15 F2
Lestelle-Bétharram 64 ... 297 D2
Lestelle-de-Saint-Martory 31 ... 299 E2
Lesterps 16 ... 184 C2
Lestiac-sur-Garonne 33 ... 236 B1
Lestiou 41 ... 109 E4
Lestrade-et-Thouels 12 ... 260 B2
Lestre 50 ... 25 E3
Lestrem 62 ... 4 A4
Létanne 08 ... 39 F1
Léthuin 28 ... 86 A3
Letia 2A ... 316 B2
Létra 69 ... 192 B3
Létricourt 54 ... 68 B2
Letteguives 27 ... 32 C2
Lettret 05 ... 249 E3
Leubringhen 62 ... 2 B1
Leuc 11 ... 302 B2
Leucamp 15 ... 242 B1
Leucate 11 ... 304 C4
Leucate-Plage 11 ... 304 C4
Leuchey 52 ... 116 B3
Leudeville 91 ... 87 D1
Leudon-en-Brie 77 ... 62 C4

Leuglay 21 ... 115 F3
Leugny 89 ... 136 A1
Leugny 86 ... 150 A3
Leugny (Château de) 37 ... 131 D3
Leuhan 29 ... 75 E4
Leuilly-sous-Coucy 02 ... 36 B2
Leulinghem 62 ... 3 D3
Leulinghen-Bernes 62 ... 2 B3
Leurville 52 ... 92 C3
Leury 02 ... 36 B2
Leutenheim 67 ... 71 F1
Leuville-sur-Orge 91 ... 86 C1
Leuvrigny 51 ... 63 F1
Le Leuy 40 ... 253 F4
La Levade 30 ... 263 D1
Levainville 28 ... 85 F2
Leval 90 ... 120 A2
Le Val 59 ... 10 B3
Levallois-Perret 92 ... 60 C3
Levant (Ile du) 83 ... 293 D3
Levaré 53 ... 80 C2
Levécourt 52 ... 93 D4
Levens 06 ... 288 C1
Levergies 02 ... 20 A2
Levernois 21 ... 158 A2
Léves 28 ... 85 E2
Les Lèves-et-Thoumeyragues 33 ... 219 E4
Levesville-la-Chenard 28 ... 86 A3
Levet 18 ... 153 E3
Levie 2A ... 319 D2
Levier 25 ... 160 B2
Lévignac 31 ... 276 A2
Lévignac-de-Guyenne 47 ... 237 E2
Lévignacq 40 ... 252 C2
Lévignen 60 ... 35 F4
Lévigny 10 ... 91 E3
Levis 89 ... 136 A1

Lévis-Saint-Nom 78 ... 60 B4
Levoncourt 68 ... 143 E2
Levoncourt 55 ... 66 C3
Levroux 36 ... 151 F2
Lewarde 59 ... 9 D3
Lexos 82 ... 258 C2
Lexy 54 ... 40 C1
Ley 57 ... 69 D3
Leychert 09 ... 301 E4
Leydé (Pointe de) 29 ... 73 D2
Leyme 46 ... 223 D4
Leymen 68 ... 121 D4
Leyment 01 ... 193 F3
Leynes 71 ... 175 D4
Leynhac 15 ... 241 F1
Leyr 54 ... 68 A1
Leyrat 23 ... 170 A3
Leyrieu 38 ... 193 F4
Leyritz-Moncassin 47 ... 237 E4
Leyssard 01 ... 194 A1
Leyvaux 15 ... 207 E4
Leyviller 57 ... 69 E1
Lez 31 ... 299 D4
Lez-Fontaine 59 ... 10 C2
Lézan 30 ... 263 E3
Lézardrieux 22 ... 50 C1
Lézat 09 ... 177 E2
Lézat-sur-Lèze 09 ... 300 B1
Lezay 79 ... 165 F4
Lezennes 59 ... 4 C4
Lézéville 52 ... 92 C2
Lezey 57 ... 69 D3
Lézignac-Durand 16 ... 184 B4
Lézignan 65 ... 297 F2
Lézignan-Corbières 11 ... 303 E1
Lézignan-la-Cèbe 34 ... 280 C3
Lézigné 49 ... 129 D1
Lézigneux 42 ... 209 E2
Lézinnes 89 ... 114 B3

LILLE

Bapaume (R. de) ... CX 7
Beethoven (Av.) ... AX 12
Bernos (R.) ... DV 13

Béthune (R. du Fg-de) ... AX 15
Bigo-Danel (Bd) ... BV 18
Carrel (R. Armand) ... CX 25
Colpin (R. du Lt) ... BV 33
Courmont (R.) ... CX 37

Cuvier (Av.) ... BV 42
Esplanade (Façade de l') ... BUV 54
Février (Pl. J.) ... CX 56
Fontenoy (R. de) ... CX 60
Gaulle (R. du Gén.-de) ... CU 67

Justice (R. de la) ... BX 85
Lambret (Av. Oscar) ... AX 88
Lebas (Bd J.-B.) ... CV 93
Manuel (R.) ... BV 106
Marronniers (Allée des) ... BU 109

Marx-Dormoy (Av.) ... AV 111
Maubeuge (R. de) ... CX 112
Max (Av. Adolphe) ... BV 114
Meurein (R.) ... BV 118
Stations (R. des) ... BV 145

Valenciennes (R. de) ... CX 156
Verdun (Bd de) ... DX 159
Wazemmes (R. de) ... BCX 163
43e-Rég.-d'Infanterie (Av. du) ... BV 168

LIMOGES

Clocher (R. du) . . . . **CZ** 18
Consulat (R. du) . . . . **CZ**
Gambetta (Bd) . . . . **BCZ**
Jaurès (R. J.) . . . . **BYZ**
Louis-Blanc (Bd) . . . . **CZ**
République (Pl. de la) . . . . . . **CY** 52

Aine (Pl. d') . . . . **BZ** 2
Allois (R. des) . . . . **DZ** 4
Amphithéâtre (R. de l') . . . . . **BY** 5
Barreyrette (Pl. de la) . . . . . . **CZ** 7

Bénédictins (Av. des) . . . . **DY** 8
Betoulle (Pl. L.) . . . . **CZ** 9
Boucherie (R. de la) . . . . **CZ** 10
Cathédrale (R. de la) . . . . **DZ** 15
Coopérateurs (R. des) . . . . . . **BY** 19
Dupuytren (R.) . . . . **CZ** 20
Ferrerie (R.) . . . . **CZ** 23
Fonderie (R. de la) . . . . **BY** 25
Fontaine-des-Barres
(Pl.) . . . . **CY** 26
Giraudoux (Sq. J.) . . . . **CY** 28
Haute-Cité (R.) . . . . **DZ** 30
Louvrier-de-Lajolais (R.) . . . . **BY** 34
Manigne (Pl.) . . . . **CZ** 35

Maupas (R. du) . . . . **DY** 36
Michels (R. Charles) . . . . **CZ** 38
Motte (Pl. de la) . . . . **CZ** 39
Périn (Bd G.) . . . . **CY** 42
Préfecture (R. de la) . . . . **CY** 45
Raspail (R.) . . . . **DZ** 51
Réforme (R. de la) . . . . **CZ** 59
St-Maurice (Bd) . . . . **DZ** 59
Stalingrad (Pl.) . . . . **CY** 60
Temple (Cour du) . . . . **CZ** 61
Temple (R. du) . . . . **CZ** 62
Victor-Hugo (Bd) . . . . **BY** 63
Vigne-de-Fer (R.) . . . . **CZ** 64
71e-Mobile (R. du) . . . . **DZ** 66

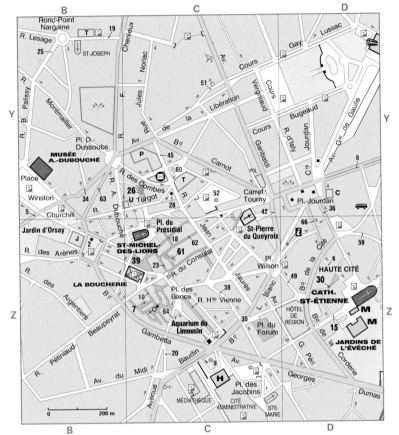

Lezoux 63. . . . . 190 A4
Lhéraule 60 . . . . 33 F2
Lherm 46 . . . . 239 F2
Lherm 31 . . . . 276 A4
Lhéry 51 . . . . 37 D4
Lhez 65. . . . . 298 A1
Lhommaizé 86 . . . . 166 C3
Lhomme 72 . . . . 107 F4
Lhôpital 01 . . . . 194 C2
Lhor 57. . . . . 69 E2
Lhospitalet 46 . . . . 240 A4
Lhoumois 79. . . . . 148 B4
Lhuis 01 . . . . 194 B4
Lhuître 10. . . . . 90 C1
Lhuys 02. . . . . 36 C3
Liac 65 . . . . 273 F4
Liancourt 60 . . . . 34 C3
Liancourt-Fosse 80 . . . . 19 E4
Liancourt-Saint-Pierre 60. . . . . 33 F4
Liart 08 . . . . 22 A3
Lias 32 . . . . 276 A2
Lias-d'Armagnac 32 . . . . 254 C4
Liausson 34. . . . . 280 C2
Libaros 65 . . . . 298 B1
Libération (Croix de la) 71 . . . 157 D3
Libercourt 62. . . . . 8 C2
Libermont 60 . . . . 19 E4
Libourne 33. . . . . 218 C3
Librecy 08 . . . . 22 A4
Licey-sur-Vingeanne 21 . . . . . 139 F2
Lichans-Sunhar 64 . . . . 295 F2
Lichères 16 . . . . 183 F3
Lichères-près-Aigremont 89. . 114 A4
Lichères-sur-Yonne 89 . . . . . . 136 B2
Lichos 64 . . . . 271 F4
Lichtenberg 67 . . . . 44 C4
Licourt 80 . . . . 19 E3
Licq-Athérey 64 . . . . 295 F2
Licques 62 . . . . 2 C3
Licy-Clignon 02 . . . . 62 C1
Lidrezing 57. . . . . 69 D2
Liebenswiller 68 . . . . 120 C4
Liebsdorf 68 . . . . 120 B4
Lieberschied 57. . . . . 44 C3
Lieffrans 70 . . . . 141 D1
Le Liège 37 . . . . 131 F4
Liébon 57 . . . . 68 B2
Liencourt 62 . . . . 7 F3
Lieoux 31 . . . . 299 E2
Liépvre 68 . . . . 96 B2
Liérancourt 80 . . . . 19 F2
Liercourt 80 . . . . 17 E1
Lières 62 . . . . 7 F1

Liergues 69 . . . . 192 B2
Liernais 21 . . . . 137 F4
Liernolles 03 . . . . 173 D3
Lierval 02. . . . . 37 D2
Lierville 60 . . . . 33 F4
Lies 65 . . . . 298 A2
Liesle 25 . . . . 160 A1
Liesse-Notre-Dame 02 . . . . 37 E1
Liessies 59 . . . . 10 C3
Liesville-sur-Douve 50 . . . . . . 25 D4
Liettres 62 . . . . 7 E1
Lieu-Saint-Amand 59 . . . . 9 E3
Lieuche 06 . . . . 269 E2
Lieucourt 70 . . . . 140 B3
Lieudieu 38 . . . . 211 F3
Lieurac 09 . . . . 301 E3
Lieuran-Cabrières 34 . . . . 280 C2
Lieuran-lès-Béziers 34 . . . . . . 280 B4
Lieurey 27 . . . . 31 D4
Lieuron 35 . . . . 102 C3
Lieury 14 . . . . 56 C2
Lieusaint 50 . . . . 25 D3
Lieusaint 77. . . . . 87 E1
Lieutadès 15 . . . . 225 D4
Lieuvillers 60 . . . . 34 C2
Liévans 70 . . . . 118 C4
Liévin 62. . . . . 8 B2
Lièvremont 25 . . . . 161 D2
Liez 02. . . . . 20 A4
Liez 85. . . . . 164 B3
Liézey 88 . . . . 119 E1
Liffol-le-Grand 88. . . . . 93 D3
Liffol-le-Petit 52 . . . . 93 D3
Liffré 35 . . . . 79 F4
Ligardes 32 . . . . 256 A2
Ligescourt 80 . . . . 6 C3
Liget (Chartreuse du) 37. . . . . 150 C1
Liginiac 19 . . . . 206 A3
Liglet 85. . . . . 167 F2
Lignac 36 . . . . 168 A3
Lignairolles 11 . . . . 301 F2
Lignan-de-Bazas 33. . . . . 236 C3
Lignan-de-Bordeaux 33. . . . . . 217 F4
Lignan-sur-Orb 34. . . . . 280 B4
Lignareix 19 . . . . 205 F2
Ligné 16. . . . . 183 E3
Ligné 44 . . . . 126 C2
Lignères 61 . . . . 57 D4
Lignereuil 62. . . . . 7 F3
Lignerolles 27 . . . . 59 D3
Lignerolles 61 . . . . 83 F1
Lignerolles 36. . . . . 170 A4
Lignerolles 21 . . . . 116 A3
Lignerolles 03. . . . . 170 C4

Lignéville 88. . . . . 93 F4
Ligneyrac 19 . . . . 222 B2
Lignières 80. . . . . 19 D4
Lignières 10. . . . . 114 A4
Lignières 41. . . . . 108 C3
Lignières 18. . . . . 152 C4
Lignières-Châtelain 80 . . . . 17 E3
Lignières-de-Touraine 37. . . . . 130 B4
Lignières-en-Vimeu 80. . . . . . . 17 E2
Lignières-la-Carelle 72 . . . . 82 C2
Lignières-Orgères 53 . . . . 82 A1
Lignières-Sonneville 16. . . . . . 200 C3
Lignières-sur-Aire 55 . . . . 66 C3
Lignol 56 . . . . 100 B1
Lignol-le-Château 10. . . . . 91 F1
Lignon 51. . . . . 91 D1
Lignorelles 89. . . . . 113 F3
Lignou 61. . . . . 56 A4
Ligny-en-Barrois 55. . . . . 66 C3
Ligny-en-Cambrésis 59 . . . . . . 20 B2
Ligny-le-Châtel 89 . . . . 113 F3
Ligny-le-Ribault 45 . . . . 133 D1
Ligny-lès-Aire 62. . . . . 7 E1
Ligny-Saint-Flochel 62 . . . . 7 E3
Ligny-sur-Canche 62. . . . . 7 E3
Ligny-Thilloy 62 . . . . 19 E1
Ligré 37 . . . . 149 D1
Ligron 72 . . . . 106 B4
Ligsdorf 68 . . . . 120 C4
Ligueil 37 . . . . 150 A2
Ligueux 33. . . . . 219 F4
Ligueux 24. . . . . 202 C4
Ligugé 86. . . . . 166 B2
Lihons 80. . . . . 19 D3
Lihus 60. . . . . 34 A1
Les Lilas 93 . . . . 61 D3
Lilhac 31. . . . . 299 E1
Lilignod 01. . . . . 194 C2
Lille 59 . . . . 4 C4
Lillebonne 76. . . . . 15 D4
Lillemer 35. . . . . 78 D1
Lillers 62. . . . . 7 E1
Lilly 27 . . . . 33 D2
Limalonges 79 . . . . 183 F1
Limans 04 . . . . 266 C3
Limanton 58 . . . . 156 A2
Limas 69. . . . . 192 C2
Limay 78 . . . . 59 F2
Limbrassac 09 . . . . 301 E3
Limé 02. . . . . 36 C3
Limeil-Brévannes 94. . . . . 61 E4
Limendous 64. . . . . 297 E1
Limeray 37. . . . . 131 D2

Limersheim 67 . . . . 71 D4
Limerzel 56 . . . . 102 A4
Limésy 76 . . . . 15 F3
Limetz-Villez 78 . . . . 59 E1
Limeuil 24 . . . . 221 D4
Limeux 80 . . . . 17 E1
Limeux 18 . . . . 152 C2
Limey-Remenauville 54. . . . . . . 67 F2
Limeyrat 24 . . . . 221 D1
Limoges 87 . . . . 185 F4
Limoges-Fourches 77. . . . . 87 F1
Limogne-en-Quercy 46 . . . . . . 240 C4
Limoise 03. . . . . 171 F1
Limon 58 . . . . 155 D2
Limons 63 . . . . 190 A3
Limont-Fontaine 59. . . . . 10 B2
Limony 07 . . . . 210 C4
Limours-en-Hurepoix 91 . . . . . . 86 B1
Limousis 11. . . . . 278 C4
Limoux 11 . . . . 302 B3
La Limouzinière 85. . . . . 163 D1
La Limouzinière 44 . . . . 145 E2
Limpiville 76 . . . . 15 D2
Linac 46 . . . . 241 E1
Linard 23 . . . . 169 E3
Linards 87 . . . . 204 B1
Linars 16 . . . . 201 E1
Linas 91 . . . . 86 C1
Linay 08 . . . . 23 F4
Linazay 86 . . . . 183 F1
Lincel 04. . . . . 266 C3
Lincheux-Hallivillers 80 . . . . . . 17 F3
Lindebeuf 76. . . . . 15 F2
Le Lindois 16. . . . . 184 B4
Lindre-Basse 57 . . . . 69 E3
Lindre-Haute 57 . . . . 69 E3
Lindry 89 . . . . 113 D4
Lingé 36 . . . . 150 C4
Lingeard 50. . . . . 54 C4
Lingèvres 14 . . . . 29 D4
Linghem 62. . . . . 7 E1
Lingolsheim 67. . . . . 71 D3
Lingreville 50 . . . . 53 F2
Linguizzetta 2B 317 F1
Linières-Bouton 49 . . . . 129 F2
Liniers 86 . . . . 166 C1
Liniez 36 . . . . 152 A2
Linsdorf 68 . . . . 120 C4
Linselles 59 . . . . 4 C3
Linthal 68. . . . . 120 A1
Linthelles 51 . . . . 63 F4
Linthes 51 . . . . 63 F4

Lintot 76. . . . . 15 D4
Lintot-les-Bois 76. . . . . 16 A3
Linxe 40 . . . . 252 B3
Linzeux 62 . . . . 7 E3
Liocourt 57 . . . . 68 B2
Liomer 80. . . . . 17 E3
Le Lion-d'Angers 49 . . . . 128 A1
Lion-devant-Dun 55 . . . . 40 A2
Lion-en-Beauce 45 . . . . 110 A1
Lion-en-Sullias 45 . . . . 111 E4
Lion-sur-Mer 14 . . . . 29 F3
Liorac-sur-Louyre 24 . . . . 220 B3
Le Lioran 15. . . . . 224 C2
Liouc 30 . . . . 263 D4
Le Liouquet 13 . . . . 291 D3
Liourdres 19 . . . . 222 C3
Liouville 55 . . . . 67 D3
Lioux 84 . . . . 266 A3
Lioux-les-Monges 23 . . . . 188 A3
Liposthey 40 . . . . 235 D2
Lipsheim 67 . . . . 71 D4
Lirac 30. . . . . 264 C2
Liré 49. . . . . 127 D3
Lirey 10. . . . . 114 B1
Lironcourt 88 . . . . 117 E3
Lironville 54 . . . . 67 F2
Liry 08. 38 C3
Lisbourg 62. . . . . 7 E1
Liscia (Golfe de la) 2A 316 B3
Lisieux 14. . . . . 30 C4
Lisle 24 . . . . 202 B4
Lisle 41 . . . . 108 C3
Lisle-en-Barrois 55 . . . . 66 B2
Lisle-en-Rigault 55. . . . . 66 A4
Lisle-sur-Tarn 81 . . . . 258 C4
Lislet 02 . . . . 21 E4
Lison 27 . . . . 27 F3
Lison (Source du) 25 . . . . 160 B2
Lisores 14 . . . . 57 D2
Lisors 27. . . . . 33 D3
Lissac 09 . . . . 300 C1
Lissac 43 . . . . 226 C2
Lissac-et-Mouret 46 . . . . 241 D2
Lissac-sur-Couze 19 . . . . 222 A2
Lissay-Lochy 18 . . . . 153 E2
Lisse 47 . . . . 255 E2
Lisse-en-Champagne 51 . . . . . . 65 E3
Lisses 91 . . . . 87 D1
Lisseuil 63 . . . . 189 D2
Lissey 55 . . . . 40 A2
Lissieu 69. . . . . 192 C3
Lissy 77. . . . . 87 F1
Listrac-de-Durèze 33 . . . . 219 E4
Listrac-Médoc 33 . . . . 217 D2
Lit-et-Mixe 40 . . . . 252 B2
Lithaire 50 . . . . 26 C3
Litteau 14 . . . . 27 F4
Littenheim 67 . . . . 70 C2
Littry 14 . . . . 27 F4
Litz 60. . . . . 34 B2
Livaie 61. . . . . 82 B2
Livarot 14. . . . . 56 C2
Liverdun 54. . . . . 68 A3
Liverdy-en-Brie 77. . . . . 61 F2
Livernon 46 . . . . 241 D2
Livers-Cazelles 81 . . . . 259 D2
Livet 53. . . . . 105 F1
Livet-en-Saosnois 72 . . . . 83 D3
Livet-et-Gavet 38 . . . . 231 D2
Livet-sur-Authou 27 . . . . 31 E4
Livilliers 95 . . . . 60 B1
Livinhac-le-Haut 12 . . . . 241 F2
La Livinière 34 . . . . 303 D1
Livré 53. . . . . 104 C3
Livré-sur-Changeon 35. . . . . . . 80 A4
Livron 64 . . . . 297 E1
Livron-sur-Drôme 26 . . . . 229 D4
Livry 14. . . . . 55 D1
Livry 58. . . . . 154 C4
Livry-Gargan 93. . . . . 61 E2
Livry-Louvercy 51 . . . . 64 C1
Livry-sur-Seine 77. . . . . 87 F2

Locmalo 56 . . . . 76 B4
Locmaria 22 . . . . 50 A3
Locmaria 56 . . . . 122 B4
Locmaria (Chapelle de) 29 . . . 47 F2
Locmaria-Berrien 29 . . . . 75 E2
Locmaria-Grand-Champ 56 . . 101 D3
Locmaria-Plouzané 29 . . . . 47 D3
Locmariaquer 56 . . . . 122 C2
Locmélar 29 . . . . 48 C4
Locminé 56 . . . . 101 D2
Locmiquélic 56. . . . . 100 A3
Locoal-Mendon 56 . . . . 100 B3
Locon 62 . . . . 8 A1
Loconville 60. . . . . 33 F4
Locqueltas 56 . . . . 101 D3
Locquémeau 22 . . . . 49 F2
Locquénolé 29 . . . . 49 E2
Locquignol 59. . . . . 10 A2
Locquirec 29. . . . . 49 F2
Locronan 29 . . . . 73 E3
Loctudy 29. . . . . 98 B2
Locunolé 29. . . . . 99 F1
Loddes 03 . . . . 173 D4
Lodes 31. . . . . 299 D2
Lodève 34 . . . . 280 B1
Lods 25. . . . . 160 C1
Lœuilley 70 . . . . 140 A3
Lœuilly 80 . . . . 18 A3
Loëx 74. . . . . 178 A4
Loffre 59. . . . . 9 D3
La Loge 62 . . . . 7 D2
La Loge-aux-Chèvres 10 . . . . . 91 D4
Loge des Gardes 03 . . . . 190 C2
Loge-Fougereuse 85. . . . . 164 B1
La Loge-Pomblin 10 . . . . 114 B1
Logelbach 68 . . . . 96 B3
Logelheim 68 . . . . 96 C4
Les Loges 14. . . . . 55 D1
Les Loges 52. . . . . 117 D3
Les Loges 72. . . . . 107 F2
Les Loges 76. . . . . 14 C2
Les Loges-en-Josas 78. . . . . . . 60 C4
Les Loges-Marchis 50. . . . . 80 B1
Les Loges-Margueron 10. . . . . 114 B1
Les Loges-Saulces 14 . . . . 56 A3
Les Loges-sur-Brécey 54 . . . . . 54 B3
Le Logis-du-Pin 06. . . . . 268 C4
Le Logis-Neuf 13 . . . . 285 D2
Le Logis-Neuf 01. . . . . 175 F4
Lognes 77. . . . . 61 E3
Logny-Bogny 08. . . . . 22 A3
Logny-lès-Aubenton 02. . . . . . . 21 F3
Logny-lès-Chaumont 08 . . . . . . 21 F4
Logonna-Daoulas 29. . . . . 47 F4
Logrian-Florian 30. . . . . 263 E3
Logron 28 . . . . 109 D2
Loguivy-de-la-Mer 22. . . . . 50 C1
Loguivy-Plougras 22. . . . . 50 A4
Lohéac 35 . . . . 102 C2
Lohitzun-Oyhercq 64 . . . . 271 F4
Lohr 67. . . . . 70 A1
Lohuec 22. . . . . 49 F4
Loigné-sur-Mayenne 53. . . . . 105 D3
Loigny-la-Bataille 28. . . . . 109 F1
Loiré 49. . . . . 127 F1
Loire-les-Marais 17 . . . . 181 D2
Loiré-sur-Nie 17. . . . . 182 C3
Loire-sur-Rhône 69 . . . . 210 C2
Loiron 53. . . . . 104 C1
Loisail 61. . . . . 83 F2
Loisey-Culey 55. . . . . 66 B3
Loisia 39. . . . . 176 B2
Loisieux 73. . . . . 212 C1
Loisin 74. . . . . 178 A3
Loison 55. . . . . 40 C3
Loison-sous-Lens 62. . . . . 8 C2
Loison-sur-Créquoise 62. . . . . . . 6 C2
Loisy 71. . . . . 175 F1
Loisy 54. . . . . 68 A2
Loisy-en-Brie 51 . . . . 64 A3
Loisy-sur-Marne 51. . . . . 65 D4
Loivre 51. . . . . 37 F3
Loix 17. . . . . 162 C4
Loizé 79. . . . . 183 D1
Lolif 50. . . . . 54 A3
Lolme 24 . . . . 238 C1
Lombard 39. . . . . 159 E4
Lombard 25 . . . . 160 A1
Lombers 81. . . . . 278 A1
Lombez 32. . . . . 275 E4
Lombia 64 . . . . 273 E4
Lombray 02. . . . . 36 A1
Lombreuil 45. . . . . 111 E2
Lombron 72. . . . . 107 E1
Lomener 56 . . . . 99 F3
Lomme 59 . . . . 4 C4
Lommerange 57. . . . . 41 E3
Lommoye 78. . . . . 59 E2
Lomné 65. . . . . 298 B3
Lomont 70. . . . . 119 E4
Lomont-sur-Crête 25. . . . . 142 A3
Lompnas 01 . . . . 194 B3
Lompnieu 01. . . . . 194 B2
Lompret 59. . . . . 4 C4
Lonçon 64 . . . . 272 C3
Le Londe 83. . . . . 32 A3
La Londe-les-Maures 83. . . . . 292 C2
Londigny 16. . . . . 183 E2
Londinières 76. . . . . 16 C3
Long 80 . . . . 17 F1
Longages 31. . . . . 276 A4
Longaulnay 35. . . . . 78 C3
Longavesnes 80. . . . . 19 F2
Longchamp 52. . . . . 117 D2
Longchamp 88. . . . . 95 D3
Longchamp 21. . . . . 139 F4
Longchamp 73. . . . . 214 A3
Longchamp-
sous-Châtenois 88. . . . . 93 F3

LORIENT

Alsace-Lorraine (Pl.)....	**BY**	2
Assemblée Nat. (R.)....	**BYZ**	3
Briand (Pl. A.).......	**BZ**	6
De-la-Bôve (Cours)....	**BZ**	8

Foch (R. Mar.).......	**BYZ**	
Guiyesse (R. P.)......	**AY**	
Liège (R. de)........	**BYZ**	
Massé (R. Victor)....	**BY**	16
Patrie (R. de la).....	**BYZ**	19
Port (R. du).........	**BZ**	
Turenne (R. de)......	**BY**	23

Vauban (R.)..........	**ABY**	24
Du-Couëdic (R.)......	**BY**	9
Du-Faouëdic (Av.)....	**AZ**	10
Franchet-d'Esperey (Bd)	**AY**	14
Libération (Pl. de la)	**AY**	15
St-Christophe (Pont) ...	**BY**	20

Looberghe 59	3	E2	Loupeigne 02	36	C4	Luc 12	242	B4
Loon-Plage 59	3	D1	Loupershouse 57	43	D4	Le Luc 83	286	C3
Loos 59	4	C4	Loupes 33	217	F4	Luc-Armau 64	273	E3
Loos-en-Gohelle 62	8	B2	Loupfougères 53	81	F3	Luc-en-Diois 26	248	B1
Looze 89	113	D2	Loupia 11	302	A3	Luc-sur-Aude 11	302	B3
Lopérec 29	73	F1	Loupiac 12	241	E2	Luc-sur-Mer 14	29	E3
Loperhet 29	47	F3	Loupiac 15	224	A2	Luc-sur-Orbieu 11	303	E2
Lopigna 2A	316	B2	Loupiac 33	236	B2	Lucarré 64	273	E4
Loqueffret 29	75	D2	Loupiac 46	222	A4	Luçay-le-Libre 36	152	B2
Lor 02	37	F1	Loupiac 81	258	C4	Luçay-le-Mâle 36	151	E1
Loray 25	142	A4	Loupiac-de-la-Réole 33	237	D2	Lucbardez-et-Bargues 40	254	A3
Lorcières 15	225	F3	Loupian 34	281	D2	Lucciana 2B	315	F2
Lorcy 45	111	E2	Louplande 72	106	C2	Lucé 61	81	E1
Lordat 31	310	B1	Loupmont 55	67	E2	Lucé 28	85	E2
Loré 61	81	D1	Louppy-le-Château 55	66	A3	Lucé-sous-Ballon 72	83	D4
Lorentzen 67	44	A4	Louppy-sur-Chée 55	66	B3	Luceau 72	107	E4
Loreto-di-Casinca 2B	315	F3	Louppy-sur-Loison 55	40	A2	Lucelle 68	143	E2
Loreto-di-Tallano 2A	319	D2	Loups du Gévaudan			Lucenay 69	192	C3
Lorette 42	210	B2	(Parc des) 48	243	F2	Lucenay-le-Duc 21	138	A1
Le Loreur 50	54	A2	La Louptière-Thénard 10	89	D3	Lucenay-lès-Aix 58	172	C1
Loreux 41	133	D3	Lourches 59	9	E3	Lucenay-l'Évêque 71	156	C1
Le Lorey 50	54	A1	Lourde 31	299	D3	Lucéram 06	289	E3
Lorey 54	94	B1	Lourdes 65	297	E2	Lucerne (Abbaye de la) 50	53	F3
Lorges 41	109	E3	Lourdios-Ichère 64	296	B2	La Lucerne-d'Outremer 50	54	A3
Lorgies 62	8	B1	Lourdoueix-Saint-Michel 36	169	D3	Lucey 21	115	F3
Lorgues 83	286	C2	Lourdoueix-Saint-Pierre 23	169	E3	Lucey 54	67	F4
La Lorie (Château de) 49	104	C4	Lourenties 64	297	E1	Lucey 73	194	C4
Loriges 03	172	B4	Loures-Barousse 65	298	C3	Lugarier 64	297	E1
Lorignac 17	199	D3	Louresse-Rochemenier 49	128	C2	Luchapt 86	184	C1
Lorigné 79	183	E1	Lourmais 35	79	E2	Luchat 17	181	E4
Loriol-du-Comtat 84	265	E2	Lourmarin 84	266	A4	Luché-Pringé 72	106	C4
Loriol-sur-Drôme 26	229	D4	Lournand 71	175	D2	Luché-sur-Brioux 79	183	D1
Lorlanges 43	207	F4	Lourouer-Saint-Laurent 36	169	F1	Luché-Thouarsais 79	148	A3
Lorleau 27	33	D2	Le Louroux 37	150	A1	Lucheux 80	7	F4
Lormaison 60	34	A4	Le Louroux-Béconnais 49	127	E2	Luchy 60	34	A1
Lormaye 28	85	E1	Louroux-Bourbonnais 03	171	E2	Lucinges 74	178	A4
Lormes 58	136	C4	Louroux-de-Beaune 03	171	E4	Lucmau 33	236	B4
Lormont 33	217	E3	Louroux-de-Bouble 03	189	D1	Luçon 85	163	E2
Lornay 74	195	D3	Louroux-Hodement 03	171	D3	Lucq-de-Béarn 64	272	B4
Loromontzey 54	94	C2	Lourquen 40	272	A1	Lucquy 08	38	B1
Le Loroux 35	80	B2	Lourties-Monbrun 32	274	C3	Les Lucs-sur-Boulogne 85	145	F3
Le Loroux-Bottereau 44	126	C4	Loury 45	110	B2	Lucy 51	63	F2
Lorp-Sentaraille 09	300	A3	Louslitges 32	274	A2	Lucy 57	68	C2
Lorquin 57	69	F4	Loussous-Débat 32	273	F2	Lucy 76	16	C3
Lorrez-le-Bocage 77	88	A4	Loutehel 35	102	B2	Lucy-le-Bocage 02	62	C1
Lorris 45	111	E3	Loutremange 57	42	A4	Lucy-le-Bois 89	137	D2
Lorry-lès-Metz 57	41	F4	Loutzviller 57	44	B3	Lucy-sur-Cure 89	136	C1
Lorry-Mardigny 57	68	A1	Louvagny 14	56	B2	Lucy-sur-Yonne 89	136	B2
Lortet 65	298	B3	Louvaines 49	105	D4	Le Lude 72	129	F1
Loscouët-sur-Meu 22	78	B4	Louvatange 39	140	C4	Ludes 51	37	F4
Losne 21	158	C1	Louveciennes 78	60	C3	Ludesse 63	207	E2
Losse 40	254	C2	Louvemont 52	91	F1	Ludiès 09	301	D2
Lostanges 19	222	C2	Louvemont-			Ludon-Médoc 33	217	E3
Lostroff 57	69	E2	Côte-du-Poivre 55	40	B3	Ludres 54	68	A4
Lothey 29	73	F2	Louvencourt 80	18	C1	Lüe 40	253	D1
Lottinghen 62	2	C4	Louvenne 39	176	B3	Lué-en-Baugeois 49	129	D2
Le Lou-du-Lac 35	78	C4	Louvergny 08	39	D1	Luemschwiller 68	120	B3
Louailles 72	106	A3	Louverné 53	105	D1	Luère (Col de la) 69	192	B4
Louan 77	89	D1	Le Louverot 39	159	E4	Lugagnac 46	240	C4
Louannec 22	50	A1	Louversey 27	58	B2	Lugagnan 65	297	E2
Louans 37	150	A1	Louvetot 76	15	E3	Lugaignac 33	218	C4
Louargat 22	50	B3	Louvie-Juzon 64	296	C2	Lugan 81	277	E1
Louâtre 02	36	B4	Louvie-Soubiron 64	296	C3	Lugan 12	241	F3
Loubajac 65	297	E2	La Louvière-Lauragais 11	301	E1	Lugarde 15	206	C3
Loubaresse 07	245	E2	Louvières 14	27	F2	Lugasson 33	218	C4
Loubaresse 15	225	F3	Louvières 52	116	C1	Luglon 40	253	E2
Loubaut 09	300	B2	Louvières-en-Auge 61	56	C2	Lugny 71	175	D2
Loubédat 32	273	F1	Louviers 27	32	B4	Lugny 02	21	D3
Loubejac 24	239	E2	Louvigné 53	105	E1	Lugny-Bourbonnais 18	153	F3
Loubens 33	237	D2	Louvigné-de-Bais 35	104	A1	Lugny-Champagne 18	154	A1
Loubens 09	300	C3	Louvigné-du-Désert 35	80	B2	Lugny-lès-Charolles 71	174	A3
Loubens-Lauragais 31	277	E2	Louvignies-Bavay 59	10	A2	Lugo-di-Nazza 2B	317	E3
Loubers 81	258	C3	Louvignies-Quesnoy 59	9	F4	Lugon-et-l'Île-du-Carnay 33	217	F3
Loubersan 32	274	C3	Louvigny 72	83	D3	Lugos 33	235	D2
Loubès-Bernac 47	237	F1	Louvigny 14	29	E4	Lugrin 74	178	C2
Loubeyrat 63	189	E3	Louvigny 57	68	A2	Lugy 62	7	D1
Loubieng 64	272	A3	Louvigny 64	272	C2	Le Luhier 25	142	B4
La Loubière 12	242	C4	Louvil 59	9	D1	Luigné 49	128	C2
Loubières 09	301	D3	Louville-la-Chenard 28	86	A3	Luigny 28	84	B1
Loubigné 79	183	D2	Louvilliers-en-Drouais 28	59	D4	Luisans 25	161	E1
Loubillé 79	183	D2	Louvilliers-lès-Perche 28	84	C1	Luisant 28	85	E2
Loublande 79	147	D2	Louvois 51	64	B1	Luisetaines 77	88	C2
Loubressac 46	222	C4	Louvrechy 80	18	B4	Luitré 35	80	B3
Loucé 61	56	B4	Louvres 95	61	E1	Lullin 74	178	A3
Loucelles 14	29	D4	Louvroil 59	10	B2	Lully 74	178	B3
Louches 62	2	C3	Louye 27	59	D3	Lumbin 38	213	D4
Louchy-Montfand 03	172	A4	Louzac 16	182	B4	Lumbres 62	3	D4
Loucrup 65	297	F2	Louze 52	91	E2	Lumeau 28	110	A1
Loudéac 22	77	E4	Louzes 72	83	D2	Lumes 08	22	C3
Loudenvielle 65	307	E4	Louzignac 17	182	C4	Luméville-en-Ornois 55	92	C2
Louderville 65	307	E4	Louzouer 45	112	A2	Lumigny 77	62	A4
Loudes 43	226	C2	Louzy 79	148	B2	Lumio 2B	314	B3
Loudet 31	298	C2	Lovagny 74	195	E3	Lunac 12	259	E1
Loudrefing 57	69	E2	Loxéville 55	66	C4	Lunan 46	241	E2
Loudun 86	148	C2	Loyat 56	102	A1	Lunaret (Zoo de) 34	281	F2
Loué 72	106	B2	La Loye 39	159	E2	Lunas 24	220	A3
La Loue (Source de) 25	161	D2	Loye-sur-Arnon 18	170	B1	Lunas 34	280	B1
Louens 33	217	D3	La Loyère 71	158	A3	Lunax 31	275	D4
Louer 40	271	F1	Loyettes 01	193	F4	Lunay 41	108	B3
Louerre 49	128	C2	Lozanne 69	192	C3	Luneau 03	173	E3
Louesme 21	115	F3	Lozari 2B	314	C2	Lunegarde 46	240	C1
Louesme 89	112	B4	Lozay 17	182	A2	Lunel 34	282	A1
Louestault 37	130	C1	Loze 82	258	C1	Lunel-Viel 34	282	A1
Loueuse 60	33	F1	Lozère (Mont) 48	244	C3	Lunery 18	153	D3
Louey 65	297	F1	Lozinghem 62	7	F1	Luneville 54	94	B1
Lougé-sur-Maire 61	56	A4	Lozon 50	27	D4	Lunéville 54	94	B1
Lougratte 47	238	B2	Lozzi 2B	314	C4	Le Luot 50	54	A3
Lougres 25	142	B2	Le Luart 72	107	F1	Lupé 42	210	C3
Louhans 71	176	A1	Lubbon 40	255	D2	Lupersat 23	188	A3
Louhossoa 64	270	C4	Lubécourt 57	68	C2	Lupiac 32	274	A1
Louignac 19	221	F1	Lubersac 19	204	A3	Luplanté 28	85	D3
Louin 79	148	B4	Lubey 54	41	D3	Luppé-Violles 32	273	E1
Louisfert 44	103	F4	Lubilhac 43	206	A4	Luppy 57	68	B1
Louit 65	274	A4	Lubine 88	96	A2	Lupsault 16	183	D1
Loulans-Verchamp 70	141	E2	Lubret-Saint-Luc 65	274	A4	Lupstein 67	70	C2
Loulay 17	182	B2	Luby-Betmont 65	298	B1	Luquet 65	297	E1
Loulle 39	160	A4	Luc 48	245	D1	Lurais 36	167	F1
Le Lonzac 19	204	C3	Luc 65	298	A2	Luray 28	59	D4
						Lurbe-Saint-Christau 64	296	B2

Longchamp-sur-Aujon 10	115	F1	Longeville-sur-la-Laines 52	91	E2	Longues-sur-Mer 14	28	C3
Longchamps 27	33	D3	Longeville-sur-Mer 85	162	C2	Longuesse 95	60	B1
Longchamps 02	20	C2	Longeville-sur-Mogne 10	114	B1	Longueval 80	19	D1
Longchamps-sur-Aire 55	66	C2	Longevilles-Mont-d'Or 25	161	D4	Longueval-Barbonval 02	37	D3
Longchaumois 39	177	E2	Longfossé 62	2	B4	Longueville 50	53	F2
Longcochon 39	160	B4	La Longine 70	119	D2	Longueville 14	27	F3
Longeau 52	116	C4	Longjumeau 91	61	D4	Longueville 47	237	F3
Longeault 21	139	F4	Longlaville 54	41	D1	La Longueville 59	10	B2
Longeaux 55	66	C4	Longmesnil 76	33	D1	Longueville 77	88	C2
Longechaux 25	142	A4	Longnes 78	59	F2	Longueville 62	2	C3
Longechenal 38	212	A3	Longnes 72	106	B2	Longueville-sur-Aube 10	90	A1
Longecourt-en-Plaine 21	139	E4	Longny-au-Perche 61	84	A2	Longueville-sur-Scie 76	16	A3
Longecourt-lès-Culêtre 21	157	E1	Longperrier 77	61	F1	Longuevillette 80	7	E4
Longefoy 73	214	B2	Longpont 02	36	A3	Longuyon 54	40	C2
Longemaison 25	161	D1	Longpont-sur-Orge 91	87	D1	Longvic 21	139	E4
Longemer 88	119	F1	Longpré-le-Sec 10	91	D3	Longvillers 80	7	D4
Longepierre 71	158	C2	Longpré-les-Corps-Saints 80	17	F1	Longvillers 14	55	E1
Le Longeron 49	146	C2	Longraye 14	28	C4	Longvillers 62	6	B1
Longes 69	210	C2	Longré 16	183	D1	Longvilliers 78	86	B1
Longessaigne 69	192	A4	Longroy 76	16	C2	Longwé 08	39	D2
Longevelle 70	142	A1	Longsols 10	90	C2	Longwy 54	40	C1
Longevelle-lès-Russey 25	142	B4	Longué 49	129	E3	Longwy-sur-le-Doubs 39	159	D2
Longevelle-sur-Doubs 25	142	B2	Longuefuye 53	105	E3	Lonlay-l'Abbaye 61	55	E4
Longèves 17	163	F4	Longueil 76	15	F1	Lonlay-le-Tesson 61	56	A4
Longèves 85	164	A2	Longueil-Annel 60	35	E2	Lonnes 16	183	F3
La Longueville 25	161	E2	Longueil-Sainte-Marie 60	35	E3	Lonny 08	22	B3
Longeville 25	160	C1	Longuenée 61	82	B2	Lonrai 61	82	C2
Longeville-en-Barrois 55	66	B4	Longuenesse 62	3	E3	Lons 64	272	C4
Longeville-lès-Metz 57	41	F4	Longuerue 76	32	C1	Lons-le-Saunier 39	176	C1
Longeville-lès-Saint-Avold 57	42	C4	Longues 63	207	F1	Lonzac 17	199	F2
						Le Lonzac 19	204	C3

LYON

Lurcy 01 .... 192 C2
Lurcy-le-Bourg 58 ...... 155 D1
Lurcy-Lévis 03 .... 154 B4
Luré 42 .... 191 F1
Lure 70 .... 119 D4
Lureuil 36 .... 150 A4
Luri 2B 314 A1
Luriecq 42 .... 209 E3
Lurs 04 .... 267 C1
Lury-sur-Arnon 18 ...... 152 C1
Lus-la-Croix-Haute 26 ... 248 C1
Lusanger 44 .... 103 E4
Lusans 25 .... 141 E3
Luscan 31 .... 299 D3
Lusignac 24 .... 201 F4
Lusignan 86 .... 166 A3
Lusignan-Petit 47 ...... 256 A1
Lusigny 03 .... 172 C2
Lusigny-sur-Barse 10 .... 90 C4
Lusigny-sur-Ouche 21 ... 157 F1
Lussac 33 .... 219 D3
Lussac 17 .... 199 F3
Lussac 16 .... 184 A3
Lussac-les-Châteaux 86 .. 167 F3
Lussac-les-Églises 87 ... 168 A4
Lussagnet 40 .... 254 B4
Lussagnet-Lusson 64 .... 273 E3
Lussan 32 .... 275 D2
Lussan 30 .... 264 C1
Lussan-Adeilhac 31 ..... 299 F1
Lussant 17 .... 181 E2
Lussas 07 .... 246 B4
Lussas-et-Nontronneau 24 202 B2
Lussat 63 .... 189 F4
Lussat 23 .... 188 A1
Lussault-sur-Loire 37 .... 131 E3
Lusse 88 .... 96 A2
Lusseray 79 .... 183 D1
Lustar 65 .... 298 B1
Lustrac (Moulin de) 47 .. 239 D3
Luthenay-Uxeloup 58 .... 155 D3
Luthézieu 01 .... 194 B3
Lutilhous 65 .... 298 B2
Luttange 57 .... 42 A3
Luttenbach-près-Munster 68 96 A4
Lutter 68 .... 120 C4
Lutterbach 68 .... 120 C4
Lutz-en-Dunois 28 ...... 109 D1
Lutzelbourg 57 .... 70 B2
Lutzelhouse 67 .... 70 B4
Luvigny 88 .... 70 A4
Lux 21 .... 139 E2
Lux 31 .... 277 E4
Lux 71 .... 158 A4
Luxé 16 .... 183 E3
Luxe-Sumberraute 64 ... 271 E4
Luxémont-et-Villotte 51 . 65 E4
Luxeuil-les-Bains 70 .... 118 C3
Luxey 40 .... 235 F4
Luxiol 25 .... 141 F2
Luyères 10 .... 90 B3
Luynes 13 .... 285 D3
Luynes 37 .... 130 B3
Luz-Ardiden 65 .... 297 E4
Luz-Saint-Sauveur 65 ... 297 F4
Luzancy 77 .... 62 C2
Luzarches 95 .... 61 D1
Luzay 79 .... 148 A3
Luzé 37 .... 149 E2
Luzé 70 .... 142 B1
Luzech 46 .... 239 F3
Luzenac 09 .... 310 B1
Luzeret 36 .... 168 B2
La Luzerne 50 .... 27 E4
Luzillat 63 .... 190 A3
Luzillé 37 .... 131 E4
Luzinay 38 .... 211 D2
Luzoir 02 .... 21 E2
Luzy 58 .... 156 B4
Luzy-Saint-Martin 55 ... 39 F1
Luzy-sur-Marne 52 .... 116 B1
Ly-Fontaine 02 .... 20 A4
Lyas 07 .... 228 B4
Lyaud 74 .... 178 C3
Lye 36 .... 132 B4
Lynde 59 .... 3 F4
Lyoffans 70 .... 119 D4
Lyon 69 .... 192 C4
Lyon-Satolas
  (Aéroport de) 69 .... 193 E4
Lyons-la-Forêt 27 .... 33 D2
Lys 64 .... 297 D2
Lys 58 .... 136 B3
Lys-Chantilly 60 ..... 34 C4
Lys-lez-Lannoy 59 .... 5 D4
Lys-Saint-Georges 36 .. 169 E1

M

Maast-et-Violaine 02 .... 36 C3
Maâtz 52 .... 117 D4
Mably 42 .... 191 E2
Macau 33 .... 217 E2
Macaye 64 .... 271 D4
Macé 61 .... 82 C1
Macey 50 .... 79 F1
Macey 10 .... 90 A3
Machault 77 .... 88 A2
Machault 08 .... 38 C3
Maché 85 .... 145 E4
Machecoul 44 .... 145 D2
Mâchecourt 02 .... 21 D4
Machemont 60 .... 35 E2
Macheren 57 .... 42 C4
Machézal 42 .... 191 F3
Machilly 74 .... 178 A4
La Machine 58 .... 155 D4

Machine (Col de la) 26 .... 230 A3
Machy 10 .... 114 B1
Machy 80 .... 6 B3
Macinaggio 2B 314 A1
Mackenheim 67 .... 97 D2
Mackwiller 67 .... 70 A1
Maclas 42 .... 210 C4
Maclaunay 51 .... 63 E3
Macogny 02 .... 36 A4
Mâcon 71 .... 175 E4
Maconcourt 88 .... 93 F2
Maconcourt 52 .... 92 B2
Maconge 21 .... 138 B4
Macornay 39 .... 176 C1
Mâcot-la-Plagne 73 ... 214 C1
Macquigny 02 .... 20 C2
Madaillan 47 .... 256 A1
Madecourt 88 .... 94 A3
Madegney 88 .... 94 B3
La Madeleine-
  sous-Montreuil 62 .... 6 B2
La Madeleine 54 ...... 68 B4
La Madeleine 44 ...... 126 C3
La Madeleine 59 ...... 4 C4
Madeleine (Col de la) 73 . 214 A1
Madeleine (Grotte de la) 07 246 B4
La Madeleine-Bouvet 61 . 84 B3
La Madeleine-
  de-Nonancourt 27 .... 58 C4
La Madeleine-sur-Loing 77 87 F4
La Madeleine-Villefrouin 41 109 D4
Madeloc (Tour) 66 .... 313 E3
Madic 15 .... 206 A4
Madière 09 .... 300 C2
Madières 34 .... 262 B4
Madirac 33 .... 217 F4
Madiran 65 .... 273 E3
Madone de Fenestre 06 . 289 D1
Madonne-et-Lamerey 88 94 B4
La Madrague 83 ...... 291 E3
La Madrague-de-la-Ville 13 284 C4
La Madrague-
  de-Montredon 13 .... 290 B3
Madranges 19 .... 204 C3
Madré 53 .... 81 F2
Madriat 63 .... 207 F3
Maël-Carhaix 22 ..... 76 A2
Maël-Pestivien 22 .... 76 B2
Maennolsheim 67 ..... 70 C2
Maffliers 95 .... 61 D1
Maffrécourt 51 ...... 65 F1
Magagnosc 06 .... 288 A2
Magalas 34 .... 280 B3
La Magdeleine 16 .... 183 E2
La Magdeleine
  (Chapelle de) 44 ... 126 A1
La Magdeleine-sur-Tarn 31 258 A4
Le Mage 61 .... 84 A2
Magenta 51 .... 64 A1
Les Mages 30 .... 263 E4
Magescq 40 .... 252 B4
Magland 74 .... 196 B3
Magnac-Bourg 87 .... 204 A2
Magnac-Laval 87 .... 185 F1
Magnac-Lavalette-Villars 16 201 F2
Magnac-sur-Touvre 16 . 201 F1
Magnan 32 .... 273 E1
Magnant 10 .... 91 D4
Magnanville 78 ..... 59 F2
Magnas 32 .... 256 B4
Magnat-l'Étrange 23 . 187 F4
Magné 86 .... 166 B3
Magné 79 .... 164 C4
Magnet 03 .... 190 A1
Magneux 51 .... 37 D3
Magneux 52 .... 92 A1
Magneux-Haute-Rive 42 209 F1
Magneville 50 ...... 24 C4
Magnicourt 10 ..... 90 C2
Magnicourt-en-Comte 62 7 F2
Magnicourt-sur-Canche 62 7 F3
Magnien 21 .... 157 E1
Magnières 54 ...... 95 D2
Magnieu 01 .... 194 C4
Les Magnils-Reigniers 85 163 E2
Magnivray 70 ...... 119 D3
Magnoncourt 70 .... 118 B2
Magny 89 .... 137 D2
Magny 28 .... 85 D3
Le Magny 36 .... 169 E2
Les Magny 70 ...... 142 A1
Magny 68 .... 120 A3
Le Magny 88 .... 118 B2
Magny-Châtelard 25 . 141 F4
Magny-Cours 58 .... 154 C3
Magny-Danigon 70 .. 119 D4
Magny-en-Bessin 14 . 29 D3
Magny-en-Vexin 95 .. 33 E4
Magny-Fouchard 10 .. 91 D4
Magny-Jobert 70 .... 119 D4
Magny-la-Campagne 14 56 B1
Magny-la-Fosse 02 .. 20 A2
Magny-la-Ville 21 ... 138 A2
Magny-Lambert 21 .. 115 E4
Magny-le-Désert 61 . 82 A1
Magny-le-Freule 14 . 56 B1
Magny-le-Hongre 77 . 61 F3
Magny-lès-Aubigny 21 158 C1
Magny-les-Hameaux 78 60 B4
Magny-lès-Jussey 70 . 118 A3
Magny-lès-Villers 21 . 158 A1
Magny-Lormes 58 ... 136 C4
Magny-Montarlot 21 . 139 F4
Magny-Saint-Médard 21 139 D4
Magny-sur-Tille 21 .. 139 E4
Magny-Vernois 70 .. 119 D4
Magoar 22 .... 76 B2
Magrie 11 .... 302 B3

Magrin 81 .... 277 F2
Magstatt-le-Bas 68 .... 120 C3
Magstatt-le-Haut 68 ... 120 C3
Maguelone 34 .... 281 F3
Mahalon 29 .... 73 D3
Mahéru 61 .... 57 E4
Maîche 25 .... 142 C3
Maidières 54 .... 68 A2
Maignaut-Tauzia 32 ... 255 F4
Maigné 72 .... 106 B2
Maignelay-Montigny 60 . 34 C1
Mailhac 11 .... 303 D1
Mailhac-sur-Benaize 87 . 168 B4
Mailhoc 81 .... 259 E3
Mailholas 31 .... 300 B1
Maillane 13 .... 264 C4
Maillas 40 .... 254 C1
Maillat 01 .... 194 B1
Maillé 37 .... 149 F2
Maillé 86 .... 166 A1
Maillé (Château de) 29 .. 48 C2
Maillebois 28 .... 84 C1
La Mailleraye-sur-Seine 76 15 E4
Maillères 40 .... 254 A2
Mailleroncourt-Charette 70 118 B4
Mailleroncourt-
  Saint-Pancras 70 ... 118 B2
Maillet 36 .... 169 D2
Maillet 03 .... 171 D3
Mailley-et-Chazelot 70 . 141 D1
Maillezais 85 .... 164 B3
Maillot 89 .... 88 C4
Mailly 71 .... 173 F4
Mailly-Champagne 51 . 37 F3
Mailly-la-Ville 89 .... 136 C1
Mailly-le-Camp 10 ... 64 B4
Mailly-le-Château 89 . 136 B1
Mailly-Maillet 80 .... 18 C1
Mailly-Raineval 80 ... 18 A2
Mailly-sur-Seille 54 .. 68 C2
Les Maillys 21 ...... 159 D1
Maimbeville 60 ...... 34 C2
Mainbresson 08 ..... 21 F4
Mainbressy 08 ...... 21 F4
Maincourt-sur-Yvette 78 60 B4
Maincy 77 .... 87 F1
Maine-de-Boixe 16 ... 183 F4
Mainfonds 16 .... 201 E2
Maing 59 .... 9 F3
Mainneville 27 ...... 33 E3
Mainsat 23 .... 188 A2
Maintenay 62 ...... 6 B2
Maintenon 28 ...... 85 E1
Mainterne 28 .... 58 C4
Mainville 54 .... 41 D3
Mainvilliers 57 .... 68 C1
Mainvilliers 28 .... 85 E2
Mainvilliers 45 .... 86 C4
Mainxe 16 .... 200 C1
Mainzac 16 .... 202 A2
Mairé 86 .... 150 A3
Mairé-Levescault 79 . 183 E1
Mairieux 59 .... 10 B1
Mairy 08 .... 23 E4
Mairy-Mainville 54 . 41 D3
Mairy-sur-Marne 51 . 64 C3
Maisdon-sur-Sèvre 44 146 A1
Maisey-le-Duc 21 .. 115 E3
Maisières-Notre-Dame 25 160 B1
Maisières 80 .... 17 D1
Le Maisnil 59 ...... 4 B4
Maisnil-lès-Ruitz 62 . 8 A2
Maisod 39 .... 177 D2
Maison-des-Champs 10 . 91 E4
La Maison-Dieu 58 . 136 B3
Maison-du-Roy 05 .. 250 C1
Maison-Feyne 23 ... 169 D4
Maison-Jeannette 24 . 220 B2
Maison-Maugis 61 .. 83 F2
Maison-Neuve 07 ... 245 F4
Maison-Neuve 16 .. 202 A2
Maison-Ponthieu 80 . 7 D4
Maison-Roland 80 .. 7 D4
Maison-Rouge 77 .. 88 B1
Maisoncelle 62 .... 7 D2
Maisoncelle-et-Villers 08 . 39 E1
Maisoncelle-Saint-Pierre 60 34 A2
Maisoncelle-Tuilerie 60 . 34 B1
Maisoncelles 72 ... 107 F2
Maisoncelles-du-Maine 53 105 E2
Maisoncelles-en-Brie 77 62 A3
Maisoncelles-en-Gâtinais 77 87 E4
Maisoncelles-la-Jourdan 14 55 D3
Maisoncelles-Pelvey 14 . 55 E1
Maisoncelles-sur-Ajon 14 55 F1
Maisonnais 79 ..... 183 D1
Maisonnais-sur-Tardoire 87 202 C1
Maisonneuve 86 ... 148 C4
Maisonnisses 23 ... 187 D2
Maisons 11 .... 303 D4
Maisons 28 .... 86 A3
Maisons 14 .... 28 C3
Maisons-Alfort 94 . 61 D3
Les Maisons Blanches 79 183 F1
Les Maisons-du-Bois 25 161 D2
Maisons-en-Champagne 51 65 D4
Maisons-Laffitte 78 . 60 C2
Maisons-lès-Chaource 10 114 B2
Maisons-lès-Soulaines 10 91 F3
Maisonsgoutte 67 .. 96 B1
Maisontiers 79 .... 148 A4
Maisse 91 .... 87 D3
Maissemy 02 ...... 20 A2
Maixe 54 .... 68 C4
Maizeray 55 .... 40 C4
Maizeroy 57 .... 42 A4

Maizery 57 .... 42 A4
Maizet 14 .... 55 F1
Maizey 55 .... 67 D2
Maizicourt 80 .... 7 D4
Maizière 58 .... 135 E4
Maizières 70 .... 141 D2
Maizières 62 .... 7 F3
Maizières 54 .... 94 A1
Maizières 52 .... 92 A2
Maizières 14 .... 56 B1
Maizières-
  la-Grande-Paroisse 10 . 89 F2
Maizières-lès-Brienne 10 . 91 E2
Maizières-lès-Metz 57 . 41 F2
Maizières-les-Vic 57 .. 69 D3
Maizières-sur-Amance 52 117 E3
Maizilly 42 .... 191 F1
Maizy 02 .... 37 D3
Majastres 04 .... 268 A3
La Malachère 70 .... 141 D2
Malafretaz 01 ...... 175 F3
Mâlain 21 .... 138 C3
Malaincourt 88 ..... 93 E3
Malaincourt-sur-Meuse 52 93 D4
Malakoff 92 .... 61 D3
Malancourt 55 ..... 39 F3
Malancourt-la-Montagne 57 41 E3
Malange 39 .... 140 B4
Malans 39 .... 160 B1
Malans 70 .... 140 B4
Malansac 56 .... 102 A4
Malarce-sur-la-Thines 07 . 245 E2
Malataverne 26 .... 246 C3
Malaucène 84 ...... 265 E1
Malaucourt-sur-Seille 57 . 68 C2
Malaumont 55 ...... 67 D3

Malaunay 76 .... 32 A1
Malause 82 .... 257 D2
Malaussanne 64 .... 272 C2
Malaussène 06 ..... 269 F3
Malauzat 63 .... 189 E4
Malavillers 54 ...... 41 D2
Malay 71 .... 175 D2
Malay-le-Grand 89 . 113 D1
Malay-le-Petit 89 .. 113 D1
Malbo 15 .... 224 C3
Malbosc 07 .... 245 E4
Malbouhans 70 .... 119 D4
Malbouzon 48 ..... 243 E1
Malbrans 25 .... 160 B1
Malbuisson 25 ..... 161 D3
Mâle 61 .... 84 A4
Malegoude 09 ..... 301 F2
Malemort-du-Comtat 84 . 265 F2
Malemort-sur-Corrèze 19 . 222 B1
La Malène 48 ...... 244 A4
Malepeyre (Sabot de) 48 . 243 F4
Malesherbes 45 .... 87 D4
Malestroit 56 ...... 102 A3
Malétable 61 ...... 83 F1
Maleville 12 .... 241 E4
Malguénac 56 ..... 76 C4
La Malhoure 22 ... 77 F2
Malicornay 36 .... 169 D2
Malicorne 03 ..... 171 D4
Malicorne 89 ..... 112 B3
Malicorne-sur-Sarthe 72 . 106 B3
Maligny 21 .... 157 E1
Maligny 89 .... 113 F3
Malijai 04 .... 267 E2
Malincourt 59 .... 20 A1
Malintrat 63 ..... 189 F4
Malissard 26 ..... 229 D3

Mallaville 16 .... 201 D2
Malle (Château de) 33 . 236 B2
Mallefougasse 04 ... 267 D2
Malleloy 54 .... 68 A3
Mallemoisson 04 ... 267 E2
Mallemort 13 ...... 284 B1
Malléon 09 .... 301 D2
Malleret 23 .... 187 F4
Malleret-Boussac 23 . 170 A4
Mallerey 39 .... 176 B1
Mallet (Belvédère de) 15 225 E3
Malleval 38 .... 230 A1
Malleval 42 .... 210 C3
Malleville-les-Grès 76 . 15 D1
Malleville-sur-le-Bec 27 . 31 E4
Mallièvre 85 ...... 147 D3
Malling 57 .... 41 F2
Malloué 14 .... 54 C2
La Malmaison 02 .. 37 F1
Malmerspach 68 .. 120 A1
Malmy 51 .... 39 D4
Malnoue 77 ...... 61 E3
Malo-les-Bains 59 . 3 E1
Malons-et-Elze 30 . 245 E3
Malouy 27 .... 57 F1
Malpart 80 ...... 18 C4
Malpas 25 .... 161 D3
Malras 11 .... 302 A3
Malrevers 43 .... 227 D2
Malromé (Château de) 33 236 C2
Malroy 57 .... 41 F4
Maltat 71 .... 173 D1
Maltot 14 .... 29 E4
Malval 23 .... 169 E4
Malval (Col de) 69 . 192 B4
Malvalette 43 ... 209 F4
Malves-en-Minervois 11 . 302 C1
Malvezie 31 ..... 299 D3

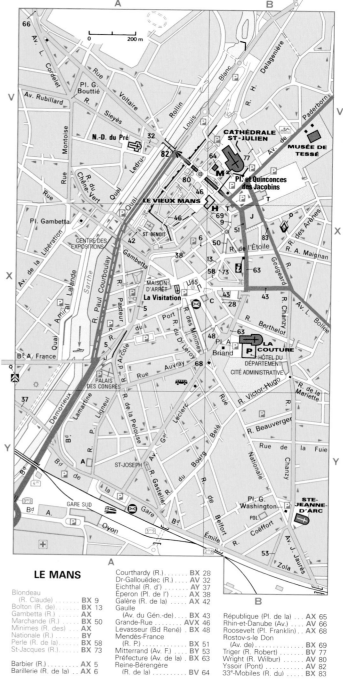

LE MANS

Blondeau
  (R. Claude) ...... BX 9
Bolton (R. de) ...... BX 13
Gambetta (R.) ...... AX
Marchande (R.) ..... BX 50
Minimes (R. des) .... AX
Nationale (R.) ...... BY
Perle (R. de la) ..... BX 58
St-Jacques (R.) ..... BX 73

Barbier (R.) .... AX 5
Barillerie (R. de la) .. AX 6

Courthardy (R.) ..... BX 28
Dr-Gallouëdec (R.) ... AV 32
Eichthal (R. d') ..... AY 37
Éperon (Pl. de l') .... AX 38
Galère (R. de la) .... AX 42
Gaulle
  (Av. du Gén.-de) ... BX 43
Grande-Rue .... AVX 46
Levasseur (Bd René) . BX 48
Mendès-France
  (R. P.) .... BX 51
Mitterrand (Av.) .... BY 53
Préfecture (Av. de la) . AX 62
Reine-Bérengère
  (R. de la) .... BV 64

République (Pl. de la) . AX 65
Rhin-et-Danube (Av.) . AX 66
Roosevelt (Pl. Franklin) AX 68
Rostov-s-le Don
  (Av.) .... BX 69
Triger (R. Robert) ... BV 77
Wright (R. Wilbur) .. AV 80
Yssoir (Pont) .... AV 82
33e-Mobiles (R. du) . BX 83

Malvières 43 . . . . 208 C4
Malviès 11 . . . . 302 A2
Malville 44 . . . . 125 F3
Malvillers 70 . . . . 117 F4
Malzéville 54 . . . . 68 B4
Le Malzieu-Forain 48 . . . . . . 226 A4
Le Malzieu-Ville 48 . . . . 226 A4
Malzy 02 . . . . 21 D2
Mambouhans 25 . . . . 142 B2
Mamers 72 . . . . 83 E3
Mametz 80 . . . . 19 D2
Mametz 62 . . . . 3 E4
Mamey 54 . . . . 67 F2
Mamirolle 25 . . . . 141 E4
Manas 26 . . . . 247 E2
Manas-Bastanous 32 . . . . . . 274 B4
Manaurie 24 . . . . 221 D3
Mance 54 . . . . 41 D3
La Mancelière 28 . . . . 84 B1
La Mancellière 50 . . . . 54 B4
La Mancellière-sur-Vire 50 . . 54 C1
Mancenans 25 . . . . 142 A2
Mancenans-Lizerne 25 . . . . . 142 C3
Mancey 71 . . . . 175 D1
Manchecourt 45 . . . . 87 D4
Manciet 32 . . . . 255 D4
Mancieulles 54 . . . . 41 D3
Mancioux 31 . . . . 299 F2
Mancy 51 . . . . 64 A2
Mandacou 24 . . . . 238 B1
Mandagout 30 . . . . 262 B3
Mandailles-Saint-Julien 15 . . 224 B2
Mandelieu-la-Napoule 06 . . 288 A3
Manderen 57 . . . . 42 A1
Mandeure 25 . . . . 142 C2
Mandeville 27 . . . . 32 A4
Mandeville-en-Bessin 14 . . . . 28 B3
Mandray 88 . . . . 95 F3
Mandres 27 . . . . 58 A4
Mandres-
   aux-Quatre-Tours 54 . . . . . 67 E3
Mandres-en-Barrois 55 . . . . . 92 C2
Mandres-la-Côte 52 . . . . 116 C1
Mandres-les-Roses 91 . . . . . . 61 E4
Mandres-sur-Vair 88 . . . . 93 F4
Mandrevillars 70 . . . . 119 E4
Manduel 30 . . . . 264 A4
Mane 31 . . . . 299 F2
Mane 04 . . . . 266 C3
Manéglise 76 . . . . 14 B3
Manéhouville 76 . . . . 16 A3
Manent-Montané 32 . . . . . . 274 C4
Manerbe 14 . . . . 30 B4
Mangiennes 55 . . . . 40 B2
Manglieu 63 . . . . 208 A2
Mangonville 54 . . . . 94 B2
Manhac 12 . . . . 260 A1
Manheulles 55 . . . . 40 C4
Manhoué 57 . . . . 68 B3
Manicamp 02 . . . . 36 A1
Manicourt 80 . . . . 19 E3
Manigod 74 . . . . 196 A3
Manin 62 . . . . 7 F3
Maninghem 62 . . . . 6 C1
Maninghen-Henne 62 . . . . 2 A3
Maniquerville 76 . . . . 14 C2
Manlay 21 . . . . 157 D1
Manneville-ès-Plains 76 . . . . . 15 E1
Manneville-la-Goupil 76 . . . . 14 C3
Manneville-la-Pipard 14 . . . . . 30 C3
Manneville-la-Raoult 27 . . . . . 30 C3
Manneville-sur-Risle 27 . . . . . 31 E3
Mannevillette 76 . . . . 14 B3
Mano 40 . . . . 235 E3
Le Manoir 14 . . . . 29 D3
Le Manoir 27 . . . . 32 B3
Manois 52 . . . . 92 C3
Manom 57 . . . . 41 F2
Manoncourt-en-Vermois 54 . 68 B4
Manoncourt-en-Woëvre 54 . . 67 F3
Manoncourt-sur-Seille 54 . . . 68 B2
Manonville 54 . . . . 67 F3
Manonviller 54 . . . . 95 D1
Manosque 04 . . . . 267 D4
Manot 16 . . . . 184 B3
Manou 28 . . . . 84 B2
Manre 08 . . . . 38 C3
Le Mans 72 . . . . 107 D2
Mansac 19 . . . . 222 A1
Mansan 65 . . . . 274 A4
Mansat-la-Courrière 23 . . . . 186 C3
Manse (Col de) 05 . . . . 249 F1
Mansempuy 32 . . . . 275 E1
Mansencôme 32 . . . . 255 E1
Manses 09 . . . . 301 E2
Mansigné 72 . . . . 106 C4
Mansle 16 . . . . 183 F3
Manso 2B 314 B4
Mansonville 82 . . . . 256 C3
Manspach 68 . . . . 120 A3
Mant 40 . . . . 272 C2
Mantaille (Château de) 26 . . 211 D4
Mantallot 22 . . . . 50 B2
Mantenay-Montlin 01 . . . . . . 175 F3
Mantes-la-Jolie 78 . . . . 59 F2
Mantes-la-Ville 78 . . . . 59 F2
Mantet 66 . . . . 311 E3
Manteyer 05 . . . . 249 E2
Manthelan 37 . . . . 150 A1
Manthelon 27 . . . . 58 C2
Manthes 26 . . . . 211 E4
Mantilly 61 . . . . 81 D1
Mantoche 70 . . . . 140 A2
Mantry 39 . . . . 159 E3
Manvieux 14 . . . . 29 D3
Many 57 . . . . 68 C1
Manzac-sur-Vern 24 . . . . 220 B2
Manzat 63 . . . . 189 D3
Manziat 01 . . . . 175 D3
Maquens 11 . . . . 302 A2

Marac 52 . . . . 116 B2
Marainville-sur-Madon 88 . . . 94 B2
Marainviller 54 . . . . 69 D4
Le Marais (Château) 91 . . . . . 86 B1
Le Marais-la-Chapelle 14 . . . . 56 B3
Marais-Vernier 27 . . . . 31 D2
Marambat 32 . . . . 274 B1
Marandeuil 21 . . . . 139 F3
Marange-Silvange 57 . . . . 41 F4
Marange-Zondrange 57 . . . . . 42 B4
Marangea 39 . . . . 176 C2
Marans 49 . . . . 127 F1
Marans 17 . . . . 163 F4
Maransin 33 . . . . 218 C2
Marant 62 . . . . 6 C2
Maranville 52 . . . . 115 F1
Maranwez 08 . . . . 22 A4
Marast 70 . . . . 141 F1
Marat 63 . . . . 208 C1
Marat-la-Grande 55 . . . . 66 B2
Marault 52 . . . . 92 B4
Maraussan 34 . . . . 280 A4
Maravat 32 . . . . 275 E1
Maray 41 . . . . 133 D4
Maraye-en-Othe 10 . . . . 113 F1
Marbache 54 . . . . 68 A3
Marbaix 59 . . . . 10 B3
Marbeuf 27 . . . . 32 A4
Marbéville 52 . . . . 92 A3
Marbotte 55 . . . . 67 D3
Marboué 28 . . . . 109 D1
Marboz 01 . . . . 176 B3
Marby 08 . . . . 22 A3
Marc-la-Tour 19 . . . . 223 D1
Marçais 18 . . . . 170 B1
Marçay 37 . . . . 149 D1
Marçay 86 . . . . 166 A2
Marcé 49 . . . . 128 C1
Marcé-sur-Esves 37 . . . . 150 A2
Marcei 61 . . . . 56 C4
Marcelcave 80 . . . . 18 C3
Marcellaz 74 . . . . 195 F1
Marcellaz-Albanais 74 . . . . . 195 D3
Marcellois 21 . . . . 138 B3
Marcellus 47 . . . . 237 E3
Marcenais 33 . . . . 217 F2
Marcenat 03 . . . . 172 B4
Marcenat 15 . . . . 206 C4
Marcenay 21 . . . . 115 D3
Marcenod 42 . . . . 210 A2
Marcevol 66 . . . . 311 F2
Marcey-les-Grèves 50 . . . . . . 54 A4
Marchainville 61 . . . . 84 A1
Marchais 02 . . . . 37 E1
Marchais-Beton 89 . . . . 112 B3
Marchais-en-Brie 02 . . . . 63 D3
Marchal 15 . . . . 206 B3
Marchamp 01 . . . . 194 B4
Marchampt 69 . . . . 192 B1
Marchastel 48 . . . . 243 E2
Marchastel 15 . . . . 206 C4
Marchaux 25 . . . . 141 E3
La Marche 58 . . . . 154 B1
Marché-Allouarde 80 . . . . . . 19 E4
Marchélepot 80 . . . . 19 E3
Marchemaisons 61 . . . . 83 D2
Marchémoret 77 . . . . 61 F1
Marchenoir 41 . . . . 109 D3
Marcheprime 33 . . . . 235 D1
Les Marches 73 . . . . 213 E2
Marches 26 . . . . 229 E3
Marcheseuil 21 . . . . 157 D1
Marchésieux 50 . . . . 27 D4
Marchéville 28 . . . . 85 D3
Marchéville 80 . . . . 6 C4
Marchéville-en-Woëvre 55 . . . 67 E1
Marchezais 28 . . . . 59 E4
Marchiennes 59 . . . . 9 D2
Marchon 01 . . . . 177 D4
Marciac 32 . . . . 274 A3
Marcieu 38 . . . . 230 C3
Marcieux 73 . . . . 212 C1
Marcigny 71 . . . . 173 F4
Marcigny-sous-Thil 21 . . . . . 138 A3
Marcilhac-sur-Célé 46 . . . . . 240 C2
Marcillac 33 . . . . 199 E4
Marcillac-la-Croisille 19 . . . . 205 E4
Marcillac-la-Croze 19 . . . . . 222 C2
Marcillac-Lanville 16 . . . . . . 183 E4
Marcillac-Saint-Quentin 24 . . 221 F3
Marcillac-Vallon 12 . . . . 242 A3
Marcillat 63 . . . . 189 E2
Marcillat-en-Combraille 03 . . 188 B3
Marcillé-la-Ville 53 . . . . 81 F3
Marcillé-Raoul 35 . . . . 79 E2
Marcillé-Robert 35 . . . . 104 A2
Marcilloles 38 . . . . 211 F4
Marcilly 77 . . . . 62 A1
Marcilly 50 . . . . 54 A4
Marcilly-d'Azergues 69 . . . . 192 C3
Marcilly-en-Bassigny 52 . . . . 117 D2
Marcilly-en-Beauce 41 . . . . . 108 B4
Marcilly-en-Gault 41 . . . . . . 133 D2
Marcilly-en-Villette 45 . . . . . 110 B4
Marcilly-la-Campagne 27 . . . 58 C3
Marcilly-la-Gueurce 71 . . . . . 174 A3
Marcilly-le-Châtel 42 . . . . . . 209 E1
Marcilly-le-Hayer 10 . . . . 89 E3
Marcilly-lès-Buxy 71 . . . . . . 157 F4
Marcilly-lès-Vitteaux 21 . . . . 138 A3
Marcilly-Ogny 21 . . . . 138 A4
Marcilly-sur-Eure 27 . . . . 59 D3
Marcilly-sur-Maulne 37 . . . . 130 A2
Marcilly-sur-Seine 51 . . . . . . 89 F1
Marcilly-sur-Tille 21 . . . . 139 E2
Marcilly-sur-Vienne 37 . . . . . 149 F2
Marck 62 . . . . 2 C2
Marckolsheim 67 . . . . 97 D3
Marclopt 42 . . . . 209 F1
Marcoing 59 . . . . 19 F1

Marcolès 15 . . . . 224 A4
Marcollin 38 . . . . 211 E4
Marcols-les-Eaux 07 . . . . . . 228 A4
Marçon 72 . . . . 107 E4
Marconne 62 . . . . 7 D2
Marconnelle 62 . . . . 7 D2
Marcorignan 11 . . . . 303 F1
Marcoule 30 . . . . 264 C2
Marcoussis 91 . . . . 86 C1
Marcoux 42 . . . . 209 E1
Marcoux 04 . . . . 267 E1
Marcq 08 . . . . 39 E3
Marcq 78 . . . . 60 A3
Marcq-en-Barœul 59 . . . . 4 C4
Marcq-en-Ostrevant 59 . . . . . 9 D3
Marcy 58 . . . . 136 A4
Marcy 02 . . . . 20 B3
Marcy 69 . . . . 192 C3
Marcy-l'Étoile 69 . . . . 192 C4
Marcy-sous-Marle 02 . . . . . . 21 D4
Mardeuil 51 . . . . 64 A1
Mardié 45 . . . . 110 B3
Mardilly 61 . . . . 57 D3
Mardor 52 . . . . 116 B3
Mardore 69 . . . . 191 F2
Mardyck 59 . . . . 3 E1
La Mare-d'Ovillers 60 . . . . . . 34 B4
Mareau-aux-Bois 45 . . . . 110 C1
Mareau-aux-Prés 45 . . . . 110 A3
Marèges (Barrage de) 19 . . . 206 A3
Mareil-en-Champagne 72 . . . 106 A2
Mareil-en-France 95 . . . . 61 D1
Mareil-le-Guyon 78 . . . . 60 A3
Mareil-Marly 78 . . . . 60 B3
Mareil-sur-Loir 72 . . . . 106 B4
Mareil-sur-Mauldre 78 . . . . . 60 A3
Mareilles 52 . . . . 92 C4
Marenla 62 . . . . 6 C2
Marennes 69 . . . . 211 D1
Marennes 17 . . . . 180 C3
Mareschés 72 . . . . 82 C4
Maresches 59 . . . . 9 F3
Maresquel-Ecquemicourt 62 . . 6 C2
Marest 62 . . . . 7 F2
Marest-Dampcourt 02 . . . . . . 36 A1
Marest-sur-Matz 60 . . . . 35 E2
Marestaing 32 . . . . 275 F2
Marestmontiers 80 . . . . 18 C4
Maresville 62 . . . . 6 B1
Les Marêts 77 . . . . 62 C4
Maretz 59 . . . . 20 B1
Mareugheol 63 . . . . 207 F3
Mareuil 16 . . . . 183 D4
Mareuil 24 . . . . 202 A3
Mareuil-Caubert 80 . . . . 17 E1
Mareuil-en-Brie 51 . . . . 63 F2
Mareuil-en-Dôle 02 . . . . 36 C4
Mareuil-la-Motte 60 . . . . 35 E1
Mareuil-le-Port 51 . . . . 63 F1
Mareuil-lès-Meaux 77 . . . . . . 62 A2
Mareuil-sur-Arnon 18 . . . . . . 152 C3
Mareuil-sur-Ay 51 . . . . 64 A1
Mareuil-sur-Cher 41 . . . . 132 A4
Mareuil-sur-Lay 85 . . . . 163 E2
Mareuil-sur-Ourcq 60 . . . . . . 62 B1
Marey 88 . . . . 117 F1
Marey-lès-Fussey 21 . . . . 158 A1
Marey-sur-Tille 21 . . . . 139 E1
Marfaux 51 . . . . 37 E4
Marfontaine 02 . . . . 21 D3
Margaux 33 . . . . 217 D2
Margencel 74 . . . . 178 B3
Margency 95 . . . . 61 D2
Margerides 19 . . . . 206 A3
Margerie-Chantagret 42 . . . . 209 E2
Margerie-Hancourt 51 . . . . . . 91 D1
Margès 26 . . . . 229 E1
Margilley 70 . . . . 140 A1
Margival 02 . . . . 36 B2
Le Margnès 81 . . . . 279 D2
Margny 51 . . . . 63 E2
Margny 08 . . . . 23 F4
Margny-aux-Cerises 60 . . . . . 19 E4
Margny-lès-Compiègne 60 . . 35 E2
Margny-sur-Matz 60 . . . . 35 E1
Margon 28 . . . . 84 A3
Margon 34 . . . . 280 B3
Margouët-Meymes 32 . . . . . 273 F1
Margueray 50 . . . . 54 B2
Marguerittes 30 . . . . 264 A4
Margueron 33 . . . . 219 F4
Marguestau 32 . . . . 255 D4
Margut 08 . . . . 40 A1
Mariac 07 . . . . 228 A3
Mariaud 04 . . . . 250 B4
Maricourt 80 . . . . 19 D2
Marie 06 . . . . 269 F2
Marienthal 67 . . . . 71 E2
Marieulles 57 . . . . 68 A1
Marieux 80 . . . . 18 B1
Marigna-sur-Valouse 39 . . . . 176 C2
Marignac 31 . . . . 299 D4
Marignac 17 . . . . 199 F2
Marignac 82 . . . . 256 C4
Marignac-en-Diois 26 . . . . . 230 A4
Marignac-Lasclares 31 . . . . . 300 A1
Marignac-Laspeyres 31 . . . . 299 F1
Marignana 2A 316 B1
Marignane 13 . . . . 284 B3
Marigné 49 . . . . 105 E4
Marigné-Laillé 72 . . . . 107 D3
Marigné-Peuton 53 . . . . 105 D3
Marignier 74 . . . . 196 A1
Marignieu 01 . . . . 194 C4
Marigny 50 . . . . 27 D4
Marigny 51 . . . . 63 F4
Marigny 03 . . . . 172 A2
Marigny 39 . . . . 160 A4
Marigny 79 . . . . 182 B1

Marigny 71 . . . . 174 B1
Marigny-Brizay 86 . . . . 149 E4
Marigny-Chemereau 86 . . . . 166 A3
Marigny-en-Orxois 02 . . . . . . 62 C1
Marigny-le-Cahouët 21 . . . . 138 A2
Marigny-l'Église 58 . . . . 137 D3
Marigny-lès-Reullée 21 . . . . 158 B2
Marigny-les-Usages 45 . . . . 110 B2
Marigny-Marmande 37 . . . . . 149 F2
Marigny-Saint-Marcel 74 . . . 195 D3
Marigny-sur-Yonne 58 . . . . . 136 B4
Marillac-le-Franc 16 . . . . 202 A1
Le Marillais 49 . . . . 127 E3
Marillet 85 . . . . 164 B1
Marimbault 33 . . . . 236 C3
Marimont-lès-Bénestroff 57 . . 69 E2
Marin 74 . . . . 178 C3
Marines 95 . . . . 60 B1
Les Marines-de-Cogolin 83 . . 287 E4
Maringes 42 . . . . 210 A1
Maringues 63 . . . . 189 F3
Mariol 03 . . . . 190 A2
Marions 33 . . . . 237 D4
Marizy 71 . . . . 174 B2
Marizy-Saint-Mard 02 . . . . . . 36 A4
Marizy-Sainte-Geneviève 02 . 36 A4
Le Markstein 68 . . . . 120 A1
Marle 02 . . . . 21 D4
Marlemont 08 . . . . 22 A3
Marlenheim 67 . . . . 70 C3
Marlens 74 . . . . 196 A4
Marlers 80 . . . . 17 E3
Marles-en-Brie 77 . . . . 62 A4
Marles-les-Mines 62 . . . . 7 F1
Marles-sur-Canche 62 . . . . . . 6 C2
Marlhes 42 . . . . 210 A4
Marliac 31 . . . . 300 C1
Marliens 21 . . . . 139 E4
Marlieux 01 . . . . 193 E2
Marlioz 74 . . . . 195 D2
Marly 59 . . . . 9 F3
Marly 57 . . . . 68 A1
Marly-Gomont 02 . . . . 21 D2
Marly-la-Ville 95 . . . . 61 E1
Marly-le-Roi 78 . . . . 60 B3
Marly-sous-Issy 71 . . . . 156 B4
Marly-sur-Arroux 71 . . . . 173 F1
Marmagne 18 . . . . 153 D1
Marmagne 71 . . . . 157 D3
Marmagne 21 . . . . 138 A1
Marmande 47 . . . . 237 E3
Marmanhac 15 . . . . 224 A3
Marmeaux 89 . . . . 137 E1
Marmesse 52 . . . . 116 A1
Marminiac 46 . . . . 239 F1
Marmont-Pachas 47 . . . . . . 256 A2
Marmouillé 61 . . . . 57 D4
Marmoutier 67 . . . . 70 B2
Marnac 24 . . . . 221 E4
Marnand 69 . . . . 191 F2
Marnans 38 . . . . 211 F4
Marnaves 81 . . . . 258 C2
Marnay 86 . . . . 166 B3
Marnay 71 . . . . 158 B4
Marnay 70 . . . . 140 C3
Marnay-sur-Marne 52 . . . . . 116 B2
Marnay-sur-Seine 10 . . . . 89 E2
Marnaz 74 . . . . 196 A1
La Marne 44 . . . . 145 E2
Marne-la-Vallée 77 . . . . 61 F3
Marnefer 61 . . . . 57 F3
Marnes 79 . . . . 148 C3
Marnes-la-Coquette 92 . . . . . 60 C3
Marnézia 39 . . . . 176 C1
Marnhagues-et-Latour 12 . . 261 D4
Marnoz 39 . . . . 160 A2
Marœuil 62 . . . . 8 A3
Maroilles 59 . . . . 10 A3
La Marolle-en-Sologne 41 . . 133 D1
Marolles 51 . . . . 65 E4
Marolles 41 . . . . 132 A1
Marolles 60 . . . . 36 A4
Marolles 14 . . . . 30 C4
Marolles-en-Beauce 91 . . . . . 86 C3
Marolles-en-Brie 94 . . . . 61 E4
Marolles-en-Brie 77 . . . . 62 B4
Marolles-en-Hurepoix 91 . . . 87 D1
Marolles-lès-Bailly 10 . . . . . . 90 C4
Marolles-les-Braults 72 . . . . 83 D4
Marolles-les-Buis 28 . . . . 84 A3
Marolles-lès-Saint-Calais 72 . 108 A3
Marolles-sous-Lignières 10 . . 114 A2
Marolles-sur-Seine 77 . . . . . . 88 B3
Marollette 72 . . . . 83 D3
Marols 42 . . . . 209 E3
Maromme 76 . . . . 32 A2
Maron 54 . . . . 68 A4
Mâron 36 . . . . 152 B4
Maroncourt 88 . . . . 94 B3
Maroué 22 . . . . 77 F2
Maroutière
   (Château de la) 53 . . . . . . 105 D3
Marpain 39 . . . . 140 A3
Marpaps 40 . . . . 272 B2
Marpent 59 . . . . 10 C2
Marpiré 35 . . . . 80 A4
Marquaix 80 . . . . 19 F2
Marquay 24 . . . . 221 E3
Marquay 62 . . . . 7 F2
Marquefave 31 . . . . 276 B4
Marquéglise 60 . . . . 35 E1
Marquein 11 . . . . 301 E1
Marquenterre (Parc du) 80 . . . 6 A3
Marquerie 65 . . . . 298 A1
Marques 76 . . . . 17 D3
Marquette-en-Ostrevant 59 . . 9 D3
Marquette-lez-Lille 59 . . . . . . 4 C4
Marquigny 08 . . . . 39 D1

Marquillies 59 . . . . 8 B1
Marquion 62 . . . . 8 C4
Marquise 62 . . . . 2 B3
Marquivillers 80 . . . . 19 D4
Marquixanes 66 . . . . 311 F2
Marray 37 . . . . 130 C1
La Marre 39 . . . . 159 F4
Marre 55 . . . . 40 A4
Mars 42 . . . . 191 F1
Mars 07 . . . . 228 A2
Les Mars 23 . . . . 188 A3
Mars 30 . . . . 262 B3
Mars-la-Tour 54 . . . . 41 D4
Mars-sous-Bourcq 08 . . . . . . 38 C2
Mars-sur-Allier 58 . . . . 154 C3
Marsa 11 . . . . 311 D3
Marsac 16 . . . . 183 E4
Marsac 65 . . . . 273 F4
Marsac 23 . . . . 186 B2
Marsac 82 . . . . 256 C3
Marsac-en-Livradois 63 . . . . 208 C3
Marsac-sur-Don 44 . . . . 126 B1
Marsac-sur-l'Isle 24 . . . . 220 B1
Marsainvilliers 45 . . . . 86 C4
Marsais 17 . . . . 181 F1
Marsais-
   Sainte-Radégonde 85 . . . . 164 A2
Marsal 57 . . . . 69 D3
Marsal 81 . . . . 259 F3
Marsalès 24 . . . . 239 D1
Marsan 32 . . . . 275 D2
Marsaneix 24 . . . . 220 C2
Marsangis 51 . . . . 89 F1
Marsangy 89 . . . . 112 C1
Marsannay-la-Côte 21 . . . . . 139 E4
Marsannay-le-Bois 21 . . . . . 139 E2
Marsanne 26 . . . . 247 D1
Marsas 33 . . . . 217 F2
Marsas 65 . . . . 298 A3
Marsat 63 . . . . 189 E3
Marsaz 26 . . . . 229 D1
Marseillan 34 . . . . 281 D4
Marseillan 65 . . . . 274 A4
Marseillan 32 . . . . 274 B3
Marseillan-Plage 34 . . . . . . 281 D4
Marseille 13 . . . . 284 C4
Marseille-en-Beauvaisis 60 . . 33 F1
Marseille-lès-Aubigny 18 . . . 154 B2
Marseillette 11 . . . . 303 D1
Marsillargues 34 . . . . 282 B2
Marsilly 17 . . . . 163 E4
Marsilly 57 . . . . 42 A4
Marsinval 78 . . . . 60 B2
Marsolan 32 . . . . 256 A3
Marson 51 . . . . 65 D2
Marson-sur-Barboure 55 . . . . 66 C4
Marsonnas 01 . . . . 175 F3
Marsoulas 31 . . . . 299 F2
Marsous 05 . . . . 297 D3
Marspich 57 . . . . 41 E2
Marssac-sur-Tarn 81 . . . . . . 259 D4
Martagny 27 . . . . 33 E2
Martailly-lès-Brancion 71 . . . 175 D2
Martainneville 80 . . . . 17 D1
Martainville 27 . . . . 31 D3
Martainville 14 . . . . 56 A2
Martainville-Épreville 76 . . . . 32 C2
Martaizé 86 . . . . 148 C3
Martel 46 . . . . 222 B3
Marthemont 54 . . . . 94 A1
Marthille 57 . . . . 69 D2
Marthod 73 . . . . 196 A4
Marthon 16 . . . . 202 A2
Martiel 12 . . . . 241 D4
Martigna 39 . . . . 177 D3
Martignac 46 . . . . 239 E2
Martignargues 30 . . . . 263 F2
Martignas-sur-Jalle 33 . . . . . 217 D4
Martignat 01 . . . . 176 C4
Martigné-Briand 49 . . . . 128 C4
Martigné-Ferchaud 35 . . . . . 104 A3
Martigné-sur-Mayenne 53 . . . 81 E4
Martigny 76 . . . . 16 A3
Martigny 50 . . . . 80 B1
Martigny 02 . . . . 21 F3
Martigny-Courpierre 02 . . . . . 37 D2
Martigny-le-Comte 71 . . . . . 174 B2
Martigny-les-Bains 88 . . . . . 117 F1
Martigny-les-Gerbonvaux 88 . 93 E2
Martigny-sur-l'Ante 14 . . . . . 56 A2
Martigues 13 . . . . 284 A4
Martillac 33 . . . . 235 F1
Martimpré (Col de) 88 . . . . . . 95 F4
Martin-Église 76 . . . . 16 A2
Martincourt 60 . . . . 33 F1
Martincourt 54 . . . . 67 F3
Martincourt-sur-Meuse 55 . . . 39 F1
Le Martinet 30 . . . . 263 E2
Martinet 85 . . . . 145 E4
Martinpuich 62 . . . . 19 D1
Martinvast 50 . . . . 24 C2
Martinvelle 88 . . . . 118 A2
Martisserre 31 . . . . 275 E4
Martizay 36 . . . . 150 C4
Martot 27 . . . . 32 A3
Martragny 14 . . . . 29 D3
La Martre 83 . . . . 268 C4
Martres 33 . . . . 236 C1
Les Martres-d'Artière 63 . . . 189 F4
Martres-de-Rivière 31 . . . . . 299 D2
Les Martres-de-Veyre 63 . . . 207 F1
Martres-sur-Morge 63 . . . . . 189 F3
Martres-Tolosane 31 . . . . . . 299 F1
Martrin 12 . . . . 260 B3
Martrois 21 . . . . 138 B3
La Martyre 29 . . . . 48 C3
Les Martys 11 . . . . 278 B4
Maruéjols-lès-Gardon 30 . . . 263 F3
Marval 87 . . . . 202 C1
Marvaux-Vieux 08 . . . . 39 D3

Marvejols 48 . . . . 243 F2
Marvelise 25 . . . . 142 A1
Marville 55 . . . . 40 B2
Marville-les-Bois 28 . . . . 85 D1
Marville-Moutiers-Brûlé 28 . . 59 D4
Mary 71 . . . . 174 B1
Mary-sur-Marne 77 . . . . 62 B2
Marzal (Aven de) 07 . . . . . . 246 B4
Marzan 56 . . . . 123 F2
Marzens 81 . . . . 277 E2
Marzy 58 . . . . 154 C2
Le Mas 06 . . . . 269 E3
Mas-Blanc-des-Alpilles 13 . . 264 C4
Mas-Cabardès 11 . . . . 278 B4
Mas Camargues 48 . . . . 245 D4
Le Mas-d'Agenais 47 . . . . . . 237 D3
Le Mas-d'Artige 23 . . . . 205 F1
Le Mas-d'Auvignon 32 . . . . . 256 A4
Le Mas-d'Azil 09 . . . . 300 B2
Mas-d'Azil (Grotte du) 09 . . . 300 B3
Mas-de-Londres 34 . . . . 281 E1
Le Mas-de-Tence 43 . . . . . . 228 A2
Mas-des-Cours 11 . . . . 302 C2
Mas-d'Orcières 48 . . . . 244 C3
Mas-Grenier 82 . . . . 257 E4
Mas-Saint-Chély 48 . . . . 244 A4
Mas-Saintes-Puelles 11 . . . . 301 E1
Le Mas-Soubeyran 30 . . . . . 263 D2
Mas-Thibert 13 . . . . 283 D2
Masbaraud-Mérignat 23 . . . 186 C3
Mascaraàs-Haron 64 . . . . . . 273 D2
Mascaras 65 . . . . 298 A3
Mascaras 32 . . . . 274 A2
Mascarville 31 . . . . 277 E3
Masclat 46 . . . . 222 A4
Masevaux 68 . . . . 120 A2
Maslacq 64 . . . . 272 A2
Masléon 87 . . . . 186 B4
Maslives 41 . . . . 132 B1
Le Masnau-Massuguiès 81 . . 279 D1
Masnières 59 . . . . 20 A1
Masny 59 . . . . 9 D3
Los Masos 66 . . . . 311 F2
Masparraute 64 . . . . 271 E3
Maspie-
   Lalonquère-Juillacq 64 . . . 273 E3
Masquières 47 . . . . 239 E3
Massabrac 31 . . . . 300 B1
Massac 11 . . . . 303 D3
Massac 17 . . . . 182 C3
Massac-Séran 81 . . . . 277 E2
Massaguel 81 . . . . 278 A3
Massais 79 . . . . 148 A2
Massals 81 . . . . 260 A4
Massanes 30 . . . . 263 E3
Massangis 89 . . . . 137 D1
Massat 09 . . . . 300 B4
Massay 18 . . . . 152 B1
Le Massegros 48 . . . . 243 F4
Masseilles 33 . . . . 237 D3
Massels 47 . . . . 238 C4
Massérac 44 . . . . 102 C4
Masseret 19 . . . . 204 B2
Masseube 32 . . . . 274 C3
Massiac 15 . . . . 225 F1
Massieu 38 . . . . 212 B3
Massieux 01 . . . . 192 C3
Massiges 51 . . . . 38 C4
Massignac 16 . . . . 184 B4
Massignieu-de-Rives 01 . . . . 194 C4
Massillargues-Attuech 30 . . . 263 E3
Massilly 71 . . . . 175 D2
Massingy 74 . . . . 195 D3
Massingy 21 . . . . 115 E3
Massingy-lès-Semur 21 . . . . 138 A2
Massingy-lès-Vitteaux 21 . . . 138 B3
Massognes 86 . . . . 148 C4
Massoins 06 . . . . 269 F2
Massongy 74 . . . . 178 A3
Massoulès 47 . . . . 239 D4
Massugas 33 . . . . 219 E4
Massy 71 . . . . 174 C2
Massy 91 . . . . 60 C4
Massy 76 . . . . 16 C4
Mastaing 59 . . . . 9 D3
Matafelon-Granges 01 . . . . . 176 C4
Les Matelles 34 . . . . 281 E1
Matemale 66 . . . . 311 D3
Matha 17 . . . . 182 C2
Mathaux 10 . . . . 91 D3
Mathay 25 . . . . 142 C2
Mathenay 39 . . . . 159 F2
Les Mathes 17 . . . . 180 C4
Mathieu 14 . . . . 29 E3
Mathons 52 . . . . 92 A2
Mathonville 76 . . . . 32 C1
Matignicourt-Goncourt 51 . . . 65 E4
Matignon 22 . . . . 52 B4
Matigny 80 . . . . 19 F3
Matougues 51 . . . . 64 B2
Matour 71 . . . . 174 B4
Matra 2B 317 E3
Matringhem 62 . . . . 7 D1
Mattaincourt 88 . . . . 94 A3
Mattexey 54 . . . . 95 D2
Matton-et-Clémency 08 . . . . 23 F4
Mattstall 67 . . . . 45 D4
Matzenheim 67 . . . . 97 D1
Maubec 38 . . . . 211 F2
Maubec 84 . . . . 265 F4
Maubec 82 . . . . 256 C4
Maubert-Fontaine 08 . . . . . . 22 A2
Maubeuge 59 . . . . 10 B2
Maubourguet 65 . . . . 273 F3
Maubuisson 33 . . . . 216 A2
Mauchamps 91 . . . . 86 C2
Maucomble 76 . . . . 16 B3
Maucor 64 . . . . 273 D4
Maucourt 80 . . . . 19 D3

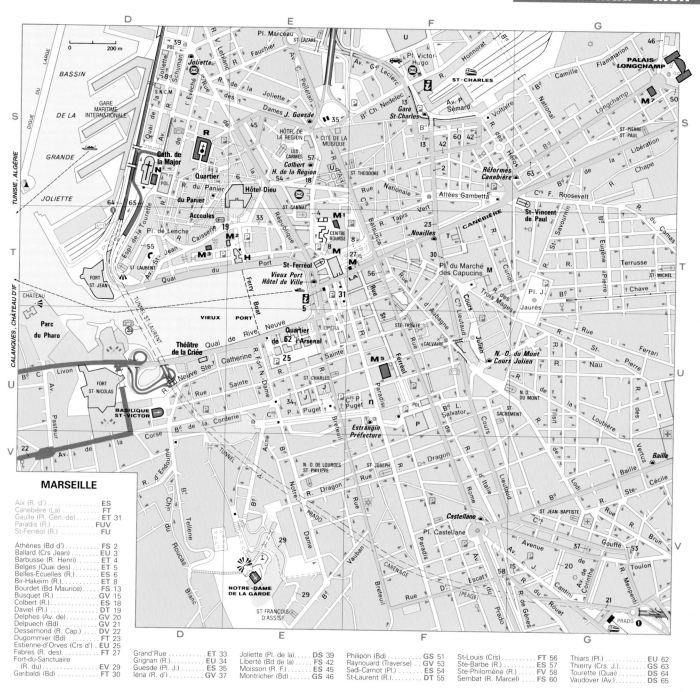

MARSEILLE

Aix (R. d') .... **ES**
Canebière (La) .... **FT**
Gaulle (Pl. Gén.-de) .... **ET** 31
Paradis (R.) .... **FUV**
St-Ferréol (R.) .... **FU**

Athènes (Bd d') .... **FS** 2
Ballard (Crs Jean) ..... **EU** 3
Barbusse (R. Henri) .... **ET** 4
Belges (Quai des) ...... **ET** 5
Belles-Écuelles (R.) .... **ES** 6
Bir-Hakeim (R.) .... **ET** 8
Bourdet (Bd Maurice) .. **FS** 13
Busquet (R.) .... **GV** 15
Colbert (R.) .... **ES** 18
Daviel (Pl.) .... **DT** 19
Delphes (Av. de) ...... **GV** 20
Delpuech (Bd) .... **GV** 21
Dessemond (R. Cap.) .. **DV** 22
Dugommier (R.) .... **FT** 23
Estienne-d'Orves (Crs d') **EU** 25
Fabres (R. des) .... **FT** 27
Fort-du-Sanctuaire
(R. du) .... **EV** 29
Garibaldi (Bd) .... **FT** 30

Grand'Rue .... **ET** 33
Grignan (R.) .... **EU** 34
Guesde (Pl. J.) .... **ES** 35
Iéna (R. d') .... **GV** 37

Joliette (Pl. de la) .... **DS** 39
Liberté (Bd de la) .... **FS** 42
Moisson (R. F.) .... **ES** 45
Montricher (Bd) ...... **GS** 46

Philipon (Bd) .... **GS** 51
Raynouard (Traverse) . **GV** 53
Sadi-Carnot (Pl.) ..... **ES** 54
St-Laurent (R.) .... **DT** 55

St-Louis (Crs) .... **FT** 56
Ste-Barbe (R.) .... **ES** 57
Ste-Philomène (R.) .... **FV** 58
Sembat (R. Marcel) .... **FS** 60

Thiars (Pl.) .... **EU** 62
Thierry (Crs. J.) ...... **GS** 63
Tourette (Quai) .... **DS** 64
Vaudover (Av.) .... **DS** 65

Maucourt 60 .... 19 F4
Maucourt-sur-Orne 55 ...... 40 B3
Maudétour-en-Vexin 95 ..... 60 A1
Mauguio 34 .... 282 A2
Maulain 52 .... 117 D1
Maulais 79 .... 148 B3
Maulan 55 .... 66 B4
Maulay 86 .... 149 D2
Maulde 59 .... 9 E1
Maule 78 .... 60 A2
Mauléon 79 .... 147 D2
Mauléon-Barousse 65 ..... 298 C3
Mauléon-d'Armagnac 32 ... 254 C3
Mauléon-Licharre 64 ..... 295 F1
Maulers 60 .... 34 A1
Maulette 78 .... 59 F3
Maulévrier 49 .... 147 D2
Maulévrier-
Sainte-Gertrude 76 ... 15 E4
Maulichères 32 .... 273 E1
Maumusson 44 .... 127 E2
Maumusson 82 .... 256 C4
Maumusson-Laguian 32 .. 273 E2
Mauny 76 .... 31 F3
Le Maupas 21 .... 138 A4
Maupas 10 .... 114 B1
Maupas 32 .... 254 C4
Maupas (Château de) 18 . 134 B4
Mauperthuis 77 .... 62 B4
Maupertuis 50 .... 54 B2
Maupertus-sur-Mer 50 ... 25 D2
Mauprévoir 86 .... 184 B1
Maurecourt 78 .... 60 B2

Mauregard 77 .... 61 E1
Mauregny-en-Haye 02 .... 37 E1
Maureilhan 34 .... 280 A4
Maureillas-las-Illas 66 ... 312 C3
Mauremont 31 .... 277 D3
Maurens 31 .... 277 E3
Maurens 32 .... 275 F2
Maurens 24 .... 220 A3
Maurens-Scopont 81 .... 277 E2
Maurepas 80 .... 19 E2
Maurepas 78 .... 60 B4
Mauressac 31 .... 276 C4
Mauressargues 30 .... 263 E3
Maureville 31 .... 277 D3
Mauriac 33 .... 237 D1
Mauriac 15 .... 223 F1
Mauries 40 .... 273 D2
Maurin 04 .... 251 D1
Maurin 34 .... 281 F4
Maurines 15 .... 225 F1
Maurois 59 .... 20 B1
Mauroux 46 .... 239 E3
Mauroux 32 .... 256 C3
Maurrin 40 .... 254 A4
Maurs 15 .... 241 F1
Maurupt-le-Montois 51 .. 65 F4
Maury 66 .... 312 B1
Maury (Barrage de) 12 .. 242 C1
Mausoléo 2B 314 C3
Maussac 19 .... 205 E3
Maussane-les-Alpilles 13. 283 F1
Maussans 70 .... 141 F2
Mausson (Château de) 53 80 B2
Mautes 23 .... 188 A3
Mauvages 55 .... 93 D1
Mauvaisin 31 .... 276 C4
Mauves 07 .... 229 D2

Mauves-sur-Huisne 61 ..... 83 F2
Mauves-sur-Loire 44 ...... 126 C3
Mauvezin 32 .... 275 E1
Mauvezin 31 .... 275 F4
Mauvezin 65 .... 298 A2
Mauvezin-d'Armagnac 40 . 254 C3
Mauvezin-de-Prat 09 ..... 299 F3
Mauvezin-de-Sainte-Croix 09 300 A2
Mauvezin-sur-Gupie 47 ... 237 E2
Mauvières 36 .... 167 F2
Mauvilly 21 .... 115 E4
Maux 58 .... 156 A2
Mauzac 31 .... 276 B4
Mauzac-et-Saint-Meyme-
de-Rozens 24 .... 220 C4
Mauzé-sur-le-Mignon 79 .. 181 F1
Mauzé-Thouarsais 79 ..... 148 A2
Mauzens-et-Miremont 24 .. 221 D3
Mauzun 63 .... 208 A1
Mavaleix 24 .... 203 D3
Maves 41 .... 109 D4
Mavilly-Mandelot 21 ..... 157 F2
La Maxe 57 .... 41 F4
Maxent 35 .... 102 C1
Maxéville 54 .... 68 A4
Maxey-sur-Meuse 88 ..... 93 E2
Maxey-sur-Vaise 55 ...... 93 E1
Maxilly-sur-Léman 74 .... 178 C2
Maxilly-sur-Saône 21 .... 140 A3
Maxou 46 .... 240 A2
Maxstadt 57 .... 69 E1
May-en-Multien 77 ...... 62 B1
Le May-sur-Èvre 49 ..... 146 C1
May-sur-Orne 14 .... 56 A1
Mayac 24 .... 203 D4
Mayenne 53 .... 81 E3
Mayet 72 .... 107 D2
Le Mayet-de-Montagne 03 . 190 B4

Le Mayet-d'École 03 ...... 189 F1
Maylis 40 .... 272 B1
Maynal 39 .... 176 B1
Les Mayons 83 .... 286 C4
Mayot 02 .... 20 B4
Mayrac 46 .... 222 B3
Mayran 12 .... 242 A4
La Mayrand 63 .... 207 E3
Mayrègne 31 .... 298 C3
Mayres 07 .... 245 E1
Mayres 07 .... 228 C3
Mayres 63 .... 208 C3
Mayres-Savel 38 .... 230 C3
Mayreste (Belvédère de) 04 268 A4
Mayreville 11 .... 301 E1
Mayrinhac-Lentour 46 ... 222 C4
Mayronnes 11 .... 303 D1
Maysel 60 .... 34 C4
Mazamet 81 .... 278 C3
Mazan 84 .... 265 E2
Mazan-l'Abbaye 07 ..... 245 E1
Mazangé 41 .... 108 B3
Mazaugues 83 .... 286 A4
Mazaye 63 .... 189 D4
Mazé 49 .... 129 D2
Le Mazeau 85 .... 164 B3
Mazeirat 23 .... 187 D1
Mazeley 88 .... 94 C3
Mazerat-Aurouze 43 ..... 226 B3
Mazeray 17 .... 181 F3
Mazères 09 .... 301 D1
Mazères 33 .... 236 C3
Mazères (Église de) 65 .. 273 F2
Mazères-de-Neste 65 .... 298 C2
Mazères-Lezons 64 ...... 297 D1
Mazères-sur-Salat 31 .... 299 F2
Mazerier 03 .... 189 F1
Mazerny 08 .... 38 C1

Mazerolles 86 .... 167 D3
Mazerolles 17 .... 199 E2
Mazerolles 40 .... 254 A4
Mazerolles 16 .... 184 B4
Mazerolles 65 .... 274 B4
Mazerolles 64 .... 272 C3
Mazerolles-du-Razès 11 .. 302 C2
Mazerolles-le-Salin 25 ... 140 C4
Mazerulles 54 .... 68 C3
Mazet-Saint-Voy 43 ..... 227 F2
Mazeuil 86 .... 148 C4
Mazeyrat-Crispinhac 43 .. 226 B2
Mazeyrolles 24 .... 239 E1
La Mazière-
aux-Bons-Hommes 23 .. 188 A3
Mazières 16 .... 184 B4
Mazières-de-Touraine 37 . 130 B3
Mazières-en-Gâtine 79 ... 165 D2
Mazières-en-Mauges 49 .. 147 D2
Mazières-Naresse 47 .... 238 C1
Mazières-sur-Béronne 79 . 183 D1
Mazille 71 .... 174 C3
Mazingarbe 62 .... 8 A2
Mazinghem 62 .... 7 F1
Mazinghien 59 .... 20 C1
Mazion 33 .... 217 E1
Mazirat 03 .... 188 B1
Mazirot 88 .... 94 B3
Le Mazis 80 .... 17 E2
Mazoires 63 .... 207 E3
Mazouau 65 .... 298 B3
Mazuby 11 .... 310 C1
Les Mazures 08 .... 22 C2
Mazzola 2B 317 E1

Méaudre 38 .... 230 B1
La Meauffe 50 .... 27 E4
La Méaugon 22 .... 51 D3
Meaulne 03 .... 170 C2
Méaulte 80 .... 19 D2
Méautis 50 .... 27 D3
Meaux 77 .... 62 A2
Meaux-la-Montagne 69 .. 192 A2
Meauzac 82 .... 257 E2
Mecé 35 .... 80 A4
Mechmont 46 .... 240 A2
Mécleuves 57 .... 68 B1
Mecquignies 59 .... 10 A2
Mécrin 55 .... 67 D3
Mécringes 51 .... 63 D3
Médan 78 .... 60 B2
Médavy 61 .... 56 C4
La Mède 13 .... 284 B4
Medeyrolles 63 .... 208 C3
Médière 25 .... 142 A2
Médillac 16 .... 219 E1
Médis 17 .... 198 C1
Médonnet (Chapelle du) 74. 196 B2
Médonville 88 .... 93 E4
Médous (Grotte de) 65 ... 298 A3
Médréac 35 .... 78 C3
Le Mée 28 .... 109 E2
Mée 53 .... 104 C3
Le Mée-sur-Seine 77 .... 87 E2
Les Mées 72 .... 83 D3
Mées 40 .... 271 E1
Les Mées 04 .... 267 E2
Mégange 57 .... 42 A3
Mégève 74 .... 196 B3
Mégevette 74 .... 178 B4
Mégrit 22 .... 78 B2
Méharicourt 80 .... 19 D3
Méharin 64 .... 271 E4

MELUN

Carnot (R.) .... **AY** 6
Doumer (R. Paul) ...... **BY** 13
Miroir (R. du) .... **AY** 25

Pouteau (R. René) ..... **BY** 34
St-Ambroise (R.) ...... **AZ**
St-Aspais (R.) .... **BY** 41
St-Étienne (R.) .... **AZ** 43
Alsace-Lorraine (Q.) .... **BZ** 2

Courtille (R. de la) ... **BZ** 9
Godin (Av. E.) .... **AZ** 19
Montagne-du-Mée
  (R. de la) .... **AY** 26
N.-Dame (Pl.) .... **BZ** 32
Prés.-Despatys (R.) ... **AY** 35

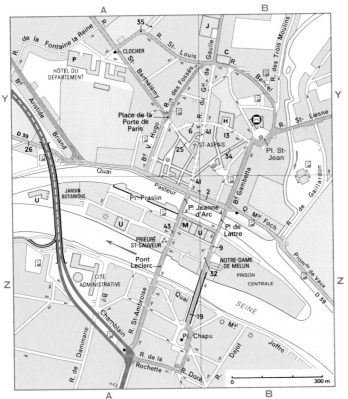

Méhers 41 .... 132 B3
Méhoncourt 54 .... 94 C1
Méhoudin 61 .... 81 F2
Mehun-sur-Yèvre 18 ..... 153 D1
La Meignanne 49 .... 128 A2
Meigné 49 .... 129 D4
Meigné-le-Vicomte 49 ... 129 F2
Meigneux 80 .... 17 E3
Meigneux 77 .... 88 B2
Meilars 29 .... 73 D3
Meilhac 87 .... 203 E1
Meilhan 32 .... 275 D4
Meilhan 40 .... 253 E4
Meilhan-sur-Garonne 47 .. 237 D2
Meilhards 19 .... 204 B2
Meilhaud 63 .... 207 E2
Meillac 35 .... 79 D2
Meillant 18 .... 153 E4
Le Meillard 80 .... 7 E4
Meillard 03 .... 172 A3
La Meilleraie-Tillay 85 .. 147 E4
Meilleray 77 .... 63 D3
La Meilleraye-
  de-Bretagne 44 .... 126 C1
Meillerie 74 .... 179 D2
Meillers 03 .... 171 F2
Meillier-Fontaine 08 ..... 22 C3
Meillon 64 .... 297 D1
Meillonnas 01 .... 176 B4
Meilly-sur-Rouvres 21 ... 138 B4
Meisenthal 57 .... 44 B4
Meistratzheim 67 .... 70 C4
Le Meix 21 .... 139 D1
Le Meix-Saint-Epoing 51 . 63 E4
Le Meix-Tiercelin 51 ..... 91 D1
Méjanes 13 .... 283 D2
Méjannes-le-Clap 30 .... 264 A1
Méjannes-lès-Alès 30 ... 263 E2
Mela 2A 319 D2
Mélagues 12 .... 280 A1
Mélamare 76 .... 15 D4
Melan 04 .... 267 F1
Melay 71 .... 191 E1
Melay 52 .... 117 F2
Melay 49 .... 128 A4
Le Mêle-sur-Sarthe 61 .. 83 E2
Mélecey 70 .... 142 A1
Melesse 35 .... 79 E4
Melgven 29 .... 99 D1
Mélicocq 60 .... 35 E2
Mélicourt 27 .... 57 E1
Méligny-le-Grand 55 .... 67 D4
Méligny-le-Petit 55 ..... 67 D4
Melin 70 .... 117 F4
Melincourt 70 .... 118 B2
Mélisey 70 .... 119 D3
Mélisey 89 .... 114 B3
Meljac 12 .... 260 A2
Mellac 29 .... 99 F2
Melle 79 .... 165 E4
Mellé 35 .... 80 B2
Mellecey 71 .... 157 F4
Melleran 79 .... 183 E1
Melleray 72 .... 108 A1
Melleray (Abbaye de) 44 . 126 C1

Melleray-la-Vallée 53 ... 81 E2
Melleroy 45 .... 112 A4
Melles 31 .... 299 D4
Melleville 76 .... 16 C2
Mellionnec 22 .... 76 B3
Meloisey 21 .... 157 F2
Melrand 56 .... 100 C1
Melsheim 67 .... 70 C2
Melun 77 .... 87 F2
Melve 04 .... 249 E4
Melz-sur-Seine 77 ...... 89 D2
Membrey 70 .... 140 C1
La Membrolle-
  sur-Choisille 37 ...... 130 C3
La Membrolle-
  sur-Longuenée 49 .... 128 A1
Membrolles 41 .... 109 E2
Méménil 88 .... 95 D4
Memmelshoffen 67 ..... 45 E4
Le Mémont 25 .... 142 B4
Mémorial Canadien 62 .. 8 B2
Menades 89 .... 136 C2
Ménarmont 88 .... 95 D2
Menars 41 .... 132 A1
Menat 63 .... 189 D2
Menaucourt 55 .... 66 C4
Mencas 62 .... 7 D1
Menchhoffen 67 .... 70 C1
Mende 48 .... 244 B3
Mendionde 64 .... 271 D4
Menditte 64 .... 295 F1
Mendive 64 .... 295 E2
Ménéac 56 .... 77 F4
Menée (Col de) 26 ..... 230 B4
Ménerbes 84 .... 265 F4
Ménerval 76 .... 33 E1
Ménerville 78 .... 59 F2
Menesble 21 .... 116 A4
Méneslies 80 .... 16 C1
Ménesplet 24 .... 219 E2
Ménessaire 21 .... 156 C1
Menestreau 58 .... 135 F3
Ménestreau-en-Villette 45 . 110 B4
Menet 15 .... 206 B4
Menetou-Couture 18 .... 154 B2
Menetou-Râtel 18 ...... 134 C3
Menetou-Salon 18 ...... 134 B4
Menetou-sur-Nahon 36 .. 132 C4
Ménétréol-sous-Sancerre 18 135 D4
Ménétréol-sous-Sauldre 18 134 A3
Ménétréols-sous-Vatan 36 . 152 A2
Ménétreuil 71 .... 175 F1
Ménétreux-le-Pitois 21 .. 138 A1
Ménétrol 63 .... 189 E3
Ménétru-le-Vignoble 39 . 159 F4
Ménétrux-en-Joux 39 ... 177 D1
Ménévillers 60 .... 35 D1
Ménez-Bré 22 .... 50 B3
Ménez-Hom 29 .... 73 E2
Ménez-Meur
  (Domaine de) 29 ..... 73 F1
Menglon 26 .... 248 B3
Ménigoute 79 .... 165 F3

Ménil 53 .... 105 D4
Le Ménil 88 .... 119 E2
Ménil-Annelles 08 ...... 38 B2
Ménil-aux-Bois 55 ..... 66 C3
Le Ménil-Bérard 61 ..... 57 E4
Le Ménil-Broût 61 ...... 83 D2
Le Ménil-Ciboult 61 .... 55 D3
Le Ménil-de-Briouze 61 . 55 F4
Ménil-de-Senones 88 ... 95 F2
Ménil-en-Xaintois 88 ... 94 A3
Ménil-Erreux 61 .... 83 D2
Ménil-Froger 61 .... 57 D4
Ménil-Glaise 61 .... 56 B4
Ménil-Gondouin 61 ..... 56 A4
Le Ménil-Guyon 61 ..... 83 D1
Ménil-Hermei 61 .... 56 A3
Ménil-Hubert-en-Exmes 61 . 57 D3
Ménil-Hubert-sur-Orne 61 . 55 F3
Ménil-Jean 61 .... 56 A4
Ménil-la-Horgne 55 .... 67 D4
Ménil-la-Tour 54 .... 67 F3
Ménil-Lépinois 08 ...... 38 A3
Le Ménil-Scelleur 61 .... 82 B1
Ménil-sur-Belvitte 88 ... 95 E2
Ménil-sur-Saulx 55 ..... 92 B1
Le Ménil-Vicomte 61 ... 57 D4
Ménil-Vin 61 .... 56 A3
Ménillès 27 .... 59 D1
Ménillot 54 .... 67 F4
La Ménitré 49 .... 129 D3
Mennecy 91 .... 87 D1
Mennessis 02 .... 20 A4
Mennetou-sur-Cher 41 .. 133 D4
Menneval 27 .... 57 F1
Menneville 02 .... 37 F2
Menneville 62 .... 2 C4
Mennevret 02 .... 20 C2
Mennouveaux 52 ...... 116 C1
Ménoire 19 .... 222 C2
Menomblet 85 .... 147 D4
Menoncourt 90 .... 119 F4
Ménonval 76 .... 16 C3
Menotey 39 .... 159 E1
Menou 58 .... 135 F3
Menouville 95 .... 60 C1
Le Menoux 36 .... 168 C2
Mens 38 .... 230 C4
Mensignac 24 .... 220 B1
Menskirch 57 .... 42 A3
Mentheville 76 .... 14 C2
Menthon-Saint-Bernard 74 . 195 F3
Menthonnex-en-Bornes 74 . 195 E1
Menthonnex-
  sous-Clermont 74 .... 195 D2
Mentières 15 .... 225 E2
Menton 06 .... 289 F4
Mentque-Nortbécourt 62 . 3 D2
Menucourt 95 .... 60 B2
Les Menuires 73 .... 214 B3
Les Menus 61 .... 84 B2
Menville 31 .... 276 A2
Méobecq 36 .... 151 E4
Méolans 04 .... 250 B3
Méolans-Revel 04 ..... 250 B3

Méon 49 .... 129 F2
Méounes-lès-Montrieux 83 . 286 A4
Mépieu 38 .... 194 A4
Mer 41 .... 109 E4
Mer de Sable (La) 60 ... 61 F1
Méracq 64 .... 272 C3
Méral 53 .... 104 C2
Méras 09 .... 300 B2
Mercatel 62 .... 8 B4
Mercenac 09 .... 299 F3
Merceuil 21 .... 158 A2
Mercey 27 .... 59 E1
Mercey 21 .... 157 E1
Mercey-le-Grand 25 .... 140 C4
Mercey-sur-Saône 70 ... 140 B3
Mercin-et-Vaux 02 ..... 36 B3
Merck-Saint-Liévin 62 ... 3 D4
Merckeghem 59 .... 3 E2
Mercœur 19 .... 223 D3
Mercœur 43 .... 225 F1
Mercuer 07 .... 246 A2
Mercuès 46 .... 240 A3
Mercurey 71 .... 157 F3
Mercurol 26 .... 229 D2
Mercury 73 .... 213 F1
Mercus-Garrabet 09 ... 301 D3
Mercy 89 .... 113 E2
Mercy 03 .... 172 C3
Mercy-le-Bas 54 ...... 41 D2
Mercy-le-Haut 54 ..... 41 D2
Merdrignac 22 .... 78 A4
Méré 89 .... 113 F3
Méré 78 .... 60 A4
Méreau 18 .... 152 C1
Méréaucourt 80 .... 17 F4
Méréglise 28 .... 84 C4
Mérélessart 80 .... 17 E2
Mérens 32 .... 274 C1
Mérens-les-Vals 09 .... 310 B3
Mérenvielle 31 .... 276 A2
Méreuil 05 .... 248 C3
Méréville 54 .... 94 A1
Méréville 91 .... 86 B3
Merey 27 .... 59 E2
Mérey-sous-Montrond 25 . 141 E4
Mérey-Vieilley 25 ...... 141 D3
Merfy 51 .... 37 E3
Mergey 10 .... 90 A3
Meria 2B 314 A1
Mérial 11 .... 310 C1
Méribel 73 .... 214 B3
Méribel-Mottaret 73 ... 214 B3
Méricourt 78 .... 59 F1
Méricourt 62 .... 8 B2
Méricourt-en-Vimeu 80 . 17 F2
Méricourt-l'Abbé 80 ... 18 C2
Méricourt-sur-Somme 80 . 19 D2
Mériel 95 .... 60 C1
Mérifons 34 .... 280 B2
Mérignac 16 .... 201 D1
Mérignac 33 .... 217 D4
Mérignac 17 .... 200 C4
Mérignas 33 .... 219 D4
Mérignat 01 .... 194 A2
Mérignies 59 .... 9 D1
Mérigny 36 .... 167 E1
Mérigon 09 .... 300 A2
Mérilheu 65 .... 298 A2
Mérillac 22 .... 78 A3
Mérinchal 23 .... 188 A3
Mérindol 84 .... 284 B1
Mérindol-les-Oliviers 26 . 247 F4
Mérinville 45 .... 112 A1
Le Mériot 10 .... 89 D2
Méritein 64 .... 272 A4
Merkwiller-Pechelbronn 67 . 45 E4
Merlande (Prieuré de) 24 . 220 B1
Merlas 38 .... 212 C3
La Merlatière 85 .... 146 A4
Merlaut 51 .... 65 E4
Merle (Tours de) 19 .... 223 E2
Merle-Leignec 42 ...... 209 E3
Merléac 22 .... 77 D3
Le Merlerault 61 .... 57 D4
Merles 82 .... 257 D2
Merles-sur-Loison 55 ... 40 B2
Merlet (Parc du Balcon de) 74 196 C2
Merlette 05 .... 250 A1
Merlevenez 56 .... 100 B3
Merlieux-et-Fouquerolles 02 . 36 C1
Merlimont 62 .... 6 A2
Merlimont-Plage 62 .... 6 A2
Merlines 19 .... 206 A1
Mernel 35 .... 102 C2
Mérobert 91 .... 86 B3
Méron 49 .... 148 B1
Mérona 39 .... 176 C1
Mérouville 28 .... 86 A4
Meroux 90 .... 142 C1
Merpins 16 .... 199 F1
Merrey 52 .... 117 D2
Merrey-sur-Arce 10 .... 115 D1
Merri 61 .... 56 B3
Merris 59 .... 4 A1
Merry-la-Vallée 89 .... 113 D4
Merry-Sec 89 .... 136 A1
Merry-sur-Yonne 89 .... 136 B2
Mers-les-Bains 80 .... 16 C1
Mers-sur-Indre 36 .... 169 D1
Merschweiller 57 ...... 42 A1
Mersuay 70 .... 118 B3
Merten 57 .... 42 C3
Mertrud 52 .... 91 F2
Mertzen 68 .... 120 B4
Mertzwiller 67 .... 71 D1
Méru 60 .... 34 A4
Merval 02 .... 37 D3
Mervans 71 .... 158 C2
Mervent 85 .... 164 C2
Merviel 09 .... 301 D3

Mervilla 31 .... 276 C3
Merville 59 .... 4 A1
Merville 31 .... 276 B1
Merville-Franceville-Plage 14 . 29 F3
Merviller 54 .... 95 E1
Merxheim 68 .... 120 B1
Méry 73 .... 213 D1
Méry-Corbon 14 ..... 30 A4
Méry-ès-Bois 18 ..... 134 A4
Méry-la-Bataille 60 ... 35 D1
Méry-Prémecy 51 .... 37 E4
Méry-sur-Cher 18 .... 133 E4
Méry-sur-Marne 77 ... 62 C2
Méry-sur-Oise 95 .... 60 C1
Méry-sur-Seine 10 ... 90 A2
Le Merzer 22 .... 50 C3
Mésandans 25 .... 141 F2
Mésanger 44 .... 127 D2
Mésangueville 76 ..... 33 D1
Mesbrecourt-Richecourt 02 . 20 C4
Meschers-sur-Gironde 17 . 198 C2
Mescla (Balcons de la) 04 . 268 A4
Mescoules 24 .... 238 A1
Le Mesge 80 .... 17 F2
Mesgrigny 10 .... 90 A2
Mésigny 74 .... 195 D2
Meslan 56 .... 100 A1
Mesland 41 .... 131 F2
Meslay 41 .... 55 F2
Meslay 41 .... 108 C3
Meslay (Grange de) 37 . 131 D2
Meslay-du-Maine 53 ... 105 E2
Meslay-le-Grenet 28 ... 85 D3
Meslay-le-Vidame 28 .. 85 E4
Meslières 25 .... 142 C2
Meslin 22 .... 51 F4
Mesmay 25 .... 160 A1
Mesmont 08 .... 38 B1
Mesmont 21 .... 138 C3
Mesnac 16 .... 182 B4
Mesnard-la-Barotière 85 . 146 B3
Mesnay 39 .... 160 A3
Les Mesneux 51 ...... 37 F4
La Mesnière 61 ...... 83 E2
Mesnières-en-Bray 76 . 16 C3
Le Mesnil 50 .... 24 B4
Le Mesnil-Adelée 50 .. 54 B4
Le Mesnil-Amand 50 .. 54 A2
Le Mesnil-Amelot 77 .. 61 E2
Le Mesnil-Amey 50 ... 27 E4
Le Mesnil-Angot 50 ... 27 E3
Le Mesnil-au-Grain 14 . 55 E1
Le Mesnil-au-Val 50 ... 24 C2
Le Mesnil-Aubert 50 .. 54 A2
Le Mesnil-Aubry 95 ... 61 D1
Le Mesnil-Auzouf 14 .. 55 D2
Le Mesnil-Bacley 14 .. 56 C2
Le Mesnil-Benoist 14 .. 54 C3
Le Mesnil-Bœufs 50 .. 54 B4
Le Mesnil-Bonant 50 .. 54 A2
Mesnil-Bruntel 80 .... 19 E2
Le Mesnil-Caussois 14 . 54 C3
Mesnil-Clinchamps 14 . 54 C3
Mesnil-Conteville 60 ... 17 F4
Le Mesnil-Drey 50 .... 54 A3
Le Mesnil-Durand 14 .. 56 C1
Le Mesnil-Durdent 76 . 15 E1
Mesnil-en-Arrouaise 80 . 19 E1
Le Mesnil-en-Thelle 60 . 34 B4
Le Mesnil-en-Vallée 49 . 127 F3
Le Mesnil-Esnard 76 ... 32 B2
Le Mesnil-Eudes 14 ... 57 D1
Mesnil-Eudin 80 ...... 17 E2
Le Mesnil-Eury 50 .... 27 D4
Mesnil-Follemprise 76 . 16 B3
Le Mesnil-Fuguet 27 ... 58 C1
Le Mesnil-Garnier 50 .. 54 A2
Mesnil-Germain 14 ... 57 D1
Le Mesnil-Gilbert 50 .. 54 C4
Le Mesnil-Guillaume 14 . 57 D1
Le Mesnil-Hardray 27 . 58 B2
Le Mesnil-Herman 50 . 54 B1
Le Mesnil-Hue 50 ..... 54 A2
Le Mesnil-Jourdain 27 . 32 B4
Mesnil-la-Comtesse 10 . 90 B2
Le Mesnil-le-Roi 78 ... 60 C2
Mesnil-Lettre 10 ...... 90 C2
Le Mesnil-Lieubray 76 . 33 D1
Mesnil-Martinsart 80 .. 19 D1
Le Mesnil-Mauger 14 . 56 C1
Mesnil-Mauger 76 .... 16 C4
Le Mesnil-Opac 50 ... 54 B1
Le Mesnil-Ozenne 50 . 54 B4
Mesnil-Panneville 76 .. 15 F3
Le Mesnil-Patry 14 ... 29 D4
Le Mesnil-Rainfray 50 . 54 C4
Le Mesnil-Raoul 76 ... 32 B2
Le Mesnil-Raoult 50 .. 54 B1
Le Mesnil-Réaume 76 . 16 C2
Le Mesnil-Robert 14 .. 54 C2
Le Mesnil-Rogues 50 .. 54 A2
Mesnil-Rousset 27 .... 57 F3
Le Mesnil-Rouxelin 50 . 27 E4
Le Mesnil-Saint-Denis 78 .. 60 B4
Le Mesnil-Saint-Firmin 60 . 34 C1
Mesnil-Saint-Georges 80 .. 18 C4
Mesnil-Saint-Laurent 02 . 20 A3
Le Mesnil-Saint-Loup 10 . 89 F3
Mesnil-Saint-Nicaise 80 .. 19 E3
Le Mesnil-Saint-Père 10 . 90 C4
Mesnil-Sellières 10 .... 90 B3
Le Mesnil-Simon 28 ... 59 E3
Le Mesnil-Simon 14 ... 56 C1
Le Mesnil-sous-Jumièges 76 31 F2
Mesnil-sous-les-Côtes 55 . 67 D1
Mesnil-sous-Vienne 27 . 33 E3
Le Mesnil-sur-Blangy 14 . 30 C3
Le Mesnil-sur-Bulles 60 . 34 B2
Le Mesnil-sur-l'Estrée 27 . 59 D4

Le Mesnil-sur-Oger 51 ... 64 A2
Le Mesnil-Thébault 50 ... 54 B4
Le Mesnil-Théribus 60 ... 33 F3
Le Mesnil-Thomas 28 ... 84 C1
Le Mesnil-Tôve 50 ..... 54 C4
Mesnil-Val 76 .... 16 B1
Le Mesnil-Véneron 50 ... 27 E4
Mesnil-Verclives 27 ..... 33 D3
Le Mesnil-Vigot 50 ..... 27 D4
Le Mesnil-Villeman 50 ... 54 A2
Le Mesnil-Villement 14 .. 56 A3
Le Mesnilbus 50 .... 27 D4
Le Mesnillard 50 .... 54 B4
Mesnois 39 .... 176 C1
Les Mesnuls 78 .... 60 A4
Mespaul 29 .... 49 D2
Mesplède 64 .... 272 B3
Mesples 03 .... 170 B3
Mespuits 91 .... 86 C3
Mesquer 44 .... 123 E3
Messac 35 .... 103 D4
Messac 17 .... 200 C4
Messais 86 .... 148 C3
Messanges 21 .... 158 A4
Messanges 40 .... 270 B4
Messas 45 .... 109 F4
Messé 79 .... 166 A4
Messei 61 .... 55 F4
Messein 54 .... 68 A4
Messeix 63 .... 206 B2
Messemé 86 .... 149 D2
Messery 74 .... 178 A3
Messeux 16 .... 184 A2
Messey-sur-Grosne 71 . 175 D1
Messia-sur-Sorne 39 .. 176 C1
Messigny-et-Vantoux 21 . 139 D3
Messilhac (Château de) 15 . 224 B4
Messimy 69 .... 210 C1
Messimy-sur-Saône 01 . 192 C2
Messincourt 08 .... 23 F4
Messon 10 .... 90 A4
Messy 77 .... 61 F2
Mesterrieux 33 .... 237 D1
Mestes 19 .... 205 F3
Mesves-sur-Loire 58 ... 135 E4
Mesvres 71 .... 157 D3
Métabief 25 .... 161 D3
Les Métairies 16 ...... 201 D1
Métairies-Saint-Quirin 57 . 69 F4
Méteren 59 .... 4 A3
Méthamis 84 .... 265 F2
Métigny 80 .... 17 F2
Metting 57 .... 70 A1
Mettray 37 .... 131 D2
Metz 57 .... 41 F4
Metz-en-Couture 62 ... 19 F1
Metz-le-Comte 58 .... 136 B3
Metz-Robert 10 ...... 114 B1
Metz-Tessy 74 .... 195 E2
Metzeral 68 .... 96 A4
Metzeresche 57 ...... 42 A3
Metzervisse 57 .... 41 F3
Metzing 57 .... 43 D4
Meucon 56 .... 101 D3
Meudon 92 .... 60 C3
Meuilley 21 .... 158 A1
Meulan 78 .... 60 A2
Meulers 76 .... 16 B3
Meulin 71 .... 174 C3
Meulles 14 .... 57 D2
Meulson 21 .... 115 E4
Meunet-Planches 36 .. 152 B4
Meunet-sur-Vatan 36 .. 152 B2
Meung-sur-Loire 45 ... 109 F3
Meurcé 72 .... 83 D4
Meurchin 62 .... 8 B1
Meurcourt 70 .... 118 B3
La Meurdraquière 50 .. 54 A2
Meures 52 .... 92 A4
Meurival 02 .... 37 D3
Meursac 17 .... 199 D1
Meursanges 21 ...... 158 B2
Meursault 21 .... 158 A2
Meurville 10 .... 91 E4
Meuse 52 .... 117 D2
Meusnes 41 .... 132 B4
Meussia 39 .... 177 D2
Meuvaines 14 ...... 29 D3
Meuvy 52 .... 117 D1
Le Meux 60 .... 35 E3
Meux 17 .... 199 F3
Meuzac 87 .... 204 A2
Mévoisins 28 ...... 85 F1
Mévouillon 26 ..... 266 A1
Meximieux 01 ...... 193 F3
Mexy 54 .... 41 D1
Mey 57 .... 41 F4
Meyenheim 68 ...... 120 C1
Meylan 47 .... 255 E2
Meylan 38 .... 212 C4
Meymac 19 .... 205 F2
Meynes 30 .... 264 B4
Meyrals 24 .... 221 E3
Meyrand (Col de) 07 .. 245 E2
Meyrannes 30 ...... 263 E1
Meyrargues 13 ..... 285 D1
Meyras 07 .... 245 F1
Meyreuil 13 .... 285 D3
Meyriat 01 .... 194 A1
Meyrié 38 .... 211 F2
Meyrieu-les-Étangs 38 . 211 E3
Meyrieux-Trouet 73 ... 212 C1
Meyrignac-l'Église 19 . 205 D3
Meyronne 46 .... 222 B4
Meyronnes 04 ...... 251 D2
Meyrueis 48 .... 262 A1
Meys 69 .... 210 A1
Meyssac 19 .... 222 C4
Meysse 07 .... 246 C2
Meyssiès 38 .... 211 E4

METZ

Ambroise-Thomas (R.) ..... CV 2
Clercs (R. des) CV
En Fournirue ..... DV
Fabert (R.) ..... CV 26
Jardins (R. des) ..... DV
Palais (R. du) ..... CV 64
Petit-Paris (R. du) ..... CV 65
St-Louis (Pl.) ..... DVX
Schuman (Av. R.) CX
Serpenoise (R.) CV
Tête d'Or (R. de la) ..... DV

Allemands (R. des) ..... DV 4
Armes (Pl. d') ..... DV 5
Augustins (R. des) ..... DX 6
Chambière (R.) ..... DV 10
Chambre (Pl. de) ..... CV 12
Champé (R. du) ..... DV 13
Chanoine-Collin (R.) ..... DV 15
Charlemagne (R.) ..... CX 17
Chèvre (R. de la) ..... DX 19
Coëtlosquet (R. du) ..... CX 22
Coislin (Pl.) ..... DX 23
Enfer (R. d') ..... DV 25
Faisan (R. du) ..... CV 27
Fontaine (R. de la) ..... DX 29
Gaulle (Pl. du Gén.-de) ..... DX 31
Gde-Armée (R. de la) ..... DV 34
Hache (R. de la) ..... DV 39
Juge-Pierre-Michel (R. du) ..... CV 46
La Fayette (R.) ..... CX 47
Lasalle (R.) ..... DX 49
Lattre-de-T. (Av. de) ..... CX 51
Leclerc-de-H. (Av.) ..... CX 52
Mondon (Pl. R.) ..... CX 57
Paix (R. de la) ..... CV 61
Parmentiers (R. des) ..... DX 62
Pierre-Hardie (R. de la) ..... CV 66
Prés.-Kennedy (Av.) ..... CX 73
République (Pl. de la) ..... CX 75
St-Eucaire (R.) ..... DV 76
St-Gengoulf (R.) ..... CX 78
St-Simplice (Pl.) ..... DV 80
St-Thiébault (Pl.) ..... DX 82
Ste-Marie (R.) ..... CV 84
Salis (R. de) ..... CX 86
Sérot (Bd Robert) ..... CV 87
Taison (R.) ..... DV 88
Tanneurs (R. des) ..... DV 90
Trinitaires (R. des) ..... DV 93
Verlaine (R.) ..... CX 97

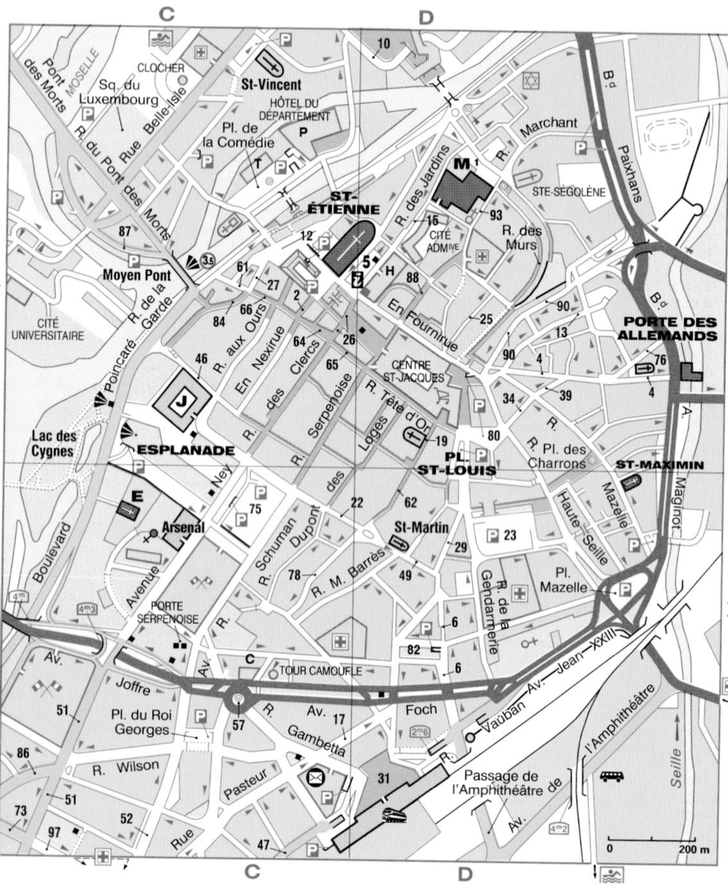

Meythet *74* 195 E3
La Meyze *87* 203 F2
Meyzieu *69* 193 D4
Mézangers *53* 81 F4
Mèze *34* 281 D4
Mézel *04* 267 F2
Mezel *63* 189 F4
Mézenc (Mont) *07* 227 F3
Mézens *81* 277 D1
Mézeray *72* 106 B3
Mézères *43* 227 E1
Mézériat *01* 175 F4
Mézerolles *80* 7 E4
Mézerville *11* 301 E1
Mézidon *14* 56 B1
La Mézière *35* 79 D4
Mézières-au-Perche *28* 85 D4
Mézières-en-Brenne *36* 151 D4
Mézières-en-Drouais *28* 59 E4
Mézières-en-Gâtinais *45* 111 E2
Mézières-en-Santerre *80* 18 C3
Mézières-en-Vexin *27* 33 D4
Mézières-lez-Cléry *45* 110 A3
Mézières-sous-Lavardin *72* 106 C1
Mézières-sur-Couesnon *35* 79 F3
Mézières-sur-Issoire *87* 185 D1
Mézières-sur-Oise *02* 20 B3
Mézières-sur-Ponthouin *72* 83 D4
Mézières-sur-Seine *78* 60 A2
Mézilhac *07* 228 A4
Mézilles *89* 112 C4
Mézin *47* 255 E2
Méziré *90* 142 C1
Mézos *40* 252 C2
Mézy-Moulins *02* 63 D1
Mézy-sur-Seine *78* 60 A2
Mezzavia *2A* 316 B4
Mhère *58* 137 D4
Mialet *30* 263 D2
Mialet *24* 203 D2
Mialos *64* 272 C3
Miannay *80* 17 D1
Michaugues *58* 136 B4
Michelbach *68* 120 A2
Michelbach-le-Bas *68* 120 C3
Michelbach-le-Haut *68* 120 C4
Michery *89* 88 C3
Midi de Bigorre (Pic du) *65* 298 A3
Midrevaux *88* 93 D2
Mièges *39* 160 B3
Miélan *32* 274 B3
Miellin *70* 119 E3
Miermaigne *28* 84 B4
Miers *46* 222 C4
Miéry *39* 159 F3
Mietesheim *67* 71 D1
Mieussy *74* 196 A1
Mieuxcé *61* 82 C3
Mifaget *64* 297 D2
Migé *89* 136 B1
Migennes *89* 113 E2
Miglos *09* 310 A1
Mignafans *70* 142 A1
Mignaloux-Beauvoir *86* 166 B2
Mignavillers *70* 142 A1
Migné *36* 168 B1
Migné-Auxances *86* 166 B1
Mignères *45* 111 E2
Mignerette *45* 111 E2
Mignéville *54* 95 E1
Mignières *28* 85 E3
Mignovillard *39* 160 C3
Migny *36* 152 C2
Migré *17* 181 F2
Migron *17* 182 B4
Mijanès *09* 310 C1
Mijoux *01* 177 E3
La Milesse *72* 106 C1
Milhac *46* 222 A4
Milhac-d'Auberoche *24* 221 D2
Milhac-de-Nontron *24* 202 C3
Milhaguet *87* 202 C1
Milhars *81* 258 C2
Milhas *31* 299 E3
Milhaud *30* 263 F4
Milhavet *81* 259 D3
Milizac *29* 47 E2
Millac *86* 184 C1
Millam *59* 3 E2
Millançay *41* 133 D3
Millas *66* 312 C2
Millau *12* 261 E2
Millay *58* 156 B3
Millebosc *76* 16 C2
Millemont *78* 59 F3
Millencourt *80* 18 C2
Millencourt-en-Ponthieu *80* 6 C4
Millery *21* 137 F2
Millery *54* 68 A3
Millery *69* 210 C1
Les Milles *13* 284 C3
Millevaches *19* 205 E1
Millières *52* 116 C1
Millières *50* 26 C4
Millonfosse *59* 9 E2
Milly *89* 113 F3
Milly *50* 80 C1
Milly-la-Forêt *91* 87 E3
Milly-Lamartine *71* 175 D3
Milly-sur-Bradon *55* 39 F2
Milly-sur-Thérain *60* 34 A2
Milon-la-Chapelle *78* 60 B4
Mimbaste *40* 271 F1
Mimet *13* 285 D3
Mimeure *21* 157 E1
Mimizan *40* 252 B1
Mimizan-Plage *40* 252 B1
Minard (Pointe de) *22* 51 D2
Minaucourt-le-Mesnil-lès-Hurlus *51* 39 D4
Mindin *44* 125 E3
Minerve *34* 279 E4
Mingot *65* 274 A4
Mingoval *62* 8 A2
Miniac-Morvan *35* 79 D1
Miniac-sous-Bécherel *35* 78 C3
Minier (Col du) *30* 262 B2
Les Minières *27* 58 C3
Le Minihic-sur-Rance *35* 78 C1
Minihy-Tréguier *22* 50 B2
Minorville *54* 67 F3
Minot *21* 115 F4
Minversheim *67* 71 D2
Minzac *24* 219 E3
Minzier *74* 195 D2
Miolans (Château de) *73* 213 F1
Miolles *81* 260 A4
Miomo *2B* 315 F1
Mionnay *01* 193 D3
Mions *69* 211 D1
Mios *33* 235 D1
Miossens-Lanusse *64* 273 D3
Mirabeau *84* 285 E1
Mirabeau *04* 267 E2
Mirabel *82* 258 A2
Mirabel *07* 246 B2
Mirabel (Parc d'attractions) *63* 189 E4
Mirabel-aux-Baronnies *26* 247 E4
Mirabel-et-Blacons *26* 247 E1
Miradoux *32* 256 B3
Miramar *06* 288 A4
Miramas *13* 284 A2
Mirambeau *17* 199 E3
Mirambeau *31* 275 E4
Miramont-d'Astarac *32* 274 C2
Miramont-de-Comminges *31* 299 D2
Miramont-de-Guyenne *47* 237 F2
Miramont-de-Quercy *82* 257 D1
Miramont-Latour *32* 275 D1
Miramont-Sensacq *40* 273 D2
Mirande *32* 274 B3
Mirandol-Bourgnounac *81* 259 E2
Mirannes *32* 274 B2
Miraumont *80* 19 D1
Miraval-Cabardès *11* 278 B4
Mirbel *52* 92 A3
Miré *49* 105 E4
Mirebeau *86* 149 D4
Mirebeau-sur-Bèze *21* 139 F3
Mirebel *39* 159 F4
Mirecourt *88* 94 A3
Mirefleurs *63* 207 F1
Miremont *63* 188 C3
Miremont *31* 276 C4
Mirepeisset *11* 303 F1
Mirepeix *64* 297 D1
Mirepoix *32* 275 D1
Mirepoix *09* 301 E2
Mirepoix-sur-Tarn *31* 258 A4
Mireval *34* 281 E3
Mireval-Lauragais *11* 301 F1
Miribel *01* 193 D4
Miribel *26* 229 E1
Miribel-Lanchâtre *38* 230 B3
Miribel-les-Échelles *38* 212 C3
Mirmande *26* 247 D1
Le Miroir *71* 176 A2
Miromesnil (Château de) *76* 16 A3
Mirvaux *80* 18 B1
Mirville *76* 14 C3
Miscon *26* 248 B1
Miserey *27* 59 D2
Miserey-Salines *25* 141 D3
Misérieux *01* 192 C2
Misery *80* 19 E3
Mison *04* 249 D4
Missé *79* 148 B2
Missècle *81* 277 F1
Missègre *11* 302 C3
Missery *21* 138 A4
Missillac *44* 125 E2
Missiriac *56* 102 A3
Misson *40* 271 F2
Missy *14* 29 D4
Missy-aux-Bois *02* 36 B3
Missy-lès-Pierrepont *02* 21 D4
Missy-sur-Aisne *02* 36 C3
Misy-sur-Yonne *77* 88 B3
Mitry-le-Neuf *77* 61 E2
Mitry-Mory *77* 61 E2
Mitschdorf *67* 45 D4
Mittainville *78* 59 F4
Mittainvilliers *28* 85 D2
Mittelbergheim *67* 96 C1
Mittelbronn *57* 70 A2
Mittelhausbergen *67* 71 D3
Mittelhausen *67* 71 D2
Mittelschaeffolsheim *67* 71 D2
Mittelwihr *68* 96 B3
Mittersheim *57* 69 F2
Mittlach *68* 96 A4
Mittois *14* 56 C1
Mitzach *68* 120 A1
Mizérieux *42* 191 E4
Mizoën *38* 231 F2
Mobecq *50* 26 C3
Moca-Croce *2A* 318 C1
Modane *73* 214 C4
Modène *84* 265 E2
Moëlan-sur-Mer *29* 99 E2
Les Moëres *59* 3 F1
Mœrnach *68* 120 B4
Moëslains *52* 91 F1
Mœurs-Verdey *51* 63 E4
Mœuvres *59* 8 C4
Moëze *17* 181 D3
Moffans-et-Vacheresse *70* 119 D4
La Mogère (Château de) *34* 281 F2
Mogeville *55* 40 B3
Mognard *73* 195 D4
Mogneneins *01* 192 C1
Mognéville *55* 66 A3
Mogneville *60* 34 C3
Mogues *08* 23 F4
Mohon *56* 101 F1
Moidieu-Détourbe *38* 211 E2
Moidrey *50* 79 F1
Moigné *35* 103 D1
Moigny-sur-École *91* 87 D2
Moimay *70* 141 F1
Moineville *54* 41 E4
Moings *17* 199 F2
Moingt *42* 209 E2
Moinville-la-Jeulin *28* 85 F3
Moirans *38* 212 B4
Moirans-en-Montagne *39* 177 D3
Moirax *47* 256 B2
Moiré *69* 192 B3
Moiremont *51* 39 E4
Moirey *55* 40 B3
Moiron *39* 176 C1
Moiry *08* 40 A1
Moisdon-la-Rivière *44* 126 C1
Moisenay *77* 87 F1
Moislains *80* 19 E2
Moissac *82* 257 D2
Moissac-Bellevue *83* 286 B1
Moissac-Vallée-Française *48* 262 C1
Moissannes *87* 186 B3
Moissat *63* 190 A4
Moisselles *95* 61 D1
Moissey *39* 140 A4
Moissieu-sur-Dolon *38* 211 E3
Moisson *78* 59 F1
Moissy-Cramayel *77* 87 E1
Moissy-Moulinot *58* 136 C3
Moisville *27* 58 C3
Moisy *41* 109 D3
Moïta *2B* 317 F1
Les Moitiers-d'Allonne *50* 24 B4
Les Moitiers-en-Bauptois *50* 25 D4
Moitron *21* 115 F4
Moitron-sur-Sarthe *72* 82 C4
Moivre *51* 65 E2
Moivrons *54* 68 B3
Molac *56* 101 F3
Molagnies *76* 33 E1
Molain *39* 160 A3
Molain *02* 20 B1
Molamboz *39* 159 F2
Molandier *11* 301 D1
Molas *31* 275 E4
Molay *39* 159 D2
Molay *70* 117 E4
Môlay *89* 114 A4
Le Molay-Littry *14* 28 B3
La Môle *83* 293 D2
Moléans *28* 109 D1
Molèdes *15* 207 E4
Molène (Ile) *29* 46 B3
Molère *65* 298 B2
Molesmes *89* 136 A1
Molesmes *21* 114 C2
Molezon *48* 262 B1
Moliens *60* 17 E4
Molières *46* 223 D4
Molières *82* 257 F1
Les Molières *91* 60 B4
Molières *24* 220 C4
Molières-Cavaillac *30* 262 B3
Molières-Glandaz *26* 248 A1
Molières-sur-Cèze *30* 263 E1
Moliets-et-Maa *40* 252 A4
Moliets-Plage *40* 252 A4
Molinchart *02* 36 C1
Molines-en-Queyras *05* 233 D4
Molinet *03* 173 E3
Molineuf *41* 131 F1
Molinges *39* 177 D3
Molinghem *62* 3 F4
Molinons *89* 89 E4
Molinot *21* 157 F2
Molins-sur-Aube *10* 90 C2
Molitg-les-Bains *66* 311 F2
Mollans *70* 118 C4
Mollans-sur-Ouvèze *26* 265 F1
Mollard (Col du) *73* 214 A4
Mollau *68* 119 F2
Mollégès *13* 265 D4
Molles *03* 190 B1
Les Mollettes *73* 213 E2
Molleville *11* 301 E1
Molliens-au-Bois *80* 18 B2
Molliens-Dreuil *80* 17 F2
La Mollière *80* 6 A4
Mollkirch *67* 70 B4
Molompize *15* 225 E1
Molosmes *89* 114 B3
Moloy *21* 139 D2
Molphey *21* 137 F3
Molpré *39* 160 B3
Molring *57* 69 E2
Molsheim *67* 70 C4
Moltifao *2B* 315 D3
Les Molunes *39* 177 E3
Momas *64* 272 C3
Mombrier *33* 217 E2
Momères *65* 297 F1
Momerstroff *57* 42 B4
Mommenheim *67* 71 D2
Momuy *40* 272 B2
Momy *64* 273 E4
Mon Idée *08* 22 A2
Monacia-d'Aullène *2A* 319 D3
Monacia-d'Orezza *2B* 315 F4
Monaco (Principauté de) 289 E4
Monampteuil *02* 36 C2
Monassut-Audiracq *64* 273 E3
Le Monastère *12* 242 B4
Le Monastier *48* 243 F3
Le Monastier-sur-Gazeille *43* 227 E3
Monay *39* 159 E3
Monbadon *33* 219 D3
Monbahus *47* 238 B2
Monbalen *47* 238 C4
Monbardon *32* 275 D4
Monbazillac *24* 220 A4
Monbéqui *82* 257 E4
Monblanc *32* 275 F3
Monbos *24* 238 A1
Monbouan (Château de) *35* 104 A1
Monbrun *32* 275 F2
Moncale *2B* 314 B3
Moncassin *32* 274 C3
Moncaup *31* 299 D3
Moncaup *64* 273 E3
Moncaut *47* 256 A2
Moncayolle-Larrory-Mendibieu *64* 295 F1
Moncé-en-Belin *72* 107 D3
Moncé-en-Saosnois *72* 83 E4
Monceau-le-Neuf-et-Faucouzy *02* 20 C3
Monceau-le-Waast *02* 37 D1
Monceau-lès-Leups *02* 20 B4
Monceau-Saint-Waast *59* 10 B3
Monceau-sur-Oise *02* 20 C2
Monceaux *60* 35 D3
Les Monceaux *14* 56 C1
Monceaux-au-Perche *61* 83 F2
Monceaux-en-Bessin *14* 28 C3
Monceaux-l'Abbaye *60* 17 E4
Monceaux-le-Comte *58* 136 C3
Monceaux-sur-Dordogne *19* 223 D2
Moncel-lès-Lunéville *54* 95 D1
Moncel-sur-Seille *54* 68 C3
Moncel-sur-Vair *88* 93 E2
La Moncelle *08* 23 E4
Moncetz-l'Abbaye *51* 65 E4
Moncetz-Longevas *51* 65 D2
Moncey *25* 141 E3
Monchaux *80* 6 A3
Monchaux-Soreng *76* 17 D2
Monchaux-sur-Écaillon *59* 9 E3
Moncheaux *59* 8 C2
Moncheaux-lès-Frévent *62* 7 E3
Monchecourt *59* 9 D3
Monchel-sur-Canche *62* 7 E3
Moncheux *57* 68 B2
Monchiet *62* 8 A4
Monchy-au-Bois *62* 8 A4
Monchy-Breton *62* 7 F2
Monchy-Cayeux *62* 7 E2
Monchy-Humières *60* 35 E2
Monchy-Lagache *80* 19 F3
Monchy-le-Preux *62* 8 B3
Monchy-Saint-Éloi *60* 34 C3
Monchy-sur-Eu *76* 16 C2
Moncla *64* 273 D2
Monclar *47* 238 A3
Monclar *32* 254 C3
Monclar-de-Quercy *82* 258 B3
Monclar-sur-Losse *32* 274 B3
Moncley *25* 140 C3
Moncontour *22* 77 F2
Moncontour *86* 148 C3
Moncorneil-Grazan *32* 275 D3
Moncourt *57* 69 D3
Moncoutant *79* 147 E4
Moncrabeau *47* 255 F2
Moncy *61* 55 E3
Mondavezan *31* 299 F1
Mondelange *57* 41 F3
Mondement-Montgivroux *51* 63 F3
Mondescourt *60* 36 A1
Mondevert *35* 104 B1
Mondeville *91* 87 D2
Mondeville *14* 29 F4
Mondicourt *62* 7 F4
Mondigny *08* 22 C4
Mondilhan *31* 299 D1
Mondion *86* 149 F3
Mondon *25* 141 F2
Mondonville *31* 276 B2
Mondonville-Saint-Jean *28* 86 A3
Mondorff *57* 125 E2
Mondoubleau *41* 108 B2
Mondouzil *31* 277 D2
Mondragon *84* 264 C1
Mondrainville *14* 29 D4
Mondrecourt *55* 66 B2
Mondrepuis *02* 10 C4
Mondreville *77* 111 E1
Mondreville *78* 59 E3
Monein *64* 272 B4
Monès *31* 275 F4
Monesple *09* 300 C2
Monestier *24* 219 F4
Monestier *03* 171 F4
Monestier *07* 228 B1
Le Monestier *63* 208 B2
Monestier-d'Ambel *38* 231 D4
Monestier-de-Clermont *38* 230 C3
Le Monestier-du-Percy *38* 230 C4
Monestier-Merlines *19* 206 A1
Monestier-Port-Dieu *19* 206 B3
Monestiés *81* 259 E2
Monestrol *31* 277 D4
Monétay-sur-Allier *03* 172 A3
Monétay-sur-Loire *03* 173 D3
Monéteau *89* 113 E3
Monêtier-Allemont *05* 249 E3
Le Monêtier-les-Bains *05* 232 B2
Monfaucon *24* 219 F3
Monfaucon *65* 273 F3
Monferran-Plavès *32* 275 D3
Monferran-Savès *32* 275 F2
Monflanquin *47* 238 C2
Monfort *32* 275 E1
Monfréville *14* 27 F3
Mongaillard *47* 255 F1
Mongausy *32* 275 E3
Mongauzy *33* 237 D2
Monget *40* 272 C2
La Mongie *65* 298 A4
Monguilhem *32* 254 C4
Monheurt *47* 237 F4
Monhoudou *72* 83 D3
Monieux *84* 266 A2
Monistrol-d'Allier *43* 226 B3
Monistrol-sur-Loire *43* 209 F4
Monlaur-Bernet *32* 274 C4
Monléon-Magnoac *65* 298 C1
Monlet *43* 226 C1
Monlezun *32* 274 A3
Monlezun-d'Armagnac *32* 254 C4
Monlong *65* 298 C1
Monmadalès *24* 220 B4
Monmarvès *24* 238 B1
Monnai *61* 57 E3
Monnaie *37* 131 D2
Monneren *57* 42 A2
La Monnerie-le-Montel *63* 190 B3
Monnerville *91* 86 B3
Monnes *02* 36 A4

MONACO MONTE-CARLO

Albert-1er (Bd) .... CYZ
Grimaldi (R.) .... CYZ
Moulins (Bd des) .... DX 32
Ostende (Av. d') .... DY 34
Pcesse Caroline (R.) .... CZ 48
Pcesse Charlotte (Bd) DXY

Armes (Pl. d') .... CZ 2
Basse (R.) .... CDZ 3
Castro (R. Col.-de) .... CZ 7
Comte-Félix-Gastaldi (R.) .... DZ 10
Crovetto-Frères (Av.) .... CZ 12
Gaulle (Av. du Gén.-de) .... DX 14
Kennedy (Av. J.-F.) .... DY 23
Larvotto (Bd du) .... DX 25
Leclerc (Bd du Gén.) .... DX 26
Libération (Pl. de la) .... DX 27
Madone (Av. de la) .... DX 28
Major (Rampe) .... CZ 29
Monte-Carlo (Av. de) .... DY 30
Notari (R. L.) .... CYZ 33
Palais (Pl. du) .... CZ 35
Papalins (Av. des) .... CZ 36
Pêcheurs (Ch. des) .... DZ 40
Porte-Neuve (Av. de la) .... DZ 41
Prince Héréditaire Albert (Av.) .... CZ 42
Prince Pierre (Av.) .... CZ 44
Princesse Antoinette (Av.) .... CY 46
Pcesse Marie-de Lorraine (R.) .... DZ 54
République (Bd de la) .... DX 58
Spélugues (Av. des) .... DX 62
Ste-Dévote (Pl.) .... CY 63
Suffren-Reymond (R.) .... CZ 64

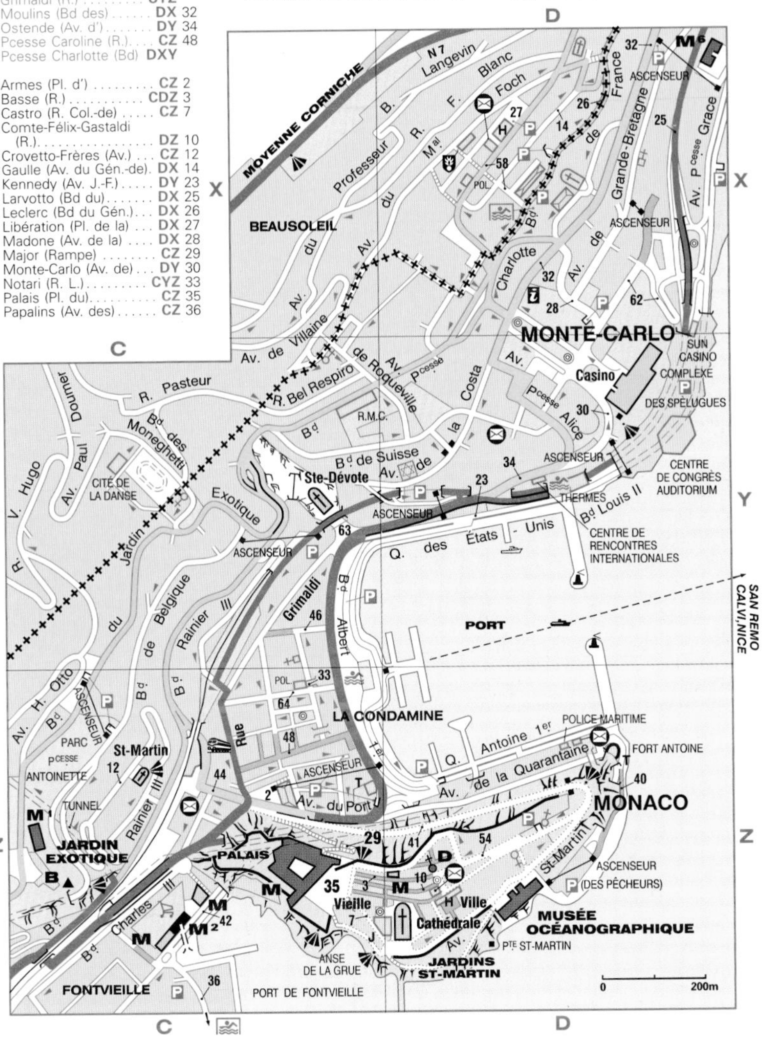

C
D
X
Y
Z
MOYENNE CORNICHE
BEAUSOLEIL
MONTE-CARLO
Casino
SUN CASINO COMPLEXE
DES SPÉLUGUES
CENTRE DE CONGRÈS AUDITORIUM
CENTRE DE RENCONTRES INTERNATIONALES
ASCENSEUR
Ste-Dévote
PORT
LA CONDAMINE
POLICE MARITIME
FORT ANTOINE
MONACO
PALAIS
Vieille Ville
Cathédrale
MUSÉE OCÉANOGRAPHIQUE
JARDINS ST-MARTIN
ANSE DE LA GRUE
PORT DE FONTVIEILLE
FONTVIEILLE
JARDIN EXOTIQUE
St-Martin
PARC PCESSE ANTOINETTE
TUNNEL
CITÉ DE LA DANSE
SAN REMO CALVI, NICE
THERMES
R.M.C.
PTE ST-MARTIN
(DES PÊCHEURS)
0
200m

Monnet-la-Ville 39 .... 160 A4
Monnetay 39 .... 176 C2
Monnetier-Mornex 74 .... 195 F1
Monneville 60 .... 33 F4
Monnières 39 .... 159 E1
Monnières 44 .... 146 A1
Monoblet 30 .... 263 D3
Monpardiac 32 .... 274 A3
Monpazier 24 .... 239 D1
Monpezat 64 .... 273 E3
Monplaisant 24 .... 221 D4
Monprimblanc 33 .... 236 C1
Mons 31 .... 277 D2
Mons 16 .... 183 D3
Mons 83 .... 287 E1
Mons 30 .... 263 F2
Mons 34 .... 279 F2
Mons 63 .... 190 A2
Mons 17 .... 182 B4
Mons-Boubert 80 .... 6 B4
Mons-en-Barœul 59 .... 4 C4
Mons-en-Chaussée 80 .... 19 F3
Mons-en-Laonnois 02 .... 36 C1
Mons-en-Montois 77 .... 88 B2
Mons-en-Pévèle 59 .... 9 D2
Monsac 24 .... 220 C4
Monsaguel 24 .... 238 B1
Monsec 24 .... 202 B3
Monségur 47 .... 239 D3
Monségur 33 .... 237 E1
Monségur 64 .... 273 F3
Monségur 40 .... 272 B2
La Monselie 15 .... 206 B4
Monsempron-Libos 47 .... 239 D3
Monsireigne 85 .... 146 C4
Monsols 69 .... 174 C4
Monsteroux-Milieu 38 .... 211 D3
Monsures 80 .... 18 A4
Monswiller 67 .... 70 B2
Mont 71 .... 173 E1
Le Mont 88 .... 96 A1
Mont 64 .... 272 B3
Mont 65 .... 298 B4
Mont (Signal de) 71 .... 173 E1
Mont-Bernanchon 62 .... 8 A1
Mont-Bertrand 14 .... 54 C2
Mont Blanc (Tunnel du) 74 .... 197 D3
Mont-Bonvillers 54 .... 41 D3
Le Mont-Caume 83 .... 291 F3
Mont-Cauvaire 76 .... 32 B1
Mont-Cenis (Col du) 73 .... 215 D4
Mont-Cindre 69 .... 192 C4
Mont-d'Astarac 32 .... 274 C4
Mont-Dauphin 05 .... 250 C1
Mont-de-Galié 31 .... 299 D3
Mont-de-Lans 38 .... 231 F2
Mont-de-Laval 25 .... 142 B4
Mont-de-l'If 76 .... 15 F3
Mont-de-Marrast 32 .... 274 B4
Mont-de-Marsan 40 .... 254 A3
Mont-de-Vougney 25 .... 142 B4
Mont des Cats 59 .... 4 A3
Mont-devant-Sassey 55 .... 39 F2
Le Mont-Dieu 08 .... 39 D1
Mont-Disse 64 .... 273 E2
Mont-Dol 35 .... 79 D1
Le Mont-Dore 63 .... 206 C2
Mont-d'Origny 02 .... 20 B3
Mont du Chat 73 .... 212 C1
Mont-et-Marré 58 .... 155 F1
Mont-Laurent 08 .... 38 B2
Mont-le-Franois 70 .... 140 B1
Mont-le-Vernois 70 .... 141 D1
Mont-le-Vignoble 54 .... 67 F4
Mont-lès-Lamarche 88 .... 117 F1
Mont-lès-Neufchâteau 88 .... 93 E3
Mont-lès-Seurre 71 .... 158 C2
Mont-l'Étroit 54 .... 93 E1
Mont-l'Évèque 60 .... 35 D4
Mont-Louis 66 .... 311 D3
Mont Noir 59 .... 4 A3
Mont-Notre-Dame 02 .... 36 C3
Mont-près-Chambord 41 .... 132 B2
Mont-Roc 81 .... 278 C1
Mont Roland (Sanctuaire du) 39 .... 159 E1
Mont-Rond (Sommet du) 01 .... 177 E3
Le Mont-Saint-Adrien 60 .... 34 A2
Mont-Saint-Aignan 76 .... 32 A2
Mont-Saint-Éloi 62 .... 8 A3
Mont-Saint-Jean 02 .... 21 F3
Mont-Saint-Jean 21 .... 138 A4
Mont-Saint-Jean 72 .... 82 B4
Mont-Saint-Léger 70 .... 140 C1
Mont-Saint-Martin 54 .... 41 D1
Mont-Saint-Martin 02 .... 37 D3
Mont-Saint-Martin 08 .... 38 C3
Mont-Saint-Martin 38 .... 212 C4
Le Mont-Saint-Michel 50 .... 53 F4
Mont-Saint-Père 02 .... 63 D1
Mont-Saint-Remy 08 .... 38 B2
Mont-Saint-Sulpice 89 .... 113 E2
Mont-Saint-Vincent 71 .... 174 B1
Mont-Saxonnex 74 .... 196 A1
Mont-sous-Vaudrey 39 .... 159 E2
Mont-sur-Courville 51 .... 37 D4
Mont-sur-Meurthe 54 .... 94 C1
Mont-sur-Monnet 39 .... 160 A4
Mont Thou 69 .... 192 C4
Mont-Villers 55 .... 67 D1
Montabard 61 .... 56 B3
Montabès (Puy de) 12 .... 242 B2
Montabon 72 .... 107 E4
Montabot 50 .... 54 B2
Montacher-Villegardin 89 .... 112 B1
Montadet 32 .... 275 E4
Montady 34 .... 280 A4
Montagagne 09 .... 300 C3
Montagna-le-Reconduit 39 .... 176 B2
Montagna-le-Templier 39 .... 176 B3
Montagnac 30 .... 263 E3
Montagnac 04 .... 267 E4
Montagnac 34 .... 280 C3
Montagnac-d'Auberoche 24 .... 221 D1
Montagnac-la-Crempse 24 .... 220 B3
Montagnac-sur-Auvignon 47 .... 256 A1
Montagnac-sur-Lède 47 .... 238 C2
Montagnat 01 .... 193 F1
La Montagne 70 .... 119 D2
Montagne 33 .... 219 D3
Montagne 38 .... 229 F1
La Montagne 44 .... 126 A4
Montagne de Dun 71 .... 174 B4
Montagne-Fayel 80 .... 17 F2
Montagney 25 .... 141 F2
Montagney 70 .... 140 B3
Montagnieu 38 .... 212 A2
Montagnieu 01 .... 194 A4
Montagnol 12 .... 261 D4
Montagnole 73 .... 213 D2
Montagny 42 .... 191 F2
Montagny 73 .... 214 B2
Montagny 69 .... 210 C1
Montagny-en-Vexin 60 .... 33 E4
Montagny-lès-Beaune 21 .... 158 A2
Montagny-lès-Buxy 71 .... 157 F4
Montagny-les-Lanches 74 .... 195 E3
Montagny-lès-Seurre 21 .... 158 C2
Montagny-près-Louhans 71 .... 176 A1
Montagny-Sainte-Félicité 60 .... 61 F1
Montagny-sur-Grosne 71 .... 174 C3
Montagoudin 33 .... 237 D2
Montagrier 24 .... 202 A4
Montagudet 82 .... 257 E1
Montagut 64 .... 272 C2
Montaignac-Saint-Hippolyte 19 .... 205 D4
Montaigu 02 .... 37 E1
Montaigu 85 .... 146 A2
Montaigu 39 .... 176 C1
Montaigu (Butte de) 53 .... 81 F4
Montaigu-de-Quercy 82 .... 239 D4
Montaigu-la-Brisette 50 .... 25 D3
Montaigu-le-Blin 03 .... 172 C4
Montaigu-les-Bois 50 .... 54 A2
Montaiguët-en-Forez 03 .... 173 D4
Montaigut 63 .... 188 C1
Montaigut-le-Blanc 63 .... 207 E2
Montaigut-le-Blanc 23 .... 186 C1
Montaigut-sur-Save 31 .... 276 A1
Montaillé 72 .... 107 F2
Montailleur 73 .... 213 F1
Montaillou 09 .... 310 B1
Montaimont 73 .... 214 A3
Montaïn 82 .... 257 E3
Montain 39 .... 159 E4
Montainville 28 .... 85 E4
Montainville 78 .... 60 A3
Montal (Château de) 46 .... 223 D4
Montalba-d'Amélie 66 .... 312 C4
Montalba-le-Château 66 .... 312 B2
Montalembert 79 .... 183 F1
Montalet-le-Bois 78 .... 60 A1
Montalieu-Vercieu 38 .... 194 A4
Montalivet-les-Bains 33 .... 198 B3
Montalzat 82 .... 258 A1
Montamat 32 .... 275 E3
Montambert 58 .... 155 F4
Montamel 46 .... 240 A2
Montamisé 86 .... 166 B1
Montamy 14 .... 55 D2
Montanay 69 .... 193 D3
Montanceix 24 .... 220 B1
Montancy 25 .... 143 D2
Montandon 25 .... 142 C3
Montanel 50 .... 79 F1
Montaner 64 .... 273 F4
Montanges 01 .... 194 C1
Montangon 10 .... 90 C3
Montans 81 .... 258 C4
Montapas 58 .... 155 F1
Montarcher 42 .... 209 E3
Montardit 09 .... 300 A3
Montardon 64 .... 273 D4
Montaren-et-Saint-Médiers 30 .... 264 A3
Montargis 45 .... 111 F2
Montarlot 77 .... 88 A3
Montarlot-lès-Champlitte 70 .... 140 A1
Montarlot-lès-Rioz 70 .... 141 D2
Montarnaud 34 .... 281 E2
Montaron 58 .... 156 A3
Montastruc 82 .... 257 F2
Montastruc 47 .... 238 A3
Montastruc 65 .... 298 B1
Montastruc-de-Salies 31 .... 299 E3
Montastruc-la-Conseillère 31 .... 277 D1
Montastruc-Savès 31 .... 275 F4
Le Montat 46 .... 240 A4
Montataire 60 .... 34 C4
Montauban 82 .... 257 F3
Montauban-de-Bretagne 35 .... 78 C4
Montauban-de-Luchon 31 .... 307 F4
Montauban-de-Picardie 80 .... 19 D1
Montauban-sur-l'Ouvèze 26 .... 248 B4
Montaud 34 .... 281 F1
Montaud 38 .... 212 B4
Montaudin 53 .... 80 C2
Montaulieu 26 .... 247 F4
Montaulin 10 .... 90 B4
Montaure 27 .... 32 A4
Montauriol 11 .... 301 E1
Montauriol 81 .... 259 F2
Montauriol 47 .... 238 B2
Montauriol 66 .... 312 C3
Montauroux 83 .... 287 F1
Montaut 64 .... 297 D2
Montaut 09 .... 301 D2
Montaut 24 .... 238 B1
Montaut 40 .... 272 B1
Montaut 47 .... 238 B2
Montaut 32 .... 274 B4
Montaut 31 .... 276 B4
Montaut-les-Créneaux 32 .... 275 D1
Montautour 35 .... 80 B4
Montauville 54 .... 68 A2
Montay 59 .... 9 F4
Montayral 47 .... 239 D3
Montazeau 24 .... 219 E3
Montazels 11 .... 302 B4
Montbard 21 .... 137 F1
Montbarla 82 .... 257 E1
Montbarrey 39 .... 159 F2
Montbarrois 45 .... 111 D2
Montbartier 82 .... 257 F4
Montbavin 02 .... 36 C1
Montbazens 12 .... 241 F3
Montbazin 34 .... 281 E3
Montbazon 37 .... 130 C4
Montbel 09 .... 301 F3
Montbel 48 .... 244 C2
Montbéliard 25 .... 142 C1
Montbéliardot 25 .... 142 B4
Montbellet 71 .... 175 E2
Montbenoît 25 .... 161 D2
Montberaud 31 .... 300 A2
Montbernard 31 .... 299 E1
Montberon 31 .... 276 C1
Montbert 44 .... 145 F1
Montberthault 21 .... 137 E2
Montbeton 82 .... 257 F3
Montbeugny 03 .... 172 C2
Montbizot 72 .... 106 C1
Montblainville 55 .... 39 E3
Montblanc 04 .... 269 D3
Montblanc 34 .... 280 C4
Montboillon 70 .... 141 D3
Montboissier 28 .... 85 D4
Montbolo 66 .... 312 B3
Montbonnot-Saint-Martin 38 .... 212 C4
Montboucher 23 .... 186 C3
Montboucher-sur-Jabron 26 .... 247 D2
Montboudif 15 .... 206 C4
Montbouton 90 .... 142 C2
Montbouy 45 .... 112 A3
Montboyer 16 .... 201 E4
Montbozon 70 .... 141 F2
Montbrand 05 .... 248 C2
Montbras 55 .... 93 E1
Montbray 50 .... 54 B2
Montbré 51 .... 37 F4
Montbrehain 02 .... 20 A2
Montbrison 42 .... 209 E2
Montbrison 26 .... 247 E3
Montbron 16 .... 202 B1
Montbronn 57 .... 44 B4
Montbrun 46 .... 241 D3
Montbrun 48 .... 244 B4
Montbrun (Château de) 87 .... 203 D1
Montbrun-Bocage 31 .... 300 B2
Montbrun-des-Corbières 11 .... 303 E2
Montbrun-Lauragais 31 .... 276 C3
Montbrun-les-Bains 26 .... 266 A1
Montcabrier 81 .... 277 E2
Montcabrier 46 .... 239 E2
Montcaret 24 .... 219 E4
Montcarra 38 .... 212 A1
Montcavrel 62 .... 6 B1
Montceau 38 .... 212 A1
Montceau-et-Écharnant 21 .... 157 F2
Montceau-les-Mines 71 .... 174 B1
Montceaux 01 .... 192 C1
Montceaux-les-Meaux 77 .... 62 A2
Montceaux-lès-Provins 77 .... 63 D4
Montceaux-lès-Vaudes 10 .... 114 B1
Montceaux-l'Étoile 71 .... 173 F3
Montceaux-Ragny 71 .... 175 E1
Le Montcel 73 .... 195 D4
Montcel 63 .... 189 E2
Montcenis 71 .... 157 D4
Montcet 01 .... 175 F4
Montcey 70 .... 118 B4
Montchaboud 38 .... 230 C1
Montchal 42 .... 191 F4
Montchâlons 02 .... 37 D1
Montchamp 14 .... 55 D2
Montchamp 15 .... 225 F2
Montchanin 71 .... 157 E4
Montcharvot 52 .... 117 E2
Montchaton 50 .... 53 F1
Montchaude 16 .... 200 C3
Montchauvet 14 .... 55 D2
Montchauvet 78 .... 59 F3
Montchauvrot 39 .... 159 E3
Montchavin 73 .... 214 C1
Montchenot 51 .... 37 F4
Montchenu 26 .... 229 E1
Montcheutin 08 .... 39 D3
Montchevrel 61 .... 83 D1
Montchevrier 36 .... 169 D2
Montclar 04 .... 250 A3
Montclar 11 .... 302 B2
Montclar 12 .... 260 B3
Montclar-de-Comminges 31 .... 299 F2
Montclar-Lauragais 31 .... 277 D4
Montclar-sur-Gervanne 26 .... 229 F4
Montclard 43 .... 208 B4
Montcléra 46 .... 239 F2
Montclus 30 .... 264 A1
Montclus 05 .... 248 C3
Montcombroux-les-Mines 03 .... 173 D3
Montcony 71 .... 159 D4
Montcorbon 45 .... 112 B2
Montcornet 02 .... 21 E4
Montcornet 08 .... 22 C3
Montcourt 70 .... 118 A2
Montcourt-Fromonville 77 .... 87 F3
Montcoy 71 .... 158 B4
Montcresson 45 .... 111 F3
Montcuit 50 .... 27 D4

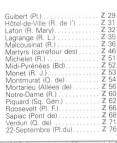

MONTAUBAN

Nationale (Pl.) .... Z
République (R. de la) .... Z 63
Résistance (R. de la) .... Z 64

Banque (R. de la) .... Z
Bourdelle (Pl.) .... Z 4
Bourjade (Pl. L.) .... Z 6
Cambon (R.) .... Z 9
Carmes (R. des) .... Z 10
Comédie (R. de la) .... Z 13
Consul-Dupuy (Allée du) .... Z 14
Coq (Pl. du) .... Z 16
Dr-Lacaze (R. du) .... Z 19
Guibert (Pl.) .... Z 29
Hôtel-de-Ville (R. de l') .... Z 31
Lafon (R. Mary) .... Z 32
Lagrange (R. L.) .... Z 35
Malcousinat (R.) .... Z 36
Martyrs (carrefour des) .... Z 46
Michelet (R.) .... Z 51
Midi-Pyrénées (Bd) .... Z 52
Monet (R. J.) .... Z 53
Montmurat (Q. de) .... Z 54
Mortarieu (Allées de) .... Z 56
Notre-Dame (R.) .... Z 60
Piquard (Sq. Gén.) .... Z 62
Roosevelt (Pl. F.) .... Z 66
Sapiac (Pont de) .... Z 68
Verdun (Q. de) .... Z 71
22-Septembre (Pl.du) .... Z 76

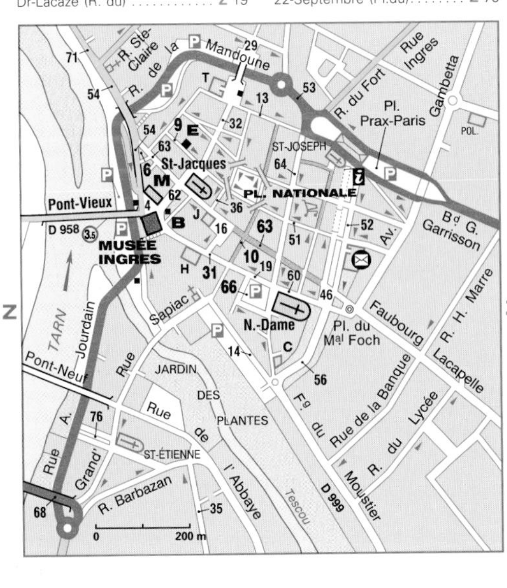

Z
R. Ste-Claire
R. de la Mandoune
Rue Ingres
R. du Fort
Pl. Prax-Paris
Gambetta
St-Jacques
ST-JOSEPH
PL. NATIONALE
Pont-Vieux
D 958
MUSÉE INGRES
Bd G. Garrisson
TARN
Jourdain
Sapiac
N.-Dame
Pl. du Mal Foch
Faubourg Lacapelle
R. H. Marre
Pont-Neuf
JARDIN DES PLANTES
Rue de la Banque
R. du Lycée
Fg du Moustier
ST-ÉTIENNE
R. Barbazan
l'Abbaye
Tescou
D 999
Rue A. Grand
0
200 m

Montcuq 46 .... 239 F4	Montéléger 26 .... 229 D4	Montesquieu-Guittaut 31 ... 275 E4	Montferrat 83 .... 287 D1	Montgauch 09 .... 299 F3	Monthelon 51 .... 64 A2
Montcusel 39 .... 176 C3	Montélier 26 .... 229 E3	Montesquieu-Lauragais 31 ... 277 D4	Montferrat 38 .... 212 B2	Montgaudry 61 .... 83 E2	Monthelon 71 .... 156 C2
Montcy-Notre-Dame 08 .... 22 C3	Montélimar 26 .... 246 C2	Montesquieu-Volvestre 31 ... 300 A1	Montferrer 66 .... 312 B4	Montgazin 31 .... 300 B1	Monthenault 02 .... 37 D2
Montdardier 30 .... 262 B3	Le Montellier 01 .... 193 E3	Montesquiou 32 .... 274 B2	Montferrier 09 .... 301 E4	Montgé-en-Goële 77 .... 61 F2	Montheries 52 .... 92 A4
Montdauphin 77 .... 63 D3	Montels 34 .... 304 C1	Montessaux 70 .... 119 D3	Montferrier-sur-Lez 34 .... 281 F2	Montgeard 31 .... 277 D4	Montherlant 60 .... 34 A3
Montdidier 57 .... 69 E2	Montels 09 .... 300 C3	Montesson 52 .... 117 E3	Montfey 10 .... 114 A1	Montgellafrey 73 .... 214 A3	Monthermé 08 .... 22 C2
Montdidier 80 .... 18 C4	Montels 81 .... 258 C3	Montesson 78 .... 60 C3	Montfiquet 14 .... 27 F4	Montgenèvre 05 .... 232 C3	Monthiers 02 .... 62 C1
Montdoré 70 .... 118 A2	Montemaggiore 2B 314 B3	Montestruc-sur-Gers 32 .... 275 D1	Montfleur 39 .... 176 B3	Montgenost 51 .... 89 E1	Monthieux 01 .... 193 D3
Montdoumerc 46 .... 258 A1	Montembœuf 16 .... 184 B4	Montestrucq 64 .... 272 A3	Montflours 53 .... 81 D4	Montgeoffroy	Monthion 73 .... 214 A1
Montdragon 81 .... 278 A1	Montenach 57 .... 42 A2	Le Montet 03 .... 171 F3	Montflovin 25 .... 161 D2	(Château de) 49 .... 129 D2	Monthodon 37 .... 131 D1
Montdurausse 81 .... 258 A3	Montenay 53 .... 80 C3	Montet-et-Bouxal 46 .... 241 E1	Montfort 49 .... 145 D1	Montgérain 60 .... 35 D1	Monthoiron 86 .... 149 F4
Monte 2B 315 F3	Montendre 17 .... 199 F4	Monteton 47 .... 237 F2	Montfort 04 .... 267 E2	Montgermont 35 .... 79 D4	Monthois 08 .... 39 D3
Monte-Carlo 289 E4	Montendry 73 .... 213 F2	Montets (Col des) 74 .... 197 D2	Montfort 24 .... 221 F4	Montgeron 91 .... 61 E4	Montholier 39 .... 159 F3
Monte Cecu 2B 315 D4	Montenescourt 62 .... 8 A3	Monteux 84 .... 265 E2	Montfort 25 .... 160 A1	Montgeroult 95 .... 60 B1	Monthou-sur-Bièvre 41 ...... 132 A3
Monte d'Oro 2B 317 D2	Monteneuf 56 .... 102 B2	Montévrain 77 .... 61 F3	Montfort 64 .... 272 A4	Montgesoye 25 .... 160 C1	Monthou-sur-Cher 41 .... 132 A3
Monteaux 41 .... 131 F2	Montenils 77 .... 63 D3	Monteynard 38 .... 230 C2	Montfort-en-Chalosse 40 ... 272 A1	Montgesty 46 .... 239 F2	Monthuchon 50 .... 54 B1
Montebourg 50 .... 25 D3	Montenois 25 .... 142 B1	Montézic 12 .... 242 B1	Montfort-l'Amaury 78 .... 60 A4	Montgey 81 .... 277 F3	Monthurel 02 .... 63 E1
Montech 82 .... 257 E3	Montenoison 58 .... 136 A4	Montfa 81 .... 278 B1	Montfort-le-Gesnois 72 .... 107 E1	Montgibaud 19 .... 204 A2	Monthureux-le-Sec 88 ...... 94 A4
Montécheroux 25 .... 142 C3	Montenoy 54 .... 68 B3	Montfa 09 .... 300 B2	Montfort-sur-Argens 83 .... 286 B3	Montgilbert 73 .... 213 F2	Monthureux-sur-Saône 88 ... 118 A1
Montegrosso 2B 314 B3	Montépilloy 60 .... 35 D4	Montfalcon 38 .... 211 F4	Montfort-sur-Boulzane 11 ... 311 E1	Montgirod 73 .... 214 B2	Monthyon 77 .... 62 A2
Montégut 32 .... 275 D2	Monteplain 39 .... 140 B4	Montfarville 50 .... 25 E2	Montfort-sur-Meu 35 .... 78 C4	Montgiscard 31 .... 277 D3	Monti 06 .... 289 E3
Montégut 65 .... 298 C2	Montépreux 51 .... 64 B4	Montfaucon 02 .... 63 D2	Montfort-sur-Risle 27 .... 31 E3	Montgivray 36 .... 169 F1	Monticello 2B 314 C2
Montégut 40 .... 254 C4	Monterblanc 56 .... 101 E3	Montfaucon 25 .... 141 E4	Montfranc 12 .... 260 B4	Montgobert 02 .... 36 A3	Montier-en-Der 52 .... 91 F2
Montégut-Arros 32 .... 274 A4	Montereau 45 .... 111 E3	Montfaucon 46 .... 240 B1	Montfrin 30 .... 264 B4	Montgon 08 .... 39 D1	Montier-en-l'Isle 10 .... 91 E4
Montégut-Bourjac 31 .... 299 F1	Montereau-Fault-Yonne 77 ... 88 A3	Montfaucon 49 .... 146 B3	Montfroc 26 .... 266 B1	Montgothier 50 .... 54 B4	Montiéramey 10 .... 90 C4
Montégut-en-Couserans 09 ... 300 A3	Montereau-sur-le-Jard 77 ... 87 F1	Montfaucon 30 .... 264 C2	Montfuron 04 .... 266 C4	Montgradail 11 .... 301 D3	Montierchaume 36 .... 152 A3
Montégut-Lauragais 31 .... 277 F3	Monterfil 35 .... 102 C1	Montfaucon-d'Argonne 55 ... 39 F3	Montgaillard 09 .... 301 D4	Montgras 31 .... 275 F3	Montiers 60 .... 35 D2
Montégut-Plantaurel 09 ...... 300 C3	Montérolier 76 .... 16 B4	Montfaucon-en-Velay 43 .... 227 F1	Montgaillard 11 .... 303 D4	Montgreleix 15 .... 207 D4	Montiers-sur-Saulx 55 .... 92 B1
Montégut-Savès 32 .... 275 D2	Monterrein 56 .... 102 A2	Montfavet 84 .... 265 D3	Montgaillard 65 .... 297 F2	Montgru-Saint-Hilaire 02 ... 36 B3	Monties 32 .... 275 D4
Monteignet-sur-l'Andelot 03 189 F1	Montertelot 56 .... 101 F2	Montfermeil 93 .... 61 E3	Montgaillard 81 .... 258 B4	Montguers 26 .... 248 B4	Montignac 24 .... 221 E2
Le Monteil 43 .... 227 D2	Montescot 66 .... 313 D2	Montfermier 82 .... 258 A1	Montgaillard 40 .... 272 C1	Montgueux 10 .... 90 A3	Montignac 65 .... 298 A1
Le Monteil 15 .... 206 B4	Montescourt-Lizerolles 02 ... 20 A4	Montfermy 63 .... 188 C3	Montgaillard 82 .... 256 C3	Montguillon 49 .... 105 D4	Montignac 33 .... 236 C1
Le Monteil-au-Vicomte 23 ... 187 D3	Montespan 31 .... 299 E2	Montferrand 11 .... 277 E4	Montgaillard-de-Salies 31 ... 299 F3	Montguyon 17 .... 218 C1	Montignac-Charente 16 ...... 183 E4
Monteille 14 .... 56 C1	Montesquieu 82 .... 257 D1	Montferrand 63 .... 189 E4	Montgaillard-Lauragais 31 ... 277 D4	Les Monthairons 55 .... 66 C1	Montignac-de-Lauzun 47 .... 238 A2
Monteils 12 .... 259 D1	Montesquieu 47 .... 256 A1	Montferrand-du-Périgord 24 239 D1	Montgaillard-sur-Save 31 ... 299 D1	Montharville 28 .... 85 D4	Montignac-le-Coq 16 ...... 201 F4
Monteils 30 .... 263 F2	Montesquieu 34 .... 280 B2	Montferrand-la-Fare 26 .... 248 B4	Montgardin 05 .... 249 F2	Monthault 35 .... 80 B1	Montignac-Toupinerie 47 ... 237 F2
Monteils 82 .... 258 A1	Montesquieu-Avantès 09 .... 300 A3	Montferrand-le-Château 25 .. 141 D4	Montgardon 50 .... 26 C3	Monthaut 11 .... 302 A2	Montignargues 30 .... 263 F3
Montel-de-Gelat 63 .... 188 B3	Montesquieu-des-Albères 66 313 D3		Montgaroult 61 .... 56 B4	Monthelie 21 .... 158 A2	Montigné 79 .... 165 D4

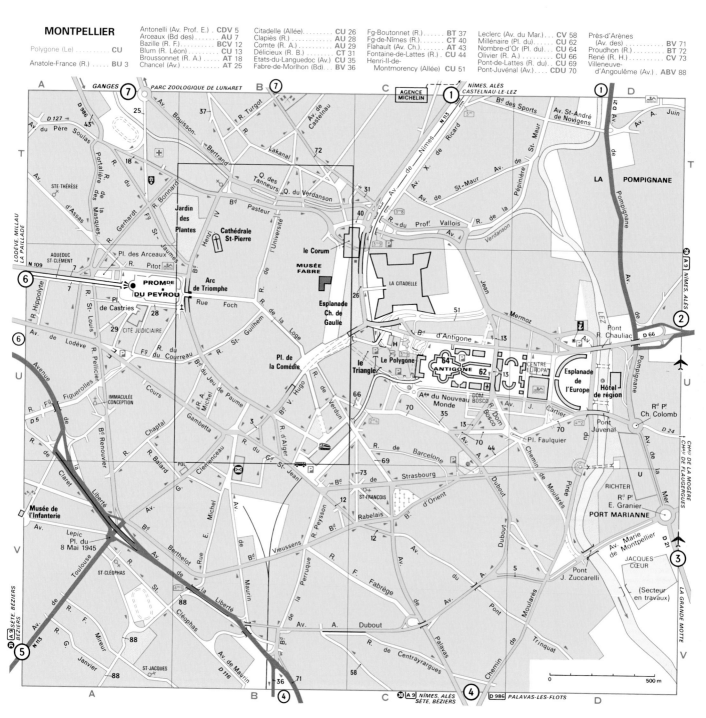

MONTPELLIER

Polygone (Le) .... **CU**

Anatole-France (R.) ..... **BU** 3

Antonelli (Av. Prof. E.) . **CDV** 5
Arceaux (Bd des) .... **AU** 7
Bazille (R. F.) .... **BCV** 12
Blum (R. Léon) .... **CU** 13
Broussonnet (R. A.) ..... **AT** 18
Chancel (Av.) .... **AT** 25

Citadelle (Allée) .... **CU** 26
Clapiès (R.) .... **AU** 28
Comte (R. A.) .... **AU** 29
Délicieux (R. B.) .... **CT** 31
Etats-du-Languedoc (Av.) **CU** 35
Fabre-de-Morlhon (Bd) .. **BV** 36

Fg-Boutonnet (R.) ..... **BT** 37
Fg-de-Nîmes (R.) ..... **CT** 40
Flahault (Av. Ch.) ..... **AT** 43
Fontaine-de-Lattes (R.) .. **CU** 44
Henri-II-de-Montmorency (Allée) **CU** 51

Leclerc (Av. du Mar.) ... **CV** 58
Millénaire (Pl. du) ..... **CU** 62
Nombre-d'Or (Pl. du) ... **CU** 64
Olivier (R. A.) .... **CU** 66
Pont-de-Lattes (R. du) ... **CU** 69
Pont-Juvénal (Av.) .... **CDU** 70

Près-d'Arènes (Av. des) .... **BV** 71
Proudhon (R.) .... **BT** 72
René (R. H.) .... **CV** 73
Villeneuve-d'Angoulême (Av.) .. **ABV** 88

Montigné 16 . . . . 183 D4
Montigné-le-Brillant 53 . . . . 105 D2
Montigné-lès-Rairies 49. . . . . 129 D1
Montigné-sur-Moine 49. . . . . 146 B1
Montigny 72 . . . . 83 D2
Montigny 54 . . . . 95 E1
Montigny 79 . . . . 147 E4
Montigny 14 . . . . 55 F1
Montigny 76 . . . . 32 A2
Montigny 45 . . . . 110 B1
Montigny 50 . . . . 54 B4
Montigny 18 . . . . 134 C4
Montigny-aux-Amognes 58 . . 155 D2
Montigny-devant-Sassey 55. . 39 F2
Montigny-en-Arrouaise 02 . . . 20 B2
Montigny-en-Cambrésis 59 . . 20 B1
Montigny-en-Gohelle 62 . . . . 8 C2
Montigny-en-Morvan 58 . . . . 156 A1
Montigny-en-Ostrevant 59 . . . 9 D3
Montigny-la-Resle 89 . . . . . . 113 F3
Montigny-l'Allier 02 . . . . 62 B1
Montigny-le-Bretonneux 78 . . 60 B4
Montigny-le-Chartif 28 . . . . . 84 C4
Montigny-le-Franc 02. . . . . . 21 E4
Montigny-le-Gannelon 28. . . 108 C2
Montigny-le-Guesdier 77. . . . 88 C3
Montigny-le-Roi 52 . . . . 117 D2
Montigny-Lencoup 77 . . . . . 88 B2
Montigny-Lengrain 02 . . . . . 36 A3
Montigny-lès-Arsures 39. . . . 160 A2
Montigny-lès-Cherlieu 70 . . . 117 F3
Montigny-lès-Condé 02 . . . . 63 E2
Montigny-lès-Cormeilles 95. . 60 C2
Montigny-lès-Jongleurs 80. . . 7 D2
Montigny-lès-Metz 57. . . . . . 41 F4
Montigny-lès-Monts 10 . . . . 114 A1
Montigny-lès-Vaucouleurs 55 . . . . . 93 D1
Montigny-lès-Vesoul 70. . . . 118 A4
Montigny-Montfort 21 . . . . . 137 F1
Montigny-Saint-Barthélemy 21 . . . . 137 F3
Montigny-sous-Marle 02. . . . 21 D4
Montigny-sur-Armançon 21. . 138 A3
Montigny-sur-Aube 21. . . . . 115 F2
Montigny-sur-Avre 28 . . . . . 58 B4
Montigny-sur-Canne 58. . . . . 155 F3
Montigny-sur-Chiers 54. . . . . 40 C1
Montigny-sur-Crécy 02 . . . . 20 C4
Montigny-sur-l'Ain 39 . . . . . 160 A4
Montigny-sur-l'Hallue 80. . . . 18 B2
Montigny-sur-Loing 77 . . . . . 87 F3
Montigny-sur-Meuse 08 . . . . 11 F4
Montigny-sur-Vence 08 . . . . 22 C4
Montigny-sur-Vesle 51. . . . . . 37 E3
Montigny-sur-Vingeanne 21. 140 A1
Montilliers 49 . . . . 128 B4
Montillot 89. . . . . 136 C2
Montilly 03 . . . . 172 A1
Montilly-sur-Noireau 61. . . . . 55 E3
Montils 17 . . . . 199 E1
Les Montils 41 . . . . 132 A2
Montipouret 36 . . . . 169 E1
Montirat 81 . . . . 259 E2
Montirat 11 . . . . 302 C2
Montireau 28 . . . . 84 B3
Montiron 32 . . . . 275 E2
Montivernage 25 . . . . 142 A3
Montivilliers 76 . . . . 14 B4
Montjardin 11. . . . . 301 F3
Montjaux 12 . . . . 261 D2
Montjavoult 60 . . . . 33 E4
Montjay 71 . . . . 159 D3
Montjay 05 . . . . 248 C4
Montjay-la-Tour 77 . . . . 61 F2
Montjean 16 . . . . 183 E2
Montjean 53 . . . . 104 C2
Montjean-sur-Loire 49 . . . . . 127 F3
Montjézieu 48. . . . . 243 F3
Montjoi 82 . . . . 257 D1
Montjoi 11 . . . . 302 C3
Montjoie 63 . . . . 188 C1
Montjoie-en-Couserans 09 . . 300 A3
Montjoie-le-Château 25 . . . . 142 C3
Montjoie-Saint-Martin 50 . . . 80 A1
Montjoire 31 . . . . 276 C1
Montjouvent 39 . . . . 176 C2
Montjoux 26 . . . . 247 F3
Montjoyer 26 . . . . 247 D3
Montjustin 04 . . . . 266 C4
Montjustin-et-Velotte 70 . . . 141 F1
Montlandon 52. . . . . 117 D3
Montlandon 28. . . . . 84 B3
Montlaur 11. . . . . 303 D2
Montlaur 31. . . . . 277 D3
Montlaur 12. . . . . 260 C4
Montlaur-en-Diois 26 . . . . . . 248 A1
Montlaux 04 . . . . 267 D2
Montlauzun 46 . . . . 239 E4
Montlay-en-Auxois 21 . . . . . 137 F3
Montlebon 25 . . . . 161 E1
Montlegun 11 . . . . 302 C1
Montlevicq 36. . . . . 169 F2
Montlevon 02. . . . . 63 E2
Montlhéry 91 . . . . 86 C4
Montliard 45 . . . . 111 D2
Montlieu-la-Garde 17. . . . . . 200 C4
Montlignon 95 . . . . 61 D2
Montliot-et-Courcelles 21. . . 115 E3
Montlivault 41 . . . . 132 B1
Montlognon 60. . . . . 35 D4
Montloué 02 . . . . 21 F4
Montlouet 28 . . . . 85 F2
Montlouis 18. . . . . 153 D4
Montlouis-sur-Loire 37. . . . . 131 D3
Montluçon 03 . . . . 170 C4
Montluel 01. . . . . 193 E2
Montmachoux 77 . . . . 88 B3
Montmacq 60 . . . . 35 F2
Montmagny 95. . . . . 61 D2

Montmahoux 25 . . . . 160 B2
Montmain 21 . . . . 158 B2
Montmain 76 . . . . 32 B2
Montmajour (Abbaye de) 13. 283 E1
Montmalin 39. . . . . 159 F2
Montmançon 21. . . . . 139 F3
Montmarault 03 . . . . 171 E4
Montmarlon 39 . . . . 160 B3
Montmarquet 80 . . . . 17 E3
Montmartin 60 . . . . 35 D2
Montmartin-en-Graignes 50. 27 E3
Montmartin-le-Haut 10. . . . . 91 D4
Montmartin-sur-Mer 50. . . . . 53 F1
Montmaur 05 . . . . 249 D2
Montmaur 11 . . . . 277 E4
Montmaur-en-Diois 26. . . . . 248 A1
Montmaurin 31 . . . . 299 D1
Montmédy 55. . . . . 40 A1
Montmeillant 08. . . . . 22 A4
Montmelard 71. . . . . 174 B4
Montmelas-Saint-Sorlin 69. . 192 B2
Montmélian 73. . . . . 213 E2
Montmerle-sur-Saône 01 . . . 192 C2
Montmerrei 61. . . . . 82 C1
Montmeyan 83. . . . . 286 A1
Montmeyran 26 . . . . 229 E4
Montmin 74. . . . . 195 F4
Montmirail 51. . . . . 63 E3
Montmirail 72. . . . . 108 A1
Montmiral 26 . . . . 229 F1
Montmirat 39 . . . . 263 E4
Montmirat (Col de) 48. . . . . . 244 B3
Montmirey-la-Ville 39. . . . . . 140 A4
Montmirey-le-Château 39 . . 140 A4
Montmoreau-Saint-Cybard 16. . . . . . . 201 E3
Montmorency 95. . . . . 61 D2
Montmorency-Beaufort 10. . . 91 D2
Montmorillon 86 . . . . 167 E3
Montmorin 63. . . . . 208 A1
Montmorin 05. . . . . 248 B3
Montmorot 39 . . . . 159 E4
Montmort 51. . . . . 63 F2
Montmort 71. . . . . 156 C4
Montmotier 88 . . . . 118 B2
Montmoyen 21. . . . . 115 F4
Montmuran (Château de) 35. 79 D3
Montmurat 15. . . . . 241 F2
Montner 66 . . . . 312 B1
Montoillot 21 . . . . 138 B4
Montoir-de-Bretagne 44 . . . . 125 E3
Montoire-sur-le-Loir 41 . . . . 108 A4
Montois-la-Montagne 57. . . . 41 E3
Montoison 26. . . . . 229 D4
Montoldre 03 . . . . 172 B4
Montolieu 11. . . . . 302 B1
Montolivet 77 . . . . 63 D3
Montonvillers 80. . . . . 18 B2
Montord 03 . . . . 172 A4
Montormel 61. . . . . 56 C3
Montory 64 . . . . 296 A2
Montot 70 . . . . 140 B1
Montot 21 . . . . 158 C1
Montot-sur-Rognon 52. . . . . 92 C3
Montouliers 34. . . . . 279 F4
Montoulieu 09 . . . . 301 D4
Montoulieu 34 . . . . 262 C3
Montoulieu-Saint-Bernard 31 299 E1
Montournais 85 . . . . 147 D4
Montours 35. . . . . 80 A2
Montourtier 53. . . . . 81 E4
Montoussé 65. . . . . 298 B2
Montoussin 31. . . . . 299 F1
Montoy-Flanville 57. . . . . . . 42 A4
Montpascal 73 . . . . 214 A3
Montpellier 34 . . . . 281 F2
Montpellier-de-Médillan 17. . 199 D1
Montpellier-la-Paillade 34. . . 281 F2
Montpellier-le-Vieux
(Chaos de) 12. . . . . 261 F2
Montpensier 63 . . . . 189 F2
Montperreux 25 . . . . 161 D3
Montpeyroux 34 . . . . 281 D1
Montpeyroux 12 . . . . 243 D2
Montpeyroux 24 . . . . 219 E3
Montpeyroux 63 . . . . 207 F2
Montpezat 04 . . . . 267 E4
Montpezat 30 . . . . 263 E4
Montpezat 32 . . . . 275 D4
Montpezat-d'Agenais 47. . . . 238 A4
Montpezat-de-Quercy 82. . . 258 A1
Montpezat-sous-Bauzon 07. 245 F2
Montpinchon 50. . . . . 54 A1
Montpinçon 14. . . . . 56 C2
Montpinier 81. . . . . 278 B2
Montpitol 31. . . . . 277 D1
Montplonne 55. . . . . 66 B4
Montpollin 49. . . . . 129 E1
Montpon-Ménestérol 24. . . . 219 E2
Montpont-en-Bresse 71. . . . 175 F2
Montpothier 10 . . . . 89 E1
Montrabé 31. . . . . 276 C2
Montrabot 50 . . . . 27 F4
Montracol 01. . . . . 193 E1
Montravers 79 . . . . 147 D3
Montréal 89. . . . . 137 E2
Montréal 32. . . . . 255 E3
Montréal 07. . . . . 245 F2
Montréal 11. . . . . 302 A1
Montréal (Château de) 24. . . 220 A2
Montréal-la-Cluse 01. . . . . . 194 B1
Montréal-les-Sources 26. . . . 248 A3
Montrécourt 59. . . . . 9 E4
Montredon 46. . . . . 241 D2
Montredon 11. . . . . 302 C1
Montredon-des-Corbières 11 303 F2
Montredon-Labessonnié 81. . 278 B1
Montregard 43 . . . . 228 A1

Montréjeau 31. . . . . 298 C2
Montrelais 44 . . . . 127 F3
Montrelet 80 . . . . 18 A1
Montrem 24 . . . . 220 B1
Montrésor 37 . . . . 151 D1
Montret 71. . . . . 175 F1
Montreuil 93 . . . . 61 D3
Montreuil 28 . . . . 59 D4
Montreuil 53 . . . . 81 E3
Montreuil 85 . . . . 164 A3
Montreuil 62 . . . . 6 B2
Montreuil-au-Houlme 61. . . . 56 A4
Montreuil-aux-Lions 02. . . . . 62 C2
Montreuil-Bellay 49. . . . . . . 148 B1
Montreuil-Bonnin 86. . . . . . 166 A2
Montreuil-des-Landes 35. . . . 80 A3
Montreuil-en-Auge 14. . . . . . 30 B4
Montreuil-en-Caux 76. . . . . . 16 A4
Montreuil-en-Touraine 37. . . 131 D3
Montreuil-Juigné 49. . . . . . . 128 B2
Montreuil-la-Cambe 61. . . . . 56 C2
Montreuil-l'Argillé 27. . . . . . 57 E2
Montreuil-le-Chétif 72. . . . . . 82 B4
Montreuil-le-Gast 35. . . . . . 79 E3
Montreuil-le-Henri 72. . . . . . 107 F3
Montreuil-sous-Pérouse 35. . 80 A4
Montreuil-sur-Barse 10. . . . . 90 C4
Montreuil-sur-Blaise 52. . . . . 92 A2
Montreuil-sur-Brêche 60. . . . 34 B2
Montreuil-sur-Epte 95. . . . . . 33 E4
Montreuil-sur-Ille 35. . . . . . . 79 E3
Montreuil-sur-Loir 49. . . . . . 128 C1
Montreuil-sur-Lozon 50. . . . . 27 D4
Montreuil-sur-Maine 49. . . . . 128 A1
Montreuil-sur-Thérain 60. . . . 34 B3
Montreuil-sur-Thonnance 52 92 B2
Montreuillon 58 . . . . 156 A1
Montreux 54. . . . . 95 F1
Montreux-Château 90. . . . . . 120 A3
Montreux-Jeune 68. . . . . . . 120 A3
Montreux-Vieux 68. . . . . 120 A3
Montrevault 49. . . . . 127 E4
Montrevel 38. . . . . 212 A2
Montrevel 39. . . . . 176 B3
Montrevel-en-Bresse 01. . . . 175 F3
Montrichard 41. . . . . 131 F3
Montricher-Albanne 73. . . . . 214 A4
Montricoux 82 . . . . 258 B2
Montrieux-en-Sologne 41. . . 132 C2
Montrigaud 26 . . . . 229 E1
Montriond 74 . . . . 179 D4
Montriond (Lac de) 74. . . . . 179 D4
Montroc-le-Planet 74. . . . . . 197 D2
Montrodat 48. . . . . 244 A2
Montrol-Sénard 87. . . . . 185 D2
Montrollet 16 . . . . 185 D3
Montromant 69. . . . . 210 B1
Montrond 73. . . . . 232 A1
Montrond 39. . . . . 160 A3
Montrond 05. . . . . 248 C3
Montrond-le-Château 25. . . . 160 B1
Montrond-les-Bains 42. . . . . 209 F1
Montrosier 81. . . . . 258 C2
Montrottier 69. . . . . 192 A4
Montroty 76. . . . . 33 E2
Montrouge 92. . . . . 61 D3
Montrouveau 41. . . . . 108 A4
Montroy 17. . . . . 181 D1
Montrozier 12 . . . . 242 C4
Montry 77. . . . . 62 A3
Monts 60 . . . . 34 A4
Monts 37 . . . . 130 C4
Monts-de-Vaux 39. . . . . 159 F4
les Monts d'Olmes 09. . . . . . 301 E4
Monts-en-Bessin 14. . . . . . . 29 D4
Monts-en-Ternois 62. . . . . . . 7 F3
Monts-sur-Guesnes 86. . . . . 149 D3
Montsalès 12 . . . . 241 D3
Montsalier 04 . . . . 266 B2
Montsalvy 15 . . . . 242 B1
Montsaon 52. . . . . 116 A1
Montsapey 73. . . . . 214 A2
Montsauche-les-Settons 58. . 137 E4
Montsaugeon 52. . . . . 116 C4
Montsaunès 31. . . . . 299 F2
Montsec 55 . . . . 67 E2
Montsecret 61. . . . . 55 E3
Montségur 09. . . . . 301 E4
Montségur-sur-Lauzon 26. . . 247 D4
Montselgues 07. . . . . 245 E2
Montséret 11. . . . . 303 E2
Montséré 65. . . . . 298 B3
Montseron 09. . . . . 300 B3
Montseugny 70. . . . . 140 A3
Montseveroux 38. . . . . 211 D3
Montsoreau 49. . . . . 129 E4
Montsoué 40. . . . . 272 C1
Montsoult 95. . . . . 61 D1
Montsûrs 53. . . . . 105 E1
Montsurvent 50. . . . . 26 C4
Montsuzain 10. . . . . 90 B2
Montureux-et-Prantigny 70. . 140 B2
Montureux-lès-Baulay 70. . . 118 A3
Montursin 25. . . . . 143 D3
Montusclat 43. . . . . 227 F1
Montussaint 25 . . . . 141 F2
Montussan 33. . . . . 217 F3
Montvalen 81. . . . . 258 B4
Montvalent 46. . . . . 222 B4
Montvalezan 73. . . . . 215 D1
Montvendre 26. . . . . 229 E3
Montverdun 42. . . . . 209 E1
Montvernier 73. . . . . 214 A3
Montvert 15. . . . . 223 E3
Montvicq 03. . . . . 171 E4
Montviette 14. . . . . 56 C2
Montville 76. . . . . 32 A1
Montviron 50. . . . . 54 A3
Montzéville 55. . . . . 40 A4
Monviel 47. . . . . 238 B2

Monze 11. . . . . 302 C2
Moon-sur-Elle 50. . . . . 27 F4
Moosch 68. . . . . 120 A1
Mooslargue 68. . . . . 120 B4
Moraches 58. . . . . 136 B4
Moragne 17. . . . . 181 E2
Morains 51. . . . . 64 A3
Morainville 28. . . . . 86 A3
Morainville-Jouveaux 27. . . . 31 D4
Morainvilliers 78. . . . . 60 B2
Morancé 69. . . . . 192 C3
Morancez 28. . . . . 85 E3
Morancourt 52. . . . . 92 A2
Morand 37. . . . . 131 E2
Morangis 91. . . . . 61 D4
Morangis 51. . . . . 64 A2
Morangles 60. . . . . 34 B4
Morannes 49. . . . . 105 F4
Moranville 55. . . . . 40 B4
Moras 38. . . . . 211 F1
Moras-en-Valloire 26. . . . . . 211 E4
Morbecque 59. . . . . 3 F4
Morbier 39. . . . . 177 E2
Morcenx 40. . . . . 253 D2
Morchain 80. . . . . 19 E3
Morchamps 25. . . . . 141 F2
Morchies 62. . . . . 8 C4
Morcourt 80. . . . . 19 D2
Morcourt 02. . . . . 20 A3
Mordelles 35. . . . . 103 D1
Moréac 56. . . . . 101 F2
Morée 41. . . . . 108 C3
Moreilles 85. . . . . 163 F3
Morello (Col de) 2B. 317 D2
Morelmaison 88. . . . . 93 F3
Morembert 10. . . . . 90 C2
Moréno (Col de la) 63. . . . . . 207 D1
Morestel 38. . . . . 212 A1
Moret-sur-Loing 77. . . . . 88 A3
Morêtel-de-Mailles 38. . . . . . 213 E3
Morette 38. . . . . 212 A4
Moreuil 80. . . . . 18 C3
Morey 70. . . . . 117 E4
Morey 71. . . . . 157 F4
Morey 54. . . . . 68 A3
Morey-Saint-Denis 21. . . . . . 139 D4
Morez 39. . . . . 177 E2
Morfontaine 54. . . . . 41 D2
Morganx 40. . . . . 272 B2
Morgat 29. . . . . 47 E4
Morgemoulin 55. . . . . 40 C3
Morgny 27. . . . . 33 D3
Morgny-en-Thiérache 02. . . . 21 E3
Morgny-la-Pommeraye 76. . . 32 B2
Morhange 57. . . . . 69 D2
Moriani-Plage 2B. 315 F4
Moriat 63. . . . . 207 F3
Morienne 76. . . . . 17 D3
Morienval 60. . . . . 35 F3
Morières-lès-Avignon 84. . . . 265 D3
Moriers 28. . . . . 85 E4
Morieux 22. . . . . 51 F4
Moriez 04. . . . . 268 B3
Morigny 50. . . . . 54 C2
Morigny-Champigny 91. . . . . 86 C2
Morillon 74. . . . . 196 B1
Morimond (Abbaye de) 52 . . 117 E1
Moringhem 62. . . . . 3 D3
Moriond 73. . . . . 214 C3
Morionvilliers 52. . . . . 92 C3
Morisel 80. . . . . 18 C3
Moriville 54. . . . . 94 C3
Moriviller 54. . . . . 94 C1
Morizécourt 88. . . . . 117 F1
Morizès 33. . . . . 237 D2
Morlaàs 64. . . . . 273 D4
Morlac 18. . . . . 170 B1
Morlaincourt 55. . . . . 66 C4
Morlaix 29. . . . . 49 E3
Morlancourt 80. . . . . 19 D2
Morlanne 64. . . . . 272 B3
Morley 55. . . . . 92 B1
Morlet 71. . . . . 157 E2
Morlhon-le-Haut 12. . . . . . . 241 E4
Morlincourt 60. . . . . 35 F1
Mormaison 85. . . . . 145 F2
Mormant 77. . . . . 88 A1
Mormant-sur-Vernisson 45. . 111 F2
Mormès 32. . . . . 254 C4
Mormoiron 84. . . . . 265 F2
Mornac 16. . . . . 201 F1
Mornac-sur-Seudre 17. . . . . 181 D4
Mornand 42. . . . . 209 E1
Mornans 26. . . . . 247 F2
Mornant 69. . . . . 210 B1
Mornas 84. . . . . 264 C1
Mornay 21. . . . . 140 A4
Mornay 71. . . . . 174 B2
Mornay-Berry 18. . . . . 154 A2
Mornay-sur-Allier 18. . . . . . 154 B2
Moroges 71. . . . . 157 F2
Morogues 18. . . . . 134 B4
Morosaglia 2B. 315 E3
Morre 25. . . . . 141 D4
Morsain 02. . . . . 36 A2
Morsains 51. . . . . 63 E3
Morsalines 50. . . . . 25 E3
Morsan 27. . . . . 31 E4
Morsang-sur-Orge 91. . . . . . 87 D1
Morsang-sur-Seine 91. . . . . . 87 E1
Morsbach 57. . . . . 43 D4
Morsbronn-les-Bains 67. . . . 71 D1
Morschwiller 67. . . . . 71 D1
Morschwiller-le-Bas 68. . . . 120 B2
Morsiglia 2B. 314 A1
Le Mort-Homme 55. . . . . . . 40 A4
Mortagne 88. . . . . 95 E3
Mortagne-au-Perche 61. . . . . 83 F2
Mortagne-du-Nord 59. . . . . . 9 F1
Mortagne-sur-Gironde 17. . . 199 D3

Mortagne-sur-Sèvre 85. . . . . 146 C2
Mortain 50. . . . . 54 C4
Mortcerf 77. . . . . 62 A3
La Morte 38. . . . . 231 D2
Morteau 25. . . . . 161 E1
Morteaux-Coulibœuf 14. . . . . 56 B2
Mortefontaine 60. . . . . 61 E1
Mortefontaine 02. . . . . 36 A3
Mortefontaine-en-Thelle 60. . 34 B4
Mortemart 87. . . . . 185 D2
Mortemer 60. . . . . 35 D1
Mortemer 76. . . . . 17 D4
Mortemer (Abbaye de) 27. . . 33 D3
Morterolles-sur-Semme 87. . 186 A1
Mortery 77. . . . . 88 C1
Morthomiers 18. . . . . 153 D2
Mortiers 17. . . . . 200 C3
Mortiers 02. . . . . 20 C4
Morton 86. . . . . 148 C1
Mortrée 61. . . . . 82 C1
Mortroux 23. . . . . 169 E3
Mortzwiller 68. . . . . 120 A2
Morval 62. . . . . 19 E1
Morval 39. . . . . 176 B3
Morvillars 90. . . . . 142 C1
Morville 88. . . . . 93 F4
Morville 50. . . . . 25 D3
Morville-en-Beauce 45. . . . . 86 C4
Morville-lès-Vic 57. . . . . 69 D3
Morville-sur-Andelle 76. . . . . 32 C2
Morville-sur-Nied 57. . . . . . . 68 C2
Morville-sur-Orne 61. . . . . . . 56 B4
Morville-sur-Seille 54. . . . . . 68 A2
Morvillers 60. . . . . 33 F1
Morvillers-Saint-Saturnin 80. 17 E3
Morvilliers 10. . . . . 91 E3
Morvilliers 28. . . . . 84 B1
Mory 62. . . . . 8 B4
Mory-Montcrux 60. . . . . 34 C1
Morzine 74. . . . . 179 D4
Mosles 14. . . . . 28 C3
Moslins 51. . . . . 64 A2
Mosnac 16. . . . . 199 E2
Mosnay 36. . . . . 169 D1
Mosnes 37. . . . . 131 F2
Mosset 66. . . . . 311 E2
Mosson 21. . . . . 115 E2
Mostuéjouls 12. . . . . 261 E1
Motey-Besuche 70. . . . . 140 B3
Motey-sur-Saône 70. . . . . . . 140 C1
La Mothe-Achard 85. . . . . . 162 B1
La Mothe-Saint-Héray 79. . . 165 E3
Mothern 67. . . . . 45 F4
Motreff 29. . . . . 75 F3
La Motte 83. . . . . 287 D2
La Motte 22. . . . . 77 E3
La Motte-au-Bois 59. . . . . . . 3 F4
La Motte-Chalancon 26. . . . . 248 A3
La Motte-d'Aigues 84. . . . . . 266 B4
La Motte-d'Aveillans 38. . . . . 230 C3
La Motte-de-Galaure 26. . . . 229 D1
La Motte-du-Caire 04. . . . . . 249 E4
La Motte-en-Bauges 73. . . . . 195 E4
La Motte-en-Champsaur 05. . 231 E4
La Motte-Fanjas 26. . . . . . . 229 F2
La Motte-Feuilly 36. . . . . . . 169 F2
La Motte-Fouquet 61. . . . . . . 82 A1
La Motte-Saint-Jean 71. . . . . 173 E2
La Motte-Saint-Martin 38. . . 230 C3
La Motte-Servolex 73. . . . . . 213 D1
La Motte-Ternant 21. . . . . . . 137 F3
La Motte-Tilly 10. . . . . 89 D2
Mottereau 28. . . . . 84 C4
Motteville 76. . . . . 15 F3
Mottier 38. . . . . 211 F3
Motz 73. . . . . 194 C3
Mouacourt 54. . . . . 69 D4
Mouais 44. . . . . 103 E4
Mouans-Sartoux 06. . . . . . . 288 A3
Mouaville 54. . . . . 41 D4
Mouazé 35. . . . . 79 E4
Mouchamps 85. . . . . 146 B4
Mouchan 32. . . . . 255 F4
Mouchard 39. . . . . 160 A2
Mouchès 32. . . . . 274 B2
Mouchin 59. . . . . 9 E1
Mouchy-le-Châtel 60. . . . . . 34 B3
Moudeyres 43. . . . . 227 E3
Mouen 14. . . . . 29 E4
Mouettes 27. . . . . 59 D3
Mouffy 89. . . . . 136 B1
Mouflaines 27. . . . . 33 D4
Mouflers 80. . . . . 17 F2
Mouflières 80. . . . . 17 E2
Mougins 06. . . . . 288 A3
Mougon 79. . . . . 165 D4
Mouguerre 64. . . . . 270 C3
Mouhers 36. . . . . 169 D2
Mouhet 36. . . . . 168 B3
Mouhous 64. . . . . 273 D3
Mouillac 33. . . . . 217 F2
Mouillac 82. . . . . 258 B1
La Mouille 39. . . . . 177 E2
Mouilleron 52. . . . . 116 B4
Mouilleron-en-Pareds 85. . . 164 A1
Mouilleron-le-Captif 85. . . . . 145 F2
Mouilly 55. . . . . 67 D1
Moulainville 55. . . . . 40 B4
Moulares 81. . . . . 259 F2
Moulay 53. . . . . 81 E3
Moulayrès 81. . . . . 277 F1
Moulédous 65. . . . . 298 A1
Moulès 13. . . . . 283 E2
Moulès-et-Baucels 34. . . . . . 262 C3
Mouleydier 24. . . . . 220 B4
Moulézan 30. . . . . 263 E3
Moulhard 28. . . . . 84 B4

Moulicent 61. . . . . 84 A1
Moulidars 16. . . . . 201 D1
Mouliets-et-Villemartin 33. . 219 D4
Mouliherne 49. . . . . 129 D1
Moulin (Château du) 41. . . . 132 C3
Moulin-Chabaud 01. . . . . . . 194 A1
Le Moulin-des-Ponts 01. . . . 176 A3
Moulin-Mage 81. . . . . 279 E1
Moulin-Neuf 24. . . . . 219 E2
Moulin-Neuf 09. . . . . 301 F3
Moulin-Neuf (Petit musée
auvergnat) 63. . . . . 207 F2
Moulin-sous-Touvent 60. . . . 35 F2
Moulineaux 76. . . . . 32 A3
Moulines 14. . . . . 56 A2
Moulines 50. . . . . 80 C1
Moulinet 06. . . . . 289 E2
Moulinet 47. . . . . 238 B2
Le Moulinet-sur-Solin 45. . . 111 E3
Moulins 79. . . . . 147 D2
Moulins 02. . . . . 37 D2
Moulins 35. . . . . 103 F1
Moulins 03. . . . . 172 B2
Moulins de Paillas 83. . . . . . 293 E1
Moulins-en-Tonnerrois 89. . . 114 B3
Moulins-Engilbert 58. . . . . . 156 A2
Moulins-la-Marche 61. . . . . . 83 E1
Moulins-le-Carbonnel 72. . . . 82 B3
Moulins-lès-Metz 57. . . . . . . 41 F4
Moulins-Saint-Hubert 55. . . . 39 F1
Moulins-sur-Céphons 36. . . 151 F2
Moulins-sur-Orne 61. . . . . . . 56 B4
Moulins-sur-Ouanne 89. . . . 113 D4
Moulins-sur-Yèvre 18. . . . . . 153 E2
Moulis 09. . . . . 300 A3
Moulis-en-Médoc 33. . . . . . . 217 D2
Moulismes 86. . . . . 167 E4
Moulle 62. . . . . 3 D3
Le Moulleau 33. . . . . 234 B1
Moulon 45. . . . . 111 E2
Moulon 33. . . . . 218 C4
Moulot 58. . . . . 136 A2
Moulotte 55. . . . . 41 D4
Moult 14. . . . . 56 A1
Moumoulous 65. . . . . 274 A4
Moumour 64. . . . . 296 B3
Mounes-Prohencoux 12. . . . 279 F1
Mourède 32. . . . . 255 F4
Mourens 33. . . . . 236 C1
Mourenx 64. . . . . 272 B4
Mouret 12. . . . . 242 B3
Moureuille 63. . . . . 189 D1
Mourèze 34. . . . . 280 C2
Mouriès 13. . . . . 283 F1
Mourioux-Vieilleville 23. . . . . 186 B2
Mourjou 15. . . . . 241 F1
Mourmelon-le-Grand 51. . . . 38 B4
Mourmelon-le-Petit 51. . . . . 64 C1
Mournans-Charbonny 39. . . 160 B4
Mouron 08. . . . . 39 D3
Mouron-sur-Yonne 58. . . . . . 156 A1
Mouroux 77. . . . . 62 B3
Mours 95. . . . . 60 C1
Mours-Saint-Eusèbe 26. . . . 229 E2
Le Mourtis 31. . . . . 299 D4
Mourvilles-Basses 31. . . . . . 277 D3
Mourvilles-Hautes 31. . . . . . 277 E4
Moussac 86. . . . . 167 D4
Moussac 30. . . . . 263 F3
Moussages 15. . . . . 224 A1
Moussan 11. . . . . 303 F1
Moussé 35. . . . . 104 A2
Les Mousseaux 78. . . . . 60 A4
Mousseaux-lès-Bray 77. . . . . 88 C3
Mousseaux-Neuville 27. . . . . 59 D2
Mousseaux-sur-Seine 78. . . . 59 F1
Moussey 57. . . . . 69 E4
Moussey 88. . . . . 95 F2
Moussey 10. . . . . 90 B4
Les Moussières 39. . . . . 177 E3
Mousson 54. . . . . 68 A2
Moussonvilliers 61. . . . . 84 A1
Moussoulens 11. . . . . 302 B1
Moussy 58. . . . . 155 F1
Moussy 95. . . . . 60 A1
Moussy 51. . . . . 64 A2
Moussy-le-Neuf 77. . . . . 61 E1
Moussy-le-Vieux 77. . . . . . . 61 E1
Moussy-Verneuil 02. . . . . . . 37 D2
Moustajon 31. . . . . 307 F4
Mousterlin 29. . . . . 98 C2
Moustéru 22. . . . . 50 B4
Moustey 40. . . . . 235 E4
Le Moustier 24. . . . . 221 E4
Moustier 47. . . . . 237 F2
Moustier-en-Fagne 59. . . . . . 11 D3
Moustier-Ventadour 19. . . . . 205 E3
Moustiers-Sainte-Marie 04. . 267 F4
Le Moustoir 22. . . . . 75 F3
Moustoir-Ac 56. . . . . 101 F2
Moustoir-Remungol 56. . . . . 101 D1
La Moutade 63. . . . . 189 E3
Moutaine 39. . . . . 160 A3
Moutardon 16. . . . . 183 F2
Le Moutaret 38. . . . . 213 E4
Moutchic 33. . . . . 216 A2
Mouterhouse 57. . . . . 44 C4
Mouterre-Silly 86. . . . . 148 C2
Mouterre-sur-Blourde 86. . . 184 C1
Mouthe 25. . . . . 160 C4
Le Moutherot 25. . . . . 140 C4
Mouthier-en-Bresse 71. . . . . 159 D3
Mouthier-Haute-Pierre 25. . 160 C1
Mouthiers-sur-Boëme 16. . . 201 E2
Mouthoumet 11. . . . . 303 D3
Moutier-d'Ahun 23. . . . . 187 D2
Moutier-Malcard 23. . . . . . . 169 E3

MULHOUSE

Colmar (Av. de) .... **EXY**
Prés.-Kennedy
  (Av. du) .... **EFY**
Sauvage (R. du) .... **FY** 145

Alpes (R. des) ..... **EXY** 3
Altkirch (Av. et Pt d') **FZ** 4
Arsenal (R. de l') ... **EY** 5
Bonbonnière (R.) .... **EY** 13
Bonnes-Gens (R. des) **EY** 16
Bons-Enfants (R. des) **EY** 18
Briand (Av. Aristide) . **EY** 19
Cloche (Quai de la) .. **EY** 24
Coehorn (R.) .... **EFX** 25
Dreyfus (R. du Capit.) **FX** 29
Ehrmann (R. Jules) . **FY** 32
Ensisheim (R. d') .... **FY** 33
Europe (Pl. de l') .... **FY** 34
Fleurs (R. des) ..... **EZ** 37

Foch (Av. du Mar.) .. **FZ** 38
Franciscains (R. des) . **EY** 40
Gaulle (Pl. Gén. de) . **EY** 43
Guillaume-Tell (Pl.) . **FZ** 48
Heilmann (R. Josué) . **EXY** 52
Henner (R. J.-J.) .... **FZ** 53
Henriette (R.) ...... **EY** 56
Joffre (Av. du Mar.) . **FZ** 65
Lattre-de-T.
  (Av. Mar. de) ..... **FY** 71
Leclerc (Av. du Gén.) **EY** 72
Loi (R. de la) .... **EY** 76
Loisy (R. du Lt de) .. **FX** 77
Lorraine (R. de) .... **FX** 78
Maréchaux (R. des) .. **EY** 82
Mertzau (R. de la) ... **EX** 87
Metz (R. de) .... **FY** 88
Moselle (R. de la) ... **FY** 91
Nordfeld (R. du) .... **FY** 98
Oran (Quai d') ..... **FZ** 99
Pasteur (R. Louis) ... **FY** 103
Poincaré (R.) ...... **FZ** 107

Prés.-Roosevelt (Bd) . **EXY** 108
Raisin (R. du) ...... **EY** 109
République (R. de la) . **FY** 112
Réunion (Pl. de la) .. **FY** 113
Riedisheim (Pont de) . **FY** 119
Ste-Claire (R.) ..... **EZ** 137
Somme (R. de la) ... **FY** 146
Stalingrad (R. de) ... **FY** 149
Stoessel
  (Bd Charles) ..... **EZ** 152
Tanneurs (R. des) ... **EY** 153
Tour-du-Diable (R.) .. **EZ** 156
Trois-Rois (R. des) .. **FZ** 157
Vauban (Pl.) .... **FX** 159
Wicky (Av. Auguste). . **FZ** 165
Wilson (R. du) ..... **FZ** 166
Wolf (R. du) .... **FX** 167
Wyler
  (Allée William). .... **FX** 170
Zillisheim (R. de) ... **FZ** 168
Zuber (R.) .... **FYZ** 172
17-Novembre (R. du) . **FZ** 177

Moutier-Rozeille 23. .... 187 F3
Moutiers 54. .... 41 E3
Moutiers 35. .... 104 A2
Moutiers 28. .... 86 A4
Moûtiers 73. .... 214 B2
Moutiers-au-Perche 61. ...... 84 A2
Les Moutiers-en-Auge 14 ... 56 C2
Les Moutiers-
  en-Cinglais 14. .... 55 F1
Moutiers-en-Puisaye 89. .... 135 F1
Les Moutiers-en-Retz 44 ... 144 C1
Les Moutiers-Hubert 14. .... 57 D2
Moutiers-les-Mauxfaits 85 .. 163 D2
Moutiers-Saint-Jean 21. .... 137 F1
Moutiers-
  sous-Argenton 79 .... 147 F2
Moutiers-
  sous-Chantemerle 79. .... 147 E4
Moutiers-sur-le-Lay 85. .... 163 E1
Mouton 16. .... 183 F3
Mouton Rothschild
  (Château de) 33 .... 217 D1
La Moutonne 83. .... 292 B2
Moutonne 39. .... 176 C2
Moutonneau 16. .... 183 F3
Moutoux 39. .... 160 A3
Moutrot 54. .... 93 F1
Mouvaux 59 .... 4 C4
Moux 11. .... 303 D2
Moux-en-Morvan 58. ...... 156 C1
Mouxy 73. .... 213 D1
Mouy 60. .... 34 B3
Mouy-sur-Seine 77. .... 88 C2
Mouzay 55. .... 39 F2
Mouzay 37. .... 150 B1
Mouzeil 44. .... 126 C4
Mouzens 24. .... 221 D4
Mouzens 81. .... 277 F3

Mouzeuil-Saint-Martin 85. .. 163 F2
Mouzieys-Panens 81. ...... 259 D2
Mouzieys-Teulet 81. ...... 259 F4
Mouzillon 44. .... 146 A1
Mouzon 08. .... 23 E4
Mouzon 16. .... 184 B4
Moval 90. .... 142 C1
Moy-de-l'Aisne 02. .... 20 B4
Moyaux 14. .... 30 C4
Moydans 05. .... 248 B3
Moye 74. .... 195 D3
Moyemont 88. .... 95 D2
Moyen 54. .... 95 D1
Moyencourt 80. .... 19 E4
Moyencourt-lès-Poix 80. ... 17 F3
Moyenmoutier 88. .... 95 F2
Moyenneville 60. .... 35 D2
Moyenneville 80. .... 17 E1
Moyenneville 62. .... 8 A4
Moyenvic 57. .... 69 D3
Moyeuvre-Grande 57. ..... 41 E3
Moyeuvre-Petite 57. ...... 41 E3
Moyon 50. .... 54 B1
Moyrazès 12. .... 242 A4
Moyvillers 60. .... 35 D2
Mozac 63. .... 189 E3
Mozé-sur-Louet 49. .... 128 B3
Muchedent 76. .... 16 B3
Mudaison 34. .... 282 A2
Muel 35. .... 78 B4
Muespach 68. .... 120 C4
Muespach-le-Haut 68. ..... 120 C4
Mugron 40. .... 272 A1
Muhlbach-sur-Bruche 67. .. 70 B4
Muhlbach-sur-Munster 68... 96 A4
Muides-sur-Loire 41. ...... 132 B1
Muidorge 60. .... 34 A1
Muids 27. .... 32 C4

Muille-Villette 80. .... 19 F4
Muirancourt 60. .... 19 F4
Muizon 51. .... 37 E3
Les Mujouls 06. .... 269 E3
La Mulatière 69. .... 192 C4
Mulcent 78. .... 59 F3
Mulcey 57. .... 69 D3
Mulhausen 67. .... 70 C1
Mulhouse 68. .... 120 C2
Mulsanne 72. .... 107 D3
Mulsans 41. .... 109 D4
Mun 65. .... 298 A1
Munchhausen 67. .... 45 F4
Munchhouse 68. .... 120 C1
Muncq-Nieurlet 62. .... 3 D3
Mundolsheim 67. .... 71 D3
Muneville-le-Bingard 50. ... 26 C4
Muneville-sur-Mer 50. ..... 53 F2
Le Mung 17. .... 181 F3
Munster 57. .... 69 F2
Munster 68. .... 96 A4
Muntzenheim 68. .... 96 C3
Munwiller 68. .... 120 C1
Mur-de-Barrez 12. .... 224 C4
Mur-de-Bretagne 22. ...... 76 C3
Mur-de-Sologne 41. .... 132 C3
Muracciole 2B. 317 D2
Murasson 12. .... 279 E1
Murat 15. .... 225 D2
Murat 03. .... 171 E3
Murat-le-Quaire 63. .... 206 C2
Murat-sur-Vèbre 81. ...... 279 F1
Murato 2B. 315 E2
La Muraz 74. .... 195 F1
Murbach 68. .... 120. A1
La Mure 38. .... 231 .D3
La Mure 04. .... 268 B2
Mureaumont 60. .... 33 E1

N

Les Mureaux 78 .... 60 A2
Mureils 26. .... 229 D1
Mûres 74. .... 195 E4
Le Muret 40. .... 235 D3
Muret 31. .... 276 B3
Muret-et-Crouttes 02 ... 36 B3
Muret-le-Château 12. ... 242 A4
La Murette 38. .... 212 B3
Murianette 38. .... 231 D1
Murles 34. .... 281 E1
Murlin 58. .... 154 C1
Murol 63. .... 207 D2
Murols 12. .... 242 B1
Muro 2B. 314 C3
Murps 84. .... 265 F3
Murs 36. .... 150 C3
Mûrs-Erigné 49. .... 128 B3
Murs-et-Gélignieux 01. . 212 B1
Murtin-et-Bogny 08. .... 22 B3
Murvaux 55. .... 40 A2
Murviel-lès-Béziers 34. . 280 A4
Murviel-lès-Montpellier 34 . 281 E2
Murville 54. .... 41 D3
Murzo 2A. 316 B2
Mus 30. .... 282 B1
Muscourt 02. .... 37 D3
Musculdy 64. .... 295 F1
Musièges 74. .... 195 D2
Musigny 21. .... 157 E1
Musseau 52. .... 116 B4
Mussey 55. .... 66 A3
Mussey-sur-Marne 52 .. 92 B3
Mussidan 24. .... 220 A2
Mussig 67. .... 96 C2
Mussy-la-Fosse 21. .... 138 A2
Mussy-sous-Dun 71. ... 174 B4
Mussy-sur-Seine 10. ... 115 D4
Mutigney 39. .... 140 A4
Mutigny 51. .... 64 A1
Mutrécy 14. .... 55 F1
Muttersholtz 67. ...... 96 C2
Mutzenhouse 67. ...... 70 C2
Mutzig 67. .... 70 C4
Le Muy 83. .... 287 E3
Muzeray 55. .... 40 C3
Muzillac 56. .... 123 E2
Muy 27. .... 59 D4
Myans 73. .... 213 D2
Myennes 58. .... 135 D3
Myon 25. .... 160 A3

Nabas 64 .... 271 F4
Nabinaud 16. .... 201 F4
Nabirat 24. .... 239 F1
Nabringhen 62. .... 2 B3
Nachamps 17. .... 181 F2
Nadaillac 24. .... 222 A4
Nadaillac-de-Rouge 46.. 222 A4
Nades 03. .... 189 D1
Nadillac 46. .... 240 B2
Naftel 50. .... 54 B4
Nagel-Séez-Mesnil 27. . 58 B2
Nages 81. .... 279 E2
Nages-et-Solorgues 30 . 263 F4
Nahuja 66. .... 310 C4
Nailhac 24. .... 221 E1
Naillat 23. .... 169 D4
Nailloux 31. .... 277 D4
Nailly 89. .... 88 C4
Naintré 86. .... 149 E4
Nainville-les-Roches 91.. 87 E4
Naisey 25. .... 141 F4
Naives-devant-Bar 55. . 66 B3
Naives-en-Blois 55. ... 67 D4
Naix-aux-Forges 55. .. 66 C4
Naizin 56. .... 101 D1
Najac 12. .... 259 D1
Nalliers 86. .... 167 E1
Nalliers 85. .... 163 F2
Nalzen 09. .... 301 E4
Nambsheim 68. .... 121 D1
Nampcel 60. .... 36 A2
Nampcelles-la-Cour 02.. 21 E3
Nampont-Saint-Martin 80.. 6 B3
Namps-au-Mont 80. .... 18 A3
Namps-au-Val 80. ...... 18 A3
Nampteuil-sous-Muret 02.. 36 C3
Nampty 80. .... 18 A3
Nan-Sous-Thil 21. ...... 138 A3
Nanc-lès-Saint-Amour 39.. 176 B3
Nançay 18. .... 133 F3
Nance 39. .... 159 E4
Nances 73. .... 212 C1
Nanclars 16. .... 183 F4
Nançois-le-Grand 55. ... 66 C4
Nançois-sur-Ornain 55.... 66 C4
Nancras 17. .... 181 D2
Nancray 25. .... 141 E4
Nancray-sur-Rimarde 45.. 111 D1
Nancuise 39. .... 176 C2

Nancy 54 .... 68 B4
Nancy-sur-Cluses 74... 196 B1
Nandax 42. .... 191 E2
Nandy 77. .... 87 E1
Nangeville 45 .... 87 D3
Nangis 77. .... 88 B1
Nangy 74. .... 195 F1
Nannay 58. .... 135 F4
Les Nans 39. .... 160 B3
Nans 25 .... 141 F2
Nans-les-Pins 83. ...... 285 F4
Nans-sous-Sainte-Anne 25.. 160 B2
Nant 12. .... 261 F3
Nant-le-Grand 55. ..... 66 B4
Nant-le-Petit 55. ...... 66 B4
Nanteau-sur-Essonne 77.. 87 D3
Nanteau-sur-Lunain 77.. 88 A2
Nanterre 92. .... 60 C3
Nantes 44. .... 126 B4
Nantes-en-Ratier 38. ... 231 D3
Nanteuil 79. .... 165 E3
Nanteuil-
  Auriac-de-Bourzac 24.. 201 F3
Nanteuil-en-Vallée 16. .. 184 A2
Nanteuil-la-Forêt 51. .. 64 A1
Nanteuil-la-Fosse 02. .. 36 C3
Nanteuil-le-Haudouin 60.. 61 F1
Nanteuil-lès-Meaux 77. . 62 A2
Nanteuil-Notre-Dame 02.. 36 B4
Nanteuil-sur-Aisne 08. .. 38 A1
Nanteuil-sur-Marne 77.... 62 A2
Nantey 39. .... 176 B3
Nantheuil 24. .... 203 D3
Nanthiat 24. .... 203 D3
Nantiat 87. .... 185 F2
Nantillé 17. .... 182 B3
Nantillois 55. .... 39 F3
Nantilly 70. .... 140 A2
Nantoin 38. .... 211 F3
Nantois 55. .... 66 C4
Nanton 71. .... 175 D1
Nantouard 70. .... 140 C2
Nantouillet 77. .... 61 F2
Nantoux 21. .... 158 A2
Nantua 01. .... 194 B1
Naours 80. .... 18 B1
La Napoule 06. .... 288 A4
Napt 01. .... 176 B4
Narbéfontaine 57. ...... 42 B4
Narbief 25. .... 142 B4
Narbonne 11. .... 304 C2
Narbonne-Plage 11. .... 305 D2

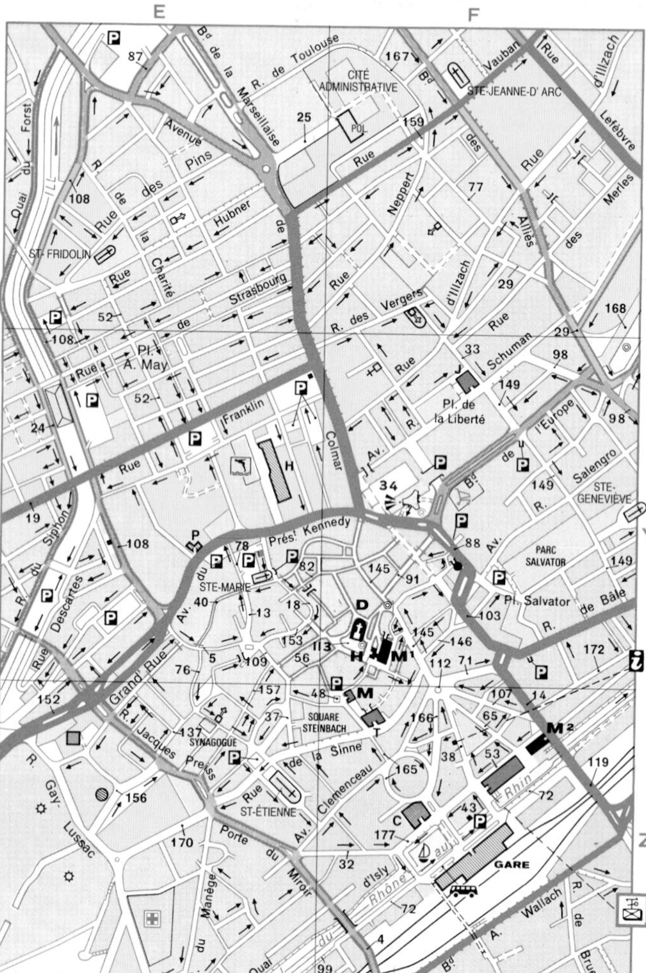

NANCY

Dominicains (R. des). . **BY** 29
Gambetta (R.) .... **BY** 35
Grande-Rue .... **BXY** 37
Héré (R.) .... **BY** 40
Mazagran (R.) .... **AY** 44
Mengin (Pl. Henri) ... **BY** 55
Mouja (R. du Pont) ... **BY** 64
Poincaré (R.) .... **AY** 70
Point-Central .... **BYZ** 72
Ponts (R. des) .... **BYZ** 73
Raugraff (R.) .... **BY** 75
St-Dizier (R.) .... **BY**

St-Georges (R.) ...... **CY**
St-Jean (R.) .... **BY**
Stanislas (R.) .... **BY** 100
Trois-Maisons
  (R. du Fg des) .... **AX** 104

Adam (R. Sigisbert).. **BX** 2
Alliance (Pl. d') ..... **CY** 4
Barrès (R. Maurice) .. **CY** 10
Bazin (R. H.) .... **CY** 13
Benit (R.) .... **BY** 14
Braconnot (R.) ...... **BX** 19
Carmes (R. des) ..... **BY** 20
Chanoine-Jacob (R.). . **AX** 23
Chanzy (R.) .... **AY** 24

Cheval-Blanc (R. du) .. **BY** 25
Craffe (R. de la) ..... **AX** 27
Croix de Bourgogne
  (Espl.) .... **AZ** 28
Gaulle (Pl. Gén.-de) .. **BX** 36
Haut-Bourgeois (R.) .. **AX** 39
Ile de Corse (R. de l') . **CY** 41
Keller (R. Ch.) ...... **AX** 46
Louis (R. Baron) ..... **AXY** 50
Loups (R. des) ...... **AX** 51
Maréchaux (R. des) .. **BY** 53
Molitor (R.) .... **CZ** 60
Mon-Désert (R. de) .. **ABZ** 61
Monnaie (R. de la) ... **BY** 62
Poincaré (R. H.) ..... **AY** 69

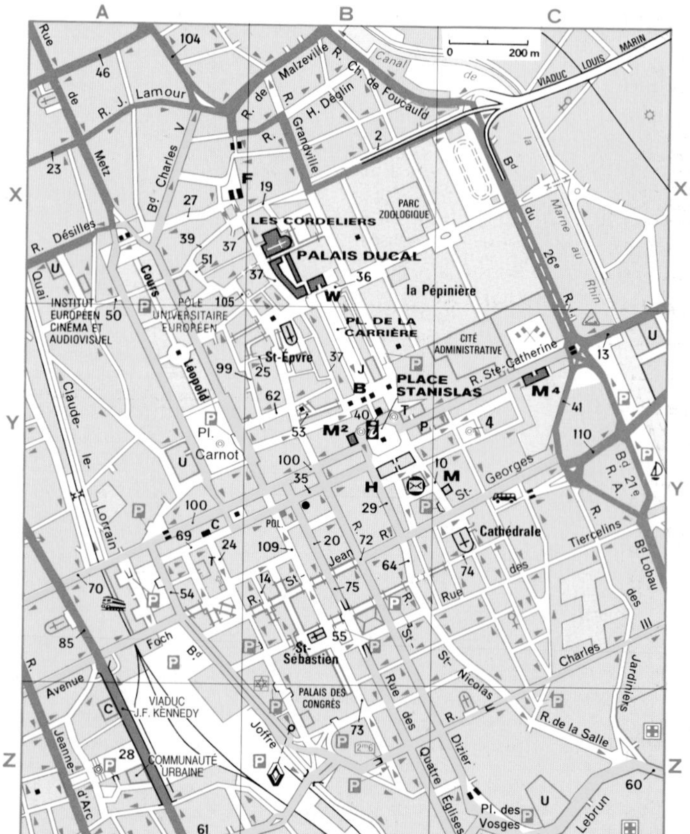

NANTES

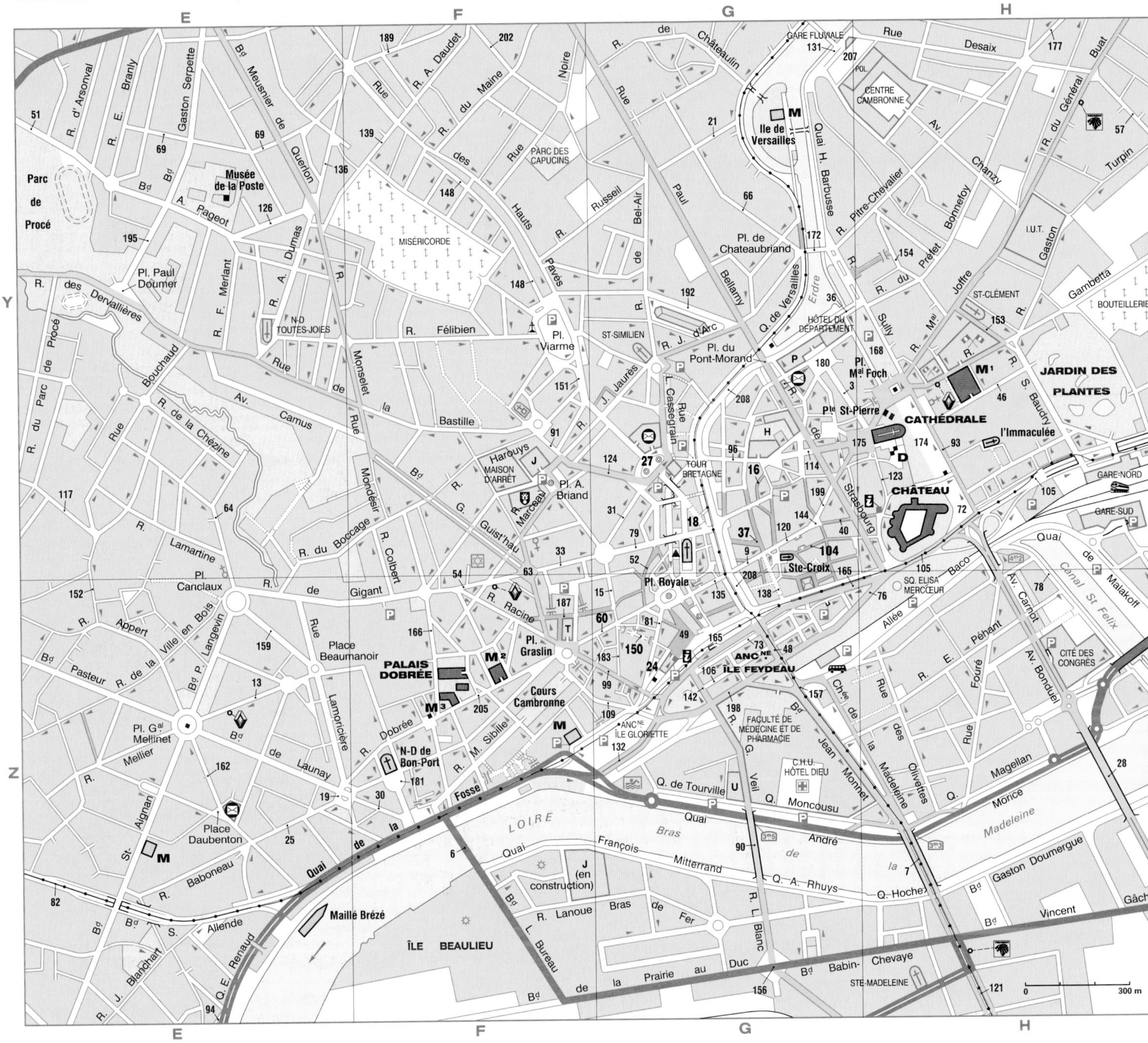

E
F
G
H
Y
Z
NANTES
Parc de Procé
Musée de la Poste
Pl. Paul Doumer
N-D TOUTES-JOIES
MISÉRICORDE
PARC DES CAPUCINS
Pl. Viarme
Bastille
Harouys
MAISON D'ARRÊT
Pl. A. Briand
Pl. Canclaux
Place Beaumanoir
PALAIS DOBRÉE
Pl. Graslin
Cours Cambronne
N-D de Bon-Port
Pl. Gal Mellinet
Place Daubenton
Ile de Versailles
GARE FLUVIALE
CENTRE CAMBRONNE
Pl. de Chateaubriand
ST-SIMILIEN
Pl. du Pont-Morand
HÔTEL DU DÉPARTEMENT
Pl. Mal Foch
Pte St-Pierre
CATHÉDRALE
TOUR BRETAGNE
CHÂTEAU
Pl. Royale
Ste-Croix
SQ. ELISA MERCŒUR
ANCNE ÎLE FEYDEAU
ANCNE ÎLE GLORIETTE
FACULTÉ DE MÉDECINE ET DE PHARMACIE
C.H.U. HÔTEL DIEU
JARDIN DES PLANTES
l'Immaculée
ST-CLÉMENT
BOUTEILLERIE
I.U.T.
GARE NORD
GARE SUD
CITÉ DES CONGRÈS
Canal St Félix
LOIRE
Bras de la Madeleine
Maillé Brézé
ÎLE BEAULIEU
J (en construction)
STE-MADELEINE
Quai de la Fosse
Quai François Mitterrand
Quai André Moncousu
Q. de Tourville
Q. A. Rhuys
Q.-Hoche
Bd Gaston Doumergue
Bd Vincent Gâche
Bd de la Prairie au Duc
Bd Babin-Chevaye
Rue Desaix
Av. Camus
R. de Gigant
Rue du Boccage
Rue de Strasbourg
Bd Jean Monnet
0
300 m

Neuf-Église 63	189	D2	
Neuf-Marché 76	33	E2	
Neuf-Mesnil 59	10	B3	
Neufbosc 76	16	B4	
Le Neufbourg 50	54	C4	
Neufchâteau 88	93	E3	
Neufchâtel-en-Bray 76	16	C4	
Neufchâtel-en-Saosnois 72	83	D3	
Neufchâtel-Hardelot 62	2	A4	
Neufchâtel-sur-Aisne 02	37	F2	
Neufchef 57	41	E3	
Neufchelles 60	62	B1	
Neuffons 33	237	D1	
Neuffontaines 58	136	C3	
Neufgrange 57	43	E4	
Neuflieux 02	36	A1	
Neuflize 08	38	A2	
Neufmaison 08	22	B3	
Neufmaisons 54	95	E1	
Neufmanil 08	22	C3	
Neufmesnil 50	26	C3	
Neufmoulin 80	6	C4	
Neufmoulins 57	69	F4	
Neufmoutiers-en-Brie 77	62	A4	
Le Neufour 55	39	E4	
Neufvillage 57	69	E2	
Neufvy-sur-Aronde 60	35	D2	
Neugartheim 67	70	C3	
Neugartheim-Ittlenheim 67	70	C3	
Neuhaeusel 67	71	F1	
Neuil 37	149	F1	
Neuilh 65	297	F2	
Neuillac 17	199	F2	
Neuillay-les-Bois 36	151	E4	
Neuillé 49	129	E3	
Neuillé-le-Lierre 37	131	E2	
Neuillé-Pont-Pierre 37	130	B2	
Neuilly 89	113	D3	
Neuilly 27	59	E2	
Neuilly 58	136	B4	
Neuilly-en-Donjon 03	173	E4	
Neuilly-en-Dun 18	154	A4	
Neuilly-en-Sancerre 18	134	C4	
Neuilly-en-Thelle 60	34	B4	
Neuilly-en-Vexin 95	33	F4	
Neuilly-la-Forêt 14	27	E3	
Neuilly-le-Bisson 61	83	D2	
Neuilly-le-Brignon 37	150	A2	
Neuilly-le-Dien 80	7	D4	
Neuilly-le-Malherbe 14	55	F1	
Neuilly-le-Réal 03	172	B3	
Neuilly-le-Vendin 53	82	A2	
Neuilly-lès-Dijon 21	139	E4	
Neuilly-l'Évêque 52	117	D2	
Neuilly-l'Hôpital 80	6	C4	
Neuilly-Plaisance 93	61	E3	
Neuilly-Saint-Front 02	36	B4	
Neuilly-sous-Clermont 60	34	C3	
Neuilly-sur-Eure 61	84	B1	
Neuilly-sur-Marne 93	61	E3	
Neuilly-sur-Seine 92	60	C3	
Neuilly-sur-Suize 52	116	B1	
Neulette 62	7	D2	
Neulise 42	191	F3	
Neulles 17	199	F2	
Neulliac 56	76	C4	
Neung-sur-Beuvron 41	133	D2	
Neunhoffen 67	45	F4	
Neunkirchen-lès-Bouzonville 57	42	B2	
Neure 03	154	B4	
Neurey-en-Vaux 70	118	B4	
Neurey-lès-la-Demie 70	141	E1	
Neussargues-Moissac 15	225	D2	
Neuve-Chapelle 62	8	B1	
Neuve-Église 67	96	B1	
La Neuve-Grange 27	33	D3	
La Neuve-Lyre 27	58	A2	
Neuve-Maison 02	21	E2	
Neuvecelle 74	178	C2	
Neuvéglise 15	225	D3	
Neuville-lès-Champlitte 70	140	A1	
Neuville-lès-Cromary 70	141	E2	
Neuville-lès-Grancey 21	116	A4	
Neuville-lès-la-Charité 70	141	D1	
La Neuvelle-lès-Lure 70	119	D4	
La Neuvelle-lès-Scey 70	118	A4	
Neuville-lès-Voisey 52	117	F3	
Neuves-Maisons 54	68	A4	
La Neuveville-devant-Lépanges 88	95	E4	
La Neuveville-sous-Châtenois 88	93	F3	
La Neuveville-sous-Montfort 88	94	A4	
Neuvic 19	205	F4	
Neuvic 24	220	A2	
Neuvic-Entier 87	204	B1	
Neuvicq 17	200	C4	
Neuvicq-le-Château 17	183	D4	
Neuvillalais 72	82	B4	
Neuville 03	171	E3	
Neuville 63	208	A1	
La Neuville 59	8	C1	
Neuville 19	222	C2	
La Neuville-à-Maire 08	39	D1	
Neuville-au-Bois 80	17	E2	
Neuville-au-Cornet 62	7	F3	
Neuville-au-Plain 50	25	D4	
La Neuville-au-Pont 51	65	F1	
Neuville-aux-Bois 45	110	B1	
Neuville-aux-Bois 51	65	F1	
La Neuville-aux-Bois 51	65	F1	
La Neuville-aux-Jôutes 08	21	F2	
La Neuville-aux-Larris 51	37	E4	
La Neuville-aux-Tourneurs 08	22	A2	
Neuville-Bosc 60	34	A4	
La Neuville-Bosmont 02	21	F1	
La Neuville-Bourjonval 62	19	F1	
La Neuville-Chant-d'Oisel 76	32	B3	
La Neuville-Coppegueule 80	17	E3	
Neuville-Day 08	39	D1	
La Neuville-du-Bosc 27	31	F4	
Neuville-en-Avesnois 59	9	F4	
Neuville-en-Beaumont 50	24	C4	
La Neuville-en-Beine 02	19	F4	
La Neuville-en-Ferrain 59	5	D3	
La Neuville-en-Hez 60	34	B2	
La Neuville-en-Tourne-à-Fuy 08	38	B3	
Neuville-en-Verdunois 55	66	B2	
Neuville-Ferrières 76	16	C4	
La Neuville-Garnier 60	34	A3	
La Neuville-Housset 02	21	D3	
Neuville-lès-Bray 80	19	D2	
Neuville-les-Dames 01	193	D1	
Neuville-lès-Decize 58	155	D4	
Neuville-lès-Dieppe 76	16	A4	
La Neuville-lès-Dorengt 02	10	A4	
Neuville-lès-Lœuilly 80	18	A3	
Neuville-lès-This 08	22	B3	
Neuville-lès-Vaucouleurs 55	93	E1	
Neuville-lès-Wasigny 08	22	A4	
Neuville-près-Sées 61	57	D4	
La Neuville-Saint-Amand 02	20	A3	
La Neuville-Saint-Pierre 60	34	B1	
La Neuville-Saint-Rémy 59	9	D4	
La Neuville-Saint-Vaast 62	8	B3	
La Neuville-Sire-Bernard 80	18	C4	
Neuville-sous-Arzillières 51	65	E4	
Neuville-sous-Montreuil 62	6	B2	
Neuville-sous-Ailette 02	37	D2	
Neuville-sur-Ain 01	194	A1	
Neuville-sur-Authou 27	31	E4	
Neuville-sur-Brenne 37	131	E1	
Neuville-sur-Escaut 59	9	E3	
La Neuville-sur-Essonne 45	111	D1	
Neuville-sur-Margival 02	36	B2	
Neuville-sur-Oise 95	60	B2	
Neuville-sur-Ornain 55	66	A3	
La Neuville-sur-Oudeuil 60	34	A1	
La Neuville-sur-Ressons 60	35	E1	
Neuville-sur-Saône 69	192	C3	
Neuville-sur-Sarthe 72	106	C1	
Neuville-sur-Seine 10	115	D2	
Neuville-sur-Touques 61	57	D3	
Neuville-sur-Vannes 10	89	F4	
La Neuville-Vault 60	33	F2	
Neuville-Vitasse 62	8	B3	
Neuviller-la-Roche 67	70	B4	
Neuviller-lès-Badonviller 54	95	F1	
Neuviller-sur-Moselle 54	94	B1	
Neuvillers-sur-Fave 88	96	A2	
Neuvillette 80	7	E4	
La Neuvillette 51	37	F3	
Neuvillette 02	20	B3	
Neuvillette-en-Charnie 72	106	A1	
Neuvilley 39	159	E3	
Neuvilly 59	9	F4	
Neuvilly-en-Argonne 55	39	F4	
Neuvireuil 62	8	B3	
Neuvizy 08	22	B4	
Neuvy 51	63	D4	
Neuvy 03	172	A2	
Neuvy 41	132	C2	
Neuvy-au-Houlme 61	56	A3	
Neuvy-Bouin 79	164	C1	
Neuvy-deux-Clochers 18	134	C4	
Neuvy-en-Beauce 28	86	A4	
Neuvy-en-Champagne 72	106	B1	
Neuvy-en-Dunois 28	85	E4	
Neuvy-en-Mauges 49	127	F4	
Neuvy-en-Sullias 45	110	C4	
Neuvy-Grandchamp 71	173	E1	
Neuvy-le-Barrois 18	154	B3	
Neuvy-le-Roi 37	130	C1	
Neuvy-Pailloux 36	152	B3	
Neuvy-Saint-Sépulchre 36	169	E2	
Neuvy-Sautour 89	113	F2	
Neuvy-sur-Barangeon 18	133	F4	
Neuvy-sur-Loire 58	135	D2	
Neuwiller 68	121	D4	
Neuwiller-lès-Saverne 67	70	B1	
Neuwiller-près-Lauterbourg 67	45	F4	
Neuzy 71	173	E1	
Névache 05	232	B2	
Nevers 58	154	C2	
Névez 29	99	E2	
Névian 11	303	F1	
Néville 76	15	E1	
Néville-sur-Mer 50	25	E2	
Nevoy 45	111	E4	
Nevy-lès-Dole 39	159	E2	
Nevy-sur-Seille 39	159	F4	
Nexon 87	203	F1	
Ney 39	160	A4	
Neydens 74	195	E1	
Neyrac-les-Bains 07	245	F1	
Les Neyrolles 01	194	B3	
Neyron 01	193	D4	
Nézel 78	60	A2	
Nézignan-l'Évêque 34	280	C4	
Niafles 53	104	C3	
Niaux 09	310	A1	
Niaux (Grotte de) 09	310	A1	
Nibas 80	17	D1	
Nibelle 45	111	D2	
Nibles 04	249	E4	
Nice 06	288	C4	
Nicey 21	114	C3	
Nicey-sur-Aire 55	66	C2	

NICE

Félix-Faure (Av.) .... GZ 21
France (R. de) .... DFZ
Gambetta (Bd) .... EXZ
Gioffredo (R.) .... HY
Hôtel-des-Postes (R.) .. HY 30
Liberté (R. de la) ...... GZ 35
Masséna (Esp., Pl.) .... GZ
Masséna (Pl.) .... FGZ 43
Médecin (Av. J.) ...... FGY 44
Paradis (R.) .... GZ 55
Pastorelli (R.) .... GY 58
République (Av. de la) .. JXY 64

Alberti (R.) .... GHY 2
Alsace-Lorraine (Jardin) . EZ 3
Armée-du-Rhin (Pl.) .... JX 5
Auriol (Pont V.) ...... JV 7
Bellanda (Av.) .... HV 10
Berlioz (R.) .... FY 12
Bonaparte (R.) .... JY 13
Carnot (Bd) .... JZ 15
Desambrois (Av.) ..... GHX 18
Diables-Bleus (Av. des) . JX 19
Gallieni (Av.) .... HJX 23
Gautier (Pl. P.) ...... HZ 25

Ile-de-Beauté (Pl. de l') . JZ 32
J.-Jaurès (Bd) .... HYZ 33
Lunel (Quai) .... JZ 37

Meyerbeer (R.) .... FZ 45
Monastère (Av. et Pl. du) . HV 46
Moulin (Pl. J.) ...... HY 47

Parvis de l'Europe ..... JX 56
Passy (R. F.) .... EY 57
Phocéens (Av. des) .... GZ 59
Rivoli (R. de) .... FZ 65

St-François-de-Paule (R.) . GHZ 72
St-Jean-Baptiste (Av.) .. HY 73
Saleya (Cours) ...... HZ 82

Sauvan (R. H.) ...... EZ 84
Verdun (Av. de) ..... FGZ 89
Walesa (Bd Lech) .... JYZ 91
Wilson (Pl.) .... HY 92

NÎMES

Aspic (R. de l')	**CUV**
Courbet (Bd Amiral)	**DUV** 14
Crémieux (R.)	**DU** 16
Curaterie (R.)	**DU** 17
Daudet (Bd A.)	**CU** 18
Gambetta (Bd)	**CDU**
Grand'Rue	**DU** 24
Guizot (R.)	**CU** 26
Madeleine (R. de la)	**CU** 32
Nationale (R.)	**CDU**
Perrier (R. Gén.)	**CU**
République (R. de la)	**CV** 43
Victor-Hugo (Bd)	**CUV**
Arènes (Bd des)	**CV** 2
Auguste (R.)	**CU** 4
Bernis (R. de)	**CV** 6
Chapitre (R. du)	**CU** 12
Esclafidous (Pl. des)	**DU** 19
Fontaine (Q. de la)	**CU** 20
Halles (R. des)	**CU** 27
Horloge (R. de l')	**CU** 28
Libération (Bd de la)	**DV** 30
Maison carrée (Pl. de la)	**CU** 33
Marchands (R. des)	**CU** 35
Prague (Bd de)	**DV** 42
Saintenay (Bd E.)	**DU** 45

Nicole 47	237	F4
Nicorps 50	54	A1
Nideck (Château et Cascade du) 67	70	B3
Niderhoff 57	69	F4
Niderviller 57	70	A2
Niederbronn-les-Bains 67	45	D4
Niederbruck 68	119	F3
Niederentzen 68	96	C4
Niederhaslach 67	70	B4
Niederhausbergen 67	71	D3
Niederhergheim 68	96	C4
Niederlarg 68	120	B4
Niederlauterbach 67	45	F4
Niedermodern 67	71	D1
Niedermorschwihr 68	96	B3
Niedernai 67	70	C4
Niederrœdern 67	45	F4
Niederschaeffolsheim 67	71	D2
Niederseebach 67	45	F4
Niedersteinbach 67	45	D3
Niederstinzel 57	69	F2
Niedervisse 57	42	B4
Nielles-lès-Ardres 62	2	C3
Nielles-lès-Bléquin 62	2	C4
Nielles-lès-Calais 62	2	B2
Le Nieppe 59	3	E3
Nieppe 59	4	B4
Niergnies 59	9	D4
Nieudan 15	223	F3
Nieuil 16	184	B3
Nieuil-l'Espoir 86	166	C2
Nieul 87	185	F3
Nieul-le-Dolent 85	162	C1
Nieul-le-Virouil 17	199	E3
Nieul-lès-Saintes 17	181	E4
Nieul-sur-l'Autise 85	164	B3
Nieul-sur-Mer 17	163	E4
Nieulle-sur-Seudre 17	181	D4
Nieurlet 59	3	E3
Niévroz 01	193	E4
Niffer 68	121	D2
Niherne 36	151	F4
Nijon 52	93	E4
Nilvange 57	41	E2
Nîmes 30	264	A4
Ninville 52	117	D1
Niort 79	164	C4
Niort-de-Sault 11	310	C1
Niort-la-Fontaine 53	81	E2
Niozelles 04	267	D3
Nissan-lez-Enserune 34	304	C1
Nistos 65	298	C3
Nitry 89	137	D1
Nitting 57	69	F4
Nivelle 59	9	E2
Nivillac 56	123	F2
Nivillers 60	34	A2
Nivolas-Vermelle 38	211	F2
Nivollet-Montgriffon 01	194	A2
Nixéville 55	66	B1
Le Nizan 33	236	C3
Nizan-Gesse 31	298	C1
Nizas 32	275	F3
Nizas 34	280	C3
Nizerolles 03	190	B2
Nizon 29	99	E2
Nizy-le-Comte 02	37	F1

Noailhac 12	242	A2
Noailhac 19	222	B2
Noailhac 81	278	B2
Noailhac 33	237	D2
Noaillan 33	236	B3
Noailles 81	259	D3
Noailles 19	222	B2
Noailles 60	34	B3
Noailly 42	191	E1
Noalhac 48	225	E4
Noalhat 63	190	A3
Noards 27	31	D4
Nocario 2B	315	E4
Nocé 61	83	F3
Noceta 2B	317	E1
Nochize 71	174	A3
La Nocle-Maulaix 58	156	A4
Nod-sur-Seine 21	115	E4
Nods 25	161	D1
Noé 89	113	D1
Noé 31	276	B4
La Noë-Blanche 35	103	D3
Noë-les-Mallets 10	115	E1
Noë-Poulain 27	31	D3
Noël-Cerneux 25	161	E1
Noëllet 49	104	B4
Les Noës 42	191	D1
Les Noës-près-Troyes 10	90	B3
Nœux-lès-Auxi 62	7	D4
Nœux-les-Mines 62	8	A2
Nogaret 31	277	F3
Nogaro 32	273	F1
Nogent 52	116	C1
Nogent-en-Othe 10	113	F1
Nogent-l'Abbesse 51	38	A4
Nogent-l'Artaud 02	62	C2
Nogent-le-Bernard 72	83	E4
Nogent-le-Phaye 28	85	E2
Nogent-le-Roi 28	85	E1
Nogent-le-Rotrou 28	84	A3
Nogent-le-Sec 27	58	B2
Nogent-lès-Montbard 21	138	A1
Nogent-sur-Aube 10	90	C2
Nogent-sur-Eure 28	85	D3
Nogent-sur-Loir 72	130	B1
Nogent-sur-Marne 94	61	D3
Nogent-sur-Oise 60	34	C3
Nogent-sur-Seine 10	89	D2
Nogent-sur-Vernisson 45	111	F3
Nogentel 02	63	D2
Nogna 39	176	C1
Noguères 64	272	B4
Nohan 08	23	D2
Nohanent 63	189	E4
Nohant-en-Goût 18	153	F1
Nohant-en-Graçay 18	152	B1
Nohant-Vic 36	169	F1
Nohèdes 66	311	E2
Nohic 82	258	A4
Noidan 21	138	A3
Noidans-le-Ferroux 70	141	D1
Noidans-lès-Vesoul 70	141	E1
Noilhan 32	275	F3
Nointel 95	61	D1
Nointel 60	34	C3
Nointot 76	15	D3

Noir (Lac) 68	96	A3
Noircourt 02	21	F4
Noirefontaine 25	142	C3
Noirémont 60	34	B1
Noirétable 42	190	C4
Noirlac (Abbaye de) 18	153	E4
Noirlieu 51	65	F2
Noirlieu 79	147	F3
Noirmoutier-en-l'Île 85	144	B1

Noiron 70	140	B3
Noiron-sous-Gevrey 21	139	E4
Noiron-sur-Bèze 21	139	F2
Noiron-sur-Seine 21	115	D2
Noironte 25	140	C4
Noirpalu 50	54	A3
Noirterre 79	147	F3
Noirval 08	39	D2
Noiseau 94	61	E4
Noisiel 77	61	E3
Noisseville 57	42	A4
Noisy-le-Grand 93	61	E3
Noisy-le-Roi 78	60	B3
Noisy-le-Sec 93	61	D3
Noisy-Rudignon 77	88	A3
Noisy-sur-École 77	87	E3
Noisy-sur-Oise 95	61	D1
Noizay 37	131	D3
Noizé 79	148	B3
Nojals-et-Clotte 24	238	C1
Nojeon-en-Vexin 27	33	D3
Nolay 58	155	D1
Nolay 21	157	F2
Nolléval 76	33	D2
Nollieux 42	191	D4
Nomain 59	9	D1
Nomdieu 47	256	A2
Nomécourt 52	92	A2
Nomeny 54	68	B2
Nomexy 88	94	C3
Nommay 25	142	C1
Nompatelize 88	95	F1
Nonac 16	201	E3
Nonancourt 27	58	C4
Nonant 14	29	D3
Nonant-le-Pin 61	57	D4
Nonards 19	222	B2
Nonaville 16	201	D2
Noncourt-sur-le-Rongeant 52	92	B2
Nonette 63	207	F3
Nonglard 74	195	E3
Nonhigny 54	95	F1
Nonières 07	228	B3
Les Nonières 26	230	B4
Nonsard 55	67	E2
Nontron 24	202	B2
Nonville 77	87	F4
Nonville 88	118	A1
Nonvilliers-Grandhoux 28	84	C3
Nonza 2B	315	E1
Nonzeville 88	95	D3
Noordpeene 59	3	E3
Nordausques 62	3	D3
Nordheim 67	70	C3
Nordhouse 67	71	D4
Nore (Pic de) 11	278	C4
Noreuil 62	8	C4
Norges-la-Ville 21	139	E3
La Norma 73	214	C4

Normandel 61	84	A1
Normandie (Pont de) 14	14	C4
Normanville 76	15	D2
Normanville 27	58	C1
Normée 51	64	B3
Normier 21	138	A3
Norolles 14	30	C4
Noron-la-Poterie 14	28	C4
Noron-l'Abbaye 14	56	A2
Noroy 60	34	C2
Noroy-le-Bourg 70	141	F1
Noroy-lès-Jussey 70	117	F3
Noroy-sur-Ourcq 02	36	A2
Norrent-Fontes 62	7	F1
Norrey-en-Auge 14	56	C2
Norrey-en-Bessin 14	29	D4
Norrois 51	65	E4
Norroy 88	93	F4
Norroy-le-Sec 54	41	D3
Norroy-lès-Pont-à-Mousson 54	68	A2
Nort-Leulinghem 62	3	D3
Nort-sur-Erdre 44	126	C2
Nortkerque 62	2	C2
Norville 76	15	E4
La Norville 91	86	C1
Nossage-et-Bénévent 05	249	D4
Nossoncourt 88	95	D2
Nostang 56	100	B3
Noth 23	186	B1
Nothalten 67	96	C1
Notre-Dame-d'Aiguebelle (Abbaye de) 26	247	D3
Notre-Dame-d'Aliermont 76	16	B3
Notre-Dame-d'Allençon 49	128	B2
Notre-Dame-d'Aurès 12	260	B1
Notre-Dame d'Ay (Sanctuaire de) 07	228	C1
Notre-Dame-de-Bellecombe 73	196	B3
Notre-Dame-de-Bliquetuit 76	15	E4
Notre-Dame-de-Boisset 42	191	E2
Notre-Dame-de-Bondeville 76	32	A2
Notre-Dame-de-Briançon 73	214	A4
Notre-Dame de Buglose 40	253	D4
Notre-Dame-de-Cenilly 50	54	B1
Notre-Dame-de-Clausis 05	251	E1
Notre-Dame-de-Commiers 38	230	C2
Notre-Dame-de-Courson 14	57	D2
Notre-Dame-de-Fresnay 14	56	C2
Notre-Dame-de-Garaison 65	298	C1
Notre-Dame-de-Grace 44	125	F2
Notre-Dame-de-Gravenchon 76	15	D4
Notre-Dame de Kérinec (Chapelle) 29	73	D3
Notre-Dame-de-la-Cour 22	51	D3

Notre-Dame-de-la-Gorge 74	196	C3
Notre-Dame-de-la-Grainetière (Abbaye de) 85	146	B3
Notre-Dame-de-la-Mer (Chapelle) 78	59	E1
Notre-Dame-de-la-Rouvière 30	262	C2
Notre-Dame-de-la-Salette 38	231	E1
Notre Dame de la Serra (Belvédère de) 2B	314	A3
Notre-Dame-de-l'Aillant 71	156	C1
Notre-Dame-de-Laus 05	249	F2
Notre-Dame-de-l'Espérance 22	51	E3
Notre-Dame-de-l'Isle 27	59	E1
Notre-Dame-de-Livaye 14	56	C1
Notre-Dame-de-Livoye 50	54	B3
Notre-Dame-de-Londres 34	262	C4
Notre-Dame-de-Lorette 62	8	A2
Notre-Dame-de-l'Ormeau (Chapelle) 83	287	E1
Notre-Dame-de-l'Osier 38	212	A4
Notre-Dame-de-Lure (Monastère de) 04	266	C2
Notre-Dame-de-Mésage 38	230	C2
Notre-Dame-de-Montplacé (Chapelle) 49	129	D1
Notre-Dame-de-Monts 85	144	B3
Notre-Dame-de-Piétat (Chapelle) 65	297	D2
Notre-Dame-de-Riez 85	144	C4
Notre-Dame-de-Sanilhac 24	220	C2
Notre-Dame-de-Timadeuc (Abbaye de) 56	101	F3
Notre-Dame-de-Tréminou (Chapelle) 29	98	B2
Notre-Dame-de-Tronoën 29	98	B2
Notre-Dame-de-Valvert (Chapelle) 04	268	C3
Notre-Dame-de-Vie (Ermitage) 06	288	B3
Notre-Dame-d'Elle 50	27	F4
Notre-Dame-d'Épine 27	31	E4
Notre-Dame-des-Anges (Prieuré) 83	286	C4
Notre-Dame-des-Dombes (Abbaye de) 01	193	E2
Notre-Dame-des-Fontaines (Chapelle) 06	289	F1
Notre-Dame-des-Landes 44	126	A2
Notre-Dame-des-Millières 73	214	A1
Notre-Dame-des-Misères (Chapelle) 82	258	A2
Notre-Dame-d'Estrées 14	30	A4
Notre-Dame-d'Oé 37	130	C2
Notre-Dame-d'Or 86	148	C4
Notre-Dame-du-Bec 76	14	B3
Notre-Dame-du-Crann (Chapelle) 29	75	E3

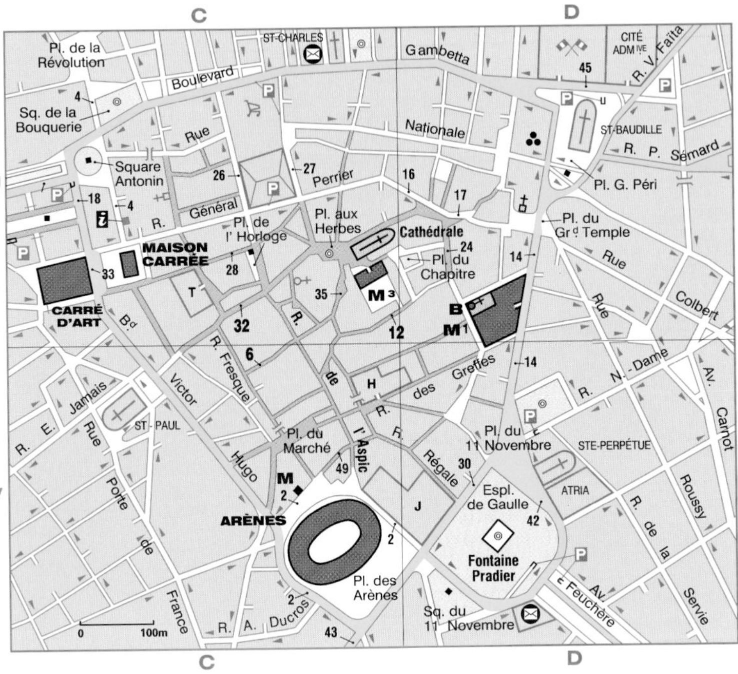

NIORT

Commerce (Passage du)	**BZ** 8
Ricard (R.)	**BZ** 35
St-Jean (R.)	**AYZ**
Victor-Hugo (R.)	**BY** 45
Abreuvoir (R. de l')	**AYZ** 2
Ancien-Oratoire (R. de l')	**AZ** 3
Boutteville (R. Th.-de)	**BY** 4
Brisson (R.)	**AY** 5
Bujault (Av. J.)	**BZ** 6
Chabaudy (R.)	**AZ** 7
Cronstadt (Quai)	**AY** 9
Donjon (Pl. du)	**AY** 13
Espingole (R. de l')	**AZ** 20
Huilerie (R. de l')	**AZ** 22
Largeau (R. Gén.)	**AZ** 23
Leclerc (R. Mar.)	**BY** 24
Main (Bd)	**AY** 25
Martyrs-Résistance (Av.)	**BZ** 26
Pérochon (R. Ernest)	**BZ** 28
Petit-Banc (R. du)	**AZ** 29
Pluviault (R. de)	**BY** 30
Pont (R. du)	**AY** 31
Rabot (R. du)	**AY** 32
Regratterie (R. de la)	**AY** 33
République (Av. de la)	**BY** 34
St-Jean (R. du Petit)	**AY** 37
St-Jean (R. de la Porte)	**AZ** 38
Strasbourg (Pl. de)	**BY** 39
Temple (Pl. du)	**BZ** 40
Thiers (R.)	**AY** 42
Tourniquet (R. du)	**AZ** 43
Verdun (Av. de)	**BZ** 44
Vieux-Fourneau (R. du)	**AY** 46
Yver (R.)	**BY** 48

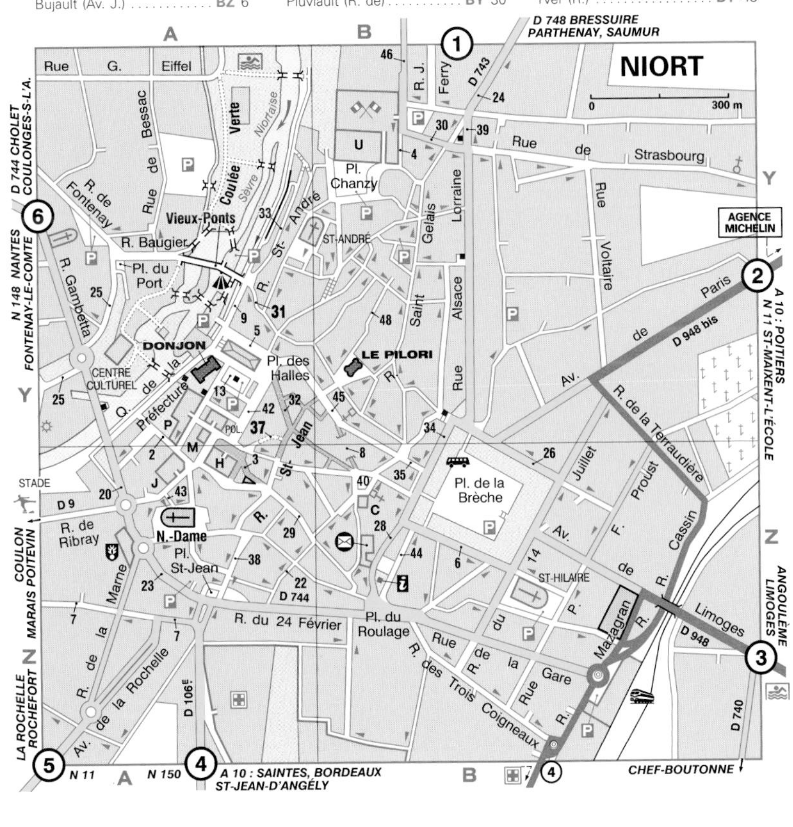

Notre-Dame-du-Cruet 73.... 213 F3
Notre-Dame-du-Groseau
  (Chapelle) 84............ 265 E1
Notre-Dame-du-Guildo 22.... 52 B4
Notre-Dame du Hamel 27.... 57 E3
Notre-Dame du Haut
  (Chapelle) 22............ 77 F2
Notre-Dame-du-Mai
  (Chapelle) 83............ 291 F4
Notre-Dame-du-Parc 76...... 16 A4
Notre-Dame-du-Pé 72...... 105 F4
Notre-Dame-du-Pré 73...... 214 B2
Notre-Dame-du-Rocher 61 .... 55 F3
Notre-Dame-du-Touchet 50 . 80 C1
Nottonville 28............ 109 E1
La Nouaille 23............ 187 E4
Nouaillé-Maupertuis 86...... 166 B2
Nouainville 50 .... 24 C2
Nouan-le-Fuzelier 41...... 133 E2
Nouan-sur-Loire 41........ 132 B1
Nouans 72............... 83 D4
Nouans-les-Fontaines 37.... 151 D1
Nouart 08................ 39 F2
Nouâtre 37............... 149 F2
La Nouaye 35............. 78 C4
La Noue 51............... 63 E4
La Noue 17............... 180 B1
Noueilles 31............. 276 C4
Nougaroulet 32........... 275 D1
Nouhant 23.............. 170 B4
Nouic 87................ 185 D2
Nouilhan 65.............. 273 F3
Les Nouillers 17........... 181 F3
Nouillonpont 55........... 40 C2
Nouilly 57................ 41 F4
Noulens 32............... 255 E4
Nourard-le-Franc 60........ 34 C2
Nourray 41............... 108 B4
Nousse 40............... 272 A1
Nousseviller-lès-Bitche 57.. 44 B3
Nousseviller-Saint-Nabor 57 43 D4
Nousty 64............... 297 D1
Nouvelle-Église 62......... 3 D2
Nouvion 80............... 6 B4
Le Nouvion-en-Thiérache 02 . 10 A4
Nouvion-et-Catillon 02...... 20 B4
Nouvion-le-Comte 02....... 20 B4
Nouvion-le-Vineux 02....... 37 D2
Nouvion-sur-Meuse 08 ..... 23 D4
Nouvoitou 35............. 103 F1
Nouvron-Vingré 02......... 36 A2
Nouzerines 23............ 169 F3
Nouzerolles 23............ 169 D3
Nouziers 23.............. 169 F3
Nouzilly 37.............. 131 D2
Nouzonville 08............ 22 C3
Novacelles 63............ 208 B3
Novalaise 73............. 212 C1
Novale 2B............... 315 F4
Novéant-sur-Moselle 57.... 68 A1
Novel 74................ 179 D3
Novella 2B............... 315 D2
Noves 13................ 265 D4
Noviant-aux-Prés 54....... 67 F3
Novillard 90............. 120 A3
Novillars 25.............. 141 E3
Novillers 60............. 34 B4
Novion-Porcien 08........ 38 D1
Novy-Chevrières 08....... 38 B1
Noyal 22................ 51 F4
Noyal-Châtillon-
  sur-Seiche 35......... 103 E1
Noyal-Muzillac 56......... 123 E2
Noyal-Pontivy 56.......... 77 D4
Noyal-sous-Bazouges 35.... 79 E2
Noyal-sur-Brutz 44........ 104 A3
Noyal-sur-Vilaine 35....... 103 F1
Noyales 02............... 20 C2
Noyalo 56............... 101 E4
Noyant 49............... 129 F2
Noyant-d'Allier 03......... 171 F2
Noyant-de-Touraine 37..... 149 F1
Noyant-et-Aconin 02....... 36 B3
Noyant-la-Gravoyère 49.... 104 C4
Noyant-la-Plaine 49....... 128 C4
Noyarey 38.............. 212 B4
Noyelle-Vion 62........... 7 F3
Noyelles-en-Chaussée 80 ... 6 C4
Noyelles-Godault 62........ 8 C2
Noyelles-lès-Humières 62.. 7 D2
Noyelles-lès-Seclin 59...... 8 C1
Noyelles-lès-Vermelles 62.. 8 A2
Noyelles-sous-Bellonne 62.. 8 C3
Noyelles-sous-Lens 62...... 8 B2
Noyelles-sur-Escaut 59 .... 9 D4
Noyelles-sur-Mer 80....... 6 B4
Noyelles-sur-Sambre 59.... 10 A3
Noyelles-sur-Selle 59...... 9 E3
Noyellette 62............. 8 A3
Noyen-sur-Sarthe 72...... 106 B3
Noyen-sur-Seine 77....... 89 D2
Le Noyer 05.............. 249 E1
Le Noyer 73.............. 213 E1
Le Noyer 18.............. 134 C3
Noyer (Col du) 05......... 249 E1
Le Noyer-en-Ouche 27..... 58 A2
Noyers 52............... 117 D1
Noyers 45............... 111 E3
Noyers 27............... 33 E4
Noyers 89............... 114 A4
Noyers-Bocage 14........ 29 D4
Noyers-le-Val 55.......... 66 A2
Noyers-Pont-Maugis 08.... 23 D4
Noyers-Saint-Martin 60.... 34 B1
Noyers-sur-Cher 41........ 132 A4
Noyers-sur-Jabron 04...... 267 D1
Noyon 60................ 35 F1
Nozay 44................ 126 B1
Nozay 10................ 90 B2
Nozay 91................ 86 C1

Nozeroy 39 .... 160 B4
Nozières 18............. 153 E4
Nozières 07............. 228 B2
Nuaillé 49............... 147 D1
Nuaillé-d'Aunis 17......... 163 F4
Nuaillé-sur-Boutonne 17.... 182 B2
Nuars 58................ 136 C3
Nubécourt 55............ 66 B1
Nuces 12................ 242 A3
Nucourt 95.............. 33 F4
Nueil-sous-Faye 86........ 149 D2
Nueil-sur-Argent 79........ 147 E2
Nueil-sur-Layon 49........ 148 A1
Nuelles 69.............. 192 B4
Nuillé-le-Jalais 72........ 107 E2
Nuillé-sous-Ouette 53...... 105 E1
Nuillé-sur-Vicoin 53....... 105 D2
Nuisement-sur-Coole 51.... 64 C3
Nuits 89................ 114 C4
Nuits-Saint-Georges 21.... 158 B1
Nullemont 76............ 17 D3
Nully 52................ 91 F3
Nuncq 62................ 7 E3
Nuret-le-Ferron 36........ 168 B1
Nurieux-Volognat 01....... 194 A1
Nurlu 80................ 19 F1
Nuzéjouls 46............. 240 A2
Nyer 66................. 311 E3
Nyoiseau 49............. 104 C4
Nyons 26................ 247 F4

O

O (Château d') 61......... 56 C4
Obenheim 67............. 97 D1
Oberbronn 67............ 44 C4
Oberbruck 68............ 119 F3
Oberdorf 68.............. 120 C4
Oberdorf-Spachbach 67.... 45 D4
Oberdorff 57............. 42 B3
Oberentzen 68........... 120 C1
Obergailbach 57.......... 43 F4
Oberhaslach 67.......... 70 B2
Oberhausbergen 67 .... 71 D3

Oberhergheim 68 .... 96 C4
Oberhoffen-
  lès-Wissembourg 67...... 45 E4
Oberhoffen-sur-Moder 67... 71 E1
Oberkutzenhausen 67...... 45 D4
Oberlarg 68............. 143 E2
Oberlauterbach 67........ 45 F4
Obermodern 67........... 70 C1
Obermorschwihr 68....... 96 B4
Obermorschwiller 68....... 120 C3
Obernai 67.............. 70 C4
Oberrœdern 67........... 45 F4
Obersaasheim 68......... 97 D4
Oberschaeffolsheim 67.... 71 D3
Obersoultzbach 67........ 70 C1
Obersteigen 67........... 70 B3
Obersteinbach 67......... 45 D3
Oberstinzel 57........... 69 F3
Obervisse 57............. 42 B4
Obies 59................ 10 A2
Objat 19................ 204 A4
Oblinghem 62............ 8 A1
Obrechies 59............ 10 C2
Obreck 57............... 69 D2
Obsonville 77............ 87 E4
Obterre 36.............. 150 C3
Obtrée 21............... 115 E2
Ocana 2A............... 316 C4
Occagnes 61............ 56 B3
Occey 52............... 139 F1
Occhiatana 2B........... 314 C2
Occoches 80............ 7 E4
Ochancourt 80........... 17 D1
Oches 08............... 39 D1
Ochey 54............... 93 F1
Ochiaz 01............... 194 C1
Ochtezeele 59............ 3 E3
Ocqueville 77............ 62 B1
Ocqueville 76............ 15 E2
Octeville 50............. 24 C2
Octeville-l'Avenel 50....... 25 D3
Octeville-sur-Mer 76 ...... 14 B4
Octon 34................ 280 B2
Odars 31............... 277 D3
Odeillo 66............... 310 C3
Odenas 69.............. 192 B3

Oderen 68 .... 119 F2
Odival 52............... 116 C1
Odomez 59.............. 9 F2
Odos 65................ 297 F1
Odratzheim 67........... 70 C3
Oeillon (Crêt de l') 42...... 210 B3
Œlleville 88.............. 94 A3
Oermingen 67............ 44 A4
Œting 57................ 43 D4
Œuf-en-Ternois 62........ 7 E3
Œuilly 02............... 37 D2
Œuilly 51............... 63 F1
Œutrange 57............ 41 E2
Oeyregave 40............ 271 E2
Oeyreluy 40............. 271 E1
Offekerque 62............ 2 C2
Offemont 90............. 119 F4
Offendorf 67............. 71 E2
Offignies 80............. 17 E3
Offin 62................ 6 C2
Offlanges 39............ 140 B4
Offoy 80................ 19 E3
Offoy 60................ 17 F4
Offranville 76............ 16 A3
Offrethun 62............. 2 B3
Offroicourt 88........... 94 A3
Offwiller 67............. 70 C1
Ogenne-Camptort 64...... 272 A4
Oger 51................ 64 A2
Ogeu-les-Bains 64........ 296 C2
Ogéviller 54............. 95 E1
Ogliastro 2B............ 314 A2
Ognes 60............... 62 A1
Ognes 02............... 36 A1
Ognes 51............... 64 A4
Ognéville 54............. 94 A2
Ognolles 60............. 19 E4
Ognon 60............... 35 D4
Ogy 57................. 42 A4
Ohain 59............... 10 C4
Oherville 76............. 15 E2
Ohis 02................ 21 E3
Ohlungen 67............ 71 D1
Ohnenheim 67........... 96 C3

L'Oie 85 .... 146 B3
Oigney 70............... 117 F4
Oignies 62.............. 8 C2
Oigny 41............... 108 B1
Oigny 21............... 138 C1
Oigny-en-Valois 02....... 36 A4
Oingt 69................ 192 B3
Oinville-Saint-Liphard 28... 86 A4
Oinville-sous-Auneau 28... 85 F2
Oinville-sur-Montcient 78... 60 A1
Oiron 79................ 148 B2
Oiry 51................. 64 A1
Oiselay-et-Grachaux 70.... 141 D2
Oisemont 80............. 17 E2
Oisilly 21............... 139 F2
Oisly 41................ 132 A3
Oison 45................ 110 B1
Oisseau 53.............. 81 E3
Oisseau-le-Petit 72....... 82 C3
Oissel 76............... 32 A3
Oissy 80................ 17 F2
Oisy 59................. 9 E3
Oisy 58................. 136 A2
Oisy 02................. 10 A4
Oisy-le-Verger 62........ 9 D3
Oizé 72................ 106 C3
Oizon 18............... 134 B2
OK Corral
  (Parc d'attractions) 13.... 291 E3
Olargues 34............. 279 F3
Olby 63................ 207 D1
Olcani 2B............... 314 A2
Oléac-Debat 65.......... 298 A1
Oléac-Dessus 65......... 298 A2
Olemps 12.............. 242 B4
Olendon 14............. 56 B2
Oléron (Ile d') 17......... 180 C1
Oléron (Viaduc d') 17...... 180 C3
Oletta 2B............... 315 E2
Olette 66............... 311 E3
Olhain
  (Château d') 62.......... 8 A2
Olivese 2A.............. 317 D4
Olivet 45............... 110 A3
Olivet 53............... 104 C1

Olizy 08................ 39 D3
Olizy 51................ 37 D4
Olizy-sur-Chiers 55....... 39 F1
Ollainville 88............ 93 F3
Ollainville 91............ 86 C1
Ollans 25............... 141 E2
Ollé 28................. 85 D3
Ollencourt 60............ 35 F2
Olley 54................ 41 D4
Ollezy 02............... 19 F4
Les Ollières 74........... 195 E4
Ollières 83.............. 285 F3
Ollières 55.............. 40 C1
Les Ollières-
  sur-Eyrieux 07.......... 228 B4
Olliergues 63............ 208 B1
Ollioules 83............. 291 F4
Olloix 63............... 207 E2
Les Olmes 69............ 192 B3
Olmet 63............... 208 B1
Olmet-et-Villecun 34...... 280 B1
Olmeta-di-Capocorso 2B... 315 E1
Olmeta-di-Tuda 2B........ 315 E2
Olmeto 2A.............. 318 C2
Olmi-Cappella 2B......... 314 C3
Olmiccia 2A............. 319 D2
Olmo 2B................ 315 E2
Olonne-sur-Mer 85........ 162 B1
Olonzac 34.............. 303 E1
Oloron-Sainte-Marie 64.... 296 B1
Ols-et-Rinhodes 12....... 241 D3
Oltingue 68............. 120 C4
Olwisheim 67............ 71 D2
Omaha Beach 14......... 28 C2
Omblèze 26............. 229 F3
Omécourt 60............. 33 F1
Omelmont 54............ 94 A1
Les Omergues 04........ 266 B1
Omerville 95............ 59 F1
Omessa 2B.............. 315 D4
Omet 33................ 236 C1
Omex 65................ 297 E2
Omey 51................ 65 D3
Omicourt 08............. 23 D4
Omiécourt 80............ 19 E3
Omissy 02............... 20 A2

ORLÉANS

Bannier (R.) .... **DY**
Jeanne-d'Arc (R.) .... **EY**
République (R. de la) .... **EY**
Royale (R.) .... **EZ** 125
Tabour (R. du) .... **EZ** 145

Antigna (R.) .... **DY** 4
Bothereau (R. R.) .... **FY** 14
Brésil (R. du) .... **FY** 16

Bourgogne (R. Fg-de) ..... **FZ** 15
Bretonnerie (R. de la) ... **DEY** 17
Briand (Bd A.) .... **FY** 19
Champ-de-Mars (Av.) .... **DZ** 25
Châtelet (Square du) ..... **EZ** 32
Charpenterie (R. de la) .... **EZ** 34
Chollet (R. Théophile) .... **EY** 36
Claye (R. de la) .... **FY** 38
Coligny (R.) .... **FZ** 39
Croix-de-la-Pucelle (R.) ... **EZ** 43
Dauphine (Av.) .... **EZ** 47
Dolet (R. Étienne) .... **EZ** 49

Ducerceau (R.) .... **EZ** 51
Dunois (Pl.) .... **DY** 52
Dupanloup (R.) .... **EFY** 53
Escures (R. d') .... **EY** 55
Étape (Pl. de l') .... **EY** 56
Ételon (R. de l') .... **FY** 57
Folie (R. de la) .... **FY** 58
Fort-des-Tourelles (Q.) .... **EZ** 60
Gaulle (Pl. du Gén.-de) .... **DZ** 65
Halleberde (R. de la) ...... **DY** 70
Madeleine (R. Fg) .... **DZ** 88
Manufacture (R. de la) .... **FY** 89

Motte-Sanguin
  (Bd de la) .... **FZ** 95
Notre-Dame-de-
  Recouvrance (R.) ...... **DZ** 97
Oriflamme (R. de l') ...... **FZ** 98
Parisie (R.) .... **EZ** 100
Poirier (R.) .... **EZ** 106
Pte-Madeleine (R.) .... **DY** 108
Pte-St-Jean (R.) .... **DY** 109
Pothier (R.) .... **EZ** 112
Prague (Quai) .... **DZ** 113
Pressoir Neuf (R. du) ..... **FY** 115

Rabier (R. F.) .... **EY** 117
St-Euverte (Bd) .... **FYZ** 126
St-Euverte (R.) .... **FY** 127
Ste-Croix (Pl.) .... **EYZ** 139
Secrétain (Av. R.) .... **DZ** 140
Segellé (Bd P.) .... **FY** 141
Tour Neuve
  (R. de la) .... **FY** 147
Verdun (Bd de) .... **DY** 152
Vieux-Marché (Pl.) ...... **DZ** 159
Weiss (R. L.) .... **FY** 160
6-Juin-1944 (Pl. du)...... **FY** 162

Omméel 61 . . . . 56 C3
Ommeray 57 . . . 69 D3
Ommoy 61 . . . 56 B3
Omont 08 . . . 39 D1
Omonville 76 . . . 16 A3
Omonville-la-Petite 50 . . 24 B1
Omonville-la-Rogue 50 . . 24 B1
Omps 15 . . . 223 F4
Oms 66 . . . 312 C3
Onans 25 . . . 142 B1
Onard 40 . . . 253 E4
Onay 70 . . . 140 B3
Oncieu 01 . . . 194 A2
Oncourt 88 . . . 94 C3
Oncy-sur-École 91 . . . 87 E3
Ondefontaine 14 . . . 55 E1
Ondes 31 . . . 276 B1
Ondres 40 . . . 270 C2
Ondreville-sur-Essonne 45 . . 87 D4
Onesse-et-Laharie 40 . . . 252 D2
Onet-le-Château 12 . . . 242 B4
Oneux 80 . . . 6 C4
Ongles 04 . . . 266 C2
Onglières 39 . . . 160 B3
Onival 80 . . . 16 C1
Onjon 10 . . . 90 C3
Onlay 58 . . . 156 A2
Onnaing 59 . . . 9 F2
Onnion 74 . . . 178 B4
Onoz 39 . . . 176 C2
Ons-en-Bray 60 . . . 33 F2
Ontex 73 . . . 194 C4
Onville 54 . . . 67 F1
Onvillers 80 . . . 35 D1
Onzain 41 . . . 131 F2
Oô 31 . . . 307 F4
Oost-Cappel 59 . . . 3 F2
Opio 06 . . . 288 A2
Opme 63 . . . 207 E1
Opoul-Périllos 66 . . . 303 F4
Oppède 84 . . . 265 F4
Oppède-le-Vieux 84 . . . 265 F4
Oppedette 04 . . . 266 B3
Oppenans 70 . . . 141 F1
Oppy 62 . . . 8 B3
Optevoz 38 . . . 193 F4
Or (Mont d') 25 . . . 161 D4
Oraàs 64 . . . 271 F3
Oradour 16 . . . 183 D3
Oradour 15 . . . 225 D1
Oradour-Fanais 16 . . . 184 C1
Oradour-Saint-Genest 87 . . . 167 F4
Oradour-sur-Glane 87 . . . 185 E3
Oradour-sur-Vayres 87 . . . 203 D1
Orain 21 . . . 140 A1
Orainville 02 . . . 37 F3
Oraison 04 . . . 267 D3
Orange 84 . . . 264 C2
Orbagna 39 . . . 176 B1
Orbais-l'Abbaye 51 . . . 63 F2
Orban 81 . . . 259 E4
Orbec 14 . . . 57 E1
Orbeil 63 . . . 207 F2
Orbessan 32 . . . 275 D3
Orbey 68 . . . 96 A3
Orbigny 37 . . . 131 F4
Orbigny-au-Mont 52 . . . 117 D3
Orbigny-au-Val 52 . . . 117 D3
Orbois 14 . . . 29 D4
L'Orbrie 85 . . . 164 A2
Orçay 41 . . . 133 E4
Orcemont 78 . . . 86 A1
Orcenais 18 . . . 170 B4
Orcet 63 . . . 207 F1
Orcevaux 52 . . . 116 C4
Orchaise 41 . . . 131 F1
Orchamps 39 . . . 159 F1
Orchamps-Vennes 25 . . . 161 E1
Orches 86 . . . 149 E3
Orchies 59 . . . 9 D2
Orcier 74 . . . 178 B3
Orcières 05 . . . 250 A1
Orcinas 26 . . . 247 F2
Orcines 63 . . . 189 E4
Orcival 63 . . . 207 D1
Orconte 51 . . . 65 E4
Ordan-Larroque 32 . . . 274 C1
Ordiarp 64 . . . 295 F1
Ordizan 65 . . . 298 A2
Ordonnac 33 . . . 198 C4
Ordonnaz 01 . . . 194 B3
Ore 31 . . . 299 D3
Orègue 64 . . . 271 E3
Oreilla 66 . . . 311 E3
Orelle 73 . . . 214 B4
Oresmaux 80 . . . 18 B3
Orezza (Couvent d') 2B . . . 315 F4
Organ 65 . . . 298 C1
Orgeans 25 . . . 142 B3
Orgedeuil 16 . . . 202 A1
Orgeix 09 . . . 310 B2
Orgelet 39 . . . 176 C2
Orgères 61 . . . 57 D4
Orgères 35 . . . 103 E1
Orgères-en-Beauce 28 . . . 109 F1
Orgères-la-Roche 53 . . . 82 A1
Orgerus 78 . . . 59 F3
Orges 52 . . . 116 A1
Orgeux 21 . . . 139 E3
Orgeval 02 . . . 37 D1
Orgeval 78 . . . 60 B2
Orgibet 09 . . . 299 F4
Orglandes 50 . . . 25 D4
Orgnac (Aven d') 07 . . . 246 A4
Orgnac-l'Aven 07 . . . 246 A4
Orgnac-sur-Vézère 19 . . . 204 A4
Orgon 13 . . . 265 E4
Orgueil 82 . . . 257 F4
Oricourt 70 . . . 141 F1

Orient (Forêt d') 10 . . . 90 C4
Orieux 65 . . . 298 B1
Orignac 65 . . . 298 A2
Origné 53 . . . 105 D2
Origne 33 . . . 235 F3
Orignolles 17 . . . 218 C1
Origny 21 . . . 115 E4
Origny-en-Thiérache 02 . . . 21 E2
Origny-le-Butin 61 . . . 83 E3
Origny-le-Roux 61 . . . 83 E3
Origny-le-Sec 10 . . . 89 F2
Origny-Sainte-Benoîte 02 . . . 20 B3
Orin 64 . . . 296 B1
Orincles 65 . . . 297 F2
Oriol-en-Royans 26 . . . 229 F2
Oriolles 16 . . . 201 D3
Orion 64 . . . 271 F3
Oris-en-Rattier 38 . . . 231 D3
Orist 40 . . . 271 E1
Orival 80 . . . 17 E3
Orival 16 . . . 201 E4
Orival 76 . . . 32 A3
Orléans 45 . . . 110 A3
Orléat 63 . . . 190 A4
Orleix 65 . . . 298 A1
Orliac 24 . . . 239 E1
Orliac-de-Bar 19 . . . 204 C4
Orliaguet 24 . . . 222 A3
Orliénas 69 . . . 210 C1
Orlu 28 . . . 86 A3
Orlu 09 . . . 310 B2
Orly 94 . . . 61 D4
Orly-sur-Morin 77 . . . 62 C2
Ormancey 52 . . . 116 B2
Ormeaux 77 . . . 62 B4
Ormenans 70 . . . 141 E2
Ormersviller 57 . . . 43 F4
Ormes 71 . . . 175 D2
Ormes 51 . . . 37 E4
Les Ormes 86 . . . 149 F2
Ormes 45 . . . 110 A2
Ormes 27 . . . 58 B1
Ormes 10 . . . 90 B1
Les Ormes 89 . . . 112 C3
Ormes-et-Ville 54 . . . 94 B1
Les Ormes-sur-Voulzie 77 . . . 88 C2
Ormesson 77 . . . 87 F4
Ormesson-sur-Marne 94 . . . 61 E4
Ormoiche 70 . . . 118 C3
Ormoy 91 . . . 87 D1
Ormoy 28 . . . 85 E1
Ormoy 89 . . . 113 E2
Ormoy 70 . . . 118 A2
Ormoy-la-Rivière 91 . . . 86 C3
Ormoy-le-Davien 60 . . . 35 F4
Ormoy-lès-Sexfontaines 52 . . . 92 A4
Ormoy-sur-Aube 52 . . . 115 F2
Ormoy-Villers 60 . . . 35 E4
Ornacieux 38 . . . 211 F3
Ornaisons 11 . . . 303 E2
Ornans 25 . . . 160 C1
Ornel 55 . . . 40 C3
Ornes 55 . . . 40 B3
Ornex 01 . . . 177 F4
Ornézan 32 . . . 275 D3
Orniac 46 . . . 240 B2
Ornolac-Ussat-les-Bains 09 . . . 310 A1
Ornon 38 . . . 231 E1
Ornon (Col d') 38 . . . 231 E2
Orny 57 . . . 68 B1
Oroër 60 . . . 34 A2
Oroix 65 . . . 273 F4
Oron 57 . . . 68 C2
Oroux 79 . . . 165 E1
Orphin 78 . . . 86 A1
Orpierre 05 . . . 248 C1
Orquevaux 52 . . . 92 C3
Les Orres 05 . . . 250 B3
Orret 21 . . . 138 B1
Orriule 64 . . . 271 F3
Orrouer 28 . . . 85 D3
Orrouy 60 . . . 35 E3
Orry-la-Ville 60 . . . 61 E1
Ors 59 . . . 20 C1
Orsan 30 . . . 264 C2
Orsanco 64 . . . 271 E4
Orsans 11 . . . 301 F2
Orsans 25 . . . 141 E4
Orsay 91 . . . 60 C4
Orschwihr 68 . . . 120 B1
Orschwiller 67 . . . 96 C2
Orsennes 36 . . . 169 D3
Orsinval 59 . . . 9 F3
Orsonnette 63 . . . 207 F3
Orsonville 78 . . . 86 A2
Ortaffa 66 . . . 313 D3
Ortale 2B . . . 315 F4
Orthevielle 40 . . . 271 E2
Orthez 64 . . . 272 A3
Orthoux-Sérignac-Quilhan 30 . . . 263 E4
Ortillon 10 . . . 90 C2
Ortiporio 2B . . . 315 E4
Orto 2A . . . 316 C2
Ortoncourt 88 . . . 95 D2
Orus 09 . . . 309 F1
Orval 18 . . . 153 E4
Orval 50 . . . 53 F1
Orvault 44 . . . 126 B3
Orvaux 27 . . . 58 B2
Orve 25 . . . 142 A3
Orveau 91 . . . 87 D3
Orveau-Bellesauve 45 . . . 87 D4
Orville 61 . . . 57 D3
Orville 45 . . . 87 D4
Orville 21 . . . 139 E1
Orville 62 . . . 7 F4

Orville 36 . . . 152 A1
Orvillers-Sorel 60 . . . 35 D1
Orvilliers 78 . . . 59 F3
Orvilliers-Saint-Julien 10 . . . 89 F2
Orx 40 . . . 270 C2
Os-Marsillon 64 . . . 272 B4
Osani 2A . . . 316 A1
Osches 55 . . . 66 B1
Osenbach 68 . . . 96 B4
Oslon 71 . . . 158 B4
Osly-Courtil 02 . . . 36 A2
Osmanville 14 . . . 27 E3
Osmery 18 . . . 153 F3
Osmets 65 . . . 274 A4
Osmoy 18 . . . 153 E2
Osmoy 78 . . . 59 F3
Osmoy-Saint-Valery 76 . . . 16 B3
Osne-le-Val 52 . . . 92 B2
Osnes 08 . . . 23 F4
Osny 95 . . . 60 B1
L'Ospédale 2A . . . 319 E2
Osquich (Col d') 64 . . . 295 E1
Ossages 40 . . . 271 F2
Ossas-Suhare 64 . . . 295 F2
Osse 25 . . . 141 E3
Ossé 35 . . . 103 F1
Osse-en-Aspe 64 . . . 296 B3
Osséja 66 . . . 310 C4
Osselle 25 . . . 160 A1
Osselle (Grottes d') 25 . . . 160 A1
Ossen 65 . . . 297 E2
Ossenx 64 . . . 272 A4
Osserain-Rivareyte 64 . . . 271 F4
Ossès 64 . . . 295 D1
Ossey-les-Trois-Maisons 10 . . . 89 F2
Ossun 65 . . . 297 F1
Ossun-ez-Angles 65 . . . 297 F2
Ostabat-Asme 64 . . . 295 E1
Ostel 02 . . . 36 C2
Ostheim 68 . . . 96 C3
Osthoffen 67 . . . 70 C3
Osthouse 67 . . . 97 D1
Ostreville 62 . . . 7 F2
Ostricourt 59 . . . 8 C2
Ostwald 67 . . . 71 D3
Ota 2A . . . 316 B1
Othe 54 . . . 40 B1
Othis 77 . . . 61 F1
Ottange 57 . . . 41 E2
Ottersthal 67 . . . 70 B2
Otterswiller 67 . . . 70 B2
Ottmarsheim 68 . . . 121 D2
Ottonville 57 . . . 42 B3
Ottrott 67 . . . 70 C4
Ottwiller 67 . . . 70 A1
Ouagne 58 . . . 136 B3
Ouainville 76 . . . 15 D2
Ouanne 89 . . . 136 A1
Ouarville 28 . . . 86 A3
Les Oubeaux 14 . . . 27 F3
Ouchamps 41 . . . 132 A2
Ouches 42 . . . 191 D2
Oucques 41 . . . 109 D3
Oudalle 76 . . . 14 C4
Oudan 58 . . . 136 A3
Oudeuil 60 . . . 34 A1
Oudezeele 59 . . . 3 F3
Oudincourt 52 . . . 92 B4
Oudon 44 . . . 127 D3
Oudrenne 57 . . . 42 A2
Oudry 71 . . . 173 F2
Oueilloux 65 . . . 298 A2
Ouerre 28 . . . 59 E4
Ouessant 29 . . . 46 B2
Ouézy 14 . . . 56 B1
Ouffières 14 . . . 55 F1
Ouge 70 . . . 117 E3
Ouges 21 . . . 139 E4
Ougney 39 . . . 140 B4
Ougney-Douvot 25 . . . 141 F3
Ougny 58 . . . 155 F2
Ouhans 25 . . . 160 C2
Ouides 43 . . . 226 C3
Ouillat (Col de l') 66 . . . 313 D3
Ouillon 64 . . . 273 D4
Ouilly-du-Houley 14 . . . 30 C4
Ouilly-le-Tesson 14 . . . 56 A2
Ouilly-le-Vicomte 14 . . . 30 C4
Ouistreham 14 . . . 29 F3
Oulches 36 . . . 168 B1
Oulches-la-Vallée-Foulon 02 . . . 37 D2
Oulchy-la-Ville 02 . . . 36 B3
Oulchy-le-Château 02 . . . 36 B3
Oulins 28 . . . 59 E3
Oullins 69 . . . 210 C1
Oulmes 85 . . . 164 B3
Oulon 58 . . . 155 E1
Ounans 39 . . . 159 F2
Oupia 34 . . . 303 E1
Our 39 . . . 159 F1
Ourcel-Maison 60 . . . 34 B1
Ourches 26 . . . 229 E4
Ourches-sur-Meuse 55 . . . 67 E4
Ourde 65 . . . 298 C3
Ourdis-Cotdoussan 65 . . . 297 F3
Ourdon 65 . . . 297 F3
Ourouër 58 . . . 155 D2
Ourouer-les-Bourdelins 18 . . . 154 A3
Ouroux 69 . . . 174 C4
Ouroux-en-Morvan 58 . . . 156 B1
Ouroux-sous-le-Bois-Sainte-Marie 71 . . . 174 A3
Ouroux-sur-Saône 71 . . . 158 B4
Oursbelille 65 . . . 297 F1
Ourscamps (Abbaye d') 60 . . . 35 F1
Les Oursinières 83 . . . 292 B3

Ourtigas (Col de l') 34 . . . 279 F2
Ourton 62 . . . 7 F2
Ourville-en-Caux 76 . . . 15 D2
Ousse 64 . . . 297 D1
Ousse-Suzan 40 . . . 253 E3
Oussières 39 . . . 159 E3
Ousson-sur-Loire 45 . . . 134 C1
Oussoy-en-Gâtinais 45 . . . 111 F3
Oust 09 . . . 300 A4
Oust-Marest 80 . . . 16 C1
Ousté 65 . . . 297 F3
Outarville 45 . . . 86 B4
Outines 51 . . . 91 E1
Outreau 62 . . . 2 A4
Outrebois 80 . . . 7 E4
Outremécourt 52 . . . 93 E4
Outrepont 51 . . . 65 E3
Outriaz 01 . . . 194 B2
Ouvans 25 . . . 142 A3
Ouve-Wirquin 62 . . . 3 D3
Ouveillan 11 . . . 303 F1
Ouville 50 . . . 54 A1
Ouville-la-Bien-Tournée 14 . . . 56 C1
Ouville-la-Rivière 76 . . . 15 F1
Ouville-l'Abbaye 76 . . . 15 D2
Ouvrouer-les-Champs 45 . . . 110 C3
Ouzilly 86 . . . 149 E4
Ouzilly-Vignolles 86 . . . 148 C3
Ouzouer-des-Champs 45 . . . 111 F3
Ouzouer-le-Doyen 41 . . . 109 D2
Ouzouer-le-Marché 41 . . . 109 E3
Ouzouer-sous-Bellegarde 45 . . . 111 E2
Ouzouer-sur-Loire 45 . . . 111 E4
Ouzouer-sur-Trézée 45 . . . 135 D1
Ouzous 65 . . . 297 E3
Ovanches 70 . . . 141 D1
Ovillers-la-Boisselle 80 . . . 19 D1
Oxelaëre 59 . . . 3 F3
Oxocelhaya et Isturits (Grottes d') 64 . . . 271 D4
Oyé 71 . . . 174 A4
Oye-et-Pallet 25 . . . 161 D2
Oye-Plage 62 . . . 2 C1
Oyes 51 . . . 63 F3
Oyeu 38 . . . 212 A4
Oyonnax 01 . . . 176 C4
Oyré 86 . . . 149 F3
Oyrières 70 . . . 140 A1
Oysonville 28 . . . 86 B3
Oytier-Saint-Oblas 38 . . . 211 E2
Oz 38 . . . 231 E1
Ozan 01 . . . 175 E4
Oze 05 . . . 249 D2
Ozenay 71 . . . 175 E2
Ozenx 64 . . . 272 A3
Ozerailles 54 . . . 41 D3
Ozeville 50 . . . 25 D3
Ozières 52 . . . 93 D4
Ozillac 17 . . . 199 F3
Ozoir-la-Ferrière 77 . . . 61 F4
Ozoir-le-Breuil 28 . . . 109 E2
Ozolles 71 . . . 174 B3
Ozon 65 . . . 298 A2
Ozon 07 . . . 228 C1
Ozouer-le-Voulgis 77 . . . 87 F1
Ozourt 40 . . . 271 F1

P
Paars 02 . . . 36 C3
Pabu 22 . . . 50 C3
La Pacaudière 42 . . . 191 D1
Pacé 35 . . . 79 D4
Pacé 61 . . . 82 B2
Pact 38 . . . 211 E4
Pacy-sur-Armançon 89 . . . 114 B4
Pacy-sur-Eure 27 . . . 59 D2
Padern 11 . . . 303 D4
Padiès 81 . . . 259 F3
Padirac 46 . . . 222 C4
Padirac (Gouffre de) 46 . . . 222 C4
Padoux 88 . . . 95 D3
Pageas 87 . . . 203 E1
Pagney 39 . . . 140 B4
Pagney-derrière-Barine 54 . . . 67 F4
Pagnoz 39 . . . 160 A2
Pagny-la-Blanche-Côte 55 . . . 93 E1
Pagny-la-Ville 21 . . . 158 C1
Pagny-le-Château 21 . . . 158 C2
Pagny-lès-Goin 57 . . . 68 B1
Pagny-sur-Meuse 55 . . . 67 E4
Pagny-sur-Moselle 54 . . . 68 A1
Pagolle 64 . . . 295 F1
Pailhac 65 . . . 298 B4
Pailharès 07 . . . 228 B2
Pailhères (Port de) 09 . . . 310 C1
Pailherols 15 . . . 224 C3
Pailhès 34 . . . 280 B4
Pailhès 09 . . . 300 C1
Paillart 60 . . . 18 B4
Paillé 17 . . . 182 B2
Paillencourt 59 . . . 9 D3
Paillet 33 . . . 236 B1
Pailloles 47 . . . 238 B3
Le Pailly 52 . . . 117 D3
Pailly 89 . . . 88 C3
Paimbœuf 44 . . . 125 E3
Paimpol 22 . . . 50 C2
Paimpont 35 . . . 102 B1
Pain de Sucre 14 . . . 55 F1
Painblanc 21 . . . 157 F1
Pair-et-Grandrupt 88 . . . 96 A2
Pairis 68 . . . 96 A3

Paissy 02 . . . 37 D2
Paisy-Cosdon 10 . . . 89 F4
Paizay-le-Chapt 79 . . . 183 D2
Paizay-le-Sec 86 . . . 167 E2
Paizay-le-Tort 79 . . . 183 D1
Paizay-Naudouin 16 . . . 183 E2
Pajay 38 . . . 211 E3
le Pal (Parc d'attractions et animalier) 03 . . . 172 C2
Paladru 38 . . . 212 B2
Palagaccio 2B . . . 315 F1
Palaggiu (Alignements de) 2A . . . 318 C3
Palairac 11 . . . 303 D4
Le Palais 56 . . . 122 A3
Le Palais-sur-Vienne 87 . . . 185 F4
Palaiseau 91 . . . 60 C4
Palaiseul 52 . . . 117 D4
Palaja 11 . . . 302 C2
Palaminy 31 . . . 299 F1
Palante 70 . . . 119 D4
Palantine 25 . . . 160 A1
Palasca 2B . . . 314 C2
Palau-de-Cerdagne 66 . . . 310 C4
Palau-del-Vidre 66 . . . 313 D3
Palavas-les-Flots 34 . . . 281 F3
Palazinges 19 . . . 222 C1
Paley 77 . . . 88 A4
Paleyrac 24 . . . 221 D4
Palhers 48 . . . 243 F3
Palinges 71 . . . 174 A2
Pâlis 10 . . . 89 F4
Palise 25 . . . 141 E3
Palisse 19 . . . 205 F3
Palladuc 63 . . . 190 B3
Pallanne 32 . . . 274 A3
Palleau 71 . . . 158 B2
Pallegney 88 . . . 94 C3
Le Pallet 44 . . . 146 A1
Palleville 81 . . . 277 F3
La Pallice 17 . . . 180 C1
La Pallu 53 . . . 82 A2
Palluau 85 . . . 145 E3
Palluau-sur-Indre 36 . . . 151 D3
Palluaud 16 . . . 201 F4
Pallud 73 . . . 196 A3
Palluel 62 . . . 8 C3
Palmas 12 . . . 243 D4
La Palme 11 . . . 303 F3
La Palmyre 17 . . . 198 A1
Palneca 2A . . . 317 D3
Palogneux 42 . . . 191 E2
Palombaggia (Plage de) 2A . . . 319 F3
La Palud-sur-Verdon 04 . . . 268 A4
Paluden 29 . . . 47 E1
Paluel 76 . . . 15 E1
Pamfou 77 . . . 88 A2
Pamiers 09 . . . 301 D2
Pampelonne 81 . . . 259 F2
Pamplie 79 . . . 164 C2
Pamproux 79 . . . 165 F3
Panassac 32 . . . 274 C4
Panazol 87 . . . 185 F4
Pancé 35 . . . 103 E2
Pancey 52 . . . 92 C2
Pancheraccia 2B . . . 317 F1
Pancy-Courtecon 02 . . . 37 D2
Pandrignes 19 . . . 223 D1
Pange 57 . . . 42 A4
Panges 21 . . . 138 C3
Panilleuse 27 . . . 33 D4
Panissage 38 . . . 212 A2
Panissières 42 . . . 192 A4
Panjas 32 . . . 254 C4
Panlatte 27 . . . 58 C3
Pannecé 44 . . . 127 D2
Pannecières 45 . . . 86 C4
Pannes 54 . . . 67 F2
Pannes 45 . . . 111 F2
Pannesière-Chaumard (Barrage de) 58 . . . 156 A1
Pannessières 39 . . . 159 F4
Panon 72 . . . 83 D3
Panossas 38 . . . 211 F1
La Panouse 48 . . . 244 B3
Pantin 93 . . . 61 D3
Panzoult 37 . . . 149 E1
Papleux 02 . . . 10 B4
La Pâquelais 44 . . . 126 A3
Paradou 13 . . . 283 F1
Paramé 35 . . . 52 B1
Parassy 18 . . . 134 B3
Parata (Pointe de la) 2A . . . 316 A3
Paray-Douaville 78 . . . 86 A2
Paray-le-Frésil 03 . . . 172 C1
Paray-le-Monial 71 . . . 173 F3
Paray-sous-Briailles 03 . . . 172 B4
Paray-Vieille-Poste 91 . . . 61 D4
Paraza 11 . . . 303 E1
Parbayse 64 . . . 272 B4
Parc-d'Anxtot 76 . . . 14 C3
Parçay-les-Pins 49 . . . 129 D2
Parçay-Meslay 37 . . . 131 D2
Parçay-sur-Vienne 37 . . . 149 E1
Parcé 35 . . . 80 B3
Parcé-sur-Sarthe 72 . . . 106 A3
Parcey 39 . . . 159 E2
Parcieux 01 . . . 192 C3
Parcoul 24 . . . 219 E1
Le Parcq 62 . . . 7 D2
Parcy-et-Tigny 02 . . . 36 B3
Pardailhan 34 . . . 279 E3
Pardaillan 47 . . . 237 F1
Pardies 64 . . . 272 B4
Pardies-Piétat 64 . . . 297 D1
Pardines 63 . . . 207 F2
Paréac 65 . . . 297 F2

Pareid 55 . . . 40 C4
Parempuyre 33 . . . 217 E3
Parennes 72 . . . 106 A1
Parent 63 . . . 207 F2
Parentignat 63 . . . 207 F2
Parentis-en-Born 40 . . . 234 C4
Parey-Saint-Césaire 54 . . . 94 A1
Parey-sous-Montfort 88 . . . 93 F3
Parfondeval 61 . . . 83 E2
Parfondeval 02 . . . 21 F4
Parfondru 02 . . . 37 D1
Parfondrupt 55 . . . 40 C4
Parfouru-l'Éclin 14 . . . 28 C4
Parfouru-sur-Odon 14 . . . 55 E1
Pargnan 02 . . . 37 D2
Pargny 80 . . . 19 E3
Pargny-Filain 02 . . . 36 C2
Pargny-la-Dhuys 02 . . . 63 E2
Pargny-les-Bois 02 . . . 20 C4
Pargny-les-Reims 51 . . . 37 F4
Pargny-Resson 08 . . . 38 B1
Pargny-sous-Mureau 88 . . . 93 D3
Pargny-sur-Saulx 51 . . . 65 F3
Pargues 10 . . . 114 B2
Parignargues 30 . . . 263 F4
Parigné 35 . . . 80 B2
Parigné-le-Pôlin 72 . . . 106 C3
Parigné-l'Évêque 72 . . . 107 D2
Parigné-sur-Braye 53 . . . 81 E3
Parigny 42 . . . 191 E2
Parigny 50 . . . 80 B1
Parigny-la-Rose 58 . . . 136 A3
Parigny-les-Vaux 58 . . . 154 C1
Pariou (Puy de) 63 . . . 189 D4
Paris 75 . . . 61 D3
Paris-l'Hôpital 71 . . . 157 F3
Paris-Orly (Aéroport de) 94 . . . 61 D4
Parisot 81 . . . 277 E1
Parisot 82 . . . 258 C1
Parlan 15 . . . 223 F4
Parleboscq 40 . . . 255 D3
Parly 89 . . . 113 D4
Parmain 95 . . . 60 C1
Parmilieu 38 . . . 194 A3
Parnac 46 . . . 239 F3
Parnac 36 . . . 168 B3
Parnans 26 . . . 229 F2
Parnay 49 . . . 129 E4
Parnay 18 . . . 153 F3
Parné-sur-Roc 53 . . . 105 E2
Parnes 60 . . . 33 F4
Les Paroches 55 . . . 67 D2
Parois 55 . . . 39 F4
Paron 89 . . . 88 C4
Paroy 25 . . . 160 A1
Paroy 77 . . . 88 C2
Paroy-en-Othe 89 . . . 113 E2
Paroy-sur-Saulx 52 . . . 92 B1
Paroy-sur-Tholon 89 . . . 113 D2
Parpeçay 36 . . . 151 F1
Parpeville 02 . . . 20 C3
Parranquet 47 . . . 238 C1
Parroy 54 . . . 69 D4
Pars-lès-Chavanges 10 . . . 91 E2
Pars-lès-Romilly 10 . . . 89 F2
Parsac 33 . . . 219 D3
Parsac 23 . . . 187 E1
Parthenay 79 . . . 165 E1
Parthenay-de-Bretagne 35 . . . 79 D4
Partinello 2A . . . 316 A1
Parux 54 . . . 95 F1
Parves 01 . . . 194 C4
Parville 27 . . . 58 C1
Parvillers-le-Quesnoy 80 . . . 19 D4
Parzac 16 . . . 184 A3
Le Pas 53 . . . 81 E2
Les Pas 50 . . . 79 F1
Pas-de-Jeu 79 . . . 148 B3
Pas de la Graille 04 . . . 267 D1
Pas de l'Echelle 74 . . . 195 E1
Pas de l'Ours 11 . . . 301 F4
Pas-des-Lanciers 13 . . . 284 B3
Pas-en-Artois 62 . . . 7 F4
Le Pas-Saint-l'Homer 61 . . . 84 B2
Pasciolo (Fort de) 2B . . . 317 D2
Pasilly 89 . . . 114 B4
Paslières 63 . . . 190 A3
Pasly 02 . . . 36 B2
Pasques 21 . . . 138 C3
Le Pasquier 39 . . . 160 A3
Passa 66 . . . 312 C3
Le Passage 47 . . . 256 B1
Le Passage 38 . . . 212 B2
Passais 61 . . . 81 D1
Passavant 25 . . . 141 F3
Passavant-en-Argonne 51 . . . 66 A1
Passavant-la-Rochère 70 . . . 118 A2
Passavant-sur-Layon 49 . . . 147 E1
Passay 44 . . . 145 E1
Passel 60 . . . 35 F1
Passenans 39 . . . 159 F3
Passin 01 . . . 194 C3
Passins 38 . . . 212 A1
Passirac 16 . . . 201 D4
Passonfontaine 25 . . . 161 D1
Passy 74 . . . 196 B2
Passy 89 . . . 112 C4
Passy 71 . . . 174 C2
Passy-en-Valois 02 . . . 36 A4
Passy-Grigny 51 . . . 63 E1
Passy-sur-Marne 02 . . . 63 E1
Passy-sur-Seine 77 . . . 89 D3
Pastricciola 2A . . . 316 C2
Patay 45 . . . 109 F2
Patornay 39 . . . 177 D1
Patrimonio 2B . . . 315 E1

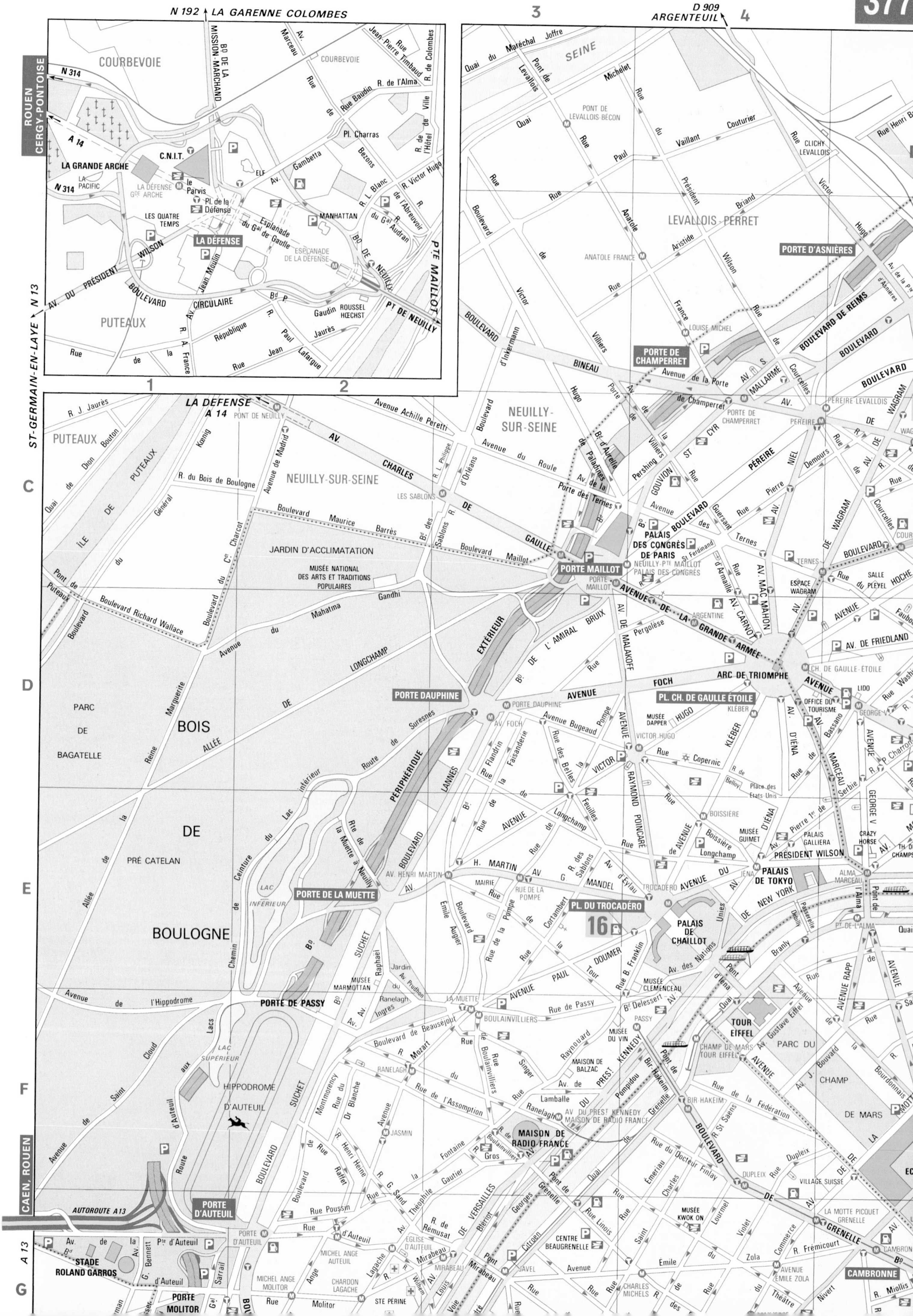

N 192 ↑ LA GARENNE COLOMBES

3

D 909 ARGENTEUIL 4

Inset map (top left):

COURBEVOIE

ROUEN
CERGY-PONTOISE

N 314

A 14

N 314

LA GRANDE ARCHE

LA PACIFIC

C.N.I.T.

LA DÉFENSE Gde ARCHE

le Parvis

ELF

Pl. Charras

Gambetta

Bezons

Marceau

Rue Baudin

Jean Pierre Timbaud

R. de l'Alma

R. de Colombes

COURBEVOIE

Rue

de Ville

R. de l'Hôtel

R. Victor Hugo

R. L. Blanc

R. de l'Abreuvoir

du Gal Audran

Pl. de la Défense

LES QUATRE TEMPS

MANHATTAN

LA DÉFENSE

Esplanade du Gal de Gaulle

ESPLANADE DE LA DÉFENSE

WILSON

AV. DU PRÉSIDENT

BOULEVARD CIRCULAIRE

Jean Moulin

Bd P.

Gaudin

ROUSSEL HOECHST

PTE MAILLOT

PT DE NEUILLY

BD. DE NEUILLY

PUTEAUX

République

R. A. France

de

la

Rue

Jean

Paul

Jaurès

Jean Lafargue

ST-GERMAIN-EN-LAYE · N 13

1   2

Main map:

SEINE

LEVALLOIS-PERRET

Quai du Maréchal Joffre

PONT DE LEVALLOIS-BECON

Michelet

Couturier

Rue Clichy Levallois

Rue Henri Ba

PORTE D'ASNIÈRES

Anatole France

Louise Michel

BOULEVARD DE REIMS

BOULEVARD

PUTEAUX

LA DÉFENSE A 14

PONT DE NEUILLY

Avenue Achille Peretti

NEUILLY-SUR-SEINE

PORTE DE CHAMPERRET

BINEAU

PORTE DE CHAMPERRET

BOULEVARD DE

WAGRAM

PÉREIRE-LEVALLOIS

R. J. Jaurès

R. du Bois de Boulogne

NEUILLY-SUR-SEINE

AV. CHARLES

Avenue de Madrid

Avenue du Roule

DE GAULLE

Porte des Ternes

PÉREIRE

NIEL

Avenue de Madrid

LES SABLONS

Boulevard Maurice Barrès

Bd des Sablons

Boulevard Maillot

PALAIS DES CONGRÈS DE PARIS

ST FERDINAND

AV. DE WAGRAM

SALLE PLEYEL

HOCHE

JARDIN D'ACCLIMATATION

MUSÉE NATIONAL DES ARTS ET TRADITIONS POPULAIRES

Mahatma Gandhi

PORTE MAILLOT

PORTE MAILLOT

AVENUE DE LA GRANDE ARMÉE

AV. MAC MAHON

AV. CARNOT

ESPACE WAGRAM

TERNES

COUR

AV. DE FRIEDLAND

Boulevard Richard Wallace

EXTÉRIEUR

Bd DE L'AMIRAL BRUIX

Argentine

Pergolèse

ARC DE TRIOMPHE

CH. DE GAULLE-ÉTOILE

AVENUE

LIDO

Pont de Puteaux

BOIS

Boulevard

LONGCHAMP

DE

PORTE DAUPHINE

Porte Dauphine

AVENUE

FOCH

PL. CH. DE GAULLE ÉTOILE

OFFICE DU TOURISME

AV. D'IÉNA

GEORGE

DE

PARC DE BAGATELLE

Marguerite

Reine

ALLÉE

Suresnes

AV. FOCH

Avenue Bugeaud

MUSÉE DAPPER

HUGO

Victor Hugo

KLÉBER

BASSANO

AVENUE

MARCEAU

BOULEVARD

PÉRIPHÉRIQUE

LANNES

Flandrin

VICTOR

RAYMOND

Copernic

Place des États Unis

R. P. Charron

SERBIE

GEORGE V

DE

Rte de la Muette à Neuilly

AVENUE

POINCARÉ

Feuilles

Longchamp

BOISSIÈRE

MUSÉE GUIMET

Pierre 1er de

PALAIS GALLIERA

CRAZY HORSE

TH. DE CHAMPS

Lac Inférieur

PORTE DE LA MUETTE

BOULEVARD

SUCHET

H. MARTIN

Av. Henri Martin

MAIRIE

R. des Sablons

MANDEL

Av. d'Eylau

BOISSIÈRE

PRÉSIDENT WILSON

PALAIS DE TOKYO

ALMA MARCEAU

PRÉ CATELAN

LAC INFÉRIEUR

RUE DE LA POMPE

Cortambert

PL. DU TROCADÉRO

16e

TROCADÉRO

AVENUE

PALAIS DE CHAILLOT

DE NEW YORK

Pont de l'Alma

PTE DE L'ALMA

Quai

BOULOGNE

Bd

Raphaël

Jardin

MUSÉE MARMOTTAN

Av. Prudhon

Ingres

DOUMER

PAUL

Tour

Av. des Nations

AVENUE

MUSÉE CLEMENCEAU

Branly

Av. d'Iéna

Quai

AVENUE RAPP

Avenue de l'Hippodrome

Ranelagh

LA MUETTE

AVENUE

PASSY

Rue de Passy

Bd Delessert

TOUR EIFFEL

AVENUE

Av. Gustave Eiffel

PARC DU

CHAMP

PORTE DE PASSY

Boulevard de Beauséjour

Rue Mozart

BOULAINVILLIERS

MUSÉE DU VIN

Raynouard

PASSY

CHAMP DE MARS TOUR EIFFEL

Av. J. Bouvard

DE MARS

LAC SUPÉRIEUR

Ranelagh

du

MAISON DE BALZAC

Bir Hakeim

Pont de Bir Hakeim

La Motte Picquet

SAINT

CLOUD

Lacs

HIPPODROME D'AUTEUIL

Montmorency

Rue de l'Assomption

Lamballe

AV. DU PREST KENNEDY MAISON DE RADIO FRANCE

GRENELLE

BOULEVARD

Rue du Docteur Finlay

DUPLEIX

VILLAGE SUISSE

aux

d'Auteuil

Route

Dr Blanche

Henri Heine

Fontaine

MAISON DE RADIO FRANCE

Pont de Grenelle

Emile

MUSÉE KWOK ON

Lourmel

LA MOTTE PICQUET

CAEN, ROUEN

AUTOROUTE A13

PORTE D'AUTEUIL

BOULEVARD

R. G. Sand

Rue Poussin

d'Auteuil

ÉGLISE D'AUTEUIL

Mirabeau

Pont Mirabeau

JAVEL

Avenue

Emile

AVENUE EMILE ZOLA

Rue Fremicourt

GRENELLE

A 13

STADE ROLAND GARROS

Pte d'Auteuil

G. Bennett

MICHEL ANGE AUTEUIL

Lapache

CENTRE BEAUGRENELLE

Charles Michels

R. Linois

Commerce

CAMBRONNE

PORTE MOLITOR

Michel Ange Molitor

CHARDON LAGACHE

STE PERINE

LOUIS

MIRABEAU

Violet

Zola

Nivert

Théâtre

G

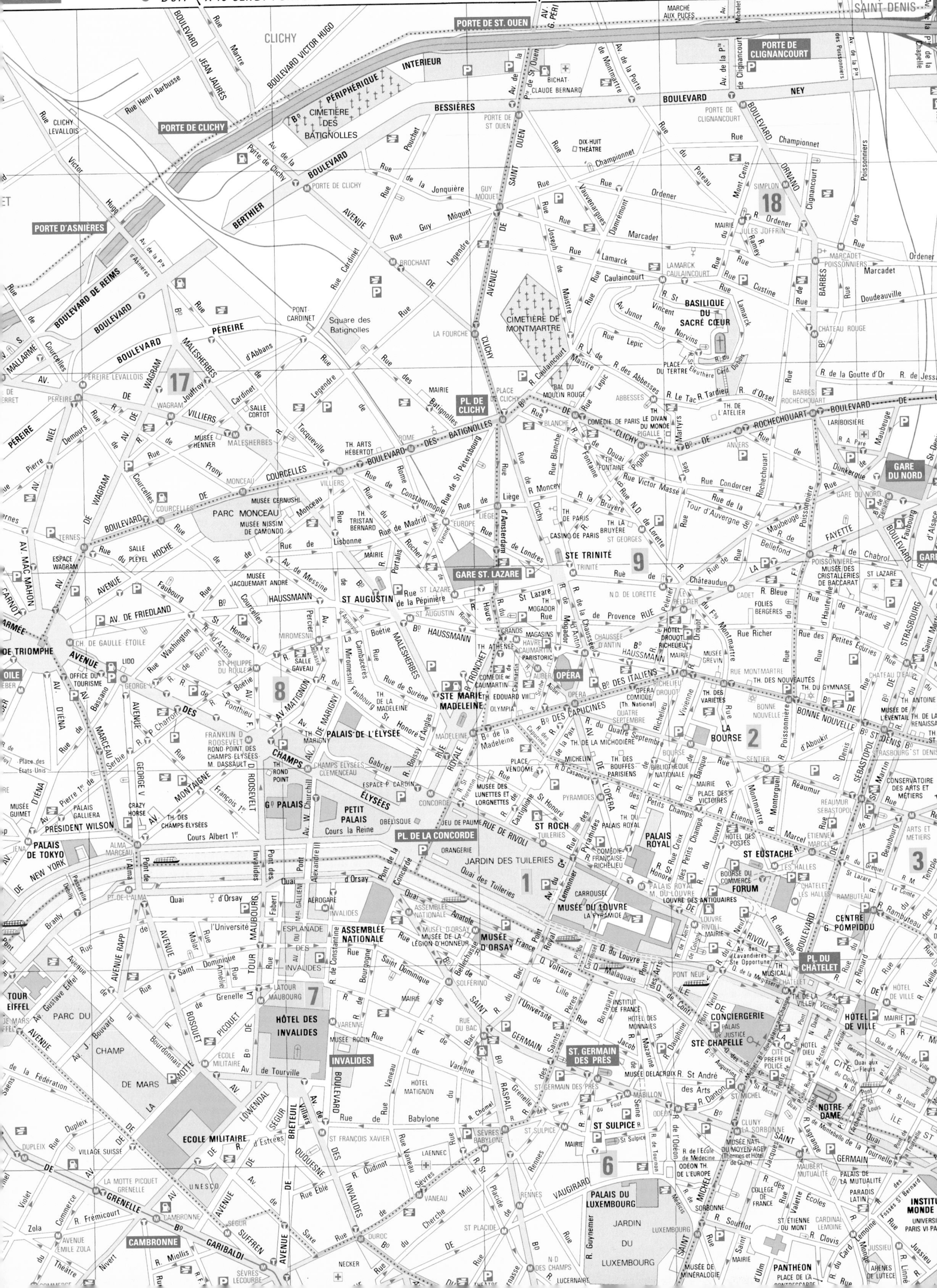

5 D 911 ▲ A 15 CERGY-PONTOISE 6 ST DENIS 7 ST DENIS N 14 8 9 A 1

SAINT-DENIS

CLICHY

PORTE DE ST. OUEN
PORTE DE CLIGNANCOURT
MARCHÉ AUX PUCES

INTERIEUR
PÉRIPHÉRIQUE
BESSIÈRES
BOULEVARD NEY

PORTE DE CLICHY
CIMETIÈRE DES BATIGNOLLES

PORTE D'ASNIÈRES
BOULEVARD DE REIMS
BOULEVARD BERTHIER
BOULEVARD PÉREIRE

18

BOULEVARD ORNANO
SIMPLON
Ordener

BASILIQUE DU SACRÉ CŒUR
CIMETIÈRE DE MONTMARTRE

17
BOULEVARD MALESHERBES
BOULEVARD DE WAGRAM
VILLIERS
MUSÉE HENNER

PL. DE CLICHY
BAL DU MOULIN ROUGE
PLACE DU TERTRE

GARE DU NORD

PARC MONCEAU
MUSÉE CERNUSCHI
MUSÉE NISSIM DE CAMONDO

BOULEVARD DES BATIGNOLLES
COURCELLES
CASINO DE PARIS

STE TRINITÉ
9

GARE ST. LAZARE
ST AUGUSTIN
MUSÉE JACQUEMART ANDRÉ

FOLIES BERGÈRES
MUSÉE GREVIN

ARC DE TRIOMPHE
PL. CH. DE GAULLE - ÉTOILE
AV. DE FRIEDLAND

HAUSSMANN
OPÉRA
TH. DES NOUVEAUTÉS

8
AV. MATIGNON
STE MARIE MADELEINE
OLYMPIA

LA BOURSE
2
BONNE NOUVELLE

PALAIS DE L'ÉLYSÉE
CHAMPS
ÉLYSÉES
ROND POINT
GRAND PALAIS
PETIT PALAIS

PLACE VENDÔME
MUSÉE DES LUNETTES ET LORGNETTES

PLACE DES VICTOIRES
CONSERVATOIRE DES ARTS ET MÉTIERS

3

PALAIS DE TOKYO
MUSÉE D'ART MODERNE

PL. DE LA CONCORDE
ORANGERIE
JARDIN DES TUILERIES
1

ST ROCH
PALAIS ROYAL
ST EUSTACHE

CENTRE G. POMPIDOU

TOUR EIFFEL

MUSÉE DU LOUVRE
LA PYRAMIDE

FORUM
PL. DU CHÂTELET

ASSEMBLÉE NATIONALE
MUSÉE D'ORSAY
MUSÉE DE LA LÉGION D'HONNEUR

CONCIERGERIE
STE CHAPELLE
PALAIS DE JUSTICE

HÔTEL DE VILLE

7
HÔTEL DES INVALIDES
INVALIDES
MUSÉE RODIN
ÉCOLE MILITAIRE

ST GERMAIN DES PRÉS
MUSÉE DELACROIX

NOTRE DAME
ÎLE ST LOUIS

PARC DU CHAMP DE MARS

ST SULPICE

6

CAMBRONNE
GRENELLE
GARIBALDI
SUFFREN
U.N.E.S.C.O.

PALAIS DU LUXEMBOURG
JARDIN DU LUXEMBOURG

PANTHÉON
SORBONNE

INSTITUT DU MONDE ARABE

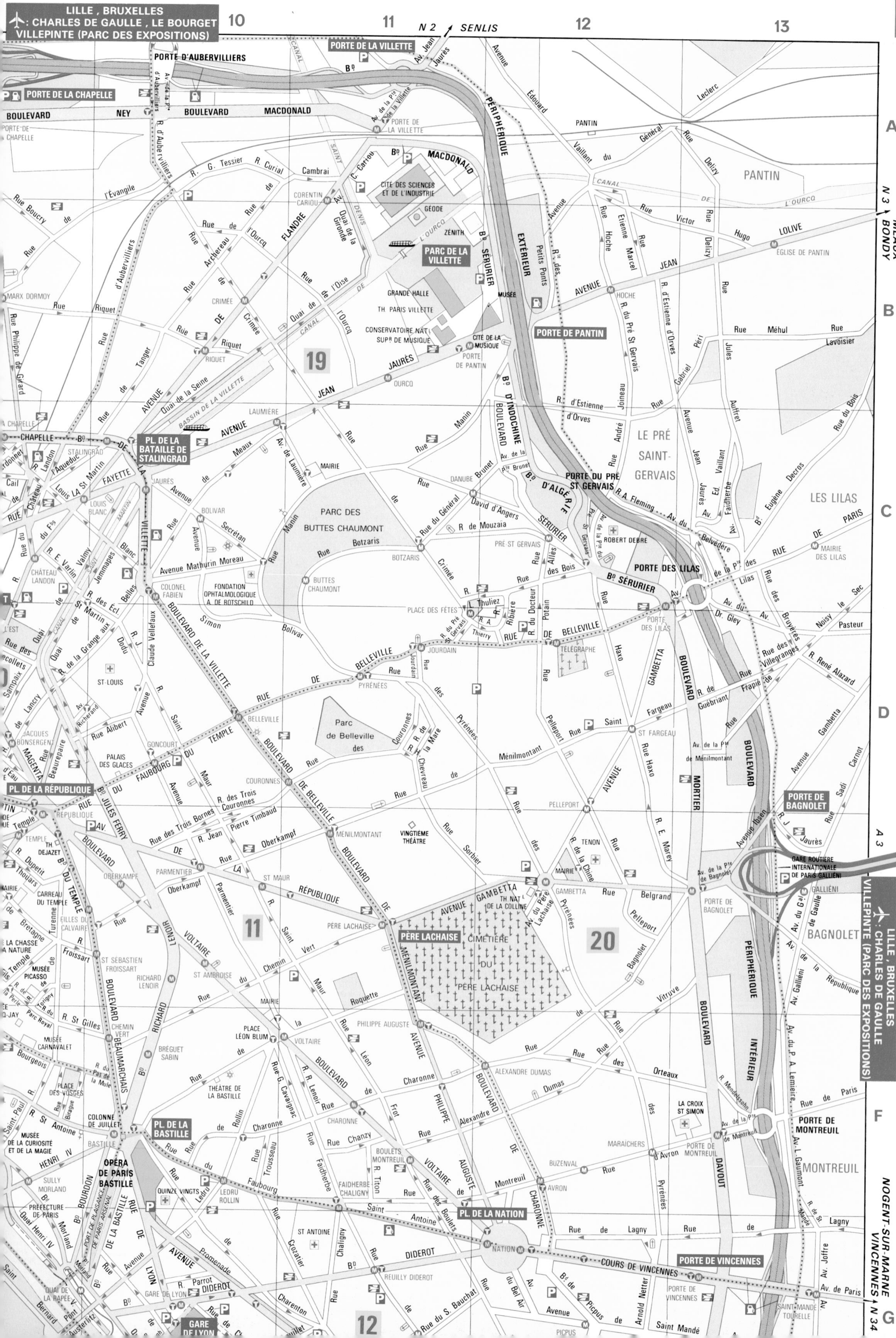

PORTE DE LA VILLETTE
PORTE D'AUBERVILLIERS
PORTE DE LA CHAPELLE
PORTE-DE-CHAPELLE
BOULEVARD   NEY   BOULEVARD   MACDONALD
MEAUX
N 3 ↘ BONDY

Marx Dormoy
R. G. Tessier   R. Curial   Cambrai
PANTIN
PANTIN
CITÉ DES SCIENCES ET DE L'INDUSTRIE
GÉODE
MACDONALD
CANAL DE L'OURCQ
ÉGLISE DE PANTIN
l'Évangile
Rue Boucry
PARC DE LA VILLETTE
ZÉNITH
MUSÉE
PORTE DE LA VILLETTE
PÉRIPHÉRIQUE EXTÉRIEUR
Général
Delizy
Hugo
LOLIVE

19
GRANDE HALLE
TH. PARIS VILLETTE
CONSERVATOIRE NAT¹ SUP⁹ DE MUSIQUE
CITÉ DE LA MUSIQUE
PORTE DE PANTIN
PORTE DE PANTIN
JEAN   JAURÈS   OURCQ

PL. DE LA BATAILLE DE STALINGRAD
CHAPELLE
STALINGRAD
LE PRÉ SAINT-GERVAIS
LES LILAS
PORTE DU PRÉ ST GERVAIS
ROBERT DEBRÉ
PARC DES BUTTES CHAUMONT
Botzaris
BUTTES CHAUMONT
FONDATION OPHTALMOLOGIQUE A. DE ROTSCHILD
PORTE DES LILAS
PORTE DES LILAS
MAIRIE DES LILAS
PLACE DES FÊTES
Thuliez
TÉLÉGRAPHE
RUE   DE   BELLEVILLE
Dr. Gley

PARC de Belleville
BELLEVILLE
JOURDAIN
PYRÉNÉES
BOULEVARD DE BELLEVILLE
TEMPLE
FAUBOURG DU TEMPLE
PALAIS DES GLACES
PL. DE LA RÉPUBLIQUE
GONCOURT
GAMBETTA
MORTIER
PORTE DE BAGNOLET
PORTE DE BAGNOLET

RÉPUBLIQUE
OBERKAMPF
PARMENTIER
MÉNILMONTANT
VINGTIÈME THÉÂTRE
PELLEPORT
MAIRIE
GARE ROUTIÈRE INTERNATIONALE DE PARIS GALLIÉNI
GALLIÉNI
BAGNOLET

11
VOLTAIRE
PÈRE LACHAISE
GAMBETTA
TH. NAT¹ DE LA COLLINE
PÈRE LACHAISE
CIMETIÈRE DU PÈRE LACHAISE
20
LILLE , BRUXELLES
CHARLES DE GAULLE
VILLEPINTE (PARC DES EXPOSITIONS)

MUSÉE PICASSO
MUSÉE CARNAVALET
PLACE DES VOSGES
PLACE LÉON BLUM
ALEXANDRE DUMAS
LA CROIX ST SIMON
PORTE DE MONTREUIL
MONTREUIL

COLONNE DE JUILLET
PL. DE LA BASTILLE
BASTILLE
THÉÂTRE DE LA BASTILLE
CHARONNE
BOULETS MONTREUIL
PORTE DE MONTREUIL
OPÉRA DE PARIS BASTILLE
PRÉFECTURE DE PARIS
GARE DE LYON
DIDEROT
REUILLY DIDEROT
PL. DE LA NATION
NATION
COURS DE VINCENNES
PORTE DE VINCENNES
PORTE DE VINCENNES

A   B   C   D   A 3   F   G

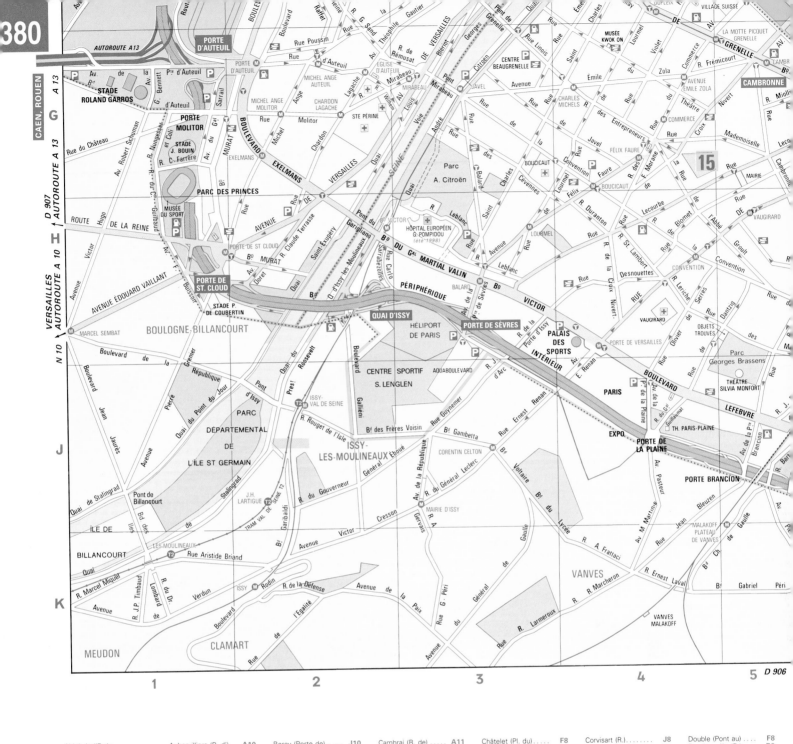

Abbé de l'Epée
  (R. de l').......... G8
Abbé Groult (R. de l') . H5
Abbesses (R. des)... C7
Aboukir (R. d')....... D8
Acqueduc (R. de l').. C9
Alain (R.)............ H6
Albert 1er (Cours).... E5
Alésia (R. d')........ J7
Alexander Fleming
  (R.)............... C12
Alexandre III (Pont) .. E6
Alexandre Dumas (R.) F12
Algérie (Bd d')...... C12
Alibert (R.).......... D10
Alleray (R. d')....... H5
Allès (R.)............ C12
Alma (Pont de l').... E5
Alsace (R. de)....... C9
Ambroise-Paré (R.) .. C8
Amélie (R.).......... F5
Amiral Bruix (Bd de l') D3
Amiral de Coligny (R.) E6
Amiral Mouchez (R.).. K8
Amsterdam (R. d')... C7
Anatole France (Quai) E6
André Citroën (Quai). G3
André Citroën (Parc). G3
André-Rivoire (Av.)... A7
Arago (Bd)........... H8
Arc de Triomphe (R.) H8
Archereau (R.)....... B10
Archevêché (Pont)... F7
Archives (R. des)..... E9
Arcole (Pont et R. d') F8
Argenson (R. d')..... D6
Armaillé (R. d')...... C4
Artois (R. d')........ D5
Arts (Pont des)...... F7
Asnières (Porte d')... B5
Assas (R. d')........ G7
Assemblée Nationale
Assomption (R. de l') F3
Auber (R.)........... D7
Aubervilliers (Porte). A10

Aubervilliers (R. d') .. A10
August Blanqui (Bd). J8
Auguste Comte (R.).. G7
Aurelle de Paladines
  (Bd d')............ C3
Austerlitz (Gare d').. G9
Austerlitz (Pont d')... G9
Austerlitz (Quai d').. H10
Auteuil (Bd et Porte). G1
Auteuil (R. d')....... G2
Auteuil aux Lacs
  (Rte d')............ F1
Avron (R. d')......... F12
Babylone (R. de)..... F6
Bac (R. du).......... F7
Bagnolet (Porte de).. E13
Bagnolet (R. de)..... E12
Balard (R.).......... G3
Banque (R. de la).... E8
Banquier (R. du)..... H9
Barbès (Bd)......... B8
Bartet (R.).......... J5
Bassano (R. de)..... E5
Bastille (Bd de la)... G10
Bastille (Pl. de la)... F10
Baudricourt (R.)..... J9
Beaubourg (R.)...... E9
Beaumarchais (Bd).. F10
Beaunier (R.)........ J7
Beaurepaire (R.)..... D9
Beauséjour (Bd de).. F3
Bel Air (Av. du)..... G12
Belgrand (R.)........ E12
Bellechasse (R. de).. F6
Bellefond (R. de).... C8
Belles Feuilles (R. des) D3
Belleville (Bd et R.).. D11
Belloy (R. de)....... D4
Belvédère (Av. du)... C13
Bercy (Bd, Pont, R.). H10
Bercy (Palais
  Omnisport)........ H10

Bercy (Porte de)..... J10
Bercy (Quai de)...... H11
Berlier (R.).......... J11
Bernard (R. C.)...... H8
Berri (R. de)........ D5
Berthier (Bd)........ B5
Berthollet (R.)....... H8
Bessières (Bd)...... A6
Birague (R. de)...... F9
Bir-Hakeim (Pont de). F4
Blanche (R.)......... C7
Bleue (R.)........... D8
Blomet (R.)......... G5
Bobillot (R.)......... J8
Bois (R. des)........ C12
Boissière (R.)....... E4
Boissy d'Anglas (R.). D6
Bonaparte (R.)....... F7
Bonne Nouvelle (Bd). D8
Bosquet (Av.)....... F5
Botzaris (R.)........ C11
Boucry (R.).......... B9
Boulainvilliers (R. de) F3
Boulets (R. des)..... G11
Bourdon (Bd)........ F10
Bourdonnais (Av.)... F5
Bourgogne (R. de)... F6
Bourse des Valeurs... D8
Bourse
  du Commerce...... E8
Brancion (Porte)..... J5
Brancion (R.)........ H5
Branly (Quai)........ E4
Bretagne (R. de)..... E9
Breteuil (Quai d')... F7
Brillat Savarin (R.).. K8
Brune (R.).......... J6
Bruneseau (R.)...... J11
Bruyère (R. la)...... C7
Buffon (R.).......... G9
Bugeaud (Av.)....... D3
Buttes Chaumont
  (Parc des)........ C11

Cail (R.)............ C9
Cambacérès (R.).... D6

Cambrai (R. de)..... A11
Cambronne (R.)..... G5
Capucines (Bd des).. D7
Capucines (R. des).. D7
Cardinal Lemoine (R.) G8
Cardinet (R.)........ B6
Carlo Sarrabezolles
  (R.)............... H2
Cariou (Av. C.)...... A11
Carnot (Av.)......... D4
Carrousel (Pont du).. E7
Castagnary (R.)..... H5
Castiglione (R. de).. D6
Caulaincourt (R. de). C7
Caumartin (R. de)... D7
Censier (R.)......... H9
Cévennes (R. des)... G3
Chabrol (R. de)...... C9
Chaillot (Palais de).. E4
Chaligny (R.)........ G11
Chalon (R. de)...... G10
Champ de Mars (Parc) F5
Champerret (Porte).. B4
Championnet (R.).... A8
Champs Élysées (Av.) D5
Change (Pont au).... F8
Chanzy (R.)......... F11
Chapelle (Bd de la).. C9
Chapelle (Porte de la) A9
Chapelle (R. de la).. B9
Chardon Lagache (R.) G2
Charenton (Porte de) J12
Charenton (R. de)... G10
Charles de Gaulle -
  Étoile (Pl.)........ D4
Charles de Gaulle
  (Pont)............ G10
Charlety (Stade).... K8
Charonne (Bd de)... F12
Charonne (R. de).... F11
Château (R. du)..... H6
Château d'Eau (R. du) D9
Châteaudun (R. de).. C8
Château Landon (R.). C9

Châtelet (Pl. du)..... F8
Châtillon (Porte de).. J6
Chaussée d'Antin (R.) D7
Chemin Vert (R. du).. E10
Cherche Midi (R. du). G6
Chevaleret (R. du)... J10
Chine (R.).......... E12
Choisy (Av. de)..... J9
Choisy (Parc)....... J9
Choisy (Porte de)... K9
Chomel (R.)......... F7
Cité (R. de la)...... F8
Cité Universitaire (Bd) K7
Claude Decaen (R.).. H12
Claude-Farrère (R.).. G1
Claude Regaud (Av.). K10
Claude-Terrasse (R.). H2
Claude Vellefaux (Av.) D10
Clichy (Av. de)...... B7
Clichy (Bd de)...... C7
Clichy (Pl. de)...... C7
Clichy (R. de)....... C7
Clignancourt (Porte). A8
Clignancourt (R. de). B8
Clisson (R.)........ H10
Cloître-Notre-Dame
  (R. du)............ F8
Clovis (R.).......... G8
Commandant-René-
  Mouchotte (R. du).. H6
Commerce (R. du)... G4
Comte (R. M. Le).... E9
Conciergerie......... F8
Concorde (Pl. de la). E6
Concorde (Pont)..... E6
Condorcet (R.)...... C8
Congrès (Palais des). C3
Constantine (R. de).. E6
Constantinople (R.).. C6
Conti (Quai de)..... F8
Contrescarpe (Pl.)... G8
Convention (R. de la) H4
Copernic (R.)....... D4
Corbineau (R.)...... H11
Cortambert (R.)..... E3

Corvisart (R.)....... J8
Cotentin (R.)........ H6
Courcelles (Bd de)... C5
Courcelles (R. de)... D5
Couronnes (R. des).. D11
Courteline (Av.)..... G13
Crimée (R. de)...... G11
Croix des Petits
  Champs (R.)....... E8
Croix Nivert (R. de la) H4
Crozatier (R.)....... G11
Curial (R.)......... A10
Custine (R.)........ B8
Cuvier (R.)......... G9
Damrémont (R.)..... B7
Danielle Casanova (R.) E7
Danton (R.)......... F8
Dantzig (R. de)..... H5
Daumesnil (Av.)..... H12
Dauphine (Porte).... D3
Dauphine (R.)....... F8
David d'Angers (R.).. C12
David-Weill (Av.).... K7
Davout (Bd)........ F13
Delcassé (Av.)...... D6
Delessert (Bd)...... F4
Denain (Bd de)...... C9
Denfert Rochereau
  (Av. et Pl.)........ H7
Départ (R. du)...... G6
Desnouettes (R.).... H4
Diderot (Bd)........ G11
Didot (R.).......... J6
Dijon (R. de)....... H11
Dr Arnold Netter (Av.) G12
Dr Blanche (R.)..... F2
Dr Finlay (R. du).... F4
Dr Gley (Av. du).... C13
Dr Potain (R. du)... C12
Dr Roux (R. du).... G5
Dr Tuffier (R. du)... K9
Dorée (Porte)....... H12
Doret (Av.)......... H2
Douai (R. de)....... C7

Double (Pont au) ... F8
Doudeauville (R.) B9
Duméril (R.) H9
Dunkerque (R. de) ... C8
Dupetit Thouars (R.) . E9
Dupleix (R.) F4
Duquesne (Av.) F5
Duranton (R.) H4
Dutot (R.) H5
Éblé (R.) G6
Écluses-St-Martin
  (R. des) D10
École de Médecine
  (R. de l') F8
Écoles (R. des) G8
Edgar Quinet (Bd) ... H7
Edison (R.) J9
Eiffel (Tour) F4
Élysée (Palais de l') . D6
Émeriau (R.) F4
Émile Augier (Bd) ... E3
Émile-Faguet (R.) ... K7
Émile Zola (Av.) G4
Entrepreneurs
  (R. des) G4
Épée de Bois
  (R. de l') G8
Ernest-Renan (R.) ... J4
Est (Gare de l') C9
Estrées (R. d') F5
États-Unis (Pl. des) . D4
Étienne Marcel (R.) . E8
Eugène Varlin (R.) .. C9
Évangile (R. de l') ... B9
Exelmans (Bd) G2
Expositions
  (Parc des) J4
Eylau (Av. d') E4
Fabert (R.) E5
Faidherbe (R.) F11
Faisanderie (R. de la) D3
Faiguière (R.) G6
Fbg du Temple (R.) . D10
Fbg Montmartre (R.). D8
Fbg Poissonnière (R.) C8

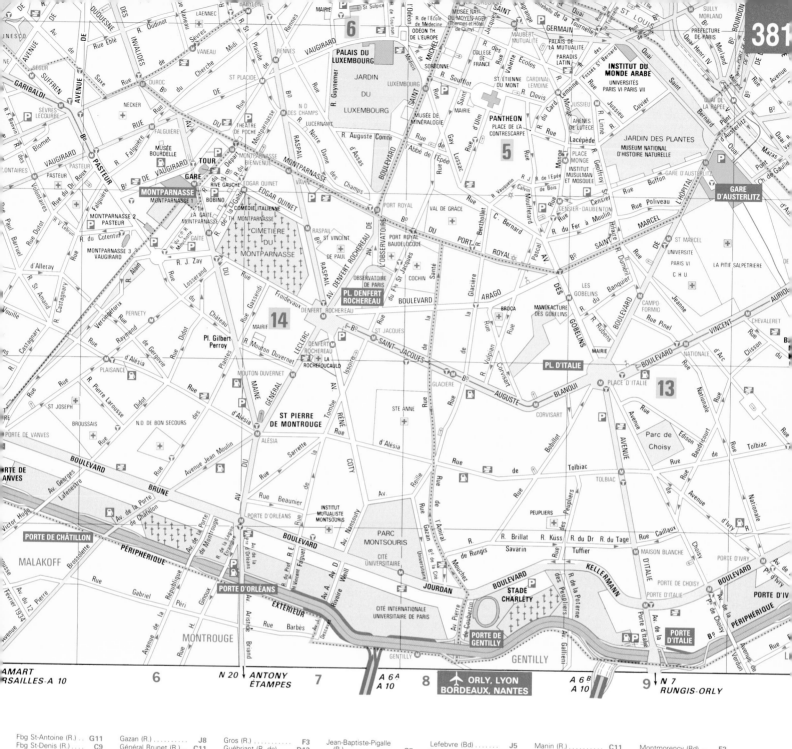

Fbg St-Antoine (R.)	G11	Gazan (R.)	J8	Gros (R.)	F3	Jean-Baptiste-Pigalle (R.)	C7	Lefebvre (Bd)	J5	Manin (R.)	C11	Montmorency (Bd)	F2
Fbg St-Denis (R.)	C9	Général Brunet (R.)	C11	Guébriant (R. de)	D13	Jean Bouin (Stade)	G1	Legendre (R.)	B6	Marcadet (R.)	B7	Montorgueil (R.)	E8
Fbg St-Jacques (R.)	H7	Gén. Guillaumat (R. du)	J4	Guersant (R.)	C4	Jean Jaurès (Av.)	B11	Légion Étrangère (R. de la)	K6	Marceau (Av.)	D5	Montparnasse (Bd)	G7
Fbg St-Martin (R.)	D9	Gén. Koenig (Bd du)	C1	Gustave Eiffel (Av.)	F4	Jean Moulin (Av.)	J6	Léon Frapié (R.)	D13	Mare (R. de la)	D11	Montparnasse (Cimetière du)	H7
Fbg St-Honoré (R.)	D5	Gén. Martial Valin (Bd)	H3	Guy Môquet (R.)	B6	Jean Moulin (R.)	J6	Léon Frot (R.)	F11	Marey (R. E.)	E12	Montparnasse (Gare)	G6
Fédération (R. de la)	F4	Gén. Michel Bizot (Av.)	H12	Guynemer (R.)	G7	Jeanne d'Arc (R.)	H9	Le Peletier (R.)	D7	Marie (Pont)	F9	Montparnasse (R. du)	G7
Félix Ébouè (Pl.)	H12	Gén. Leclerc (Av. du)	J7	Halles (R. des)	E8	Jemappes (Quai)	C10	Lepic (R.)	B7	Marigny (Av.)	D6	Montparnasse (Tour)	G6
Félix Faure (Av.)	G4	Gén. Lemonnier (Av.)	E7	Haussmann (Bd)	D7	Jessaint (R. de)	C9	Leriche (R.)	H4	Martyrs (R. des)	C8	Montsouris (Parc)	K7
Fer à Moulin (R. du)	H9	Gén. Sarrail (Av. du)	G1	Hauteville (R. d')	D8	Jeu de Paume	E6	Liège (R. de)	D7	Marx Dormoy (R.)	B9	Montreuil (Porte de)	F13
Fêtes (Pl. des)	D11	Gentilly (Porte de)	K8	Havre (R. du)	C7	Jonquière (R. de la)	B6	Lilas (Porte des)	C13	Masséna (Bd)	K10	Montreuil (R. de)	F12
Flandre (R. de)	B10	Geoffroy St. Hilaire (R.)	G9	Haxo (R.)	D12	Joseph Bouvard (Av.)	F5	Lille (R. de)	E7	Mathurin Moreau (Av.)	C10	Morillons (R. des)	H5
Flandrin (Bd)	D3	George V (Av.)	D5	Héliport de Paris	H3	Joseph-Kessel (R.)	H11	Linois (R.)	G3	Matignon (Av.)	D6	Morland (Bd)	G9
Fleurs (Quai aux)	F8	Georges Brassens (Parc)	J5	Henri IV (Bd)	H9	Joseph Maistre (R.)	B7	Linné (R.)	G9	Matignon (Hôtel)	F6	Mortier (Bd)	D13
Foch (Av.)	D4	Georges Lafenestre (R.)	J5	Henri IV (Quai)	G9	Jouffroy d'Abbans (R.)	C5	Lisbonne (R. de)	C6	Maubeuge (R. de)	C8	Motte Picquet (Av.)	F5
Fontaine (R.)	C7	Georges Pompidou (Centre)	E8	Henri Chevreau (R.)	D11	Jourdan (Bd)	K8	Londres (R. de)	C7	Mazarine (R.)	F7	Mouffetard (R.)	H8
Fontaine (R. la)	F3	Georges Pompidou (Voie)	G3	Henri Heine (R.)	F2	Jourdain (R.)	D11	Longchamp (Allée)	D2	Mazas (Voie)	G10	Mouton Duvernet (R.)	H7
Forum	E8	Gergovie (R. de)	H6	Henri Martin (Av.)	E3	Jules Ferry (Bd)	E10	Longchamp (R. de)	E4	Meaux (R. de)	C10	Mouzaïa (R. de)	C12
Fossés St-Bernard (R.)	G9	Gilbert Perroy (Pl.)	H6	Henri Ribière (R.)	D12	Juliette-Dodu (R.)	D10	Louis Blanc (R.)	C9	Médicis (R. de)	G8	Mozart (Av.)	F2
Four (R.)	F7	Gironde (Q. de la)	B11	Hippodrome (Av. de l')	K6	Junot (Av.)	B7	Louis Blériot (Quai)	G3	Mégisserie (Quai)	F8	Muette (Porte de la)	E2
France (Collège de)	G8	Glacière (R. de la)	H8	Hoche (Av.)	C5	Jussieu (R.)	G9	Louis Braille (R.)	H12	Mendelssohn (R.)	F13	Muette à Neuilly (Rte.)	E2
François 1er (R.)	E5	Gobelins (Av. des)	H9	Hôpital (Bd de l')	H9	Justice (Palais de)	F8	Louis-Philippe (Pont)	F9	Ménilmontant (Bd)	E11	Murat (Bd)	G1
François Mauriac (Q.)	H10	Godefroy Cavaignac (R.)	F11	Hôtel de Ville	F8	Kellermann (Bd)	K9	Louise-Thuliez (R.)	C12	Ménilmontant (R. de)	D12	Nansouty (Av.)	J7
François-Miron (R.)	F9	Gordon-Bennett (Av.)	G1	Hôtel-de-Ville (Quai de l')	F9	Kléber (Av.)	E4	Lourmel (R. de)	G4	Messine (Av. de)	D6	Nation (Pl. de la)	G12
Francs Bourgeois (R.)	F9	Goutte d'Or (R. de la)	C9	Ibsen (Av.)	E13	Küss (R.)	K8	Louvre (Musée du)	E7	Michel Ange (R.)	G2	National (Pont)	J11
Franklin (R.)	E4	Gouvion St-Cyr (Bd)	C4	Iéna (Av. d')	D4	La Boétie (R.)	D6	Louvre (Quai du)	E7	Miollis (R.)	G5	Nationale (R.)	J9
Franklin D. Roosevelt (Av.)	E5	Grande Armée (Av. de la)	D4	Iéna (Pont d')	E4	La Fayette (R.)	C8	Louvre (R. du)	E8	Mirabeau (Pont)	G2	Nations Unies (Av.)	E4
Frapié (R.)	D13	Grand Palais	E6	Indochine (Bd d')	C12	Lacépède (R.)	G9	Lowendal (Av. de)	F5	Mirabeau (R.)	G2	Neuf (Pont)	F8
Frémicourt (R.)	G5	Grands Augustins (Quai des)	F8	Ingres (Av.)	F2	Lac Inférieur (Chemin de Ceinture du)	E2	Lyon (R. et Gare de)	G10	Miromesnil (R. de)	D6	New York (Av. de)	E4
Frères-Morane (R. des)	G4	Grange aux Belles (R.)	D10	Invalides (Bd des)	F6	Laennec (R.)	G6	Macdonald (Bd)	A11	Miron (R. Fr.)	F9	Ney (Bd)	A9
Friedland (Av. de)	D5	Grenelle (Bd de)	G5	Invalides (Esplanade et Hôtel)	E6	Lagny (R. de)	G12	Mac Mahon (Av.)	C4	Mogador (R. de)	D7	Niel (Av.)	C4
Froidevaux (R.)	H7	Grenelle (Pt et Q.)	F3	Invalides (Pont des)	E5	Lagrange (R.)	F8	Madeleine (Bd de la)	D7	Molitor (Porte)	G2	Nord (Gare du)	C9
Froissart (R.)	E9	Grenelle (R. de)	F5	Issy (Quai d')	H2	Lamarck (R.)	B7	Mademoiselle (R.)	G5	Molitor (R.)	G2	Norvins (R.)	C8
Gabriel (Av.)	D6	Grenier St-Lazare (R.)	E9	Issy-les-Moulineaux (Q. d')	H2	Lamballe (Av. de)	F3	Madrid (R. de)	C6	Monceau (Parc)	C6	Notre Dame	F8
Gaîté (R. de la)	H6			Italie (Av. d')	K9	Lancry (R. de)	D9	Magenta (Bd de)	D9	Monceau (R. de)	C6	Notre-Dame (Pont)	F8
Gambetta (Av.)	D12			Italie (Pl. d')	J9	Lannes (Bd)	D3	Mahatma Gandhi (Av.)	D2	Moncey (R.)	C7	N.-D. de Lorette (R.)	C7
Gare (Quai de la)	H10			Italiens (Bd des)	D7	Laumière (Av. de)	C11	Maillot (Bd et Porte)	C3	Mongallet (R.)	G11	N.-D. des Champs (R.)	G7
Garibaldi (Bd)	G5			Ivry (Av. d')	J9	Lavandières-Ste-Opportune (R. des)	F8	Miastre (R. J. de)	B7	Monge (R.)	G8	Oberkampf (R.)	E10
Garigliano (Pont du)	H2			Ivry (Porte d')	K10	Leblanc (R.)	H3	Malakoff (Av. de)	D3	Montaigne (Av.)	D5	Observatoire (Av.)	H7
Gassendi (R.)	H7			Ivry (Quai)	J11	Lecourbe (R.)	G5	Malaquais (Quai)	F7	Mont-Cenis (R. du)	B8	Odéon (R. de l')	F7
Gay Lussac (R.)	G8			Jacob (R.)	F7	Ledru Rollin (Av.)	G10	Malar (R.)	E5	Montebello (Quai de)	F8	Oise (Quai de l')	B11
				Jacques Baudry (R.)	J5			Malesherbes (Bd)	D6	Montmartre (Cimetière)	B7	Olivier de Serres (R.)	H4
				Javel (R. de)	G4			Mandel (Av. G.)	E3	Montmartre (R.)	E8	Opéra	E7

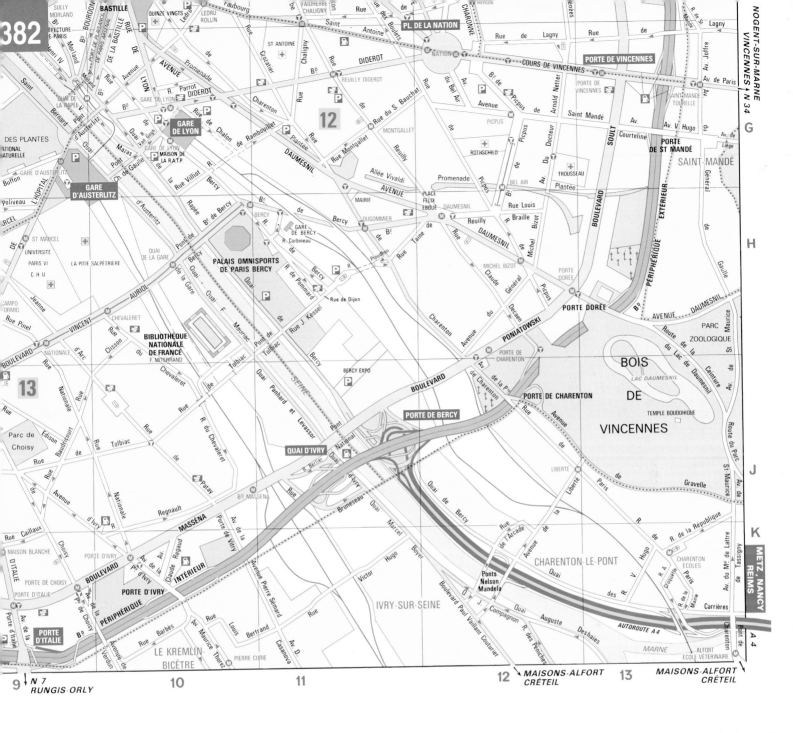

Opéra (Av. de l')	D7	Philippe de Girard (R.)	B9	Provence (R. de)	D7	Richer (R.)	D8	St-Lazare (R. et Gare)	D7	Soufflot (R.)	G8	Turenne (R. de)	E9
Ordener (R.)	B9	Philippe Auguste (Av.)	F11	Prudhon (Av.)	E2	Richerand (R.)	D9	St-Louis (Pont)	F9	Soult (Bd)	G13	Ulm (R. d')	G8
Orléans (Porte) d'	K7	Picpus (Bd de)	G12	Pyramides (R. des)	E7	Riquet (R.)	B10	St-Louis-en-l'Ile (R.)	F9	Sports (Palais des)	H4	UNESCO	G5
Ornano (Bd)	B8	Picpus (R. de)	G12	Pyrénées (R. des)	F12	Rivoli (R. de)	F9	St-Mandé (Av.de)	G12	Stéphane Mallarmé		Université (R. de l')	E5
Orsay (Musée d')	E7	Pierre Charron (R.)	D5	Quatre Fils (R. des)	E9	Rochechouart (Bd)	C8	St-Mandé (Porte de)	G13	(Av.)	B4	Valette (R.)	E8
Orsay (Quai d')	E5	Pierre de Coubertin		Quatre Septembre		Rochechouart (R. de)	C8	St-Marcel (Bd)	H9	Strasbourg (Bd de)	D9	Valmy (Quai de)	C9
Orsel (R. d')	C8	(Av. et Stade)	H1	(R. du)	D7	Rocher (R. du)	C6	St-Martin (Bd)	D9	Suchet (Bd)	F2	Van Gogh (R.)	G10
Orteaux (R. des)	F12	Pierre Demours (R.)	C4	Radio-France		Rodin (Musée)	F6	St-Martin (R.)	E9	Suffren (Av. de)	G5	Vaneau (R.)	F6
Oudinot (R.)	G6	Pierre Larousse (Av.)	J6	(Maison de)	F3	Roland Garros (Stade)	G1	St-Maur (R.)	E11	Sully (Pont de)	F9	Vanves (Porte de)	J5
Ourcq (R. de l')	B11	Pierre 1er de Serbie		Raffet (R.)	F2	Rome (R. de)	D6	St-Michel (Bd)	G8	Surène (R. de)	D6	Varenne (R. de)	F6
Paix (R. de la)	D7	(Av.)	E4	Rambouillet (R. de)	G10	Roquette (R. de la)	F10	St Michel (Pont)	F8	Suresnes (Rte de)	D2	Vaugirard (Bd de)	G6
Palais (Bd du)	F8	Petit Pont	F8	Rambuteau (R.)	E9	Royale (R.)	D6	St-Ouen (Av. Porte)	B7	Tage (R. du)	K9	Vaugirard (R. de)	H5
Panhard et Levassor		Pigalle (R.)	C7	Ramey (R.)	B8	Royal (Palais)	E7	St-Paul (R.)	F9	Taine (R.)	H11	Vauquelin (R.)	G8
(Q.)	J11	Pinel (R.)	H9	Ranelagh (Jardin du)	F3	Royal (Pont)	E7	St-Pétersbourg (R.)	C6	Tanger (R. de)	B10	Vauvenargues (R.)	B7
Panthéon	G8	Plaine (Porte de la)	J4	Ranelagh (R. du)	F3	Rubens (R.)	H9	St-Pierre		Tardieu (R.)	C8	Vendôme (Pl.)	E7
Pantin (Porte de)	B12	Plantes (Jardin des)	G9	Rapée (Quai de la)	G10	Rungis (R. de)	K8	de Montrouge	J7	Temple (Bd et R.)	E9	Vercingétorix (R.)	H6
Paradis (R. de)	D8	Plantes (R. des)	J6	Raphael (R.)	E2	Sablons (R. des)	E3	St-Placide (R.)	G7	Ternes (Av. des)	C4	Versailles (Av. de)	G2
Parc-Royal (R. du)	F9	Poissonnière (R.)	D8	Rapp (Av.)	E5	Sacré Cœur		St-Roch (R.)	E7	Tertre (Pl. du)	B8	Victor (Bd)	H3
Parmentier (Av.)	E10	Poissonniers (R. des)	B8	Raymond Losserand		(Basilique du)	B8	St-Saëns (R.)	F4	Tessier (R. G.)	A10	Victor Hugo (Av.)	D3
Parrot (R.)	G10	Police (Préf. de)	F8	(R.)	H6	St-Amand (R.)	H5	St-Sulpice (R.)	F7	Théâtre (R. du)	G4	Victoria (R.)	F8
Pascal (R.)	H8	Poliveau (R.)	H9	Raymond Poincaré		St André des Arts		St-Vincent (R.)	B7	Théophile Gautier		Victor Massé (R.)	C7
Pas-de-la-Mule (R.)	F10	Pommard (R. de)	H11	(Av.)	E4	(R.)	F8	St-Vincent de Paul (R.)	H7	(Av.)	G2	Vieille du Temple (R.)	E9
Passage Debilly	E4	Pompe (R. de la)	D3	Raynouard (R.)	F3	St-Antoine (R.)	F9	Ste-Marie Madeleine.	D6	Thierry (R. A.)	E9	Vienne (R. de)	C6
Passy (Porte de)	F2	Ponthieu (R. de)	D5	Réaumur (R.)	E9	St-Augustin (R.)	D6	Ste-Trinité	C7	Thorigny (R. de)	E9	Vigée Lebrun (R.)	H5
Passy (R. de)	F3	Pont Neuf (R. du)	E8	Recollets (R. des)	D9	St-Bernard (Quai)	G9	Sampaix (R. L.)	D9	Titon (R.)	F11	Villars (Av. de)	F6
Pasteur (Bd)	G6	Portalis (R.)	C6	Regnault (R.)	J10	St-Charles (R.)	G3	Sand (R. G.)	G2	Tocqueville (R. de)	C6	Villette (Bd de la)	C9
Patay (R. de)	J10	Port Royal (Bd du)	H8	Reille (Av.)	J8	St-Cloud (Av. de)	H1	Santé (R. de la)	H8	Tolbiac (Pont de)	H11	Villette (Porte de la)	A11
Paul Barruel (R.)	H5	Postes (Hôtel des)	E8	Reine (Cours la)	E6	St-Cloud (Porte de)	H1	Sarrette (R.)	J7	Tolbiac (R. de)	J9	Villiers (Av. de)	C5
Paul Doumer (Av.)	E3	Poteau (R. du)	B8	Reine Marguerite		St- Denis (Bd)	D9	Saxe (Av. de)	G6	Tombe Issoire (R.)	J7	Villiot (R.)	G9
Pelleport (R.)	E12	Poterne des Peupliers		(Allée de la)	D1	St-Denis (Canal)	A11	Scribe (R.)	D7	Tour (R. de la)	E3	Vincennes (Cours de)	G12
Pépinière (R. de la)	D6	(R. de la)	K9	Reims (Bd de)	B5	St-Denis (R.)	E8	Sébastopol (Bd de)	E8	Tour d'Auvergne		Vincennes (Porte de)	G13
Percier (Av.)	D6	Pouchet (R.)	A6	Rémusat (R. de)	G3	St-Dominique (R.)	E5	Secrétan (Av.)	C10	(R. de la)	C8	Vincent Auriol (Bd)	H10
Perdonnet (R.)	C9	Poussin (R.)	G2	Renard (R. du)	F8	St-Eleuthère (R.)	C8	Ségur (Av. de)	F5	Tour Eiffel	F4	Violet (R.)	G4
Péreire (Bd)	B5	Président Kennedy		Renault (R. du)	J10	St-Eustache (R.)	E8	Seine (Quai de la)	B10	Tour Maubourg (Bd de)	E5	Vitruve (R.)	E12
Pergolèse (R.)	D4	(Av.)	F3	Rennes (R. de)	G7	St-Exupéry (Quai)	H2	Seine (R. de)	F7	Tourisme (Office du)	D4	Vivienne (R.)	E7
Perle (R. de la)	E9	Président Wilson		République (R.)	E10	St-Fargeau (R.)	D12	Sergent Bauchat (R.)	G11	Tournelle (Pt. et Q.)	F9	Volontaires (R. des)	H5
Pershing (Bd)	C4	(Av.)	E4	République (Bd de la)	E10	St-Ferdinand (R.)	C4	Sérurier (Bd)	C12	Tournon (R. de)	F7	Voltaire (Bd)	F11
Petites Ecuries (R.)	D8	Pré St-Gervais (Porte)	C12	République (Pl. de la)	E9	St-Florentin (R.)	E6	Sèvres (Porte de)	H3	Tourville (Av. de)	F5	Voltaire (Quai)	F7
Petit Palais	E6	Pré St-Gervais (R du)	D11	Reuilly (Bd de)	H12	St-Germain (Bd)	F7	Sèvres (R. de)	G6	Trocadéro (Pl. du)	E4	Vosges (Pl. des)	F9
Petits Champs (R.)	E7	Princes (Parc des)	G1	Reuilly (R. de)	G11	St-Germain des Prés	F7	Simon Bolivar (Av.)	D10	Trois Bornes (R. des)	E10	Vouillé (R. de)	H5
Petits Ponts		Prof.-Hyacinthe-		Ribière (R.)	D12	St-Gilles (R.)	F10	Singer (R.)	F3	Tronchet (R.)	D7	Vulpian (R.)	H8
(Rte des)	B12	Vincent (R. du)	K7	Richard Lenoir (Bd)	E10	St-Honoré (R.)	E7	Sorbier (R.)	E11	Trousseau (R.)	F10	Wagram (Av. de)	C5
Peupliers (R. des)	J9	Prony (R. de)	C5	Richard Lenoir (R.)	F11	St-Jacques (Bd)	J7	Sorbonne	G8	Tuileries (Jardin des)	E7	Washington (R.)	D5
				Richelieu (R. de)	D7	St-Jacques (R.)	G8			Tuileries (Quai des)	E7	Wilhem (R.)	G2
						St-Lambert (R.)	H4			Turbigo (R. de)	E9	Winston Churchill (Av.)	E6
												Yvonne-Le Tac (R.)	C8

PAU

Barthou (R. Louis) ..... **BZ** 3
Cordeliers (R. des) ..... **AY** 25
Henri-IV (R.) ..... **AZ** 44
St-Louis (R.) ..... **AZ** 77
Serviez (R.) ..... **AY**

Barèges (Av. de) ...... **BX** 2
Bernadotte (R.) ...... **AY** 9
Bizanos (R. de) ...... **BX** 12
Bordenave-d'Abère (R.) ...... **AZ** 13
Clemenceau (Pl. G.) ..... **ABZ** 22
Clemenceau (R. G.) ..... **BX** 24
Espagne (Pont d') ..... **AX** 30

Espalungue (R. d') ..... **AZ** 31
La Pauline (R.) ..... **BY** 38
Gassion (R.) ..... **AZ** 40
Poeymirau (Av. Gén.) ..... **BX** 66
Terrier (R. Jacques) ... **AX** 92
Vallées (Av. des) ..... **AX** 93
14-Juillet (R. du) ..... **AX** 95

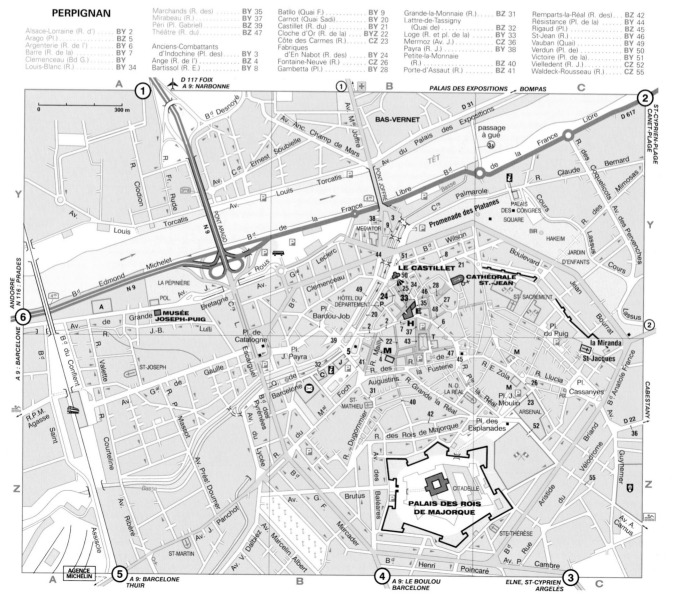

Pau 64 .... 272 C4
Paucourt 45 .... 111 F2
Paudy 36 .... 152 B2
Paugnat 63 .... 189 D3
Pauilhac 32 .... 256 B4
Pauillac 33 .... 217 D1

Paule 22 .... 76 A3
Paulhac 15 .... 225 D3
Paulhac 43 .... 208 A4
Paulhac 31 .... 238 C2
Paulhac-en-Margeride 48 ... 226 A3
Paulhaguet 43 ...... 226 B1

Paulhan 34 .... 280 C3
Paulhe 12 .... 261 E2
Paulhenc 15 .... 224 C4
Paulhiac 47 .... 238 C2
Pauliac (Puy de) 19 ... 222 C1
Pauligne 11 .... 302 A2

Paulin 24 .... 222 A3
La Pauline 83 ...... 292 B2
Paulinet 81 .... 260 A4
Paulmy 37 .... 150 A3
Paulnay 36 .... 150 C3
Paulx 44 .... 145 C3
Paunat 24 .... 221 D3
Pause (Col de) 09 ... 309 D1
Paussac-et-Saint-Vivien 24 ... 202 B4
Pautaines-Augeville 52 ... 92 C3
Pauvres 08 .... 38 B2
Pavant 02 .... 62 C2
Pavezin 42 .... 210 C3
Pavie 32 .... 275 D2
Pavillon (Col du) 69 ... 192 A1
Le Pavillon-Sainte-Julie 10 ... 90 A3
Les Pavillons-sous-Bois 93 ... 61 E3
Pavilly 76 .... 15 F4
Pavin (Lac) 63 ..... 207 D3
Payns 10 .... 90 A3
Payra-sur-l'Hers 11 ... 301 E1
Payrac 46 .... 222 A4
Payré 86 .... 166 A3
Payrignac 46 .... 240 A1
Payrin-Augmontel 81 ... 278 B3
Payros-Cazautets 40 ... 272 C2
Payroux 86 .... 184 B1
Payssous 31 .... 299 D3
Payzac 07 .... 245 E4
Payzac 24 .... 203 F3
Pazayac 24 .... 222 A2
Paziols 11 .... 303 E4
Pazy 58 .... 136 B4
Le Péage 38 .... 211 E4
Le Péage-de-Roussillon 38 ... 210 C3
Péas 51 .... 63 F4
Peaugres 07 .... 210 C4
Péaule 56 .... 123 E4
Péault 85 .... 163 E2
Pébées 32 .... 275 F3
Pébrac 43 .... 226 B2
Pech 09 .... 310 A1
Pech-Luna 11 .... 301 E1
Pech Merle (Grotte du) 46 ... 240 B3
Péchabou 31 .... 276 C3
Pécharic-et-le-Py 11 ... 301 E2
Péchaudier 81 ...... 277 F3
Pechbonnieu 31 ..... 276 C1
Pechbusque 31 ...... 276 C3
Le Pêchereau 36 .... 168 C2

Pécorade 40 .... 273 D1
Le Pecq 78 .... 60 C3
Pecquencourt 59 .... 9 D2
Pecqueuse 91 .... 86 B1
Pécy 77 .... 88 B1
Pédernec 22 .... 50 B3
Pégairolles-de-Buèges 34 ... 262 B4
Pégairolles-de-l'Escalette 34. 280 B1
Pégomas 06 .... 288 A3
Le Pègue 26 .... 247 E3
Péguilhan 31 .... 275 D4
Peigney 52 .... 116 C3
Peillac 56 .... 102 A4
Peille 06 .... 289 E4
Peillon 06 .... 289 E4
Peillonnex 74 ...... 196 A1
Peintre 39 .... 140 A4
Les Peintures 33 ... 219 D3
Peipin 04 .... 267 D1
Peira-Cava 06 ...... 289 E2
Peisey-Nancroix 73 ... 214 C1
Pel-et-Der 10 ...... 91 D3
Pélissanne 13 ...... 284 B2
Pellafol 38 .... 231 D4
Pelleautier 05 ..... 249 E2
Pellefigue 32 ...... 275 E3
Pellegrue 33 .... 237 E1
Pelleport 31 .... 276 A1
Pellerey 21 .... 138 C2
Le Pellerin 44 ..... 126 A4
La Pellerine 49 .... 129 F2
La Pellerine 53 .... 80 B3
Pellevoisin 36 ..... 151 E2
Pellouailles-les-Vignes 49 ... 128 C2
Pelonne 26 .... 248 A3
Pelouse 48 .... 244 B2
Pelousey 25 .... 141 D3
Peltre 57 .... 68 B1
Pélussin 42 .... 210 C3
Pelves 62 .... 8 B3
Pelvoux 05 .... 232 B3
Pelvoux (Belvédère du) 05. 232 B4
Pen-Guen 22 .... 52 B4
Pen-Lan (Pointe de) 56 ... 123 E2
Penchard 77 .... 62 A2
Pencran 29 .... 48 B4
Pendé 80 .... 6 A4
Pendu (Col du) 07 ... 245 E1
Pénestin 56 .... 123 E3

Penguily 22 .... 77 F2
Penhir (Pointe de) 29. 47 D4
Penhors 29 .... 73 D4
Penin 62 .... 7 F3
Penly 76 .... 16 B2
Penmarch 29 .... 98 A2
La Penne 06 .... 269 E3
Penne 81 .... 258 B2
Penne-d'Agenais 47 ... 238 C4
La Penne-sur-Huveaune 13. 285 D4
La Penne-sur-l'Ouvèze 26 ... 247 F4
Pennedepie 14 ...... 30 B2
Pennes-le-Sec 26 ... 248 A1
Les Pennes-Mirabeau 13 ... 284 C3
Pennesières 70 ..... 141 E2
Penol 38 .... 211 E3
Pensol 87 .... 202 C2
Penta-Acquatella 2B ... 315 F3
Penta-di-Casinca 2B ... 315 F3
Penthièvre 56 ...... 122 A4
Pentrez-Plage 29 ... 73 E2
Penvénan 22 .... 50 B1
Penvins (Pointe de) 56 ... 123 D2
Péone 06 .... 269 E1
Pépieux 11 .... 303 D1
Pérassay 36 .... 170 A3
Peray 72 .... 83 E4
Perceneige 89 ...... 89 D3
Percey 89 .... 113 F2
Percey-le-Grand 70 ... 139 F1
Percey-le-Pautel 52 ... 116 C4
Percey-sous-Montmortier 52 . 139 F1
Le Perchay 95 ...... 60 A1
La Perche 18 .... 170 C1
Perchède 32 .... 254 C4
Percy 50 .... 54 B1
Le Percy 38 .... 230 C4
Percy-en-Auge 14 ... 56 B1
Perdreauville 78 ... 59 F2
Perdrix (Crêt de la) 42 ... 210 B3
Péré 17 .... 181 E1
Péré 65 .... 298 B2
Péréandre (Roche) 07 ... 228 C1
Péreille 09 .... 301 E4
Perelli 2B 315 F4
Pérenchies 59 ...... 4 C4
Péret 34 .... 280 C2
Péret-Bel-Air 19 ... 205 E3

PERPIGNAN

Alsace-Lorraine (R. d') .... **BY** 2
Arago (Pl.) .... **BZ** 5
Argenterie (R. de l') ... **BY** 6
Barre (R. de la) ...... **BY** 7
Clemenceau (Bd G.) ..... **BY**
Louis-Blanc (R.) ...... **BY** 34

Marchands (R. des) ...... **BY** 35
Mirabeau (R.) .... **BY** 37
Péri (Pl. Gabriel) ..... **BZ** 39
Théâtre (R. du) .... **BZ** 47

Anciens-Combattants d'Indochine (R. des).... **BY** 3
Ange (R. de l') .... **BZ** 4
Bartissol (R. E.) ...... **BY** 8

Batlio (Quai F.) .... **BY** 9
Carnot (Quai Sadi) ..... **BY** 20
Castillet (R. du) ...... **BY** 21
Cloche d'Or (R. de la) . **BYZ** 22
Côte des Carmes (R.).... **CZ** 23
Fabriques d'En Nabot (R. des) ... **BY** 24
Fontaine-Neuve (R.) .... **CZ** 26
Gambetta (Pl.) .... **BY** 28

Grande-la-Monnaie (R.).... **BZ** 31
Lattre-de-Tassigny (Quai de) .... **BZ** 32
Loge (R. et pl. de la) .. **BY** 33
Mermoz (Av. J.) .... **CZ** 36
Payra (R. J.) .... **BY** 38
Petite-la-Monnaie (R.) .... **BZ** 40
Porte-d'Assaut (R.) .... **BZ** 41

Remparts-la-Réal (R. des)... **BZ** 42
Résistance (Pl. de la) ... **BY** 44
Rigaud (Pl.) .... **BY** 45
St-Jean (R.) .... **BY** 46
Vauban (Quai) .... **BY** 49
Verdun (Pl. de) ...... **BY** 50
Victoire (Pl. de la) .. **BY** 51
Vielledent (R. J.) ... **CZ** 52
Waldeck-Rousseau (R.).. **CZ** 55

Péreuil 16 .... 201 D2
Péreyres 07 .... 227 F4
Pergain-Taillac 32 .... 256 A2
Peri 2A 316 C3
Le Périer 38 .... 231 E3
Périers 50 .... 27 D4
Périers-en-Auge 14 ...... 30 A3
Périers-sur-le-Dan 14 ..... 29 E3
Pérignac 16 .... 201 D2
Pérignac 17 .... 199 F1
Pérignat-lès-Sarliève 63 .... 207 E1
Pérignat-sur-Allier 63 ..... 207 F1
Périgné 79 .... 182 C1
Périgneux 42 .... 209 E3
Périgny 14 .... 55 E2
Périgny 94 .... 61 E4
Périgny 17 .... 180 C1
Périgny 03 .... 172 C4
Périgny 41 .... 108 C4
Périgny-la-Rose 10 .... 89 E1
Périgueux 24 .... 220 C1
Périllos 66 .... 303 F4
Périssac 33 .... 217 F2
Perles 02 .... 37 D3
Perles-et-Castelet 09 ...... 310 B1
Pern 46 .... 240 A4
Pernand-Vergelesses 21 .... 158 A1
Pernant 02 .... 36 A3
Pernay 37 .... 130 B2
La Pernelle 50 .... 25 E2
Pernes 62 .... 7 F2
Pernes-lès-Boulogne 62 ..... 2 B3
Pernes-les-Fontaines 84 .... 265 E3
Pernois 80 .... 18 A1
Pero (Plage de) 2A 316 A2
Pero-Casevecchie 2B 315 F4
Pérols 34 .... 281 F2
Pérols-sur-Vézère 19 ...... 205 D2
Péron 01 .... 177 E4
Péronnas 01 .... 193 F1
Péronne 71 .... 175 D3
Péronne 80 .... 19 E2
Péronne-en-Mélantois 59 ... 9 D1
Péronville 28 .... 109 E1
Pérouges 01 .... 193 E3
La Pérouille 36 .... 168 C1
Pérouse 90 .... 119 F4
Pérouse (Rocher de la) 89 ... 137 D4
Péroy-les-Gombries 60 ..... 35 E4
Perpezac-le-Blanc 19 ...... 221 F1
Perpezac-le-Noir 19 .... 204 B4
Perpezat 63 .... 206 C1
Perpignan 66 .... 313 D2
Les Perques 50 .... 24 C4
Perquie 40 .... 254 B4
Perrancey-
 les-Vieux-Moulins 52 .... 116 C3
Le Perray-en-Yvelines 78 ... 60 A4
Perrecy-les-Forges 71 ..... 174 A1
La Perrena 39 .... 160 B4
Le Perréon 69 .... 192 B2
Perret 22 .... 76 B3
Perreuil 71 .... 157 E4
Perreuse 89 .... 135 F2
Perreux 42 .... 191 E2
Perreux 89 .... 112 B3
Le Perreux-sur-Marne 94 ... 61 E3
Perrex 01 .... 175 E4
Perrier 63 .... 207 F2
Le Perrier 85 .... 144 C3
La Perrière 61 .... 83 E3
La Perrière 73 .... 214 B2
Perrières 14 .... 56 B2
Perriers-en-Beauficel 50 .... 54 C4
Perriers-la-Campagne 27 ... 31 F4
Perriers-sur-Andelle 27 .... 32 C2
Perrignier 74 .... 178 B3
Perrigny 89 .... 113 E3
Perrigny 39 .... 176 C1
Perrigny-lès-Dijon 21 ..... 139 D4
Perrigny-sur-Armançon 89 .. 114 C4
Perrigny-sur-l'Ognon 21 .... 140 A4
Perrigny-sur-Loire 71 ..... 173 E2
Perrogney 52 .... 116 B3
Le Perron 50 .... 55 D1
Perros-Guirec 22 .... 50 A1
Perrou 61 .... 81 E1
Perrouse 70 .... 141 D3
Perroy 58 .... 135 F3
Perruel 27 .... 32 C2
Perrusse 52 .... 117 D1
Perrusson 37 .... 150 C1
Pers 15 .... 223 F4
Pers 79 .... 165 F4
Pers-en-Gâtinais 45 ...... 112 A1
Pers-Jussy 74 .... 195 F1
Persac 86 .... 167 D4
Persan 95 .... 34 B4
Perse (Église de) 12 ...... 242 C3
Persquen 56 .... 100 B1
Pertain 80 .... 19 E3
Perthes 77 .... 87 E2
Perthes 52 .... 65 F4
Perthes 08 .... 38 B2
Perthes-lès-Brienne 10 ..... 91 D2
Pertheville-Ners 14 ...... 56 B3
Le Perthus 66 .... 313 D4
Le Pertre 35 .... 104 B1
Pertuis 84 .... 285 D1
Le Pertuis 43 .... 227 F2
Pertuis (Col du) 63 ...... 190 B4
Le Pertuiset 42 .... 209 F3
Perty (Col de) 26 ...... 248 B4
La Péruse 16 .... 184 B3
La Péruse 04 .... 267 E1
Pervenchères 61 .... 83 E2
Perville 82 .... 256 C1
Pescadoires 46 .... 239 E3
Peschadoires 63 .... 190 A4
Le Pescher 19 .... 222 C2

Peseux 39 .... 159 D2
Péseux 25 .... 142 B3
Peslières 63 .... 208 A3
Pesmes 70 .... 140 B4
Pessac 33 .... 217 D4
Pessac-sur-Dordogne 33 .... 219 E4
Pessan 32 .... 275 D2
Pessans 25 .... 160 A1
Pessat-Villeneuve 63 ...... 189 F3
La Pesse 39 .... 177 E4
Pessines 17 .... 181 E4
Pessoulens 32 .... 256 C4
Pesteils (Château de) 15 .... 224 B3
Petersbach 67 .... 70 B1
Petit-Abergement 01 ...... 194 B2
Petit-Appeville 76 .... 16 A2
Petit-Auverné 44 .... 127 D1
Petit-Ballon 68 .... 96 A4
Petit-Bersac 24 .... 201 F4
Le Petit-Bornand-
 les-Glières 74 .... 196 A2
Le Petit-Celland 50 .... 54 B4
Petit-Cœur 73 .... 214 B2
Petit-Couronne 76 .... 32 A2
Petit-Croix 90 .... 120 A3
Le Petit Drumont 88 ...... 119 F2
Petit-Ébersviller 57 ...... 42 C4
Petit-Failly 54 .... 40 A3
Petit-Fayt 59 .... 10 A3
Petit-Fort-Philippe 59 ..... 3 D1
Le Petit-Fougeray 35 ...... 103 E2
Petit-Landau 68 .... 121 D2
Petit-Mars 44 .... 126 C2
Le Petit-Mercey 39 ...... 140 C4
Petit-Mesnil 10 .... 91 E3
Petit Minou (Pointe du) 29 ... 47 D3
Petit-Noir 39 .... 159 D2
Petit-Palais-et-Cornemps 33 .. 219 D2
Le Petit-Pressigny 37 ..... 150 B3
Le Petit-Quevilly 76 ...... 32 A2
Petit-Réderching 57 ...... 43 F4
Petit Saint-Bernard
 (Col du) 73 .... 197 D4
Petit-Tenquin 57 .... 69 E1
Petit-Verly 02 .... 20 C2
Petit-Xivry 54 .... 40 B2
La Petite-Boissière 79 ..... 147 D3
Petite-Chaux 25 .... 160 C4
La Petite-Forêt 59 .... 9 F2
La Petite-Fosse 88 .... 96 A1
La Petite-Marche 03 ...... 188 B1
La Petite-Pierre 67 ...... 70 B1
La Petite-Raon 88 .... 95 F2
Petite-Rosselle 57 .... 43 D3
Petite-Synthe 59 .... 3 E1
La Petite-Verrière 71 ...... 156 C2
Petitefontaine 90 .... 120 A2
Les Petites-Armoises 08 .... 39 D1
Les Petites-Dalles 76 ...... 15 D1
Les Petites-Loges 51 ...... 38 A4
Petitmagny 90 .... 119 F4
Petitmont 54 .... 95 F1
Les Petits-Robins 26 ...... 229 D4
Petiville 76 .... 15 D4
Petiville 14 .... 29 F4
Petosse 85 .... 164 A2
Petreto-Bicchisano 2A 318 C1
Pettoncourt 57 .... 68 C3
Pettonville 54 .... 95 E1
Peujard 33 .... 217 F2
Peumérit 29 .... 73 E4
Peumerit-Quintin 22 ...... 76 B2
Peuton 53 .... 105 D3
Peuvillers 55 .... 40 B2
Peux-et-Couffouleux 12 .... 279 F1
Pévange 57 .... 69 D2
Pévy 51 .... 37 E3
Pexiora 11 .... 301 F1
Pexonne 54 .... 95 F1
Pey 40 .... 271 D1
Peymeinade 06 .... 288 A3
Peynier 13 .... 285 E4
Peypin 13 .... 285 E4
Peypin-d'Aigues 84 ...... 266 B4
Peyrabout 23 .... 187 D2
La Peyrade 34 .... 281 E4
Le Peyrat 09 .... 301 F3
Peyrat-de-Bellac 87 ...... 185 E1
Peyrat-la-Nonière 23 ...... 187 F2
Peyrat-le-Château 87 ..... 186 C1
La Peyratte 79 .... 165 E1
Peyraube 65 .... 298 A1
Peyraud 07 .... 210 C4
Peyre 40 .... 272 B2
Peyre-Haute
 (Table d'orientation de) 05. 250 C1
Peyrecave 32 .... 256 C3
Peyrefitte-du-Razès 11 .... 301 F3
Peyrefitte-sur-l'Hers 11 .... 301 E1
Peyregoux 81 .... 278 B1
Peyrehorade 40 .... 271 E2
Peyreleau 12 .... 261 F1
Peyrelevade 19 .... 205 E1
Peyrelongue-Abos 64 ...... 273 E3
Peyremale 30 .... 245 E4
Peyrens 11 .... 277 F4
Peyrepertuse
 (Château de) 11 .... 303 D4
Peyresourde 65 .... 307 E4
Peyresourde (Col de) 65 .... 307 E4
Peyrestortes 66 .... 313 D1
Peyret-Saint-André 65 ..... 274 C4
Peyriac-de-Mer 11 ...... 303 F2
Peyriac-Minervois 11 ...... 303 D1
Peyriat 01 .... 194 A1
Peyrière 47 .... 237 F2
Peyrieu 01 .... 212 C1
Peyrignac 24 .... 221 F1
Peyriguère 65 .... 298 A1

Peyrilhac 87 .... 185 E3
Peyrillac-et-Millac 24 ..... 222 A4
Peyrilles 46 .... 240 A2
Peyrins 26 .... 229 E2
Peyrissac 19 .... 204 C3
Peyrissas 31 .... 299 E1
Peyro-Clabado (Rocher) 81 .. 278 C2
Peyrol (Pas de) 15 ...... 224 C2
Peyrole 81 .... 277 F1
Peyroles 30 .... 262 C2
Peyrolles 11 .... 302 B3
Peyrolles-en-Provence 13 ... 285 E1
Peyroules 04 .... 268 C4
Peyrouse 65 .... 297 E2
Peyrouzet 31 .... 299 E1
Peyruis 04 .... 267 D2
Peyrun 65 .... 274 A4
Peyrus 26 .... 229 E3
Peyrusse 15 .... 225 E1
Peyrusse-Grande 32 ...... 274 A2
Peyrusse-le-Roc 12 ...... 241 E3
Peyrusse-Massas 32 ...... 274 C1
Peyrusse-Vieille 32 ...... 274 A2
Peyssies 31 .... 276 A4
Peyzac-le-Moustier 24 .... 221 E3
Peyzieux-sur-Saône 01 .... 192 C1
Pézarches 77 .... 62 A4
Pezé-le-Robert 72 .... 82 B4
Pézenas 34 .... 280 C3
Pézènes-les-Mines 34 ..... 280 B2
Pezens 11 .... 302 B1
Pézilla-de-Conflent 66 ..... 311 F1
Pézilla-la-Rivière 66 ...... 312 C2
Pezou 41 .... 108 C3
Pezuls 24 .... 220 C3
Pézy 28 .... 85 E3
Pfaffenheim 68 .... 96 B4
Pfaffenhoffen 67 .... 71 D1
Pfalzweyer 67 .... 70 B1
Pfastatt 68 .... 120 B2
Pfetterhouse 68 .... 120 B4
Pfettisheim 67 .... 71 D3
Pfulgriesheim 67 .... 71 D3
Phaffans 90 .... 119 F4
Phalempin 59 .... 8 C1
Phalsbourg 57 .... 70 B2
Philippsbourg 57 .... 44 C4
Philondenx 40 .... 272 C2
Phlin 54 .... 68 B2
Pia 66 .... 313 D1
Piacé 72 .... 82 C4
Le Pian-Médoc 33 .... 217 D3
Le Pian-sur-Garonne 33 .... 236 C2
Piana 2A 316 A1
Pianella (Pont de) 2A 316 B1
Piano 2B 317 E1
Piano 2B 315 F3
Pianottoli-Caldarello 2A 319 D3
Les Piards 39 .... 177 D2
La Piarre 05 .... 248 C3
Piau-Engaly 65 .... 307 D4
Piazzali 2B 315 F4
Piazzole 2B 315 F4
Piblange 57 .... 42 A3
Pibrac 31 .... 276 B2
Picarreau 39 .... 159 F4
Picarrou 31 .... 301 D1
Picauville 50 .... 25 D4
Pichanges 21 .... 139 E2
Picherande 63 .... 206 C3
Picquigny 80 .... 18 A2
Pie-d'Orezza 2B 315 E4
Pied-de-Borne 48 .... 245 E3
Pied-la-Viste
 (Table d'orientation de) 05. 250 C1
Piedicorte-di-Gaggio 2B 317 E1
Piedicroce 2B 315 F4
Piedigriggio 2B 315 D3
Piedipartino 2B 315 E4
Piégon 26 .... 247 F4
Piégros-la-Clastre 26 ...... 247 E1
Piégut 04 .... 249 F3
Piégut-Pluviers 24 .... 202 C1
Piémanson (Plage de) 13 ... 283 F4
Piencourt 27 .... 31 D4
Piennes 80 .... 35 D1
Piennes 54 .... 41 D3
Piépape 52 .... 116 C4
Pierlas 06 .... 269 F2
La Pierre 38 .... 213 D4
Pierre-Bénite 69 .... 210 C1
Pierre-Buffière 87 .... 204 A1
Pierre-Carrée (Col de la) 74 .. 196 B2
Pierre-Châtel 38 .... 230 C3
La Pierre Couverte
 (Dolmen de) 49 .... 129 E1
Pierre d'Avenon 83 ...... 293 D2
Pierre-de-Bresse 71 ...... 159 D3
Pierre Fine (Menhir de) 49 ... 104 B4
Pierre-Gourde
 (Château de) 07 .... 228 C4
Pierre-la-Treiche 54 ...... 67 F4
Pierre-Levée 77 .... 62 B3
Pierre-Morains 51 .... 64 A3
Pierre-Percée 54 .... 95 F1
Pierre-Perthuis 89 .... 136 C3
La Pierre Plantée 48 .... 244 C1
Pierre-Plantée (Col de la) 48. 244 B2
Pierre-qui-Vire
 (Abbaye de la) 89 ...... 137 E3
Pierreclos ((Château) 71 .. 175 D2
Pierrecourt 76 .... 17 D2
Pierrecourt 70 .... 140 B1
Pierrefaites 52 .... 117 E3
Pierrefeu 06 .... 269 F3
Pierrefeu-du-Var 83 ...... 292 C1
Pierrefiche 12 .... 243 D3
Pierrefiche 48 .... 244 C1
Pierrefiques 76 .... 14 B3
Pierrefitte 23 .... 187 F1

Pierrefitte 79 .... 148 A3
Pierrefitte 19 .... 204 B3
Pierrefitte 88 .... 94 B4
Pierrefitte-en-Auge 14 ..... 30 B3
Pierrefitte-en-Beauvaisis 60. 33 F2
Pierrefitte-en-Cinglais 14 ... 55 F2
Pierrefitte-ès-Bois 45 ...... 134 C2
Pierrefitte-Nestalas 65 .... 297 E3
Pierrefitte-sur-Aire 55 ..... 66 C2
Pierrefitte-sur-Loire 03 .... 173 D2
Pierrefitte-sur-Sauldre 41 .. 133 F2
Pierrefitte-sur-Seine 93 .... 61 D2
Pierrefonds 60 .... 35 F3
Pierrefontaine-
 lès-Blamont 25 .... 142 C2
Pierrefontaine-les-Varans 25 142 A4
Pierrefontaines 52 .... 116 B3
Pierrefort 15 .... 225 D3
Pierregot 80 .... 18 B1
Pierrelatte 26 .... 246 C4
Pierrelaye 95 .... 60 C2
Pierrelongue 26 .... 265 F1
Pierremande 02 .... 36 B1
Pierremont 62 .... 7 E2
Pierrepont 02 .... 21 D4
Pierrepont 14 .... 56 A2
Pierrepont 54 .... 40 C2
Pierrepont-sur-Avre 80 .... 18 C4
Pierrepont-sur-l'Arentèle 88. 95 D3
Pierrerue 04 .... 267 D3
Pierrerue 34 .... 279 F4
Pierres 14 .... 55 D2
Pierres 28 .... 85 E1
Pierreval 76 .... 32 B1
Pierrevert 04 .... 266 C4
Pierreville 54 .... 94 A1
Pierreville 50 .... 24 B3
Pierrevillers 57 .... 41 E3
Pierric 44 .... 103 D4
Pierry 51 .... 64 A2
Pietra-di-Verde 2B 317 F1
Pietracorbara 2B 314 C1
Pietralba 2B 315 D3
Pietranera 2B 315 F1
Pietraserena 2B 317 E1
Pietricaggio 2B 315 F4
Pietrosella 2A 318 B1
Pietroso 2B 315 F4
Piets-Plasence-Moustrou 64. 272 C3
Pieusse 11 .... 302 B3
Les Pieux 50 .... 24 B3
Piève 2B 315 E2
Piffonds 89 .... 112 B2
Le Pigeon 46 .... 222 B3
Pigeonnier (Col du) 67 ..... 45 E3
Pigerolles 23 .... 187 E4
Pigna 2B 314 B2
Pignan 34 .... 281 E2
Pignans 83 .... 286 C4
Pignicourt 02 .... 37 F2
Pignols 63 .... 207 F1
Pigny 18 .... 153 E1
Pihem 62 .... 3 D4
Pihen-lès-Guines 62 ...... 2 B2
Pila-Canale 2A 318 C1
Pilat (Mont) 42 .... 210 B3
Pilat-Plage 33 .... 234 B1
Le Pigeon 46 .... 222 B3
Pillemoine 39 .... 160 A4
Les Pilles 26 .... 247 F4
Pillon 55 .... 40 B2
Pimbo 40 .... 272 C2
Pimelles 89 .... 114 B3
Pimorin 39 .... 176 B2
Pimprez 60 .... 35 F1
Le Pin 82 .... 257 D3
Le Pin 44 .... 127 E1
Le Pin 77 .... 61 E2
Le Pin 79 .... 147 E3
Le Pin 03 .... 173 E3
Le Pin 39 .... 159 E4
Le Pin 30 .... 264 B2
Le Pin 38 .... 212 B3
Le Pin 17 .... 200 B1
Le Pin 14 .... 30 C4
Le Pin 70 .... 140 C3
Pin (Haras du) 61 .... 56 C4
Le Pin-au-Haras 61 ...... 56 C4
Pin-Balma 31 .... 276 C2
Le Pin-en-Mauges 49 ..... 127 E4
Le Pin-la-Garenne 61 ..... 83 F2
Pin-Moriès 48 .... 243 F3
Le Pin-Murelet 31 .... 275 F4
Pinarellu 2A 319 F2
Pinas 65 .... 298 B2
Pinay 42 .... 191 E3
Pincé 72 .... 105 F3
Pinçon (Mont) 14 .... 55 E2
Pindères 47 .... 237 D4
Pindray 86 .... 167 E2
Les Pineaux 85 .... 163 E1
Pinel-Hauterive 47 ...... 238 B3
Pinet 34 .... 281 D4
Pineuilh 33 .... 219 F4
Piney 10 .... 90 C2
Pino 2B 314 A1
Pinols 43 .... 226 A2
Les Pins 16 .... 184 A4
Pins-Justaret 31 .... 276 B3
Pinsac 46 .... 222 B3
Pinsaguel 31 .... 276 B3
Pinsot 38 .... 213 E3
Pintac 65 .... 297 F1
Pinterville 27 .... 32 B4
Pintheville 55 .... 40 C4
Les Pinthières 28 .... 59 E4
Piobetta 2B 315 F4
Pioggiola 2B 314 C3

Piolenc 84 .... 264 C1
Pionnat 23 .... 187 E1
Pionsat 63 .... 188 C2
Pioussay 79 .... 183 E2
Pipriac 35 .... 102 C3
Piquecos 82 .... 257 F2
Pirajoux 01 .... 176 A3
Piré-sur-Seiche 35 ...... 103 F1
Pirey 25 .... 141 D4
Piriac-sur-Mer 44 .... 123 E3
Pirmil 72 .... 106 B2
Pirou 50 .... 26 C4
Pis 32 .... 275 D1
Pisany 17 .... 199 D1
Piscop 95 .... 61 D2
Piseux 27 .... 58 B4
Pisieu 38 .... 211 E3
Pisse (Cascade de la) 38 .... 231 F4
Pisseleu 60 .... 34 A1
Pisseleux 02 .... 36 A4
Pisseloup 52 .... 117 E3
La Pisseure 70 .... 118 B3
Pissos 40 .... 235 D4
Pissotte 85 .... 164 A2
Pissy 80 .... 18 A3
Pissy-Pôville 76 .... 32 A1
Pisy 89 .... 137 E2
Pitgam 59 .... 3 E2
Pithiviers 45 .... 110 C1
Pithiviers-le-Vieil 45 ...... 110 C1
Pithon 02 .... 19 F4
Pîtres 27 .... 32 B3
Pittefaux 62 .... 2 B3
Pizançon 26 .... 229 E2
Pizay 01 .... 193 E3
Pizieux 72 .... 83 D3
Le Pizou 24 .... 219 E2
Le Pla 09 .... 311 D2
Pla-d'Adet 65 .... 307 D3
Plabennec 29 .... 47 D2
Placé 53 .... 81 D4
Les Places 27 .... 31 D4
La Placette (Col de) 38 ..... 212 C4
Placey 25 .... 140 C4
Plachy-Buyon 80 .... 18 A3
Placy 14 .... 55 F2
Placy-Montaigu 50 .... 55 D1
Le Plagnal 07 .... 245 D1
Plagne 01 .... 177 D4
Plagne 31 .... 299 F2
La Plagne 73 .... 214 C2
Plagnole 31 .... 275 F4
Plagny 58 .... 154 C3
Plaigne 11 .... 301 D2
Plailly 60 .... 61 E1
Plaimbois-du-Miroir 25 ..... 142 B4
Plaimbois-Vennes 25 ...... 142 A4
Plaimpied-Givaudins 18 .... 153 E2
La Plaine 11 .... 147 E1
Plaine 67 .... 96 A1
Plaine-de-Walsch 57 ...... 70 A2
Plaine-Haute 22 .... 51 D4
Plaine-Joux 74 .... 196 C2
La Plaine-sur-Mer 44 ...... 125 D4
Plainemont 70 .... 118 B3
Plaines-Saint-Lange 10 .... 115 D2
Plainfaing 88 .... 96 A3
Plainoiseau 39 .... 159 E4
Plainpalais (Col de) 73 ..... 213 E1
Les Plains-
 et-Grands-Essarts 25 .... 142 C3
Plaintel 22 .... 77 E2
Plainval 60 .... 34 C1
Plainville 27 .... 57 E1
Plainville 60 .... 34 C1
Plaisance 86 .... 167 E4
Plaisance 32 .... 273 F2
Plaisance 34 .... 279 F2
Plaisance 12 .... 260 A4
Plaisance-du-Touch 31 .... 276 B3
Plaisia 39 .... 176 C2
Plaisians 26 .... 266 A1
Plaisir 78 .... 60 B3
Plaisir Fontaine
 (Grotte de) 25 .... 160 C1
Plaissan 34 .... 281 D3
Plaizac 16 .... 183 D4
Plampinet 05 .... 232 C2
Plan 38 .... 212 A4
Plan-d'Aups 83 .... 285 E4
Plan-de-Baix 26 .... 229 F4
Plan-de-Campagne 13 .... 284 C3
Plan-de-Cuques 13 ...... 285 D4
Le Plan-de-Grasse 06 ..... 288 A3
Plan-de-la-Tour 83 .... 287 E4
Plan-d'Orgon 13 .... 265 E4
Le Plan-du-Var 06 .... 288 C2
Planaise 73 .... 213 E2
Planay 21 .... 115 D4
Planay 73 .... 214 C2
La Planche 44 .... 145 F2
Plancher-Bas 70 .... 119 E4
Plancher-les-Mines 70 .... 119 E3
Plancherine 73 .... 213 F1
Planches 61 .... 57 E4
Les Planches 27 .... 32 B4
Les Planches-
 en-Montagne 39 .... 177 E1
Les Planches-près-Arbois 39 160 A3
Planchez 58 .... 156 B1
Plancoët 22 .... 78 B1
Plancy-l'Abbaye 10 ...... 90 A1
La Planée 25 .... 160 C3
Planès 66 .... 311 D3
Planèzes 66 .... 312 C1
Planfoy 42 .... 210 A3
Planguenoual 22 .... 51 F4
Planioles 46 .... 241 E2
Le Planois 71 .... 159 D4

Le Planquay 27 .... 57 E1
Planquery 14 .... 28 C4
Planques 62 .... 7 D2
Las Planques (Église de) 81.. 259 F2
Planrupt 52 .... 91 F2
Les Plans 30 .... 263 F2
Les Plans 34 .... 280 B1
Le Plantay 01 .... 193 E2
Les Plantiers 30 .... 262 C2
Le Plantis 61 .... 83 E1
Planty 10 .... 89 E4
Planzolles 07 .... 245 F3
Plappeville 57 .... 41 F4
Plascassier 06 .... 288 A3
Plasne 39 .... 159 F3
Plasnes 27 .... 57 F1
Plassac 33 .... 217 D2
Plassac 17 .... 199 E3
Plassac-Rouffiac 16 ...... 201 E2
Plassay 17 .... 181 E4
Plateau-d'Assy 74 .... 196 C2
Plats 07 .... 228 C2
Plaudren 56 .... 101 E3
Plauzat 63 .... 207 E2
Plavilla 11 .... 301 F2
Plazac 24 .... 221 E2
Pleaux 15 .... 223 F2
Pléboulle 22 .... 52 A4
Pléchâtel 35 .... 103 D2
Plédéliac 22 .... 78 A1
Plédran 22 .... 51 E4
Pléguien 22 .... 51 D2
Pléhédel 22 .... 51 D2
Pleine-Fougères 35 ...... 79 F1
Pleine-Selve 33 .... 199 E4
Pleine-Selve 02 .... 20 B3
Pleine-Sève 76 .... 15 E1
Pleines-Œuvres 14 ...... 54 C2
Plélan-le-Grand 35 ...... 102 B1
Plélan-le-Petit 22 .... 78 B2
Plélauff 22 .... 76 B3
Plélo 22 .... 51 D3
Plémet 22 .... 77 F4
Plémy 22 .... 77 E2
Plénée-Jugon 22 .... 78 A2
Pléneuf (Pointe de) 22 ..... 51 F3
Pléneuf-Val-André 22 ..... 51 F3
Plénise 39 .... 160 B3
Plénisette 39 .... 160 B3
Plerguer 35 .... 79 D1
Plérin 22 .... 51 E4
Plerneuf 22 .... 51 D4
Plescop 56 .... 101 D4
Plesder 35 .... 79 D2
Plésidy 22 .... 50 C4
Pleslin 22 .... 78 C1
Plesnois 57 .... 41 F4
Plesnoy 52 .... 117 D3
Plessala 22 .... 77 F3
Plessé 44 .... 125 F1
Le Plessier-Huleu 02 ...... 36 A4
Le Plessier-Rozainvillers 80.. 18 C4
Le Plessier-sur-Bulles 60 .... 34 B2
Le Plessier-sur-Saint-Just 60 34 C2
Le Plessis-aux-Bois 77 ..... 61 F2
Le Plessis-Barbuise 10 ..... 89 E1
Le Plessis-Belleville 60 ..... 61 F1
Le Plessis-
 Bouchard 95 .... 60 C2
Le Plessis Bourré
 (Château) 49 .... 128 B1
Le Plessis-Brion 60 .... 35 F2
Le Plessis-Chenet 91 ...... 87 E1
Plessis-de-Roye 60 .... 35 F1
Le Plessis-Dorin 41 ...... 108 A1
Plessis-du-Mée 89 .... 89 D3
Le Plessis-Feu-Aussoux 77.. 62 B4
Le Plessis-Gassot 91 ...... 61 D1
Le Plessis-Grammoire 49 ... 128 C2
Le Plessis-Grimoult 14 ..... 55 E2
Le Plessis-Grohan 27 ..... 58 B3
Le Plessis-Hébert 27 ..... 59 D2
Le Plessis-Josso
 (Château) 56 .... 101 E4
Le Plessis-Lastelle 50 ...... 26 C3
Le Plessis-l'Échelle 41 ..... 109 E4
Le Plessis-l'Évêque 77 .... 61 F2
Le Plessis-Luzarches 95 .... 61 D1
Le Plessis-Macé 49 ...... 128 A1
Le Plessis-Patte-d'Oie 60 ... 19 F4
Le Plessis-Picard 77 ..... 87 E1
Le Plessis-Placy 77 ...... 62 A1
Plessis-Saint-Benoist 91 ... 86 B2
Plessis-Saint-Jean 89 ..... 88 C3
Le Plessis-
 Sainte-Opportune 27 .... 58 B1
Le Plessis-Trévise 94 ..... 61 E3
Plessix-Balisson 22 ...... 78 B1
Plestan 22 .... 78 A2
Plestin-les-Grèves 22 ..... 49 F2
Pleubian 22 .... 50 C1
Pleucadeuc 56 .... 102 A3
Pleudaniel 22 .... 50 C2
Pleudihen-sur-Rance 22 .... 78 C1
Pleugriffet 56 .... 101 E2
Pleugueneuc 35 .... 79 D2
Pleumartin 86 .... 150 A4
Pleumeleuc 35 .... 79 D4
Pleumeur-Bodou 22 ...... 50 A1
Pleumeur-Gautier 22 ..... 50 C1
Pleure 39 .... 159 E3
Pleurs 51 .... 63 F4
Pleurtuit 35 .... 78 C1
Pleuven 29 .... 73 F4
Pleuvezain 88 .... 93 F2
Pleuville 16 .... 184 B1
Pléven 22 .... 78 A1
Plévenon 22 .... 52 A4

Plévin 22 .... 75 F3
Pleyben 29 .... 75 D3
Pleyber-Christ 29 .... 49 D3
Le Pleyney 38 .... 213 E4
Pliboux 79 .... 183 E1
Plichancourt 51 .... 65 E4
Plieux 32 .... 256 B3
Plivot 51 .... 64 B2
Ploaré 29 .... 73 E3
Plobannalec 29 .... 98 B2
Plobsheim 67 .... 71 D4
Ploemel 56 .... 100 C4
Ploemeur 56 .... 100 A3
Ploërdut 56 .... 76 B4
Ploeren 56 .... 101 D4
Ploërmel 56 .... 102 C4
Plœuc-sur-Lié 22 .... 77 E2
Ploéven 29 .... 73 E2
Ploëzal 22 .... 50 B2
Plogastel-Saint-Germain 29 . 73 E4
Plogoff 29 .... 72 C3
Plogonnec 29 .... 73 E3
Ploisy 02 .... 36 B3
Plomb 50 .... 54 A4
Plombières-les-Bains 88 .... 118 C2
Plombières-lès-Dijon 21 .... 139 D3
Plomelin 29 .... 73 F4
Plomeur 29 .... 98 B2
Plomion 02 .... 21 E3
Plomodiern 29 .... 73 E2
Plonéis 29 .... 73 E3
Plonéour-Lanvern 29 .... 73 E4
Plonévez-du-Faou 29 .... 75 E3
Plonévez-Porzay 29 .... 73 E2
Plorec-sur-Arguenon 22 ..... 78 A1
Plottes 71 .... 175 D2
Plou 18 .... 152 C2
Plouagat 22 .... 51 D4
Plouaret 22 .... 50 A4
Plouarzel 29 .... 47 D3
Plouasne 22 .... 78 C3
Plouay 56 .... 100 A2
Ploubalay 22 .... 52 B4
Ploubazlanec 22 .... 50 C1
Ploubezre 22 .... 50 A4
Ploudalmézeau 29 .... 47 D2
Ploudaniel 29 .... 47 F2
Ploudiry 29 .... 48 C4
Plouëc-du-Trieux 22 .... 50 C2
Plouédern 29 .... 47 F2
Plouégat-Guérand 29 .... 49 F3
Plouégat-Moysan 29 .... 49 F3
Plouénan 29 .... 49 D2
Plouër-sur-Rance 22 .... 78 C1
Plouescat 29 .... 48 C2
Plouézec 22 .... 51 D2
Plouézoch 29 .... 49 E2
Ploufragan 22 .... 51 E4
Plougar 29 .... 48 C3
Plougasnou 29 .... 49 E2
Plougastel-Daoulas 29 ...... 47 E3
Plougonvelin 29 .... 47 D3
Plougonven 29 .... 49 E2
Plougonver 22 .... 50 A4
Plougoulm 29 .... 49 D2
Plougoumelen 56 .... 100 C4
Plougourvest 29 .... 48 C3
Plougras 22 .... 49 F4
Plougrescant 22 .... 50 B1
Plouguenast 22 .... 77 E3
Plouguerneau 29 .... 47 E1
Plouguernével 22 .... 76 B3
Plouguiel 22 .... 50 B1
Plouguin 29 .... 47 E2
Plouha 22 .... 51 D2
Plouharnel 56 .... 100 B4
Plouhinec 29 .... 73 D3
Plouhinec 56 .... 100 B3
Plouider 29 .... 47 F1
Plouigneau 29 .... 49 E3
Plouisy 22 .... 50 C3
Ploulec'h 22 .... 50 A2
Ploumagoar 22 .... 50 C3
Ploumanach 22 .... 50 A1
Ploumilliau 22 .... 50 A2
Ploumoguer 29 .... 47 D3
Plounéour-Ménez 29 .... 49 D4
Plounéour-Trez 29 .... 47 F1
Plounérin 22 .... 49 F3
Plounéventer 29 .... 48 C3
Plounévez-Lochrist 29 ...... 48 C2
Plounévez-Moëdec 22 .... 50 A3
Plounévez-Quintin 22 .... 76 B2
Plounévézel 29 .... 75 F2
Plourac'h 22 .... 49 F4
Plouray 56 .... 76 A4
Plourhan 22 .... 51 D2
Plourin 29 .... 47 D2
Plourin-lès-Morlaix 29 ..... 49 E3
Plourivo 22 .... 50 C2
Plouvain 62 .... 8 C3
Plouvara 22 .... 51 D4
Plouvien 29 .... 47 E2
Plouvorn 29 .... 49 D3
Plouyé 29 .... 75 E2
Plouzané 29 .... 47 D3
Plouzélambre 22 .... 49 F2
Plouzévédé 29 .... 48 C3
Plovan 29 .... 73 D4
Ployart-et-Vaurseine 02 .... 37 D2
Le Ployron 60 .... 35 D1
Plozévet 29 .... 73 D3
Pludual 22 .... 51 D2
Pluduno 22 .... 78 B1
Plufur 22 .... 49 F3
Pluguffan 29 .... 73 E4
Pluherlin 56 .... 102 A4
Plumaudan 22 .... 78 B2
Plumaugat 22 .... 78 B3
Plumelec 56 .... 101 E2

Pluméliau 56 .... 100 C1
Plumelin 56 .... 101 D2
Plumergat 56 .... 100 C3
Plumetot 14 .... 29 E3
Plumieux 22 .... 77 F4
Plumont 39 .... 159 F1
Pluneret 56 .... 100 C4
Plurien 22 .... 52 A4
Plusquellec 22 .... 76 A2
Plussulien 22 .... 76 C3
Pluvault 21 .... 139 E1
Pluvet 21 .... 139 F1
Pluvigner 56 .... 100 C3
Pluzunet 22 .... 50 A3
Pocancy 51 .... 64 B2
Pocé-les-Bois 35 .... 104 A1
Pocé-sur-Cisse 37 .... 131 E3
Podensac 33 .... 236 B1
Le Poët 05 .... 249 D4
Le Poët-Célard 26 .... 247 E2
Le Poët-en-Percip 26 .... 248 A4
Le Poët-Laval 26 .... 247 E2
Le Poët-Sigillat 26 .... 248 A4
Pœuilly 80 .... 19 F3
Poey-de-Lescar 64 .... 272 C4
Poey-d'Oloron 64 .... 296 B1
Poëzat 03 .... 189 F2
Poggio-di-Nazza 2B 317 E3
Poggio-di-Venaco 2B 317 D1
Poggio-d'Oletta 2B 315 E2
Poggio-Marinaccio 2B 315 E3
Poggio-Mezzana 2B 315 F4
Poggiolo 2A 316 C2
Pogny 51 .... 65 D3
Poids-de-Fiole 39 .... 176 C1
Poigny 77 .... 88 C2
Poigny-la-Forêt 78 .... 59 F4
Le Poil 04 .... 268 A3
Poil 58 .... 156 C3
Poilcourt-Sydney 08 .... 37 F2
Poilhes 34 .... 304 C1
Poillé-sur-Vègre 72 .... 106 A2
Poilley 35 .... 80 A2
Poilley 50 .... 54 A4
Poilly 51 .... 37 E4
Poilly-lez-Gien 45 .... 134 B1
Poilly-sur-Serein 89 .... 114 A4
Poilly-sur-Tholon 89 .... 113 D3
Poinchy 89 .... 113 F3
Poinçon-lès-Larrey 21 ...... 115 D3
Le Poinçonnet 36 .... 152 A4
Poincy 77 .... 62 A2
Poinsenot 52 .... 116 A4
Poinson-lès-Fayl 52 .... 117 E4
Poinson-lès-Grancey 52 ..... 116 A4
Poinson-lès-Nogent 52 ...... 116 C2
Point-Sublime 48 .... 243 F4
Point Sublime 04 .... 268 A4
Pointel 61 .... 56 A4
Pointis-de-Rivière 31 ...... 299 D2
Pointis-Inard 31 .... 299 E2
Pointre 39 .... 140 A4
Pointvillers 25 .... 160 A1
Poinville 28 .... 110 A1
Le Poiré-sur-Velluire 85 ... 164 A3
Le Poiré-sur-Vie 85 .... 145 F4
Poiroux 85 .... 162 C2
Poisat 38 .... 230 C1
Poiseul 52 .... 117 D2
Poiseul-la-Grange 21 .... 138 C1
Poiseul-la-Ville-
et-Laperrière 21 .... 138 B1
Poiseul-lès-Saulx 21 .... 139 D1
Poiseux 58 .... 155 D1
Poisieux 18 .... 152 C2
Le Poislay 41 .... 108 B1
Poisoux 39 .... 176 B3
Poisson 71 .... 173 F3
Poissons 52 .... 92 B2
Poissy 78 .... 60 B2
Poisvilliers 28 .... 85 E2
Poisy 74 .... 195 E3
Pol (Chapelle) 29 .... 47 F1
Polaincourt-
et-Clairefontaine 70 ...... 118 A2
Polastron 32 .... 275 E3
Polastron 31 .... 275 F4
Poleymieux-au-Mont-d'Or 69 . 192 C3
Poliénas 38 .... 212 A4
Polignac 43 .... 227 D2
Polignac 17 .... 200 C4
Poligné 35 .... 103 E2
Poligny 05 .... 249 E1
Poligny 39 .... 159 F4
Poligny 77 .... 87 F4
Poligny 10 .... 90 C4
Polincove 62 .... 3 D2
Polisot 10 .... 115 D1
Polisy 10 .... 115 D1
Pollestres 66 .... 313 D2
Polliat 01 .... 175 F4
Pollieu 01 .... 194 C4
Pollionnay 69 .... 192 B4
Polminhac 15 .... 224 B3
Polveroso 2B 315 F4
Pomacle 51 .... 38 A3
Pomarède 46 .... 239 E2
La Pomarède 11 .... 277 F4
Pomarez 40 .... 272 A2
Pomas 11 .... 302 B2
Pomay (Château de) 03 ...... 172 B3
Pomayrols 12 .... 243 E2

Pomerol 33 .... 218 C3
Pomérols 34 .... 281 D4
Pomeys 69 .... 210 A1
Pommard 21 .... 158 A2
Pommera 62 .... 7 F4
La Pommeraie-sur-Sèvre 85 .. 147 D3
La Pommeraye 14 .... 55 F2
La Pommeraye 49 .... 127 F3
Pommeret 22 .... 51 E4
Pommereuil 59 .... 20 C1
Pommereux 76 .... 33 D1
Pommeréval 76 .... 16 B4
Pommérieux 57 .... 68 A1
Pommérieux 53 .... 104 C3
Pommerit-Jaudy 22 .... 50 B2
Pommerit-le-Vicomte 22 ..... 50 C3
Pommerol 26 .... 248 B3
Pommeuse 77 .... 62 B3
Pommevic 82 .... 257 D2
Pommier 62 .... 8 A4
Pommier-de-Beaurepaire 38 .. 211 E3
Pommiers 36 .... 169 D2
Pommiers 42 .... 191 E4
Pommiers 02 .... 36 B2
Pommiers 30 .... 262 B3
Pommiers 69 .... 192 C3
Pommiers-la-Placette 38 .... 212 C4
Pommiers-Moulons 17 .... 199 F4
Pomoy 70 .... 118 C4
Pompaire 79 .... 165 E1
Pompéjac 33 .... 236 B3
Pompertuzat 31 .... 276 C3
Pompey 54 .... 68 A3
Pompiac 32 .... 275 F3
Le Pompidou 48 .... 262 B1
Pompierre 88 .... 93 E3
Pompierre-sur-Doubs 25 ..... 142 A2
Pompiey 47 .... 255 E1
Pompignac 33 .... 217 F4
Pompignan 30 .... 263 D4
Pompignan 82 .... 257 F4
Pompogne 47 .... 255 D1
Pomponne 77 .... 61 F3
Pomport 24 .... 220 A4
Pomy 11 .... 302 A3
Poncé-sur-le-Loir 72 .... 107 F4
Poncey-lès-Athée 21 .... 140 A4
Poncey-sur-l'Ignon 21 ...... 138 C2
Le Ponchel 62 .... 7 D3
Ponches-Estruval 80 .... 6 C3
Ponchon 60 .... 34 B3
Poncin 01 .... 194 A1
Poncins 42 .... 209 E1
Ponet-et-Saint-Auban 26 .... 230 A4
Ponlat-Taillebourg 31 ...... 298 C2
Pons 17 .... 199 E2
Pons 12 .... 242 B1
Ponsampère 32 .... 274 B3
Ponsan-Soubiran 32 .... 274 C4
Ponsas 26 .... 229 D1
Ponson-Debat-Pouts 64 ...... 273 F4
Ponson-Dessus 64 .... 273 E4
Ponsonnas 38 .... 231 D3
Pont 21 .... 139 F4
Pont-à-Bucy 02 .... 20 B4
Pont-à-la-Planche 87 .... 185 D3
Pont-à-Marcq 59 .... 9 D1
Pont-à-Mousson 54 .... 68 A2
Pont-à-Vendin 62 .... 8 B2
Pont-Arcy 02 .... 37 D2
Pont-Audemer 27 .... 31 D3
Pont-Authou 27 .... 31 E4
Pont-aux-Moines 45 .... 110 B3
Pont-Aven 29 .... 99 E2
Pont-Bellanger 14 .... 54 C2
Pont-Calleck
(Château et forêt de) 56 ... 100 A1
Le Pont-Chrétien-
Chabenet 36 .... 168 C1
Pont-Croix 29 .... 73 D3
Pont-d'Ain 01 .... 193 F2
Pont-d'Arc 07 .... 246 A4
Le Pont-d'Ardres 62 .... 2 C2
Le Pont-de-Barret 26 .... 247 E2
Le Pont-de-Beauvoisin 73 ... 212 C2
Le Pont-de-Beauvoisin 38 ... 212 C2
Pont-de-Braye 72 .... 107 F4
Pont-de-Briques 62 .... 2 A4
Pont-de-Buis-
lès-Quimerch 29 .... 73 F1
Pont-de-Chazey-Villieu 01 .. 193 F3
Pont-de-Chéruy 38 .... 193 F4
Le Pont-de-Claix 38 .... 230 C1
Pont-de-Crau 13 .... 283 E1
Pont-de-Dore 63 .... 190 B4
Pont de Gau (Parc
ornithologique du) 13 ..... 282 C3
Pont-de-la-Chaux 39 .... 177 E1
Pont-de-la-Maye 33 .... 36 B2
Pont-de-Labeaume 07 .... 245 F1
Pont-de-l'Arche 27 .... 32 B3
Pont-de-Larn 81 .... 278 B3
Pont-de-l'Étoile 13 .... 285 E4
Pont-de-l'Isère 26 .... 229 D2
Pont-de-Lunel 34 .... 282 B1
Pont-de-Menat 63 .... 189 D2
Pont-de-Metz 80 .... 17 F2
Le Pont-de-Montvert 48 ..... 244 C4
Pont-de-Pany 21 .... 138 C4
Le Pont-de-Planches 70 ..... 141 D1
Pont-de-Poitte 39 .... 177 D1
Pont-de-Roide 25 .... 142 C2
Pont-de-Ruan 37 .... 130 C4
Pont-de-Salars 12 .... 260 C1
Pont-de-Vaux 01 .... 175 E3
Pont-de-Veyle 01 .... 175 E4
Pont-des-Pierres 01 .... 194 C1

POITIERS

Carnot (R.) .... CZ 17
Cordeliers (R. des) .... DY 25
Gambetta (R.) .... DY 35
Grand-Rue .... DY
Marché-N.-Dame (R. du) ..... DYZ 54

Abbé-Frémont (Bd) .... DY 2
Alexandre (R. J.) .... DZ 4
Blossac (R. de) .... CZ 10
Boncenne (R.) .... CDY 12

Bouchet (R. Jean) .... DY 14
Bretonnerie (R. de la) ..... DY 16
Chaine (R. de la) .... DY 20
Champagne (R. de) .... DY 21
Coligny (Bd) .... DZ 23
Descartes (René) .... DY 28
Gaulle (Pl. Ch. de) .... DY 36
Gabillet (R. H.) .... DY 38
Grignon de Montfort (R.) ... DY 40
Hôtel-Dieu (R. de l') ...... DY 45
Intendant-le-Nain
(R. de l') .... DY 47
Jean-de-Berry (Pl.) .... DY 47

Jeanne-d'Arc (Bd) .... DY 48
Léopold (R.) .... CZ 49
Macé (R. Jean) .... DY 50
Marne (R. de la) .... CY 55
Mouton (R. du) .... DY 63
Oudin (R. H.) .... DY 67
Riffault (R.) .... DY 74
St-Cyprien (R.) .... DY 76
St-Germain (R.) .... DY 77
Solférino (Bd) .... CZ 89
Tison (Bd de) .... CZ 92
Verdun (Bd de) .... CY 94
125e R.I. (R. du) .... CZ 97

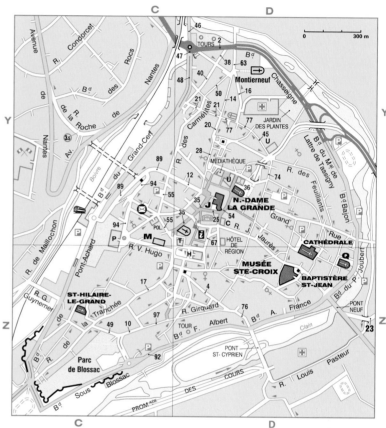

Pont-d'Espagne 65 .... 297 E4
Pont-d'Hérault 30 .... 262 B3
Pont-d'Héry 39 .... 160 A3
Pont-d'Ouche 21 .... 157 F1
Pont-d'Ouilly 14 .... 55 F3
Pont-du-Bois 70 .... 118 B2
Pont-du-Casse 47 .... 256 B1
Pont-du-Château 63 .... 189 F4
Pont-du-Châtel 29 .... 47 F2
Pont du Diable
(Gorges du) 74 .... 178 C3
Pont du Dognon 87 .... 186 B3
Pont-du-Fossé 05 .... 249 F1
Pont du Gard 30 .... 264 B3
Pont-du-Loup 06 .... 269 E4
Pont-et-Massène 21 .... 137 F2
Pont-Évêque 38 .... 211 D2
Pont-Farcy 14 .... 54 C2
Pont-Hébert 50 .... 27 E4
Pont-James 44 .... 145 E2
Pont-la-Ville 52 .... 115 F1
Pont-l'Abbé 29 .... 98 B2
Pont-l'Abbé 50 .... 25 D4
Pont-l'Abbé-d'Arnoult 17 ... 181 E3
Pont-lès-Bonfays 88 .... 94 B4
Pont-les-Moulins 25 .... 141 F3
Pont-l'Évêque 60 .... 35 F1
Pont-l'Évêque 14 .... 30 B3
Pont-Melvez 22 .... 50 B4
Pont-Noyelles 80 .... 18 B2
Pont-Péan 35 .... 103 E1
Pont-Réan 35 .... 103 D1
Pont-Remy 80 .... 17 E1
Pont-Royal 13 .... 284 B1
Pont-Saint-Esprit 30 .... 264 B1
Pont-Saint-Mard 02 .... 36 B2
Pont-Saint-Martin 44 .... 145 E1
Pont-Saint-Pierre 27 .... 32 B3
Pont-Saint-Vincent 54 ...... 68 A4
Pont-Sainte-Marie 10 .... 90 B3
Pont-Sainte-Maxence 60 ..... 35 D3
Pont-Salomon 43 .... 209 F4
Pont-Scorff 56 .... 100 A2
Pont-sur-l'Ognon 70 .... 141 F1
Pont-sur-Madon 88 .... 94 B2
Pont-sur-Meuse 55 .... 67 D2
Pont-sur-Sambre 59 .... 10 B2
Pont-sur-Seine 10 .... 89 E2
Pont-sur-Yonne 89 .... 88 C4
Pont-Trambouze 69 .... 191 F2
Pontacq 64 .... 297 E1
Pontaillac 17 .... 198 B1
Pontailler-sur-Saône 21 .... 140 A3

Pontaix 26 .... 229 F4
Pontamafrey 73 .... 214 A4
Pontanevaux 71 .... 175 D4
Pontarion 23 .... 187 D2
Pontarlier 25 .... 161 D2
Pontarmé 60 .... 35 D4
Pontaubault 50 .... 54 A4
Pontaubert 89 .... 137 D2
Pontault-Combault 77 .... 61 E3
Pontaumur 63 .... 188 C4
Pontavert 02 .... 37 E2
Pontcarré 77 .... 61 F3
Pontcey 70 .... 141 D1
Pontchardon 61 .... 57 D2
Pontcharra 38 .... 213 E3
Pontcharra-sur-Turdine 69 .. 192 A3
Pontcharraud 23 .... 187 F3
Pontchartrain 78 .... 60 A3
Pontchâteau 44 .... 125 E2
Pontcirq 46 .... 239 F2
Ponte-Leccia 2B 315 D3
Ponte Nuovo 2B 315 E3
Pontécoulant 14 .... 55 E2
Ponteilla 66 .... 312 C2
Ponteils-et-Brésis 30 ...... 245 E3
Pontempeyrat 43 .... 209 D4
Pontenx-les-Forges 40 ...... 234 C4
Le Pontet 84 .... 265 D3
Le Pontet 73 .... 217 E1
Le Pontet 17 .... 213 F2
Les Pontets 25 .... 160 C4
Pontevès 83 .... 286 A2
Ponteyraud 24 .... 219 F1
Pontfaverger-
Moronvilliers 51 .... 38 B3
Pontgibaud 63 .... 189 D4
Pontgouin 28 .... 84 C2
Ponthévrard 78 .... 86 A1
Ponthierry 77 .... 87 E2
Ponthion 51 .... 65 E3
Ponthoile 80 .... 6 B4
Le Ponthou 29 .... 49 F3
Ponthoux 39 .... 177 D3
Pontiacq-Viellepinte 64 .... 273 E4
Pontigné 49 .... 129 E2
Pontigny 89 .... 113 F3
Pontis 04 .... 250 A2
Pontivy 56 .... 76 C4
Pontlevoy 41 .... 132 A3
Pontlieue 72 .... 107 D2
Pontmain 53 .... 80 B2
Pontoise 95 .... 60 B1
Pontoise-lès-Noyon 60 ...... 35 F1
Pontonx-sur-l'Adour 40 ..... 253 D2
Pontorson 50 .... 79 F1
Pontours 24 .... 220 C4

Pontoux 71 .... 158 C3
Pontoy 57 .... 68 B1
Pontpierre 57 .... 69 D1
Pontpoint 60 .... 35 D3
Pontrieux 22 .... 50 C2
Pontru 02 .... 20 A2
Pontruet 02 .... 20 A2
Ponts 50 .... 54 A4
Les Ponts-de-Cé 49 .... 128 B2
Ponts-et-Marais 76 .... 16 C1
Les Ponts-Neufs 22 .... 51 F4
Pontvallain 72 .... 106 C4
Popian 34 .... 281 D2
Popolasca 2B 315 D3
Porcaro 56 .... 102 B2
Porcelette 57 .... 42 C4
Porchères 33 .... 219 D3
Porcheresse 16 .... 201 E3
Porcheux 60 .... 33 F3
Porcheville 78 .... 60 A2
Porcieu-Amblagnieu 38 ...... 194 A3
Pordic 22 .... 51 E3
Le Porge 33 .... 216 B3
Pornic 44 .... 144 B1
Pornichet 44 .... 125 D3
Porquéricourt 60 .... 35 F1
Porquerolles (Ile de) 83 ... 292 C3
Porri 2B 315 F3
Pors-Even 22 .... 51 D1
Porsmilin 29 .... 47 D3
Porspoder 29 .... 47 D2
Port 01 .... 194 B1
Le Port 09 .... 300 C4
Port (Col de) 09 .... 300 C4
Port-à-Binson 51 .... 63 F1
Port-Barcarès 66 .... 313 E1
Port-Blanc 22 .... 50 B1
Port-Brillet 53 .... 104 C1
Port-Camargue 30 .... 282 B3
Port-Coton (Aiguilles de) 56 .. 122 B2
Port-Cros (Ile de) 83 ...... 293 D3
Port d'Atelier 70 .... 118 A3
Port-de-Bouc 13 .... 284 A3
Port-de-Carhaix 29 .... 75 F3
Port-de-Gagnac 46 .... 223 D3
Port-de-Groslée 01 .... 194 B4
Port-de-la-Meule 85 .... 144 A4
Port-de-Lanne 40 .... 271 E2
Port-de-Miramar 83 .... 292 C4
Port-de-Piles 86 .... 149 F2
Port-d'Envaux 17 .... 181 F3
Port-des-Barques 17 .... 180 C2
Port-Donnant 56 .... 122 A4
Port-du-Salut
(Trappe du) 53 .... 105 D2

Port-en-Bessin 14 ..... 28 C3
Port-Goulphar 56 ..... 122 A4
Port-Grimaud 83 ..... 287 E4
Port-Haliguen 56 ..... 122 B2
Port-Jérôme 76 ..... 15 D4
Port-Joinville 85 ..... 144 A4
Port-la-Nouvelle 11 ..... 304 C3
Port-Launay 29 ..... 73 F2
Port-Lauragais 31 ..... 277 E4
Port-le-Grand 80 ..... 6 B4
Port-Lesney 39 ..... 160 A2
Port-Leucate 11 ..... 304 C4
Port-Louis 56 ..... 100 A3
Port-Manech 29 ..... 99 E2
Port-Maria 56 ..... 122 B4
Le Port-Marly 78 ..... 60 C3
Port-Miou 13 ..... 291 D3
Port-Mort 27 ..... 32 C4
Port-Navalo 56 ..... 122 C2
Port Royal des Champs (Abbaye de) 78 ..... 60 B4
Port-Saint-Louis-du-Rhône 13 ..... 283 F4
Port-Saint-Père 44 ..... 145 D1
Port-Sainte-Foy-et-Ponchapt 24 ..... 219 F4
Port-Sainte-Marie 47 ..... 255 F1
Port-sur-Saône 70 ..... 118 A4
Port-sur-Seille 54 ..... 68 A2
Port-Vendres 66 ..... 313 E3
Port-Villez 78 ..... 59 E1
La Porta 2B 315 E4
Porta 66 ..... 310 B3
Portbail 50 ..... 24 B4
Porte (Col de) 38 ..... 212 C4
Porte-Joie 27 ..... 32 B4
Porté-Puymorens 66 ..... 310 B3
Le Portel 62 ..... 2 A4
Portel (Sommet de) 09 ..... 300 B4
Portel-des-Corbières 11 ..... 303 F3
Portes 30 ..... 263 E1
Portes 27 ..... 58 B1
Portes (Calvaire de) 01 ..... 194 A3
Portes (Chartreuse de) 01 ..... 194 A3
Les Portes-en-Ré 17 ..... 162 C4
Portes-en-Valdaine 26 ..... 247 D2
Portes-lès-Valence 26 ..... 229 D3
Portet 64 ..... 273 E2
Portet-d'Aspet 31 ..... 299 E4
Portet-d'Aspet (Col de) 31 ..... 299 E4
Portet-de-Luchon 31 ..... 307 F4
Portet-sur-Garonne 31 ..... 276 C3
Portets 33 ..... 236 B1
Porticcio 2A 316 B4
Porticciolo (Marine de) 2B 314 A2
Portieux 88 ..... 94 C3
Portiragnes 34 ..... 305 E1
Portiragnes-Plage 34 ..... 305 E1
Portivy 56 ..... 122 A2
Porto 2A 316 A1
Porto-Pollo 2A 318 B2
Porto-Vecchio 2A 319 E2
Ports 37 ..... 149 F2
Portsall 29 ..... 47 D2
Posanges 21 ..... 138 A3
Poses 27 ..... 32 B3
Possesse 51 ..... 65 F2
La Possonnière 49 ..... 128 A3
La Possonnière (Manoir) 41 ..... 107 F4
La Postolle 89 ..... 89 D4
Postroff 57 ..... 70 A1
Potangis 51 ..... 89 E1
Potelières 30 ..... 263 F1
Potelle 59 ..... 10 A2
La Poterie 22 ..... 51 F4
La Poterie-au-Perche 61 ..... 84 A1
La Poterie-Cap-d'Antifer 76 ..... 14 B3
La Poterie-Mathieu 27 ..... 31 D3
Pothières 21 ..... 115 D2
Potigny 14 ..... 56 A2
Potte 80 ..... 19 E3
Pouan-les-Vallées 10 ..... 90 B1
Pouançay 86 ..... 148 B1
Pouancé 49 ..... 104 B4
Pouant 86 ..... 149 D2
Poubeau 31 ..... 307 F3
Poucharramet 31 ..... 276 A4
Pouchergues 65 ..... 298 B4
Poudenas 47 ..... 255 E2
Poudenx 40 ..... 272 B2
Poudis 81 ..... 277 F3
Poudrey (Gouffre de) 25 ..... 141 F4
Poueyferré 65 ..... 297 E2
La Pouëze 49 ..... 128 A1
Pouffonds 79 ..... 183 D1
La Pouge 23 ..... 187 D3
Le Pouget 34 ..... 281 D2
Pougnadoires (Cirque de) 48 ..... 244 A4
Pougnadoresse 30 ..... 264 B2
Pougné 16 ..... 183 F2
Pougne-Hérisson 79 ..... 165 D1
Pougny 01 ..... 195 D1
Pougny 58 ..... 135 E3
Pougues-les-Eaux 58 ..... 154 C2
Pougy 10 ..... 90 C2
Pouillac 17 ..... 200 C4
Pouillat 01 ..... 176 B3
Pouillé 85 ..... 163 F2
Pouillé 41 ..... 132 A4
Pouillé 86 ..... 166 C2
Pouillé-les-Côteaux 44 ..... 127 C2
Pouillenay 21 ..... 138 A2
Pouilley-Français 25 ..... 140 C4
Pouilley-les-Vignes 25 ..... 141 D4
Pouillon 51 ..... 37 E3
Pouillon 40 ..... 271 F2
Pouilloux 71 ..... 174 B1
Pouilly 57 ..... 68 A1
Pouilly 60 ..... 34 B4
Pouilly-en-Auxois 21 ..... 138 B4

Pouilly-en-Bassigny 52 ..... 117 E2
Pouilly-le-Fort 77 ..... 87 E1
Pouilly-le-Monial 69 ..... 192 B3
Pouilly-lès-Feurs 42 ..... 191 F4
Pouilly-les-Nonains 42 ..... 191 D2
Pouilly-sous-Charlieu 42 ..... 191 E1
Pouilly-sur-Loire 58 ..... 135 D4
Pouilly-sur-Meuse 55 ..... 39 F1
Pouilly-sur-Saône 21 ..... 158 C2
Pouilly-sur-Serre 02 ..... 20 C4
Pouilly-sur-Vingeanne 21 ..... 140 A1
Le Poujol-sur-Orb 34 ..... 280 A2
Poujols 34 ..... 280 B1
Poul-Fétan 56 ..... 100 A1
Poulaines 36 ..... 151 F1
Poulains (Pointe des) 56 ..... 122 A3
Poulainville 80 ..... 18 B2
Poulan-Pouzols 81 ..... 259 E4
Poulangy 52 ..... 116 C1
Poulay 53 ..... 81 F3
Pouldavid 29 ..... 73 E3
Pouldergat 29 ..... 73 E3
Pouldouran 22 ..... 50 C2
Pouldreuzic 29 ..... 73 D4
Le Pouldu 29 ..... 99 F3
Poule-les-Écharmeaux 69 ..... 192 A1
Pouliacq 64 ..... 273 D3
Les Poulières 88 ..... 95 E4
Pouligney 25 ..... 141 E4
Pouligny-Notre-Dame 36 ..... 169 F2
Pouligny-Saint-Martin 36 ..... 169 F2
Pouligny-Saint-Pierre 36 ..... 167 F1
Le Pouliguen 44 ..... 123 E4
Poullan-sur-Mer 29 ..... 73 D3
Poullaouen 29 ..... 75 F2
Poulligney 16 ..... 201 D3
Poulx 30 ..... 264 C1
Poumarous 65 ..... 298 A2
Poupas 82 ..... 256 C3
Poupry 28 ..... 110 A1
Pouques-Lormes 58 ..... 136 C4
Pourcharesses 48 ..... 245 D1
Pourchères 07 ..... 246 B1
Pourcieux 83 ..... 285 F3
Pourcy 51 ..... 37 E4
Pourlans 71 ..... 158 C2
Pournoy-la-Chétive 57 ..... 68 A1
Pournoy-la-Grasse 57 ..... 68 B1
Pourrain 89 ..... 113 D4
Pourrières 83 ..... 285 E3
Poursac 16 ..... 183 F3
Poursay-Garnaud 17 ..... 182 B3
Poursiugues-Boucoue 64 ..... 272 C2
Pourtalet (Col du) 64 ..... 296 C4
Pouru-aux-Bois 08 ..... 23 E4
Pouru-Saint-Remy 08 ..... 23 E4
Pourville-sur-Mer 76 ..... 16 A2
Poussan 34 ..... 281 E4
Poussanges 23 ..... 187 F4
Poussay 88 ..... 94 A3
Pousseaux 58 ..... 136 B2
Poussignac 47 ..... 237 E4
Poussy-la-Campagne 14 ..... 56 A1
Pousthomy 12 ..... 260 B4
Le Pout 33 ..... 217 F4
Pouvrai 61 ..... 83 E4
Pouxeux 88 ..... 95 D4
Pouy 65 ..... 298 C1
Pouy-de-Touges 31 ..... 275 F4
Pouy-Loubrin 32 ..... 275 D3
Pouy-Roquelaure 32 ..... 256 A2
Pouy-sur-Vannes 10 ..... 89 E3
Pouyastruc 65 ..... 298 A1
Pouydesseaux 40 ..... 254 B3
Pouydraguin 32 ..... 273 F2
Pouylebon 32 ..... 274 B2
Pouzac 65 ..... 298 A2
Le Pouzat 07 ..... 228 A3
Pouzauges 85 ..... 147 D4
Pouzay 37 ..... 149 F1
Pouze 31 ..... 276 C4
Pouzilhac 30 ..... 264 B2
Le Pouzin 07 ..... 228 C4
Pouzioux 86 ..... 167 D2
Pouzol 63 ..... 189 D2
Pouzolles 34 ..... 280 B3
Pouzols 34 ..... 281 D2
Pouzols-Minervois 11 ..... 303 E1
Pouzy-Mésangy 03 ..... 171 F1
Poyanne 40 ..... 272 A1
Poyans 70 ..... 140 A2
Poyartin 40 ..... 271 F1
Poyols 26 ..... 248 A2
Pozières 80 ..... 19 D1
Pra-Loup 04 ..... 250 C3
Le Pradal 34 ..... 280 A2
Les Pradeaux 63 ..... 207 F2
Pradeaux (Col des) 63 ..... 208 C2
Pradel (Col du) 09 ..... 310 C1
Pradelle 26 ..... 248 A2
Pradelles 43 ..... 227 D4
Pradelles 59 ..... 4 A3
Pradelles-Cabardès 11 ..... 278 C4
Pradelles-en-Val 11 ..... 302 C2
Pradère-les-Bourguets 31 ..... 276 A2
Prades 81 ..... 277 F2
Prades 66 ..... 311 F2
Prades 07 ..... 246 A2
Prades 48 ..... 244 A4
Prades 09 ..... 310 B1
Prades 43 ..... 226 B2
Prades-d'Aubrac 12 ..... 243 D3
Prades-de-Salars 12 ..... 260 C1
Prades-le-Lez 34 ..... 281 F1
Prades-sur-Vernazobre 34 ..... 279 F3
Le Pradet 83 ..... 292 B4
Pradettes 09 ..... 301 E3
Pradières 09 ..... 301 D3
Pradiers 15 ..... 207 D3
Pradinas 12 ..... 259 F1

Pradines 19 ..... 205 D2
Pradines 42 ..... 191 F2
Pradines 46 ..... 240 A3
Pradons 07 ..... 246 A3
Prads 04 ..... 250 B4
Prafrance (Bambouseraie de) 30 ..... 263 D2
Pragnères (Centrale de) 65 ..... 297 F4
Prahecq 79 ..... 165 D4
Pralognan-la-Vanoise 73 ..... 214 C3
Prâlon 21 ..... 138 C3
Pralong 42 ..... 209 E1
Pramousquier 83 ..... 293 D2
Pramouton 05 ..... 250 B2
Prangey 52 ..... 116 C4
Pranles 07 ..... 228 B4
Pranzac 16 ..... 184 C4
Prapoutel-les-Sept-Laux 38 ..... 213 E4
Le Prarion 74 ..... 196 C3
Praslay 52 ..... 116 B4
Praslin 10 ..... 114 B1
Prasville 28 ..... 85 F4
Prat 22 ..... 50 B2
Prat-Bonrepaux 09 ..... 299 F3
Prat de Bouc 15 ..... 224 C2
Prato-di-Giovellina 2B 315 D4
Prats-de-Carlux 24 ..... 221 F3
Prats-de-Mollo-la-Preste 66 ..... 311 F1
Prats-de-Sournia 66 ..... 311 F1
Prats-du-Périgord 24 ..... 239 E1
Pratviel 81 ..... 277 E2
Pratz 39 ..... 177 D3
Pratz 52 ..... 91 F4
Prauthoy 52 ..... 116 C4
Pray 41 ..... 131 F1
Praye 54 ..... 94 A2
Prayet (Col du) 38 ..... 230 B4
Prayols 09 ..... 301 D4
Prayssac 46 ..... 239 F3
Prayssas 47 ..... 238 A4
Le Praz 73 ..... 214 B2
La Praz 73 ..... 214 B4
Praz-Coutant 74 ..... 196 C2
Les Praz-de-Chamonix 74 ..... 197 D2
Praz-sur-Arly 74 ..... 196 B3
Le Pré-d'Auge 14 ..... 30 B4
Pré-en-Pail 53 ..... 82 A2
Pré-Saint-Évroult 28 ..... 85 E4
Le Pré-Saint-Gervais 93 ..... 61 D3
Pré-Saint-Martin 28 ..... 85 E4
Préaux 36 ..... 151 D2
Les Préaux 27 ..... 31 D3
Préaux 53 ..... 105 F2
Préaux 77 ..... 88 A4
Préaux 76 ..... 32 B2
Préaux 07 ..... 228 C1
Préaux-Bocage 14 ..... 55 F1
Préaux-du-Perche 61 ..... 83 F3
Préaux-Saint-Sébastien 14 ..... 57 D2
Prébois 38 ..... 230 C4
Précey 50 ..... 54 A4
Préchac 65 ..... 297 E3
Préchac 32 ..... 256 A4
Préchac 33 ..... 236 B3
Préchac-sur-Adour 32 ..... 273 F2
Préchacq-Josbaig 64 ..... 296 A1
Préchacq-les-Bains 40 ..... 253 D4
Préchacq-Navarrenx 64 ..... 272 A4
Précieux 42 ..... 209 E2
Précigné 72 ..... 105 F4
Précilhon 64 ..... 296 B1
Précorbin 50 ..... 54 C1
Précy 18 ..... 154 B1
Précy-le-Sec 89 ..... 136 C1
Précy-Notre-Dame 10 ..... 91 D2
Précy-Saint-Martin 10 ..... 91 D2
Précy-sous-Thil 21 ..... 137 F3
Précy-sur-Marne 77 ..... 61 F2
Précy-sur-Oise 60 ..... 34 C4
Précy-sur-Vrin 89 ..... 112 C2
Prédefin 62 ..... 7 E1
Préfailles 44 ..... 123 D4
Préfontaines 45 ..... 111 F1
Prégilbert 89 ..... 136 B1
Préguillac 17 ..... 199 E1
Préhy 89 ..... 113 F4
Preignac 33 ..... 236 B2
Preignan 32 ..... 275 D1
Preigney 70 ..... 117 F3
Preixan 11 ..... 302 B2
Prélenfrey 38 ..... 230 B2
Prelles 05 ..... 232 B3
Prémanon 39 ..... 177 F2
Premeaux-Prissey 21 ..... 158 A1
Prémery 58 ..... 155 D1
Prémesques 59 ..... 4 B4
Prémeyzel 01 ..... 212 B1
Prémian 34 ..... 279 E2
Premières 21 ..... 139 F4
Prémierfait 10 ..... 90 A2
Prémilhat 03 ..... 188 A1
Prémillieu 01 ..... 194 B3
Prémont 02 ..... 20 B1
Prémontré 02 ..... 36 B1
Prendeignes 46 ..... 241 E1
Préneron 32 ..... 274 B1
La Prénessaye 22 ..... 77 E4
Prenois 21 ..... 139 D3
Prénouvellon 41 ..... 109 E2
Prénovel 39 ..... 177 D2
Prény 54 ..... 67 F1
Prépotin 61 ..... 83 F1
Les Prés 26 ..... 248 B4
Présailles 43 ..... 227 E3
Préseau 59 ..... 9 F3
Présentevillers 25 ..... 142 A1
Préserville 31 ..... 277 D3

Présilly 74 ..... 195 E1
Présilly 39 ..... 176 C1
Presle 73 ..... 213 E2
Presle 70 ..... 141 F1
Presles 14 ..... 55 D2
Presles 95 ..... 60 C1
Presles-en-Brie 77 ..... 61 F4
Presles-et-Boves 02 ..... 36 C2
Presles-et-Thierny 02 ..... 37 D1
Presly 18 ..... 134 A3
Presnoy 45 ..... 111 E2
Presque (Grotte de) 46 ..... 223 D4
Pressac 86 ..... 184 B1
Pressagny-l'Orgueilleux 27 ..... 59 E1
Pressiat 01 ..... 176 B3
Pressignac 16 ..... 184 C4
Pressignac-Vicq 24 ..... 220 C3
Pressigny 52 ..... 117 E4
Pressigny 79 ..... 148 B4
Pressigny-les-Pins 45 ..... 111 F3
Pressins 38 ..... 212 B2
Pressy 62 ..... 7 F2
Pressy-sous-Dondin 71 ..... 174 C2
La Prêtre 66 ..... 311 F4
La Prétière 25 ..... 142 B1
Pretin 39 ..... 160 A2
Prétot-Sainte-Suzanne 50 ..... 26 C3
Prétot-Vicquemare 76 ..... 15 F2
Prêtreville 14 ..... 57 D1
Préty 71 ..... 175 D2
Pretz-en-Argonne 55 ..... 66 B2
Preuilly 18 ..... 152 C1
Preuilly (Abbaye de) 77 ..... 88 B2
Preuilly-la-Ville 36 ..... 167 F1
Preuilly-sur-Claise 37 ..... 150 B3
Preures 62 ..... 6 C1
Preuschdorf 67 ..... 45 E4
Preuseville 76 ..... 16 C3
Preutin-Higny 54 ..... 41 D2
Preux-au-Bois 59 ..... 10 A3
Preux-au-Sart 59 ..... 10 A2
Préval 72 ..... 83 F4
Prévelles 72 ..... 107 E1
Préveranges 18 ..... 170 A3
Prévessin-Moëns 01 ..... 177 F4
La Prévière 49 ..... 104 B4
Prévillers 60 ..... 34 A1
Prévinquières 12 ..... 241 F4
Prévocourt 57 ..... 68 C2
Prey 88 ..... 95 E4
Prey 27 ..... 58 C2
Preyssac-d'Excideuil 24 ..... 203 E4
Prez 08 ..... 22 A3
Prez-sous-Lafauche 52 ..... 93 D3
Prez-sur-Marne 52 ..... 92 A1
Priaires 79 ..... 181 F1
Priay 01 ..... 193 F2
Priez 02 ..... 62 C1
Prignac 17 ..... 182 B4
Prignac-en-Médoc 33 ..... 198 C4
Prignac-et-Marcamps 33 ..... 217 E2
Prigonrieux 24 ..... 220 A4
Primarette 38 ..... 211 E3
Primat 08 ..... 39 D3
La Primaube 12 ..... 260 B1
Primel-Trégastel 29 ..... 49 E2
Primelin 29 ..... 72 C3
Primelles 18 ..... 153 D3
Prin-Deyrançon 79 ..... 164 B4
Prinçay 86 ..... 149 D3
Princé 35 ..... 80 B4
Pringé 72 ..... 106 C4
Pringy 51 ..... 65 D3
Pringy 77 ..... 87 E2
Pringy 74 ..... 195 E2
Prinquiau 44 ..... 125 F3
Prinsuéjols 48 ..... 243 F1
Printzheim 67 ..... 70 C2
Prisces 02 ..... 21 D3
Prisches 59 ..... 10 A3
Prissac 36 ..... 168 B2
Prissé 71 ..... 175 D4
Prissé-la-Charrière 79 ..... 182 B1
Pritz 53 ..... 105 D1
Privas 07 ..... 246 B1
Privezac 12 ..... 241 F4
Prix-lès-Mézières 08 ..... 22 C3
Priziac 56 ..... 76 A4
Prizy 71 ..... 174 A3
La Proiselière-et-Langle 70 ..... 119 D3
Proissans 24 ..... 221 F3
Proisy 02 ..... 21 D2
Proix 02 ..... 20 C2
Projan 32 ..... 273 D2
Promilhanes 46 ..... 240 C4
Prompsat 63 ..... 189 E3
Prondines 63 ..... 188 C4
Pronleroy 60 ..... 35 D2
Pronville 62 ..... 8 C4
Propiac 26 ..... 247 F4
Propières 69 ..... 192 A1
Propriano 2A 318 C2
Prosnes 51 ..... 38 A4
Prouais 28 ..... 59 E4
Prouilly 51 ..... 37 E3
Proumeyssac (Gouffre de) 24 ..... 221 D4
Proupiary 31 ..... 299 E2
Proussy 14 ..... 55 F2
Prouvais 02 ..... 37 F2
Prouville 80 ..... 7 D4
Prouvy 59 ..... 9 E3
Prouzel 80 ..... 18 A3
Provemont 27 ..... 32 C4
Provenchère 25 ..... 142 B3
Provenchère 70 ..... 118 B4
Provenchères-lès-Darney 88 ..... 94 A4
Provenchères-sur-Fave 88 ..... 96 A1
Provenchères-sur-Marne 52 ..... 92 B3

Provenchères-sur-Meuse 52 ..... 117 D2
Provency 89 ..... 137 D2
Proverville 10 ..... 91 F4
Proveysieux 38 ..... 212 C4
Proville 59 ..... 9 D4
Provin 59 ..... 8 B1
Provins 77 ..... 88 C1
Proviseux-et-Plesnoy 02 ..... 37 F2
Proyart 80 ..... 19 D2
Prudemanche 28 ..... 58 C4
Prudhomat 46 ..... 222 C4
Prugnanes 66 ..... 311 F1
Prugny 10 ..... 90 A4
Pruillé 49 ..... 128 A1
Pruillé-le-Chétif 72 ..... 106 C2
Pruillé-l'Éguillé 72 ..... 107 D3
Pruines 12 ..... 242 B3
Prunay 51 ..... 38 A4
Prunay-Belleville 10 ..... 89 F3
Prunay-Cassereau 41 ..... 108 B4
Prunay-en-Yvelines 78 ..... 86 A2
Prunay-le-Gillon 28 ..... 85 F3
Prunay-le-Temple 78 ..... 59 F3
Prunay-sur-Essonne 91 ..... 87 D3
Prunelli-di-Casacconi 2B 315 F3
Prunelli-di-Fiumorbo 2B 317 E3
Prunet 31 ..... 277 E2
Prunet 07 ..... 245 F2
Prunet 15 ..... 224 A4
Prunet-et-Belpuig 66 ..... 312 B3
Prunete 2B 315 F4
Prunières 05 ..... 250 A2
Prunières 48 ..... 226 A4
Prunières 38 ..... 230 C3
Pruniers 49 ..... 128 B2
Pruniers 36 ..... 152 C4
Pruniers-en-Sologne 41 ..... 132 C4
Pruno 2B 315 F4
Prunoy 89 ..... 112 B3
Prusly-sur-Ource 21 ..... 115 E3
Prusy 10 ..... 114 B2
Pruzilly 71 ..... 175 D4
Puberg 67 ..... 70 B1
Publier 74 ..... 178 C3
Publy 39 ..... 176 C1
Puceul 44 ..... 126 B1
Le Puch 09 ..... 311 D1
Puch-d'Agenais 47 ..... 237 F4
Puchay 27 ..... 33 D3
Puchevillers 80 ..... 18 B1
Le Puech 34 ..... 280 C1
Puéchabon 34 ..... 281 D1
Puéchoursi 81 ..... 277 F3
Puechredon 30 ..... 263 D3
Puellemontier 52 ..... 91 E2
Puessans 25 ..... 141 F2
Puget 84 ..... 284 C1
Puget-Rostang 06 ..... 269 E2
Puget-sur-Argens 83 ..... 287 E3
Puget-Théniers 06 ..... 269 E2
Puget-Ville 83 ..... 286 B4
Pugey 25 ..... 141 D4
Pugieu 01 ..... 194 B4
Puginier 11 ..... 277 F4
Pugnac 33 ..... 217 E2
Pugny 79 ..... 147 F4
Pugny-Chatenod 73 ..... 195 D4
Puichéric 11 ..... 303 D1
Le Puid 88 ..... 96 A1
Puigmal 66 ..... 311 D4
Puilacher 34 ..... 281 D2
Puilaurens 11 ..... 311 E1
Puilboreau 17 ..... 163 E4
Puilly-et-Charbeaux 08 ..... 23 F4
Puimichel 04 ..... 267 E3
Puimisson 34 ..... 280 B4
Puimoisson 04 ..... 267 F3
La Puisaye 28 ..... 84 B1
Puiseaux 45 ..... 87 E4
Puiselet-le-Marais 91 ..... 86 C3
Puisenval 76 ..... 16 C2
Le Puiset 28 ..... 86 A4
Le Puiset-Doré 49 ..... 127 E4
Puiseux 28 ..... 85 D1
Puiseux 08 ..... 38 C1
Puiseux-en-Bray 60 ..... 33 E2
Puiseux-en-France 95 ..... 61 E1
Puiseux-en-Retz 02 ..... 36 A3
Puiseux-le-Hauberger 60 ..... 34 B4
Puiseux-Pontoise 95 ..... 60 B1
Puisieulx 51 ..... 37 F4
Puisieux 62 ..... 19 D1
Puisieux 77 ..... 62 A1
Puisieux-et-Clanlieu 02 ..... 20 C3
Puissalicon 34 ..... 280 B3
Puisseguin 33 ..... 219 D3
Puisserguier 34 ..... 280 A4
Puits 21 ..... 115 D4
Le Puits-des-Mèzes 52 ..... 116 C1
Puits-et-Nuisement 10 ..... 91 D4
Puits-la-Vallée 60 ..... 34 B1
Puivert 11 ..... 302 A4
Pujaudran 32 ..... 276 A2
Pujaut 30 ..... 264 C3
Pujo 65 ..... 273 F4
Pujo-le-Plan 40 ..... 254 B2
Les Pujols 09 ..... 301 D2
Pujols 33 ..... 219 D4
Pujols 47 ..... 238 B4
Pujols-sur-Ciron 33 ..... 236 B2
Le Puley 71 ..... 174 C1
Puligny-Montrachet 21 ..... 157 F2
Pullay 27 ..... 58 B4
Pulligny 54 ..... 94 A1
Pulney 54 ..... 94 B2
Pulnoy 54 ..... 68 B4
Pulvérières 63 ..... 189 D3
Pulversheim 68 ..... 120 B1
Punchy 80 ..... 19 E3
Punerot 88 ..... 93 F2

Puntous 65 ..... 274 C4
Puntous de Laguian 32 ..... 274 A4
Pupillin 39 ..... 159 F3
Pure 08 ..... 23 F4
Purgerot 70 ..... 118 A4
Pusey 70 ..... 118 B4
Pusignan 69 ..... 193 E4
Pussay 91 ..... 86 B3
Pussigny 37 ..... 149 F2
Pussy 73 ..... 214 A2
Pusy-et-Épenoux 70 ..... 118 B4
Putanges-Pont-Écrepin 61 ..... 56 A3
Puteaux 92 ..... 60 C3
Putot-en-Auge 14 ..... 30 A4
Putot-en-Bessin 14 ..... 29 D4
Puttelange-aux-Lacs 57 ..... 69 F1
Puttelange-lès-Thionville 57 ..... 41 F1
Puttigny 57 ..... 69 D2
Puxe 54 ..... 41 D4
Puxieux 54 ..... 67 F1
Le Puy 33 ..... 237 E1
Le Puy 25 ..... 141 E3
Puy Crapaud 85 ..... 147 D4
Puy-d'Arnac 19 ..... 222 C2
Puy de Dôme 63 ..... 189 D4
Puy de Sancy (Téléphérique du) 63 ..... 206 C2
Puy-de-Serre 85 ..... 164 B1
Puy du Fou (Château du) 85 ..... 146 C3
Puy-du-Lac 17 ..... 181 E2
Le Puy-en-Velay 43 ..... 227 D2
Puy-Guillaume 63 ..... 190 A3
Puy-Hardy 79 ..... 164 C2
Puy-l'Évêque 46 ..... 239 E3
Puy-Malsignat 23 ..... 187 F2
Le Puy-Notre-Dame 49 ..... 148 A1
Puy-Saint-André 05 ..... 232 B3
Le Puy-Saint-Bonnet 49 ..... 146 C2
Puy-Saint-Eusèbe 05 ..... 250 A2
Puy-Saint-Gulmier 63 ..... 188 B4
Puy-Saint-Martin 26 ..... 247 E1
Puy-Saint-Pierre 05 ..... 232 C3
Puy-Saint-Vincent 05 ..... 232 B3
Le Puy-Sainte-Réparade 13 ..... 285 D1
Puy-Sanières 05 ..... 250 B2
Puybarban 33 ..... 237 D2
Puybegon 81 ..... 277 F1
Puybrun 46 ..... 222 C3
Puycalvel 81 ..... 278 A2
Puycasquier 32 ..... 275 D1
Puycelci 81 ..... 258 B3
Puycornet 82 ..... 257 F2
Puydaniel 31 ..... 276 C4
Puydarrieux 65 ..... 298 B1
Puydrouard 17 ..... 181 D1
La Puye 86 ..... 167 D1
Puygaillard-de-Lomagne 82 ..... 256 C3
Puygaillard-de-Quercy 82 ..... 258 B3
Puygiron 26 ..... 247 D2
Puygouzon 81 ..... 259 E4
Puygros 73 ..... 213 E2
Puyguilhem 24 ..... 237 F1
Puyguilhem (Château de) 24 ..... 202 C3
Puyjourdes 46 ..... 241 D4
Puylagarde 82 ..... 240 C4
Puylaroque 82 ..... 258 B2
Puylaurens 81 ..... 277 F2
Puylausic 32 ..... 275 F3
Puyloubier 13 ..... 285 E2
Puymangou 24 ..... 219 E1
Puymartin (Château de) 24 ..... 221 E3
Puymaurin 31 ..... 275 E4
Puyméras 84 ..... 247 F4
Puymiclan 47 ..... 237 F3
Puymirol 47 ..... 256 C1
Puymorens (Col de) 66 ..... 310 B3
Puymoyen 16 ..... 201 F1
Puynormand 33 ..... 219 D3
Puyol-Cazalet 40 ..... 272 C2
Puyôo 64 ..... 271 F2
Puyravault 17 ..... 181 E1
Puyravault 85 ..... 163 F4
Puyréaux 16 ..... 183 F3
Puyrenier 24 ..... 202 A3
Puyricard 13 ..... 285 D2
Puyrolland 17 ..... 181 F2
Puys 76 ..... 16 A2
Puységur 32 ..... 275 D1
Puységur 31 ..... 275 F1
Puysserampion 47 ..... 237 F2
Puyvalador 66 ..... 311 D2
Puyvert 84 ..... 284 C1
Puzeaux 80 ..... 19 E3
Puzieux 88 ..... 94 A3
Puzieux 57 ..... 68 C2
Py 66 ..... 311 E3
Pyla-sur-Mer 33 ..... 234 B1
La Pyle 27 ..... 31 F4
Pyrénées 2000 66 ..... 311 D3
Pys 80 ..... 19 D1

Q

Quaëdypre 59 ..... 3 F2
Quaix-en-Chartreuse 38 ..... 212 C4
Quantilly 18 ..... 134 A4
Quarante 34 ..... 279 F4
Quarouble 59 ..... 9 F2
Quarré-les-Tombes 89 ..... 137 D3
Quasquara 2A 316 C4
Le Quartier 63 ..... 188 C1
Quatre-Champs 08 ..... 39 D2
Les Quatre Chemins 85 ..... 163 E2
Quatre-Routes-d'Albussac 19 ..... 222 C2
Les Quatre-Routes-du-Lot 46 ..... 222 B4
Quatre Vios (Col des) 07 ..... 228 A4
Quatremare 27 ..... 32 A4

QUIMPER

Astor (R.) AYZ 2
Chapeau-Rouge (R.) AY 9
Kéréon (R.) AY
Kerguélen (Bd de) BZ 23
Parc (R. du) ABZ 34
St-François (R.) BZ 45
St-Mathieu (R.) AZ 47

Beurre (Pl. au) BY 4
Boucheries (R. des) BY 6
Concarneau (R. de) BX 10
Gare (Av. de la) BX 15
Guéodet (R. du) BY 16
Gutenberg (Bd) BX 17
Jacob (Pont Max) AZ 18
Le Hars (R. Th.) BZ 24
Libération (Av. de la) BX 25
Locmaria (Allées) AZ 26
Luzel (R.) BY 28
Mairie (R. de la) BY 29
Pont-l'Abbé (R. de) AX 35
Potiers (Ch. des) BX 37
Poulguinan (Bd de) AX 38
Résistance-et-du-Gén.
de-Gaulle (Pl. de la) AZ 40
Ronarc'h (R. Amiral) AZ 42
St-Corentin (Pl.) BZ 43
Ste-Catherine (R.) BZ 48
Ste-Thérèse (R.) BZ 50
Sallé (R. du) BY 52
Steir (Q. du) AZ 53
Terre-au-Duc (Pl.) AY 54
Tour-d'Auvergne (R.) BX 58

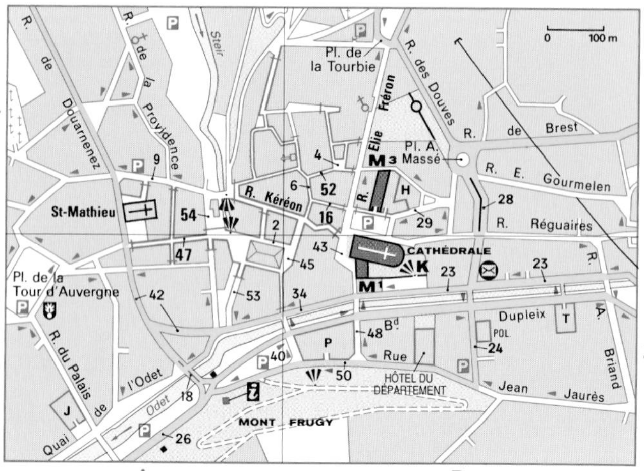

Quatzenheim 67 70 C3
Quéant 62 8 C4
Queaux 86 167 D4
Québriac 35 79 D3
Quédillac 35 78 B3
Queige 73 196 A4
Quelaines-Saint-Gault 53 105 D2
Les Quelles 67 70 A4
Quelmes 62 3 D3
Quelneuc 56 102 B3
Quéménéven 29 73 F3
Quemigny-Poisot 21 139 D4
Quemigny-sur-Seine 21 138 B1
Quemper-Guézennec 22 50 C2
Quemperven 22 50 B2
Quend 80 6 B3
Quend-Plage-les-Pins 80 6 A3
Quenne 89 113 E4
Quenoche 70 141 E2
Quenza 2A 319 D1
Quercamps 62 3 D3
Querciolo 2B 315 F3
Quercitello 2B 315 E4
Quérénaing 59 9 F3
Quéribus (Château de) 11 303 D4
Quérigut 09 311 D2
Quernes 62 7 E1
Quéroy (Grottes du) 16 201 F1
Querqueville 50 24 C2
Querré 49 105 E4
Querrien 29 99 F1
Querrieu 80 18 B2
Quers 70 118 C4
Quesmy 60 35 F1
Quesnay-Guesnon 14 28 C4
Le Quesne 80 17 E3
Le Quesnel 80 18 C3
Le Quesnel-Aubry 60 34 B2
Le Quesnoy 80 19 D4
Le Quesnoy 59 9 F3
Le Quesnoy-en-Artois 62 7 D3
Quesnoy-le-Montant 80 17 D1
Quesnoy-sur-Airaines 80 17 F2
Quesnoy-sur-Deûle 59 4 C4
Quesques 62 2 C4
Quessigny 27 59 D2
Quessoy 22 77 E2
Quessy 02 20 A4
Questembert 56 101 F4
Questrecques 62 2 B4
Quet-en-Beaumont 38 231 D4
Quetigny 21 139 E3
Quettehou 50 25 E2
Quettetot 50 24 C3
Quetteville 14 30 C3
Quettreville-sur-Sienne 50 53 F1
Queudes 51 63 F4
La Queue-en-Brie 94 61 E3
La Queue-les-Yvelines 78 60 A3
Queuille 63 189 D3
Quevauvillers 80 18 A3
Quéven 56 100 A3
Quévert 22 78 C1
Quevillon 76 32 A2
Quevilloncourt 54 94 A2
Quévreville-la-Poterie 76 32 B3
Queyrac 33 198 C3
Queyrières 43 227 E2
Queyssac 24 220 B3
Queyssac-les-Vignes 19 222 C3
Quézac 15 241 F1
Quézac 48 244 B4
Quiberon 56 122 A2
Quiberville 76 15 F1
Quibou 50 54 B1
Quié 09 301 D4
Quiers 77 88 A1
Quiers-sur-Bézonde 45 111 D2
Quiéry-la-Motte 62 8 C2
Quierzy 02 36 A1
Quiestède 62 3 E4
Quiévelon 59 10 C2
Quiévrechain 59 10 A1
Quièvrecourt 76 16 C4
Quiévy 59 9 E4
Quilen 62 6 C1
Quilinen (Calvaire de) 29 73 F3
Quillan 11 302 A4
Quillane (Col de) 66 311 D3
Quillebeuf-sur-Seine 27 15 D4
Le Quillio 22 77 D3
Quilly 44 125 F2
Quilly 08 38 C2
Quily 56 101 F2
Quimerch 29 73 F1
Quimiac 44 123 E3
Quimper 29 73 F4
Quimperlé 29 99 F2
Quincampoix 76 32 B1
Quincampoix-Fleuzy 60 17 E4
Quinçay 86 166 A1
Quincerot 21 137 F1
Quincerot 89 114 B2
Quincey 70 141 E1
Quincey 10 89 E2
Quincey 21 158 B1
Quincié-en-Beaujolais 69 192 B1
Quincieu 38 212 A4
Quincieux 69 192 C3
Quincy 18 152 C1
Quincy-Basse 02 36 B1
Quincy-Landzécourt 55 40 A1
Quincy-le-Vicomte 21 137 F1
Quincy-sous-le-Mont 02 36 C3
Quincy-sous-Sénart 91 61 E4
Quincy-Voisins 77 62 A3
Quinéville 50 25 E3
Quingey 25 160 A1
Quinquempoix 60 34 C1
Quins 12 259 F1
Quinsac 33 217 E4
Quinsac 87 203 F3
Quinsac 24 202 C3
Quinson 04 286 A1
Quinssaines 03 170 C4
Quint-Fonsegrives 31 276 C2
Quintal 74 195 E3
La Quinte 72 106 C1
Quintenas 07 228 C1
Quintenic 22 78 A1
Quintigny 39 159 E4
Quintillan 11 303 E3
Quintin 22 77 D2
Le Quiou 22 78 C2
Quirbajou 11 311 D1
Quiry-le-Sec 80 18 B4
Quissac 30 263 D4
Quissac 46 240 C2
Quistinic 56 100 B2
Quittebeuf 27 58 B1
Quitteur 70 140 B1
Quivières 80 19 F3
Quœux-Haut-Maînil 62 7 D3

R

Rabastens 81 258 B4
Rabastens-de-Bigorre 65 274 A4
Rabat-les-Trois-Seigneurs 09 300 C4
La Rabatelière 85 146 A3
Rablay-sur-Layon 49 128 B3
Rabodanges 61 56 A3
Rabodanges (Barrage de) 61 56 A3
Le Rabot 41 133 E1
Rabou 05 249 E2
Rabouillet 66 311 F1
Racécourt 88 94 B3
Rachecourt-sur-Marne 52 92 B1
Rachecourt-Suzémont 52 92 A2
Raches 59 9 D2
Racines 10 113 F1
La Racineuse 71 158 C3
Racou-Plage 66 313 E3
Racquinghem 62 3 E4
Racrange 57 69 D2
Raddon-et-Chapendu 70 119 D3
Radenac 56 101 E1
Radepont 27 32 C3
Radinghem 62 7 D1
Radinghem-en-Weppes 59 4 B4
Radon 61 82 C2
Radonvilliers 10 91 D3
Radule (Bergeries de) 2B 316 B1
Raedersdorf 68 120 C4
Raedersheim 68 120 B1
Raffetot 76 15 D3
Rageade 15 225 F2
Raguenès-Plage 29 99 D2
Rahart 41 108 B3
Rahay 72 108 A2
Rahling 57 44 A4
Rahon 39 159 E2
Rahon 25 142 B3
Rai 61 57 F4
Raids 50 27 D3
Raillencourt-Sainte-Olle 59 9 D4
Railleu 66 311 D3
Raillicourt 08 22 B4
Raillimont 02 21 F4
Raimbeaucourt 59 9 D2
Rainans 39 159 E1
Raincheval 80 18 B1
Raincourt 70 117 F3
Le Raincy 93 61 E3
Rainfreville 76 15 F2
Rainneville 80 18 B2
Rainsars 59 10 B3
Rainville 88 93 F3
Rainvillers 60 34 A2
Les Rairies 49 129 D1
Raismes 59 9 F2
Raissac 09 301 E4
Raissac-d'Aude 11 303 F1
Raissac-sur-Lampy 11 302 A1
Raix 16 183 E2
Raizeux 78 85 F1
Ramasse 01 194 A1
Ramatuelle 83 293 E1
Ramaz (Col de la) 74 178 C4
Rambaud 05 249 F2
Rambervillers 88 95 D3
Rambluzin-
et-Benoite-Vaux 55 66 C1
Rambouillet 78 86 A1
Rambucourt 55 67 E3
Ramburelles 80 17 D2
Rambures 80 17 D2
Ramecourt 62 7 E2
Ramecourt 88 94 A3
Ramerupt 10 90 C2
Ramicourt 02 20 A2
Ramillies 59 9 D4
Rammersmatt 68 120 A2
Ramonchamp 88 119 E2
Ramonville-Saint-Agne 31 276 C3
Ramoulu 45 87 D4
Ramous 64 271 F2
Ramousies 59 10 C3
Ramouzens 32 255 E4
Rampan 50 27 E4
Rampieux 24 238 C1
Rampillon 77 88 B1
Rampont 55 66 B1
Rampoux 46 239 F2
Rancé 01 193 D2
Rancenay 25 141 D4
Rancennes 08 13 D3
Rances 10 91 D2
Ranchal 69 192 A1
Ranchette 39 177 D3
Ranchicourt 62 8 A2
Ranchot 39 159 F1
Ranchy 14 28 C3
Rancogne 16 202 A1
Rançon 76 15 E4
Rancon 87 185 F1
Rançonnières 52 117 D2
Rancoudray 50 55 D4
Rancourt 80 19 E1
Rancourt 88 94 A4
Rancourt-sur-Ornain 55 65 F3
Rancy 71 175 F1
Randan 63 190 A2
Randanne 63 207 D1
Randens 73 213 F2
Randevillers 25 142 A3
Randonnai 61 83 F1
Rânes 61 56 A4
Rang 25 142 A2
Rang-du-Fliers 62 6 A2
Rangecourt 52 117 D1
Rangen 67 70 C3
Ranguevaux 57 41 E3
Rannée 35 104 A2
Ranrupt 67 96 A1
Rans 39 159 F1
Ransart 62 8 A4
Ranspach 68 120 A1
Ranspach-le-Bas 68 120 C3
Ranspach-le-Haut 68 120 C4
Rantechaux 25 161 D1
Rantigny 60 34 C3
Ranton 86 148 B2
Rantzwiller 68 120 C3
Ranville 14 29 F4
Ranville-Breuillaud 16 183 D3
Ranzevelle 70 118 A2
Ranzières 55 67 D1
Raon-aux-Bois 88 119 D1
Raon-lès-Leau 54 70 A4
Raon-l'Étape 88 95 E2
Raon-sur-Plaine 88 70 A4
Rapaggio 2B 315 F4
Rapale 2B 315 E2
Rapey 88 94 B3
Raphèle-les-Arles 13 283 E2
Rapilly 14 56 A3
Rapsécourt 51 65 F1
Raray 60 35 E4
Rarécourt 55 66 A1
Rasiguères 66 312 B1
Raslay 86 148 C1
Rasteau 84 265 D1
Le Rat 19 205 E1
Ratenelle 71 175 F2
Ratières 26 229 D1
Ratilly (Château de) 89 135 F2
Ratte 71 176 A1
Ratzwiller 67 44 A4
Raucoules 43 227 F1
Raucourt 54 68 B2
Raucourt-au-Bois 59 10 A2
Raucourt-et-Flaba 08 39 E1
Raulecourt 55 67 E3
Raulhac 15 224 B4
Rauret 43 226 C4
Rauville-la-Bigot 50 24 C3
Rauville-la-Place 50 25 D4
Rauwiller 67 70 A1
Rauzan 33 219 D4
Raveau 58 154 C1
Ravel 63 190 A4
Ravel 69 210 C1
Ravel-et-Ferriers 26 248 B1
Ravenel 60 34 C1
Ravennefontaines 52 117 E1
Ravenoville 50 25 E4
Raves 88 96 A2
Raviège (Lac de la) 81 279 D2
Ravières 89 114 C4
Ravigny 53 82 B2
Raville 57 42 B4
Raville-sur-Sânon 54 68 C4
Ravilloles 39 177 D3
La Ravoire 73 213 D2
Ray-sur-Saône 70 140 C1
Raye-sur-Authie 62 6 C3
Rayet 47 238 C1
Raymond 18 153 F2
Raynans 25 142 B1
Rayol-Canadel-sur-Mer 83 293 D2
Rayssac 81 260 A4
Raz (Pointe du) 29 72 B3
Razac-de-Saussignac 24 219 F4
Razac-d'Eymet 24 238 A1
Razac-sur-l'Isle 24 220 B1
Raze 70 141 D1
Razecueillé 31 299 E3
Razengues 32 275 F2
Razès 87 186 A2
Razimet 47 237 F4
Razines 37 149 E2
Ré (Ile de) 17 180 B1
Réal 66 311 D2
Réalcamp 76 17 D3
Réallon 05 250 A1

RENNES

Du-Guesclin (R.) AY 17
Estrées (R. d') AY 19
Jaurès (R. Jean) BY 28
Joffre (R. Mar.) BZ 30
La-Fayette (R.) AY 32
Le-Bastard (R.) AY 35
Liberté (Bd de la) ABZ
Monnaie (R. de la) AY 43
Motte-Fablet (R.) AY 46
Nationale (R.) ABY 47
Nemours (R. de) AZ 49
Orléans (R. d') AY 52
Palais (Pl. du) BY 53
Vasselot (R.) AZ 85

Bretagne (Pl. de) AY 4
Cavell (R. Édith) BY 7
Champ-Jacquet (R. du) AY 8
Chapitre (R. du) AY 9
Chateaubriand (Quai) BY 10
Dames (R. des) AY 14
Duguay-Trouin (Quai) AY 16
Gambetta (R.) BY 23
Hôtel-de-Ville
(Pl. de l') AY 24
Ille-et-Rance (Quai) AY 27
Lamartine (Quai) ABY 33
Lamennais (Quai) AY 34
Martenot (R.) BY 42
Motte (Cont. de la) BY 44
Pont-aux-Foulons (R.) AY 56
Poullain-Duparc (R.) AZ 58
Psalette (R. de la) AY 60
Rallier-du-Baty (R.) AY 61
République
(Pl. de la) AY 62
Richemont (Q. de) BY 63
St-Cast (Quai) AY 66
St-Georges (R.) BY 67
St-Guillaume (R.) AY 68
St-Michel (R.) AY 74
St-Sauveur (R.) AY 75
St-Yves (R.) AY 77
Solférino (Bd) BZ 82
41e-d'Infanterie (R.) AX 90

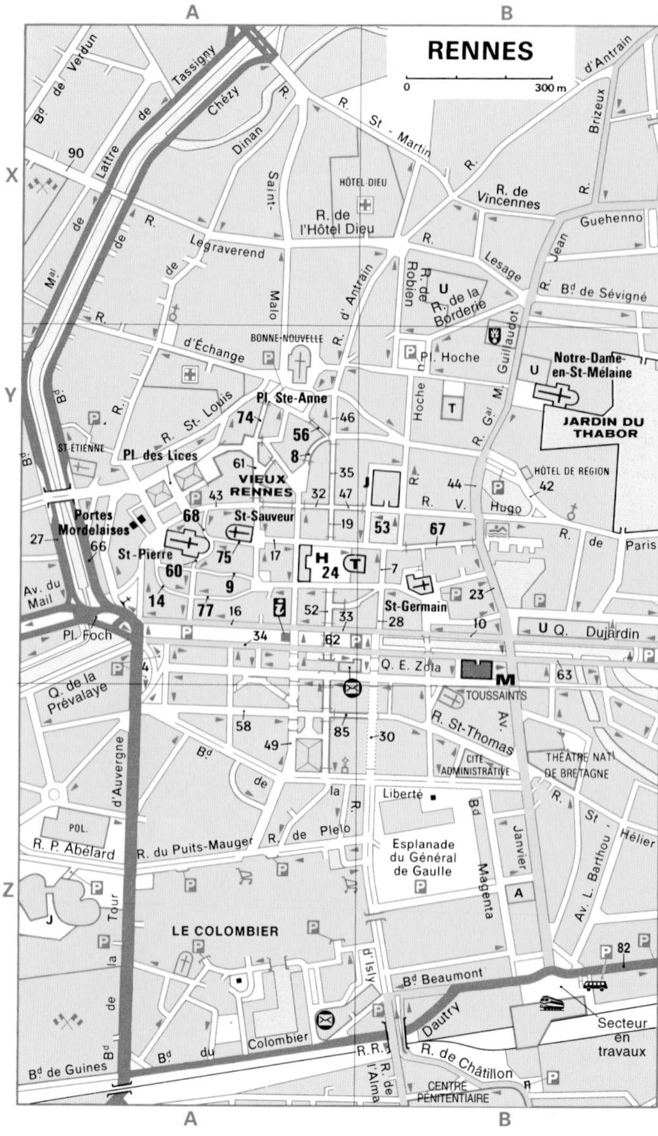

Réalmont 81	278 A1	Rebreuve-sur-Canche 62	7 E3
Réalville 82	258 A2	Rebreuviette 62	7 E3
Réans 39	255 D4	Recanoz 39	159 E3
Réau 77	87 E1	Recey-sur-Ource 21	115 F4
Réau (Ancienne		Réchésy 90	120 A4
Abbaye de la) 86	184 B1	Réchicourt 55	40 C1
Réaumont 38	212 B3	Réchicourt-la-Petite 54	69 D3
Réaumur 85	147 D4	Réchicourt-le-Château 57	69 E4
Réaup 47	255 E2	Récicourt 55	39 F4
Réauville 26	247 D3	Réclainville 28	85 F3
Réaux 17	199 F2	Réclonville 54	95 E1
Les Réaux (Château) 37	129 F4	Reclesne 71	157 D2
Rebais 77	62 C3	Reclinghem 62	7 D1
Rebecques 62	3 E4	Recloses 77	87 F3
Rébénacq 64	296 C3	Recologne 70	140 C1
Rebergues 62	2 C3	Recologne 25	140 C4
Rebets 76	32 C2	Recologne-lès-Rioz 70	141 D2
Rebeuville 88	93 E3	Recoubeau-Jansac 26	248 A1
Rebigue 31	276 C3	Recoules-d'Aubrac 48	243 E1
Rebouc 65	298 B3	Recoules-de-Fumas 48	244 A2
Rebouillon 83	287 D2	Recoules-Prévinquières 12	243 D4
Rebourguil 12	260 C4	Récourt 52	117 D2
Rebourseaux 89	113 F2	Récourt 62	8 C3
Reboursin 36	152 A1	Récourt-le-Creux 55	66 C1
Rebréchien 45	110 B2	La Recousse 62	3 D3
Rebreuve-Ranchicourt 62	8 A2	Recouvrance 90	120 A4
Le Recoux 48	243 E4	Regnéville-sur-Meuse 55	40 A3
Recques-sur-Course 62	6 B1	Regney 88	94 B3
Recques-sur-Hem 62	3 D3	Régnié-Durette 69	192 B1
Le Reculey 14	55 D2	Régnière-Écluse 80	6 B3
Reculfoz 25	160 C4	Regniowez 08	11 E4
Recurt 65	298 B1	Régny 42	191 F2
Recy 51	64 C2	Regny 02	20 B3
Rédange 57	41 D1	La Regrippière 44	127 D4
Rédené 29	99 F2	Réguiny 56	101 E1
Réderis (Cap) 66	313 F3	Réguisheim 68	120 C1
Redessan 30	264 B4	Régusse 83	286 B1
Réding 57	70 A2	Rehaincourt 88	94 C2
Redon 35	102 B4	Rehainviller 54	94 C1
La Redorte 11	303 D1	Rehaupal 88	95 E4
Redortiers 04	266 B2	Reherrey 54	95 E1
Réez-Fosse-Martin 60	62 A1	Réhon 54	40 C1
Reffannes 79	165 E2	Reichsfeld 67	96 C1
Reffroy 55	67 D4	Reichshoffen 67	45 D4
Reffuveille 50	54 B4	Reichstett 67	71 D3
Refranche 25	160 B1	Reignac 33	199 E4
Régades 31	299 D3	Reignac 16	200 C3
Régat 09	301 F3	Reignac-sur-Indre 37	131 E4
Regnauville 62	7 D3	Reignat 63	190 A4
Regnéville 88	118 A2	Reigneville-Bocage 50	25 D4
Regnéville-sur-Mer 50	53 F1	Reignier 74	195 F1
		Reigny 18	170 B3
Reilhac 43	226 A2	Rémalard 61	84 A2
Reilhac 15	224 A3	Remaucourt 08	38 A1
Reilhac 46	240 C1	Remaucourt 02	20 A2
Reilhaguet 46	240 A1	La Remaudière 44	127 D4
Reilhanette 26	266 A1	Remaugies 80	35 D1
Reillanne 04	266 C3	Remauville 77	88 A4
Reillon 54	69 E4	Rembercourt-aux-Pots 55	66 B2
Reilly 60	33 F4	Rembercourt-sur-Mad 54	67 F1
Reimerswiller 67	45 E4	Rémécourt 60	34 C2
Reims 51	37 F4	Remelange 57	41 E3
Reims-la-Brûlée 51	65 E4	Rémelfang 57	42 B3
Reine Jeanne (Pont de la) 04	267 E1	Rémelfing 57	43 E4
Reinhardsmunster 67	70 B3	Rémeling 57	42 B2
Reiningue 68	120 B2	Remennecourt 55	65 F3
Reipertswiller 67	44 C4	Remenoville 54	94 C2
Reithouse 39	176 C1	Rémérangles 60	34 B2
Reitwiller 67	71 D1	Réméréville 54	68 C4
		Rémering 57	42 B3
Rejaumont 32	256 A4	Rémering-lès-Puttelange 57	69 F1
Réjaumont 65	298 C2	Remicourt 51	65 F2
Rejet-de-Beaulieu 59	20 C1	Remicourt 88	94 A3
Relanges 88	118 A1	Remiencourt 80	18 B3
Relans 39	159 E4	Remies 02	20 B4
Le Relecq-Kerhuon 29	47 F3	La Remigeasse 17	180 B3
Relevant 01	193 D1	Remigny 71	157 F3
Rely 62	7 E1	Remigny 02	20 A4
Remaisnil 80	7 E4	

REIMS

Arbalète (R. de l')	BY 4	Alsace-Lorraine (R. d') CX 2
Cadran St-Pierre (R.)	BY 13	Anatole-France (Cours) BY 3
Carnot (R.)	BY 19	Boulard (R.) BY 6
Drouet d'Erlon (Pl.)	AY 38	Boulingrin (Pl. du) BX 7
Étape (R. de l')	AY 40	Brébant (Av.) AY 8
Jean-Jaurès (Av.)	BCX	Buirette (R.) AY 12
Laon (Av. de)	ABX	Carmes (R. des) BZ 16
Talleyrand (R. de)	ABY	Carnégie (Pl.) BY 17
Vesle (R. de)	ABY	Champagne (Av. de) CZ 22
		Chemin Vert (R. du) CZ 23
		Colbert (R.) BXY 26
		Desteuque (R. E.) BY 31
		Dieu-Lumière (R.) CZ 32
Dr-Jacquin (R.)	BXY 33	Jamot (R. Paul) BY 56
Dr-Knoéri (Pl. du)	CX 34	J.-J.-Rousseau (R.) BX 57
Dr-Lemoine (R.)	BX 35	Lambert (Bd Victor) CZ 59
Droits-de-l'Homme (Pl. des)	CZ 37	Langlet (Crs J.-B.) BY 60
Dubois (R. Th.)	BY 39	Lefèbvre (R. E.) CX 61
Farman (Av. H.)	CZ 43	Louvois (R. de) BZ 62
Forum (R.)	BY 47	Magdeleine (R.) AY 63
Gerbert (R.)	BCY 50	Martyrs-de-la-Résistance (Pl. des) BY 65
Gouraud (Pl. Gén.)	CZ 51	Montlaurent (R.) CY 67
Grand-Cerf (R. du)	CZ 52	Myron-Herrick (Pl.) BY 68
Herduin (R. Lt)	BY 53	Philipe (R. Gérard) CZ 70
Houzeau Muiron (R.)	CY 54	Prés.-F.-Roosevelt (R.) AX 72
République (Pl. de la)	BX 73	Thillois (R. de) AY 86
Rockefeller (R.)	BY 75	Université (R. de l') BY 88
St-Nicaise (Pl.)	CZ 78	Victor-Hugo (Bd) CZ 90
Salines (R. des)	CZ 80	Zola (R. Émile) AX 92
Sarrail (R. Gén.)	BX 82	16e-et-22e-Dragons (R. des) CY 94
Strasbourg (R. de)	CX 84	
Temple (R. du)	BX 85	

Rémilly 58 ... 156 A4
Rémilly 57 ... 68 C1
Remilly-Aillicourt 08 ... 23 E4
Remilly-en-Montagne 21 ... 138 C4
Remilly-les-Pothées 08 ... 22 B3
Remilly-sur-Lozon 50 ... 27 E4
Remilly-sur-Tille 21 ... 139 E3
Remilly-Wirquin 62 ... 3 D4
Réminiac 56 ... 102 A2
Remiremont 88 ... 119 D1
Remoiville 55 ... 40 A2
Remollon 05 ... 249 F2
Remomeix 88 ... 95 F3
Remoncourt 54 ... 69 E4
Remoncourt 88 ... 94 A4
Rémondans-Vaivre 25 ... 142 B2
Rémonville 08 ... 39 F2
Remoray-Boujeons 25 ... 160 C4
Remouillé 44 ... 146 A1
Remoulins 30 ... 264 B3
Removille 88 ... 93 F3
Rempnat 87 ... 205 D1
La Remuée 76 ... 14 C4
Remungol 56 ... 101 D2
Rémuzat 26 ... 248 A3
Rémy 60 ... 35 D2
Rémy 62 ... 8 C3
Renac 35 ... 102 C4
Renage 38 ... 212 B4
Renaison 42 ... 191 D2
La Renaissance 17 ... 181 D3
Renansart 02 ... 20 B4
Renaucourt 70 ... 140 C1
La Renaudie 63 ... 208 C1
La Renaudière 49 ... 146 C1
Renauvoid 88 ... 94 C4
Renay 41 ... 108 C2
Renazé 53 ... 104 B3
Rencurel 38 ... 230 B1
René 72 ... 83 D4
Renédale 25 ... 160 C1
Renescure 59 ... 3 E4
Renève 21 ... 140 A3
Réning 57 ... 69 E1
Rennemoulin 78 ... 60 B3
Rennepont 52 ... 115 F1
Rennes 35 ... 79 F4
Rennes-en-Grenouilles 53 ... 81 F2
Rennes-le-Château 11 ... 302 B4
Rennes-les-Bains 11 ... 302 B4
Rennes-sur-Loue 25 ... 160 A2
Renneval 02 ... 21 E4
Renneville 31 ... 277 E4
Renneville 08 ... 21 F4
Renneville 27 ... 32 C2
Renno 2A ... 316 B2
Le Renouard 61 ... 56 C2
Rentières 63 ... 207 E3
Renty 62 ... 7 D1
Renung 40 ... 273 D1
Renwez 08 ... 22 B3
La Réole 33 ... 237 D2
La Réorthe 85 ... 163 F1
Réotier 05 ... 250 B1
Repaix 54 ... 69 E4
La Répara-Auriples 26 ... 247 E1
Réparsac 16 ... 182 C4
Repel 88 ... 94 A3
Repentigny 14 ... 30 B4
Replonges 01 ... 175 E4
Le Reposoir 74 ... 196 B2
Les Repôts 39 ... 159 D4
Reppe 90 ... 120 A3
Requeil 72 ... 106 C4
Réquista 12 ... 260 A3
Résenlieu 61 ... 57 D3
La Résie-Saint-Martin 70 ... 140 B1
Résigny 02 ... 21 F4
Resson 55 ... 66 B3
Ressons-l'Abbaye 60 ... 34 A3
Ressons-le-Long 02 ... 36 A3
Ressons-sur-Matz 60 ... 35 E1
Les Ressuintes 28 ... 84 B1
Restigné 37 ... 130 A4
Restinclières 34 ... 282 A1
Restonica (Gorges de la) 2B ... 316 C1
Le Retail 79 ... 164 C2
Rétaud 17 ... 199 D1
Reterre 23 ... 188 A2
Rethel 08 ... 38 B1
Retheuil 02 ... 35 F3
Rethondes 60 ... 35 F2
Rethonvillers 80 ... 19 E4
Réthoville 50 ... 25 D2
Retiers 35 ... 103 F2
Retjons 40 ... 254 B2
Retonfey 57 ... 42 A4
Rétonval 76 ... 17 D3
Retournac 43 ... 227 E1
Retournemer (Lac de) 88 ... 119 F1
Retschwiller 67 ... 45 E4
Rettel 57 ... 42 A2
Rety 62 ... 2 B3
Retzwiller 68 ... 120 A3
Reugney 25 ... 160 C2
Reugny 37 ... 131 D2
Reugny 03 ... 170 C3
Reuil 51 ... 63 F1
Reuil-en-Brie 77 ... 62 B2
Reuil-sur-Brêche 60 ... 34 B1
Reuilly 27 ... 59 D1
Reuilly 36 ... 152 C2
Reuilly-Sauvigny 02 ... 63 E1
Reulle-Vergy 21 ... 139 D4
Reumont 59 ... 20 B1
La Réunion 47 ... 237 E4
Reutenbourg 67 ... 70 B2
Reuves 51 ... 63 F3
Reuville 76 ... 15 F2
Reux 14 ... 30 B3

Revard (Mont) 73 ... 213 D1
Réveillon 51 ... 63 D4
Réveillon 61 ... 83 F2
Revel 38 ... 231 D1
Revel 31 ... 277 F3
Revel-Tourdan 38 ... 211 E3
Revelles 80 ... 18 A3
Revémont 54 ... 40 C2
Revens 30 ... 261 F2
Reventin-Vaugris 38 ... 211 D3
Revercourt 28 ... 58 C4
Revest-des-Brousses 04 ... 266 C3
Revest-du-Bion 04 ... 266 B2
Le Revest-les-Eaux 83 ... 291 F3
Revest-les-Roches 06 ... 269 F3
Revest-Saint-Martin 04 ... 267 D2
La Revêtizon 79 ... 182 B1
Reviers 14 ... 29 E3
Revigny 39 ... 176 C1
Revigny-sur-Ornain 55 ... 66 A3
Réville 50 ... 25 E2
Réville-aux-Bois 55 ... 40 A3
Révillon 02 ... 37 D3
Revin 08 ... 11 F4
Revollat (Croix de) 38 ... 213 D4
Revonnas 01 ... 193 F1
Rexingen 67 ... 70 A1
Rexpoëde 59 ... 3 F2
Reyersviller 57 ... 44 B3
Reygade 19 ... 223 D3
Reynel 52 ... 92 C3
Reynès 66 ... 312 C3
Reynier 04 ... 249 F4
Reyniès 82 ... 257 F4
Les Reys-de-Saulce 26 ... 247 D1
Reyrevignes 46 ... 241 D2
Reyrieux 01 ... 192 C3
Reyssouze 01 ... 175 E3
Reyvroz 74 ... 178 C3
Rezay 18 ... 170 A1
Rezé 44 ... 126 B4
Rézentières 15 ... 225 E2
Rezonville 57 ... 41 E4
Rezza 2A ... 316 C2
Rhèges 10 ... 90 A1
Le Rheu 35 ... 103 D1
Le Rhien 70 ... 119 E4
Rhinau 67 ... 97 D1
Rhodes 57 ... 69 F3
Rhodon 41 ... 109 D4
Rhodon 78 ... 60 B4
Rhuis 60 ... 35 D3
Ri 61 ... 56 B3
Ria-Sirach 66 ... 311 F2
Riaillé 44 ... 127 D1
Le Rialet 81 ... 278 C3
Rians 83 ... 285 F2
Rians 18 ... 153 F1
Riantec 56 ... 100 A3
Riau (Château du) 03 ... 172 A1
Riaucourt 52 ... 92 B4
Riaville 55 ... 67 E1
Ribagnac 24 ... 220 A4
Ribarrouy 64 ... 273 D3
Ribaute 11 ... 303 D2
Ribaute-les-Tavernes 30 ... 263 E2
Le Ribay 53 ... 81 F3
Ribeaucourt 80 ... 18 A1
Ribeaucourt 55 ... 92 C1
Ribeauvillé 68 ... 96 B3
Ribeauvillé 02 ... 20 C1
Ribécourt 60 ... 35 F2
Ribécourt-la-Tour 59 ... 19 F1
Ribemont 02 ... 20 B3
Ribemont-sur-Ancre 80 ... 18 C2
Ribennes 48 ... 244 A2
Ribérac 24 ... 219 F1
Ribes 07 ... 245 F3
Ribeyret 05 ... 248 B3
Ribiers 05 ... 267 D3
Ribouisse 11 ... 301 F2
Riboux 83 ... 285 F4
La Ricamarie 42 ... 210 A3
Ricarville 76 ... 15 D3
Ricarville-du-Val 76 ... 16 B3
Ricaud 11 ... 277 F4
Ricaud 65 ... 298 A2
Les Riceys 10 ... 114 C2
La Richardais 35 ... 52 C1
Richardménil 54 ... 94 B1
Richarville 91 ... 86 B2
Riche 57 ... 69 D2
La Riche 37 ... 130 C3
Richebourg 78 ... 59 F3
Richebourg 52 ... 116 A2
Richebourg 62 ... 8 B1
Richecourt 55 ... 67 E2
Richelieu 37 ... 149 E2
Richeling 57 ... 69 F1
Richemont 76 ... 17 D3
Richemont 57 ... 41 F3
Richemont 16 ... 182 B4
Richemont (Col de) 01 ... 194 C2
Richerenches 84 ... 247 D4
Richet 40 ... 235 E4
Richeval 57 ... 69 F4
Richeville 27 ... 33 D4
Richtolsheim 67 ... 97 D2
Richwiller 68 ... 120 B2
Ricourt 32 ... 274 A3
Ricquebourg 60 ... 35 E1
Riec-sur-Belon 29 ... 99 E2
Riedheim 67 ... 70 C1
Riedisheim 68 ... 120 C2
Riedseltz 67 ... 45 E4
Riedwihr 68 ... 96 C3
Riel-les-Eaux 21 ... 115 D2
Riencourt 80 ... 18 A2
Riencourt-lès-Bapaume 62 ... 19 E1
Riencourt-lès-Cagnicourt 62 ... 8 C4

Riervescemont 90 ... 119 F3
Riespach 68 ... 120 B4
Rieucazé 31 ... 299 D2
Rieucros 09 ... 301 E2
Rieulay 59 ... 9 D2
Rieumajou 31 ... 277 E4
Rieumes 31 ... 276 A4
Rieupeyroux 12 ... 241 F4
Rieussec 34 ... 279 E4
Rieutort-de-Randon 48 ... 244 A2
Rieux 76 ... 17 D2
Rieux 51 ... 63 D3
Rieux 56 ... 125 E1
Rieux 62 ... 7 F1
Rieux 31 ... 300 A1
Rieux 60 ... 34 C3
Rieux-de-Pelleport 09 ... 301 D3
Rieux-en-Cambrésis 59 ... 9 E4
Rieux-en-Val 11 ... 303 D2
Rieux-Minervois 11 ... 303 D1
Riez 04 ... 267 E4
Rigarda 66 ... 312 B2
Rigaud 06 ... 269 E2
Rignac 12 ... 241 F4
Rignac 46 ... 222 C4
Rignat 01 ... 193 F1
Rignaucourt 55 ... 66 B2
Rigné 79 ... 148 A2
Rigney 25 ... 141 E2
Rignieux-le-Franc 01 ... 193 F3
Rignosot 25 ... 141 E2
Rignovelle 70 ... 119 D3
Rigny 70 ... 140 B2
Rigny-la-Nonneuse 10 ... 89 E3
Rigny-la-Salle 55 ... 67 E4
Rigny-le-Ferron 10 ... 89 E4
Rigny-Saint-Martin 55 ... 93 E1
Rigny-sur-Arroux 71 ... 173 D2
Rigny-Ussé 37 ... 130 A4
Riguepeu 32 ... 274 B2
Rilhac-Lastours 87 ... 203 E1
Rilhac-Rancon 87 ... 185 F3
Rilhac-Treignac 19 ... 204 C2
Rilhac-Xaintrie 19 ... 223 F1
Rillans 25 ... 141 F2
Rillé 37 ... 130 A2
Rillieux-la-Pape 69 ... 193 D4
Rilly-Sainte-Syre 10 ... 90 A2
Rilly-sur-Aisne 08 ... 38 C2
Rilly-sur-Loire 41 ... 131 F2
Rilly-sur-Vienne 37 ... 149 F2
Rimaucourt 52 ... 92 C4
Rimeize 48 ... 244 A1
Rimling 57 ... 43 F4
Rimogne 08 ... 22 B3
Rimon-et-Savel 26 ... 248 A1
Rimondeix 23 ... 187 E1
Rimons 33 ... 237 D1
Rimont 09 ... 300 B3
Rimou 35 ... 79 F2
Rimplas 06 ... 269 F1
Rimsdorf 67 ... 70 A1
Ringeldorf 67 ... 71 D1
Ringendorf 67 ... 70 C1
Rinxent 62 ... 2 B3
Riocaud 33 ... 219 F4
Riolan (Clue du) 06 ... 269 E2
Riolas 31 ... 275 E4
Le Riols 81 ... 259 D2
Riols 34 ... 279 E4
Riom 63 ... 189 E3
Riom-ès-Montagnes 15 ... 206 C4
Rioms 26 ... 248 B4
Rion-des-Landes 40 ... 253 D3
Rions 33 ... 236 B1
Riorges 42 ... 191 E2
Riotord 43 ... 228 A1
Rioupéroux 38 ... 231 D1
Rioupes (Col de) 05 ... 249 E1
Rioux 17 ... 199 D1
Rioux-Martin 16 ... 201 D4
Rioz 70 ... 141 D2
Ripaille (Domaine de) 74 ... 178 B3
Riquet (Obélisque de) 11 ... 277 E4
Riquewihr 68 ... 96 B3
Ris 63 ... 190 A2
Ris 65 ... 298 B4
Ris-Orangis 91 ... 87 D1
Riscle 32 ... 273 E2
Risoul 05 ... 250 C1
Risoul 1850 05 ... 250 C1
Ristolas 05 ... 233 E4
Ristz (Château du) 03 ... 172 A1
Rittershoffen 67 ... 45 E4
Ritzing 57 ... 42 A2
Riunoguès 66 ... 312 C4
Riupeyrous 64 ... 273 D4
Riva-Bella 14 ... 29 F3
Rivarennes 37 ... 130 A4
Rivarennes 36 ... 168 B3
Rivas 42 ... 209 F2
Rivau (Château du) 37 ... 149 E1
Rive-de-Gier 42 ... 210 B2
Rivecourt 60 ... 35 E3
Rivedoux-Plage 17 ... 180 B1
Rivel 11 ... 301 F4
Riventosa 2B ... 317 D3
Rivèrenert 09 ... 300 A3
Riverie 69 ... 210 B2
Rivery 80 ... 18 B2
Les Rives 34 ... 261 F4
Rives 38 ... 212 B4
Rives 47 ... 238 C2

Rivesaltes 66 ... 313 D1
Le Rivier 38 ... 212 B3
Rivière 37 ... 149 D1
La Rivière 33 ... 217 F3
Rivière 62 ... 8 A4
La Rivière 38 ... 212 B4
La Rivière-de-Corps 10 ... 90 A4
La Rivière-Drugeon 25 ... 160 C3
La Rivière-Enverse 74 ... 196 B1
Rivière-les-Fosses 52 ... 139 F1
Rivière-Saas-et-Gourby 40 ... 271 E1
Rivière-Saint-Sauveur 14 ... 30 C2
Rivière-sur-Tarn 12 ... 261 E1
La Rivière-Thibouville 27 ... 31 E4
Rivières 81 ... 259 D4
Rivières 16 ... 184 A4
Les Rivières-Henruel 51 ... 65 D4
Rivières-le-Bois 52 ... 117 D4
Riville 76 ... 15 D1
Rivolet 69 ... 192 B3
Rix 58 ... 136 B3
Rix 39 ... 160 B4
Rixheim 68 ... 120 C2
Rizaucourt 52 ... 91 F3
Roaillan 33 ... 236 C3
Roaix 84 ... 265 E1
Roanne 42 ... 191 E2
Roannes-Saint-Mary 15 ... 224 A4
Robécourt 88 ... 93 E4
Robecq 62 ... 8 A1
Robehomme 14 ... 29 F4
Robersart 59 ... 10 A3
Robert-Espagne 55 ... 66 A4
Robert-le-Diable (Château de) 76 ... 32 A3
Robert-Magny 52 ... 91 F2

Robertot 76 ... 15 E2
Roberval 60 ... 35 D3
Robiac-Rochessadoule 30 ... 263 E1
Robien (Château) 22 ... 77 D2
La Robine-sur-Galabre 04 ... 267 F1
Robion 84 ... 265 E4
Robion 04 ... 268 B4
Le Roc 46 ... 222 A4
Le Roc-Saint-André 56 ... 101 F2
Rocamadour 46 ... 222 B4
Rocbaron 83 ... 286 B4
Rocé 41 ... 108 C3
Roche 42 ... 209 D2
Roche 38 ... 211 E2
La Roche aux Fées 35 ... 103 F2
Roche-Béranger 38 ... 231 D1
Roche-Bernard 56 ... 123 F2
La Roche-Blanche 63 ... 207 E1
La Roche-Blanche 44 ... 127 E2
La Roche-Canilhac 15 ... 243 E1
La Roche-Canillac 19 ... 223 D1
La Roche-Chalais 24 ... 219 D1
La Roche-Charles 63 ... 207 E3
La Roche-Clermault 37 ... 149 D1
La Roche Courbon (Château de) 17 ... 181 E3
Roche-d'Agoux 63 ... 188 B2
La Roche-de-Glun 26 ... 229 D2
La Roche-de-Rame 05 ... 232 B4
La Roche-Derrien 22 ... 50 B2
La Roche-des-Arnauds 05 ... 249 E2
Roche du Prêtre 25 ... 142 B4
Roche-en-Brenil 21 ... 137 F3
Roche-en-Régnier 43 ... 227 D1
Roche-et-Raucourt 70 ... 140 B1
La Roche-Guyon 95 ... 59 F1

La Roche-Jagu (Château de) 22 ... 50 C2
Roche-la-Molière 42 ... 209 F3
La Roche-l'Abeille 87 ... 203 F2
La Roche-lès-Clerval 25 ... 142 A3
Roche-le-Peyroux 19 ... 206 A3
Roche-lez-Beaupré 25 ... 141 E3
La Roche-Mabile 61 ... 82 B2
La Roche-Maurice 29 ... 48 C4
La Roche-Noire 63 ... 207 F1
La Roche-Posay 86 ... 150 A4
La Roche-qui-Boit (Barrage de) 50 ... 80 A1
La Roche-Racan (Château) 37 ... 130 B1
La Roche-Rigault 86 ... 149 D2
Roche-Saint-Secret-Béconne 26 ... 247 E3
La Roche-sur-Foron 74 ... 195 F1
La Roche-sur-Grane 26 ... 247 D1
La Roche-sur-le-Buis 26 ... 248 A4
Roche-sur-Linotte-et-Sorans-les-Cordiers 70 ... 141 E2
La Roche-sur-Yon 85 ... 145 F4
La Roche-Vanneau 21 ... 138 A2
La Roche-Vineuse 71 ... 175 D3
Rochebaudin 26 ... 247 E2
La Rochebeaucourt-et-Argentine 24 ... 202 A3
Rochebloine 07 ... 228 B2
Rochebonne (Château de) 07 ... 228 B3
Rochebrune 05 ... 249 E4
Rochebrune 26 ... 248 A4
Rochebrune (Château de) 16 ... 184 C3
Rochechinard 26 ... 229 F2
Rochechouart 87 ... 184 C4
Rochecolombe 07 ... 246 A2
Rochecorbon 37 ... 131 D3
Rochefort 17 ... 181 D3

LA ROCHELLE

Chaudrier (R.) ... Y 19
Dupaty (R.) ... Y 35
Marché (Pl. du) ... Y
Merciers (Gde Rue des) ... Y 70
Minage (R. du) ... Y
St-Yon (R.) ... Z

Admyrauld (R. G.) ... YZ 2
Aufrédy (R.) ... Y 4
Augustins (R. des) ... Y 6
Ballangerie (R. de la) ... Y 7
Bancs (Pl. des Petits) ... Z 8
Barentin (Pl.) ... Z 10

Bletterie (R.) ... Z 12
Carmes (R. des) ... Z 14
Chaîne (R. de la) ... Z 16
Champ-de-Mars (Av. du) ... Y 17
Chef-de-Ville (R.) ... Z 21
Commanderie (Cour de la) ... Z 27
Dames (Cours des) ... Z 31
Duperré (Quai) ... Z 37
Escale (R. de l') ... Z 39
Fabrique (R. de la) ... Z 41
Fagots (R. des) ... Z 43
Ferté (R. de la) ... Z 45
Fonderies (R. des) ... YZ 49
Fromentin (R. E.) ... Y 51
Gargoulleau (R.) ... Y 53
Gentilshommes (R. des) ... Z 55
Grille (R. de la) ... Z 57

Hôtel-de-Ville (R. de l') ... Z 60
Maubec (Quai) ... Z 66
Monnaie (Av. de la) ... Z 73
Noue (R. de la) ... Y 75
Pas-du-Minage (R. du) ... Y 79
Pernelle (R.) ... Y 81
Port (Petite Rue du) ... Z 83
Port (R. du) ... Z
St-Côme (R.) ... Y 94
St-François (R.) ... Y 96
St-Jean-du-Pérot (R.) ... Z 98
St-Nicolas (R.) ... Z 99
St-Sauveur (R.) ... Z 100
Sur-les-Murs (R.) ... Z
Temple (Cour du) ... Z 112
Temple (R. du) ... Z 115
11-Novembre-1918 (Av. du) ... Y 121

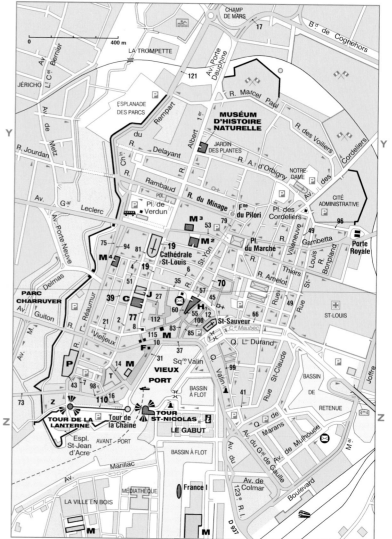

Rochefort 21......... 115 E4
Rochefort 73......... 212 C1
Rochefort (Rocher de) 42... 191 D2
Rochefort-du-Gard 30...... 264 C3
Rochefort-en-Terre 56.... 102 A4
Rochefort-en-Valdaine 26... 247 D3
Rochefort-en-Yvelines 78... 86 B1
Rochefort-Montagne 63.... 206 C1
Rochefort-Samson 26..... 229 F3
Rochefort-sur-la-Côte 52... 92 B4
Rochefort-sur-Loire 49.... 128 A3
Rochefort-sur-Nenon 39... 159 E1
Rochefourchat 26....... 247 F2
La Rochegiron 04....... 266 C2
Rochegude 26......... 265 D1
Rochegude 30......... 263 F1
Rochejean 25......... 161 D4
La Rochelambert
(Château de) 43...... 226 C2
La Rochelle 70........ 117 E4
La Rochelle 17........ 180 C1
La Rochelle-Normande 50... 53 F3
Rochemaure 07........ 246 C2
La Rochénard 79....... 164 B4
Rochepaule 07........ 228 A2
La Rochepot 21....... 157 F2
Rocher 07.......... 245 F2
Rocher-Portail
(Château du) 35..... 80 A2
Le Rochereau 86...... 148 C4
Les Rochers-Sévigné
(Château) 35...... 104 B1
Roches 23.......... 169 F4
Roches Blanches
(Panorama des) 83.... 287 D4
Les Roches-de-Condrieu 38. 210 A3
Les Roches-lès-Blamont 25.. 142 C2
Les Roches-l'Évêque 41.... 108 A4
Roches-Prémarie-Andillé 86.. 166 B2
Roches-sur-Marne 52..... 92 A1
Roches-sur-Rognon 52.... 92 B3
Rocheservière 85....... 145 F2
Rochessauve 07........ 246 B1
Rochesson 87......... 119 E1
Rochetaillée 42........ 210 A3
Rochetaillée 52........ 116 B3
Rochetaillée-sur-Saône 69 .. 192 C4
Rochetoirin 38........ 212 A2
Rochetrejoux 85....... 146 C4
La Rochette 73........ 213 E2
La Rochette 23........ 187 E2
La Rochette 04........ 269 E3
La Rochette 05........ 249 F1
La Rochette 77........ 87 F2
La Rochette 07........ 227 F3
La Rochette 16........ 183 F4
La Rochette-du-Buis 26.... 248 B4
Rocheville 06......... 288 A3
Rocheville 50......... 24 C3
Rochonvillers 57....... 41 E2
Rochy-Condé 60....... 34 B2
Rocles 07........... 245 F2
Rocles 03........... 171 F3
Rocles 48........... 244 C1
Roclincourt 62........ 8 B3
Rocourt 88.......... 117 E1
Rocourt-Saint-Martin 02.... 36 B4
Rocquancourt 14....... 56 A1
La Rocque 14......... 55 E2
Rocquefort 76........ 15 E3
Rocquemont 60....... 35 E4
Rocquemont 76....... 32 C1
Rocquencourt 60....... 18 B4
Rocquencourt 78....... 60 C3
Rocques 14.......... 30 C4
Rocquigny 62........ 19 E1
Rocquigny 08........ 21 F4
Rocquigny 02........ 10 B4
Rocroi 08........... 22 B2
Rodalbe 57.......... 69 D2
Rodelinghem 62........ 2 C3
Rodelle 12.......... 242 B3
Rodemack 57......... 41 F1
Roderen 68.......... 120 A2
La Roderie 44......... 126 A4
Rodern 68........... 96 C2
Rodès 66........... 312 B2
Rodez 12........... 242 B4
Rodilhan 30.......... 264 A4
Rodome 11.......... 311 D1
La Roë 53........... 104 B2
Rœllecourt 62........ 7 F2
Rœschwoog 67........ 71 F1
Rœulx 59........... 9 E3
Rœux 62............ 8 B3
Rœzé-sur-Sarthe 72..... 106 C3
Roffey 89........... 114 A3
Roffiac 15.......... 225 E2
Rogalle 09.......... 300 A4
Rogécourt 02........ 20 B4
Rogerville 76........ 14 B4
Rogéville 54......... 67 F3
Roggenhouse 68....... 120 C1
Rogliano 2B......... 314 A1
Rogna 39........... 177 D3
Rognac 13.......... 284 B3
Rognaix 73.......... 214 A1
Rognes 13.......... 284 C1
Rognon 25.......... 141 F2
Rognonas 13......... 264 C4
Rogny 02........... 21 D3
Rogny-les-Sept-Écluses 89 . 112 A4
Rogues 30.......... 262 B4
Rogy 80........... 18 A4
Rohaire 28.......... 58 B2
Rohan 56........... 77 E4
Rohr 67............ 70 C2
Rohrbach-lès-Bitche 57..... 43 F4
Rohrwiller 67........ 71 E2

Roiffé 86........... 148 C1
Roiffieux 07......... 228 C1
Roiglise 80.......... 19 E4
Roilly 21........... 137 F3
Roinville 28.......... 85 E3
Roinville 91......... 86 B2
Roinvilliers 91........ 86 C3
Roisel 80........... 19 F2
Les Roises 55........ 93 E2
Roisey 42........... 210 C3
Roissard 38.......... 230 C3
Roissy-Charles-de-Gaulle
(Aéroport) 95...... 61 E2
Roissy-en-Brie 77...... 61 F3
Roissy-en-France 95..... 61 E2
Roiville 61.......... 57 D3
Roizy 08........... 38 A2
Rolampont 52........ 116 C2
Rolbing 57.......... 44 B2
Rollainville 88........ 93 E3
Rollancourt 62........ 7 D2
Rolland 33.......... 219 D2
Rolleboise 78........ 59 F2
Rolleville 76......... 14 B3

Rollot 80........... 35 D1
Rom 79............ 166 A4
Romagnat 63......... 207 E1
Romagné 35......... 80 A3
La Romagne 08....... 22 A4
Romagne 86......... 166 B4
La Romagne 49....... 146 C1
Romagne 33.......... 218 C4
Romagne-sous-les-Côtes 55. 40 B3
Romagne-
sous-Montfaucon 55...... 39 F3
Romagne 38......... 212 B2
Romagny 68......... 120 A3
Romagny 50.......... 54 C4
Romagny-
sous-Rougemont 90..... 120 A3
Romain 51.......... 37 D3
Romain 25.......... 141 F2
Romain 54.......... 94 C1
Romain 39.......... 140 C4
Romain-aux-Bois 88..... 117 E1
Romain-sur-Meuse 52.... 93 D4
Romaines 10......... 90 C2
Romainville 93........ 61 D3

Roman 27.......... 58 B3
Romanèche 01........ 194 A1
Romanèche-Thorins 71.... 192 C1
Romange 39......... 159 E1
Romans 01.......... 193 D1
Romans 79.......... 165 E3
Romans-sur-Isère 26..... 229 E2
Romanswiller 67....... 70 C3
Romazières 17........ 183 D2
Romazy 35.......... 79 F2
Rombach-le-Franc 68.... 96 B2
Rombas 57.......... 41 F3
Rombies-et-Marchipont 59.. 10 A1
Rombly 62.......... 7 F1
Romegoux 17......... 181 E3
Romelfing 57......... 69 F2
Romenay 71......... 175 F2
Romeny-sur-Marne 02.... 62 C2
Romeries 59......... 9 F4
Romery 51.......... 64 A1
Romery 02.......... 20 C2
Romescamps 60....... 17 E4
Romestaing 47........ 237 D3
Romette 05.......... 249 E3

Romeyer 26......... 230 A4
La Romieu 32........ 256 A3
Romigny 51.......... 37 D4
Romiguières 34....... 261 F4
Romillé 35.......... 79 D4
Romilly 41.......... 108 B2
Romilly-la-Puthenaye 27... 58 A2
Romilly-sur-Aigre 28..... 109 D2
Romilly-sur-Andelle 27.... 32 B3
Romilly-sur-Seine 10..... 89 F2
Romont 88.......... 95 D2
Romorantin-Lanthenay 41 .. 132 C2
Rompon 07.......... 228 C2
Rônai 61........... 56 B3
Ronce-les-Bains 17...... 180 C4
Roncenay 10......... 90 A2
Le Roncenay-Authenay 27.. 58 C3
Roncey 50.......... 54 A1
Ronchamp 70........ 119 E4
Ronchaux 25......... 160 A1
Ronchères 02........ 63 E1
Ronchères 89........ 135 E1
Roncherolles-en-Bray 76... 33 D1
Roncherolles-sur-le-Vivier 76 32 B2

Ronchin 59.......... 8 C1
Ronchois 76......... 17 D4
Roncourt 57......... 41 E4
Roncourt 88......... 93 E4
Roncq 59........... 4 C3
La Ronde 79......... 147 E4
La Ronde 17......... 164 A4
La Ronde-Haye 50...... 26 C4
Rondefontaine 25...... 160 C4
Ronel 81........... 259 F4
Ronfeugerai 61........ 55 F3
Rongères 03......... 172 B4
Ronnet 03.......... 188 C1
Ronno 69........... 192 A2
Ronquerolles 95....... 34 B4
Ronsenac 16......... 201 F3
Ronssoy 80.......... 19 F2
Rontalon 69......... 210 B3
Ronthon 50.......... 53 F3
Rontignon 64......... 297 D1
Ronvaux 55.......... 40 B4
Roôcourt-la-Côte 52.... 92 B4
Roost-Warendin 59..... 9 D2
Roppe 90........... 119 F4

ROUBAIX

Épeule (R. de l')...... **AXY** 33
Grand-Place........ **BX**
Grande-Rue........ **BCX**
Lannoy (R. de)...... **BCY**
Lebas (Av. J.)....... **ABX**
Motte (R. Pierre)..... **BX** 70
Sarrail (R. Gén.)..... **BX** 82

Abreuvoir (Pl. de l').... **AX** 3
Alouette (R. de l')..... **AX** 4
Alsace (Av. d')....... **AX** 6
Armentières (Bd d').... **AX** 7
Avelghem (R. d')..... **AX** 9

Beaumont (R. de)..... **BY** 10
Bois (R. du)........ **BX** 13
Cateau (Bd du)...... **BY** 18
Colmar (Bd de)...... **CX** 21
Communauté-Urbaine
(R.)........... **BX** 22
Constantine (R. de).... **BX** 24
Courbet (R. Amiral)... **AY** 25
Couteaux (Bd des).... **AY** 27
Cugnot (R. du)...... **AY** 28
Curé (R. du)....... **BX** 30
Douai (Bd de)...... **ABY** 31
Espierre (R. de l')..... **BX** 34
Faidherbe
(Pl. du Gén.)..... **CX** 37
Fer-à-Cheval (Carr. du) .. **AY** 39

Fosse-aux-Chênes (R.)... **BX** 40
Fraternité (Pl. de la)... **CY** 42
Goujon (R. Jean)..... **AY** 45
Gounod (R. Ch.)..... **AX** 46
Halluin (Bd d')...... **AX** 49
Halluin (R.)........ **AX** 51
Hospice de l'(R. de l')... **BX** 52
Hôtel-de-Ville
(R. de l')......... **BX** 54
Lacordaire (Bd)...... **AY** 57
Le Nôtre (Av.)...... **AY** 58
Leclerc (Bd Gén.).... **CY** 61
Leconte-Baillon (R.)... **BX** 64
Liberté (Pl. de la).... **CY** 61
Molière (R.)........ **BX** 66
Monnet (R. Jean).... **BX** 67

Nadaud (R.)....... **CX** 72
Nyckès (Pont)...... **CX** 73
Peuple-Belge (Av. du)... **AY** 75
Prof.-Langevin (R. du)... **AY** 76
République (Bd de la)... **AX** 78
Rousseau (R. J.-J.).... **CY** 79
St-Maurice (R.)...... **BX** 81
Sévigné (R. de)..... **CX** 85
Travail (Pl. du)..... **BY** 87
Vieil-Abreuvoir (R. du)... **BX** 88
Wastyn (R. J.)...... **AX** 90

CROIX

Cheuvreuil (R.)...... **AY** 19
Gaulle (Av. du Gén.-de).. **AY** 43

Kléber (R.)........ **AY** 55
Liberté (Pl. de la).... **AY** 63

HEM

Europe (Av. de l')..... **BY** 36
Schuman (R. Robert)... **BY** 84

LYS-LEZ-LANNOY

Guesde (R. Jules)..... **CY** 48

WATTRELOS

Briffaut (R. Henri)..... **CX** 16
Monge (R.)........ **CX** 69

Roppenheim 67 .... 71 F1
Roppentzwiller 68 .... 120 C4
Roppeviller 57 .... 44 C3
La Roque-Alric 84 .... 265 E1
La Roque-Baignard 14 ...... 30 B4
La Roque-d'Anthéron 13 ... 284 C1
La Roque-Esclapon 83 .... 287 E1
La Roque-Gageac 24 ...... 221 F4
La Roque-
  Sainte-Marguerite 12 ... 261 F2
La Roque-sur-Cèze 30 .... 264 B1
La Roque-sur-Pernes 84 .. 265 E3
Roquebillière 06 .... 289 D2
Roquebrun 34 .... 280 A3
Roquebrune 33 .... 237 D1
Roquebrune 32 .... 274 B1
Roquebrune-Cap-Martin 06 . 289 E4
Roquebrune-sur-Argens 83 . 287 E3
La Roquebrussanne 83 .... 286 A4
Roquecor 82 .... 239 D4
Roquecourbe 81 .... 278 B2
Roquecourbe-Minervois 11 . 303 D1
Roquedols (Château de) 48 . 262 A4
Roquedur 30 .... 262 B3
Roquefère 11 .... 278 C4
Roquefeuil 11 .... 310 C1
Roquefixade 09 .... 301 E4
Roquefort 32 .... 275 D1
Roquefort 47 .... 256 A1
Roquefort 40 .... 254 B2
Roquefort-de-Sault 11 .... 311 D1
Roquefort-des-Corbières 11 . 303 F3
Roquefort-la-Bédoule 13 .. 291 D3
Roquefort-les-Cascades 09 . 301 E4
Roquefort-les-Pins 06 .... 288 B2
Roquefort-sur-Garonne 31 . 299 F2
Roquefort-sur-Soulzon 12 . 261 F2
Roquelaure 32 .... 274 C1
Roquelaure (Château de) 12 . 243 D3
Roquelaure-Saint-Aubin 32 . 275 D1
Roquemaure 81 .... 258 B4
Roquemaure 30 .... 264 C2
Roquepine 32 .... 256 A4
Roqueredonde 34 .... 280 A3
Roques 32 .... 255 F4
Roques 31 .... 276 B3
Roquesérière 31 .... 277 D1
Roquessels 34 .... 280 B3
Roquesteron 06 .... 269 E3
Roquestéron-Grasse 06 . 269 E3
Roquetaillade 11 .... 302 A3
Roquetaillade
  (Château de) 33 ...... 236 C3
Roquetoire 62 .... 3 E4
La Roquette 27 .... 32 C4
La Roquette-sur-Siagne 06 . 288 A3
La Roquette-sur-Var 06 ... 288 C1
Roquettes 31 .... 276 B3
Roquevaire 13 .... 285 E4
Roquevidal 81 .... 277 E2
Roquiague 64 .... 295 F1
La Roquille 33 .... 219 F4
Rorbach-lès-Dieuze 57 .. 69 E2
Rorschwihr 68 .... 96 C2
Rorthais 79 .... 147 D3
Les Rosaires 22 .... 51 E3
Rosanbo (Château de) 22 . 49 F3
Rosans 05 .... 248 B3
Rosay 78 .... 59 F2
Rosay 39 .... 176 B2
Rosay 76 .... 16 B4
Rosay-sur-Lieure 27 .... 32 C3
Rosazia 2A 316 B2
Rosbruck 57 .... 47 D4
Roscanvel 29 .... 47 E4
Roscoff 29 .... 49 D2
Rosel 14 .... 29 E4
Roselend (Barrage de) 73 . 196 B4
Roselier (Pointe du) 22 .. 51 E4
Rosenau 68 .... 121 D3
Rosendaël 59 .... 3 E1
Rosenwiller 67 .... 70 C4
Roset-Fluans 25 .... 140 C4
Rosey 70 .... 141 D1
Rosey 71 .... 157 F4
Rosheim 67 .... 70 C4
La Rosière 70 .... 119 D2
La Rosière-1850 73 .... 215 D1
Rosières 18 .... 153 D3
Rosières 43 .... 227 E2
Rosières 81 .... 259 E3
Rosières 60 .... 35 E4
Rosières 07 .... 245 F3
Rosières-aux-Salines 54 . 94 B1
Rosières-devant-Bar 55 .. 66 B3
Rosières-en-Blois 55 .... 93 D1
Rosières-en-Haye 54 .... 67 F3
Rosières-en-Santerre 80 . 19 D3
Rosières-près-Troyes 10 . 90 B4
Rosières-sur-Barbèche 25 . 142 B3
Rosières-sur-Mance 70 . 117 F3
Rosiers-de-Juillac 19 ... 203 F4
Rosiers-d'Égletons 19 .. 205 E4
Les Rosiers-sur-Loire 49 . 129 D3
Rosis 34 .... 279 F2
Rosnay 85 .... 163 D2
Rosnay 51 .... 37 E4
Rosnay 36 .... 168 A1
Rosnay-l'Hôpital 10 .... 91 D2
Rosnes 55 .... 66 B2
Rosnoën 29 .... 73 F1
Rosny-sous-Bois 93 .... 61 E3
Rosny-sur-Seine 78 .... 59 F2
Rosoy 89 .... 112 C1
Rosoy 60 .... 34 C3
Rosoy-en-Multien 60 ... 62 B1
Rosoy-le-Vieil 45 ..... 112 A1
Rosoy-sur-Amance 52 .. 117 D3
Rospez 22 .... 50 A2
Rospigliani 2B 317 E3

Rosporden 29 .... 99 D1
Rossay 86 .... 148 C2
Rosselange 57 .... 41 E3
Rossfeld 67 .... 97 D1
Rossillon 01 .... 194 B3
Rosteig 67 .... 44 B4
Rostrenen 22 .... 76 B3
Rosult 59 .... 9 E2
Rosureux 25 .... 142 B4
Rotalier 39 .... 176 B1
Rotangy 60 .... 34 A1
Rothau 67 .... 70 B4
Rothbach 67 .... 70 C1
Rothéneuf 35 .... 52 C4
Rotherens 73 .... 213 E2
La Rothière 10 .... 91 D3
Rothois 60 .... 33 F1
Rottelsheim 67 .... 71 D2
Rottier 26 .... 248 A3
Rou-Marson 49 .... 129 D4

Rouairoux 81 .... 279 D3
Rouans 44 .... 125 F4
La Rouaudière 53 ...... 104 A3
Roubaix 59 .... 5 D4
Roubia 11 .... 303 E1
Roubion 06 .... 269 F1
Roucamps 14 .... 55 E2
Roucourt 59 .... 9 D3
Roucy 02 .... 37 E3
Roudouallec 56 .... 75 E4
Rouécourt 52 .... 92 A3
Rouède 31 .... 299 E3
Rouellé 61 .... 81 D1
Rouelles 52 .... 116 B3
Rouelles 76 .... 14 B4
Rouen 76 .... 32 A2
Rouessé-Fontaine 72 .... 82 C3
Rouessé-Vassé 72 ...... 82 A4
Rouet 34 .... 262 C4
Rouez 72 .... 106 B1
Rouffach 68 .... 96 B4
Rouffange 39 .... 140 B4
Rouffiac 15 .... 223 E4
Rouffiac 81 .... 259 E4

Rouffiac 16 .... 201 E4
Rouffiac 17 .... 199 F1
Rouffiac-d'Aude 11 .... 302 B2
Rouffiac-des-Corbières 11 . 303 D4
Rouffiac-Tolosan 31 .... 276 C2
Rouffignac 24 .... 221 D2
Rouffignac 17 .... 199 F2
Rouffignac (Grotte de) 24 . 221 D2
Rouffignac-de-Sigoulès 24 . 220 A4
Rouffigny 50 .... 54 B3
Rouffilhac 46 .... 222 A4
Rouffillac 24 .... 222 A4
Rouffy 51 .... 64 B2
Rougé 44 .... 103 F3
La Rouge 61 .... 83 F4
Rouge-Perriers 27 ...... 31 F4
Rougefay 62 .... 7 F2
Rougegoutte 90 .... 119 F3
Rougemont 21 .... 137 F1
Rougemont 25 .... 141 F2
Rougemont-le-Château 90 . 119 F3
Rougemontiers 27 ...... 31 E3
Rougemontot 25 .... 141 F2
Rougeou 41 .... 132 B3

Rougeries 02 .... 21 D3
Les Rouges-Eaux 88 .... 95 E3
Le Rouget 15 .... 223 F4
Rougeux 52 .... 117 E3
Rougiers 83 .... 285 F3
Rougiville 88 .... 95 F3
Rougnac 16 .... 202 A2
Rougnat 23 .... 188 B2
Rougon 04 .... 268 A4
Rouhe 25 .... 160 B3
Rouhling 57 .... 43 E4
Rouillac 16 .... 183 D4
Rouillac 22 .... 78 A3
Rouillas-Bas 63 ...... 207 E1
Rouillé 86 .... 165 F3
Rouillon 72 .... 106 C2
Rouilly 77 .... 88 C1
Rouilly-Sacey 10 ..... 90 C3
Rouilly-Saint-Loup 10 . 90 B4
Roujan 34 .... 280 B3
Roulans 25 .... 141 E3
Le Roulier 88 .... 95 D4
Roullée 72 .... 83 D2

Roullens 11 .... 302 B2
Roullet 16 .... 201 E2
Roullours 14 .... 55 D3
Roumagne 47 .... 237 F2
Roumare 76 .... 15 F4
Roumazières 16 ...... 184 B3
Roumazières-Loubert 16 . 184 B3
Roumégous 15 .... 223 F4
Roumégoux 81 .... 278 B1
Roumengoux 09 ...... 301 F3
Roumens 31 .... 277 F3
Roumoules 04 .... 267 F4
Rountzenheim 67 ..... 71 F1
Roupeldange 57 ...... 42 B3
Rouperroux 61 .... 82 B1
Rouperroux-le-Coquet 72 . 83 E2
Roupy 02 .... 20 A3
La Rouquette 12 ..... 241 D4
Roure 06 .... 269 F1
Le Rouret 06 .... 288 A2
Rousies 59 .... 10 B2
Roussac 87 .... 185 F2
Roussas 26 .... 247 D3
Roussay 49 .... 146 B1

ROUEN

Carmes (R. des) .... BYZ
Ganterie (R.) .... BY
Grand-Pont (R.) .... BZ
Gros-Horloge (R. du) .... ABYZ
Jeanne-d'Arc (R.) ...... BYZ
Leclerc (R. du Gén.) .... BZ
République (R. de la) ... BZ
Vieux-Marché (Pl. du) ... AY

Albane (Cour d') .... BZ 3
Alsace-Lorraine (R. d') .. CZ 6
Aubert (Pl. du Lieutenant) . CZ 9

Barbey d'Aurevilly (R.) ... AZ 10
Barthélemy (Pl.) .... BZ 12
Belfroy (R.) .... BY 13
Boildieu (Pont) .... BZ 16
Bons-Enfants (R. des) ... ABY 19
Boucheries-Saint-Ouen
  (R. des) .... CZ 22
Boudin (R. E.) .... BY 24
Boulet (Quai G.) .... AY 25
Bourg-l'Abbé (R.) .... CY 27
Bourse (Quai de la) ..... BZ 28
Bouvreuil (R.) .... BY 30

Cauchoise (R.) .... AY 46
Champ-des-Oiseaux
  (R. du) .... BY 48
Champlain (Av.) .... BZ 49
Chasselièvre (R.) .... AY 52
Cordier (R. du) .... BY 57
Corneille (Quai Pierre) .. BZ 58
Crosne (R. de) .... AY 61
Damiette (R.) .... CZ 63
Delacroix
  (Allée Eugène) .... BY 66
Donjon (R. du) .... BY 67
Eau-de-Robec (R.) ...... CZ 70
Écureuil (R. de l') ...... BY 72
Ernemont (R. d') .... CY 76

Faulx (R. des) .... CZ 81
Foch (Pl.) .... BY 84
Gaulle (Pl. Général-de) .. CY 89
Giraud (R. Général) ..... AZ 90
Guillaume-le-Conquérant
  (Pont) .... AZ 93
Hauts-Mariages
  (impasse des) .... CZ 94
Hôpital (R. de l') ...... BY 96
Jeanne-d'Arc (Pont) .... AZ 100
Joyeuse (R.) .... CY 101
Juifs (R. aux) .... BYZ 102
Libraires (Cour des) ... BZ 108
Neufchatel (Route de) .. CY 115
Ours (R. aux) .... ABZ 116

Paris (Quai de) .... BZ 117
Pie (R. de la) .... AY 120
Pucelle-d'Orléans
  (Pl. de la) .... AZ 121
Racine (R.) .... AY 124
Requins (R. des) ...... CY 128
Rollon (R.) .... AY 129
Saint-Godard (Pl.) .... BY 137
St-Marie (R.) .... CY 138
Schuman (R. Robert) ... CZ 140
Socrate (R.) .... BY 143
Thouret (R.) .... BYZ 147
Vieux-Palais (R. du) .. AY 152
19-Avril-1944
  (Pl. du) .... BY 155

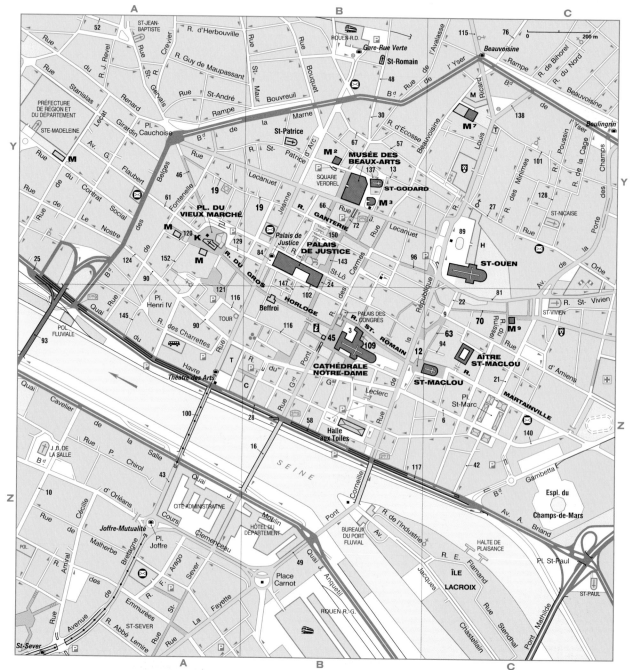

Roussayrolles 81 .... 258 C2
Rousseloy 60 .... 34 C3
Roussennac 12 .... 241 F3
Roussent 62 .... 6 B2
Les Rousses 39 .... 177 F2
Rousses 48 .... 262 B1
Rousset 13 .... 285 E3
Rousset 05 .... 249 F2
Le Rousset 71 .... 174 B2
Rousset (Col de) 26 ...... 230 A4
Rousset-les-Vignes 26 .... 247 E3
La Roussière 27 .... 57 F2
Roussieux 26 .... 248 B4
Roussillon 84 .... 265 F3
Roussillon 38 .... 210 C3
Roussillon-en-Morvan 71 .. 156 C2
Roussines 16 .... 202 B1
Roussines 36 .... 168 B3
Rousson 30 .... 263 E1
Rousson 89 .... 112 C1
Roussy-le-Village 57 ..... 41 F1
Routelle 25 .... 140 C4
Routes 76 .... 15 E2
Routier 11 .... 302 A2
Routot 27 .... 31 E3
Rouvenac 11 .... 302 A4
Rouves 54 .... 68 B2
La Rouvière 30 .... 263 F3
Rouvignies 59 .... 9 E3
Rouville 76 .... 15 D3
Rouville 60 .... 35 E4
Rouvillers 60 .... 35 D2
Rouvray 27 .... 59 D1
Rouvray 89 .... 113 E3
Rouvray 21 .... 137 E3
Rouvray-Catillon 76 .... 33 D1
Rouvray-Saint-Denis 28 .. 86 B4
Rouvray-Saint-Florentin 28 . 85 E4
Rouvray-Sainte-Croix 45 .. 109 F2
Rouvre 79 .... 165 D3
Rouvrel 80 .... 18 B3
Rouvres 28 .... 59 E3
Rouvres 77 .... 61 F1
Rouvres 14 .... 56 B1
Rouvres-en-Multien 60 .... 62 B1
Rouvres-en-Woëvre 55 .... 40 C4
Rouvres-en-Xaintois 88 ... 94 A3
Rouvres-la-Chétive 88 .... 93 E3
Rouvres-les-Bois 36 ..... 151 F2
Rouvres-les-Vignes 10 .... 91 F4
Rouvres-Saint-Jean 45 .... 86 C3
Rouvres-sous-Meilly 21 ... 138 B4
Rouvres-sur-Aube 52 ..... 116 A3
Rouvrois-sur-Meuse 55 ... 67 D2
Rouvrois-sur-Othain 55 ... 40 C2
Rouvroy 02 .... 20 A3
Rouvroy 62 .... 8 B2
Rouvroy-en-Santerre 80 ... 19 D3
Rouvroy-les-Merles 60 .... 18 B4
Rouvroy-Ripont 51 ...... 39 D4
Rouvroy-sur-Audry 08 .... 22 B3
Rouvroy-sur-Marne 52 .... 92 B3
Rouvroy-sur-Serre 02 .... 21 F4
Le Roux 07 .... 245 F1
Rouxeville 50 .... 54 C1
La Rouxière 44 .... 127 E2
Rouxmesnil-Bouteilles 76 .. 16 A2
Rouy 58 .... 155 E2
Rouy-le-Grand 80 ...... 19 E3
Rouy-le-Petit 80 .... 19 E3
Rouze 09 .... 311 D1
Rouzède 16 .... 202 B1
Rouziers 15 .... 223 F4
Rouziers-de-Touraine 37 .. 130 C2
Le Rove 13 .... 284 C4
Roville-aux-Chênes 88 .... 95 D2
Roville-devant-Bayon 54 ... 94 B2
Rovon 38 .... 230 A1
Roy-Boissy 60 .... 33 F1
Royan 17 .... 198 B2
Royas 38 .... 211 E2
Royat 63 .... 189 E4
Royaucourt 60 .... 34 C1
Royaucourt-et-Chailvet 02 .. 36 C1
Royaumeix 54 .... 67 F3
Royaumont (Abbaye de) 95 . 61 D1
Roybon 38 .... 211 F4
Roye 70 .... 119 D4
Roye 80 .... 19 D4
Roye-sur-Matz 60 ...... 35 E1
Royer 71 .... 175 D2
Royère-de-Vassivière 23 .. 187 D4
Royères 87 .... 186 A4
Roynac 26 .... 247 D1
Royon 62 .... 6 C2
Royville 76 .... 15 F2
Roz-Landrieux 35 ...... 79 D1
Roz-sur-Couesnon 35 .... 79 F1
Rozay-en-Brie 77 ...... 62 A4
Le Rozel 50 .... 24 B3
Rozelieures 54 .... 94 C2
Rozérieulles 57 .... 41 E4
Rozerotte 88 .... 94 A3
Rozès 32 .... 255 F4
Rozet-Saint-Albin 02 .... 36 B4
Le Rozier 48 .... 261 F1
Rozier-Côtes-d'Aurec 42 .. 209 E4
Rozier-en-Donzy 42 .... 191 F4
Rozières 52 .... 91 F2
Rozières-en-Beauce 45 ... 109 F2
Rozières-sur-Crise 02 .... 36 B4
Rozières-sur-Mouzon 88 .. 117 E1
Roziers-Saint-Georges 87 .. 186 B4
Rozoy-Bellevalle 02 ..... 63 D3
Rozoy-sur-Serre 02 ..... 21 F4
Ruages 58 .... 136 C2
Ruan 45 .... 110 A1
Ruan-sur-Egvonne 41 .... 108 C2
Ruaudin 72 .... 107 D2

Ruaux 88 .... 118 C2
Rubécourt-et-Lamécourt 08 . 23 E4
Rubelles 77 .... 87 F1
Rubempré 80 .... 18 B1
Rubercy 14 .... 27 F3
Rubescourt 80 .... 35 D1
Rubigny 08 .... 21 F4
Rubrouck 59 .... 3 E3
Ruca 22 .... 78 A1
Ruch 33 .... 219 D4
Rucqueville 14 .... 29 D3
Rudeau-Ladosse 24 .... 202 B3
Rudelle 46 .... 241 D1
Rue 80 .... 6 B3
La Rue-Saint-Pierre 76 .. 32 B1
La Rue-Saint-Pierre 60 .. 34 B2
Ruederbach 68 .... 120 B4
Rueil-la-Gadelière 28 ... 58 B4
Rueil-Malmaison 92 .... 60 C3
Ruelisheim 68 .... 120 C2
Ruelle-sur-Touvre 16 ... 201 F1
Les Rues-des-Vignes 59 .. 20 A1
Ruesnes 59 .... 9 F3
Rueyres 46 .... 241 D1
Ruffec 16 .... 183 F2
Ruffec 36 .... 168 A1
Ruffey-le-Château 25 ... 140 C3
Ruffey-lès-Beaune 21 ... 158 A2
Ruffey-lès-Echirey 21 ... 139 E3
Ruffey-sur-Seille 39 .... 159 E4
Ruffiac 56 .... 102 A3
Ruffieu 01 .... 194 B2
Ruffieux 73 .... 194 C3
Ruffigné 44 .... 103 F3
Rugles 27 .... 58 A3
Rugney 88 .... 94 B3
Rugny 89 .... 114 B3
Rugy 57 .... 41 F3
Ruhans 70 .... 141 E2
Ruillé-en-Champagne 72 .. 106 B1
Ruillé-Froid-Fonds 53 ... 105 E2
Ruillé-le-Gravelais 53 ... 104 C1
Ruillé-sur-Loir 72 ..... 107 F4
Ruisseauville 62 ...... 7 D2
Ruitz 62 .... 8 A2
Rullac-Saint-Cirq 12 ... 260 A2
Rully 14 .... 55 E3
Rully 60 .... 35 E4
Rully 71 .... 157 F3
Rumaisnil 80 ...... 18 A3
Rumaucourt 62 ..... 8 C4
Rumegies 59 ...... 9 E1
Rumengol 29 ...... 73 F1
Rumersheim 67 .... 71 D2
Rumersheim-le-Haut 68 .. 121 D1
Rumesnil 14 .... 30 A4
Rumigny 08 .... 22 A3
Rumigny 80 .... 18 B3
Rumilly 62 .... 7 D1
Rumilly 74 .... 195 D3
Rumilly-en-Cambrésis 59 .. 9 D4
Rumilly-lès-Vaudes 10 ... 114 C1
Ruminghem 62 ..... 3 D2
Rumont 77 .... 87 E4
Rumont 55 .... 66 B3
Runan 22 .... 50 B2
Rungis 94 .... 61 D4
Rupéreux 77 ..... 88 C1
Ruppes 88 ...... 93 E2
Rupt 52 .... 92 B2
Rupt-aux-Nonains 55 ... 66 B4
Rupt-devant-Saint-Mihiel 55 . 66 C2
Rupt-en-Woëvre 55 ..... 67 D1
Rupt-sur-Moselle 88 .... 119 E2
Rupt-sur-Othain 55 .... 40 B2
Rupt-sur-Saône 70 .... 118 A4
Rurange-lès-Thionville 57 .. 41 F3
Rurey 25 .... 160 B1
Rusio 2B 315 E4
Russ 67 .... 70 B4
Russange 57 ...... 41 E1
Le Russey 25 ...... 142 B4
Russy 14 .... 28 C3
Russy-Bémont 60 .... 35 F4
Rustenhart 68 ..... 120 C1
Rustiques 11 ...... 302 C1
Rustrel 84 .... 266 B3
Rustroff 57 .... 42 A2
Rutali 2B 315 E2
Ruvigny 10 .... 90 B4
Ruy 38 .... 211 F2
Ruyaulcourt 62 .... 19 F1
Ruynes-en-Margeride 15 .. 225 F3
Ry 76 .... 32 C2
Rye 39 .... 159 D3
Ryes 14 .... 29 D3

S
Saâcy-sur-Marne 77 ..... 62 C2
Saales 67 .... 96 A1
Saales (Col de) 67 ..... 96 A1
Saâne-Saint-Just 76 .... 15 F2
Saasenheim 67 .... 97 D2
Sabadel-Latronquière 46 .. 241 E1
Sabadel-Lauzès 46 ..... 240 B2
Sabaillan 32 .... 275 E3
Sabalos 65 .... 298 A1
Sabarat 09 .... 300 B2
Sabarros 65 .... 298 B1
Sabazan 32 .... 273 F1
Sablé-sur-Sarthe 72 .... 105 F3
Les Sables-d'Olonne 85 .. 162 A2
Sables-d'Or-les-Pins 22 .. 52 A4
Sablet 84 .... 265 E1
Les Sablettes 83 ...... 291 F4

Sablières 07 .... 245 E2
Sabloncéaux 17 .... 181 D4
Sablonnières 77 ...... 62 C3
Sablons 33 .... 218 C2
Sablons 38 .... 210 C4
Sabonnères 31 ...... 275 F3
La Sabotterie 08 ..... 38 C1
Sabran 30 .... 264 B1
Sabres 40 .... 253 E1
Saccourville 31 ..... 307 F3
Sacé 53 .... 81 D4
Sacey 50 .... 79 F1
Saché 37 .... 130 B4
Sachin 62 .... 7 F2
Sachy 08 .... 23 E4
Sacierges-Saint-Martin 36 .. 168 B2
Saclas 91 .... 86 C3
Saclay 91 .... 60 C4
Saconin-et-Breuil 02 ... 36 B3
Sacoué 65 .... 298 C3
Le Sacq 27 ..... 58 C3
Sacquenay 21 .... 139 F1
Sacquenville 27 ... 58 C1
Sacy 51 .... 37 E4
Sacy 89 .... 136 C1
Sacy-le-Grand 60 ... 35 D3
Sacy-le-Petit 60 ... 35 D3
Sadeillan 32 ..... 274 B2
Sadillac 24 ...... 238 A1
Sadirac 33 ...... 217 F4
Sadournin 65 .... 274 B4
Sadroc 19 ...... 204 B4
Saessolsheim 67 .. 70 C2
Saffais 54 ..... 94 B1
Saffloz 39 ..... 160 A4
Saffré 44 ..... 126 B2
Saffres 21 .... 138 B3
Sagelat 24 .... 221 D4
Sagnat 23 .... 169 D4
Sagnes-et-Goudoulet 07 .. 227 F4
Sagone 2A 316 A2
Sagonne 18 .... 154 A3
Sagy 71 ...... 176 A1
Sagy 95 ...... 60 B1
Sahorre 66 .... 311 E3
Sahune 26 .... 247 F3
Sahurs 76 .... 32 A3
Sai 61 ...... 56 C4
Saignes 15 .... 206 A4
Saignes 46 .... 222 C4
Saigneville 80 .. 6 B4
Saignon 84 .... 266 A4
Saiguède 31 .... 276 A3
Sail-les-Bains 42 .. 173 E4
Sail-sous-Couzan 42 .. 209 D1
Sailhan 65 .... 298 B4
Saillac 19 .... 222 B4
Saillac 46 .... 240 C4
Saillagouse 66 .. 310 C4
Saillans 26 .... 247 F1
Saillans 33 .... 218 C3
Saillant 63 .... 209 D3
Saillat-sur-Vienne 87 .. 184 C3
Saillé 44 ..... 123 E4
Saillenard 71 .. 159 D4
Sailly 08 .... 23 F4
Sailly 78 .... 60 A1
Sailly 52 .... 92 C2
Sailly 71 .... 174 C2
Sailly-Achâtel 57 .. 68 B2
Sailly-au-Bois 62 .. 18 C1
Sailly-en-Ostrevent 62 .. 8 C3
Sailly-Flibeaucourt 80 .. 6 B3
Sailly-Labourse 62 .. 8 A1
Sailly-Laurette 80 .. 18 C2
Sailly-le-Sec 80 .. 18 C2
Sailly-Lez-Cambrai 59 .. 9 D4
Sailly-lez-Lannoy 59 .. 5 D4
Sailly-Saillisel 80 .. 19 E1
Sailly-sur-la-Lys 62 .. 4 A4
Sain-Bel 69 .... 192 B4
Saincaize-Meauce 58 .. 154 C3
Sainghin-en-Mélantois 59 .. 9 D1
Sainghin-en-Weppes 59 .. 8 B1
Sainneville 76 .... 14 C4
Sainpuits 89 ... 135 F2
Sains 35 ..... 79 F1
Sains-du-Nord 59 .. 10 C3
Sains-en-Amiénois 80 .. 18 B3
Sains-en-Gohelle 62 .. 8 A2
Sains-lès-Fressin 62 .. 7 D2
Sains-lès-Marquion 62 .. 8 C4
Sains-lès-Pernes 62 .. 7 E2
Sains-Morainvillers 60 .. 34 C1
Sains-Richaumont 02 .. 20 C3
Le Saint 56 ..... 75 F4
Saint-Aaron 22 .. 51 F4
Saint-Abit 64 .... 297 D1
Saint-Abraham 56 .. 101 F2
Saint-Acheul 80 .. 7 D4
Saint-Adjutory 16 .. 184 A4
Saint-Adrien 22 .. 50 C4
Saint-Adrien (Roches de) 76 . 32 B3
Saint-Affrique 12 .. 261 D3
Saint-Affrique-
  les-Montagnes 81 .. 278 B3
Saint-Agathon 22 .. 50 C3
Saint-Agil 41 ..... 108 B2
Saint-Agnan 81 .. 277 E1
Saint-Agnan 71 .. 173 E2
Saint-Agnan 02 .. 63 E2
Saint-Agnan 58 .. 137 E4
Saint-Agnan 89 .. 88 B4
Saint-Agnan-de-Cernières 27 . 57 F2
Saint-Agnan-en-Vercors 26 .. 230 A3
Saint-Agnan-le-Malherbe 14 . 55 F1
Saint-Agnan-sur-Erre 61 .. 84 A3
Saint-Agnan-sur-Sarthe 61 .. 83 E1
Saint-Agnant 17 .. 181 D3
Saint-Agnant-de-Versillat 23 . 168 C4

Saint-Agnant-près-Crocq 23 . 188 A4
Saint-Agnant-
  sous-les-Côtes 55 .. 67 D3
Saint-Agne 24 .... 220 B4
Saint-Agnet 40 .. 273 D2
Saint-Agnin-sur-Bion 38 .. 211 F2
Saint-Agoulin 63 .. 189 E2
Saint-Agrève 07 .. 228 A2
Saint-Aignan 82 .. 257 D3
Saint-Aignan 72 .. 83 D4
Saint-Aignan 08 .. 23 D4
Saint-Aignan 41 .. 132 A4
Saint-Aignan 56 .. 76 C3
Saint-Aignan 33 .. 218 C3
Saint-Aignan-
  de-Couptrain 53 .. 82 A2
Saint-Aignan-
  de-Cramesnil 14 .. 56 A1
Saint-Aignan-des-Gués 45 .. 111 D3
Saint-Aignan-des-Noyers 18 . 154 A4
Saint-Aignan-Grandlieu 44 .. 145 E1
Saint-Aignan-le-Jaillard 45 .. 111 D4
Saint-Aignan-sur-Roë 53 .. 104 B3
Saint-Aignan-sur-Ry 76 .. 32 C2
Saint-Aigny 36 .. 167 F1
Saint-Aigulin 17 .. 219 D1
Saint-Ail 54 .... 41 E4
Saint-Albain 71 .. 175 E3
Saint-Alban 22 .. 51 F4
Saint-Alban 01 .. 194 A1
Saint-Alban 31 .. 276 C2
Saint-Alban-Auriolles 07 .. 246 A3
Saint-Alban-d'Ay 07 .... 228 B1
Saint-Alban-de-Montbel 73 . 212 C2
Saint-Alban-de-Roche 38 .. 211 F1
Saint-Alban-des-Hurtières 73 . 213 F2
Saint-Alban-des-Villards 73 . 213 F3
Saint-Alban-du-Rhône 38 .. 210 C3
Saint-Alban-en-Montagne 07 245 D1
Saint-Alban-les-Eaux 42 .. 191 D2
Saint-Alban-Leysse 73 .. 213 D1
Saint-Alban-
  sur-Limagnole 48 .... 226 A4
Saint-Albin-de-Vaulserre 38 . 212 C2
Saint-Alexandre 30 .. 264 B1
Saint-Algis 02 .. 21 D2
Saint-Allouestre 56 .. 101 E2
Saint-Alpinien 23 .. 187 F3
Saint-Alyre-d'Arlanc 63 .. 208 B4
Saint-Alyre-ès-Montagne 63 . 207 D3
Saint-Amadou 09 .. 301 D2
Saint-Amancet 81 .. 278 A3
Saint-Amand 23 .. 187 F3
Saint-Amand 62 .. 8 A4
Saint-Amand 50 .. 54 C1
Saint-Amand-de-Belvès 24 . 239 E1
Saint-Amand-de-Coly 24 .. 221 F2
Saint-Amand-de-Vergt 24 .. 220 C3
Saint-Amand-
  des-Hautes-Terres 27 .. 32 A4
Saint-Amand-en-Puisaye 58 . 135 E2
Saint-Amand-Jartoudeix 23 . 186 B3
Saint-Amand-le-Petit 87 .. 186 C4
Saint-Amand-les-Eaux 59 .. 9 E2
Saint-Amand-Longpré 41 .. 108 B4
Saint-Amand-Magnazeix 87 . 186 A1
Saint-Amand-Montrond 18 . 153 E4
Saint-Amand-sur-Fion 51 .. 65 E3
Saint-Amand-sur-Ornain 55 . 66 C4
Saint-Amand-sur-Sèvre 79 . 147 D3
Saint-Amandin 15 .. 206 C4
Saint-Amans 11 .. 301 F1
Saint-Amans 48 .. 244 A1
Saint-Amans 09 .. 300 C2
Saint-Amans-de-Pellagal 82 . 257 E1
Saint-Amans-des-Cots 12 .. 242 C1
Saint-Amans-du-Pech 82 .. 239 D4
Saint-Amans-Soult 81 .. 278 C3
Saint-Amans-Valtoret 81 .. 278 C3
Saint-Amant 16 .. 201 E3
Saint-Amant-de-Boixe 16 .. 183 E4
Saint-Amant-
  de-Bonnieure 16 .... 183 F4
Saint-Amant-de-Graves 16 . 201 D1
Saint-Amant-de-Nouère 16 . 183 E4
Saint-Amant-
  Roche-Savine 63 .... 208 B2
Saint-Amant-Tallende 63 .. 207 E1
Saint-Amarin 68 .. 120 A1
Saint-Ambreuil 71 .. 175 E1
Saint-Ambroix 30 .. 263 F1
Saint-Ambroix 18 .. 152 C3
Saint-Amé 88 .. 119 E1
Saint-Amour 39 .. 176 B3
Saint-Amour-Bellevue 71 .. 175 D4
Saint-Anastaise 63 .. 207 D3
Saint-Andelain 58 .. 135 D4
Saint-Andéol 26 .. 230 B3
Saint-Andéol 38 .. 230 B3
Saint-Andéol-de-Berg 07 .. 246 B2
Saint-Andéol-
  de-Clerguemort 48 .... 245 D4
Saint-Andéol-
  de-Fourchades 07 .... 227 F4
Saint-Andéol-de-Vals 07 .. 246 A1
Saint-Andéol-le-Château 69 . 210 C2
Saint-Andeux 21 .. 137 E3
Saint-Andiol 13 .. 265 D4
Saint-Andoche 70 .. 140 B1
Saint-André 66 .. 313 D3
Saint-André 31 .. 299 E1
Saint-André 32 .. 275 E4
Saint-André 81 .. 260 A3
Saint-André 73 .. 214 B4
Saint-André 16 .. 182 B4
Saint-André 06 .. 288 C2
Saint-André (Chapelle) 46 .. 239 F4
Saint-André-Capcèze 48 .. 245 D3
Saint-André-d'Allas 24 .. 221 E3
Saint-André-d'Apchon 42 .. 191 D2

Saint-André-de-Bâgé 01 .. 175 E4
Saint-André-de-Bœge 74 .. 178 B4
Saint-André-de-Bohon 50 .. 27 D3
Saint-André-de-Briouze 61 .. 56 A4
Saint-André-de-Buèges 34 .. 262 B4
Saint-André-
  de-Chalencon 43 .... 209 D4
Saint-André-de-Corcy 01 .. 193 D3
Saint-André-de-Cruzières 07 245 E4
Saint-André-de-Cubzac 33 .. 217 F2
Saint-André-de-Double 24 .. 219 F1
Saint-André-de-la-Marche 49 146 C1
Saint-André-de-Lancize 48 .. 262 C1
Saint-André-de-l'Épine 50 .. 27 F4
Saint-André-de-l'Eure 27 .. 59 D2
Saint-André-de-Lidon 17 .. 199 D1
Saint-André-
  de-Majencoules 30 .... 262 B3
Saint-André-de-Messei 61 .. 55 F4
Saint-André-de-Najac 12 .. 259 D1
Saint-André-
  de-Roquelongue 11 .... 303 E2
Saint-André-
  de-Roquepertuis 30 .... 264 A1
Saint-André-de-Rosans 05 . 248 B3
Saint-André-de-Sangonis 34 . 280 C1
Saint-André-de-Seignanx 40 270 C2
Saint-André-de-Valborgne 30 262 B2
Saint-André-de-Vézines 12 .. 261 F2
Saint-André-des-Eaux 44 .. 123 F4
Saint-André-des-Eaux 22 .. 78 C2
Saint-André-d'Embrun 05 .. 250 B1
Saint-André-d'Hébertot 14 .. 30 C3
Saint-André-d'Huiriat 01 .. 175 E4
Saint-André-d'Olérargues 30 264 A1
Saint-André-du-Bois 33 .. 236 C2
Saint-André-en-Barrois 55 .. 66 B1
Saint-André-en-Bresse 71 .. 175 F1
Saint-André-en-Morvan 58 .. 137 D2
Saint-André-en-Royans 38 .. 230 A2
Saint-André-
  en-Terre-Plaine 89 .... 137 E2
Saint-André-en-Vivarais 07 . 228 A1
Saint-André-et-Appelles 33 . 219 F4
Saint-André-Farivillers 60 .. 34 B1
Saint-André-Goule-d'Oie 85 . 146 B3
Saint-André-la-Côte 69 .. 210 B1
Saint-André-Lachamp 07 .. 245 F4
Saint-André-le-Bouchoux 01 193 E1
Saint-André-le-Coq 63 .. 189 F2
Saint-André-le-Désert 71 .. 174 C2
Saint-André-le-Gaz 38 .. 212 B2
Saint-André-le-Puy 42 .. 209 F1
Saint-André-les-Alpes 04 .. 268 B3
Saint-André-les-Vergers 10 .. 90 B4
Saint-André-lez-Lille 59 .. 4 C4
Saint-André-sur-Cailly 76 .. 32 B1
Saint-André-sur-Orne 14 .. 56 A1
Saint-André-sur-Sèvre 79 .. 147 E4
Saint-André-
  sur-Vieux-Jonc 01 .... 193 E1
Saint-André-Treize-Voies 85 . 145 E2
Saint-André-Val-de-Fier 74 . 195 D3
Saint-Androny 33 .. 217 D1
Saint-Ange-et-Torçay 28 .. 84 C1
Saint-Ange-le-Viel 77 .. 88 A4
Saint-Angeau 16 .. 183 F4
Saint-Angel 63 .. 189 D2
Saint-Angel 03 .. 171 D4
Saint-Angel 19 .. 205 F3
Saint-Anthème 63 .. 209 D2
Saint-Anthot 21 .. 138 B3
Saint-Antoine 25 .. 161 D3
Saint-Antoine 29 .. 49 E2
Saint-Antoine 33 .. 217 F2
Saint-Antoine 15 .. 242 A1
Saint-Antoine 05 .. 232 B3
Saint-Antoine 32 .. 256 C3
Saint-Antoine 13 .. 284 C4
Saint-Antoine-Cumond 24 .. 201 F4
Saint-Antoine-
  d'Auberoche 24 .... 221 D1
Saint-Antoine-de-Breuilh 24 . 219 E4
Saint-Antoine-de-Ficalba 47 . 238 C4
Saint-Antoine-du-Queyret 33 219 D4
Saint-Antoine-du-Rocher 37 . 130 C2
Saint-Antoine-la-Forêt 76 .. 15 D4
Saint-Antoine-l'Abbaye 38 .. 229 F1
Saint-Antoine-sur-l'Isle 33 .. 219 E2
Saint-Antonin 06 .. 269 E3
Saint-Antonin-
  de-Sommaire 27 .... 57 F3
Saint-Antonin-du-Var 83 .. 286 C2
Saint-Antonin-Noble-Val 82 . 258 C2
Saint-Antonin-sur-Bayon 13 . 285 E2
Saint-Aoustrille 36 .. 152 B3
Saint-Août 36 .. 152 B4
Saint-Apollinaire 21 .. 139 E3
Saint-Apollinaire 05 .. 250 A2
Saint-Apollinaire-de-Rias 07. 228 B3
Saint-Appolinard 69 .. 192 A2
Saint-Appolinard 38 .. 229 F1
Saint-Appolinard 42 .. 210 B4
Saint-Aquilin 24 .. 220 A1
Saint-Aquilin-d'Augerons 27 57 E2
Saint-Aquilin-de-Pacy 27 .. 59 D2
Saint-Araille 31 .. 275 F4
Saint-Arailles 32 .. 274 B2
Saint-Arcons-d'Allier 43 .. 226 B2
Saint-Arcons-de-Barges 43 . 227 D2
Saint-Arey 38 .. 230 C3
Saint-Armel 56 .. 123 D2
Saint-Armel 35 .. 103 E1
Saint-Armou 64 .. 273 D3
Saint-Arnac 66 .. 311 F1
Saint-Arnoult 76 .. 15 E4
Saint-Arnoult 60 .. 33 F1

Saint-Arnoult 41 .. 108 A4
Saint-Arnoult 14 .. 30 B3
Saint-Arnoult-des-Bois 28 .. 85 D2
Saint-Arnoult-en-Yvelines 78 86 B1
Saint-Arroman 65 .. 298 B3
Saint-Arroman 32 .. 274 C3
Saint-Arroumex 82 .. 257 D3
Saint-Astier 47 .. 237 F1
Saint-Astier 24 .. 220 B1
Saint-Auban 04 .. 268 C2
Saint-Auban 06 .. 268 C3
Saint-Auban-d'Oze 05 .. 249 D2
Saint-Auban-sur-l'Ouvèze 26 248 A1
Saint-Aubert 59 .. 9 E4
Saint-Aubert-sur-Orne 61 .. 56 A3
Saint-Aubin 39 .. 159 D2
Saint-Aubin 10 .. 89 E2
Saint-Aubin 21 .. 157 F2
Saint-Aubin 02 .. 36 A1
Saint-Aubin 40 .. 272 B1
Saint-Aubin 62 .. 6 B2
Saint-Aubin 59 .. 10 B3
Saint-Aubin 47 .. 238 C3
Saint-Aubin 36 .. 152 C3
Saint-Aubin 91 .. 60 C4
Saint-Aubin-Celloville 76 .. 32 B3
Saint-Aubin-
  Château-Neuf 89 .... 112 C3
Saint-Aubin-d'Appenai 61 .. 83 D1
Saint-Aubin-d'Arquenay 14 . 29 F3
Saint-Aubin-d'Aubigné 35 .. 79 E3
Saint-Aubin-de-Baubigny 79 147 E2
Saint-Aubin-de-Blaye 33 .. 199 E4
Saint-Aubin-de-Bonneval 61 . 57 D2
Saint-Aubin-de-Branne 33 .. 218 C4
Saint-Aubin-de-Cadelech 24 . 238 A1
Saint-Aubin-
  de-Courteraie 61 .... 83 E1
Saint-Aubin-de-Crétot 76 .. 15 E3
Saint-Aubin-de-Lanquais 24 . 220 B4
Saint-Aubin-
  de-Locquenay 72 .... 82 C4
Saint-Aubin-de-Luigné 49 .. 128 A3
Saint-Aubin-de-Médoc 33 .. 217 D3
Saint-Aubin-de-Nabirat 24 .. 239 F1
Saint-Aubin-de-Scellon 27 .. 31 D4
Saint-Aubin-de-Terregatte 50 80 A1
Saint-Aubin-d'Écrosville 27 . 58 B1
Saint-Aubin-des-Bois 28 .. 85 D2
Saint-Aubin-des-Bois 14 .. 54 B3
Saint-Aubin-
  des-Châteaux 44 .... 103 F4
Saint-Aubin-
  des-Chaumes 58 .... 136 C3
Saint-Aubin-des-Coudrais 72 83 F4
Saint-Aubin-des-Grois 61 .. 83 F3
Saint-Aubin-des-Hayes 27 .. 57 F2
Saint-Aubin-des-Landes 35 . 104 A1
Saint-Aubin-des-Ormeaux 85 146 C2
Saint-Aubin-des-Préaux 50 .. 53 F3
Saint-Aubin-du-Cormier 35 .. 79 F3
Saint-Aubin-du-Désert 53 .. 82 A3
Saint-Aubin-du-Pavail 35 .. 103 F1
Saint-Aubin-du-Perron 50 .. 27 D4
Saint-Aubin-du-Plain 79 .. 147 F2
Saint-Aubin-du-Thenney 27 . 57 E1
Saint-Aubin-en-Bray 60 .. 33 F2
Saint-Aubin-en-Charollais 71 174 A2
Saint-Aubin-Épinay 76 .. 32 B2
Saint-Aubin-
  Fosse-Louvain 53 .... 81 D2
Saint-Aubin-la-Plaine 85 .. 163 F2
Saint-Aubin-le-Cauf 76 .. 16 B3
Saint-Aubin-le-Cloud 79 .. 165 D1
Saint-Aubin-le-Dépeint 37 .. 130 B1
Saint-Aubin-le-Guichard 27 . 58 A1
Saint-Aubin-le-Monial 03 .. 171 F2
Saint-Aubin-le-Vertueux 27 . 57 F1
Saint-Aubin-Lébizay 14 .. 30 A4
Saint-Aubin-lès-Elbeuf 76 .. 32 A3
Saint-Aubin-les-Forges 58 .. 154 C1
Saint-Aubin-Montenoy 80 .. 17 F3
Saint-Aubin-Rivière 80 .. 17 E3
Saint-Aubin-Routot 76 .. 14 C4
Saint-Aubin-sous-Erquery 60 34 C2
Saint-Aubin-sur-Aire 55 .. 66 C4
Saint-Aubin-sur-Algot 14 .. 56 C1
Saint-Aubin-sur-Gaillon 27 .. 32 C4
Saint-Aubin-sur-Loire 71 .. 173 D2
Saint-Aubin-sur-Mer 14 .. 29 E3
Saint-Aubin-sur-Mer 76 .. 15 F1
Saint-Aubin-
  sur-Quilleboeuf 27 .... 15 D4
Saint-Aubin-sur-Scie 76 .. 16 A3
Saint-Augustin 19 .. 205 D3
Saint-Augustin 17 .. 198 B1
Saint-Augustin 77 .. 62 B3
Saint-Augustin 03 .. 154 B4
Saint-Augustin-des-Bois 49 . 128 A1
Saint-Aulaire 19 .. 222 A1
Saint-Aulais-la-Chapelle 16 . 201 D3
Saint-Aulaye 24 .. 219 E1
Saint-Aunès 34 .. 281 F2
Saint-Aunix-Lengros 32 .. 273 F2
Saint-Aupre 38 .. 212 C3
Saint-Austremoine 43 .. 226 A2
Saint-Auvent 87 .. 185 D4
Saint-Avaugourd-
  des-Landes 85 .... 162 C2
Saint-Avé 56 .. 101 E4
Saint-Aventin 31 .. 307 F4
Saint-Avertin 37 .. 130 C3
Saint-Avit 26 .. 229 D1
Saint-Avit 47 .. 239 D2
Saint-Avit 16 .. 201 E4
Saint-Avit 47 .. 237 F2
Saint-Avit 81 .. 278 A3
Saint-Avit 41 .. 108 B2

Saint-Avit 63 .... 188 B4
Saint-Avit-de-Soulège 33 ... 219 E4
Saint-Avit-de-Tardes 23 ..... 187 F3
Saint-Avit-de-Vialard 24.. 221 D3
Saint-Avit-Frandat 32 ..... 256 B3
Saint-Avit-le-Pauvre 23 .... 187 E3
Saint-Avit-les-Guespières 28 . 85 D4
Saint-Avit-Rivière 24........ 239 D1
Saint-Avit-Saint-Nazaire 33.. 219 F4
Saint-Avit-Sénieur 24......... 220 C4
Saint-Avold 57 .... 42 C4
Saint-Avre 73 .... 214 A3
Saint-Ay 45 .... 109 F3
Saint-Aybert 59 .... 9 F3
Saint-Aygulf 83 .... 287 F3
Saint-Babel 63 .... 207 F2
Saint-Baldoph 73 .... 213 D2
Saint-Bandry 02............. 36 A3
Saint-Baraing 39 .... 159 D2
Saint-Barbant 87 .... 185 D1
Saint-Bard 23 .... 188 A3
Saint-Bardoux 26........... 229 D2
Saint-Barnabé 22........... 77 E4
Saint-Barthélemy 40........ 271 D2
Saint-Barthélemy 77...... 63 D3
Saint-Barthélemy 70........ 119 D3
Saint-Barthélemy 38........ 211 E4
Saint-Barthélemy 56........ 100 C2
Saint-Barthélemy 50........ 54 C4
Saint-Barthélemy-
d'Agenais 47............ 238 A2
Saint-Barthélemy-d'Anjou 49 128 B2
Saint-Barthélemy-de-Vals 26 229 D1
Saint-Barthélemy-
de-Séchilienne 38 .... 231 D2
Saint-Barthélemy-
de-Bellegarde 24 .... 219 F2
Saint-Barthélemy-
de-Bussière 24 .... 202 C1
Saint-Barthélemy-Grozon 07 228 B3
Saint-Barthélemy-le-Meil 07. 228 B3
Saint-Barthélemy-le-Plain 07 228 C2
Saint-Barthélemy-Lestra 42 . 210 A1
Saint-Basile 07 .... 228 B3
Saint-Baslemont 88......... 94 A4
Saint-Baudel 18 .... 153 D4
Saint-Baudelle 53 .... 81 E3
Saint-Baudille-de-la-Tour 38. 193 F4
Saint-Baudille-et-Pipet 38 .. 230 C4
Saint-Bauld 37 .... 150 B1
Saint-Baussant 54......... 67 E2
Saint-Bauzeil 09........... 301 D2
Saint-Bauzély 30 .... 263 F3
Saint-Bauzile 48........... 244 B3
Saint-Bauzile 07 .... 246 C1
Saint-Bauzille-de-la-Sylve 34 281 D2
Saint-Bauzille-
de-Montmel 34........... 281 F1
Saint-Bauzille-de-Putois 34.. 262 C1
Saint-Bazile 87 .... 202 C1
Saint-Bazile-de-la-Roche 19 . 223 D1
Saint-Bazile-de-Meyssac 19 . 222 C2
Saint-Béat 31 .... 299 D4
Saint-Beaulize 12 .... 261 E4
Saint-Beauzeil 82......... 239 D4
Saint-Beauzély 12 .... 261 D2
Saint-Beauzile 81........... 258 C3
Saint-Beauzire 43......... 207 F4
Saint-Beauzire 63......... 189 F4
Saint-Bénézet 30 .... 263 E3
Saint-Bénigne 01......... 175 E3
Saint-Benin 59 .... 20 B1
Saint-Benin-d'Azy 58 ...... 155 E2
Saint-Benin-des-Bois 58 .... 155 E1
Saint-Benoist-sur-Mer 85 ... 163 D2
Saint-Benoist-sur-Vanne 10 . 89 E4
Saint-Benoît 11........... 302 A3

Saint-Benoît 28........... 108 B1
Saint-Benoît 01........... 212 B1
Saint-Benoît 86........... 166 B2
Saint-Benoît 04........... 268 C2
Saint-Benoît-de-Carmaux 81 259 E2
Saint-Benoît-des-Ombres 27 . 31 E4
Saint-Benoît-des-Ondes 35.. 53 D4
Saint-Benoît-d'Hébertot 14.. 30 C3
Saint-Benoît-du-Sault 36.... 168 B3
Saint-Benoît-en-Diois 26.... 247 F1
Saint-Benoît-la-Chipotte 88.. 95 E2
Saint-Benoît-la-Forêt 37.... 130 A2
Saint-Benoît-sur-Loire 45 ... 111 D4
Saint-Benoît-sur-Seine 10... 90 A3
Saint-Bérain 43........... 226 B2
Saint-Berain-
sous-Sanvignes 71........ 157 D4
Saint-Béraïn-sur-Dheune 71. 157 F3
Saint-Bernard 38........... 213 D4
Saint-Bernard 57 .... 42 A3
Saint-Bernard 21........... 158 B1
Saint-Bernard 68........... 120 B3
Saint-Bernard 01 .... 192 C3
Saint-Béron 73........... 212 C2
Saint-Berthevin 53......... 105 D1
Saint-Berthevin-
la-Tannière 53............ 80 C2
Saint-Bertrand-
de-Comminges 31......... 298 C3
Saint-Biez-en-Belin 72 ..... 107 D3
Saint-Bihy 22 .... 77 D2
Saint-Blaise 74........... 195 E1
Saint-Blaise 06........... 288 C1
Saint-Blaise (Fouilles de) 13 . 284 A3
Saint-Blaise-du-Buis 38 ..... 212 B3
Saint-Blaise-la-Roche 67.... 96 A1
Saint-Blancard 32 .... 275 D4
Saint-Blimont 80........... 6 A4
Saint-Blin 52 .... 92 C3
Saint-Boès 64........... 272 A4
Saint-Bohaire 41 .... 132 A1
Saint-Boil 71 .... 175 D1
Saint-Boingt 54 .... 94 C2
Saint-Bois 01........... 212 B1
Saint-Bômer 28 .... 84 A4
Saint-Bômer-les-Forges 61.. 55 E4
Saint-Bon 51........... 63 D4
Saint-Bon-Tarentaise 73 .... 214 B2
Saint-Bonnet 16........... 201 D3
Saint-Bonnet (Signal de) 69 . 192 B2
Saint-Bonnet-Avalouze 19... 222 C1
Saint-Bonnet-Briance 87.... 204 A1
Saint-Bonnet-de-Bellac 87... 185 D1
Saint-Bonnet-
de-Chavagne 38.......... 229 F3
Saint-Bonnet-de-Chirac 48 .. 243 F3
Saint-Bonnet-de-Condat 15 . 206 C4
Saint-Bonnet-de-Cray 71.... 191 E1
Saint-Bonnet-de-Four 03.... 171 E4
Saint-Bonnet-de-Joux 71.... 174 B2
Saint-Bonnet-
de-Montauroux 48........ 226 C4
Saint-Bonnet-de-Mure 69... 211 E1
Saint-Bonnet-
de-Rochefort 03........... 189 D1
Saint-Bonnet-
de-Salendrinque 30....... 263 D3
Saint-Bonnet-de-Salers 15 .. 224 A1
Saint-Bonnet-
de-Valclérieux 26......... 229 E1
Saint-Bonnet-
de-Vieille-Vigne 71....... 174 A2
Saint-Bonnet-
des-Bruyères 69.......... 174 B4
Saint-Bonnet-des-Quarts 42. 190 C1
Saint-Bonnet-du-Gard 30... 264 B3

Saint-Bonnet-Elvert 19...... 223 D1
Saint-Bonnet-en-Bresse 71. 158 C3
Saint-Bonnet-
en-Champsaur 05 .... 249 E1
Saint-Bonnet-la-Rivière 19 . 204 A4
Saint-Bonnet-le-Bourg 63.. 208 B3
Saint-Bonnet-le-Chastel 63.. 208 B3
Saint-Bonnet-le-Château 42 209 E3
Saint-Bonnet-le-Courreau 42 209 D1
Saint-Bonnet-le-Froid 43.... 228 A1
Saint-Bonnet-le-Troncy 69.. 192 A2
Saint-Bonnet-l'Enfantier 19.. 204 B4
Saint-Bonnet-lès-Allier 63... 207 F1
Saint-Bonnet-les-Oules 42 .. 210 A2
Saint-Bonnet-
les-Tours-de-Merle 19 .... 223 D2
Saint-Bonnet-près-Bort 19 . 206 A3
Saint-Bonnet-près-Orcival 63 207 D1
Saint-Bonnet-près-Riom 63 . 189 F3
Saint-Bonnet-sur-Gironde 17 199 D3
Saint-Bonnet-Tronçais 03 ... 171 D1
Saint-Bonnot 58........... 136 A4
Saint-Bouize 18........... 135 D4
Saint-Brancher 89 .... 137 D3
Saint-Branchs 37........... 131 D4
Saint-Brandan 22........... 77 D2
Saint-Brès 32 .... 275 E1
Saint-Brès 30 .... 263 F1
Saint-Brès 34 .... 282 A2
Saint-Bresson 70 .... 119 D2
Saint-Bresson 30 .... 262 B3
Saint-Bressou 46........... 241 D1
Saint-Brevin-les-Pins 44.... 125 E3
Saint-Brévin-l'Océan 44.... 125 E4
Saint-Briac-sur-Mer 35..... 52 B4
Saint-Brice 81 .... 81 E1
Saint-Brice 53........... 105 F3
Saint-Brice 50........... 54 A4
Saint-Brice 16........... 200 C1
Saint-Brice 77........... 88 C1
Saint-Brice 33........... 236 C1
Saint-Brice-Courcelles 51 ... 37 F3
Saint-Brice-de-Landelles 50 . 80 B1
Saint-Brice-en-Coglès 35.... 80 A2
Saint-Brice-sous-Forêt 95 .. 61 D2
Saint-Brice-sous-Rânes 61 .. 56 A4
Saint-Brice-sur-Vienne 87... 185 D3
Saint-Brieuc 22........... 51 E4
Saint-Brieuc-de-Mauron 56.. 78 A4
Saint-Brieuc-des-Iffs 35.... 79 D3
Saint-Bris-des-Bois 17 ..... 182 B4
Saint-Bris-le-Vineux 89..... 113 E4
Saint-Brisson 58........... 137 E4
Saint-Brisson-sur-Loire 45 .. 134 C1
Saint-Broing 21 .... 140 B2
Saint-Broing-les-Moines 21 . 115 F4
Saint-Broingt-le-Bois 52.... 117 D4
Saint-Broingt-les-Fosses 52 . 116 C4
Saint-Broladre 35........... 79 E1
Saint-Bueil 38 .... 212 C2
Saint-Cado 56........... 100 B3
Saint-Calais 72........... 108 A3
Saint-Calais-du-Désert 53... 82 A4
Saint-Calez-en-Saosnois 72 . 83 D3
Saint-Cannat 13........... 284 C2
Saint-Caprais 18........... 153 D2
Saint-Caprais 03........... 171 D2
Saint-Caprais 32........... 275 E2
Saint-Caprais 46........... 239 E2
Saint-Caprais-de-Blaye 33.. 199 E4
Saint-Caprais-
de-Bordeaux 33.......... 217 F4
Saint-Capraise-de-Lerm 47.. 256 B1
Saint-Capraise-de-Lalinde 24 220 B4
Saint-Capraise-d'Eymet 24 . 238 A1
Saint-Caradec 22........... 77 D3
Saint-Caradec-Trégomel 56 . 100 A1

Saint-Carné 22 .... 78 C2
Saint-Carreuc 22........... 77 E2
Saint-Cassien 38........... 212 B3
Saint-Cassien 24........... 238 C1
Saint-Cassien 86........... 148 C2
Saint-Cassin 73........... 213 D2
Saint-Cast-le-Guildo 22..... 52 B4
Saint-Castin 64........... 273 D4
Saint-Célerin 72........... 107 E1
Saint-Cénéré 53........... 105 E1
Saint-Céneri-le-Gérei 61 .... 82 B3
Saint-Céols 18........... 134 C4
Saint-Céré 46........... 223 D4
Saint-Cergues 74........... 178 A4
Saint-Cernin 15........... 224 A2
Saint-Cernin 46........... 240 B2
Saint-Cernin-de-Labarde 24. 238 B1
Saint-Cernin-de-Larche 19.. 222 A2
Saint-Cernin-de-Reilhac 24.. 221 D2
Saint-Césaire 30........... 264 A4
Saint-Césaire 17........... 182 B4
Saint-Césaire-
de-Gauzignan 30......... 263 F3
Saint-Cézaire-
(Grottes de) 06 .... 287 F1
Saint-Cézaire-sur-Siagne 06. 287 F1
Saint-Cézert 31........... 276 A1
Saint-Chabrais 23........... 187 F1
Saint-Chaffrey 05........... 232 B3
Saint-Chamant 19........... 223 D2
Saint-Chamant 15........... 224 A2
Saint-Chamarand 46........ 240 A1
Saint-Chamas 13........... 284 B3
Saint-Chamassy 24........... 221 D4
Saint-Chamond 42 .... 210 B3
Saint-Champ 01........... 194 C4
Saint-Chaptes 30........... 263 F3
Saint-Charles 54........... 41 D1
Saint-Charles-de-Percy 14... 55 D2
Saint-Charles-la-Forêt 53... 105 E2
Saint-Chartier 36........... 169 F1
Saint-Chartres 86........... 148 C3
Saint-Chef 38 .... 212 A1
Saint-Chels 46........... 240 C3
Saint-Chély-d'Apcher 48.... 225 F4
Saint-Chély-d'Aubrac 12.... 243 D2
Saint-Chély-du-Tarn 48 .... 244 A4
Saint-Chéron 51........... 91 D1
Saint-Chéron 91........... 86 C1
Saint-Chéron-
des-Champs 28 .... 85 E1
Saint-Chinian 34 .... 279 F4
Saint-Christ-Briost 80...... 19 E3
Saint-Christau 64........... 296 B2
Saint-Christaud 31........... 300 A2
Saint-Christaud 32........... 274 A3
Saint-Christo-en-Jarez 42 .. 210 A2
Saint-Christol 34 .... 282 A1
Saint-Christol 07........... 228 A4
Saint-Christol 84........... 266 B2
Saint-Christol-
de-Rodières 30........... 264 B1
Saint-Christol-lès-Alès 30 .. 263 E2
Saint-Christoly-de-Blaye 33 . 217 F1
Saint-Christoly-Médoc 33... 198 C3
Saint-Christophe 28 ...... 109 D1
Saint-Christophe 17 ...... 181 D1
Saint-Christophe 81 ...... 259 D2
Saint-Christophe 23 ...... 187 D2
Saint-Christophe 16 ...... 185 D2
Saint-Christophe 86 ...... 149 E3
Saint-Christophe 03 ...... 190 B1
Saint-Christophe 69 ...... 174 C4
Saint-Christophe-à-Berry 02. 36 A2
Saint-Christophe-d'Allier 43. 226 C4
Saint-Christophe-
de-Double 33 .... 219 D2
Saint-Christophe-
de-Chaulieu 61........... 55 D3
Saint-Christophe-
de-Valains 35 .... 79 F3
Saint-Christophe-
des-Bardes 33........... 219 D3
Saint-Christophe-des-Bois 35 80 A4
Saint-Christophe-
Dodinicourt 10 .... 91 D2
Saint-Christophe-
du-Ligneron 85........... 145 D3
Saint-Christophe-du-Luat 53 105 F1
Saint-Christophe-du-Foc 50 . 24 B3
Saint-Christophe-du-Bois 49 146 C2
Saint-Christophe-
du-Jambet 72 .... 82 C4
Saint-Christophe-
en-Boucherie 36.......... 169 F1
Saint-Christophe-
en-Oisans 38........... 231 F2
Saint-Christophe-
en-Bazelle 36........... 152 A4
Saint-Christophe-
en-Brionnais 71........... 174 A4
Saint-Christophe-
en-Champagne 72........ 106 B2
Saint-Christophe-
en-Bresse 71........... 158 B4
Saint-Christophe-
et-le-Laris 26........... 229 E1
Saint-Christophe-
la-Couperie 49 .... 127 D4
Saint-Christophe-
la-Grotte 73........... 212 C3
Saint-Christophe-
le-Chaudry 18........... 170 B2
Saint-Christophe-
le-Jajolet 61........... 56 C4
Saint-Christophe-
les-Gorges 15........... 223 F1
Saint-Christophe-
sur-Dolaison 43........... 227 D3

Saint-Christophe-sur-Roc 79 165 D3
Saint-Christophe-
sur-Condé 27 .... 31 E3
Saint-Christophe-sur-Avre 27 58 A4
Saint-Christophe-
sur-le-Nais 37 .... 130 B1
Saint-Christophe-
sur-Guiers 38 .... 212 C3
Saint-Christophe-Vallon 12.. 242 A3
Saint-Cibard 33 .... 219 D3
Saint-Cierge-la-Serre 07 ... 228 C4
Saint-Cierge-
sous-le-Cheylard 07 ..... 228 A3
Saint-Ciergues 52........... 116 C3
Saint-Ciers-Champagne 17.. 200 C3
Saint-Ciers-d'Abzac 33..... 218 C2
Saint-Ciers-de-Canesse 33 .. 217 F2
Saint-Ciers-du-Taillon 17... 199 E3
Saint-Ciers-sur-Bonnieure 16 183 F3
Saint-Ciers-sur-Gironde 33.. 199 E4
Saint-Cirgue 81 .... 259 F3
Saint-Cirgues 46........... 241 E1
Saint-Cirgues 43........... 226 A1
Saint-Cirgues-
de-Jordanne 15 .... 224 B2
Saint-Cirgues-de-Malbert 15 224 A2
Saint-Cirgues-de-Prades 07 . 245 F2
Saint-Cirgues-
en-Montagne 07 .... 245 E1
Saint-Cirgues-la-Loutre 19 . 223 D2
Saint-Cirgues-sur-Couze 63 . 207 E2
Saint-Cirice 82........... 256 C2
Saint-Cirq 24........... 221 D3
Saint-Cirq 82........... 258 B2
Saint-Cirq-Lapopie 46....... 240 B3
Saint-Cirq-Madelon 46...... 221 F4
Saint-Cirq-Souillaguet 46 ... 240 A1
Saint-Civran 36........... 168 B2
Saint-Clair 83........... 293 D2
Saint-Clair 82........... 257 D2
Saint-Clair 46........... 240 A1
Saint-Clair 86........... 148 C3
Saint-Clair 07........... 210 C4
Saint-Clair-d'Arcey 27 ..... 57 F3
Saint-Clair-de-Halouze 61... 55 E4
Saint-Clair-de-la-Tour 38... 212 A2
Saint-Clair-du-Rhône 38 ... 210 C3
Saint-Clair-sur-Galaure 38... 211 E4
Saint-Clair-sur-l'Elle 50 .... 27 D4
Saint-Clair-sur-les-Monts 76. 15 E3
Saint-Clar 32........... 256 B4
Saint-Clar-de-Rivière 31.... 276 A3
Saint-Claud 16 .... 184 A3
Saint-Claude 39 .... 177 E3
Saint-Claude-de-Diray 41... 132 A1
Saint-Clément 54 .... 95 D1
Saint-Clément 50........... 55 D4
Saint-Clément 02........... 21 E3
Saint-Clément 30........... 263 E4
Saint-Clément 07........... 227 F3
Saint-Clément 03........... 190 C2
Saint-Clément 15........... 224 C3
Saint-Clément 89........... 88 C4
Saint-Clément 19........... 204 C4
Saint-Clément-à-Arnes 08... 38 B3
Saint-Clément-de-la-Place 49 128 A2
Saint-Clément-de-Régnat 63 189 F2
Saint-Clément-de-Rivière 34. 281 F1
Saint-Clément-
de-Valorgue 63........... 209 D2
Saint-Clément-de-Vers 69... 174 B4
Saint-Clément-
des-Baleines 17 .... 162 C4
Saint-Clément-des-Levées 49 129 D3
Saint-Clément-les-Places 69. 192 A4
Saint-Clément-
sur-Durance 05........... 250 B1
Saint-Clément-sur-Guye 71. 174 C1
Saint-Clément-
sur-Valsonne 69........... 192 A3
Saint-Clémentin 79........... 147 F2
Saint-Clet 22........... 50 C2
Saint-Cloud 92........... 60 D
Saint-Cloud-en-Dunois 28... 109 E2
Saint-Colomb-de-Lauzun 47. 238 A2
Saint-Colomban 44........... 145 E2
Saint-Colomban-
des-Villards 73 .... 213 F4
Saint-Côme 33........... 236 C3
Saint-Côme (Chapelle de) 29 73 E2
Saint-Côme-de-Fresné 14... 29 D3
Saint-Côme-d'Olt 12....... 242 C3
Saint-Côme-du-Mont 50.... 27 D4
Saint-Côme-et-Maruéjols 30. 263 F4
Saint-Congard 56........... 102 A3
Saint-Connan 22........... 76 C1
Saint-Connec 22........... 77 D3
Saint-Constant 15........... 241 E1
Saint-Contest 14........... 29 E4
Saint-Corneille 72........... 107 D1
Saint-Cosme 68........... 120 A3
Saint-Cosme-en-Vairais 72.. 83 E4
Saint-Couat-d'Aude 11...... 303 D1
Saint-Couat-du-Razès 11.... 302 A3
Saint-Coulitz 29........... 73 D2
Saint-Coulomb 35........... 53 D4
Saint-Coutant 79........... 165 F4
Saint-Coutant 16........... 184 A2
Saint-Coutant-le-Grand 17 .. 181 E2
Saint-Créac 65........... 297 F2
Saint-Créac 32........... 256 C3
Saint-Crépin 05........... 232 C4
Saint-Crépin 17........... 181 E2
Saint-Crépin-aux-Bois 60.... 35 F2
Saint-Crépin-d'Auberoche 24 221 D2
Saint-Crépin-
de-Richemont 24 .... 202 B3
Saint-Crépin-et-Carlucet 24.. 221 F3

Saint-Crépin-Ibouvillers 60.. 34 A4
Saint-Crespin 76........... 16 A3
Saint-Crespin 14........... 56 C1
Saint-Crespin-sur-Moine 49. 146 B1
Saint-Cricq 32........... 275 F1
Saint-Cricq-Chalosse 40..... 272 B1
Saint-Cricq-du-Gave 40..... 271 F2
Saint-Cricq-Villeneuve 40... 254 B4
Saint-Cybardeaux 16....... 183 D4
Saint-Cybranet 24........... 221 E4
Saint-Cyprien 66........... 313 E2
Saint-Cyprien 24........... 221 E4
Saint-Cyprien 42........... 209 F2
Saint-Cyprien 46........... 239 F4
Saint-Cyprien 19........... 222 A1
Saint-Cyprien-Plage 66..... 313 E2
Saint-Cyprien-
sur-Dourdou 12........... 242 A2
Saint-Cyr 50........... 25 D3
Saint-Cyr 87........... 185 D4
Saint-Cyr 71........... 175 E1
Saint-Cyr 07........... 149 E4
Saint-Cyr 39........... 159 F2
Saint-Cyr 07........... 210 C4
Saint-Cyr (Mont) 46....... 240 A3
Saint-Cyr-au-Mont-d'Or 69.. 192 C4
Saint-Cyr-de-Favières 42.... 191 E3
Saint-Cyr-de-Salerne 27.... 31 E4
Saint-Cyr-de-Valorges 42... 191 F3
Saint-Cyr-des-Gâts 85...... 164 A1
Saint-Cyr-du-Bailleul 50.... 81 D1
Saint-Cyr-du-Doret 17 ..... 164 A4
Saint-Cyr-du-Gault 41...... 131 E1
Saint-Cyr-du-Ronceray 14... 57 D1
Saint-Cyr-en-Arthies 95..... 59 F1
Saint-Cyr-en-Bourg 49 ..... 129 E3
Saint-Cyr-en-Pail 53 ...... 82 A2
Saint-Cyr-en-Retz 44....... 145 D3
Saint-Cyr-en-Talmondais 85. 163 D4
Saint-Cyr-en-Val 45....... 110 B3
Saint-Cyr-la-Campagne 27 .. 32 A4
Saint-Cyr-la-Lande 79 ..... 148 B2
Saint-Cyr-la-Rivière 91..... 86 C3
Saint-Cyr-la-Roche 19...... 204 A4
Saint-Cyr-la-Rosière 61..... 83 F3
Saint-Cyr-le-Chatoux 69.... 192 B2
Saint-Cyr-le-Gravelais 53... 104 C1
Saint-Cyr-l'École 78....... 60 B3
Saint-Cyr-
les-Champagnes 24 ...... 203 F4
Saint-Cyr-les-Colons 89..... 113 F4
Saint-Cyr-les-Vignes 42 ... 209 F1
Saint-Cyr-sous-Dourdan 91 . 86 B1
Saint-Cyr-sur-le-Rhône 69.. 211 D2
Saint-Cyr-sur-Loire 37 ..... 130 C3
Saint-Cyr-sur-Menthon 01.. 175 E4
Saint-Cyr-sur-Mer 83 ...... 291 E3
Saint-Cyr-sur-Morin 77 .... 62 C2
Saint-Cyran-du-Jambot 36.. 150 C2
Saint-Dalmas-de-Tende 06.. 289 F1
Saint-Dalmas-le-Selvage 06. 251 D4
Saint-Dalmas-Valdeblore 06. 269 F1
Saint-Daunès 46........... 239 F4
Saint-Denis 93........... 61 D2
Saint-Denis 79........... 165 D2
Saint-Denis 30........... 263 F1
Saint-Denis 11........... 278 B4
Saint-Denis 89........... 88 C4
Saint-Denis-Catus 46....... 240 A2
Saint-Denis-Combarnazat 63 190 A2
Saint-Denis-d'Aclon 76 .... 15 F1
Saint-Denis-d'Anjou 53..... 105 F3
Saint-Denis-d'Augerons 27.. 57 E2
Saint-Denis-d'Authou 28.... 84 B3
Saint-Denis-de-Cabanne 42. 191 F1
Saint-Denis-de-Gastines 53. 81 D2
Saint-Denis-de-Jouhet 36... 169 D2
Saint-Denis-de-l'Hôtel 45... 110 C3
Saint-Denis-de-Mailloc 14... 57 D1
Saint-Denis-de-Méré 14.... 55 F3
Saint-Denis-de-Palin 18..... 153 E3
Saint-Denis-de-Pile 33..... 218 C2
Saint-Denis-de-Vaux 71.... 157 F4
Saint-Denis-de-Villenette 61. 81 E1
Saint-Denis-des-Coudrais 72 107 E1
Saint-Denis-des-Monts 27... 31 E4
Saint-Denis-des-Murs 87.... 186 B4
Saint-Denis-des-Puits 28.... 84 C3
Saint-Denis-d'Oléron 17.... 180 B2
Saint-Denis-d'Orques 72.... 106 A1
Saint-Denis-du-Béhélan 27.. 58 B3
Saint-Denis-du-Maine 53.... 105 E2
Saint-Denis-du-Payré 85.... 163 D3
Saint-Denis-du-Pin 17...... 182 A2
Saint-Denis du Tertre
(Chapelle) 72........... 107 E2
Saint-Denis-en-Bugey 01.... 193 F3
Saint-Denis-en-Margeride 48 244 A1
Saint-Denis-en-Val 45...... 110 B3
Saint-Denis-la-Chevasse 85.. 146 A3
Saint-Denis-le-Ferment 27.. 33 E2
Saint-Denis-le-Gast 50...... 54 A2
Saint-Denis-le-Thiboult 76.. 32 C2
Saint-Denis-le-Vêtu 50..... 54 A2
Saint-Denis-lès-Bourg 01.... 193 E1
Saint-Denis-lès-Martel 46... 222 B3
Saint-Denis-lès-Ponts 28.... 109 D1
Saint-Denis-lès-Rebais 77... 62 C3
Saint-Denis-Maisoncelles 14. 55 D2
Saint-Denis-sur-Coise 42.... 210 A1
Saint-Denis-sur-Huisne 61... 83 F2
Saint-Denis-sur-Loire 41.... 132 A1
Saint-Denis-sur-Ouanne 89.. 112 B3
Saint-Denis-sur-Sarthon 61.. 82 B2
Saint-Denis-sur-Scie 76..... 16 A4
Saint-Denœux 62........... 6 C2
Saint-Denoual 22........... 78 A1
Saint-Derrien 29........... 48 C3
Saint-Désert 71........... 157 F4

ST-BRIEUC

Chapitre (R. du) ...... AZ 4
Charbonnerie (R.) ...... AY 5
Glais-Bizoin (R.) ...... ABY 20
Jouallan (R.) ...... AY 26
St-Gilles (R.) ...... AY 43
St-Guillaume (R.) ...... BZ 46

Abbé-Garnier (R.) ...... AX 2
Armor (Av. d') ...... BZ 3
Corderie (R. de la) ...... AX 13
Ferry (R. Jules) ...... AX 16
Gaulle (Pl. Gén. de) ...... AY 18
Le Gorrec (R.P.) ...... AZ 28
Libération (Av. de la) ...... BZ 29
Lycéens-Martyrs (R.) ...... AZ 32
Martray (Pl. du) ...... AY 33

Quinquaine (R.) ...... AY 38
Résistance (Pl. de la) ...... AY 39
Rohan (R. de) ...... AYZ 40
St-Gouéno (R.) ...... AY 44
Victor-Hugo (R.) ...... BX 50
3-Frères-Le Goff (R.) ...... AY 52
3-Frères-Merlin (R.) ...... AY 53

St-Brieuc city map (0 — 100 m)

Saint-Désir 14 . . . . 30 B4
Saint-Désirat 07 . . . . 210 C4
Saint-Désiré 03 . . . . 170 B2
Saint-Dézéry 30 . . . . 263 F3
Saint-Dézery 19 . . . . 206 A2
Saint-Didier 84 . . . . 265 E3
Saint-Didier 39 . . . . 159 E4
Saint-Didier 21 . . . . 137 F3
Saint-Didier 35 . . . . 104 A1
Saint-Didier 58 . . . . 136 B3
Saint-Didier-au-Mont-d'Or 69 192 C4
Saint-Didier-d'Allier 43 . . . 226 C3
Saint-Didier-d'Aussiat 01 . . . 192 F4
Saint-Didier-de-Bizonnes 38 . 212 A3
Saint-Didier-de-Formans 01 . 192 C3
Saint-Didier-de-la-Tour 38 . . 212 A2
Saint-Didier-des-Bois 27 . . . . 32 A4
Saint-Didier-en-Bresse 71 . . 158 B3
Saint-Didier-en-Brionnais 71 173 F4
Saint-Didier-en-Donjon 03 . . 173 E3
Saint-Didier-en-Velay 43 . . . 209 F4
Saint-Didier-la-Forêt 03 . . . 190 A1
Saint-Didier-
  sous-Aubenas 07 . . . . 246 A2

Saint-Didier-
  sous-Écouves 61 . . . . 82 B1
Saint-Didier-sous-Riverie 69 . 210 B2
Saint-Didier-sur-Arroux 71 . . 156 C4
Saint-Didier-sur-Beaujeu 69 . 192 B1
Saint-Didier-
  sur-Chalaronne 01 . . . . 192 C1
Saint-Didier-sur-Doulon 43 . . 208 B4
Saint-Didier-
  sur-Rochefort 42 . . . . 191 D4
Saint-Dié 88 . . . . 95 F3
Saint-Dier-d'Auvergne 63 . . 208 A1
Saint-Diéry 63 . . . . 207 E2
Saint-Dionizy 30 . . . . 263 F4
Saint-Disdier 05 . . . . 231 D4
Saint-Divy 29 . . . . 47 F3
Saint-Dizant-du-Bois 17 . . . 199 E3
Saint-Dizant-du-Gua 17 . . . 199 D3
Saint-Dizier 52 . . . . 66 A4
Saint-Dizier-en-Diois 26 . . . 248 B2
Saint-Dizier-la-Tour 23 . . . . 187 F4
Saint-Dizier-les-Domaines 23 169 F4
Saint-Dizier-l'Évêque 90 . . . . 143 D2
Saint-Dizier-Leyrenne 23 . . . 186 C2

Saint-Dolay 56 . . . . 125 E1
Saint-Domet 23 . . . . 187 F2
Saint-Domineuc 35 . . . . 79 D2
Saint-Donan 22 . . . . 51 D4
Saint-Donat 63 . . . . 206 C3
Saint-Donat
  (Église de) 04 . . . . 267 D2
Saint-Donat-
  sur-l'Herbasse 26 . . . . 229 E1
Saint-Dos 64 . . . . 271 E3
Saint-Doulchard 18 . . . . 153 D1
Saint-Drézéry 34 . . . . 282 A1
Saint-Dyé-sur-Loire 41 . . . . . 132 B1
Saint-Eble 43 . . . . 226 B2
Saint-Ébremond-
  de-Bonfossé 50 . . . . 54 B1
Saint-Edmond 71 . . . . 191 F1
Saint-Égrève 38 . . . . 212 C4
Saint-Élier 27 . . . . 58 B2
Saint-Éliph 28 . . . . 84 B2
Saint-Élix 32 . . . . 275 E3
Saint-Élix-le-Château 31 . . . 300 A1
Saint-Élix-Séglan 31 . . . . . 299 E1
Saint-Élix-Theux 32 . . . . . . 274 C3

Saint-Ellier 49 . . . . 128 C3
Saint-Ellier-du-Maine 53 . . . . 80 C2
Saint-Ellier-les-Bois 61 . . . . . 82 B1
Saint-Éloi 58 . . . . 155 D2
Saint-Éloi 23 . . . . 187 D2
Saint-Éloi 01 . . . . 193 E3
Saint-Éloi 22 . . . . 50 B3
Saint-Éloi-de-Fourques 27 . . . 31 F4
Saint-Éloy 29 . . . . 73 F1
Saint-Éloy-d'Allier 03 . . . . . 170 B2
Saint-Éloy-de-Gy 18 . . . . . . 153 D1
Saint-Éloy-la-Glacière 63 . . . 208 B2
Saint-Éloy-
  les-Mines 63 . . . . 188 C1
Saint-Éloy-les-Tuileries 19 . . 203 F3
Saint-Éman 28 . . . . 84 C3
Saint-Émiland 71 . . . . 157 E3
Saint-Émilion-de-Blain 44 . . . 126 A2
Saint-Émilion 33 . . . . 218 C3
Saint-Ennemond 03 . . . . . . 172 B1
Saint-Épain 37 . . . . 149 F1
Saint-Epvre 57 . . . . 68 C1
Saint-Erblon 35 . . . . 103 E1
Saint-Erblon 53 . . . . 104 B3

Saint-Erme-Outre-
  et-Ramecourt 02 . . . . 37 D1
Saint-Escobille 91 . . . . 86 B2
Saint-Esteben 64 . . . . 271 D4
Saint-Estèphe 33 . . . . 199 D4
Saint-Estèphe 16 . . . . 201 E2
Saint-Estève 66 . . . . 313 D2
Saint-Estève 84 . . . . 265 F2
Saint-Estève-Janson 13 . . . 284 C1
Saint-Étienne 42 . . . . 210 A3
Saint-Étienne-à-Arnes 08 . . . . 38 B3
Saint-Étienne-au-Mont 62 . . . . 2 A4
Saint-Étienne-au-Temple 51 . . 65 D1
Saint-Étienne-aux-Clos 19 . . 206 A2
Saint-Étienne-Cantalès 15 . . 223 F3
Saint-Étienne-d'Albagnan 34 279 D2
Saint-Étienne-de-Baigorry 64 294 C1
Saint-Étienne-
  de-Boulogne 07 . . . . 246 A1
Saint-Étienne-de-Brillouet 85 163 F2
Saint-Étienne-de-Carlat 15 . . 224 B3
Saint-Étienne-de-Chigny 37 . . 130 B3
Saint-Étienne-de-Chomeil 15 206 B4

Saint-Étienne-de-Crossey 38 212 B3
Saint-Étienne-de-Cuines 73 . 213 F3
Saint-Étienne-
  de-Fontbellon 07 . . . . 246 A2
Saint-Étienne-
  de-Fougères 47 . . . . 238 B3
Saint-Étienne-de-Fursac 23 . . 186 B1
Saint-Étienne-de-Gourgas 34 280 C1
Saint-Étienne-de-Lisse 33 . . . 219 D3
Saint-Étienne-de-l'Olm 30 . . 263 F2
Saint-Étienne-
  de-Lugdarès 07 . . . . 245 D1
Saint-Étienne-de-Maurs 15 . . 241 F1
Saint-Étienne-
  de-Mer-Morte 44 . . . . 145 D2
Saint-Étienne-de-Montluc 44 126 A3
Saint-Étienne-
  de-Puycorbier 24 . . . . 219 F2
Saint-Étienne-
  de-Saint-Geoirs 38 . . . . . . 212 A4
Saint-Étienne-de-Serre 07 . . 228 B3
Saint-Étienne-de-Tinée 06 . . 251 E4
Saint-Étienne-de-Tulmont 82 258 A2
Saint-Étienne-de-Valoux 07 . 210 A3
Saint-Étienne-de-Vicq 03 . . . 190 B1
Saint-Étienne-de-Villeréal 47 238 C2
Saint-Étienne-
  des-Champs 63 . . . . 188 B4
Saint-Étienne-
  des-Guérets 41 . . . . 131 E1
Saint-Étienne-
  des-Oullières 69 . . . . 192 B2
Saint-Étienne-des-Sorts 30 . . 264 C1
Saint-Étienne-d'Orthe 40 . . . 271 D4
Saint-Étienne-du-Bois 85 . . . 145 E3
Saint-Étienne-du-Bois 01 . . . 176 A4
Saint-Étienne-du-Grès 13 . . . 283 E1
Saint-Étienne-
  du-Gué-de-l'Isle 22 . . . . 77 E4
Saint-Étienne-
  du-Rouvray 76 . . . . 32 A4
Saint-Étienne-
  du-Valdonnez 48 . . . . 244 B3
Saint-Étienne-du-Vauvray 27 . 32 B4
Saint-Étienne-du-Vigan 43 . . 227 D1
Saint-Étienne-en-Bresse 71 . . 158 B4
Saint-Étienne-en-Coglès 35 . . . 80 A2
Saint-Étienne-en-Dévoluy 05 249 E1
Saint-Étienne-Estréchoux 34 280 A2
Saint-Étienne-la-Cigogne 79 . 182 B3
Saint-Étienne-la-Geneste 19 . 206 A3
Saint-Étienne-la-Thillaye 14 . . 30 B3
Saint-Étienne-la-Varenne 69 . 192 B2
Saint-Étienne-l'Allier 27 . . . . . 31 D3
Saint-Étienne-Lardeyrol 43 . . 227 E2
Saint-Étienne-le-Laus 05 . . . 249 E2
Saint-Étienne-le-Molard 42 . . 209 E1
Saint-Étienne-les-Orgues 04 . 266 C2
Saint-Étienne-
  lès-Remiremont 88 . . . . . . 119 D1
Saint-Étienne-Roilaye 60 . . . . 35 F3
Saint-Étienne-
  sous-Bailleul 27 . . . . 59 E1
Saint-Étienne-
  sous-Barbuise 10 . . . . 90 B2
Saint-Étienne-sur-Blesle 43 . . 207 E4
Saint-Étienne-
  sur-Chalaronne 01 . . . . . . 193 D1
Saint-Étienne-
  sur-Reyssouze 01 . . . . 175 E3
Saint-Étienne-sur-Suippe 51 . . 37 F2
Saint-Étienne-sur-Usson 63 . 208 A2
Saint-Étienne-
  Vallée-Française 48 . . . . . . 262 C1
Saint-Eugène 02 . . . . 63 E1
Saint-Eugène 17 . . . . 200 C2
Saint-Eugène 71 . . . . 156 C4
Saint-Eulien 51 . . . . 65 F4
Saint-Euphraise-
  et-Clairizet 51 . . . . 37 E4
Saint-Euphrône 21 . . . . 138 A2
Saint-Eusèbe 74 . . . . 195 D3
Saint-Eusèbe 71 . . . . 157 E4
Saint-Eusèbe-
  en-Champsaur 05 . . . . 231 E4
Saint-Eustache 74 . . . . 195 E4
Saint Eustache
  (Col de) 2A 318 C1
Saint-Eustache-la-Forêt 76 . . . 15 D4
Saint-Eutrope 16 . . . . 201 E3
Saint-Eutrope-de-Born 47 . . 238 C2
Saint-Évarzec 29 . . . . 73 F4
Saint-Evroult-de-Montfort 61 . 57 D3
Saint-Evroult-
  Notre-Dame-du-Bois 61 . . . . 57 E3
Saint-Exupéry 33 . . . . 237 D1
Saint-Exupéry-les-Roches 19 206 A2
Saint-Fargeau 89 . . . . 135 E2
Saint-Fargeau-Ponthierry 77 . 87 D2
Saint-Fargeol 03 . . . . 188 B2
Saint-Faust 64 . . . . 296 C1
Saint-Félicien 07 . . . . 228 B2
Saint-Féliu-d'Amont 66 . . . . 312 C2
Saint-Féliu-d'Avall 66 . . . . . 312 C2
Saint-Félix 74 . . . . 195 D4
Saint-Félix 46 . . . . 241 E2
Saint-Félix 16 . . . . 201 E3
Saint-Félix 17 . . . . 181 F1
Saint-Félix 03 . . . . 190 A1
Saint-Félix 60 . . . . 34 B2
Saint-Félix-de-Bourdeilles 24 202 B3
Saint-Félix-de-Foncaude 33 . 237 D1
Saint-Félix-de-l'Héras 34 . . . 261 F2
Saint-Félix-de-Lodez 34 . . . . 280 C2
Saint-Félix-de-Lunel 12 . . . . 242 C1
Saint-Félix-de-Montceau
  (Ancienne Abbaye de) 34 . . 281 D4
Saint-Félix-de-Pallières 30 . . 263 D3
Saint-Félix-de-Reillac-
  et-Mortemart 24 . . . . 221 D2
Saint-Félix-de-Rieutord 09 . . 301 D2

ST-ÉTIENNE

Bérard (R. P.) . . . . Y 14
Foy (R. Gén.) . . . . Y 44
Gambetta (R.) . . . . Z
Gaulle (R. Ch.-de) X
Gervais (R. E.) . . . . Y 50
Grand-Moulin (R. du) . . . . Y 53
Hôtel-de-Ville (Pl. de l') . . . . . Y 57
Libération (Av. de la) . . . . Y
Michelet (R.) . . . . Z
Peuple (Pl. du) . . . . Z 86
Président-Wilson (R.) . . . . Y 89
République (R. de la) . . . . Y
Résistance (R. de la) . . . . Y 91

Albert-Ier (Bd) . . . . X 3

Alliés (R. des) . . . . Y 4
Anatole-France (Pl.) . . . . Z 7
Apprentissage (R. de l') . . . . . Z 8
Badouillère (R. de la) . . . . Z 9
Barbusse (R. H.) . . . . Y 12
Bergson (R.) . . . . X 16
Boivin (Pl.) . . . . Y 17
Chavanelle (Pl.) . . . . Z 18
Clovis-Hugues (R.) . . . . Y 20
Comte (Pl. Louis) . . . . Z 21
Denfert-Rochereau (Av.) . . . . Y 26
Descours (R.) . . . . Z 27
Dorian (Pl.) . . . . Y 33
Dormoy (R. M.) . . . . Y 34
Dupré (R. G.) . . . . Y 37
Durafour (R. A.) . . . . Z 38
Escoffier (R. D.) . . . . Y 39
Fougerolle (R.) . . . . Z 41

Fourneyron (Pl.) . . . . Y 42
Frappa (R. J.) . . . . Z 47
Gérentet (R.) . . . . Z 49
Gillet (R. F.) . . . . Y 52
Guesde (Pl. J.) . . . . Y 56
Jacob (R.) . . . . X 58
Jacquard (R.) . . . . Y 59
Krumnow (Bd F.) . . . . Y 61
Leclerc (R. du Gén.) . . . . Z 62
Loubet
  (Av. du Président E.) . . . . . . Z 63
Martyrs-de-Vingré (R. des) . . Z 66
Moine (Pl. Antonin) . . . . Z 68
Montat (R. de la) . . . . Z 69
Moulin (R.) . . . . Y 72
Mulatière (R. de la) . . . . Z 75
Neuve (R.) . . . . Z 77
Pointe-Cadet (R.) . . . . Z 87

Rivière (R. du Sergent) . . . . . X 93
Robert (R.) . . . . Y 94
Ruel (R.) . . . . X 99
Sadi-Carnot (Pl.) . . . . X 100
St-Jean (R.) . . . . Y 102
Sauzéa (R. H.) . . . . Y 103
Servet (R. M.) . . . . Y 106
Soulié (R. L.) . . . . Y 107
Stalingrad (Square de) . . . . XY 109
Théâtre (R. du) . . . . Z 112
Thomas (R.) . . . . Z 113
Tiblier Verne (R.) . . . . Y 114
Tilleuls (R. des) . . . . Z 116
Ursules (Pl. des) . . . . Z 117
Valbenoite (Bd) . . . . Z 119
Ville (R. de la) . . . . Z 122
Villebœuf (Pl.) . . . . Z 123
11-Novembre (R. du) . . . . . . Z 128

Saint-Félix-de-Sorgues 12.. 261 D4
Saint-Félix-de-Tournegat 09.. 301 E2
Saint-Félix-de-Villadeix 24 .. 220 B3
Saint-Félix-Lauragais 31 ... 277 F3
Saint-Fergeux 08 .... 38 A1
Saint-Ferjeux 70 .... 142 A1
Saint-Ferme 33 .... 237 E1
Saint-Ferréol 31 .... 275 D4
Saint-Ferréol 74 .... 195 F4
Saint-Ferréol 31 .... 277 F4
Saint-Ferréol-d'Auroure 43 .. 209 F4
Saint-Ferréol-des-Côtes 63 .. 208 C2
Saint-Ferréol-Trente-Pas 26 . 247 F3
Saint-Ferriol 11 .... 302 B4
Saint-Fiacre 56 .... 99 F1
Saint-Fiacre 77 .... 62 A2
Saint-Fiacre-sur-Maine 44 .. 145 F1
Saint-Fiel 23 .... 187 D1
Saint-Firmin 58 .... 155 E2
Saint-Firmin 71 .... 157 E3
Saint-Firmin 05 .... 231 E4
Saint-Firmin 54 .... 94 A2
Saint-Firmin-des-Bois 45 .. 112 A2
Saint-Firmin-des-Prés 41 .. 108 C3
Saint-Firmin-sur-Loire 45 .. 134 C1
Saint-Flavy 10 .... 89 F3
Saint-Florent 2B 315 E1
Saint-Florent 45 .... 134 B1
Saint-Florent 79 .... 164 C4
Saint-Florent-des-Bois 85 .. 163 F1
Saint-Florent-le-Vieil 49 ... 127 E3
Saint-Florent-sur-Auzonnet 30........ 263 E1
Saint-Florent-sur-Cher 18 .. 153 D2
Saint-Florentin 89 .... 113 F2
Saint-Florentin 36 .... 152 A2
Saint-Floret 63 .... 207 E2
Saint-Floris 62 .... 3 F4
Saint-Flour 15 .... 225 E2
Saint-Flour 63 .... 207 F1
Saint-Flour-de-Mercoire 48.. 245 D1
Saint-Flovier 37 .... 150 C2
Saint-Floxel 25 .... 25 D3
Saint-Folquin 62 .... 3 D2
Saint-Fons 69 .... 211 D1
Saint-Forgeot 71 .... 157 D2
Saint-Forget 78 .... 60 B4
Saint-Forgeux 69 .... 192 A3
Saint-Forgeux-Lespinasse 42 191 F4
Saint-Fort 53 .... 105 D3
Saint-Fort-sur-Gironde 17 .. 199 D3
Saint-Fort-sur-le-Né 16 ...... 200 C2
Saint-Fortunat-sur-Eyrieux 07 .... 228 C4
Saint-Fraigne 16 .... 183 E3
Saint-Fraimbault 61 .... 81 E2
Saint-Fraimbault-de-Prières 53 .... 81 E3
Saint-Frajou 31 .... 275 E4
Saint-Franc 73 .... 212 C2
Saint-Franchy 58 .... 155 E1
Saint-François-de-Sales 73 . 213 E1
Saint-François-Lacroix 57 .. 42 A2
Saint-François-Longchamp 73 .... 214 A3
Saint-Frégant 29 .... 47 F1
Saint-Fréjoux 19 .... 206 A2
Saint-Frézal-d'Albuges 48.. 244 C2
Saint-Frézal-de-Ventalon 48. 245 D4
Saint-Frichoux 11 .... 303 D1
Saint-Frion 23 .... 187 F4
Saint-Fromond 50 .... 27 E4
Saint-Front 43 .... 227 E3
Saint-Front 16 .... 183 F3
Saint-Front-d'Alemps 24 .... 202 A2
Saint-Front-de-Pradoux 24 .. 200 A2
Saint-Front-la-Rivière 24 .. 202 A3
Saint-Front-sur-Lémance 47. 239 D2
Saint-Front-sur-Nizonne 24. 202 B3
Saint-Froult 17 .... 180 C4
Saint-Fulgent 85 .... 146 B3
Saint-Fulgent-des-Ormes 61. 83 E3
Saint-Fuscien 80 .... 18 B3
Saint-Gabriel (Chapelle) 13.. 283 E1
Saint-Gabriel-Brécy 14..... 29 D3
Saint-Gal 48 .... 244 A4
Saint-Gal-sur-Sioule 63 .. 189 E2
Saint-Galmier 42 .... 209 F2
Saint-Gand 70 .... 140 C2
Saint-Ganton 35 .... 102 C3
Saint-Gatien-des-Bois 14... 30 B3
Saint-Gaudens 31 .... 299 D2
Saint-Gaudent 86 .... 183 F1
Saint-Gaudéric 11 .... 301 F2
Saint-Gault 53 .... 105 D2
Saint-Gaultier 36 .... 168 B1
Saint-Gauzens 81 .... 277 F1
Saint-Gayrand 47 .... 238 A3
Saint-Gein 40 .... 254 B4
Saint-Gelais 79 .... 165 D3
Saint-Gelven 22 .... 76 C3
Saint-Gély-du-Fesc 34 .. 281 D1
Saint-Génard 79 .... 183 D1
Saint-Gence 87 .... 185 E3
Saint-Généroux 79 .... 148 B3
Saint-Genès-Champanelle 63. 206 C3
Saint-Genès-de-Blaye 33.... 217 E1
Saint-Genès-de-Castillon 33. 219 D3
Saint-Genès-de-Fronsac 33. 217 F2
Saint-Genès-de-Lombaud 33 217 F4
Saint-Genès-du-Retz 63 .. 189 F2
Saint-Genès-la-Tourette 63. 208 A2
Saint-Genest 88 .... 95 D2
Saint-Genest 03 .... 170 C4
Saint-Genest-d'Ambière 86 . 149 E4
Saint-Genest-de-Beauzon 07 245 F3
Saint-Genest-de-Contest 81. 278 A1
Saint-Genest-Lachamp 07... 228 A4

Saint-Genest-Lerpt 42 ...... 210 A3
Saint-Genest-Malifaux 42 ... 210 A4
Saint-Genest-sur-Roselle 87. 204 A1
Saint-Geneys-près-Saint-Paulien 43... 227 D1
Saint-Gengoulph 02 ...... 62 C1
Saint-Gengoux-de-Scissé 71 175 D2
Saint-Gengoux-le-National 71 .... 174 C1
Saint-Geniès 24 .... 221 F3
Saint-Geniès-Bellevue 31 .. 276 C1
Saint-Geniès-de-Comolas 30 264 C2
Saint-Geniès-de-Fontedit 34. 280 B3
Saint-Geniès-de-Malgoirès 30........ 263 F1
Saint-Geniès-de-Varensal 34 279 F2
Saint-Geniès-des-Mourgues 34........ 282 A1
Saint-Geniez 04 .... 249 E4
Saint-Geniez-d'Olt 12 .... 243 D3
Saint-Geniez-ô-Merle 19 ... 223 E2
Saint-Genis 05 .... 249 D3
Saint-Genis 38 .... 230 C4
Saint-Genis-de-Blanzac 16 . 201 E3
Saint-Genis-de-Saintonge 17 199 E2
Saint-Genis-des-Fontaines 66........ 313 D3
Saint-Genis-d'Hiersac 16.... 183 E4
Saint-Genis-du-Bois 33 .. 236 C1
Saint-Genis-l'Argentière 69 . 210 A1
Saint-Genis-Laval 69 ...... 210 C1
Saint-Genis-les-Ollières 69. 192 C4
Saint-Genis-Pouilly 01 ..... 177 F4
Saint-Genis-sur-Menthon 01 175 F4
Saint-Genix-sur-Guiers 73... 212 B1
Saint-Genou 36 .... 151 D3
Saint-Genouph 37 .... 130 C3
Saint-Geoire-en-Valdaine 38. 212 B3
Saint-Geoirs 38 .... 212 A4
Saint-Georges 33 .... 219 D3
Saint-Georges 62 .... 7 D3
Saint-Georges 47 .... 239 D3
Saint-Georges 15 .... 225 E3
Saint-Georges 32 .... 275 F1
Saint-Georges 16 .... 183 E4
Saint-Georges 57 .... 69 F4
Saint-Georges 82 .... 258 B1
Saint-Georges (Gorges de) 09 .... 311 E1
Saint-Georges-Armont 25... 142 A2
Saint-Georges-Blancaneix 24 219 F3
Saint-Georges-Buttavent 53. 81 D3
Saint-Georges-d'Annebecq 61 .... 82 A1
Saint-Georges-d'Aunay 14 .. 55 E1
Saint-Georges-d'Aurac 43... 226 B1
Saint-Georges-de-Baroille 42 191 E4
Saint-Georges-de-Bohon 50. 27 D3
Saint-Georges-de-Chesné 35 80 A3
Saint-Georges-de-Commiers 38 .... 230 C2
Saint-Georges-de-Cubillac 17 .... 199 E2
Saint-Georges-de-Didonne 17 .... 198 C1
Saint-Georges-de-Gréhaigne 35 .... 79 F1
Saint-Georges-de-la-Couée 72 .... 107 F3
Saint-Georges-de-la-Rivière 50 .... 24 B4
Saint-Georges-de-Lévéjac 48 243 F4
Saint-Georges-de-Livoye 50. 54 B3
Saint-Georges-de-Longuepierre 17 .... 182 B2
Saint-Georges-de-Luzençon 12 .... 261 D2
Saint-Georges-de-Mons 63.. 189 D3
Saint-Georges-de-Montaigu 85 .... 146 A2
Saint-Georges-de-Montclard 24........ 220 B3
Saint-Georges-de-Noisné 79 165 D2
Saint-Georges-de-Pointindoux 85........ 162 B1
Saint-Georges-de-Poisieux 18 .... 170 C1
Saint-Georges-de-Reintembault 35....... 80 A1
Saint-Georges-de-Reneins 69 .... 192 C2
Saint-Georges-de-Rex 79 ... 164 B4
Saint-Georges-de-Rouelley 50 .... 81 D1
Saint-Georges-d'Elle 50..... 27 F4
Saint-Georges-des-Agoûts 17 .... 199 E3
Saint-Georges-des-Coteaux 17 .... 181 F4
Saint-Georges-des-Groseillers 61 .... 55 E3
Saint-Georges-des-Hurtières 73........ 213 F2
Saint-Georges-des-Sept-Voies 49 ...... 128 C3
Saint-Georges-d'Espéranche 38 .... 211 E2
Saint-Georges-d'Oléron 17.. 180 B2
Saint-Georges-d'Orques 34.. 281 D2
Saint-Georges-du-Bois 17... 181 E1
Saint-Georges-du-Bois 72... 106 C2
Saint-Georges-du-Mesnil 27. 31 D4
Saint-Georges-du-Puy-de-la-Garde 49...... 147 D1
Saint-Georges-du-Rosay 72. 83 E4
Saint-Georges-du-Vièvre 27. 31 E4
Saint-Georges-en-Auge 14 .. 56 C2
Saint-Georges-en-Couzan 42 209 D1
Saint-Georges-Haute-Ville 42 209 E2

Saint-Georges-la-Pouge 23.. 187 D3
Saint-Georges-Lagricol 43 .. 209 D4
Saint-Georges-le-Fléchard 53 105 E1
Saint-Georges-le-Gaultier 72. 82 B3
Saint-Georges-les-Bains 07 . 229 D4
Saint-Georges-lès-Baillargeaux 86....... 166 B1
Saint-Georges-Montcocq 50. 27 E4
Saint-Georges-Motel 27..... 59 D3
Saint-Georges-Nigremont 23 187 F4
Saint-Georges-sur-Allier 63 . 207 F1
Saint-Georges-sur-Arnon 36 152 C2
Saint-Georges-sur-Baulche 89 .... 113 E4
Saint-Georges-sur-Cher 41.. 131 F3
Saint-Georges-sur-Erve 53.. 82 A4
Saint-Georges-sur-Eure 28.. 85 D3
Saint-Georges-sur-Fontaine 76 ...... 32 B1
Saint-Georges-sur-l'Aa 59... 3 D1
Saint-Georges-sur-la-Prée 18 133 D4
Saint-Georges-sur-Layon 49. 128 C4
Saint-Georges-sur-Loire 49.. 128 A2
Saint-Georges-sur-Moulon 18 .... 153 E1
Saint-Georges-sur-Renon 01 193 E1
Saint-Geours-d'Auribat 40 .. 253 E4
Saint-Geours-de-Maremne 40 .... 271 D1
Saint-Gérand 56 .... 77 D4
Saint-Gérand-de-Vaux 03 ... 172 B3
Saint-Gérand-le-Puy 03 ... 172 C4
Saint-Géraud 47 .... 237 E2
Saint-Géraud-de-Corps 24 .. 219 F3
Saint-Géréon 44 .... 127 D3
Saint-Germain 70 .... 119 D4
Saint-Germain 86 .... 167 E2
Saint-Germain 07 .... 246 A2
Saint-Germain 10 .... 90 A4
Saint-Germain 54 .... 94 C2
Saint-Germain (Ermitage de) 74.. 195 F3
Saint-Germain-au-Mont-d'Or 69 ...... 192 C3
Saint-Germain-Beaupré 23.. 168 C4
Saint-Germain-Chassenay 58 155 E4
Saint-Germain-d'Anxure 53 . 81 D4
Saint-Germain-d'Arcé 72..... 130 A1
Saint-Germain-d'Aunay 61.. 57 E2
Saint-Germain-de-Belvès 24. 221 E4
Saint-Germain-de-Calberte 48 .... 262 C1
Saint-Germain-de-Clairefeuille 61 ...... 57 D4
Saint-Germain-de-Confolens 16.......... 184 C2
Saint-Germain-de-Coulamer 53 ...... 82 A4
Saint-Germain-de-Fresney 27 .... 59 D2
Saint-Germain-de-Grave 33 . 236 C2
Saint-Germain-de-Joux 01 .. 194 C1
Saint-Germain-de-la-Rivière 33 .... 217 F3
Saint-Germain-de-la-Coudre 61 ...... 83 F4
Saint-Germain-de-la-Grange 78...... 60 A3
Saint-Germain-de-Livet 14 .. 57 D1
Saint-Germain-de-Longue-Chaume 79.... 148 A4
Saint-Germain-de-Lusignan 17.......... 199 F3
Saint-Germain-de-Martigny 61 .... 83 E1
Saint-Germain-de-Marencennes 17 .... 181 E1
Saint-Germain-de-Modéon 21 ...... 137 E3
Saint-Germain-de-Montgommery 14 ... 57 D2
Saint-Germain-de-Montbron 16........... 202 A1
Saint-Germain-de-Pasquier 27........ 32 A4
Saint-Germain-de-Prinçay 85 146 C4
Saint-Germain-de-Salles 03 . 189 F1
Saint-Germain-de-Tallevende-la-Lande-Vaumont 14..... 55 D3
Saint-Germain-de-Tournebut 50 .... 25 D3
Saint-Germain-de-Varreville 50 .... 25 E4
Saint-Germain-d'Ectot 14 ... 28 C4
Saint-Germain-d'Elle 50..... 27 F4
Saint-Germain-des-Angles 27........... 58 C1
Saint-Germain-des-Bois 18.. 153 E3
Saint-Germain-des-Bois 58.. 136 B3
Saint-Germain-des-Champs 89 ...... 137 D3
Saint-Germain-des-Essourts 76 .... 32 C1
Saint-Germain-des-Fossés 03........... 190 A1
Saint-Germain-des-Grois 61. 84 A3
Saint-Germain-des-Prés 24.. 203 D4
Saint-Germain-des-Prés 49.. 177 F2
Saint-Germain-des-Prés 45.. 112 A2
Saint-Germain-des-Prés 81.. 278 A3
Saint-Germain-des-Vaux 50. 24 A1
Saint-Germain-d'Esteuil 33.. 198 C4
Saint-Germain-d'Étables 76. 16 A3
Saint-Germain-du-Bel-Air 46 240 A2
Saint-Germain-du-Bois 71... 158 C4
Saint-Germain-du-Corbéis 61 .... 82 C2
Saint-Germain-du-Crioult 14 55 D4

Saint-Germain-du-Pert 14.... 27 F3
Saint-Germain-du-Pinel 35... 104 B1
Saint-Germain-du-Plain 71... 158 B4
Saint-Germain-du-Puch 33... 217 F4
Saint-Germain-du-Puy 18 ... 153 E2
Saint-Germain-du-Salembre 24.......... 220 A1
Saint-Germain-du-Seudre 17 199 D2
Saint-Germain-du-Teil 48 ... 243 F2
Saint-Germain-du-Val 72.... 106 C1
Saint-Germain-en-Brionnais 71.......... 174 A3
Saint-Germain-en-Coglès 35. 80 A2
Saint-Germain-en-Laye 78 ... 60 B3
Saint-Germain-et-Mons 24 .. 220 B4
Saint-Germain-la-Blanche-Herbe 14...... 29 E4
Saint-Germain-la-Campagne 27........ 57 E1
Saint-Germain-la-Chambotte 73....... 195 D4
Saint-Germain-la-Gâtine 28. 85 E2
Saint-Germain-la-Montagne 42........ 192 A1
Saint-Germain-la-Poterie 60. 33 F2
Saint-Germain-l'Aiguiller 85. 147 D4
Saint-Germain-Langot 14.... 56 A2
Saint-Germain-Laprade 43 .. 227 D2
Saint-Germain-Laval 42..... 191 E4
Saint-Germain-Laval 77..... 88 B3
Saint-Germain-Lavolps 19 .. 205 F2
Saint-Germain-Laxis 77..... 87 F1
Saint-Germain-le-Châtelet 90 119 F4
Saint-Germain-le-Fouilloux 53........... 105 D1
Saint-Germain-le-Gaillard 28 85 D2
Saint-Germain-le-Gaillard 50 24 B3
Saint-Germain-le-Guillaume 53 .... 81 D4
Saint-Germain-le-Rocheux 21 .... 115 E4
Saint-Germain-le-Vasson 14. 56 A1
Saint-Germain-le-Vieux 61.. 83 D2
Saint-Germain-Lembron 63 . 207 F3
Saint-Germain-lès-Arlay 39 . 159 E4
Saint-Germain-lès-Arpajon 91 .... 86 C1
Saint-Germain-les-Belles 87. 204 A2
Saint-Germain-lès-Buxy 71.. 158 A4
Saint-Germain-lès-Corbeil 91 87 E1
Saint-Germain-les-Paroisses 01 .... 194 B4
Saint-Germain-lès-Senailly 21 .... 137 F1
Saint-Germain-les-Vergnes 19 .... 204 B4
Saint-Germain-Lespinasse 42........... 191 D2
Saint-Germain-l'Herm 63 ... 208 B3
Saint-Germain-près-Herment 63........ 206 B1
Saint-Germain-Source-Seine 21........ 138 B2
Saint-Germain-sous-Cailly 76....... 32 B1
Saint-Germain-sous-Doue 77 62 B3
Saint-Germain-sur-Avre 27.. 59 D4
Saint-Germain-sur-Ay 50.... 26 B3
Saint-Germain-sur-Bresle 80 17 E2
Saint-Germain-sur-Éaulne 76 16 C3
Saint-Germain-sur-École 77. 87 E2
Saint-Germain-sur-Ille 35 ... 79 E3
Saint-Germain-sur-l'Arbresle 69 ...... 192 B3
Saint-Germain-sur-Meuse 55 67 E4
Saint-Germain-sur-Morin 77. 62 A3
Saint-Germain-sur-Moine 49 146 B1
Saint-Germain-sur-Renon 01 193 E2
Saint-Germain-sur-Rhône 74 194 C1
Saint-Germain-sur-Sarthe 72 82 C4
Saint-Germain-sur-Sèves 50. 27 D3
Saint-Germain-sur-Vienne 37 129 F4
Saint-Germain-Village 27 ... 31 D3
Saint-Germainmont 08 ..... 37 F1
Saint-Germé 32 .... 273 E1
Saint-Germer-de-Fly 60 ..... 33 E4
Saint-Germier 31 .... 277 E3
Saint-Germier 79 .... 165 F2
Saint-Germier 32 .... 275 F2
Saint-Germier 81 .... 278 B2
Saint-Géron 43 .... 207 F4
Saint-Gérons 15 .... 223 F3
Saint-Gervais 95 .... 33 E4
Saint-Gervais 33 .... 217 F2
Saint-Gervais 16 .... 184 A2
Saint-Gervais 30 .... 264 B1
Saint-Gervais 38 .... 230 B1
Saint-Gervais 85 .... 144 C2
Saint-Gervais-d'Auvergne 63 188 C2
Saint-Gervais-de-Vic 72..... 108 A3
Saint-Gervais-des-Sablons 61........ 56 C2
Saint-Gervais-du-Perron 61. 82 C1
Saint-Gervais-en-Belin 72... 107 D3
Saint-Gervais-en-Vallière 71. 158 B2
Saint-Gervais-la-Forêt 41.... 132 A1
Saint-Gervais-les-Bains 74 . 196 C3
Saint-Gervais-les-Trois-Clochers 86 .... 149 E3
Saint-Gervais-sous-Meymont 63........ 208 B1
Saint-Gervais-sur-Couches 71 ...... 157 F3
Saint-Gervais-sur-Mare 34 . 280 A2
Saint-Gervais-sur-Roubion 26........ 247 D2
Saint-Gervasy 30 .... 264 A4

Saint-Gervazy 63 .... 207 F3
Saint-Géry 24 .... 219 F3
Saint-Géry 46 .... 240 B3
Saint-Géry (Château de) 81.. 258 C4
Saint-Geyrac 24 .... 221 D2
Saint-Gibrien 51 .... 64 C2
Saint-Gildas 22 .... 50 C4
Saint-Gildas (Pointe de) 44.. 125 D4
Saint-Gildas-de-Rhuys 56 .. 122 C2
Saint-Gildas-des-Bois 44 ... 125 E1
Saint-Gilles 51 .... 37 D3
Saint-Gilles 35 .... 79 D4
Saint-Gilles 50 .... 27 E4
Saint-Gilles 71 .... 157 F3
Saint-Gilles 30 .... 282 C1
Saint-Gilles 36 .... 168 C3
Saint-Gilles-Croix-de-Vie 85. 144 C4
Saint-Gilles-de-Crétot 76.... 31 E3
Saint-Gilles-de-la-Neuville 76 14 C3
Saint-Gilles-des-Marais 61 . 81 E1
Saint-Gilles-les-Bois 22 .... 50 C3
Saint-Gilles-les-Forêts 87 .. 204 C2
Saint-Gilles-Pligeaux 22.... 76 C2
Saint-Gilles-Vieux-Marché 22 76 C3
Saint-Gineis-en-Coiron 07... 246 B2
Saint-Gingolph 74 .... 179 D2
Saint-Girod 73 .... 195 D4
Saint-Girons 64 .... 272 A2
Saint-Girons 09 .... 300 A3
Saint-Girons-d'Aiguevives 33........ 217 E1
Saint-Girons-Plage 40 ..... 252 A3
Saint-Gladie-Arrive-Munein 64........ 271 F4
Saint-Glen 22 .... 77 F2
Saint-Goazec 29 .... 75 E3
Saint-Gobain 02 .... 36 B1
Saint-Gobert 02 .... 21 D3
Saint-Goin 64 .... 296 C1
Saint-Gondon 45 .... 111 E4
Saint-Gondran 35 .... 79 D3
Saint-Gonéry (Chapelle) 22.. 50 B1
Saint-Gonlay 35 .... 78 C4
Saint-Gonnery 56 .... 77 D4
Saint-Gor 40 .... 254 B2
Saint-Gorgon 88 .... 95 D3
Saint-Gorgon 56 .... 102 A4
Saint-Gorgon-Main 25 ..... 161 D1
Saint-Gouéno 22 .... 77 F3
Saint-Gourgon 41 .... 131 E1
Saint-Gourson 16 .... 184 A3
Saint-Goussaud 23 .... 186 B2
Saint-Gouvry 56 .... 77 E4
Saint-Gratien 80 .... 18 B2
Saint-Gratien 95 .... 60 C2
Saint-Gratien-Savigny 58 .. 155 F3
Saint-Gravé 56 .... 102 A3
Saint-Grégoire 35 .... 79 E4
Saint-Grégoire 81 .... 259 F3
Saint-Grégoire-d'Ardennes 17 .... 199 F2
Saint-Grégoire-du-Vièvre 27. 31 E4
Saint-Griède 32 .... 273 E1
Saint-Groux 16 .... 183 F3
Saint-Guen 22 .... 77 D3
Saint-Guénolé 29 .... 98 A2
Saint-Guilhem-le-Désert 34. 281 D1
Saint-Guillaume 38 .... 230 B3
Saint-Guinoux 35 .... 79 D1
Saint-Guiraud 34 .... 280 C1
Saint-Guyomard 56 .... 101 F3
Saint-Haon 43 .... 226 C4
Saint-Haon-le-Châtel 42.... 191 D2
Saint-Haon-le-Vieux 42 .... 191 D2
Saint-Héand 42 .... 210 A2
Saint-Hélen 22 .... 78 C1
Saint-Hélier 21 .... 138 B3
Saint-Hellier 76 .... 16 B4
Saint-Herblain 44 .... 126 B4
Saint-Herblon 44 .... 127 E2
Saint-Herbot 29 .... 75 E2
Saint-Hérent 63 .... 207 E3
Saint-Hervé 22 .... 77 D3
Saint-Hilaire 38 .... 213 D4
Saint-Hilaire 25 .... 141 E3
Saint-Hilaire 03 .... 171 F2
Saint-Hilaire 43 .... 208 A4
Saint-Hilaire 63 .... 188 B2
Saint-Hilaire 91 .... 86 B2
Saint-Hilaire 31 .... 276 B4
Saint-Hilaire 16 .... 200 C3
Saint-Hilaire 11 .... 302 B2
Saint-Hilaire-au-Temple 51.. 64 C1
Saint-Hilaire-Bonneval 87... 204 A1
Saint-Hilaire-Cottes 62..... 7 F1
Saint-Hilaire-Cusson-la-Valmitte 42 ..... 209 E4
Saint-Hilaire-de-Beauvoir 34 282 A1
Saint-Hilaire-de-Brethmas 30 263 F4
Saint-Hilaire-de-Brens 38 .. 211 F1
Saint-Hilaire-de-Briouze 61.. 56 A4
Saint-Hilaire-de-Chaléons 44 145 D1
Saint-Hilaire-de-Clisson 44 . 146 A1
Saint-Hilaire-de-Court 18... 152 B1
Saint-Hilaire-de-Gondilly 18. 154 A2
Saint-Hilaire-de-la-Côte 38 . 212 A3
Saint-Hilaire-de-la-Noaille 33 237 D2
Saint-Hilaire-de-Lavit 48 ... 263 D1
Saint-Hilaire-de-Loulay 85.. 146 A2
Saint-Hilaire-de-Lusignan 47 238 A4
Saint-Hilaire-de-Riez 85.... 144 C4
Saint-Hilaire-de-Villefranche 17 ...... 182 A3
Saint-Hilaire-de-Voust 85... 164 B1
Saint-Hilaire-des-Landes 35. 80 A3
Saint-Hilaire-des-Loges 85 . 164 B2
Saint-Hilaire-d'Estissac 24.. 220 A2

Saint-Hilaire-d'Ozilhan 30 .. 264 B3
Saint-Hilaire-du-Bois 33.... 237 D1
Saint-Hilaire-du-Bois 17.... 199 E3
Saint-Hilaire-du-Bois 85.... 163 F1
Saint-Hilaire-du-Harcouët 50 80 B1
Saint-Hilaire-du-Maine 53 .. 80 C4
Saint-Hilaire-du-Rosier 38... 229 F2
Saint-Hilaire-en-Lignières 18 152 A1
Saint-Hilaire-en-Morvan 58. 156 A2
Saint-Hilaire-en-Woëvre 55.. 67 E1
Saint-Hilaire-Foissac 19 .... 205 E4
Saint-Hilaire-Fontaine 58... 155 F4
Saint-Hilaire-la-Croix 63.... 189 E2
Saint-Hilaire-la-Forêt 85.... 162 C2
Saint-Hilaire-la-Gérard 61... 82 C1
Saint-Hilaire-la-Gravelle 41. 108 C3
Saint-Hilaire-la-Palud 79 ... 164 B3
Saint-Hilaire-la-Plaine 23... 187 D1
Saint-Hilaire-la-Treille 87... 168 B4
Saint-Hilaire-le-Château 23.. 187 D3
Saint-Hilaire-le-Châtel 61... 83 F1
Saint-Hilaire-le-Grand 51... 38 B4
Saint-Hilaire-le-Lierru 72 ... 107 E2
Saint-Hilaire-le-Petit 51 .... 38 B3
Saint-Hilaire-le-Vouhis 85.. 146 B4
Saint-Hilaire-les-Andrésis 45 112 A2
Saint-Hilaire-les-Courbes 19. 205 D2
Saint-Hilaire-les-Monges 63. 188 B4
Saint-Hilaire-les-Places 87.. 203 E1
Saint-Hilaire-lez-Cambrai 59. 9 E4
Saint-Hilaire-Luc 19 .... 205 F4
Saint-Hilaire-Peyroux 19 ... 222 C1
Saint-Hilaire-Saint-Florent 49 129 E4
Saint-Hilaire-sous-Charlieu 42 .... 191 F1
Saint-Hilaire-sous-Romilly 10 89 E2
Saint-Hilaire-sur-Benaize 36. 167 F2
Saint-Hilaire-sur-Erre 61 ... 84 A3
Saint-Hilaire-sur-Helpe 59... 10 B3
Saint-Hilaire-sur-Puiseaux 45 111 F3
Saint-Hilaire-sur-Risle 61... 57 E4
Saint-Hilaire-sur-Yerre 28 .. 109 D2
Saint-Hilaire-Taurieux 19.... 223 D2
Saint-Hilarion 78 .... 85 F1
Saint-Hilliers 77 .... 88 C1
Saint-Hippolyte 66 .... 313 D1
Saint-Hippolyte 33 .... 219 D3
Saint-Hippolyte 17 .... 181 E3
Saint-Hippolyte 12 .... 242 B1
Saint-Hippolyte 63 .... 189 E3
Saint-Hippolyte 15 .... 224 C1
Saint-Hippolyte 68 .... 96 C2
Saint-Hippolyte 37 .... 150 C2
Saint-Hippolyte 25 .... 142 C3
Saint-Hippolyte-de-Caton 30 263 F2
Saint-Hippolyte-de-Montaigu 30......... 264 A2
Saint-Hippolyte-du-Fort 30.. 263 D3
Saint-Hippolyte-le-Graveyron 84....... 265 E2
Saint-Honorat (Ile) 06 ..... 288 B4
Saint-Honoré 38 .... 231 D3
Saint-Honoré 76 .... 16 B4
Saint-Honoré-les-Bains 58 . 156 A3
Saint-Hostien 43 .... 227 E2
Saint-Hubert 57 .... 42 A3
Saint-Hubert 78 .... 60 A4
Saint-Huruge 71 .... 174 C1
Saint-Hymer 14 .... 30 B3
Saint-Hymetière 39 .... 176 C3
Saint-Igeaux 22 .... 76 C3
Saint-Igest 12 .... 241 E3
Saint-Ignan 31 .... 299 D2
Saint-Ignat 63 .... 189 F3
Saint-Igneuc 22 .... 78 A2
Saint-Igny-de-Roche 71 .... 191 F1
Saint-Igny-de-Vers 69 ..... 174 b4
Saint-Illide 15 .... 223 F2
Saint-Illiers-la-Ville 78 ..... 59 E4
Saint-Illiers-le-Bois 78 ..... 59 E4
Saint-Ilpize 43 .... 226 A1
Saint-Imoges 51 .... 64 A1
Saint-Inglevert 62 .... 2 B2
Saint-Isidore 06 .... 288 C2
Saint-Isle 53 .... 104 C1
Saint-Ismier 38 .... 213 D4
Saint-Izaire 12 .... 260 C3
Saint-Jacques 06 .... 288 A3
Saint-Jacques 04 .... 288 A3
Saint-Jacques-d'Aliermont 76 ...... 16 B3
Saint-Jacques-d'Ambur 63.. 188 C3
Saint-Jacques-d'Atticieux 07 210 C4
Saint-Jacques-de-la-Lande 35 .... 103 E1
Saint-Jacques-de-Néhou 50. 24 C4
Saint-Jacques-de-Thouars 79 ...... 148 A2
Saint-Jacques-des-Arrêts 69 174 C4
Saint-Jacques-des-Blats 15.. 224 C2
Saint-Jacques-des-Guérets 41 .... 108 A4
Saint-Jacques-en-Valgodemard 05...... 231 E4
Saint-Jacques-sur-Darnétal 76........ 32 B2
Saint-Jacut-de-la-Mer 22... 52 B4
Saint-Jacut-du-Mené 22 ... 77 F3
Saint-Jacut-les-Pins 56..... 102 B4
Saint-Jal 19 .... 204 B3
Saint-James 50 .... 80 A1
Saint-Jammes 64 .... 273 D4
Saint-Jans-Cappel 59 ..... 4 A3
Saint-Jean 06 .... 288 A3
Saint-Jean 31 .... 276 C2

Saint-Jean (Chapelle) 29 .... 47 F3
Saint-Jean (Chapelle) 27 .... 32 C2
Saint-Jean (Col) 04 .... 250 A3
Saint Jean (Église) 2B... 317 D1
Saint-Jean-aux-Amognes 58 155 D2
Saint-Jean-aux-Bois 60 ..... 35 E3
Saint-Jean-aux-Bois 08 .... 22 A4
Saint-Jean-Balanant 29 ..... 47 E2
Saint Jean Baptiste
(Chapelle de) 24 .... 319 D2
Saint-Jean-Bonnefonds 42 . 210 A3
Saint-Jean-Brévelay 56 ..... 101 E2
Saint-Jean-Cap-Ferrat 06... 288 C2
Saint-Jean-Chambre 07... 228 B3
Saint-Jean-d'Abbetot 76 ... 14 C4
Saint-Jean-
d'Aigues-Vives 09 .... 301 E4
Saint-Jean-d'Alcapiès 12... 261 D3
Saint-Jean-d'Angély 17... 182 A3
Saint-Jean-d'Angle 17 ..... 181 D4
Saint-Jean-d'Ardières 69... 192 C1
Saint-Jean-d'Arves 73 ..... 213 F4
Saint-Jean-d'Arvey 73 ..... 213 D1
Saint-Jean-d'Assé 72 ...... 106 C1
Saint-Jean-d'Ataux 24 ..... 220 A1
Saint-Jean-d'Aubrigoux 43.. 208 C4
Saint-Jean-d'Aulps 74 ..... 178 C4
Saint-Jean-d'Avelanne 38... 212 C2
Saint-Jean-de-Barrou 11 ... 303 E3
Saint-Jean-
de-Beauregard 91 .... 60 C4
Saint-Jean-de-Belleville 73.. 214 B3
Saint-Jean-de-Beugné 85 ... 163 F2
Saint-Jean-de-Blaignac 33 .. 218 C4
Saint-Jean-de-Bœuf 21 .... 138 C4
Saint-Jean-de-Boiseau 44... 126 A4
Saint-Jean-de-Bonneval 10.. 90 B4
Saint-Jean-de-Bournay 38... 211 E2
Saint-Jean-de-Braye 45 .... 110 B3
Saint-Jean-de-Buèges 34 ... 262 B4
Saint-Jean-de-Ceyrargues 30 263 F2
Saint-Jean-de-Chevelu 73... 194 C4
Saint-Jean-de-Côle 24 ..... 202 C3
Saint-Jean-de-Corcoué 44... 145 E2
Saint-Jean-de-Cornies 34 ... 282 A1
Saint-Jean-de-Couz 73... 212 C2
Saint-Jean-de-Crieulon 30 .. 263 D3
Saint-Jean-de-Cuculles 34 .. 281 F1
Saint-Jean-de-Daye 50... 27 E3
Saint-Jean-de-Duras 47 .... 237 F1
Saint-Jean-de-Folleville 76.. 15 D4
Saint-Jean-de-Fos 34 ...... 281 D1
Saint-Jean-de-Gonville 01... 177 E4
Saint-Jean-
de-la-Blaquière 34 .... 280 C1
Saint-Jean-de-la-Croix 49 .. 128 B3
Saint-Jean-de-la-Forêt 61 ... 83 F3
Saint-Jean-de-la-Haize 50 ... 54 A4
Saint-Jean-
de-la-Léqueraye 27 ...... 31 D4
Saint-Jean-de-la-Motte 72... 106 C4
Saint-Jean-de-la-Neuville 76 14 C4
Saint-Jean-de-la-Porte 73 ... 213 E2
Saint-Jean-de-la-Rivière 50.. 24 B4
Saint-Jean-de-la-Ruelle 45.. 110 A3
Saint-Jean-de-Laur 46 ..... 240 C3
Saint-Jean-de-Lier 40 ..... 253 D4
Saint-Jean-de-Linières 49 ... 128 A2
Saint-Jean-de-Liversay 17... 164 A4
Saint-Jean-de-Livet 14 ..... 57 D1
Saint-Jean-de-Losne 21... 158 C1
Saint-Jean-de-Luz 64 ..... 270 A3
Saint-Jean-de-Marcel 81 ... 259 F2
Saint-Jean-de-Marsacq 40 .. 271 D1
Saint-Jean-de-Maruéjols-
et-Avéjan 30 .... 263 F1
Saint-Jean-de-Maurienne 73 214 A4
Saint-Jean-de-Minervois 34 . 279 E4
Saint-Jean-de-Moirans 38... 212 B3
Saint-Jean-de-Monts 85 .... 144 C3
Saint-Jean-de-Muzols 07... 229 D2
Saint-Jean-de-Nay 43 ..... 226 C2
Saint-Jean-de-Niost 01 ... 193 F3
Saint-Jean-de-Paracol 11 .. 302 A4
Saint-Jean-
de-Pourcharesse 07 ..... 245 E3
Saint-Jean-
de-Rebervilliers 28 ...... 85 D1
Saint-Jean-de-Rives 81 .... 277 E1
Saint-Jean-de-Sauves 86.... 148 C3
Saint-Jean-de-Savigny 50... 27 F4
Saint-Jean-de-Serres 30 ... 263 E3
Saint-Jean-de-Sixt 74... 196 A2
Saint-Jean-de-Soudain 38... 212 A2
Saint-Jean-de-Tholome 74... 196 A1
Saint-Jean-de-Thouars 79... 148 A2
Saint-Jean-de-Thurac 47... 256 B2
Saint-Jean-de-Thurigneux 01 193 D3
Saint-Jean-de-Touslas 69... 210 B2
Saint-Jean-de-Trézy 71 ... 157 F3
Saint-Jean-de-Valériscle 30 . 263 E1
Saint-Jean-de-Vals 81... 278 B1
Saint-Jean-de-Vaulx 38... 230 C2
Saint-Jean-de-Vaux 71... 157 F4
Saint-Jean-de-Védas 34.... 281 F2
Saint-Jean-de-Verges 09 ... 301 D3
Saint-Jean-Delnous 12... 260 A3
Saint-Jean-des-Baisants 50 . 54 C1
Saint-Jean-des-Bois 61 .... 55 D4
Saint-Jean-des-Champs 50.. 53 F4
Saint-Jean-des-Échelles 72.. 107 F1
Saint-Jean-des-Essartiers 14 55 D1
Saint-Jean-des-Mauvrets 49. 128 C3
Saint-Jean-des-Ollières 63 .. 208 A1
Saint-Jean-des-Vignes 69... 192 C3
Saint-Jean-d'Estissac 24 ... 220 A2
Saint-Jean-d'Étreux 39... 176 B3
Saint-Jean-
devant-Possesse 51 ..... 65 F3

Saint-Jean-d'Eyraud 24 ..... 220 A3
Saint-Jean-d'Hérans 38... 230 C3
Saint-Jean-d'Heurs 63 ..... 190 A4
Saint-Jean-d'Illac 33........ 217 D4
Saint-Jean-d'Ormont 88 ..... 95 F2
Saint-Jean-du-Bois 72 ..... 106 B3
Saint-Jean-du-Bouzet 82.... 256 C3
Saint-Jean-du-Bruel 12 ... 261 F3
Saint-Jean-du-Cardonnay 76 32 A2
Saint-Jean-
du-Castillonnais 09 ...... 299 E4
Saint-Jean-
du-Corail-des-Bois 50..... 54 B3
Saint-Jean-du-Corail 50.... 80 C1
Saint-Jean-du-Doigt 29 ..... 49 E2
Saint-Jean-du-Falga 09 ..... 301 D2
Saint-Jean-du-Gard 30... 263 D2
Saint-Jean-du-Pin 30 ...... 263 E2
Saint-Jean-du-Thenney 27... 57 E1
Saint-Jean-en-Royans 26 ... 229 F2
Saint-Jean-en-Val 63........ 208 A2
Saint-Jean-Froidmentel 41... 109 D2
Saint-Jean-Kerdaniel 22 .... 50 C3
Saint-Jean-Kourtzerode 57... 70 A2
Saint-Jean-la-Bussière 69... 191 F2
Saint-Jean-la-Fouillouse 48 . 244 C1
Saint-Jean-la-Poterie 56 .... 102 B4
Saint-Jean-la-Rivière 06..... 289 D3
Saint-Jean-la-Vêtre 42 ..... 190 C4
Saint-Jean-Lachalm 43 .... 226 C3
Saint-Jean-Lagineste 46 .... 223 D4
Saint-Jean-Lasseille 66 .... 313 D3
Saint-Jean-le-Blanc 14... 55 E2
Saint-Jean-le-Blanc 45...... 110 A3
Saint-Jean-le-Centenier 07... 246 B2
Saint-Jean-le-Comtal 32 .... 274 C2
Saint-Jean-le-Priche 71 .... 175 E3
Saint-Jean-le-Puy 42........ 191 D3
Saint-Jean-le-Thomas 50 ... 53 F3
Saint-Jean-le-Vieux 64...... 295 D1
Saint-Jean-le-Vieux 38..... 213 D4
Saint-Jean-le-Vieux 01... 194 A2
Saint-Jean-lès-Buzy 55..... 40 C4
Saint-Jean-
les-Deux-Jumeaux 77..... 62 B2
Saint-Jean-lès-Longuyon 54. 40 B2
Saint-Jean-Lespinasse 46... 223 D4
Saint-Jean-Lherm 31 ...... 277 D1
Saint-Jean-Ligoure 87 ..... 203 F1
Saint-Jean-Mirabel 46 ..... 241 E2
Saint-Jean-Pied-de-Port 64.. 295 D1
Saint-Jean-Pierre-Fixte 28... 84 A3
Saint-Jean-Pla-de-Corts 66.. 312 C3
Saint-Jean-Poudge 64 ..... 273 E3
Saint-Jean-Poutge 32....... 274 B1
Saint-Jean-Rohrbach 57 .... 69 E1
Saint-Jean-Roure 07........ 228 A3
Saint-Jean-Saint-Germain 37 150 C1
Saint-Jean-Saint-Nicolas 05.. 249 F1
Saint-Jean-Saverne 67...... 70 B2
Saint-Jean-Soleymieux 42... 208 C2
Saint-Jean-sur-Couesnon 35 80 A3
Saint-Jean-sur-Erve 53..... 105 F1
Saint-Jean-sur-Mayenne 53. 105 D2
Saint-Jean-sur-Moivre 51... 65 D2
Saint-Jean-sur-Reyssouze 01 175 F3
Saint-Jean-sur-Tourbe 51... 65 E1
Saint-Jean-sur-Veyle 01..... 175 E4
Saint-Jean-sur-Vilaine 35... 104 A1
Saint-Jean-Trolimon 29 ..... 98 B2
Saint-Jeannet 04 .... 267 F3
Saint-Jeannet 06 .... 269 F4
Saint-Jeanvrin 18 .... 170 A2
Saint-Jeoire 74............ 196 A1
Saint-Jeoire-Prieuré 73 .... 213 D2
Saint-Jeure-d'Andaure 07... 228 A2
Saint-Jeure-d'Ay 07 .... 228 C1
Saint-Jeures 43 .... 227 F2
Saint-Joachim 44......... 125 E2
Saint-Jodard 42 .... 191 E3
Saint-Joire 55............ 92 C1
Saint-Jores 50 .... 26 C3
Saint-Jorioz 74............ 195 E3
Saint-Jory 31 .... 276 B1
Saint-Jory-de-Chalais 24... 203 D3
Saint-Jory-las-Bloux 24 .... 203 D4
Saint-Joseph 42 .... 210 B2
Saint-Joseph 50........... 24 C3
Saint-Joseph-de-Rivière 38.. 212 C3
Saint-Joseph-des-Bancs 07 . 246 A1
Saint-Josse 62 .... 6 B2
Saint-Jouan-de-l'Isle 22..... 78 B3
Saint-Jouan-des-Guérets 35. 52 C4
Saint-Jouin 14 .... 30 A4
Saint-Jouin 87 .... 185 D3
Saint-Jouin-Bruneval 76 .... 14 B3
Saint-Jouin-de-Blavou 61 ... 83 E2
Saint-Jouin-de-Marnes 79... 148 B3
Saint-Jouin-de-Milly 79 .... 147 E4
Saint-Jouvent 87 .... 185 F3
Saint-Juan 25 .... 141 F3
Saint-Judoce 22 .... 78 C2
Saint-Juéry 81 .... 259 E3
Saint-Juéry 48 .... 225 E4
Saint-Juéry 12 .... 260 B4
Saint-Juire-Champgillon 85 . 163 F1
Saint-Julia 31 .... 277 F3
Saint-Julia-de-Bec 11...... 302 C3
Saint-Julien 21 .... 139 E3
Saint-Julien 22 .... 50 C3
Saint-Julien 70 .... 117 E4
Saint-Julien 88 .... 117 F1
Saint-Julien 34 .... 279 C2
Saint-Julien 31 .... 300 A1
Saint-Julien 69 .... 192 B2
Saint-Julien 39............ 176 B3
Saint-Julien-aux-Bois 19 ... 223 E2

Saint-Julien-Beychevelle 33. 217 D1
Saint-Julien-Boutières 07... 228 A3
Saint-Julien-Chapteuil 43 ... 227 E2
Saint-Julien-d'Ance 43...... 209 D4
Saint-Julien-d'Armagnac 40. 254 C3
Saint-Julien-d'Arpaon 48 ... 244 C4
Saint-Julien-d'Asse 04 ..... 267 E3
Saint-Julien-
de-Bourdeilles 24 .... 202 B4
Saint-Julien-de-Briola 11.... 301 F2
Saint-Julien-
de-Cassagnas 30 .... 263 F1
Saint-Julien-de-Chédon 41.. 131 F2
Saint-Julien-de-Civry 71 ... 174 A3
Saint-Julien-de-Concelles 44 126 A4
Saint-Julien-de-Coppel 63.. 207 F1
Saint-Julien-de-Crempse 24. 220 B3
Saint-Julien-
de-Gras-Capou 09 .... 301 E3
Saint-Julien-de-Jonzy 71.... 173 F4
Saint-Julien-de-Jordanne 15 224 B2
Saint-Julien-de-la-Liègue 27. 59 D1
Saint-Julien-de-Lampon 24 . 222 A4
Saint-Julien-de-l'Escap 17... 182 B3
Saint-Julien-de-l'Herms 38... 211 E3
Saint-Julien-de-Mailloc 14... 57 E1
Saint-Julien-de-Peyrolas 30 . 246 B4
Saint-Julien-de-Raz 38...... 212 C3
Saint-Julien-de-Toursac 15.. 241 F1
Saint-Julien-
de-Vouvantes 44 .... 104 A4
Saint-Julien-des-Chazes 43.. 226 B2
Saint-Julien-des-Landes 85 . 162 B1
Saint-Julien-des-Points 48 .. 263 E1
Saint-Julien-d'Eymet 24 .... 238 A1
Saint-Julien-d'Oddes 42 ... 191 D4
Saint-Julien-du-Gua 07 .... 228 A4
Saint-Julien-du-Pinet 43 .... 227 E1
Saint-Julien-du-Puy 81...... 278 A1
Saint-Julien-du-Sault 89 .... 112 C2
Saint-Julien-du-Serre 07 ... 246 A1
Saint-Julien-du-Terroux 53.. 81 F2
Saint-Julien-du-Tournel 48... 244 C2
Saint-Julien-du-Verdon 04 .. 268 B2
Saint-Julien-
en-Beauchêne 05........ 248 C1
Saint-Julien-en-Born 40..... 252 B2
Saint-Julien-
en-Champsaur 05 .... 249 F1
Saint-Julien-en-Genevois 74 195 E1
Saint-Julien-en-Jarez 42 ... 210 B3
Saint-Julien-en-Quint 26 ... 230 A4
Saint-Julien-
en-Saint-Alban 07 .... 228 C4
Saint-Julien-en-Vercors 26 .. 230 A2
Saint-Julien-Gaulène 81 .... 259 F3
Saint-Julien-la-Genête 23... 188 A1
Saint-Julien-la-Geneste 63 .. 188 C1
Saint-Julien-la-Vêtre 42 .... 190 C4
Saint-Julien-Labrousse 07 .. 228 B3
Saint-Julien-l'Ars 86....... 166 C2
Saint-Julien-le-Châtel 23 ... 187 F1
Saint-Julien-le-Faucon 14 ... 56 C1
Saint-Julien-
le-Montagnier 83 .... 286 A1
Saint-Julien-le-Pèlerin 19 ... 223 E3
Saint-Julien-le-Petit 87...... 186 C4
Saint-Julien-le-Roux 07 .... 228 C4
Saint-Julien-
le-Vendômois 19 .... 203 F3
Saint-Julien-lès-Gorze 54 ... 67 F1
Saint-Julien-lès-Metz 57 ... 41 F4
Saint-Julien-
lès-Montbéliard 25 .... 142 B1
Saint-Julien-les-Rosiers 30.. 263 E1
Saint-Julien-lès-Russey 25 .. 142 B4
Saint-Julien-lès-Villas 10.... 90 B4
Saint-Julien-Maumont 19 ... 222 C3
Saint-Julien-Molhesabate 43 228 A1
Saint-Julien-
Molin-Molette 42 .... 210 B4
Saint-Julien-Mont-Denis 73 . 214 A4
Saint-Julien-près-Bort 19 ... 206 B3
Saint-Julien-Puy-Lavèze 63.. 206 C1
Saint-Julien-
sous-les-Côtes 55 .... 67 D3
Saint-Julien-sur-Bibost 69... 192 B4
Saint-Julien-sur-Calonne 14. 30 C3
Saint-Julien-sur-Cher 41 ... 133 D4
Saint-Julien-sur-Dheune 71 . 157 E4
Saint-Julien-
sur-Reyssouze 01........ 175 F3
Saint-Julien-sur-Sarthe 61... 83 E2
Saint-Julien-sur-Veyle 01 ... 193 D1
Saint-Julien-Vocance 07 .... 228 B1
Saint-Junien 87 .... 185 D3
Saint-Junien-la-Bregère 23.. 186 C3
Saint-Junien-les-Combes 87 185 E2
Saint-Jure 57 .... 68 B2
Saint-Jurs 04............. 267 F3
Saint-Just 63 .... 208 C3
Saint-Just 07............. 246 C3
Saint-Just 18............. 153 E2
Saint-Just 01 .... 193 F1
Saint-Just 15............. 225 F4
Saint-Just 34............. 282 A2
Saint-Just 35............. 102 C3
Saint-Just 63............. 208 C3
Saint-Just-Chaleyssin 38.... 211 D2
Saint-Just-d'Avray 69 ...... 192 A3
Saint-Just-de-Bélengard 11 . 301 F2
Saint-Just-de-Claix 38 ..... 229 F2
Saint-Just-en-Bas 42....... 209 D1
Saint-Just-en-Brie 77....... 88 B1
Saint-Just-en-Chaussée 60.. 34 C2
Saint-Just-en-Chevalet 42... 191 D3
Saint-Just-et-le-Bézu 11.... 302 B4
Saint-Just-et-Vacquières 30 . 263 F2

Saint-Just-Ibarre 64 .... 295 E1
Saint-Just-la-Pendue 42.... 191 F3
Saint-Just-le-Martel 87... 186 A4
Saint-Just-Luzac 17........ 181 D4
Saint-Just-Malmont 43 ..... 209 F4
Saint-Just-près-Brioude 43.. 226 A1
Saint-Just-Saint-Rambert 42 209 D2
Saint-Just-Sauvage 51 ..... 89 F1
Saint-Just-sur-Dive 49 ..... 129 E4
Saint-Just-sur-Viaur 12 .... 259 F2
Saint-Justin 32........... 254 A3
Saint-Justin 40........... 254 B3
Saint-Juvat 22 .... 78 C2
Saint-Juvin 08 .... 39 E3
Saint-Lactencin 36......... 151 E3
Saint-Lager 69 .... 192 B1
Saint-Lager-Bressac 07 ..... 246 C1
Saint-Lamain 39.......... 159 F4
Saint-Lambert 14......... 55 F2
Saint-Lambert 78......... 60 B4
Saint-Lambert-des-Levées 49 129 E4
Saint-Lambert-de-la-Potherie 49 128 A2
Saint-Lambert-du-Lattay 49 . 128 B3
Saint-Lambert-
et-Mont-de-Jeux 08....... 38 C1
Saint-Lambert-la-Potherie 49 128 A2
Saint-Lambert-sur-Dive 61... 56 C3
Saint-Langis-
lès-Mortagne 61......... 83 F2
Saint-Lanne 65........... 273 E3
Saint-Laon 86 .... 148 C4
Saint-Lary 09............. 299 E4
Saint-Lary 32............. 274 C1
Saint-Lary-Boujean 31...... 299 D1
Saint-Lary-Soulan 65 ...... 298 B4
Saint-Lattier 38........... 229 F2
Saint-Launeuc 22.......... 78 A3
Saint-Laure 63 .... 189 F3
Saint-Laurent 23 .... 187 D1
Saint-Laurent 58 .... 135 E3
Saint-Laurent 31 .... 275 E4
Saint-Laurent 47 .... 255 F1
Saint-Laurent 74 .... 195 F1
Saint-Laurent 18 .... 133 F4
Saint-Laurent 22 .... 50 B3
Saint-Laurent 08 .... 22 C3
Saint-Laurent-Blangy 62 .... 8 B3
Saint-Laurent-Bretagne 64 .. 273 E4
Saint-Laurent-
Chabreuges 43.......... 208 A4
Saint-Laurent-d'Agny 69.... 210 C1
Saint-Laurent-d'Aigouze 30 . 282 B2
Saint-Laurent-d'Andenay 71. 157 E4
Saint-Laurent-d'Arcé 33 .... 217 F2
Saint-Laurent-de-Belzagot 16 201 E3
Saint-Laurent-
de-Brèvedent 76......... 14 B4
Saint-Laurent-de-Carnols 30. 264 B1
Saint-Laurent-de-Céris 16... 184 A3
Saint-Laurent-de-Cerdans 66 312 B4
Saint-Laurent-
de-Chamousset 69 ...... 192 A4
Saint-Laurent-de-Cognac 16. 199 F1
Saint-Laurent-de-Condel 14 . 55 F1
Saint-Laurent-de-Cuves 50.. 54 B3
Saint-Laurent-de-Gosse 40 . 271 D2
Saint-Laurent-de-Jourdes 86 166 C3
Saint-Laurent-
de-la-Salanque 66 .... 313 D1
Saint-Laurent-de-la-Prée 17 . 181 D2
Saint-Laurent-
de-la-Cabrerisse 11....... 303 D3
Saint-Laurent-de-la-Mer 22.. 51 E4
Saint-Laurent-
de-la-Barrière 17 .... 181 F2
Saint-Laurent-de-la-Salle 85. 164 A1
Saint-Laurent-de-la-Plaine 49 128 A3
Saint-Laurent-de-la-Côte 73. 214 B3
Saint-Laurent-de-Lévézou 12 261 D1
Saint-Laurent-de-Lin 37..... 130 A2
Saint-Laurent-de-Mure 69... 211 E1
Saint-Laurent-de-Muret 48 . 243 F2
Saint-Laurent-de-Neste 65 . 298 C2
Saint-Laurent-
de-Terregatte 50......... 80 A1
Saint-Laurent-de-Trèves 48 . 262 B1
Saint-Laurent-de-Vaux 69... 210 B3
Saint-Laurent-de-Veyrès 48 . 243 E1
Saint-Laurent-des-Arbres 30 264 C2
Saint-Laurent-des-Bâtons 24 220 C3
Saint-Laurent-des-Bois 27... 59 D3
Saint-Laurent-des-Bois 41... 109 E3
Saint-Laurent-
des-Combes 33 .... 219 D3
Saint-Laurent-
des-Combes 16 .... 201 E4
Saint-Laurent-
des-Hommes 24......... 219 F2
Saint-Laurent-
des-Mortiers 53......... 105 E4
Saint-Laurent-des-Vignes 24 220 A4
Saint-Laurent-d'Olt 12 ..... 243 E4
Saint-Laurent-d'Onay 26 ... 229 E1
Saint-Laurent-du-Bois 33... 236 C1
Saint-Laurent-du-Cros 05 ... 249 F1
Saint-Laurent-du-Mont 14... 30 A4
Saint-Laurent-du-Mottay 49. 127 F3
Saint-Laurent-du-Pape 07 .. 228 C3
Saint-Laurent-du-Plan 33... 237 D2
Saint-Laurent-du-Pont 38 .. 212 C4
Saint-Laurent-
du-Tencement 27........ 57 D2
Saint-Laurent-du-Var 06..... 288 C2
Saint-Laurent-du-Verdon 04. 286 A1
Saint-Laurent-
en-Beaumont 38 .... 231 D4
Saint-Laurent-
en-Brionnais 71 .... 174 A4

Saint-Laurent-en-Gâtines 37. 131 D1
Saint-Laurent-
en-Grandvaux 39........ 177 E1
Saint-Laurent-en-Royans 26. 230 A2
Saint-Laurent-la-Conche 42.. 209 E2
Saint-Laurent-la-Gâtine 28 .. 59 E4
Saint-Laurent-la-Roche 39... 176 C1
Saint-Laurent-la-Vallée 24... 239 E1
Saint-Laurent-la-Vernède 30. 264 A2
Saint-Laurent-le-Minier 30 .. 262 B3
Saint-Laurent-les-Bains 07 .. 245 E2
Saint-Laurent-les-Églises 87. 186 B3
Saint-Laurent-les-Tours 46 .. 223 D4
Saint-Laurent-Lolmie 46 .... 239 F4
Saint-Laurent-Médoc 33 .... 216 C1
Saint-Laurent-Nouan 41 .... 109 F4
Saint-Laurent-Rochefort 42.. 191 D4
Saint-Laurent-
sous-Coiron 07.......... 246 B2
Saint-Laurent-sur-Gorre 87.. 185 D4
Saint-Laurent-
sur-Manoire 24.......... 220 C1
Saint-Laurent-sur-Mer 14 ... 28 B2
Saint-Laurent-sur-Othain 55. 40 B2
Saint-Laurent-sur-Oust 56... 102 A3
Saint-Laurent-sur-Saône 01.. 175 E4
Saint-Laurent-sur-Sèvre 85.. 146 C2
Saint-Laurs 79 .... 164 C2
Saint-Léger 06 .... 269 D2
Saint-Léger 17 .... 199 E1
Saint-Léger 16 .... 201 E3
Saint-Léger 73 .... 213 F2
Saint-Léger 50 .... 53 F3
Saint-Léger 47 .... 237 F4
Saint-Léger 62 .... 8 B4
Saint-Léger 77 .... 62 C3
Saint-Léger-aux-Bois 76 ... 17 D3
Saint-Léger-aux-Bois 60 ... 35 F2
Saint-Léger-Bridereix 23 ... 168 C4
Saint-Léger-de-Balson 33... 236 A3
Saint-Léger-de-Fougeret 58. 156 A2
Saint-Léger-
de-la-Martinière 79 ...... 165 E4
Saint-Léger-
de-Montbrillais 86........ 148 B1
Saint-Léger-de-Montbrun 79 148 B2
Saint-Léger-de-Peyre 48 ... 243 F2
Saint-Léger-de-Rôtes 27 ... 57 F1
Saint-Léger-des-Aubées 28.. 85 F2
Saint-Léger-des-Bois 49..... 128 A2
Saint-Léger-des-Prés 35..... 79 F2
Saint-Léger-des-Vignes 58 .. 155 E4
Saint-Léger-du-Bois 71..... 157 E2
Saint-Léger-
du-Bourg-Denis 76....... 32 B2
Saint-Léger-du-Gennetey 27 31 F3
Saint-Léger-du-Malzieu 48 .. 225 F4
Saint-Léger-du-Ventoux 84.. 265 F1
Saint-Léger-Dubosq 14..... 30 A4
Saint-Léger-en-Bray 60..... 34 A2
Saint-Léger-en-Yvelines 78.. 60 A4
Saint-Léger-la-Montagne 87. 186 A2
Saint-Léger-le-Guérétois 23 . 186 C1
Saint-Léger-le-Petit 18 ..... 154 B1
Saint-Léger-lès-Authie 80... 7 F4
Saint-Léger-lès-Domart 80 .. 18 A1
Saint-Léger-lès-Mélèzes 05.. 249 F1
Saint-Léger-lès-Paray 71 ... 173 F2
Saint-Léger-Magnazeix 87 .. 168 A4
Saint-Léger-près-Troyes 10.. 90 B4
Saint-Léger-sous-Beuvray 71 156 C2
Saint-Léger-sous-Brienne 10 91 D2
Saint-Léger-sous-Cholet 49 . 146 C1
Saint-Léger-
sous-la-Bussière 71....... 174 C4
Saint-Léger-
sous-Margerie 10........ 91 D1
Saint-Léger-
sur-Bonneville 27........ 30 C3
Saint-Léger-sur-Bresle 80... 17 E3
Saint-Léger-sur-Dheune 71.. 157 F3
Saint-Léger-sur-Roanne 42 . 191 D2
Saint-Léger-sur-Sarthe 61... 83 E2
Saint-Léger-sur-Vouzance 03 173 F3
Saint-Léger-Triey 21 .... 139 F3
Saint-Léger-Vauban 89..... 137 E3
Saint-Léomer 86 .... 167 F3
Saint-Léon 03 .... 173 D3
Saint-Léon 47 .... 237 F4
Saint-Léon 31 .... 276 C4
Saint-Léon-d'Issigeac 24 ... 238 C1
Saint-Léon-sur-l'Isle 24 .... 220 A2
Saint-Léon-sur-Vézère 24 ... 221 E3
Saint-Léonard 88 .... 95 F3
Saint-Léonard 51 .... 37 F4
Saint-Léonard 62 .... 2 A4
Saint-Léonard 32 .... 256 B4
Saint-Léonard 76 .... 14 C2
Saint-Léonard-de-Noblat 87. 186 A4
Saint-Léonard-des-Bois 72.. 82 B2
Saint-Léonard-des-Parcs 61. 83 D1
Saint-Léonard-en-Beauce 41 109 D3
Saint-Léopardin-d'Augy 03.. 171 F3
Saint-Léry 56............. 78 A4
Saint-Leu-d'Esserent 60..... 34 C4
Saint-Leu-la-Forêt 95 ...... 60 C2
Saint-Lézer 65............ 273 F4
Saint-Lézin 49............ 128 A4
Saint-Lieux-Lafenasse 81 ... 278 C1
Saint-Lieux-lès-Lavaur 81 ... 277 E1
Saint-Liguaire 79 .... 164 C1
Saint-Lin 79 .... 165 D2
Saint-Lions 04 .... 268 A2
Saint-Lizier 09 .... 300 A3
Saint-Lizier-du-Planté 32 ... 275 F4

Saint-Lô 50 .... 27 E4
Saint-Lô-d'Ourville 50 .... 24 C4
Saint-Lon-les-Mines 40 .... 271 E3
Saint-Longis 72 .... 83 D3
Saint-Lormel 22 .... 78 B1
Saint-Lothain 39.......... 159 F3
Saint-Loube 32........... 275 F3
Saint-Loubert 33 .... 236 C2
Saint-Loubès 33 .... 217 F3
Saint-Loubouer 40......... 272 C1
Saint-Louet-sur-Seulles 14 .. 55 E1
Saint-Louet-sur-Vire 50 .... 54 C1
Saint-Louis 68............ 121 D3
Saint-Louis 57............ 70 A3
Saint-Louis-
de-Montferrand 33 ...... 217 E3
Saint-Louis-en-l'Isle 24..... 220 A2
Saint-Louis-et-Parahou 11 .. 302 B4
Saint-Louis-lès-Bitche 57.... 44 B4
Saint-Loup 58 .... 135 E3
Saint-Loup 23 .... 187 F1
Saint-Loup 17 .... 181 F2
Saint-Loup 51 .... 63 F4
Saint-Loup 69............ 192 A3
Saint-Loup 50 .... 54 A4
Saint-Loup 03 .... 172 B4
Saint-Loup 82 .... 256 C2
Saint-Loup (Pic) 34 .... 281 F4
Saint-Loup-Cammas 31..... 276 C1
Saint-Loup-Champagne 08.. 38 A2
Saint-Loup-de-Buffigny 10 .. 89 E2
Saint-Loup-de-Fribois 14... 56 C1
Saint-Loup-de-Gonois 45 ... 112 A1
Saint-Loup-de-la-Salle 71... 158 A2
Saint-Loup-de-Naud 77..... 88 C2
Saint-Loup-de-Varennes 71. 158 A4
Saint-Loup-des-Chaumes 18 153 E4
Saint-Loup-des-Vignes 45... 111 D2
Saint-Loup-d'Ordon 89 ..... 112 C2
Saint-Loup-du-Dorat 53 .... 105 F3
Saint-Loup-du-Gast 53...... 81 F2
Saint-Loup-
en-Comminges 31........ 298 C1
Saint-Loup-Hors 14 .... 28 C3
Saint-Loup-Lamairé 79...... 148 B4
Saint-Loup-Nantouard 70... 140 B2
Saint-Loup-sur-Aujon 52... 116 B3
Saint-Loup-sur-Cher 41 .... 133 D4
Saint-Loup-sur-Semouse 70. 118 B2
Saint-Loup-Terrier 08 ..... 38 C2
Saint-Loyer-des-Champs 61. 56 C4
Saint-Lubin-de-Cravant 28 .. 58 C4
Saint-Lubin-de-la-Haye 28.. 59 E3
Saint-Lubin-
des-Joncherets 28....... 58 C4
Saint-Lubin-
en-Vergonnois 41........ 131 F1
Saint-Luc 27 .... 59 D2
Saint-Lucien 28 .... 85 F1
Saint-Lucien 76 .... 32 C2
Saint-Lumier-
en-Champagne 51 .... 65 E3
Saint-Lumier-
la-Populeuse 51 .... 65 F4
Saint-Lumine-de-Clisson 44. 146 A1
Saint-Lumine-de-Coutais 44. 145 E1
Saint-Lunaire 35.......... 52 C4
Saint-Luperce 28 .... 85 D2
Saint-Lupicin 39 .... 177 D3
Saint-Lupien 10 .... 89 F3
Saint-Lyé 10 .... 90 A3
Saint-Lyé-la-Forêt 45 ...... 110 B2
Saint-Lyphard 44 .... 123 F3
Saint-Lys 31 .... 276 A3
Saint-Macaire 33 .... 236 C2
Saint-Macaire-du-Bois 49 .. 148 A1
Saint-Macaire-en-Mauges 49 146 C1
Saint-Maclou 27.......... 31 D3
Saint-Maclou-de-Folleville 76 16 B4
Saint-Maclou-la-Brière 76 .. 15 D3
Saint-Macoux 86 .... 183 F1
Saint-Maden 22 .... 78 C2
Saint-Magne 33 .... 235 F2
Saint-Magne-de-Castillon 33 219 D4
Saint-Maigner 63 .... 188 C2
Saint-Maigrin 17 .... 200 C3
Saint-Maime 04 .... 267 D3
Saint-Maime-de-Péreyrol 24. 220 B2
Saint-Maixant 23 .... 187 F3
Saint-Maixant 33 .... 236 C2
Saint-Maixent 72 .... 107 F1
Saint-Maixent-de-Beugné 79 164 B2
Saint-Maixent-l'École 79 .... 165 E3
Saint-Maixent-sur-Vie 85.... 145 D4
Saint-Maixme-Hauterive 28 . 84 C1
Saint-Malo 35............ 52 C4
Saint-Malo-de-Beignon 56 .. 102 B2
Saint-Malo-de-Guersac 44 .. 123 F3
Saint-Malo-de-la-Lande 50 . 53 F1
Saint-Malo-de-Phily 35...... 103 D2
Saint-Malo-
des-Trois-Fontaines 56.... 101 F1
Saint-Malo-du-Bois 85...... 146 C2
Saint-Malo-en-Donziois 58 . 135 F4
Saint-Malon-sur-Mel 35..... 102 B2
Saint-Mamert 69 .... 174 C4
Saint-Mamert-du-Gard 30 .. 263 F4
Saint-Mamet 31 .... 307 F4
Saint-Mamet-la-Salvetat 15 . 223 F4
Saint-Mammès 77 .... 87 F3
Saint-Mandé 94 .... 61 D3
Saint-Mandé-sur-Brédoire 17 182 C2
Saint-Mandrier-sur-Mer 83.. 291 F4
Saint-Manvieu-Bocage 14... 54 C2
Saint-Manvieu-Norrey 14 ... 29 D4
Saint-Marc 44 .... 125 D2
Saint-Marc 15 .... 225 F3
Saint-Marc-à-Frongier 23 ... 187 D3

ST-MALO

En saison : zone piétonne intra-muros

Broussais (R.) DZ
Dinan (R. de) DZ
Porcon-de-la-Barbinais (R.) DZ 43
St-Vincent (R.) DZ 57
Cartier (R. J.) DZ 5
Chartres (R. de) DZ 6
Chateaubriand (Pl.) DZ 8
Cordiers (R. des) DZ 13
Forgeurs (R. du) DZ 18
Fosse (R. de la) DZ 19
Herbes (Pl. aux) DZ 25
Lamennais (Pl. Fr.) DZ 28
Mettrie (R. de la) DZ 35
Pilori (Pl. du) DZ 38
Poids-du-Roi (Pl. du) DZ 39
Poissonnerie (Pl. de la) DZ 42
St-Benoist (R.) DZ 56
Vauban (Pl.) DZ 70

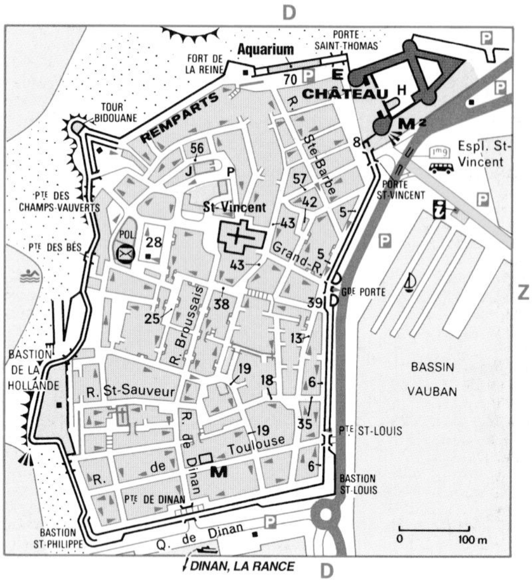

Saint-Marc-à-Loubaud 23 187 E4
Saint-Marc-du-Cor 41 108 B2
Saint-Marc-Jaumegarde 13 285 D2
Saint-Marc-la-Lande 79 165 D2
Saint-Marc-le-Blanc 35 79 F2
Saint-Marc-sur-Couesnon 35 80 A3
Saint-Marc-sur-Seine 21 115 E4
Saint-Marcan 35 79 E1
Saint-Marceau 08 22 C4
Saint-Marceau 72 82 C4
Saint-Marcel 81 259 D2
Saint-Marcel 27 59 E1
Saint-Marcel 54 41 E4
Saint-Marcel 70 117 F3
Saint-Marcel 56 101 F3
Saint-Marcel 71 158 A4
Saint-Marcel 73 214 B2
Saint-Marcel 08 22 B3
Saint-Marcel 36 168 C1
Saint-Marcel-Bel-Accueil 38 211 F1
Saint-Marcel-d'Ardèche 07 246 C4
Saint-Marcel-de-Careiret 30 264 A2
Saint-Marcel-de-Félines 42 191 F3
Saint-Marcel-du-Périgord 24 220 C3
Saint-Marcel-d'Urfé 42 191 D3
Saint-Marcel-en-Dombes 01 193 D3
Saint-Marcel-en-Marcillat 03 188 B1
Saint-Marcel-en-Murat 03 171 F4
Saint-Marcel-l'Éclairé 69 192 A3
Saint-Marcel-lès-Annonay 07 210 B4
Saint-Marcel-lès-Sauzet 26 247 D2
Saint-Marcel-lès-Valence 26 229 D3
Saint-Marcel-Paulel 31 277 D2
Saint-Marcel-sur-Aude 11 303 F1
Saint-Marcelin-de-Cray 71 174 C2
Saint-Marcellin 38 230 A1
Saint-Marcellin-de-Vars 05 250 C1
Saint-Marcellin-en-Forez 42 209 F2
Saint-Marcellin-lès-Vaison 84 265 E1
Saint-Marcet 31 299 D1
Saint-Marcory 24 239 D1
Saint-Marcouf 50 25 E3
Saint-Marcouf 14 27 F3
Saint-Mard 80 19 D4
Saint-Mard 77 61 F1
Saint-Mard 17 181 F1
Saint-Mard 54 94 B1
Saint-Mard 02 36 C2
Saint-Mard-de-Réno 61 83 F2
Saint-Mard-de-Vaux 71 157 F4
Saint-Mard-lès-Rouffy 51 64 B2
Saint-Mard-sur-Auve 51 65 E1
Saint-Mard-sur-le-Mont 51 65 F2
Saint-Mards 76 16 A3
Saint-Mards-de-Blacarville 27 31 D3
Saint-Mards-de-Fresne 27 57 E1
Saint-Mards-en-Othe 10 89 F4
Saint-Marien 23 170 A3
Saint-Mariens 33 217 F1
Saint-Mars-de-Coutais 44 145 E1
Saint-Mars-de-Locquenay 72 107 E2
Saint-Mars-d'Égrenne 61 81 E1
Saint-Mars-d'Outillé 72 107 D3
Saint-Mars-du-Désert 53 82 B3
Saint-Mars-du-Désert 44 126 C3
Saint-Mars-en-Brie 77 62 C4
Saint-Mars-la-Brière 72 107 E2
Saint-Mars-la-Jaille 44 127 D1
Saint-Mars-la-Réorthe 85 146 C3
Saint-Mars-sous-Ballon 72 83 D4
Saint-Mars-sur-Colmont 53 81 E3
Saint-Mars-sur-la-Futaie 53 80 C2
Saint-Marsal 66 312 B3
Saint-Marsault 79 147 E4
Saint-Martial 16 201 E3
Saint-Martial 15 225 E4
Saint-Martial 07 227 F4
Saint-Martial 17 182 B2
Saint-Martial 33 236 C1
Saint-Martial 30 262 C3
Saint-Martial-d'Albarède 24 203 E4
Saint-Martial-d'Artenset 24 219 F2
Saint-Martial-de-Gimel 19 205 D4
Saint-Martial-de-Mirambeau 17 199 E3
Saint-Martial-de-Nabirat 24 239 F1
Saint-Martial-de-Valette 24 202 B2
Saint-Martial-de-Vitaterne 17 199 F3
Saint-Martial-Entraygues 19 223 D2
Saint-Martial-le-Mont 23 187 E2
Saint-Martial-le-Vieux 23 205 F1
Saint-Martial-sur-Isop 87 185 D1
Saint-Martial-sur-Né 17 199 E2
Saint-Martial-Viveyrol 24 201 F4
Saint-Martin 54 95 E1
Saint-Martin 66 311 F1
Saint-Martin 83 285 F2
Saint-Martin 65 297 F2
Saint-Martin 50 53 F2
Saint-Martin 56 102 A3
Saint-Martin 67 96 B1
Saint-Martin 32 274 B3
Saint-Martin (Casella) 2B 317 E1
Saint-Martin-au-Bosc 76 17 D3
Saint-Martin-au-Laërt 62 3 E3
Saint-Martin-aux-Arbres 76 15 F3
Saint-Martin-aux-Bois 60 35 D1
Saint-Martin-aux-Buneaux 76 15 D1
Saint-Martin-aux-Champs 51 65 D3
Saint-Martin-aux-Chartrains 14 30 B3
Saint-Martin-Belle-Roche 71 175 E3
Saint-Martin-Bellevue 74 195 E2
Saint-Martin-Boulogne 62 2 A4
Saint-Martin-Cantalès 15 223 F2
Saint-Martin-Château 23 186 C4
Saint-Martin-Chennetron 77 89 D1
Saint-Martin-Choquel 62 2 C4
Saint-Martin-d'Abbat 45 110 C3
Saint-Martin-d'Ablois 51 63 F2
Saint-Martin-d'Août 26 229 E1
Saint-Martin-d'Arberoue 64 271 D4
Saint-Martin-d'Arc 73 214 A4
Saint-Martin-d'Arcé 49 129 E1
Saint-Martin-d'Ardèche 07 246 B4
Saint-Martin-d'Armagnac 32 273 F1
Saint-Martin-d'Arrossa 64 295 D1
Saint-Martin-d'Ary 17 218 C1
Saint-Martin-d'Aubigny 50 27 D4
Saint-Martin-d'Audouville 50 25 D3
Saint-Martin-d'Auxigny 18 153 E1
Saint-Martin-d'Auxy 71 157 E4
Saint-Martin-de-Bavel 01 194 C3
Saint-Martin-de-Beauville 47 256 C1
Saint-Martin-de-Belleville 73 214 B3
Saint-Martin-de-Bernegoue 79 165 D4
Saint-Martin-de-Bienfaite 14 57 E1
Saint-Martin-de-Blagny 14 27 E3
Saint-Martin-de-Bonfossé 50 54 B1
Saint-Martin-de-Boscherville 76 15 F4
Saint-Martin-de-Bossenay 10 89 E2
Saint-Martin-de-Boubaux 48 263 D1
Saint-Martin-de-Bréthencourt 78 86 A2
Saint-Martin-de-Brômes 04 267 E4
Saint-Martin-de-Caralp 09 300 C3
Saint-Martin-de-Castillon 84 266 B4
Saint-Martin-de-Cenilly 50 54 A1
Saint-Martin-de-Clelles 38 230 C4
Saint-Martin-de-Commune 71 157 E3
Saint-Martin-de-Connée 53 82 A4
Saint-Martin-de-Cornas 69 210 C2
Saint-Martin-de-Coux 17 219 D1
Saint-Martin-de-Crau 13 283 F2
Saint-Martin-de-Curton 47 237 D4
Saint-Martin-de-Fenollar (Chapelle de) 66 312 C3
Saint-Martin-de-Fontenay 14 56 A1
Saint-Martin-de-Fraigneau 85 164 B3
Saint-Martin-de-Fressengeas 24 203 D3
Saint-Martin-de-Fresnay 14 56 C2
Saint-Martin-de-Fugères 43 227 D3
Saint-Martin-de-Goyne 32 256 A3
Saint-Martin-de-Gurson 24 219 E3
Saint-Martin-de-Hinx 40 271 D2
Saint-Martin-de-Juillers 17 182 B3
Saint-Martin-de-Jussac 87 185 D3
Saint-Martin-de-la-Brasque 84 266 B4
Saint-Martin-de-la-Coudre 17 181 F2
Saint-Martin-de-la-Cluze 38 230 C2
Saint-Martin-de-la-Lieue 14 57 D1
Saint-Martin-de-la-Mer 21 137 F4
Saint-Martin-de-la-Place 49 129 D3
Saint-Martin-de-la-Porte 73 214 A4
Saint-Martin-de-Lamps 36 151 F2
Saint-Martin-de-Landelles 50 80 B1
Saint-Martin-de-Lansuscle 48 262 C1
Saint-Martin-de-l'Arçon 34 279 F2
Saint-Martin-de-Laye 33 218 C2
Saint-Martin-de-Lenne 12 243 D3
Saint-Martin-de-Lerm 33 237 D1
Saint-Martin-de-Lixy 71 191 F1
Saint-Martin-de-Londres 34 281 E1
Saint-Martin-de-Mâcon 79 148 B2
Saint-Martin-de-Mailloc 14 57 D1
Saint-Martin-de-Mieux 14 56 A3
Saint-Martin-de-Nigelles 28 85 F1
Saint-Martin-de-Peille (Église) 06 289 E4
Saint-Martin-de-Queyrières 05 232 B3
Saint-Martin-de-Ré 17 163 D4
Saint-Martin-de-Ribérac 24 220 A1
Saint-Martin-de-Saint-Maixent 79 165 E3
Saint-Martin-de-Salencey 71 174 C2
Saint-Martin-de-Sallen 14 55 F2
Saint-Martin-de-Sanzay 79 148 B1
Saint-Martin-de-Seignanx 40 270 C2
Saint-Martin-de-Sescas 33 236 C2
Saint-Martin-de-Tallevende 14 54 C3
Saint-Martin-de-Valamas 07 228 A3
Saint-Martin-de-Valgalgues 30 263 E1
Saint-Martin-de-Varreville 50 25 E4
Saint-Martin-de-Vaulserre 38 212 C2
Saint-Martin-de-Vers 46 240 B2
Saint-Martin-de-Villereglan 11 302 B2
Saint-Martin-de-Villeréal 47 238 C2
Saint-Martin-d'Écublei 61 57 F3
Saint-Martin-d'Entraigues 79 183 D1
Saint-Martin-d'Entraunes 06 268 C1
Saint-Martin-des-Besaces 14 55 D1
Saint-Martin-des-Bois 41 108 A4
Saint-Martin-des-Champs 89 135 E1
Saint-Martin-des-Champs 29 49 E3
Saint-Martin-des-Champs 78 59 F3
Saint-Martin-des-Champs 50 54 A4
Saint-Martin-des-Champs 18 154 B1
Saint-Martin-des-Champs 77 62 C4
Saint-Martin-des-Combes 24 220 B3
Saint-Martin-des-Entrées 14 29 D3
Saint-Martin-des-Fontaines 85 164 A2
Saint-Martin-des-Lais 03 173 D1
Saint-Martin-des-Landes 61 82 B1
Saint-Martin-des-Monts 72 107 F1
Saint-Martin-des-Noyers 85 146 B4
Saint-Martin-des-Olmes 63 208 C2
Saint-Martin-des-Pézerits 61 83 E1
Saint-Martin-des-Plains 63 207 F3
Saint-Martin-des-Prés 22 77 D2
Saint-Martin-des-Puits 11 303 D3
Saint-Martin-des-Tilleuls 85 146 C2
Saint-Martin-d'Estréaux 42 190 C1
Saint-Martin-d'Hardinghem 62 7 D1
Saint-Martin-d'Hères 38 230 C1
Saint-Martin-d'Heuille 58 155 D2
Saint-Martin-d'Ollières 63 208 A3
Saint-Martin-Don 14 54 C2
Saint-Martin-d'Oney 40 253 F3
Saint-Martin-d'Ordon 89 112 C2
Saint-Martin-d'Oydes 09 300 C2
Saint-Martin-du-Bec 76 14 B3
Saint-Martin-du-Bois 49 105 D4
Saint-Martin-du-Bois 33 218 C2
Saint-Martin-du-Boschet 77 63 D4
Saint-Martin-du-Canigou (Abbaye de) 66 311 F3
Saint-Martin-du-Clocher 16 183 F2
Saint-Martin-du-Fouilloux 79 165 E1
Saint-Martin-du-Fouilloux 49 128 A2
Saint-Martin-du-Frêne 01 194 B1
Saint-Martin-du-Lac 71 173 F4
Saint-Martin-du-Limet 53 104 B3
Saint-Martin-du-Manoir 76 14 B4
Saint-Martin-du-Mesnil-Oury 14 56 C1
Saint-Martin-du-Mont 01 193 F1
Saint-Martin-du-Mont 71 176 A1
Saint-Martin-du-Mont 21 138 C2
Saint-Martin-du-Puy 33 237 D1
Saint-Martin-du-Puy 58 137 D3
Saint-Martin-du-Tartre 71 174 C1
Saint-Martin-du-Tertre 95 61 D1
Saint-Martin-du-Tertre 89 88 C4
Saint-Martin-du-Tilleul 27 57 F1
Saint-Martin-du-Touch 31 276 B2
Saint-Martin-du-Var 06 288 C1
Saint-Martin-du-Vieux-Bellême 61 83 F3
Saint-Martin-du-Vivier 76 32 B2
Saint-Martin-d'Uriage 38 231 D1
Saint-Martin-en-Bière 77 87 E2
Saint-Martin-en-Bresse 71 158 B3
Saint-Martin-en-Campagne 76 16 B2
Saint-Martin-en-Coailleux 42 210 B3
Saint-Martin-en-Gâtinois 71 158 B2
Saint-Martin-en-Haut 69 210 B1
Saint-Martin-en-Vercors 26 230 A2
Saint-Martin-Gimois 32 275 E3
Saint-Martin-la-Campagne 27 58 C1
Saint-Martin-la-Garenne 78 59 F1
Saint-Martin-la-Méanne 19 223 D1
Saint-Martin-la-Patrouille 71 174 C1
Saint-Martin-la-Plaine 42 210 B2
Saint-Martin-la-Sauveté 42 191 D4
Saint-Martin-Labouval 46 240 C3
Saint-Martin-Lacaussade 33 217 D1
Saint-Martin-Laguépie 81 259 D2
Saint-Martin-l'Aiguillon 61 82 B1
Saint-Martin-Lalande 11 301 F1
Saint-Martin-l'Ars 86 184 B1
Saint-Martin-Lars-en-Sainte-Hermine 85 163 F1
Saint-Martin-l'Astier 24 219 F2
Saint-Martin-le-Beau 37 131 D3
Saint-Martin-le-Bouillant 50 54 B3
Saint-Martin-le-Châtel 01 175 F4
Saint-Martin-le-Colonel 26 229 F3
Saint-Martin-le-Gaillard 76 16 C2
Saint-Martin-le-Gréard 50 24 C3
Saint-Martin-le-Hébert 50 24 C3
Saint-Martin-le-Mault 87 168 A3
Saint-Martin-le-Nœud 60 34 A2
Saint-Martin-le-Pin 24 202 B2
Saint-Martin-le-Redon 46 239 E3
Saint-Martin-le-Supérieur 07 246 C1
Saint-Martin-le-Vieil 11 302 B1
Saint-Martin-le-Vieux 87 203 E1
Saint-Martin-le-Vinoux 38 230 C1
Saint-Martin-les-Eaux 04 266 C3
Saint-Martin-lès-Langres 52 116 C3
Saint-Martin-lès-Melle 79 165 E4
Saint-Martin-lès-Seyne 04 250 A3
Saint-Martin-Lestra 42 210 A1
Saint-Martin-l'Heureux 51 38 B4
Saint-Martin-l'Hortier 76 16 C4
Saint-Martin-l'Inférieur 07 246 C2
Saint-Martin-Longueau 60 35 D3
Saint-Martin-Lys 11 311 E1
Saint-Martin-Osmonville 76 16 B4
Saint-Martin-Petit 47 237 E2
Saint-Martin-Rivière 02 20 C1
Saint-Martin-Saint-Firmin 27 31 D3
Saint-Martin-Sainte-Catherine 23 186 B3
Saint-Martin-Sepert 19 204 A3
Saint-Martin-sous-Montaigu 71 157 F3
Saint-Martin-sous-Vigouroux 15 224 C3
Saint-Martin-sur-Armançon 89 114 B3
Saint-Martin-sur-Arve 74 196 B2
Saint-Martin-sur-Cojeul 62 8 B4
Saint-Martin-sur-Ecaillon 59 9 F3
Saint-Martin-sur-la-Renne 52 116 A1
Saint-Martin-sur-la-Chambre 73 214 A3
Saint-Martin-sur-le-Pré 51 64 C2
Saint-Martin-sur-Nohain 58 135 E3
Saint-Martin-sur-Ocre 89 113 D3
Saint-Martin-sur-Ocre 45 134 C1
Saint-Martin-sur-Oreuse 89 89 D4
Saint-Martin-sur-Ouanne 89 112 B3
Saint-Martin-Terressus 87 186 A3
Saint-Martin-Valmeroux 15 224 A2
Saint-Martin-Vésubie 06 289 D1
Saint-Martinien 03 170 C4
Saint-Martory 31 299 F2
Saint-Mary 16 184 A4
Saint-Mary-le-Plain 15 225 F1
Saint-Masmes 51 38 A3
Saint-Mathieu 87 202 C1
Saint-Mathieu (Pointe de) 29 46 C3
Saint-Mathieu-de-Tréviers 34 281 F1
Saint-Mathurin 85 162 B1
Saint-Mathurin-Léobazel 19 223 E3
Saint-Mathurin-sur-Loire 49 128 C3
Saint-Matré 46 239 E4
Saint-Maudan 22 77 E4
Saint-Maudez 22 78 B2
Saint-Maugan 35 78 B4
Saint-Maulvis 80 17 E2
Saint-Maur 60 33 F1
Saint-Maur 36 151 F4
Saint-Maur 18 170 B2
Saint-Maur 32 274 B3
Saint-Maur 39 176 C1
Saint-Maur-de-Glanfeuil (Abbaye de) 49 129 D3
Saint-Maur-des-Bois 50 54 B3
Saint-Maur-des-Fossés 94 61 E3
Saint-Maur-sur-le-Loir 28 109 E1
Saint-Maurice 52 117 D3
Saint-Maurice 94 61 D3
Saint-Maurice 58 155 F1
Saint-Maurice 63 207 F1
Saint-Maurice 67 96 B1
Saint-Maurice-aux-Forges 54 95 E1
Saint-Maurice-aux-Riches-Hommes 89 89 E3
Saint-Maurice-Crillat 39 177 D1
Saint-Maurice-d'Ardèche 07 246 A2
Saint-Maurice-de-Beynost 01 193 D4
Saint-Maurice-de-Cazevieille 30 263 F3
Saint-Maurice-de-Gourdans 01 193 F4
Saint-Maurice-de-Laurençanne 17 199 F4
Saint-Maurice-de-Lestapel 47 238 B2
Saint-Maurice-de-Lignon 43 227 E1
Saint-Maurice-de-Rémens 01 193 F2
Saint-Maurice-de-Rotherens 73 212 C1
Saint-Maurice-de-Satonnay 71 175 D3
Saint-Maurice-de-Tavernole 17 199 F2
Saint-Maurice-de-Ventalon 48 245 D4
Saint-Maurice-des-Champs 71 174 C1
Saint-Maurice-des-Lions 16 184 C3
Saint-Maurice-des-Noues 85 164 B1
Saint-Maurice-d'Ételan 76 15 D4
Saint-Maurice-d'Ibie 07 246 B3
Saint-Maurice-du-Désert 61 81 F1
Saint-Maurice-Echelotte 25 142 B2
Saint-Maurice-en-Chalencon 07 228 B4
Saint-Maurice-en-Cotentin 50 24 B4
Saint-Maurice-en-Gourgois 42 209 F3
Saint-Maurice-en-Quercy 46 241 D1
Saint-Maurice-en-Rivière 71 158 B3
Saint-Maurice-en-Trièves 38 230 C4
Saint-Maurice-en-Valgaudemar 05 231 E4
Saint-Maurice-la-Clouère 86 166 B3
Saint-Maurice-la-Fougereuse 79 147 F2
Saint-Maurice-la-Souterraine 23 186 A1
Saint-Maurice-le-Girard 85 164 A1
Saint-Maurice-le-Vieil 89 113 D3
Saint-Maurice-les-Brousses 87 203 F1
Saint-Maurice-lès-Châteauneuf 71 191 F1
Saint-Maurice-lès-Charencey 61 84 A1
Saint-Maurice-lès-Couches 71 157 F3
Saint-Maurice-l'Exil 38 210 C3
Saint-Maurice-Montcouronne 91 86 C1
Saint-Maurice-Navacelles 34 262 A4
Saint-Maurice-près-Crocq 23 187 F3
Saint-Maurice-près-Pionsat 63 188 B2
Saint-Maurice-Saint-Germain 28 84 C2
Saint-Maurice-sous-les-Côtes 55 67 E1
Saint-Maurice-sur-Adour 40 254 A4
Saint-Maurice-sur-Aveyron 45 112 A3
Saint-Maurice-sur-Dargoire 69 210 B2
Saint-Maurice-sur-Eygues 26 247 E4
Saint-Maurice-sur-Fessard 45 111 E2
Saint-Maurice-sur-Huisne 61 83 F2
Saint-Maurice-sur-Loire 42 191 E3
Saint-Maurice-sur-Mortagne 88 95 D2
Saint-Maurice-sur-Moselle 88 119 F2
Saint-Maurice-sur-Vingeanne 21 140 A1
Saint-Maurice-Thizouaille 89 113 D3
Saint-Maurin 47 256 C1
Saint-Max 54 68 B4
Saint-Maxent 80 17 E1
Saint-Maximin 38 213 E3
Saint-Maximin 30 264 A3
Saint-Maximin 60 34 C4
Saint-Maximin-la-Sainte-Baume 83 285 F3
Saint-Maxire 79 164 C3
Saint-May 26 248 A3
Saint-Mayeux 22 76 C3
Saint-Méard 87 204 B1
Saint-Méard-de-Drône 24 220 A1
Saint-Méard-de-Gurçon 24 219 E3
Saint-Médard 36 151 D2
Saint-Médard 16 201 D2
Saint-Médard 57 69 D3
Saint-Médard 79 165 D4
Saint-Médard 23 187 E2
Saint-Médard 31 299 E2
Saint-Médard 46 239 F2
Saint-Médard 17 199 F3
Saint-Médard 40 254 A4
Saint-Médard 64 272 B2
Saint-Médard 32 274 C3
Saint-Médard-d'Aunis 17 181 D1
Saint-Médard-de-Guizières 33 219 D2
Saint-Médard-de-Mussidan 24 219 F2
Saint-Médard-de-Presque 46 223 D4
Saint-Médard-des-Prés 85 164 A2
Saint-Médard-d'Excideuil 24 203 E4
Saint-Médard-d'Eyrans 33 235 F1
Saint-Médard-en-Forez 42 210 A2
Saint-Médard-en-Jalles 33 217 D3
Saint-Médard-Nicourby 46 241 E1
Saint-Médard-sur-Ille 35 79 E3
Saint-Méen 29 47 F2
Saint-Méen-le-Grand 35 78 B4
Saint-Melaine 35 104 A1
Saint-Melaine-sur-Aubance 49 128 B3
Saint-Mélany 07 245 E2
Saint-Méloir 22 78 B1
Saint-Méloir-des-Ondes 35 53 D4
Saint-Même-le-Tenu 44 145 D1
Saint-Même-les-Carrières 16 201 D1
Saint-Memmie 51 64 C2
Saint-Menge 88 93 F3
Saint-Menges 08 23 D3
Saint-Menoux 03 172 A2
Saint-Merd-de-Lapleau 19 223 E1
Saint-Merd-la-Breuille 23 206 A1
Saint-Merd-les-Oussines 19 205 E1
Saint-Méry 77 88 A1
Saint-Meslin-du-Bosc 27 31 F4
Saint-Mesmes 77 61 F2
Saint-Mesmin 85 147 D4
Saint-Mesmin 24 203 F4
Saint-Mesmin 10 90 A2
Saint-Mesmin 21 138 B3
Saint-Mexant 19 204 B4
Saint-Mézard 32 256 A3
Saint-M'Hervé 35 80 B4
Saint-M'Hervon 35 78 C3
Saint-Micaud 71 174 C1
Saint-Michel 45 111 D1
Saint-Michel 64 295 D2
Saint-Michel 82 257 D3
Saint-Michel 16 201 E1
Saint-Michel 02 21 F2
Saint-Michel 31 300 A2
Saint-Michel 34 262 A4
Saint-Michel 32 274 B3
Saint-Michel 09 300 C2
Saint-Michel 52 116 C4
Saint-Michel-Chef-Chef 44 125 E4
Saint-Michel-d'Aurance 07 228 A3
Saint-Michel-de-Bannières 46 222 C3
Saint-Michel-de-Boulogne 07 246 A1
Saint-Michel-de-Castelnau 33 236 C4
Saint-Michel-de-Chabrillanoux 07 228 B4
Saint-Michel-de-Chaillol 05 249 F1
Saint-Michel-de-Chavaignes 72 107 F2
Saint-Michel-de-Cuxa (Abbaye de) 66 311 F2
Saint-Michel-de-Dèze 48 263 D1
Saint-Michel-de-Double 24 219 F2
Saint-Michel-de-Feins 53 105 E4
Saint-Michel-de-Frigolet (Abbaye) 13 264 C4
Saint-Michel-de-Fronsac 33 218 C3
Saint-Michel-de-la-Pierre 50 27 D4
Saint-Michel-de-la-Roë 53 104 B3

ST-NAZAIRE

Blancho (Pl. F.) .... **AZ** 5	Briand (R. Aristide) ..... **AY** 6	Mendès-France
Jaurès (R. Jean) .... **ABY**	Chêneveaux (R.) .... **AZ** 9	(R.) .... **AZ** 19
Paix (R. de la) .... **AYZ**	Coty (Bd René) .... **BZ** 10	Perrin (Bd P.) .... **AY** 20
République (R. de la) ... **AYZ**	Croisic (R. du) .... **AZ** 12	Quatre Z'Horloges
	Herminier (Av. Cdt-l') ... **AY** 13	(Pl. des) .... **BZ** 21
Auriol (R. Vincent) ...... **BZ** 3	Ile-de-France (R. de l') ... **AY** 14	Salengro (R. R.) .... **AZ** 22
	Lechat (R.) .... **AY** 15	Verdun (Bd de) .... **BZ** 23
	Martyrs-de-la-	28-Février-1943
	Résistance (Pl. des) .. **AY** 18	(R. du) .... **BZ** 24

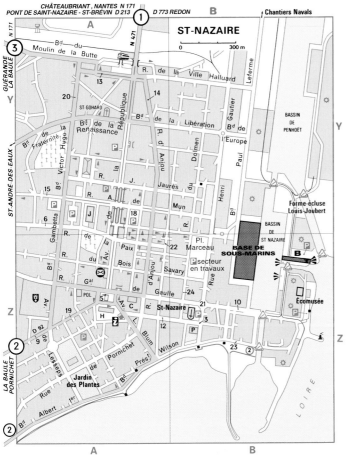

CHÂTEAUBRIANT , NANTES N 171
PONT DE SAINT-NAZAIRE - ST-BRÉVIN D 213 — D 773 REDON — Chantiers Navals
ST-NAZAIRE

Saint-Michel-de-Lanès 11 ... 277 E4
Saint-Michel-de-Lapujade 33 237 E2
Saint-Michel-de-Livet 14 ... 56 C1
Saint-Michel-de-Llotes 66 ... 312 B2
Saint-Michel-
de-Maurienne 73 .... 214 B4
Saint-Michel-
de-Montaigne 24 .... 219 E4
Saint-Michel-de-Montjoie 50 54 C3
Saint-Michel-de-Mourcairol
(Château de) 34 .... 280 A2
Saint-Michel-de-Plélan 22 .. 78 B1
Pont-Saint-de-Rieufret 33 . 236 B2
Saint-Michel-de-Rivière 24 . 219 D1
Saint-Michel-
de-Saint-Geoirs 38 ...... 212 A4
Saint-Michel-de-Vax 81 ..... 258 C2
Saint-Michel-de-Veisse 38 .. 187 C3
Saint-Michel-de-Villadeix 24. 220 C3
Saint-Michel-de-Volangis 18. 153 E1
Saint-Michel-
des-Andaines 61 .... 81 F1
Saint-Michel-des-Loups 50 . 76 C4
Saint-Michel-d'Euzet 30 ..... 264 B1
Saint-Michel-d'Halescourt 76 33 E1
Saint-Michel-
en-Beaumont 38 .... 231 D3
Saint-Michel-en-Brenne 36 .. 150 C4
Saint-Michel-en-Grève 22 ... 4 B4
Saint-Michel-en-l'Herm 85 .. 163 E3
Saint-Michel-Escalus 40 .... 252 B3
Saint-Michel-
et-Chanveaux 49 .... 104 B4
Saint-Michel-Labadie 81 ... 260 A3
Saint-Michel-le-Cloucq 85 .. 164 B2
Saint-Michel-
l'Écluse-et-Léparon 24 ... 219 E1
Saint-Michel-les-Portes 38 . 230 B3
Saint-Michel-
l'Observatoire 04 .... 266 C3
Saint-Michel-Loubéjou 46 .. 223 D4
Saint-Michel-
Mont-Mercure 85 .... 146 C3
Saint-Michel-Peyresq 04 ... 268 B2
Saint-Michel-sous-Bois 62 .. 6 C1
Saint-Michel-sur-Loire 37 .. 130 A4
Saint-Michel-sur-Orge 91 ... 87 E2
Saint-Michel-sur-Rhône 42 . 210 C3
Saint-Michel-sur-Savasse 26 229 E1
Saint-Michel-sur-Ternoise 62 7 D1
Saint-Michel-Tubœuf 61 .... 57 F4
Saint-Mihiel 55 .... 67 D2
Saint-Mitre-les-Remparts 13. 284 A3
Saint-Molf 44 .... 123 E4
Saint-Momelin 59 .... 3 E3

Saint-Mont 32 .... 273 E2
Saint-Montant 07 .... 246 C3
Saint-Moré 89 .... 136 C1
Saint-Moreil 23 .... 186 C4
Saint-Morel 08 .... 39 D3
Saint-Morillon 33 .... 235 F1
Saint-Mury-Mury-Monteymond 38 213 D4
Saint-Myon 63 .... 189 E3
Saint-Nabor 67 .... 70 C4
Saint-Nabord 88 .... 119 D1
Saint-Nabord-sur-Aube 10 .. 90 B2
Saint-Nauphary 82 .... 258 A3
Saint-Nazaire 66 .... 313 D2
Saint-Nazaire 44 .... 125 D3
Saint-Nazaire 33 .... 219 F4
Saint-Nazaire 30 .... 264 B1
Saint-Nazaire (Pont de) 44 .. 125 E3
Saint-Nazaire (Site de) 19 ... 206 A3
Saint-Nazaire-d'Aude 11 ... 303 F1
Saint-Nazaire-de-Ladarez 34. 280 A3
Saint-Nazaire-de-Pézan 34 . 282 A2
Saint-Nazaire-
de-Valentane 82 .... 257 D1
Saint-Nazaire-des-Gardies 30 263 E3
Saint-Nazaire-en-Royans 26 229 F2
Saint-Nazaire-le-Désert 26 . 247 F2
Saint-Nazaire-les-Eymes 38 . 213 D4
Saint-Nazaire-
sur-Charente 17 .... 181 D3
Saint-Nectaire 63 .... 207 D2
Saint-Nexans 24 .... 220 B4
Saint-Nic 29 .... 73 E2
Saint-Nicodème 22 .... 76 A2
Saint-Nicodème
(Chapelle) 56 .... 100 C1
Saint-Nicolas 62 .... 8 B3
Saint-Nicolas (Cascade) 68 . 119 F2
Saint-Nicolas (Chapelle) 56 . 76 A4
Saint-Nicolas-aux-Bois 02 ... 36 C1
Saint-Nicolas-aux-Bois
(Abbaye de) 02 .... 36 C1
Saint-Nicolas-Courbefy 87 . 203 E2
Saint-Nicolas-d'Aliermont 76 16 B2
Saint-Nicolas-d'Attez 27 ... 58 B3
Saint-Nicolas-
de-Bliquetuit 76 .... 15 E4
Saint-Nicolas-
de-Bourgueil 37 .... 129 F4
Saint-Nicolas-de-Brem 85 .. 162 A1
Saint-Nicolas-de-la-Grave 82 257 D2
Saint-Nicolas-de-la-Taille 76 . 15 E4
Saint-Nicolas-de-la-Haie 76 . 15 E4
Saint-Nicolas-
de-la-Balerme 47 .... 256 C2
Saint-Nicolas-
de-Macherin 38 .... 212 B3

Saint-Nicolas-
de-Pierrepont 50 .... 26 C3
Saint-Nicolas-de-Port 54 .... 68 B4
Saint-Nicolas-de-Redon 44 .. 102 B4
Saint-Nicolas-
de-Sommaire 61 .... 57 F3
Saint-Nicolas-de-Véroce 74.. 196 C3
Saint-Nicolas-des-Biefs 03 .. 190 C2
Saint-Nicolas-des-Bois 50 ... 54 B3
Saint-Nicolas-des-Bois 61 ... 82 C2
Saint-Nicolas-des-Eaux 56 .. 100 C1
Saint-Nicolas-des-Laitiers 61 57 F3
Saint-Nicolas-des-Motets 37 131 E1
Saint-Nicolas-
du-Bosc-l'Abbé 27 ...... 57 F1
Saint-Nicolas-du-Bosc 27 .. 31 F4
Saint-Nicolas-du-Pélem 22 .. 76 B2
Saint-Nicolas-du-Tertre 56 .. 102 B3
Saint-Nicolas-en-Forêt 57 ... 41 F3
Saint-Nicolas-la-Chapelle 10 89 D2
Saint-Nicolas-la-Chapelle 73 196 A3
Saint-Nicolas-lès-Cîteaux 21. 158 B1
Saint-Nizier-d'Azergues 69 . 192 A2
Saint-Nizier-de-Fornas 42 ... 209 E3
Saint-Nizier-
du-Moucherotte 38 ...... 230 B1
Saint-Nizier-le-Bouchoux 01. 175 F2
Saint-Nizier-le-Désert 01 .... 193 E2
Saint-Nizier-sous-Charlieu 42 191 E1
Saint-Nizier-sur-Arroux 71 .. 156 C1
Saint-Nolff 56 .... 101 E4
Saint-Nom-la-Bretèche 78... 60 B3
Saint-Offenge-Dessous 73 .. 195 D4
Saint-Offenge-Dessus 73.... 195 D4
Saint-Omer 62 .... 3 E3
Saint-Omer 44 .... 125 F2
Saint-Omer 14 .... 55 F2
Saint-Omer-Capelle 62 ..... 3 D2
Saint-Omer-en-Chaussée 60. 34 A1
Saint-Ondras 38 .... 212 B4
Saint-Onen-la-Chapelle 35 .. 78 B4
Saint-Oradoux-
de-Chirouze 23 .... 206 A1
Saint-Oradoux-
près-Crocq 23 .... 188 A3
Saint-Orens 32 .... 275 D1
Saint-Orens-de-Gameville 31 276 C2
Quatre-Orens-Pouy-Petit 32.. 255 F3
Saint-Ost 32 .... 274 C4
Saint-Osvin 50 .... 54 A4
Saint-Ouen 93 .... 61 D2
Saint-Ouen 17 .... 183 D3
Saint-Ouen 80 .... 18 A1
Saint-Ouen 41 .... 108 C2
Saint-Ouen-d'Attez 27 ..... 58 B3
Saint-Ouen-d'Aunis 17 ..... 163 F4

Saint-Ouen-de-la-Cour 61 ... 83 F2
Saint-Ouen-
de-Mimbré 72 .... 82 C3
Saint-Ouen-de-Pontcheuil 27 32 A4
Saint-Ouen-
de-Sécherouve 61 .... 83 E1
Saint-Ouen-
de-Thouberville 27 ...... 31 F4
Saint-Ouen-des-Alleux 35... 79 F3
Saint-Ouen-des-Besaces 14.. 55 D1
Saint-Ouën-des-Champs 27 . 31 D2
Saint-Ouën-des-Toits 53 .... 80 C4
Saint-Ouën-des-Vallons 53 .. 81 E4
Saint-Ouen-Domprot 51 .... 91 D1
Saint-Ouen-
du-Mesnil-Oger 14 ...... 30 A4
Saint-Ouen-du-Tilleul 27 ... 32 A3
Saint-Ouen-en-Belin 72 .... 107 D3
Saint-Ouen-en-Brie 77 ..... 88 A1
Saint-Ouen-
en-Champagne 72........ 106 A2
Saint-Ouen-la-Rouërie 35 ... 79 F2
Saint-Ouen-l'Aumône 95 .... 60 C1
Saint-Ouen-le-Brisoult 61 ... 82 A2
Saint-Ouen-le-Houx 14 ..... 57 D2
Saint-Ouen-le-Mauger 76 ... 15 F2
Saint-Ouen-le-Pin 14 ...... 30 B4
Saint-Ouen-lès-Parey 88 .... 93 E4
Saint-Ouen-les-Vignes 37 .. 131 E2
Saint-Ouen-Marchefroy 28 .. 59 E3
Saint-Ouen-sous-Bailly 76.. 16 B2
Saint-Ouen-sur-Gartempe 87 185 E1
Saint-Ouen-sur-Iton 61 ..... 57 F4
Saint-Ouen-sur-Loire 58 ... 155 D3
Saint-Ouen-sur-Maire 61.... 56 B4
Saint-Ouen-sur-Morin 77.... 62 C2
Saint-Oulph 10 .... 89 F2
Saint-Ours 73 .... 195 D4
Saint-Ours 63 .... 189 D4
Saint-Outrille 18 .... 152 A1
Saint-Oyen 73 .... 214 A2
Saint-Oyen-Montbellet 71... 175 D3
Saint-Pabu 29 .... 47 E2
Saint-Paër 27 .... 33 E3
Saint-Paër 76 .... 15 F4
Saint-Pair-du-Mont 14 ..... 30 A4
Saint-Pair-sur-Mer 50 ..... 53 F4
Saint-Pal-de-Chalencon 43 . 209 D4
Saint-Pal-de-Mons 43 ...... 227 F1
Saint-Pal-de-Senouire 43 ... 208 C2
Saint-Palais 64 .... 271 E4
Saint-Palais 33 .... 199 F4
Saint-Palais 18 .... 134 A4
Saint-Palais 03 .... 170 B3
Saint-Palais-de-Négrignac 17 200 C4
Saint-Palais-de-Phiolin 17... 199 E2
Saint-Palais-du-Né 16 ...... 200 C2
Saint-Palais-sur-Mer 17..... 198 B1
Saint-Pancrace 73 .... 214 A4
Saint-Pancrace 24 .... 202 B3
Saint-Pancrace 06 .... 288 C2
Saint-Pancrace 2B 314 C2
Saint-Pancrace 04 .... 266 C4
Saint-Pancrasse 38 .... 213 D4
Saint-Pancré 54 .... 40 C1
Saint-Pandelon 40 .... 271 E1
Saint-Pantaléon 71 .... 157 D2
Saint-Pantaléon 84 .... 265 F4
Saint-Pantaléon 46 .... 239 F4
Saint-Pantaléon-
de-Lapleau 19 .... 205 F4
Saint-Pantaléon-
de-Larche 19 .... 222 A2
Saint-Pantaléon-
les-Vignes 26 .... 247 E3
Saint-Pantaly-d'Ans 24..... 221 D1
Saint-Pantaly-d'Excideuil 24. 203 E4
Saint-Papoul 11 .... 277 F4
Saint-Pardon-de-Conques 33 236 C2
Saint-Pardoult 17 .... 182 B2
Saint-Pardoux 79 .... 165 D2
Saint-Pardoux 63 .... 189 E2
Saint-Pardoux 87 .... 185 F2
Saint-Pardoux-Corbier 19 .. 204 A3
Saint-Pardoux-d'Arnet 23 .. 188 A3
Saint-Pardoux-de-Drône 24 . 220 A1
Saint-Pardoux-du-Breuil 47 . 237 E3
Saint-Pardoux-et-Vielvic 24 . 239 D1
Saint-Pardoux-Isaac 47 .... 238 A2
Saint-Pardoux-la-Croisille 19 223 D1
Saint-Pardoux-la-Rivière 24 . 202 C3
Saint-Pardoux-le-Neuf 23 .. 187 F3
Saint-Pardoux-le-Neuf 19 .. 206 A2
Saint-Pardoux-le-Vieux 19 .. 205 F2
Saint-Pardoux-les-Cards 23 . 187 E2
Saint-Pardoux-l'Ortigier 19.. 204 B4
Saint-Pardoux-
Morterolles 23 .... 186 C3
Saint-Pargoire 34 .... 281 D3
Saint-Parize-en-Viry 58..... 155 D4
Saint-Parize-le-Châtel 58 ... 154 C3
Saint-Parres-aux-Tertres 10 . 90 B3
Saint-Parres-la-Vaudes 10.. 90 C4
Saint-Parthem 12 .... 241 F2
Saint-Pastour 47 .... 238 B3
Saint-Pastous 65 .... 297 E3
Saint-Paterne 72 .... 82 C2
Saint-Paterne-Racan 37..... 130 B1
Saint-Pathus 77 .... 61 F1
Saint-Patrice 37 .... 130 A4
Saint-Patrice-de-Claids 50... 26 C3
Saint-Patrice-du-Désert 61 .. 82 A1
Saint-Paul 19 .... 223 D1
Saint-Paul 33 .... 217 F1
Saint-Paul 61 .... 55 E4
Saint-Paul 88 .... 93 F3
Saint-Paul 06 .... 269 F4
Saint-Paul 60 .... 34 A2

Saint-Paul 87 .... 186 A4
Saint-Paul 73 .... 212 C1
Saint-Paul 04 .... 250 C2
Saint-Paul 65 .... 298 C2
Saint-Paul-aux-Bois 02..... 36 A1
Saint-Paul-Cap-de-Joux 81.. 277 E2
Saint-Paul-de-Baïse 32..... 274 B1
Saint-Paul-de-Fenouillet 66.. 311 F1
Saint-Paul-de-Fourques 27.. 31 F4
Saint-Paul-de-Jarrat 09 .... 301 D2
Saint-Paul-de-Loubressac 46 240 D4
Saint-Paul-de-Salers 15 .... 224 B2
Saint-Paul-de-Serre 24 ..... 220 B2
Saint-Paul-de-Tartas 43 .... 227 D4
Saint-Paul-de-Varax 01 ..... 193 E2
Saint-Paul-de-Varces 38 .... 230 C2
Saint-Paul-de-Vern 46 ..... 223 D4
Saint-Paul-de-Vézelin 42 ... 191 E3
Saint-Paul-des-Landes 15 .. 223 F3
Saint-Paul-d'Espis 82 ...... 257 D2
Saint-Paul-d'Izeaux 38 ..... 212 A4
Saint-Paul-d'Oueil 31 ...... 298 C4
Saint-Paul-du-Bois 49 ..... 147 F1
Saint-Paul-du-Vernay 14 ... 28 C4
Saint-Paul-d'Uzore 42 ..... 209 E1
Saint-Paul-en-Born 40 ..... 252 C1
Saint-Paul-en-Chablais 74... 178 C3
Saint-Paul-en-Cornillon 42 . 209 F3
Saint-Paul-en-Forêt 83 ..... 287 E3
Saint-Paul-en-Gâtine 79 .... 164 B1
Saint-Paul-en-Jarez 42 ..... 210 B1
Saint-Paul-en-Pareds 85 ... 146 C3
Saint-Paul-et-Valmalle 34 ... 281 E2
Saint-Paul-la-Coste 30 ..... 263 D2
Saint-Paul-la-Roche 24..... 203 D3
Saint-Paul-le-Froid 48 ..... 226 B4
Saint-Paul-le-Gaultier 72 ... 82 B3
Saint-Paul-le-Jeune 07 ..... 245 F4
Saint-Paul-lès-Dax 40 ..... 271 E1
Saint-Paul-lès-Fonts 30 .... 264 B2
Saint-Paul-lès-Monestier 38. 230 C3
Saint-Paul-lès-Romans 26... 229 E2
Saint-Paul-lez-Durance 13... 285 E1
Saint-Paul-Lizonne 24 ..... 201 F3
Saint-Paul-Mont-Penit 85 .. 145 E2
Saint-Paul-sur-Isère 73..... 214 A1
Saint-Paul-sur-Risle 27..... 31 D3
Saint-Paul-sur-Save 31..... 276 A1
Saint-Paul-Trois-Châteaux 26 246 C4
Saint-Paulet 11 .... 277 E2
Saint-Paulet-de-Caisson 30 . 264 B1
Saint-Paulien 43 .... 226 C2
Saint-Pavace 72 .... 106 C1
Saint-Pé-d'Ardet 31 .... 299 D3
Saint-Pé-de-Bigorre 65 .... 297 E2
Saint-Pé-de-Léren 64 ..... 271 E3
Saint-Pé-Delbosc 31 ...... 299 D1
Saint-Pé-Saint-Simon 47.... 255 D3
Saint-Pée-sur-Nivelle 64 ... 270 B4
Saint-Pellerin 50 .... 27 E3
Saint-Pellerin 28 .... 108 C1
Saint-Péran 35 .... 102 C1
Saint-Péravy-Épreux 45 .... 86 B4
Saint-Péravy-la-Colombe 45. 109 F2
Saint-Péray 07 .... 229 D3
Saint-Perdon 40 .... 253 F4
Saint-Perdoux 46 .... 241 F1
Saint-Perdoux 24 .... 238 B1
Saint-Père 58 .... 135 D3
Saint-Père 35 .... 53 D4
Saint-Père 89 .... 136 C2
Saint-Père-en-Retz 44 ..... 125 E4
Saint-Père-sur-Loire 45 .... 111 D2
Saint-Péreuse 58 .... 156 A2
Saint-Pern 35 .... 78 C3
Saint-Perreux 56 .... 102 B4
Saint-Péver 22 .... 50 C4
Saint-Pey-d'Armens 33 .... 219 D4
Saint-Pey-de-Castets 33.... 219 D4
Saint-Phal 10 .... 114 A1
Saint-Philbert-de-Bouaine 85 145 E2
Saint-Philbert-
de-Grand-Lieu 44........ 145 E1
Saint-Philbert-
des-Champs 14 .... 30 C4
Saint-Philbert-du-Peuple 49 . 129 E2
Saint-Philbert-
du-Pont-Charrault 85 .... 163 F1
Saint-Philbert-en-Mauges 49 146 C1
Saint-Philbert-sur-Boissey 27 31 F4
Saint-Philbert-sur-Orne 61 .. 55 F2
Saint-Philbert-sur-Risle 27 .. 31 D3
Saint-Philibert 21 .... 139 D2
Saint-Philibert 56 .... 100 C1
Saint-Philibert-
d'Entremont 38 .... 213 D3
Saint-Philippe-d'Aiguille 33 . 219 D3
Saint-Philippe-du-Seignal 33 219 F4
Saint-Piat 28 .... 85 F1
Saint-Pierre 31 .... 277 D2
Saint-Pierre 39 .... 177 E1
Saint-Pierre 04 .... 269 E3
Saint-Pierre 15 .... 206 A3
Saint-Pierre 51 .... 64 C2
Saint-Pierre-à-Arnes 08 .... 38 B3
Saint-Pierre-à-Gouy 80..... 18 A2
Saint-Pierre-Aigle 02 ...... 36 A4
Saint-Pierre-Avez 05 ...... 249 D4
Saint-Pierre-Bellevue 23 ... 187 D3
Saint-Pierre-Bénouville 76 .. 15 F2
Saint-Pierre-Bois 67 ...... 96 C3
Saint-Pierre-Brouck 59 ..... 3 D2
Saint-Pierre-Canivet 14 .... 56 A4
Saint-Pierre-Chérignat 23 .. 186 B3
Saint-Pierre-Colamine 63 .. 207 D2
Saint-Pierre-d'Albigny 73 .. 213 E1
Saint-Pierre-d'Allevard 38 .. 213 D2

Saint-Pierre-d'Alvey 73 ..... 212 C1
Saint-Pierre-d'Amilly 17..... 181 F1
Saint-Pierre-d'Argençon 05 . 248 C3
Saint-Pierre-d'Arthéglise 50 . 24 B4
Saint-Pierre-d'Aubézies 32 .. 274 A2
Saint-Pierre-d'Aurillac 33 ... 236 C2
Saint-Pierre-d'Autils 27 .... 59 E1
Saint-Pierre-de-Bailleul 27 .. 59 D4
Saint-Pierre-de-Bat 33 ..... 236 C1
Saint-Pierre-de-Belleville 73 . 213 E2
Saint-Pierre-de-Bœuf 42 ... 210 C3
Saint-Pierre-de-Bressieux 38 211 F4
Saint-Pierre-de-Buzet 47 ... 255 F1
Saint-Pierre-de-Caubel 47 .. 238 C4
Saint-Pierre-de-Cernières 57 F2
Saint-Pierre-
de-Chartreuse 38 .... 213 D3
Saint-Pierre-
de-Chérennes 38 .... 230 A1
Saint-Pierre-de-Cheville 72.. 130 B1
Saint-Pierre-de-Chignac 24.. 221 D2
Saint-Pierre-de-Clairac 47 .. 256 C1
Saint-Pierre-de-Côle 24 .... 202 C3
Saint-Pierre-de-Colombier 07 245 F1
Saint-Pierre-
de-Cormeilles 27 .... 31 D4
Saint-Pierre-de-Coutances 50 53 F1
Saint-Pierre-de-Curtille 73 .. 194 C3
Saint-Pierre-de-Frugie 24 .. 203 E2
Saint-Pierre-de-Fursac 23 .. 186 B3
Saint-Pierre-de-Genebroz 73 212 C2
Saint-Pierre-de-Jards 36 ... 152 B1
Saint-Pierre-de-Juillers 17 .. 182 B3
Saint-Pierre-de-la-Fage 34 .. 280 C1
Saint-Pierre-de-Lages 31 ... 277 D2
Saint-Pierre-de-Lamps 36 .. 151 F2
Saint-Pierre-de-l'Ile 17 ..... 182 B2
Saint-Pierre-de-Maillé 14... 57 D1
Saint-Pierre-de-Maillé 86... 167 E1
Saint-Pierre-
de-Manneville 76........ 32 A2
Saint-Pierre-de-Méaroz 38 . 231 D3
Saint-Pierre-de-Mésage 38 . 230 C2
Saint-Pierre-
de-Mézoargues 13....... 264 C4
Saint-Pierre-de-Mons 33 ... 236 C2
Saint-Pierre-de-Nogaret 48.. 243 E3
Saint-Pierre-de-Plesguen 35. 79 D4
Saint-Pierre-de-Rivière 09 .. 300 C3
Saint-Pierre-de-Salerne 27 .. 31 E4
Saint-Pierre-de-Semilly 50 .. 27 F4
Saint-Pierre-de-Soucy 73 ... 213 E2
Saint-Pierre-de-Trivisy 81 .. 278 C1
Saint-Pierre-de-Varennes 71. 157 D2
Saint-Pierre-
de-Varengeville 76....... 15 F4
Saint-Pierre-de-Vassols 84 . 265 E2
Saint-Pierre-dels-Forcats 66. 311 D3
Saint-Pierre-d'Entremont 73. 213 D3
Saint-Pierre-d'Entremont 61. 55 E3
Saint-Pierre-des-Bois 72 ... 106 B2
Saint-Pierre-des-Champs 11. 303 D3
Saint-Pierre-des-Corps 37 .. 131 D3
Saint-Pierre-
des-Échaubrognes 79.... 147 D2
Saint-Pierre-des-Fleurs 27 .. 32 A4
Saint-Pierre-des-Ifs 14 ..... 57 D1
Saint-Pierre-des-Ifs 27 ..... 31 E3
Saint-Pierre-
des-Jonquières 76 ...... 16 C2
Saint-Pierre-des-Landes 53 . 80 C3
Saint-Pierre-des-Loges 61 .. 57 E4
Saint-Pierre-des-Nids 53 ... 82 B2
Saint-Pierre-des-Ormes 72.. 83 E3
Saint-Pierre-des-Tripiers 48 . 261 F1
Saint-Pierre-d'Exideuil 86 .. 183 F1
Saint-Pierre-d'Extravache 73 215 D4
Saint-Pierre-d'Eyraud 24 ... 219 F4
Saint-Pierre-d'Irube 64 ..... 270 C2
Saint-Pierre-d'Oléron 17 ... 180 B2
Saint-Pierre-
du-Bosguérard 27 ...... 31 F4
Saint-Pierre-du-Bû 61 ..... 56 A3
Saint-Pierre-du-Champ 43.. 227 D1
Saint-Pierre-du-Chemin 85.. 147 D2
Saint-Pierre-du-Fresne 14 .. 55 D1
Saint-Pierre-du-Jonquet 14.. 30 A4
Saint-Pierre-du-Lorouër 72 . 107 E3
Saint-Pierre-du-Mesnil 27 .. 57 F2
Saint-Pierre-du-Mont 14 ... 25 F4
Saint-Pierre-du-Mont 58 ... 136 A3
Saint-Pierre-du-Mont 40 ... 254 A4
Saint-Pierre-du-Palais 17... 218 C1
Saint-Pierre-du-Perray 91 .. 87 E3
Saint-Pierre-du-Regard 61.. 55 F3
Saint-Pierre-du-Val 27 ..... 30 C2
Saint-Pierre-du-Vauvray 27.. 32 A4
Saint-Pierre-Église 50...... 25 D2
Saint-Pierre-en-Faucigny 74. 196 A1
Saint-Pierre-en-Port 76..... 15 D2
Saint-Pierre-en-Val 76...... 16 C2
Saint-Pierre-en-Vaux 21.... 157 E2
Saint-Pierre-es-Champs 60.. 33 E2
Saint-Pierre-Eynac 43 ..... 227 C2
Saint-Pierre-
la-Bourlhonne 63 .... 208 C1
Saint-Pierre-la-Bruyère 61.. 84 A3
Saint-Pierre-la-Cour 53..... 104 C1
Saint-Pierre-la-Garenne 27 . 32 C4
Saint-Pierre-la-Noaille 42 .. 191 E1
Saint-Pierre-la-Palud 69 ... 192 B4
Saint-Pierre-la-Rivière 61... 57 D3
Saint-Pierre-la-Roche 07 ... 246 C1
Saint-Pierre-la-Vieille 14 ... 55 E2
Saint-Pierre-Lafeuille 46 ... 240 A1
Saint-Pierre-Langers 50 .... 53 F3
Saint-Pierre-Laval 03 ...... 190 C1
Saint-Pierre-Lavis 76....... 15 E3
Saint-Pierre-le-Bost 23 .... 170 A3

Saint-Pierre-le-Chastel 63 ... 189 D4
Saint-Pierre-le-Déchausselat 07 ...... 245 E3
Saint-Pierre-le-Moûtier 58.. 154 C4
Saint-Pierre le Potier 53 ..... 105 D1
Saint-Pierre-le-Vieux .. 15 F1
Saint-Pierre-le-Vieux 48.... 225 F4
Saint-Pierre-le-Vieux 85.... 164 A3
Saint-Pierre-le-Vieux 71.... 174 C4
Saint-Pierre-le-Viger 76...... 22 C4
Saint-Pierre-les-Aubagne 13. 285 E4
Saint-Pierre-lès-Bitry 60...... 36 A2
Saint-Pierre-lès-Bois 18.. 170 A1
Saint-Pierre-lès-Elbeuf 76.... 32 A3
Saint-Pierre-lès-Étieux 18 ... 153 F4
Saint-Pierre-lès-Franqueville 02 ...... 21 D3
Saint-Pierre-Montlimart 49.. 127 E4
Saint-Pierre-Quiberon 56.... 122 A2
Saint-Pierre-Roche 63.. 206 C1
Saint-Pierre-sur-Dives 14.... 56 B1
Saint-Pierre-sur-Doux 07... 228 A4
Saint-Pierre-sur-Dropt 47... 237 E1
Saint-Pierre-sur-Erve 53.... 105 F2
Saint-Pierre-sur-Mer 11... 305 D2
Saint-Pierre-sur-Orthe 53.. 82 A4
Saint-Pierre-sur-Vence 08.. 22 C4
Saint-Pierre-Tarentaine 14 .. 55 D2
Saint-Pierre-Toirac 46.... 241 D3
Saint-Pierremont 88...... 95 D3
Saint-Pierremont 02...... 21 D4
Saint-Pierremont 08...... 39 E2
Saint-Pierreville 07.... 228 B4
Saint-Pierrevillers 55 ...... 40 C2
Saint-Plaisir 03.... 171 E1
Saint-Plancard 31.... 298 C2
Saint-Planchers 50 ...... 53 F3
Saint-Plantaire 36.... 169 D3
Saint-Point 71.... 174 C3
Saint-Point-Lac 25.... 161 D3
Saint-Pois 50.... 54 C3
Saint-Poix 53.... 104 B2
Saint-Pol-de-Léon 29.... 49 D2
Saint-Pol-sur-Mer 59....... 3 E1
Saint-Pol-sur-Ternoise 62 ... 7 E2
Saint-Polgues 42 .... 191 D3
Saint-Polycarpe 11 .... 302 B3
Saint-Pompain 79 .... 164 B3
Saint-Pompon 24.... 239 E1
Saint-Poncy 15.... 225 F1
Saint-Pons 07.... 246 B2
Saint-Pons 04.... 250 C3
Saint-Pons (Parc de 13) .. 285 E4
Saint-Pons-de-Mauchiens 34 281 D3
Saint-Pons-de-Thomières 34 279 E4
Saint-Pons-la-Calm 30.... 264 B2
Saint-Pont 03.... 189 F1
Saint-Porchaire 17.... 181 E4
Saint-Porquier 82.... 257 E3
Saint-Pôtan 22 ...... 78 B1
Saint-Pouange 10 ...... 90 B4
Saint-Pourçain-sur-Besbre 03........... 172 C2
Saint-Pourçain-sur-Sioule 03 172 A4
Saint-Prancher 88 ...... 93 F3
Saint-Préjet-Armandon 43 .. 226 B1
Saint-Préjet-d'Allier 43.... 226 B3
Saint-Prest 28...... 85 E2
Saint-Preuil 16 .... 200 C2
Saint-Priest 69 .... 211 D1
Saint-Priest 23 ..... 188 A2
Saint-Priest 07.... 246 B1
Saint-Priest-Bramefant 63... 190 A2
Saint-Priest-d'Andelot 03 .. 189 D2
Saint-Priest-de-Gimel 19.... 206 C2
Saint-Priest-des-Champs 63. 188 C3
Saint-Priest-en-Jarez 42.... 210 A3
Saint-Priest-en-Murat 03.... 171 E4
Saint-Priest-la-Feuille 23 ... 186 B1
Saint-Priest-la-Marche 18 ... 170 A2
Saint-Priest-la-Plaine 23... 186 B1
Saint-Priest-la-Prugne 42.... 190 C3
Saint-Priest-la-Roche 42.... 191 E3
Saint-Priest-la-Vêtre 42.... 190 C4
Saint-Priest-les-Betoux 87... 185 F1
Saint-Priest-les-Fougères 24. 203 E2
Saint-Priest-Ligoure 87.... 203 F1
Saint-Priest-Palus 23....... 186 B3
Saint-Priest-sous-Aixe 87... 185 E4
Saint-Priest-Taurion 87.... 186 A3
Saint-Prim 38.... 210 C3
Saint-Privat 19.... 223 E4
Saint-Privat 07.... 246 A2
Saint-Privat 34.... 280 C1
Saint-Privat-d'Allier 43...... 226 C3
Saint-Privat-de-Champclos 30........... 246 A4
Saint-Privat-de-Vallongue 48 262 C1
Saint-Privat-des-Prés 24 ... 219 F1
Saint-Privat-des-Vieux 30 .. 263 E2
Saint-Privat-du-Dragon 43 .. 226 A1
Saint-Privat-du-Fau 48...... 226 A3
Saint-Privat-la-Montagne 57.. 41 E4
Saint-Privé 89............ 135 E1
Saint-Privé 71.... 157 F4
Saint-Prix 03.... 173 D4
Saint-Prix 07.... 228 B3
Saint-Prix 95...... 60 C2
Saint-Prix 71.... 156 C2
Saint-Prix-lès-Arnay 21... 157 E1
Saint-Projet 46.... 240 A1
Saint-Projet 15.... 242 A4
Saint-Projet 82.... 240 C4
Saint-Projet-de-Salers 15.... 224 C3
Saint-Projet-Saint-Constant 16 .... 184 A4
Saint-Prouant 85...... 146 C4
Saint-Pryvé-Saint-Mesmin 45....... 110 A3

Saint-Puy 32 .... 256 A4
Saint-Python 59 .... 9 F4
Saint-Quantin-de-Rançanne 17.......... 199 E2
Saint-Quay-Perros 22....... 50 A1
Saint-Quay-Portrieux 22 .... 51 D1
Saint-Quentin 02 .... 20 A3
Saint-Quentin-au-Bosc 76... 16 B2
Saint-Quentin-de-Baron 33.. 218 C4
Saint-Quentin-de-Blavou 61.. 83 E2
Saint-Quentin-de-Caplong 33 219 E4
Saint-Quentin-des-Chalais 16. 201 E4
Saint-Quentin-des-Isles 27 .. 57 F1
Saint-Quentin-des-Prés 60 .. 33 E1
Saint-Quentin-du-Dropt 47.. 238 B1
Saint-Quentin-en-Mauges 49 127 F3
Saint-Quentin-en-Tourmont 80.......... 6 A3
Saint-Quentin-en-Yvelines 78 .. 60 B4
Saint-Quentin-Fallavier 38 .. 211 E1
Saint-Quentin-la-Chabanne 23 ...... 187 E4
Saint-Quentin-la-Motte-Croix-au-Bailly 80 16 C1
Saint-Quentin-la-Poterie 30. 264 A2
Saint-Quentin-la-Tour 09.... 301 F3
Saint-Quentin-le-Petit 08... 37 F1
Saint-Quentin-le-Verger 51.. 89 F1
Saint-Quentin-les-Anges 53. 104 C1
Saint-Quentin-lès-Beaurepaire 49 ... 129 E1
Saint-Quentin-les-Chardonnets 61....... 55 D3
Saint-Quentin-les-Marais 51. 65 E3
Saint-Quentin-lès-Troo 41... 108 A4
Saint-Quentin-sur-Charente 16......... 184 C4
Saint-Quentin-sur-Coole 51. 64 C3
Saint-Quentin-sur-Indrois 37 131 E4
Saint-Quentin-sur-Isère 38.. 212 B4
Saint-Quentin-sur-le-Homme 50...... 54 A4
Saint-Quentin-sur-Nohain 58 135 E3
Saint-Quentin-sur-Sauxillanges 63...... 208 A2
Saint-Quintin-sur-Sioule 63. 189 E2
Saint-Quirc 09............ 300 C1
Saint-Quirin 57............. 70 A3
Saint-Rabier 24.... 221 E1
Saint-Racho 71.... 174 B4
Saint-Rambert-d'Albon 26.. 210 C4
Saint-Rambert-en-Bugey 01.. 194 A3
Saint-Rambert-l'Île-Barbe 69 192 C4
Saint-Raphaël 24.... 203 E4
Saint-Raphaël 83.... 287 F3
Saint-Régis-du-Coin 42.... 210 A4
Saint-Règle 37.... 131 E3
Saint-Remèze 07.... 246 B4
Saint-Remimont 88....... 93 F4
Saint-Remimont 54....... 94 B1
Saint-Rémy 01.... 193 E1
Saint-Rémy 12.... 241 E4
Saint-Rémy 21.... 137 F1
Saint-Rémy 19.... 205 F1
Saint-Rémy 14....... 55 F2
Saint-Rémy 24.... 219 F4
Saint-Remy 70.... 118 A3
Saint-Rémy 71.... 158 A4
Saint-Rémy 79.... 164 C3
Saint-Rémy-au-Bois 62 ...... 6 C3
Saint-Rémy-aux-Bois 54 .... 94 C2
Saint-Rémy-Blanzy 02....... 36 A4
Saint-Rémy-Boscrocourt 76.. 16 C1
Saint-Rémy-Chaussée 59 ... 10 B3
Saint-Rémy-de-Blot 63.... 189 D2
Saint-Rémy-de-Chargnat 63. 207 F2
Saint-Rémy-de-Chaudes-Aigues 15.... 243 E1
Saint-Rémy-de-Maurienne 73...... 213 F3
Saint-Rémy-de-Provence 13. 265 D4
Saint-Rémy-de-Salers 15.... 224 A2
Saint-Rémy-de-Sillé 72...... 82 B4
Saint-Rémy-des-Landes 50.. 26 B3
Saint-Rémy-des-Monts 72... 83 E3
Saint-Rémy-du-Nord 59.... 10 B2
Saint-Rémy-du-Plain 35...... 79 F2
Saint-Rémy-du-Val 72....... 83 D3
Saint-Rémy-en-Bouzemont-Saint-Genest-et-Isson 51.. 91 E1
Saint-Rémy-en-l'Eau 60..... 34 C2
Saint-Rémy-en-Mauges 49 .. 127 E4
Saint-Rémy-en-Montmorillon 86...... 167 E4
Saint-Rémy-en-Rollat 03.... 190 A1
Saint-Rémy-la-Calonne 55 .. 67 D1
Saint-Rémy-la-Vanne 77..... 62 C3
Saint-Rémy-la-Varenne 49 .. 128 C3
Saint-Rémy-le-Petit 08...... 38 A2
Saint-Rémy-lès-Chevreuse 78...... 60 B4
Saint-Remy-l'Honoré 78...... 60 A4
Saint-Remy-sous-Barbuise 10...... 90 B2
Saint-Rémy-sous-Broyes 51. 63 F4
Saint-Rémy-sur-Avre 28..... 59 D4
Saint-Rémy-sur-Bussy 51... 65 D1
Saint-Rémy-sur-Creuse 86.. 150 A2
Saint-Rémy-sur-Durolle 63.. 190 B3
Saint-Renan 29............ 47 D3
Saint-René 22............. 51 E4
Saint-Restitut 26.... 247 D4
Saint-Révérend 85.... 145 D4
Saint-Révérien 58.... 136 B4
Saint-Rieul 22.......... 78 A2
Saint-Rigomer-des-Bois 72.. 82 C3
Saint-Rimay 41.... 108 B4

Saint-Riquier 80........... 6 C4
Saint-Riquier-en-Rivière 76.. 17 D2
Saint-Riquier-ès-Plains 76... 15 E1
Saint-Rirand 42.... 191 D2
Saint-Rivoal 29............ 75 D2
Saint-Robert 19.... 221 F1
Saint-Robert 47.... 256 C1
Saint-Roch 37.... 130 C2
Saint-Roch-sur-Egrenne 61.. 81 D3
Saint-Rogatien 17.... 180 C1
Saint-Romain 63.... 209 D3
Saint-Romain 16.... 201 E4
Saint-Romain 21.... 157 F2
Saint-Romain 86.... 166 B4
Saint-Romain (Mont) 71.... 175 D2
Saint-Romain-au-Mont-d'Or 69.......... 192 C4
Saint-Romain-d'Ay 07 ...... 228 C1
Saint-Romain-de-Benet 17 .. 199 D3
Saint-Romain-de-Colbosc 76 14 C4
Saint-Romain-de-Jalionas 38 193 D4
Saint-Romain-de-Lerps 07 .. 228 C3
Saint-Romain-de-Monpazier 24......... 239 D1
Saint-Romain-de-Popey 69.. 192 B4
Saint-Romain-de-Surieu 38.. 211 D3
Saint-Romain-d'Urfé 42..... 190 C3
Saint-Romain-des-Îles 71... 192 C1
Saint-Romain-en-Gal 69.... 211 D3
Saint-Romain-en-Gier 69.... 210 C2
Saint-Romain-en-Jarez 42... 210 B2
Saint-Romain-en-Viennois 84...... 265 E1
Saint-Romain-et-Saint-Clément 24 ..... 203 D3
Saint-Romain-la-Motte 42.. 191 D2
Saint-Romain-la-Virvée 33.. 217 F3
Saint-Romain-Lachalm 43... 210 A4
Saint-Romain-le-Noble 47... 256 C1
Saint-Romain-le-Preux 89... 112 C2
Saint-Romain-le-Puy 42..... 209 E2
Saint-Romain-les-Atheux 42. 210 A4
Saint-Romain-sous-Gourdon 71....... 174 B1
Saint-Romain-sous-Versigny 71........ 174 A1
Saint-Romain-sur-Cher 41... 132 A4
Saint-Romain-sur-Gironde 17......... 199 D3
Saint-Roman 26.... 248 A1
Saint-Roman (Abbaye de) 30 264 B4
Saint-Roman-de-Bellet 06... 288 C1
Saint-Roman-de-Codières 30 262 C3
Saint-Roman-de-Malegarde 84......... 247 E4
Saint-Romans 38.... 230 A1
Saint-Romans-des-Champs 79......... 182 C1
Saint-Romans-lès-Melle 79.. 183 D1
Saint-Rome 31.... 277 D4
Saint-Rome-de-Cernon 12.. 261 D3
Saint-Rome-de-Dolan 48.... 261 F1
Saint-Rome-de-Tarn 12..... 261 D2
Saint-Romphaire 50......... 54 B1
Saint-Rouin (Ermitage de) 55 66 A1
Saint-Rustice 31.... 257 F4
Saint-Saëns 76.......... 16 B4
Saint-Saire 76............ 16 C4
Saint-Salvadou 12.... 259 E1
Saint-Salvadour 19.... 204 C3
Saint-Salvi-de-Carcavès 81.. 260 B4
Saint-Salvy 47.... 238 A4
Saint-Salvy-de-la-Balme 81. 278 C2
Saint-Samson 56....... 77 E4
Saint-Samson 14.......... 29 F4
Saint-Samson 53....... 82 A2
Saint-Samson-de-Bonfossé 50........ 54 B1
Saint-Samson-de-la-Roque 27.......... 31 D2
Saint-Samson-la-Poterie 60. 33 E1
Saint-Samson-sur-Rance 22. 78 B1
Saint-Sandoux 63.... 207 E1
Saint-Santin 12.... 241 F2
Saint-Santin-Cantalès 15.... 223 F2
Saint-Santin-de-Maurs 15... 241 E1
Saint-Sardos 82.... 257 E4
Saint-Sardos 47.... 238 A4
Saint-Sardos-de-Laurenque 47....... 239 D2
Saint-Satur 18.... 135 D3
Saint-Saturnin 63.... 207 E1
Saint-Saturnin 16........ 201 E4
Saint-Saturnin 48.... 243 F3
Saint-Saturnin 51.......... 90 A1
Saint-Saturnin 18.... 170 A2
Saint-Saturnin 72.... 106 C1
Saint-Saturnin 15.... 225 E2
Saint-Saturnin-de-Lenne 12. 243 E3
Saint-Saturnin-de-Lucian 34. 280 C1
Saint-Saturnin-du-Bois 17... 181 F1
Saint-Saturnin-du-Limet 53. 104 B3
Saint-Saturnin-lès-Avignon 84......... 265 D3
Saint-Saturnin-lès-Apt 84... 266 A3
Saint-Saud-Lacoussière 24.. 202 C2
Saint-Sauflieu 80........... 18 A3
Saint-Saulge 58.... 155 E1
Saint-Saulve 59............. 9 F2
Saint-Saury 15.... 223 E4
Saint-Sauvant 86.... 165 F3
Saint-Sauvant 17.... 182 B4
Saint-Sauves-d'Auvergne 63 206 C2
Saint-Sauveur 29.......... 49 D4
Saint-Sauveur 54.......... 95 F1
Saint-Sauveur 86.... 167 E2
Saint-Sauveur 31.... 257 F3
Saint-Sauveur 79.... 147 F3
Saint-Sauveur 86.... 149 F4

Saint-Sauveur 38............ 230 A1
Saint-Sauveur 70.......... 18 A2
Saint-Sauveur 21.......... 140 A3
Saint-Sauveur 05.... 250 B2
Saint-Sauveur 24.......... 220 B4
Saint-Sauveur 31.... 276 C1
Saint-Sauveur 70.... 118 C3
Saint-Sauveur (Chapelle) 64. 295 E2
Saint-Sauveur-Camprieu 30. 262 A2
Saint-Sauveur-d'Aunis 17... 164 A4
Saint-Sauveur-de-Carrouges 61....... 82 B1
Saint-Sauveur-de-Chaulieu 50...... 55 D3
Saint-Sauveur-de-Cruzières 07...... 245 F4
Saint-Sauveur-de-Flée 49 ... 105 D4
Saint-Sauveur-de-Ginestoux 48....... 225 F4
Saint-Sauveur-de-Landemont 49 ..... 127 D3
Saint-Sauveur-de-Meilhan 47....... 237 D3
Saint-Sauveur-de-Montagut 07..... 228 B4
Saint-Sauveur-de-Peyre 48.. 243 F1
Saint-Sauveur-de-Pierrepont 50....... 24 C4
Saint-Sauveur-de-Puynormand 33..... 219 D3
Saint-Sauveur-d'Émalleville 76........ 14 C4
Saint-Sauveur-des-Landes 35......... 80 A3
Saint-Sauveur-en-Diois 26.. 247 F1
Saint-Sauveur-en-Puisaye 89 135 F2
Saint-Sauveur-en-Rue 42... 210 B4
Saint-Sauveur-Gouvernet 26 248 A4
Saint-Sauveur-la-Pommeraye 50....... 53 F2
Saint-Sauveur-la-Sagne 63.. 208 C3
Saint-Sauveur-la-Vallée 46.. 240 B2
Saint-Sauveur-Lalande 24... 219 F3
Saint-Sauveur-le-Vicomte 50 24 C4
Saint-Sauveur-Lendelin 50... 26 C4
Saint-Sauveur-les-Bains 65.. 297 F4
Saint-Sauveur-lès-Bray 77... 88 C2
Saint-Sauveur-Levasville 28. 85 D1
Saint-Sauveur-sur-École 77.. 87 E2
Saint-Sauveur-sur-Tinée 06.. 269 F1
Saint-Sauvier 03.... 170 B3
Saint-Sauvy 32.... 275 E1
Saint-Savin 86.... 167 E2
Saint-Savin 65.... 297 E4
Saint-Savin 33.... 217 F1

Saint-Savin 38 .... 211 F1
Saint-Savinien 17.... 181 F3
Saint-Saviol 86.... 183 F1
Saint-Savournin 13.... 285 D3
Saint-Sébastien 38.... 231 D4
Saint-Sébastien 23.... 168 C3
Saint-Sébastien (Chapelle) 29........ 73 F2
Saint-Sébastien-d'Aigrefeuille 30...... 263 D2
Saint-Sébastien-de-Morsent 27........ 58 C2
Saint-Sébastien-de-Raids 50. 27 D4
Saint-Sébastien-sur-Loire 44 126 B4
Saint-Secondin 86.... 166 C4
Saint-Ségal 29........... 73 F2
Saint-Séglin 35.... 102 C3
Saint-Seine 58.... 156 A4
Saint-Seine-en-Bâche 21.... 159 D1
Saint-Seine-l'Abbaye 21.... 138 C2
Saint-Seine-sur-Vingeanne 21...... 140 A2
Saint-Selve 33.... 236 A1
Saint-Senier-de-Beuvron 50. 80 A1
Saint-Senier-sous-Avranches 50...... 54 A4
Saint-Senoch 37.... 150 B2
Saint-Senoux 35.... 103 D2
Saint-Sériès 34.... 282 A1
Saint-Sernin 11.... 301 E1
Saint-Sernin 47.... 237 F1
Saint-Sernin 07.... 246 A2
Saint-Sernin-du-Bois 71.... 157 E3
Saint-Sernin-du-Plain 71.... 157 F3
Saint-Sernin-lès-Lavaur 81.. 277 F3
Saint-Sernin-sur-Rance 12.. 260 B4
Saint-Sérotin 89.......... 88 C3
Saint-Servais 22.......... 76 A2
Saint-Servais 29.......... 48 C3
Saint-Servan-sur-Mer 35.... 52 C4
Saint-Servant 56.... 101 F2
Saint-Setiers 19.... 205 E1
Saint-Seurin-de-Bourg 33... 217 F2
Saint-Seurin-de-Cadourse 33 199 D4
Saint-Seurin-de-Cursac 33.. 217 E1
Saint-Seurin-de-Palenne 17. 199 E3
Saint-Seurin-de-Prats 24.... 219 E4
Saint-Seurin-d'Uzet 17...... 198 C2
Saint-Seurin-sur-l'Isle 33.... 219 D2
Saint-Sève 33.... 237 D2
Saint-Sever 40.... 272 B1
Saint-Sever-Calvados 14.... 54 C3
Saint-Sever-de-Rustan 65... 274 A4
Saint-Sever-de-Saintonge 17........ 199 F1
Saint-Sever-du-Moustier 12. 279 E1

Saint-Séverin 16 .... 201 F4
Saint-Séverin-d'Estissac 24. 220 A2
Saint-Séverin-sur-Boutonne 17........ 182 B2
Saint-Siffret 30.... 264 A3
Saint-Sigismond 49.... 127 F2
Saint-Sigismond 45.... 109 F2
Saint-Sigismond 74.... 196 B1
Saint-Sigismond 85.... 164 B3
Saint-Sigismond-de-Clermont 17..... 199 E3
Saint-Silvain-Bas-le-Roc 23. 170 A4
Saint-Silvain-Bellegarde 23. 187 E3
Saint-Silvain-Montaigut 23.. 186 C1
Saint-Silvain-sous-Toulx 23. 170 A4
Saint-Siméon 61.......... 81 D2
Saint-Siméon 27.......... 33 D3
Saint-Siméon 77.......... 62 C3
Saint-Siméon-de-Bressieux 38...... 211 E4
Saint-Simeux 16.... 201 D1
Saint-Simon 46.... 241 D1
Saint-Simon 16.... 201 D1
Saint-Simon 15.... 224 A3
Saint-Simon 02.... 19 F3
Saint-Simon-de-Bordes 17.. 199 F3
Saint-Simon-de-Pellouaille 17....... 199 D1
Saint-Sixt 74.... 195 F1
Saint-Sixte 42.... 191 D4
Saint-Sixte 47.... 256 C2
Saint-Solen 22........... 78 C2
Saint-Solve 19.... 204 A4
Saint-Sorlin 69.... 210 B1
Saint-Sorlin-d'Arves 73.... 213 F4
Saint-Sorlin-de-Conac 17... 199 D3
Saint-Sorlin-de-Morestel 38. 212 A1
Saint-Sorlin-de-Vienne 38... 211 D2
Saint-Sorlin-en-Bugey 01... 194 A3
Saint-Sorlin-en-Valloire 26.. 211 D4
Saint-Sornin 85.... 163 D2
Saint-Sornin 17.... 181 D4
Saint-Sornin 03.... 171 F3
Saint-Sornin 16.... 202 A1
Saint-Sornin-la-Marche 87.. 185 E1
Saint-Sornin-Lavolps 19.... 204 A4
Saint-Sornin-Leulac 87..... 185 F1
Saint-Soulan 32.... 275 E2
Saint-Souplet 59.......... 20 B1
Saint-Souplet-sur-Py 51.... 38 B4
Saint-Soupplets 77......... 61 F1
Saint-Sozy 46.... 222 B4
Saint-Stail 88............. 96 A1
Saint-Suliac 35........... 78 C1
Saint-Sulpice 81.... 277 D1

ST-QUENTIN

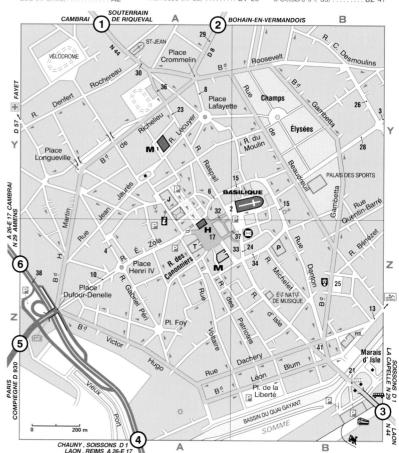

Street	Ref
Croix-Belle-Porte (R.)	AY 6
États-Généraux (R. des)	AY 8
Hôtel-de-Ville (Pl. de l')	AZ 17
Isle (R. d')	BZ
Lyon (R. de)	BZ 24
Raspail (R.)	AY
Sellerie (R. de la)	BZ 33
Zola (R. Émile)	AY
Basilique (Pl. de la)	ABY 2
Bellevue (R. de)	BY 3
Brossolette (R. Pierre)	AZ 4
Faidherbe (Av.)	AZ 10
Gaulle (Av. Gén.-de)	BZ 13
Gouvernement (R. du)	BY 15
Leclerc (R. Gén.)	BZ 21
Le Sérurier (R.)	AY 23
Marché-Franc (Pl. du)	BZ 25
Mulhouse (R. de)	BY 26
Picard (R. Ch.)	BY 28
Pompidou (R. G.)	AY 29
Près.-J.-F.-Kennedy (R. du)	AY 30
St-André (R.)	AY 32
Sous-Préfecture (R. de la)	BZ 34
Thomas (R. A.)	AY 36
Toiles (R. des)	BZ 37
Verdun (Bd)	AZ 38
8-Octobre (Pl. du)	BZ 41

Saint-Sulpice 58.... 155 D2
Saint-Sulpice 53.... 105 D2
Saint-Sulpice 73.... 213 D2
Saint-Sulpice 01.... 175 F4
Saint-Sulpice 41.... 132 A1
Saint-Sulpice 70.... 142 A1
Saint-Sulpice 60.... 34 A3
Saint-Sulpice 63.... 206 B1
Saint-Sulpice 46.... 240 C2
Saint-Sulpice 49.... 128 C3
Saint-Sulpice-d'Arnoult 17.. 181 E4
Saint-Sulpice-de-Cognac 16. 182 B4
Saint-Sulpice-de-Faleyrens 33. 218 C3
Saint-Sulpice-de-Favières 91 86 C2
Saint-Sulpice-de-Grimbouville 27...... 31 D3
Saint-Sulpice-de-Guilleragues 33 ...... 237 E2
Saint-Sulpice-de-Mareuil 24. 202 B3
Saint-Sulpice-de-Pommiers 33....... 237 D1
Saint-Sulpice-de-Roumagnac 24....... 220 A1
Saint-Sulpice-de-Royan 17.. 198 B1
Saint-Sulpice-de-Ruffec 16.. 183 F2
Saint-Sulpice-des-Landes 44 127 D1
Saint-Sulpice-des-Landes 35 103 E3
Saint-Sulpice-des-Rivoires 38.. 212 B2
Saint-Sulpice-d'Excideuil 24. 203 E3
Saint-Sulpice-en-Pareds 85.. 164 A1
Saint-Sulpice-et-Cameyrac 33 ... 217 F3
Saint-Sulpice-la-Forêt 35.... 79 E4
Saint-Sulpice-Laurière 87... 186 A2
Saint-Sulpice-le-Dunois 23.. 169 D4
Saint-Sulpice-le-Guérétois 23....... 187 D1
Saint-Sulpice-le-Verdon 85.. 145 F3
Saint-Sulpice-les-Bois 19.... 205 E2
Saint-Sulpice-les-Champs 23 187 E2
Saint-Sulpice-les-Feuilles 87....... 168 B4
Saint-Sulpice-sur-Lèze 31... 276 B4
Saint-Sulpice-sur-Risle 61.. 57 F3
Saint-Supplet 54 ...... 40 C2
Saint-Sylvain 19.... 223 D1
Saint-Sylvain 76...... 15 E1
Saint-Sylvain 14..... 56 A1
Saint-Sylvain-d'Anjou 49.... 128 C2
Saint-Sylvestre 74..... 195 E3
Saint-Sylvestre 87..... 186 A2
Saint-Sylvestre 07...... 228 C3
Saint-Sylvestre-Cappel 59... 3 F3
Saint-Sylvestre-de-Cormeilles 27....... 31 D4
Saint-Sylvestre-Pragoulin 63 190 A2
Saint-Sylvestre-sur-Lot 47.. 238 C1
Saint-Symphorien 35...... 79 D3
Saint-Symphorien 27...... 31 D3
Saint-Symphorien 18.... 153 D4
Saint-Symphorien 04.... 267 E1
Saint-Symphorien 33.... 235 F3
Saint-Symphorien 72.... 106 B1
Saint-Symphorien 48.... 226 B4
Saint-Symphorien 37.... 130 C3
Saint-Symphorien 79.... 164 C4
Saint-Symphorien-d'Ancelles 71 ..... 192 C1
Saint-Symphorien-de-Marmagne 71....... 157 D3
Saint-Symphorien-de-Lay 42 191 F3
Saint-Symphorien-de-Mahun 07........ 228 B1
Saint-Symphorien-de-Thénières 12 .... 242 C1
Saint-Symphorien-des-Bruyères 61 ..... 57 F3
Saint-Symphorien-des-Bois 71 ...... 174 A4
Saint-Symphorien-des-Monts 50 ...... 80 C1
Saint-Symphorien-d'Ozon 69 211 D1
Saint-Symphorien-le-Château 28 ...... 86 A2
Saint-Symphorien-le-Valois 50 ...... 26 C3
Saint-Symphorien-les-Buttes 50...... 54 C1
Saint-Symphorien-sous-Chomérac 07 ...... 246 C1
Saint-Symphorien-sur-Saône 21........ 159 D1
Saint-Symphorien-sur-Couze 87...... 185 F2
Saint-Symphorien-sur-Coise 69 ...... 210 A1
Saint-Thégonnec 29 ..... 49 D3
Saint-Thélo 22 ...... 77 D3
Saint-Théodorit 30 .... 263 E3
Saint-Théoffrey 38.... 230 C2
Saint-Thibaud-de-Couz 73.. 213 D2
Saint-Thibault 18.... 135 D3
Saint-Thibault 60...... 17 E4
Saint-Thibault 21.... 138 A3
Saint-Thibault 10...... 90 B4
Saint-Thibault-des-Vignes 77 61 F3
Saint-Thibaut 02 ...... 37 D3
Saint-Thibéry 34..... 280 C4
Saint-Thiébaud 39.... 160 A2
Saint-Thiébault 52...... 93 D4
Saint-Thierry 51...... 37 F3
Saint-Thois 29 ...... 75 D3
Saint-Thomas 02...... 37 E4
Saint-Thomas 31...... 276 A3
Saint-Thomas (Col de) 42 .. 190 C2
Saint-Thomas-de-Conac 17 . 199 D3
Saint-Thomas-de-Courceriers 53 .... 82 A3

Saint-Thomas-en-Argonne 51........... 39 E4
Saint-Thomas-en-Royans 26 229 F2
Saint-Thomas-la-Garde 42 . 209 E2
Saint-Thomé 07...... 246 C3
Saint-Thonan 29 ...... 47 F2
Saint-Thual 35 ...... 78 C3
Saint-Thurial 35..... 102 C1
Saint-Thuriau 56..... 100 C1
Saint-Thurien 27 ...... 31 D2
Saint-Thurien 29 ...... 99 F1
Saint-Thurin 42 ..... 191 D4
Saint-Thyrse (Chapelle) 04 .. 268 B4
Saint-Tricat 62 ...... 2 B2
Saint-Trimoël 22 ...... 77 F2
Saint-Trinit 84..... 266 A2
Saint-Trivier-de-Courtes 01.. 175 F2
Saint-Trivier-sur-Moignans 01........ 193 D2
Saint-Trojan 33..... 217 E2
Saint-Trojan-les-Bains 17 ... 180 C3
Saint-Tropez 83..... 287 E4
Saint-Tugdual 56...... 76 A4
Saint-Tugen 29...... 72 C3
Saint-Ulphace 72.... 108 A1
Saint-Ulrich 68..... 120 A3
Saint-Uniac 35...... 78 C4
Saint-Urbain 29 ...... 48 B4
Saint-Urbain 85..... 144 C3
Saint-Urbain-sur-Marne 52.. 92 B2
Saint-Urcisse 81..... 258 B3
Saint-Urcisse 47..... 256 C2
Saint-Urcize 15..... 243 E1
Saint-Ursin 50....... 53 F3
Saint-Usage 10..... 115 E1
Saint-Usage 21..... 158 C1
Saint-Usuge 71..... 176 A1
Saint-Utin 51....... 91 D1
Saint-Uze 26 ..... 229 D1
Saint-Vaast-de-Longmont 60 35 E3
Saint-Vaast-d'Équiqueville 76...... 16 B3
Saint-Vaast-Dieppedalle 76.. 15 E2
Saint-Vaast-du-Val 76...... 16 A4
Saint-Vaast-en-Auge 14...... 30 A3
Saint-Vaast-en-Cambrésis 59 9 E4
Saint-Vaast-en-Chaussée 80.. 18 A2
Saint-Vaast-la-Hougue 50 ... 25 E2
Saint-Vaast-lès-Mello 60.... 34 C4
Saint-Vaast-sur-Seulles 14 .. 29 E4
Saint-Vaize 17..... 181 F4
Saint-Valbert 70..... 118 C3
Saint-Valentin 36.... 152 B3
Saint-Valérien 85.... 163 F2
Saint-Valérien 89...... 88 B4
Saint-Valery 60...... 17 E4
Saint-Valery-en-Caux 76 .... 15 E1
Saint-Valery-sur-Somme 80.. 6 A4
Saint-Vallerin 71.... 174 C1
Saint-Vallier 16..... 201 D4
Saint-Vallier 71..... 174 B1
Saint-Vallier 26..... 228 C1
Saint-Vallier 88...... 94 C3
Saint-Vallier-de-Thiey 06... 287 F1
Saint-Vallier-sur-Marne 52.. 116 C3
Saint-Varent 79..... 148 A3
Saint-Vaury 23..... 186 C1
Saint-Venant 62 ...... 3 F4
Saint-Venec (Chapelle) 29 ... 73 F3
Saint-Vénérand 43...... 226 C4
Saint-Vérain 58...... 135 E2
Saint-Véran 05 ..... 233 D4
Saint-Vérand 71..... 175 D4
Saint-Vérand 38..... 230 A1
Saint-Vérand 69..... 192 B3
Saint-Vert 43..... 208 B4
Saint-Viance 19..... 222 A1
Saint-Viâtre 41..... 133 D2
Saint-Viaud 44..... 125 E3
Saint-Victeur 72...... 82 C3
Saint-Victor 15..... 223 F3
Saint-Victor 24..... 202 A4
Saint-Victor 07..... 228 C2
Saint-Victor 03..... 170 C3
Saint-Victor-de-Buthon 28... 84 B3
Saint-Victor-de-Cessieu 38 . 212 A2
Saint-Victor-de-Chrétienville 27....... 57 F1
Saint-Victor-de-Malcap 30.. 263 F1
Saint-Victor-de-Morestel 38 . 212 A1
Saint-Victor-de-Réno 61..... 83 F2
Saint-Victor-d'Épine 27 .... 31 E4
Saint-Victor-des-Oules 30 .. 264 A2
Saint-Victor-en-Marche 23 .. 186 C1
Saint-Victor-et-Melvieu 12 .. 260 C2
Saint-Victor-la-Coste 30.... 264 B2
Saint-Victor-la-Rivière 63... 207 D2
Saint-Victor-l'Abbaye 76 .... 16 A4
Saint-Victor-Malescours 43.. 209 F4
Saint-Victor-Montvianeix 63. 190 B3
Saint-Victor-Rouzaud 09 ... 300 C2
Saint-Victor-sur-Arlanc 43.. 208 C4
Saint-Victor-sur-Avre 27 ... 58 A4
Saint-Victor-sur-Loire 42 ... 209 F3
Saint-Victor-sur-Ouche 21.. 158 C4
Saint-Victor-sur-Rhins 42 .. 191 F2
Saint-Victoret 13..... 284 B3
Saint-Victurnien 87..... 185 E3
Saint-Vidal 43..... 226 C4
Saint-Vigor 27...... 59 D1
Saint-Vigor-des-Mézerets 14 55 E2
Saint-Vigor-des-Monts 50.... 54 C2
Saint-Vigor-d'Ymonville 76.. 14 C4
Saint-Vigor-le-Grand 14..... 29 D3
Saint-Vincent 64..... 297 E2
Saint-Vincent 63..... 207 E2
Saint-Vincent 31..... 277 E4
Saint-Vincent 82..... 258 A2

Saint-Vincent-Bragny 71 .... 173 F2
Saint-Vincent-Cramesnil 76 . 14 C4
Saint-Vincent-de-Barbeyrargues 34 ..... 281 F1
Saint-Vincent-de-Barrès 07.. 246 C1
Saint-Vincent-de-Boisset 42 . 191 F2
Saint-Vincent-de-Connezac 24 ..... 220 A1
Saint-Vincent-de-Cosse 24 .. 221 D4
Saint-Vincent-de-Durfort 07 . 228 C2
Saint-Vincent-de-Lamontjoie 47........ 256 A2
Saint-Vincent-de-Mercuze 38 213 D3
Saint-Vincent-de-Paul 40.... 271 F1
Saint-Vincent-de-Paul 33.... 217 F3
Saint-Vincent-de-Pertignas 33 .... 219 D4
Saint-Vincent-de-Reins 69... 192 A2
Saint-Vincent-de-Salers 15 .. 224 B1
Saint-Vincent-de-Tyrosse 40. 271 D1
Saint-Vincent-des-Bois 27... 59 E1
Saint-Vincent-des-Landes 44 103 F4
Saint-Vincent-des-Prés 71... 83 E3
Saint-Vincent-des-Prés 72... 174 C2
Saint-Vincent-d'Olargues 34. 279 F3
Saint-Vincent-du-Boulay 27.. 57 E1
Saint-Vincent-du-Lorouër 72 107 E3
Saint-Vincent-du-Pendit 46.. 223 D4
Saint-Vincent-en-Bresse 71. 175 F1
Saint-Vincent-Jalmoutiers 24 219 F1
Saint-Vincent-la-Châtre 79 .. 165 F4
Saint-Vincent-la-Commanderie 26 ..... 229 E3
Saint-Vincent-le-Paluel 24... 221 F4
Saint-Vincent-les-Forts 04... 250 A3
Saint-Vincent-Lespinasse 82 257 D2
Saint-Vincent-Puymaufrais 85 .... 163 F3
Saint-Vincent-Rive-d'Olt 46.. 239 F3
Saint-Vincent-Sterlanges 85. 146 B4
Saint-Vincent-sur-Graon 85 . 163 D2
Saint-Vincent-sur-Jabron 04. 266 C1
Saint-Vincent-sur-Jard 85... 162 C2
Saint-Vincent-sur-l'Isle 24... 221 D1
Saint-Vincent-sur-Oust 56... 102 B4
Saint-Vinnemer 89 ..... 114 B3
Saint-Vit 25..... 140 C4
Saint-Vital 73 ..... 213 F1
Saint-Vite 47..... 239 D3
Saint-Vitte 18 ..... 170 C2
Saint-Vitte-sur-Briance 87... 204 B2
Saint-Vivien 17..... 181 D1
Saint-Vivien 24..... 219 D4
Saint-Vivien-de-Blaye 33.... 217 E2
Saint-Vivien-de-Médoc 33... 198 B3
Saint-Vivien-de-Monségur 33........ 237 E2
Saint-Voir 03 ..... 172 C3
Saint-Vougay 29...... 48 C3
Saint-Vrain 91...... 87 D2
Saint-Vrain 51...... 65 F4
Saint-Vran 02 ...... 78 A3
Saint-Vulbas 01 ..... 193 F3
Saint-Waast 59 ...... 10 A2
Saint-Wandrille-Rançon 76... 15 E4
Saint-Witz 95....... 61 E1
Saint-Xandre 17..... 163 E4
Saint-Yaguen 40.... 253 E2
Saint-Yan 71 ..... 173 F3
Saint-Ybard 19..... 204 B3
Saint-Ybars 09 ..... 300 B1
Saint-Ylie 39 ..... 159 E1
Saint-Yon 91...... 86 C1
Saint-Yorre 03..... 190 A2
Saint-Yrieix-la-Montagne 23. 187 D3
Saint-Yrieix-la-Perche 87.... 203 F2
Saint-Yrieix-le-Déjalat 19.... 205 D3
Saint-Yrieix-les-Bois 23 .... 187 D2
Saint-Yrieix-sous-Aixe 87... 185 E4
Saint-Yrieix-sur-Charente 16 201 E1
Saint-Ythaire 71..... 174 C2
Saint-Yvi 29 ...... 99 D1
Saint-Yvoine 63..... 207 F2
Saint-Yzan-de-Soudiac 33... 217 F1
Saint-Yzans-de-Médoc 33... 199 D4
Saint-Zacharie 83..... 285 E4
Sainte-Adresse 76...... 14 A4
Sainte-Agathe 63..... 190 B4
Sainte-Agathe-d'Aliermont 76...... 16 B3
Sainte-Agathe-en-Donzy 42 . 191 F4
Sainte-Agathe-la-Bouteresse 42 ..... 209 E1
Sainte-Agnès 38..... 213 D4
Sainte-Agnès 06..... 289 E4
Sainte-Agnès 39..... 176 B1
Sainte-Alauzie 46.... 239 F4
Sainte-Alvère 24..... 220 C3
Sainte-Anastasie 15..... 225 D4
Sainte-Anastasie 30.... 264 A3
Sainte-Anastasie-sur-Issole 83....... 286 B4
Sainte-Anne 32..... 275 F1
Sainte-Anne 25..... 160 B2
Sainte-Anne 04..... 250 C2
Sainte-Anne 41..... 108 C4
Sainte-Anne-d'Auray 56 .... 100 C3
Sainte-Anne-d'Évenos 83 ... 291 E3
Sainte-Anne-du-Castellet 83. 291 E3
Sainte-Anne-la-Condamine 04...... 250 C2
Sainte-Anne-la-Palud 29 .... 73 E2
Sainte-Anne-Saint-Priest 87.. 204 C1
Sainte-Anne-sur-Brivet 44... 125 F2
Sainte-Anne-sur-Gervonde 38...... 211 F2
Sainte-Anne-sur-Vilaine 35.. 103 D4
Sainte-Aulde 77...... 62 B2
Sainte-Aurence-Cazaux 32 .. 274 B4
Sainte-Austreberthe 62 ...... 7 D3

Sainte-Austreberthe 76 ..... 32 A1
Sainte-Avoye 56...... 100 C4
Sainte-Barbe 88...... 95 E2
Sainte-Barbe 57...... 42 A4
Sainte-Barbe (Alignements de) 56 ..... 75 F4
Sainte-Barbe-sur-Gaillon 27. 32 C4
Sainte-Baume (Gorge de la) 07 ..... 246 B3
La Sainte-Baume (Massif de) 83....... 285 F4
Sainte-Bazeille 47..... 237 E2
Sainte-Beuve-en-Rivière 76 . 16 C3
Sainte-Blandine 79..... 165 D4
Sainte-Blandine 38..... 212 A2
Sainte-Brigitte 56...... 76 C4
Sainte-Camelle 11..... 301 E1
Sainte-Catherine 63..... 208 A3
Sainte-Catherine 69..... 210 B2
Sainte-Catherine 62 ...... 8 B3
Sainte-Catherine-de-Fierbois 37....... 150 A1
Sainte-Cécile 36..... 151 F1
Sainte-Cécile 50...... 54 B3
Sainte-Cécile 85..... 146 B4
Sainte-Cécile 71..... 174 C3
Sainte-Cécile-d'Andorge 30 . 263 D1
Sainte-Cécile-du-Cayrou 81 . 258 C3
Sainte-Cécile-les-Vignes 84 . 265 D3
Sainte-Céronne-lès-Mortagne 61....... 83 F1
Sainte-Cérotte 72..... 107 F3
Sainte-Christie 32..... 275 D1
Sainte-Christie-d'Armagnac 32....... 255 D4
Sainte-Christine 63..... 189 D2
Sainte-Christine 49..... 127 F3
Sainte-Christine 85..... 164 B3
Sainte-Christine (Chapelle) 29......... 47 E3
Sainte-Colombe 46..... 241 D1
Sainte-Colombe 89..... 137 D1
Sainte-Colombe 69..... 211 D2
Sainte-Colombe 33..... 219 D3
Sainte-Colombe 35..... 103 F2
Sainte-Colombe 16..... 183 F4
Sainte-Colombe 21..... 138 A3
Sainte-Colombe 40..... 272 B1
Sainte-Colombe 77...... 88 C2
Sainte-Colombe 25..... 160 C3
Sainte-Colombe 05..... 248 C4
Sainte-Colombe 17..... 200 C4
Sainte-Colombe 50...... 25 E2
Sainte-Colombe-de-Duras 47 237 E1
Sainte-Colombe-de-la-Commanderie 66 ..... 312 C2
Sainte-Colombe-de-Peyre 48 243 F1
Sainte-Colombe-de-Villeneuve 47 ...... 238 B4
Sainte-Colombe-des-Bois 58 135 E4
Sainte-Colombe-en-Bruilhois 47 ...... 256 A1
Sainte-Colombe-la-Commanderie 27 ..... 58 B1
Sainte-Colombe-près-Vernon 27........ 59 D1
Sainte-Colombe-sur-Guette 11 ..... 311 E1
Sainte-Colombe-sur-Gand 42 191 F3
Sainte-Colombe-sur-Loing 89 ..... 135 F1
Sainte-Colombe-sur-l'Hers 11 ..... 301 F1
Sainte-Colombe-sur-Seine 21 ..... 115 D3
Sainte-Colome 64 ..... 296 C2
Sainte-Consorce 69..... 192 C4
Sainte-Croix 02...... 37 D2
Sainte-Croix 12..... 241 D3
Sainte-Croix 81..... 259 E3
Sainte-Croix 46..... 239 E4
Sainte-Croix 26..... 229 E4
Sainte-Croix 71..... 176 A1
Sainte-Croix 24..... 238 C1
Sainte-Croix (Barrage de) 04. 286 B1
Sainte-Croix (Prieuré de) 60 . 35 F2
Sainte-Croix-à-Lauze 04..... 266 B3
Sainte-Croix-aux-Mines 68.. 96 B2
Sainte-Croix-de-Caderle 30.. 263 D2
Sainte-Croix-de-Mareuil 24.. 202 A3
Sainte-Croix-de-Quintillargues 34...... 281 F1
Sainte-Croix-de-Verdon 04 . 267 F4
Sainte-Croix-du-Mont 33.... 236 B2
Sainte-Croix-en-Jarez 42.... 210 B3
Sainte-Croix-en-Plaine 68 ... 96 C4
Sainte-Croix-Grand-Tonne 14 29 D4
Sainte-Croix-Hague 50....... 24 B2
Sainte-Croix-sur-Aizier 27... 31 D1
Sainte-Croix-sur-Buchy 76 .. 32 C1
Sainte-Croix-sur-Mer 14 .... 29 D3
Sainte-Croix-sur-Orne 61.... 56 A3
Sainte-Croix-Vallée-Française 48....... 262 C1
Sainte-Croix-Volvestre 09 ... 300 A4
Sainte-Dode 32..... 274 B4
Sainte-Eanne 79..... 165 E3
Sainte-Engrâce 64..... 296 A3
Sainte-Enimie 48..... 244 A4
Sainte-Eugénie-de-Villeneuve 43 ...... 226 B2
Sainte-Eugienne 50...... 54 A3
Sainte-Eulalie 33..... 217 E3
Sainte-Eulalie 07..... 227 F4
Sainte-Eulalie 15..... 224 A2
Sainte-Eulalie 48..... 226 A1
Sainte-Eulalie 11..... 302 B1
Sainte-Eulalie-d'Ans 24..... 221 E1

Sainte-Eulalie-de-Cernon 12. 261 E3
Sainte-Eulalie-d'Eymet 24... 238 A1
Sainte-Eulalie-d'Olt 12..... 243 D3
Sainte-Eulalie-en-Born 40... 234 B4
Sainte-Eulalie-en-Royans 26. 230 A2
Sainte-Euphémie 01..... 192 C2
Sainte-Euphémie-sur-Ouvèze 26........ 248 A4
Sainte-Eusoye 60...... 34 B1
Sainte-Fauste 36..... 152 B3
Sainte-Féréole 19..... 222 B1
Sainte-Feyre 23..... 187 D1
Sainte-Feyre-la-Montagne 23 187 F3
Sainte-Flaive-des-Loups 85.. 162 C1
Sainte-Florence 33..... 219 D4
Sainte-Florence 85..... 146 B3
Sainte-Florine 43..... 207 F3
Sainte-Foi 09..... 301 F2
Sainte-Foy 71..... 173 F4
Sainte-Foy 76...... 16 A3
Sainte-Foy 40..... 253 D4
Sainte-Foy 85..... 162 B1
Sainte-Foy-d'Aigrefeuille 31. 277 D3
Sainte-Foy-de-Belvès 24 .... 239 E1
Sainte-Foy-de-Longas 24 ... 220 C3
Sainte-Foy-de-Montgommery 14....... 57 D2
Sainte-Foy-de-Peyrolières 31 276 A3
Sainte-Foy-des-Vignes 24 ... 220 A3
Sainte-Foy-la-Grande 33 ... 219 F4
Sainte-Foy-la-Longue 33.... 236 C2
Sainte-Foy-l'Argentière 69 .. 210 A1
Sainte-Foy-lès-Lyon 69 .... 192 C4
Sainte-Foy-Saint-Sulpice 42. 191 E4
Sainte-Foy-Tarentaise 73.... 215 D1
Sainte-Gauburge 61...... 83 F3
Sainte-Gauburge-Sainte-Colombe 61...... 57 E4
Sainte-Gemme 46..... 241 D1
Sainte-Gemme 17..... 181 D4
Sainte-Gemme 32..... 275 E1
Sainte-Gemme 51...... 63 E1
Sainte-Gemme 33..... 237 E2
Sainte-Gemme 81..... 259 E2
Sainte-Gemme 79..... 148 A3
Sainte-Gemme-en-Sancerrois 18 ..... 135 D3
Sainte-Gemme-la-Plaine 85 . 163 E2
Sainte-Gemme-Martaillac 47 237 E4
Sainte-Gemme-Moronval 28 59 D4
Sainte-Gemmes 41..... 109 D1
Sainte-Gemmes-d'Andigné 49 ...... 104 C4
Sainte-Gemmes-le-Robert 53 81 F4
Sainte-Gemmes-sur-Loire 49 128 B2
Sainte-Geneviève 50...... 25 E2
Sainte-Geneviève 02...... 21 F4
Sainte-Geneviève 54...... 68 A2
Sainte-Geneviève 60...... 34 B3
Sainte-Geneviève 76...... 16 C3
Sainte-Geneviève-des-Bois 91...... 87 D1
Sainte-Geneviève-des-Bois 45...... 112 A3
Sainte-Geneviève-lès-Gasny 27....... 59 F1
Sainte-Geneviève-sur-Argence 12...... 224 C4
Sainte-Hélène 88...... 95 D3
Sainte-Hélène 71..... 157 F4
Sainte-Hélène 56..... 100 B3
Sainte-Hélène 48..... 244 B3
Sainte-Hélène 33..... 216 C3
Sainte-Hélène-Bondeville 76. 15 D2
Sainte-Hélène-du-Lac 73.... 213 E2
Sainte-Hélène-sur-Isère 73.. 213 F1
Sainte-Hermine 85..... 163 F2
Sainte-Honorine-de-Ducy 14 28 C4
Sainte-Honorine-des-Pertes 14 ..... 28 C3
Sainte-Honorine-du-Fay 14.. 55 F1
Sainte-Honorine-la-Chardonne 61....... 55 F3
Sainte-Honorine-la-Guillaume 61....... 55 F3
Sainte-Innocence 24..... 238 A1
Sainte-Jalle 26..... 248 A4
Sainte-Jamme-sur-Sarthe 72 106 C1
Sainte-Julie 01..... 193 F3
Sainte-Juliette 82..... 257 F1
Sainte-Juliette-sur-Viaur 12 . 260 A1
Sainte-Léocadie 66..... 310 C4
Sainte-Lheurine 17..... 199 F2
Sainte-Livière 52...... 91 F1
Sainte-Livrade 31..... 276 A2
Sainte-Livrade-sur-Lot 47 ... 238 B4
Sainte-Lizaigne 36..... 152 C2
Sainte-Luce 38..... 231 D3
Sainte-Luce-sur-Loire 44 ... 126 C4
Sainte-Lucie-de-Porto-Vecchio 2A...... 319 F1
Sainte-Lucie-de-Tallano 2A.. 319 D2
Sainte-Lunaise 18..... 153 D3
Sainte-Magnance 89..... 137 E2
Sainte-Marguerite 88...... 95 F3
Sainte-Marguerite 43..... 226 B1
Sainte-Marguerite (Ile) 06 ... 288 B4
Sainte-Marguerite (Presqu'île de) 29 ..... 47 D2
Sainte-Marguerite-des-Loges 14...... 57 D1
Sainte-Marguerite-d'Elle 14.. 27 F4
Sainte-Marguerite-de-l'Autel 27 ..... 58 A2
Sainte-Marguerite-de-Carrouges 61...... 82 B1
Sainte-Marguerite-de-Viette 14...... 56 C1

Sainte-Marguerite-en-Ouche 27...... 57 F1
Sainte-Marguerite-Lafigère 07....... 245 E3
Sainte-Marguerite-sur-Fauville 76...... 15 D3
Sainte-Marguerite-sur-Mer 76....... 15 F1
Sainte-Marguerite-sur-Duclair 76....... 15 F4
Sainte-Marie 65..... 299 D3
Sainte-Marie 15..... 225 D4
Sainte-Marie 66..... 313 F4
Sainte-Marie 32..... 275 E2
Sainte-Marie 08...... 38 C2
Sainte-Marie 35..... 102 C4
Sainte-Marie 25..... 142 B1
Sainte-Marie 44..... 144 B1
Sainte-Marie 05..... 248 B3
Sainte-Marie (Col de) 68 .... 96 A2
Sainte-Marie-à-Py 51...... 38 C4
Sainte-Marie-au-Bosc 76.... 14 B3
Sainte-Marie-aux-Anglais 14 57 D1
Sainte-Marie-aux-Chênes 57 41 E4
Sainte-Marie-aux-Mines 68.. 96 A2
Sainte-Marie-Cappel 59 ..... 3 F3
Sainte-Marie-d'Alloix 38 .... 213 D3
Sainte-Marie-d'Alvey 73 .... 212 C1
Sainte-Marie-de-Campan 65. 298 A3
Sainte-Marie-de-Chignac 24. 220 C2
Sainte-Marie-de-Cuines 73 . 213 F3
Sainte-Marie-de-Gosse 40... 271 D2
Sainte-Marie-de-Ré 17..... 180 B1
Sainte-Marie-de-Vars 05 ... 250 C1
Sainte-Marie-de-Vatimesnil 27 ..... 33 D4
Sainte-Marie-de-Vaux 87.... 185 E3
Sainte-Marie-des-Champs 76 15 D3
Sainte-Marie-des-Chazes 43. 226 B2
Sainte-Marie-du-Bois 53 .... 81 F2
Sainte-Marie-du-Bois 50.... 80 C1
Sainte-Marie-du-Lac-Nuisement 51...... 91 F1
Sainte-Marie du Ménez-Hom (Chapelle) 29....... 73 E2
Sainte-Marie-du-Mont 38 ... 213 D3
Sainte-Marie-du-Mont 50 ... 25 E4
Sainte-Marie-en-Chanois 70. 119 D3
Sainte-Marie-en-Chaux 70 .. 118 C3
Sainte-Marie-Kerque 62..... 3 D2
Sainte-Marie-la-Blanche 21.. 158 A2
Sainte-Marie-la-Robert 61.... 82 B1
Sainte-Marie-Lapanouze 19 . 206 A4
Sainte-Marie-Laumont 14... 55 E2
Sainte-Marie-Outre-l'Eau 14. 54 C2
Sainte-Marie-Sicché 2A..... 316 C4
Sainte-Marie-sur-Ouche 21.. 138 C4
Sainte-Marine 29..... 98 C2
Sainte-Marthe 47..... 237 E3
Sainte-Marthe 27...... 58 B2
Sainte-Maure 10...... 90 B3
Sainte-Maure-de-Peyriac 47. 255 F3
Sainte-Maure-de-Touraine 37 149 F2
Sainte-Maxime 83..... 287 E4
Sainte-Même 17..... 182 B3
Sainte-Menehould 51...... 65 F1
Sainte-Mère 32..... 256 B3
Sainte-Mère-Église 50..... 25 E4
Sainte-Mesme 78...... 86 B2
Sainte-Mondane 24..... 221 F4
Sainte-Montaine 18..... 134 A2
Sainte-Nathalène 24..... 221 F3
Sainte-Néomaye 79..... 165 D3
Sainte-Odile (Mont) 67...... 70 C4
Sainte-Olive 01..... 193 D2
Sainte-Opportune 61...... 55 F4
Sainte-Opportune-du-Bosc 27....... 31 F4
Sainte-Opportune-la-Mare 27........ 31 D2
Sainte-Orse 24..... 221 E1
Sainte-Osmane 72..... 107 F3
Sainte-Ouenne 79..... 164 C3
Sainte-Pallaye 89..... 136 B1
Sainte-Paule 69..... 192 B3
Sainte-Pazanne 44..... 145 D1
Sainte-Pexine 85..... 163 E1
Sainte-Pezenne 79..... 164 C3
Sainte-Pience 50...... 54 A3
Sainte-Pôle 54..... 95 E1
Sainte-Preuve 02...... 37 F1
Sainte-Radégonde 86..... 167 D1
Sainte-Radegonde 33..... 219 D4
Sainte-Radegonde 17..... 181 D3
Sainte-Radegonde 71..... 173 F1
Sainte-Radegonde 79..... 148 A3
Sainte-Radegonde 32..... 256 A4
Sainte-Radegonde 24..... 238 B1
Sainte-Radegonde 12..... 242 B4
Sainte-Radégonde-des-Noyers 85....... 163 E3
Sainte-Ramée 17..... 199 E3
Sainte-Reine 73...... 213 E1
Sainte-Reine 70..... 140 C2
Sainte-Reine-de-Bretagne 44 125 E2
Sainte-Restitude 2B..... 314 B3
Sainte-Roseline (Chapelle) 83....... 287 D3
Sainte-Ruffine 57...... 41 F4
Sainte-Sabine 21..... 138 B4
Sainte-Sabine 24..... 238 C1
Sainte-Sabine-sur-Longève 72 ..... 106 C1
Sainte-Savine 10...... 90 A3
Sainte-Scolasse-sur-Sarthe 61 ..... 83 E1
Sainte-Segrée 80...... 17 F4
Sainte-Sève 29..... 49 D3

Sainte-Sévère 16 .... 182 C4
Sainte-Sévère-sur-Indre 36 .. 169 F2
Sainte-Sigolène 43 .... 227 C1
Sainte-Soline 79 .... 165 F4
Sainte-Souline 16 .... 201 D3
Sainte-Soulle 17 .... 181 D1
Sainte-Suzanne 53 .... 105 F1
Sainte-Suzanne 64 .... 272 A3
Sainte-Suzanne 09 .... 300 B1
Sainte-Suzanne 25 .... 142 B1
Sainte-Suzanne-
en-Bauptois 50 .... 26 C3
Sainte-Suzanne-sur-Vire 50 . 54 C1
Sainte-Terre 33 .... 219 D4
Sainte-Thérence 03 .... 170 C4
Sainte-Thorette 18 .... 153 D2
Sainte-Trie 24 .... 203 F4
Sainte-Tréphine 22 .... 76 B3
Sainte-Tulle 04 .... 266 C4
Sainte-Valière 11 .... 303 E1
Sainte-Vaubourg 08 .... 38 C2
Sainte-Verge 79 .... 148 A2
Sainte-Vertu 89 .... 114 A4
Sainteny 50 .... 27 D3
Saintes 17 .... 181 F4
Saintes-Maries-de-la-Mer 13 282 C3
Saintines 60 .... 35 E3
Saintry-sur-Seine 91 .... 87 E1
Saints 89 .... 135 F1
Saints 77 .... 62 B4
Saints-Geosmes 52 .... 116 C3
Sainville 28 .... 86 A3
Saires 86 .... 149 D3
Saires-la-Verrerie 61 .... 55 F4
Saisies (Col des) 73 .... 196 B4
Saisy 71 .... 157 E2
Saïssac 11 .... 278 A4
Saisseval 80 .... 18 A2
Saisy 71 .... 157 E2
Le Saix 05 .... 249 D3
Saix 81 .... 278 A2
Saix 86 .... 148 C1
Saizenay 39 .... 160 A2
Saizerais 54 .... 68 A3
Saizy 58 .... 136 C3
Sajas 31 .... 275 F4
Salagnac 24 .... 203 F4
Salagnon 38 .... 212 A1
Salaise-sur-Sanne 38 .... 210 C4
Salans 39 .... 140 C4
Salasc 34 .... 280 B2
Salaunes 33 .... 216 C3
Salavas 07 .... 246 A4
Salavre 01 .... 176 B3
Salazac 30 .... 264 B1
Salbris 41 .... 133 E3
Les Salces 48 .... 243 F3
Saléchan 65 .... 299 D3
Saleich 31 .... 299 F4
Saleignes 17 .... 183 D2
Saleilles 66 .... 313 D2
Les Salelles 07 .... 245 E3
Les Salelles 48 .... 243 F3
Salency 60 .... 35 F1
Salenthal 67 .... 70 B3
Saléon 05 .... 249 D4
Salérans 05 .... 248 C4
Salerm 31 .... 299 E1
Salernes 83 .... 286 C2
Salers 15 .... 224 B2
Sales 74 .... 195 D3
Salesches 59 .... 9 F4
La Salette-Fallavaux 38 .... 231 E4
Salettes 43 .... 227 D4
Salettes 26 .... 247 E2
Saleux 80 .... 18 A3
Salève (Mont) 74 .... 195 E1
Salice 2A 316 C2
Saliceto 2B 315 E4
Saliès 81 .... 259 E4
Salies-de-Béarn 64 .... 271 F3
Salies-du-Salat 31 .... 299 F4
Salignac 33 .... 217 F2
Salignac 04 .... 267 E1
Salignac 33 .... 217 F2
Salignac-de-Mirambeau 17 .. 199 F4
Salignac-Eyvigues 24 .... 221 F3
Salignac-sur-Charente 17 .. 199 F1
Saligney 39 .... 140 B4
Saligny 89 .... 89 D4
Saligny 85 .... 145 F3
Saligny-le-Vif 18 .... 154 A2
Saligny-sur-Roudon 03 .... 173 D3
Saligos 65 .... 297 F4
Salin-de-Badon 13 .... 283 E3
Salin-de-Giraud 13 .... 283 E4
Salindres 30 .... 263 E1
Salinelles 30 .... 263 E4
Salins 15 .... 224 A1
Salins 77 .... 88 B2
Les Salins-d'Hyères 83 .... 292 C2
Salins-les-Bains 39 .... 160 A2
Salins-les-Thermes 73 .... 214 B2
Salives 21 .... 139 D1
Sallagriffon 06 .... 269 E3
Sallanches 74 .... 196 B2
Sallaumines 62 .... 8 B2
La Salle 71 .... 175 E3
La Salle 88 .... 95 E3
La Salle-de-Vihiers 49 .... 127 E4
La Salle-en-Beaumont 38 .. 231 D3
La Salle-
et-Chapelle-Aubry 49 .. 127 E4
La Salle-les-Alpes 05 .... 232 B2
La Salle-Prunet 48 .... 244 B4
Sallebœuf 33 .... 217 F4
Sallèdes 63 .... 207 F1
Salles-Cabardès 11 .... 278 C4
Sallèles-d'Aude 11 .... 303 F1
Sallen 14 .... 28 C4

Sallenelles 14 .... 29 F3
Sallenôves 74 .... 195 D2
Sallertaine 85 .... 144 C3
Salles 81 .... 259 D4
Salles 33 .... 235 D2
Salles 47 .... 239 D2
Salles 65 .... 297 E3
Salles 79 .... 165 E3
Les Salles 42 .... 190 C4
Les Salles 33 .... 219 D3
Salles-Adour 65 .... 297 F1
Salles-Arbuissonnas-
en-Beaujolais 69 .... 192 B2
Salles-Courbatiès 12 .... 241 E3
Salles-Curan 12 .... 260 C1
Salles-d'Angles 16 .... 200 C1
Salles-d'Armagnac 32 .... 255 D4
Salles-d'Aude 11 .... 304 C1
Salles-de-Barbezieux 16 .. 201 D1
Salles-de-Belvès 24 .... 239 D1
Salles-de-Villefagnan 16 .. 183 F3
Les Salles-du-Gardon 30 .. 263 E1
Salles-en-Toulon 86 .... 167 D2
Salles-et-Pratviel 31 .... 298 C2
Salles-la-Source 12 .... 242 B3
Salles-Lavalette 16 .... 201 F3
Les Salles-Lavauguyon 87 .. 184 C4
Salles-lès-Aulnay 17 .... 182 C2
Salles-Mongiscard 64 .... 272 A3
Salles-sous-Bois 26 .... 247 D3
Salles-sur-Garonne 31 .... 300 A1
Salles-sur-l'Hers 11 .... 301 E1
Salles-sur-Mer 17 .... 181 D1
Les Salles-sur-Verdon 83 .. 267 F4
Sallespisse 64 .... 272 A2
Salmagne 55 .... 66 C3
Salmaise 21 .... 138 B2
Salmbach 67 .... 45 E1
Salmiech 12 .... 260 B1
Salomé 59 .... 8 B1
Salon 10 .... 90 A1
Salon 24 .... 220 C2
Salon-de-Provence 13 .... 284 A2
Salon-la-Tour 19 .... 204 B3
Salonnes 57 .... 68 C3
Salornay-sur-Guye 71 .... 174 C2
Salouël 80 .... 18 A3
Salperwick 62 .... 3 E3
Salsein 09 .... 299 F4
Salses-le-Château 66 .... 313 D1
Salsigne 11 .... 278 B4
Les Salvages 81 .... 278 B2
Salvagnac 81 .... 258 B4
Salvagnac-Cajarc 12 .... 241 D3
Salvagnac-Saint-Loup 12 .. 241 E3
La Salvetat-Belmontet 82 .. 258 A3
La Salvetat-Lauragais 31 .... 277 E4
La Salvetat-Peyralès 12 .... 259 E1
La Salvetat-Saint-Gilles 31 .. 276 B2
La Salvetat-sur-Agout 34 .... 279 D2
Salvezines 11 .... 311 E1
Salvi (Col de) 2B 314 C4
Salviac 46 .... 239 F1
Salvizinet 42 .... 191 F4
Salza 11 .... 302 C3
Salzuit 43 .... 226 A1
Samadet 40 .... 272 C2
Saman 31 .... 299 D1
Samara 80 .... 18 A2
Samaran 32 .... 274 C4
Samatan 32 .... 275 F3
Samazan 47 .... 237 E3
Sambin 41 .... 132 A3
Sambourg 89 .... 114 B4
Le Sambuc 13 .... 283 E3
Saméon 59 .... 9 E2
Samer 62 .... 2 B4
Samerey 21 .... 159 D1
Sames 64 .... 271 E2
Samoëns 74 .... 196 C1
Samognat 01 .... 176 C2
Samogneux 55 .... 40 A3
Samois-sur-Seine 77 .... 87 F2
Samonac 33 .... 217 E2
Samoreau 77 .... 87 F2
Samouillan 31 .... 299 F1
Samoussy 02 .... 37 D1
Sampans 39 .... 159 E1
Sampigny 55 .... 67 D3
Sampigny-lès-Maranges 71 .. 157 F3
Sampolo 2A 317 D4
Sampzon 07 .... 246 A3
Samson 25 .... 160 A1
Samsons-Lion 64 .... 273 E3
Samuran 65 .... 298 C3
San Cervone (Col de) 2B 317 E1
San-Damiano 2B 315 F4
San-Gavino-
d'Ampugnani 2B 315 F4
San-Gavino-di-Carbini 2A .. 319 D1
San-Gavino-di-Fiumorbo 2B. 317 E3
San-Gavino-di-Tenda 2B .. 315 E2
San-Giovanni-di-Moriani 2B. 315 F4
San-Giuliano 2B 315 F4
San-Lorenzo 2B 315 E4
San-Martino-di-Lota 2B 315 F4
San Michele de Murato
(Église) 2B 315 E2
San-Nicolao 2B 315 F4
San-Peïre-sur-Mer 83 .... 287 E4
San-Pellegrino 2B 315 F4
San Quilico (Chapelle de) 2A 319 E3
San Quilico de Cambia
(Chapelle) 2B 315 F4
San Stefano (Col de) 2B 315 E2
Sana 31 .... 299 F1
Sanadoire (Roche) 63 .... 206 C1

Sanary-sur-Mer 83 .... 291 E4
Sancé 71 .... 175 D3
Sancergues 18 .... 154 B1
Sancerre 18 .... 135 C2
Sancey-le-Grand 25 .... 142 A3
Sancey-le-Long 25 .... 142 B3
Sancheville 28 .... 85 E4
Sanchey 88 .... 94 C4
Sancoins 18 .... 154 B3
Sancourt 59 .... 9 D4
Sancourt 27 .... 33 E3
Sancourt 80 .... 19 F3
Sancy 54 .... 41 D2
Sancy 77 .... 62 A3
Sancy-les-Cheminots 02 .... 36 C2
Sancy-lès-Provins 77 .... 63 D4
Sand 67 .... 97 D1
Sandarville 28 .... 85 D3
Sandaucourt 88 .... 93 F3
Sandillon 45 .... 110 B3
Sandouville 76 .... 14 C4
Sandrans 01 .... 193 D2
Sangatte 62 .... 2 B1
Sanghen 62 .... 2 C2
Sanguinaires (Îles) 2A 316 A4
Sanguinet 40 .... 234 C3
Sanilhac 07 .... 245 E2
Sanilhac-Sagriès 30 .... 264 A3
Sannat 23 .... 188 A1
Sannerville 14 .... 29 F4
Sannes 84 .... 285 D1
Sannois 95 .... 60 C2
Sanous 65 .... 273 F4
Sanry-lès-Vigy 57 .... 41 F4
Sanry-sur-Nied 57 .... 68 B1
Sans-Vallois 88 .... 94 A4
Sansa 66 .... 311 D2
Sansac-de-Marmiesse 15 .. 224 A4
Sansac-Veinazès 15 .... 242 A1
Sansais 79 .... 164 B4
Sansan 32 .... 275 D3
Sanssac-l'Église 43 .... 226 C2
Sanssat 03 .... 172 B4
Santa-Lucia-di-Mercurio 2B . 315 E4
Santa-Lucia-di-Moriani 2B .. 315 F4
Santa-Maria 2B 314 D2
Santa-Maria-di-Lota 2B 315 F4
Santa-Maria-Figaniella 2A.. 318 C2
Santa-Maria-Poggio 2B 315 F4
Santa-Maria-Poggio 2B 315 F4
Santa-Reparata-
di-Balagna 2B 314 C2
Santa-Reparata-
di-Moriani 2B 315 F4
Sant'Andréa-di-Bozio 2B .. 317 E1
Sant'Andréa-di-Cotone 2B . 315 F4
Sant'Andréa-d'Orcino 2A .. 316 B3
Santans 39 .... 159 F2
Sant'Antonino 2B 314 B2
Sant'Appiano
(Cathédrale) 2A 316 A2
Santeau 45 .... 110 C1
Santec 29 .... 49 D2
Santenay 41 .... 131 F1
Santenay 21 .... 157 F3
Santeny 94 .... 61 E4
Santes 59 .... 8 C1
Santeuil 28 .... 85 F3
Santeuil 95 .... 60 B1
Santigny 89 .... 137 E1
Santilly 71 .... 175 D1
Santilly 28 .... 110 A1
Santo-Pietro-di-Tenda 2B .. 315 E2
Santo-Pietro-di-Venaco 2B . 317 D1
Santoche 25 .... 142 A2
Santosse 21 .... 157 F2
Santranges 18 .... 134 C2
Sanvensa 12 .... 259 D1
Sanvignes-les-Mines 71 .... 174 A1
Sanxay 86 .... 165 F2
Sanzay 79 .... 147 F2
Sanzey 54 .... 67 F2
Saon 14 .... 28 C3
Saône 25 .... 141 E4
Saonnet 14 .... 28 B3
Saorge 06 .... 289 F2
Saosnes 72 .... 83 D3
Saou 26 .... 247 E1
Le Sap 61 .... 57 E2
Le Sap-André 61 .... 57 E3
Le Sapey 38 .... 231 D2
Sapignicourt 51 .... 65 F4
Sapignies 62 .... 8 B4
Sapogne-et-Feuchères 08 .. 23 D4
Sapogne-sur-Marche 08 .... 23 F2
Sapois 88 .... 119 E1
Sapois 39 .... 160 B4
Saponay 02 .... 36 C4
Saponcourt 70 .... 118 A3
Le Sappey 74 .... 195 D2
Le Sappey-en-Chartreuse 38 212 C4
Saramon 32 .... 275 E3
Saran 45 .... 110 A2
Saraz 25 .... 160 B2
Sarbazan 40 .... 254 B2
Sarcé 72 .... 107 D4
Sarceaux 61 .... 56 B4
Sarcelles 95 .... 61 D2
Sarcenas 38 .... 212 C4
Sarcey 69 .... 192 B3
Sarcey 52 .... 116 C1
Sarcicourt 52 .... 92 A4
Sarcos 32 .... 275 D4
Sarcus 60 .... 17 E4
Sarcy 51 .... 37 E4
Sardan 30 .... 263 E4
Sardieu 38 .... 211 F3
Sardon 63 .... 189 F3
Sardy-lès-Epiry 58 .... 155 F1

Sare 64 .... 270 B4
Sargé-lès-le-Mans 72 .... 107 D2
Sargé-sur-Braye 41 .... 108 A3
Sari-d'Orcino 2A 316 B3
Sari-Solenzara 2A 317 F4
Sariac-Magnoac 65 .... 274 C4
Sarlabous 65 .... 298 A2
Sarlande 24 .... 203 E3
Sarlat-la-Canéda 24 .... 221 F4
Sarliac-sur-l'Isle 24 .... 221 D1
Sarniguet 65 .... 273 F4
Sarnois 60 .... 17 F4
Saron-sur-Aube 51 .... 89 F1
Sarp 65 .... 298 C3
Sarpourenx 64 .... 272 A3
Sarragachies 32 .... 273 F1
Sarrageois 25 .... 160 C3
Sarraguzan 32 .... 274 B4
Les Sarraix 63 .... 190 B3
Sarralbe 57 .... 69 F1
Sarraltroff 57 .... 69 F3
Sarran 19 .... 205 D3
Sarrance 64 .... 296 B2
Sarrancolin 65 .... 298 B3
Sarrans (Barrage de) 12 .... 224 C4
Sarrant 32 .... 275 F1
Sarras 07 .... 228 C1
Sarrazac 24 .... 203 E3
Sarrazac 46 .... 222 B2
Sarraziet 40 .... 272 C1
Sarre-Union 67 .... 44 A4
Sarrebourg 57 .... 69 F3
Sarrecave 31 .... 298 C1
Sarreguemines 57 .... 43 E4
Sarreinsberg 57 .... 44 B4
Sarreinsming 57 .... 43 E4
Sarremezan 31 .... 299 D1
Sarrewerden 67 .... 70 A1
Sarrey 52 .... 117 D2
Sarriac-Bigorre 65 .... 274 A4
Sarrians 84 .... 265 D2
Sarrigné 49 .... 128 C2
Sarrogna 39 .... 176 C2
Sarrola-Carcopino 2A 316 B3
Sarron 40 .... 273 D2
Sarron 65 .... 35 D3
Sarrouilles 65 .... 298 A1
Sarry 89 .... 137 E1
Sarry 71 .... 173 F4
Sarry 51 .... 64 C2
Le Sars 62 .... 19 D1
Sars-et-Rosières 59 .... 9 E2
Sars-le-Bois 62 .... 7 F3
Sars-Poteries 59 .... 10 C3
Le Sart 02 .... 10 A4
Sartène 2A 318 C2
Sartes 88 .... 93 E4
Sartilly 50 .... 53 F3
Sarton 62 .... 18 B1
Sartrouville 78 .... 60 C2
Sarzay 36 .... 169 E1
Sarzeau 56 .... 123 D2
Sasnières 41 .... 108 B4
Sassangy 71 .... 157 F4
Sassay 41 .... 132 B3
Sassegnies 59 .... 10 A3
Sassenage 38 .... 230 C1
Sassenay 71 .... 158 A3
Sassetot-le-Malgardé 76 .... 15 F2
Sassetot-le-Mauconduit 76.. 15 F2
Sasseville 76 .... 15 E2
Sassey 27 .... 59 D1
Sassey-sur-Meuse 55 .... 39 F2
Sassierges-Saint-Germain 36 152 B4
Sassis 65 .... 297 F4
Sassy 14 .... 56 B2
Sathonay-Camp 69 .... 193 D4
Sathonay-Village 69 .... 193 D4
Satillieu 07 .... 228 B1
Satolas-et-Bonce 38 .... 211 E1
Saturargues 34 .... 282 A1
Saubens 31 .... 276 B3
Saubion 40 .... 270 C1
Saubole 64 .... 273 E4
Saubrigues 40 .... 271 D2
Saubusse 40 .... 271 D1
Saucats 33 .... 235 F1
Saucède 64 .... 296 A1
La Saucelle 28 .... 84 B1
Sauchay 76 .... 16 B2
Sauchy-Cauchy 62 .... 8 C4
Sauchy-Lestrée 62 .... 8 C4
Sauclières 12 .... 262 A3
Saucourt-sur-Rognon 52 .... 92 B3
Saudemont 62 .... 8 C3
Saudoy 51 .... 63 F4
Saudron 52 .... 92 C2
Saudrupt 55 .... 66 A4
Sauerach 17 .... 177 D1
Saugnac-et-Cambran 40 .... 271 F1
Saugnacq-et-Muret 40 .... 235 D2
Saugnieu 69 .... 193 E4
Saugon 33 .... 217 E1
Saugues 43 .... 226 B1
Sauguis-Saint-Étienne 64 .. 295 F1
Saugy 18 .... 152 C2
Saujac 12 .... 241 D3
Saujon 17 .... 198 C1
La Saulce 05 .... 249 E3
Saulce-sur-Rhône 26 .... 247 D1
Saulces-Champenoises 08 .. 38 B2
Saulces-Monclin 08 .... 38 B1
Saulcet 03 .... 172 A4
Saulchery 02 .... 62 C2
Le Saulchoy 62 .... 6 C3
Saulchoy 62 .... 6 C3
Saulchoy-sous-Poix 80 .... 17 F3
Saulcy 10 .... 91 F3
Le Saulcy 88 .... 96 A1

Saulcy-sur-Meurthe 88 .... 95 F3
Saules 25 .... 160 C1
Saules 71 .... 174 C1
Saulgé 86 .... 167 E3
Saulgé-l'Hôpital 49 .... 128 C4
Saulges 53 .... 105 F2
Saulgond 16 .... 184 C3
Sauliac-sur-Célé 46 .... 240 C3
Saulieu 21 .... 137 F4
Saulmory-et-Villefranche 55 . 39 F2
Saulnay 36 .... 151 D3
Saulnes 54 .... 41 D1
Saulnières 28 .... 85 D1
Saulnières 35 .... 103 E2
Saulnot 70 .... 142 B1
Saulny 57 .... 41 F4
Saulon-la-Chapelle 21 .... 139 E4
Saulon-la-Rue 21 .... 139 E4
La Saulsotte 10 .... 89 D1
Sault 84 .... 266 A2
Sault-Brénaz 01 .... 194 A3
Sault-de-Navailles 64 .... 272 B2
Sault-lès-Rethel 08 .... 38 B2
Sault-Saint-Remy 08 .... 38 A2
Saultain 59 .... 9 F3
Saulty 62 .... 7 F1
Saulx 70 .... 118 C4
Saulx-en-Barrois 55 .... 67 D4
Saulx-en-Woëvre 55 .... 67 D1
Saulx-le-Duc 21 .... 139 D2
Saulx-les-Chartreux 91 .... 60 C4
Saulx-Marchais 78 .... 60 A3
Saulxerotte 54 .... 93 F2
Saulxures 57 .... 43 E4
Saulxures 67 .... 96 A1
Saulxures 52 .... 117 D2
Saulxures-lès-Bulgnéville 88 93 F4
Saulxures-lès-Nancy 54 .... 68 B4
Saulxures-lès-Vannes 54 .... 93 F1
Saulxures-sur-Moselotte 88. 119 E2
Saulzais-le-Potier 18 .... 170 C1
Saulzet 03 .... 189 F1
Saulzet-le-Chaud 63 .... 207 E1
Saulzet-le-Froid 63 .... 207 D1
Saulzoir 59 .... 9 E4
Saumane 04 .... 266 C2
Saumane 30 .... 262 C2
Saumane-de-Vaucluse 84 .. 265 E3
Sauméjan 47 .... 255 D1
Saumeray 28 .... 85 D4
Saumont 47 .... 256 A2
Saumont-la-Poterie 76 .... 33 D1
Saumos 33 .... 216 B3
Saumur 49 .... 129 E4
Saunay 37 .... 131 E1
La Saunière 23 .... 187 D1
Saunières 71 .... 158 C2
Sauqueuse-Saint-Lucien 60 . 34 A1
Sauqueville 76 .... 16 A3
Saurais 79 .... 165 E1
Saurat 09 .... 300 C4
Sauret-Besserve 63 .... 188 C3
Saurier 63 .... 207 E2
Sausheim 68 .... 120 C2
Saussan 34 .... 281 E2
Saussay 28 .... 59 E3
Saussay 76 .... 15 F3
Saussay-la-Campagne 27 ... 33 D3
La Saussaye 27 .... 32 A4
Saussenac 81 .... 259 F3
Saussens 31 .... 277 D2
Sausses 04 .... 269 D2
Sausset-les-Pins 13 .... 284 B4
Sausseuzemare-en-Caux 76 . 14 C3
Saussey 21 .... 157 F1
Saussey 50 .... 54 A1
Saussignac 24 .... 219 F4
Saussines 34 .... 282 A1
Saussy 21 .... 139 D2
Saut de la Mounine 46 .... 241 D3
Saut des Cuves 88 .... 119 F1
Sautel 09 .... 301 E3
Sauternes 33 .... 236 B2
Sautet (Barrage du) 38 .... 231 D4
Sauteyrargues 34 .... 263 D4
Sauto 66 .... 311 D3
Sautron 44 .... 126 A3
Sauvage-Magny 52 .... 91 F2
La Sauvagère 61 .... 81 F1
Les Sauvages 69 .... 192 A3
Sauvagnac 16 .... 184 B4
Sauvagnas 47 .... 256 B1
Sauvagnat 63 .... 188 C4
Sauvagnat-Sainte-Marthe 63 207 F2
Sauvagney 25 .... 141 D3
Sauvagnon 64 .... 272 C4
Sauvagny 03 .... 171 D2
Sauvain 42 .... 209 D1
Sauvan (Château de) 04 .... 266 C3
Sauvat 15 .... 206 A4
Sauve 30 .... 263 D3
La Sauve 33 .... 217 F4
Sauvelade 64 .... 272 A4
Sauverny 01 .... 177 F3
Sauvessanges 63 .... 209 D3
La Sauvetat 63 .... 207 F1
La Sauvetat 32 .... 255 E3
La Sauvetat-de-Savères 47 .. 256 C1
La Sauvetat-du-Dropt 47 .... 237 F1
La Sauvetat-sur-Lède 47 .... 238 C3
Sauveterre 81 .... 279 D3
Sauveterre 82 .... 257 F1
Sauveterre 65 .... 273 F3
Sauveterre 32 .... 256 A4
Sauveterre 30 .... 264 C2
Sauveterre-de-Béarn 64 .... 271 F3
Sauveterre-
de-Comminges 31 .... 299 D3
Sauveterre-de-Guyenne 33.. 237 D1

Sauveterre-de-Rouergue 12 . 259 F1
Sauveterre-la-Lémance 47 .. 239 D2
Sauveterre-Saint-Denis 47 .. 256 B2
Sauviac 33 .... 236 C3
Sauviac 32 .... 274 C4
Sauvian 34 .... 305 D1
Sauviat 63 .... 208 B1
Sauviat-sur-Vige 87 .... 186 B3
Sauvignac 16 .... 201 D4
Sauvigney-lès-Gray 70 .... 140 C2
Sauvigney-lès-Pesmes 70 .. 140 B3
Sauvigny 55 .... 93 E1
Sauvigny-le-Beuréal 89 .... 137 E3
Sauvigny-le-Bois 89 .... 137 D2
Sauvigny-les-Bois 58 .... 155 D2
Sauville 08 .... 39 D1
Sauville 88 .... 93 E4
Sauvillers-Mongival 80 .... 18 C4
Sauvimont 32 .... 275 F4
Sauvoy 55 .... 67 D4
Saux 46 .... 239 E4
Saux-et-Pomarède 31 .... 299 D2
Sauxemesnil 50 .... 25 D3
Sauxillanges 63 .... 208 A2
Sauze 06 .... 269 D1
Le Sauze 04 .... 250 C3
Le Sauze-du-Lac 05 .... 250 A2
Sauzé-Vaussais 79 .... 183 E1
Sauzelle 17 .... 180 B2
Sauzelles 36 .... 167 F1
Sauzet 82 .... 257 E4
Sauzet 46 .... 239 F3
Sauzet 30 .... 263 E4
La Sauzière-Saint-Jean 81.. 258 B3
Sauzon 56 .... 122 A4
Savagna 39 .... 159 E4
Savarthès 31 .... 299 E2
Savas 07 .... 210 C3
Savas-Mépin 38 .... 211 E2
Savasse 26 .... 246 C2
Savenay 44 .... 125 F3
Savenès 82 .... 257 E4
Savennes 23 .... 187 D2
Savennes 63 .... 206 A2
Savennières 49 .... 128 A2
Saverdun 09 .... 301 D1
Savères 31 .... 276 A4
Saverne 67 .... 70 B3
Saverne (Col de) 67 .... 70 B2
Saveuse 80 .... 18 A2
Savianges 71 .... 174 C1
Savières 10 .... 90 A3
Savigna 39 .... 176 C2
Savignac 33 .... 237 D2
Savignac 12 .... 241 D4
Savignac-de-Duras 47 .... 237 E1
Savignac-de-l'Isle 33 .... 218 C3
Savignac-de-Miremont 24 .. 221 D3
Savignac-de-Nontron 24 .... 202 C2
Savignac-Lédrier 24 .... 203 F4
Savignac-les-Églises 24 .... 203 D4
Savignac-les-Ormeaux 09 .. 310 B1
Savignac-Mona 32 .... 275 F3
Savignac-sur-Leyze 47 .... 238 C3
Savignargues 30 .... 263 E3
Savigné 86 .... 184 A1
Savigné-l'Évêque 72 .... 107 D1
Savigné-sous-le-Lude 72 .. 129 F1
Savigné-sur-Lathan 37 .... 130 A2
Savigneux 42 .... 209 E2
Savigneux 01 .... 192 C2
Savignies 60 .... 33 F2
Savigny 74 .... 195 D1
Savigny 52 .... 117 E4
Savigny 50 .... 54 A1
Savigny 88 .... 94 B3
Savigny 69 .... 192 B4
Savigny-en-Revermont 71 .. 176 B1
Savigny-en-Sancerre 18 .... 135 D2
Savigny-en-Septaine 18 .... 153 F2
Savigny-en-Terre-Plaine 89 . 137 E2
Savigny-en-Véron 37 .... 129 F4
Savigny-le-Sec 21 .... 139 E2
Savigny-le-Temple 77 .... 87 E2
Savigny-le-Vieux 50 .... 80 C1
Savigny-lès-Beaune 21 .... 158 A4
Savigny-Lévescault 86 .... 166 C2
Savigny-Poil-Fol 58 .... 156 A4
Savigny-sous-Faye 86 .... 149 F3
Savigny-sous-Mâlain 21 .... 138 C3
Savigny-sur-Aisne 08 .... 39 D3
Savigny-sur-Ardres 51 .... 37 D4
Savigny-sur-Braye 41 .... 108 A3
Savigny-sur-Clairis 89 .... 112 B1
Savigny-sur-Grosne 71 .... 174 C1
Savigny-sur-Orge 91 .... 61 D4
Savigny-sur-Seille 71 .... 175 F1
Savilly 21 .... 157 D1
Savine (Col de la) 39 .... 177 D1
Savines-le-Lac 05 .... 250 A2
Savins 77 .... 88 C2
Savoillan 84 .... 266 A1
Savoisy 21 .... 115 D4
Savolles 21 .... 139 F3
Savonnières 37 .... 130 B3
Savonnières-devant-Bar 55 . 66 B3
Savonnières-en-Perthois 55 . 92 B1
Savonnières-en-Woëvre 55 . 67 D2
Savouges 21 .... 139 E4
Savournon 05 .... 249 D3
Savoyeux 70 .... 140 C1
Savy 02 .... 20 A3
Savy-Berlette 62 .... 8 A3
Saxel 74 .... 178 B4
Saxi-Bourdon 58 .... 155 E2
Saxon-Sion 54 .... 94 A2
Sayat 63 .... 189 E4
Saze 30 .... 264 C3
Sazeray 36 .... 169 F3
Sazeret 03 .... 171 E4

Sazilly 37 — 149 E1
Sazos 65 — 297 F4
Scaër 29 — 75 E4
Les Scaffarels 04 — 268 C3
Scata 2B — 315 C4
Sceau-Saint-Angel 24 — 202 C3
Sceautres 07 — 246 B2
Sceaux 92 — 61 D4
Sceaux 89 — 137 E2
Sceaux-d'Anjou 49 — 128 B1
Sceaux-du-Gâtinais 45 — 111 E1
Sceaux-sur-Huisne 72 — 107 F1
Scey-en-Varais 25 — 160 B1
Scey-sur-Saône-et-Saint-Albin 70 — 118 A4
Schaeferhof 57 — 70 A3
Schaeffersheim 67 — 71 D4
Schaffhouse-près-Seltz 67 — 45 F4
Schaffhouse-sur-Zorn 67 — 70 C2
Schalbach 57 — 70 A1
Schalkenbach 67 — 70 C1
Scharrachbergheim 67 — 70 C3
Scheibenhard 67 — 45 F4
Scherlenheim 67 — 70 C2
Scherwiller 67 — 96 C2
Schillersdorf 67 — 70 C1
Schiltigheim 67 — 71 D3
Schirmeck 67 — 70 B4
Schirrhein 67 — 71 E1
Schirrhoffen 67 — 71 E1
Schleithal 67 — 45 F4
Schlierbach 68 — 120 C3
Schlucht (Col de la) 88 — 96 A4
Schmittviller 57 — 44 A4
Schneckenbusch 57 — 70 A2
Schnepfenried 68 — 96 A4
Schnersheim 67 — 70 C3
Schœnau 67 — 97 D2
Schœnbourg 67 — 70 B1
Schœneck 57 — 43 D3
Schœnenbourg 67 — 45 E4
Schopperten 67 — 69 F1
Schorbach 57 — 44 B3
Schwabwiller 67 — 45 E4
Schweighouse 68 — 120 B1
Schweighouse-sur-Moder 67 — 71 D1
Schweighouse-Thann 68 — 120 B2
Schwenheim 67 — 70 C2
Schwerdorff 57 — 42 B2
Schweyen 57 — 44 B3
Schwindratzheim 67 — 71 D2
Schwoben 68 — 120 B3
Schwobsheim 67 — 97 D2
Sciecq 79 — 164 C3
Scientrier 74 — 195 F1
Scieurac-et-Flourès 32 — 274 A2
Sciez 74 — 178 B3
Scillé 79 — 164 C1
Scionzier 74 — 196 B1
Scolca 2B — 315 E3
Scorbé-Clairvaux 86 — 149 E4
Scoury 36 — 168 B1
Scrignac 29 — 49 F4
Scrupt 51 — 65 F4
Scy-Chazelles 57 — 41 F4
Scye 70 — 118 A4
Séailles 32 — 274 A1
La Séauve-sur-Semène 43 — 209 F1
Sébazac-Concourès 12 — 242 B4
Sébécourt 27 — 58 A2
Sébéville 50 — 25 E4
Seboncourt 02 — 20 B2
Sebourg 59 — 9 F3
Sébouville 45 — 86 C4
Sébrazac 12 — 242 B3
Séby 64 — 272 C3
Secenans 70 — 142 A1
Séchault 08 — 39 D3
Sécheras 07 — 228 C1
Sécheval 08 — 22 C2
Le Séchier 05 — 231 E4
Séchilienne 38 — 231 D2
Séchin 25 — 141 F3
Seclin 59 — 8 C2
Secondigné-sur-Belle 79 — 182 C1
Secondigny 79 — 165 D1
Secourt 57 — 68 B2
Secqueville-en-Bessin 14 — 29 D4
Sedan 08 — 23 D4
Sédeilhac 31 — 298 C2
Séderon 26 — 266 B1
Sedze-Maubecq 64 — 273 E4
Sedzère 64 — 273 E4
Seebach 67 — 45 F4
Sées 61 — 83 D1
Séez 73 — 214 C1
Le Ségala 11 — 277 E4
Ségalas 47 — 238 A2
Ségalas 65 — 274 A4
La Ségalassière 15 — 223 F4
Séglien 56 — 76 B4
Ségny 01 — 177 F3
Segonzac 19 — 203 F4
Segonzac 24 — 220 A1
Segonzac 16 — 200 C3
Ségos 32 — 273 D2
Ségoufielle 32 — 276 A2
Segré 49 — 104 C4
Ségreville 31 — 277 E3
Ségrie-Fontaine 61 — 55 F3
Segrois 21 — 158 A1
Ségry 36 — 152 C3
La Séguinière 49 — 146 C1
Le Ségur 81 — 259 D2
Ségur 12 — 243 D4
Ségur-le-Château 19 — 203 D3
Ségur-les-Villas 15 — 224 C1
Ségura 09 — 301 D2
Séguret 84 — 265 D3

Ségus 65 — 297 E2
Séhar (Pointe de) 29 — 49 F2
Seich 65 — 298 C3
Seichamps 54 — 68 B4
Seichebrières 45 — 110 C2
Seicheprey 54 — 67 E2
Seiches-sur-le-Loir 49 — 128 C1
Seignalens 11 — 301 E2
Seigné 17 — 182 C3
Seignelay 89 — 113 E3
Seigneulles 55 — 66 B3
Seignosse 40 — 270 C1
Seigny 21 — 138 A1
Seigy 41 — 132 A4
Seilh 31 — 276 B1
Seilhac 19 — 204 C4
Seilhan 31 — 298 C3
Seillac 41 — 131 F2
Seillans 83 — 287 E1
Seillonnaz 01 — 194 A4
Seillons-Source-d'Argens 83 — 285 F3
Sein (Ile de) 29 — 72 B3
Seine (Sources de la) 21 — 138 C2
Seine-Port 77 — 87 E1
Seingbouse 57 — 43 D4
Seissan 32 — 274 C3
Seix 09 — 300 A4
Le Sel-de-Bretagne 35 — 103 E2
Selaincourt 54 — 93 F1
Selens 02 — 36 A2
Sélestat 67 — 96 C2
Séligné 79 — 182 C1
Séligney 39 — 159 E2
Selincourt 80 — 17 E3
La Selle-Craonnaise 53 — 104 B3
La Selle-en-Coglès 35 — 80 A2
La Selle-en-Hermoy 45 — 112 A2
La Selle-en-Luitré 35 — 80 B3
La Selle-Guerchaise 35 — 104 B2
La Selle-la-Forge 61 — 55 E4
La Selle-sur-le-Bied 45 — 112 A1
Selles 27 — 31 D3
Selles 70 — 118 A4
Selles 51 — 38 A3
Selles 62 — 2 C4
Selles-Saint-Denis 41 — 133 D3
Selles-sur-Cher 41 — 132 B4
Selles-sur-Nahon 36 — 151 E2
Sellières 39 — 159 E3
Selommes 41 — 108 C4
Seloncourt 25 — 142 C2
Selongey 21 — 139 E1
Selonnet 04 — 250 A3
Seltz 67 — 45 F4
La Selve 02 — 37 F1
La Selve 12 — 260 A2
Selvigny 59 — 20 A1
Sem 09 — 309 F1
Sémalens 81 — 278 A2
Semallé 61 — 82 C2
Semarey 21 — 138 B4
Sembadel 43 — 208 C4
Sembadel-Gare 43 — 208 C4
Sembas 47 — 238 B4
Semblançay 37 — 130 C2
Sembleçay 36 — 132 C4
Semboues 32 — 274 A3
Séméac 65 — 297 F1
Séméacq-Blachon 64 — 273 E3
Sémécourt 57 — 41 F4
Semelay 58 — 156 A3
Semène 43 — 209 F3
Semens 33 — 236 C2
Sementron 89 — 136 A1
Séméries 59 — 10 B3
Semerville 41 — 109 D2
Semezanges 21 — 138 C4
Sémézies-Cachan 32 — 275 D3
Semide 08 — 38 C3
Semillac 17 — 199 E3
Semilly 52 — 93 D3
Semmadon 70 — 117 F4
Semnoz (Montagne du) 74 — 195 E4
Semoine 10 — 64 B4
Semond 21 — 115 E4
Semondans 25 — 142 B1
Semons 38 — 211 F3
Semousies 59 — 10 B3
Semoussac 17 — 199 E3
Semoutiers 52 — 116 A1
Semoy 45 — 110 B3
Sempesserre 32 — 256 B3
Sempigny 60 — 35 F1
Sempy 62 — 6 C3
Semur-en-Auxois 21 — 137 F2
Semur-en-Brionnais 71 — 173 F4
Semur-en-Vallon 72 — 107 F2
Semussac 17 — 198 C1
Semuy 08 — 38 C2
Le Sen 40 — 254 A2
Sénac 65 — 274 A4
Senaide 88 — 117 F2
Sénaillac-Latronquière 46 — 223 E4
Sénaillac-Lauzès 46 — 240 B2
Senailly 21 — 137 F1
Senan 89 — 113 D3
Sénanque (Abbaye de) 84 — 265 F3
Senantes 28 — 85 E1
Senantes 60 — 33 F2
Senard 55 — 66 A2
Sénarens 31 — 275 F4
Senargent 70 — 142 A1
Senarpont 80 — 17 D3
Sénart 77 — 87 E1
Sénas 13 — 284 A1
Senaud 39 — 176 B3
Senaux 81 — 279 D1
Sencenac-Puy-de-Fourches 24 — 202 C4
Senconac 09 — 310 A1

Sendets 33 — 237 D3
Sendets 64 — 273 D4
Séné 56 — 101 D4
Sène (Mont de) 21 — 157 F3
Sénéchas 30 — 245 E4
Sénèque (Tour de) 2B — 314 A1
Sénergues 12 — 242 A2
Senesse-de-Senabugue 09 — 301 E3
Sénestis 47 — 237 F3
Senez 04 — 268 A3
Sénezergues 15 — 242 A1
Séneujols 43 — 226 C3
Sengouagnet 31 — 299 E3
Séniergues 46 — 240 B1
Senillé 86 — 149 F4
Seningen 62 — 2 C4
Senlecques 62 — 2 C4
Senlis 62 — 7 D1
Senlis 60 — 35 D4
Senlis-le-Sec 80 — 18 C1
Senlisse 78 — 60 B4
Sennecé-lès-Mâcon 71 — 175 E3
Sennecey-le-Grand 71 — 175 E1
Sennecey-lès-Dijon 21 — 139 E4
Sennely 45 — 133 F1
Sennevières 37 — 150 C1
Senneville-sur-Fécamp 76 — 14 C2
Sennevoy-le-Bas 89 — 114 C3
Sennevoy-le-Haut 89 — 114 C3
Senon 54 — 40 C3
Senonches 28 — 84 B1
Senoncourt 70 — 118 A3
Senoncourt-les-Maujouy 55 — 66 C1
Senones 88 — 95 F2
Senonges 88 — 94 A4
Senonnes 53 — 104 A3
Senonville 55 — 67 D2
Senots 60 — 33 F4
Senouillac 81 — 259 D3
Senozan 71 — 175 E3
Sens 89 — 88 C4
Sens-Beaujeu 18 — 134 C4
Sens-de-Bretagne 35 — 79 F3
Sens-sur-Seille 71 — 159 D4
Sentein 09 — 299 F4
Sentelie 80 — 17 F4
Sentenac-de-Sérou 09 — 300 B3
Sentenac-d'Oust 09 — 300 A4
Sentheim 68 — 120 A2
Sentilly 61 — 56 B3
La Sentinelle 59 — 9 F3
Sentous 65 — 298 B1
Senuc 08 — 39 D3
Senven-Léhart 22 — 50 C4
La Séoube 65 — 298 A3
Sépeaux 89 — 112 C2
Sepmeries 59 — 9 F3
Sepmes 37 — 150 A2
Seppois-le-Bas 68 — 120 B4
Seppois-le-Haut 68 — 120 B4
Sept-Fons (Abbaye de) 03 — 173 D2
Sept-Forges 61 — 81 E2
Sept-Frères 14 — 54 C2
Sept-Meules 76 — 16 C2
Sept-Saulx 51 — 38 A4
Sept-Sorts 77 — 62 B2
Sept-Vents 14 — 55 D1
Septème 38 — 211 E2
Septèmes-les-Vallons 13 — 284 C4
Septeuil 78 — 59 F3
Septfonds 82 — 258 B1
Septfonds 89 — 112 B4
Septfontaines 25 — 160 C2
Septmoncel 39 — 177 E3
Septmonts 02 — 36 B3
Septsarges 55 — 39 F3
Septvaux 02 — 36 B1
Sepvigny 55 — 93 E1
Sepvret 79 — 165 E4
Sepx 31 — 299 E2
Sequehart 02 — 20 A2
Le Sequestre 81 — 259 E4
Serain 02 — 20 B1
Seraincourt 08 — 38 A1
Seraincourt 95 — 60 A1
Sérandon 19 — 206 A4
Séranon 06 — 268 C4
Serans 60 — 33 F4
Serans 61 — 56 B4
Seranville 54 — 95 D2
Séranvillers-Forenville 59 — 9 E4
Seraucourt 02 — 20 A2
Seraucourt-le-Grand 02 — 20 A3
Seraumont 88 — 93 D2
Serazereux 28 — 85 E1
Serbannes 03 — 190 A4
Serbonnes 89 — 88 C3
Serches 02 — 36 C3
Sercœur 88 — 95 D3
Sercus 59 — 3 F4
Sercy 71 — 175 D1
Serdinya 66 — 311 E3
Sère 32 — 275 D4
Sère-en-Lavedan 65 — 297 E3
Sère-Rustaing 65 — 298 B1
Sérécourt 88 — 117 F1
Séreilhac 87 — 185 E4
Serémange-Erzange 57 — 41 E3
Sérempuy 32 — 275 E1
Sérénac 81 — 259 F3
Sérent 56 — 101 F3
Sérévillers 60 — 34 A1
Séreyrède (Col de la) 30 — 262 B2
Serez 27 — 59 D2
Sérézin-de-la-Tour 38 — 212 A2
Sérézin-du-Rhône 69 — 210 C1

Sergeac 24 — 221 E3
Sergenaux 39 — 159 E3
Sergenon 39 — 159 E3
Sergines 89 — 88 C3
Sergy 01 — 177 F4
Sergy 02 — 36 C4
Séricourt 62 — 7 E3
Sériers 15 — 225 E3
Sérifontaine 60 — 33 E3
Sérignac 82 — 257 D3
Sérignac 46 — 239 E3
Sérignac 16 — 201 E4
Sérignac-Péboudou 47 — 238 B2
Sérignac-sur-Garonne 47 — 256 A1
Sérignan 34 — 305 D1
Sérignan-du-Comtat 84 — 265 D1
Sérignan-Plage 34 — 305 E1
Sérigné 85 — 164 A2
Sérigny 86 — 149 E3
Sérigny 61 — 83 F3
Sérilhac 19 — 222 C2
Seringes-et-Nesles 02 — 36 C4
Séris 41 — 109 E4
Serley 71 — 158 C4
Sermages 58 — 156 A2
Sermaise 49 — 129 D2
Sermaise 91 — 86 B2
Sermaises 45 — 86 C4
Sermaize 60 — 35 F1
Sermaize-les-Bains 51 — 65 F3
Sermamagny 90 — 119 F4
Sermange 39 — 140 A4
Sermano 2B — 315 E4
Sermentizon 63 — 190 A4
Sermentot 14 — 29 D4
Sermérieu 38 — 212 A1
Sermersheim 67 — 97 D1
Sermesse 71 — 158 B3
Sermiers 51 — 37 F4
Sermizelles 89 — 136 C2
Sermoise 02 — 36 C3
Sermoise-sur-Loire 58 — 154 C3
Sermoyer 01 — 175 E2
Sermur 23 — 188 A3
Sernhac 30 — 264 B3
Serocourt 88 — 117 F1
Séron 65 — 273 E4
Serpaize 38 — 211 D2
La Serpent 11 — 302 A3
Serques 62 — 3 D3
Serqueux 76 — 33 D1
Serqueux 52 — 117 E2
Serquigny 27 — 58 A1
Serra-di-Ferro 2A — 318 B2
Serra-di-Fiumorbo 2B — 317 E3
Serra di Pigno 2B — 315 F1
Serra-di-Scopamène 2A — 319 D1
Serrabone (Prieuré de) 66 — 312 B4
Serralongue 66 — 312 B4
Serrant (Château de) 49 — 128 A2
Serraval 74 — 195 F3
La Serre 12 — 260 B4
Serre (Col de) 15 — 224 C2
La Serre-Bussière-Vieille 23 — 187 F2
Serre-Chevalier 05 — 232 B2
Serre-les-Moulières 39 — 140 A3
Serre-les-Sapins 25 — 141 D4
Serre-Nerpol 38 — 212 A4
Serre-Ponçon (Barrage et Lac de) 05 — 250 A2
Serres 11 — 302 B4
Serres 05 — 248 C3
Serres 54 — 68 C4
Serres-Castet 64 — 273 D4
Serres-et-Montguyard 24 — 238 A1
Serres-Gaston 40 — 272 C1
Serres-Morlaàs 64 — 273 D4
Serres-Sainte-Marie 64 — 272 C4
Serreslous-et-Arribans 40 — 272 B1
Serriera 2A — 316 A1
Serrières 71 — 175 D4
Serrières 54 — 68 A2
Serrières 07 — 210 C4
Serrières-de-Briord 01 — 194 A4
Serrières-en-Chautagne 73 — 194 C3
Serrières-sur-Ain 01 — 194 A1
Serrigny 89 — 114 A3
Serrigny-en-Bresse 71 — 158 C3
Serris 77 — 61 F3
Serrouville 54 — 41 D2
Serruelles 18 — 153 E3
Sers 16 — 201 F2
Sers 65 — 297 F4
Servais 02 — 36 B1
Serval 02 — 37 D3
Servance 70 — 119 D3
Servanches 24 — 219 E1
Servant 63 — 189 D1
Servas 01 — 193 E1
Servas 30 — 263 F2
Servaville-Salmonville 76 — 32 B2
Serverette 48 — 244 A1
Serves-sur-Rhône 26 — 229 D1
Servian 34 — 280 B4
Servières 48 — 244 A4
Serviers-et-Labaume 30 — 264 A2
Serviès 81 — 277 F2
Serviès-en-Val 11 — 302 C2
Servignat 01 — 175 F3
Servigney 25 — 141 F2
Servigney 70 — 118 C4
Servigny 50 — 26 C4
Servigny-lès-Raville 57 — 42 B4
Servigny-lès-Sainte-Barbe 57 — 42 A4
Serville 28 — 59 E4
Servilly 03 — 172 C4
Servin 25 — 142 A3
Servins 62 — 8 A1

Servion 08 — 22 B3
Servon 77 — 61 E4
Servon 50 — 80 A1
Servon-Melzicourt 51 — 39 D4
Servon-sur-Vilaine 35 — 79 F4
Servoz 74 — 196 C2
Sery 08 — 38 B1
Séry 89 — 136 C1
Séry-lès-Mézières 02 — 20 B3
Séry-Magneval 60 — 35 E4
Serzy-et-Prin 51 — 37 D4
Sessenheim 67 — 71 E1
Les Settons 58 — 137 E4
Sète 34 — 281 E4
Setques 62 — 3 D4
Seugy 95 — 61 D1
Seuil 08 — 38 B2
Seuillet 03 — 190 A1
Seuilly 37 — 149 D1
Seur 41 — 132 A2
Le Seure 17 — 182 B4
Seurre 21 — 158 C2
Seux 80 — 18 A3
Seuzey 55 — 67 D1
Sevelinges 42 — 191 F1
Sevenans 90 — 142 C1
Sévérac 44 — 125 E1
Sévérac-le-Château 12 — 243 E4
Sévérac-l'Église 12 — 243 D4
Seveux 70 — 140 C1
Sevi (Col de) 2A — 316 B1
Sévignac 22 — 78 A2
Sévignacq 64 — 273 D3
Sévignacq-Meyracq 64 — 296 C2
Sévigny 61 — 56 B3
Sévigny-la-Forêt 08 — 22 B2
Sévigny-Waleppe 08 — 37 F1
Sévis 76 — 16 A4
Sevrai 61 — 56 B4
Sevran 93 — 61 E3
Sèvres 92 — 60 C3
Sèvres-Anxaumont 86 — 166 C2
Sevrey 71 — 158 A4
Sévrier 74 — 195 E3
Sévry 18 — 154 A1
Sewen 68 — 119 F3
Sexcles 19 — 223 E2
Sexey-aux-Forges 54 — 68 A4
Sexey-les-Bois 54 — 68 A4
Sexfontaines 52 — 92 A4
Seychalles 63 — 190 A4
Seyches 47 — 237 F2
Seyne 04 — 250 A3
La Seyne-sur-Mer 83 — 291 E4
Seynes 30 — 263 F2
Seynod 74 — 195 E3
Seyre 31 — 277 D4
Seyresse 40 — 271 E1
Seyssel 74 — 194 C2
Seyssel 01 — 194 C2
Seysses 31 — 276 B3
Seysses-Savès 32 — 275 F3
Seyssinet-Pariset 38 — 230 C1
Seyssins 38 — 230 C1
Seyssuel 38 — 211 D2
Seythenex 74 — 195 F4
Seytroux 74 — 178 C4
Sézanne 51 — 63 F4
Sézéria 39 — 176 C2
Siarrouy 65 — 273 F4
Siaugues-Saint-Romain 43 — 226 B2
Sibiril 29 — 49 D2
Sibiville 62 — 7 E3
La Sicaudais 44 — 125 F4
Sicceu-Saint-Julien-et-Carisieu 38 — 193 F4
Sichamps 58 — 155 D1
Sickert 68 — 120 A2
Sideville 50 — 24 C2
Sidiailles 18 — 170 B2
Siecq 17 — 182 C4
Siegen 67 — 45 F4
Sièges 39 — 177 D3
Les Sièges 89 — 89 E4
Sierck-les-Bains 57 — 42 A2
Sierentz 68 — 120 C3
Siersthal 57 — 44 B4
Sierville 76 — 32 A1
Siest 40 — 271 E1
Sieurac 81 — 278 A1
Sieuras 09 — 300 B2
Siévoz 38 — 231 D3
Siewiller 67 — 70 A1
Sigale 06 — 269 E3
Sigalens 33 — 237 D3
Sigean 11 — 303 F3
Sigean (Réserve Africaine de) 11 — 303 F3
Sigloy 45 — 110 C3
Signac 31 — 299 D4
Signes 83 — 285 F4
Signéville 52 — 92 C4
Signy-l'Abbaye 08 — 22 A4
Signy-le-Petit 08 — 22 A3
Signy-Montlibert 08 — 40 A1
Signy-Signets 77 — 62 B2
Sigogne 16 — 183 D4
Sigonce 04 — 267 D2
Sigottier 05 — 248 C3
Sigoulès 24 — 238 A1
Sigournais 85 — 146 C4
Sigoyer 05 — 249 E2
Sigoyer 04 — 249 F4
Siguer 09 — 309 F1
Sigy 77 — 88 C2
Sigy-en-Bray 76 — 33 D1
Sigy-le-Châtel 71 — 174 C2
Silfiac 56 — 76 B4

Silhac 07 — 228 C3
Sillans 38 — 212 A4
Sillans-la-Cascade 83 — 286 B2
Sillars 86 — 167 D3
Sillas 33 — 237 D4
Sillé-le-Guillaume 72 — 82 B4
Sillé-le-Philippe 72 — 107 D1
Sillegny 57 — 68 A1
Sillery 51 — 37 F4
Silley-Amancey 25 — 160 C1
Silley-Bléfond 25 — 141 F3
Sillingy 74 — 195 E2
Silly-en-Gouffern 61 — 56 C4
Silly-en-Saulnois 57 — 68 B1
Silly-la-Poterie 02 — 36 A4
Silly-le-Long 60 — 61 F1
Silly-sur-Nied 57 — 42 A4
Silly-Tillard 60 — 34 A3
Silmont 55 — 66 B4
Siltzheim 67 — 43 E4
Silvacane (Ancienne Abbaye de) 13 — 284 C1
Silvareccio 2B — 315 F3
Silvarouvres 52 — 115 F1
Simacourbe 64 — 273 E3
Simandre 71 — 175 E1
Simandre-sur-Suran 01 — 176 B4
Simandres 69 — 211 D1
Simard 71 — 158 C4
Simencourt 62 — 8 A3
Simeyrols 24 — 222 A3
Simiane-Collongue 13 — 285 D3
Simiane-la-Rotonde 04 — 266 B3
Simorre 32 — 275 D3
Simplé 53 — 104 C3
Le Simserhof (Fort) 57 — 44 B3
Sin-le-Noble 59 — 9 D2
Sinard 38 — 230 C3
Sinceny 02 — 36 B1
Sincey-lès-Rouvray 21 — 137 E3
Sindères 40 — 253 D2
Singles 63 — 206 B2
Singleyrac 24 — 238 A1
Singly 08 — 22 C4
Singrist 67 — 70 B3
Sinsat 09 — 310 A1
Sinzos 65 — 298 A1
Sion 32 — 273 F3
Sion 54 — 94 A2
Sion-les-Mines 44 — 103 E4
Sion-sur-l'Océan 85 — 144 C4
Sioniac 19 — 223 D3
Sionne 88 — 93 E2
Sionviller 54 — 69 D4
Siorac-de-Ribérac 24 — 220 A1
Siorac-en-Périgord 24 — 221 D4
Siouville-Hague 50 — 24 B3
Sirac 32 — 275 F1
Siracourt 62 — 7 E2
Siradan 65 — 299 D3
Siran 34 — 303 D1
Siran 15 — 223 E3
Siran (Château) 33 — 217 D2
Sireix 65 — 297 E3
Sireuil 16 — 201 E1
Sireuil 24 — 221 E3
Sirod 39 — 160 B4
Siros 64 — 272 C4
Sisco 2B — 314 A2
Sissonne 02 — 37 E1
Sissy 02 — 20 B3
Sistels 82 — 256 C2
Sisteron 04 — 267 D1
Sivergues 84 — 266 A4
Sivignon 71 — 174 C3
Sivry 54 — 68 B3
Sivry-Ante 51 — 65 F2
Sivry-Courtry 77 — 87 F2
Sivry-la-Perche 55 — 40 A4
Sivry-lès-Buzancy 08 — 39 E2
Sivry-sur-Meuse 55 — 40 A3
Six-Fours-les-Plages 83 — 291 F4
Sixt-Fer-à-Cheval 74 — 196 C1
Sixt-sur-Aff 35 — 102 B3
Sizun 29 — 48 C4
Sizun (Réserve du cap) 29 — 72 C3
Smarves 86 — 166 B2
Smermesnil 76 — 16 C3
Soccia 2A — 316 B1
Sochaux 25 — 142 C1
Socoa 64 — 270 A3
Socourt 88 — 94 B2
Socx 59 — 3 F2
Sode 31 — 307 F4
Sœurdres 49 — 105 E4
Sognes 89 — 89 D3
Sognolles-en-Montois 77 — 88 B2
Sogny-aux-Moulins 51 — 64 C2
Sogny-en-l'Angle 51 — 65 F3
Soignolles 14 — 56 A1
Soignolles-en-Brie 77 — 87 F1
Soilly 51 — 63 E1
Soindres 78 — 59 F2
Soing 70 — 140 C1
Soings-en-Sologne 41 — 132 B3
Soirans 21 — 139 F4
Soissons 02 — 36 B3
Soissons-sur-Nacey 21 — 140 A4
Soisy-Bouy 77 — 88 B2
Soisy-sous-Montmorency 95 — 61 D2
Soisy-sur-École 91 — 87 D1
Soisy-sur-Seine 91 — 87 D1
Soize 02 — 21 F4
Soizé 28 — 108 A1
Soizy-aux-Bois 51 — 63 F3
Solaize 69 — 211 D1
Solaro 2B — 317 E4
Solbach 67 — 96 A1
Soleilhas 04 — 268 C3
Solemont 25 — 142 B2

Solente 60	19 E4	Sommancourt 52	92 A2	Sonac 46	241 D1	
Solenzara 2A	317 F4	Sommant 71	156 C2	Sonchamp 78	86 A1	
Le Soler 66	312 C2	Sommauthe 08	39 E1	Soncourt 88	93 F2	
Solérieux 26	247 D4	Somme-Bionne 51	65 E1	Soncourt-sur-Marne 52	92 B4	
Solers 77	87 F1	Somme-Suippe 51	65 D1	Sondernach 68	96 A4	
Solesmes 59	9 F4	Somme-Tourbe 51	65 E1	Sondersdorf 68	120 C4	
Solesmes 72	106 A3	Somme-Vesle 51	65 D2	La Sône 38	229 F1	
Soleymieu 38	194 A4	Somme-Yèvre 51	65 E2	Songeons 60	33 F1	
Soleymieux 42	209 E2	Sommecaise 89	112 C3	Songeson 39	177 D3	
Solférino 40	253 D1	Sommedieue 55	66 C1	Songieu 01	194 C2	
Solgne 57	68 B3	Sommeilles 55	66 A2	Songy 51	65 D3	
Soliers 14	29 F4	Sommelans 02	62 C1	Sonnac 12	241 D1	
Solignac 87	185 F4	Sommelonne 55	66 A4	Sonnac 17	182 C4	
Solignac-sous-Roche 43	227 E1	Sommepy-Tahure 51	38 C4	Sonnac-sur-l'Hers 11	301 F3	
Solignac-sur-Loire 43	227 D3	Sommerance 08	39 E3	Sonnay 38	211 D4	
Solignat 63	207 F2	Sommerécourt 52	93 E4	Sonnaz 73	213 D1	
Soligny-la-Trappe 61	83 F4	Sommereux 60	17 F4	Sonneville 16	183 D4	
Soligny-les-Étangs 10	89 D3	Sommermont 52	92 B3	Sons-et-Ronchères 02	20 C3	
Sollacaro 2A	318 C1	Sommeron 02	10 B4	Sonthonnax-la-Montagne 01	176 C4	
Sollières-Sardières 73	215 D4	Sommervieu 14	29 D3	Sonzay 37	130 C2	
Solliès-Pont 83	292 B2	Sommerviller 54	68 C4	Soorts-Hossegor 40	270 C1	
Solliès-Toucas 83	292 B2	Sommery 76	32 C1	Sophia-Antipolis 06	288 B3	
Solliès-Ville 83	292 B2	Sommesnil 76	15 E2	Soppe-le-Bas 68	120 A3	
Sologny 71	175 D3	Sommesous 51	64 B4	Soppe-le-Haut 68	120 A2	
Solomiac 32	256 C4	Sommet-Bucher 05	233 D4	Sor 09	299 F4	
Solre-le-Château 59	10 C3	La Sommette 25	142 A4	Sorans-lès-Breurey 70	141 D2	
Solrinnes 59	10 C2	Sommette-Eaucourt 02	19 E4	Sorba (Col de) 2B	317 D2	
Solterre 45	111 F3	Sommeval 10	114 A1	Sorbais 02	21 D2	
Solutré-Pouilly 71	175 D4	Sommeville 52	92 B1	Sorbets 40	273 D2	
Somain 59	9 D3	Sommevoire 52	91 F2	Sorbets 32	273 F4	
Sombacour 25	160 C2	Sommières 30	282 A1	Sorbey 57	68 B1	
Sombernon 21	138 C4	Sommières-du-Clain 86	166 B4	Sorbey 55	40 C2	
Sombrin 62	7 F4	Somport (Col du) 64	296 C3	Sorbier 03	173 D3	
Sombrun 65	273 F3	Sompt 79	183 D1	Sorbiers 42	210 A2	
Somloire 49	147 E2	Sompuis 51	64 C4	Sorbiers 05	248 B3	
Sommaing 59	9 F3	Somsois 51	91 D1	Sorbo-Ocagnano 2B	315 F3	
Sommaisne 55	66 B2	Son 08	38 A1	Sorbollano 2A	319 D1	

Sorbon 08	38 B1	Sotteville-lès-Rouen 76	32 A2	Soueich 31	299 E3	
Sorbs 34	262 A4	Sotteville-sous-le-Val 76	32 B3	Soueix-Rogalle 09	300 A4	
Sorcy-Bauthémont 08	38 C1	Sotteville-sur-Mer 76	15 F1	Souel 81	259 D3	
Sorcy-Saint-Martin 55	67 D4	Soturac 46	239 D3	Soues 65	297 F1	
Sorde-l'Abbaye 40	271 E2	Sotzeling 57	69 D2	Soues 80	17 F2	
Sore 40	235 F4	Souain-Perthes-lès-Hurlus 51	38 C4	Souesmes 41	133 F2	
Soréac 65	274 A4	Soual 81	278 A3	Souffelweyersheim 67	71 D3	
Sorède 66	313 D3	Souancé-au-Perche 28	84 A4	Soufflenheim 67	71 F1	
Sorel 80	19 F1	Souanyas 66	311 E3	Souffrignac 16	202 B2	
Sorel-en-Vimeu 80	17 F1	Souastre 62	8 A4	Sougé 36	151 E3	
Sorel-Moussel 28	59 D3	Soubès 34	280 C1	Sougé 41	108 A4	
Sorèze 81	278 A3	Soubise 17	181 D3	Sougé-le-Ganelon 72	82 B3	
Sorgeat 09	310 B1	Soublecause 65	273 F3	Sougéal 35	79 F1	
Sorges 24	203 D3	Soubran 17	199 E3	Sougères-en-Puisaye 89	136 A2	
Sorgues 84	265 D3	Soubrebost 23	187 D3	Sougères-sur-Sinotte 89	113 D3	
Sorigny 37	130 C3	Soucé 53	81 E2	Sougraigne 11	302 B4	
Les Sorinières 44	126 B4	Soucelles 49	128 C1	Sougy 45	110 A2	
Sorio 2B	315 E2	La Souche 07	245 F2	Sougy-sur-Loire 58	155 F3	
Sormery 89	113 F1	Souché 79	164 C3	Les Souhesmes 55	66 B1	
Sormonne 08	22 B3	Souchez 62	8 B2	Souhey 21	138 C3	
Sornac 19	205 F1	Soucht 57	44 B4	Le Souich 62	7 E4	
Sornay 71	175 F1	Soucia 39	177 D2	Souilhanels 11	277 F4	
Sornay 70	140 B4	Soucieu-en-Jarrest 69	210 C1	Souilhe 11	277 F4	
Sorneville 54	68 C3	Soucirac 46	240 A1	Souillac 46	222 A4	
Sorquainville 76	15 D2	Souclin 01	194 A3	Souillé 72	106 C1	
Sorrus 62	6 B2	Soucy 02	36 A3	Souilly 77	61 F2	
Sort-en-Chalosse 40	271 F1	Soucy 89	88 C4	Souilly 55	66 B1	
Sortosville 50	25 D3	Soudaine-Lavinadière 19	204 C2	Soula 09	301 D4	
Sortosville-en-Beaumont 50	24 B4	Soudan 79	165 E3	Soulac-sur-Mer 33	198 B2	
Sos 47	255 F2	Soudan 44	104 A4	Soulages 15	225 F2	
Sospel 06	289 E3	Soudat 24	202 B1	Soulages-Bonneval 12	242 C1	
Sossais 86	149 E3	Souday 41	108 A2	Soulaincourt 52	92 C2	
Sotta 2A	319 E3	Soudé 51	64 C4	Soulaines-Dhuys 10	91 E3	
Sottevast 50	24 C3	Soudeilles 19	205 E3	Soulaines-sur-Aubance 49	128 B3	
Sotteville 50	24 B3	Soudorgues 30	262 C2	Soulaire-et-Bourg 49	128 C2	
		Soudron 51	64 B3	Soulaires 28	85 F2	
				Soulan 09	300 A4	

STRASBOURG

Bach (Boulevard J.-S.) .... GUV 13
Bischwiller (R. de) .... EU 16
Boussingault (R.) .... GU 21

Brigade Alsace-Lorraine (R. de la) .... FU 22
Dordogne (Bd de la) .... EX 39
Fustel-de-Coulanges (Quai) .... EX 64
Gaulle (Rte du Gén.-de) .... DEU 70
Grand-Pont (R. du) .... GV 75

Haguenau (R. de) .... EU 79
Humann (R.) .... DX 94
Kœnig (Quai du Gén.) .... FX 103
Kœnigshoffen (Route de) .... DV 105
Lattre-de-Tassigny (Pl. du Mar. de) .... EX 110

Massenet (R.) .... FUV 130
Mendès-France (Rd-Pt. P.) .... FX 133
Mittelhausbergen (Route de) .... DU 139
Ohmacht (R.) .... EU 151
Pierre (R. du Fg de) .... EU 160

Plaine des Bouchers (R. de la) .... DX 163
Président-Edwards (Bd du) .... FU 169
Président-Poincaré (Bd) .... EU 171
Richter (R. Fr.-Xavier) .... GU 178
Schirmeck (Rte de) .... DX 198

Schutzenberger (Av.) .... FU 199
Schweighaeuser (R.) .... FV 201
Tarade (R.) .... GV 210
Travail (R. du) .... EUV 222
Vienne (Route de) .... FX 226
Wasselonne (R. de) .... DV 238
Wissembourg (R. de) .... EU 240

Soulanges 51 .... 65 D3
Soulangis 18 .... 153 E1
Soulangy 14 .... 56 A2
Soulatgé 11 .... 302 C4
Soulaucourt-sur-Mouzon 52 .... 93 E4
Soulaures 24 .... 239 D1
Soulce-Cernay 25 .... 142 C3
Soulgé-sur-Ouette 53 .... 105 E1
Le Soulié 34 .... 279 E3
Soulières 51 .... 64 A2
Soulièvres 79 .... 148 B3
Soulignac 33 .... 236 C1
Souligné-Flacé 72 .... 106 B2
Souligné-sous-Ballon 72 .... 107 D1
Soulignonne 17 .... 181 E4
Souligny 10 .... 90 A4
Soulitré 72 .... 107 E2
Soullans 85 .... 144 C3
Soulles 50 .... 54 B1
Soulom 65 .... 297 E3
Soulomès 46 .... 240 B2
Soulor (Col du) 65 .... 297 D3
Soulosse-sous-Saint-Élophe 88 .... 93 E2
Soultz-Haut-Rhin 68 .... 120 B1
Soultz-les-Bains 67 .... 70 C3
Soultz-sous-Forêts 67 .... 45 E4
Soultzbach-les-Bains 68 .... 96 B4
Soultzeren 68 .... 96 A4
Soultzmatt 68 .... 96 B4
Soulvache 44 .... 103 F3
Soumaintrain 89 .... 113 F2
Soumans 23 .... 170 B4
Soumensac 47 .... 237 F1
Souméras 17 .... 199 F4
Soumont 34 .... 280 C1
Soumont-Saint-Quentin 14 .... 56 A2
Soumoulou 64 .... 297 E1
Soupex 11 .... 277 F4
Soupir 02 .... 36 C2
Souplicourt 80 .... 17 E4
Souppes-sur-Loing 77 .... 87 F2
Souprosse 40 .... 253 E4
Le Souquet 40 .... 252 C3
Souraïde 64 .... 270 C4
Sourans 25 .... 142 B2
La Source 45 .... 110 A3
Sourcieux-les-Mines 69 .... 192 B4
Le Sourd 02 .... 21 D3
Sourdeval 50 .... 54 C4
Sourdeval-les-Bois 50 .... 54 A2
Sourdon 80 .... 18 B4
Sourdun 77 .... 89 D2
Le Sourn 56 .... 100 C1
Sournia 66 .... 311 F1
Sourniac 15 .... 206 A4
Sourribes 04 .... 267 E1
Sours 28 .... 85 F3
Sourzac 24 .... 220 A2
Sous-la-Tour 22 .... 51 E4
Sous-Parsat 23 .... 187 D2
Sousceyrac 46 .... 223 E4
Sousmoulins 17 .... 199 F4
Souspierre 26 .... 247 E2
Soussac 33 .... 237 D1
Soussans 33 .... 217 D2
Soussey-sur-Brionne 21 .... 138 B3
Soustelle 30 .... 263 D1
Soustons 40 .... 252 B4
Sousville 38 .... 231 D4
Souternon 42 .... 191 D3
La Souterraine 23 .... 168 C4
Soutiers 79 .... 165 D2
Souvans 39 .... 159 E2
Souvignargues 30 .... 263 E4
Souvigné 16 .... 183 E2
Souvigné 79 .... 165 E3
Souvigné 37 .... 130 B2
Souvigné-de-Touraine 37 .... 131 F3
Souvigné-sur-Même 72 .... 83 F4
Souvigné-sur-Sarthe 72 .... 105 F3
Souvigny 03 .... 172 A2
Souvigny-de-Touraine 37 .... 131 F3
Souvigny-en-Sologne 41 .... 133 F1
Souyeaux 65 .... 298 A1
Souzay-Champigny 49 .... 129 E4
Souzy 69 .... 210 A1
Souzy-la-Briche 91 .... 86 C2
Soveria 2B 315 D4
Soyans 26 .... 247 E1
Soyaux 16 .... 201 F1
Soye 25 .... 142 A2
Soye-en-Septaine 18 .... 153 E2
Soyécourt 80 .... 19 D3
Soyers 52 .... 117 E3
Soyons 07 .... 229 D3
Spada 55 .... 67 D2
Sparsbach 67 .... 70 B1
Spay 72 .... 106 C2
Spechbach-le-Bas 68 .... 120 B3
Spechbach-le-Haut 68 .... 120 B3
Speloncato 2B 314 C3
Spelunca (Gorges de) 2A 316 B1
Spéracèdes 06 .... 287 F1
Spézet 29 .... 75 E3
Spicheren 57 .... 43 D3
Spin'a Cavallu (Pont génois) 2A 318 C2
Spincourt 55 .... 40 C3
Sponville 54 .... 67 E1
Spoy 21 .... 139 E2
Spoy 10 .... 91 E4
Spycker 59 .... 3 E2
Squiffiec 22 .... 50 C3
Staffelfelden 68 .... 120 B2
Stains 93 .... 61 D2
Stainville 55 .... 66 B4
Stangala (Site du) 29 .... 73 F3

Staple 59 .... 3 F3
Stattmatten 67 .... 71 F1
Stazzona 2B 315 F4
Steenbecque 59 .... 3 F4
Steene 59 .... 3 E2
Steenvoorde 59 .... 3 F3
Steenwerck 59 .... 4 B4
Steige 67 .... 96 B1
Steinbach 68 .... 120 B2
Steinbourg 67 .... 70 B2
Steinbrunn-le-Bas 68 .... 120 C3
Steinbrunn-le-Haut 68 .... 120 C3
Steinseltz 67 .... 45 E4
Steinsoultz 68 .... 120 C4
Stella-Plage 62 .... 6 A2
Stenay 55 .... 39 F1
Sternenberg 68 .... 120 A3
Stetten 68 .... 120 C3
Stigny 89 .... 114 C4
Still 67 .... 70 C4
Stiring-Wendel 57 .... 43 D3
Stival 56 .... 76 C4
Stonne 08 .... 39 E1
Storckensohn 68 .... 119 F2
Stosswihr 68 .... 96 A4
Stotzheim 67 .... 96 C1
Strasbourg 67 .... 71 E3
Strazeele 59 .... 4 A3
Strenquels 46 .... 222 B3
Strueth 68 .... 120 A4
Struth 67 .... 70 B1
Stuckange 57 .... 41 F3
Stundwiller 67 .... 45 F4
Sturzelbronn 57 .... 44 C3
Stutzheim-Offenheim 67 .... 71 D3
Suarce 90 .... 120 A4
Suaucourt-et-Pisseloup 70 .... 117 E4
Suaux 16 .... 184 B4
Le Subdray 18 .... 153 D2
Sublaines 37 .... 131 E4
Subles 14 .... 28 C3
Subligny 50 .... 54 A3
Subligny 89 .... 112 C1
Subligny 18 .... 134 C3
Suc-au-May 19 .... 205 D3
Suc-et-Sentenac 09 .... 309 F1
Succieu 38 .... 212 A2
Sucé-sur-Erdre 44 .... 126 B3
Sucy-en-Brie 94 .... 61 E4
Suèvres 41 .... 132 B1
Sugères 63 .... 208 A2
Sugny 08 .... 38 C3
Suhescun 64 .... 295 D1
Suilly-la-Tour 58 .... 135 E3
Suin 71 .... 174 B3
Suippes 51 .... 65 D1
Suisse 57 .... 69 D1
Suizy-le-Franc 51 .... 63 F2
Sulignat 01 .... 193 D1
Sully 60 .... 33 E1
Sully 71 .... 157 E2
Sully 14 .... 28 C3
Sully-la-Chapelle 45 .... 110 C2
Sully-sur-Loire 45 .... 111 D4
Sulniac 56 .... 101 E4
Sumène 30 .... 262 C3
Sundhoffen 68 .... 96 C4
Sundhouse 67 .... 97 D2
Super-Barèges 65 .... 297 F4
Super-Besse 63 .... 207 D3
Super-Bolquère 66 .... 311 D3
Super-Lioran 15 .... 224 C2
Super-Sauze 04 .... 250 C3
Superbagnères 31 .... 307 F4
Superdévoluy 05 .... 249 D1
Supeyres (Col des) 42 .... 209 D2
Supt 39 .... 160 B3
Le Suquet 06 .... 289 D2
Surat 63 .... 189 F3
Surba 09 .... 301 D4
Surbourg 67 .... 45 E4
Surcamps 80 .... 17 F1
Surdoux 87 .... 204 B2
Suré 61 .... 83 E3
Suresnes 92 .... 60 C3
Surfonds 72 .... 107 E2
Surfontaine 02 .... 20 B4
Surgères 17 .... 181 E1
Surgy 58 .... 136 B2
Suriauville 88 .... 93 F4
Surin 86 .... 184 A2
Surin 79 .... 164 C2
Suris 16 .... 184 B4
Surjoux 01 .... 194 C2
Surmont 25 .... 142 B3
Surques 62 .... 2 C3
Surrain 14 .... 28 C3
Surtainville 50 .... 24 B3
Surtauville 27 .... 32 A4
Survie 61 .... 57 D3
Surville 27 .... 32 A4
Surville 50 .... 26 B3
Surville 14 .... 30 C3
Survilliers 95 .... 61 E1
Sury 08 .... 22 B3
Sury-aux-Bois 45 .... 111 D2
Sury-en-Vaux 18 .... 135 D3
Sury-ès-Bois 18 .... 134 C2
Sury-le-Comtal 42 .... 209 F2
Sury-près-Léré 18 .... 135 D2
Surzur 56 .... 123 D2
Sus 64 .... 272 A4
Sus-Saint-Léger 62 .... 7 F4
Suscinio (Château de) 56 .... 123 D2
Susmiou 64 .... 272 A4
Sussac 87 .... 204 B1
Sussargues 34 .... 282 A1
Sussat 03 .... 189 E1
Sussey 21 .... 138 A4

Susville 38 .... 230 C3
Sutrieu 01 .... 194 B2
Suzan 09 .... 300 C3
Suzanne 80 .... 19 D2
Suzanne 08 .... 38 C1
Suzannecourt 52 .... 92 B2
Suzay 27 .... 33 D3
Suze 26 .... 229 E4
Suze-la-Rousse 26 .... 247 D4
La Suze-sur-Sarthe 72 .... 106 B3
Suzette 84 .... 265 E1
Suzoy 60 .... 35 F1
Suzy 02 .... 36 C1
Sy 08 .... 39 E1
Syam 39 .... 160 B4
Sylvains-les-Moulins 27 .... 58 C2
Sylvanès 12 .... 261 D4
Le Syndicat 88 .... 119 E1

T

Tabaille-Usquain 64 .... 271 F4
Tabanac 33 .... 236 B1
La Table 73 .... 213 F2
Le Tablier 85 .... 163 D1
Tabre 09 .... 301 E3
La Tâche 16 .... 184 A3
Tachoires 32 .... 275 D3
Tacoignières 78 .... 59 F3
Taconnay 58 .... 136 B4
Taden 22 .... 78 C1
Tadousse-Ussau 64 .... 273 E2
Taglio-Isolaccio 2B 315 F3
La Tagnière 71 .... 156 C4
Tagnon 08 .... 38 A2
Tagolsheim 68 .... 120 B3
Tagsdorf 68 .... 120 C3
Tailhac 43 .... 226 A2
Taillades 84 .... 265 E4
Le Taillan-Médoc 33 .... 217 D3
Taillancourt 55 .... 93 E1
Taillant 17 .... 181 F3
Taillebois 61 .... 55 F3
Taillebourg 47 .... 237 E3
Taillebourg 17 .... 181 F4
Taillecavat 33 .... 237 E1
Taillecourt 25 .... 142 C1
La Taillée 85 .... 163 F3
Taillefontaine 02 .... 35 F3
Taillepied 50 .... 24 C4
Taillet 66 .... 312 B3
Taillette 08 .... 22 B2
Tailleville 14 .... 29 E3
Taillis 35 .... 80 A4
Tailly 80 .... 17 F2
Tailly 08 .... 39 F2
Tailly 21 .... 158 A2
Tain-l'Hermitage 26 .... 229 D2
Taingy 89 .... 136 A1
Taintrux 88 .... 95 F3
Taisnières-en-Thiérache 59 .... 10 A3
Taisnières-sur-Hon 59 .... 10 B1
Taisnil 80 .... 18 A3
Taissy 51 .... 37 F4
Taïx 81 .... 259 E3
Taizé 71 .... 175 D2
Taizé 79 .... 148 B3
Taizé-Aizie 16 .... 183 F2
Taizy 08 .... 38 A1
Tajan 65 .... 298 C1
Talairan 11 .... 303 D3
Talais 33 .... 198 B2
Talange 57 .... 41 F3
Talant 21 .... 139 D3
Talasani 2B 315 F4
Talau 66 .... 311 D3
La Talaudière 42 .... 210 A3
Talazac 65 .... 273 F4
Talcy 89 .... 137 E1
Talcy 41 .... 109 E4
Talence 33 .... 217 E4
Talencieux 07 .... 228 C1
Talensac 35 .... 78 C4
Talissieu 01 .... 194 C3
Talizat 15 .... 225 E2
Tallans 25 .... 141 F2
Tallard 05 .... 249 E4
Tallenay 25 .... 141 D3
Tallende 63 .... 207 E1
Taller 40 .... 252 C3
Talloires 74 .... 195 F3
Tallone 2B 317 F1
Le Tallud 79 .... 165 D1
Tallud-Sainte-Gemme 85 .... 146 C4
Talmas 80 .... 18 B1
Talmay 21 .... 140 A3
Talmont-Saint-Hilaire 85 .... 162 B2
Talmont-sur-Gironde 17 .... 198 C2
Talmontiers 60 .... 33 E3
Taloire 04 .... 268 B4
Talon 58 .... 136 B3
Talus-Saint-Prix 51 .... 63 F3
Taluyers 69 .... 210 C1
Tamaris-sur-Mer 83 .... 291 F4
La Tamarissière 34 .... 305 E1
Tamerville 50 .... 25 D3
Tamié (Abbaye de) 73 .... 213 F1
Tamnay-en-Bazois 58 .... 155 F2
Tamniès 24 .... 221 E3
Tanavelle 15 .... 225 E2
Tanay 21 .... 139 F1
Tancarville 76 .... 15 D4
Tancarville (Pont de) 76 .... 15 D4
Tancoigné 49 .... 128 C4
Tancon 71 .... 191 F1
Tanconville 54 .... 69 F4
Tancrou 77 .... 62 B2
Tancua 39 .... 177 D2

Tangry 62 .... 7 E2
La Tania 73 .... 214 B2
Taninges 74 .... 196 B1
Tanis 50 .... 79 F1
Tanlay 89 .... 114 B3
Tannay 08 .... 39 D1
Tannay 58 .... 136 B3
Tanneron 83 .... 288 A3
Tannerre-en-Puisaye 89 .... 112 B4
La Tannière 53 .... 80 C2
Tannières 02 .... 36 C3
Tannois 55 .... 66 B4
Tanques 61 .... 56 B4
Tantonville 54 .... 94 A2
Le Tanu 50 .... 54 A3
Tanus 81 .... 259 F2
Tanville 61 .... 82 C1
Tanzac 17 .... 199 E2
Taponas 69 .... 192 C1
Taponnat-Fleurignac 16 .... 184 A4
Tappa (Site préhistorique) 2A 319 D3
Tarabel 31 .... 277 D3
Taradeau 83 .... 287 D3
Tarare 69 .... 192 A3
Tarascon 13 .... 264 C4
Tarascon-sur-Ariège 09 .... 301 D4
Tarasteix 65 .... 273 F4
Tarbes 65 .... 297 F1
Tarcenay 25 .... 141 E4
Tardais 28 .... 84 B1
Tardes 23 .... 188 A1
Tardets-Sorholus 64 .... 295 F2
La Tardière 85 .... 164 B1
Tardinghen 62 .... 2 A2
Targassonne 66 .... 310 C3
Targé 86 .... 149 F4
Target 03 .... 171 F4
Targon 33 .... 236 C1
Tarnac 19 .... 205 D1
Tarnès 33 .... 217 F3
Tarnos 40 .... 270 C2
Taron-Sadirac-Viellenave 64 .... 273 D3
Tarquimpol 57 .... 69 E3
Tarsac 32 .... 273 E1
Tarsacq 64 .... 272 B4
Tarsul 21 .... 139 D2
Tart-l'Abbaye 21 .... 139 F4
Tart-le-Bas 21 .... 139 F4
Tart-le-Haut 21 .... 139 F4
Tartaras 42 .... 210 C2
Tartas 40 .... 253 E4
Tartécourt 70 .... 118 A3
Tartiers 02 .... 36 A2
Tartigny 60 .... 34 C1
Tartonne 04 .... 268 A2
Le Tartre 71 .... 159 D4
Le Tartre-Gaudran 78 .... 59 F2
Tarzy 08 .... 22 A2
Tasdon 17 .... 180 C1
Tasque 32 .... 273 F2
Tassé 72 .... 106 B3
Tassenières 39 .... 159 E2
Tassillé 72 .... 106 B2
Tassin-la-Demi-Lune 69 .... 192 C4
Tasso 2A 317 D4
Tatinghem 62 .... 3 D3
Le Tâtre 16 .... 200 C3
Taugon 17 .... 164 A4
Taulanne 04 .... 268 A3
Taulé 29 .... 49 D3
Taulignan 26 .... 247 E3
Taulis 66 .... 312 B3
Taupont 56 .... 101 F1
Tauriac 33 .... 217 E2
Tauriac 81 .... 258 B4
Tauriac 46 .... 222 C3
Tauriac-de-Camarès 12 .... 280 A1
Tauriac-de-Naucelle 12 .... 259 F2
Tauriers 07 .... 245 F2
Taurignan-Castet 09 .... 300 A3
Taurignan-Vieux 09 .... 300 A3
Taurinya 66 .... 311 F3
Taurize 11 .... 302 C3
Taussac 12 .... 224 B4
Taussac-la-Billière 34 .... 280 A2
Taussat 33 .... 234 C1
Tautavel 66 .... 312 C1
Tauves 63 .... 206 B2
Tauxières-Mutry 51 .... 64 B1
Tauxigny 37 .... 131 D4
Tavaco 2A 316 C3
Tavant 37 .... 149 F2
Tavaux 39 .... 159 D2
Tavaux-et-Pontséricourt 02 .... 21 E4
Tavel 30 .... 264 C3
Tavera 2A 316 C3
Tavernay 71 .... 156 C2
Tavernes 83 .... 286 A2
Taverny 95 .... 60 C2
Tavers 45 .... 109 F4
Tavey 70 .... 142 B1
Taxat-Senat 03 .... 189 E1
Taxenne 39 .... 140 B4
Tayac 33 .... 219 D3
Tayboisc 32 .... 275 D1
Tayrac 12 .... 259 F1
Tayrac 47 .... 256 C1
Tazilly 58 .... 156 B3
Le Tech 66 .... 312 B4
Têche 38 .... 230 A1
Técou 81 .... 259 D4
Teghime (Col de) 2B 315 E1
Le Teich 33 .... 234 C1
Teigny 58 .... 136 C3
Le Teil 07 .... 246 C2

Teilhède 63 .... 189 E3
Teilhet 09 .... 301 E2
Teilhet 63 .... 188 C2
Teillay 35 .... 103 E3
Teillay-le-Gaudin 45 .... 86 B4
Teillay-Saint-Benoît 45 .... 110 B1
Teillé 44 .... 127 D2
Teillé 72 .... 82 C4
Teillet 81 .... 259 F4
Teillet-Argenty 03 .... 170 C4
Le Teilleul 50 .... 81 D1
Teillots 24 .... 221 F1
Teissières-de-Cornet 15 .... 224 A3
Teissières-lès-Bouliès 15 .... 224 B4
Télégraphe (Col du) 73 .... 214 A4
Telgruc-sur-Mer 29 .... 47 F4
Tellancourt 54 .... 40 C1
Tellecey 21 .... 139 F3
Tellières-le-Plessis 61 .... 83 E1
Teloché 72 .... 107 D3
Le Temple 79 .... 147 D2
Le Temple 41 .... 108 B2
Le Temple 33 .... 216 B3
Le Temple-de-Bretagne 44 .... 126 A3
Temple-Laguyon 24 .... 221 E1
Le Temple-sur-Lot 47 .... 238 A4
Templemars 59 .... 8 C1
La Templerie 35 .... 80 B3
Templeuve 59 .... 9 D1
Templeux-la-Fosse 80 .... 19 F2
Templeux-le-Guérard 80 .... 19 F2
Tenaille (Ancienne Abbaye de la) 17 .... 199 E3
Tenay 01 .... 194 A3
Tence 43 .... 227 F2
Tencin 38 .... 213 D4
Tende 06 .... 289 F1
Tende (Col de) 06 .... 289 F1
Tendon 88 .... 95 E4
Tendron 18 .... 154 A2
Tendu 36 .... 168 C1
Teneur 62 .... 7 E2
Tennie 72 .... 106 B1
Tenteling 57 .... 43 D4
Tercé 86 .... 166 C2
Tercillat 23 .... 169 F3
Tercis-les-Bains 40 .... 271 E1
Terdeghem 59 .... 3 F3
Térénez 29 .... 49 E2
Térénez (Pont de) 29 .... 47 F4
Tergnier 02 .... 20 A4
Terjat 03 .... 188 B1
Termes 11 .... 303 D3
Termes 08 .... 39 D3
Termes 48 .... 225 F4
Termes-d'Armagnac 32 .... 273 F1
Termignon 73 .... 215 D4
Terminiers 28 .... 109 F1
Ternand 69 .... 192 B3
Ternant 17 .... 181 F3
Ternant 58 .... 156 A4
Ternant 21 .... 138 C4
Ternant-les-Eaux 63 .... 207 E3
Ternas 62 .... 7 F3
Ternat 52 .... 116 B2
Ternay 41 .... 108 A4
Ternay 86 .... 148 B2
Ternay 69 .... 210 C1
Ternay (Barrage du) 07 .... 210 B4
Les Ternes 15 .... 225 E3
Ternuay-Melay-et-Saint-Hilaire 70 .... 119 E3
Terny-Sorny 02 .... 36 B2
Terramesnil 80 .... 18 B1
Terrans 71 .... 158 C2
La Terrasse 38 .... 213 D4
Terrasse (Panorama de la) 69 .... 192 B1
La Terrasse-sur-Dorlay 42 .... 210 B2
Terrasson-la-Villedieu 24 .... 221 F2
Terrats 66 .... 312 C2
Terraube 32 .... 256 A4
Terre-Clapier 81 .... 259 F4
Terrebasse 31 .... 299 F1
Terrefondrée 21 .... 115 F4
Terrehault 72 .... 83 E4
Terrenoire 42 .... 210 A3
Les Terres-de-Chaux 25 .... 142 B3
La Terrisse 12 .... 242 C1
Terroles 11 .... 302 B3
Terron-sur-Aisne 08 .... 39 D2
Terrou 46 .... 223 D4
Tersanne 26 .... 229 E1
Tersannes 87 .... 168 A4
Terssac 81 .... 259 E4
Le Tertre Rouge (Parc zoologique) 72 .... 106 B4
Le Tertre-Saint-Denis 78 .... 59 F2
Tertry 80 .... 19 F2
Terves 79 .... 147 F4
Terville 57 .... 41 F2
Tessancourt-sur-Aubette 78 .... 60 A2
Tessé-Froulay 61 .... 81 F1
Tessé-la-Madeleine 61 .... 81 F1
Tessel 14 .... 29 D4
Tessens 73 .... 214 B1
Tesson 17 .... 199 E1
Tessonnière 79 .... 148 B4
La Tessoualle 49 .... 147 D2
Tessy-sur-Vire 50 .... 54 C2
La Teste-de-Buch 33 .... 234 B1
Tétaigne 08 .... 23 E4
Tête des Cuveaux 88 .... 119 D1
Téterchen 57 .... 42 B3
Téthieu 40 .... 271 F1
Teting-sur-Nied 57 .... 69 D1
Teuillac 33 .... 217 E2
Teulat 81 .... 277 D2
Le Teulet 19 .... 223 E3
Teurthéville-Bocage 50 .... 25 D3

Teurthéville-Hague 50 .... 24 B3
Teyjat 24 .... 202 B2
Teyran 34 .... 281 F1
Teyssières 26 .... 247 E3
Teyssieu 46 .... 223 D3
Teyssode 81 .... 277 F2
Thaas 51 .... 90 A1
Thaims 17 .... 199 D1
Thairé 17 .... 181 D1
Thaix 58 .... 155 F3
Thal-Drulingen 67 .... 70 A1
Thal-Marmoutier 67 .... 70 B2
Thalamy 19 .... 206 A2
Thann 68 .... 120 A2
Thannenkirch 68 .... 96 B2
Thanvillé 67 .... 96 B1
Thaon 14 .... 29 E3
Thaon-les-Vosges 88 .... 94 C3
Tharaux 30 .... 263 F1
Tharoiseau 89 .... 136 C2
Tharon-Plage 44 .... 125 E3
Tharot 89 .... 137 D2
Thaumiers 18 .... 153 F4
Thauron 23 .... 186 C2
Thauvenay 18 .... 135 D4
Thèbe 65 .... 298 C3
Théding 57 .... 43 D4
Thédirac 46 .... 239 F2
Thégra 46 .... 222 C4
Théhillac 56 .... 125 E1
Le Theil 50 .... 25 D2
Le Theil 03 .... 171 F4
Le Theil 61 .... 83 F4
Le Theil 15 .... 224 A2
Le Theil 23 .... 186 B3
Le Theil-Bocage 14 .... 55 E2
Le Theil-de-Bretagne 35 .... 103 F3
Le Theil-en-Auge 14 .... 30 C3
Le Theil-Nolent 27 .... 31 D4
Theil-Rabier 16 .... 183 E2
Theil-sur-Vanne 89 .... 113 D1
Theillay 41 .... 133 E4
Theillement 27 .... 31 F3
Theix 56 .... 101 E4
Theizé 69 .... 192 B3
Thel 69 .... 192 A1
Thélény 72 .... 84 A4
Thélis-la-Combe 42 .... 210 B4
Thélod 54 .... 94 A1
Thelonne 08 .... 23 D4
Thélus 62 .... 8 B3
Théméricourt 95 .... 60 A1
Thémines 46 .... 240 C1
Théminettes 46 .... 241 D1
Thénac 17 .... 199 E1
Thénac 24 .... 237 F1
Thenailles 02 .... 21 E3
Thenay 41 .... 132 A3
Thenay 36 .... 168 B1
Thenelles 02 .... 20 B3
Thénésol 73 .... 196 A4
Theneuil 37 .... 149 E1
Theneuille 03 .... 171 E2
Thénezay 79 .... 148 B4
Thénioux 18 .... 133 D4
Thenissey 21 .... 138 B2
Thénisy 77 .... 88 C2
Thennelières 10 .... 90 B3
Thennes 80 .... 18 C3
Thenon 24 .... 221 F1
Thénorgues 08 .... 39 E2
Théoule-sur-Mer 06 .... 288 A4
Therdonne 60 .... 34 A2
Théret (Château du) 23 .... 187 D1
Thérines 60 .... 33 F1
Thermes-Magnoac 65 .... 298 C1
Thérondels 12 .... 224 C4
Thérouanne 62 .... 3 E4
Thérouldeville 76 .... 15 D2
Thervay 39 .... 140 B4
Thésée 41 .... 132 A3
Thésy 39 .... 160 A2
Theuley 70 .... 140 C1
Théus 05 .... 249 F2
Theuville 28 .... 85 F3
Theuville 95 .... 34 A4
Theuville-aux-Maillots 76 .... 15 D2
Theuvy-Achères 28 .... 85 E1
Thevet-Saint-Julien 36 .... 169 F1
Théville 50 .... 25 D2
Thevray 27 .... 58 A2
They-sous-Montfort 88 .... 94 A4
They-sous-Vaudemont 54 .... 94 A3
Theys 38 .... 213 E4
Théza 66 .... 313 D2
Thézac 17 .... 199 D1
Thézac 47 .... 239 D3
Thézan-des-Corbières 11 .... 303 D2
Thézan-lès-Béziers 34 .... 280 B4
Thèze 64 .... 273 D3
Thèze 04 .... 249 E4
Thézey-Saint-Martin 54 .... 68 B2
Théziers 30 .... 264 C3
Thézillieu 01 .... 194 B3
Thézy-Glimont 80 .... 18 C3
Thiais 94 .... 61 D4
Thiancourt 90 .... 120 A4
Thianges 58 .... 155 E3
Thiant 59 .... 9 E3
Thiat 87 .... 167 F4
Thiaucourt-Regniéville 54 .... 67 F2
Thiaville-sur-Meurthe 54 .... 95 E2
Thibervillé 27 .... 31 D4
Thibie 51 .... 64 B2
Thibivillers 60 .... 33 F2
Thibouville 27 .... 31 F4
Thicourt 57 .... 69 D1
Thiébauménil 54 .... 95 D1
Thiéblemont-Farémont 51 .... 65 E4

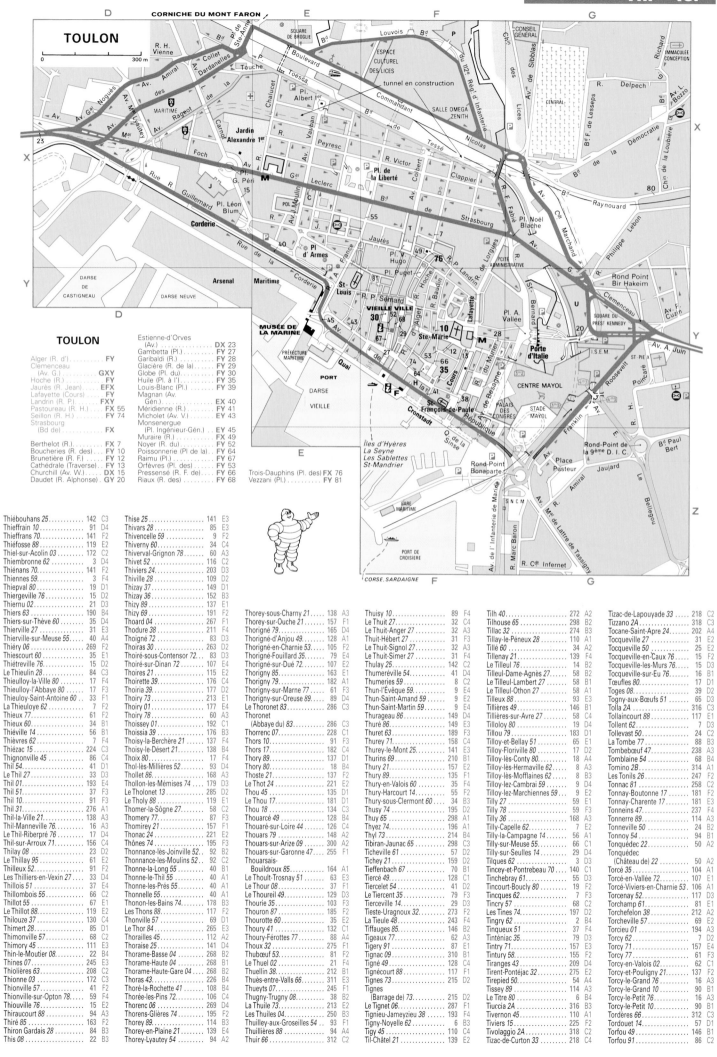

TOULON

Alger (R. d') .... FY
Clemenceau (Av. G.) ..... GXY
Hoche (R.) .... FY
Jaurès (R. Jean) ...... EFX
Lafayette (Cours) ..... FY
Landrin (R. P.) .... FXY
Pastoureau (R. H.) .... FX 55
Seillon (R. H.) .... FY 74
Strasbourg (Bd de) .... FX
Berthelot (R.) .... FX 7
Boucheries (R. des) ... FY 10
Brunetière (R. F.) .... FY 12
Cathédrale (Traverse) . FY 13
Churchill (Av. W.) .... DX 15
Daudet (R. Alphonse) .. GY 20

Estienne-d'Orves (Av.) .... DX 23
Gambetta (Pl.) .... FY 27
Garibaldi (R.) .... FY 28
Glacière (R. de la) ... FY 29
Globe (Pl. du) .... FY 30
Huile (Pl. à l') ...... FY 35
Louis-Blanc (Pl.) ..... FY 39
Magnan (Av. Gén.) ..... EX 40
Méridienne (R.) .... FY 41
Michelet (Av. V.) ..... FY 43
Monsenergue (Pl. Ingénieur-Gén.) . EY 45
Muraire (R.) .... FX 49
Noyer (R. du) .... FY 64
Poissonnerie (Pl de la) FY 64
Raimu (Pl.) .... FY 67
Orfèvres (Pl. des) .... FY 53
Pressensé (R. F. de) .. FY 66
Riaux (R. des) .... FY 68

Trois-Dauphins (Pl. des) . FX 76
Vezzani (Pl.) .... FY 81

Thiébouhans 25 .... 142 C3
Thieffrain 10 .... 91 D4
Thieffrans 70 .... 141 F2
Thiéfosse 88 .... 119 E2
Thiel-sur-Acolin 03 .... 172 C2
Thiembronne 62 .... 3 D4
Thiénans 70 .... 141 F2
Thiennes 59 .... 3 F4
Thiepval 80 .... 19 D1
Thiergeville 76 .... 15 D2
Thiernu 02 .... 21 D3
Thiers 63 .... 190 B4
Thiers-sur-Thève 60 .... 35 D4
Thierville 27 .... 31 E3
Thierville-sur-Meuse 55 ... 40 A4
Thiéry 06 .... 269 F2
Thiescourt 60 .... 35 E1
Thiétreville 76 .... 15 D2
Le Thieulin 28 .... 84 C3
Thieulloy-la-Ville 80 ..... 17 E4
Thieulloy-l'Abbaye 80 ..... 17 F3
Thieuloy-Saint-Antoine 60 . 33 F1
La Thieuloye 62 .... 7 F3
Thieux 77 .... 61 F2
Thieux 60 .... 34 B1
Thiéville 14 .... 56 B1
Thièvres 62 .... 7 F4
Thiézac 15 .... 224 C3
Thignonville 45 .... 86 C4
Thil 54 .... 41 D1
Le Thil 27 .... 33 D3
Thil 01 .... 193 E4
Thil 51 .... 37 F3
Thil 10 .... 91 F3
Thil 31 .... 276 A1
Thil-la-Ville 21 .... 138 A3
Thil-Manneville 76 .... 16 A3
Le Thil-Riberpré 76 .... 17 D4
Thil-sur-Arroux 71 .... 156 C4
Thilay 08 .... 23 D2
Le Thillay 95 .... 61 E2
Thilleux 52 .... 91 F2
Les Thilliers-en-Vexin 27 . 33 E4
Thillois 51 .... 37 E4
Thillombois 55 .... 67 E1
Le Thillot 88 .... 119 E2
Thilouze 37 .... 130 C4
Thimert 28 .... 85 D1
Thimonville 57 .... 68 C2
Thimory 45 .... 111 E3
Thin-le-Moutier 08 .... 22 B3
Thines 07 .... 245 E3
Thiolières 63 .... 208 C2
Thionne 03 .... 172 C3
Thionville 57 .... 41 F2
Thionville-sur-Opton 78 ... 59 F4
Thiouville 76 .... 15 D2
Thiraucourt 88 .... 94 A3
Thiré 85 .... 163 F2
Thiron Gardais 28 .... 84 B3
This 08 .... 22 B3

Thise 25 .... 141 E3
Thivars 28 .... 85 E3
Thivencelle 59 .... 9 F2
Thiverny 60 .... 34 C4
Thiverval-Grignon 78 ...... 60 A3
Thivet 52 .... 116 C2
Thiviers 24 .... 203 D3
Thiville 28 .... 109 D2
Thizay 37 .... 149 D1
Thizay 36 .... 152 B3
Thizy 89 .... 137 E1
Thizy 69 .... 191 F2
Thoard 04 .... 267 F1
Thodure 38 .... 211 F4
Thoigné 72 .... 83 D3
Thoiras 30 .... 263 D1
Thoiré-sur-Contensor 72 ... 83 D3
Thoiré-sur-Dinan 72 .... 107 E4
Thoires 21 .... 115 E2
Thoirette 39 .... 176 C4
Thoiria 39 .... 177 D2
Thoiry 73 .... 213 E1
Thoiry 01 .... 177 E4
Thoiry 78 .... 60 A3
Thoissey 01 .... 192 C1
Thoissia 39 .... 176 B3
Thoisy-la-Berchère 21 ..... 137 F4
Thoisy-le-Désert 21 .... 138 B4
Thoix 80 .... 17 F4
Thol-lès-Millières 52 ..... 93 D3
Thollet 86 .... 168 A3
Thollon-les-Mémises 74 .... 179 D3
Le Tholonet 13 .... 285 D2
Le Tholy 88 .... 119 E1
Thomer-la-Sôgne 27 .... 58 C2
Thomery 77 .... 87 F3
Thomirey 21 .... 157 F1
Thonac 24 .... 221 E2
Thônes 74 .... 195 F3
Thonnance-lès-Joinville 52 . 92 B2
Thonnance-les-Moulins 52 . 92 C2
Thonne-la-Long 55 .... 40 A1
Thonne-le-Thil 55 .... 40 A1
Thonne-les-Prés 55 .... 40 A1
Thonnelle 55 .... 40 A1
Thonon-les-Bains 74 .... 178 B3
Les Thons 88 .... 117 F2
Thonville 57 .... 69 D1
Le Thor 84 .... 265 E3
Thorailles 45 .... 112 A2
Thoraise 25 .... 141 D4
Thorame-Basse 04 .... 268 B2
Thorame-Haute 04 .... 268 B1
Thorame-Haute-Gare 04 ..... 268 B2
Thoras 43 .... 226 B4
Thoré-la-Rochette 41 ...... 108 B4
Thorée-les-Pins 72 .... 106 C4
Thorenc 06 .... 269 D4
Thorens-Glières 74 .... 195 F2
Thorey 89 .... 114 B3
Thorey-en-Plaine 21 .... 139 E4
Thorey-Lyautey 54 .... 94 B3

Thorey-sous-Charny 21 ..... 138 A3
Thorey-sur-Ouche 21 .... 157 F1
Thorigné 79 .... 165 D4
Thorigné-d'Anjou 49 .... 128 A1
Thorigné-en-Charnie 53 .... 105 F2
Thorigné-Fouillard 35 ..... 79 E4
Thorigné-sur-Dué 72 .... 107 E2
Thorigny 85 .... 163 E1
Thorigny 79 .... 182 A1
Thorigny-sur-Marne 77 ..... 61 F3
Thorigny-sur-Oreuse 89 .... 89 D4
Le Thoronet 83 .... 286 C3
Thoronet (Abbaye du) 83 ... 286 C3
Thorrenc 07 .... 228 C1
Thors 10 .... 91 F3
Thors 17 .... 182 C4
Thory 89 .... 137 D1
Thory 80 .... 18 B4
Thoste 21 .... 137 F2
Le Thot 24 .... 221 E2
Thou 45 .... 135 D1
Le Thou 17 .... 181 D1
Thou 18 .... 134 C3
Thouarcé 49 .... 128 B4
Thouaré-sur-Loire 44 ...... 126 C4
Thouars 79 .... 148 A2
Thouars-sur-Arize 09 ...... 300 A3
Thouars-sur-Garonne 47 ... 255 F1
Thouarsais-Bouildroux 85 .. 164 A1
Le Thoult-Trosnay 51 ...... 63 E3
Le Thour 08 .... 37 F1
Le Thoureil 49 .... 129 D3
Thourie 35 .... 103 F3
Thouron 87 .... 185 F2
Thourotte 60 .... 35 E2
Thoury 41 .... 132 C1
Thoury-Férottes 77 .... 88 A4
Thoux 32 .... 275 F1
Thubœuf 53 .... 81 F2
Le Thuel 02 .... 21 F4
Thuellin 38 .... 212 B1
Thuès-entre-Valls 66 ...... 311 E3
Thueyts 07 .... 245 F1
Thugny-Trugny 08 .... 38 B2
La Thuile 73 .... 213 E2
Les Thuiles 04 .... 250 B3
Thuilley-aux-Groseilles 54 . 93 F1
Thuillières 88 .... 94 A4
Thuir 66 .... 312 C2

Thuisy 10 .... 89 F4
Le Thuit 27 .... 32 C4
Le Thuit-Anger 27 .... 32 A3
Thuit-Hébert 27 .... 31 F3
Le Thuit-Signol 27 .... 32 A3
Le Thuit-Simer 27 .... 31 F4
Thulay 25 .... 142 C2
Thumeréville 54 .... 41 D4
Thumeries 59 .... 8 C2
Thun-l'Évêque 59 .... 9 E4
Thun-Saint-Amand 59 ...... 9 E2
Thun-Saint-Martin 59 ..... 9 E4
Thurageau 86 .... 149 D4
Thuré 86 .... 149 E3
Thuret 63 .... 189 F3
Thurey 71 .... 158 C4
Thurey-le-Mont 25 .... 141 E3
Thurins 69 .... 192 B4
Thury 21 .... 157 E2
Thury 89 .... 135 F1
Thury-en-Valois 60 .... 35 F4
Thury-Harcourt 14 .... 55 F2
Thury-sous-Clermont 60 ... 34 B3
Thusy 74 .... 195 D2
Thuy 65 .... 298 A1
Thyez 74 .... 196 A1
Thyl 73 .... 214 B4
Tibiran-Jaunac 65 .... 298 C3
Ticheville 27 .... 57 D2
Tichey 21 .... 159 D2
Tieffenbach 67 .... 70 B1
Tiercé 49 .... 128 C1
Tiercelet 54 .... 41 D2
Le Tiercent 35 .... 79 F3
Tierceville 14 .... 29 D3
Tieste-Uragnoux 32 .... 273 F2
La Tieule 48 .... 243 F1
Tiffauges 85 .... 146 B2
Tigeaux 77 .... 62 A3
Tigery 91 .... 87 E1
Tignac 09 .... 310 B1
Tigné 49 .... 128 C4
Tignécourt 88 .... 117 F1
Tignes 73 .... 215 D2
Tignes (Barrage de) 73 .... 215 D2
Le Tignet 06 .... 287 F1
Tignieu-Jameyzieu 38 ..... 193 F4
Tigny-Noyelle 62 .... 6 B3
Tigy 45 .... 110 C4
Til-Châtel 21 .... 139 E2

Tilh 40 .... 272 A2
Tilhouse 65 .... 298 B2
Tillac 32 .... 274 B3
Tillay-le-Péneux 28 .... 110 A1
Tillé 60 .... 34 A2
Tillenay 21 .... 139 F4
Le Tilleul 76 .... 14 B2
Tilleul-Dame-Agnès 27 .... 58 B2
Le Tilleul-Lambert 27 ..... 58 B1
Le Tilleul-Othon 27 .... 58 A1
Tilleux 88 .... 93 E3
Tillières 49 .... 146 B1
Tillières-sur-Avre 27 ..... 58 C4
Tilloloy 80 .... 19 D4
Tillou 79 .... 183 D1
Tilloy-et-Bellay 51 .... 65 E1
Tilloy-Floriville 80 ...... 17 D2
Tilloy-lès-Conty 80 .... 18 A4
Tilloy-lès-Hermaville 62 .. 8 A3
Tilloy-lès-Mofflaines 62 .. 8 B3
Tilloy-lez-Cambrai 59 .... 9 D4
Tilloy-lez-Marchiennes 59 . 9 E2
Tilly 27 .... 59 E1
Tilly 78 .... 59 F3
Tilly 36 .... 168 A3
Tilly-Capelle 62 .... 7 E2
Tilly-la-Campagne 14 ...... 56 A1
Tilly-sur-Meuse 55 .... 66 C1
Tilly-sur-Seulles 14 ..... 29 D4
Tilques 62 .... 3 D3
Tincey-et-Pontrebeau 70 ... 140 C1
Tinchebray 61 .... 55 D3
Tincourt-Boucly 80 .... 19 F2
Tincques 62 .... 7 F3
Tincry 57 .... 68 C2
Les Tines 74 .... 197 D2
Tingry 62 .... 2 B4
Tinqueux 51 .... 37 F4
Tinténiac 35 .... 79 D3
Tintry 71 .... 157 E3
Tintury 58 .... 155 F2
Tiranges 43 .... 209 D4
Tirent-Pontéjac 32 .... 275 D3
Tirepied 50 .... 54 A4
Tissey 89 .... 114 A3
Le Titre 80 .... 6 B4
Tiuccia 2A 316 B3
Tivernon 45 .... 110 A1
Tiviers 15 .... 225 F2
Tivolaggio 2A 318 C2
Tizac-de-Curton 33 .... 218 C2

Tizac-de-Lapouyade 33 ..... 218 C2
Tizzano 2A 318 C3
Tocane-Saint-Apre 24 ..... 202 A4
Tocqueville 27 .... 31 E2
Tocqueville 50 .... 25 E2
Tocqueville-en-Caux 76 .... 15 F2
Tocqueville-les-Murs 76 ... 15 D3
Tocqueville-sur-Eu 76 .... 16 B1
Tœuffles 80 .... 17 D1
Toges 08 .... 39 D2
Togny-aux-Bœufs 51 .... 65 D3
Tolla 2A 316 C3
Tollaincourt 88 .... 117 E1
Tollent 62 .... 7 D3
Tollevast 50 .... 24 C2
La Tombe 77 .... 88 B3
Tombebœuf 47 .... 238 A3
Tomblaine 54 .... 68 B4
Tomino 2B 314 A1
Les Tonils 26 .... 247 F2
Tonnac 81 .... 258 C2
Tonnay-Boutonne 17 .... 181 F2
Tonnay-Charente 17 .... 181 E3
Tonneins 47 .... 237 F4
Tonnerre 89 .... 114 A3
Tonneville 50 .... 24 B2
Tonnoy 54 .... 94 B1
Tonquédec 22 .... 50 A2
Tonquédec (Château de) 22 . 50 A2
Torcé 35 .... 104 A1
Torcé-en-Vallée 72 .... 107 E1
Torcé-Viviers-en-Charnie 53 . 106 A1
Torcenay 52 .... 117 D3
Torchamp 61 .... 81 E1
Torchefelon 38 .... 212 A1
Torcheville 57 .... 69 E2
Torcieu 01 .... 194 A3
Torcy 62 .... 7 D2
Torcy 71 .... 157 E4
Torcy 77 .... 61 F3
Torcy-en-Valois 02 .... 62 C1
Torcy-et-Pouligny 21 ..... 137 F3
Torcy-le-Grand 76 .... 16 A3
Torcy-le-Grand 10 .... 90 B1
Torcy-le-Petit 76 .... 16 A3
Torcy-le-Petit 10 .... 90 B1
Tordères 66 .... 312 C3
Tordouet 14 .... 57 D1
Torfou 49 .... 146 B1
Torfou 91 .... 86 C2

Torigni-sur-Vire 50......... 54 C1	Touche-Trébry	Toulonjac 12............... 241 D4	Tourbes 34............... 280 C3
Tornac 30................. 263 D3	(Château de la) 22 .... 77 F2	Toulouges 66............. 312 C2	Tourcelles-Chaumont 08.... 38 C2
Tornay 52................. 117 E4	Les Touches 44............. 126 C2	Toulouse 31.............. 276 C2	Tourch 29................ 75 D4
Le Torp-Mesnil 76......... 15 F2	Les Touches-de-Périgny 17.. 182 C3	Toulouse (Croix de) 05..... 232 C3	Tourcoing 59............. 5 D4
Torpes 71................ 159 D3	Toucy 89................. 112 C4	Toulouse-le-Château 39... 159 E3	Tourdun 32............... 274 A2
Torpes 25................ 141 D4	Toudon 06................ 269 F3	Toulouzette 40.......... 272 B1	Le Tourneur 14........... 55 D2
Le Torpt 27.............. 30 C3	Touët-de-l'Escarène 06..... 289 E3	Toulx-Sainte-Croix 23..... 170 A4	Tourgéville 14........... 30 B3
Le Torquesne 14.......... 30 B4	Touët-sur-Var 06.......... 269 E3	Touques 14.............. 30 B3	Tourliac 47.............. 238 C1
Torre 2A................ 319 E2	Touffailles 82............ 257 D1	Le Touquet-Paris-Plage 62.. 6 A1	Tourlaville 50........... 24 C2
Torreilles 66............. 313 D1	Toufflers 59.............. 5 D4	Touquettes 61........... 57 E3	Tourly 60............... 33 F4
Torsac 16............... 201 F2	Touffou (Château de) 86... 166 C1	Touquin 77.............. 62 B4	Tourmalet (Col du) 65.... 298 A2
Torsiac 43.............. 207 F4	Touffréville 14........... 29 E3	La Tour 06.............. 289 D2	Tourmignies 59.......... 8 C1
Tortebesse 63........... 206 B1	Touffreville 27........... 32 C3	La Tour 74.............. 196 A1	Tourmont 39............ 159 F3
Tortefontaine 62......... 6 C3	Touffreville-la-Câble 76... 15 E3	La Tour-Blanche 24....... 202 A4	Tournai-sur-Dive 61...... 56 C3
Tortequesne 62.......... 8 C3	Touffreville-la-Corbeline 76. 15 E3	La Tour-d'Aigues 84...... 285 D1	Tournan 32............. 275 E3
Torteron 18............. 154 B2	Touffreville-sur-Eu 76..... 16 B1	La Tour-d'Auvergne 63.... 206 C2	Tournan-en-Brie 77...... 61 F4
Torteval-Quesnay 14...... 28 C4	Touget 32............... 275 F1	Tour-de-Faure 46........ 240 C3	Tournans 25............ 141 E2
Tortezais 03............ 171 E3	Touille 31............... 299 F2	La Tour-de-Salvagny 69... 192 C4	Tournavaux 08.......... 22 C2
Tortisambert 14......... 56 C2	Touillon 21.............. 138 A1	La Tour-de-Scay 25....... 141 E2	Tournay 65............. 298 A1
Le Tortoir 02........... 36 C1	Touillon-et-Loutelet 25.... 161 D3	La Tour-du-Crieu 09...... 301 D2	Tournay-sur-Odon 14.... 55 E1
Torvilliers 10........... 90 A4	Toujouse 32............. 254 C4	La Tour-du-Meix 39...... 176 C2	Le Tourne 33............ 236 B1
Torxé 17............... 181 F3	Toul 54................. 67 F4	Le Tour-du-Parc 56...... 123 D2	Tournebu 14............ 56 A2
Tosny 27............... 32 C4	Toul Goulic (Gorges de) 22.. 76 B2	La Tour-du-Pin 38........ 212 A2	Tournecoupe 32......... 256 C4
Tosse 40............... 271 D1	Toulaud 07.............. 229 D3	Le Tour-en-Bessin 14..... 28 C3	Tournedos-Bois-Hubert 27.. 58 B1
Tossiat 01.............. 193 F1	Toulenne 33............. 236 C2	La Tour-en-Jarez 42...... 210 A3	Tournedos-sur-Seine 27... 32 B3
Tostat 65............... 273 E4	Touligny 08............. 22 C4	Tour-en-Sologne 41...... 132 B2	Tournedoz 25........... 142 B2
Totainville 88........... 94 A3	Toulis-et-Attencourt 02.... 21 D4	La Tour-Fondue 83....... 292 B3	Tournefeuille 31........ 276 B2
Tôtes 76................ 16 A4	Toullaëron (Roc de) 29.... 75 F3	La Tour-Saint-Gelin 37.... 149 E2	Tournefort 06........... 269 F2
Tôtes 14................ 56 C2	Toulon 83............... 291 F4	La Tour-sur-Orb 34....... 280 A2	
Touchay 18............. 170 A1	Toulon-la-Montagne 51.... 63 F3	Tourailles 41............ 131 F1	
La Touche 26............ 247 D2	Toulon-sur-Allier 03...... 172 B2	Les Tourailles 61......... 55 F3	
	Toulon-sur-Arroux 71..... 173 F1	Tourailles-sous-Bois 55... 92 C3	

Tournehem-sur-la-Hem 62.. 3 D3	Tours 37............... 130 C3
Tournemire 12........... 261 D3	Tours-en-Savoie 73..... 214 A1
Tournemire 15.......... 224 A2	Tours-en-Vimeu 80..... 17 D1
Tournes 08............. 22 C3	Tours-Saint-Symphorien
Le Tourneur 14......... 55 D2	(Aéroport de) 37....... 130 C3
Tourneville 27......... 58 C1	Tours-sur-Marne 51.... 64 B3
Tourniac 15............ 223 F1	Tours-sur-Meymont 63.. 208 B1
Tournières 14.......... 27 F3	Tourteron 08.......... 38 C1
Tourniol (Col de) 26..... 229 F3	Tourtoirac 24......... 203 E4
Tournissan 11.......... 303 D2	Tourtour 83........... 286 C2
Tournoisis 45.......... 109 F2	Tourtouse 09.......... 300 A2
Tournon 73............ 213 F1	Tourtrès 47........... 238 C3
Tournon-d'Agenais 47.... 239 D4	Tourtrol 09........... 301 E3
Tournon-Saint-Martin 36.. 150 B4	Tourves 83............ 286 A1
Tournon-Saint-Pierre 37.. 150 B4	Tourville-en-Auge 14... 30 B3
Tournon-sur-Rhône 07... 229 D2	Tourville-la-Campagne 27.. 31 F4
Tournous-Darré 65...... 298 B1	Tourville-la-Chapelle 76.. 16 B1
Tournous-Devant 65..... 298 B1	Tourville-la-Rivière 76... 32 B3
Tournus 71............ 175 E2	Tourville-les-Ifs 76..... 15 D1
Tourny 27............. 33 D4	Tourville-sur-Arques 76.. 16 A3
Tourouvre 61.......... 83 F1	Tourville-sur-Odon 14... 29 D4
Tourouzelle 11......... 303 E1	Tourville-
Tourreilles 11......... 302 A3	sur-Pont-Audemer 27... 31 D3
Les Tourreilles 31...... 298 C2	Tourville-sur-Sienne 50.. 53 F1
Tourrenquets 32....... 275 D1	Toury 28.............. 86 A4
Tourrette (Château de la) 07. 228 C4	Toury-Lurcy 58........ 155 F3
Tourrette-Levens 06.... 288 C1	Toury-sur-Jour 58..... 155 D4
Les Tourrettes 26...... 247 D1	Tourzel-Ronzières 63... 207 D2
Tourrettes 83......... 287 E1	Toussaint 76.......... 14 C2
Tourrettes-sur-Loup 06.. 269 E4	Toussieu 69........... 211 D3
Tourriers 16.......... 183 F4	Toussieux 01.......... 192 C3

TOULOUSE

Alsace-Lorr. (R. d')....**FY** 2	Rémusat (R. de).....**FY**	Bonrepos (Bd).......**GX** 16	Feuga (Allée P.)......**FZ** 57	Jaurès (Allées J.)...**GX** 78
Capitole (Pl. du)......**FY** 25	St-Antoine-du-T.	Boulbonne (R.)......**GY** 18	Frères-Lion	Laz.-Carnot (Bd)....**GY** 87
La-Fayette (R.).......**GY** 83	(R.)..............**GY** 132	Changes (R. des)....**FY** 32	(R. des)...........**GY** 62	Pargaminières (R.)...**FY** 109
Metz (R. de).........**GY**	Saint-Rome (R.).....**FY**	Daurade (Pl. de la)..**FY** 37	Gambetta (R.).......**FY** 64	Patte-d'Oie (Pl.)....**DZ** 110
	Wilson (Pl.).........**GY** 160	Dupuy (Pl.).........**HY** 49	Griffoul-Dor. (Bd)....**HZ** 72	Pompidou (Allée)....**HX** 118
		Embouchure	Guesde (Allée J.)....**GZ** 73	Pt-Guilhemery
	Arnaud-Bern. (R.)....**FX** 4	(Port).............**DX** 53	Hauriou (Av. M.)....**FZ** 75	(R.)..............**HY** 119

Romiguières (R.)....**FY** 129	Sabatier (Allées)....**HZ** 131
	St-Étienne (Port)....**HY** 133
	St-Sauveur
	(Port).............**HZ** 135
	Semard (Bd P.).....**GX** 142
	Suau (R. J.).........**FY** 145

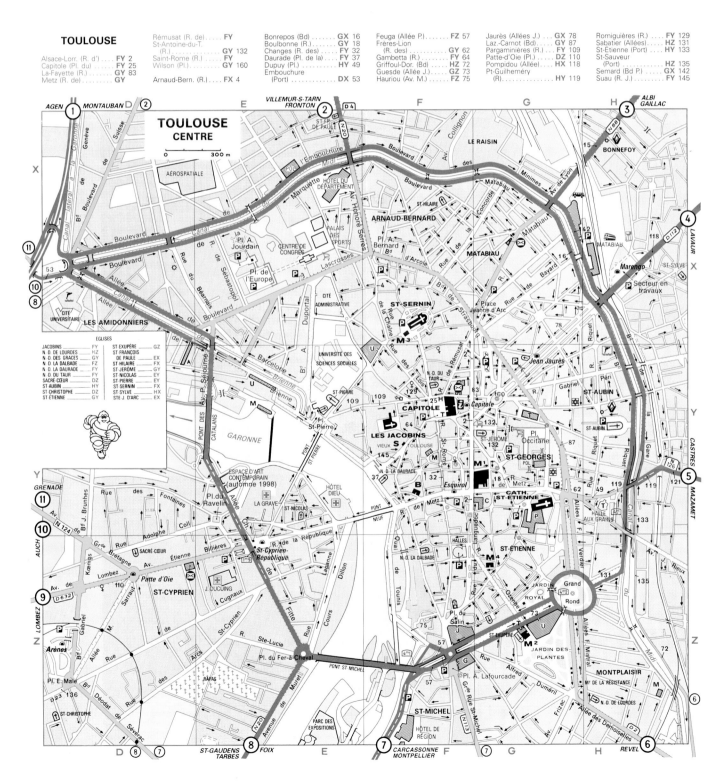

Tousson 77	87	D3
La Toussuire 73	213	F4
Toussus-le-Noble 78	60	C4
Toutainville 27	31	D3
Toutenant 71	158	C3
Toutencourt 80	18	C1
Toutens 31	277	E3
Toutes Aures (Col de) 04	268	C3
Toutlemonde 49	147	D1
Toutry 21	137	E2
Touvérac 16	200	C3
Le Touvet 38	213	D3
Touville 27	31	D3
Touvois 44	145	E2
Touvre 16	201	F1
Touzac 16	201	D2
Touzac 46	239	E3
Tox 2B	317	E1
Toy-Viam 19	205	D1
Trabuc (Grotte de) 30	263	D2
Tracol (Col de) 43	210	A4
Tracy-Bocage 14	55	E1
Tracy-le-Mont 60	35	F2
Tracy-le-Val 60	35	F2
Tracy-sur-Loire 58	135	D4
Tracy-sur-Mer 14	29	D3
Trades 69	174	C4
Traenheim 67	70	C3
Tragny 57	68	C2
Traînel 10	89	D3
Traînou 45	110	B2
Le Trait 76	15	F4
Traitiéfontaine 70	141	E1
Traize 73	212	C1
Tralaigues 63	188	B3
Tralonca 2B	315	E3
Tramain 22	78	A2
Tramayes 71	174	C4
Trambly 71	174	C4
Tramecourt 62	7	D2
Tramery 51	37	E4
Tramezaïgues 65	307	D4
Tramolé 38	211	F2
Tramoyes 01	193	D3
Trampot 88	92	C3
Trancault 10	89	E3
La Tranche-sur-Mer 85	162	C3
La Tranclière 01	193	F1
Trancrainville 28	86	A4
Trangé 72	106	C2
Le Tranger 36	151	D3
Trannes 10	91	E3
Tranqueville-Graux 88	93	F2
Trans 53	82	A3
Trans-en-Provence 83	287	D2
Trans-la-Forêt 35	79	E1
Trans-sur-Erdre 44	126	C2
Le Translay 80	17	D2
Le Transloy 62	19	E1
Tranzault 36	169	E1
La Trappe (Abbaye de) 61	83	F1
Trappes 78	60	B4
Trassanel 11	278	C4
Traubach-le-Bas 68	120	A3
Traubach-le-Haut 68	120	A3
Trausse 11	303	D1
Travaillan 84	265	D1
Travecy 02	20	B4
Traversères 32	275	D3
Traves 70	141	D1
Le Travet 81	259	F4
Le Trayas 83	288	A4
Trayes 79	164	C1
Tréal 56	102	A3
Tréauville 50	24	B3
Trébabu 29	47	D3
Tréban 81	259	F4
Tréban 03	172	A3
Trébas 81	260	A3
Trébédan 22	78	B2
Trèbes 11	302	C1
Trébeurden 22	49	F1
Trébons 65	297	F2
Trébons-de-Luchon 31	307	F4
Trébons-sur-la-Grasse 31	277	E3
Tréboul 29	73	D2
Tréboul (Pont de) 15	225	D4
Trébrivan 22	76	A2
Trébry 22	77	F2
Tréclun 21	139	F4
Trécon 51	64	B3
Trédaniel 22	77	F2
Trédarzec 22	50	C1
Trédias 22	78	B2
Trédion 56	101	E3
Trédrez 22	49	F2
Tréduder 22	49	F2
Trefcon 02	19	F3
Treffay 39	160	B4
Treffendel 35	102	C1
Treffiagat 29	98	B2
Treffieux 44	126	B1
Trefflléan 56	101	E4
Treffort 38	230	C3
Treffrin 22	75	F2
Tréflaouénan 29	48	C2
Tréflévénez 29	48	C4
Tréflez 29	48	B2
Tréfols 51	63	D3
Tréfumel 22	78	C3
Trégarantec 29	47	F2
Trégarvan 29	47	F4
Trégastel 22	50	A1
Trégastel-Plage 22	50	A1
Tréglamus 22	50	B3
Tréglonou 29	47	E2
Trégomar 22	78	A1
Trégomeur 22	51	D3
Trégon 22	78	B1
Trégonneau 22	50	C3
Trégourez 29	75	D4
Trégrom 22	50	A3
Tréguennec 29	73	D4
Trégueux 22	51	E4
Tréguidel 22	51	D3
Tréguier 22	50	B1
Trégunc 29	99	D2
Tréhet 41	107	F4
Tréhorenteuc 56	102	A1
Le Tréhou 29	48	C4
Treignac 19	204	C2
Treignat 03	170	B4
Treigny 89	135	F2
Treilles 11	303	F4
Treilles-en-Gâtinais 45	111	F1
Treillières 44	126	B3
Treix 52	92	B4
Treize-Arbres (Les) 74	195	E1
Treize-Septiers 85	146	A2
Treize-Vents 85	147	D3
Tréjouls 82	257	E1
Trélans 48	243	E3
Trélazé 49	128	C2
Trélechamp 74	197	D2
Trélévern 22	50	B1
Trelins 42	209	E1
Trélissac 24	220	C1
Trélivan 22	78	B2
Trelly 50	54	A2
Trélon 59	10	C3
Trélou-sur-Marne 02	63	E1
Trémaouézan 29	47	F2
Trémargat 22	76	B2
Trémauville 76	15	D3
Trémazan 29	47	D2
La Tremblade 17	180	C4
Tremblay 35	79	F4
Le Tremblay 49	104	B4
Tremblay-en-France 93	61	E2
Le Tremblay-le-Vicomte 28	85	D1
Le Tremblay-Omonville 27	58	B1
Le Tremblay-sur-Mauldre 78	60	A4
Tremblecourt 54	67	F3
Le Tremblois 70	140	B3
Tremblois-lès-Carignan 08	23	F4
Tremblois-lès-Rocroi 08	22	B3
Trémeheuc 35	79	E2
Trémel 22	49	F3
Trémeloir 22	51	D3
Trémentines 49	147	D1
Tréméoc 29	73	E4
Tréméreuc 22	78	C1
Trémery 57	41	F3
Trémeur 22	78	B2
Tréméven 29	99	F2
Tréméven 22	50	C2
Trémilly 52	91	F3
Tréminis 38	230	C4
Trémoins 70	142	B1
Trémolat 24	220	C4
Trémons 47	239	D3
Trémont 61	83	D1
Trémont 49	147	F1
Trémont-sur-Saulx 55	66	A4
Trémonzey 88	118	B2
Trémorel 22	78	A4
Trémouille 15	206	C4
Trémouille-Saint-Loup 63	206	B3
Trémouilles 12	260	B1
Trémoulet 09	301	D2
Trémuson 22	51	D4
Trenal 39	176	B1
Trensacq 40	253	E1
Trentels 47	239	D3
Tréogan 22	75	F3
Tréogat 29	73	E4
Tréon 28	59	D4
Tréouergat 29	47	D2
Trépail 51	64	B1
Trépassés (Baie des) 29	72	B3
Trépied 62	6	A1
Le Tréport 76	16	C1
Trépot 25	141	E4
Tréprel 14	56	A2
Trept 38	211	F1
Trésauvaux 55	67	D1
Tresbœuf 35	103	E2
Trescault 62	19	F1
Treschenu-Creyers 26	248	B1
Trescléoux 05	248	C4
Trésilley 70	141	D2
Treslon 51	37	E4
Tresnay 58	172	A1
Trespoux-Rassiels 46	240	A3
Tresques 30	264	B2
Tressaint 22	78	C2
Tressan 34	281	D2
Tressandans 25	141	F2
Tressange 57	41	E2
Tressé 35	79	D1
Tresserre 66	312	C3
Tresserve 73	213	D1
Tresses 33	217	F1
Tressignaux 22	51	D3
Tressin 59	5	D4
Tresson 72	107	F3
Treteau 03	172	C3
La Trétoire 77	62	C3
Trets 13	285	E3
Treux 80	18	C2
Treuzy-Levelay 77	87	F4
Trévans 04	267	F3
Trévé 22	77	E3
Trévenans 90	142	C1
Tréveneuc 22	51	D3
Tréveray 55	92	C1
Trévérec 22	50	C3
Trévérien 35	79	D2
Trèves 30	262	A2
Trèves 69	210	C2
Trèves-Cunault 49	129	D3
Trevey 70	141	E1
Trévezel (Roc) 29	49	D4
Trévien 81	259	E2
Trévières 14	27	F3
Trévignin 73	195	D4
Tréville 11	277	F4
Trévillach 66	311	F2
Trévillers 25	142	C3
Trévilly 89	137	E2
Trévol 03	172	A1
Trévou-Tréguignec 22	50	B1
Le Trévoux 29	99	F2
Trévoux 01	192	C3
Trévron 22	78	C2
Trézelles 03	172	C4
Trézény 22	50	B2
Trézien (Phare de) 29	46	C3
Tréziers 11	301	F3
Trézilidé 29	48	C2
Trézioux 63	208	A1
Le Triadou 34	281	F1
Triac-Lautrait 16	201	D1
Triaize 85	163	E3
Triaucourt-en-Argonne 55	66	A2
Tribehou 50	27	D4
La Tricherie 86	149	E4
Trichey 89	114	B2
Triconville 55	66	C3
Tricot 60	35	D1
Trie-Château 60	33	F3
Trie-la-Ville 60	33	F3
Trie-sur-Baïse 65	274	B4
Triel-sur-Seine 78	60	B2
Triembach-au-Val 67	96	B1
Trieux 54	41	E3
Trigance 83	268	B4
Trigavou 22	78	C1
Trignac 44	123	F3
Trigny 51	37	E3
Triguères 45	112	B2
Trilbardou 77	61	F2
Trilla 66	311	F1
Trilport 77	62	A2
Trimbach 67	45	F4
Trimer 35	79	D3
La Trimouille 86	167	F3
Trimouns (Carrière de talc de) 09	310	B1
Trinay 45	110	B1
La Trinitat 15	243	D1
La Trinité 27	59	D2
La Trinité 73	213	E2
La Trinité 50	54	B3
La Trinité 06	288	C2
Trinité (Chapelle de la) 29	73	D1
Trinité (Ermitage de la) 2A	319	D4
La Trinité-de-Réville 27	57	F2
La Trinité-de-Thouberville 27	31	F3
La Trinité-des-Laitiers 61	57	E2
La Trinité-du-Mont 76	15	D4
La Trinité-Langonnet 56	76	A3
La Trinité-Porhoët 56	77	F4
La Trinité-sur-Mer 56	100	C4
La Trinité-Surzur 56	101	E4
Triors 26	229	E2
Le Trioulou 15	241	F1
Tripleville 41	109	E2
Triquerville 76	15	E4
Triqueville 27	31	D3
Trith-Saint-Léger 59	9	F3
Tritteling 57	42	B4
Trivy 71	174	B3
Trizac 15	224	B1
Trizay 17	181	D2
Trizay-Coutretot-Saint-Serge 28	84	A3
Trizay-lès-Bonneval 28	85	D4
Troanjoly (Château de) 29	48	C2
Troarn 14	29	F4
Troche 19	204	A3
Trochères 21	139	F3
Trocy-en-Multien 77	62	A1
Troësnes 02	36	A4
Troguéry 22	50	B2
Trogues 37	149	F1
Trois Communes (Pointe des) 06	289	C2
Les Trois-Épis 68	96	B3
Trois-Fonds 23	170	A4
Trois-Fontaines-l'Abbaye 51	66	A4
Trois-Maisons 57	70	B2
Trois-Monts 14	55	F1
Les Trois-Moutiers 86	148	C2
Trois-Palis 16	201	E1
Les Trois-Pierres 76	14	C4
Trois-Puits 51	37	F4
Trois Termes (Pic des) 66	313	D3
Trois-Vèvres 58	155	E3
Trois-Villes 64	295	F2
Troischamps 52	117	D3

TOURCOING

Brun-Pain (R. du)	AY
Cloche (R. de la)	BY 12
Croix-Rouge (R. de la)	CXY
Dron (Av. Gustave)	BZ
Gand (R. de)	BXY
Grand'Place	BY
Leclerc (R. du Gén.)	BY 36
Menin (R. de)	BXY
Nationale (R.)	ABY
St-Jacques (R.)	BY 58
Tournai (R. de)	BY 64
Anges (R. des)	BYZ 3
Austerlitz (R. d')	ABZ 4
Bienfaisance (R. de la)	BY 6
Buisson (R. Ferdinand)	BZ 7
Chateaubriand (R.)	CZ 9
Cherbourg (Quai de)	BZ 10
Condorcet (R.)	BY 13
Courbet (R. de l'Amiral)	BY 15
Croix-Blanche (R. de la)	CX 16
Delobel (R.)	BY 18
Doumer (R. Paul)	BY 19
Duguay-Trouin (R.)	CY 21
Faidherbe (R.)	BZ 22
Famelart (R.)	BZ 24
Froissart (R. Jean)	AY 25
Gambetta (Bd)	BZ 27
Hassebroucq (Pl. V.)	BY 30
Hénaux (R. Marcel)	BXY 31
La-Fayette (Av.)	BZ 33
Lartillier (R. L.)	BY 34
Lefrançois (Av. Alfred)	CZ 37
Marne (Av. de la)	BZ 39
Marseille (Quai de)	BZ 40
Millet (Av. Jean)	AY 42
Moulin-Fagot (R. du)	BY 43
Péri (R. Gabriel)	BY 45
Petit-Village (R. du)	AY 46
Pompidou (Av. G.)	BZ 48
Pont-de-Neuville (R. du)	CX 49
République (Pl. de la)	BY 51
Résistance (Pl. de la)	BY 52
Ribot (R. Alexandre)	BY 54
Roosevelt (R. F.)	BY 55
Roussel (Pl. Ch.-et-A.)	BY 57
Sasselange (R. Ed.)	BZ 60
Testelin (R. A.)	CX 61
Thiers (R.)	BZ 63
Turenne (R.)	BZ 66
Victoire (Pl. de la)	BZ 69
Wailly (R. de)	BY 70
Wattine (R. Ch.)	BZ 72

WATTRELOS

Vaneslander (R. M.)	CZ 67

Troisfontaines 52 .... 92 A1
Troisfontaines 57 .... 70 A3
Troisgots 50 .... 54 C1
Troissereux 60 .... 34 A2
Troissy 51 .... 63 E1
Troisvaux 62 .... 7 E2
Troisvilles 59 .... 20 B1
Tromarey 70 .... 140 B3
Tromborn 57 .... 42 B3
Tronçais (Forêt de) 03 ..... 171 D1
Troncens 32 .... 274 C4
La Tronche 38 .... 230 C1
Le Tronchet 35 .... 79 D1
Le Tronchet 72 .... 82 C4
Tronchoy 80 .... 17 E3
Tronchoy 89 .... 114 A3
Tronchoy 52 .... 116 C2
Tronchy 71 .... 158 B4
Le Troncq 27 .... 31 F4
Trondes 54 .... 67 E4
Tronget 03 .... 171 F3
Le Tronquay 27 .... 33 D2
Le Tronquay 14 .... 28 C4
Tronsanges 58 .... 154 C1
Tronville 54 .... 67 F1
Tronville-en-Barrois 55 ..... 66 B4
Troo 41 .... 108 A4
Trosly-Breuil 60 .... 35 F2
Trosly-Loire 02 .... 36 A1
Trouans 10 .... 90 C1
Troubat 65 .... 298 C3
La Trouche 88 .... 95 F2
Trouhans 21 .... 158 C1
Trouhaut 21 .... 138 C3
Trouillas 66 .... 312 C2
Trouley-Labarthe 65 ...... 274 A4
Troumouse
  (Cirque de) 65 .... 306 C4
Troussencourt 60 .... 34 B1
Troussey 55 .... 67 E4
Troussures 60 .... 33 F3
Trouvans 25 .... 141 F2
Trouville 14 .... 15 D3
Trouville-la-Haule 27 ...... 31 E2
Trouville-sur-Mer 14 ...... 30 B3
Trouy 18 .... 153 D2

Troye-d'Ariège 09 .... 301 E3
Troyes 10 .... 90 B3
Troyon 55 .... 66 C1
La Truchère 71 .... 175 E2
Truchtersheim 67 .... 71 D3
Trucy 02 .... 37 D2
Trucy-l'Orgueilleux 58 .... 136 A3
Trucy-sur-Yonne 89 ...... 136 B1
Le Truel 12 .... 260 C3
Trugny 21 .... 158 C2
Truinas 26 .... 247 E2
Trumilly 60 .... 35 E4
Trungy 14 .... 28 C4
Truttemer-le-Grand 14 .... 55 D1
Truttemer-le-Petit 14 ..... 55 D1
Truyes 37 .... 131 D4
Tubersent 62 .... 6 B1
Tuchan 11 .... 303 E4
Tucquegnieux 54 .... 41 D3
Tudeils 19 .... 222 C2
Tudelle 32 .... 274 B1
Tuffé 72 .... 107 E1
Tugéras-Saint-Maurice 17 .. 199 F3
Tugny-et-Pont 02 .... 19 F3
Les Tuileries 42 .... 191 E2
La Tuilière 42 .... 190 C3
Tuilière (Roche) 63 ...... 206 C1
Tulette 26 .... 247 D4
Tulle 19 .... 204 C1
Tullins 38 .... 212 B4
Tully 80 .... 16 C1
Tupigny 02 .... 20 C2
Tupin-et-Semons 69 ..... 210 C2
La Turballe 44 .... 123 E4
La Turbie 06 .... 289 E4
Turcey 21 .... 138 C3
Turckheim 68 .... 96 B3
Turenne 19 .... 222 B2
Turgon 16 .... 184 A3
Turgy 10 .... 114 B2
Turini (Col de) 06 ...... 289 E2
Turny 89 .... 113 F2
Turquant 49 .... 129 E4
Turquestein-Blancrupt 57 .. 70 A3
Turqueville 50 .... 25 E4

Turretot 76 .... 14 B3
Turriers 04 .... 249 F3
Tursac 24 .... 221 E3
Tusson 16 .... 183 E3
Tuzaguet 65 .... 298 B2
Le Tuzan 33 .... 235 F3
Tuzie 16 .... 183 F2

U

Uberach 67 .... 71 D1
Ubexy 88 .... 94 B3
Ubraye 04 .... 268 C3
Ucciani 2A 316 C3
Ucel 07 .... 246 A1
Uchacq-et-Parentis 40 .. 253 F3
Uchaud 30 .... 282 B1
Uchaux 84 .... 264 C1
Uchentein 09 .... 299 F4
Uchizy 71 .... 175 E2
Uchon 71 .... 157 D4
Uchon
  (Signal d') 71 ..... 157 D4
Uckange 57 .... 41 F3
Ueberkumen 68 ...... 120 B3
Ueberstrass 68 ...... 120 B4
Uffheim 68 .... 120 C3
Uffholtz 68 .... 120 B2
Ugine 73 .... 196 A4
Uglas 65 .... 298 B2
Ugnouas 65 .... 273 F4
Ugny 54 .... 40 C1
Ugny-le-Gay 02 ..... 19 F4
Ugny-l'Équipée 80 .. 19 F3
Ugny-sur-Meuse 55 .. 67 E4
Uhart-Cize 64 ...... 295 D1
Uhart-Mixe 64 ..... 271 E4
Uhlwiller 67 .... 71 D1
Uhrwiller 67 .... 70 C1
Les Ulis 91 .... 60 C4
Ully-Saint-Georges 60 .. 34 B3
Les Ulmes 49 ...... 129 D4
Umpeau 28 .... 85 F2

TROYES

Champeaux (R.) .... BZ 12
Clemenceau (R. G.) ..... BCY 15
Driant (R. Col.) .... BZ 20
Jaurès (Pl. Jean) .... BCY
République (R. de la) .... BZ 51
Zola (R. Émile) .... BCZ

Boucherat (R.) .... CY 4
Charbonnet (R.) .... BZ 13

Comtes de
  Champagne (Q. des) . CY 16
Dampierre (Quai) ...... BCY 17
Delestraint (Bd Gén.-Ch.) BZ 18
Huez (R. Claude) ...... BYZ 27
Israël
  (Pl. Alexandre) ...... BZ 28
Jaillant-Desch. (R.) .... BZ 29
Joffre (Av. Mar.) ...... BZ 33
Langevin
  (Pl. du Prof.) .... BZ 35
Libération (Pl. de la) ... CZ 39

Molé (R.) .... BZ 44
Monnaie (R. de la) .... BZ 45
Paillot de Montabert (R.) BZ 47
Palais-de-Justice (R. du) BZ 48
St-Pierre (Pl.) .... CY 52
St-Rémy (Pl.) .... BY 53
Tour-Boileau
  (R. de la) .... BZ 59
Trinité (R. de la) ...... BZ 60
Turenne (R. de) ...... BZ 61
Voltaire (R.) .... BZ 64
1er-R.A.M. (Bd du) ... BZ 69

TOURS

Bordeaux (R. de) .... CZ
Commerce (R. du) ...... BY 22
Grammont (Av. de) ..... CZ
Grand Passage .... AZ
Halles (Pl. des) ...... AZ 50
Halles (R. des) ...... BY

Marceau (R.) .... BYZ
Nationale (R.) .... BYZ
Scellerie (R. de la) .... BCY
Amandiers (R. des) .... CY 4
Berthelot (R.) .... BCY 7
Bons Enfants (R. des) . BY 8
Boyer (R. Léon) ...... AZ 10
Briçonnet (R.) .... AY 13

Carmes (Pl. des) .... BY 16
Châteauneuf (Pl. de) ... BY 17
Châteauneuf (R. de) ... AY 18
Cœur-Navré
  (Passage du) .... CY 21
Constantine (R. de) ... CY 24
Corneille (R.) .... CY 25
Courier (Rue Paul-Louis) BY 27
Courteline (R. G.) .... AY 28

Cygne (R. du) .... CY 29
Descartes (R.) .... BZ 33
Dolve (R. de la) ...... BZ 35
Favre (R. Jules) ..... BY 38
Fusillés (R. des) .... BY 41
Gambetta (R.) ...... BZ 43
Giraudeau (R.) ..... AZ 46
Grand-Marché (Pl. du) . AY 49
Grégoire-de-Tours (Pl.) CY 52

Grosse-Tour (R. de la) .. AY 55
Herbes (Carroi aux) ... AY 56
Lavoisier (R.) .... CY 60
Marceau (R.) .... DY 61
Merville (R. du Prés.) . BY 65
Meusnier (R. Gén.) ... DY 66
Monnaie (R. de la) ... BY 68
Mûrier (R. du) ...... BY 71
Paix (R. de la) ..... BY 73

Petit-Cupidon (R. du) ... DY 77
Petit-St-Martin (R. du) . AY 78
Petites-Boucheries
  (Pl. des) .... DY 80
Racine (R.) .... DY 84
Rapin (R.) .... AZ 85
St-Pierre-le-Puellier (Pl.) ABY 93
Sully (R. de) ...... BZ 100
Victoire (Pl. de la) .. AY 103

Unac 09 .... 310 B1
Uncey-le-Franc 21 .... 138 B3
Unchair 51 .... 37 D3
Ungersheim 68 .... 120 B1
Unias 42 .... 209 F2
Unienville 10 .... 91 D3
Unieux 42 .... 209 F2
L'Union 31 .... 276 C2
Untermuthal 57 .... 44 C4
Unverre 28 .... 84 C4
Unzent 09 .... 300 C2
Upaix 05 .... 249 D4
Upie 26 .... 229 E4
Ur 66 .... 310 C4
Urau 31 .... 299 F3
Urbalacone 2A 318 C1
Urbanya 66 .... 311 E3
Urbeis 67 .... 96 B1
Urbeis (Col d') 67 .... 96 A1
Urbès 68 .... 119 D2
Urbise 42 .... 173 E4
Urçay 03 .... 170 C1
Urcel 02 .... 36 C2
Urcerey 90 .... 119 F4
Urciers 36 .... 170 A2
Urcuit 64 .... 270 C3
Urcy 21 .... 138 C3
Urdens 32 .... 256 B4
Urdès 64 .... 272 B3
Urdos 64 .... 296 B4
Urepel 64 .... 294 C2
Urgons 40 .... 272 C2
Urgosse 32 .... 273 F1
Uriage-les-Bains 38 .... 231 D1
Uriménil 88 .... 118 C1
Urmatt 67 .... 70 B4
Urost 64 .... 273 E4
Urou-et-Crennes 61 .... 56 C4
Urrugne 64 .... 270 A4
Urs 09 .... 310 A1
Urschenheim 68 .... 96 C3
Urt 64 .... 271 D3
Urtaca 2B 315 D2
Urtière 25 .... 143 D3
Uruffe 54 .... 93 E1
Urval 24 .... 221 D4
Urville 25 .... 25 D4
Urville 10 .... 91 E4
Urville 88 .... 93 E4
Urville 14 .... 56 A1
Urville-Nacqueville 50 .... 24 B2
Urvillers 02 .... 20 A3
Ury 77 .... 87 E3
Urzy 58 .... 154 C2
Us 95 .... 60 B1
Usclades-et-Rieutord 07 .... 227 F4
Usclas-d'Hérault 34 .... 280 C3
Usclas-du-Bosc 34 .... 280 C1
Usinens 74 .... 194 C2
Ussac 19 .... 222 B4
Ussat 09 .... 310 A1
Ussé (Château d') 37 .... 130 A4
Usseau 79 .... 181 F1
Usseau 86 .... 149 F3
Ussel 15 .... 225 D2
Ussel 19 .... 205 F2
Ussel 46 .... 240 A2
Ussel-d'Allier 03 .... 189 F1
Usson 63 .... 208 A2
Usson-du-Poitou 86 .... 166 C4
Usson-en-Forez 42 .... 209 D3
Ussy 14 .... 56 A2
Ussy-sur-Marne 77 .... 62 B2
Ustaritz 64 .... 270 C3
Ustou 09 .... 309 E1
Utelle 06 .... 289 D3
Utelle (Madone d') 06 .... 289 D3
Uttenheim 67 .... 97 D1
Uttenhoffen 67 .... 71 D1
Uttwiller 67 .... 70 C1
Uvernet-Fours 04 .... 250 C3
Uxeau 71 .... 173 F1
Uxegney 88 .... 94 C4
Uxelles 39 .... 177 D1
Uxem 59 .... 3 F1
Uz 65 .... 297 E3
Uza 40 .... 252 B2
Uzan 64 .... 272 C3
Uzay-le-Venon 18 .... 153 E4
Uzech 46 .... 240 C4
Uzein 64 .... 272 C4
Uzel 22 .... 77 D3
Uzelle 25 .... 142 A2
Uzemain 88 .... 118 C1
Uzer 65 .... 298 A2
Uzer 07 .... 246 A2
Uzerche 19 .... 204 B3
Uzès 30 .... 264 A3
Uzeste 33 .... 236 B3
Uzos 64 .... 297 D1

V
Vaas 72 .... 130 A1
Vabre 81 .... 278 C1
Vabre-Tizac 12 .... 259 F2
Vabres 30 .... 263 D3
Vabres 15 .... 225 F2
Vabres-l'Abbaye 12 .... 260 C3
Vacherauville 55 .... 40 A4
Vachères 04 .... 266 C3
Vachères-en-Quint 26 .... 229 F4
Vacheresse 74 .... 178 C3
La Vacheresse-et-la-Rouillie 88 .... 93 F4
Vacheresses-les-Basses 28 .... 85 E1
La Vacherie 27 .... 58 C1
Vacognes 14 .... 55 F1

Vacon 55 .... 67 D4
Vacquerie 80 .... 7 D4
La Vacquerie-et-Saint-Martin-de-Castries 34 .... 280 C1
Vacquerie-le-Boucq 62 .... 7 E3
Vacqueriette-Erquières 62 .... 7 E3
Vacqueville 54 .... 95 E1
Vacqueyras 84 .... 265 D2
Vacquières 34 .... 263 D4
Vacquiers 31 .... 276 C1
Vadans 39 .... 159 F2
Vadans 70 .... 140 B3
Vadelaincourt 55 .... 66 B1
Vadenay 51 .... 64 C1
Vadencourt 80 .... 18 C1
Vadencourt 02 .... 20 C2
Vadonville 55 .... 67 D3
Vagnas 07 .... 246 A4
Vagney 88 .... 119 E1
Vahl-Ebersing 57 .... 69 E1
Vahl-lès-Bénestroff 57 .... 69 E2
Vahl-lès-Faulquemont 57 .... 69 D1
Vaiges 53 .... 105 F1
Vailhan 34 .... 280 B3
Vailhauquès 34 .... 281 E2
Vailhourles 12 .... 241 D4
Vaillac 46 .... 240 B1
Vaillant 52 .... 116 B4
Vailly 10 .... 90 B3
Vailly 74 .... 178 C3
Vailly-sur-Aisne 02 .... 36 C2
Vailly-sur-Sauldre 18 .... 134 C2
Vains 50 .... 54 A4
Vairé 85 .... 162 B1
Vaire-Arcier 25 .... 141 E3
Vaire-le-Petit 25 .... 141 E3
Vaire-sous-Corbie 80 .... 18 C2
Vaires-sur-Marne 77 .... 61 F3
Vaison-la-Romaine 84 .... 265 E1
Vaissac 82 .... 258 A3
Vaite 70 .... 140 B1
La Vaivre 70 .... 118 C2
Vaivre-et-Montoille 70 .... 118 B2

Le Val 83 .... 286 B3
Val (Château de) 15 .... 206 B3
Le Val-André 22 .... 51 F3
Val-Claret 73 .... 215 D2
Le Val-d'Ajol 88 .... 119 D2
Val-d'Auzon 10 .... 90 C2
Le Val-David 27 .... 59 D2
Val-de-Bride 57 .... 69 D2
Val-de-Chalvagne 04 .... 269 D3
Val-de-Fier 74 .... 195 D3
Le Val-de-Gouhenans 70 .... 119 D3
Le Val-de-Guéblange 57 .... 69 E1
Val-de-la-Haye 76 .... 32 A3
Val-de-Mercy 89 .... 136 B1
Val-de-Reuil 27 .... 32 B3
Val-de-Roulans 25 .... 141 F3
Val-de-Saâne 76 .... 15 F2
Val-de-Vesle 51 .... 38 A4
Val-de-Vière 51 .... 65 E3
Val-d'Épy 39 .... 176 B3
Val-d'Isère 73 .... 215 D2
Val-d'Izé 35 .... 80 A4
Val-et-Châtillon 54 .... 95 F1
Val-Louron 65 .... 307 E4
Le Val-Maravel 26 .... 248 B2
Le Val-Saint-Éloi 70 .... 118 B4
Le Val-Saint-Germain 91 .... 86 B1
Le Val-Saint-Père 50 .... 54 A4
Val-Sainte-Marie 25 .... 160 B1
Val-Suzon 21 .... 139 D3
Val-Thorens 73 .... 214 B4
Valady 12 .... 242 A3
Valailles 27 .... 57 F1
Valaire 41 .... 132 A2
Valanjou 49 .... 128 B4
Valaurie 26 .... 247 D3
Valavoire 04 .... 249 E4
Valay 70 .... 140 B3
Valbeleix 63 .... 207 D3
Valbelle 04 .... 267 D1
Valberg 06 .... 269 E1
Valbonnais 38 .... 231 D3

La Valbonne 01 .... 193 E3
Valbonne 06 .... 288 A3
Valbonne (Ancienne Chartreuse de) 30 .... 264 B3
Valcabrère 31 .... 298 C3
Valcanville 50 .... 25 E2
Valcebollère 66 .... 310 C4
Valchevrière (Calvaire de) 38 .... 230 B2
Valcivières 63 .... 208 C2
Valcourt 52 .... 91 F1
Valdahon 25 .... 141 F4
Valdampierre 60 .... 34 A3
Valdeblore 06 .... 289 D1
Valdelancourt 52 .... 116 A1
Valderiès 81 .... 259 F3
Valderoure 06 .... 268 C4
Valdieu-Lutran 68 .... 120 A3
Valdivienne 86 .... 167 D2
Valdoie 90 .... 119 F4
Valdrôme 26 .... 248 B2
Valdurenque 81 .... 278 B2
Valeille 42 .... 209 F1
Valeilles 82 .... 239 D4
Valeins 01 .... 193 D1
Valempoulières 39 .... 160 A3
Valençay 36 .... 151 F1
Valence 26 .... 229 D3
Valence-d'Agen 82 .... 256 C2
Valence-d'Albigeois 81 .... 260 A3
Valence-en-Brie 77 .... 88 A2
Valence-sur-Baïse 32 .... 255 F4
Valenciennes 59 .... 9 F3
Valencin 38 .... 211 E1
Valencogne 38 .... 212 B2
Valennes 72 .... 108 A2
Valensole 04 .... 267 E4
Valentigney 25 .... 142 C2
Valentine 31 .... 299 D2
La Valentine 13 .... 285 D3
Valenton 94 .... 61 E4
Valergues 34 .... 282 A2

Valernes 04 .... 249 E4
Valescourt 60 .... 34 C2
Valescure 83 .... 287 F3
La Valette 38 .... 231 D3
La Valette 42 .... 191 F4
La Valette-du-Var 83 .... 291 F3
Valeuil 24 .... 202 B4
Valeyrac 33 .... 198 C3
Valezan 73 .... 214 C1
Valferrière (Col de) 06 .... 268 C4
Valff 67 .... 97 D1
Valfin-lès-Saint-Claude 39 .... 177 E2
Valfin-sur-Valouse 39 .... 176 C3
Valflaunès 34 .... 263 D4
Valfleury 42 .... 210 A2
Valframbert 61 .... 82 C2
Valfréjus 73 .... 232 C1
Valfroicourt 88 .... 94 A4
Valgorge 07 .... 245 E2
Valhey 54 .... 68 C4
Valhuon 62 .... 7 F2
Valiergues 19 .... 205 F3
Valignat 03 .... 189 E1
Valigny 03 .... 171 E1
Valines 80 .... 17 D1
Valjouffrey 38 .... 231 E3
Valjouze 15 .... 225 E1
La Valla 42 .... 191 D4
La Valla-en-Gier 42 .... 210 B3
Vallabrègues 30 .... 264 B4
Vallabrix 30 .... 264 A2
Vallan 89 .... 113 E4
Vallangoujard 95 .... 60 C1
Vallans 79 .... 164 C4
Vallant-Saint-Georges 10 .... 90 A2
Vallauris 06 .... 288 B3
Valle-d'Alesani 2B 315 F4
Valle-di-Campoloro 2B 315 F4
Valle-di-Mezzana 2A 316 B3
Valle-di-Rostino 2B 315 E3
Valle-d'Orezza 2B 315 F3
Vallecalle 2B 315 E2
La Vallée 17 .... 181 E3

Vallée (Étang de la) 45 .... 111 D2
La Vallée-au-Blé 02 .... 21 D3
Vallée d'Avérole 73 .... 215 E3
La Vallée-Mulâtre 02 .... 20 C1
Vallègue 31 .... 277 E4
Valleiry 74 .... 195 D1
Vallenay 18 .... 153 E4
Vallentigny 10 .... 91 E2
Vallerange 57 .... 69 D2
Vallérargues 30 .... 264 A2
Valleraugue 30 .... 262 B2
Vallères 37 .... 130 B4
Valleret 52 .... 92 A2
Vallereuil 24 .... 220 A2
Vallerois-le-Bois 70 .... 141 E1
Vallerois-Lorioz 70 .... 141 E1
Valleroy 25 .... 141 E3
Valleroy 52 .... 117 E3
Valleroy 54 .... 41 E4
Valleroy-aux-Saules 88 .... 94 B3
Valleroy-le-Sec 88 .... 94 A4
Vallery 89 .... 88 B4
Vallerysthal 57 .... 70 A3
Vallesvilles 31 .... 277 D2
Vallet 44 .... 127 D4
Valletot 27 .... 31 E3
Vallica 2B 314 C3
Vallière 23 .... 187 F3
Vallières 74 .... 195 D3
Vallières 10 .... 114 B2
Vallières-les-Grandes 41 .... 131 F3
Valliguières 30 .... 264 A3
Valliquerville 76 .... 15 E3
Valloire 73 .... 232 A1
Valloires (Abbaye de) 80 .... 6 B3
Vallois 54 .... 95 D2
Les Vallois 88 .... 94 A4
Vallon-en-Sully 03 .... 170 C2
Vallon-Pont-d'Arc 07 .... 246 A3
Vallon-sur-Gée 72 .... 106 B2
Vallorcine 74 .... 197 D1
Vallouise 05 .... 232 B3
Valmagne (Abbaye de) 34 .... 281 D3

VALENCE

Alsace (Bd d') .... DY
Augier (R. Émile) ...... CYZ
Bancel (Bd) .... CY 6
Félix-Faure (Av.) .... DZ
Gaulle (Bd du Gén.) .... CZ 32
Madier-de-Montjau (R.) .... CY 47
République (Pl. de la) .... CZ

Semard (Av. J.-P.) ...... CZ
Victor-Hugo (Av.) ...... CZ

Armée (R. d') .... DY 4
Balais (R. des) .... BCY 5
Barrault (R. J.-L.) .... DY 7
Belle-Image (R.) .... CY 9
Bonaparte (R. du Lieutenant) .... BCY 12
Cardonnel (Pl. L. le) ...... CY 14
Chambaud (R. Mirabel) ... BZ 15

Championnet (Pl.) ...... BCZ 16
Chapeliers (Côte des) .. BY 17
Clerc (Bd M.) .... DZ 22
Clercs (Pl. des) .... BCZ 23
Docteur-Schweitzer (R. du) .... BY 25
Dragonne (Pl. de la) ... DY 26
Dupré de Loire (Av.) ... DY 27
Farre (R. du Gén.) ...... CDZ 29
Huguenel (Pl. Ch.) ...... CY 36
Jacquet (R. V.) .... BZ 37

Jeu-de-Paume (R. du) .. CYZ 39
Leclerc (Pl. Gén.) ...... DY 43
Liberté (Pl. de la) ...... DY 45
Mistral (Pont Frédéric) .. BZ 50
Montalivet (Pl. de) ...... DY 51
Ormeaux (Pl. des) ...... BZ 55
Palais (Pl. du) .... CZ 56
Paré (R. Ambroise) ...... BY 57
Pérollerie (R.) .... BY 59
Petit-Paradis (R.) ...... BY 60
Pierre (Pl. de la) ...... BY 62

Repenties (R. des) ..... BZ 65
St-Didier (R.) .... BCZ 71
St-Estève (Côte) .... BY 72
St-Jacques (Faubourg) .. DY 75
St-Martin (Côte et R.) .. BY 77
St-Nicolas (R.) .... BY 78
Saunière (R.) .... CZ 80
Sylvante (Côte) .... BY 84
Temple (R. du) .... BCY 85
Université (Pl. de l') .. CZ 88
Vernoux (R.) .... CY 90

Valmanya 66 .... 312 B3
Valmascle 34 .... 280 B2
Valmeinier 73 .... 214 B4
Valmestroff 57 .... 41 F2
Valmigère 11 .... 302 C3
Valmondois 95 .... 60 C1
Valmont 76 .... 15 D2
Valmont 57 .... 42 C4
Valmorel 73 .... 214 A2
Valmunster 57 .... 42 B3
Valmy 51 .... 65 E1
Valognes 50 .... 25 D3
Valojoulx 24 .... 221 E2
Valonne 25 .... 142 B3
Valoreille 25 .... 142 B3
Valouse 26 .... 247 F3
Valprionde 46 .... 239 E4
Valprivas 43 .... 209 E4
Valpuiseaux 91 .... 87 D3
Valras-Plage 34 .... 305 D1
Valréas 84 .... 247 E3
Valros 34 .... 280 C4
Valroufié 46 .... 240 A1
Vals 09 .... 301 E4
Vals-le-Chastel 43 .... 208 B4
Vals-les-Bains 07 .... 246 A1
Vals-près-le-Puy 43 .... 227 D2
Valsaintes 04 .... 266 B3
Valsemé 14 .... 30 B4
Valsenestre 38 .... 231 E4
Valserres 05 .... 249 F2
Valsonne 69 .... 192 A3
Le Valtin 88 .... 96 A3
Valuéjols 15 .... 225 D2
Valvignères 07 .... 246 B3
Valz-sous-Châteauneuf 63 .... 208 A3
Valzergues 12 .... 241 F3
Van (Pointe du) 29 .... 72 B3
Vanault-le-Châtel 51 .... 65 E3
Vanault-les-Dames 51 .... 65 F3
Vançais 79 .... 165 F4
Vancé 72 .... 107 F3
La Vancelle 67 .... 96 B2
Vanclans 25 .... 161 D1
Vandeins 01 .... 175 F4
Vandelainville 54 .... 67 F4
Vandelans 70 .... 141 E2
Vandeléville 54 .... 94 A2
Vandélicourt 60 .... 35 E2
Vandenesse 58 .... 156 A3
Vandenesse-en-Auxois 21 .... 138 B4
Vandeuil 51 .... 37 E3
Vandières 51 .... 63 F1
Vandières 54 .... 68 A2
Vandœuvre-lès-Nancy 54 .... 68 A4
Vandoncourt 25 .... 142 C2
Vandré 17 .... 181 E2
Vandrimare 27 .... 32 C3
Vandy 08 .... 39 D2
Les Vanels 48 .... 262 B1
Vanlay 10 .... 114 A2
Vannaire 21 .... 115 D3
Vanne 70 .... 140 C1
Le Vanneau 79 .... 164 B2
Vannecourt 57 .... 69 D2
Vannecrocq 27 .... 31 D3
Vannes 56 .... 101 D4
Vannes-le-Châtel 54 .... 93 E1
Vannes-sur-Cosson 45 .... 110 C4
Vannoz 39 .... 160 A4
Vanosc 07 .... 228 B1
Les Vans 07 .... 245 F3
Vantoux 57 .... 41 F4
Vantoux-et-Longevelle 70 .... 140 C2
Vanves 92 .... 61 D3
Vanvey 21 .... 115 D3
Vanville 77 .... 88 B1
Vanxains 24 .... 219 F1
Vany 57 .... 41 F4
Vanzac 17 .... 200 C3
Vanzay 79 .... 165 F4
Vanzy 74 .... 195 D2
Vaour 81 .... 258 C2
Varacieux 38 .... 212 A4
Varades 44 .... 127 E3
Varages 83 .... 286 A2
Varaignes 24 .... 202 B2
Varaire 46 .... 240 C4
Varaize 17 .... 182 B3
Varambon 01 .... 193 F2
Varanges 21 .... 139 E4
Varangéville 54 .... 68 B4
Varaville 14 .... 29 F3
Varces-Allières-et-Risset 38 .... 230 C2
Vareilles 89 .... 89 D4
Vareilles 71 .... 174 A4
Vareilles 23 .... 168 C4
Varen 82 .... 258 C2
Varengeville-sur-Mer 76 .... 16 A2
Varenguebec 50 .... 25 D4
La Varenne 49 .... 127 D3
Varenne-l'Arconce 71 .... 174 A4
Varenne-Saint-Germain 71 .... 173 F3
La Varenne-Saint-Hilaire 94 .... 61 D3
Varennes 31 .... 277 D3
Varennes 86 .... 149 D4
Varennes 89 .... 113 F3
Varennes 82 .... 258 A4
Varennes 37 .... 150 B2
Varennes 24 .... 220 B4
Varennes 80 .... 18 C1
Varennes-Changy 45 .... 111 F3
Varennes-en-Argonne 55 .... 39 F4
Varennes-Jarcy 91 .... 61 E4
Varennes-le-Grand 71 .... 158 A4
Varennes-lès-Mâcon 71 .... 175 D4
Varennes-lès-Narcy 58 .... 135 E4
Varennes-Saint-Honorat 43 .... 226 B1
Varennes-Saint-Sauveur 71 .... 176 A2
Varennes-sous-Dun 71 .... 174 B4

Varennes-sur-Allier 03 .... 172 B4
Varennes-sur-Amance 52 .... 117 E2
Varennes-sur-Fouzon 36 .... 132 C4
Varennes-sur-Loire 49 .... 129 E4
Varennes-sur-Morge 63 .... 189 F3
Varennes-sur-Seine 77 .... 88 A3
Varennes-sur-Tèche 03 .... 172 C4
Varennes-sur-Usson 63 .... 207 F2
Varennes-Vauzelles 58 .... 154 C2
Varès 47 .... 237 F3
Varesnes 60 .... 35 F1
Varessia 39 .... 176 C1
Varetz 19 .... 222 A1
Varilhes 09 .... 301 D3
Varinfroy 60 .... 62 B1
Variscourt 02 .... 37 F2
Varize 28 .... 109 E1
Varize 57 .... 42 B4
Varmonzey 88 .... 94 B3
Varnéville 55 .... 67 E2
Varneville-Bretteville 76 .... 16 A4
Varney 55 .... 66 A3
Varogne 70 .... 118 B4
Varois-et-Chaignot 21 .... 139 E3
Varouville 50 .... 25 D2
Varrains 49 .... 129 E4
Varreddes 77 .... 62 A2
Vars 16 .... 183 E4
Vars 70 .... 140 A1
Vars 05 .... 250 C1
Vars (Col de) 04 .... 250 C2
Vars-sur-Roseix 19 .... 222 A1
Varsberg 57 .... 42 B4
Varvinay 55 .... 67 D2
Varzay 17 .... 199 D1
Varzy 58 .... 136 A3
Vascœuil 27 .... 32 C2
Vasles 79 .... 165 F2
Vasouy 14 .... 30 B2
Vasperviller 57 .... 70 A3
Vassel 63 .... 189 F4
Vasselay 18 .... 153 E1
Vasselin 38 .... 212 A1
Vassens 02 .... 36 A2
Vasseny 02 .... 36 C3
Vassieux-en-Vercors 26 .... 230 A4
Vassimont-et-Chapelaine 51 .... 64 B4
Vassincourt 55 .... 66 A3
Vassivière (Lac de) 87 .... 187 D4
Vassogne 02 .... 37 D2
Vassonville 76 .... 16 A4
Vassy 89 .... 137 E1
Vassy 14 .... 55 E3
Le Vast 50 .... 25 D2
Vastérival 76 .... 16 A2
Vasteville 50 .... 24 B2
Les Vastres 43 .... 227 F3
Vatan 36 .... 152 A2
Vathiménil 54 .... 95 D1
Vatierville 76 .... 16 C3
Vatilieu 38 .... 212 A4
Vatimont 57 .... 68 C1
Vatry 51 .... 64 C3
Vattetot-sous-Beaumont 76 .... 15 D3
Vattetot-sur-Mer 76 .... 14 C2
Vatteville 27 .... 32 C3
Vatteville-la-Rue 76 .... 15 E4
Vaubadon 14 .... 28 C4
Vauban 71 .... 174 A4
Vaubecourt 55 .... 66 A2
Vaubexy 88 .... 94 B3
Vaucé 53 .... 81 D2
Vaucelles 14 .... 28 C3
Vaucelles (Abbaye de) 59 .... 20 A1
Vaucelles-et-Beffecourt 02 .... 36 C1
Vauchamps 51 .... 63 E3
Vauchamps 25 .... 141 F3
Vauchassis 10 .... 90 A4
Vauchelles 60 .... 35 F1
Vauchelles-lès-Authie 80 .... 18 C1
Vauchelles-lès-Domart 80 .... 17 F1
Vauchelles-les-Quesnoy 80 .... 17 E1
Vauchignon 21 .... 157 F2
Vauchonvilliers 10 .... 91 D4
Vauchoux 70 .... 118 A4
Vauchrétien 49 .... 128 B3
Vauciennes 51 .... 63 F1
Vauciennes 60 .... 35 F4
Vauclaix 58 .... 136 C4
Vauclerc 51 .... 65 E4
Vaucluse 25 .... 142 B3
Vauclusotte 25 .... 142 B3
Vaucogne 10 .... 90 C1
Vauconcourt-Nervezain 70 .... 117 F4
Vaucottes-sur-Mer 76 .... 14 C2
Vaucouleurs 55 .... 93 E1
Vaucourt 54 .... 69 D4
Vaucourtois 77 .... 62 A3
Vaucresson 92 .... 60 C3
Vaudancourt 60 .... 33 E4
Vaudebarrier 71 .... 174 A3
Vaudelnay 49 .... 148 A1
Vaudeloges 14 .... 56 C2
Vaudemanges 51 .... 64 B1
Vaudémont 54 .... 94 A2
Vaudémont (Signal de) 54 .... 94 A2
Vaudes 10 .... 90 B4
Vaudesincourt 51 .... 38 B4
Vaudesson 02 .... 36 C2
Vaudeurs 89 .... 113 E1
Vaudevant 07 .... 228 B2
Vaudeville 88 .... 95 D3
Vaudeville 54 .... 94 B3
Vaudeville-le-Haut 55 .... 93 D2
Vaudherland 95 .... 61 E2
Vaudigny 54 .... 94 B2
Le Vaudioux 39 .... 160 A4
Vaudoncourt 88 .... 93 F4
Vaudoncourt 57 .... 42 B4
Vaudoncourt 55 .... 40 C3

Le Vaudoué 77 .... 87 E3
Vaudoy-en-Brie 77 .... 62 B4
Vaudreching 57 .... 42 B3
Vaudrecourt 52 .... 93 E4
Vaudrémont 52 .... 115 F1
Le Vaudreuil 27 .... 32 B4
Vaudreuille 31 .... 277 F4
Vaudreville 50 .... 25 D3
Vaudrey 39 .... 159 F2
Vaudricourt 80 .... 17 D1
Vaudricourt 62 .... 8 A1
Vaudrimesnil 50 .... 26 C4
Vaudringhem 62 .... 2 C4
Vaudrivillers 25 .... 142 A3
Vaudry 14 .... 55 D3
Vaufrey 25 .... 142 C3
Vaugines 84 .... 266 A4
Vaugneray 69 .... 192 B4
Vaugrigneuse 91 .... 86 C1
Vauhallan 91 .... 60 C4
Vaujany 38 .... 231 E1
Vaujours 93 .... 61 E2
Vaulandry 49 .... 129 E1
Le Vaulmier 15 .... 224 B1
Vaulnaveys-le-Bas 38 .... 230 C1
Vaulnaveys-le-Haut 38 .... 231 D1
Vaulry 87 .... 185 E2
Vault-de-Lugny 89 .... 137 D2
Vaulx 74 .... 195 D3
Vaulx 62 .... 7 D3
Vaulx-en-Velin 69 .... 193 D4
Vaulx-Milieu 38 .... 211 F1
Vaulx-Vraucourt 62 .... 8 B4
Le Vaumain 60 .... 33 F3
Vaumas 03 .... 172 C3
Vaumeilh 04 .... 249 E4
Vaumoise 60 .... 35 F4
Vaumort 89 .... 113 D1
Vaunac 24 .... 203 D4
Vaunaveys-la-Rochette 26 .... 229 E4
Vaunoise 61 .... 83 E3
La Vaupalière 76 .... 32 A2
Vaupillon 28 .... 84 B2
Vaupoisson 10 .... 90 C2
Vauquois 55 .... 39 F4
Vauréal 95 .... 60 B1
Vaureilles 12 .... 241 F3
Vaurezis 02 .... 36 B2
Le Vauroux 60 .... 33 F3
Vausse (Prieuré de) 89 .... 137 E1
Vausseroux 79 .... 165 E2
Vautebis 79 .... 165 E2
Vauthiermont 90 .... 120 A3
Vautorte 53 .... 81 D3
Vauvenargues 13 .... 285 E2
Vauvert 30 .... 282 B1
Vauville 50 .... 24 B2
Vauville 14 .... 30 B3
Vauvillers 80 .... 19 D3
Vauvillers 70 .... 118 A2
Vaux 31 .... 277 E3
Vaux 89 .... 113 E4
Vaux 57 .... 41 E4
Vaux 86 .... 166 A4
Vaux 03 .... 170 C3
Vaux (Château de) 49 .... 105 E3
Vaux-Andigny 02 .... 20 B1
Vaux-Champagne 08 .... 38 C2
Les Vaux de Cernay 78 .... 60 B4
Vaux-devant-Damloup 55 .... 40 B4
Vaux-en-Amiénois 80 .... 18 A2
Vaux-en-Beaujolais 69 .... 192 B2
Vaux-en-Bugey 01 .... 194 A3
Vaux-en-Dieulet 08 .... 39 E2
Vaux-en-Pré 71 .... 174 C1
Vaux-en-Vermandois 02 .... 19 F3
Vaux-et-Chantegrue 25 .... 160 C3
Vaux-la-Douce 52 .... 117 E3
Vaux-la-Grande 55 .... 66 C4
Vaux-la-Petite 55 .... 66 C4
Vaux-Lavalette 16 .... 201 F3
Vaux-le-Moncelot 70 .... 140 C2
Vaux-le-Pénil 77 .... 87 F2
Vaux-le-Vicomte (Château de) 77 .... 87 F1
Vaux-lès-Mouron 08 .... 39 D3
Vaux-lès-Mouzon 08 .... 23 E4
Vaux-lès-Palameix 55 .... 67 D1
Vaux-les-Prés 25 .... 140 C4
Vaux-lès-Rubigny 08 .... 21 F4
Vaux-lès-Saint-Claude 39 .... 177 D3
Vaux-Marquenneville 80 .... 17 E2
Vaux-Montreuil 08 .... 38 C1
Vaux-Rouillac 16 .... 183 D4
Vaux-Saules 21 .... 138 C2
Vaux-sous-Aubigny 52 .... 116 C4
Vaux-sur-Aure 14 .... 28 C3
Vaux-sur-Blaise 52 .... 92 A2
Vaux-sur-Eure 27 .... 59 D1
Vaux-sur-Lunain 77 .... 88 A4
Vaux-sur-Mer 17 .... 198 B1
Vaux-sur-Poligny 39 .... 159 F3
Vaux-sur-Risle 27 .... 57 F3
Vaux-sur-Saint-Urbain 52 .... 92 B3
Vaux-sur-Seine 78 .... 60 B2
Vaux-sur-Seulles 14 .... 29 D3
Vaux-sur-Somme 80 .... 18 C2
Vaux-sur-Vienne 86 .... 149 F3
Vaux-Villaine 08 .... 22 B3
Vauxaillon 02 .... 36 B2
Vauxbons 52 .... 116 B3
Vauxbuin 02 .... 36 B3
Vauxcéré 02 .... 37 D3
Vauxrenard 69 .... 192 B1
Vauxtin 02 .... 36 C3
Vavincourt 55 .... 66 B3
Vavray-le-Grand 51 .... 65 E3
Vavray-le-Petit 51 .... 65 E3
Vaxainville 54 .... 95 E1
Vaxoncourt 88 .... 94 C3

Vaxy 57 .... 68 C2
Vay 44 .... 126 A1
Vaychis 09 .... 310 B1
Vaylats 46 .... 240 B4
Vayrac 46 .... 222 C3
Vayres 33 .... 217 F3
Vayres 87 .... 184 C4
Vayres (Château de) 86 .... 166 B1
Vayres-sur-Essonne 91 .... 87 D2
Vazeilles-Limandre 43 .... 226 C2
Vazeilles-près-Saugues 43 .... 226 B3
Vazerac 82 .... 257 F1
Veauce 03 .... 189 E1
Veauche 42 .... 209 F2
Veauchette 42 .... 209 F2
Veaugues 18 .... 134 C4
Veaunes 26 .... 229 D2
Veauville-lès-Baons 76 .... 15 E3
Veauville-lès-Quelles 76 .... 15 E2
Vèbre 09 .... 310 A1
Vebret 15 .... 206 B4
Vebron 48 .... 262 B1
Vecchio (Pont du) 2B 317 D2
Veckersviller 57 .... 70 A1
Veckring 57 .... 42 A2
Vecoux 88 .... 119 D1
Vecquemont 80 .... 18 C2
Vecqueville 52 .... 92 B2
Védène 84 .... 265 D3
Védrines-Saint-Loup 15 .... 225 F2
Véel 55 .... 66 B3
Végennes 19 .... 222 C3
Vého 54 .... 69 E4
Veigné 37 .... 130 C4
Veigy-Foncenex 74 .... 178 A4
Veilhes 81 .... 277 E2
Veillac 15 .... 206 B3
Veilleins 41 .... 132 C3
Veilly 21 .... 157 F1
Veix 19 .... 205 D3
Velaine-en-Haye 54 .... 68 A3
Velaine-sous-Amance 54 .... 68 B4
Velaines 55 .... 66 C4
Velanne 38 .... 212 B2
Velars-sur-Ouche 21 .... 139 D3
Velaux 13 .... 284 C4
Velennes 80 .... 18 A3
Velennes 60 .... 34 B2
Velesmes 70 .... 140 B2
Velesmes-Essarts 25 .... 140 C4
Velet 70 .... 140 B2
Vélieux 34 .... 279 E4
Vélines 24 .... 219 E4
Vélizy-Villacoublay 78 .... 60 C4
Velle-le-Châtel 70 .... 141 D1
Velle-sur-Moselle 54 .... 94 B1
Vellèches 86 .... 149 F3
Vellechevreux-et-Courbenans 70 .... 142 A1
Velleclaire 70 .... 140 C2
Vellefaux 70 .... 141 E1
Vellefrey-et-Vellefrange 70 .... 140 C2
Vellefrie 70 .... 118 B4
Velleguindry-et-Levrecey 70 .... 141 E1
Velleminfroy 70 .... 118 C4
Vellemoz 70 .... 140 C2
Velleron 84 .... 265 E3
Vellerot-lès-Belvoir 25 .... 142 B3
Vellerot-lès-Vercel 25 .... 142 A3
Velles 36 .... 169 D1
Velles 52 .... 117 E3
Vellescot 90 .... 120 A4
Vellevans 25 .... 142 A3
Vellexon-Queutrey-et-Vaudey 70 .... 140 C1
Velloreille-lès-Choye 70 .... 140 C3
Velluire 85 .... 164 A3
Velogny 21 .... 138 A3
Velone-Orneto 2B 315 F4
Velorcey 70 .... 118 B3
Velosnes 55 .... 40 B1
Velotte-et-Tatignécourt 88 .... 94 B3
Vélu 62 .... 19 E1
Velving 57 .... 42 B3
Vélye 51 .... 64 B3
Velzic 15 .... 224 B3
Vémars 95 .... 61 E1
Venables 27 .... 32 C4
Venaco 2B 317 D1
Venansault 85 .... 145 F4
Venanson 06 .... 289 D2
Venarey-les-Laumes 21 .... 138 A2
Venarsal 19 .... 222 B1
Venas 03 .... 171 D3
Venasque 84 .... 265 F3
Vence 06 .... 269 F4
Vence (Col de) 06 .... 269 F4
Vendargues 34 .... 281 F2
Vendat 03 .... 190 A1
Vendays-Montalivet 33 .... 198 B3
Vendegies-au-Bois 59 .... 9 F3
Vendegies-sur-Écaillon 59 .... 9 F3
Vendeix (Roche) 63 .... 206 C2
Vendel 35 .... 80 A3
La Vendelée 50 .... 53 F1
Vendelles 02 .... 19 F2
Vendémian 34 .... 281 D2
Vendenesse-lès-Charolles 71 .... 174 B3
Vendenesse-sur-Arroux 71 .... 173 F1
Vendenheim 67 .... 71 D2
Vendes 14 .... 29 D4
Vendes 15 .... 206 A4
Vendeuil 02 .... 20 A4
Vendeuil-Caply 60 .... 34 B1
Vendeuvre 14 .... 56 B2
Vendeuvre-du-Poitou 86 .... 149 D4
Vendeuvre-sur-Barse 10 .... 91 D4
Vendeville 59 .... 8 C1
Vendhuile 02 .... 20 A1
Vendières 02 .... 63 D2

Vendin-le-Vieil 62 .... 8 B2
Vendin-lès-Béthune 62 .... 8 A1
Vendine 31 .... 277 E2
Vendœuvres 36 .... 151 E4
Vendoire 24 .... 201 F3
Vendôme 41 .... 108 B4
Vendranges 42 .... 191 E3
Vendrennes 85 .... 146 B3
Vendres 34 .... 305 D1
Vendresse 08 .... 39 D1
Vendresse-Beaulne 02 .... 37 D2
Vendrest 77 .... 62 B1
La Vendue-Mignot 10 .... 114 B3
Vénéjan 30 .... 264 B1
Venelles 13 .... 285 D2
Vénérand 17 .... 181 F4
Vénérieu 38 .... 211 F1
Vénérolles 02 .... 20 C2
Venerque 31 .... 276 C4
Vénès 81 .... 278 A1
Vénès 34 .... 280 B2
Venesmes 18 .... 153 D4
Vénestanville 76 .... 15 F2
Venette 60 .... 35 E2
Veneux-les-Sablons 77 .... 87 F3
Vénevelles (Manoir de) 72 .... 106 C4
Veney 54 .... 95 E1
Vengeons 50 .... 54 C3
Venise 25 .... 141 E3
Venisey 70 .... 118 A3
Vénissieux 69 .... 211 D1
Venizel 02 .... 36 B3
Venizy 89 .... 113 F2
Vennans 25 .... 141 E3
Vennecy 45 .... 110 B2
Vennes 25 .... 142 A4
Vennezey 54 .... 94 C2
Venon 38 .... 231 D1
Venon 27 .... 32 A4
Venosc 38 .... 231 E2
Venouse 89 .... 113 F3
Venoy 89 .... 113 E4
Vensac 33 .... 198 B3
Vensat 63 .... 189 F2
Ventabren 13 .... 284 C2
Ventadour (Ruines de) 19 .... 205 E3
Ventavon 05 .... 249 D3
Ventelay 51 .... 37 E3
Ventenac 09 .... 301 E3
Ventenac-Cabardès 11 .... 302 B1
Ventenac-en-Minervois 11 .... 303 F1
Venterol 26 .... 247 E2
Venterol 04 .... 249 F3
Les Ventes 27 .... 58 C2
Les Ventes-de-Bourse 61 .... 83 D2
Ventes-Saint-Rémy 76 .... 16 B4
Venteuges 43 .... 226 B3
Venthon 73 .... 196 A4
Ventiseri 2B 317 E3
Ventouse 16 .... 184 A3
Ventoux (Mont) 84 .... 265 F1
Ventron 88 .... 119 F2
La Ventrouze 61 .... 83 F1
Venzolasca 2B 315 F3
Ver 50 .... 54 A2
Ver (Chartreuse de la) 83 .... 293 D1
Ver-sur-Launette 60 .... 61 F1
Ver-sur-Mer 14 .... 29 D3
Vérac 33 .... 217 F2
Véranne 42 .... 210 C3
Vérargues 34 .... 282 A1
Véraza 11 .... 302 B3
Verberie 60 .... 35 E3
Verbiesles 52 .... 116 B1
Vercel-Villedieu-le-Camp 25 .... 141 F4
Verchain-Maugré 59 .... 9 F3
Verchaix 74 .... 196 B1
Vercheny 26 .... 247 F1
Les Verchers-sur-Layon 49 .... 148 A1
Verchin 62 .... 7 E1
Verchocq 62 .... 7 D1
Vercia 39 .... 176 B1
Verclause 26 .... 248 A3
Vercoiran 26 .... 248 A4
Vercourt 80 .... 6 B3
Verdaches 04 .... 250 A4
Verdalle 81 .... 278 A3
Verde (Col de) 2B 317 E3
Verdelais 33 .... 236 C2
Verdelles (Château de) 72 .... 106 A3
Verdelot 77 .... 63 D3
Verdenal 54 .... 69 E4
Verderel 60 .... 34 A2
Verderonne 60 .... 34 C3
Verdes 41 .... 109 E2
Verdèse 2B 315 F4
Verdets 64 .... 296 B1
Le Verdier 81 .... 258 C2
La Verdière 83 .... 286 A1
Verdigny 18 .... 135 D3
Verdille 16 .... 183 D3
Verdilly 02 .... 63 D1
Verdon 51 .... 63 E2
Verdon 24 .... 220 B4
Verdon (Grand Canyon du) 04 .... 268 A4
Le Verdon-sur-Mer 33 .... 198 B2
Verdonnet 21 .... 114 C4
Verdun 09 .... 310 A1
Verdun 55 .... 40 B4
Verdun-en-Lauragais 11 .... 278 A4
Verdun-sur-Garonne 82 .... 257 E4
Verdun-sur-le-Doubs 71 .... 158 B3
Verdus (Musée de) 07 .... 246 B1
Vereaux 18 .... 153 F4
Verel-de-Montbel 73 .... 212 C4
Verel-Pragondran 73 .... 213 D1
Véretz 37 .... 131 D2

Verfeil 31 .... 277 D2
Verfeil 82 .... 258 C1
Verfeuil 30 .... 264 A1
Vergaville 57 .... 69 E2
Vergéal 35 .... 104 A1
La Vergenne 70 .... 142 A1
Le Verger 35 .... 102 C1
Le Verger (Château) 49 .... 128 C1
Verger-sur-Dive 86 .... 148 C4
Vergeroux 17 .... 181 D2
Verges 39 .... 176 C1
Vergetot 76 .... 14 C3
Vergezac 43 .... 226 C2
Vergèze 30 .... 282 B1
Vergheas 63 .... 188 B2
Vergies 80 .... 17 E2
Vergigny 89 .... 113 F2
Vergio (Col de) 2B 316 B1
Vergisson 71 .... 175 D4
La Vergne 17 .... 181 F3
Vergné 17 .... 182 B2
Vergoignan 32 .... 273 E1
Vergoncey 50 .... 80 A1
Vergongheon 43 .... 207 F4
Vergonnes 49 .... 104 A4
Vergons 04 .... 268 B3
Vergranne 25 .... 141 F2
Vergt 24 .... 220 C2
Vergt-de-Biron 24 .... 238 C2
Le Verguier 02 .... 19 F2
Véria 39 .... 176 B2
Vérignon 83 .... 286 C1
Vérigny 28 .... 85 D2
Vérin 42 .... 210 C3
Vérines 17 .... 163 F4
Vérissey 71 .... 158 C4
Vérizet 71 .... 175 E3
Verjon 01 .... 176 B3
Verjux 71 .... 158 B3
Verlans 70 .... 142 B1
Verlhac-Tescou 82 .... 258 A3
Verlin 89 .... 112 C2
Verlincthun 62 .... 2 B4
Verlinghem 59 .... 4 C4
Verlus 32 .... 273 E2
Vermand 02 .... 19 F2
Vermandovillers 80 .... 19 D3
Vermelles 62 .... 8 B1
Vermenton 89 .... 136 C1
Vermondans 25 .... 142 B2
Le Vermont 88 .... 96 A1
Vern-d'Anjou 49 .... 127 F1
Vern-sur-Seiche 35 .... 103 E1
Vernais 18 .... 154 A4
Vernaison 69 .... 210 C1
Vernajoul 09 .... 301 D3
Vernancourt 51 .... 65 F3
Vernantes 49 .... 129 F3
Vernantois 39 .... 176 C1
La Vernarède 30 .... 245 E4
Vernas 38 .... 193 F4
Vernassal 43 .... 226 C1
Vernaux 09 .... 310 B1
La Vernaz 74 .... 178 C3
Verne 25 .... 141 F2
Verne (Chartreuse de la) 83 .... 293 D1
Vernègues 13 .... 284 B1
Verneiges 23 .... 170 B4
Le Verneil 73 .... 213 F2
Verneil-le-Chétif 72 .... 107 D4
Verneix 03 .... 171 D3
La Vernelle 36 .... 132 B4
Le Vernet 09 .... 301 D2
Le Vernet 31 .... 276 C4
Le Vernet 04 .... 250 A4
Le Vernet 43 .... 226 C2
Vernet 31 .... 276 C4
Vernet-la-Varenne 63 .... 208 A3
Vernet-les-Bains 66 .... 311 F3
Le Vernet-Sainte-Marguerite 63 .... 207 D2
Verneugheol 63 .... 188 B4
Verneuil 51 .... 63 E1
Verneuil 58 .... 155 F3
Verneuil 18 .... 153 F4
Verneuil 16 .... 184 B3
Verneuil-en-Bourbonnais 03 .... 172 A4
Verneuil-en-Halatte 60 .... 34 C3
Verneuil-Grand 55 .... 40 B1
Verneuil-le-Château 37 .... 149 E2
Verneuil-l'Étang 77 .... 88 A1
Verneuil-Moustiers 87 .... 168 A4
Verneuil-Petit 55 .... 40 B1
Verneuil-sous-Coucy 02 .... 36 B1
Verneuil-sur-Avre 27 .... 58 B4
Verneuil-sur-Igneraie 36 .... 169 F1
Verneuil-sur-Indre 37 .... 150 C2
Verneuil-sur-Seine 78 .... 60 B2
Verneuil-sur-Serre 02 .... 20 C4
Verneuil-sur-Vienne 87 .... 185 E4
Verneusses 27 .... 57 E2
Vernie 72 .... 82 C4
Vernierfontaine 25 .... 160 C1
Vernines 63 .... 207 D1
Vernioz 38 .... 211 D3
Vernix 50 .... 54 B4
Vernoil 49 .... 129 F3
Le Vernois 39 .... 159 F4
Vernois-le-Fol 25 .... 143 D3
Vernois-lès-Belvoir 25 .... 142 B3
Vernois-lès-Vesvres 21 .... 139 E1
Vernois-sur-Mance 70 .... 117 F3
Vernols 15 .... 225 D1
Vernon 27 .... 59 E1
Vernon 07 .... 245 F3
Vernon 86 .... 166 C3
Vernonvilliers 10 .... 91 E3

VERSAILLES

Carnot (R.) .... Y
Clemenceau (R. Georges) .... Y 7
États-Généraux (R. des) .. Z
Foch (R. du Mar.) .... XY
Hoche (R.) .... Y
Leclerc (R. du Gén.) .... Z 24
Orangerie (R. de l') .... YZ
Paroisse (R. de la) .... Y
Royale (R.) .... Z
Satory (R. de) .... YZ 42
Vieux-Versailles (R. du) . YZ 47
Chancellerie (R. de la) ... Y 3
Chantiers (R. des) .... Z 5
Cotte (R. Robert-de) .... Y 10
Europe (Av. de l') .... Y 14
Gambetta (Pl.) .... Y 17
Gaulle (Av. Gén.-de) .... YZ 18
Indép. Américaine (R. de l') Y 20
Mermoz (R. Jean) .... Z 27
Nolhac (R. Pierre-de) .... Y 31
Porte de Buc (R. de la) .. Z 34
Rockefeller (Av.) .... Y 37

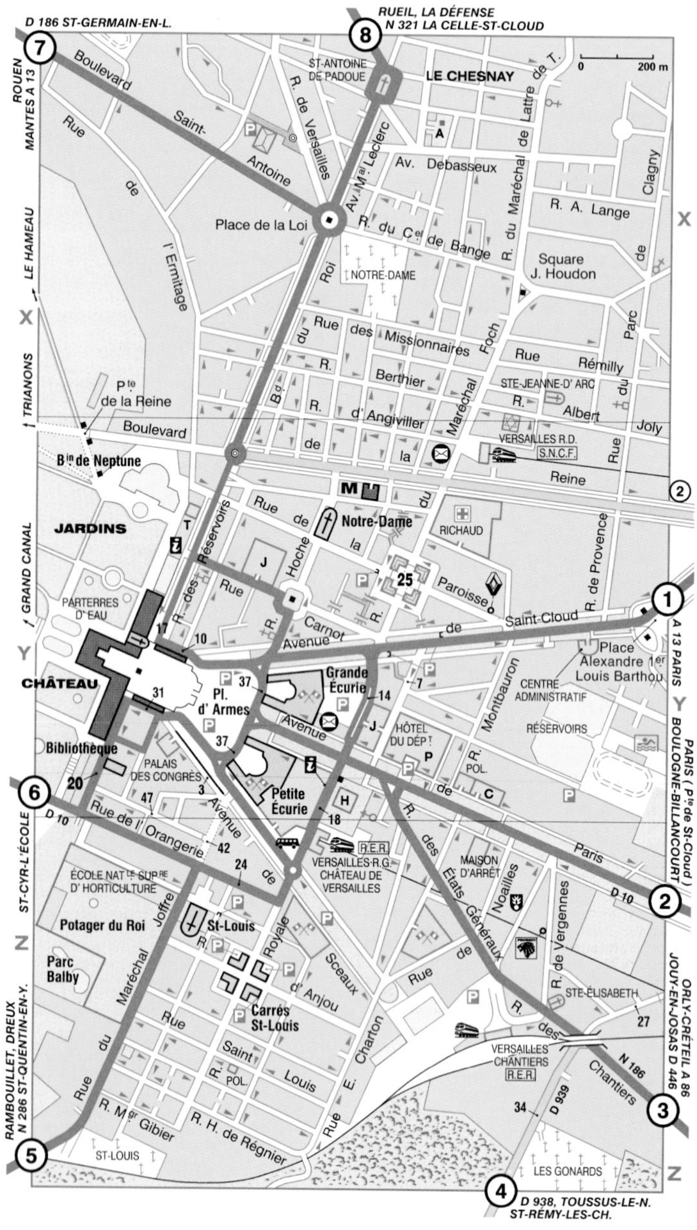

Villarceaux (Château de) *95* . . 59 F1
Villard *23* 169 D4
Le Villard *48* 243 F3
Villard *74* 178 B4
Villard-Bonnot *38* 213 D4
Villard-de-Lans *38* 230 B2
Villard-d'Héry *73* 213 E2
Villard-Léger *73* 213 F2
Villard-Notre-Dame *38* 231 E2
Villard-Reculas *38* 231 E1
Villard-Reymond *38* 231 E2
Villard-Saint-Christophe *38*. . 231 D2
Villard-Saint-Pancrace *05* . . . 232 C3
Villard-Saint-Sauveur *39* . . . 177 E3
Villard-Sallet *73* 213 E2
Villard-sur-Bienne *39* 177 E2
Villard-sur-Doron *73* 196 B4
Villardebelle *11* 302 C3
Villardonnel *11* 278 B4
Villards-d'Héria *39* 177 D3
Les Villards-sur-Thônes *74* . . 196 A3
Villarembert *73* 213 F4
Villargent *70* 142 A1
Villargoix *21* 137 F4
Villargondran *73* 214 A4
Villariès *31* 276 C1
Villarlurin *73* 214 B2
Villarodin-Bourget *73* 214 C4
Villaroger *73* 215 D1
Villaroux *73* 213 E2
Le Villars *71* 175 E2
Villars *28* 85 E4
Villars *84* 266 A3
Villars *42* 210 A3
Villars *24* 202 C3
Villars (Grottes de) *24* 202 C3
Villars-Colmars *04* 268 B1
Villars-en-Azois *52* 115 F1
Villars-en-Pons *17* 199 E1
Villars-et-Villenotte *21* 138 A2
Villars-le-Pautel *70* 117 F2
Villars-le-Sec *90* 143 D2
Villars-lès-Blamont *25* 142 C2
Villars-les-Bois *17* 182 B4
Villars-les-Dombes *01* 193 E3
Villars-Saint-Georges *25* 160 A1
Villars-Saint-Marcellin *52* . . . 117 F2
Villars-Santenoge *52* 116 A4
Villars-sous-Dampjoux *25* . . . 142 B3
Villars-sous-Écot *25* 142 B2
Villars-sur-Var *06* 269 F3
Villarzel-Cabardès *11* 302 C1
Villarzel-du-Razès *11* 302 B2
Villasavary *11* 301 F1
Villate *31* 276 B3
Villaudric *31* 258 A4
Villautou *11* 301 D2
Villavard *41* 108 B4
Villaz *74* 195 E2
Ville *60* 35 F1
La Ville *69* 191 F1
Villé *67* 96 B1
Ville-au-Montois *54* 41 D2
Ville-au-Val *54* 68 A2
La Ville-aux-Bois *10* 91 E2
La Ville-aux-Bois-
   lès-Pontavert *02* 37 E2
La Ville-aux-Clercs *41* 108 C3
La Ville-aux-Dames *37* 131 D3
La Ville-aux-Nonains *28* 84 C1
Ville-d'Avray *92* 60 C3
Ville-devant-Belrain *55* 66 C2
Ville-devant-Chaumont *55* . . 40 B3
Ville-di-Paraso *2B* 314 C3
Ville-di-Pietrabugno *2B* 315 F1
La Ville-Dieu-du-Temple *82*. . 257 F2
Ville-Dommange *51* 37 E4
La Ville-du-Bois *91* 86 C1
Ville-du-Pont *25* 161 E2
Ville-en-Blaisois *52* 92 A2
Ville-en-Sallaz *74* 196 A1
Ville-en-Selve *51* 64 B1
Ville-en-Tardenois *51* 37 E4
Ville-en-Vermois *54* 68 B4
Ville-en-Woëvre *55* 40 C4
La Ville-ès-Nonais *35* 78 C1
Ville-Houdlémont *54* 40 C1
Ville-Issey *55* 67 D4
Ville-la-Grand *74* 195 E3
Ville-Langy *58* 155 E3
Ville-le-Marclet *80* 18 A1
Ville-Saint-Jacques *77* 88 A3
Ville-Savoye *02* 37 D3
Ville-sous-Anjou *38* 211 D3
La Ville-sous-Orbais *51* 63 E2
Ville-sous-la-Ferté *10* 115 F1
Ville-sur-Ancre *80* 18 C2
Ville-sur-Arce *10* 115 D1
Ville-sur-Cousances *55* 66 B1
Ville-sur-Illon *88* 94 B4
Ville-sur-Jarnioux *69* 192 B3
Ville-sur-Lumes *08* 22 C3
Ville-sur-Retourne *08* 38 B2
Ville-sur-Saulx *55* 66 A4
Ville-sur-Terre *10* 91 F3
Ville-sur-Tourbe *51* 39 D4
Ville-sur-Yron *54* 41 D4
Villeau *28* 85 F4
Villebadin *61* 56 C3
Villebarou *41*. 132 A1
Villebaudon *50* 54 B2
Villebazy *11* 302 B3
Villebéon *77* 88 A4
Villebernier *49* 129 E4
Villeberny *21* 138 B2
Villebichot *21* 158 B1
Villeblevin *89* 88 B3
Villebois *01* 194 A3

Villebois-Lavalette *16* 201 F3
Villebois-les-Pins *26* 248 C4
Villebon *28* 84 C3
Villebon-sur-Yvette *91* 60 C4
Villebougis *89* 88 C4
Villebourg *37* 130 B1
Villebout *41* 108 C2
Villebramar *47* 238 A2
Villebret *03* 171 D4
Villebrumier *82* 258 A4
Villecelin *18* 152 C4
Villecerf *77* 88 A3
Villechantria *39* 176 B3
Villechauve *41* 131 E1
Villechenève *69* 192 A4
Villechétif *10* 90 B3
Villechétive *89* 113 E1
Villechien *50* 80 C1
Villecien *89* 112 C2
Villécloye *55* 40 A1
Villecomtal *12* 242 B3
Villecomtal-sur-Arros *32* . . . 274 A4
Villecomte *21* 139 D2
Villeconin *91* 86 C2
Villecourt *80* 19 E3
Villecresnes *94* 61 E4
Villecroze *83* 286 C2
Villedaigne *11* 303 F1
La Villedieu *23* 205 D1
Villedieu *15* 225 E3
Villedieu *84* 247 E4
La Villedieu *48* 244 B1
La Villedieu *17* 182 C2
Villedieu *21* 114 C3
Les Villedieu *25* 160 C4
La Villedieu-du-Clain *86* 166 B3
La Villedieu-en-Fontenette *70* 118 B3
Villedieu-la-Blouère *49* 146 C1
Villedieu-le-Château *41* 107 F4
Villedieu-lès-Bailleul *61* 56 C3
Villedieu-les-Poêles *50* 54 B3
Villedieu-sur-Indre *36* 151 F3
Villedômain *37* 151 D2
Villedômer *37* 131 D2
Villedoux *17* 163 F4
Villedubert *11* 302 C1
Villefagnan *16* 183 E2
Villefargeau *89* 113 E4
Villefavard *87* 185 F1
Villeferry *21* 138 A2
Villefloure *11* 302 C2
Villefollet *79* 182 C1
Villefontaine *38* 211 E1
Villefort *48* 245 D3
Villefort *11* 301 F4
Villefranche-d'Albigeois *81* . . 259 F4
Villefranche-d'Allier *03* 171 E3
Villefranche-de-Conflent *66* . . 311 E3
Villefranche-de-Lauragais *31* 277 D4
Villefranche-de-Lonchat *24* . . 219 E3
Villefranche-de-Panat *12* . . . 260 B2
Villefranche-de-Rouergue *12* 241 E4
Villefranche-du-Périgord *24* . 239 E2
Villefranche-du-Queyran *47* . 237 E4
Villefranche-le-Château *26* . . 266 B1
Villefranche-Saint-Phal *89*. . . 112 B2
Villefranche-sur-Cher *41* . . . 132 C4
Villefranche-sur-Mer *06* 288 C2
Villefranche-sur-Saône *69* . . 192 C2
Villefrancœur *41* 108 C4
Villefrancon *70* 140 C2
Villefranque *65* 273 F3
Villefranque *64* 270 C3
Villegagnon *77* 62 C4
Villegailhenc *11* 302 B1
Villegardin *89* 112 B1
Villegats *27* 59 E2
Villegats *16* 183 F2
Villegaudin *71* 158 C4
Villegenon *18* 134 B3
Villegly *11* 302 C1
Villegongis *36* 151 F3
Villegouge *33* 218 B3
Villegouin *36* 151 E2
Villegruis *77* 89 D1
Villegusien *52* 116 C4
Villehardouin *10* 90 C2
Villeherviers *41* 133 D3
Villejésus *16* 183 E3
Villejoubert *16* 183 F3
Villejuif *94* 61 D3
Villejust *91* 60 C4
Villelaure *84* 285 D1
Villeloin-Coulangé *37* 151 D1
Villelongue *65* 297 E3
Villelongue-d'Aude *11* 302 A3
Villelongue-
   de-la-Salanque *66* 313 D1
Villelongue-dels-Monts *66* . . 313 D3
Villeloup *10* 90 A3
Villemade *82* 257 F2
Villemagne *11* 278 A4
Villemagne-l'Argentière *34* . . 280 A2
Villemain *79* 183 D2
Villemandeur *45* 111 F2
Villemanoche *89* 88 C3
Villemaréchal *77* 88 A4
Villemareuil *77* 62 A2
Villematier *31* 258 A4
Villembits *65* 298 B1
Villembray *60* 33 F2
Villemer *89* 113 D3
Villemer *77* 88 A3
Villemereuil *10* 90 B4
Villemervry *52* 116 B2
Villemeux-sur-Eure *28* 59 D4

Villemoirieu *38* 193 F4
Villemoiron-en-Othe *10* 89 F4
Villemoisan *49* 127 F2
Villemoisson-sur-Orge *91* . . . 61 D4
Villemolaque *66* 313 D3
Villemomble *93* 61 E3
Villemontais *42* 191 D3
Villemontoire *02* 36 B3
Villemorien *10* 114 C1
Villemorin *17* 182 C2
Villemoron *52* 116 B4
Villemort *86* 167 E2
Villemotier *01* 176 A3
Villemoustaussou *11* 302 C1
Villemoutiers *45* 111 E2
Villemoyenne *10* 90 C4
Villemur *01* 298 C1
Villemur-sur-Tarn *31* 258 A4
Villemurlin *45* 134 A1
Villemus *04* 266 C4
Villenauxe-la-Grande *10* 89 E1
Villenauxe-la-Petite *77* 88 C3
Villenave *40* 253 E2
Villenave-de-Rions *33*. 236 B1
Villenave-d'Ornon *33* 217 E4
Villenave-près-Béarn *65* 273 E4
Villenave-près-Marsac *65* . . . 273 F4
Villenavotte *89* 88 C4
Villeneuve *04* 267 D3
Villeneuve *33* 217 E2
Villeneuve *12* 241 E3
Villeneuve *09* 299 F4
La Villeneuve *23* 188 A3
Villeneuve *01* 192 C2
La Villeneuve *71* 158 C2
La Villeneuve-au-Châtelot *10* . 89 E1
La Villeneuve-au-Chemin *10* . 113 F1
La Villeneuve-au-Chêne *10* . . 90 C4
La Villeneuve-Bellenoye-
   et-la-Maize *70* 118 B4
Villeneuve-d'Allier *43* 226 A1
Villeneuve-d'Amont *25* 160 B2
Villeneuve-d'Ascq *59* 4 C4
Villeneuve-d'Aval *39* 159 F2
Villeneuve-de-Berg *07* 246 B2
Villeneuve-de-Duras *47* 237 F1
Villeneuve-de-la-Raho *66* . . . 313 D2
Villeneuve-de-Marc *38* 211 E2
Villeneuve-de-Marsan *40* . . . 254 B4
Villeneuve-de-Mézin *47* 255 E3
Villeneuve-de-Rivière *31* . . . 299 D2
Villeneuve-d'Entraunes *06* . . 269 E1
Villeneuve-des-Escaldes *66* . . 310 C3
Villeneuve-d'Olmes *09* 301 E4
Villeneuve-du-Bosc *09* 301 D3
Villeneuve-du-Latou *09* 300 C1
Villeneuve-du-Paréage *09* . . 301 D2
La Villeneuve-en-Chevrie *78* . 59 E2
Villeneuve-en-Montagne *71* . 157 F4
Villeneuve-Frouville *41* 109 D4
Villeneuve-la-Comptal *11* . . . 301 F1
Villeneuve-la-Comtesse *17* . . 182 B1
Villeneuve-la-Dondagre *89* . . 112 B1
Villeneuve-la-Garenne *92* . . . 61 D2
Villeneuve-la-Guyard *89* 88 B3
Villeneuve-la-Lionne *51* 63 D4
Villeneuve-la-Rivière *66* 312 C2
Villeneuve-la-Salle *05* 232 B2
Villeneuve-l'Archevêque *89* . . 89 E4
Villeneuve-le-Comte *77* 62 A3
Villeneuve-le-Roi *94* 61 D4
Villeneuve-Lécussan *31* 298 C2
Villeneuve-Lembron *63* 207 F3
Villeneuve-lès-Avignon *30* . . 264 C3
Villeneuve-lès-Béziers *34* . . . 305 D1
Villeneuve-les-Bordes *77* . . . 88 B2
Villeneuve-lès-Bouloc *31* . . . 276 C1
Villeneuve-les-Cerfs *63* 190 A2
La Villeneuve-
   lès-Charleville *51* 63 E3
Villeneuve-lès-Charnod *39* . . 176 B3
La Villeneuve-les-Convers *21* 138 B1
Villeneuve-les-Corbières *11* . 303 E3
Villeneuve-les-Genêts *89* . . . 112 B4
Villeneuve-lès-Maguelone *34* 281 F3
Villeneuve-lès-Montréal *11* . . 302 A2
Villeneuve-les-Sablons *60* . . . 34 A4
Villeneuve-Loubet *06* 288 B2
Villeneuve-Loubet-Plage *06* . 288 B2
Villeneuve-Minervois *11* 302 C1
Villeneuve-Renneville-
   Chevigny *51* 64 B2
Villeneuve-Saint-Denis *77* . . . 61 F3
Villeneuve-Saint-Georges *94* . 61 D4
Villeneuve-Saint-Germain *02* . 36 B3
Villeneuve-Saint-Nicolas *28* . 85 E4
Villeneuve-Saint-Salves *89* . . 113 E3
Villeneuve-Saint-Vistre-
   et-Villevotte *51* 89 F1
Villeneuve-
   sous-Dammartin *77* 61 E2
Villeneuve-sous-Pymont *39* . 159 E4
La Villeneuve-sous-Thury *60* . 35 F4
Villeneuve-sur-Allier *03* 172 A1
Villeneuve-sur-Auvers *91* . . . 86 C2
Villeneuve-sur-Bellot *77* 62 C3
Villeneuve-sur-Cher *18* 153 D2
Villeneuve-sur-Conie *45* 109 F2
Villeneuve-sur-Fère *02* 36 C4
Villeneuve-sur-Lot *47* 238 C3
Villeneuve-sur-Tarn *81* 260 A3
Villeneuve-sur-Verberie *60* . . 35 D3
Villeneuve-sur-Vère *81* 259 D3
Villeneuve-
   sur-Vingeanne *21* 140 A1
Villeneuve-sur-Yonne *89* . . . 112 C1
Villeneuve-Tolosane *31* 276 B3
Villeneuvette *34* 280 C2

Villennes-sur-Seine *78* 60 B2
Villenouvelle *31* 277 D4
Villenouvelle *17* 182 B1
Villenoy *77* 62 A2
Villentrois *36* 151 E1
Villeny *41* 132 C1
Villepail *53* 82 A2
Villeparisis *77* 61 E2
Villeparois *70* 118 B4
Villeperdrix *26* 248 A3
Villeperdue *37* 130 C4
Villeperrot *89* 88 C4
Villepinte *93* 61 E2
Villepinte *11* 302 A1
Villeporcher *41* 131 E1
Villepot *44* 104 A3
Villepreux *78* 60 B3
Villequier *76* 15 E4
Villequier-Aumont *02* 20 A4
Villequiers *18* 154 A2
Viller *57* 69 D1
Villerable *41* 108 B4
Villerbon *41* 132 A1
Villeréal *47* 238 C2
Villereau *59* 10 A3
Villereau *45* 110 B1
Villerest *42* 191 E2
Villeret *10* 91 E2
Villeret *02* 20 A2
Villereversure *01* 194 A1
Villermain *41* 109 E3
Villeromain *41* 108 C4
Villeron *95* 61 E1
Villerouge-la-Crémade *11* . . . 303 E2
Villerouge-Termenès *11* 303 D3
Villeroy *80* 17 E2
Villeroy *77* 61 F2
Villeroy *89* 112 C1
Villeroy-sur-Méholle *55* 93 D1
Villers *42* 191 F1
Villers *88* 94 B3
Villers-Agron-Aiguizy *02* . . . 37 D4
Villers-Allerand *51* 37 F4
Villers-au-Bois *62* 8 A2
Villers-au-Flos *62* 19 E1
Villers-au-Tertre *59* 9 D3
Villers-aux-Bois *51* 64 A2
Villers-aux-Érables *80* 18 C3
Villers-aux-Nœuds *51* 37 F4
Villers-aux-Vents *55* 66 A3
Villers-Bocage *14* 55 E1
Villers-Bocage *80* 18 B2
Villers-Bouton *70* 141 D2
Villers-Bretonneux *80* 18 C3
Villers-Brûlin *62* 7 F2
Villers-Buzon *25* 140 C1
Villers-Campsart *80* 17 E3
Villers-Canivet *14* 56 A2
Villers-Carbonnel *80* 19 E3
Villers-Cernay *08* 23 E4
Villers-Châtel *62* 8 A2
Villers-Chemin-
   et-Mont-lès-Étrelles *70* . . 140 C2
Villers-Chief *25* 142 A4
Villers-Cotterêts *02* 36 A4
Villers-devant-Dun *55* 39 F2
Villers-devant-le-Thour *08*. . . 37 F1
Villers-devant-Mouzon *08* . . . 23 E4
Villers-Écalles *76* 15 F4
Villers-en-Argonne *51* 65 F1
Villers-en-Arthies *95* 59 F1
Villers-en-Cauchies *59* 9 E4
Villers-en-Haye *54* 68 A3
Villers-en-Ouche *61* 57 E4
Villers-en-Prayères *02* 37 D3
Villers-en-Vexin *27* 33 D4
Villers-Farlay *39* 159 F2
Villers-Faucon *80* 19 F2
Villers-Franqueux *51* 37 E3
Villers-Grélot *25* 141 E3
Villers-Guislain *59* 19 F1
Villers-Hélon *02* 36 B4
Villers-la-Chèvre *54* 40 C1
Villers-la-Combe *25* 142 A4
Villers-la-Faye *21* 158 A1
Villers-la-Montagne *54* 41 D1
Villers-la-Ville *70* 142 A1
Villers-le-Château *51* 63 F1
Villers-le-Lac *25* 161 F1
Villers-le-Rond *54* 40 B2
Villers-le-Sec *70* 141 E1
Villers-le-Sec *51* 65 F3
Villers-le-Sec *02* 20 B3
Villers-le-Sec *55* 92 C1
Villers-le-Tilleul *08* 22 C4
Villers-le-Tourneur *08* 22 B4
Villers-les-Bois *39* 159 E2
Villers-lès-Cagnicourt *62* 8 C4
Villers-lès-Guise *02* 20 C2
Villers-lès-Luxeuil *70* 118 C3
Villers-lès-Mangiennes *55* . . . 40 B2
Villers-lès-Moivrons *54* 68 B3
Villers-lès-Nancy *54* 68 A4
Villers-les-Ormes *36* 151 F3
Villers-les-Pots *21* 139 F4
Villers-lès-Roye *80* 19 D4
Villers-l'Hôpital *62* 7 F4
Villers-Marmery *51* 64 B1
Villers-Outréaux *59* 20 A1
Villers-Pater *70* 141 E2
Villers-Patras *21* 115 D2
Villers-Plouich *59* 19 F1
Villers-Pol *59* 9 F3
Villers-Robert *39* 159 E2
Villers-Rotin *21* 159 F4
Villers-Saint-Barthélemy *60* . . 34 A3
Villers-Saint-Christophe *02*. . . 19 F3
Villers-Saint-Frambourg *60*. . . 35 D4
Villers-Saint-Genest *60* 62 A1
Villers-Saint-Martin *25* 141 F3

Villers-Saint-Paul *60* 34 C3
Villers-Saint-Sépulcre *60* 34 B3
Villers-Semeuse *08* 22 C3
Villers-Sir-Simon *62* 7 F3
Villers-Sire-Nicole *59* 10 C1
Villers-sous-Ailly *80* 17 F1
Villers-sous-Chalamont *25* . . 160 B3
Villers-sous-Châtillon *51* 63 F1
Villers-sous-Foucarmont *76* . . 17 D3
Villers-sous-Montrond *25* . . . 160 B1
Villers-sous-Pareid *55* 41 D4
Villers-sous-Prény *54* 67 F2
Villers-sous-Saint-Leu *60* . . . 34 C4
Villers-Stoncourt *57* 68 C1
Villers-sur-Auchy *60* 33 E2
Villers-sur-Authie *80* 6 B3
Villers-sur-Bar *08* 23 D4
Villers-sur-Bonnières *60* 33 F1
Villers-sur-Coudun *60* 35 D2
Villers-sur-Fère *02* 36 C4
Villers-sur-le-Mont *08* 22 C4
Villers-sur-le-Roule *27* 32 C4
Villers-sur-Mer *14* 30 A3
Villers-sur-Meuse *55* 66 C1
Villers-sur-Nied *57* 68 C2
Villers-sur-Port *70* 118 A4
Villers-sur-Saulnot *70* 142 B1
Villers-sur-Trie *60* 33 F3
Villers-Tournelle *80* 18 C4
Villers-Vaudey *70* 117 F4
Villers-Vermont *60* 33 E1
Villers-Vicomte *60* 18 A4
Villerserine *39* 159 F3
Villersexel *70* 142 A1
Villerupt *54* 41 D1
Villerville *14* 30 B2
Villery *10* 90 A4
Villes *01* 194 C1
Villes-sur-Auzon *84* 265 F2
Villesalem
   (Ancien prieuré de) *86* . . . 167 F2
Villeselve *60* 19 F4
Villeseneux *51* 64 B3
Villesèque *46* 239 F2
Villesèque-des-Corbières *11* . 303 F3
Villesèquelande *11* 302 B1
Villesiscle *11* 302 A1
Villespassans *34* 279 F4
Villespy *11* 302 A1
Villetaneuse *93* 61 D2
La Villetelle *23* 188 A3
Villethierry *89* 88 B4
Villeton *47* 237 F4
Villetoureix *24* 202 A4
Villetritouls *11* 302 C2
Villetrun *41* 108 C4
La Villette *14* 55 F2
Villette *78* 59 F2
Villette *54* 40 B1
Villette *73* 214 B1
Villette-d'Anthon *38* 193 E4
Villette-de-Vienne *38* 211 D2
Villette-lès-Arbois *39* 159 F2
Villette-lès-Dole *39* 159 E1
Villette-sur-Ain *01* 193 F2
Villette-sur-Aube *10* 90 B1
Les Villettes *43* 227 F1
Villettes *27* 32 A4
Villeurbanne *69* 193 D4
Villevallier *89* 112 C2
Villevaudé *77* 61 F2
Villevenard *51* 63 F3
Villevêque *49* 128 C1
Villevérac *34* 281 D3
Villeveyrac *34* 281 D3
Villevieille *04* 269 D3
Villevieille *30* 282 A1
Villevieux *39* 159 E4
Villevocance *07* 228 B1
Villevoques *45* 111 E2
Villexanton *41* 109 E4
Villexavier *17* 199 F3
Le Villey *39* 159 E3
Villey-le-Sec *54* 67 F4
Villey-Saint-Étienne *54* 67 F3
Villey-sur-Tille *21* 139 E1
Villez-sous-Bailleul *27* 59 D1
Villez-sur-le-Neubourg *27* . . . 31 F4
Villié-Morgon *69* 192 B1
Villiers *36* 151 D3
Villiers *86* 166 A1
Villiers-Adam *95* 60 C1
Villiers-au-Bouin *37* 130 A1
Villiers-aux-Bois *52* 92 A1
Villiers-aux-Chênes *52* 91 F3
Villiers-aux-Corneilles *51* . . . 89 E1
Villiers-Charlemagne *53* 105 D2
Villiers-Couture *17* 183 D2
Villiers-en-Bière *77* 87 E2
Villiers-en-Bois *79* 182 B1
Villiers-en-Désœuvre *27* 59 E2
Villiers-en-Lieu *52* 65 F4
Villiers-en-Morvan *21* 157 D2
Villiers-en-Plaine *79* 164 C3
Villiers-Fossard *50* 27 E4
Villiers-Herbisse *10* 90 B1
Villiers-le-Bâcle *91* 60 C4
Villiers-le-Bel *95* 61 D2
Villiers-le-Bois *10* 114 B2
Villiers-le-Duc *21* 115 E3
Villiers-le-Mahieu *78* 60 A3
Villiers-le-Morhier *28* 85 E1
Villiers-le-Pré *50* 80 A1
Villiers-le-Roux *16* 183 E2
Villiers-le-Sec *95* 61 D1
Villiers-le-Sec *14* 29 D3
Villiers-le-Sec *52* 116 A1
Villiers-le-Sec *58* 136 A3
Villiers-lès-Aprey *52* 116 B4
Villiers-les-Hauts *89* 114 B4

Villiers-Louis *89* 89 D4
Villiers-Saint-Benoît *89* 112 C4
Villiers-Saint-Denis *02* 62 C2
Villiers-Saint-Frédéric *78* . . . 60 A3
Villiers-Saint-Georges *77* . . . 89 D1
Villiers-Saint-Orien *28* 109 E1
Villiers-sous-Grez *77* 87 E3
Villiers-sous-Mortagne *61* . . . 83 F1
Villiers-sous-Praslin *10* 114 C1
Villiers-sur-Chizé *79* 182 C1
Villiers-sur-Loir *41* 108 B4
Villiers-sur-Marne *94* 61 E3
Villiers-sur-Marne *52* 92 B3
Villiers-sur-Morin *77* 62 A3
Villiers-sur-Orge *91* 87 D1
Villiers-sur-Seine *77* 89 D2
Villiers-sur-Suize *52* 116 A2
Villiers-sur-Tholon *89* 113 D3
Villiers-sur-Yonne *58* 136 B3
Villiers-Vineux *89* 113 F2
Villiersfaux *41* 108 B4
Villieu-Loyes-Mollon *01* 193 F3
Villing *57* 42 B3
Villognon *16* 183 E3
Villon *89* 114 B3
Villoncourt *88* 95 D3
Villons-les-Buissons *14* 29 E4
Villorceau *45* 109 F4
Villosanges *63* 188 B3
Villotran *60* 34 A3
Villotte *88* 117 E1
La Villotte *89* 112 C4
Villotte-devant-Louppy *55* . . . 66 A2
Villotte-Saint-Seine *21* 138 C2
Villotte-sur-Aire *55* 66 C3
Villotte-sur-Ource *21* 115 E3
Villouxel *88* 93 D3
Villuis *77* 89 D3
Villy *08* 39 F1
Villy *89* 113 F3
Villy-Bocage *14* 55 E1
Villy-en-Auxois *21* 138 B3
Villy-en-Trodes *10* 90 C4
Villy-le-Bas *76* 16 C2
Villy-le-Bois *10* 114 B3
Villy-le-Bouveret *74* 195 E2
Villy-le-Maréchal *10* 90 B4
Villy-le-Moutier *21* 158 B2
Villy-le-Pelloux *74* 195 E2
Villy-lez-Falaise *14* 56 B2
Vilory *70* 118 B4
Vilosnes *55* 40 A3
Vilsberg *57* 70 B2
Vimarcé *53* 82 A4
Vimenet *12* 243 D4
Viménil *88* 95 D3
Vimines *73* 213 D2
Vimont *14* 56 B1
Vimory *45* 111 F2
Vimoutiers *61* 57 D2
Vimpelles *77* 88 C2
Vimy *62* 8 B2
Vinaigre (Mont) *83* 287 F2
Vinantes *71* 61 F2
Vinassan *11* 304 C1
Vinax *17* 182 C2
Vinay *38* 230 A1
Vinay *51* 64 A2
Vinça *66* 311 F2
Vincelles *51* 63 E1
Vincelles *89* 113 E4
Vincelles *71* 176 A1
Vincelles *39* 176 B1
Vincelottes *89* 113 E4
Vincennes *94* 61 D3
Vincent *39* 159 E4
Vincey *88* 94 C3
Vincly *62* 7 D1
Vincy-Manœuvre *77* 62 A1
Vincy-Reuil-et-Magny *02* . . . 21 E4
Vindecy *71* 173 F3
Vindefontaine *50* 25 D4
Vindelle *16* 201 E3
Vindey *51* 63 F4
Vindrac-Alayrac *81* 259 D2
Vinets *10* 90 C1
Vineuil *36* 151 F3
Vineuil *41* 132 A1
Vineuil-Saint-Firmin *60* 34 C4
La Vineuse *71* 174 C2
Vinezac *07* 246 A2
Vingrau *66* 303 E4
Vingt-Hanaps *61* 82 C2
Vinnemerville *76* 15 D2
Vinneuf *89* 88 B3
Vinon *18* 135 D4
Vinon-sur-Verdon *83* 285 F1
Vins-sur-Caramy *83* 286 B3
Vinsobres *26* 247 F2
Le Vintrou *81* 278 C3
Vinzelles *71* 175 D4
Vinzelles *63* 190 A3
Vinzier *74* 178 C2
Vinzieux *07* 210 C4
Viocourt *88* 93 F3
Viodos-Abense-de-Bas *64* . . . 295 F1
Violaines *62* 8 B1
Violay *42* 192 A3
Violès *84* 265 D1
Violot *52* 117 D4
Viols-en-Laval *34* 281 E1
Viols-le-Fort *34* 281 E1
Vioménil *88* 118 B3
Vion *72* 106 A3
Vion *07* 228 C2
Vions *73* 194 C3
Vionville *57* 67 F1
Viozan *32* 274 C4
Viplaix *03* 170 B3
Vira *09* 301 E3

Vira 66 .... 311 F1
Virac 81 .... 259 D3
Virandeville 50 .... 24 B2
Virargues 15 .... 225 D2
Virazeil 47 .... 237 F3
Vire 14 .... 55 D3
Viré 71 .... 175 D4
Viré-en-Champagne 72 .. 106 A2
Vireaux 89 .... 114 B4
Virecourt 54. .... 94 B2
Virelade 33 .... 236 B1
Viremont 39 .... 176 C2
Vireux-Molhain 08. .... 11 F1
Vireux-Wallerand 08. ... 13 D3
Virey 50 .... 80 B1
Virey 70 .... 140 C3
Virey-le-Grand 71 ..... 158 A3
Virey-sous-Bar 10 ..... 114 C1
Virginy 51 .... 39 D4
Viriat 01 .... 176 A4
Viricelles 42 .... 210 A1
Virieu 38 .... 212 A2
Virieu-le-Grand 01. .... 194 B3
Virieu-le-Petit 01 ..... 194 C3
Virigneux 42 .... 210 A1
Virignin 01. .... 194 C4
Viriville 38 .... 211 F4
Virlet 63 .... 188 C1
Virming 57. .... 69 E2
Viroflay 78. .... 60 C3
Virollet 17 .... 199 D2
Vironchaux 80 .... 6 C3
Vironvay 27. .... 32 B4
Virsac 33 .... 217 F2
Virson 17 .... 181 D1
Virville 76. .... 14 C3
Viry 39 .... 177 D4
Viry 74 .... 195 E1
Viry 71 .... 174 B2
Viry-Châtillon 91 ..... 61 D4
Viry-Noureuil 02. ..... 36 A1
Vis-en-Artois 62 ...... 8 C3
Visan 84 .... 247 E4
Viscomtat 63 .... 190 C4
Viscos 65 .... 297 E4
Le Viseney 39 .... 159 E3
Viserny 21 .... 137 F1
Visker 65 .... 297 F2
Vismes-au-Val 80 ..... 17 D1
Visoncourt 70 .... 118 C3
Vissac-Auteyrac 43 .... 226 B2
Vissec 30 .... 262 A4
Vissec (Cirque de) 30 .. 262 A4
Visseiche 35 .... 104 A2
Viterbe 81 .... 277 F2
Viterne 54 .... 94 A1
Vitot 27. .... 31 F4
Vitrac 63 .... 189 D3
Vitrac 15. .... 223 F4
Vitrac 24. .... 221 F4
Vitrac-en-Viadène 12 ... 225 D4
Vitrac-Saint-Vincent 16 . 184 B4
Vitrac-sur-Montane 19 .. 205 D4
Vitrai-sous-L'Aigle 61 .. 58 A4
Vitray 03. .... 171 D1
Vitray-en-Beauce 28 .... 85 E4
Vitray-sous-Brézolles 28 . 58 C4
Vitré 79. .... 165 E4
Vitré 35. .... 104 A1
Vitreux 39 .... 140 B4
Vitrey 54. .... 94 A1
Vitrey-sur-Mance 70 ... 117 F3
Vitrimont 54 .... 68 C4
Vitrolles 81 .... 284 B3
Vitrolles 84 .... 266 B4
Vitrolles-en-Lubéron 05 . 249 E3
Vitry-aux-Loges 45 .... 110 C2
Vitry-en-Artois 62 .... 8 C3
Vitry-en-Charollais 71 .. 173 F3
Vitry-en-Montagne 52 .. 116 B3
Vitry-en-Perthois 51 ... 65 E4
Vitry-la-Ville 51 ...... 65 D1
Vitry-Laché 58. ...... 136 B4
Vitry-le-Croisé 10 ..... 115 E1
Vitry-le-François 51 .... 65 E1
Vitry-lès-Cluny 71 .... 174 C2
Vitry-lès-Nogent 52 .... 116 C2
Vitry-sur-Loire 71 .... 173 D1
Vitry-sur-Orne 57 ..... 41 F3
Vitry-sur-Seine 94 .... 61 D3
Vittarville 55 .... 40 B4
Vitteaux 21 .... 138 B3
Vittefleur 76. .... 15 E1
Vittel 88 .... 93 F4
Vittersbourg 57 ...... 69 F1
Vittoncourt 57. ...... 68 C1
Vittonville 54. ...... 68 A2
Vitz-sur-Authie 80 .... 7 D3
Viuz-en-Sallaz 74 .... 196 A1
Viuz-la-Chiésaz 74 .... 195 E3
Vivaise 02 .... 36 C1
Vivans 02. .... 191 D1
Vivario 2B 317 D2
Viven 64 .... 272 C3
Viverols 63. .... 209 E1
Vivès 66 .... 312 C3
Vivey 52 .... 116 B4
Le Vivier 66 .... 311 F1
Vivier-au-Court 08. .... 23 D3
Le Vivier-sur-Mer 35 ... 53 E4
Vivières 02. .... 36 A3
Viviers 89 .... 114 A4
Viviers 57. .... 68 C2
Viviers 07. .... 246 C4
Viviers-du-Lac 73. .... 213 D1

Viviers-le-Gras 88 .... 93 F4
Viviers-lès-Lavaur 81 ... 277 E2
Viviers-lès-Montagnes 81 . 278 A3
Viviers-lès-Offroicourt 88 . 94 A3
Viviers-sur-Artaut 10. .. 115 D1
Viviers-sur-Chiers 54 ... 40 C1
Viviès 09. .... 301 E3
Viviez 12. .... 241 F2
Viville 76 .... 201 D2
Vivoin 72 .... 82 C4
Vivonne 86 .... 166 A3
Vivy 49 .... 129 E3
Vix 21 .... 115 D3
Vix 85 .... 164 A3
Vizille 38 .... 230 C2
Vizos 65 .... 297 F4
Vizzavona 2B 317 D2
Vizzavona (Col de) 2B .. 317 D2
Vocance 07. .... 228 B1
Vodable 63. .... 207 E2
Vœgtlinshofen 68 ..... 96 B4
Vœlfling-lès-Bouzonville 57 . 42 B3
Vœllerdingen 67 ...... 44 A4
Vœuil-et-Giget 16 .... 201 E2
Vogelgrun 68 .... 97 D4
Voglans 73. .... 213 D1
Vogüé 07 .... 246 A2
Voharies 02. .... 21 D3
Void 55 .... 67 D4
Le Voide 49 .... 147 F1
Voigny 10. .... 91 F4
Voile de la Mariée
  (Cascade du) 2A 317 D3
Voile de la Mariée
  (Cascade du) 05 ..... 232 A3
Voilemont 51. .... 65 F1
Voillans 25. .... 141 F2
Voillecomte 52 .... 91 F2
Voimhaut 57 .... 68 C1
Voinémont 54 .... 94 B1
Voingt 63 .... 188 B4
Voinsles 77 .... 62 B4
Voipreux 51 .... 64 A2
Voires 25 .... 160 C1
Voiron 38 .... 212 B3
Voiscreville 27 ...... 31 F3
Voise 28 .... 85 F3
Voisenon 77 .... 87 F1
Voisey 52 .... 117 F2
Voisines 89 .... 89 D4
Voisines 52 .... 116 B3
Voisins-le-Bretonneux 78 . 60 B4
Voissant 38 .... 212 C2
Voissay 17 .... 181 F3
Voiteur 39 .... 159 F4
La Voivre 70 .... 119 D3
La Voivre 88 .... 95 F2
Les Voivres 88. ...... 118 B1
Voivres-lès-le-Mans 72 .. 106 C2
Volckerinckhove 59 .... 3 E3
Volesvres 71 .... 174 A2
Volgelsheim 68. ...... 97 D4
Volgré 89 .... 113 D3
Vollore-Montagne 63 ... 190 C4
Vollore-Ville 63. ..... 190 B4
Volmerange-lès-Boulay 57 . 42 A4
Volmerange-les-Mines 57 . 41 E2
Volmunster 57 ...... 44 B3
Volnay 72. .... 107 E2
Volnay 21. .... 158 A2
Volon 70 .... 140 B1
Volonne 04 .... 267 E1
Volpajola 2B 315 E3
Volstroff 57 .... 41 F3
Volvent 26 .... 248 A2
Volvic 63. .... 189 E4
Volx 04 .... 267 D3
Vomécourt 88. .... 95 D3
Vomécourt-sur-Madon 88 .. 94 B2
Voncourt 52. .... 117 E2
Voncq 08 .... 38 C2
Vonges 21 .... 140 A3
Vongnes 01 .... 194 C4
Vongy 74 .... 178 B3
Vonnas 01 .... 175 E4
Voray-sur-l'Ognon 70 ... 141 D3
Voreppe 38 .... 212 B4
Vorey 43. .... 227 D1
Vorges 02. .... 37 D1
Vorges-les-Pins 25. .... 141 D4
Vorly 18. .... 153 E3
Vornay 18. .... 153 F2
Vors 12 .... 242 A4
Vosbles 39 .... 176 C3
Vosne-Romanée 21. .... 139 D3
Vosnon 10. .... 113 F1
Vou 37. .... 150 B1
Vouarces 51. .... 90 A1
Voudenay 21. .... 157 D1
Voué 10 .... 90 B2
Vouécourt 52. .... 92 B3
Vouël 02. .... 20 A1

Vouillé 79. .... 165 D4
Vouillé 86. .... 166 A1
Vouillé-les-Marais 85 ... 163 F3
Vouillers 51 .... 65 F4
Vouillon 36 .... 152 B4
Vouilly 14. .... 27 F3
Voujeaucourt 25. ..... 142 B2
Voulaines-les-Templiers 21 . 115 D3
Voulangis 77. .... 62 A3
Voulême 86 .... 183 F1
Voulgézac 16. .... 201 E2
Voulon 86. .... 166 A3
Voulpaix 02 .... 21 D3
La Voulte-sur-Rhône 07 .. 228 C4
Voultegon 79. .... 147 F2
Voulton 77. .... 88 C1
Voulx 77. .... 88 A4
Vouneuil-sous-Biard 86 .. 166 B1
Vouneuil-sur-Vienne 86 .. 149 F4
Vourey 38. .... 212 B4
Vourles 69 .... 210 C1
Voussac 03 .... 171 F4
Voutenay-sur-Cure 89 .. 136 C1
Voutezac 19. .... 204 A4
Vouthon 16 .... 202 A1
Vouthon-Bas 55 ..... 93 D2
Vouthon-Haut 55 .... 93 D2
Voutré 53 .... 106 A1
Vouvant 85 .... 164 A1
Vouvray 37. .... 131 D3
Vouvray 01 .... 194 C1
Vouvray-sur-Huisne 72. .. 107 F1
Vouvray-sur-Loir 72 ... 107 E4
Vouxey 88 .... 93 F3
Vouzailles 86. .... 148 C4
Vouzan 16 .... 202 A2
Vouzeron 18 .... 133 F4
Vouziers 08 .... 39 D2
Vouzon 41 .... 133 E1
Vouzy 51. .... 64 B2
La Vove (Manoir de) 61. . 83 F2
Voves 28. .... 85 F4
Vovray-en-Bornes 74 ... 195 E1
Voyenne 02. .... 21 D4
Voyennes 80. .... 19 E3
Voyer 57. .... 70 A3
La Vraie-Croix 56. .... 101 F4
Vraignes-en-Vermandois 80 . 19 F2
Vraignes-lès-Hornoy 80 .. 17 F3
Vraincourt 52 .... 92 B4
Vraiville 27. .... 32 A4
Vrasville 50 .... 25 D2
Vraux 51. .... 64 C1
Vrécourt 88 .... 93 E4
Vred 59 .... 9 D2
Vregille 70 .... 140 C3
Vregny 02. .... 36 B2
Vrély 80 .... 19 D3
Le Vrétot 50. .... 24 B4
Vriange 39 .... 140 B4
Vrigne-aux-Bois 08 .... 23 D3
Vrigne-Meuse 08 ..... 23 D4
Vrigny 51. .... 37 E4
Vrigny 61. .... 56 B4
Vrigny 45. .... 110 C1
La Vrine 25. .... 161 D2
Vritz 44. .... 127 E1
Vrocourt 60. .... 33 F1
Vroil 51. .... 65 F3
Vron 80. .... 6 B3
Vroncourt 54. .... 94 A2
Vroncourt-la-Côte 52. ... 93 D4
Vroville 88. .... 94 B3
Vry 57. .... 42 A4
Vue 44. .... 125 F4
Vuillafans 25. .... 160 C1
Vuillecin 25. .... 161 D2
Vuillery 02. .... 36 B2
Vulaines 10. .... 89 E4
Vulaines-lès-Provins 77 .. 88 C1
Vulaines-sur-Seine 77. ... 87 F2
Vulbens 74. .... 195 D1
Vulmont 57 .... 68 B2
Vulvoz 39. .... 177 D3
Vy-le-Ferroux 70 ..... 141 D1
Vy-lès-Filain 70 ..... 141 E1
Vy-lès-Lure 70 ...... 119 D4
Vy-lès-Rupt 70 ...... 140 C1
Vyans-le-Val 70 ..... 142 B1
Vyt-lès-Belvoir 25 .... 142 B3

W

Waben 62. .... 6 B2
Wackenbach 67 ...... 70 A4
Wacquemoulin 60. .... 35 D2
Wacquinghen 62 ..... 2 A3
Wadelincourt 08. ..... 23 D4
Wadimont 08 .... 21 F4
Wadonville-
  en-Woëvre 55 ...... 67 E1
Wagnon 08 .... 22 B4
Wahagnies 59. .... 8 C1
Wahlbach 68. .... 120 C3
Wahlenheim 67 ...... 71 D2
Wail 62 .... 7 D3
Wailly 80. .... 18 A3
Wailly 62. .... 8 A3
Wailly-Beaucamp 62. ... 6 B2
Walbach 68. .... 96 B4
Walbourg 67. .... 71 F1
La Walck 67. .... 71 D1
Waldersbach 67. ..... 96 B1

Waldhambach 67. .... 70 A1
Waldhouse 57. ...... 44 C3
Waldighofen 68. ..... 120 C4
Waldolwisheim 67. ... 70 C2
Waldweistroff 57. .... 42 B2
Waldwisse 57. .... 42 B2
Walheim 68. .... 120 B3
Walibi Rhône-Alpes
  (Parc d'attractions) 38. .. 212 B1
Walibi-Schtroumpf 57. .. 41 F3
Walincourt 59 .... 20 A1
Wallers 59 .... 9 E2
Wallers-Trélon 59. .... 10 C3
Wallon-Cappel 59 .... 3 E3
Walschbronn 57. ..... 44 C3
Walscheid 57. .... 70 A3
Waltembourg 57. .... 70 B3
Waltenheim 68. ..... 120 C3
Waltenheim-
  sur-Zorn 67 .... 71 D2
Waly 55 .... 66 A1
Wambaix 59 .... 9 E4
Wambercourt 62 ..... 7 D2
Wambez 60 .... 33 F1
Wambrechies 59 ..... 4 C1
Wamin 62 .... 7 D2
Wanchy-Capval 76 .... 16 B3
Wancourt 62. .... 8 B3
Wandignies-Hamage 59 .. 9 E2
Wanel 80. .... 17 F1
Wangen 67. .... 70 C3
Wangenbourg 67. .... 70 B3
Wannehain 59 ...... 9 D1
Wanquetin 62. ...... 8 A3
La Wantzenau 67 .... 71 E2
Warcq 08 .... 22 C3
Warcq 55 .... 40 C3
Wardrecques 62. ..... 3 E4
Wargemoulin-Hurlus 51 . 39 D4
Wargnies 80. .... 18 A1
Wargnies-le-Grand 59 .. 10 A1
Wargnies-le-Petit 59 ... 10 A1
Warhem 59 .... 3 F1
Warlaing 59. .... 9 E2
Warlencourt-Eaucourt 62 . 19 D1
Warlincourt-lès-Pas 62 .. 7 F4
Warloy-Baillon 80 .... 18 C1
Warluis 60 .... 34 A3
Warlus 80. .... 17 F2
Warlus 62. .... 8 A3
Warluzel 62 .... 7 F4
Warmeriville 51 ..... 38 A3
Warnécourt 08 ...... 22 C4
Warneton 59 .... 4 C3
Warsy 80 .... 19 D4
Warvillers 80. .... 19 D3
Wasigny 08 .... 22 A4
Wasnes-au-Bac 59. .... 9 D3
Wasquehal 59. ...... 4 C4
Wasselonne 67 ...... 70 C3
Wasserbourg 68. ..... 96 A4
Wassigny 02. .... 20 C1
Wassy 52 .... 92 A2
Le Wast 62. .... 2 B3
Watigny 02 .... 21 F2
Watronville 55 ...... 40 B4
Watten 59 .... 3 D3
Wattignies 59. ...... 8 C1
Wattignies-la-Victoire 59 . 10 C2
Wattrelos 59 .... 5 D4
Wattwiller 68. .... 120 B4
Wavignies 60 .... 34 C1
Waville 54 .... 67 F1
Wavrans-sur-l'Aa 62 ... 3 D4
Wavrans-
  sur-Ternoise 62 .... 7 E2
Wavrechain-
  sous-Denain 59 .... 9 E3
Wavrechain-
  sous-Faulx 59 ..... 9 E3
Wavrille 55 .... 40 A3
Wavrin 59 .... 8 C1
Waziers 59 .... 9 D2
Wé 08 .... 39 D1
Weckolsheim 68. ..... 96 C4
Wegscheid 68. .... 119 F3
Weinbourg 67. .... 70 C1
Weislingen 67. .... 70 A1
Weitbruch 67. .... 71 E2
Weitersweiler 67. .... 70 B1
Welles-Pérennes 60 ... 34 C1
Wemaers-Cappel 59 ... 3 F3
Wentzwiller 68 ...... 121 D4
Werentzhouse 68. .... 120 C4
Wervicq-Sud 59. ..... 4 C3
West-Cappel 59 ..... 3 F2
Westbécourt 62 ..... 3 D4
Westhalten 68. ...... 96 B4
Westhoffen 67. ...... 70 C3
Westhouse 67. ...... 97 D1
Westhouse-
  Marmoutier 67. .... 70 C2
Westrehem 62 ...... 7 E1
Wettolsheim 68 ..... 96 B4
Weyer 67 .... 70 A1
Weyersheim 67 ..... 71 E2
Wickerschwihr 68 .... 96 C3
Wickersheim 67. ..... 70 C2
Wicquinghem 62 .... 6 C1
Wicres 59. .... 8 B1
Widehem 62. .... 6 B1
Widensolen 68. ...... 96 C4
Wiège-Faty 02. ...... 21 D3
Wiencourt-l'Équipée 80 .. 18 C3
Wierre-au-Bois 62. .... 2 C3
Wierre-Effroy 62. .... 2 B3

Wiesviller 57 .... 43 F4
Wignehies 59 .... 10 C4
Wignicourt 08. ...... 38 C1
Wihr-au-Val 68 ...... 96 B4
Wihr-en-Plaine 68 .... 96 C3
Wildenstein 68 ...... 119 F1
Wildersbach 67 ..... 96 B1
Willeman 62 .... 7 D3
Willems 59. .... 5 D4
Willencourt 62 ...... 7 D4
Willer 68. .... 120 C4
Willer-sur-Thur 68. .... 120 A1
Willeroncourt 55 ..... 66 C4
Willerval 62. .... 8 B3
Willerwald 57. ...... 69 F1
Willgottheim 67. .... 70 C3
Williers 08. .... 23 F4
Willies 59. .... 10 C3
Wilshausen 67 ...... 70 C2
Wilwisheim 67. ...... 70 C2
Wimereux 62 .... 2 A3
Wimille 62 .... 2 A3
Wimmenau 67. ...... 70 B1
Windstein 67. ...... 45 D4
Windstein
  (Château de) 67. ... 45 D4
Wingen 67. .... 45 E3
Wingen-sur-Moder 67. .. 44 B4
Wingersheim 67. .... 71 D2
Wingles 62. .... 8 B1
Winkel 68. .... 143 E2
Winnezeele 59. ..... 3 F3
Wintersbourg 57. .... 70 A2
Wintershouse 67. .... 71 D1
Wintzenbach 67. .... 45 F4
Wintzenheim 68. .... 96 B4
Wintzenheim-
  Kochersberg 67. ... 70 C3
Wintzfelden 68. ..... 96 B4
Wirwignes 62. ...... 2 B3
Wiry-au-Mont 80. .... 17 E2
Wisches 67. .... 70 B4
Wisembach 88. ..... 96 A2
Wiseppe 55. .... 39 F2
Wismes 62. .... 3 D4
Wisques 62. .... 3 D4
Wissant 62. .... 2 A2
Wissembourg 67. .... 45 E3
Wissignicourt 02. .... 36 C1
Wissous 91. .... 61 D4
Witry-lès-Reims 51. ... 37 F3
Wittelsheim 68. ..... 120 B2
Wittenheim 68. ..... 120 C4
Witternesse 62. ..... 3 E4
Witternheim 67. ..... 97 D1
Wittersdorf 68. ..... 120 B3
Wittersheim 67. ..... 71 D2
Wittes 62. .... 3 E4
Wittisheim 67. ...... 97 D2
Wittring 57. .... 43 E4
Wiwersheim 67 ..... 71 D3
Wizernes 62. .... 3 E4
Wœël 55 .... 67 E1
Wœlfling-
  lès-Sarreguemines 57 . 43 F4
Wœllenheim 67. .... 70 C2
Wœrth 67. .... 45 D4
Woignarue 80. ...... 16 C1
Woimbey 55 .... 66 C2
Woincourt 80 ...... 17 D1
Woinville 55 .... 67 E2
Woippy 57 .... 41 F4
Woirel 80. .... 17 E2
Wolfersdorf 68. ..... 120 A3
Wolfgantzen 68 ..... 96 C4
Wolfisheim 67 ...... 71 D3
Wolfskirchen 67. .... 70 A1
Wolschheim 67. ..... 70 C2
Wolschwiller 68. .... 120 C4
Wolxheim 67. .... 70 C3
Wormhout 59 ...... 3 F2
Woustviller 57 ...... 43 F4
Wuenheim 68 ...... 120 B1
Wulverdinghe 59 .... 3 E3
Wy-dit-Joli-
  Village 95. .... 60 A1
Wylder 59 .... 3 F2

Y

Y 80 .... 19 E3
Yainville 76 .... 15 F4
Yaucourt-Bussus 80 .. 17 F1
Le Yaudet 22 ...... 50 A2
Ychoux 40 .... 234 C4
Ydes 15. .... 206 A4
Yébleron 76. .... 15 D3
Yèbles 77. .... 87 F1
Yenne 73 .... 194 C4
Yermenonville 28. .... 85 F1
Yerres 91. .... 61 E4
Yerville 76. .... 15 F3
Yèvre-la-Ville 45. .... 111 D1
Yèvre-le-Châtel 45 ... 111 D1
Yèvres 28. .... 85 D3
Yèvres-le-Petit 10. .... 91 D2
Yffiniac 22. .... 51 E4
Ygos-Saint-Saturnin 40 .. 253 E3
Ygrande 03 .... 171 E2
Ymare 76. .... 32 B3
Ymeray 28. .... 85 F1
Ymonville 28. .... 85 F4
Yolet 15 .... 224 B3
Yoncq 08 .... 39 E1
Yonval 80. .... 17 E1
Youx 63 .... 188 C2
Yport 76. .... 14 C2
Ypreville-Biville 76. ... 15 D3
Yquebeuf 76. .... 32 B1
Yquelon 50. .... 53 E2
Yquem (Château) 33. ... 236 B3
Yronde-et-Buron 63. ... 207 F2
Yrouerre 89. .... 114 A4
Yssac-la-Tourette 63. ... 189 E3
Yssandon 19. .... 222 A1
Yssandon (Puy d') 19 ... 222 A1
Yssingeaux 43. ...... 227 E1
Ysson (Puy d') 63. .... 207 F2
Ytrac 15. .... 224 A3
Ytres 62 .... 19 E1
Yutz 57 .... 41 F2
Yvecrique 76 .... 15 F3
Yvernaumont 08 .... 22 C4
Yversay 86. .... 166 A1
Yves 17. .... 181 D2
Les Yveteaux 61. .... 56 A4
Yvetot 76 .... 15 E3
Yvetot-Bocage 50 .... 25 D3
Yvias 22. .... 50 C2
Yviers 16. .... 201 D4
Yvignac 22. .... 78 B2
Yville-sur-Seine 76 ... 31 F2
Yvoire 74 .... 178 A3
Yvoy-le-Marron 41 ... 133 D1
Yvrac 33. .... 217 E3
Yvrac-et-Malleyrand 16 .. 184 A4
Yvrandes 61 .... 55 D4
Yvré-le-Pôlin 72 ..... 106 C3
Yvré-l'Évêque 72 .... 107 D2
Yvrench 80. .... 7 D3
Yvrencheux 80 ..... 6 C4
Yzengremer 80. ..... 16 C1
Yzernay 49. .... 147 E2
Yzeron 69. .... 210 B1
Yzeure 03. .... 172 B2
Yzeures-sur-Creuse 37. . 150 B4
Yzeux 80. .... 18 A2
Yzosse 40. .... 271 F1

X

Xaffévillers 88. ...... 95 D2
Xaintrailles 47. ..... 255 E1
Xaintray 79. .... 164 C2
Xambes 16. .... 183 E4
Xammes 54. .... 67 E2
Xamontarupt 88. .... 95 D4
Xanrey 57. .... 69 D3
Xanton-Chassenon 85 .. 164 B2
Xaronval 88. .... 94 B2
Xermaménil 54. ..... 94 C1
Xertigny 88. .... 118 C1
Xirocourt 54. .... 94 B2
Xivray-
  et-Marvoisin 55 .... 67 E2
Xivry-Circourt 54 .... 41 D2
Xocourt 57. .... 68 C2
Xonrupt-Longemer 88 .. 119 F1
Xonville 54 .... 67 F1
Xouaxange 57 ...... 69 F3
Xousse 54 .... 69 E4
Xures 54. .... 69 D4

Z

Zaessingue 68 ...... 120 C3
Zalana 2B. 317 F1
Zarbeling 57 .... 69 D2
Zegerscappel 59. .... 3 E2
Zehnacker 67 ...... 70 C3
Zeinheim 67 .... 70 C2
Zellenberg 68 ...... 96 B3
Zellwiller 67. .... 96 C1
Zermezeele 59 ..... 3 F3
Zérubia 2A 319 D1
Zetting 57. .... 43 E4
Zévaco 2A 317 D4
Zicavo 2A. 317 D4
Zigliara 2A. 316 C4
Zilia 2B. 314 B3
Zilling 57. .... 70 A2
Zillisheim 68. .... 120 B3
Zimmerbach 68. .... 96 B4
Zimmersheim 68. .... 120 C2
Zimming 57. .... 42 B4
Zincourt 88. .... 94 C3
Zinswiller 67. ...... 44 C4
Zipitoli
  (Pont génois de) 2B. .. 316 C4
Zittersheim 67 ..... 70 B1
Zœbersdorf 67. ..... 70 C1
Zollingen 67 .... 69 F2
Zommange 57 ...... 69 D2
Zonza 2A 319 D1
Zoteux 62. .... 2 C4
Zouafques 62. ...... 3 D3
Zouffgen 57. .... 41 F1
Zoza 2A 319 D2
Zuani 2B. 317 E1
Zudausques 62. ..... 3 D3
Zutkerque 62. ...... 3 D2
Zutzendorf 67. ...... 70 C1
Zuydcoote 59. ...... 3 F1
Zuytpeene 59 ...... 3 F3
Zygo Parc 06. ...... 288 C2

Notes   **Notizen**   **Notities**

Notes **Notizen** **Notities**

Collection
Guides Rouges Michelin.

**Michelin
Red Guides.**

*Kollektion der
Roten Michelin.*

*Colección
Guías Rojas
Michelin*

*Reeks Rode
Gidsen
Michelin.*

*Collezione
Guide Rosse
Michelin*

*Colecção
Guias Vermelhos
Michelin*

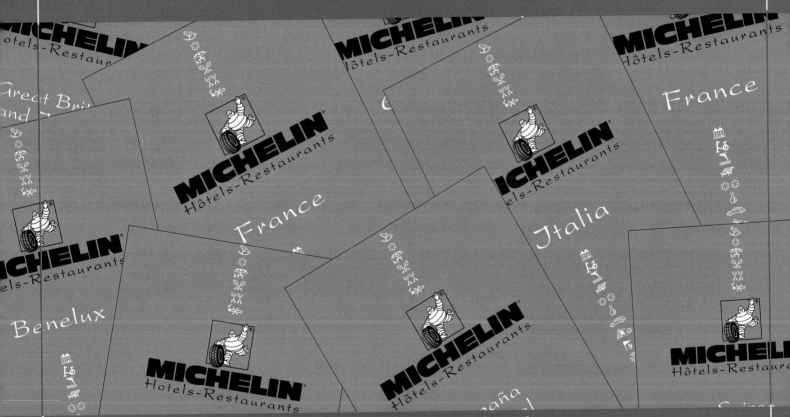

*Benelux • Deutschland •
España/Portugal • Europe • France •
Great Britain and Ireland • Ireland •
Italia • London • Paris • Portugal •
Suisse, Schweiz, Svizzera*

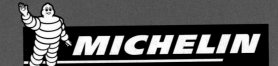

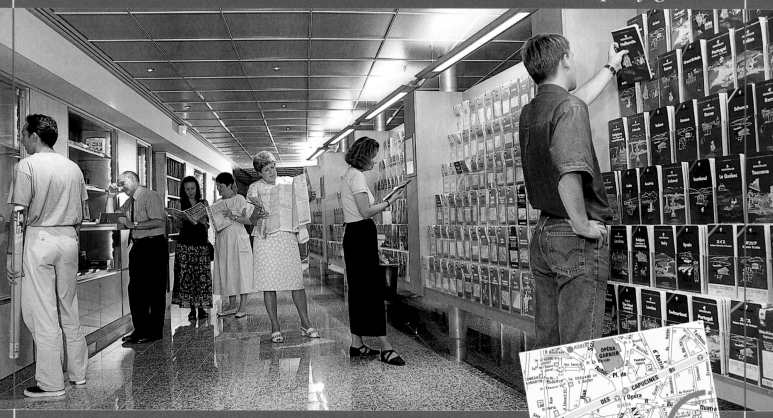
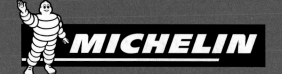

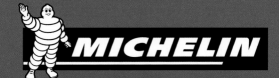

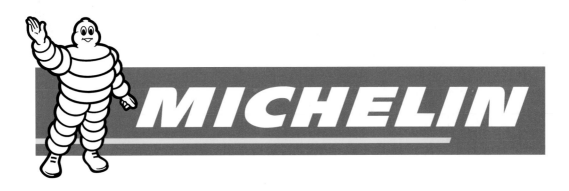

ATLAS ROUTIER *et* TOURISTIQUE
TOURIST *and* MOTORING ATLAS
STRASSEN- *und* REISEATLAS
TOERISTISCHE WEGENATLAS

France

Town Plans

Map

Sights

Place of interest and its main entrance

Interesting place of worship :
- Catholic - Protestant

Roads

Motorway , dual carriageway

Numbered junctions : complete, limited

Major thoroughfare

One - way street - Unsuitable for traffic or street subject to restrictions

Pedestrian street - Tramway

R. Pasteur P Shopping street - Car park

Gateway - Street passing under arch - Tunnel

Station and railway

Funicular - Cable - car

Lever bridge - Car ferry

Various signs

 Tourist Information centre

 Mosque - Synagogue

 Tower - Ruins - Windmill - Water tower

 Garden, park, wood - Cemetery - Cross

 Stadium - Golf course - Racecourse - Skating rink

Outdoor or indoor swimming pool

 View - Panorama - Viewing table

Monument - Fountain - Factory - Shopping centre

Pleasure boat harbour - Lighthouse
Communications tower

 Airport - Underground station - Coach station

 Ferry services : passengers and cars, passengers only

② Reference number common to town plans and Michelin maps

✉ Main post office with poste restante and telephone

 Hospital - Covered market - barracks

 Public buildings located by letter :

A   C   - Chamber of agriculture - Chamber of commerce

G H J   - Gendarmerie - Town Hall - Law Courts

M P T   - Museum - Prefecture or sub - prefecture - Theatre

U   - University, College

POL   - Police (in large towns police headquarters)

  Low headroom (15 ft . max .) - Load limit (under 19 t)

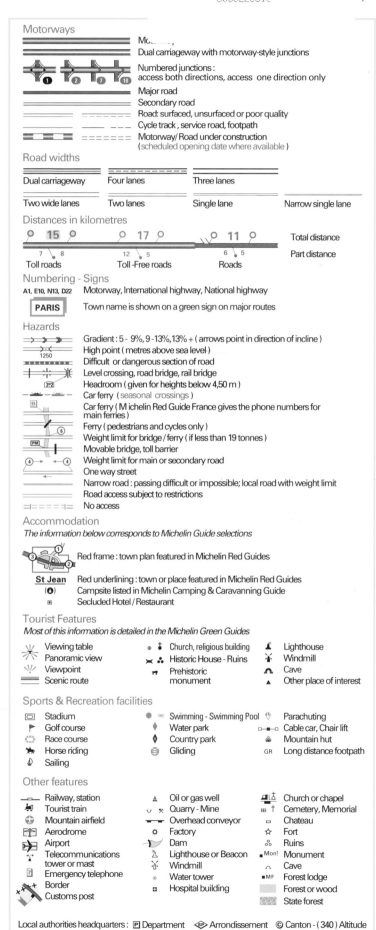

Motorways

Motorway,
Dual carriageway with motorway-style junctions

Numbered junctions :
access both directions, access one direction only

Major road

Secondary road

Road: surfaced, unsurfaced or poor quality

Cycle track , service road, footpath

Motorway/ Road under construction
(scheduled opening date where available)

Road widths

Dual carriageway   Four lanes   Three lanes

Two wide lanes   Two lanes   Single lane   Narrow single lane

Distances in kilometres

15   17   11   Total distance

7   8   12   5   6   5   Part distance

Toll roads   Toll -Free roads   Roads

Numbering - Signs

A1, E10, N13, D22   Motorway, International highway, National highway

PARIS   Town name is shown on a green sign on major routes

Hazards

Gradient : 5 - 9%, 9 -13%,13% + (arrows point in direction of incline)

1250   High point (metres above sea level)

Difficult or dangerous section of road

Level crossing, road bridge, rail bridge

3m2   Headroom (given for heights below 4,50 m)

Car ferry (seasonal crossings)

Car ferry (Michelin Red Guide France gives the phone numbers for main ferries)

Ferry (pedestrians and cycles only)

Weight limit for bridge / ferry (if less than 19 tonnes)

PM   Movable bridge, toll barrier

Weight limit for main or secondary road

One way street

Narrow road : passing difficult or impossible; local road with weight limit

Road access subject to restrictions

No access

Accommodation

The information below corresponds to Michelin Guide selections

Red frame : town plan featured in Michelin Red Guides

St Jean   Red underlining : town or place featured in Michelin Red Guides

(O)   Campsite listed in Michelin Camping & Caravanning Guide

▣   Secluded Hotel / Restaurant

Tourist Features

Most of this information is detailed in the Michelin Green Guides

Viewing table   Church, religious building   Lighthouse

Panoramic view   Historic House - Ruins   Windmill

Viewpoint   Prehistoric monument   Cave

Scenic route   Other place of interest

Sports & Recreation facilities

Stadium   Swimming - Swimming Pool   Parachuting

Golf course   Water park   Cable car, Chair lift

Race course   Country park   Mountain hut

Horse riding   Gliding   GR   Long distance footpath

Sailing

Other features

Railway, station   Oil or gas well   Church or chapel

Tourist train   Quarry - Mine   Cemetery, Memorial

Mountain airfield   Overhead conveyor   Chateau

Aerodrome   Factory   Fort

Airport   Dam   Ruins

Telecommunications tower or mast   Lighthouse or Beacon   Mon!   Monument

Emergency telephone   Windmill   Cave

Border   Water tower   MF   Forest lodge

Customs post   Hospital building   Forest or wood

State forest

Local authorities headquarters : P Department   ◈ Arrondissement   © Canton - (340) Altitude